Physiologie des Menschen

Begründet von H. Rein
Fortgeführt von M. Schneider

Neunzehnte, überarbeitete Auflage

Herausgegeben von

R. F. Schmidt und G. Thews

Mit 551 zum größten Teil
farbigen Abbildungen

Springer-Verlag
Berlin · Heidelberg · New York 1977

Professor Dr. Robert F. Schmidt
Physiologisches Institut der Universität Kiel, Lehrstuhl I,
Olshausenstraße 40/60, 2300 Kiel

Professor Dr. Dr. Gerhard Thews
Physiologisches Institut der Universität Mainz, Saarstraße 21,
6500 Mainz

1.–10. Auflage bearbeitet von H. Rein
11.–16. Auflage bearbeitet von M. Schneider

Erscheinungstermine
1. Auflage 1936; 2. Auflage 1938; 3. Auflage 1940; 4., 5. und 6. Auflage 1941; 7. Auflage
1943; 8. Auflage 1947; 9. und 10. Auflage 1948; 11. Auflage 1955; 12. Auflage 1956; 13.
und 14. Auflage 1960; 15. Auflage 1964; 16. Auflage 1971; 17. Auflage 1976; 18. Auflage
1976

ISBN 3-540-08378-2 Springer-Verlag Berlin · Heidelberg · New York
ISBN 0-387-08378-2 Springer-Verlag New York · Heidelberg · Berlin

ISBN 3-540-07982-3 18. Auflage Springer-Verlag Berlin · Heidelberg · New York
ISBN 0-387-07982-3 18th Edition Springer-Verlag New York · Heidelberg · Berlin

Satz-, Druck- und Bindearbeiten: Universitätsdruckerei H. Stürtz AG, Würzburg
2124/3140-543210

Vorwort zur neunzehnten Auflage

Wie bei der 18. Auflage konnten auch diesmal, nicht zuletzt auf Grund zahlreicher Anregungen und Hinweise unserer Leser, Fehler beseitigt und Mißverständnisse ausgeräumt werden. Diese von uns dankbar begrüßte Hilfe möchten wir auch in Zukunft nicht entbehren. Einige, sicher berechtigte Anliegen werden allerdings erst bei einer späteren Überarbeitung berücksichtigt werden können. Bezüglich des Wunsches, dem Lehrbuch Übungsfragen beizufügen, können wir auf die im Springer-Verlag erschienenen „Examens-Fragen Physiologie" verweisen.

Im September 1977

R.F. Schmidt
G. Thews

Vorwort zur siebzehnten Auflage

Mit der 17. Auflage des von HERMANN REIN begründeten und von MAX SCHNEIDER weiter betreuten Lehrbuches hat uns der Verlag die Herausgabe der „Einführung in die Physiologie des Menschen" übertragen. Wir waren dabei vor die Alternative gestellt, entweder die in 40 Jahren bewährte Form der Darstellung zu übernehmen und der wissenschaftlichen Entwicklung entsprechend fortzuschreiben oder ein vollkommen neues Lehrbuch unter dem geistigen Patronat von REIN und SCHNEIDER zu konzipieren. Nach Prüfung aller Gesichtspunkte haben wir uns für den zweiten Weg entschieden. Dieser Schritt verlangt eine besondere Begründung.

Der erste Grund ist der gleiche, der auch HERMANN REIN 1932 veranlaßte, nicht das Buch seines Lehrers v. FREY weiterzuführen, sondern ein neues Konzept vorzulegen. Er begründet dies so: „Grundauffassung, Form und Umriß des Buches waren so sehr durch die Persönlichkeit VON FREY's bestimmt, daß eine Neubearbeitung selbst durch einen seiner Schüler unmöglich erschien." Wir befanden uns in einer ähnlichen Lage. Das zuletzt durch die Persönlichkeit von MAX SCHNEIDER geprägte Lehrbuch hätte nur unter Substanzverlust weitergeführt werden können.

Der zweite Grund betrifft die veränderte Situation, die durch die neue Approbationsordnung für Ärzte entstanden ist: Wie bei den vorhergehenden Auflagen soll der Inhalt des Lehrbuches auf die Bedürfnisse des zukünftigen Arztes zugeschnitten sein. Allerdings ist heute die Entscheidung darüber, welches diese Bedürfnisse sind, nicht mehr allein dem einzelnen Autor oder Herausgeber eines Lehrbuches überlassen, sondern wird durch den von einem Expertengremium festgelegten Gegenstandskatalog des Zentralen Prüfungsinstitutes mitbestimmt. Die Forderungen dieses Gegenstandskataloges ließen sich in die bisherige Form des Lehrbuches nicht ohne Zwang integrieren.

Wir mußten daher die Neufassung so gestalten, daß die vorgegebenen Lernziele aus dem Gebiet der Physiologie in vollem Umfang durch das Lehrbuch abgedeckt sind. Dabei waren selbstverständlich die Lernziele nach didaktischen Gesichtspunkten zu ordnen. Der Leser wird also Abweichungen in den Schwerpunkten und in der Reihenfolge der behandelten Gegenstände im Vergleich zu den Forderungen des Katalogs feststellen. Wir sind aber der Meinung, daß auch diese Forderungen einer ständigen Überprüfung bedürfen, und würden es begrüßen, wenn das vorliegende Lehrbuch hierzu einen Beitrag leisten könnte.

Die bei der Planung eines Lehrbuches stets gestellte Frage, ob es zweckmäßiger sei, die Darstellung des Gesamtgebietes einem oder mehreren Autoren zu übertragen, läßt sich nur von der Zielsetzung her beantworten. Der Vorteil einer einheitlichen und geschlossenen Darstellung durch einen einzigen Autor wird oft durch den Nachteil erkauft, daß viele Teilgebiete ohne Kenntnis der auf eigener wissenschaftlicher Erfahrung beruhenden Grundlagen abgehandelt werden. Andererseits besteht bei Beteiligung mehrerer Autoren stets die Gefahr, daß die einzelnen Kapitel in Duktus und Inhalt nicht genügend aufeinander abgestimmt sind.

Wir sind der Meinung, daß der Leser ein Anrecht auf eine gleichermaßen fundierte wie auch koordinierte Darstellung hat. Daher haben wir eine Reihe von Kollegen um Mitarbeit bei der Gestaltung des Buches gebeten, die nicht nur als Hochschullehrer und als Fachleute für bestimmte Gebiete besonders kompetent sind, sondern auch in hohem Maße bereit waren, ihre Vorstellungen mit den Wünschen der Herausgeber abzustimmen. Durch eine straffe Koordinierung und eine begleitende Mitwirkung bei der Abfassung der Manuskripte haben wir versucht, dem Buch eine klare Gliederung, einen einheitlichen Duktus und eine Ausgewogenheit im Detail zu geben. Ob uns dieser Versuch gelungen ist, möge der Leser beurteilen. Unseren Mitautoren möchten wir an dieser Stelle unseren Dank dafür sagen, daß sie die mit der wechselseitigen Abstimmung verbundene zusätzliche Mühe in äußerst kollegialer Weise auf sich genommen haben.

Die Anordnung des Stoffes weicht im neuen Lehrbuch von der Reihenfolge in den vorhergehenden Auflagen ab. Die Darstellung der elementaren Erregungsprozesse ist an den Anfang gestellt und damit die Physiologie des Nervensystems und der Sinnesorgane vor der Physiologie der sogenannten „vegetativen" Organfunktionen abgehandelt. Diese neue Anordnung, die der in vielen angelsächsischen Lehrbüchern der Physiologie entspricht, hat ausschließlich didaktische Gründe. Für das Verständnis verschiedener Organfunktionen ist die Kenntnis des elementaren Erregungsprozesses eine wichtige Voraussetzung, wie etwa bei der Deutung des Elektrokardiogramms. Ebenso benötigt man einen Überblick über die Leistungen des Zentralnervensystems, wenn die Regulationen von Kreislauf, Atmung und Wärmehaushalt verständlich werden sollen. Die neue Anordnung ergibt sich also einfach aus Zweckmäßigkeitsgründen und soll keine neue Gewichtung der einzelnen Teilgebiete ausdrücken.

Das vorliegende Lehrbuch wendet sich zunächst an den Medizin-Studenten. Es soll ihn einerseits in die Lage versetzen, die Lebensvorgänge im menschlichen Organismus zu verstehen und damit die Basis für die naturwissenschaftliche Interpretation pathologischer Funktionsabläufe zu gewinnen. Andererseits sollen im Zusammenhang damit die Kenntnisse vermittelt werden, die für die Ärztliche Vorprüfung gefordert werden und im Idealfall während der weiteren klinischen Ausbildung sowie in der späteren Berufspraxis auch verwertet werden können. Beide Ziele, Verdeutlichung der Zusammenhänge und Vermittlung von Faktenwissen haben wir versucht, in ein ausgewogenes Verhältnis zueinander zu setzen.
Um dem Leser die Übersicht zu erleichtern, haben wir uns um eine klare Gliederung, um eine präzise Sprache, um eine drucktechnische Hervorhebung wichtiger Begriffe und um einprägsame Abbildungen bemüht. Aus Gründen der Platzersparnis wurde auf historische Einführungen, auf die Darstellung noch ungesicherter Hypothesen und auf die Beschreibung sehr spezieller Meßverfahren verzichtet. So reizvoll diese Aspekte für den Fachmann auch sein mögen, im Hinblick auf die didaktischen Hauptziele konnten wir sie nicht in das Buch aufnehmen.

Die Literaturzitate wurden unter zwei Gesichtspunkten ausgewählt. Die zitierten Monographien und zusammenfassenden Darstellungen sollen dem interessierten Leser Hinweise für weiterführende Studien geben. Daneben sind einige Originalarbeiten zitiert mit dem Ziel, neuere noch nicht allgemein bekannte oder anerkannte Fakten und Zusammenhänge zu belegen. Im Rahmen eines Lehrbuches mußte dabei naturgemäß eine eng begrenzte Auswahl getroffen werden. Für die freundliche Überlassung von zahlreichen Abbildungen aus anderen Publikationen sind wir vielen Kollegen und Verlagen zu Dank verpflichtet.

Wir hoffen, daß das Buch über den Kreis der Medizin-Studenten hinaus auch für die in der Klinik und der Praxis tätigen Ärzte eine nützliche Orientierungshilfe über den gegenwärtigen Stand der Physiologie bietet. Dies gilt um so mehr, als die pathophysiologischen Grundlagen jeweils bei der Darstellung der normalen Funktionen mit erwähnt sind. Auch für den Biologen, Biochemiker, Pharmakologen, Pharmazeuten und Psychologen könnte das Buch als zusätzliche Information über die humanphysiologischen Grundlagen seines Faches hilfreich sein.

Allen, die bei der Vorbereitung und Herstellung des Lehrbuches mitgewirkt haben, möchten wir hiermit unseren Dank sagen. Neben vielen ungenannten Helfern, Kollegen und Sekretärinnen, danken wir Herrn BIRKER für die Ausführung der Abbildungen und Herrn Dr. K. BRODDA für die Aufstellung eines Computer-Programms zum Sachverzeichnis. Mit besonderem Dank an den Verlag für seine stets verständnisvolle Unterstützung übergeben wir die neu verfaßte Einführung in die Physiologie des Menschen dem Kreis unserer — wie wir hoffen — kritischen Leser.

Im Januar 1976   R.F. SCHMIDT
                                                                  G. THEWS

Autorenverzeichnis

Professor Dr. H. Altner
Fachbereich Biologie der Universität,
Universitätsstraße 31
8400 Regensburg

Professor Dr. H. Antoni
Physiologisches Institut der Universität,
Hermann-Herder-Straße 7
7800 Freiburg i.Br.

Professor Dr. J. Boeckh
Fachbereich Biologie der Universität,
Universitätsstraße 31
8400 Regensburg

Professor Dr. K. Brück
Zentrum für Physiologie am Klinikum der
Justus-Liebig-Universität, Aulweg 129
6300 Gießen

Professor Dr. J. Dudel
Physiologisches Institut der Technischen
Universität, Biedersteiner Straße 29
8000 München 40

Professor Dr. Dr. J. Grote
Abteilung für Angewandte Physiologie am
Physiologischen Institut der Universität,
Saarstraße 21
6500 Mainz

Professor Dr. O.-J. Grüsser
Physiologisches Institut der Freien
Universität, Arnimallee 22
1000 Berlin 33

Professor Dr. O. Harth
Abteilung für Biophysik am Physiologischen
Institut der Universität, Saarstraße 21
6500 Mainz

Professor Dr. W. Jänig
Physiologisches Institut der Universität,
Olshausenstraße 40–60
2300 Kiel

Professor Dr. R. Klinke
Physiologisches Institut der Freien
Universität, Arnimallee 22
1000 Berlin 33

Professor Dr. J.C. Rüegg
II. Physiologisches Institut der Universität,
Im Neuenheimer Feld 236
6900 Heidelberg

Professor Dr. R.F. Schmidt
Physiologisches Institut der Universität,
Lehrstuhl I, Olshausenstraße 40/60
2300 Kiel

Professor Dr. Dr. G. Thews
Physiologisches Institut der Universität,
Saarstraße 21
6500 Mainz

Professor Dr. H.-V. Ulmer
Sportphysiologische Abteilung im Fachbereich Leibeserziehung der Universität,
Saarstraße 21
6500 Mainz

Professor Dr. F. Waldeck
Fa. C.H. Boehringer Sohn, Abteilung
Biologische Forschung
6507 Ingelheim

Professor Dr. Cn. Weiss
Physiologisches Institut der Universität,
Lehrstuhl II, Olshausenstraße 40/60
2300 Kiel

Professor Dr. E. Witzleb
Institut für Angewandte Physiologie und
medizinische Klimatologie der Universität,
Olshausenstraße 40/60
2300 Kiel

Professor Dr. M. Zimmermann
II. Physiologisches Institut der Universität,
Im Neuenheimer Feld 236
6900 Heidelberg

Inhaltsverzeichnis

VI. Motorische Systeme (R.F. Schmidt)

VII. Das vegetative Nervensystem (W. Jänig)

VIII. Integrative Funktionen des Zentralnervensystems (R.F. Schmidt)

Zweiter Teil. Sinnesorgane

IX. Allgemeine Sinnesphysiologie (J. Dudel)

X. Somato-viscerale Sensibilität: die Verarbeitung im Zentralnervensystem (M. Zimmermann)

XI. Somato-viscerale Sensibilität: Hautsinne, Tiefensensibilität, Schmerz (R.F. Schmidt)

XII. Gesichtssinn und Oculomotorik (O.-J. Grüsser)

XIII. Physiologie des Gleichgewichtssinnes, des Hörens und des Sprechens (R. Klinke)

XIV. Geschmack und Geruch (H. Altner und J. Boeckh)

XV. Durst und Hunger: Allgemeinempfindungen (R.F. Schmidt)

XVI. Kybernetische Aspekte des Nervensystems und der Sinnesorgane (M. Zimmermann)

Dritter Teil. Blut. Blutkreislauf und Atmung

XVII. Funktion des Blutes (Ch. Weiss)

XVIII. Funktion des Herzens (H. Antoni)

XIX. Funktionen des Gefäßsystems (E. Witzleb)

XX. Lungenatmung (G. Thews)

XXI. Atemgastransport und Säure-Basen-Status des Blutes (G. Thews)

XXII. Gewebsatmung (J. Grote)

Vierter Teil. Energiewechsel, Stoffaufnahme und -ausscheidung. Endokrine Regulation

XXIII. Energiehaushalt (H.-V. Ulmer)

XXIV. Wärmehaushalt und Temperaturregulation (K. Brück)

XXV. Arbeitsphysiologie — Umweltphysiologie (H.-V. Ulmer)

XXVI. Ernährung (H.-V. Ulmer)

XXVII. Funktionen des Magen-Darm-Kanals (F. Waldeck)

XXVIII. Nierenfunktion (O. Harth)

Erster Teil
Nervensystem*

* Zur Einführung in die Kapitel I bis VIII wird zur Lektüre
  empfohlen: R.F. Schmidt (Hrsg.): Grundriß der Neurophysiologie, 4. Aufl., Berlin-Heidelberg-New York: Springer
  1977.

I. Das Neuron und seine Umgebung (R.F. Schmidt)

1. Die Nervenzellen

1.1. Die Neuronentheorie

Die **Nervenzellen** oder **Neurone** sind die morphologisch und funktionell *selbständigen Grundeinheiten* des Nervensystems, von denen das menschliche Gehirn etwa $2{,}5 \times 10^{10}$ (25 Milliarden) besitzt. Die Neurone sind untereinander über spezielle Verbindungen, die **Synapsen,** in Kontakt, deren Zahl 200- bis 2000mal größer ist als die Zahl der Nervenzellen selbst.

Die Begriffe **Neuron** für die einzelne Nervenzelle und **Neuronentheorie** für das Konzept der neuronalen Unabhängigkeit wurden 1891 von WALDEYER geprägt, als aufgrund der Arbeiten von HIS, FOREL, GEHUCHTEN und vor allem RAMON Y CAJAL die Selbständigkeit der Nervenzelle deutlich wurde. Die rivalisierende, etwa gleichzeitig entwickelte Auffassung, das Nervensystem bestehe aus einem syncytialen Gewebsverband, die *Reticulartheorie* (GERLACH, GOLGI, HELD), wurde danach nur zögernd aufgegeben. Heute schließt die unterdessen allgemein anerkannte **Neuronentheorie** die Hypothese ein, daß die **Leistungen des Gehirns** *in erster Linie durch die Wechselwirkungen zwischen den Neuronen* erbracht werden, während die nichtneuronalen Strukturen des Nervensystems, wie die Gliazellen, nur indirekt an diesen beteiligt sind.

1.2. Anteile der Neurone

Größe und Form der **Neurone** schwanken in weiten Grenzen, aber der Bauplan ist immer gleich (Abb. 1): ein *Zellkörper* oder **Soma** (syn. Perikaryon), ferner Fortsätze aus diesem Zellkörper, nämlich ein **Axon** (syn. *Neurit*) und meist mehrere **Dendriten**. Die *Einteilung der Neuronenfortsätze* in ein Axon und in mehrere Dendriten erfolgt nach *funktionellen* Gesichtspunkten: Das Axon verbindet das Neuron mit anderen Zellen (Nerven-, Muskel- oder Drüsenzellen), an den Dendriten, wie auch am Soma, enden die Axone anderer Neurone. Auch

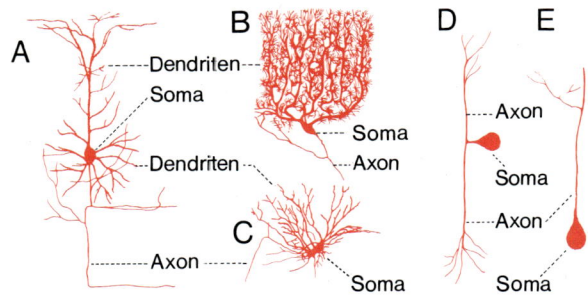

Abb. 1 A–E. Umrisse von Neuronen mit Benennung der verschiedenen Zellabschnitte. Man beachte die Formenvielfalt der Dendriten. (A) Pyramidenzelle der Großhirnrinde. (B) Purkinje-Zelle der Kleinhirnrinde. (C) Motorische Vorderhornzelle des Rückenmarks. (D, E) Beispiele für unipolare Zellen ohne Dendritenbäume. (Nach RAMON Y CAJAL)

in der Ontogenese läßt sich das Axon von den Dendriten unterscheiden: Es sproßt als erster Fortsatz aus dem Neuroblasten aus.

Während die Dendriten sehr zahlreich sein (Abb. 1 (A–C)) oder völlig fehlen können (D, E), entspringt aus dem Soma jedes Neurons stets *ein* Axon. Dieses Axon splittert sich dann meist in Verzweigungen auf, die **Collaterale** genannt werden. Die Axone sind von sehr unterschiedlicher Länge, oft sehr kurz, manchmal auch, z.B. bei Motoneuronen der Extremitäten, über einen Meter lang. Die Durchmesser der Somata von Neuronen liegen in der Größenordnung von 5 μm–100 μm, die Dendriten können einige hundert Mikrometer lang sein.

Zellbestandteile der Neurone. Die Neurone unterscheiden sich in den meisten der von der Zellmembran eingeschlossenen Strukturen, wie z.B. Zellkern, Mitochondrien und anderen Organellen, nicht oder nur wenig von anderen tierischen Zellen [1, 4, 9]. Zusätzlich finden sich einige nur bei Nervenzellen anzutreffende Strukturen, wie die **Neurofibrillen,** deren Aufgaben noch weitgehend unbekannt sind [1]. Die in praktisch allen tierischen Zellen anzutreffenden **Mikrotubuli,** feinste, aus Protein (*Tubulin*) geformte Röhrchen mit einem äußeren Durchmesser von etwa 25 nm und einem Lumen von 15 nm, werden hier als **Neurotubuli** bezeichnet. Sie scheinen beim axoplasmatischen Transport eine Rolle zu spielen (s. 1.3).

Synapsen. Die Neuronentheorie impliziert, daß Nervenzellen nur über diskontinuierliche Strukturen mit anderen Nervenzellen verbunden sind.

Diese Verbindungsstellen hat SHERRINGTON 1897 **Synapsen** genannt. Wie bereits erwähnt, verbindet in der Regel das Axon die Nervenzellen mit anderen Nervenzellen: Es bildet den **präsynaptischen Anteil** der Synapse, häufig in Form einer kleinen Auftreibung (*Endknopf*, Abb. 2), während die **postsynaptische Seite** von allen Membrananteilen eines Neurons gebildet werden kann. Entsprechend dem *Ort der Verbindung* spricht man von **axo-dendritischer** (Abb. 2(A)), **axo-somatischer** (B) und **axo-axonischer Synapse** (C, D), wobei A und B die bei weitem häufigsten Formen sind [2], s.auch III.

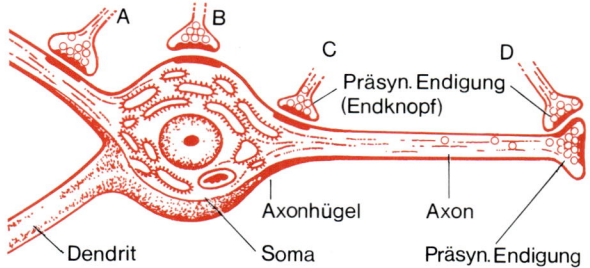

Abb. 2A–D. Synapsen an einem Neuron. (A) Axo-dendritische Synapse. (B) Axo-somatische Synapse. (C) Proximale axo-axonische Synapse, wirkt in der Regel hemmend. (D) Distale axo-axonische Synapse, wirkt hemmend (präsynaptische Hemmung)

Axonale Endigungen auf glatten Muskelzellen, auf Herzmuskelzellen und auf Drüsenzellen tragen keine besonderen Namen, sie werden zweckmäßigerweise ebenfalls als *Synapsen* bezeichnet. Die Synapse zwischen Motoaxon und quergestreifter Muskulatur wird dagegen *neuromuskuläre Endplatte* genannt (Abb. III-1). In neuerer Zeit sind gelegentlich histologisch auch Strukturen beobachtet worden, bei denen Dendriten die präsynaptische Seite bilden, nämlich *dendro-dendritische* (Abb. XIV-9) und *dendro-somatische* Synapsen. Über ihre Funktion ist noch wenig bekannt.

1.3. Die Nerven

Nervenfasern. In den peripheren Nerven wird jedes Axon (syn. Neurit, Achsenzylinder) schlauchartig von speziellen Gliazellen (s. 2.1), den *Schwann-Zellen*, eingescheidet. Axon und Hülle bezeichnet man als **Nervenfaser** [1]. Bei einem Teil der Nervenfasern wickelt sich die Schwann-Zelle in der Ontogenese mehrfach um das Axon herum und bildet dadurch zwischen Axon und Schwann-Zelle eine Lipoprotein-Hülle aus, das *Myelin*. Es entstehen **markhaltige** oder **myelinisierte** Nervenfasern. Die *Markscheide* umgibt die Nervenfaser nicht kontinuierlich, sondern ist in regelmäßigen Abständen von etwa 1–2 mm durch Einschnürungen unterbrochen, den **Ranvierschen Schnürringen**. Nervenfasern ohne Markscheide nennt man **marklose** oder **unmyelinisierte** Nervenfasern (Einzelheiten bei [1]).

Klassifikation nach Durchmesser und Erregungsleitungsgeschwindigkeit. Marklatige Fasern haben eine hohe, marklose Fasern eine geringe Leitungsgeschwindigkeit nervöser Erregungen (s. II-5.2 und II-5.3). Außerdem ist innerhalb jeder Gruppe die Leitungsgeschwindigkeit desto höher, je größer der *Durchmesser der Nervenfasern* ist. Dies bringt es mit sich, daß histologisch gewonnene Einteilungen der Nervenfasern nach ihrem Durchmesser in etwa denen entsprechen, die nach der Erregungsleitungsgeschwindigkeit getroffen wurden (s. II, Tabelle 2, S. 27). Im Sprachgebrauch hat sich durchgesetzt, daß zentripetale Nervenfasern (*Afferenzen*, s.u.) in der Regel entsprechend Tabelle 2b als Gruppe I- bis IV-Fasern bezeichnet werden, die motorischen *Efferenzen* jedoch entsprechend Tabelle 2a als Aα- bzw. Aγ-Fasern.

Klassifikation nach Funktion. Außer der Leitungsgeschwindigkeit und dem Durchmesser werden eine Reihe anderer Funktionsmerkmale benutzt, um Nervenfasern eindeutig zu kennzeichnen. So nennt man die Nervenfasern der Receptoren **sensible** oder **afferente Nervenfasern** oder abgekürzt **Afferenzen**. Afferente Nervenfasern aus den Eingeweiden werden als **viscerale Afferenzen** bezeichnet, alle anderen Afferenzen des Organismus, z.B. von den Muskeln, Gelenken, der Haut und den Sinnesorganen (Auge, Ohr etc.) als **somatische Afferenzen**. Die zentrifugalen Nervenfasern zu den Effectoren bezeichnet man als **efferente Nervenfasern**, abgekürzt **Efferenzen**. Efferenzen zu den Skelettmuskeln heißen **motorische** Efferenzen. Alle übrigen gehören zum vegetativen oder autonomen Nervensystem und werden deswegen **vegetative** Efferenzen genannt, unabhängig davon, ob sie zum Herzen, zur glatten Muskulatur oder zu Drüsen ziehen.

Axoplasmatischer Transport. Der intracelluläre Stoffaustausch zwischen dem Soma und den oft sehr langen Nervenfasern und Dendriten geschieht im Neuron durch den **axoplasmatischen Transport** (syn. *axonalen* Tr.). Man bezeichnet damit diejenigen Vorgänge im Neuron, die Moleküle und Organellen dorthin befördern, wo sie hingehören. Am besten untersucht ist der Transport *radioaktiv markierter Aminosäuren*, die im Soma in *Proteine* eingebaut und von dort in die Zellfortsätze transportiert werden (Abb. 3). Daneben ist auch der axoplasmatische Transport von Zellorganellen (Mitochondrien, synaptischen Vesikeln), von Enzymen, Glykoproteinen, Mucopolysacchariden und freien Aminosäuren studiert worden [6]. Axonaler Transport wird nicht nur in *anterograder* (zentrifugaler), sondern, wenn auch seltener und schwächer ausgeprägt, auch in *retrograder* (zentripetaler) Richtung beobachtet.

Die **Geschwindigkeit des axonalen Transportes** liegt bei Proteinen und den anderen eben genannten Stoffen zwischen *einem und vielen hundert Millimeter pro Tag*. Eine Fraktion mit geringer Geschwindigkeit (1–5 mm/Tag) ist am stärksten vertreten, daneben kommen oft zusätzlich eine oder mehrere schnelle Fraktionen vor. Als Beispiel zeigt Abb. 3 den Nachweis schnellen axonalen Transportes (400 mm/Tag) in den sensiblen Fasern des N. ischiadicus der Katze. Die **Mechanismen des axonalen Transportes** sind noch weitgehend unklar. *Col-*

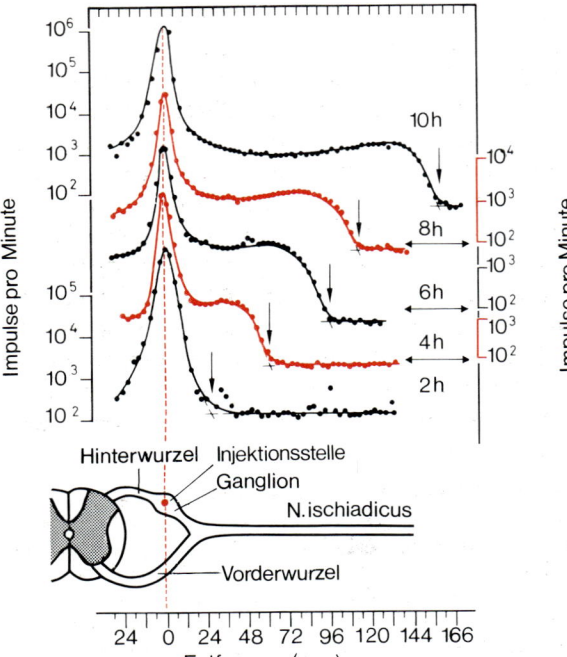

Abb. 3. Nachweis schnellen axonalen Transports in sensorischen Fasern des N. ischiadicus der Katze. Tritium-markiertes Leucin wurde in ein Hinterwurzelganglion injiziert und die Radioaktivität im Ganglion und den sensorischen Fasern 2, 4, 6, 8 und 10 Std später gemessen. Die Abscisse gibt den Abstand der Meßpunkte vom Hinterwurzelganglion entlang dem N. ischiadicus wieder. Die Radioaktivität ist im logarithmischen Maßstab in Impulsen pro Minute aufgetragen, wobei jeder Meßkurve eine eigene Ordinate zugeordnet ist. Die „Welle" erhöhter Radioaktivität bewegt sich mit einer Geschwindigkeit von 400 mm/Tag. Nach [11]

chicin und andere Mitosegifte hemmen den axonalen Transport. Ohne die übrige Proteinsynthese zu stören, interferieren diese Gifte spezifisch mit dem Aufbau der **Neurotubuli**, die ihrerseits anscheinend in Wechselwirkung mit den *Neurofibrillen* stehen. Aus diesen und anderen Beobachtungen ist gefolgert worden, daß die Neurotubuli (und die Neurofibrillen) am axonalen Transport beteiligt sind. Der **langsame axonale Transport** stellt möglicherweise das Wandern der gesamten Axoplasmasäule oder das Auswachsen der Neurotubuli selbst dar, während letztere für den **schnellen axonalen Transport** eine Matrix liefern, an der entlang die Zellbestandteile *unter Energieaufwand* weiterbefördert werden. Entsprechende Modelle, die sich an die Gleitfilamenttheorie der Actin-Myosin-Interaktion im Muskel anlehnen (s. V), sind vorgeschlagen worden [6, 11].

Die **Aufgaben des axonalen Transportes** bei Wachstum und Regeneration, beim Unterhalt der Zelle und bei langanhaltenden Änderungen der Zellei-

genschaften durch neuronale Tätigkeit sind derzeit erst in Umrissen sichtbar. Auffällig ist, daß während des Wachstums und bei Regeneration der langsame Transport oft überwiegt, während nach dem Ende der Wachstumsphase der schnelle dominiert. Neuronale Impulsaktivität kann die Proteinsynthese und die Stärke des langsamen Transportes, nicht seine Geschwindigkeit, erhöhen, während der schnelle Transport durch elektrische Aktivität der Zellmembranen wenig beeinflußt wird.

In die **präsynaptische Endigung** beförderte *Proteine* und andere Stoffe nehmen am dortigen *Stoffwechsel* (z.B. Synthese von Transmittersubstanzen) teil. Sie werden nur in geringem Ausmaß *freigesetzt* und von der postsynaptischen Seite aufgenommen, obwohl dieser **transsynaptische Transport** die Basis für eine Langzeitbeeinflussung des nachfolgenden Neurons bilden könnte. Immerhin kommt es bei Degeneration eines Großteils der präsynaptischen Strukturen auch zur **transneuronalen Degeneration** des postsynaptischen Neurons [Lit. [6]].

2. Die Umgebung des Neurons

2.1. Neuroglia

Arten von Gliazellen. In Gehirn und Rückenmark wird nur knapp die Hälfte des Volumens durch die Neurone ausgefüllt. Praktisch genau so viel Platz nehmen die **Neuroglia-Zellen** oder **Glia-Zellen** ein, die als *ektodermales Stützgewebe* die Nervenzellen und ihre Fortsätze von allen Seiten umgeben und weitaus zahlreicher als die Neurone sind. Den Hauptbestandteil der Glia bilden die **Astrocyten**, die wegen ihrer Zellgröße auch als *Makroglia* bezeichnet werden, während die **Oligodendrocyten** in geringerer Zahl vorkommen. *Mesodermalen* Ursprungs sind die **Mikroglia-Zellen** (Mesoglia, Hortega-Zellen), die daher keine echte Neuroglia darstellen und hauptsächlich als Makrophagen wirken [1, 4, 9]. Die *Astrocyten* füllen den Raum zwischen den Neuronen und den Blutgefäßen (Capillaren, s. 2.3) so vollkommen aus, daß im lichtmikroskopischen Bild die Zellen nahtlos aneinandergefügt scheinen, während das elektronenmikroskopische Bild erkennen läßt (Abb. 4(A)), daß zwischen den Zellen jeweils ein *schmaler Spalt* von etwa 15 nm Breite freibleibt (Interstitium, s. 2.2). Zwischen benachbarten Astrocyten kommt es jedoch hier und da zu **Kontaktverbindungen** (*tight junctions*, Abb. 4 (A)), an denen die Zellmembranen miteinander verschmelzen (s. auch III-5).

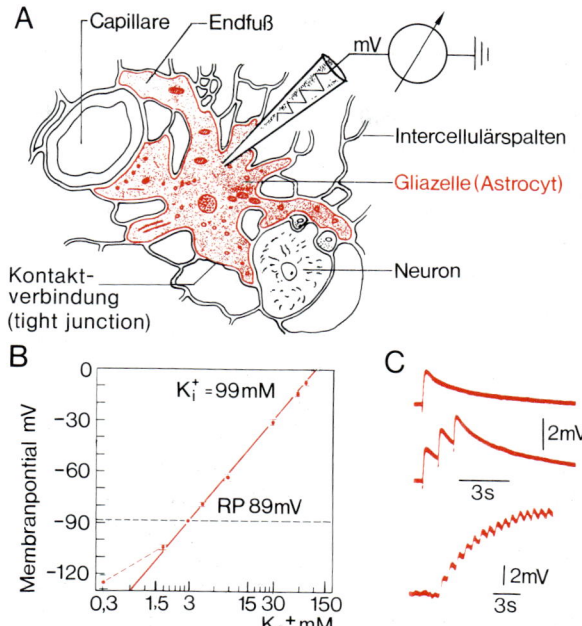

Abb. 4A–C. Eigenschaften der Gliazellen. (A) Schematische Darstellung der Neuron-Glia-Capillar-Beziehungen auf elektronenmikroskopischer Ebene. Ein Astrocyt (rot aufgerastert) liegt zwischen Capillare und Neuron. Eine Mikroelektrode ist zur Messung des Membranpotentials in ihn eingestochen. Alle Zellelemente sind durch etwa 15 nm breite Intercellulärspalten voneinander getrennt, die in der Abb. übertrieben breit gezeichnet sind. Gelegentlich sind zwischen Gliazellen die Intercellulärspalten zu Kontaktverbindungen verschmolzen. (B) Abhängigkeit des gliären Membranpotentials (Ordinate) von der extracellulären K^+-Konzentration, K_a^+. Das mittlere Ruhepotential (RP) beträgt 89 mV. Die Meßwerte weichen nur bei 0,3 mM K_a^+ von den nach der Nernst-Gleichung zu erwartenden Werten ab. Da bei einem K_a^+ von 99 mM kein Ruhepotential mehr gemessen werden kann, beträgt die intracelluläre K^+-Konzentration, K_i^+, 99 mM. (C) Depolarisation von Gliazellen durch benachbarte neuronale Aktivität im N. opticus eines Molches (*Necturus*). Es wurden 1, 3 und zahlreiche Reize im Abstand von 1 s gegeben. Man beachte die im Vergleich zum Nervenaktionspotential langsamen Anstiegs- und Abfallzeiten. Aus [7]

Aufgaben der Gliazellen. Die *Oligodendrocyten* bilden die **Myelinscheiden** der in Gehirn und Rückenmark verlaufenden markhaltigen Nervenfasern aus. Sie entsprechen also den ebenfalls ektodermalen Schwann-Zellen der peripheren Nerven. Die *Astrocyten* haben einmal eine **generelle Stützfunktion** [15]. Ferner sind sie in einem noch nicht eindeutig festliegenden Ausmaß an der **Aufrechterhaltung der extracellulären K^+-Konzentration** beteiligt (Mechanismus s. nächster Absatz). Möglicherweise helfen die Gliazellen auch bei der **Aufnahme von Überträgersubstanz** aus dem Extracellulärraum [5, 15]. Da Gliazellen anders als Neurone zeitlebens die *Fähigkeit zur Zellteilung* beibehalten, dienen sie auch als **Ersatz für neuronale Zelldefekte**, wenn Nervenzellen durch Krankheit, O_2-Mangel oder Verletzung zugrunde gegangen sind. Solche Glianarben oder -Wucherungen sind oft der Ausgangspunkt von *Krampfentladungen*, die sich eventuell als *epileptische Anfälle* äußern. Möglicherweise ist hier die normale Regulation der extracellulären K^+-Konzentration gestört, so daß es über eine Zunahme des extracellulären Kaliums zur Übererregbarkeit der Neurone kommt [7, 12, 14]. Unklar ist, ob die Gliazellen für den Stoffwechsel der Neurone eine Rolle spielen, wie früher häufig angenommen wurde. Jedenfalls werden die Nähr- und Abfallstoffe weitgehend über den Extracellulärraum und nicht durch die Glia mit dem Blut ausgetauscht, und bei einfachen Nervensystemen blieben die Neurone auch nach Beseitigung der Glia für viele Stunden erregbar [7, 8, 15].

Elektrophysiologische Befunde (dieser Absatz setzt die Kenntnis von Kap. II voraus). Das *Membranpotential der Astrocyten* (gemessen mit einer intracellulären Elektrode, s. Abb. 4(A) und II-1.1) liegt beim K^+-Gleichgewichtspotential und folgt den Änderungen der extracellulären K^+-Konzentration entsprechend der Nernst-Gleichung (Abb. 4(B), s.auch II-1.3). Anders als das neuronale Ruhepotential (s. II-2) ist das Membranpotential der Gliazellen also ein *reines K^+-Diffusionspotential*. Ebenfalls im Gegensatz zum Neuron (s. II-3.2) lösen depolarisierende Stromimpulse an der Gliamembran keine fortgeleiteten Aktionspotentiale oder andere regenerative Phänomene aus, d.h. im elektrophysiologischen Sinne ist die Glia *nicht erregbar*. Experimentell applizierte *Membranströme der Gliazellen* breiten sich über die Kontaktverbindungen leicht zu angrenzenden Gliazellen aus, während benachbarte Neurone völlig unbeeinflußt bleiben. Umgekehrt breiten sich auch *neuronale Membranströme nicht* auf angrenzende Gliazellen aus, was den Schluß erlaubt, daß es *keine direkten elektrischen und synaptischen Wechselwirkungen* zwischen Neuronen und Gliazellen gibt. Allerdings führen die beim Aktionspotential in den Extracellulärraum freigesetzten K^+-Ionen (s. II-3) entsprechend Abb. 4(B) zu einer *Depolarisation der Gliazellmembran* (Abb. 4(C)). Bei lokaler repetitiver Neuronenaktivität mit entsprechend ausgeprägter Depolarisation der angrenzenden Gliazellmembranen kommt es über die Kontaktverbindungen zu Ausgleichströmen mit nicht-depolarisierten Gliazellregionen. Diese Ströme tragen an der depolarisierten Membran K^+-Ionen in die Gliazellen und gleichzeitig an der nicht-depolarisierten wieder hinaus, wodurch es, ohne Änderung der intracellulären K^+-Konzentration, zu einer Umverteilung der extracellulären K^+-Ionen kommt, was ein zu starkes Ansteigen der lokalen K^+-Konzentration verhindert [7, 8, 14, 15].

2.2. Interstitium

Jedes Neuron ist von seinen Nachbarzellen durch einen 15–20 nm breiten **Intercellulärspalt** getrennt, ebenso die Gliazellen mit Ausnahme ihrer Kontaktverbindungen (Abb. 4(A)). Die *Intercellulärspalten* sind untereinander verbunden und bilden den interstitiellen Flüssigkeitsraum oder das **Interstitium** der Neurone und Gliazellen. *Jeglicher Stoffaustausch der Neurone kann also nur in die oder aus diesen extracellulären Spalträumen erfolgen.* (Für eine Abgrenzung der Begriffe Interstitium und Extracellulärraum s.S. 639, Abschnitt 1.2.)

Die *extracellulären Spalträume* nehmen etwa **12–24% des Hirnvolumens** ein [15]. Die Breite der Spalten reicht völlig aus, Ionen und Molekülen eine praktisch *ungehinderte Diffusion* im Interstitium zu ermöglichen. Es ist daher nicht notwendig, einen zusätzlichen oder vorwiegenden Stofftransport durch Gliazellen anzunehmen. Für einige Ionen und Moleküle, wie z.B. Na^+ und Glucose, sprechen experimentelle Befunde klar gegen einen intragliären Stofftransport [7, 15].

Auf zwei Wegen kann das Interstitium erreicht werden: einmal von den *Blutcapillaren* (s. 2.3) und zum anderen von den *Hirnventrikeln,* die die **Cerebrospinalflüssigkeit** (syn. *Liquor cerebrospinalis*) enthalten. Letzterer Weg ist für viele Stoffe ein geringeres Diffusionshindernis als die Capillarwand. Cerebrospinalflüssigkeit und interstitielle Flüssigkeit stimmen auch in ihrer Zusammensetzung weitgehend überein. Es ist aber keineswegs so, daß die Versorgung der Neurone des Gehirns ausschließlich oder überwiegend von den Ventrikeln her erfolgt. (Entsprechendes gilt für den Liquor entlang dem Rückenmark.)

2.3. Capillaren

Das *Capillarnetz des Gehirns* ist so dicht, daß die meisten Neuronen nicht mehr als 50 μm von einer Capillare entfernt sind [13]. Die *Diffusionswege* für O_2, CO_2 und Metaboliten sind also kurz. Neurone und Gliazellen verbrauchen etwa 20% (50 ml/min) der gesamten Ruhe-O_2-Aufnahme des Menschen und sind auf eine ständige O_2-Zufuhr angewiesen. *Unterbrechung der Blutzufuhr* für 8–12 s führt bereits zur *Bewußtlosigkeit*, nach 8–12 min ist das Gehirn meist *irreversibel geschädigt*. (Weitere Angaben zum Hirnkreislauf s. Kap. XIX.)

Blut-Hirn-Schranke. Nicht alle in den Blutstrom eingebrachten Stoffe finden sich im Interstitium des Gehirns mit der gleichen Geschwindigkeit wieder wie in anderen parenchymatösen Organen. Manche können dort überhaupt nicht nachgewiesen werden. Diejenigen **Strukturen** und **Prozesse**, die für diese *Verhinderung oder Verlangsamung des Stoffeintritts* in den Extracellulärraum des Gehirns verantwortlich sind, faßt man als **Blut-Hirn-Schranke** zusammen.

Die der *Blut-Hirn-Schranke zugrunde liegenden Mechanismen* sind im einzelnen nicht bekannt. Wahrscheinlich handelt es sich um das Zusammenwirken spezieller *Diffusionshindernisse* mit aktiven transcel-

lulären *Transportmechanismen*, die für die Exkretion unerwünschter Substanzen aus dem Extracellulärraum sorgen [7, 10, 15]. Als *morphologische Basis der Blut-Hirn-Schranke* ist vielfach die Capillarwand mit den sie außen bedeckenden „Endfüßen" der Astrocyten (Abb. 4(A)) und der dazwischen liegenden Basalmembran angesehen worden. Allerdings ist, wie in anderen Organen auch, noch nicht bekannt, welche Anteile des Stoffaustausches durch die Endothelzellen selbst und welche durch die Zellzwischenräume erfolgen. Gegen die Endfüße als Diffusionshindernis spricht, daß in neuerer Zeit elektronenmikroskopisch offene Verbindungen von der Basalmembran zum extracellulären Spaltsystem gefunden wurden [7, 15].

Auch zwischen *Blut* und *Liquor cerebrospinalis* ist der Austausch vieler Stoffe verlangsamt oder nahezu unmöglich, so daß hier zusammenfassend von einer **Blut-Liquor-Schranke** gesprochen werden kann. Sie spiegelt sich auch in der unterschiedlichen Zusammensetzung von Blut und Liquor wider [3, 10]. Wie bereits erwähnt, besteht zwischen Liquor und Interstitium keine ausgeprägte „Liquor-Hirn-Schranke". Beide Flüssigkeiten sind weitgehend ähnlich zusammengesetzt.

3. Literatur

1. BARGMANN, W.: Histologie und mikroskopische Anatomie des Menschen, 6. Aufl. Stuttgart: Thieme 1967.
2. BODIAN, D.: Neuron junctions: a revolutionary decade. Anat. Rec. **174**, 73 (1972).
3. DAVSON, H.: Physiology of the cerebrospinal fluid. London: Churchill 1967.
4. FAWCETT, DON W.: Atlas zur Elektronenmikroskopie der Zelle. München-Berlin-Wien: Urban & Schwarzenberg 1973.
5. HENN, F.A., HAMBERGER, A.: Glial cell function: uptake of transmitter substances. Proc. nat. Acad. Sci. (Wash.) **68**, 2686 (1971).
6. JEFFREY, P.L., AUSTIN, L.: Axoplasmic transport. Progr. Neurobiology **2**, 207 (1973).
7. KUFFLER, S.W.: Neuroglial cells: physiological properties and a potassium mediated effect of neuronal activity on the glial membrane potential. Proc. roy. Soc. B **168**, 1 (1967).
8. KUFFLER, S.W., NICHOLLS, J.G.: The physiology of neuroglial cells. Ergebn. Physiol. **57**, 1 (1966) und: From Neuron to Brain. A Cellular Approach to the Function of the Nervous System. Sunderland, Mass.: Sinauer Associates, Inc. 1976.
9. LEONHARDT, H.: Histologie und Zytologie des Menschen, 4. Aufl. Stuttgart: Thieme 1974.
10. MAREN, TH.H.: The cerebrospinal fluid. In: Medical Physiology, Vol. II (V. Mountcastle, Hrsgb.), p. 1116. Saint Louis: Mosby 1974.
11. OCHS, S.: Fast transport of materials in mammalian nerve fibers. Science **176**, 252 (1972).
12. POLLEN, D.A., TRACHTENBERG, M.C.: Neuroglia: gliosis and focal epilepsy. Science **167**, 1252 (1970).
13. SCHARRER, E.: The blood vessels of the nervous tissue. Quart. Rev. Biol. **19**, 308 (1944).
14. TRACHTENBERG, M.C., POLLEN, D.A.: Neuroglia: biophysical properties and physiologic function. Science **167**, 1248 (1970).
15. WATSON, W.E.: Physiology of neuroglia. Physiol. Rev. **54**, 245 (1974).

II. Erregung von Nerv und Muskel (J. Dudel)

1. Das Ruhepotential, ein K⁺-Potential

Nerven- und Muskelzellen, wie auch andere Zellen unseres Körpers, werden durch eine Lipoid-Eiweiß-Membran begrenzt, die elektrisch als guter Isolator wirkt. Über dieser Membran, d.h. zwischen dem Inneren der Zelle und der extracellulären Flüssigkeit, besteht in der Regel eine elektrische Potentialdifferenz, das **Membranpotential**. Dieses Potential beeinflußt die Austauschvorgänge durch die Membran und ist in dieser Hinsicht z.B. für die Funktion des Epithels der Nierentubuli wichtig (s. Kap. XXVIII u. XXIX). An Nerv- und Muskelzellen werden Änderungen des Membranpotentials Grundlage der Funktion dieser Zellen, nämlich Informationsübertragung und Kontraktion. Das Membranpotential und seine Änderungen müssen deshalb hier ausführlich besprochen werden.

1.1. Messung des Membranpotentials

Eine Meßanordnung zur Bestimmung des Membranpotentials zeigt Abb. 1. Als Meßfühler für das Zellpotential dient eine Mikroelektrode, eine zu einer sehr feinen Spitze (dünner als 1 µm) ausgezogene Glascapillare, die mit einer leitenden Lösung gefüllt ist. Die Bezugselektrode im Extracellulärraum ist ein chloriertes Silberplättchen [2, S. 241]. Zu Beginn der Messung (Abb. 1 oben links) liegen beide Elektroden im Extracellulärraum und zwischen den Elektroden wird keine Potentialdifferenz gemessen. Die Potentialregistrierung in Abb. 1 unten zeigt folglich als „extracelluläres Potential" den Wert Null an. Wird nun die Meßelektrode durch die Zellmembran in das Zellinnere vorgeschoben (Abb. 1, rechts), so zeigt der Spannungsmesser eine sprunghafte Änderung des Potentials auf einen Wert um −80 mV an. Diese Spannung ist das **Membranpotential**.

Das Membranpotential bleibt an Nerven- und Muskelzellen über längere Zeit auf einem konstanten Wert stehen, falls die Zellen nicht aufgrund besonderer Einflüsse aktiv werden. Das Membranpoten-

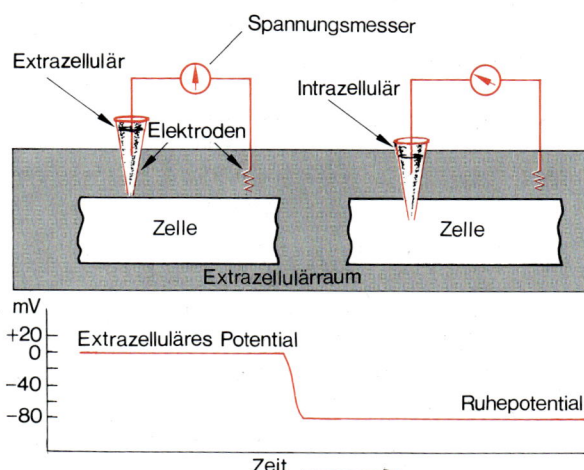

Abb. 1. Intracelluläre Membranpotentialmessung. Oben Meßanordnung. Die Zelle liegt in dem mit Plasma (oder Ersatzlösung) gefüllten Extracellulärraum. Links: Meß- und Referenzelektrode extracellulär, der Spannungsmesser zwischen den beiden Elektroden zeigt die Spannung Null. Rechts liegt die Meßelektrode intracellulär und die Referenzelektrode extracellulär, der Spannungsmesser zeigt das Ruhepotential. Unten das Potential vor und nach dem Einstich der Meßelektrode in die Zelle

tial solcher ruhenden Zellen wird deshalb **Ruhepotential** genannt. Bei Nerven- und Muskelzellen ist das Ruhepotential immer negativ und hat bei den einzelnen Zelltypen eine charakteristische, konstante Größe. Die Werte liegen bei Warmblütern zwischen −55 und −100 mV, nur bei glatten Muskelzellen kommen kleinere Ruhepotentiale bis −30 mV vor.

1.2. Ladungsverteilung an der Membran

Wenn das Zellinnere *negativer* ist als die Umgebung der Zelle, so muß in der Zelle ein Überschuß an elektrischen *negativen Ladungen* herrschen. Die elektrischen Ladungen in wäßrigen Salzlösungen, wie sie im Inneren der Zelle und im Extracellulärraum vorliegen, sind Ionen: die in *Anionen* und *Kationen* dissoziierten Salzmoleküle. Der Überschuß negativer Ladungen im Zellinneren bedeutet

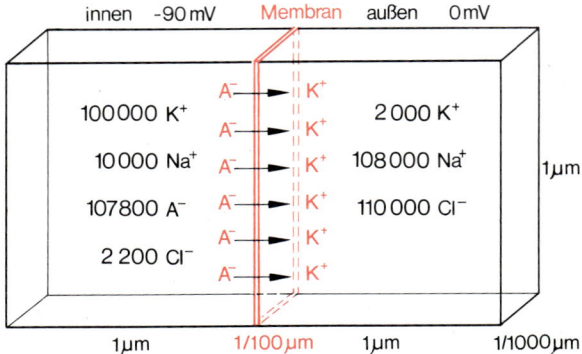

Abb. 2. Membranladung beim Ruhepotential. Die Aufladung eines kleinen Membranstückes von 1 μm × 1/1000 μm Fläche mit je 6 K^+ und Anionen (A^-) wird der Zahl der Ionen in auf beiden Seiten der Membran benachbarten Räumen von je 1 μm × 1 μm × 1/1000 μm Inhalt gegenübergestellt. Die Pfeile deuten die Diffusion der K^+ durch die Membran aus der Zelle an. Angenommen ist eine Membrankapazität von 1 μF/cm²

also einen Überschuß an negativen Ionen, den Anionen. Diese sind innerhalb der wäßrigen Lösung frei beweglich, im Intracellulärraum oder im Extracellulärraum würde sich also ein Ladungsungleichgewicht schnell ausgleichen. Das Ladungsungleichgewicht, das das Ruhepotential hervorruft, muß also an der „festen Phase" lokalisiert sein, die die Zelle begrenzt, an der Zellmembran. Sie ist an ihrer Innenseite von Anionen im Überschuß besetzt, denen an der Außenseite Kationen in gleicher Zahl gegenüberstehen.

Um die Ladungsverhältnisse an der Membran quantitativ betrachten zu können, wollen wir diese als einen *Kondensator* auffassen. Er besteht aus zwei leitenden Medien, den intra- und extracellulären Salzlösungen, zwischen denen eine dünne Isolationsschicht, die Membran, liegt. Die isolierende Membran ist etwa 6 nm (60 Å) dick. Wird ein Kondensator mit diesem „Plattenabstand" auf ein Ruhepotential von −75 mV aufgeladen, so muß er mit etwa 5000 Paaren von negativen und positiven Ionen pro μm² Zelloberfläche besetzt werden [4].

Um die Zahlenverhältnisse der beteiligten Ionen anschaulicher zu machen, ist in Abb. 2 ein sehr kleiner Membranbezirk von 1 μm × 1/1000 μm Fläche mit nur 1 μm dicken angrenzenden intra- und extracellulären Räumen dargestellt. Bei einem angenommenen Ruhepotential von −90 mV wird diese Membranfläche von je 6 Anionen und Kationen besetzt. In den angrenzenden mit Salzlösung gefüllten Räumen befinden sich dagegen jeweils 220 000 Ionen. Das Ungleichgewicht der Ladungen über die Zellmembran ist also quantitativ betrachtet sehr *geringfügig*. Trotzdem ist es Grundlage des Ruhepotentials und damit der Funktion des Nervensystems.

Konzentrationsverteilung der Ionen. In Abb. 2 fällt neben dem Ungleichgewicht der Ladungen an der Membran auch die ungleiche Verteilung der *Ionenarten* innerhalb und außerhalb der Zelle auf. Das größte Ungleichgewicht besteht bei den K^+-Ionen: 100 000 K^+ intracellulär stehen extracellulär nur 2000 K^+ gegenüber. Dagegen entsprechen extracellulär 108 000 Na^+ nur 10 000 Na^+ in der Zelle. Die Chloridionen sind umgekehrt verteilt wie die K^+-Ionen. Der größte Teil der intracellulären Anionen wird von großen Eiweißionen, als A^- bezeichnet, gestellt. In Tabelle 1 sind die *Ionenkonzentrationen* in einer *Muskelzelle* und im Extracellulärraum für einen Warmblüter in mmol/l angegeben [4]. Allgemein ist bei Nerven- und Muskelzellen die intracelluläre K^+-Konzentration 20- bis 100mal höher als die extracelluläre, die intracelluläre Na^+-Konzentration 5- bis 15mal niedriger als die extracelluläre, und die intracelluläre Cl^--Konzentration 20- bis 100mal niedriger als die extracelluläre. Die Konzentrationsverteilung für Chlorid ist also etwa reziprok der für die Kaliumionen.

1.3. K^+-Ionen-Verteilung und Ruhepotential

Das Ungleichgewicht der Verteilung der verschiedenen Ionen im Extra- und Intracellulärraum ist Voraussetzung für die Entstehung des Ruhepotentials. Dieses Potential stellt sich zwischen dem Intra- und dem Extracellulärraum ein, weil die Membran kein vollkommener Isolator ist, sie ist für gewisse Ionenarten beschränkt durchlässig oder **permeabel**. Dies gilt hauptsächlich für die K^+-Ionen, die relativ gut durch die Membran diffundieren können. Man stellt sich somit die Membran als mit **Poren** oder mit Kanälen durchsetzt vor, durch deren enges Lumen nur die relativ kleinen K^+-Ionen passen. Die Größenverhältnisse der Poren, der verschiedenen Ionen und ihre relative Häufigkeit sind in Abb. 3 veranschaulicht. Die hier vor allem wichtigen K^+ sind rot gezeichnet. Diese K^+ werden durch die Membran diffundieren, wenn immer sie auf eine Porenöffnung treffen. Aufgrund der dort weit höhe-

Tabelle 1. Intra- und extracelluläre Ionenkonzentrationen bei einer Muskelzelle eines Warmblüters

Intracellulär		Extracellulär	
Na^+	12 mmol/l	Na^+	145 mmol/l
K^+	155 mmol/l	K^+	4 mmol/l
Cl^-	4 mmol/l	andere Kationen	5 mmol/l
HCO_3^-	8 mmol/l	Cl^-	120 mmol/l
A^-	155 mmol/l	HCO_3^-	27 mmol/l
Ruhepotential	−90 mV		

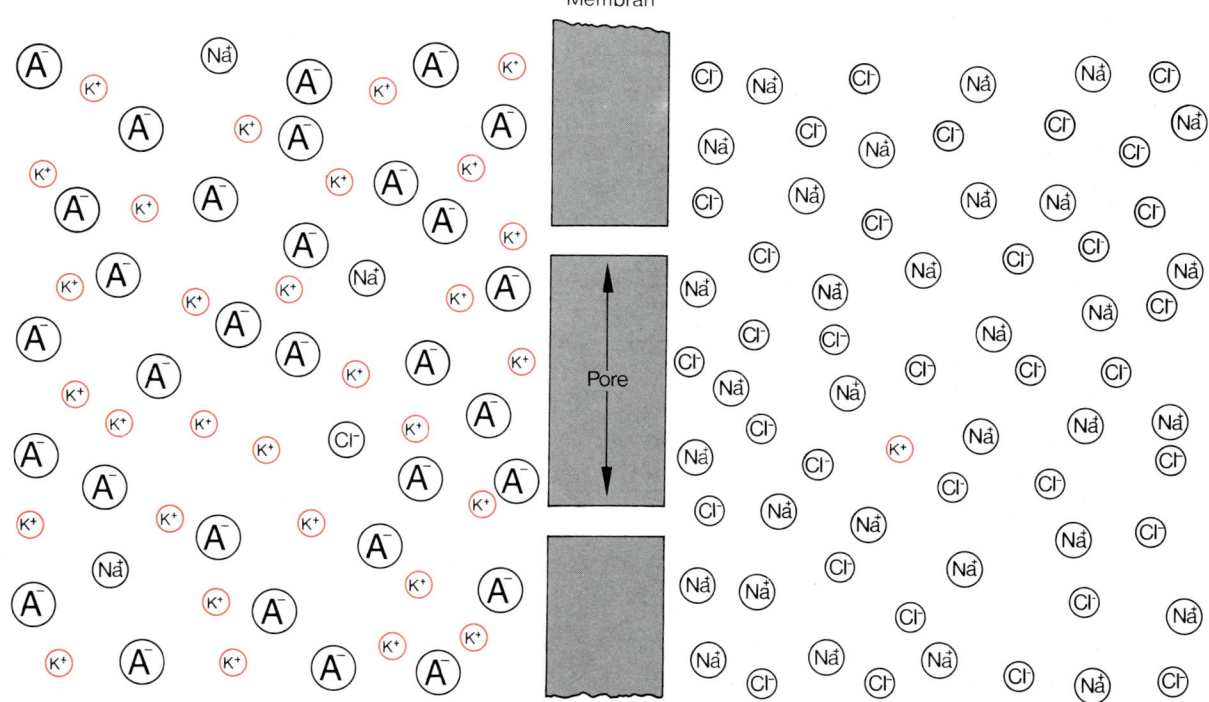

Abb. 3. Intra/extracelluläre Verteilung der Ionen. Die Durchmesser der die verschiedenen Ionen symbolisierenden Kreise entsprechen den (hydratisierten) Ionendurchmessern. A⁻ bezeichnet die großen intracellulären Eiweißanionen. Die „Poren" durch die Membran gestatten gerade den K⁺ den Durchtritt

ren Konzentration werden an der Innenseite viel öfter K⁺ eine Pore treffen und durchtreten als an der Außenseite. Es ergibt sich also ein *Netto-Ausstrom von K⁺-Ionen* aus der Zelle, der durch die höhere intracelluläre K⁺-Konzentration oder den höheren intracellulären osmotischen Druck von K⁺ angetrieben wird. Dieser K⁺-Ausstrom würde schnell zu einem Ausgleich des osmotischen Drukkes für K⁺ bzw. der K⁺-Konzentration führen, wenn dies nicht durch eine entgegengerichtete gleich große Kraft verhindert würde.

Diese *Gegenkraft* entsteht aufgrund der elektrischen Ladung der K⁺-Ionen. Strömt, getrieben durch die osmotische Druckdifferenz, ein K⁺ aus der Zelle, so nimmt es eine positive Ladung mit und erzeugt am Membrankondensator eine positive Aufladung der Außenseite, der eine gleich große negative Aufladung der Innenseite entspricht. Damit entsteht, wie bei Abb. 2 besprochen, ein Membranpotential. Dieses Potential ist so gerichtet, daß es dem Ausstrom weiterer Kationen entgegenwirkt: Positives Potential stößt positive Ionen ab. Der Ausstrom positiver Ladungen baut also selbst ein elektrisches Potential auf, das den Ausstrom weiterer positiver Ladungen behindert. Das Membranpotential wächst so lange an, bis seine dem K⁺-Ausstrom entgegenwirkende Kraft gleich groß wird wie der osmotische Druck der K⁺-Ionen. Bei diesem Potential sind Ein- und Ausstrom der K⁺ im Gleichgewicht, man nennt es deshalb das **K⁺-Gleichgewichtspotential**, abgekürzt E_K.

Das K⁺-Gleichgewichtspotential wird also bestimmt durch das Konzentrationsverhältnis K_i^+/K_a^+ der Kaliumionen innerhalb und außerhalb der Zelle und durch die auf K⁺ beschränkte Diffusion durch die Membran. Für solche Diffusionspotentiale gilt allgemein die *Nernstsche Gleichung*:

$$E_{ion} = \frac{R \cdot T}{z \cdot F} \cdot \ln \frac{\text{extracell. Konz. des Ions}}{\text{intracell. Konz. des Ions}}.$$

Dabei ist R die Gaskonstante, T die absolute Temperatur, z die Wertigkeit des Ions (negativ für Anion) und F die Faraday-Konstante [1, 4]. Unter Zusammenfassung der Konstanten wird daraus für E_K:

$$E_K = -61 \text{ mV} \cdot \log (K_i^+/K_a^+).$$

Ist $K_i^+/K_a^+ = 39$ wie in Tabelle 1, so ist

$$E_K = -61 \text{ mV} \cdot \log 39 = -61 \text{ mV} \cdot 1{,}59 = -97 \text{ mV}.$$

Das in Tabelle 1 angegebene Ruhepotential ist −90 mV, es entspricht also in erster Näherung dem Kaliumgleichgewichtspotential.

Abhängigkeit des Ruhepotentials von der extracellulären K⁺-Konzentration. Die postulierte Übereinstimmung von Ruhepotential und E_K läßt sich durch ein Experiment überprüfen: Die extracelluläre K^+-Konzentration kann *in vitro* in weitem Ausmaß verändert werden und gleichzeitig kann das Ruhepotential gemessen werden. Dieses müßte, gemäß der Nernst-Gleichung, dem Logarithmus der äußeren K^+-Konzentration proportional sein. Die gemessene Abhängigkeit des Ruhepotentials (Kreise) von K_a^+ zeigt Abb. 4: Bei erniedrigtem K_a^+ hat das Ruhepotential einen hohen Wert von -120 mV, während das Potential bei hoher K_a^+ von 50 mM auf -25 mV abfällt. Die nach der Nernst-Gleichung zu erwartende Abhängigkeit zeigt die Gerade in Abb. 4. Die Meßpunkte stimmen im wesentlichen mit dieser Geraden überein, die Messung bestätigt also in erster Näherung die Erklärung des Ruhepotentials als K^+-Gleichgewichtspotential. Es fällt jedoch auf, daß bei K_a^+ unter etwa 7 mmol/l die Ruhepotentiale durchweg weniger negativ sind als E_K. Der Grund für diese systematische Abweichung wird im nächsten Abschnitt besprochen werden.

Abb. 4 macht deutlich, daß relativ kleine Änderungen der extracellulären K^+-Konzentration das Ruhepotential und damit die Funktion der Zellen beträchtlich beeinflussen können. Solche Änderungen der K^+-Konzentration im Blutplasma kommen unter pathologischen Bedingungen, z.B. bei Nierenstörungen vor, und es ist dann eine wichtige Aufgabe des Arztes, die K^+-Konzentration zu kontrollieren und gegebenenfalls therapeutisch zu korrigieren.

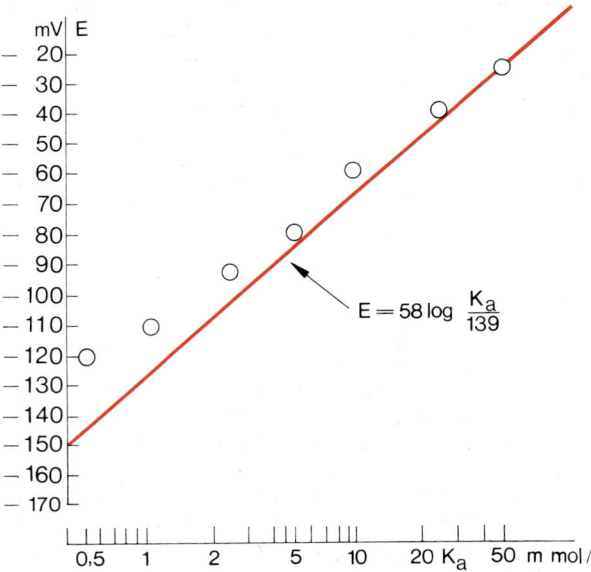

Abb. 4. Abhängigkeit des Ruhepotentials von der extracellulären K^+-Konzentration. In der Abscisse die extracelluläre K^+-Konzentration K_a^+ im logarithmischen Maßstab, in der Ordinate das intracelluläre Membranpotential. Die Kreise zeigen die bei den verschiedenen K_a^+ gemessenen Membranpotentiale, die Gerade entspricht den durch die Nernst-Gleichung bei verschiedenen K_a^+ berechneten Kaliumgleichgewichtspotentialen. Nach [6]

1.4. Beteiligung der Cl^--Ionen am Ruhepotential

Die Beschreibung des Ruhepotentials als eines K^+-Gleichgewichtspotentials muß in verschiedener Hinsicht ergänzt werden, da die Voraussetzung, die Membran sei nur permeabel für K^+-Ionen, nicht voll zutrifft. Die Zellmembranen sind z.B. auch durchlässig für Cl^--Ionen. Die Permeabilität für Cl^- ist an Nervenzellen zwar meist sehr viel kleiner als für K^+, an Muskelfasern überwiegt jedoch die Permeabilität für Cl^- [7, 15]. Die Konzentrationen der Cl^--Ionen sind über die Zellmembran nun in der Regel umgekehrt verteilt wie die der K^+-Ionen (s. Tabelle 1). Für diese reziproke Verteilung der Cl^- ergibt sich nach der Nernstschen Gleichung (z negativ!) das gleiche Potential wie für die K^+-Verteilung. Das Cl^--Gleichgewichtspotential ist also in der Regel etwa gleich dem Ruhepotential, und an Zellen mit beträchtlicher Cl^--Permeabilität tragen somit K^+ und Cl^--Ionen gleichermaßen zum Ruhepotential bei.

Die reziproke Verteilung der K^+ und der Cl^- über die Zellmembran stellt sich nicht zufällig ein. Die relativ kleine intracelluläre Cl^--Konzentration von 5 mmol/l kann durch Aus- und Einstrom von Cl^- leicht geändert werden. Sie richtet sich entsprechend dem Membranpotential ein, weil bei Abweichung des Potentials von E_{Cl} Chlorid ein- oder ausströmt. Liegt also das Ruhepotential nahe E_K, so stellt sich für Chlorid ein zu K^+ *reziprokes Konzentrationsverhältnis* ein.

Im Gegensatz zum Chlorid ist für K^+ eine Einstellung des intra/extracellulären Konzentrationsverhältnisses entsprechend dem jeweiligen Membranpotential *nicht* möglich. Die hohe intracelluläre K^+-Konzentration kann sich nicht wesentlich ändern, weil K^+ in der Zelle das Ladungsgleichgewicht zu den Anionen herstellen muß. Die intracellulären Anionen sind vorwiegend große Eiweißmoleküle, deren Konzentration konstant ist. Ihre negative Ladung muß durch die der intracellulären K^+- oder Na^+-Ionen aufgehoben werden. Die Na^+-Konzentration in der Zelle wird durch später zu besprechende Mechanismen niedrig (nahe 10 mmol/l) gehalten, und somit kann sich die K^+-Konzentration ebenso wie die der intracellulären großen Anionen kaum ändern. Die hohe intracelluläre K^+-Konzentration wird also indirekt durch die Konzentration der impermeablen intracellulären Eiweiß-Anionen erzwungen, und aus der hohen intracellulären K^+-Konzentration folgt das negative E_K. Das negative Ruhepotential der Zelle kann also als Folge der hohen Konzentration von nicht permeablen intracellulären Anionen angesehen werden.

2. Der Ruhenatriumstrom und die Natriumpumpe

2.1. Der passive Na$^+$-Einstrom

Wie Abb. 4 zeigte, ist das Ruhepotential bei normalen und niedrigeren extracellulären K$^+$-Konzentrationen bis zu 30 mV weniger negativ als E_K. Der Grund für diese Abweichung ist, daß die Membran nicht völlig impermeabel ist für Na$^+$-Ionen. Für Na$^+$ besteht ein kräftiges Konzentrationsgefälle von außen nach innen von etwa 10:1 (s. Tabelle 1), und ein Einstrom von Na$^+$ in die Zelle wird weiter begünstigt durch das innen negative Membranpotential, das positive Ionen anzieht. Selbst bei einer sehr geringen Durchlässigkeit der Membran für Na$^+$ werden diese in die Zellen strömen und die Amplitude des negativen Membranpotentials verringern. Daß ein solcher Na$^+$-Einstrom verantwortlich ist für die Abweichung des Ruhepotentials von E_K in Abb. 4, zeigt ein einfaches Experiment: Wird ein Na$^+$-Einstrom durch Ersatz des extracellulären Na$^+$ durch ein impermeables großes Kation (z.B. Cholin) verhindert, so stimmt auch bei niedrigen K$^+$-Konzentrationen das Ruhepotential mit E_K überein. Der in Ruhe eintretende Na$^+$-Einstrom wird **passiv** genannt, weil er längs der existierenden Konzentrations- und Potentialgradienten erfolgt.

Ionenleitfähigkeit und Permeabilität der Membran. Um Aussagen wie „die Membrandurchlässigkeit für Na$^+$ ist gering" quantitativ erfassen zu können, soll der Begriff der **Membranleitfähigkeit g** für Ionen eingeführt werden. Die elektrische *Leitfähigkeit* ist das *Reziproke des Widerstandes*, sie wird bestimmt als das Verhältnis des fließenden Stromes zu der ihn antreibenden elektrischen Spannung. Die Ionenleitfähigkeit durch die Membran wird also als Quotient des Nettostroms des Ions durch die Membran und der diesen Strom antreibenden Spannung gebildet. Diese Spannung ist Null beim Gleichgewichtspotential für das betreffende Ion, und wächst mit dem Abstand des Membranpotentials E vom Gleichgewichtspotential. Es gilt also z.B. für die Kaliumleitfähigkeit g_K [17]:

$$g_K = I_K/(E - E_K).$$

Dabei ist I_K der Kaliumnettostrom durch die Membran beim Membranpotential E. Die Nettoionenströme I_K und I_{Na} können experimentell gemessen werden (s.S. 16), es ergibt sich für das Ruhepotential, daß g_K *10–25mal höher ist als* g_{Na}. Bei dieser relativ kleinen Natriumleitfähigkeit g_{Na} ergibt sich trotzdem ein beträchtlicher passiver Natriumeinstrom I_{Na} in die Zelle, denn dieser Natriumstrom wird getrieben von einer großen Potentialdifferenz $(E - E_{Na})$. E_{Na} hat nach der Nernst-Gleichung (s.S. 9) bei einem Konzentrationsverhältnis Na_i^+/Na_a^+ von 1:12 (s. Tabelle 1) den Wert von $+65$ mV, und sein Abstand $(E - E_{Na})$ vom Ruhepotential wird somit -155 mV. Der passive Natriumeinstrom wird also $I_{Na} = g_{Na} \cdot (E - E_{Na}) = g_{Na} \cdot (-155$ mV$)$. Dieser Na$^+$-Einstrom muß zur Erhaltung eines stabilen Ruhepotentials durch einen ebenso großen, entgegengerichteten K$^+$-Ausstrom kompensiert werden. Dazu muß sich der Abstand $(E - E_K)$ des Ruhepotentials vom Kalium-Gleichgewichtspotential bei etwa $+8$ mV einstellen, denn dann wird $I_K = g_K \cdot (E - E_K) = g_K \cdot (+8$ mV$)$ bei einem Quotienten $g_K/g_{Na} = 20$ gleich groß wie I_{Na}. Das Ruhepotential muß sich also wegen des passiven Na$^+$-Einstromes etwas positiver einstellen als das Kaliumgleichgewichtspotential, damit die mit den Na$^+$ einströmende elektrische Ladung durch passiven K$^+$-Ausstrom kompensiert wird.

Permeabilität. Ein anderes wichtiges Maß für die Durchlässigkeit der Membran für diffundierende Stoffe ist die *Permeabilität*. Die Permeabilität P für einen gelösten Stoff wird definiert durch die Diffusionsgleichung, die die Abhängigkeit der Flußgeschwindigkeit dS/dt des Stoffes S von der Membranfläche A und der Konzentrationsdifferenz des Stoffes über die Membran $(c_a - c_i)$ beschreibt [1, 4]:

$$dS/dt = p \cdot A \, (c_a - c_i).$$

Die Permeabilitätskonstante p hat die Dimension einer Geschwindigkeit und wird bei einfacher Diffusion eines ungeladenen Teilchens $p = D \cdot \beta/d$, wobei D die Diffusionskonstante des Teilchens in der Membran, β der Verteilungskoeffizient des Stoffes in der Membran und d die Membrandicke ist. Bei den in der Neurophysiologie besonders interessierenden geladenen Teilchen, den Ionen, ist die Definition der Permeabilität nicht so einfach, weil die Diffusionsgeschwindigkeit auch vom Potential abhängt. In diesem Fall kann eine Permeabilität P definiert werden, wenn man annimmt, daß die elektrische Feldstärke innerhalb der Membran konstant ist (constant field). Diese Permeabilität P für Ionen ist

$$P = \beta \cdot u/d \cdot R \cdot T/F,$$

wobei u die Ionenbeweglichkeit in der Membran ist, und $R \cdot T/F$ die bekannten, auch in der Nernst-Gleichung (s.S. 9) vorkommenden Konstanten. Die Flußgeschwindigkeit für die Ionen ist dieser Permeabilität P proportional, hängt aber in komplizierterer Weise von der Konzentrationsdifferenz und dem Membranpotential ab. Weil die Permeabilität P für Ionen somit ein relativ kompliziert abgeleiteter Begriff ist, wird bei quantitativen Überlegungen in der Neurophysiologie meist die elektrische Leitfähigkeit g verwendet. g kann aus P und dem Membranpotential berechnet werden [1].

Mit Hilfe der Permeabilitäten P_K, P_{Na} und P_{Cl} für die K$^+$-, Na$^+$- und Cl$^-$-Ionen läßt sich in einer erweiterten Fassung der Nernst-Gleichung (s.S. 9) das Potential an einer Membran berechnen, die für alle diese Ionen permeabel ist. Das Membranpotential E wird nach dieser „constant field"-Gleichung [1, 4]:

$$E = \frac{R \cdot T}{F} \ln \frac{P_K \cdot [K^+]_a + P_{Na} \cdot [Na^+]_a + P_{Cl} \cdot [Cl^-]_i}{P_K \cdot [K^+]_i + P_{Na} \cdot [Na^+]_i + P_{Cl} \cdot [Cl^-]_a}.$$

Instabilität des Ruhepotentials bei rein passiven Ionenströmen. Der bei Ruhebedingungen andauernde passive Na^+-Einstrom und K^+-Ausstrom hat weitreichende Folgen. Das System ist nämlich nicht im Gleichgewicht: Die Zelle verliert dauernd K^+ und gewinnt Na^+, und die intracellulären Konzentrationen dieser Ionen müssen abnehmen bzw. steigen. Der K^+-Verlust führt zu einer Abnahme des Ruhepotentials, denn dieses ist ja in erster Linie ein K^+-Potential, das sich bei abnehmender intra/extracellulärer Konzentrationsdifferenz verkleinert. Wie am Ende von Abschnitt 1 besprochen, erhöht sich bei einer Abnahme des Membranpotentials die intracelluläre Cl^--Konzentration und damit die Gesamtkonzentration von Anionen. Dies wiederum erzeugt bei erhöhtem osmotischem Druck einen Wassereinstrom, und die Zelle schwillt an. Die Wasseraufnahme vermindert zusätzlich die intracelluläre K^+-Konzentration und das Ruhepotential muß weiter abfallen. Dieser *circulus vitiosus* läuft weiter, bis unter Anschwellung der Zellen und weitgehendem Ausgleich der Konzentrationsdifferenzen der Ionen über der Membran die Zellfunktionen zum Erliegen kommen.

Der eben geschilderte bei allein passiven Ionenströmen über die Membran zwangsläufig eintretende Abfall des Ruhepotentials und der Konzentrationsdifferenzen tritt im normalen Gewebe nicht ein. Es müssen folglich zu den bisher betrachteten passiven Ionenströmen durch die Membran noch andere hinzutreten. Einen Hinweis auf die Natur der gesuchten Prozesse bietet das pathologische Bild des extremen *Sauerstoff- oder Energiemangels* in einem Gewebe: Es treten dort genau die eben geschilderten Verschiebungen der Ionenkonzentrationen und der Wassereinstrom auf. Dies zeigt, daß die Konstanthaltung der normalen intracellulären Ionenkonzentrationen und damit des Ruhepotentials der Zufuhr von Stoffwechselenergie bedarf.

2.2. Die Natriumpumpe

Nachweis des aktiven Transports von Na^+ aus der Zelle. Passiv entlang des Konzentrations- und Potentialgradienten eingeströmte Na^+-Ionen können gegen diesen Gradienten nur zu einem verschwindend kleinen Anteil zurückdiffundieren. Da die intracelluläre Na^+-Konzentration jedoch nicht ansteigen darf, müssen die eindiffundierten Na^+-Ionen **aktiv**, mit Hilfe eines Stoffwechselenergie verbrauchenden Membranprozesses, aus der Zelle entfernt werden. Ein solcher aktiver Transport von Ionen gegen elektrische und Konzentrationsgradienten wird auch eine *Ionenpumpe* [1] genannt. Die

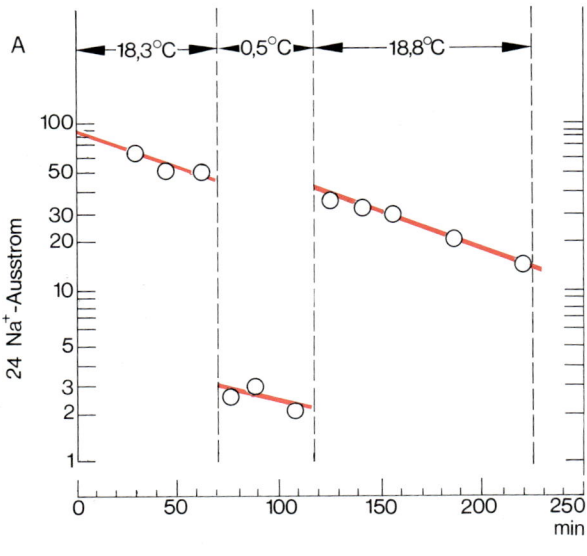

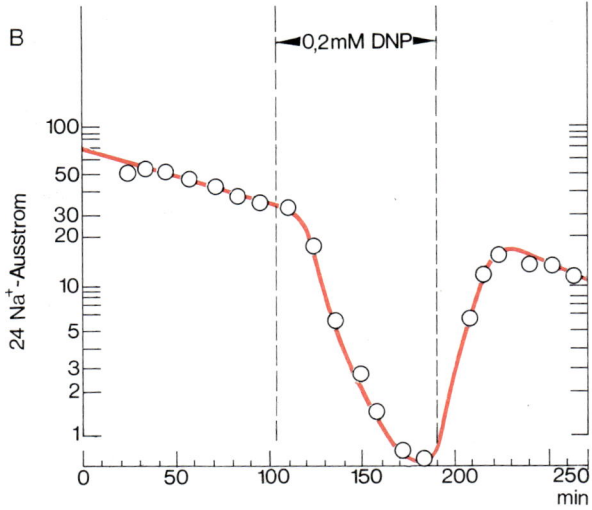

Abb. 5A u. B. Nachweis des aktiven Na^+-Transportes. Ordinaten: Ausstrom von radioaktiven $24\,Na^+$ aus der Zelle. Abscisse: Zeit nach Beginn des Experiments. (A) Die Zelle wird von 18,3° C auf 0,5° C abgekühlt, während der Kälteperiode ist der Na^+-Ausstrom gehemmt. (B) Hemmung des Na^+-Ausstroms durch 0,2 mmol/l Dinitrophenol (DNP). Nach [20]

Existenz einer solchen Na^+-Pumpe läßt sich am besten mit *radioaktiven Na^+-Ionen* nachweisen. Abb. 5 zeigt zwei solche Experimente an einer Nervenzelle. Zur Vorbereitung des Experimentes wird die Zelle mit dem radioaktiven Natriumisotop $^{24}Na^+$ aufgeladen. Während des Experimentes strömen intracelluläre $^{24}Na^+$ in die Badelösung aus und werden dort aufgrund des radioaktiven Zerfalls nachgewiesen. Die Zerfallsrate in der Außenlösung ist dem Ausstrom von $^{24}Na^+$ proportional, dieser Ausstrom ist in Abb. 5(A) und (B) in der Ordinate angegeben. Der $^{24}Na^+$-Ausstrom fällt mit der Zeit exponentiell ab, da sich durch den Ausstrom der

Anteil der $^{24}Na^+$ an der intracellulären Na^+-Konzentration vermindert. Wird nun in Abb. 5(A) der Nerv schnell auf 0,5° C abgekühlt, so fällt sofort auch der Na^+-Ausstrom auf $^1/_{10}$ ab. Nach Wiedererwärmen setzt der vor dem Abkühlen bestehende Na^+-Ausstrom wieder ein. Diese starke *Temperaturabhängigkeit* des Na^+-Ausstromes zeigt, daß es sich nicht um eine Diffusion handeln kann, eine solche würde durch Abkühlung nur wenig verlangsamt werden. Die starke Temperaturabhängigkeit beweist das Vorliegen von komplizierten chemischen Reaktionen, nämlich eines aktiven Transportes.

Abb. 5(B) zeigt weiter, daß der Na^+-Ausstrom von der Zufuhr von *Stoffwechselenergie* abhängig ist. Hier wurde der Na^+-Ausstrom durch Dinitrophenol (DNP) innerhalb einer Stunde etwa auf $^1/_{100}$ herabgesetzt. DNP dringt in die Zellen ein und blockiert dort energieliefernde Stoffwechselprozesse, und die Herabsetzung des Na^+-Ausstroms unter DNP muß also durch Mangel an Stoffwechselenergie verursacht sein. Der Na^+-Ausstrom ist somit auf die Zufuhr von Energie angewiesen, Na^+ wird also durch **aktiven Transport** aus der Zelle entfernt.

Die Na^+-Pumpe ist nicht nur in den Membranen von Nerven- und Muskelzellen ausgebildet, sondern wahrscheinlich in allen Zellen. Sie wird meist an Erythrocytenmembranen studiert. Die stärkste Ausbildung erfährt die Na^+-Pumpe am Epithel der Nierentubuli, wo sie die Rückresorption der Na^+ aus dem Primärharn bewirkt und indirekt die Wasserabgabe des Körpers reguliert (s. Kap. XXVIII).

Die gekoppelte Na^+-K^+-Pumpe. Der aktive Transport von Na^+ aus der Zelle hat eine Komponente, die an den Einstrom von K^+ in die Zelle gekoppelt ist [20]. Diese gekoppelte Na^+-K^+-Pumpe hat den Vorteil, daß Energie eingespart wird. Dies ist für den Energiehaushalt der Zelle durchaus wichtig: Für Muskelzellen wird beispielsweise geschätzt, daß 10–20% des Ruhestoffwechsels für den aktiven Transport verbraucht werden. Zur Erklärung der Arbeitsweise der gekoppelten Pumpe wurde das Modell in Abb. 6 entwickelt: An der Innenseite der Membran verbinden sich Na^+ mit einem Träger Y zu dem Molekül NaY. NaY diffundiert durch die Membran und zerfällt an der Membranaußenseite spontan. Die Konzentration von NaY ist deshalb an der Außenseite klein und der Ausstrom von NaY überwiegt den Einstrom. Mit Hilfe der zeitweiligen Verbindung mit dem Trägermolekül Y ist also Na^+ gegen sein Konzentrations- und Potentialgefälle nach außen diffundiert. Das Trägermolekül Y wird an der Außenseite der Membran in

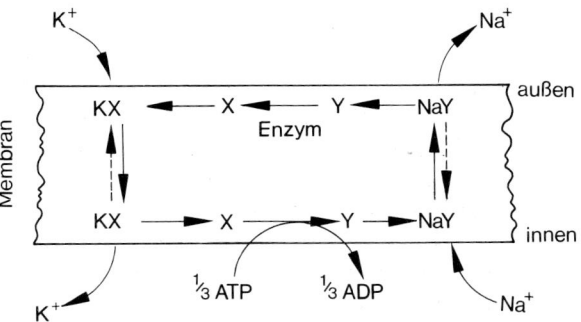

Abb. 6. Gekoppelte Na^+-K^+-Pumpe. Schema des Transportes von Na^+ und K^+ durch die Membran mit Hilfe eines Trägers X und Y. Die Energie wird über Spaltung von Adenosintriphosphat (ATP) in Adenosindiphosphat (ADP) zugeführt. Nach [23]

ein Trägermolekül X verwandelt, das sich mit K^+ der Außenlösung zu KX verbindet. KX diffundiert wiederum durch die Membran und zerfällt an der Innenseite in K^+ und X. Das Trägermolekül X wird an der Innenseite unter Aufwendung von Stoffwechselenergie — Adenosintriphosphat (ATP) zerfällt — in das Molekül Y zurückverwandelt. Dies ist die einzige endotherme Reaktion des Cyclus, bei dem durch Koppelung des Trägermoleküls X an K^+ etwa die Hälfte des Energieaufwandes für einen ungekoppelten Na^+-Transport eingespart wird. Die Existenz einer solchen gekoppelten Na^+-K^+-Pumpe läßt sich nachweisen, indem man die K^+-Ionen aus der Außenlösung entfernt. Wenn so an der Außenseite der Membran kein K^+ für die Bildung des Komplexes KX zur Verfügung steht, wird die gekoppelte Pumpe blockiert und der Ausstrom von Na^+ aus der Zelle geht auf etwa 30% zurück.

Elektroneutrale und elektrogene Natriumpumpe. Der Komplex NaY aus Natrium und dem Trägermolekül ist gewöhnlich elektroneutral. Während des Transportvorganges fließt also keine elektrische Ladung durch die Membran und das Membranpotential wird durch eine solche *elektroneutrale Na^+-Pumpe* nicht direkt beeinflußt. Es kommen jedoch auch **elektrogene Na^+-Pumpen** vor [8, 31]. Bei diesen wird Na^+ in einem positiv geladenen Komplex durch die Membran transportiert, und diese Ladungsverschiebung erzeugt eine erhöhte Negativität des Zellinneren, eine sogenannte Hyperpolarisation. Solche elektrogene Pumpen lassen sich nachweisen, indem man wie in dem Experiment der Abb. 5 durch Abkühlung oder Vergiftung die Na^+-Pumpe weitgehend stillegt. Dies hat bei einer elektrogenen Pumpe unmittelbar eine verminderte Negativität des Membranpotentials zur Folge. Elektrogene Pumpen tragen u.a. an dünnen Nervenfasern (s. 3, hyperpolarisierendes Nachpotential von Gruppe IV-Fasern) und an Herzmuskelzellen wesentlich zum Membranpotential bei.

2.3. Übersicht über die Ionenströme durch die Membran

Mit Hilfe des Schemas in Abb. 7 soll noch einmal eine Übersicht über die Ionenströme durch die Membran, die für das Ruhepotential wichtig sind, gegeben werden. Dabei werden Cl^--Ströme und elektrogene Pumpvorgänge vernachlässigt. In diesem Schema fließen K^+- und Na^+-Ionen durch Kanäle, deren Breite der Größe des betreffenden Ionenstromes, und deren Neigung dem elektrochemischen Potential entsprechen. Als Ruhepotential wurde -80 mV angenommen.

Die K^+-Ionen strömen vorwiegend, entlang des kleinen elektrochemischen Gradienten von -11 mV, passiv von innen nach außen, doch ist auch der passive K^+-Einstrom gegen den Gradienten beträchtlich. Die relativ große Breite der beiden passiven K^+-Kanäle spiegelt die hohe K^+-Leitfähigkeit der Membran wider. Die Differenz der passiven K^+-Ströme wird durch den aktiven K^+-Transport ausgeglichen, der wie alle aktiven Transporte rot eingezeichnet ist. Bei den Na^+-Ionen ist

wegen des großen Abstandes des Gleichgewichtspotentials E_{Na} vom Ruhepotential die Neigung der Kanäle sehr groß. Passiv können deshalb die Na^+ nur „bergab" diffundieren — ein Kanal für die passive Na^+-Auswärtsdiffusion wäre im Maßstab des Schemas nicht sichtbar. Der passive Na^+-Einstrom muß deshalb vollständig durch einen aktiven Na^+-Ausstrom kompensiert werden, der von der rot eingezeichneten Na^+-K^+-Pumpe angetrieben wird. Die Na^+-Kanäle durch die Membran sind insgesamt weit schmäler als die K^+-Kanäle, so daß trotz großer treibender Potentiale die Na^+-Ströme kleiner sind als die K^+-Ströme. Dies ist Ausdruck der im Vergleich zu K^+ geringen Leitfähigkeit der Membran für Na^+.

3. Das Aktionspotential

Nervenzellen haben im Organismus die Funktion, Informationen aufzunehmen, sie innerhalb des Systems weiterzuleiten, mit anderen Informationen zu vergleichen und schließlich die Funktionen anderer Zellen zu steuern. Muskelzellen sollen sich, gesteuert von Nerven, kontrahieren. Wenn diese Zellen derart „aktiv" sind, so treten kurze positive Änderungen des Membranpotentials auf, die **Aktionspotentiale**.

3.1. Zeitverlauf der Aktionspotentiale

Aktionspotentiale können an Nerven- und Muskelzellen mit Hilfe von intracellulären Elektroden gemessen werden (s. Abb. 1, S. 7). Typische Beispiele von Aktionspotentialen von verschiedenen Warmblütergeweben zeigt Abb. 8. Bei all diesen Aktionspotentialen springt das Potential, ausgehend vom negativen Ruhepotential, sehr schnell auf einen positiven Spitzenwert nahe $+30$ mV. Danach kehrt es mit verschiedener Geschwindigkeit zum Ruhewert zurück: Das Aktionspotential dauert am Nerven etwa 1 ms, am Muskel etwa 10 ms, und am Herzmuskel mehr als 200 ms.

Am Zeitverlauf des Aktionspotentials unterscheidet man verschiedene Phasen, die in Abb. 9 eingetragen sind. Das Aktionspotential beginnt mit einer sehr schnellen positiven Potentialänderung, dem **Aufstrich**. Er dauert nur 0,2–0,5 ms. Während des Aufstrichs verliert die Zellmembran ihre normale Aufladung oder „Polarisation", der Aufstrich wird deshalb auch *Depolarisationsphase* genannt. Die Depolarisation überschreitet in der Regel die Null-Linie

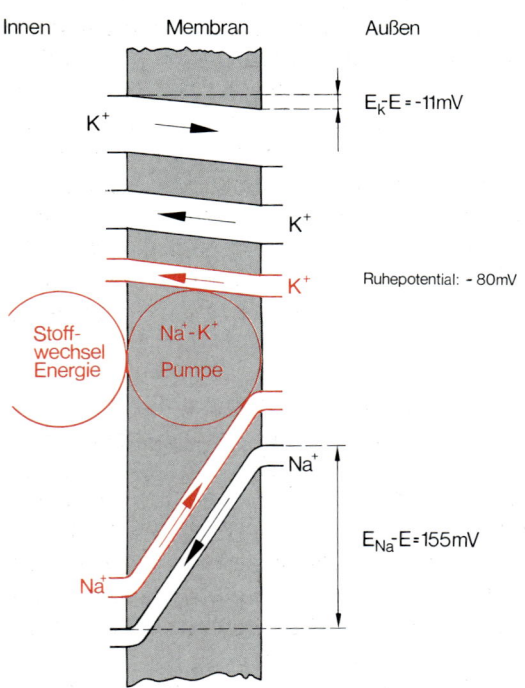

Abb. 7. Passive und aktive Ionenbewegungen durch die Membran. Die Dicke der Kanäle entspricht der Größe der betreffenden Ionenströme und die Neigung der Kanäle der treibenden Kraft für den Ionenstrom. Ströme entgegen der treibenden Kraft (rot) werden durch die Na^+-K^+-Pumpe ermöglicht. Nach [10]

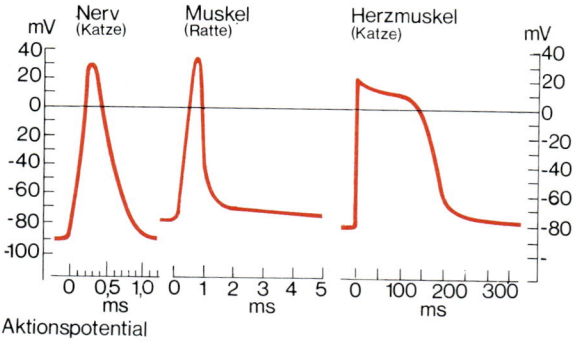

Abb. 8. Aktionspotentiale verschiedener Warmblüter-Gewebe. Ordinate: intracelluläres Membranpotential; Abscisse: Zeit nach Beginn des Aktionspotentials. Die Zeitmaßstäbe sind für die verschiedenen Aktionspotentiale sehr verschieden

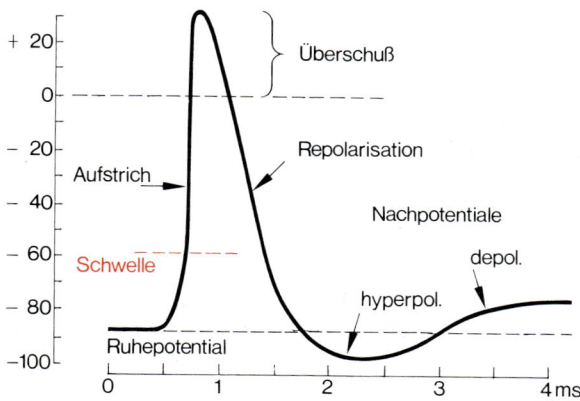

Abb. 9. Phasen des Aktionspotentials. Zeitverlauf eines Nervenaktionspotentials wie in Abb. 8. Die eingetragenen Bezeichnungen sind im Text näher besprochen

und das Membranpotential wird positiv. Dieser positive Anteil des Aktionspotentials wird **Überschuß** (englisch „*overshoot*") genannt. Nach der Spitze stellt sich wieder die alte Membranruheladung her, diese Phase des Aktionspotentials heißt deshalb **Repolarisation.**

Nachpotentiale. In ihrem letzten Abschnitt verlangsamt sich bei manchen Aktionspotentialtypen die Repolarisation. Ein deutliches Beispiel ist das Muskelaktionspotential in Abb. 8. Etwa 1 ms nach Beginn des Aktionspotentials hat hier die Repolarisation einen deutlichen Knick, der folgende langsame Potentialverlauf wird *depolarisierendes Nachpotential* genannt. Bei anderen Geweben, z.B. Nervenzellen des Rückenmarkes, überschreitet die Repolarisation relativ schnell das Ruhepotential und das Potential ist für gewisse Zeiten negativer als das Ruhepotential; es wird dann *hyperpolarisierendes Nachpotential* genannt (s. Abb. 9).

3.2. Auslösung des Aktionspotentials

Schwelle und Erregbarkeit. Wie wird das nach der bisherigen Darstellung so konstante Ruhepotential so weit gestört, daß ein Aktionspotential abläuft? Aktionspotentiale werden immer dann ausgelöst, wenn die Membran, vom Ruhepotential ausgehend, auf etwa − 50 mV *depolarisiert* wird. Die Mechanismen, die diese anfängliche Depolarisation bewirken, sollen später besprochen werden (s.S. 27). Das Potential, an dem Depolarisation ein Aktionspotential auslöst, wird **Schwelle** genannt (s. Abb. 9). An diesem Schwellenpotential wird die Membranladung instabil, sie baut sich selbsttätig schnell ab und kehrt ihre Polarität um: Es erfolgt der schnelle Aufstrich des Aktionspotentials zur Spitze. Dieser an der Schwelle erzeugte Zustand des selbsttätigen, fortschreitenden Ladungsabbaus wird auch **Erregung** genannt. Die Erregung dauert meist nur weniger als 1 ms an. Sie ist damit einer Explosion vergleichbar, die schnell verpufft. Die Depolarisationsphase des Aktionspotentials setzt weiterhin selbst Prozesse in Gang, die die Ruhemembranladung wiederherstellen.

Alles-oder-Nichts-Gesetz. Das Aktionspotential ist also ein für jede Zelle konstanter Ablauf von Depolarisation und Repolarisation der Membran, der immer selbsttätig oder *autoregenerativ* auftritt, sobald die Membran über das Schwellenpotential depolarisiert wird. Zellen, an denen Aktionspotentiale ausgelöst werden können, nennt man *erregbar.* Erregbarkeit ist eine typische Eigenschaft von Nerven- und Muskelzellen. Aktionspotentiale an einer bestimmten Zelle haben einen konstanten Ablauf. Die Art oder Häufigkeit der Auslösung der Erregung hat geringen Einfluß auf diesen Ablauf. Diese Tatsache der Konstanz des Aktionspotentials wird auch als *„Alles-oder-Nichts"-Gesetz der Erregung* bezeichnet.

Ionenströme während des Aktionspotentials. Das Ruhepotential ist, wie im vorhergehenden Abschnitt besprochen, weitgehend das Gleichgewichtspotential der K$^+$-Ionen, für die in Ruhe die Membran am besten leitfähig ist. Wenn während des Aktionspotentials das Zellinnere positiver wird als der Extracellulärraum, so kann dies nur auf einer erhöhten Leitfähigkeit der Membran für Na$^+$ beruhen, denn nur für Na$^+$ ergibt sich ein positives Gleichgewichtspotential, das mit mehr als + 60 mV positiver ist als die Spitze des Aktionspotentials. Diese Überlegung wird bestätigt durch den experimentellen Befund, daß Aktionspotentiale nur ausgelöst werden können, wenn die extracelluläre Na$^+$-

Konzentration hoch ist. Fehlen diese extracellulären Na$^+$, so können sie auch bei erhöhter g_{Na} nicht in die Zelle einströmen und so die Depolarisationsphase des Aktionspotentials erzeugen. Basis der Erregung ist also eine Erhöhung der *Membranleitfähigkeit für Na$^+$*, die durch die Depolarisation zur Schwelle ausgelöst wird. Aber auch die K$^+$-Leitfähigkeit der Membran ist am Aktionspotential beteiligt. Verhindert man nämlich durch bestimmte Pharmaka, z.B. Tetraäthylammonium, eine Erhöhung der K$^+$-Leitfähigkeit, so wird die Repolarisation des Aktionspotentials stark verlangsamt. Dies weist darauf hin, daß eine Erhöhung der *K$^+$-Leitfähigkeit* der Membran für die Repolarisation wichtig ist. Dem Aktionspotential liegt also ein Cyclus von Na$^+$-Einstrom in die Zelle und darauf folgendem K$^+$-Ausstrom zugrunde. Die quantitativen Verhältnisse der während des Aktionspotentials fließenden Ionenströme und ihre Zeitverläufe lassen sich nur mit Hilfe der unten zu besprechenden „voltage-clamp"-Methode ermitteln.

Es soll hier noch darauf hingewiesen werden, daß auch die während des Aktionspotentials auftretenden Ionenverschiebungen quantitativ unerheblich sind gegenüber den hohen Ionenkonzentrationen in den Intra- und Extracellulärräumen. Wie für das Ruhepotential bei Abb. 2 besprochen, genügte für die Aufladung der Membraninnenseite auf -90 mV bei einer kleinen angenommenen Membranfläche von 1 µm × 1/1000 µm der Ausstrom von 6 K$^+$-Ionen. Wenn nun die Membran im Aktionspotential auf $+30$ mV umgeladen wird, so genügt dazu umgekehrt ein Einstrom von 9 Na$^+$-Ionen. Während des Aktionspotentials wird freilich nicht nur der Membrankondensator umgeladen, sondern der Na$^+$-Einstrom dient auch zur Depolarisation noch unerregter Membranbezirke und zur Kompensation von K$^+$-Auswärtsströmen (s. Abb. 23), so daß der Gesamt-Na$^+$-Einstrom ein Vielfaches der zur Umladung des Membrankondensators nötigen Na$^+$ beträgt. Auch diese Ionenverschiebung ist jedoch angesichts der hunderttausende von Ionen in den angrenzenden Räumen quantitativ unerheblich. Das einzelne Aktionspotential hat also praktisch keinen Einfluß auf die intra- oder extracellulären Ionenkonzentrationen. Erst eine große Zahl von Aktionspotentialen würde merklich die intracelluläre Na$^+$-Konzentration erhöhen, dies wird jedoch durch die Na$^+$-Pumpe (s.S. 12) verhindert.

3.3. Kinetik der Ionenströme während der Erregung

Voltage Clamp. Während einer Erregung bewirkt die Depolarisation Änderungen der Membranleitfähigkeiten für verschiedene Ionen, und diese Leitfähigkeitsänderungen haben wiederum Potentialveränderungen zur Folge. Dieser komplexe Vorgang läßt sich nur dann verstehen, wenn man die Abhängigkeit der verschiedenen Membranleitfähigkeiten vom Membranpotential mißt. Bei einer solchen Messung muß man eine Größe, zweckmä-

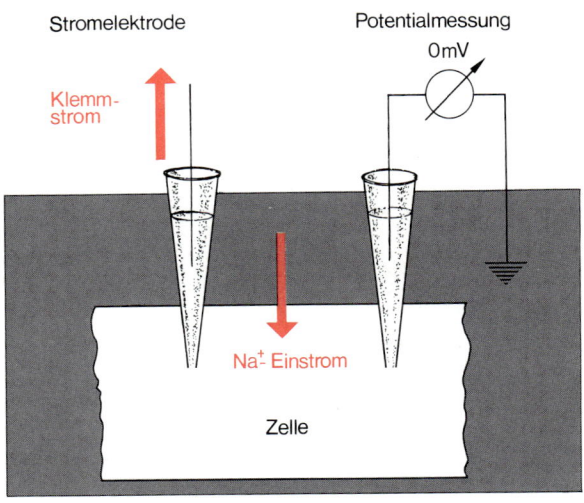

Abb. 10. Ströme während der Spannungsklemme. Nach einer überschwelligen Depolarisation fließt Na$^+$ durch die Zellmembran in die Zelle. Dieser Strom wird durch einen gleich großen, entgegengerichteten Klemmstrom durch die Stromelektrode kompensiert, so daß das Membranpotential konstant bleibt

ßig das Potential, konstant halten, und die Änderungen der Membranströme in Abhängigkeit vom Potential bestimmen. Dies gelingt mit Hilfe einer **Spannungsklemme** oder *„voltage-clamp"* (Abb. 10). Bei dieser Meßanordnung werden zwei Elektroden in die Zelle eingestochen. Mit Hilfe der einen Elektrode wird, wie in Abb. 1, das Membranpotential gemessen. Die zweite Elektrode dient zur Zufuhr von Strom in die Zelle. Der Strom wird geliefert von einem elektronischen Regelverstärker, der das gemessene Membranpotential mit einem durch den Experimentator programmierten Sollwert vergleicht und Differenzen zwischen diesen Werten durch Stromzufuhr in die Zelle ausgleicht. Dies ergibt im Beispiel der Abb. 10, daß ein Natriumeinstrom durch die Membran, der die auf einem bestimmten Potential gehaltene Membran zu depolarisieren sucht, durch einen ebenso großen, aber entgegengerichteten **Klemmstrom** durch die Stromelektrode kompensiert wird. In den Klemmströmen einer „voltage-clamp" mißt man also ein Spiegelbild der bei einem bestimmten Potential durch die Membran fließenden Ströme.

Membranströme nach Depolarisation. Das Ergebnis der ersten von HODGKIN und HUXLEY am Tintenfisch-Riesenaxon zur Aufklärung der Ionenströme während des Aktionspotentials unternommenen „voltage-clamp"-Versuche [16–19] zeigt Abb. 11. Das Tintenfisch-Riesenaxon ist bei einem Faserdurchmesser von bis zu 1 mm für solche Versuche am besten geeignet und ist deshalb zum Standard-

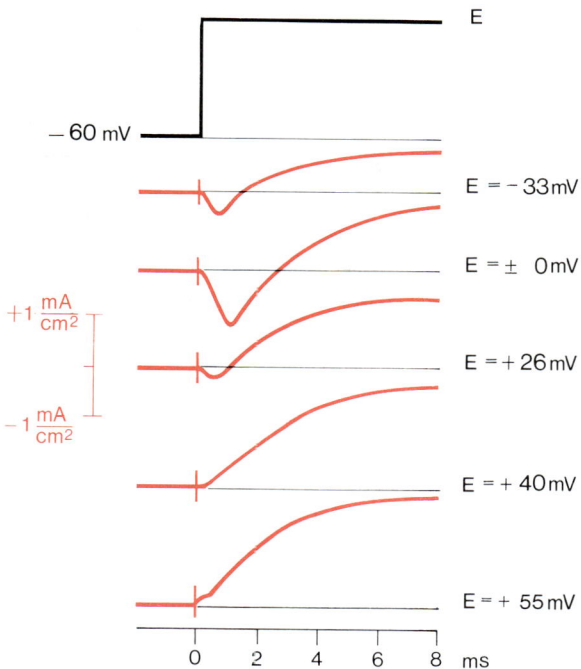

Abb. 11. Klemmströme nach Spannungsänderungen. Oberste Zeile Zeitverlauf eines Depolarisationsschrittes am Tintenfisch-Riesenaxon ausgehend vom Ruhepotential −60 mV auf ein Klemmpotential E. Darunter Klemmströme während Depolarisationen auf das jeweilige Potential E. Die für E = +26 mV angegebene Stromeichung gilt auch für die anderen Klemmströme. Positive Klemmströme entsprechen einem Ausstrom von positiven Ionen aus der Zelle und negative dem Einstrom positiver Ionen. Nach [17]

Präparat der Aktionspotential-Forschung geworden. In Abb. 11 ist in der obersten Zeile die programmierte Depolarisation der Membran von −60 mV, dem Ruhepotential dieses Präparates, auf das jeweilige Klemmpotential E angedeutet. Bei dem kleinsten Potentialschritt auf E = −33 mV fließt nach der Depolarisation für etwa 1 ms ein kleiner negativer Strom, der in einen anhaltenden positiven Strom übergeht. Die gleichen Stromkomponenten treten vergrößert auch bei E = 0 mV auf. Bei stärkerer Depolarisation auf E = +26 mV wird die anfängliche negative Stromkomponente wieder kleiner, und sie verschwindet bei E = +40 mV ganz. Bei noch weiterer Depolarisation auf +55 mV erscheint an Stelle der frühen negativen Stromkomponente eine positive. Während der anfängliche negative Strom also seine Richtung bei Depolarisation über +40 mV hinaus umkehrt, wächst die darauf folgende positive Stromkomponente stetig mit der Depolarisation.

Die Umkehr der Stromrichtung bei +40 mV identifiziert den anfänglichen Strom als **Na$^+$-Strom**. Beim Tintenfischaxon liegt nämlich E_{Na} bei +40 mV; bei Potentialen negativer als E_{Na} müssen Na$^+$ in die Zelle fließen (negativer Klemmstrom!), und bei Potentialen positiver als E_{Na} fließen Na$^+$ aus der Zelle (positiver Klemmstrom). Die Übereinstimmung des Umkehrpotentials für den Klemmstrom mit E_{Na} beweist also, daß die anfängliche Stromkomponente von Na$^+$ getragen wird. Diese Folgerung wird durch einen weiteren Befund bestätigt: Wird Na$^+$ in der extracellulären Lösung durch ein impermeables Ion ersetzt (s.S. 11) und damit ein Na$^+$-Einstrom verhindert, so verschwindet die anfängliche negative Stromkomponente. Bei überschwelligen Depolarisationen fließt also für 1–2 ms ein *Natriumstrom*.

Neben den Na$^+$ können auch K$^+$ leicht durch die Membran fließen, und die nach dem Na$^+$-Strom in dem Klemmstrom sichtbare Stromkomponente muß im wesentlichen ein K$^+$-Strom sein. Diese Stromkomponente ist in Abb. 11 isoliert sichtbar bei E = +40 mV, denn hier bei E_{Na} fließt definitionsgemäß kein Netto-Natriumstrom. Bei diesem Potential steigt der Klemmstrom mit Verzögerung an und erreicht nach 8 ms ein Maximum, auf dem er lange konstant bleibt. Auch bei anderen Potentialen als E_{Na} läßt sich bei Verwendung von Natriumfreien extracellulären Lösungen der Natriumstrom ausschalten und dann in der voltage-clamp der reine K$^+$-Strom messen. Es ergibt sich, a) daß bei allen Depolarisationen der **K$^+$-Strom** (I_K) verzögert ansteigt und in 5–10 ms ein Maximum erreicht, b) daß I_K mit der Größe der Depolarisation zunimmt, und c) daß nach dem Maximum I_K nicht abfällt, solange die Depolarisation anhält.

Zeitverlauf der Na$^+$- und K$^+$-Ströme und -Leitfähigkeiten. Der Klemmstrom I nach einem Depolarisationsschritt läßt sich also für jedes Potential in eine Na$^+$- und K$^+$-Komponente (I_{Na} und I_K) zerlegen. Dies ist in Abb. 12 für eine Depolarisation auf 0 mV gezeigt. I_{Na} steigt nach der Depolarisation schnell an, fällt jedoch nach 0,5 ms schon wieder ab. I_K dagegen steigt verzögert und hat sein Maximum noch nicht erreicht, wenn I_{Na} schon fast auf Null zurückgegangen ist. Aus den Ionenströmen I_{Na} und I_K können auch die entsprechenden Leitfähigkeiten g_{Na} und g_K berechnet werden (s.S. 11). Diese sind in Abb. 12 unten eingetragen. g_{Na} und g_K lassen sich durch ein Gleichungssystem [19] als vom Membranpotential und der Zeit nach einer Potentialänderung abhängige Variable exakt beschreiben. Benutzt man dieses Gleichungssystem unter Berücksichtigung des Membranwiderstandes und der Membrankapazität der Zelle zu einer Rekonstruktion des Spannungsverlaufes nach einer überschwelligen Depolarisation, so ergibt sich sehr exakt der Spannungsverlauf des Aktionspotentials (Abb. 13).

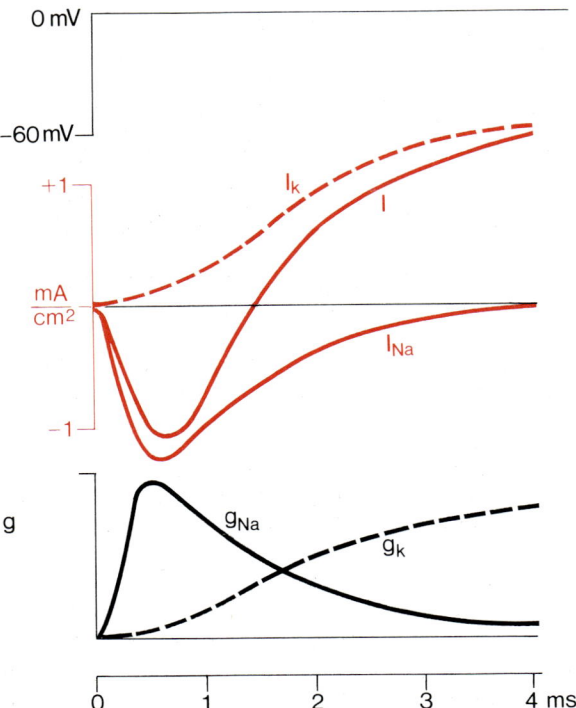

Abb. 12. Ionenströme und Leitfähigkeiten nach Spannungsänderung am Tintenfisch-Riesenaxon. Oben Zeitverlauf des durch eine Spannungsklemme von −60 mV auf 0 mV erzielten Depolarisationsschrittes. Darunter der Gesamtklemmstrom I und seine Komponenten I_{Na} und I_K. Unten der daraus berechnete Zeitverlauf der Membranleitfähigkeiten g_{Na} und g_K. Nach [17]

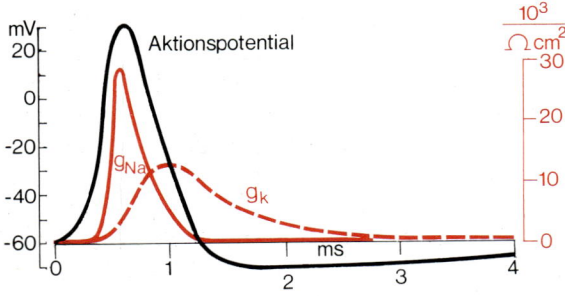

Abb. 13. Membranleitfähigkeiten während des Aktionspotentials am Tintenfisch-Riesenaxon. g_{Na} und g_K sind aus Serien von Depolarisationsschritten, wie in Abb. 11 und 12 gezeigt, berechnet. Nach [19]

Damit wurde gezeigt, daß das Aktionspotential im wesentlichen durch die Potential- und Zeitabhängigkeit von g_{Na} und g_K bestimmt wird. Abb. 13 zeigt weiter, daß die Depolarisation bis zur Schwelle einen schnellen Anstieg von g_{Na} auslöst, der autoregenerativ die Depolarisationsphase des Aktionspotentials bewirkt. An der Spitze des Aktionspotential fällt g_{Na} bereits wieder, während g_K langsam steigt und die schnelle Repolarisationsphase ermöglicht.

3.4. Die Inaktivation des Na^+-Systems

Abb. 12 zeigte, daß g_{Na} bei konstanter Depolarisation nach etwa 0,5 ms abfällt, bei Nervenzellen von Vertebraten und höherer Temperatur kann dieser Abfall schon nach weniger als 0,1 ms eintreten. Der schnelle Abfall der g_{Na} wird *Inaktivation* genannt, ihr Ausmaß und ihre Geschwindigkeit ist stark *potentialabhängig* [18]. Die Potentialabhängigkeit der Inaktivation kann bestimmt werden, indem man das Membranpotential auf einem Wert E für einige ms festhält und die Inaktivation von g_{Na} bei diesem Potential vollständig werden läßt. Danach mißt man den Natriumeinstrom bei einer von E ausgehenden Erregung (z.B. Depolarisation auf 0). Das Ergebnis einer solchen Messung zeigt Abb. 14. In der Ordinate ist I_{Na} in Relation zum maximal möglichen $I_{Na\,max}$ eingetragen, in der Abscisse das Membranpotential E *vor* der Erregungsauslösung. Es zeigt sich, daß der maximale I_{Na} nur von Potentialen aus zu erreichen ist, die um 30–40 mV negativer sind als das Ruhepotential. Weiter ist sichtbar, daß von Potentialen 20–30 mV positiver als das Ruhepotential ausgehend überhaupt kein I_{Na} ausgelöst werden kann. Bei diesen Potentialen ist also das Na^+-System völlig **inaktiviert** und durch keine Depolarisation aktivierbar. Im Potentialbereich zwischen 30 mV negativer und 20 mV positiver als das Ruhepotential dagegen ist g_{Na} durch Depolarisation beschränkt *aktivierbar*, und vom Ruhepotential

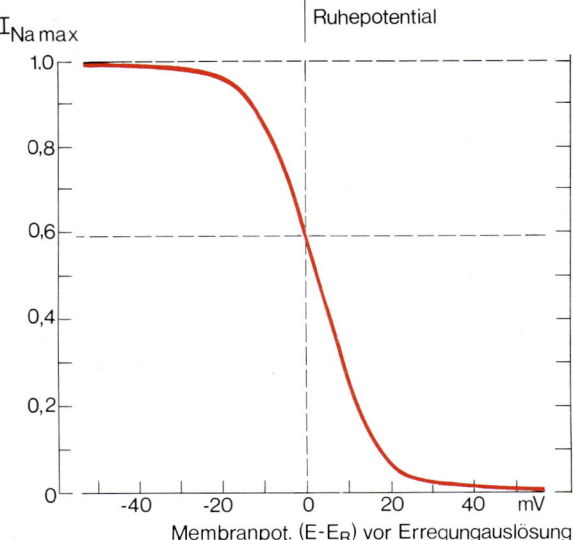

Abb. 14. Potentialabhängigkeit der Inaktivation des Natriumsystems. Abscisse $(E−E_R)$: Abweichung des Membranpotentials vom Ruhepotential (bei −60 mV). Von diesem Potential ausgehend wurde die Membran jeweils auf −16 mV depolarisiert, der ausgelöste maximale Natriumstrom ist in der Ordinate als $I_{Na\,max}$ eingetragen. Bei den Ordinatenwerten wurde der bei voller Aktivierbarkeit des Na^+-Systems erreichte $I_{Na\,max}$ als 1,0 gesetzt. Nach [18]

selbst ausgehend können nur etwa 60% des maximal möglichen Natriumeinstroms ausgelöst werden. Das Natriumsystem ist also am Ruhepotential zu etwa 40% inaktiviert. Die gleiche Abhängigkeit der Inaktivation des Na^+-Systems vom Membranpotential wird auch an Nerven- und Muskelzellen von Säugetieren gefunden [12].

Einflüsse auf die Inaktivation. Die potentialabhängige Inaktivation des Na^+-Systems hat wichtige Folgen für die Erregbarkeit der Zellen unter verschiedenen Bedingungen. Fällt z.B. das Ruhepotential einer Warmblüterzelle auf Werte positiver als −50 mV (z.B. bei Sauerstoffmangel oder unter Einwirkung eines Muskelrelaxans vom Succinylcholin-Typ, s.S. 41), so ist das Natriumsystem vollständig inaktiviert und die Zelle ist unerregbar. Subtilere Einwirkungen auf die Erregbarkeit haben Stoffe, die die Potentialabhängigkeit der Inaktivation selbst beeinflussen. Das wichtigste Beispiel sind **Ca^{++}-Ionen.** Bei Erhöhung der Ca^{++}-Konzentration wird die Potentialabhängigkeit der Inaktivation nach rechts verschoben, und Erniedrigung der Ca^{++} hat den umgekehrten Effekt. Eine Erhöhung der Ca^{++}-Konzentration verbessert also die Aktivierbarkeit des Na^+-Systems. Gleichzeitig wird jedoch der Potentialbereich, in dem bei Depolarisation g_{Na} kräftig steigt, zu positiveren Potentialen verschoben, d.h. die Schwelle wird positiver. Entsprechend wird bei erniedrigter Calciumkonzentration die Schwelle negativer, sie rückt näher an das Ruhepotential [11]. Daraus folgt, daß bei Erhöhung der *Ca^{++}-Konzentration die Erregbarkeit* der Zellen *abnimmt,* und bei *Erniedrigung der Ca^{++}-Konzentration die Erregbarkeit steigt.* Diese Tatsachen sind Grundlagen des Krankheitsbildes der *Tetanie* und anderer Calciummangelzustände im Blut: Bei erniedrigter Ca^{++} treten unkontrollierte Muskelerregungen und Krämpfe auf. Ähnliche Effekte wie Änderungen der Ca^{++}-Konzentration haben Lokalanaesthetica wie Novocain, und am Herzmuskel Digitalisglykoside [9, 33] und manche antiarrhythmischen Pharmaka: Sie alle vermindern die Erregbarkeit durch Verschiebung der Potentialabhängigkeit der Inaktivation des Na^+-Systems bzw. des Schwellenpotentials und bieten so wichtige therapeutische Eingriffsmöglichkeiten.

Im Gegensatz zu g_{Na} wird g_K *nicht inaktiviert.* Abb. 12 zeigte, daß g_K nach dem Depolarisationsschritt langsam steigt und beim erreichten Maximalwert konstant bleibt. Der Anstieg von g_K ist im Aktionspotential für die Repolarisationsphase verantwortlich; die während einer Depolarisation unbeschränkt andauernde hohe g_K sichert also auf alle Fälle die Rückkehr des Potentials zum Ruhewert.

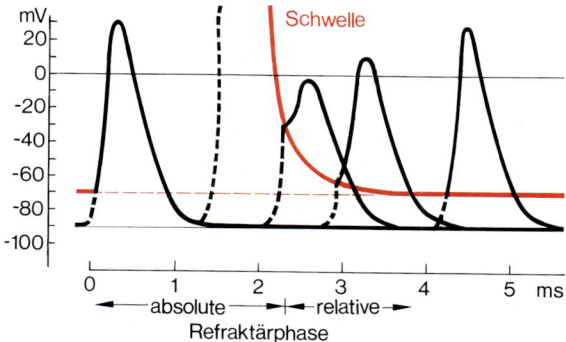

Abb. 15. Refraktärität nach einer Erregung. Aktionspotential eines Warmblüternerven, nach dem zu verschiedenen Zeiten weitere Erregungen ausgelöst wurden. Rot ausgezogen das Schwellenpotential. Die Depolarisation der Faser bis zur Schwelle ist jeweils schwarz gestrichelt dargestellt. Die Faser ist in der absoluten Refraktärphase unerregbar, in der relativen Refraktärphase mit erhöhter Schwelle erregbar

Refraktärität. Eine weitere wichtige Folge der Inaktivation des Na^+-Systems ist die **Refraktärität.** Abb. 15 erläutert dieses Phänomen: Depolarisiert man unmittelbar nach einem Aktionspotential die Membran bis zur Schwelle für das vorhergehende Aktionspotential, so tritt keine Erregung auf, und auch durch beliebig hohe Depolarisation ist die Zelle nicht erregbar. Dieser Zustand, der bei Nervenzellen etwa 1 ms andauert, wird **absolute Refraktärphase** genannt. Nach der absoluten Refraktärphase können in einer **relativen Refraktärphase** durch große Depolarisationen Aktionspotentiale ausgelöst werden, diese Aktionspotentiale haben allerdings gegenüber dem normalen Aktionspotential eine verkleinerte Amplitude. Erst mehrere ms nach einem Aktionspotential kann mit normaler Schwellendepolarisation ein Aktionspotential mit normaler Amplitude ausgelöst werden, und es endet damit die *relative Refraktärphase.* Wie schon bemerkt, ist die Refraktärität Folge der Inaktivation des Na^+-Systems während des vorhergehenden Aktionspotentials. Die Inaktivation wird durch die Repolarisation wieder aufgehoben, dieser Vorgang benötigt jedoch einige ms und während dieses Zeitraums ist das Natriumsystem noch nicht oder nur beschränkt wieder aktivierbar. Die **absolute Refraktärphase begrenzt die maximale Frequenz** mit der in der Zelle Aktionspotentiale ausgelöst werden können. Ist wie in Abb. 15 die absolute Refraktärphase 2 ms nach dem Beginn des Aktionspotentials beendet, so kann die Zelle maximal mit einer Frequenz von 500/s erregt werden. Es gibt Zellen mit noch kürzeren Refraktärzeiten, so daß im Extremfall Frequenzen der Erregungen bis 1000/s vorkommen. Bei den meisten Zellen werden jedoch maximale Aktionspotentialfrequenzen unter 500/s gemessen.

Membranstruktur und Natriumsystem. Grundlage der Erregung der Zelle ist das Natriumsystem, d.h. die Fähigkeit der Zellmembran, bei Depolarisation sehr schnell für einige Millisekunden die Membranleitfähigkeit für Na$^+$ stark zu erhöhen. In den letzten Jahren haben sich viele Forschungen darauf konzentriert, den molekularen Mechanismus dieses schnellen Na$^+$-Systems näher zu klären. Einen Zugang eröffnete die Verwendung des Giftstoffes **Tetrodotoxin**, der in Konzentrationen von 10^{-10} bis 10^{-7} mol/l spezifisch das *schnelle Natriumsystem* hemmt bzw. blockiert. Bei dieser Hemmung durch Tetrodotoxin wird weder die Potentialabhängigkeit noch das Inaktivationsverhalten des Na$^+$-Systems verändert, was sich am besten damit erklären läßt, daß ein Tetrodotoxin-Molekül nur den Eingang für einen Na$^+$-Kanal durch die Membran versperrt, die nicht gesperrten Kanäle jedoch unbeeinflußt läßt [29]. Wenn man nun die Tetrodotoxin-Konzentration titriert, mit der die Hälfte der Kanäle gesperrt werden kann, so kann man die *Kanalzahl pro Membranfläche* abschätzen. Es ergeben sich etwa 50 Natriumkanäle pro μm^2 Membran, oder ein mittlerer Kanalabstand von 140 nm [28]. Dies ist angesichts des Durchmessers eines Na$^+$-Kanals von etwa 0,5 nm ein recht großer Abstand von Na$^+$-Kanälen durch die Membran (s. Abb. 16). Durch die Na$^+$-Kanäle können von den Metallionen nur Li$^+$ ähnlich schnell wie die Na$^+$ hindurchtreten, die Permeabilität für K$^+$ und Ca^{++} ist sehr viel geringer, und Anionen penetrieren gar nicht. Man stellt sich deshalb die Wand des Na$^+$-Kanals als mit einer festen negativen Ladung besetzt vor, die Anionen abstößt und den Durchtritt von Na$^+$ begünstigt (s. Abb. 16). Der Kanal ist so eng, daß die Kationen nur teilweise hydratisiert und unter

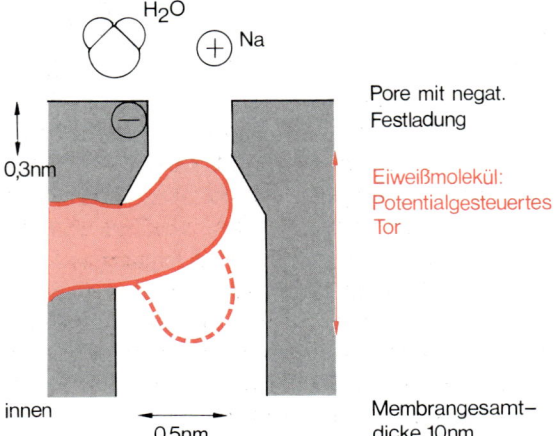

Abb. 16. Modell-Schema eines Na$^+$-Kanals der Membran (schnelles Na$^+$-System). Es ist nur die Porenöffnung an der Außenseite der Membran gezeigt, die Abmessungen dieser Pore sowie der Na$^+$- und der H$_2$O-Moleküle sind maßstabsgerecht gezeichnet. Nähere Erklärung im Text

Bildung von Wasserstoffbrücken zu Sauerstoffatomen der Porenwand passieren können. Mit einem solchen Modell [14] lassen sich quantitativ die Permeabilitätsverhältnisse für Metallionen, aber auch für organische Kationen wie Hydroxylamin, die den Na$^+$-Kanal fast so gut wie Na$^+$ permeieren können, erklären. Neben der so durch die Beschaffenheit der Kanalwand bewirkten Selektivität der Na$^+$-Kanäle besitzen diese auch noch eine *Torfunktion*, der Kanal kann durch Depolarisation oder Inaktivierung geöffnet bzw. geschlossen werden. Diese Torfunktion wird wahrscheinlich durch Eiweißmoleküle an der Innenseite der Membran wahrgenommen, die ihre Konfiguration potentialabhängig ändern (s. Abb. 16). Die Torfunktion wird jedenfalls durch eiweißspaltende Enzyme, die in die Zelle gebracht werden, stark beeinträchtigt.

3.5. Ionenströme während der Nachpotentiale

Bei vielen Zellen schließen sich an die schnelle Repolarisation des Aktionspotentials depolarisierende oder hyperpolarisierende Nachpotentiale an (Abb. 8 und 9). Die Ursachen für die Nachpotentiale sind verschiedenartig, zwei wichtigere Typen sollen hier kurz besprochen werden.

Ein **kurzes hyperpolarisierendes Nachpotential**, das sich unmittelbar an die Repolarisation anschließt, zeigen viele Nervenzellen und ein Teil der Herzmuskelzellen, ein Beispiel gibt Abb. 9. Dieses Nachpotential stellt eine überschießende Repolarisation dar: g_K ist, wenn die Repolarisationsphase das Ruhepotential erreicht, noch nicht ganz auf den Ruhewert zurückgegangen (Abb. 13), g_K ist also zu diesem Zeitpunkt relativ zu g_{Na} höher als in Ruhe, und damit muß sich das Membranpotential näher an E_K einstellen, als dies in Ruhe der Fall ist. Die Folge ist eine Hyperpolarisation, die mit der erhöhten g_K abklingt [19]. Dieser Mechanismus des kurzen hyperpolarisierenden Nachpotentials ist wichtig für die Ausbildung von repetitiven Erregungen und wird bei diesem Thema noch einmal aufgenommen (s.S. 30).

Lang dauernde **hyperpolarisierende Nachpotentiale**, die sich bei hoher Frequenz der Erregungen auch summieren, treten besonders deutlich an sehr dünnen Nervenfasern von Wirbeltieren, den Gruppe-IV-Fasern auf. Diese lang dauernden hyperpolarisierenden Nachpotentiale werden erzeugt durch eine **elektrogene Na$^+$-Pumpe** (s.S. 13) die während der Erregung in die Zelle eingeströmte Na$^+$ wieder aus der Zelle entfernt [31]. Diese Nachpotentiale verschwinden, wenn die Pumpaktivität durch Stoffwechselblocker wie DNP (s. Abb. 5) verhindert wird.

4. Elektrotonus und Reiz

Erregung wird ausgelöst, wenn die Membran zur Schwelle depolarisiert wird. Eine Depolarisation zu der oder über die Schwelle wird auch **Reiz** genannt. Der Reiz wird in der Regel erzeugt durch einen elektrischen Strom, der durch die Membran fließt und diese depolarisiert. Wenn also in diesem Abschnitt die Erregungsauslösung durch Reize näher besprochen werden soll, so muß zuerst auf die Membrandepolarisation durch elektrischen Strom eingegangen werden. Dabei sollen vorerst nur kleine Spannungsänderungen behandelt werden, bei denen sich die Membranleitfähigkeit nicht ändert.

4.1. Elektrotonus bei homogener Stromverteilung

Die klarsten Bedingungen für das Studium der Reaktionen der Membran auf einen Stromfluß herrschen, wenn, wie in Abb. 17(A) dargestellt, Strom durch eine intracelluläre Elektrode in die Mitte einer kugelförmigen Zelle appliziert wird. Wird ein konstanter positiver Strom eingeschaltet (Abb. 17(B)), so werden die einströmenden positiven Ladungen den Membrankondensator mehr und mehr entladen und die Membran depolarisieren. Entsprechend mißt die Potentialelektrode zu Beginn des Stromstoßes eine schnelle Depolarisation. Diese Depolarisation verlangsamt sich jedoch sehr bald, denn wenn das Membranpotential vom Ruhepotential entfernt wird, so wird das Gleichgewicht der Ionenströme gestört, und bei Depolarisation fließen vermehrt K^+-Ionen aus der Zelle aus. Dieser Gegenstrom von positiven Ionen durch die Membran kompensiert einen Teil der durch den elektrischen Strom zugeführten Ladungen, und die Entladung des Membrankondensators muß sich verlangsamen. So erreicht die Depolarisation, ständig langsamer werdend, schließlich einen Endwert, bei dem der Ionenstrom durch die Membran gleich groß ist wie der durch die Elektrode applizierte elektrische Strom, der Membrankondensator also nicht mehr weiter entladen wird (Abb. 17). Der durch den Stromstoß ausgelöste Potentialverlauf wird **elektrotonisches Potential** oder *Elektrotonus* genannt. Der Endwert oder die Amplitude des elektrotonischen Potentials ist proportional dem *Membranwiderstand* (reziprok der Membranleitfähigkeit) für die Ionenströme. Die Steilheit des Ansteigens des elektrotonischen Potentials wird ganz zu Anfang nur bestimmt durch die Membrankapazität, es fließt nur *kapazitiver Strom*. Wenn dann der

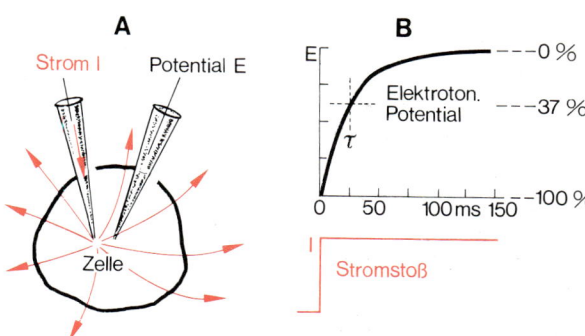

Abb. 17A u. B. Elektrotonisches Potential einer kugelförmigen Zelle. (A) Messung des Potentials E und Zuführung des Stromes I durch intracelluläre Elektroden. Die roten Linien deuten die Stromverteilung an. (B) Zeitverlauf eines Stromstoßes und des gleichzeitig in der Zelle gemessenen elektrotonischen Potentials. Die Zeitkonstante τ des elektrotonischen Potentials wird abgelesen, wenn sich das elektrotonische Potential seinem Endwert bis auf 37% (1/e) der Gesamtamplitude genähert hat

Gegenstrom der Ionen durch die Membran einsetzt, wird der Potentialverlauf exponentiell mit dem Exponenten $-t/\tau$. Die *Membranzeitkonstante* τ ist das Produkt von Membranwiderstand und Membrankapazität. τ hat an verschiedenen Zellen Werte von 5–50 ms.

Ein exponentieller Zeitverlauf wie der des Elektrotonus (oder z.B. der Abnahme der Aktivität eines radioaktiven Stoffes) folgt der Funktion $e^{-t/\tau}$. τ heißt Zeitkonstante, weil für die Zeit $t = \tau$ der Exponent -1 wird. τ läßt sich also an einer solchen Kurve als der Zeitpunkt ablesen, an dem die Amplitude auf $e^{-1} = 1/e = 37\%$ des Ausgangswertes abgefallen ist.

4.2. Elektrotonus an langgestreckten Zellen

Fast alle Nerven- und Muskelzellen sind sehr lang relativ zu ihrem Durchmesser, eine Nervenfaser kann z.B. 1 m lang sein bei einem Durchmesser von nur 1 µm. In solchen Zellen wird applizierter Strom sehr inhomogen durch die Membran abfließen, wodurch die in Abb. 17 dargestellten Verhältnisse stark modifiziert werden. Elektrotonische Potentiale an einer langgestreckten Muskelfaser zeigt Abb. 18, es wurde der Potentialverlauf am Orte der Stromapplikation (E_o), sowie in 2,5 mm und 5 mm Entfernung ($E_{2,5}$ bzw. E_5) ausgewählt. Die Form der elektrotonischen Potentiale ist gegenüber Abb. 17 verändert, sie ist nicht mehr einfach exponentiell und hängt von der Entfernung ab. Am Orte der Stromapplikation steigt E_0 sehr schnell an, sichtbar daran, daß es zum Zeitpunkt der Membranzeitkonstante τ schon bei 16% (statt 37% in Abb. 17) des Endwertes angelangt ist. Dieser steilere Anstieg wird durch die inhomogene Stromverteilung verursacht: Zuerst wird der Membrankon-

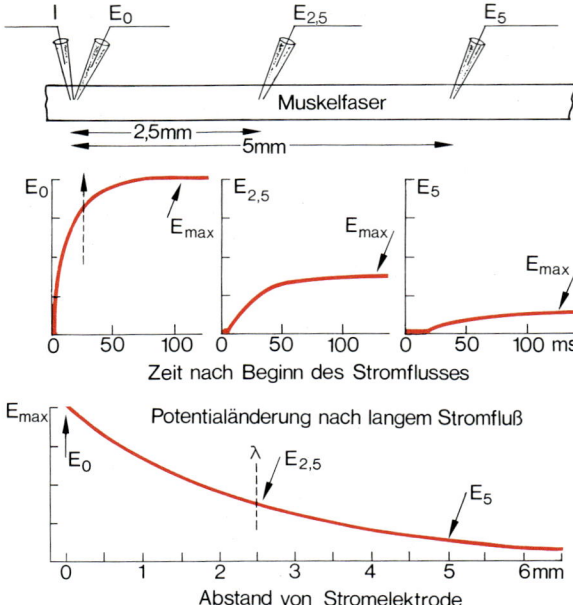

Abb. 18. Elektrotonische Potentiale in einer langgestreckten Zelle. Oben: Applikation des Stromes I in einer Muskelzelle und Messung der elektrotonischen Potentiale im Abstand 0 mm (E_0), 2,5 mm ($E_{2,5}$) und 5 mm (E_5). Darunter: Zeitverlauf der elektrotonischen Potentiale E_0, $E_{2,5}$ und E_5, die jeweils einen Endwert E_{max} erreichen. Unten: Abhängigkeit der E_{max} von der Entfernung vom Ort der Stromzuführung. Die Membranlängskonstante λ bezeichnet die Entfernung, in der E_{max} bis auf 37% (1/e) der Amplitude am Ort der Stromzuführung abgefallen ist

densator in einem kleinen Bezirk nahe der Stromzufuhr entladen, und erst dann fließt Strom über das Zellinnere, das einen beträchtlichen Längswiderstand hat, zu entfernteren Membranbezirken. Dort wieder muß zuerst der Membrankondensator entladen werden, und mit wachsender Entfernung vom Orte der Stromzufuhr wird also der Zeitverlauf des elektrotonischen Potentials zunehmend langsamer. In Abb. 18 beginnt deshalb das elektrotonische Potential in 5 mm Entfernung von der Stromelektrode (E_5) mit deutlicher Verzögerung und hat nach 120 ms seinen Endwert E_{max} noch nicht erreicht [21].

Auch wenn der zugeführte Strom längere Zeit geflossen ist und eine neue Ladungsverteilung sich eingestellt hat, fließt immer noch mehr Strom durch die Membran nahe der Stromzuführung als durch entferntere Membranbezirke, denn bei entfernteren Membranbezirken muß der Strom ja zusätzlich zum Membranwiderstand auch noch den Längswiderstand in der Zelle überwinden. Die Endwerte E_{max} der elektrotonischen Potentiale sind in Abb. 18 unten gegen den Abstand von der Stromelektrode aufgetragen. E_{max} fällt exponentiell mit dem Abstand x, der Exponent ist $-x/\lambda$. Die Größe λ wird **Membranlängskonstante** genannt, in Abb. 18 ist ihr Wert

2,5 mm, und an verschiedenen Zellen hat λ Werte zwischen 0,1 und 5 mm [21]. Die Längskonstante λ gibt an, über wie große Entfernungen sich elektrotonische Potentiale an langgestreckten Zellen ausbreiten. In der Entfernung 4 λ ist beispielsweise die Amplitude des elektrotonischen Potentials nur noch 2% der nahe der Stromzuführung; elektrotonische Potentiale sind also im Nerven bestenfalls Zentimeter von ihrem Ursprungsort entfernt meßbar.

Es soll noch einmal betont werden, daß diese Besprechung der Wirkungen von appliziertem Strom nur gilt für kleine Potentialänderungen, bei denen sich die Membranleitfähigkeit für Ionen nicht ändert. Elektrotonische Potentiale setzen also ein *passives* Verhalten der Membran voraus. Wenn man z.B. die Polarität des applizierten Stromes umkehrt, so ergeben sich deshalb auch spiegelbildliche elektrotonische Potentiale. Ein passives Verhalten der Membran ist nicht mehr gegeben, wenn eine Depolarisation den Schwellenbereich erreicht, dann nämlich steigt g_{Na}. Dieser Übergang vom Elektrotonus zum Reiz wird unter 4.3 besprochen.

Membranpolarisation über extracelluläre Elektroden. Die in Abb. 17 und 18 illustrierte Zuführung von Strom mit Hilfe einer intracellulären Elektrode schafft zwar die übersichtlichsten Verhältnisse für das Verständnis des Elektrotonus, in der medizinischen Forschung und in der Neurologie wird jedoch die Zellpolarisation meistens mit Hilfe von Strom durch extracelluläre Elektroden erreicht. Dies gelingt am besten, wenn man eine Nervenfaser auf zwei Metallelektroden legt, die mit einer Spannungsquelle verbunden sind. Die fließenden Ströme zeigt Abb. 19. Die positive Elektrode heißt *Anode*, die negative *Kathode*. Zwischen den beiden Elektroden fließt Strom durch den Flüssigkeitsfilm, der

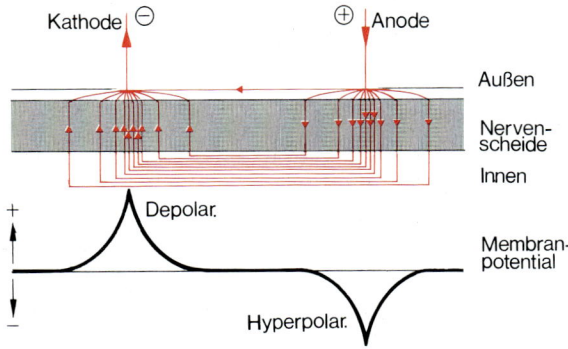

Abb. 19. Extracelluläre Stromapplikation. Strom fließt von der Anode zur Kathode, die außen auf einen Nerven gelegt sind. Der Strom fließt teils außen durch den Flüssigkeitsfilm auf der Nervenoberfläche, teils tritt er durch die Nervenscheide und fließt innen entlang der Nervenfasern. Die Kurve unten zeigt die durch den Strom hervorgerufenen Änderungen des Membranpotentials in einer Nervenfaser. Nach [24]

dem Nerv anhaftet. Aber auch das Innere der Nervenfaser bietet dem Strom relativ geringen Widerstand, deshalb kreuzt ein Teil des Stromes an der Anode die Membran, fließt durch das Zellinnere zur Kathode, und kreuzt wiederum die Membran. Diese Ströme durch die Membran werden von Änderungen des Membranpotentials begleitet: An der Anode erhöhen die außen an die Membran zugeführten positiven Ladungen die Ladung des Membrankondensators und damit das Membranpotential. Bei dem erhöhten Membranpotential strömen K^+ in die Zelle und tragen so den Strom durch die Membran. An der Anode tritt also eine erhöhte Polarisation der Membran, eine Hyperpolarisation ein. Spiegelbildlich ergibt sich an der Kathode eine Depolarisation. Die Spannungsänderung entlang der Nervenfaser zeigt Abb. 19 unten. Jeweils am Orte der Elektroden und der größten Stromdichte ändert sich die Spannung am stärksten.

Meist ist man daran interessiert, den Nerven oder Muskel nur zu depolarisieren und schließlich zu reizen, d.h. die Hyperpolarisation an der Anode ist nicht so erwünscht. Es ist dann günstiger, die Anode großflächig oder weit entfernt vom Nerven anzulegen, denn dadurch wird die Stromdichte unter der Anode geringer und der Nerv wird zwar über eine größere Strecke, dafür aber nur geringfügig hyperpolarisiert. Man nennt die kleinflächige Elektrode, an der die Stromlinien und die Polarisation konzentriert sind, die *differente Elektrode*, und die großflächige Gegenelektrode die *indifferente Elektrode*.

4.3. Reiz und Reizzeit-Spannungskurve

Überschreitet ein depolarisierendes elektrotonisches Potential die Schwelle, so wird eine Erregung ausgelöst; der Stromstoß, der eine solche Potentialänderung hervorruft, heißt Reizstrom oder **Reiz**. Mit dem minimalen Reizstrom wird gerade die Schwelle überschritten, größere Ströme erzeugen Depolarisationen, die die Schwelle schneller erreichen; unabhängig von der Reizamplitude werden jedoch wegen des Alles-oder-Nichts-Charakters der Erregung jeweils Aktionspotentiale gleicher Amplitude ausgelöst.

Neben der *Amplitude* des Reizstromes bestimmt auch seine *Flußdauer* die Auslösung einer Erregung. Im Beispiel der Abb. 20 rechts oben muß ein Reizstrom der Stärke $1,1 I_R$ 36 ms lang fließen, bis das erzeugte elektrotonische Potential die Schwelle erreicht. Ein Reizstrom der Stärke $2 I_R$ löst schon nach 5,5 ms eine Erregung aus, und bei der Stromstärke $4 I_R$ wird die Schwelle schon nach 1,5 ms

überschritten. Die minimale Flußzeit des Reizstromes oder die Reizdauer ist gegen die Reizstärke in Abb. 20 eingetragen, diese Beziehung wird auch **Reizzeit-Spannungskurve** genannt. Die Reizstärke zeigt einen Minimalwert bei langen Reizen, dieser Wert wird **Rheobase** (I_R) genannt. Die Steilheit des Anstiegs der Reizzeit-Spannungskurve für kürzere Reize wird erfaßt durch die minimale Reizzeit für einen Reiz mit doppelter Rheobasenstärke, der **Chronaxie**.

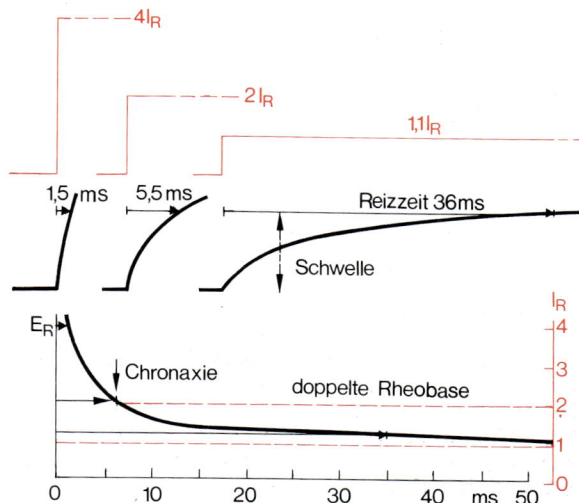

Abb. 20. Reizzeit-Spannungskurve und elektrotonisches Potential. Unten Abhängigkeit des minimalen Reizstromes I_R bzw. der minimalen Reizspannung E_R von der Reizzeit. Die Rheobasen-Stromstärke $I_R = 1$ wird für sehr lange Reize abgelesen, die Chronaxie als Reizzeit bei $I_R = 2$ („doppelte Rheobase"). Oben: Bestimmung der minimalen Reizzeit mit Hilfe der elektrotonischen Potentiale. Ströme (rot) der Amplituden $1,1 I_R$, $2 I_R$ und $4 I_R$ erzeugen elektrotonische Potentiale (unter den jeweiligen Strömen, schwarz) die nach Reizzeiten von 36 ms, bzw. 5,5 ms, bzw. 1,5 ms die Schwelle erreichen. Diese Reizzeiten sind für die jeweilige Stromstärke I_R die minimale Reizzeit und sind in der Reizzeit-Spannungskurve unten durch Striche markiert

Die Chronaxie ist ein Maß der Erregbarkeit einer Zelle. Sie hängt ab von der Steilheit des Anstieges des elektrotonischen Potentials, wie die Konstruktion der Reizzeit-Spannungskurve in Abb. 20 aus den elektrotonischen Potentialen zeigt. Die Chronaxie ist somit proportional der Membranzeitkonstante τ, die wiederum das Produkt von Membranwiderstand und Membrankapazität ist (s. S. 21). Wie weiter aus Abb. 20 hervorgeht, hängt die Chronaxie auch vom Abstand des Schwellenpotentials vom Ruhepotential ab.

Chronaxiemessung in der Neurologie. Das Erregbarkeitsmaß Chronaxie hat den Vorteil, daß zu seiner Bestimmung der absolute Wert des Reizstromes durch die Zelle nicht bekannt sein muß. Es kann z.B. mit extracellulären Elektroden, die auf der

Haut des Unterarmes liegen, der M. abductor pollicis longus gereizt werden. Zur Chronaxiemessung wird zuerst mit langen Strompulsen die kleinste Stromstärke bestimmt, die Daumenabduktion hervorruft. Diese kleinste Stromstärke ist die Rheobase. Wird nun diese Stromstärke verdoppelt und die kürzeste Reizzeit gesucht, mit der Daumenabduktion ausgelöst werden kann, so ist dies die Chronaxie des betreffenden Muskels. Bei dieser Reizmethode ist nur ein winziger und unbekannter Anteil des auf die Haut applizierten Stromes durch die in der Tiefe liegenden Muskelfasern geflossen. Trotzdem sollte Verdoppelung der Rheobasen-Stromstärke auch den Anteil des Stromes verdoppeln, der durch den Muskel fließt, so daß die Bedingungen für die Chronaxiemessung gegeben sind.

Wegen der möglichen Verwendung extracellulärer Reize ist die Chronaxie als Erregbarkeitsmaß besonders für klinische Anwendungen geeignet. In der Neurologie wird die Messung der Chronaxie vor allem für die Diagnose und Verlaufskontrolle von Muskellähmungen verschiedener Genese eingesetzt. Normalerweise werden bei Reizstromzuführung über Hautelektroden Rheobasen von 2–10 mA gefunden, die Chronaxie liegt bei fast allen Warmblütermuskeln unter 1 ms. Bei Erkrankungen oder Durchtrennungen von motorischen Nerven kann die Chronaxie stark ansteigen, bei schweren Lähmungen kommen Werte von 20–200 ms vor.

Elektrische Spannungen werden außer zur Reizung von Nerven in der Neurologie auch zu therapeutischen Zwecken an die Haut gelegt oder wirken bei Unfällen ein. Gleichspannungen haben hauptsächlich beim Ein- und Ausschalten Reizwirkung, im übrigen bilden sich bei zu hohen Gleichspannungen relativ starke Funken aus, die tiefe Hautverletzungen verursachen, und stärkere Gleichströme verursachen auch im Gewebe Erwärmungen, die zu Schäden führen. Niederfrequente Wechselströme (z.B. 50 Hz) haben die gleichen Effekte bei etwas geringerer Funkenbildung. Dazu kommen Reizungen mit der Frequenz des Wechselstromes, die vor allem, wenn sie in die relative Refraktärphase (vulnerable Phase) des Herzmuskelaktionspotentials treffen, leicht das tödliche Herzflimmern auslösen können. Niederfrequenter Wechselstrom ist also besonders gefährlich. Höherfrequente Wechselströme (mehr als 10 kHz) können während einer Halbwelle die Membran nicht bis zur Schwelle depolarisieren, und die nächste Halbwelle hebt die Depolarisation auf. Sie haben folglich keine Reizwirkung und erwärmen lediglich das Gewebe. Frequenzen von 0,5 bis 1 MHz können deshalb therapeutisch bei der **Diathermie** zur kontrollierten und lokalisierten Erwärmung des Gewebes eingesetzt werden.

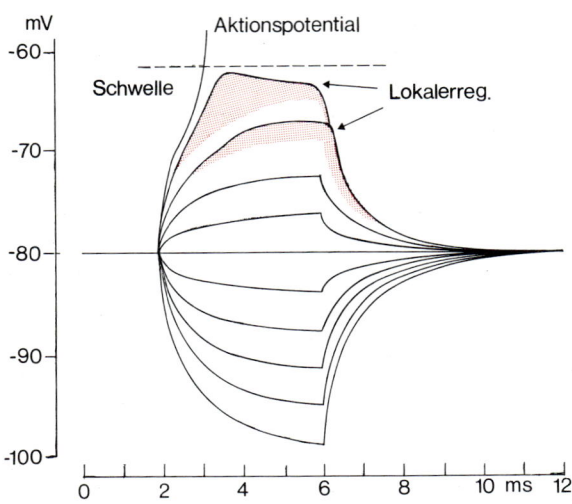

Abb. 21. Elektrotonische Potentiale und lokale Antworten. Stromstöße (von 4 ms Dauer) der Stärke 1, 2, 3, 4 und 5 erzeugen in hyperpolarisierender Richtung gleichmäßig ansteigende elektrotonische Potentiale. In depolarisierender Richtung verlaufen die elektrotonischen Potentiale 1 und 2 spiegelbildlich zu den hyperpolarisierenden. Die depolarisierenden Stromstöße 3 und 4 erzeugen Depolarisationen, die bei Überschreiten von -70 mV vom Verlauf der elektrotonischen Potentiale nach oben abweichen, das Ausmaß dieser Abweichung wird durch die roten Flächen unter den Kurven angedeutet. Die über den Elektrotonus hinaus selbsttätig erzeugte Depolarisation wird als Lokalerregung bezeichnet. Der depolarisierende Stromstoß der Stärke 5 erzeugt eine Depolarisation, die die Schwelle überschreitet und ein Aktionspotential auslöst

4.4. Schwellennahe Reize: Lokale Antwort

Die Schwelle für die Erregung wurde als das Potential definiert, über das die Membran depolarisiert werden muß, damit ein Aktionspotential startet. Das Aktionspotential wird an der Schwelle ausgelöst, weil durch die Depolarisation die Natriumleitfähigkeit g_{Na} steigt und dadurch der Na^+-Einstrom so groß wird, daß die Membran selbsttätig weiter depolarisiert wird. Der durch die Depolarisation ausgelöste Na^+-Einstrom setzt nun nicht abrupt am *Schwellenpotential* ein, sondern schon bei Potentialen einige mV niedriger als die Schwelle. Dies ist an der Serie der elektrotonischen Potentiale in Abb. 21 sichtbar, die durch jeweils um den gleichen Betrag anwachsende hyperpolarisierende und depolarisierende Stromstöße ausgelöst werden. Nur die beiden kleinsten depolarisierenden elektrotonischen Potentiale verlaufen spiegelbildlich zu den hyperpolarisierenden. Die dritte und die vierte Depolarisation steigen schneller an und sind größer als die entsprechenden Hyperpolarisationen, und die fünfte Depolarisation ist überschwellig. Der Überschuß an Depolarisation bei den nahe unterschwelligen Potentialverläufen ist als rote Fläche eingezeichnet, er wird als **lokale Antwort** bezeichnet und wird hervorgerufen durch die in diesem Potentialbereich schon erhöhte Na^+-Leitfähigkeit. Während solcher lokaler Antworten kann der Na^+-Einstrom durchaus den K^+-Ausstrom überwiegen, der Na^+-Strom ist jedoch nicht groß genug, um die Membran mit ausreichender Geschwindigkeit (s.u.) zu depolarisieren und reicht auch nicht aus, die Umgebung der gereizten Stelle zur Erregung zu bringen. Es handelt sich also um einen nicht voll ausgebildeten Erregungszustand, der lokalisiert bleibt und nicht fortgeleitet wird. Eine solche lokale Antwort kann natürlich durch einen kleinen zusätzlichen Reiz, z.B. ein synaptisches Potential (s.S. 42), leicht in eine volle Erregung übergehen.

4.5. Verschiebungen der Reizschwelle: Akkommodation und Anodenöffnungserregung

In unserer Darstellung wurde die Schwelle als ein festes Potential betrachtet, bei dessen Überschreiten ein Aktionspotential ausgelöst wird. Andererseits haben wir verschiedene Einflüsse kennengelernt, die die Aktivierbarkeit des Na^+-Systems ändern (s.S. 19) und damit auch die Schwelle verschieben. Der wichtigste solche Einfluß ist das Ausgangspotential, von dem aus ein Reiz die Erregung auslöst. Länger dauernde Depolarisation inaktiviert das Na^+-System, und Hyperpolarisation erhöht die Aktivierbarkeit (Abb. 14). Dies hat z.B. zur Folge, daß wenn vom Ruhepotential ausgehend die Membran relativ langsam depolarisiert wird (s. Abb. 22(A)), das Na^+-System weitgehend oder vollständig inaktiviert ist, ehe das Schwellenpoten-

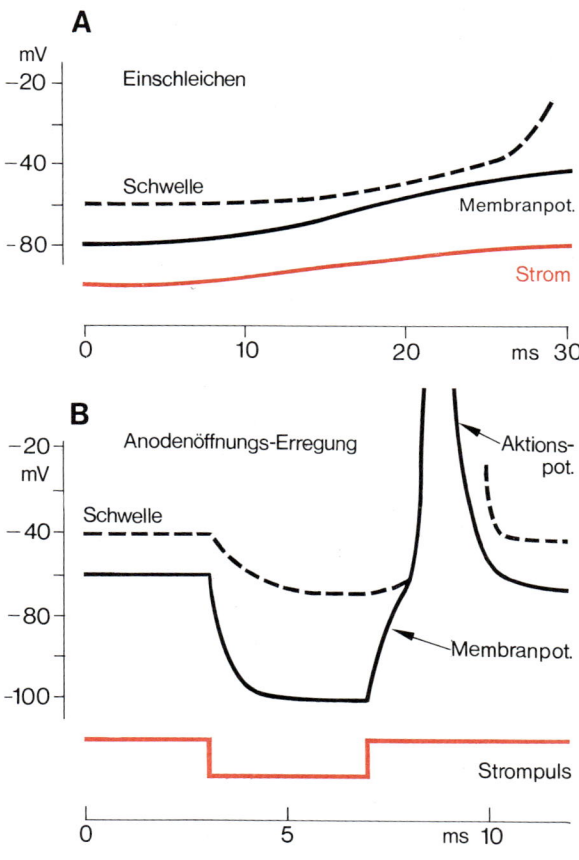

Abb. 22A u. B. Einschleichen und Anodenöffnungserregung. (A) Zeitverlauf einer Depolarisation der Zellmembran durch langsam ansteigenden Strom. Das Schwellenpotential wird ebenfalls langsam positiver, im Potentialbereich von −50 mV wird die Zelle unerregbar. (B) Ein hyperpolarisierender Strompuls erzeugt ein hyperpolarisierendes elektrotonisches Potential, währenddessen das Schwellenpotential ebenfalls negativer wird. Am Ende des elektrotonischen Potentials („Anodenöffnung") kann das Membranpotential die Schwelle erreichen und ein Aktionspotential auslösen

tial erreicht wird. Diese langsame Depolarisation löst dann entweder bei einem positiveren Potential als der normalen Schwelle ein verkleinertes Aktionspotential aus, oder es wird gar keine Erregung ausgelöst (Abb. 22(A)). Die Erhöhung der Reizschwelle bei langsamer Depolarisation nennt man **Akkommodation**, das völlige Ausbleiben einer Erregung bei sehr langsamer Depolarisation heißt auch **„Einschleichen"**. Akkommodationsvorgänge kommen z.B. an Zellen des Zentralnervensystems vor, die durch summierte langsam ansteigende synaptische Potentiale (s.S. 44) depolarisiert werden.

Eine andere Reizsituation, in der die Schwelle verschoben wird, ist die sogenannte **„Anodenöffnungserregung"**. Bei extracellulärer Reizung (Abb. 19) wird an der Anode die Membran hyperpolarisiert, während an der Kathode Depolarisation und Erregung ausgelöst werden. Bei längeren Reizen kann jedoch auch beim Abschalten des Reizes an der Anode ein Aktionspotential ausgelöst werden, die „Anodenöffnungserregung". Die Ursache für diesen paradox erscheinenden Vorgang zeigt Abb. 22(B). Während einer Hyperpolarisation steigt die Aktivierbarkeit des Natriumsystems (Abb. 14), und entsprechend wird das Schwellenpotential negativer. Bei kräftigen Hyperpolarisationen kann so das Schwellenpotential negativer werden als das Ruhepotential, und wenn am Ende der Hyperpolarisation das Potential zum Ruhepotential zurückkehrt, kann es die Schwelle erreichen und eine Erregung auslösen.

5. Fortleitung des Aktionspotentials

Die Aufgabe der Nervenfaser und der Membran der Muskelfaser ist es, Informationen oder Steuerimpulse zu verbreiten, Erregungen fortzuleiten. Um den Mechanismus der Fortleitung der Erregung zu verstehen, muß die in 3 besprochene Erregungsphysiologie mit den Gesetzen der Längsausbreitung von Strömen und Potentialen (s. 4) kombiniert werden. Ausgehen soll unsere Darstellung von dem Befund der Fortleitung der Erregung in einem Nerven.

5.1. Messung der Leitungsgeschwindigkeit

Wird ein Nerv, z.B. durch einen elektrischen Stromstoß, erregt, so können von ihm mit extracellulären Elektroden (s. Abb. 23) Aktionspotentiale abgelei-

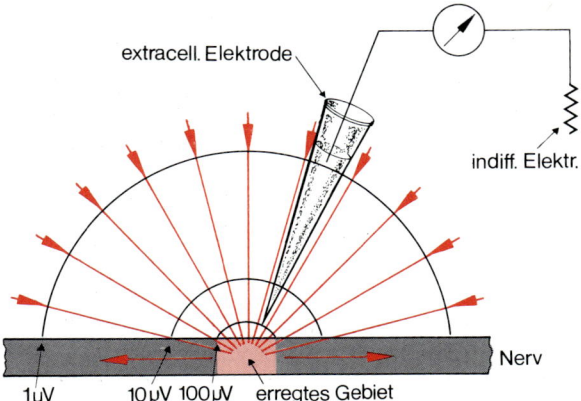

Abb. 23. Ableitung mit einer unipolaren extracellulären Mikroelektrode von einer erregten Nervenfaser. Die roten Stromlinien deuten den aus der Außenlösung konzentrisch in das erregte Gebiet des Nerven fließenden Strom an, senkrecht dazu verlaufen Isopotentiallinien für 100 µV, 10 µV und 1 µV für den Spannungsabfall in der Außenlösung. Dieser der Stromdichte proportionale Spannungsabfall wird durch die extracelluläre Elektrode gemessen

tet werden. Diese Aktionspotentiale treten nicht nur am Reizort auf, sondern auch in beträchtlicher Entfernung, z.B. in 1 m Abstand von der Reizelektrode. Die Amplitude des Aktionspotentials ist dabei an allen Stellen *gleich groß*, das Aktionspotential erscheint jedoch gegenüber dem Reiz mit *Verzögerung*, die proportional dem Abstand wächst. An einem motorischen Nerven trifft z.B. ein Aktionspotential in 1 m Entfernung vom Reizort in 10 ms ein, daraus muß gefolgert werden, daß das Aktionspotential mit einer Geschwindigkeit von 100 m/s entlang dem Nerven *fortgeleitet* wurde.

Die oben angesprochene *Ableitung mit extracellulären Elektroden* wird nicht nur für die Messung der Aktionspotentiale von Nervenfasern oder -zellen, sondern auch von synaptischen Potentialen (s. S. 41) und Receptorpotentialen (s. S. 29) viel verwendet und soll hier kurz besprochen werden. Abb. 23 zeigt einen Schnitt durch eine Nervenfaser, von der ein Stück *erregt* ist, d.h. es strömen Na^+-Ionen in die Zelle. Dieser Einstrom positiver Ladungen erfolgt aus dem Volumen der den Nerv umgebenden leitenden Lösung, die Stromlinien laufen in diesem Volumen auf das erregte Gebiet zusammen. Die Außenlösung hat einen geringen, jedoch nicht unbeträchtlichen Widerstand, und es fallen deshalb entlang der Stromlinien elektrische Spannungen ab, die der Stromdichte proportional sind. Entsprechend ist nahe dem erregten Gebiet (wo die Stromdichte groß ist) eine Isopotentiallinie von 100 µV eingezeichnet. Das durch den Strom erzeugte Potential nimmt allerdings mit der Entfernung schnell ab. Eine möglichst nahe am erregten Gebiet extracellulär lokalisierte Elektrode kann diese Potentialdifferenz messen, in der Abb. 23 wird so gegenüber einer weit vom Nerv entfernten in der Badelösung liegenden „indifferenten" Elektrode 100 µV gemessen. Diese Art der Ableitung heißt *unipolar*, weil nur eine Elektrode nahe der aktiven biologischen Struktur liegt.

Von der Art der in Abb. 23 gezeigten extracellulären Ableitung gibt es viele Modifikationen. Man kann z.B. den Nerven in Luft oder in einem nicht leitenden Ölbad halten, dadurch wird die leitende Lösung auf eine dünne Schicht um den Nerven beschränkt, die Stromlinien werden in dieser Schicht zusammengedrängt und bei so erhöhter Stromdichte werden relativ große extracelluläre Potentiale abgeleitet. Werden Abschnitte des Nerven gar von einer nichtleitenden isotonischen Zuckerlösung umströmt, so können mit dieser Zucker-Spalt-Methode sogar fast verlustlos die Potentialänderungen des Nerven gemessen werden.

Summenaktionspotential des gemischten Nerven. Ein Extremitätennerv enthält Nervenfasern sehr verschiedener Funktion und Dicke, und diese haben auch verschiedene Leitungsgeschwindigkeiten. Bei einer Registrierung vom gesamten Nerven erscheinen deshalb nach einer gewissen Leitungsstrecke zuerst Aktionspotentiale der schnellstleitenden Fasern und danach verschiedene Gruppen von Aktionspotentialen anderer, langsamer leitender Fasern. Das Summenaktionspotential an einem solchen Nerven weist also ein Spektrum von Fasergruppen und Leitungsgeschwindigkeiten auf (Abb. 24). Die verschiedenen Zacken dieses Summenaktionspotentials können verschiedenen Fasergruppen zugeordnet werden, die in Tabelle 2a mit den betreffenden Funktionen aufgeführt sind. Außer dieser Klassifikation von ERLANGER und GASSER [13] ist für sensorische Nerven auch noch die nach LLOYD-HUNT [26] gebräuchlich, die in Tabelle 2b enthalten ist.

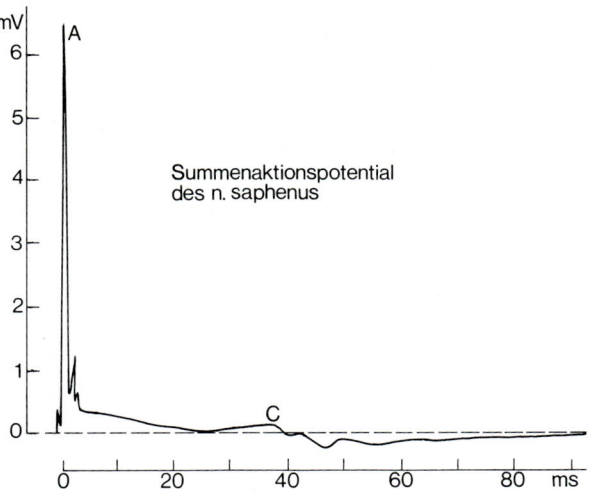

Abb. 24. Summenaktionspotential eines Warmblüter-Nerven, gemessen mit einer extracellulären Elektrode. Alle Fasern des Nerven wurden in einiger Entfernung vom Ableitort gereizt. Zuerst erscheinen die Aktionspotentiale der am schnellsten leitenden A-Fasern, etwa 38 ms später die der langsamen C-Fasern. Nach dem C-Faser-Aktionspotential ist ein langdauerndes hyperpolarisierendes Nachpotential sichtbar. Innerhalb der A-Faser-Gruppe sind verschiedene „Zacken" deutlich, die den α-, β-, γ- und δ-Untergruppen entsprechen. Nach [4]

Tabelle 2a. Klassifikation der Nervenfasern nach ERLANGER/GASSER

Fasertyp	Funktion, z.B.	Mittlerer Faserdurchmesser	Mittlere Leitungsgeschwindigkeit
Aα	primäre Muskelspindelafferenzen, motorisch zu Skeletmuskeln	15 μm	100 m/s (70–120 m/s)
Aβ	Hautafferenzen für Berührung und Druck	8 μm	50 m/s (30–70 m/s)
Aγ	motorisch zu Muskelspindeln	5 μm	20 m/s (15–30 m/s)
Aδ	Hautafferenzen für Temperatur und Schmerz	< 3 μm	15 m/s (12–30 m/s)
B	sympathisch präganglionär	3 μm	7 m/s (3–15 m/s)
C	Hautafferenzen für Schmerz, sympathisch postganglionär	1 μm marklos!	1 m/s (0,5–2 m/s)

Tabelle 2b. Klassifikation der Nervenfasern nach LLOYD/HUNT

Gruppen	Funktion, z.B.	Mittlerer Faserdurchmesser	Mittlere Leitungsgeschwindigkeit
I	primäre Muskelspindelafferenzen und Sehnenorganafferenzen	13 μm	75 m/s (70–120 m/s)
II	Mechanoreceptoren der Haut	9 μm	55 m/s (25–70 m/s)
III	tiefe Drucksensibilität des Muskels	3 μm	11 m/s (10–25 m/s)
IV	marklose Schmerzfasern	1 μm	1 m/s

5.2. Mechanismus der Fortleitung

Kennzeichnend für das fortgeleitete Aktionspotential ist, daß an jeder Stelle der Nervenfaser eine vollständige Erregung, ein Aktionspotential gleicher Amplitude abläuft. Diese Alles-oder-Nichts-Erregungen der einzelnen Membranstellen sind aneinander gekoppelt über den Mechanismus der elektrotonischen Ausbreitung von Reizströmen entlang der Faser. Die an einer erregten Membranstelle einströmenden Na^+-Ionen wirken für eine benachbarte, noch nicht erregte Membranstelle als Stromquelle für ein depolarisierendes elektrotonisches Potential, das überschwellig wird und auch dort eine Erregung auslöst. So pflanzt sich der Erregungszustand durch elektrotonische Koppelung von erregter zu noch nicht erregter benachbarter Membran fort.

Es sei auf den grundsätzlichen Unterschied zwischen der Fortleitung des Aktionspotentials und der Leitung von Spannungsimpulsen in einem Telegrafenkabel hingewiesen. Im Telegrafenkabel fließt Strom von dem einen Pol einer Spannungsquelle an dem einen Kabelende entlang des Kabels zum anderen Pol der Spannungsquelle am anderen Kabelende. Die Amplitude des Spannungsimpulses fällt deshalb auch mit der Entfernung. Elektrophysiologisch ausgedrückt ist die Leitung im Telegrafenkabel rein elektrotonisch. Beim fortgeleiteten Aktionspotential liegen die Pole der Spannungsquellen in jedem Membranbezirk zwischen der Innen- und der Außenseite der Faser, und der Strom fließt als Membranstrom im wesentlichen quer zur Fortleitungsrichtung.

Membranströme während des fortgeleiteten Aktionspotentials. Abb. 25 zeigt eine Momentaufnahme des Spannungs- und Stromverlaufes entlang einer Nervenfaser bei einem von rechts nach links fortgeleiteten Aktionspotential. Die Faserstrecke, auf der das Aktionspotential Platz hat, hängt von der Leitungsgeschwindigkeit ab: Bei einer Leitungsgeschwindigkeit von 100 m/s und einer Aktionspotentialdauer von 1 ms müßte in Abb. 25 die Abscisse 10 cm entsprechen. Das Faserstück zwischen den Hinweislinien A und C ist voll erregt, die Membrankapazität wird durch Na^+-Einstrom bei kräftig erhöhter g_{Na} schnell entladen, und nach der Spitze wird durch die angestiegene g_K und dem daraus folgenden K^+-Ausstrom die Repolarisation eingeleitet. Zwischen A und C überwiegt in dem Strom i_m durch die Membran der Einstrom positiver Ladungen, und der Überschuß dieser Ladungen fließt, wie in Abb. 25 unten gezeigt, nach beiden Seiten durch das Faserinnere ab. Dieser Stromüberschuß ist kennzeichnend für das *fortgeleitete* Aktionspotential: Bei einem nicht fortgeleiteten Aktionspotential an einer isolierten Membranstelle fließt auf der Spitze des Aktionspotentials kein Netto-Einwärtsstrom mehr, der Natriumeinstrom ist gleich dem Kaliumausstrom. Beim fortgeleiteten Aktionspotential dagegen fließt zum Zeitpunkt der Spitze noch etwa 80% des maximalen Nettoioneneinwärtsstromes, und dieser Strom wird für die **elektrotonische Ausbreitung** entlang der Faser benötigt.

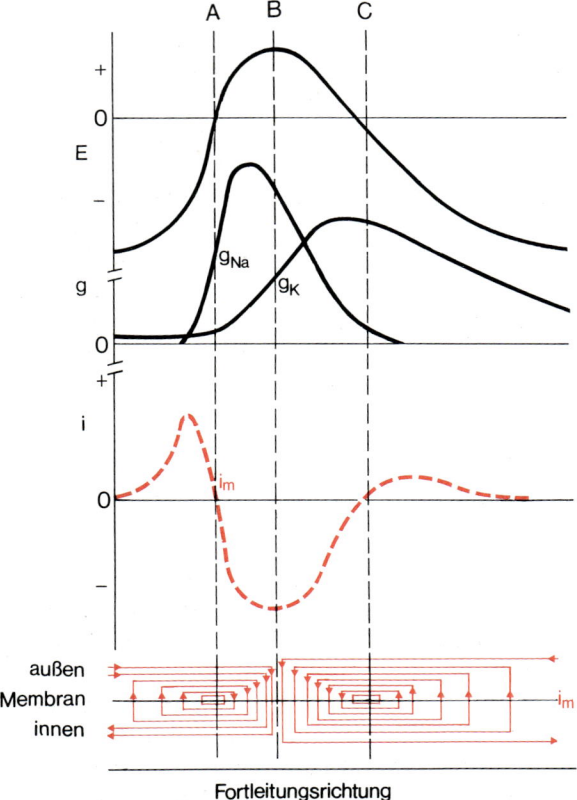

Abb. 25. Fortleitung des Aktionspotentials. Oberste Kurve: Zeitverlauf oder örtliche Änderung längs der Faser des Aktionspotentials, darunter die Membranleitfähigkeiten g_{Na} und g_K. Die rote Kurve zeigt den Membranstrom i_m. Unten die Stromrichtung und -dichte durch die Zellmembran und im Intra- bzw. Extracellulärraum. Die vertikalen Hilfslinien zeigen den Zeitpunkt der maximalen Anstiegssteilheit (A), der Spitze (B) und der maximalen Repolarisationsgeschwindigkeit (C) an. Nach [30]

Der für die Fortleitung bestimmende Abschnitt des Aktionspotentials in Abb. 25 liegt links von der Hinweislinie A. In diesem Membranbezirk fließt der Membranstrom i_m auswärts und depolarisiert **elektrotonisch** die Membran. Die Stromquelle für die elektrotonische Depolarisation liegt im erregten Membranbezirk um B. Die elektrotonische Depolarisation zu Beginn des Aktionspotentials erreicht kurz vor der Hinweislinie A den Schwellenbereich, g_{Na} erhöht sich, und der Natriumeinwärtsstrom steigt an und leitet eine Erregung ein. Die Anfangsphase des Aktionspotentials ist also elektrotonisch bestimmt, und seine Fortleitungsgeschwindigkeit hängt deshalb auch wesentlich von den Faserkonstanten τ und λ ab, die die Ausbreitung elektronischer Potentiale beschreiben.

Auch am Ende des Aktionspotentials, rechts von C in Abb. 25, strömt ein Membranstrom i_m aus der Faser und sucht sie zu depolarisieren. Diese Tendenz wird beim über die Faser fortgeleiteten

Aktionspotential durch die hohe g_K in diesem Membranbezirk verhindert. Ist jedoch g_K relativ niedrig oder kommen andere depolarisierende Einflüsse hinzu, so können aufgrund der elektrotonischen Membranströme am Ende des Aktionspotentials neue, sogenannte **repetitive Erregungen** entstehen (s. Abb. 27).

Der Membranstrom i_m ist Grundlage für die Möglichkeit, Aktionspotentiale mit extracellulären Elektroden zu messen, denn solche Elektroden messen die Stromdichte in der extracellulären Lösung (Abb. 23). Bei extracellulären Mikroelektrodenableitungen aus dem ZNS werden deshalb von Nervenzellen und -fasern dem Membranstrom i_m in Abb. 23 proportionale triphasische „Spikes" gemessen. i_m ist im übrigen beim fortgeleiteten Aktionspotential proportional der zweiten Ableitung des intracellulären Potentialverlaufes nach der Zeit [19].

Höhe der Leitungsgeschwindigkeit. Die Leitungsgeschwindigkeit einer Nervenfaser läßt sich mit großem Aufwand aus den Potential- und Zeitabhängigkeiten der Ionenströme sowie aus den die elektrotonische Ausbreitung bestimmenden Bedingungen: Faserdurchmesser, Membranwiderstand und Membrankapazität berechnen. Das Ergebnis dieser Rechnung stimmt gut mit den Meßwerten überein [12, 19], was die Anwendbarkeit der Ionentheorie der Erregung und des Elektrotonus bestätigt. Hier sollen nur qualitativ Faktoren diskutiert werden, die die Leitungsgeschwindigkeit beeinflussen.
Die Leitungsgeschwindigkeit hängt ab einmal von der *Amplitude des Na⁺-Einstroms,* denn je mehr Strom nach der Umladung der Membran in der Erregung noch zur Verfügung steht, desto mehr Strom kann in anliegende, noch nicht erregte Bezirke fließen und ihre Depolarisation beschleunigen. Der Na⁺-Einstrom kann erniedrigt werden durch Reduktion der Na⁺-Konzentration, oder durch verstärkte Inaktivation des Na⁺-Systems bei herabgesetztem Ruhepotential, oder unter dem Einfluß von Lokalanaesthetica (s. S. 19). Unter allen diesen Bedingungen ist die Leitungsgeschwindigkeit des Aktionspotentials *erniedrigt,* im Extremfall tritt „Block" der Fortleitung ein.
Wesentlichen Einfluß auf die Fortleitungsgeschwindigkeit hat außerdem die elektrotonische Ausbreitung der Membranströme. Da der Widerstand und die Kapazität eines cm^2 Membran bei den meisten erregbaren Zellen sehr ähnlich ist, wird die elektrotonische Ausbreitung hauptsächlich vom **Faserdurchmesser** bestimmt. Die Membranfläche des Nerven ist dem Durchmesser proportional, während der Querschnitt mit dem Quadrat des Durchmessers zunimmt. Bei einer Vergrößerung des Faserdurchmessers nimmt also relativ zum Membranwiderstand der durch den Faserquerschnitt bestimmte Längswiderstand des Faserinneren ab.

Daraus folgt ein weiteres Ausgreifen der elektrotonischen Ströme (eine Verlängerung der Faserlängskonstante λ) und eine Beschleunigung der Fortleitung. Mit der Vergrößerung des Faserdurchmessers und proportional der Membranfläche steigt zwar auch die Membrankapazität, was die Fortleitung verlangsamt, der Effekt des verkleinerten Längswiderstandes überwiegt jedoch und die Leitungsgeschwindigkeit steigt insgesamt etwa mit der Quadratwurzel des Faserdurchmessers an. Diese Abhängigkeit ist auch in den Meßwerten der Tabelle 2 deutlich.

Fortleitung im markhaltigen Nerven. Aufgrund seines speziellen anatomischen Baues ist die Fortleitung im markhaltigen Nerven besonders schnell. Diese Nervenfasern zeigen nur für sehr kurze Abschnitte, die Ranvierschen Schnürringe, eine normale Zellmembran. In den dazwischen liegenden Internodien ist die Membran in vielen Schichten um die Zelle „gewickelt", was den Membranwiderstand kräftig erhöht. In den Internodien fließt folglich bei einer Potentialänderung praktisch kein Strom durch die Membran, und ein Aktionspotential an einem Ranvierschen Schnürring breitet sich fast verlustlos elektrotonisch über das Internodium auf benachbarte Schnürringe aus. So wird die Leitungszeit über die Internodien eingespart, die Erregung springt von Schnürring zu Schnürring. Diese **saltatorische Fortleitung** ohne Zeitverluste in Internodien ist gut in den Meßergebnissen der Abb. 26

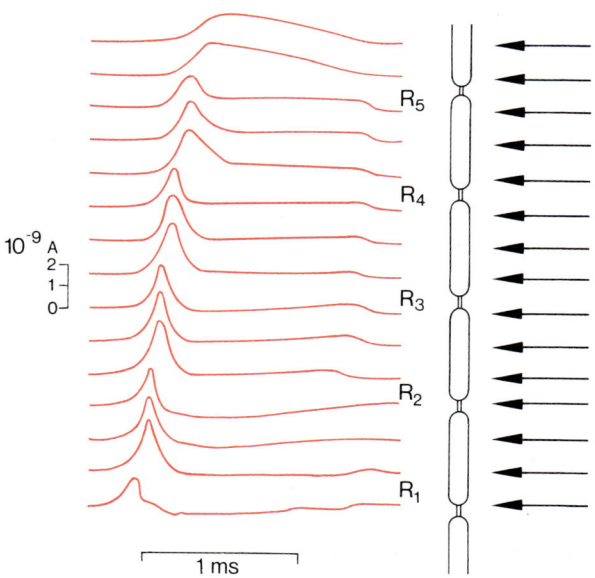

Abb. 26. Saltatorische Erregungsleitung. Links: Zeitverlauf des Membranpotentials, gemessen an den rechts durch Pfeile bezeichneten Stellen eines markhaltigen Axons. R_1, R_2, R_3, ... sind Ranviersche Schnürringe. Die Fortleitung des Aktionspotentials (von unten nach oben) erfährt nur an den Schnürringen eine Verzögerung. Nach [22]

sichtbar. Verzögerungen entstehen nur an den Schnürringen, an denen das elektrotonische Potential die Schwelle erreichen und eine Erregung einleiten muß. Die Beschleunigung der Fortleitung durch die markhaltigen Faserstrecken ist beträchtlich und ist die Voraussetzung für die vielen parallelen schnell-leitenden Nervenbahnen der Wirbeltiere. Bei diesen sind alle Fasern, die schneller als 3 m/s leiten, markhaltig, nur die sehr langsamen C-Fasern oder Gruppe IV-Fasern sind marklos. Invertebraten können hohe Leitungsgeschwindigkeiten von 20 m/s nur mit wenigen marklosen „Riesenaxonen" von fast 1 mm Durchmesser erreichen.

6. Erregungsauslösung an Receptoren

Erregungen wurden in der bisherigen Darstellung jeweils durch elektrische Reize ausgelöst. Im Organismus kommt eine solche elektrische Reizung kaum je vor, wenn auch mittelbar Aktionspotentiale meist über elektrotonische Depolarisationen ausgelöst werden. Der natürliche Reizort für den Organismus sind die Sinnesorgane mit Sinnesreizen wie Licht, Schall, Druck oder Säure. Die Zellen, die diese natürlichen Reize aufnehmen und Information darüber an das Nervensystem weitergeben, heißen **Receptoren**, ihre Funktion soll in diesem Abschnitt allgemein besprochen werden.

6.1. Das Receptorpotential

Abb. 27 zeigt eine schematische Darstellung eines Dehnungsreceptors an einem Krebsmuskel, der zu den bestuntersuchten Receptorpräparaten gehört [25]. Er besteht aus einer Nervenzelle mit relativ großem Soma, deren Dendriten Muskelfasern anliegen, und von der ein Axon Aktionspotentiale zum Zentrum leiten kann. Werden zur Reizung des Receptors die Muskelfasern gedehnt, so wird im Soma eine *Depolarisation* gemessen, die bei Ende des Reizes wieder verschwindet. Sie wird **Receptorpotential** (auch *„Generatorpotential"*) genannt. Dieses Receptorpotential muß in den Dendriten entstehen, die ja allein Kontakt zum Dehnungsreiz haben. Das Receptorpotential dauert so lange wie der Reiz, und seine Amplitude wächst mit der Reizstärke; es ist somit *reizabbildend* und nicht „Alles-oder-Nichts" wie eine Erregung. Es beruht auf einer Erhöhung der Na^+-Leitfähigkeit der gedehnten Dendritenmembran, die von der Stärke der Dehnung abhängt. Der dadurch verursachte Einstrom von Na^+-Ionen erzeugt das depolarisierende Receptor-

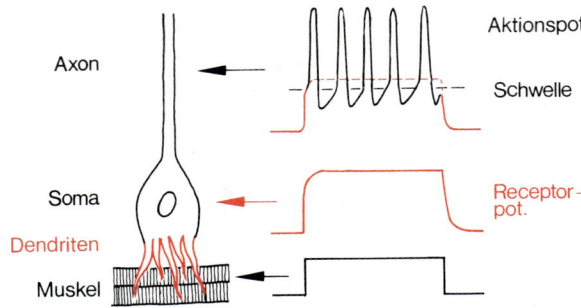

Abb. 27. Receptorpotential und Aktionspotentiale an einem Dehnungsreceptor. Links: Schema eines Krebsmuskel-Dehnungsreceptors. Der Reiz erzeugt in den Dendriten das im Zellsoma abzuleitende Receptorpotential. Rechts oben: die vom Receptorpotential in zellnahen Axonen ausgelösten Aktionspotentiale, darin rot der Verlauf des Receptorpotentials an dieser Stelle, falls keine Aktionspotentiale ausgelöst worden wären

potential, das sich elektrotonisch auf das Soma ausbreitet. Diese primäre Umwandlung des Reizes in ein Receptorpotential wird auch **Transduktion** genannt, der Receptor ist also ein Transducer.

Auch an anderen Receptorzellen, an denen diese Frage geklärt werden konnte, entsteht das depolarisierende Receptorpotential durch eine Erhöhung der Membranleitfähigkeit vorwiegend für Na^+. Eine gewisse Sonderstellung nehmen die Receptorpotentiale der primären Sehzellen (Zapfen, Stäbchen) der Netzhaut ein, die bei Belichtung *hyperpolarisieren* (s. XII-3.2).

Ein weiterer wichtiger Aspekt der Transduktion des Reizes in das Receptorpotential ist der energetische. Der Reiz ist nicht die Energiequelle des Receptorpotentials. Er steuert nur — unter Mitwirkung von im einzelnen noch unbekannten Membranprozessen — Ionenströme durch die Membran, die durch die Konzentrationsdifferenzen der Ionen über die Membran angetrieben werden. So kann schon ein einzelnes Lichtquant so große Membranströme auslösen, daß das entstehende Receptorpotential die Aktivität der Sehzellen meßbar beeinflußt. Mit der Transduktion ist also ein *Verstärkungsprozeß* verbunden.

6.2. Transformation des Receptorpotentials in Erregungen

Im Axon des Dehnungsreceptors entsteht während des Reizes, wie Abb. 27 zeigt, eine Serie von Aktionspotentialen. Diese Aktionspotentiale werden ausgelöst durch das Receptorpotential, das elektrotonisch von den Dendriten über das Soma den Anfangsabschnitt des Axons depolarisiert und dort die Reizschwelle überschreiten kann. Das erste ausge-

löste Aktionspotential repolarisiert über das Niveau des Receptorpotentials (rot) hinaus mit einem hyperpolarisierenden Nachpotential (Mechanismus s. S. 20), und während dieser relativen Hyperpolarisation kann die Inaktivation des Na^+-Systems Nachpotentials so weit abgebaut werden, daß die Depolarisationsphase am Ende des Nachpotentials an der Schwelle wiederum ein Aktionspotential auslösen kann. So wird aus der anhaltenden Depolarisation während des Receptorpotentials eine rhythmische Serie von Aktionspotentialen, deren Frequenz von der Amplitude des Receptorpotentials abhängt. Die Aktionspotentiale werden zum Zentrum weitergeleitet und enthalten in Form einer **Frequenzcodierung** alle Informationen über die Höhe und Dauer des Reizes, die das Zentrum erreichen. Die **Transformation** des Receptorpotentials in eine Serie von Aktionspotentialen findet bei vielen Receptoren im Anfangsabschnitt des Axons der Receptorzelle statt. Neben solchen *primären Receptoren* gibt es auch *sekundäre Receptoren*. Bei letzteren wird das Receptorpotential nicht schon in der Receptorzelle in Aktionspotentiale transformiert, sondern in der Endigung einer afferenten Nervenzelle, die mit der Receptorzelle synaptischen Kontakt (s. Kap. III) hat. Wichtige Typen von sekundären Receptoren sind z.B. die Sehzellen und Hörzellen des Menschen.

6.3. Adaptation

Das Receptorpotential des Dehnungsreceptors in Abb. 27 bleibt fast konstant groß, solange der Reiz anhält. Diese Reizabhängigkeit ist ein Grenzfall, denn bei den meisten Receptoren fällt wie in Abb. 28 das Receptorpotential während eines konstanten Reizes, der Receptor „paßt sich an den Reiz an", es findet **Adaptation** statt. Diese Adaptation

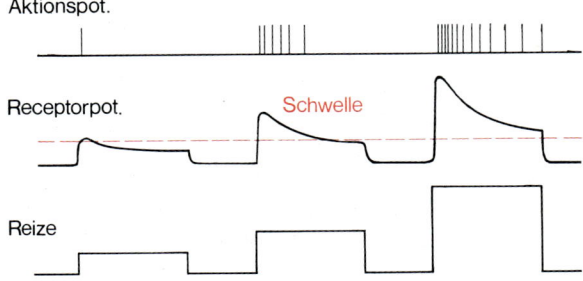

Abb. 28. Adaptation der Receptorpotentiale, Codierung der Reizstärke. Unten: drei Reize steigender Amplitude, darüber die ausgelösten Receptorpotentiale, die mittelschnelle Adaptation zeigen. Die Receptorpotentiale überschreiten in verschiedenem Ausmaß die Schwelle (rot) für die Auslösung von Aktionspotentialen, deren Frequenz in der obersten Zeile ersichtlich ist

geschieht bei verschiedenen Receptortypen mit großen Geschwindigkeitsunterschieden, die auch weitgehend ihre Funktion charakterisieren. Es gibt extrem *langsam adaptierende Receptoren* wie den in Abb. 27, die den Dehnungszustand eines Muskels kontrollieren, andere Receptoren, z.B. Temperaturreceptoren der Haut oder Lichtreceptoren, *adaptieren mittelschnell* (Abb. 28), und bei sehr *schnell adaptierenden Receptoren* wie bei dem Vibrationsreceptor Pacini-Körperchen (s.S. 208) erscheint bei jeder Reizänderung nur ein wenige ms andauerndes Receptorpotential. Solche schnell adaptierende Receptoren dienen besonders dazu, mit großer Empfindlichkeit und Zeitauflösung *Änderungen* der Reize zu registrieren, während langsam adaptierende Receptoren eher für den Körper wichtige Dauerzustände wie Dehnung oder Wasserstoffionenkonzentration feststellen. Die Adaptation der Receptorpotentiale drückt sich selbstverständlich auch als Abnahme der Frequenz der ausgelösten Aktionspotentiale (Abb. 28 oben) während der Reizdauer aus. Dabei muß die Frequenz der Aktionspotentiale dem Zeitverlauf der Receptorpotentiale nicht immer proportional sein; während des Receptorpotentials kann die Schwelle langsam steigen und die Frequenz der Aktionspotentiale sich auch bei konstantem Receptorpotential vermindern. Es kann also auch auf der Stufe der Aktionspotentialauslösung, wie übrigens auch an weiteren Stufen der Informationsübertragung im sensorischen Nervensystem, eine neue Adaptation eintreten.

6.4. Codierung der Amplitude des Reizes als Impulsfrequenz

Abb. 28 zeigt neben der Adaptation auch die Reaktionen auf Reize verschiedener Amplitude: Die Höhe der Receptorpotentiale und die Frequenz der ausgelösten Aktionspotentiale steigt mit der Reizamplitude. Die Transformation der Amplitude einer elektrischen Spannung in eine Impulsfrequenz, die im sensorischen System zur Nachrichtenübermittlung dient, wird übrigens auch in der Nachrichtentechnik viel verwendet, z.B. in der Frequenzmodulation des UKW-Rundfunks. Hier soll noch kurz auf die quantitativen Beziehungen zwischen Reizamplitude und Impulsfrequenz eingegangen werden. Diese Übertragungsfunktion ist nicht bei allen Receptoren gleich. Langsame Dehnungsreceptoren wie der der Abb. 27 können in weiten Bereichen eine *lineare Übertragungsfunktion* haben, d.h. Reizamplitude und Aktionspotentialfrequenz des Receptors sind proportional.

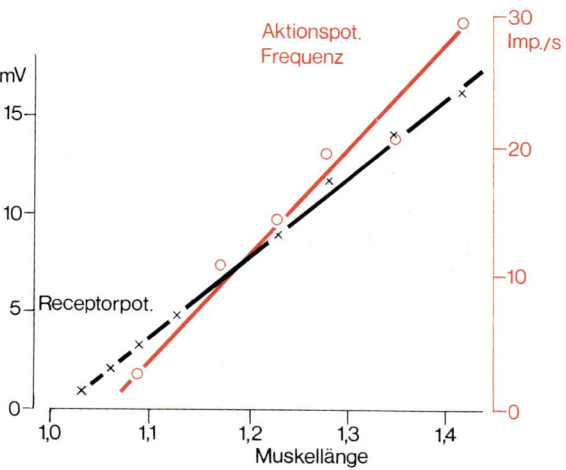

Abb. 29. Lineare Übertragungsfunktion eines Dehnungsreceptors des Krebsmuskels. Abhängigkeit der Amplitude des Receptorpotentials (schwarz, linke Ordinate) und der Impulsfrequenz der ausgelösten Erregungen (rot, rechte Ordinate) von der Länge des gedehnten Krebsmuskels. Nach [32]

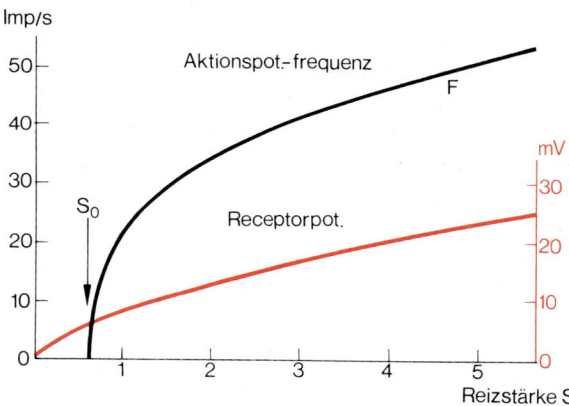

Abb. 30. Amplitude des Receptorpotentials und Frequenz der Aktionspotentiale in einem Receptor in Abhängigkeit von der Reizstärke. Abscisse: Reizstärke S; Ordinate rot: Amplitude des Receptorpotentials; Ordinate schwarz: Impulsfrequenz F der ausgelösten Aktionspotentiale. Die Kurven sind bei diesem Receptor Exponentialfunktionen. S_0 bezeichnet die Schwelle für die Auslösung von Aktionspotentialen

Ein Meßergebnis an diesem Receptor zeigt Abb. 29. Häufig sind auch Übertragungsfunktionen von der in Abb. 30 gezeigten Form: Das Receptorpotential und, wenn dies überschwellig wird, auch die Aktionspotentialfrequenz steigen bei kleinen Reizen steil mit der Reizamplitude, bei größeren Reizen nimmt jedoch die Empfindlichkeit des Receptors zunehmend ab, die Aktionspotentialfrequenz steigt bei großen Reizen nur noch wenig. Diese Form der Übertragungsfunktion wird bei Sinnesorganen gefunden, bei denen die Reize einen großen Amplitudenumfang haben, z.B. bei Lichtreceptoren, die auf Beleuchtungsstärken, deren Amplituden sich im Extremfall wie $1:10^6$ verhalten, antworten müssen.

Selten kommt die umgekehrte Krümmung der Übertragungsfunktion wie die in Abb. 30 vor, daß nämlich die Aktionspotentialfrequenz mit steigender Reizamplitude steiler ansteigt. Ein solches Verhalten ist für Schmerzreceptoren typisch.

Die verschiedenen Formen der Übertragungsfunktionen zwischen überschwelligem Reiz $(S - S_0)$ und Impulsfrequenz F lassen sich am besten in Form einer *Potenzfunktion* fassen. Es ist

$$F = k \cdot (S - S_0)^n.$$

Dabei ist k eine Konstante und der Exponent n ein für jeden Receptortyp charakteristischer positiver Wert. Ist $n = 1$, so wird die Potenzfunktion zu einer Geraden mit der Steigung k; ist n kleiner als 1, so ergibt sich die Kurvenform der Abb. 30; und ist n größer als 1, so steigt die Impulsfrequenz überproportional mit dem Reiz wie bei einem Schmerzreceptor.

Weitere Aspekte der Receptorphysiologie werden in der Allgemeinen Sinnesphysiologie und in den Kapiteln über die einzelnen Sinnesorgane (IX–XV) folgen.

7. Literatur

1. DAVSON, H.: A Textbook of General Physiology, 4th Ed. London: Churchill 1970.
2. GAUER, O.H., KRAMER, K., JUNG, R. (Hrsg.): Physiologie des Menschen. Band 10: Allgemeine Neurophysiologie. München: Urban & Schwarzenberg 1974.
3. KATZ, B.: Nerv, Muskel und Synapse. Stuttgart: Thieme 1971.
4. RUCH, T.C., PATTON, H.D.: Physiology and Biophysics. Philadelphia: Saunders 1966.

Sammlung der wichtigsten Originalarbeiten

5. COOKE, I., LIPKIN, M.: Cellular Neurophysiology, a source book. New York: Holt, Rinehart and Winston 1972.

Originalarbeiten

6. ADRIAN, R.H.: The effect of internal and external potassium concentration on the membrane potential of frog muscle. J. Physiol. (Lond.) **133**, 631 (1956).
7. ADRIAN, R.H., FREYGANG, W.H.: The potassium and chloride conductance of frog muscle membrane. J. Physiol. (Lond.) **163**, 61 (1962).
8. CARPENTER, D.O., ALVING, B.O.: A contribution of an electrogenic Na$^+$ pump to membrane potential in Aplysia neurons. J. gen. Physiol. **52**, 1 (1968).
9. DUDEL, J., TRAUTWEIN, W.: Elektrophysiologische Messungen zur Strophanthinwirkung am Herzmuskel. Arch. exper. Path. Pharmakol. **232**, 393 (1958).
10. ECCLES, J.: The physiology of nerve cells. Baltimore: Johns-Hopkins-Press 1957.
11. FRANKENHAEUSER, B., HODGKIN, A.L.: The action of calcium on the electrical properties of squid axons. J. Physiol. (Lond.) **137**, 218 (1957).
12. FRANKENHAEUSER, B., HUXLEY, A.F.: Action potential in myelinated nerve fibre of Xenopus laevis as computed on basis of voltage clamp data. J. Physiol. (Lond.) **171**, 302 (1964).
13. GASSER, H.S., GRUNDFEST, H.: Axon diameters in relation to the spike dimensions and the conduction velocity in mammalian A-fibers. Amer. J. Physiol. **127**, 393 (1939).
14. HILLE, B.: The permeability of the sodium channel to metal cations in myelinated nerve. J. gen. Physiol. **59**, 637 (1972).
15. HODGKIN, A.L., HOROWICZ, P.: The effect of sudden changes in ionic concentrations on the membrane potential of single muscle fibres. J. Physiol. (Lond.) **153**, 370 (1960).
16. HODGKIN, A.L., HUXLEY, A.F.: Currents carried by sodium and potassium ions through the membrane of the giant axon of Loligo. J. Physiol. (Lond.) **116**, 449 (1952).
17. HODGKIN, A.L., HUXLEY, A.F.: The components of membrane conductance in the giant axon of Loligo. J. Physiol. (Lond.) **116**, 473 (1952).
18. HODGKIN, A.L., HUXLEY, A.F.: The dual effect of membrane potential on sodium conductance in the giant axon of Loligo. J. Physiol. (Lond.) **116**, 497 (1952).
19. HODGKIN, A.L., HUXLEY, A.F.: Quantitative description of membrane current and its application to conduction and excitation in nerve. J. Physiol. (Lond.) **117**, 500 (1952).
20. HODGKIN, A.L., KEYNES, R.D.: Active transport of cations in giant axons from Sepia and Loligo. J. Physiol. (Lond.) **128**, 28 (1955).
21. HODGKIN, A.L., RUSHTON, W.A.H.: The electrical constants of a crustacean nerve fibre. Proc. roy. Soc. B **133**, 444 (1946).
22. HUXLEY, A.F., STÄMPFLI, R.: Evidence for saltatory conduction in peripheral myelinated nerve fibres. J. Physiol. (Lond.) **108**, 315 (1949).
23. HOFFMAN, J.F.: Molecular mechanism of active cation transport. In: Biophysics of Physiological and Pharmacological Actions (Hrsg. Shanes). Washington: Amer. Ass. Adv. Sci. 1961.
24. KATZ, B.: Electrical properties of the muscle fibre membrane. Proc. roy. Soc. B. **135**, 506 (1948).
25. KUFFLER, S.W.: Mechanism of activation and motor control of stretch receptors in lobster and crayfish. J. Neurophysiol. **17**, 558 (1954).
26. LLOYD, D.P.C., CHANG, H.T.: Afferent fibers in muscle nerves. J. Neurophysiol. **11**, 199 (1948).
27. MULLINS, L.J., AWAD, M.Z.: The control of the membrane potential of muscle fibers by the sodium pump. J. gen. Physiol. **48**, 761 (1965).
28. NARAHASHI, T.: Mechanism of action of tetrodotoxin and saxitoxin on excitable membranes. Fed. Proc. **31**, 1124 (1972).
29. NARAHASHI, T., MOORE, J.W.: Neuroactive agents and nerve membrane conductances. J. gen. Physiol. **51**, 93 (1968).
30. NOBLE, D.: Applications of Hodgkin-Huxley equations to excitable tissues. Physiol. Rev. **46**, 1 (1966).
31. RANG, H.P., RITCHIE, J.M.: Electrogenic sodium pump in mammalian non-myelinated nerve fibres and its activation by various external cations. J. Physiol. (Lond.) **196**, 183 (1968).
32. TERZUOLO, C.A., WASHIZU, Y.: Relation between stimulus strength, generator potential and impulse frequency in stretch receptor of crustacea. J. Neurophysiol. **25**, 56 (1962).
33. WEIDMANN, S.: Effects of calcium ions and local anaesthetics on electrical properties of Purkinje fibres. J. Physiol. (Lond.) **129**, 568 (1955).

III. Erregungsübertragung von Zelle zu Zelle (R.F. Schmidt)

Die Verbindungsstelle einer axonalen Endigung mit einer Nerven-, Muskel- oder Drüsenzelle hat SHERRINGTON **Synapse** genannt, als um die Jahrhundertwende die **Reticulartheorie** eines kontinuierlichen (syncytialen) Übergangs von Nervenzelle zu Nervenzelle zugunsten der **Neuronentheorie** aufgegeben wurde (s. I-1.2). Beim Säugetier, d.h. auch beim Menschen, ist die **chemische Synapse** am häufigsten. Bei ihr setzt die axonale Endigung bei Einlaufen eines Aktionspotentials einen chemischen Stoff frei, der an der benachbarten Zellmembran eine *Erregung* oder *Hemmung* bewirkt. Seltener sind **elektrische Synapsen,** bei denen ohne Zwischenschaltung eines chemischen Übertragungsprozesses das axonale Aktionspotential auf elektrischem Wege *Erregung* oder *Hemmung* in der nachfolgenden Zelle auslöst. An chemischen wie elektrischen Synapsen werden Signale fast immer nur von der präsynaptischen (axonalen) Seite auf die postsynaptische Seite der nachfolgenden Zelle übertragen. Synapsen haben also eine **Ventilfunktion.**

Normalerweise sind an Synapsen die Membranen der prä- und postsynaptischen Seite durch einen *synaptischen Spalt* von 10–50 nm (100–500 Å) voneinander getrennt. Quantitative Überlegungen zeigen, daß eine elektrische Erregungsübertragung an diesen Synapsen wegen der hohen Stromverluste im extracellulären Medium kaum möglich ist [23]. Die chemische Übertragung stellt, so gesehen, einen notwendigen **Verstärkermechanismus** dar.

Synapsen sind für das Gehirn aus mehreren Gründen von zentraler Bedeutung. *Zum ersten* wäre ohne ihre **Ventilfunktion** eine geordnete Tätigkeit des ZNS kaum denkbar. *Zum zweiten* sind die Synapsen in ihrer Effizienz modifizierbar: z.B. übertragen sie bei häufiger Benutzung besser als wenn sie selten oder nicht benutzt werden (s. S. 58). Synapsen haben also eine gewisse **Plastizität** und damit **Lern-** und **Gedächtnisfunktionen.** *Zum dritten* sind die Synapsen **Wirkstellen** zahlreicher **Pharmaka,** von neuromuskulären Blockern bis hin zu Psychomimetica (s. z.B. S. 40 und 51).

1. Die neuromuskuläre Endplatte: eine chemische Synapse

1.1. Das Endplattenpotential

Bauelemente der Endplatte. Die Axone der motorischen Vorderhornzellen des Rückenmarks (Motoaxone) bilden Synapsen mit Skeletmuskelfasern. Aufgrund ihrer Form werden diese Synapsen, insbesondere ihre präsynaptischen Anteile, als **neuromuskuläre Endplatten** bezeichnet. Sie besitzen alle typischen morphologischen Merkmale *chemischer Synapsen* (Abb. 1). Die *präsynaptische Endigung* ist durch den **synaptischen Spalt** von der *subsynaptischen Membran* der postsynaptischen Seite getrennt. An chemischen Synapsen ist die *subsynapti-*

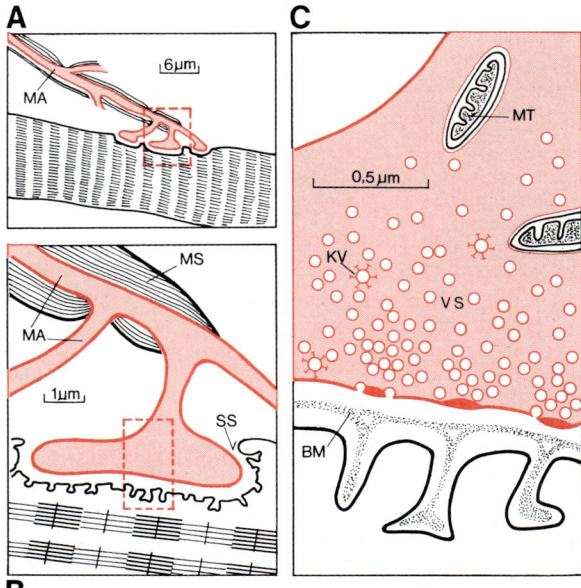

Abb. 1 A–C. Anteile einer chemischen Synapse. Ausschnitte aus der Endplattenregion einer Skeletmuskelfaser, wobei die in (B) und (C) gezeigten Ausschnitte in (A) bzw. (B) angegeben sind. Schematisch nach elektronenmikroskopischen Befunden zahlreicher Autoren. Der synaptische Spalt (SS) ist jeweils überhöht gezeichnet, er ist beim Warmblüter durchschnittlich 10–20 nm, beim Frosch 50 nm breit. BM Basalmembran, Funktion unbekannt; KV komplexer Vesikel; MA Motoaxon; MS Myelinscheide; MT Mitochondrium; VS Vesikel (synaptische Bläschen). Für histologische Details s. [1, 17, 23]

sche Membran elektronenmikroskopisch meist etwas dicker als die übrige postsynaptische Membran. An der neuromuskulären Endplatte weist sie zusätzlich regelmäßige **subsynaptische Einfaltungen** auf, wodurch die Oberfläche der subsynaptischen Membran relativ zu der präsynaptischen Endigung erheblich vergrößert wird (für Details s. [1, 23]).

Die präsynaptische Endigung enthält *Mitochondrien* und zahlreiche submikroskopische kugelförmige Strukturen, die als **synaptische Bläschen** oder **Vesikel** bezeichnet werden. Ihr Durchmesser beträgt etwa 50 nm. Sie liegen gehäuft in der Nähe des synaptischen Spalts und zwar an Stellen, an denen die axoplasmatische Membran verdickt ist. Diese präsynaptischen Membranverdickungen wiederum liegen gegenüber den Einmündigungen der subsynaptischen Einfaltungen. Schon diese elektronenmikroskopischen Befunde lassen vermuten, daß die Vesikel die **Überträgersubstanz** (den *Transmitter*) enthalten, also den Stoff, der bei Erregung in den synaptischen Spalt freigesetzt wird, wobei die Freisetzung möglicherweise bevorzugt gegenüber den subsynaptischen Einfaltungen erfolgt. (In geringer Zahl finden sich auch **komplexe Vesikel**, auf deren Bedeutung in 1.3 eingegangen wird, s. auch Abb. 7 (E).)

Nachweis des Endplattenpotentials. Abb. 2(A) zeigt den Versuchsaufbau bei der Untersuchung der synaptischen Übertragung eines Nerv-Muskel-Präparates *in vitro*. Am intakten Präparat in normaler Blutersatzlösung löst Reizung des Motoaxons in der Muskelzelle ein fortgeleitetes Aktionspotential aus (Abb. 2(B)), das seinerseits zu einer Kontraktion der Muskelfaser führt. Wird der Badelösung eine geringe Menge (Größenordnung 10^{-7} bis 10^{-6} g/ml) des indianischen Pfeilgiftes *Curare* zugesetzt, so erreicht die initiale Depolarisation die Schwelle kaum noch (Abb. 2(C)) oder überhaupt nicht mehr (Abb. 2(D)), sondern bleibt unterschwellig und kehrt nach einigen Millisekunden auf den Ruhepotentialwert zurück. (Es tritt dann auch keine Zuckung mehr auf.) Wir bezeichnen diese lokale Depolarisation als **Endplattenpotential**. Durch die punktierten Linien in Abb. 2(B, C) ist angedeutet, daß auch hier Endplattenpotentiale entstanden waren, die aber durch die Aktionspotentiale weitgehend verdeckt wurden. *Endplattenpotentiale können also, je nach ihrer Amplitude, über- oder unterschwellig sein.*

Endplattenpotentiale in situ. Im gesunden Muskel *in situ* sind die Endplattenpotentiale immer weit überschwellig: jedes präsynaptische Aktionspotential löst also eine Zuckung der zugehörigen Muskelfaser aus. Vergiftung mit Curare verkleinert das

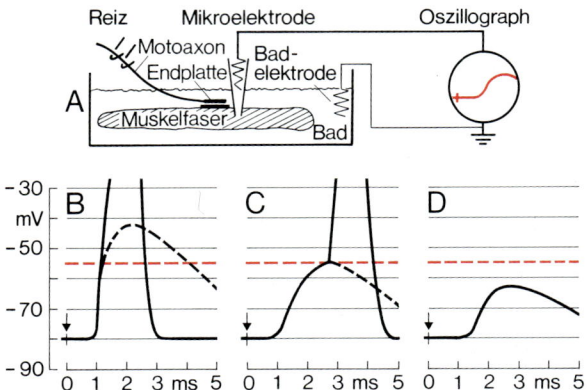

Abb. 2 A–D. Nachweis des Endplattenpotentials. (A) Schema der Versuchsanordnung. Es ist nur eine Muskelfaser mit ihrem zugehörigen Motoaxon gezeigt. Das Motoaxon wird elektrisch gereizt. Um Kurzschluß zwischen den Reizelektroden zu vermeiden, wird der Nerv während der Reizung in Luft oder in einer Schicht von Paraffinöl gehalten. (B) Intracellulär registrierte Potentialänderungen der Muskelfasermembran mit dem Präparat in normaler Blutersatzlösung nach TYRODE. Das fortgeleitete Aktionspotential ist nur teilweise gezeichnet. (C, D) Potentialverlauf nach Zusatz von d-Tubocurarin. Die Schwelle für ein fortgeleitetes Aktionspotential (rot gestrichelt bei − 55 mV) wird kaum noch (C) oder nicht mehr erreicht (D). Zurück bleibt das Endplattenpotential (D), das in (B) und (C) durch das Aktionspotential überdeckt wurde. Die Amplitude des Endplattenpotentials nimmt mit der Konzentration des Curare und der Dauer seiner Einwirkung ab. Pfeile in (B–D) Reizzeitpunkte

Endplattenpotential in seiner Amplitude, so daß es, bei genügend hoher Curare-Konzentration, unterschwellig wird, d.h. kein Aktionspotential der Muskelfaser und damit keine Kontraktion mehr auslöst: die neuromuskuläre Übertragung ist *blockiert*. Ein mit Curare vergifteter Mensch erstickt, weil die neuromuskuläre Übertragung seiner Skeletmuskulatur, also auch seiner Atemmuskulatur, blockiert ist (Wirkmechanismus des Curare s. 1.4).

Die Natur des Endplattenpotentials. Der **Zeitverlauf des Endplattenpotentials** hat eine einfache Form: der Anstieg dauert 1–2 ms, der Abfall 5 bis maximal 20 ms. Wird, wie in Abb. 3, das Endplattenpotential in verschiedenen Abständen von der Endplatte registriert, so ist seine Amplitude desto kleiner und sein Anstieg und Abfall desto langsamer, je weiter die Ableitestelle von der Endplatte entfernt ist. Dieser Befund ist ein eindeutiges Zeichen (s. S. 21), daß sich das Endplattenpotential vom Ort seiner Entstehung, also der *subsynaptischen Membran*, **elektrotonisch ausbreitet.**

Zeitverlauf des Endplattenstromes. Ursache des Endplattenpotentials ist ein *Strom durch die subsynaptische Membran*, der durch die Einwirkung der präsynaptisch freigesetzten Überträgersubstanz Acetylcholin (s.u.) auf die subsynaptische Mem-

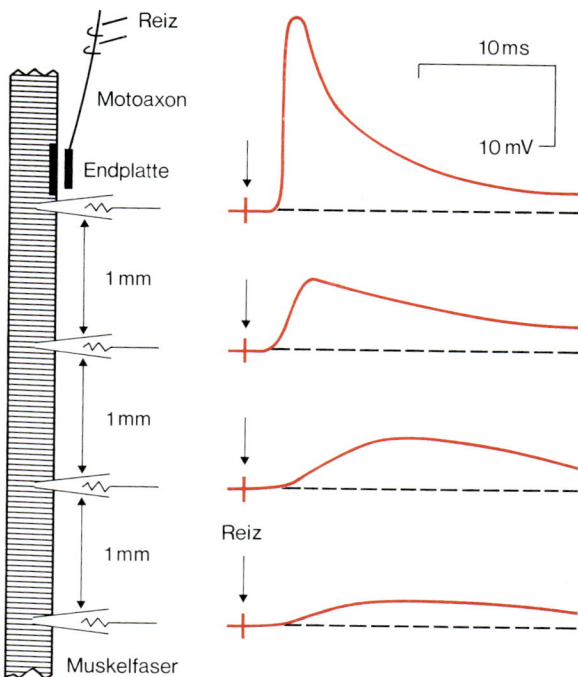

Abb. 3. Elektrotonische Natur des Endplattenpotentials. Reizung und Registrierung wie in Abb. 2(A). Der Badelösung ist genügend Curare zugesetzt, um überschwellige Endplattenpotentiale zu verhindern. Ausgehend von der Endplatte sind die Ableitestellen jeweils 1 mm in Längsrichtung der Muskelfaser voneinander entfernt. (In Anlehnung an FATT und KATZ, 1951)

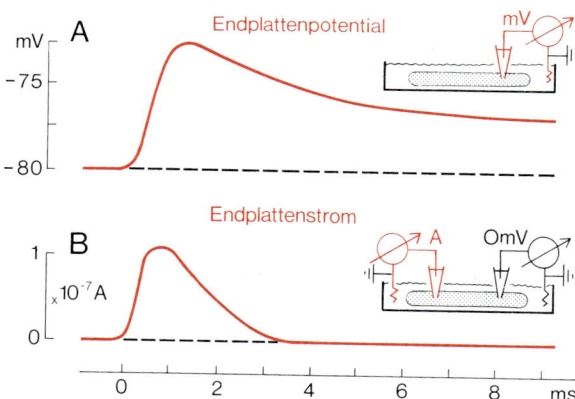

Abb. 4A u. B. Zeitverlauf des Endplattenpotentials (A) und des zugehörigen Endplattenstroms (B). Wie die Einsatzfiguren zeigen, wurde in (A) der Potentialverlauf nach Aktivierung der Endplatte gemessen, während in (B) das Membranpotential durch eine Spannungsklemme (voltage clamp) konstant gehalten wurde. Nach [35]

bran ausgelöst wird. In voltage-clamp-Experimenten ist der Zeitverlauf des Endplattenstromes direkt bestimmt worden [26, 30, 35–37]. Wie Abb. 4 zeigt, erreicht der **Endplattenstrom** in weniger als 2 ms sein Maximum und klingt in weiteren 1–2 ms wieder ab. Mit anderen Worten: die Änderung der Leitfähigkeit der subsynaptischen Membran, die die ei-

gentliche Ursache des Endplattenstromes und des Endplattenpotentials ist, dauert nur diese kurze Zeitspanne. Der weitere Zeitverlauf des Endplattenpotentials ist durch die passiven elektrischen Eigenschaften der Muskelfasermembran, also wesentlich durch die Membrankapazität und durch den Membranwiderstand bestimmt [8, 23].

Temperaturabnahme verlängert den *Zeitverlauf* des Endplattenstromes und verkleinert seine *Amplitude*. Der Q_{10} beträgt etwa 3 [31]. Pharmaka, die die Einwirkungsdauer des Transmitters auf die subsynaptische Membran verlängern (Beispiele s. 1.4), führen ebenfalls zu einer Verlängerung des Endplattenstromes, wobei aber die Amplitude zunimmt [35]. Zu beachten ist noch, daß für einen gegebenen Endplattenstrom die *Amplitude des Endplattenpotentials* vom Gesamtwiderstand der Muskelfasermembran abhängt. Dünne Muskelfasern haben daher in der Regel unter sonst gleichen Bedingungen deutlich größere Endplattenpotentiale als dicke.

Subsynaptische Leitfähigkeitsänderungen während des Endplattenstromes. Die Natur der Leitfähigkeitsänderungen während der initialen Phase des Endplattenpotentials wurde zuerst durch die Bestimmung des Gleichgewichtspotentials des Endplattenpotentials, später auch durch Messung des Gleichgewichtspotentials des Endplattenstromes in voltage-clamp-Experimenten aufgeklärt (Lit. s. [8]). Wie Abb. 5 schematisch zeigt, liegt das *Gleichgewichtspotential des Endplattenpotentials,* also desjenigen Membranpotentials, bei dem während der Transmittereinwirkung kein Nettostrom fließt und damit keine Potentialänderung erfolgt, in normaler Blutersatzlösung bei etwa −15 mV, also etwa in der Mitte zwischen den Gleichgewichtspotentialen für Kalium ($E_K = -90$ mV) und Natrium ($E_{Na} = +55$ mV).

Bei Änderungen der Na^+- und K^+-Konzentrationen in der Badelösung verschiebt sich die Lage des Gleichgewichtspotentials des Endplattenpotentials, nicht aber bei Ersatz der extracellulären Cl^--Ionen. Zusammen mit den bisher erwähnten und weiteren Versuchsergebnissen führte dies zu dem Schluß, daß während der Zeit der Transmittereinwirkung auf die subsynaptische Membran, also für etwa 1–2 ms, die **Leitfähigkeit der Membran für kleine Kationen** (Na^+, K^+) stark erhöht ist [8, 23]. Unter normalen Umständen werden daher aufgrund der gegebenen Ionenverteilung (s. Tabelle II-1, S. 8) besonders Na^+-Ionen in die Muskelfaser fließen und dadurch das Membranpotential verringern, denn bei einem Membranpotential von −80 mV ist die treibende Kraft für die Na^+-Ionen größer als die treibende Kraft für die K^+-Ionen: es fließt ein von Na^+-Ionen getragener Nettoeinwärtsstrom. Ist die Leitfähig-

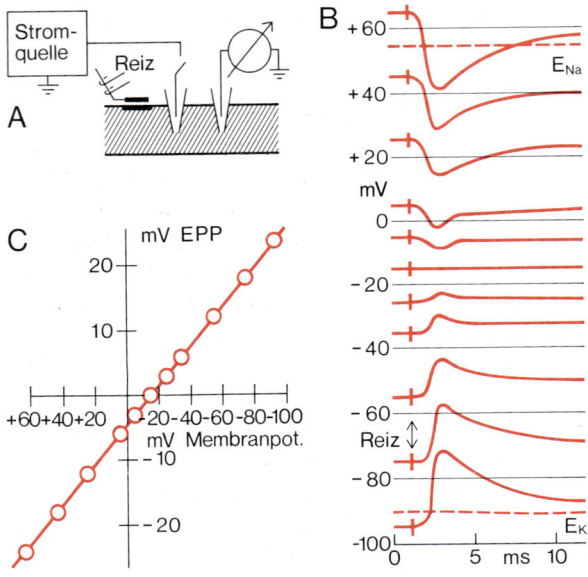

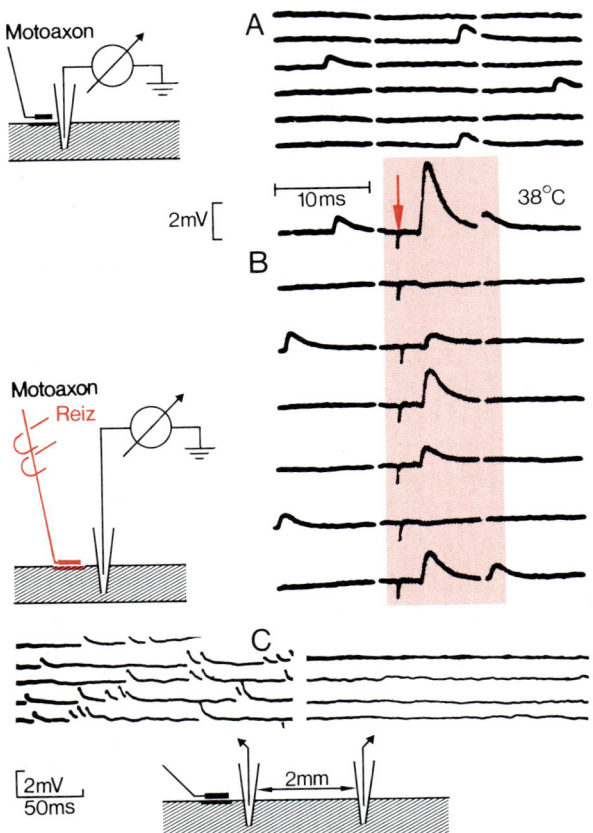

Abb. 5A–C. Bestimmung des Gleichgewichtspotentials des Endplattenpotentials. (A) zeigt die Versuchsanordnung. In (B) wurden Endplattenpotentiale ausgehend von Membranpotentialen
zwischen −95 mV und +65 mV ausgelöst. Die Gleichgewichtspotentiale für Kalium (E_K) und Natrium (E_{Na}) sind rot gestrichelt
eingetragen. In (C) ist die Beziehung zwischen Ausgangspotential
(Abscisse) und Amplitude und Polarität des Endplattenpotentials (Ordinate) aufgetragen. Das Gleichgewichtspotential liegt
bei etwa −15 mV. (Nach Werten von FATT und KATZ,1951;
DEL CASTILLO und KATZ, 1954; BURKE und GINSBURG, 1956)

Abb. 6A–C. Miniatur-Endplattenpotentiale. (A) Ableitung von
einer ruhenden Muskelfaser. Wie die Einsatzfigur zeigt, ist die
Mikroelektrode in unmittelbarer Nähe der Endplatte eingestochen. (B) Auslösung von Endplattenpotentialen durch elektrische Reizung des zugehörigen Motoaxons (roter Pfeil und rote
Aufrasterung) in einer Blutersatzlösung mit 1 mM Ca^{++} und
6 mM Mg^{++}. Daneben sind einige spontane Miniatur-Endplattenpotentiale zu sehen. In zwei Fällen wird kein Endplattenpotential ausgelöst, in den anderen Fällen entspricht die Amplitude
der eines Miniatur-Endplattenpotentials oder eines ganzzahligen
Vielfachen davon. (C) Ableitung von Miniatur-Endplattenpo-
tentialen nahe der Endplatte und 2 mm von der Endplatte entfernt (s. Einsatzfigur). ((A, B) nach LILEY, 1956; (C) nach FATT
und KATZ, 1952)

keitsänderung groß genug, so wird an der Endplatte
die Muskelfasermembran bis zur Schwelle depolarisiert und es entsteht ein fortgeleitetes Aktionspotential (s. Abb. 2), das sich über die gesamte Muskelzelle ausbreitet.

1.2. Die Freisetzung der Überträgersubstanz

**Miniatur-Endplattenpotentiale und die Quantenhy-
pothese.** In einer ruhenden Muskelfaser können
mit einer intracellulären Elektrode kleine, kurze,
in unregelmäßigen Abständen auftretende Membrandepolarisationen registriert werden (Abb. 6).
Sie ähneln in ihrem Zeitverlauf dem normalen Endplattenpotential, jedoch ist ihre Amplitude um ein
Vielfaches kleiner (vgl. Ordinatenmaßstab in
Abb. 6 mit dem in 3). Sie werden daher **Miniatur-
Endplattenpotentiale** genannt [23]. Sie entstehen,
wie die Endplattenpotentiale auch, nur an der subsynaptischen Membran und breiten sich von dort
elektrotonisch auf der Muskelfaser aus. Wie
Abb. 6(C) zeigt, sind sie wegen ihrer kleinen Amplitude nur in unmittelbarer Nähe der Endplatte ableitbar. Auch die Pharmakologie der Endplattenpotentiale und der Miniatur-Endplattenpotentiale ist

identisch. Man kann daher folgern, daß letztere
durch die spontane Freisetzung kleiner Transmit-
termengen verursacht werden.
Miniatur-Endplattenpotentiale haben alle etwa die
gleiche Amplitude (Abb. 6). Sie werden anscheinend durch etwa gleich große Mengen Acetylcholin ausgelöst. Diese „Pakete" von Acetylcholin
(ACh) hat man als **Quanten** bezeichnet. Es ließ sich
zeigen, daß auch das normale Endplattenpotential
durch die Freisetzung von Quanten verursacht
wird. Reduzierung der pro Aktionspotential freigesetzten Menge an Überträgersubstanz durch Entzug von Ca^{++}-Ionen aus der Badelösung (oder
Zusatz von Mg^{++}-Ionen, Mechanismus s. S. 38)
macht nämlich sichtbar (Abb. 6(B)), daß das End-

plattenpotential wahrscheinlich immer aus *ganzzahligen Vielfachen der Miniatur-Endplattenpotentiale* zusammengesetzt ist, also durch die praktisch gleichzeitige Freisetzung einer großen Zahl von Quanten verursacht wird.

Zusammengefaßt ergibt sich folgendes Bild: Die ruhende Endplatte setzt in statistisch verteilten Abständen (im Mittel etwa einmal pro Sekunde) ein Quantum Transmitter frei, das an der subsynaptischen Membran ein Miniatur-Endplattenpotential auslöst. Mit anderen Worten: Es besteht eine gewisse *statistische Wahrscheinlichkeit,* daß zu jedem Zeitpunkt ein Quantum Überträgersubstanz freigesetzt wird. Diese Wahrscheinlichkeit wird durch das *präsynaptische Aktionspotential* für kurze Zeit erheblich vergrößert, so daß innerhalb von einer Millisekunde einige Hundert Quanten freigesetzt werden, die das Endplattenpotential auslösen. Es ist beispielsweise abgeschätzt worden, daß an der Endplatte des Frosches pro präsynaptisches Aktionspotential etwa 200 Quanten freigesetzt werden. An anderen Synapsen reichen die Schätzungen bis zu 2000 Quanten. Die Gesamtmenge des durch ein Aktionspotential an der Endplatte freigesetzten Acetylcholins wird mit $1,5 \cdot 10^{-15}$ g angegeben (Lit. s. [17, 23]).

Wie schon oben erwähnt, sind die präsynaptischen Vesikel seit langem als der Speicherort des Transmitters angesehen worden. Die „**Quantenhypothese**" beruht also im wesentlichen auf zwei Befunden: 1. dem *elektronenmikroskopischen* Befund der synaptischen Bläschen und 2. dem *physiologischen* Befund der Quantennatur der Transmitterfreisetzung. Unterdessen hat man auch an vielen anderen chemischen Synapsen Vesikel und Miniaturpotentiale gefunden, und es ist auch geglückt, synaptische Vesikel durch Ultrazentrifugation zu isolieren und in ihnen ACh (Acetylcholin) oder andere Stoffe nachzuweisen, denen Transmitterfunktion zugeschrieben wird [39, 40]. Möglicherweise wird also an allen Synapsen, die präsynaptische Vesikel haben, der Transmitter in Quanten freigesetzt, auch an solchen, deren Transmitter noch unbekannt ist. Ein solches *Quantum* (nicht zu verwechseln mit dem physikalischen Begriff des Energiequants) enthält wahrscheinlich einige Tausend Transmittermoleküle, die innerhalb 1–2 ms in den sehr schmalen ($\sim 0,1$ μm) synaptischen Spalt entleert werden und dadurch praktisch gleichzeitig an der subsynaptischen Membran wirken können. An der Froschendplatte enthält ein Quantum etwa 10^3 bis 10^4 Acetylcholinmoleküle, bei der Ratte zwischen 4000 und 20000 Moleküle [17, 32], an anderen Synapsen gibt es noch keine genügend fundierten Abschätzungen. Es läßt sich im Augenblick noch nicht angeben, ob den Miniaturpotentialen eine physiologische Bedeutung zukommt, da es dazu keine entsprechenden Befunde gibt.

Lebenscyclus synaptischer Vesikel. Abb. 7(E) zeigt schematisch die Entstehung synaptischer Vesikel aus **komplexen Vesikeln.** Diese bilden sich aus Membraneinfaltungen und bestehen aus einem glattwandigen inneren Bläschen, das anscheinend identisch ist mit dem synaptischen Vesikel und einer äußeren Hülle aus hexagonal angeordnetem Material. Die komplexen Vesikel bilden **Zisternen,** aus denen sich die synaptischen Vesikel abschnüren (Lit. s. [17]). Die hier vorgetragene Hypothese der Vesikelentstehung postuliert weiter, daß die Vesikelmembran bei Freisetzung der Überträgersubstanz mit der präsynaptischen Membran verschmilzt und daß der Ort der Vesikelbildung nicht identisch ist mit der Freisetzungszone. Letztere läßt sich auch elektronenoptisch von der übrigen Membran abgrenzen (Abb. 1 und Abb. 7(E, F)).

Die Überträgersubstanzfreisetzung durch das Aktionspotential; synaptische Latenz. Erhöhung der extracellulären K^+-Konzentration erniedrigt das Membranpotential (s. S. 10). Gleichzeitig beobachtet man in einem Präparat wie in Abb. 6, daß Erhöhung der extracellulären K^+-Konzentration die Frequenz der Miniatur-Endplattenpotentiale erhöht. Auch bei Erniedrigung des präsynaptischen Membranpotentials durch von außen applizierten Strom erhöht sich deren Frequenz. Die Wahrscheinlichkeit der Quantenfreisetzung hängt also mindestens teilweise vom Membranpotential der präsynaptischen Endigung ab, und zwar erhöht sich die Frequenz der Miniatur-Endplattenpotentiale bei Depolarisation des Membranpotentials und umgekehrt.

Das *Aktionspotential* ist eine starke, wenn auch nur sehr kurz dauernde Depolarisation der Membran. Trotzdem scheint sie auszureichen, die Wahrscheinlichkeit der Transmittersubstanzfreisetzung für weniger als 1 ms vieltausendfach über den Ruhewert ansteigen zu lassen, wodurch plötzlich einige Hundert Quanten freigesetzt werden. Die Hypothese bedarf weiterer experimenteller Unterstützung. Immerhin haben eine Reihe von Experimenten, insbesondere die Variation der Aktionspotentialamplitude durch Änderungen des Ruhepotentials und die Imitation des Aktionspotentials durch von außen erzwungene Membranpotentialänderungen, ziemlich eindeutig gezeigt, daß die Größe des Endplattenpotentials, d.h. die Zahl der pro Aktionspotential freigesetzten Quanten, von der Größe und Dauer der Membrandepolarisation abhängt [Lit. s. [17]).

Die Zeit, die vom Einlaufen des Aktionspotentials in die präsynaptische Endigung bis zum Beginn der subsynaptischen Ladungsverschiebung vergeht, wird als **synaptische Latenz** bezeichnet. Sie beträgt an der Endplatte der Ratte etwa 0,2 ms [18]. Vergleichbare Werte werden an den meisten zentralnervösen erregenden und hemmenden Synapsen gefunden.

Die Rolle des Calciums. Wird *in vitro* der Badelösung Ca^{++} entzogen, so setzt das präsynaptische Aktionspotential nicht einige Hundert, sondern weniger Quanten frei, wobei die Zahl der pro Impuls freigesetzten Quanten um einen Mittelwert schwankt, der von der jeweils wirksamen Ca^{++}-Konzentration abhängt. Bei geringer Ca^{++}-Konzentration treten Endplattenpotentiale auf, deren Amplituden, wie Abb. 6 (B) zeigt, geringzahlige Vielfache der Miniatur-Endplattenpotentiale sind, und gelegentlich wird auch kein Quantum freigesetzt. Die Größe der Quanten ändert sich dabei nicht. Die Versuche lassen keinen Zweifel, daß die Anwesenheit von Ca^{++} für ein normales Ablaufen der durch ein präsynaptisches Aktionspotential ausgelösten Quantenfreisetzung unbedingt erforderlich ist. Über den **Wirkmechanismus** der Ca^{++}-Ionen in der präsynaptischen Endigung ist noch nichts Genaues bekannt. Möglicherweise stoßen sich im Ruhezustand Vesikel und präsynaptische Membran wegen ihrer negativen Festladungen elektrostatisch ab. Die bei der Erregung in die präsynaptische Endigung einströmenden, doppelt positiv geladenen Ca^{++}-Ionen könnten diese **negativen Festladungen abschirmen,** so daß eine Annäherung der Vesikel an die präsynaptische Membran begünstigt wird. Ähnlich wie Ca^{++}-Entzug wirkt der Zusatz von Mg^{++}-Ionen. Anscheinend verdrängen die Mg^{++}-Ionen die Ca^{++}-Ionen kompetitiv von ihrem Wirkort an der präsynaptischen Membran. Da die Zahl der freigesetzten Acetylcholin-Quanten etwa von der vierten Potenz der extracellulären Ca^{++}-Konzentration abhängt, scheinen für die Freisetzung eines Quantums vier Ca^{++}-Ionen benötigt zu werden.

An einer Synapse des Tintenfisches ergab sich bezüglich der Rolle des Ca^{++} für die synaptische Übertragung folgende Hypothese [24]: Depolarisation der präsynaptischen Membran, entweder durch ein Aktionspotential oder durch einen Strompuls, öffnet nicht nur Na^+- sondern auch Ca^{++}-Poren der präsynaptischen Membran, so daß Ca^{++}-Ionen entlang ihrem Gradienten in die präsynaptische Endigung eintreten können. Dieser Prozeß hat eine Schwelle von 30–40 mV Depolarisation, und das Ausmaß der Änderung der Ca^{++}-Permeabilität hängt von der Größe der Depolarisation ab. Entsprechend nimmt die Transmitterausschüttung mit der Größe und Dauer der Depolarisation zu. Wie an der Endplatte verhindert Mg^{++} und auch Mn^{++} den Einstrom von Ca^{++} in die präsynaptische Endigung und damit die Transmitterfreisetzung. Auch an anderen peripheren Synapsen ist Ca^{++} für eine normale Freisetzung von Überträgersubstanz notwendig, so daß man annehmen muß, daß es an allen chemischen Synapsen die gleiche Rolle spielt.

Pathophysiologie der Freisetzung. Das Gift der Botulinus-Bakterien (in verdorbenem Fleisch, Fisch, Konserven) wirkt auf die Endplatte ähnlich wie Ca^{++}-Entzug: über eine Hemmung der Quantenfreisetzung führt **Botulinustoxin-Vergiftung** zu oft tödlichen Lähmungen (Atmung!) der Muskulatur. Da Botulinustoxin hitzeempfindlich ist, kann man sich im Zweifelsfall durch Aufkochen, Aufbraten etc. der fraglichen Lebensmittel wirksam vor ihm schützen.

1.3. Der Transmitter Acetylcholin; seine subsynaptischen Receptoren

Synthese des Acetylcholin. Ohne Zweifel ist **Acetylcholin** (ACh), der Essigsäureester des Cholin, die Überträgersubstanz an der neuromuskulären Endplatte der Wirbeltiere (für andere Transmitterfunktionen des ACh s. 4.2). Die Synthese in der präsynaptischen Endigung erfolgt wie in Abb. 7 (A, B, F) zusammengefaßt. **Cholin** muß dazu über einen *Transportmechanismus* in die Endigung aufgenommen werden. Etwa die Hälfte des aufgenommenen Cholin stammt aus dem vorher freigesetzten und dann hydrolysierten ACh (s. Abb. 6 (C, F)), der Rest wahrscheinlich aus dem Blutplasma. Repetitive Aktivierung der Endigung steigert die Aktivität des Transportmechanismus beträchtlich, so daß selbst bei Reizung mit 20 Hz für 5 min die ACh-Synthese mit der ACh-Freisetzung Schritt halten kann [32]. Der Transportmechanismus kann durch **Hemicholin** geblockt werden, was zu einem alsbaldigen Aufhören der ACh-Synthese und damit zu einem neuromuskulären Block führt ([32], s.auch 1.4).

Das Enzym Cholinacetylase (ChAc) wird im Soma des Motoneurons gebildet und in etwa 10 Tagen im Axon zu den präsynaptischen Endigungen transportiert [Lit. s. 17]. Das von ihm synthetisierte **ACh** wird über einen noch unbekannten Mechanismus in die Vesikel aufgenommen.

Vorratshaltung. Nur ein kleinerer Teil (15–20%) des in den Vesikeln gespeicherten ACh scheint als **unmittelbar verfügbare Fraktion** für die spontane oder durch ein Aktionspotential induzierte Freisetzung zur Verfügung zu stehen, während eine größere **Depotfraktion** nur mit einer gewissen Verzögerung mobilisiert werden kann (Abb. 7 (G)). Für diese Hypothese spricht einmal der Befund, daß neu gebildetes ACh etwa doppelt so schnell freigesetzt wird als länger vorhandenes und zum zweiten die Tatsache, daß bei unphysiologisch hohen Reizfrequenzen die ACh-Freisetzung pro Impuls auf ein Niveau abfällt, bei dem die pro Minute freigesetzte ACh-Menge

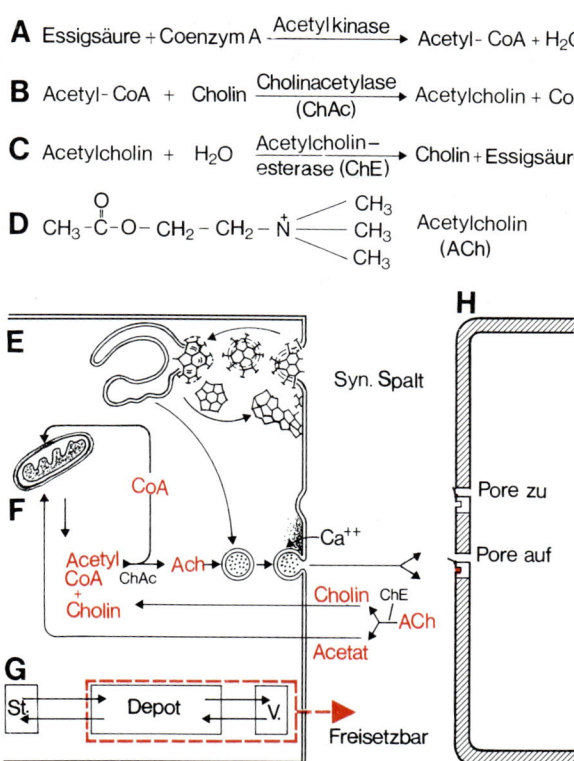

A Essigsäure + Coenzym A $\xrightarrow{\text{Acetylkinase}}$ Acetyl- CoA + H_2O

B Acetyl- CoA + Cholin $\xrightarrow[\text{(ChAc)}]{\text{Cholinacetylase}}$ Acetylcholin + CoA

C Acetylcholin + H_2O $\xrightarrow[\text{esterase (ChE)}]{\text{Acetylcholin-}}$ Cholin + Essigsäure

D $CH_3 - \overset{\overset{O}{\|}}{C} - O - CH_2 - CH_2 - \overset{+}{N} \overset{\diagup CH_3}{\underset{\diagdown CH_3}{- CH_3}}$ Acetylcholin (ACh)

Abb. 7 A–H. Acetylcholin als Überträgersubstanz. (A, B) Biosynthese und (C) Abbau des Acetylcholin (D). In (E) ist die Bildung neuer Vesikel schematisch dargestellt. Erläuterung im Text. (F) faßt die Vorgänge bei der Synthese, Speicherung und Freisetzung des ACh und die Wiederaufnahme der Spaltprodukte aus dem synaptischen Spalt zusammen. (G) zeigt, daß neben der unmittelbar für die Freisetzung verfügbaren Fraktion V. auch eine größere Depotfraktion für die Freisetzung bereit steht, während eine dritte, kleinere stationäre Fraktion St. nicht aus der Endigung freigesetzt werden kann. In (H) sind schematisch zwei subsynaptische ACh-Receptoren gezeigt. Verbindung des Receptors mit ACh (rot) führt zu einer Öffnung der Membranpore für kleine Kationen

konstant bleibt [32]. Wird die Aufnahme von Cholin durch Hemicholin blockiert, so kann nicht das gesamte ACh der Endigung freigesetzt werden [32]. Es ist daher noch eine dritte, **stationäre Fraktion** anzunehmen (Abb. 7(G)), die möglicherweise nicht in Vesikelform vorliegt. Ein Austausch zwischen diesen drei Fraktionen scheint möglich (Pfeile in Abb. 7(G)). Die *histologischen Korrelate dieser drei Fraktionen* sind noch nicht klar, wenn auch anzunehmen ist, daß die Vesikel in der Nähe des synaptischen Spaltes die unmittelbar verfügbare Fraktion bilden, die übrigen Vesikel ganz oder zum größeren Teil die Depotfraktion.

Pathologie der ACh-Synthese und Vorratshaltung. Die **Myasthenia gravis** ist eine chronische Erkrankung, die durch Schwäche und abnorme Ermüdbarkeit der Skeletmuskulatur gekennzeichnet ist. Zugrunde liegt eine *verringerte Füllung der präsynaptischen Vesikel* bei ansonsten normaler präsynaptischer Quantenzahl und normaler Freisetzung. Zusätzlich erscheint die Resyn-

these des ACh verlangsamt, so daß bei repetitiver Benutzung der Endplatte die Menge des freigesetzten ACh schnell unter die für ein überschwelliges Aktionspotential notwendige fällt. Im weiteren Verlauf der Erkrankung scheinen auch gröbere morphologische Veränderungen der Endplatte aufzutreten. Möglicherweise handelt es sich *ätiologisch* um eine Autoimmunerkrankung unter Beteiligung des Thymus, bei der es zu einer Störung der für die ACh-Synthese notwendigen Enzymsysteme kommt. *Therapeutisch* ist die Gabe eines Cholinesterasehemmstoffes (Ambenonium, Neostigmin, Pyridostigmin), der zu einer verlängerten subsynaptischen ACh-Wirkung führt, eine effektive Behandlungsmöglichkeit, die z.T. durch Thymusexstirpation und ACTH- bzw. Prednison-Gaben ergänzt wird.

Die subsynaptischen Receptoren. ACh verbindet sich an der subsynaptischen Seite mit spezifischen Makromolekülen, die als (pharmakologische) **Receptoren** bezeichnet werden. Diese Verbindung bewirkt die Öffnung der subsynaptischen Poren für Na^+ und K^+ (Abb. 7(H), s. auch 1.1). Die Receptoren können durch das Schlangengift α-*Bungarotoxin* irreversibel geblockt werden. (Tetrodotoxin blockiert diese subsynaptischen Receptoren bzw. die von ihnen kontrollierten Membranporen oder -kanäle nicht.) Wird das Bungarotoxin radioaktiv markiert, so zeigt sich bei Membranextraktion mit anschließender Ultrazentrifugierung und Gelfiltration, daß das Bungarotoxin mit einem *Lipoproteid* verbunden ist, das ein Molekulargewicht von etwa 300 000 hat. Dieses Lipoproteid ist also wahrscheinlich der ACh-Receptor. Andere experimentelle Befunde stimmen mit dieser Hypothese überein (Lit. s. [17]). So führt Hemmung der Proteinsynthese zu einer Hemmung der Umbaurate der ACh-Receptoren, die beim erwachsenen Tier normalerweise eine Halbwertszeit von Tagen, beim jugendlichen Tier dagegen von wenigen Stunden zu haben scheint.

Verteilung und Dichte der ACh-Receptoren. Mikroelektrophoretisch appliziertes ACh löst normalerweise nur an der Endplatte, nicht an den anderen Abschnitten der Muskelfasermembran Depolarisationen aus. Die ACh-Receptoren sitzen also nur an der subsynaptischen, nicht an der übrigen postsynaptischen Membran. Eine Injektion von ACh in die Muskelfaser bewirkt ebenfalls keine Membrandepolarisation: ACh wirkt, wie alle übrigen Transmitter, nur an der *äußeren Oberfläche* der subsynaptischen Membran. Bei Ratten und Mäusen verbindet sich Bungarotoxin mit $2–4 \times 10^7$ Stellen pro Endplatte, bei Fröschen mit 10^9 Stellen, was bei Annahme eines Receptors pro Bindungsstelle und unter Berücksichtigung der Endplattenoberfläche eine Receptordichte von $1–2 \times 10^4$ Receptoren pro μm^2 ergibt.

Bei **Denervierung,** z.B. nach Durchschneiden des Motoaxons, entwickelt sich auf der gesamten Oberfläche der Muskelfaser eine Empfindlichkeit für

ACh, die Muskelfasermembran wird **hypersensitiv**
gegenüber ACh. (Gleichzeitig wird der Muskel
atrophisch und es treten Fibrillationen, d.h. spontane, nicht synchronisierte, frequente Zuckungen
der einzelnen Muskelfasern auf.) Eine ähnliche *Hy-
persensitivierung* wird bei der „funktionellen Denervierung" durch Botulinustoxin, bei Nervenblock-
kade mit Diphtherietoxin oder Lokalanaesthetica
und bei genetisch bedingten Störungen der ACh-
Freisetzung beobachtet (Lit. s. [29]). Die Hypersen-
sitivierung ist teilweise Folge fehlender Muskelaktivität [29], teils ist sie aber auch durch den Wegfall
unbekannter präsynaptischer Faktoren bedingt, die
unabhängig von der synaptischen Transmission den
Stoffwechsel der Muskelfaser beeinflussen und die
wir als **trophische Faktoren** zusammenfassen. Das
Entstehen der Hypersensitivität kann durch Hemmung der Proteinsynthese verhindert werden, was
wiederum auf den Lipoproteidcharakter der ACh-
Receptoren hinweist [12]. Bei Reinnervation oder
Wegfall des Blocks verschwinden die ACh-Receptoren außerhalb der Endplatte wieder.
Inaktivierung von ACh-Receptoren. Wird eine Endplatte mehrere 100 ms der Einwirkung von ACh
ausgesetzt, so kommt es an der ursprünglich depolarisierten Membran trotz weiterer Anwesenheit von
ACh zu einer Repolarisation; die subsynaptischen
Receptoren werden refraktär gegen ACh, sie werden **inaktiviert** oder **desensitiviert.** Die Gründe für
die Receptor-Inaktivierung sind noch unklar.
Neuere Befunde weisen darauf hin, daß nicht der
Receptor selbst seine Eigenschaften ändert, sondern
daß die von ihm gesteuerte Membranleitfähigkeit
der inaktivierte Prozeß ist (Lit. s. [17]).

Beendigung der ACh-Wirkung. Das ACh wirkt normalerweise nur für sehr kurze Zeit an der subsynaptischen Membran (1–2 ms, s. S. 35), da es teils weg-
diffundiert, teils durch das Enzym **Acetylcholinesterase** hydrolysiert, d.h. in die unwirksamen Bestandteile *Cholin* und *Essigsäure* gespalten wird
(s. Abb. 7(C, F)). Spezielle Färbemethoden haben
gezeigt, daß die *Acetylcholinesterase* in großen
Mengen an der Endplatte vorhanden ist (sog. spezifische oder echte Cholinesterase). Daneben finden
sich Cholinesterasen auch im Blut, und zwar in
den Erythrocyten (ebenfalls spezifisch) und im
Plasma (sog. unspezifische oder Pseudo-Cholineste-
rasen), so daß ACh, welches von einer Endplatte
in den umgebenden Extracellulärraum und in die
Blutbahn abdiffundiert, ebenfalls in Cholin und Essigsäure zerlegt wird. Die Spaltprodukte des ACh
werden zum großen Teil von der präsynaptischen
Endigung wieder aufgenommen und dort zu ACh
resynthetisiert. Abb. 7(F) zeigt den Cyclus des ACh

im zusammenfassenden Überblick. Auch für andere
Überträgersubstanzen sind vergleichbare Cyclen
nachgewiesen oder wahrscheinlich gemacht worden
(s. 4.1 bis 4.5).

1.4. Neuromuskuläre Blockade

Mechanismen des neuromuskulären Blocks. Die bisherige Schilderung der neuromuskulären Übertragung hat sicher deutlich gemacht, daß es eine ganze
Reihe von Möglichkeiten gibt, die neuromuskuläre
Übertragung zu beeinflussen. Ein Pharmakon oder
eine toxische Substanz kann z.B. auf folgende Weise
die Übertragung hemmen:
— es kann die **Fortleitung der Erregung** in die präsynaptische Endigung blockieren (Beispiel: Lokalanaesthetica);
— es kann die **Freisetzung der Überträgersubstanz**
  blockieren (Beispiele: *in vivo* Botulinus-Toxin,
  in vitro Ca^{++}-Entzug bzw. kompetitive Verdrängung durch Mg^{++} oder Mn^{++});
— es kann mit der **Produktion von Überträgersubstanz** interferieren (Beispiel: Hemicholin, das
  die Aufnahme von Cholin in das Axon hemmt);
— es kann am **subsynaptischen ACh-Receptor** angreifen. Mit diesem kann es eine *irreversible,
  blockierende Bindung* eingehen (Beispiel: α-Bun-
  garotoxin), oder es kann ACh von seinem Wirkort *kompetitiv,* d.h. reversibel und in Abhängigkeit von der Konzentration der beiden Part-
  ner, *verdrängen* (Beispiele: Curare, Pancuronium), oder es kann eine *verlängerte subsynaptische Depolarisation und Receptor-Inaktivierung*
  induzieren (Beispiele: Succinylcholin, Decame-
  thonium);
— es kann die **Cholinesterase** und damit die ACh-
  Spaltung hemmen, was über eine verlängerte
  Transmittereinwirkung zur subsynaptischen
  Depolarisation und Receptor-Inaktivierung
  und damit, ähnlich dem Beispiel des Succinylcholin, zum neuromuskulären Block führt (Beispiele: Organophosphate, jedoch nur in toxi-
  scher Dosierung).

Klinische Nutzanwendung. Blockierung der neuromuskulären Übertragung wird während *Narkosen*
in weitem Umfang eingesetzt. Der Patient, der in
dieser Zeit künstlich beatmet werden muß, benötigt
dann nur eine relativ flache Narkose, die Bewußtsein und Schmerzempfindung ausschaltet, bei
der sich aber ohne neuromuskuläre Blockade motorische Reflexe und ein hoher Muskeltonus störend
bemerkbar machen würden. Der Vorteil der flachen
Narkose liegt in ihrer geringen Toxizität, ihrer leichten Steuerbarkeit und ihrer schnellen Reversibilität.

Ganz allgemein bezeichnet man Stoffe, die während Narkosen oder in anderen therapeutischen Situationen zur Muskelentspannung verwendet werden, als **Relaxantien.**

Depolarisierende Muskelrelaxantien. Stoffe, die die Wirkung des ACh am subsynaptischen Receptor für *längere Zeit* imitieren (sie werden von der Cholinesterase nicht oder nicht schnell genug abgebaut), blockieren durch die damit verbundene Depolarisation der subsynaptischen Membran (und die ebenfalls auftretende Receptor-Inaktivierung) die Erregungsübertragung. Man faßt solche Substanzen als **depolarisierende Muskelrelaxantien** zusammen. *Succinylcholin* ist für diese Gruppe das wichtigste Beispiel. Entsprechend dem eben geschilderten Wirkmechanismus geht nach i.v. Injektion von Succinylcholin der völligen Erschlaffung eine kurze Periode ungeordneter (fasciculärer) Muskelzuckungen voraus.

Nicht-depolarisierende Muskelrelaxantien. Stoffe, die ACh von seinem subsynaptischen Receptor kompetitiv verdrängen, ohne die Membranleitfähigkeit zu verändern, werden als **nicht-depolarisierende Muskelrelaxantien** bezeichnet. Curare (d-Tubocurarin) und Pancuronium können als Prototypen dieser Gruppe gelten. Im Vergleich zum Succinylcholin tritt nach i.v. Injektion von Curare die Muskelerschlaffung langsamer ein, sie hält aber auch wesentlich länger an. Entsprechend dem Wirkmechanismus treten vor der Erschlaffung keine Muskelzuckungen auf.

Cholinesterasehemmstoffe. Durch Gabe von Cholinesterasehemmstoffen könnte es ebenfalls zu einem neuromuskulären Block kommen, da es durch die verzögerte Spaltung des ACh zu einer verlängerten Depolarisation an der subsynaptischen Membran kommt. Wegen starker Nebenwirkungen an anderen cholinergen Synapsen wird dies klinisch nicht ausgenutzt, doch sind verschiedene Organophosphate (Insecticide und einige Nervengase) *irreversible* Cholinesterasehemmstoffe. Bei Vorliegen eines Blocks vom Curare-Typ oder bei einer verringerten ACh-Freisetzung (Myasthenia gravis, s.o.), kann aber die neuromuskuläre Übertragung durch Gabe von *reversiblen* Cholinesterasehemmstoffen wieder hergestellt bzw. normalisiert werden (Beispiele: Ambenonium, Neostigmin, Pyridostigmin).

2. Zentrale erregende chemische Synapsen

Die Grundvorgänge bei der Erregungsbildung an chemischen Synapsen sind bisher am Beispiel der neuromuskulären Endplatte geschildert worden. Es ist daher jetzt möglich, sich den komplexeren Vorgängen bei der Erregungsübertragung an zentralen Neuronen zuzuwenden. Während nämlich jede Muskelfaser in der Regel nur eine Endplatte besitzt und jedes Endplattenpotential normalerweise weit überschwellig ist, besitzen zentrale Neurone meist viele Dutzend bis einige Tausend Synapsen [1], und die erregenden postsynaptischen Potentiale der *einzelnen* Synapsen sind fast immer unterschwellig, so daß nur die *gleichzeitige* Tätigkeit zahlreicher Synapsen zu einer fortgeleiteten Erregung führt. Dazu kommt, daß neben den *erregenden* auch *hemmende* Synapsen auf dem Soma und den Dendriten der Neuronen enden, deren Aktivierung dem Entstehen einer fortgeleiteten Erregung entgegenwirkt.

2.1. Die Erregung des Motoneurons

Das Motoneuron hat sich wegen seiner Größe (Durchmesser des Somas bis zu 100 μm), seiner relativ guten Zugänglichkeit und seiner gut bekannten erregenden und hemmenden Verbindungen für das Studium neuronaler synaptischer Potentiale als besonders geeignet erwiesen. Die an Motoneuronen gewonnenen Ergebnisse lassen sich außerdem ohne größere Einschränkungen auf die Mehrzahl der zentralen Neurone übertragen, so daß diese Ergebnisse zur Grundlage der jetzigen Erörterung gemacht werden können.

Erregende postsynaptische Potentiale, EPSP. Die Oberfläche eines Motoneurons ist, mit Ausnahme des Axonhügels und des Axons, von zahlreichen Synapsen bedeckt. Es wird geschätzt, daß jedes Motoneuron etwa 6000 axo-somatische und axo-dendritische Synapsen besitzt. Die Synapsen sind teils erregender, teils hemmender Natur und die Axone zu ihnen stammen zum größten Teil von zentralen Neuronen. Ein Teil der Axone mit erregenden Synapsen sind aber afferente Nervenfasern, die direkt von den Dehnungsreceptoren der Muskelspindeln der Skeletmuskulatur über die Hinterwurzeln in das Rückenmark eintreten. Durch elektrische Reizung dieser Muskelnerven können daher diese Synapsen aktiviert und die postsynaptischen Prozesse über eine intracelluläre Mikroelektrode registriert werden.

In Abb. 8(A) ist ein solcher Versuchsaufbau gezeigt. Werden die Afferenzen elektrisch gereizt (Pfeile in (B, C, D)), so tritt nach kurzer Latenz eine Depolarisation des Membranpotentials auf, dessen Zeitverlauf in (B) und (C) dem des Endplattenpotentials ähnlich ist. Die Amplituden hängen von der Zahl der erregten Afferenzen ab, bei elektri-

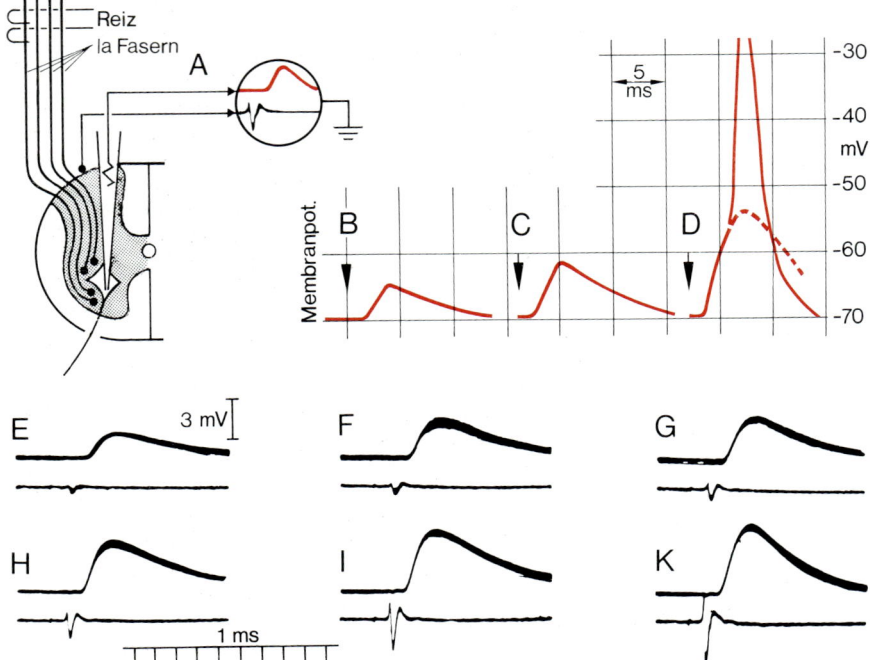

Abb. 8A–K. Erregende postsynaptische Potentiale (EPSP).
(A) Schema der Versuchsanordnung. Die EPSP werden intracellulär von einem Motoneuron nach Reizung der homonymen
(zugehörigen) Muskelspindelafferenzen (Ia-Fasern) abgeleitet.
(B–D) Schematische Darstellung der Wirkung zunehmender
Reizstärke. Das EPSP löst bei Erreichen der Schwelle (−60 mV)
ein fortgeleitetes Aktionspotential aus. (E–K) EPSP eines

Motoneurons des M. quadriceps der Katze. Die unipolare
extracelluläre Ableitung der afferenten Salve von der Hinterwurzeleintrittszone (s. (A)) dient als Maß für die Zahl der erregten afferenten Fasern und zur Bestimmung der spinalen
Latenz. Sie ist als triphasische Potentialschwankung auf den
unteren Registrierungen zu sehen. (E–K) aus [11]

scher Reizung also von der Reizstärke (B < C < D).
Als Maß für die Anzahl der erregten Afferenzen
kann im Experiment die extracelluläre Ableitung
der afferenten Salve von der Hinterwurzeleintrittszone dienen (Abb. 8(A) und untere Registrierung
in (E–K)). Von ihr aus kann auch die *spinale Latenz*
bis zum Auftreten der intracellulären Depolarisation gemessen werden. Da, wie in (D) gezeigt, die
Depolarisation das Neuron erregen kann, so daß
ein fortgeleitetes Aktionspotential auftritt, wird sie
erregendes postsynaptisches Potential, abgekürzt
EPSP, genannt. Die EPSP sind also den Endplattenpotentialen an der neuromuskulären Endigung
analog. Während das Endplattenpotential aber
durch die Aktivierung einer einzelnen Synapse,
nämlich der Endplatte, entsteht, sind die EPSP
meist durch die gleichzeitige Aktivierung mehrerer
Synapsen verursacht. Die Anstiegsphase eines
EPSP dauert etwa 2 ms, der Abfall 10–15 ms. Der
Zeitverlauf ist unabhängig von der Amplitude des
EPSP (Abb. 8(E–K)). Dies bedeutet, daß sich die
an verschiedenen Synapsen gleichzeitig ausgelösten
EPSP in der Amplitude addieren und sich außerdem
gegenseitig nicht beeinflussen. (Die Unabhängigkeit der „unitären" EPSP voneinander gilt nur in

gewissen Grenzen, die aber hier vernachlässigt werden können.)

Ionenmechanismus des EPSP. Alle Befunde weisen
darauf hin, daß das EPSP durch eine **kurzzeitige
Leitfähigkeitserhöhung für kleine Kationen** entsteht,
was in direkter Analogie zum Ionenmechanismus
des Endplattenpotentials steht. Zusätzlich scheint
auch die Leitfähigkeit für Cl^--Ionen erhöht zu werden. Das Gleichgewichtspotential des EPSP liegt
bei etwa −15 mV. Aus dem Zeitverlauf des EPSP
und der Membranzeitkonstante des Motoneurons
läßt sich die Dauer der Leitfähigkeitsänderung zu
1–2 ms berechnen (Lit. s. [8, 9]). Die unbekannte
Überträgersubstanz wirkt also etwa ebenso lange an
der subsynaptischen Membran des Motoneurons
wie das ACh an der Endplatte. Die Überträgersubstanz des EPSP ist sicher nicht ACh, wie zahlreiche
pharmakologische Tests zweifelsfrei gezeigt haben.

Die Auslösung des Aktionspotentials. Die Membran
des **Axonhügels** am Abgang des Axons aus dem
Soma hat eine deutlich geringere Schwelle als die
des Somas und der Dendriten. Fortgeleitete Aktionspotentiale entstehen daher in Motoneuronen

und wahrscheinlich auch in anderen, wenn auch nicht allen Nervenzellen, am Axonhügel, der damit den gemeinsamen Wirkort aller somatischen und dendritischen Synapsen darstellt. Da der Axonhügel in das Axon übergeht, ist so gewährleistet, daß ein einmal entstandenes Aktionspotential sich mit Sicherheit in die Peripherie fortpflanzt.

Wirksamkeit somatischer und dendritischer Synapsen. Da EPSP sich passiv elektrotonisch auf der Zellmembran ausbreiten, sollten somatische Synapsen nahe dem Axonhügel die Erregbarkeit eines Neurons mehr beeinflussen als weiter entfernte dendritische Synapsen. Zum Teil ist dies möglicherweise richtig, zum Teil scheint dieser Nachteil dadurch kompensiert zu werden, daß an den Dendriten besonders große EPSP auftreten. Die Ursache dafür liegt wahrscheinlich in den Kabeleigenschaften der Dendriten, also auf postsynaptischer Seite. Die Bedeutung der somatischen relativ zu den dendritischen Synapsen ist aber noch nicht völlig klar.

Zellgröße und Erregbarkeit. Unter sonst gleichen Bedingungen ist bei Motoneuronen die *Erregbarkeit um so größer, je kleiner das Neuron* ist. Umgekehrt ist die *Hemmbarkeit um so größer, je größer die Zelle* ist [13, 14]. Kleine Motoneurone sind also leichter zu erregen und schwerer zu hemmen als große. Diese Verhältnisse treffen wahrscheinlich auch für andere Neurone zu. Die Erregbarkeit der Neurone ist wahrscheinlich eine Funktion ihres Eingangswiderstandes. Dieser ist bei einer kleinen Zelle hoch, so daß ein gegebener Strom durch die subsynaptische Membran ein größeres EPSP bewirkt als bei einer großen Zelle. Da für die Hemmbarkeit diese Beziehung nicht gefunden wird, ist anzunehmen, daß die Leitfähigkeitsänderungen während einer Hemmung entscheidender als die dadurch bewirkten Membranpotentialverschiebungen sind (s. S. 45).

Die Größe eines Motoneurons scheint in mehrfacher Hinsicht von beträchtlicher funktioneller Bedeutung zu sein. So haben **große Motoneurone** auch Axone mit großem Durchmesser und entsprechend hoher Leitungsgeschwindigkeit. Diese Axone versorgen zahlreiche (oft um 1 000) Muskelfasern (sie bilden also große *motorische Einheiten*, s. V-2.3). Die von den dicken Motoaxonen innervierten Muskelfasern gehören zum Typ der großen „weißen" (ATPase-armen), schnell kontrahierenden Muskelfasern, die eine große Spannung entwickeln können, aber schnell ermüden. Einen vollkommenen Tetanus (vgl. Abb. V-7) bilden sie nur bei hoher Erregungsfrequenz (~ 50 Hz) aus. Werden die großen Motoneurone durch einen intracellulär applizierten Strom oder durch entsprechende transsynaptische Aktivität stark depolarisiert, so entladen sie zunächst mit hoher Frequenz, die jedoch rasch abfällt: es kommt zu einer *schnellen Adaptation*. Man spricht von **phasischen Motoneuronen.**
Die dünnen Axone der **kleinen Motoneurone** versorgen wesentlich weniger Muskelfasern, bilden also kleine motorische Einhei-

ten. Diese Muskelfasern sind auch dünner als die, die von den großen Motoneuronen versorgt werden, sie kontrahieren sich langsamer, entwickeln eine geringere Maximalspannung, ermüden aber nicht so leicht und bilden schon bei geringeren Erregungsfrequenzen (~ 20 Hz) einen vollkommenen Tetanus aus. Die Muskelfasern gehören mehr zum Typ der „roten" (ATPase-reichen) Muskeln. Bei Depolarisationen der kleinen Motoneurone kommt es zu langanhaltenden Entladungen, die nur wenig adaptieren. Man spricht daher von **tonischen Motoneuronen.** Neben ausgesprochen großen, phasischen und kleinen, tonischen Motoneuronen gibt es auch Zwischenformen. Die Skeletmuskeln werden, in Abhängigkeit von ihrer Funktion, in wechselndem Ausmaß von größeren und kleineren Motoneuronen innerviert. Muskeln, die viel an schnellen Bewegungen teilnehmen, werden mehr von phasischen, ausgesprochene Haltemuskeln dagegen mehr von tonischen Motoneuronen innerviert. Jede motorische Einheit besteht dabei, wie aus dem bisher Gesagten schon hervorgeht, aus einem einheitlichen Typ von Muskelfasern. Diese *Einheitlichkeit innerhalb einer motorischen Einheit* bildet sich in der Ontogenese als Folge eines im einzelnen noch unbekannten „trophischen" Einflusses des Motoneurons auf die von ihm versorgten Muskelfasern aus. Für jeden Muskel liegt daher nach Abschluß der Ontogenese die Zusammensetzung der ihn innervierenden Motoneurone und damit der Anteil an kleinen und großen motorischen Einheiten fest.
Die bisher geschilderten Zusammenhänge zwischen Zellgröße und Erregbarkeit einerseits und andererseits zwischen Größe eines Motoneurons und den Eigenschaften der von ihm versorgten Muskelfasern bzw. motorischen Einheiten hat eine überraschende Konsequenz: Bei zunehmender Arbeitsleistung eines Muskels werden *immer zunächst die kleinen* motorischen Einheiten mit ihren langsam kontrahierenden, roten, eine nur geringe, aber gut abstufbare Kraft entwickelnden Fasern ins Spiel kommen. Erst bei hohen und höchsten Anforderungen treten die großen motorischen Einheiten mit ihren dicken, blassen, eine große, aber schlecht abstufbare Kraft entwickelnden Fasern in Aktion. Es ist daher keineswegs so, daß alle motorischen Einheiten im Verlauf eines Lebens etwa gleich oft zur Arbeit herangezogen werden. Vielmehr ist die „Arbeitslast" äußerst ungleich verteilt: *kleine Motoneurone und die ihnen zugehörigen Muskelfasern sind viel häufiger tätig als große.*

Gamma-Motoneurone. Die bisher geschilderten Motoneurone innervieren die Arbeitsmuskulatur. Ihre Axone gehören zum Aα-Typ (vgl. Tabelle II-2a). Sie werden daher als **α-Motoneurone** zusammengefaßt. Es gibt aber noch eine Gruppe besonders kleiner Motoneurone, deren dünne Motoaxone zum Aγ-Typ gezählt werden. Diese **γ-Motoneurone** machen etwa ein Drittel aller Motoneurone aus. Sie innervieren die Muskelfasern der Muskelspindeln (s. VI-2.1). Die meisten γ-Motoneurone zeigen eine Ruheentladung, ihre Entladungsfrequenz ist meist höher als die der α-Motoneurone und sie antworten häufig repetitiv. Diese Eigenschaften scheinen eine direkte Folge ihrer geringen Größe zu sein.

2.2. EPSP an anderen Nervenzellen

Nach den bisher vorliegenden, z.T. noch sehr unvollkommenen Beobachtungen an anderen Neuronen treten EPSP des eben beschriebenen Typs auch an anderen Neurone des ZNS auf. Zum Teil sind etwas kürzere und längere Zeitverläufe sowohl im Anstieg wie im Abfall des EPSP beobachtet worden, wobei insgesamt derzeit der Eindruck vorherrscht, daß die EPSP der Motoneurone in ihrem Zeitverlauf eher kürzer als die meisten anderen EPSP sind. Allerdings ist bei dieser Aussage, ebenso wie bei jedem anderen Generalisierungsversuch im Auge zu behalten, daß die *Mehrzahl* der zentralnervösen Synapsen bisher nicht untersucht wurde und daß in den wenigen anderen Fällen zwangsläufig *große* Neurone bei weitem bevorzugt wurden (Lit. s. [8, 10, 11]).

EPSP durch aktiven Ionentransport. An sympathischen Ganglien sind in jüngster Zeit neben den üblichen EPSP erregende postsynaptische Potentiale gefunden worden, die in ihrer synaptischen Latenz und in ihrem gesamten Zeitverlauf außerordentlich langsam sind. Die *synaptische Latenz* beträgt *200–300 ms*, die *Dauer mehrere Hundert Millisekunden.* Bei kurzer repetitiver Aktivierung, die für einen maximalen Effekt notwendig ist, beträgt die Dauer 10–30 s. Sie werden daher als **langsame erregende postsynaptische Potentiale** bezeichnet. Sie sind, im Gegensatz zu den üblichen EPSP, *nicht* durch Änderungen passiver Ionenpermeabilitäten bedingt. Vielmehr scheint es so zu sein, daß sie durch die Aktivierung **elektrogener Ionen-Pumpen,** d.h. durch Ladungsverschiebung unter Energieaufwand, entstehen. Die genaue Natur dieser elektrogenen Ionen-Pumpen und der von ihnen transportierten Ionen ist noch nicht bekannt. Allerdings konnte die Beteiligung elektrogener K^+-, Na^+- oder Cl^--Pumpen so gut wie ausgeschlossen werden [28]. Den langsamen postsynaptischen Potentialen kommt möglicherweise eine große Bedeutung bei der *Langzeit-Informationsübertragung* von Neuron zu Neuron zu, da durch sie die Erregbarkeit auf einfachste Weise über lange Zeit verstellt werden kann. Ihre Genese durch aktiven Ionentransport ist ein Beispiel für die enge Verknüpfung elektrophysiologischer und metabolischer Prozesse im Nervensystem.

3. Zentrale hemmende chemische Synapsen

Zwei Typen von Hemmung sind uns bekannt: bei der **postsynaptischen Hemmung** wird die Erregbarkeit der Soma- und Dendritenmembran der Neurone herabgesetzt, während bei der **präsynaptischen Hemmung** die Transmitterfreisetzung an präsynaptischen Endigungen reduziert oder völlig verhindert wird. Im ZNS der Wirbeltiere scheint die postsynaptische Hemmung die größere Rolle zu spielen; die präsynaptische Hemmung findet sich vorwiegend an den präsynaptischen Endigungen somatischer und visceraler Afferenzen, weniger im übrigen Nervensystem.

3.1. Postsynaptische Hemmung

Inhibitorische postsynaptische Potentiale im Motoneuron. Durch Messung von Reflexkontraktionen ist seit langem bekannt, daß Reizung von Muskelspindelafferenzen nicht nur die homonymen Motoneurone erregt, sondern gleichzeitig die antagonistischen Motoneurone hemmt (für Details siehe S. 89). Die dabei in einem solchen antagonistischen Motoneuron auftretenden Potentiale zeigt Abb. 9. Jeder Reiz löst eine *hyperpolarisierende* Potentialverschiebung aus, deren Zeitverlauf unabhängig von der Amplitude ist und sehr dem Zeitverlauf des EPSP ähnelt. Durch die Hyperpolarisation wird das Membranpotential von der Schwelle für eine fortgeleitete Erregung entfernt, das Motoneu-

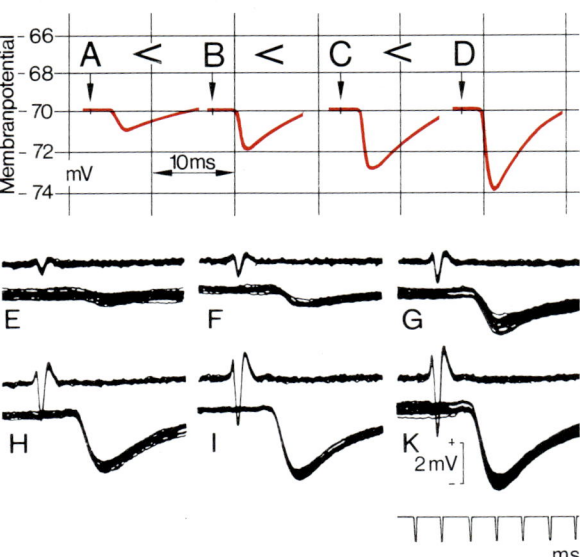

Abb. 9A–K. Hemmende postsynaptische Potentiale (IPSP). Versuchsanordnung wie in Abb. 8(A), es wird jedoch ein dem Motoneuron antagonistischer Nerv gereizt. (A–D) Schematische Darstellung hemmender postsynaptischer Potentiale bei Zunahme der afferenten Reizstärke. (E–K) Hemmende postsynaptische Potentiale in einem Motoneuron des M. semitendinosus der Katze bei Reizung des N. quadriceps. Die von der Hinterwurzeleintrittszone abgeleiteten afferenten Salven (extracelluläre, unipolare Ableitung, s. Abb.8 (A)) sind als triphasische Potentialschwankungen auf den oberen Registrierungen zu sehen. Beachte die gegenüber Abb. 8 deutlich längere spinale Latenz, die auf die Zwischenschaltung eines Interneurones im spinalen Reflexweg hinweist. (E–K) aus [8]

ron also gehemmt. Die Hyperpolarisationen in Abb. 9 werden daher als hemmende oder **inhibitorische postsynaptische Potentiale**, abgekürzt **IPSP** bezeichnet.

Ionenmechanismus des IPSP. Der Zeitverlauf der IPSP ist praktisch spiegelbildlich dem der EPSP mit einem Anstieg von 1–2 ms und einem Abfall von 10–12 ms. Auch hier dauert die subsynaptische Leitfähigkeitsänderung etwa 1–2 ms [8]. Messung des **Gleichgewichtspotentials** des IPSP mit der in Abb. 10A gezeigten Versuchsanordnung (vgl. auch Abb. 5) ergab einen Wert von $E_{IPSP} = -80$ mV. Da das Gleichgewichtspotential der K^+-Ionen etwa bei -90 mV liegt, das der Cl^--Ionen beim Ruhepotential, liegt das E_{IPSP} etwa in der Mitte zwischen E_K und E_{Cl}. Daraus wurde gefolgert, daß es während der Einwirkung des inhibitorischen Transmitters an der subsynaptischen Membran zu einer **starken Erhöhung der Leitfähigkeit für K^+- und Cl^--Ionen** kommt (Lit. s. [8, 9]). Gestützt wird diese Hypothese durch den Befund, daß intracellulär elektrophoretisch injizierte kleine Kat- wie auch kleine Anionen die aktivierte subsynaptische Membran inhibitorischer Synapsen passieren können, während dies für Ionen mit einem Durchmesser größer dem des hydratisierten K^+-Ions (also z.B. Na^+-Ionen) nicht möglich ist.

Porenhypothese. Allgemein hat insbesondere ECCLES [8–11] aus solchen und ähnlichen Versuchsergebnissen an anderen Synapsen die Vorstellung entwickelt, daß die Transmitter an subsynaptischen Membranen **Poren** bestimmter Weite öffnen, die für alle Ionen mit einem Durchmesser kleiner als diese Weiten passierbar sind. Wird außerdem die Wand der Pore elektrisch geladen, so wirkt diese Ladung als Diffusionshindernis für gleichsinnig geladene Ionen. Eine negativ geladene Pore würden also nur Kationen, aber keine Anionen passieren. Es bleibt abzuwarten, wieweit diese Bilder mit der Wirklichkeit übereinstimmen.

Hemmende Wirkungen des IPSP. Die hemmende Wirkung des IPSP beruht einmal auf der **Hyperpolarisation des Membranpotentials** und zum anderen auf der **initialen Erhöhung der Membranleitfähigkeit**. Die unterschiedliche Wirkung dieser beiden Hemm-Mechanismen ist in Abb. 11(B) zu sehen. Ein im späteren Verlauf des IPSP ausgelöstes EPSP ist lediglich um den Betrag der jeweiligen Hyperpolarisation verschoben (mittlere und rechte Registrierung in (B)), das während der initialen Phase ausgelöste EPSP ist jedoch kleiner als das Kontroll-EPSP in (A). Die Skizzen in (C) zeigen die Ursache für den unterschiedlichen Effekt des IPSP während und nach der aktiven Phase: links sind erregende und hemmende Synapse etwa gleichzeitig aktiviert und der Einstrom der Na^+-Ionen an der subsynaptischen Membran der erregenden Synapse wird durch die an der hemmenden Synapse ausströmenden K^+-Ionen teilweise kompensiert. Die resultierende Potentialänderung in depolarisierender Richtung ist daher kleiner als zu dem rechts gezeigten Zeitpunkt, bei dem die inhibitorische Synapse nicht aktiviert ist.

Nach der bisher gegebenen Darstellung ist die **Rolle der Cl^--Ionen bei der Entstehung des IPSP** gering. Dies ist richtig, solange das IPSP vom normalen Ruhepotential seinen Ausgang nimmt, da E_{Cl} beim Ruhepotential liegt. Nimmt das IPSP jedoch von einem (vorübergehend durch EPSP) depolarisierten Membranpotential seinen Ausgang, so wird die erhöhte Cl^--Permeabilität zu einem verstärkten Einströmen von Cl^--Ionen führen und dadurch zu den vergrößerten IPSP beitragen, wie sie z.B. in Abb. 10 zu sehen sind.

Liegt das Membranpotential beim Gleichgewichtspotential des IPSP, so löst definitionsgemäß eine

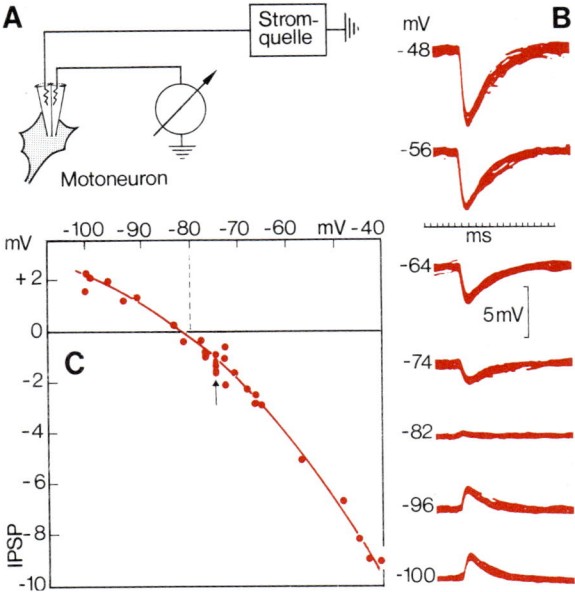

Abb. 10A–C. Bestimmung des Gleichgewichtspotentials der hemmenden postsynaptischen Potentiale. (A) Über den einen Lauf einer doppelläufigen intracellulären Mikroelektrode kann das Membranpotential des Motoneurons mit Hilfe einer regelbaren Stromquelle variiert werden. (B) Hemmende postsynaptische Potentiale eines Motoneurons des M. semitendinosus nach Reizung des N. quadriceps mit konstanter Reizstärke. Amplitude und Polarität der resultierenden IPSP hängen vom Membranpotential ab. (C) Graphische Auswertung der kompletten Meßserie, die in (B) teilweise abgebildet wurde. Abscisse: Membranpotential; Ordinate: maximale Amplitude des IPSP. Hyperpolarisierende IPSP sind nach unten, depolarisierende nach oben aufgetragen. Das Gleichgewichtspotential liegt bei etwa -80 mV. Das Ruhepotential der Zelle betrug -74 mV (Pfeil in (C)). Aus [8]

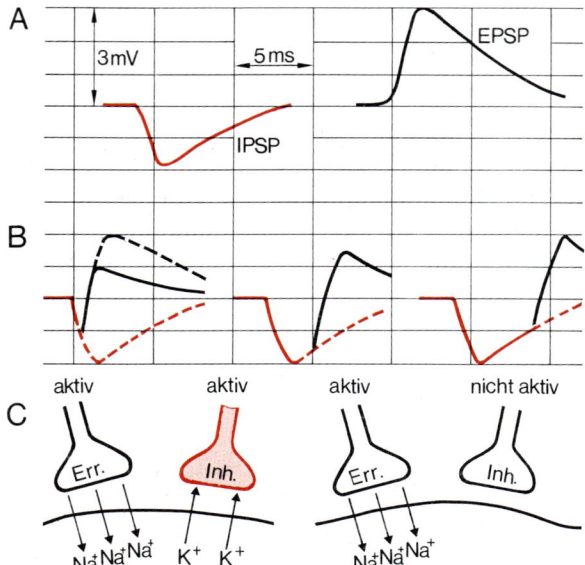

Abb. 11 A–C. Wirkung von IPSP auf EPSP. Versuchsaufbau wie in Abb. 8 und 9. Reizung des antagonistischen Nerven ergibt das IPSP in (A), Reizung des homonymen Nerven das EPSP. In (B) wurde das EPSP etwa 1, 3 und 5 ms nach Beginn des IPSP ausgelöst. (C) skizziert die subsynaptischen Permeabilitätsänderungen bei gleichzeitiger Aktivierung erregender und hemmender Synapsen (links) und bei alleiniger Aktivierung der erregenden Synapsen

Aktivierung hemmender Synapsen keine Potentialverschiebung aus. Die Zelle ist jedoch während der aktiven Phase des IPSP durch die erhöhte Leitfähigkeit der Membran für K^+- und Cl^--Ionen gehemmt. In dieser Zeit wird jede Ladungsverschiebung durch die dann einsetzenden Ladungsverschiebungen unter der hemmenden subsynaptischen Membran mindestens teilweise kompensiert (s. Abb. 11 (C)). Bei repetitiver asynchroner Aktivierung zahlreicher hemmender Synapsen kann die Leitfähigkeit so stark ansteigen, daß auch große erregende Ströme nur noch zu kleinen Depolarisationen führen.

Transmitterfreisetzung an hemmenden Synapsen. Der Mechanismus der Transmitterfreisetzung an hemmenden Synapsen ist dem an erregenden Synapsen wahrscheinlich sehr ähnlich. *Synaptische Bläschen* sind an hemmenden Synapsen ebenso vorhanden wie an erregenden und auch sonst lassen sich morphologisch erregende und hemmende Synapsen nicht unterscheiden. **Miniatur-IPSP** hat man bisher nicht beobachtet, was wahrscheinlich damit zusammenhängt, daß das Ruhepotential und das E_{IPSP} sehr nahe beieinander liegen: ein einzelnes Quantum hemmender Überträgersubstanz verursacht nur eine sehr kleine Potentialänderung, die vom Ableitsystem nicht registriert werden kann.

Blockierung hemmender Synapsen. Von zwei Giften ist bekannt, daß sie die synaptische Übertragung an hemmenden Synapsen des Motoneurons und wahrscheinlich anderer zentraler Neurone blockieren und dadurch **Krämpfe** verursachen: **Strychnin** verdrängt kompetitiv die hemmende Überträgersubstanz von der subsynaptischen Membran (vgl. Curarewirkung an der Endplatte), **Tetanustoxin** verhindert wahrscheinlich die Freisetzung des Transmitters von der inhibitorischen präsynaptischen Endigung (vgl. Mg^{++}- und Botulinustoxin-Effekt an der Endplatte). Da eine manifest gewordene Tetanuserkrankung meist zum Tode führt, ist eine vorbeugende aktive Schutzimpfung (Tetanol) allgemein zu empfehlen.

IPSP an anderen Neuronen. Soweit bisher bekannt, können die Befunde an Motoneuronen auf andere Neurone übertragen werden. Jedenfalls sind an einer Reihe von zentralen, einschließlich corticalen Neuronen, IPSP beobachtet worden, die denen der Motoneurone im wesentlichen analog waren, wenn auch im einzelnen beträchtliche Unterschiede der Zeitverläufe registriert wurden. Die erregenden und hemmenden synaptischen Vorgänge an den Membranen zentraler Neurone können daher im Überblick zusammengefaßt werden (Abb. 12). Aktivierung der erregenden subsynaptischen Membran führt also zu einer Depolarisation, die eventuell die Schwelle erreicht (EPSP links im Bild) und dann am Axonhügel ein fortgeleitetes Aktionspotential auslöst. Unter der aktivierten, hemmenden, subsynaptischen Membran ist die Permeabilität für K^+-

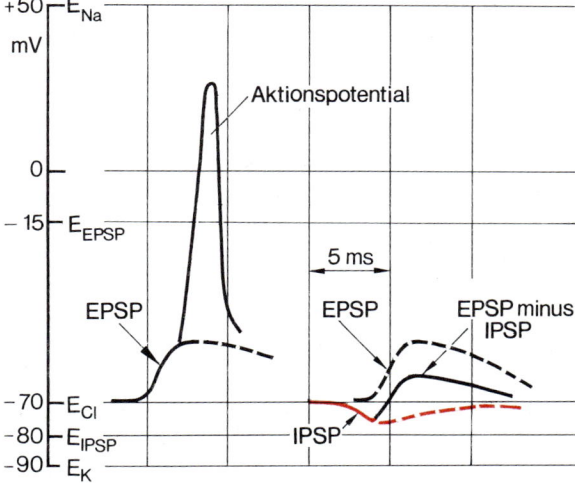

Abb. 12. Wirkung von IPSP auf Aktionspotential. Versuchsaufbau wie in Abb. 11. Der homonyme Nerv wird so stark gereizt, daß links im Bild ein überschwelliges EPSP entsteht. Rechts wird der antagonistische Nerv etwa 3 ms vor dem homonymen gereizt. Die Gleichgewichtspotentiale von Na^+, K^+, Cl^-, EPSP und IPSP sind eingetragen

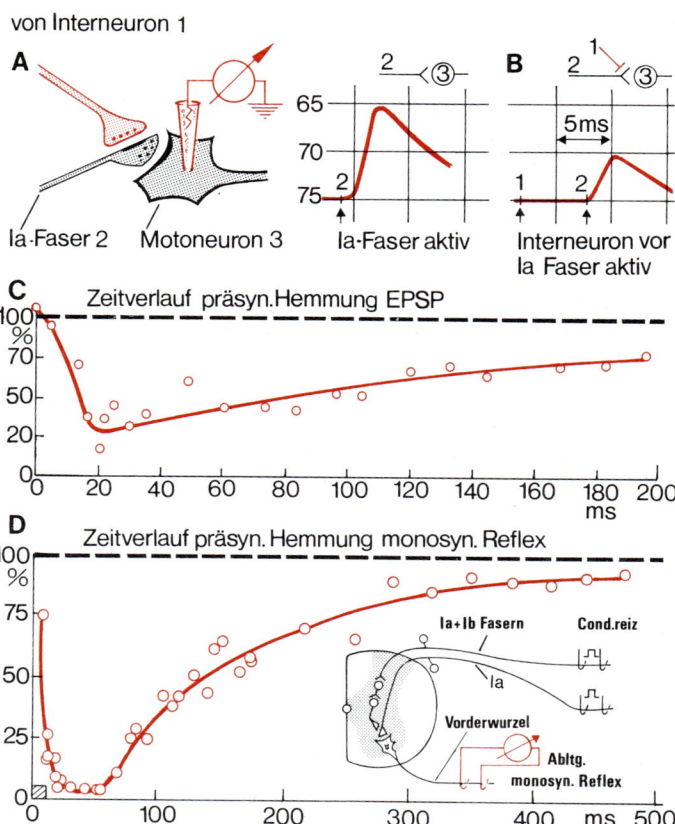

Abb. 13 A–D. Präsynaptische Hemmung. (A) Versuchsanordnung zum Nachweis präsynaptischer Hemmung eines monosynaptischen EPSP eines Motoneurons (s. auch Einsatzfigur in (D) und in Abb. 8). (B) EPSP nach Reizung der homonymen Ia-Fasern ohne (links) und mit vorhergehender Aktivierung präsynaptisch hemmender Interneurone. (C) Zeitverlauf der präsynaptischen Hemmung des monosynaptischen EPSP eines Plantaris-Motoneurons durch vorhergehende (konditionierende) afferente Salven in den Gruppe-I-Fasern der Nerven zu den Knieflexoren der Katze. (D) Zeitverlauf der präsynaptischen Hemmung eines monosynaptischen Reflexes. Die Einsatzfigur zeigt den Versuchsaufbau und den Reflexweg der präsynaptischen Hemmung, der mindestens 2 Interneurone besitzt (Versuche von ECCLES u. Mitarb. zitiert nach [8] und [33])

und Cl⁻-Ionen erhöht, wodurch es zu einer Hyperpolarisation (rot rechts im Bild) kommt. Das EPSP erreicht durch das IPSP nicht mehr die Schwelle, die Zelle ist gehemmt.

IPSP durch aktiven Ionentransport. An sympathischen Ganglien sind, analog den langsamen EPSP (s. S. 44), auch langsame synaptisch ausgelöste Hyperpolarisationen gefunden worden, mit synaptischen Latenzen von 30–100 ms und einer Dauer von mehreren Hundert Millisekunden, also **langsame inhibitorische postsynaptische Potentiale.** Wie die langsamen EPSP sind sie nicht durch Änderungen passiver Ionenpermeabilitäten bedingt, sondern durch die Aktivierung elektrogener Ionen-Pumpen unbekannter Natur [28].

3.2. Präsynaptische Hemmung

Nachweis und Definition der präsynaptischen Hemmung. Werden in einem Motoneuron monosynaptische EPSP durch Erregung von homonymen Muskelspindelafferenzen ausgelöst, so kann durch vorhergehende Reizung bestimmter anderer Afferenzen (zur funktionellen Organisation s. S. 93) die Amplitude dieser EPSP verkleinert werden (Abb. 13 (A, B)), ohne daß es zu einem IPSP des

Motoneurons kommt. Auch lassen sich postsynaptisch mit einer intracellulären Elektrode keine anderen Änderungen der Membraneigenschaften (Schwelle, antidrome Erregbarkeit, Widerstand) nachweisen. Die Reduktion des EPSP hat also sehr wahrscheinlich eine *präsynaptische* Ursache, nämlich eine verminderte Transmitterfreisetzung an den präsynaptischen Endigungen der erregenden Synapsen. Diese Form der Hemmung bezeichnen wir daher als **präsynaptische Hemmung** [8]. Bisher gegen diese Hypothese vorgebrachte Einwände können weitgehend als widerlegt gelten [33, 34].

Axo-axonische Synapsen: histologisches Substrat der präsynaptischen Hemmung. Die Aktivierung axo-axonischer Synapsen scheint für die verminderte Transmitterfreisetzung bei der präsynaptischen Hemmung verantwortlich zu sein. Solche axo-axonischen Synapsen sind elektronenmikroskopisch an zahlreichen Stellen gefunden worden, an denen physiologische Befunde für die Existenz präsynaptischer Hemmung sprechen (Lit. s. [33, 34]). Vor allem die präsynaptischen Endigungen derjenigen *afferenten Fasern,* die im *Rückenmark,* in den *Hinterstrangkernen* und im *Trigeminus* enden, scheinen unter einer starken präsynaptischen Kontrolle zu stehen (s. S. 93). Die **axo-axonischen**

Synapsen haben alle Charakteristika **chemischer** Synapsen, also z.B. präsynaptische Vesikel, synaptischen Spalt und synaptische Membranverdickung auf der postsynaptischen Seite. Solche axo-axonischen Synapsen sind schematisch in Abb. 13 (A) und in Abb. I-2 (D) gezeigt.

Zeitverlauf der präsynaptischen Hemmung. Abb. 13 zeigt in (C) den Zeitverlauf der präsynaptischen Hemmung eines motoneuronalen EPSP und in (D) den Zeitverlauf der durch präsynaptische Hemmung induzierten Depression eines monosynaptischen Eigenreflexes. Die maximale Hemmung wird etwa 15–20 ms nach Beginn gemessen, die Rückkehr zum Kontrollwert dauert 100–150 ms, oft auch länger. Der Zeitverlauf der *präsynaptischen Hemmung* ist also *wesentlich länger* als der der *postsynaptischen Hemmung* an Motoneuronen.

Mechanismus der präsynaptischen Hemmung, die Bedeutung der primär afferenten Depolarisation, PAD. Aktivierung der axo-axonischen Synapse induziert auf deren postsynaptischen Seite eine Depolarisation. Diese Depolarisation kann von primär afferenten Fasern des Rückenmarks intracellulär registriert werden (Abb. 14 (A, C)), sie wird dann als **primär afferente Depolarisation**, abgekürzt **PAD**, bezeichnet. Da sich die PAD elektrotonisch entlang

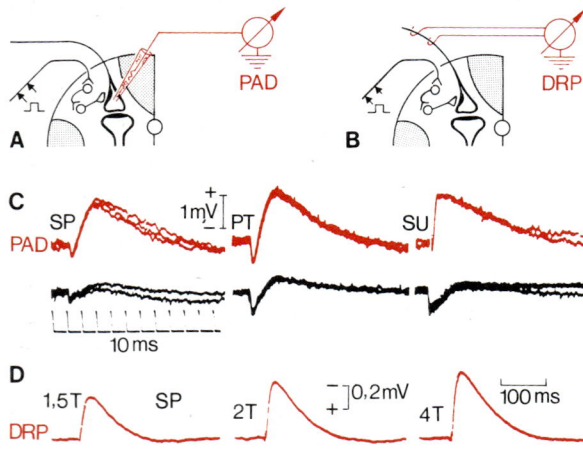

den afferenten Fasern in die Hinterwurzel ausbreitet, kann sie dort auch extracellulär abgeleitet werden. Dieses Potential wird **Dorsal Root Potential, DRP,** genannt (Abb. 14 (B, D)). Der *Zeitverlauf der PAD* und damit des DRP entspricht dem Zeitverlauf der präsynaptischen Hemmung (vgl. Abb. 13 mit Abb. 14). Die PAD ist also ein postsynaptisches Potential in einer primär afferenten Faser, das während der präsynaptischen Hemmung dieser Faser an der subsynaptischen Membran der axo-axonischen Synapse auftritt und sich passiv elektrotonisch über die Afferenz (antidrom) ausbreitet. Die PAD ist wahrscheinlich hauptsächlich durch eine Zunahme der Na^+-Permeabilität der subsynaptischen Membran verursacht [2]. Bei starker Aktivierung der axo-axonischen Synapse kann es durch die steil ansteigende PAD zur Auslösung antidromer Potentiale in den primär afferenten Fasern kommen (sog. *Hinterwurzelreflexe*, **Dorsal Root Reflexes,** DRR). Sie scheinen physiologisch ohne Bedeutung zu sein, wurden aber bei der experimentellen Analyse der präsynaptischen Hemmung als Zeichen starker PAD benutzt [33].

Die **Reduzierung der Transmitterfreisetzung** während präsynaptischer Hemmung erfolgt wahrscheinlich über eine *Abnahme der Amplitude des präsynaptischen Aktionspotentials* durch Inaktivierung (s. S. 18). Im Extremfall scheint die fortgeleitete Erregung in die präsynaptischen Endigungen völlig blockiert zu werden, so daß nur eine passiv elektrotonische Fortpflanzung des Aktionspotentials in die Endigung erfolgt, wobei dann keine oder nur sehr geringe Mengen von Transmitter freigesetzt werden.

Pharmakologische Beeinflussung der präsynaptischen Hemmung. Einige **Krampfgifte** (Bicucculin, Picrotoxin, aber nicht Strychnin) hemmen die präsynaptische Hemmung, was sicher an der krampfauslösenden Wirkung dieser Gifte beteiligt ist. Am selektivsten scheint *Bicucculin* zu wirken, während *Picrotoxin* anscheinend auch andere Angriffspunkte im ZNS hat. Da diese Substanzen an anderen Synapsen kompetitive Antagonisten des Transmitters GABA (s. S. 52) sind, erscheint es wahrscheinlich, daß GABA auch der Transmitter an der axo-axonischen Synapse ist [6, 33].

Abb. 14A–D. Nachweis primär afferenter Depolarisation bei präsynaptischer Hemmung. (A, C) Intracelluläre Ableitung von einer Hinterwurzelfaser des N. suralis. Reizung der Nn. peroneus sup. (SP), tibialis post. (PT) und suralis (SU) erzeugt die mit PAD gekennzeichneten intracellulären Potentialschwankungen. Die darunter gezeigten Ableitungen wurden bei identischer Reizung direkt außerhalb der Faser abgeleitet (Feldpotentiale). Abzug der Feldpotentiale von den darüber liegenden intracellulären Potentialen ergibt die durch Aktivierung der axo-axonischen Synapse induzierte primär afferente Depolarisation. (B, D) Extracelluläre Ableitung der primär afferenten Depolarisation von einem lumbalen Hinterwurzelfilament (Dorsal Root Potential, DRP). Der N. peroneus sup. (SP) wurde mit den in (D) angegebenen Vielfachen der Schwellenreizstärke T gereizt. (Versuche von ECCLES u. Mitarb. zitiert nach [33])

4. Überträgerstoffe chemischer Synapsen

Im Abschnitt 1.3 ist am Beispiel des ACh das Schicksal eines Überträgerstoffes geschildert worden. Auch für alle anderen Überträgerstoffe gilt, daß Systeme für ihre Synthese, Vorratshaltung, Freisetzung, Inaktivierung und für die Wiederaufnahme der Spaltprodukte in die präsynaptischen Endigungen nachgewiesen oder anzunehmen sind und daß sie mit subsynaptischen Receptoren reagieren. Die Fülle der heute schon bekannten Details kann hier nicht im einzelnen erörtert werden. Nach einigen grundsätzlichen Bemerkungen im Abschnitt 4.1 werden daher in 4.2 bis 4.5 hauptsächlich Befunde erwähnt, die entweder von mehr genereller Bedeutung oder von großem klinischen Interesse sind.

4.1. Fehlende Spezifität der Transmitter

Dalesches Prinzip. DALE und seine Mitarbeiter zeigten in den dreißiger Jahren, daß ACh der Transmitter an der neuromuskulären Endplatte und in sympathischen Ganglien ist. Seine Befunde führten ihn zu der Auffassung, daß jedes Neuron in seinem Stoffwechsel als Einheit aufzufassen ist und daher an allen seinen präsynaptischen Endigungen den gleichen Transmitter freisetzt. Diese Ansicht wurde als **Dalesches Prinzip** bekannt. Bisher sind keine Ausnahmen von dieser Regel bekannt geworden.

Konzept der funktionellen und ionalen Spezifität. Die Entdeckung eines hemmenden Interneurons im Reflexweg der direkten Hemmung (s. S. 62) führte ECCLES zu der Auffassung, daß ein gegebener Transmitter im ZNS immer nur entweder erregende oder hemmende Wirkungen habe. Nach dieser Auffassung läßt sich jedes zentrale Neuron entweder als erregendes oder als hemmendes Neuron klassifizieren: **Konzept der funktionellen Spezifität.** Dieses Konzept wurde ergänzt durch den Vorschlag, daß jeder zentrale Transmitter immer dieselben Ionen-Permeabilitätsänderungen hervorrufe, die dann entweder zu EPSP oder zu IPSP führen: *Konzept der ionalen Spezifität.* Im Nervensystem der Wirbeltiere ist bisher keine Ausnahme vom Konzept der funktionellen Spezifität bekannt geworden. Dagegen ist das Konzept der ionalen Spezifität zumindest im peripheren Nervensystem mehrfach durchbrochen. Beispielsweise wirkt ACh erregend an der neuromuskulären Endplatte, an der Renshaw-Zelle und an bestimmten autonomen Synapsen (s. 4.2), aber hemmend an den Synapsen zwischen Vagus und Herzmuskelfasern. Daraus ist zu folgern, daß nicht die Eigenschaften des Transmitters, sondern die **Eigenschaften der subsynaptischen Membran** über die erregende oder hemmende Wirkung des Transmitters entscheiden [21, 22]. Im Prinzip erscheint es, so gesehen, denkbar, daß ein Nervensy-

stem nur einen einzigen Transmitter besitzt, der durch seine Verbindung mit entsprechenden subsynaptischen Receptoren die unterschiedlichsten Leitfähigkeitsänderungen hervorruft. Daß dies nicht allgemein der Fall ist, weist möglicherweise darauf hin, daß die Transmitter neben ihren synaptischen Funktionen noch andere Aufgaben (z.B. als chemotaktische oder trophische Faktoren) haben.

4.2. Acetylcholin als Überträgersubstanz im Nervensystem

ACh an Renshaw-Zellen. Nicht nur an den Endplatten, sondern auch an den präsynaptischen Endigungen der Motoaxone an den *Renshaw-Zellen* ist, entsprechend dem Daleschen Prinzip, ACh die Überträgersubstanz. Subsynaptisch finden sich zwei pharmakologisch klar unterscheidbare erregend wirkende ACh-Receptortypen: ein Receptor vom *nicotinartigen* Typ, der durch Curare geblockt werden kann und ein kurzes EPSP bewirkt, und ein Receptor vom *muscarinartigen* Typ, der ein längeres EPSP bewirkt und gegen Curare unempfindlich ist (zur Definition der nicotinartigen und muscarinartigen Eigenschaften s. S. 119, zur Physiologie der Renshaw-Zelle S. 93). Die beiden EPSP-Arten scheinen durch unterschiedliche Leitfähigkeitsänderungen hervorgerufen zu sein [5, 25].

ACh im autonomen Nervensystem. Im *sympathischen Teil* des autonomen Nervensystems wirkt ACh als Transmitter an allen ganglionären Synapsen, ferner an den Synapsen des Nebennierenmarks und postganglionär an den Synapsen der Schweißdrüsen. Im *parasympathischen* Teil ist es ebenfalls Überträgersubstanz in allen Ganglien und an allen postganglionären effectorischen Synapsen. Die klinisch wichtige Physiologie und Pharmakologie all dieser Synapsen wird im Kapitel VII besprochen (S. 119–123). Sowohl die normalen EPSP als auch die langsamen EPSP in sympathischen Ganglien (S. 47) werden durch ACh bewirkt. FELDBERG hat darauf aufmerksam gemacht, daß ACh der Transmitter aller Axone ist, die das Zentralnervensystem verlassen (Motoneurone, präganglionäre autonome Nervenfasern).

ACh als Transmitter im Zentralnervensystem. ACh und Acetylcholinesterase sind in zahlreichen Hirnfraktionen z.T. in erheblichen Mengen nachgewiesen worden, ohne daß es, außer an den cholinergen Synapsen der Renshaw-Zelle, bisher gelungen wäre, weitere zentrale *cholinerge* Synapsen eindeutig zu identifizieren. Es ist aber damit zu rechnen, daß

ACh auch im Zentralnervensystem Transmitterfunktionen hat (Lit. s. [5]).

4.3. Adrenerge Überträgersubstanzen

Vorkommen, Nomenklatur, Nachweis. Zu den adrenergen Überträgersubstanzen zählen wir **Adrenalin** und **Noradrenalin** und deren Vorstufe **Dopamin.**
Noradrenalin ist der Transmitter an allen postganglionären sympathischen Endigungen mit Ausnahme
der Schweißdrüsen (s. dafür S. 119), *Adrenalin* wird
neben Noradrenalin im Nebennierenmark secerniert (s. S. 120). Für *Noradrenalin* und *Dopamin* ist
es fast sicher, daß sie auch im ZNS, z.B. im Hypothalamus und in den Kerngebieten der motorischen
Stammganglien, aber auch im Rückenmark und an
anderen Stellen, als Transmitter wirken. Über Einzelheiten wird an den betreffenden Stellen berichtet.

Adrenalin, Noradrenalin und *Dopamin* werden als
Catecholamine zusammengefaßt (nach dem engl.
catechol = Brenzcatechin). Zusammen mit dem Serotonin (5-Hydroxytryptamin) werden sie auch als
Monoamine bezeichnet. Mit einer von FALK u.Mit-
arb. entwickelten Methode können die Monoamine
fluorescenzmikroskopisch sichtbar gemacht werden.
Durch Vergleiche pharmakologisch vorbehandelter
Tiere, bei denen das eine oder andere Monoamin
selektiv zum Verschwinden gebracht wurde, kann
jedes einzelne Monoamin identifiziert werden [4, 7].
Außer in Nervenzellen kommen die Catecholamine
auch in bestimmten anderen Zelltypen vor, die man
wegen der charakteristischen histochemischen
Reaktion ihrer Granula als **chromaffine Zellen** oder
auch als *phäochrome Zellen* bezeichnet [1]. Dazu
gehören die Zellen des Nebennierenmarks, Zellen
des Nebenhodens und die sympathischen Paraganglien (z.B. Paraganglion aorticum abdominale =
Zuckerkandlsches Organ).

Biosynthese der Catecholamine. Noradrenalin und
Adrenalin werden durch eine Reihe enzymatischer
Syntheseschritte aus Tyrosin gebildet. Der Haupt-
syntheseweg, der beim Phenylalanin beginnt und
über Tyrosin und Dopa zu den Catecholaminen
Dopamin, Noradrenalin und Adrenalin führt, ist
in Abb. 15 gezeigt. Der die Syntheserate begrenzende Schritt ist die Hydroxylierung des Tyrosins
zu Dopa durch die **Tyrosinhydroxylase,** die zusätzlich Phenylalanin zu Tyrosin hydroxyliert. Über
ihre subcelluläre Verteilung ebenso wie über die
der **Dopa-Decarboxylase** besteht noch keine Klarheit, sie scheinen aber nicht oder nicht nur partiku-
lär gebunden zu sein. Dagegen scheint gesichert,
daß die **Dopamin-β-Hydroxylase** in den Speicher-

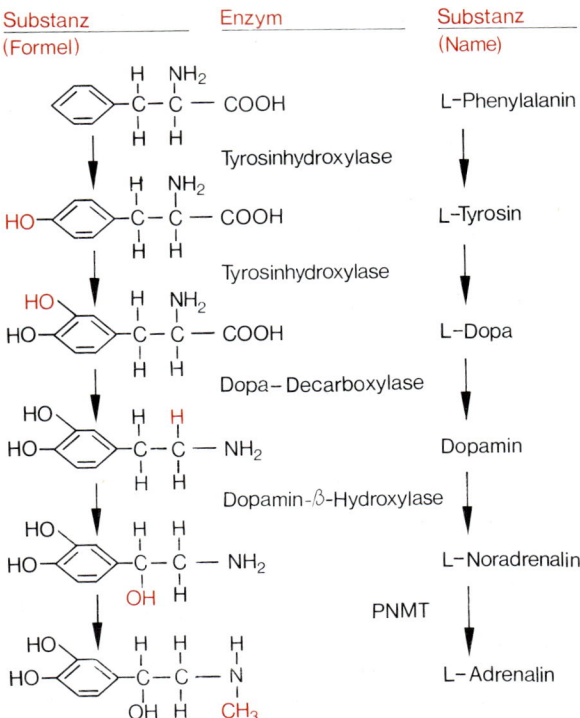

Abb. 15. Biosynthese von Noradrenalin und Adrenalin mit Angabe der beteiligten Enzyme. PNMT, Phenyläthanolamin-N-
Methyl-Transferase. Die in jedem Syntheseschritt erfolgte Änderung der molekularen Konfiguration ist rot hervorgehoben

granula (Vesikel) lokalisiert ist. Neben dem in
Abb. 15 gezeigten Hauptweg der Synthese kann
Noradrenalin auch noch auf verschiedenen anderen
metabolischen Nebenwegen synthetisiert werden.
Die physiologische Bedeutung dieser Synthesewege
ist jedoch anscheinend sehr gering [38].

Speicherung. In den **Granula** der Zellen des *Nebennierenmarks* konnten Adrenalin und Noradrenalin
direkt nachgewiesen werden [3, 15]. Ihre Konzentration ist dort doppelt so hoch wie die Osmolarität
der Körperflüssigkeit, sie können also dort nicht
frei in Lösung sein. Da sie in einem konstanten
stöchiometrischen Verhältnis mit ATP, Calcium
und Magnesium gespeichert sind, ist es naheliegend,
daß sie mit diesen in Form von Komplexen gebunden sind. Auch in den *sympathischen Nervenendigungen* scheint der überwiegende Teil des Noradrenalins in den **Vesikeln** gespeichert zu sein, so daß
hier Verhältnisse analog denen im Nebennierenmark angenommen werden können.

**Freisetzung von Catecholaminen durch Aktionspo-
tentiale.** Insgesamt scheinen bei der Freisetzung von
Noradrenalin an sympathischen Nervenendigungen analoge Verhältnisse vorzuliegen wie bei der

Freisetzung von Acetylcholin an der motorischen Endplatte: Die Anwesenheit von Calcium-Ionen ist notwendig und ein Überschuß von Magnesium-Ionen wirkt hemmend. Die Freisetzung erfolgt in Quanten, wobei in Ruhe vereinzelt Elementarquanten freigesetzt werden. Die elektronenoptisch sichtbaren Vesikel stellen sehr wahrscheinlich das morphologische Substrat der elektrophysiologisch erfaßbaren Transmitterquanten dar. Analoge Zusammenhänge darf man auch hier für die übrige catecholaminerge Transmission annehmen (Lit. s. [38]).

Beendigung der Transmitterwirkung. Bei der adrenergen Übertragung spielt, im Gegensatz zur cholinergen Übertragung, der enzymatische Abbau keine wesentliche Rolle. Wohl werden die Catecholamine durch die **Monoaminooxydase** (MAO) und die **Catechol-O-Methyltransferase** (COMT) in biologisch inaktive Metaboliten umgewandelt, aber auch die gleichzeitige Blockierung beider enzymatischer Abbauwege führt zu keiner wesentlichen Verstärkung und Verlängerung der durch Sympathicusstimulation oder durch intravenös verabreichtes Noradrenalin hervorgerufene Wirkung auf die Erfolgsorgane.
Wesentlicher als der enzymatische Abbau erscheint für die Beendigung der Catecholaminwirkung die **Aufnahme** bzw. *Wiederaufnahme* der Transmitter in die präsynaptischen Nervenendigungen. So wurde die Noradrenalinaufnahme in die sympathischen Neurone als *aktiver Membrantransport* charakterisiert, der Calcium-unabhängig ist, aber von der Natrium-Konzentration und von einem intakten aeroben und anaeroben Energiestoffwechsel abhängt. An der Nickhaut der Katze wurde beispielsweise gefunden, daß über 95% des durch ein Aktionspotential freigesetzten Noradrenalins wieder in die sympathischen Nervenendigungen aufgenommen wird. Analoge Verhältnisse müssen an den anderen catecholaminergen Nervenendigungen angenommen werden. Die *Wiederaufnahme des Transmitters* ist dabei nicht nur für die rasche Beendigung der Wirkung auf die Erfolgsorgane von Bedeutung, sondern verhindert auch eine Entleerung der präsynaptischen Speicher bei repetitiver Benutzung [38].

Serotonin (*5-Hydroxytryptamin, 5-HT*). 5-HT ist ein Monoamin, wird aber nicht zu den adrenergen Überträgersubstanzen im engeren Sinne gerechnet. 5-HT wird im Körper durch Hydroxylierung und Decarboxylierung der essentiellen Aminosäure *Tryptophan* gebildet (Abb. 16). Es wird vor allem durch Monoaminooxydase zu 5-Hydroxyindolessigsäure inaktiviert. Über die Rolle des 5-HT als Überträgersubstanz besteht noch keine Klarheit.

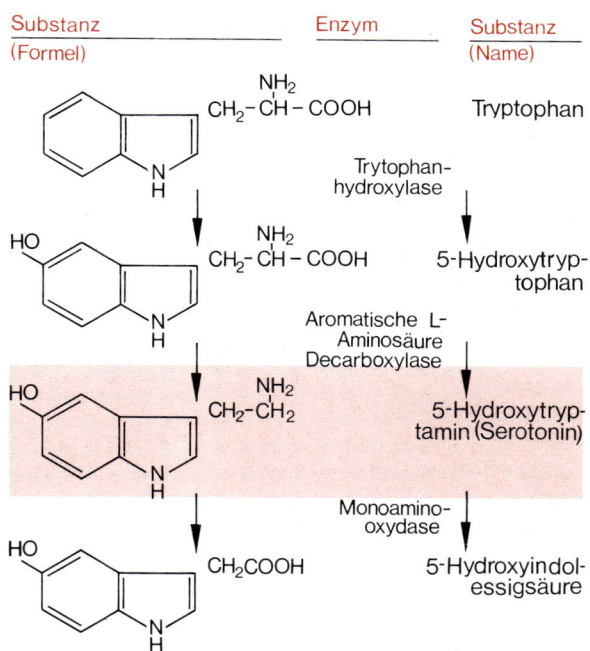

Abb. 16. Biosynthese und Abbau des Serotonin (rot unterlegt) mit Angabe der beteiligten Enzyme

Es kommt im ZNS vor allem in den Raphe-Kernen des Hirnstammes und im Hypothalamus vor und scheint dort besonders an der Regulierung des Schlaf/Wachzustandes beteiligt zu sein (s.S. 160). Die chemische Verwandtschaft bzw. der Antagonismus verschiedener Halluzinogene, wie **LSD** (Lysergsäure-diäthylamid), mit 5-HT deuten darauf hin, daß der 5-HT Spiegel des Gehirns auch andere Aspekte des Verhaltens beeinflußt.

Pharmakologie. Die Möglichkeiten der pharmakologischen Beeinflussung der adrenergen Übertragung sind außerordentlich zahlreich. In den letzten Jahren wurden Pharmaka entwickelt, die in die verschiedenen Stufen der Synthese und des enzymatischen Abbaus der Monoamine insbesondere der Catecholamine eingreifen, ferner mit deren Speicherung oder Freisetzung durch Aktionspotentiale interferieren und deren Einwirkung auf die Receptoren der Erfolgsorgane oder deren Wiederaufnahme in die Nervenendigungen hemmen. Da die Enzymsysteme der Catecholamine ebenso wie deren Speicher- und Transportmechanismen oft keine strenge chemische Spezifität aufweisen, bietet sich weiter die Möglichkeit, die physiologischen Überträgerstoffe durch sogenannte **falsche Transmitter** oder *Ersatztransmitter* zu substituieren. Letztere Möglichkeit ist deswegen besonders interessant, weil sie zusätzlich zu der mit den anderen Methoden erzielbaren generellen Abschwächung oder Verstärkung des physiologischen Effektes die Chance der Bildung neuartiger, nicht nur quantitativ, sondern auch qualitativ modifizierter Wirkungsmuster bietet und daher in Zukunft möglicherweise von besonders großer therapeutischer Bedeutung sein wird [38]. Bezüglich der Details wird für das autonome Nervensystem auf S. 120 das Notwendige gesagt. Soweit an anderen Stellen des ZNS bereits wichtige pharmakologische Gesichtspunkte der adrenergen Übertragung bekannt sind, werden sie in den betreffenden Abschnitten besprochen.

4.4. Aminosäuren

Einige Aminosäuren kommen im ZNS in relativ hoher Konzentration vor. Sie stehen daher schon lange im Verdacht, Transmitterfunktionen zu haben. Zahlreiche pharmakologische und vor allem mikroelektrophoretische Untersuchungen haben diese Vermutung weiter unterstützt. Insgesamt scheint sich herauszukristallisieren, daß ACh und die Monoamine neben ihrer Bedeutung im peripheren und autonomen Nervensystem vor allem für die Funktion der höheren und höchsten Abschnitte des ZNS wichtig sind, während die großen afferenten und efferenten excitatorischen und inhibitorischen Bahnsysteme sich eher der Aminosäuren als Transmitter bedienen [5, 6, 19, 27].
Gamma-Aminobuttersäure (GABA) wird ausschließlich im Nervensystem aus *Glutaminsäure* mit Hilfe der *Glutamin-Decarboxylase* synthetisiert und findet sich in unterschiedlichsten Konzentrationen überall im ZNS. Bei elektrophoretischer Applikation wirkt *GABA,* ebenso wie eine Reihe anderer *neutraler Aminosäuren,* in der Regel hemmend. Einiges spricht dafür, daß GABA bei der **präsynaptischen Hemmung** der Wirbeltiere als *Transmitter an den axo-axonischen Synapsen* dient (s. S. 48, Lit. s. [6, 33]). Eindeutig ist GABA als hemmende Überträgersubstanz bei Crustaceen (Krebsen) nachgewiesen worden. Einige Krampfgifte, insbesondere das Alkaloid *Bicucullin,* das *Picrotoxin,* und das *Penicillin* scheinen mehr oder weniger spezifische Antagonisten des GABA zu sein.
Auch der universell vorkommenden Aminosäure **Glycin** scheinen Transmitterfunktionen zuzukommen. Zumindest ist sie wahrscheinlich für einige Formen der **postsynaptischen Hemmung** im Rückenmark verantwortlich. *Strychnin* scheint ein spezifischer Antagonist des *Glycins* zu sein; seine Applikation führt daher wegen des Wegfalls der postsynaptischen Hemmung zu Krämpfen (Lit. s. [6]).
Die **Glutaminsäure** und andere *saure Aminosäuren* wirken bei mikroelektrophoretischer Applikation meist **erregend.** Da Glutaminsäure universell im

ZNS vorkommt, ist es durchaus wahrscheinlich, daß sie nicht nur als Vorstufe der GABA (s.o.) dient, sondern selbst Transmitterfunktion hat (Lit. s. [6]).

4.5. Andere mögliche Transmitter

Histamin. Histamin entsteht durch Decarboxylierung der Aminosäure Histidin. Größere Konzentrationen finden sich in der Hypophyse und in der angrenzenden Eminentia mediana des Hypothalamus. In den übrigen Regionen des ZNS ist der Histamingehalt sehr niedrig. Ansonsten gibt es nur einige pharmakologische Befunde, die auf eine Transmitterfunktion des Histamins hinweisen könnten.

Substanz P. Dieses hochmolekulare basische Polypeptid hat längere Zeit die Aufmerksamkeit neurochemisch Interessierter als mögliche Überträgersubstanz auf sich gezogen. Neuere Befunde zeigen, daß Substanz P in den sensorischen Fasern von Warmblütern vorkommt und möglicherweise der erregende Transmitter an den Synapsen zwischen Motoneuronen und Ia-Afferenzen ist.

Prostaglandine. Diese Fettsäurederivate wurden auch in Hirnhomogenaten in denjenigen Fraktionen nachgewiesen, die die Nervenendigungen enthielten. Mikroelektrophoretisch applizierte Prostaglandine modifizieren die neuronale Aktivität. Die physiologische Funktion dieser Stoffe innerhalb des ZNS bleibt aber abzuwarten.

5. Elektrische Synapsen

Nimmt man an, daß die elektrischen Eigenschaften (Widerstand, Kapazität) der synaptischen Regionen in etwa denen entsprechen, die an anderen Stellen erregbarer Membranen zu finden sind, dann läßt sich, wie KATZ [23] anschaulich gezeigt hat, ausrechnen, daß das präsynaptische Aktionspotential in der Regel so wenig Strom liefert, daß die postsynaptische Membran einer typischen **chemischen Synapse** (abgeschlossene prä- und postsynaptische Membran mit dazwischen liegendem synaptischen Spalt) um weit weniger als 0,1 mV depolarisiert wird. Die chemische Übertragung ist also ein unabdingbarer Verstärkermechanismus an diesen Synapsen.
An einigen Zellverbindungen sind aber die morphologischen Kontakte wesentlich enger als an chemischen Synapsen, z.B. bei den meisten glatten Muskeln und bei den Herzmuskelzellen. Die Zellver-

bände stellen **funktionelle Syncytien** dar. Ihre Zellverbindungen, also z.B. die *Glanzstreifen* der Herzmuskelzellen, sind elektrisch vom übrigen Cytoplasma nicht oder kaum zu unterscheiden. Aktionspotentiale werden in beiden Richtungen über die Zellgrenzen hinweggeleitet. Die Zellverbindungen der funktionellen Syncytien werden nicht als Synapsen bezeichnet.

Im ZNS werden neben chemischen Synapsen aber auch *Regionen engsten Kontaktes* zwischen Nervenzellen gesehen, bei denen der synaptische Spalt statt der üblichen 20 nm nur noch 2 nm breit ist, ohne daß die Membranen miteinander verschmelzen (s. dagegen S. 4, tight junctions). Seit bei Krebsen und bei Goldfischen *elektrische Synapsen* nachgewiesen wurden, ist man geneigt anzunehmen, daß solche **Spaltverbindungen** (gap junctions) zwischen Nervenzellen das morphologische Substrat *elektrischer Synapsen* sind.

Die bisher bekannten **elektrischen Synapsen** haben in der Regel eine ausgesprochene Einwegcharakteristik, d.h. ihre Leitfähigkeit für elektrische Ströme ist deutlich besser von der prä- zur postsynaptischen Seite als umgekehrt. Ein morphologisches Korrelat für diesen **Gleichrichtereffekt** ist nicht bekannt. Elektrische Synapsen sind anscheinend meist vom **erregenden** Typ, sie können aber auch unter bestimmten morphologischen Voraussetzungen hemmend sein. Da elektrische Synapsen bisher beim Säugetier noch nicht eindeutig identifiziert wurden und da ihre Bedeutung für das ZNS der Säuger noch nicht abzuschätzen ist, sei für ihre nähere Beschreibung auf die Literatur verwiesen [23].

Ephaptische Übertragung. Jede erregbare Zelle ist von einem leitenden Medium, dem Extracellulärraum umgeben (s.S. 5). Die extracellulären Ströme der Aktionspotentiale erregter Zellen werden von den Ionen dieses Mediums getragen (s.S. 8). Zellen in der Nachbarschaft der erregten Zelle werden aber ebenfalls von diesen extracellulären Strömen durchflossen, und zwar in einem Ausmaß, daß dem Verhältnis des Membranwiderstandes zu dem der extracellulären Flüssigkeit entspricht. Da dieses Verhältnis sehr groß ist, sind die transmembranösen Ströme sehr klein. Sie werden aber, wenn auch noch so geringfügig, das Membranpotential der von ihnen durchflossenen Zelle verändern und damit ihre Erregbarkeit beeinflussen. Diese Form der *intercellulären Kommunikation* bezeichnet man als **ephaptische Interaktion.**

In *peripheren Nerven* ist die ephaptische Interaktion so gering, daß sie vernachlässigt werden darf. Dasselbe gilt auch für zentrale Bahnen. Bei *Verletzungen und Erkrankungen* scheint dagegen in Ausnahmefällen überschwellige ephatische Übertragung zwischen Nervenfasern vorzukommen. Die (pathologische) Kontaktstelle bezeichnet man als **Ephapse.** Möglicherweise sind gewisse sensorische Mißempfindungen bei Nervenschädigung durch solche Ephapsen mitbedingt.

Wieweit in dichtgepackten Neuronenpopulationen des ZNS ephaptische Einflüsse von Bedeutung sind, ist ungewiß. Denkbar wäre z.B., daß sie bei der Synchronisation der Entladungen solcher Populationen eine Rolle spielen, doch gibt es dafür bisher keine experimentellen Anhaltspunkte.

6. Literatur

1. BARGMANN, W.: Histologie und mikroskopische Anatomie des Menschen, 6. Aufl. Stuttgart: Thieme 1967.
2. BARKER, J.L., NICOLL, R.A.: The pharmacology and ionic dependency of amino acid responses in the frog spinal cord. J. Physiol. (Lond.) **228**, 259 (1973).
3. BLASCHKO, H., WELCH, A.D.: Localization of adrenaline in cytoplasmic particles of the bovine adrenal medulla. Naunyn-Schmiedebergs Arch. exp. Path. Pharmakol. **219**, 17 (1953).
4. CORRODI, H., JONSSON, G.: The formaldehyde fluorescence method for the histochemical demonstration of biogenic amines. J. Histochem. Cytochem. **15**, 65 (1967).
5. CURTIS, D.R.: Central synaptic transmitters. In: Basic Mechanisms of the Epilepsies (Hrsg. H.H. JASPER, A.A. WARD, A. POPE), S. 105. Boston: Little, Brown and Company 1969.
6. CURTIS, D.R., JOHNSTON, G.A.R.: Amino acid transmitters in the mammalian central nervous system. Ergebn. Physiol. **69**, 97 (1973).
7. DAHLSTRÖM, A.: Fluorescence histochemistry of monoamines in the CNS. In: Basic Mechanisms of the Epilepsies (Hrsg. H.H. JASPER, A.A. WARD, A. POPE), S. 212. Boston: Little, Brown and Company 1969.
8. ECCLES, J.C.: The Physiology of Synapses. Berlin-Göttingen-Heidelberg-New York: Springer 1964.
9. ECCLES, J.C.: The ionic mechanisms of excitatory and inhibitory synaptic action. Ann. N. Y. Acad. Sci. **137**, 473 (1966).
10. ECCLES, J.C.: Excitatory and inhibitory mechanisms in brain. In: Basic Mechanisms of the Epilepsies (Hrsg. H.H. JASPER, A.A. WARD, A. POPE), S. 229. Boston: Little, Brown and Company 1969.
11. ECCLES, J.C.: The inhibitory pathways of the central nervous system. The Sherrington Lectures IX. Springfield/Ill.: Ch.C. Thomas 1969.
12. GRAMPP, W., HARRIS, J.B., THESLEFF, S.: Inhibition of denervation changes in skeletal muscle by blockers of protein synthesis. J. Physiol. (Lond.) **221**, 743 (1972).
13. HENNEMAN, E., SOMJEN, G., CARPENTER, D.O.: Functional significance of cell size in spinal motoneurons. J. Neurophysiol. **28**, 560 (1965).
14. HENNEMAN, E., SOMJEN, G., CARPENTER, D.O.: Excitability and inhibitability of motoneurons of different sizes. J. Neurophysiol. **28**, 599 (1965).
15. HILLARP, N.-Å., LAGERSTEDT, S., NILSON, B.: The isolation of a granular fraction from the suprarenal medulla, containing the sympathomimetic catecholamines. Acta physiol. scand. **29**, 251 (1953).
16. HUBBARD, J.I.: Mechanism of transmitter release. Progr. Biophys. molec. Biol. **21**, 33 (1970).
17. HUBBARD, J.I.: Microphysiology of vertebrate neuromuscular transmission. Physiol. Rev. **53**, 674 (1973).
18. HUBBARD, J.I., SCHMIDT, R.F.: An electrophysiological investigation of mammalian motor nerve terminals. J. Physiol. (Lond.) **166**, 145 (1963).
19. IVERSEN, L.L.: Neurotransmitters, neurohormones, and other small molecules in neurons. In: The Neurosciences, 2nd Study Program (Hrsg. F.O. SCHMITT), S. 768 (1970).
20. JOSEFSSON, J.-O., THESLEFF, S.: Electromyographie findings in experimental botulinum intoxication. Acta physiol. scand. **51**, 163 (1961).

21. KANDEL, E.R.: Dale's principle and the functional specificity of neurons. In: Electrophysiological Studies in Neuropharmacology (Hrsg. W. KOELLA), S. 385. Springfield/Ill.: Ch.C. Thomas 1968.

22. KANDEL, E.R., GARDNER, D.: The synaptic actions mediated by the different branches of a single neuron. In: Neurotransmitters. Res. Publ. A.R.N.M.D. **50,** 91 (1972).

23. KATZ, B.: Nerv, Muskel und Synapse. Stuttgart: Thieme 1971. Siehe auch: KUFFLER, S.W., NICHOLLS, J.G.: From Neuron to Brain. A Cellular Approach to the Function of the Nervous System. Sunderland, Mass.: Sinauer Associates, Inc. 1976.

24. KATZ, B., MILEDI, R.: Further study of the role of calcium in synaptic transmission. J. Physiol. (Lond.) **207,** 789 (1970).

25. KOELLE, G.B.: Pharmacology of synaptic transmitters. In: Basic Mechanisms of the Epilepsies (Hrsg. H.H. JASPER, A.A. WARD, A. POPE), S. 195. Boston: Little, Brown and Company 1969.

26. KORDAŠ, M.: The effect of membrane polarization on the time course of the end-plate current in frog sartorius muscle. J. Physiol. (Lond.) **204,** 493 (1969).

27. KRNJEVIĆ, K.: Central excitatory transmitters in vertebrates. In: Excitatory Synaptic Mechanisms (Hrsg. P. ANDERSEN, J.K.S. JANSEN), S. 95. Oslo-Bergen-Tromsö: Universitetsforlaget 1970.

28. LIBET, B.: Generation of slow inhibitory and excitatory postsynaptic potentials. Fed. Proc. **29,** 1945 (1970).

29. LOMØ, T., ROSENTHAL, J.: Control of ACh sensitivity by muscle activity in the rat. J. Physiol. (Lond.) **221,** 493 (1972).

30. MAGLEBY, K.L., STEVENS, C.F.: The effect of voltage on the time course of end-plate currents. J. Physiol. (Lond.) **223,** 151 (1972).

31. MAGLEBY, K.L., STEVENS, C.F.: A quantitative description of end-plate currents. J. Physiol. (Lond.) **223,** 173 (1972).

32. POTTER, L.T.: Synthesis, storage and release of ^{14}C acetylcholine in isolated rat diaphragm muscle. J. Physiol. (Lond.) **206,** 145 (1970).

33. SCHMIDT, R.F.: Presynaptic inhibition in the vertebrate central nervous system. Ergebn. Physiol. **63,** 20 (1971).

34. SCHMIDT, R.F.: Control of the access of afferent activity to somatosensory pathways. In: Handbook of Sensory Physiology, Vol. II (Hrsg. A. IGGO), S. 151. Berlin-Heidelberg-New York: Springer 1973.

35. TAKEUCHI, A., TAKEUCHI, N.: Active phase of frog's end-plate potential. J. Neurophysiol. **22,** 395 (1959).

36. TAKEUCHI, A., TAKEUCHI, N.: Further analysis of relationship between end-plate potential and end-plate current. J. Neurophysiol. **23,** 397 (1960).

37. TAKEUCHI, A., TAKEUCHI, N.: On the permeability of the end-plate membrane during the action of transmitter. J. Physiol. (Lond.) **154,** 52 (1960).

38. THOENEN, H.: Bildung und funktionelle Bedeutung adrenerger Ersatztransmitter. Berlin-Heidelberg-New York: Springer 1969.

39. WHITTAKER, V.P.: The vesicle hypothesis. In: Excitatory Synaptic Mechanisms (Hrsg. P. ANDERSEN, J.K.S. JANSEN), S. 66. Oslo: Universitetsforlaget 1970.

40. WHITTAKER, V.P.: Origin and function of synaptic vesicles. Ann. N.Y. Acad. Sci. **183,** 21 (1971).

IV. Physiologie kleiner Neuronenverbände, Reflexe (R.F. Schmidt)

1. Typische neuronale Verschaltungen

In diesem Abschnitt werden einfache **Neuronen-Netzwerke** beschrieben, wie sie in den verschiedenen Abschnitten des Gehirns immer wieder vorkommen. Diese *neuronalen Grundschaltungen* dienen beispielsweise dazu, schwache Signale zu verstärken, zu starke Aktivität zu dämpfen, Kontraste zu betonen oder über eine Verstellung der Verstärkung den optimalen Arbeitsbereich eines Neuronenverbandes einzuhalten. Diese *Neuronen-Netzwerke* gleichen integrierten Bausteinen in der Elektronik, also vorfabrizierten Schaltungen, die für häufig wiederkehrende Aufgaben in den verschiedensten elektronischen Geräten eingesetzt werden können.

1.1. Divergenz und Konvergenz

Divergenz. Die afferenten Fasern peripherer Receptoren, die über die Hinterwurzeln in das Rückenmark eintreten, *splittern sich dort in zahlreiche Collateralen* auf, die zu spinalen Neuronen ziehen. Diese **Divergenz** ist schematisch in Abb. 1(A) gezeigt. Sie dient dazu, die afferente Innervation verschiedenen Abschnitten des Zentralnervensystems zugänglich zu machen. Die Aufsplitterung der Hinterwurzelfasern in zahlreiche Collateralen ist nur ein Beispiel der *praktisch in allen Teilen* des Zentralnervensystems vorkommenden Divergenz. Man spricht deshalb auch von einem *Divergenzprinzip neuronaler Verschaltung*.

Zahlenmäßig die Divergenz zu erfassen, ist außerordentlich schwierig, da es fast immer weder mit histologischen noch mit physiologischen Methoden möglich ist, alle Collateralen eines Neurons zu verfolgen. Eine erwähnenswerte Ausnahme bilden die *Motoaxone*, die sich im Muskel in mehr oder weniger zahlreiche Collateralen aufsplittern. Da jede Muskelfaser nur von einer Collateralen versorgt wird, läßt sich aus der Zahl der in einen Muskel eintretenden Motoaxone die **durchschnittliche Divergenz jedes Motoaxons** berechnen. Beim Menschen fanden sich Werte zwischen 1:15 (äußere Augenmuskeln) und 1:1900 (Extremitätenmuskulatur) und mehr [6]. Daneben geben die Motoaxone schon im Rückenmark zu den Renshaw-Zellen Collateralen ab, deren Zahl uns nicht genau bekannt ist.

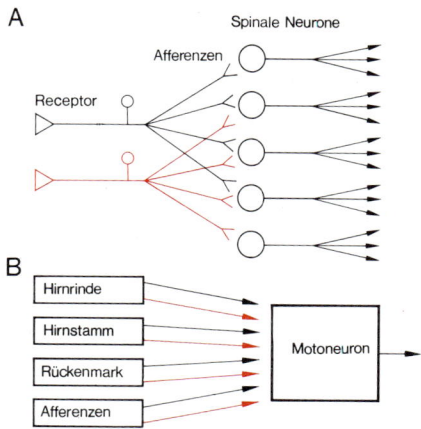

Abb. 1. (A) Schematische Darstellung der Divergenz zweier Hinterwurzelfasern (Afferenzen) auf spinale Neurone. Die Axone dieser Neurone zweigen sich wiederum in zahlreiche Collateralen auf. (B) Schematische Darstellung der auf ein Motoneuron konvergierenden erregenden (schwarze Pfeile) und hemmenden (rote Pfeile) Zuflüsse. Das Motoneuron bildet die „gemeinsame Endstrecke"

Konvergenz. Abb. 1(A) zeigt zwei afferente Fasern, deren Axone zu je 4 Neuronen divergieren. Dadurch haben 3 der insgesamt 5 eingezeichneten Neurone Verbindungen zu beiden afferenten Fasern. Von den Neuronen her gesehen **konvergieren** also zwei afferente Fasern auf je ein Neuron. Auf die meisten Neurone des Zentralnervensystems konvergieren viele Dutzende bis einige Tausende Axone, weshalb man auch von einem *Konvergenzprinzip neuronaler Verschaltung* spricht. So enden an einem *Motoneuron* im Durchschnitt etwa 6000 Axoncollateralen, die aus der Peripherie und den verschiedensten Anteilen des Zentralnervensystems stammen und teils erregende, teils hemmende Synapsen bilden (Abb. 1(B)).

Funktion der Konvergenz. Da einige Tausend Axoncollaterale auf ein Motoneuron konvergieren, hängt es von der *Summe* und *Richtung* der zu jedem Zeitpunkt wirksamen *synaptischen Prozesse* ab, ob ein Motoneuron ein fortgeleitetes Aktionspotential aussendet oder nicht. In diesem Sinne *verarbeitet* oder **integriert** das Motoneuron (und die meisten anderen Neurone) die an seiner Membran ablaufenden, erregenden und hemmenden Prozesse. Diese integrierende Funktion der Motoneurone war schon lange vor der Entdeckung der erregenden und hemmenden postsynaptischen Potentiale aus Studien der Muskelkontraktionen nach peripherer und zentraler elektrischer Reizung bekannt. Um die Jahrhundertwende hatte der englische Physiologe SHERRINGTON das Motoneuron bereits als **gemeinsame Endstrecke** der Motorik bezeichnet, also als die Zelle, die alle erregenden und hemmenden Einflüsse gegenseitig verrechnet. Aktionspotentiale werden nur dann ausgesandt, wenn die erregenden Einflüsse überwiegen, oder, in moderner Sprache, wenn es zu überschwelligen erregenden postsynaptischen Potentialen kommt.

1.2. Zeitliche und räumliche Bahnung, Occlusion

Zeitliche Bahnung. Links in Abb. 2(A) ist eine Versuchsanordnung zum Studium der Wirkung repetitiver Reizung eines Axons auf ein Neuron zu sehen. Rechts ist gezeigt, daß kurz hintereinander ausgelöste erregende postsynaptische Potentiale (EPSP) wegen ihres relativ langen Zeitverlaufs (~ 15 ms) sich addieren und schließlich überschwellig werden. Diese Art der Erregbarkeitssteigerung eines Neurons durch *aufeinanderfolgende EPSP* wird als **zeitliche Bahnung** bezeichnet. Zeitliche Bahnung über ein Axon ist möglich, weil die Dauer der EPSP länger ist als die Refraktärzeit der Axone. Zeitliche Bahnung ist von großer physiologischer Bedeutung, da viele nervöse Prozesse, z.B. Receptorentladungen, repetitiv ablaufen und sich dadurch an Synapsen zu überschwelligen Erregungen summieren können.

Räumliche Bahnung. Die Versuchsanordnung in Abb. 2(B) demonstriert das Zustandekommen **räumlicher Bahnung**: Reizung der Axone 1 und 2 alleine führt zu unterschwelligen EPSP, während es nach gleichzeitiger Reizung beider Axone zu einem fortgeleiteten Aktionspotential kommt, also zu einem Prozeß, der durch die einzelnen EPSP nicht ausgelöst werden konnte. *Allgemein gesprochen* liegt also **Bahnung,** *zeitlich* oder *räumlich,* vor, wenn mehr fortgeleitete Erregungen auftreten als der Summe der Einzelwirkungen entsprechen. Diese allgemeine Definition der Bahnung wird in Abb. 3(A–C) verdeutlicht: in (C) werden mehr Neurone (8) überschwellig erregt als es der Summe der in (A) (3) und (B) (2) bei Einzelreizung überschwellig erregten Neurone entspricht.

Occlusion. Es kann aber auch der Fall eintreten (Abb. 3(D)), daß von einer gegebenen Neuronenpo-

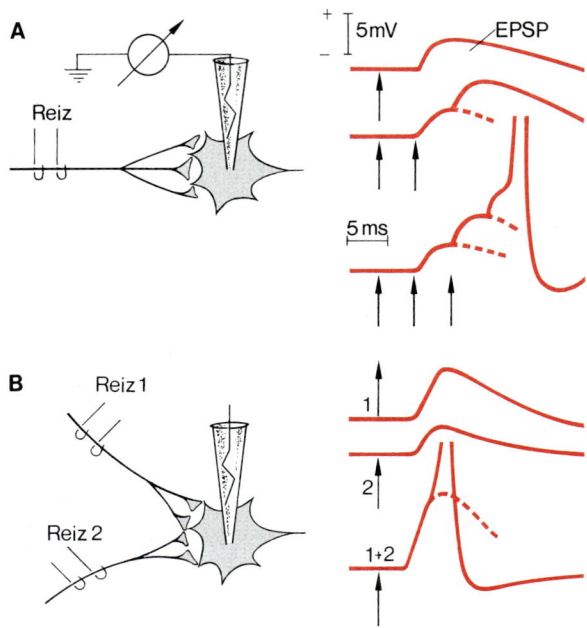

Abb. 2A u. B. Bahnung im Nervensystem. (A) Zeitliche Bahnung: Einzelreiz (ein Pfeil) und Doppelreiz (zwei Pfeile, Reizabstand etwa 4 ms) erzeugen ein unterschwelliges EPSP, der dritte Reiz (drei Pfeile) löst ein Aktionspotential aus. (B) Räumliche Bahnung: Reiz 1 und Reiz 2 lösen je ein unterschwelliges EPSP aus. Gleichzeitige Reizung beider Axone führt zu einem Aktionspotential

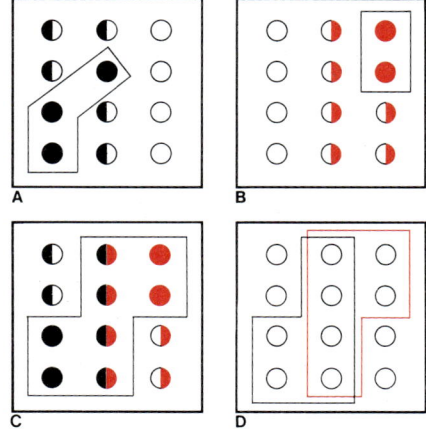

Abb. 3A–D. Bahnung und Occlusion. (A–C) Räumliche Bahnung. Die aus zwölf Neuronen bestehende Population besitzt 4 Neurone, die von zwei verschiedenen afferenten Zuströmen erregt werden können (mittlere Neuronenreihe in (A–C)). Zustrom (A) erregt drei dieser Neurone unterschwellig (A, halbgefüllte Kreise), 1 Neuron überschwellig (gefüllter Kreis). Zustrom (B) erregt diese 4 Neurone unterschwellig. Gleichzeitige Aktivität (C) in Zuströmen (A) und (B) führt zur überschwelligen Erregung aller (A) und (B) gemeinsamen Neurone. Dadurch ist die Zahl der überschwellig erregten Neurone größer als die Summe der bei Einzelreizung erregten, $8 > 3 + 2$. (D) Occlusion. Erregen die beiden afferenten Zuströme die ihnen gemeinsamen Neurone schon bei Einzelreizung überschwellig (schwarz und gleichzeitig rot umrandete Neurone in (D)), so ist bei gemeinsamer Aktivität in beiden Zuströmen die Zahl der überschwellig erregten Neurone geringer als die Summe der bei Einzelreizung erregten Neuronen, $8 < 6 + 6$

pulation bei Einzelreizung zweier Eingänge alle oder nahezu alle Neurone *überschwellig erregt* werden. In diesem Fall wird bei gemeinsamer Reizung beider Eingänge die Zahl der *überschwellig* erregten Neurone nur wenig über der bei Einzelreizung jedes Eingangs liegen, also nicht einmal die algebraische Summe der Einzelreizung erreichen. Diesen Befund bezeichnet man als **Occlusion.** Der in Abb. 3(A–C) gezeigte Vorgang der Bahnung ist also, durch eine Zunahme der Erregbarkeit der beteiligten Neurone (z.B. durch weitere erregende Zuflüsse), umgeschlagen in *Occlusion*. Verallgemeinert läßt sich also festhalten: Ist der Reizerfolg mehrerer gleichzeitig oder kurz hintereinander gegebener Reize größer als die Summe der Einzelreize, so bezeichnen wir dies als *Bahnung*; ist der Reizerfolg kleiner als die Summe der Einzelreize, so nennen wir dies *Occlusion*.

1.3. Einfache hemmende Schaltkreise

Antagonistische Hemmung. Die Ia-Afferenzen der Muskelspindeln bilden an ihren homonymen Motoneuronen erregende Synapsen und, über ein Interneuron, an antagonistischen Motoneuronen hemmende Synapsen (Details S. 86 und 89). Diese Situation ist in Abb. 4(A) schematisch dargestellt. Werden also beispielsweise die Ia-Afferenzen aus den Muskelspindeln eines Beugemuskels aktiviert (Pfeile), so erregen sie die Motoneurone des homonymen Beugemuskels und hemmen die Motoneurone der am selben Gelenk angreifenden Streckermuskeln. Diese Hemmung wird als **antagonistische Hemmung,** manchmal auch als *reziproke antagonistische Hemmung,* bezeichnet [3]. Physiologisch gesehen ist diese antagonistische Hemmung äußerst zweckmäßig, da dadurch die Bewegung der Gelenke „automatisch", d.h. ohne jede zusätzliche willkürliche oder unwillkürliche Steuerung, erleichtert wird.

Vorwärtshemmung. Bei der antagonistischen Hemmung der Abb. 4(A) werden die antagonistischen Motoneurone gehemmt, ohne daß sie selbst vorher erregt wurden. Man bezeichnet einen solchen Typ der Hemmung als **Vorwärtshemmung** oder *Feedforward-Hemmung*. Vorwärtshemmungen kommen an vielen Stellen des Zentralnervensystems vor.

Feedback-Hemmung (Rückwärtshemmung). Wirken die hemmenden Interneuronen auf diejenigen Zellen zurück, von denen sie selbst aktiviert wurden, so bezeichnet man diese Form der Hemmung als **Rückwärtshemmung.** Dabei fällt die Hemmung

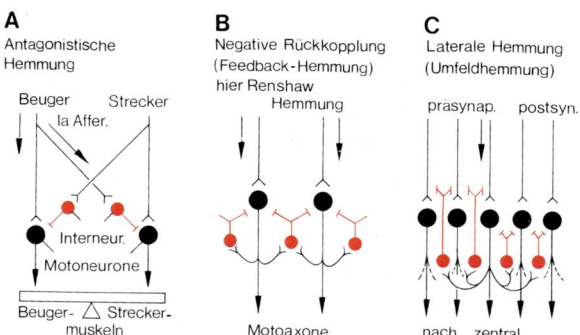

Abb. 4. Typische hemmende Schaltkreise. In allen drei Neuronenschaltungen sind die hemmenden Interneurone rot eingetragen

um so stärker aus, je stärker die Erregung ursprünglich war. In der Elektronik sind solche Schaltungen als *negative Rückkopplungen* (engl.: negative feedback) bekannt geworden. Entsprechend hat sich auch in der Biologie der Ausdruck **Feedback-Hemmung** weitgehend eingebürgert.

Renshaw-Hemmung. Ein besonders klares Beispiel einer *Feedback-Hemmung* liefern die Motoneurone. Wie Abb. 4(B) zeigt, geben diese (schon im Rückenmark) Collateralen zu Interneuronen ab, deren Axone wiederum hemmende Synapsen auf Motoneuronen bilden. Nach seinem Entdecker wird der hemmende Schaltkreis als **Renshaw-Hemmung** bezeichnet und die hemmenden Interneurone werden **Renshaw-Zellen** genannt [2] (zur Funktion siehe S. 93).

Laterale Hemmung. Eine ähnliche, im Nervensystem angewandte Form der *Feedback-Hemmung* ist schließlich in Abb. 4(C) illustriert. Die hemmenden Interneurone sind so verschaltet, daß sie nicht nur auf die erregte Zelle (Pfeil) selbst zurückwirken, sondern auch auf benachbarte Zellen gleicher Funktion, die nicht oder weniger erregt sind, und zwar so, daß diese Zellen besonders stark gehemmt werden. Eine solche Hemmung bezeichnet man als **laterale Hemmung,** da sie dafür sorgt, daß lateral von der Erregung eine Hemmzone entsteht. Erregung ist also auf allen Seiten von Hemmung umgeben, daher auch der Ausdruck **Umfeldhemmung.** Die laterale Hemmung spielt eine besonders große Rolle in afferenten Systemen. Sie ist dort teils als postsynaptische (rechts in 4(C)), teils als präsynaptische (links in (C)) Hemmung ausgeführt. Ihre Vorteile werden in IX-2.2 geschildert.

1.4. Fördernde Schaltkreise und Mechanismen

Positive Rückkopplung. Die große Bedeutung hemmender Schaltkreise für das normale Funktionieren des Zentralnervensystems ist vielfach experimentell

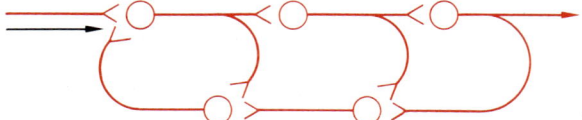

Abb. 5. Neuronenverschaltung einer erregenden Rückkopplung. Diese hypothetische Verschaltung könnte bei entsprechender Dimensionierung zu einem Kreisen von Erregung führen

nachgewiesen worden und allgemein anerkannt. Umstritten ist dagegen die immer wieder vorgebrachte Ansicht, daß im Zentralnervensystem auch positiv rückgekoppelte Schaltkreise vorliegen, die durch Rückkopplung von Erregung auf bereits erregte Zellen zu einem *Kreisen der Erregung* führen würden. Eine solche **erregende Rückkopplung** ist in Abb. 5 skizziert. Sie könnte dazu dienen, eine einmal induzierte Aktivität für längere Zeit aufrecht zu erhalten. Das *Kurzzeitgedächtnis* wird von verschiedenen Seiten auf ein Kreisen von Erregungen in solchen positiv rückgekoppelten Schaltungen zurückgeführt, jedoch gibt es experimentell dafür so gut wie keine Anhaltspunkte (vgl. VIII-4). Es muß also derzeit offen bleiben, ob erregende Rückkopplungen im Zentralnervensystem in nennenswertem Umfang vorkommen und welche physiologische Bedeutung sie haben.

Synaptische Potenzierung. Wiederholte Benutzung einer Synapse führt oft zu einer beträchtlichen *Vergrößerung der synaptischen Potentiale*. Diese **synaptische Potenzierung** tritt oft schon *während* der tetanischen Reizung auf und wird dann **tetanische Potenzierung** genannt (Abb. 6(B)). Überdauert die tetanische Potenzierung die Reizserie oder setzt die Potenzierung erst nach dem Ende des Tetanus ein,

so spricht man von **posttetanischer Potenzierung** (Abb. 6(C–F)). (Geht der posttetanischen Potenzierung eine Verkleinerung der synaptischen Potentiale während des Tetanus voraus oder sind die postsynaptischen Potentiale kleiner als die Kontrollwerte, so wird dies als **synaptische Depression** bezeichnet, wobei analog zur Potenzierung von *tetanischer bzw. posttetanischer Depression* gesprochen werden kann.)

Ausmaß und Dauer der posttetanischen Potenzierung hängen sehr stark von der jeweiligen Synapse und der Dauer und Frequenz der repetitiven Reizung ab. Einzelreize oder kurze Tetani hinterlassen nur

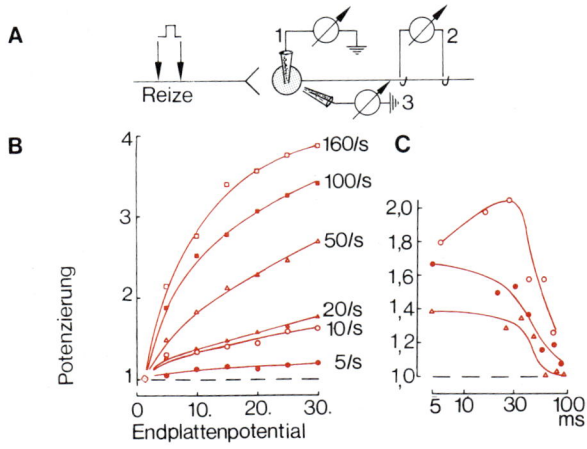

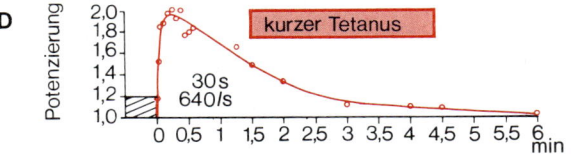

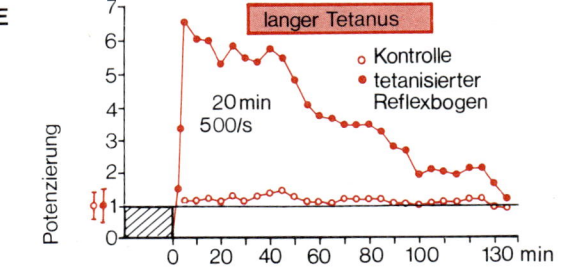

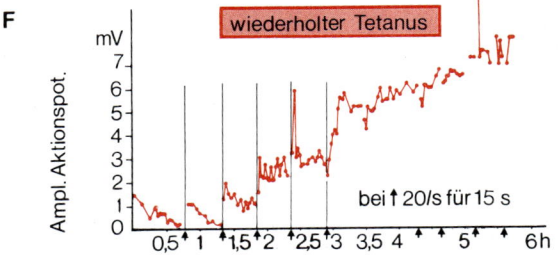

Abb. 6A–F. Tetanische (B) und posttetanische Potenzierung (C–F) an peripheren (B, C) und zentralen (D–F) Synapsen. (A) Schema der Versuchsanordnungen. Die Potenzierung wird entweder 1. als intracelluläres synaptisches Potential (B–D) oder 2. als extracellulärer Massenreflex von der Vorderwurzel (E) oder 3. mit einer extracellulären Mikroelektrode im Neuronenverband (F) abgeleitet. (B) Tetanische Potenzierung eines Endplattenpotentials durch repetitive Reizung mit den angegebenen Frequenzen. Das Ausmaß der Potenzierung ist der Reizfrequenz proportional. Frosch. Neuromuskuläre Übertragung blockiert durch Ca^{++}-Entzug und Mg^{++}-Zusatz. (C) Kurze posttetanische Potenzierung nach ein, zwei und fünf konditionierenden Reizen am gleichen Präparat. (D, E) Posttetanische Potenzierung des Reflexbogens des monosynaptischen Dehnungsreflexes an der Katze. Ausmaß und Dauer der Potenzierung hängen wesentlich von der Dauer des Tetanus ab. (Nach CURTIS, ECCLES und SPENCER.) (F) Posttetanische Potenzierung der Entladungen von Körnerzellen des Hippocampus im Verlauf sich wiederholender kurzer Tetani (Pfeile, 20 Hz für 15 s). (Nach Messungen von BLISS und LØMO). (B, C) aus [1], (D–F) aus [4])

eine geringe und kurzdauernde Potenzierung (Abb. 6(C)), die bei längerer Reizung auf ein Vielfaches des Ausgangswertes anwächst (Abb. 6(E, F)) und über Minuten bis Stunden anhalten kann (Abb. 6(D–F)). **Funktionell** gesehen ist posttetanische Potenzierung ein durch *Üben* erleichterter Ablauf eines zentralnervösen Vorganges, also ein **Lernprozeß.** In diesem Zusammenhang erscheint bedeutungsvoll, daß besonders lange posttetanische Potenzierungen im *Hippocampus* gefunden wurden (Abb. 6(F)). Dieser Struktur werden nämlich besondere Aufgaben im Gedächtnis- und Lernprozeß zugeschrieben (s. VIII-4).

Mechanismus der posttetanischen Potenzierung. Im wesentlichen sind zwei präsynaptische Faktoren für die posttetanische Potenzierung verantwortlich. Einmal führt repetitive Aktivierung der präsynaptischen Axonmembran zu einer Zunahme (Hyperpolarisation) des Ruhepotentials und dadurch zu einer Zunahme der **Aktionspotentialamplitude.** Das vergrößerte Aktionspotential setzt mehr Überträgerstoff in den synaptischen Spalt frei (s. S. 37). Dieser Prozeß ist also in etwa umgekehrt dem, den wir bei der präsynaptischen Hemmung kennengelernt haben, wo Verringerung der präsynaptischen Aktionspotentialamplitude zu verminderter Transmitterfreisetzung führt. Zum zweiten führt repetitive Aktivierung zu einer vermehrten Bereitstellung von Transmitter am synaptischen Spalt. Diese **Mobilisation** bewirkt ebenfalls eine verbesserte synaptische Übertragung, da pro Aktionspotential ein vergrößerter Anteil des in der präsynaptischen Endigung vorrätigen Transmitters freigesetzt wird.

Reizung der Hinterextremität eines decapitierten Frosches zum Wegziehen des Beines führt, solange das Rückenmark nicht zerstört wird. HALL (1833) und vor allem SHERRINGTON (um 1900) legten dann durch ihre Analyse der segmentalen Reflexe die Grundlagen für die breite Anwendung und unser heutiges Verständnis des Reflexkonzeptes [5, 7, 12].

Eine Vielzahl von **Beispielen** sind aus dem Alltag geläufig. Anfassen eines heißen Gegenstandes läßt uns die Hand zurückziehen, noch bevor uns der Hitzeschmerz bewußt wurde und wir willkürlich darauf hätten reagieren können; Berühren der Hornhaut des Auges führt immer zu einem Lidschlag (Cornealreflex); Fremdkörper in der Luftröhre verursachen Husten; Kontakt von Speisen mit der hinteren Rachenwand löst Schlucken aus. Die meisten Reflexe laufen jedoch ab, ohne daß wir bewußt von ihnen Notiz nehmen. Zum Beispiel diejenigen Reflexe, die für die Passage oder Aufbereitung der Nahrungsmittel im Magen und Darmtrakt sorgen, oder die, die Kreislauf und Atmung kontinuierlich an die jeweiligen Erfordernisse des Organismus anpassen. Ebenfalls wenig bewußt werden uns normalerweise all die motorischen Reflexe, die tagaus, tagein die aufrechte Haltung unseres Körpers im Raum bewirken, unser Gleichgewicht bewahren und durch entsprechende Mit- und Gegenregulationen es ermöglichen, willkürliche Bewegungen sicher auszuführen.

Die im folgenden getroffene, didaktisch notwendige *Gruppierung* und *Typisierung* insbesondere der polysynaptischen Reflexe sollte nicht den Blick dafür verstellen, daß es vielerlei Arten von Mischformen gibt, und daß jede der bekannten **Einteilungen** in der einen oder anderen Weise willkürlich ist. Ein weiterer Aspekt, der bei der isolierten Betrachtung einzelner Reflexe leicht verlorengeht, ist der, daß die meisten *Moto- und Interneurone in zahlreichen Reflexbögen* vertreten sind. Ein Motoaxon der Rachenmuskulatur wird beispielsweise bei Schluck-, Saug-, Husten-, Nies- und Atemreflexen beteiligt sein, also für zahlreiche Reflexbögen die eine *gemeinsame Endstrecke* bilden.

2. Reflexe

Die *Receptoren* sind die Fühler des Organismus, die es ihm ermöglichen, Veränderungen in der Umwelt oder in ihm selbst zu erkennen und anschließend darauf zu reagieren. In vielen Fällen sind die Afferenzen der Receptoren so verschaltet, daß ihre Aktivierung jedesmal zu bestimmten, stereotypen Reaktionen des Organismus führt, die sich im Laufe der *stammesgeschichtlichen* oder *individuellen* Entwicklung als besonders zweckmäßige Antworten herausgestellt haben. Solche *stereotypen Reaktionen des Organismus auf sensible Reize* nennen wir **Reflexe.**

Der Begriff **Reflex** wurde vor über 200 Jahren von UNZER (1771) in die Physiologie eingeführt, und zwar für die von HALES (1730) und WHYTT (1755) gemachte Beobachtung, daß schmerzhafte

2.1. Anteile eines Reflexbogens, Reflexzeit

Unter **Reflexbögen** verstehen wir komplette neuronale Verschaltungen, die vom peripheren Receptor über das Zentralnervensystem bis zum peripheren Effector reichen. Im einzelnen hat, wie Abb. 7 (oben) zeigt, ein Reflexbogen, neben dem peripheren *Receptor* einen *afferenten Schenkel,* einen oder mehrere *zentrale Neurone,* einen *efferenten Schenkel* und einen *Effector.*

Alle *Receptoren* sind an Reflexen der einen oder anderen Art beteiligt, und dementsprechend dienen ihre afferenten Fasern als *afferente Schenkel* in diesen jeweiligen Reflexbögen. Die Zahl der *zentralen Neurone* eines Reflexbogens ist, mit Ausnahme des monosynaptischen Dehnungsreflexes (s. 2.2), immer größer als eins. Als *efferente Schenkel* dienen entweder die Motoaxone oder die postganglionären

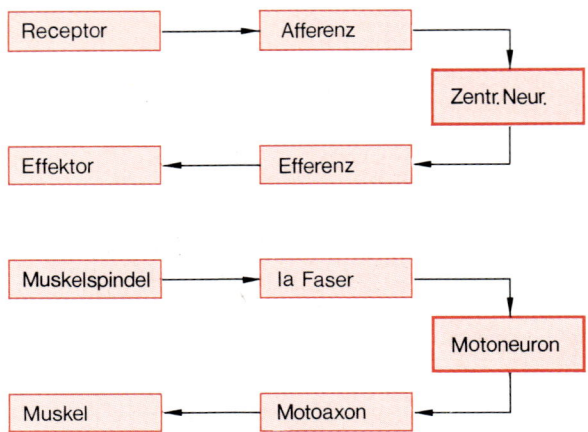

Abb. 7. Oben: Allgemeine Bezeichnungen der Anteile eines Reflexbogens. Unten: Die Reflexbogenanteile des monosynaptischen Dehnungsreflexes

Fasern des autonomen Nervensystems, als *Effectoren* die Skeletmuskulatur, respektive die glatte Muskulatur, das Herz oder die Drüsen.

Die Zeit zwischen Beginn des Reizes und Aktion des Effectors bezeichnen wir als **Reflexzeit.** In den meisten Fällen ist sie vorwiegend bedingt durch die *Leitungszeit* in den afferenten und efferenten Schenkeln und in den zentralen Teilen des Reflexbogens. Dazu kommen noch Zeiten für a) die Umwandlung eines Reizes in eine fortgeleitete Erregung im Receptor, b) für die Übertragung in den Synapsen an den zentralen Neuronen (Synapsenzeit), c) für die Übertragung vom efferenten Schenkel auf den Effector (z.B. Endplattenpotential) und d) für die Aktivierung des Effectors durch die Membranerregung (z.B. elektro-mechanische Kopplung).

2.2. Der monosynaptische Reflexbogen

Der in diesem Abschnitt dargestellte Reflexbogen hat einen relativ komplex gebauten Receptor, die *Muskelspindel*. Es wird daher empfohlen, sich zunächst mit der Physiologie dieses Organs in dem Abschnitt VI-2.1 bekannt zu machen und dann hier fortzufahren.

Dehnungsreflex durch Muskeldehnung. Es ist bei der Besprechung der zentralen erregenden Synapsen und in Abb. 4(A) bereits gesagt und gezeigt worden, daß die *Ia-Fasern* erregende Synapsen auf homonymen Motoneuronen bilden. Aktivierung der *primären Muskelspindelendigungen* durch Dehnung des Muskels muß also zu einer *Erregung der homonymen Motoneurone* führen. Ein entsprechender Versuch ist in Abb. 8 aufgezeichnet. Kurzfristige Dehnung des Muskels durch einen leichten Hammerschlag auf den Registrierhebel führt, wie die Registrier-

kurve links unten im Bild zeigt, nach einer kurzen Latenz zu einer Kontraktion des Muskels. Die über die Ia-Fasern in das Rückenmark einlaufende Salve von Aktionspotentialen hat also (unter anderem) *monosynaptische EPSP* in homonymen Motoneuronen ausgelöst, von denen einige überschwellig waren und zu einer leichten Muskelzuckung führten. Diesen Reflex, der nur eine zentrale Synapse besitzt, nämlich die der Ia-Fasern auf die homonymen Motoneurone, nennt man den **monosynaptischen Dehnungsreflex** der Muskulatur. Da Receptor (Muskelspindel) und Effector (extrafusale Muskulatur) im gleichen Organ (Muskel) liegen, wird er oft auch als **monosynaptischer Eigenreflex** bezeichnet. Der Ausdruck *Dehnungsreflex* ist ihm aber angemessener. Er ist, wie Abb. 7 (unten) zeigt, das einfachste Beispiel eines kompletten Reflexbogens. Neben dem Ausdruck *Dehnungsreflex* wird, vor allem im englischen Sprachraum, häufig auch der Ausdruck **myotatischer Reflex** benutzt.

Das bekannteste Beispiel eines monosynaptischen Dehnungsreflexes ist der **Patellarsehnenreflex:** Schlag auf die Sehne des M. quadriceps femoris unterhalb der Patella dehnt diesen kurzfristig. Nach kurzer Latenz kommt es zu einer leichten Zuckung des Muskels, wodurch bei freihängendem Unterschenkel dieser leicht angehoben wird. Fehlende, abgeschwächte oder überschießende Reaktionen würden auf eine Störung dieses monosynaptischen Reflexbogens hinweisen, die dann durch genaue

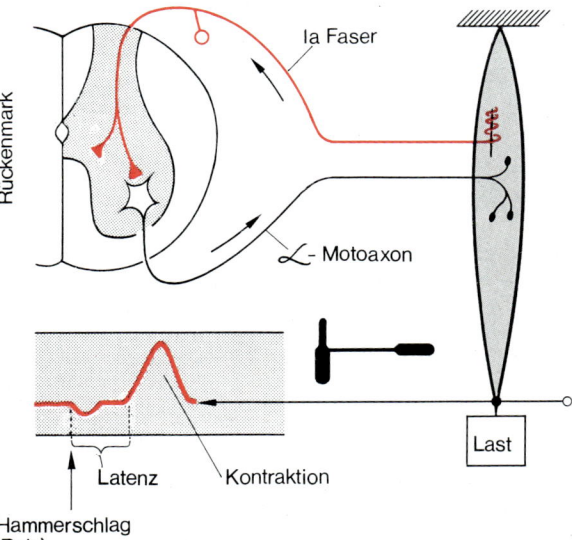

Abb. 8. Reflexbogen des monosynaptischen Dehnungsreflexes. Ein leichter Hammerschlag auf den Zeiger des Meßinstruments, der mit dem Muskel verbunden ist (Ausschlag nach unten auf dem Registrierpapier), führt nach kurzer Latenz zu einer Kontraktion des Muskels. Der Reflexbogen dieses Reflexes von den Muskelspindeln über die Ia-Fasern zu den Motoneuronen und zurück zum Muskel ist angegeben

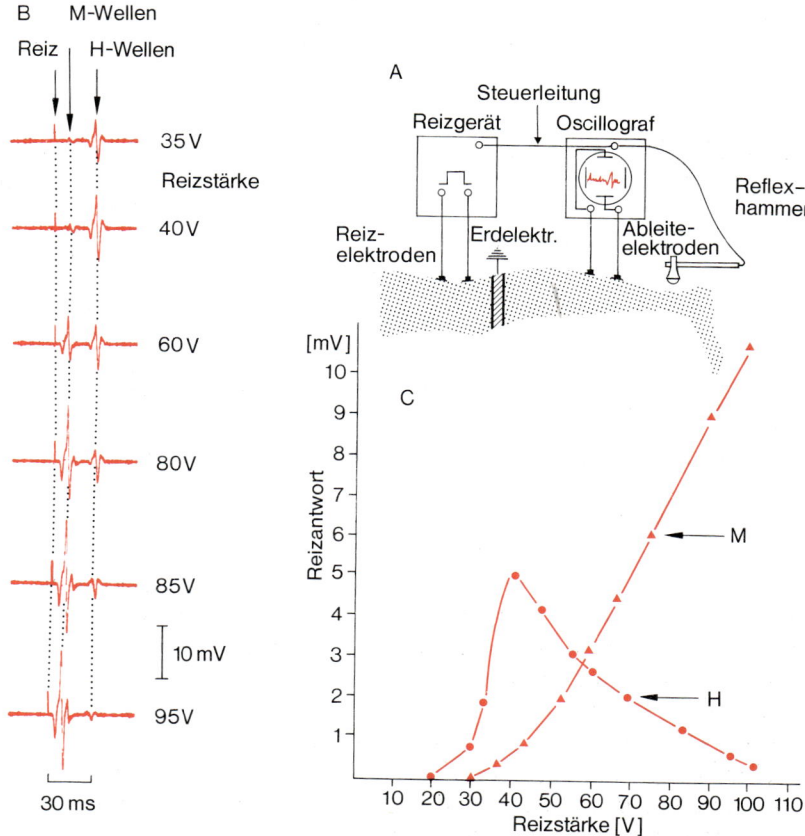

Abb. 9A–C. Auslösung und Registrierung von H- und T-Reflexen am Menschen. (A) Versuchsanordnung. Zum Auslösen eines T-Reflexes des M. triceps surae wird ein Reflexhammer mit Kontaktschalter benutzt. Durch diesen Schalter wird bei Beklopfen der Sehne die Ablenkung des Elektronenstrahls des Oscillographen ausgelöst. Die Reflexantwort kann auf diese Weise elektromyographisch sichtbar gemacht werden. Für die

Auslösung der H-Reflexe wird der N. tibialis mit 1 ms langen Rechteckimpulsen durch die Haut gereizt. Reiz und Ablenkung des Oscillographenstrahls sind miteinander synchronisiert. (B) H- und M-Antworten bei zunehmender Reizstärke. (C) Amplituden der H- und M-Antworten (Ordinate) in Abhängigkeit von der Reizstärke (Abscisse). Gesunde Versuchsperson. (B, C) aus HOPF u. STRUPPLER [10]

neurologische Untersuchungen diagnostiziert werden müßte. Die Störung könnte einmal in den einzelnen Anteilen des Reflexbogens liegen (Abb. 7), es könnte aber auch sein, daß die übrigen Zuflüsse zum Motoneuron (Abb. 1(B)) nicht normal sind und dadurch eine Unter- oder Übererregbarkeit dieser Zelle verursachen. Insgesamt ist also die *Testung der monosynaptischen Dehnungsreflexe* wie der Patellarsehnen- und ähnlicher Reflexe eine einfache Prüfung auf intakte motorische Reflexe, die bei unbefriedigendem Ausfall durch weitere diagnostische Maßnahmen ergänzt werden muß [10, 11]. Bekannte Beispiele solcher Reflexprüfungen sind: am Oberarm Dehnung des M. biceps durch Beklopfen seiner Sehne in der Ellenbeuge oder durch Schlag auf den Radius (mißverständlich „Radiusperiostreflex" genannt); ferner Dehnung des M. triceps durch Beklopfen der Tricepssehne dicht über dem Olecranon; am Unterschenkel Dehnung des Triceps surae durch Beklopfen der Achillessehne (Achillessehnenreflex). Monosynaptische Deh-

nungsreflexe, die durch Beklopfen einer Sehne ausgelöst werden, werden in der Klinik auch als **T-Reflexe** (engl. Tendon-Reflex = Sehnenreflex) bezeichnet.

H-Reflex. Im Labor und in der neurologischen Praxis kann der monosynaptische Dehnungsreflex am Menschen auch durch elektrische Reizung der Ia-Afferenzen eines Muskelnerven induziert werden. Diese Form des monosynaptischen Dehnungsreflexes bezeichnet man als **H-Reflex** (nach PAUL HOFFMANN). Gewöhnlich wird der H-Reflex durch elektrische Reizung des N. tibialis in der Kniekehle ausgelöst und der Reizerfolg elektromyographisch von der Oberfläche (Hautelektroden) oder dem Inneren (Nadelelektroden) des M. triceps surae, insbesondere des M. soleus, registriert (Abb. 9). Da die Ia-Fasern die niedrigste Schwelle aller Nervenfasern haben, tritt bei schwachen Reizen (20–30 V in Abb. 9(C)) zunächst nur die Reflexantwort (H-Welle) nach einer Latenz von 30–35 ms auf. Bei stärkeren Reizen (ab 35 V in Abb. 9(B, C)) werden zunehmend auch α-Motoaxone erregt und der Muskel direkt mit einer Latenz von 5–10 ms aktiviert (M-Wellen oder -Zacken in Abb. 9(B, C)). Bei zunehmenden Reizen werden zunächst beide Antworten größer; während dann die M-Antwort bis zur maximalen Größe ansteigt, wird die H-Antwort immer kleiner. Bei maximaler M-Antwort ist sie praktisch völlig unterdrückt (Reizstärke $\geqq 95$ V in Abb. 9(B, C)).

Drei Faktoren sind für die *Abnahme der H-Antwort bei zunehmender Reizstärke* verantwortlich: a) Neben I a-Fasern werden immer mehr I b-Fasern von den Golgi-Sehnenorganen erregt. Diese wirken hemmend auf die zugehörigen (homonymen) Motoneurone (vgl. Abb. VI-9 in VI-2.2). b) Die Erregung der α-Motoaxone führt nicht nur zu orthodromen Aktionspotentialen und damit zur M-Antwort, sondern auch zu antidromen Impulsen, die den Reflexweg der Renshaw-Hemmung aktivieren (vgl. Abb. 4(B)). c) Die antidromen Aktionspotentiale α-Motoaxonen greifen auch auf Soma und Dendriten der Motoneuronen über, wodurch es zu Kollisionen mit den von den I a-Fasern ausgelösten Erregungsvorgängen kommt. Dabei kann es sein, daß ein über die (schnelleren) I a-Fasern ausgelöster motoneuronaler Impuls auf einen antidromen Impuls trifft und sich beide gegenseitig auslöschen, oder das Motoneuron ist durch den antidromen Impuls gerade während der I a-Erregung refraktär.

Innervationsstille (Silent period). Nach einem T- oder H-Reflex sinkt der Muskeltonus für kurze Zeit (100–500 ms) stark ab. Zu dieser **postreflektorischen Innervationsstille** (*Silent period*) tragen, je nach Ausgangslage in wechselndem Umfang, mindestens vier Faktoren bei: 1. Die synchrone Reflexkontraktion führt zu einer Entlastung der Muskelspindeln und damit zu einer Unterbrechung oder Reduktion des tonischen, erregenden, afferenten Zuflusses aus den primären Muskelspindelendigungen (vgl. Abb. VI-5 u. VI-6). 2. Die Reflexkontraktion aktiviert Golgi-Sehnenorgane, die hemmend auf die zugehörigen Motoneuronen wirken (vgl. Abb. VI-9). 3. Die synchrone Erregung der Motoneurone führt zu einer vorübergehenden verstärkten Aktivierung der Renshaw-Hemmung (vgl. Abb. 4(B)). 4. Die im Anschluß an die Aktionspotentiale auftretenden hyperpolarisierenden Nachpotentiale der an der Reflexauslösung beteiligten Motoneurone machen diese vorübergehend weniger erregbar.

Bahnung von T-Reflexen. Schwache Patellarsehnen- und andere T-Reflexe der unteren Extremitäten lassen sich häufig dann besser auslösen, wenn der Patient aufgefordert wird, seine vor der Brust ineinandergehakten Hände auseinanderzuziehen oder einer dritten Person die Hand zu drücken (Jendrassikscher Handgriff). Es kommt bei dieser Anstrengung zu einer *bahnenden Mitinnervation* der Motoneurone des Lumbalmarkes.

Dehnungsreflex durch intrafusale Kontraktion.

Die *physiologische Bedeutung des monosynaptischen Reflexbogens* geht weit über seine diagnostische Aussagekraft hinaus und wird in Abschnitt VI-2.2 ausführlich geschildert. Hier sei nur darauf hingewiesen, daß es, neben der Dehnung des Muskels, eine zweite Möglichkeit gibt, die primären Muskelspindelendigungen zu erregen, nämlich durch eine *Kontraktion der intrafusalen Muskelfasern*. Diese Kontraktion ändert Länge und Spannung des gesamten

Muskels nicht, dafür ist sie zu gering, auch wenn sich alle intrafusalen Muskelfasern gleichzeitig kontrahieren. Die intrafusale Kontraktion reicht aber aus, den zentralen Anteil der intrafusalen Fasern zu dehnen und damit Erregungen in den primär sensiblen Endigungen zu induzieren, wodurch der monosynaptische Dehnungsreflex aktiviert wird.

2.3. Polysynaptische Reflexe

Außer beim monosynaptischen Dehnungsreflex sind bei allen anderen Reflexen mehrere zentrale Neurone im Reflexbogen hintereinandergeschaltet. Diese Reflexe sind also **polysynaptisch.** Ferner sind bei den polysynaptischen Reflexen häufig Receptor und Effector im Organismus räumlich getrennt, so daß sie auch als **Fremdreflexe** bezeichnet werden. Man unterscheidet bei den Fremdreflexen **vegetative Reflexe** mit Reflexbögen, die in den Effectoren des autonomen Nervensystems enden (s. VII) von **polysynaptischen motorischen Reflexen,** deren Effectoren die Skeletmuskeln sind (s.u. und VI).

Polysynaptische motorische Reflexe. Polysynaptische motorische Reflexe spielen in der gesamten Motorik eine große Rolle, so zum Beispiel bei der Fortbewegung (*Lokomotionsreflexe*), bei der Nahrungsaufnahme (*Nutritionsreflexe*) und bei der Absicherung des Organismus gegen seine Umwelt (*Schutzreflexe*). Das einfachste Beispiel eines **lokomotorischen Fremdreflexes** zeigte bereits Abb. 4(A): die I a-Fasern haben, zusätzlich zu den monosynaptischen erregenden Verbindungen zu homonymen Motoneuronen, *hemmende* Verbindungen zu *antagonistischen* Motoneuronen. Diese Verbindungen erfolgen über ein Interneuron (rot gezeichnet in Abb. 4(A)), so daß dieser Reflexbogen zwei zentrale Synapsen hat, er ist *disynaptisch*. Er ist der kürzeste hemmende Reflexbogen, den wir kennen. Man nennt diese Hemmung daher auch **direkte Hemmung** [2, 3].

Die meisten anderen von peripheren Receptoren (aus den Muskeln, den Gelenken, der Haut) kommenden erregenden und hemmenden Zuflüsse zu den Motoneuronen haben mehr als ein, oft sehr viele *Interneurone* auf ihrem Reflexbogen, sie sind also nicht di-, sondern *polysynaptisch*. Betrachten wir zwei Beispiele: a) Beim Neugeborenen führt Berührung der Lippen mit der Brustwarze der Mutter zu Saugbewegungen. Die gleichen Bewegungen lassen sich auch durch eine Fingerspitze oder durch einen Schnuller auslösen, was deutlich den Reflexcharakter dieses Vorganges zeigt. Der **Saugreflex** ist ein **Nutritionsreflex.** Die Receptoren seines polysynaptischen Reflexbogens sind berührungsempfindliche Strukturen in der Haut der Lippen (Mechanoreceptoren, s.S. 207); Effectoren sind die Muskeln der Lippen, der Wangen, der Zunge, des Rachens, des Brustkorbes und des Zwerchfelles. Der Saugreflex ist also ein sehr komplexer Fremdreflex, wobei zusätzlich zu bedenken ist, daß die Saugbewegungen mit der normalen Atmung koordiniert werden müssen. b) Legt man einem großhirnlosen Frosch ein säuregetränktes Stückchen Filterpapier auf die Rückenhaut, so wird er nach kurzer Latenz das Papierstückchen mit der nächstgelegenen Hinterextremität wegwischen. Es ist dies das Beispiel eines **Schutzreflexes.** Bei diesem **Wischreflex** liegen die Schmerz-Receptoren (s.S. 221) in der Haut des Rückens, während die Muskulatur der Hinterextremität der Effector ist.

Eigenschaften polysynaptischer Reflexe. Bei der Charakterisierung der Eigenschaften der Fremdreflexe muß vorweg im Auge behalten werden, daß schon beim monosynaptischen Dehnungsreflex der Reflexerfolg nicht fest (automatengleich) an den Reiz gekoppelt ist, sondern durch andere, gleichzeitig am Motoneuron angreifende, bahnende und hemmende Einflüsse modifiziert werden kann. Bei den polysynaptischen Reflexbögen ist es möglich, entsprechend der größeren Anzahl der beteiligten zentralen Neurone, den Reflexerfolg noch besser an die jeweiligen Erfordernisse des Organismus anzupassen.

An Hand des Hustenreflexes lassen sich die **Eigenschaften der Fremdreflexe** gut studieren, da Reizung der Schleimhautreceptoren in Trachea und Bronchien nicht nur Husten, sondern auch bewußte Empfindungen auslöst. Dadurch ist es möglich, Reizintensität und Reflexerfolg miteinander zu vergleichen. Ein leichtes „Kitzeln" oder „Kratzen" im Hals führt nicht sofort, wohl aber nach einer Weile, zum Husten. Bei polysynaptischen Reflexen können sich also *unterschwellige* Reize zu einem *überschwelligen* Reiz summieren. Diese **Summation** ist ein zentrales Phänomen, d.h. sie findet an den Interneuronen und Motoneuronen des Reflexbogens statt, denn die subjektiven Empfindungen (Kitzeln, Kratzen) vor der Reflexauslösung sind ein klares Zeichen, daß die für den Reflex verantwortlichen Receptoren schon erregt sind. Bei zunehmender Reizintensität wird die Zeit zwischen Reizbeginn und Reflexauslösung, also die **Reflexzeit,** kürzer, auch wenn die Reize schon überschwellig sind, d.h. die *Reflexzeit hängt stark von der Reizintensität ab.* (Beim monosynaptischen Dehnungsreflex ist dagegen die Reflexzeit relativ konstant.) Die verkürzte Reflexzeit des polysynaptischen Reflexes bei steigender Reizintensität ist hauptsächlich Folge der zeitlichen und räumlichen Bahnung der zentralen Neurone des Reflexbogens durch die vermehrten repetitiven Receptorentladungen. Schließlich hängt bei polysynaptischen Reflexen auch der **Reflexerfolg** stark von der Reizintensität ab, wobei bei starken Reizen der Reflex auch auf bisher unbeteiligte Muskelgruppen übergreift, ein Phänomen, das als **Ausbreitung** (*Irradiation*) bezeichnet wird. Offensichtlich werden bei starken Reizen bisher unter-

schwellig erregte Neurone überschwellig erregt. Die *Ausbreitung* läßt sich beim Hustenreflex gut demonstrieren: bei einem leichten Räuspern werden vorwiegend Halsmuskeln aktiviert, während bei einem schweren Würgehusten auch die Brust-, Schulter-, Bauch- und Zwerchfellmuskeln teilnehmen.

Eine Reihe weiterer Eigenschaften polysynaptischer motorischer Reflexe wie *Lokalzeichen, Habituation, Sensitivierung* und *Konditionierung* spiegeln besonders die **Plastizität der Fremdreflexantwort** wider. Unter **Lokalzeichen** versteht man, daß z.B. bei schmerzhafter Reizung des Beines die Beugemuskeln der Hüft-, Knie- und Fußgelenke *abhängig vom Reizort* verschieden stark kontrahiert werden. Als **Habituation** („Gewöhnung") bezeichnet man die Beobachtung, daß die häufige gleichmäßige Wiederholung eines nicht schmerzhaften und nicht schädlichen Hautreizes (z.B. Bestreichen der Bauchdecken) am *selben Ort* und mit der *gleichen Intensität* zu einem *Nachlassen* des Reflexerfolges führt, obwohl die Erregbarkeit der beteiligten Receptoren, Motoneurone und Skeletmuskeln unverändert bleibt und ein Wechsel der Reizparameter oder des Reizortes wieder eine normale Reizantwort auslöst. Die Mechanismen der Habituation sind bisher unbekannt [9]. Wiederholte *schmerzhafte* Reize führen zur **Sensitivierung.** Die Reflexschwelle ist gesenkt, die Reflexzeit verkürzt, das receptive Feld vergrößert und der Reflex irradiiert [9]. Als **Konditionierung** faßt man die durch die Anpassungs- und Lernfähigkeit der polysynaptischen Reflexe bewirkten *Langzeitänderungen der Reflexantwort* zusammen. Beispielsweise gelang es durch eine entsprechende Versuchsanordnung, bei der zur Beendigung des schmerzhaften Reizes die Bewegung *auf den Reiz zu* erfolgen mußte, eine Umkehr des Bewegungsablaufes des Flexorreflexes herbeizuführen [8].

Angeborene und erworbene Reflexe. Die bisherige Besprechung hat sich auf Reflexe beschränkt, die ohne das Vorliegen besonderer Bedingungen (s. vorhergehenden Absatz) bei allen Individuen der gleichen Art in praktisch gleicher Form beobachtet werden. Diese stereotypen Reaktionen des Organismus sind im Bauplan des Nervensystems weitgehend festgelegt, wobei die *präformierten Reflexbögen* meist in den entwicklungsgeschichtlich älteren Teilen des Zentralnervensystems, also im Rückenmark und Hirnstamm liegen, auch wenn es sich um sehr komplexe Reflexe handelt (z.B. Säurewischreflex beim großhirnlosen Frosch). Jedes Individuum hat daneben die Fähigkeit, reflektorische Reaktionen seines Organismus zu erlernen, um dadurch besser und müheloser auf ständig wechselnde

Situationen in seiner Umwelt zu reagieren. Die Reflexbögen der erlernten Reflexe (die auch wieder vergessen werden können) laufen meist über die höheren Abschnitte des Zentralnervensystems. Bekannte, experimentell gut untersuchte Beispiele erlernter Reflexe sind die **bedingten Reflexe** und die durch **operante Konditionierung** erzielten Verhaltensänderungen, die beide in IX-3.1 beschrieben sind.

3. Literatur

1. BRAUN, M., SCHMIDT, R.F., ZIMMERMANN, M.: Facilitation at the frog neuromuscular junction during and after repetitive stimulation. Pflügers Arch. ges. Physiol. **287**, 41–55 (1966).
2. ECCLES, J.C.: The Physiology of Nerve Cells. Baltimore: Johns Hopkins Press 1957.
3. ECCLES, J.C.: The inhibitory pathways of the central nervous system. The Sherrington Lectures IX. Springfield/Ill.: Ch.C. Thomas 1969.
4. ECCLES, J.C.: The understanding of the brain. New York: McGraw-Hill 1973.
5. FEARING, F.: Reflex action. A study in the history of physiological psychology. Baltimore: Williams & Wilkins 1930.
6. FEINSTEIN, B., LINDEGAARD, B., NYMAN, E., WOHLFART, G.: Morphologic studies of motor units in normal human muscles. Acta anat. (Basel) **23**, 127 (1955).
7. FULTON, J.F.: Physiology of the nervous system. London-New York-Toronto: Oxford University Press 1943.
8. HAGBARTH, K.E., FINER, B.L.: The plasticity of human withdrawal reflexes to noxious stimuli in lower limbs. Progr. Brain Res. **1**, 65–78 (1963).
9. HAGBARTH, K.E., KUGELBERG, E.: Plasticity of the human abdominal skin reflex. Brain **81**, 305–318 (1958).
10. HOPF, H.C., STRUPPLER, A.: Elektromyographie. Stuttgart: Thieme 1974.
11. POECK, K.: Neurologie, 3.Aufl. Berlin-Heidelberg-New York: Springer 1974.
12. SHERRINGTON, C.S.: The integrative action of the nervous system. New Haven: Yale University Press, 2.Aufl. 1947, Nachdruck 1961 (1906).

V. Muskel (J.C. Rüegg)

Das Studium der Muskeln ist faszinierend, denn die Muskulatur ist möglicherweise das erste Gewebe, dessen Funktion wohl bald annähernd vollständig auf molekularer Ebene und auf der Basis physikalischer und chemischer Gesetzmäßigkeiten erklärt werden kann. Muskeln sind „Maschinen", die chemische Energie **direkt** in mechanische Energie (Arbeit) und Wärme verwandeln. Die Muskelarbeit kann leicht gemessen werden: Wird ein isolierter Muskel eines Kaltblütlers, beispielsweise der Sartorius eines Frosches, mit einem leichten Gewicht belastet und dann durch einen kurzen Stromimpuls elektrisch gereizt, so zuckt er und leistet beim Heben des Gewichts mechanische Arbeit (Last mal Hubhöhe). Eine solche Kontraktion, bei welcher sich der Muskel unter konstanter Belastung verkürzt, nennt man **isotonisch,** im Gegensatz zur **isometrischen** Kontraktion, bei welcher die Sehnenansätze des Muskels so fest gehalten werden, daß der Muskel zwar Kraft entwickeln, sich jedoch nicht verkürzen und damit auch keine äußere Arbeit leisten kann, wohl aber „Haltearbeit".

Unsere erste Frage gilt der Funktionsweise der Muskelmaschine.

brillen, deren achsenparallele Anordnung innerhalb der Muskelzelle in Abb. 1 dargestellt wird. Sie erkennen in diesem winzigen Ausschnitt aus einer menschlichen Muskelfaser zwischen den schlauchförmigen Myofibrillen zahlreiche Mitochondrien oder Sarkosomen, sowie das Kanalsystem transversaler und longitudinaler Tubuli (dessen Funktion eingehender in 2. beschrieben wird).

Myofibrillen sind kontraktile, etwa 1 µm dicke Schläuche, die durch Trennwände, die sog. Z-Scheiben, in zahlreiche, etwa 2,5 µm lange Fächer, die Sarkomere, unterteilt sind.

Die Struktur der Sarkomere ist in der Abb. 1 stark schematisiert dargestellt. Der lichtmikroskopische Eindruck einer Hell-Dunkel-Bänderung der Sarkomere und damit der **Querstreifung** der Myofibrillen entsteht nach HUXLEY und HANSON [10] aufgrund einer besonders regelmäßigen Anordnung der Actin- und Myosinfilamente. In der Mitte jedes Sarkomers liegen an die tausend „dicke" Filamente aus Myosin mit einem Durchmesser von etwa 10 nm. Dem Bündel stehen zu beiden Seiten des Sarkomers

1. Der molekulare Mechanismus der Kontraktion

Skeletmuskeln enthalten pro Gramm Gewicht etwa 100 mg „kontraktile Proteine". In welcher Weise diese Eiweißkörper, nämlich **Actin** (Molekulargewicht 45000) und **Myosin** (Molekulargewicht 500000) während des Elementarvorganges der Muskelkontraktion zusammenwirken, wird durch die Gleitfilamenttheorie von HUXLEY und HANSON beschrieben [10–13].

1.1. Gleitfilamenttheorie

Die kontraktilen Proteine Actin und Myosin bilden die dünnen und dicken Myofilamente der Myofi-

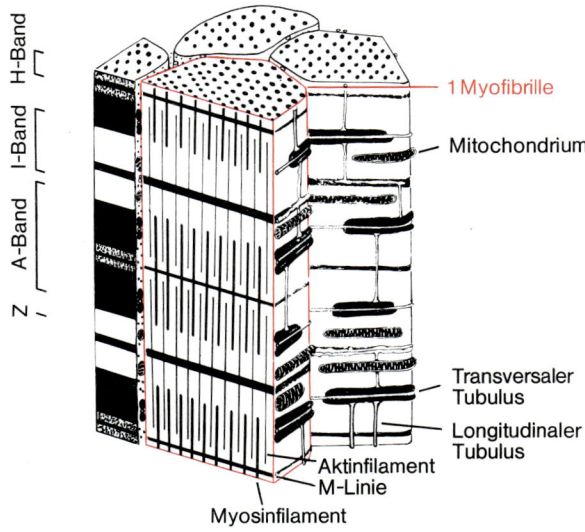

Abb. 1. Ausschnitt aus einer menschlichen Skeletmuskelfaser. (Nach GARAMVÖLGYI)

je etwa 2000 „dünne" (5 nm dicke) Filamente aus
Actin gegenüber, die wie die Borsten einer Bürste
an den Z-Scheiben befestigt sind. Die Bündel der
regelmäßig ausgerichteten, 1,6 μm langen Myosinfilamente in der Mitte des Sarkomers erscheinen
im Lichtmikroskop als 1,6 μm breite, dunkle, im
polarisierten Licht doppelbrechende, d.h. aniso-
trope A-Banden. Diese grenzen zu beiden Seiten
an die nur dünne Filamente enthaltenden und deshalb hell erscheinenden isotropen I-Banden, die bis
zu den Z-Scheiben reichen. Nur durch die regelmäßige periodische Hell-Dunkel-Bänderung ihrer unzähligen Sarkomere erscheinen die Myofibrillen
von Herz- und Skeletmuskelfasern quergestreift.

Im ruhenden Muskel überlappen sich die Enden
der dicken und dünnen Filamente an der Grenze
zwischen A-Band und I-Band meist nur wenig. Die
Überlappungszone des A-Bandes erscheint dann im
Lichtmikroskop deutlich dunkler als die von Actinfilamenten freie Mittelzone des A-Bandes, die sogenannte H-Zone. In vielen elektronenmikroskopischen Aufnahmen dieser Zone läßt sich in der Sarkomermitte manchmal die sehr schmale dunkle M-
Linie erkennen, ein Maschwerk von Gerüsteiwei-
ßen, die offenbar das Bündel der dicken Filamente
im Zentrum zusammenhalten.

Verkürzung der Sarkomere. Die Muskelverkürzung
resultiert aus der Verkürzung unzähliger Sarkomere, die in den Myofibrillen „in Serie" hintereinandergeschaltet sind. Der Vergleich der schematischen Struktur eines Sarkomers in zwei verschiedenen Funktionszuständen (Abb. 2a und 2b)
zeigt, in welcher Weise sich die Quer-Streifung und
die Anordnung der Myofilamente während einer
Muskelkontraktion verändern. Bei der Verkürzung
gleiten die dünnen Filamente aus Actin über die
dicken Filamente aus Myosin, zwischen welchen sie
sich hindurchschieben, und so tief in das Bündel
der dicken Myosinfilamente hineinstoßen, bis sie
schließlich die Sarkomermitte erreichen.
Abb. 2 macht auch deutlich, daß bei der Verkürzung eines Sarkomers Myosin- und Actinfilamente
übereinandergleiten, ohne sich selbst zu verkürzen
(Gleitfilamenttheorie!). So erklärt sich die lichtmikroskopische Beobachtung, daß die Breite der A-
Banden (1,6 μm) bei der Kontraktion konstant
bleibt, während I-Banden und H-Banden schmäler
werden.
Auch bei Dehnung des Muskels ändert sich die
Filamentlänge nicht. Vielmehr wird das Bündel der
dünnen Filamente aus der Anordnung der dicken
Filamente mehr oder weniger herausgezogen, wodurch der Grad der Filamentüberlappung abnimmt.

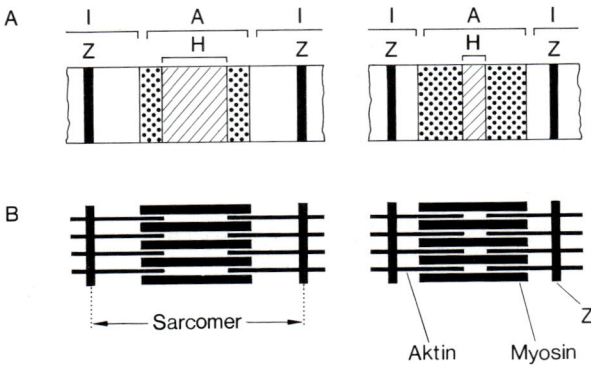

Abb. 2. Bandstruktur der Myofibrillen. Links im erschlafften,
rechts im kontrahierten Zustand. b. Anordnung der dicken und
dünnen Myofilamente im erschlafften und kontrahierten Sarkomer. Nach [10]

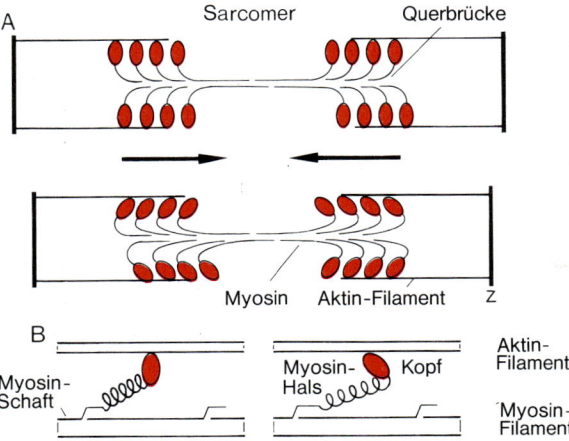

Abb. 3 A u. B. Funktionsweise der Querbrücken. (A) Modellvorstellung zur Entstehung der Bewegung: Myosinfilament mit
Querbrücken an benachbarten Actinfilamenten; oben vor, unten
nach den (in Wirklichkeit asynchronen) „Ruderschlägen" der
Brücken [11]. (B) Modell [9] für Kraftentstehung in einer Querbrücke; links vor, rechts nach „Ruderschlag" einer Brücke

Wodurch kommt es nun zum beschriebenen „gegensinnigen Gleiten" der Actinfilamente benachbarter Halbsarkomere?

Funktionsweise der Querbrücken. Die Querfortsätze
eines Myosinfilaments werden aus den etwa 20 nm
langen Köpfen von etwa 150 Myosinmolekülen gebildet, die in einer bipolaren Anordnung so zum
Filament zusammengelagert sind, wie Abb. 3(A)
zeigt. Ein jeder Myosinkopf oder Querfortsatz kann
als **Querbrücke** (cross bridge) im Kontraktionsprozeß ein Myosinfilament mit einem benachbarten
Actinfilament verbinden, wie Abb. 3(A) zeigt.
Durch eine „Kippbewegung" der Köpfe rudern
diese mit vereinten Kräften die Actinfilamente in
Richtung zur Sarkomermitte. Allein die bipolare
Anordnung der Myosinmoleküle in den beiden

Hälften eines Sarkomers ermöglicht das gegensinnige Gleiten (in Pfeilrichtung) der Actinfilamente der linken und rechten Sarkomerhälfte.

Durch eine einmalige Drehbewegung der Querbrücken an den Actinfäden würde sich ein einzelnes Sarkomer nur um den Betrag von 2mal 10 nm verkürzen, also um rund 1% seiner Länge. Indessen verkürzen sich die Sarkomere von Froschmuskelfibrillen bei einer *isotonischen Kontraktion* in einer zehntel Sekunde bis zu 1 µm oder um 50% ihrer Länge. Dann aber müßten die Querbrücken die eben beschriebene Ruderbewegung in der gegebenen Zeitspanne nicht einmal, sondern fünfzigmal ausführen. Erst durch das wiederholte Loslassen und Anfassen der Myosinköpfe würden damit die Actinfilamente schließlich zur Sarkomermitte hingerudert oder hingezogen werden, etwa so, wie ein langes Stück Seil erst durch das wiederholte Nachgreifen von einer Seilmannschaft zu sich herangezogen werden kann. Da sich die minimalen Verkürzungen der einzelnen hintereinandergeschalteten Sarkomere einer Myofibrille addieren, so würde im schon erwähnten Beispiel einer isotonischen Kontraktion ein 2 cm langer Froschmuskel in $^1/_{10}$ s ein sehr leichtes Gewicht gerade 1 cm hochheben können. Wir erkennen, wie durch die Verwirklichung des *Tauzieh-Prinzips* in unzähligen in Serie geschalteten Sarkomeren die wiederholten molekularen Bewegungen der Querbrücken in eine makroskopische Bewegung umgesetzt werden. Bei der *Muskelerschlaffung* lösen sich die Myosinköpfchen vom Actinfaden. Weil die Actin- und Myosinfilamente dann leicht gegeneinander verschieblich sind, ist der Dehnungswiderstand erschlaffter Muskeln sehr gering. Der verkürzte Muskel wird schon durch ein leichtes Gewicht wieder auf seine Ruhelänge gedehnt. Er verlängert sich bei der Erschlaffung also passiv.

Die Entstehung der Muskelkraft. Dank der Elastizität der Querbrücken kann ein Sarkomer auch ohne Übereinandergleiten der Filamente, d.h. unter ganz streng isometrischen Versuchsbedingungen Kraft entwickeln [9]. Abb. 3(B) veranschaulicht die *isometrische Kraftentwicklung* durch eine Querbrücke. Zunächst haftet der Kopf des Myosinmoleküls (Querbrücke) in senkrechter Position an dem Actinfaden. Danach dreht er sich um einen Winkel von etwa 45°, vielleicht wegen der Anziehung eng benachbarter Haftpunkte am Myosinkopf und am Actinfaden. Er spannt dabei eine winzige innere elastische Struktur der Querbrücke, die möglicherweise den „Halsteil" zwischen Myosinkopf und Myosinschaft ausmacht. Diese elastische Dehnung durch die Dreh- oder Ruderbewegung des Kopfes beträgt nur etwa 10 nm. Die elastische Zugkraft einer einzelnen Querbrücke ist so gering, daß mindestens 10 Milliarden Querbrücken in „Parallelschaltung" ihre Federkräfte addieren müssen, um 1 g Muskelkraft zu entwickeln. Hierbei ziehen die Querfortsätze der Myosinfilamente mit (additiv) vereinten Kräften an den benachbarten Actinfilamenten in ähnlicher Weise wie eine Seilmannschaft am Tau.

Auch bei der isometrischen Kontraktion sind die Querbrücken nicht in einem ununterbrochenen Spannungszustand vorzustellen (das ist nur in der Totenstarre der Fall, s.u.). Vielmehr läßt ein einzelner Myosinkopf den Actinfaden schon nach einer hundertstel oder zehntel Sekunde wieder los, allerdings nur für eine ebenso kurze Erholungspause, worauf er dann erneut an den Actinfaden greift. Trotz des rhythmischen Anfassens und Loslassens der Querbrücken mit einer Frequenz von beispielsweise 5–50 Hz oszilliert die Muskelkraft physiologischerweise nicht (Ausnahme: oszillierende Insektenmuskeln), weil sich statistisch gesehen zu jedem Zeitpunkt gerade etwa gleich viele Querbrücken im angehefteten, gespannten Zustand befinden.

Haltearbeit. Anders als bei der Muskelverkürzung in einer isotonischen Kontraktion leistet ein Muskel *während* der isometrischen Aufrechterhaltung einer Kontraktionsspannung keine äußere Arbeit (denn das Produkt Hubhöhe × Last ist Null). In jedem „Anfaß-Loslaß"-Cyclus der Querbrücken wird jedoch zum Dehnen der elastischen Querbrückenstrukturen innere Arbeit geleistet, die beim Loslassen in Wärme degradiert wird. Die *Haltewärme* bzw. Haltearbeit während einer bestimmten Zeitperiode ist um so größer, je größer die Zahl und je höher die Frequenz der unter ständigem Verbrauch von ATP rudernden Querbrücken sind.

1.2. Die chemomechanische Energietransformation

Wie kann die Muskelmaschine chemische Energie mit großem Nutzeffekt direkt in mechanische Energie umwandeln? Dies ist die heute wohl brennendste Frage der molekularen Muskelforschung.

ATP, unmittelbare Energiequelle der Kontraktion. Die Richtigkeit dieser Feststellung wird nicht mehr bezweifelt, seit die hydrolytische Spaltung von ATP in Adenosindiphosphat und Phosphat bei der Kontraktion eines Muskels direkt nachgewiesen werden konnte [14]. Alle anderen energieliefernden Reaktionen im Muskel, z.B. der aerobe und anaerobe Abbau von Kohlehydraten und der Zerfall von Kreatinphosphat kommen nicht als direkte Energielieferanten der Muskelmaschine in Frage; sie dienen offenbar nur dazu, den eigentlichen Kraftstoff der Maschine — das ATP — immer wieder neu zu bilden. Diese Stoffwechselprozesse sind ausführlich in den Lehrbüchern der Biochemie dargestellt, so daß an dieser Stelle ein kurzer Hinweis (Tabelle 1) genügen mag. Nur wenn die ATP-Neubildung durch geeignete Stoffwechselgifte verhindert wird, kann jedoch der ATP-Verbrauch bei einer Kontraktion direkt nachgewiesen werden [14]: Isolierte Froschmuskeln, die nach Reizung auf der Höhe einer isotonischen Einzelzuckung mit flüssigem Stickstoff sehr rasch eingefroren wurden, enthielten im Mittel nur 2,6 µMol ATP pro Gramm Feuchtgewicht, nicht stimulierte Kontrollmuskeln jedoch 2,9 µMol. Anstelle des verbrauchten ATP

Tabelle 1. Die unmittelbare und die mittelbaren Energiequellen im Muskel (Frosch-Sartorius)

Energiequelle	Gehalt (μMol/g Muskel)	energieliefernde Reaktion	liefert:
Adenosintriphosphat (ATP)	~ 3	$ATP \rightarrow ADP + P_i$	mechanische Energie [a] (und Wärme)
Kreatinphosphat (PC)	~ 20	$PC + ADP \rightleftharpoons ATP + C$ [b]	20 μMol ATP
Glucose-Einheiten im Glykogen	~ 100	in N_2: Abbau über Pyruvat zu Lactat [c]	300 μMol ATP
		in O_2: Abbau über Pyruvat zu CO_2 und H_2O	3900 μMol ATP

ADP = Adenosindiphosphat, C = Kreatin, P_i = anorganisches Phosphat.
[a] Reicht für etwa 8 Einzelzuckungen.
[b] Lohmannsche Reaktion.
[c] Glykolyse.

fand sich im kontrahierten Muskel eine entsprechende Menge (0,3 μMol) der Reaktionsprodukte Adenosindiphosphat und Phosphat. Die in einer Zuckung gespaltenen 0,3 μMol ATP lieferten also die Energie für die isotonische Kontraktion und die entstehende Muskelwärme.

ATP wird im Muskel durch eine *ATPase*, das Enzym *Myosin*, hydrolytisch gespalten und damit energetisch verwertet, ein Prozeß, der durch das *Actin* aktiviert wird. Actin und Myosin sind ja die unmittelbar am Kontraktionsprozeß beteiligten Proteinstrukturen, und ATP ist mit einer einzigen Ausnahme (seltene Nucleosidtriphosphate) die einzige Substanz im Muskel, welche von den kontraktilen Proteinen direkt verwertet werden kann. WEBER und PORTZEHL konnten aus Actin und Myosin gelartige kontraktile Eiweißfäden (*Actomyosinfäden*) spinnen, die mit ATP und nur mit ATP als alleiniger und einziger Energiequelle in ähnlicher Weise kontrahieren wie lebende Muskeln [18]. Auch dies ist ein Beweis, daß ATP die unmittelbare Energiequelle der Muskelkontraktion ist.

ATP-Verbrauch bei der Kontraktion. Wir wissen heute, daß die mit Actin reagierenden Myosinköpfe selbst die katalytisch aktiven Zentren für die ATP-Spaltung enthalten; jedoch wird unter physiologischen ionalen Bedingungen, d.h. in Anwesenheit von **Magnesiumionen**, ATP immer nur dann unter Freisetzung von ADP und Phosphat gespalten, wenn der Myosinkopf sich an seinen Aktivator Actin anheftet. In jedem Arbeitscyclus einer Querbrücke wird dann einmal und nur einmal ATP gespalten (wahrscheinlich ein Molekül ATP pro Querbrücke), was bedeutet: je mehr Querbrücken aktiviert sind, um so größer ist die ATP-Spaltung pro Zeiteinheit und die Muskelkraft, und deshalb sind die ATP-Spaltungsrate bzw. Energieumsatzrate und die Kraft eines Muskels einander meist proportional. Muskeln können um so schneller kontrahieren, je schneller sich ihre Querbrücken bewegen, d.h. je öfter pro Zeiteinheit sie rudern. Infolgedessen verbrauchen schnelle Muskeln pro Zeiteinheit mehr ATP bzw. mehr Energie als langsame Muskeln, und sie sind bei tonischen Halteleistungen weniger energiesparend als diese. Zur „Haltearbeit" verwenden wir deshalb vor allem die langsamen (tonischen), an Myoglobin reichen „roten" Muskeln, während

die an Myoglobin armen „weißen" Muskeln der raschen Bewegung dienen.

Besonders niedrig ist die ATP-Spaltungsrate in den außerordentlich trägen und „halte-ökonomischen" glatten Muskeln mit ausgesprochener Haltefunktion (Beispiel: Vasoconstrictoren). Den Halterekord halten die „tonischen" Schließmuskeln von Muscheln, die unter geringstem Energieaufwand im „*Sperrtonus*" tagelang unermüdlich kontrahiert sein können. Glatte Muskeln verkürzen sich übrigens ebenfalls mit Hilfe eines Gleitfilamentmechanismus. Nur sind im glatten Muskel die dicken und dünnen Filamente nicht regelmäßig angeordnet, weshalb die für Skeletmuskel und Herzmuskel so charakteristische Querstreifung der Myofibrillen fehlt [17].

Wirkungsweise von ATP. In welcher Art und Weise das ATP die rudernden Querbrücken antreibt, ist Gegenstand intensiver Forschung [14, 16]. Einerseits ist ATP **Energiedonator** im Querbrückencyclus. Andererseits wird ihm auch eine sog. „**Weichmacherwirkung**" zugeschrieben, die im „Lösen von Actin-Myosin-Bindungen zum Ausdruck kommt" (WEBER und PORTZEHL [18]). Sinkt nach Eintritt des Todes der ATP-Spiegel der Muskelzellen unter eine gewisse kritische Grenze, so verhärtet und erstarrt der Muskel **(Totenstarre)**, weil am Actinfilament angeheftete Brücken nicht mehr abgelöst werden können. In der Starre sind Actin und Myosinfilamente überhaupt nicht mehr gegeneinander verschieblich. Der Dehnungswiderstand oder auch Elastizitätsmodul der Muskeln ist dann sehr viel höher als während der Kontraktion, und der Muskel hat die Fähigkeit der Verkürzung verloren.

Da sich die Querbrücken im **Kontraktionsprozeß** immer wieder an die Actinfäden anheften und lösen, ist zur Kontraktion nicht nur die energieliefernde Wirkung des ATP, sondern auch dessen Weichmacherwirkung notwendig (Tabelle 2).

Beide Wirkungen hängen möglicherweise eng miteinander zusammen. Denn es scheint neuerdings wahrscheinlich, daß während eines Querbrückencyclus ATP als Energiequelle nicht für

Tabelle 2. Wirkung von ATP auf die kontraktilen Strukturen in Muskelfasern und die *Actin-Myosin-Interaktion*

ATP	fehlt	anwesend, aber nicht gespalten[c]	anwesend, durch ATPase gespalten
Zustand der Muskelfaser	starr	erschlafft	kontrahiert
Myosin-Querbrücken	fest am Actin	vom Actin gelöst	alternierend am Actin und gelöst
ATPase	—	gehemmt[a]	aktiv[b]

[a] Ca^{++} unter 10^{-8} molar
[b] $Ca^{++} \sim 10^{-6}$–10^{-5} molar
[c] Sogenannte Weichmacherwirkung des ATP.

die eigentliche *Ruderbewegung der Querbrücken* benötigt wird, weil dieser Prozeß wohl infolge der hohen Affinität zwischen Actin- und Myosinköpfen **spontan** verläuft. Im Gegenteil, ATP wird als Energiedonator zum (nicht spontan möglichen) Lösen der Brücken nach vollbrachtem Ruderschlag verwendet, um die aneinanderhaftenden Reaktionspartner Myosin und Actin wieder voneinander zu trennen. Für diese *energieverbrauchende Ablösung der Brücken* (Weichmacherwirkung) liefert ATP die Energie durch Bindung an die Myosinköpfe. Fast unmittelbar nach seiner Bindung an Myosin lösen sich die Brücken und ATP wird daraufhin hydrolytisch gespalten. Die ATP-Spaltung ist die Voraussetzung für das erneute Wiederanfassen der Brücken am Actin und die Wiederholung des Ruderschlags im Kontraktionsprozeß. Nur wenn der Energiedonator ATP andauernd hydrolytisch gespalten wird, d.h. bei aktivierter ATPase-Aktivität, ist also die andauernde cyclische Querbrückentätigkeit, das andauernde Anfassen und Loslassen der Brücken, und damit die Muskelkontraktion möglich. Wird die ATP-Spaltung gehemmt, so ist das Wiederanheften gelöster Querbrücken unmöglich, denn wegen der Weichmacherwirkung des vorhandenen, nicht gespaltenen ATP bleiben die Actin-Myosin-Bindungen gelöst. Der Dehnungswiderstand und die Muskelkraft sinken auf null, der Muskel erschlafft. Die Bedingungen für die drei Zustände **Kontraktion, Starre und Erschlaffung** sind in Tabelle 2 zusammengestellt.

Muskelfasermodelle. Um die Rolle von ATP bei Kontraktion und Erschlaffung zu analysieren, haben WEBER u. Mitarb. [18] einzelnen Muskelfasern zunächst das muskeleigene ATP entzogen, z.B. durch Extraktion mit wäßrigen Glycerinlösungen, welche die Zellmembran durchlässig machen. Solche glycerin-extrahierten ATP-freien Fasern sind **totenstarr**, werden aber wieder weich und dehnbar, wenn sie in eine ATP-haltige Lösung getaucht werden, weil sich durch die beschriebene *Weichmacherwirkung des ATP* die Querbrücken vom Actinfaden lösen. Dafür ist übrigens die enzymatische Spaltung des ATP gar nicht notwendig, denn die Weichmacherwirkung erfolgt auch dann, wenn die ATPase-Aktivität der Myosinköpfe durch Enzymgifte oder durch Entzug der aktivierenden Calciumionen (s.u.) gehemmt wird, oder wenn das Adenosintriphosphat durch nicht spaltbare ATP-Analoge ersetzt wird. Weil für die kontraktionsnotwendige repetitive cyclische Querbrückentätigkeit eine fortlaufende ATP-Spaltung nötig ist, sind bei gehemmter ATPase-Aktivität extrahierte ATP-haltige Muskelfasern jedoch immer *erschlafft*; sie kontrahieren erst, ebenso wie die schon erwähnten künstlichen Actomyosinfäden, sobald die ATPase aktiviert wird. ATPase-Hemmung bewirkt wieder Erschlaffung der „Fasermodelle".

2. Die Regulation der Muskelkontraktion und die elektromechanische Koppelung

Physiologischerweise werden die Muskeln durch die Aktionspotentiale der innervierenden Motoneuronen zur Kontraktion gereizt (indirekte Stimulierung). Das Schema in Tabelle 3 rekapituliert die z.T. schon in Kapitel III besprochenen Vorgänge im Verlauf der Signalübermittlung vom α-Motoneuron zum kontraktilen Apparat. Nur unter experimentellen Bedingungen können Muskelfasern auch *direkt stimuliert* werden: wenn beispielsweise ein isolierter Froschmuskel durch einen etwa 1 ms dauernden elektrischen Einzelreiz stimuliert wird, so läuft nach etwa 1–2 ms ein (fortgeleitetes) *Aktionspotential* von der Reizstelle mit einer Geschwindigkeit von ca. 2 m/s über die Muskelfaser hinweg, die wenige Millisekunden später **zuckt**. Das Aktionspotential bzw. die Erregung der Fasermembran löst also die Kontraktion aus. Eine Schlüsselrolle bei der Übermittlung des Kontraktionssignals von der erregten Zellmembran zu den in der Tiefe der Zelle liegenden Myofibrillen (*elektromechanische Koppelung*) spielen Calciumionen. Darauf wies schon vor Jahrzehnten die Beobachtung, daß die intracelluläre Injektion von Calciumionen eine Muskelkontraktion hervorruft.

Tabelle 3. Sequenz der Vorgänge bei der Auslösung einer Muskelzuckung

1. Reizung der Muskelfaser
2. Aktionspotential (Membranerregung)
3. Elektromechanische Kopplung
   a) Erregungsleitung im T-System
   b) Calciumfreisetzung aus dem Longitudinal-System (Abb. 5)
   c) Calciumwirkung auf Myofibrillen (Abb. 4)
4. Kontraktion der Myofibrillen

2.1. Angriffspunkt und Wirkungsweise der Calciumionen

Besser noch als an intakten und überlebenden Muskelfasern läßt sich die direkte Calciumwirkung auf die Myofibrillen an Fasern nachweisen, deren äußere Zellmembran entfernt oder zerstört worden ist, sei es mechanisch durch „Häuten", sei es mit Hilfe von Detergentien oder durch das schon erwähnte Verfahren der Glycerinextraktion von Muskelfasern. *Gehäutete oder extrahierte Fasern* kontrahieren nur dann, wenn sie in ein ATP-haltiges Bad getaucht werden, welches zur Aktivierung der ATPase mindestens 10^{-6} *molar ionisiertes Calcium* enthält. Denn unter diesen Bedingungen können die Querbrücken der Myosinfilamente unter fortwährender ATP-Spaltung cyclisch mit dem Actinfilament reagieren. Wird jedoch das aktivierende ionisierte Calcium entzogen — beispielsweise mit Calcium-Chelatbildnern — so **erschlaffen** die Myofibrillen, weil dann die Wechselwirkung der Querbrücken mit Actin verhindert und dadurch die ATPase-Aktivität gehemmt wird (vgl. Tabelle 2). Dieser Erschlaffungseffekt ist auch im Versuch mit extrahierten Fasern voll reversibel. Wird die Konzentration im Bereich von 10^{-7} molar bis 10^{-5} molar stufenweise erhöht, so antworten die extrahierten Fasern mit einer abgestuften Zunahme der Kontraktionskraft und der ATPase-Aktivität, die beide bei Konzentrationen von 10^{-6} bis 10^{-5} molar maximal sind.

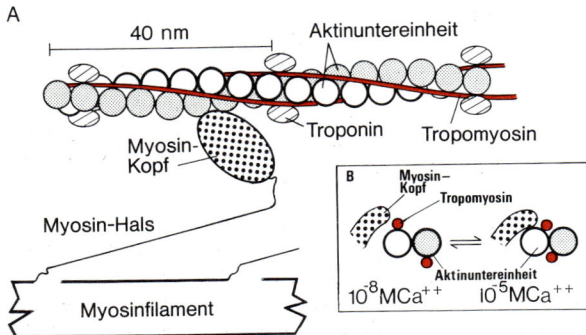

Abb. 4A u. B. Wirkungsweise der Calciumionen bei der Aktivierung. (A) Actinfilament und Myosinfilament im Längsschnitt, (B) im Querschnitt. Calciumionen werden vom Troponin gebunden, worauf Tropomyosin in die Rinne zwischen den beiden Actinsträngen des Filaments gleitet und den Haftpunkt für die Querbrücken freigibt. Nach [12]

Zum besseren Verständnis des **Aktivierungsmechanismus** der Calciumionen sollten wir uns die Struktur der Actinfilamente vor Augen halten (Abb. 4). Das etwa 1 µm lange und 5–7 nm dicke Actinfilament besteht aus zwei umeinander gewundenen Ketten von perlförmigen 5 nm dicken Actinmonomeren. Sie können eine anschauliche Vorstellung dieser Struktur erhalten, wenn Sie zwei Perlenketten nebeneinander legen und dann „spiralig" so umeinander winden, daß auf jede Windung der Spirale 14 Perlen zu liegen kommen (Abb. 4(A)). In regelmäßigen Abständen von etwa 40 nm sind die Actinketten mit kugeligen *Troponinmolekülen* besetzt, während in den Längsrinnen zwischen den Ketten Fäden aus *Tropomyosin* laufen. Letztere sind nach Untersuchungen mit der Methode der Röntgen-Kleinwinkel-Streuung [12] bei Abwesenheit von Calciumionen, d.h. im erschlafften Zustand der Myofibrillen, so gelagert, daß sie das Anheften von Myosinquerbrücken an den Actinsträngen blockieren. Bei Einwirkung der aktivierenden Calciumionen rutschen dann die Tropomyosinfä-

den tiefer in die Rinnen zwischen den Actinsträngen und geben dadurch die Haftstellen für die Myosinquerbrücken frei. Infolgedessen heften sich die Myosinbrücken an das Actinfilament (Abb. 4(B)), spalten ATP und entwickeln Muskelkraft.

Diese Aktivierungseffekte werden durch eine Calciumwirkung auf das Troponin ausgelöst, das gewissermaßen als „*Calciumschalter*" der Myofibrille fungiert. Durch die Bindung von Calciumionen wird nämlich das Troponinmolekül so deformiert, daß es seinerseits das Tropomyosin in die Längsrinne im Actindoppelstrang, d.h. in die „aktivierte Position" drückt.

2.2. Speicherung und Freisetzung der Calciumionen

Muskeln enthalten über 1 µMol Calcium pro Gramm Frischgewicht. Könnten die Calciumsalze nicht in besonderen intracellulären Calciumspeichern unter Verschluß gehalten werden, so müßten die calciumreichen Muskelfasern andauernd kontrahieren.

Die Struktur der calciumspeichernden intracellulären Systeme ist bei verschiedenen Muskeln etwas unterschiedlich (menschlicher Skeletmuskel, Abb. 1; Froschmuskel, Abb. 5). Indem sich die Außenmembran der Muskelzelle an unzähligen Punkten in das Faserinnere einstülpt, entsteht senkrecht zur Faserachse ein mit dem extracellulären Raum kommunizierendes *transversales Röhrensystem* (*T-System*). Dessen Schläuche (Durchmesser von 50 nm) umgeben die einzelnen Myofibrillen meist auf der Höhe der Z-Scheiben (Froschmuskel) oder im Bereich der I-Banden (Muskeln höherer Vertebraten).

Senkrecht zum Transversalsystem, also parallel zu den Myofibrillen, schließt sich ein *longitudinales System* von Schläuchen an (das eigentliche *sarkoplasmatische Reticulum*). Dieses liegt mit seinen terminalen Bläschen — *den Lateralzisternen* — den Membranen des Transversalsystems eng an und bildet so eine *Triadenstruktur*. Im Gegensatz zum Transversalsystem kommuniziert das Longitudinalsystem nicht mit dem Extracellulärraum [1].

Bei der **elektromechanischen Koppelung** breitet sich das Aktionspotential entlang den Membranen des Transversalsystems in das Innere der Zellen aus. Dadurch dringt die Erregung rasch in die Tiefe der Muskelfaser, springt auf das Longitudinalsystem über und bewirkt schließlich die Freisetzung der in den Terminalzisternen gespeicherten Calciumionen in die Zellflüssigkeit um die Myofibrillen und dadurch eine Kontraktion (Abb. 5). Die Kontrak-

A

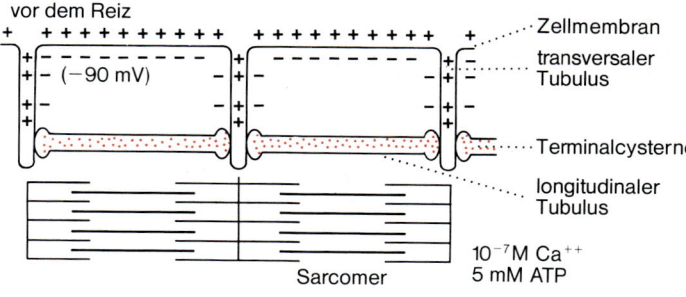

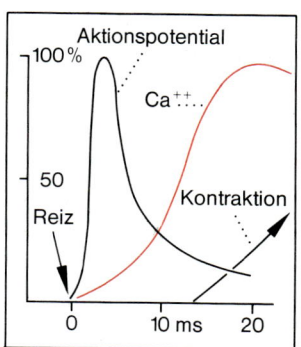

B

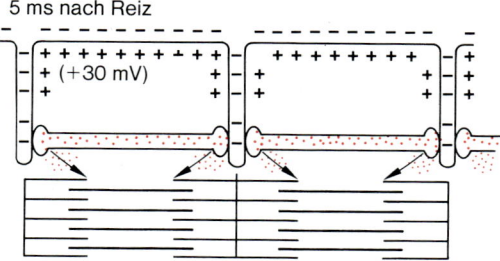

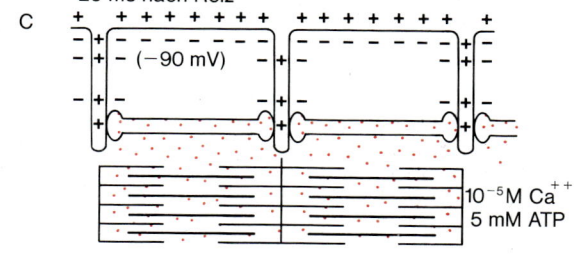

Abb. 5 A–C. Schema der elektromechanischen Kopplung. (A) Erschlaffte Muskelfaser mit polarisierter Zellmembran. Die Ca^{++}-Ionenkonzentration liegt intracellulär unter 10^{-7} molar. (B) Während des Aktionspotentials ist die Zellmembran und die Membran der Transversaltubuli umpolarisiert. Beginn der Ca-Ionenausschüttung aus den Terminalcysternen. (C) Die intracel-

luläre Ca-Ionenkonzentration hat am Ende des Aktionspotentials etwa 10^{-5} molar erreicht; die Sarkomere der Myofibrillen kontrahieren sich. Einsatzbild: Die zeitliche Abfolge der Vorgänge bei der elektromechanischen Kopplung während der „Latenzzeit" und zu Beginn der Kontraktion, beim Frosch-Sartorius (0°C)

tion hört auf, wenn die aktivierenden Calciumionen durch die **Calciumpumpe** wieder in das Kanälchensystem des sarkoplasmatischen Reticulums zurücktransportiert werden, worauf die Actomyosin-ATPase gehemmt wird und der Muskel erschlafft [7].

Ausbreitung der Erregung ins Faserinnere. Dieser Prozeß ist der erste Schritt der elektromechanischen Kopplung, wie HUXLEY und TAYLOR [8] bewiesen (Abb. 6). Mit Hilfe einer Mikroelektrode depolarisierten sie durch schwache Stromstöße ein winziges Areal der Membran einer Froschmuskelfaser lokal (keine fortgeleiteten Aktionspotentiale). Bei diesem Vorgehen löste nur die genau gezielte Stimulierung der Membran über einem Transversaltubulus (auf der Höhe der Z-Scheiben) eine lokale Kontraktion

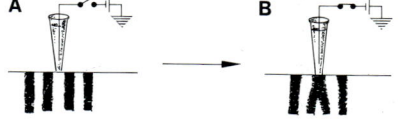

Abb. 6. Nachweis der lokalen Aktivierbarkeit des T-Systems. Nach [8]. Quergestreifte Muskelfaser bei schwacher lokaler Reizung (in der Gegend der Z-Scheibe, genau über einem T-Tubulus): Verkürzung der benachbarten I-Banden unter der Mikrokathode. a. Vor, b. während der Reizung

(Kontraktur) aus, und zwar nur in den beiden, dem T-System benachbarten Halbsarkomeren der oberflächlichen Myofibrillen. Bei stärker werdenden Reizen wurden auch die tiefer liegenden Myofibrillen der Muskelfaser erfaßt. Offenbar sind die Membranen des transversalen Röhrensystems elektrisch besonders erregbar, erregungsleitend und ein wichtiges Bindeglied im Prozeß der Signalübermittlung zwischen Zellmembran und den Calciumspeichern.

Nur durch die elektrische Signalübermittlung entlang dem Transversalsystem kann eine rasche Mobilisierung der tief in der Faser gelegenen Calciumspeicher gewährleistet werden, und nur so kann die sehr kurze *Latenzzeit* zwischen Reiz und Kontraktion erklärt werden. Eine Diffusion von Calciumionen von der Außenmembran zu den zentral gelegenen Fibrillen einer 100 μm dicken Muskelfaser wäre schon aus zeitlichen Gründen innerhalb der kurzen Latenzzeit zwischen Reiz und Kontraktion gar nicht möglich, so daß ein solcher Mechanismus bei **Skeletmuskelfasern** von vornherein ausgeschlossen werden konnte. Andererseits könnte die elektromechanische Kopplung der sehr dünnen Fasern des **Herzmuskels** und des **glatten Muskels** zumindest teilweise nicht nur durch intracelluläre Calciumfreisetzung, sondern auch über einen Calciumionen-Einstrom aus dem Extracellulärraum zustande kommen.

Calciumfreisetzung bei der Einzelzuckung. Welche Beweise gibt es dafür? RÜDEL und Mitarbeiter [2] isolierten aus gewissen Leuchtquallen das Protein *Aequorin,* welches bei Reaktion mit Calciumionen Licht emittiert, und injizierten es in eine isolierte Skeletmuskelfaser. Diese wurde sodann in eine „isometrische" Versuchsanordnung eingespannt und in Abständen von 100 bzw. 200 ms elektrisch gereizt. Mit Hilfe eines hochempfindlichen Photometers (Photomultiplier) konnte die Luminescenz (Lichtemission) von Aequorin bei der intracellulären Freisetzung von Calciumionen direkt registriert werden (Abb. 7). Bei einer Reizfrequenz von 5 Hz sind die Lichtemissionen flüchtig, weil das freigesetzte Calcium alsbald in das sarkoplasmatische Reticulum zurückgepumpt wird: der Muskel zuckt. Bei einer Reizfrequenz von 10 Hz hingegen erfolgt der zweite Reiz schon 100 ms nach dem ersten, d.h. bevor die Faser vollständig erschlafft. Auf den Kontraktionsrückstand nach der ersten Zuckung überlagert sich dann die zweite Zuckung, auf diese die dritte und so fort. Durch diese *Summation* der Einzelzuckung nehmen sowohl die Spannungsmaxima der Kontraktionscyclen als auch die Kontraktionsrückstände in den aufeinanderfolgenden Zuckungen zu; obgleich — wie

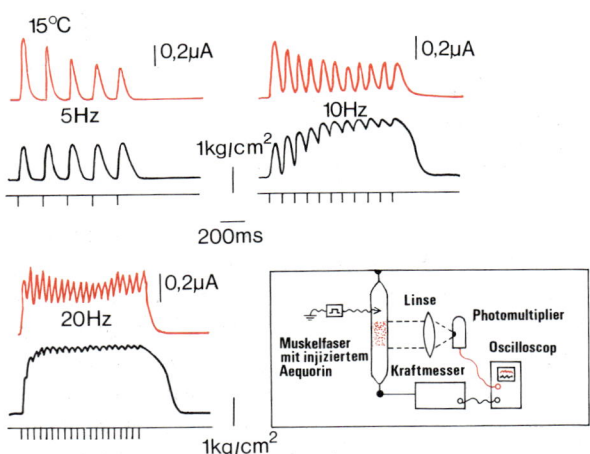

Abb. 7. Nachweis der intracellulären Calciumfreisetzung in Muskelfasern. Lichtemission (oben) und isometrische Kraftentwicklung (Mitte) einer isolierten, mit Aequorin injizierten Muskelfaser des Krallenfrosches bei direkter Reizung mit 0,5 ms dauernden Stromimpulsen von 5, 10 bzw. 20 Hz Reizfrequenz (Reizmarkierung unten). Beachte die Summation und Verschmelzung der *Einzelzuckungen* zum (unvollständigen) *Tetanus* bei Erhöhung der Reizfrequenz. Eichung der isometrischen Kraftentwicklung in kp/cm² Muskelquerschnitt, Eichung der Lichtemission nach Calciumeinwirkung in Stromstärkeeinheiten des Photomultiplier-Anodenstroms. Inset: Versuchsanordnung nach RÜDEL [2]

die Lichtemission anzeigt — der intracelluläre Calciumspiegel nach jeder Zuckung fast wieder auf den Ruhewert abfällt. Der abgebildete Versuch macht auch eindrücklich klar, daß die Zunahme der Gesamtspannung durch Superposition von Einzelzuckungen **nicht** auf eine Erhöhung des intracellulären Calciumionenspiegels zurückgeführt werden kann.

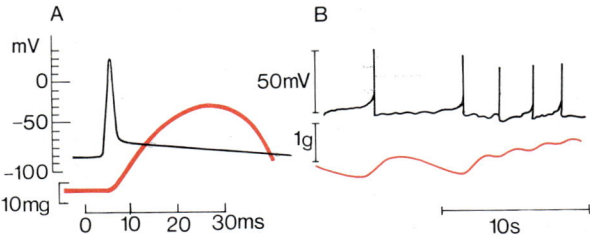

Abb. 8 A u. B. Zeitverlauf von Aktionspotentialen (schwarz) und isometrischen Zuckungen (rot). (A) Beim quergestreiften Muskel (Extensor digiti longus des Frosches bei 20°C). Nach [3]. (B) Beim glatten Muskel (Taenia coli, 37°C). Beachte die Summation und Verschmelzung zum unvollständigen Tetanus bei Erhöhung der Reizfrequenz. Nach [4]

Calciumfreisetzung im Tetanus. Wird die Reizfolge sehr schnell, z.B. 20 Hz oder mehr, so bleibt der Calciumionenspiegel auch zwischen den Reizen erhöht, weil die Calciumpumpe im kurzen Reizintervall die Calciumionen nicht vollständig ins Longitudinalsystem des sarkoplasmatischen Reticulums zurückpumpen kann. Dann aber verschmelzen — wie unser Beispiel zeigt (Abb. 7) — die Einzelzuckungen (fast) vollständig zum **Tetanus,** einer Dauerkontraktion, die durch eine Sequenz von relativ frequenten Reizen resp. Erregungen der Zellmembran (Aktionspotentiale!) aufrecht erhalten wird. Einzelzuckungen verschmelzen immer dann zum vollständigen Tetanus, wenn das Reizintervall weniger als etwa $^1/_3$ der für die Einzelzuckungen benötigten Zeit beträgt. Also ist die Tetanusverschmelzungsfrequenz um so niedriger, je länger die Einzelzuckung dauert, und sie ist deshalb auch temperaturabhängig. In den — im Vergleich zu quergestreiften Muskeln (Abb. 8(A)) — sehr langsam zuckenden **glatten Muskeln** kann eine tetanische Kontraktionsspannung gar mit einer Reizfrequenz von weniger als 1 pro Sekunde aufrechterhalten werden (Abb. 8(B)). Der minimale zeitliche Abstand zwischen aufeinanderfolgenden effektiven Reizen im Tetanus kann nicht kleiner als die **Refraktärzeit** sein, die etwa der Dauer eines Aktionspotentials entspricht.

Alles-oder-Nichts-Gesetz. Ihm gehorchen die schnellen Zuckungsfasern der Skeletmuskeln: unterschwellige Reize lösen kein Aktionspotential aus und bewirken keine Calciumfreisetzung. Sobald aber eine bestimmte *Reizschwelle* überschritten ist, resultiert ein voll ausgebildetes Aktionspotential und eine maximale Freisetzung von Calciumionen; diese lösen eine maximal starke Zuckung aus, die durch Reizverstärkung nicht mehr gesteigert werden kann (Abb. 8(A)).

Anders als bei Einzelfasern hängt die Kontraktionskraft elektrisch stimulierter ganzer Muskeln von der Stärke des Reizes ab. Beispielsweise wird ein gerade noch überschwelliger Reiz nur die Fasern in der Nähe der Elektroden, wo die Stromdichte am größten ist, zur Alles-oder-Nichts-Antwort stimulieren, während ein übermaximaler Reiz in allen Fasern eine Kontraktion auslöst. Nur durch übermaximale Stimulierung kann deshalb der isolierte ganze Muskel gleichmäßig und reproduzierbar aktiviert werden.

Das „Alles-oder-Nichts"-Gesetz besagt jedoch **nicht,** daß die „Alles-oder-Nichts"-Antwort einer gereizten Muskelfaser reproduzierbar gleich groß sei. Beispielsweise bewirkt ein Einzelreiz kurz nach dem Abklingen eines Tetanus oftmals eine sehr viel stärkere Einzelzuckung als ohne „Konditionierung" durch den Tetanus. Die Ursache dieser **„posttetanischen Potenzierung"** ist ebensowenig geklärt wie die Mechanismen der **Muskelermüdung,** einer Abnahme der Kontraktionsstärke bei wiederholter Reizung. In beiden Fällen sind die Aktionspotentiale normal ausgebildet. Bei Sauerstoffmangel, insbesondere aber nach Vergiftung des Stoffwechsels mit Iodacetat, wird bei wiederholter Reizung nicht nur eine Abnahme der Kontraktionsstärke, sondern auch eine Verlangsamung der Erschlaffung beobachtet, und bei Erschöpfung der ATP-Vorräte wird schließlich die Erschlaffung des vergifteten Muskels ganz unmöglich; er **erstarrt.** Von der **irreversiblen Starre** (*Rigor*) und dem *Tetanus* streng zu unterscheiden, ist eine anders geartete Dauerspannung:

Die Kontraktur. Bei dieser Form einer Dauerkontraktion werden im Gegensatz zum Tetanus keine fortgeleiteten Aktionspotentiale beobachtet. Das Membranpotential ist vielmehr *lokal* (nicht fortgeleitet) mehr oder weniger stark *dauerdepolarisiert,* wie etwa bei der Kaliumkontraktur, oder es ist ähnlich dem Ruhepotential wie im Fall der *Coffeinkontraktur.* In unphysiologisch hoher Konzentration (etwa millimolar) dringt Coffein in die Muskelfasern ein und bewirkt ohne Membranerregung eine Kontraktur durch intracelluläre Freisetzung von Calciumionen aus dem sarkoplasmatischen Reticulum (*pharmakomechanische Koppelung*). Bei der *Kaliumkontraktur* hängt der Grad der Dauerdepolarisation und das Ausmaß der Kontraktionsspannung einer Muskelfaser von der Kaliumionenkonzentration in der Badeflüssigkeit ab, solange diese auch Calciumionen enthält. Entzug des extracellulären Calciums würde zur intracellulären Calciumverarmung und schließlich zur *elektromechanischen Entkoppelung* führen. Ein entkoppelter Muskel kontrahiert trotz depolarisierter Membran nicht.

Die Kontraktion der „Tonusfasern" ist immer eine Kontraktur. Denn die direkte oder indirekte elektrische Reizung der tonischen quergestreiften Muskelfasern (langsame Fasern der Augenmuskeln, Teil der intrafusalen Fasern) löst kein fortgeleitetes Aktionspotential aus, sondern eine lokale Depolarisation der Membran. Nach Überschreiten der Reizschwelle wird mit zunehmender Stärke oder Frequenz des Reizes die tonische Dauerdepolarisation der Membran ausgeprägter und das Ausmaß der intracellulären Calciumfreisetzung sowie die Kontraktionsstärke größer. Anders als Zuckungsfasern gehorchen die tonischen Fasern dem Alles-oder-Nichts-Gesetz nicht, sie regeln vielmehr ihre Kraftentwicklung durch Variation der intracellulären Calciumionenkonzentration, wie mit der beschriebenen Aequorinmethode von ASHLEY erstmals an den tonischen Muskelfasern der Seepocke *Balanus* bewiesen wurde.

2.3. Regulierung der Muskelkraft im menschlichen Körper

Eine motorische Einheit wird gebildet aus **einem** motorischen Neuron **und** dem von ihm innervierten Kollektiv von Muskelfasern. Motorische Einheiten sind ganz verschieden groß. Bei den äußeren Augenmuskeln beispielsweise versorgt ein Motoneuron jeweils nur etwa ein halbes Dutzend Muskelfasern; in andern Muskeln ist die von einem Neuron versorgte Fasergruppe einer motorischen Einheit aber sehr viel größer; sie beträgt oft über 500 bis zu 1 000 Fasern (Tabelle 4). Infolge des für die Ein-

Tabelle 4. Große und kleine motorische Einheiten. (Nach [3])

Muskel	Rectus oc. lat.	Biceps brachii
Motorische Einheiten/Muskel	1740	774
Muskelfasern/Einheit	13	750
Maximalkraft/Einheit (g)	0,1	50

zelfasern gültigen Alles-oder-Nichts-Gesetzes variiert die Kraft einer motorischen Einheit bei einer Einzelzuckung nur wenig, weil in der Einheit alle Fasern entweder gereizt und kontrahiert oder aber erschlafft sind. Die Änderung der *Stimulierungsfrequenz* beeinflußt jedoch die Kraft: wegen der schon erwähnten Überlagerung und Summationseffekte der Einzelzuckungen ist die Kraft im vollständigen Tetanus, d.h. bei hoher Impulsrate der α-Motoneuronen, etwa doppelt so groß wie in einem unvollständig verschmolzenen Tetanus bei niedriger Frequenz der Stimulierung. Auch bei ganz niedriger Impulsrate, z.B. bei 5 bis 10 pro s, unduliert die niedrige Gesamtspannung (*Tonus*) des Muskels jedoch nicht, weil nämlich die verschiedenen asynchron tätigen motorischen Einheiten die Maxima von Zuckungen oder unvollständigen Tetani asynchron, d.h. zu verschiedenen Zeiten produzieren.

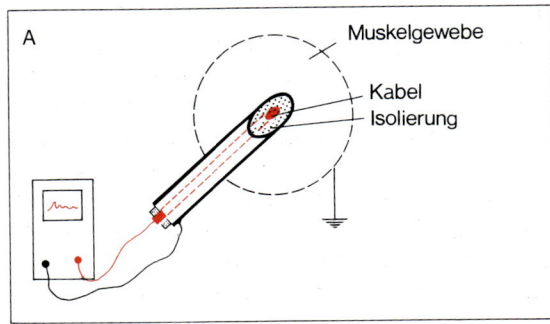

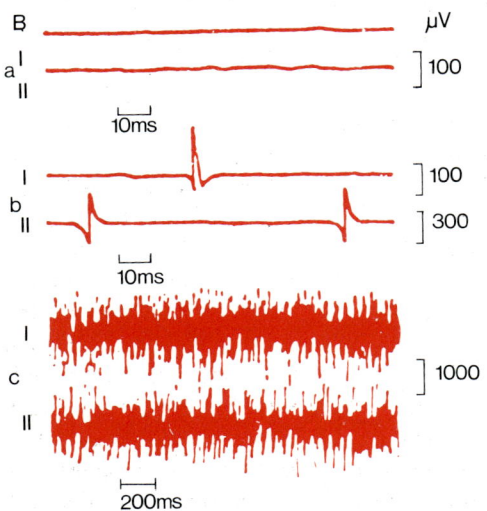

Abb. 9 A u. B. Elektromyographie. (A) Extracelluläre Ableit-
technik mittels konzentrischer Nadelelektrode, die in *eine* motorische Einheit eines Muskels gestochen wird. (B) Extracelluläre
Aktionspotentiale werden mit zwei Elektroden gleichzeitig von
zwei verschiedenen motorischen Einheiten (I und II) eines Muskels abgeleitet. a. Erschlaffter Muskel, b. schwache willkürliche
Kontraktion (beachte die asynchrone Aktivität der beiden motorischen Einheiten), c. maximale willkürliche Kontraktion. Nach
[3]

**Korrelation von Kontraktionskraft und Frequenz der
Aktionspotentiale.** Durch Steigerung der Impulsrate
der Motoneuronen von 5 auf 50 pro s wird
aus Zuckungen bzw. einem unvollständig verschmolzenen Tetanus der motorischen Einheiten ein
verschmolzener glatter Tetanus, wodurch sich die
Kontraktionskraft auf mindestens den zweifachen
Wert erhöht. Mit Hilfe von Nadelelektroden in den
motorischen Einheiten [3] kann dabei die Frequenz
der Muskelaktionspotentiale extracellulär abgeleitet und registriert werden (Abb. 9). Solche **elektro-
myographischen Untersuchungen** zeigten die Korrelationen der willkürlichen Muskelkraft mit der Frequenz der Aktionspotentiale in den motorischen
Einheiten und bewiesen, daß die Kontraktionskraft
durch Erhöhung der Frequenz der Reizung gesteigert werden kann [3].

Rekrutierung motorischer Einheiten. Die Muskelkraft   und   die   Kontraktionsgeschwindigkeit
(s. S. 79) können auch durch Aktivierung von mehr
und mehr motorischen Einheiten (Rekrutierung)
gesteigert werden. Dabei ist die Feinregulierung der
Kraft um so besser abstufbar, je geringer die Größe
und damit die Kraft einer motorischen Einheit ist.
Bei geringer Willküranspannung eines Muskels
können elektromyographisch (extracelluläre Ableitung mit Nadelelektroden) nur von wenigen motorischen Einheiten Aktionspotentiale abgeleitet werden, bei starker willkürlicher Anspannung — nach
der Rekrutierung — feuern sehr viele Einheiten.
Infolgedessen nimmt auch die mittels *Oberflächen-
elektroden* von der Haut abgeleitete integrierte elektrische Aktivität um so mehr zu, je kraftvoller die
darunter liegenden Muskelpartien kontrahieren.

Reflextonus. Selbst bei scheinbarer Ruhe ist in manchen Muskeln die elektromyographisch feststell-
bare Aktivität nicht immer ganz erloschen. Infolge
niederfrequenter reflexogener periodischer Anspannung nur weniger motorischer Einheiten befinden sich manche (nicht alle) Haltemuskeln oft in
einem unwillkürlichen Spannungszustand, der bei
asynchroner Arbeitsweise der Funktionseinheiten
stetig ist. Dieser *neurogene,* über das Gammafaser-
system der Muskelspindeln (S. 89) beeinflußbare
„Tonus" wird durch geistige Anspannung oder Erregung unwillkürlich oft noch verstärkt und erlischt
nur bei tiefer Entspannung vollständig [5].

Klinische Elektromyographie. Bei gewissen Störungen der Innervation (VI) bewirkt passive Bewegung
bzw. Dehnung der Muskeln einen reflektorisch erhöhten Tonus und dadurch einen Widerstand gegen
die Dehnung. Dementsprechend ist auch die elektromyographisch erfaßbare Muskelaktivität bei
passiver Bewegung erhöht (*Spastizität* bzw. *Rigidität*). Bei einer Myotonie-Erkrankung sind die Zellmembranen der Muskulatur so erregbar, daß schon
das für die Elektromyographie notwendige Einstechen der Nadelelektroden starke spontane Entladungssalven auslöst.
Spontane Aktionspotentiale (*Fibrillationspoten-
tiale*) finden sich auch im ersten Stadium der Denervierung, noch vor Beginn der Inaktivitätsatrophie
des denervierten Muskels. Das Auftreten solcher
Denervationsfolgen spricht für einen trophischen
Einfluß der Innervation auf Muskelfasern, der noch
deutlicher in anderen Experimenten nachgewiesen
werden konnte: BULLER und ECCLES durchtrennten
die innervierenden Motoneuronen eines langsamen
und eines schnellen Muskels und vertauschten die
beiden Nervenenden bei der Reimplantation in

diese Muskeln. Wenige Wochen nach der Kreuzinnervation wurde aus noch unerklärlichen Gründen der reinnervierte schnelle Muskel langsam und der ursprünglich langsame Muskel schnell (s. auch III).

2.4. Regulation des Tonus in glatten Muskeln

Glatte Muskeln verkürzen sich nicht anders als quergestreifte Muskeln durch das Übereinandergleiten dicker und dünner Myofilamente, nur viel langsamer [17]. Infolgedessen sind glatte Muskeln sehr geeignet für unermüdliche, energiesparende Halteleistungen (s. auch 1.2). Einzelzuckungen glatter Muskeln verschmelzen wegen ihres trägen Verlaufs schon bei Reizfrequenzen unter 1 Hz zu einem mehr oder weniger vollständigen Tetanus, den wir **Tonus** nennen (Abb. 8 (B)).

Elektromechanische Koppelung. Erregung der glatten Muskelzellen bewirkt einen erhöhten Calciumionen-Einstrom durch die Zellmembran und/oder eine intracelluläre Calciumionen-Freisetzung. Bei isolierten glatten Muskeln erzielen wir durch Entzug der Calciumionen aus der Badelösung oder durch Blockierung des transmembranösen Calciumionen-Einstroms mittels „Calciumantagonisten" (z.B. Verapamil oder Lanthan) eine elektromechanische Entkoppelung: trotz dauernd oder intermittierend depolarisierter Membran ist der Muskel erschlafft; umgekehrt lösen im glatten Muskeln der Pulmonalarterien Adrenalin oder Noradrenalin durch „pharmakomechanische Koppelung" (SOMLYO) auch ohne Membrandepolarisation eine Kontraktur aus, wobei möglicherweise Veränderungen im intracellulären Gehalt von cyclischem Adenosinmonophosphat (cAMP) und Guanosinmonophosphat (cGMP) eine Rolle spielen könnten.

Neurogener Tonus. Bei der Aufrechterhaltung der tonischen Dauerspannung werden die miteinander verschmelzenden Einzelzuckungen natürlicherweise durch Aktionspotentiale ausgelöst, welche in den glatten Muskeln von *Arterien, Iris* und *Samenleiter,* ähnlich wie im Skeletmuskeln durch Nervenimpulse ausgelöst werden: *neurogener Tonus.* Da die Reizübertragung an den Nervenendigungen humoral erfolgt, kontrahieren die Muskeln auch bei direkter Applikation des entsprechenden neurohumoralen Überträgerstoffes; man denke nur an die Kontraktion der Vasoconstrictoren nach Injektion von Adrenalin oder Noradrenalin.

Myogener Tonus. Hingegen werden in den glatten Muskeln des *Darmes,* des *Magens,* des *Uterus* und des *Ureters* die Aktionspotentiale nicht durch Nervenimpulse ausgelöst, sondern sie entstehen ähnlich wie im Herz in einem muskulären *Schrittmacher* (daher *myogener Tonus*). Die im glatten Muskel nicht streng lokalisierten Zentren der autonomen Erregungsbildung bestehen aus Gruppen aktiver glatter Muskelzellen, von welchen sich Aktionspotentiale von Zelle zu Zelle über den ganzen Muskel ausbreiten; dabei überspringt die Erregung die Zellgrenzen über niederohmige Kontaktstellen zwischen der Zellmembran (*Nexus*), so daß alle Muskelzellen beinahe synchron wie eine einzige Funktionseinheit (single unit) kontrahieren. Je frequenter die Schrittmacher feuern, um so vollständiger ist auch der Tetanus, und um so höher ist, infolge der Summation der Einzelzuckungen, die Kontraktionsspannung. Bei hohem Membranpotential, etwa bei 50–60 mV, feuern die Schrittmacher nur wenig; der Tonus ist gering. Bei Reizung des N. vagus oder aber bei direkter Applikation des vagalen Überträgerstoffes *Acetylcholin* werden die Schrittmacherzellen etwas depolarisiert, worauf sie vermehrt feuern. In ähnlicher Weise bewirkt *passive Dehnung* eine reaktive Kontraktion, während umgekehrt Reizung des Sympathicus, bzw. eine lokale Applikation der Überträgerstoffe *Adrenalin* oder *Noradrenalin,* die Frequenz der Aktionspotentiale und damit den Tonus senkt. Auch ohne äußere Beeinflussung kommt es selbst im isolierten glatten Muskel spontan zu periodischen Depolarisationen der Schrittmacherzellen (*slow waves*), zu rhythmischen Entladungssalven und Tonusschwankungen (*Minuten-Rhythmus*). Offenbar wirkt also das vegetative Nervensystem und seine Überträgerstoffe nicht direkt, sondern nur indirekt „modulierend" durch Beeinflussung der Schrittmacherzellen auf die Eigentätigkeit der glatten Eingeweidemuskeln ein [4, 17].

Im Abschnitt VII-1.3 besprechen wir ausführlicher die vegetativ-nervöse Regulation des Tonus glatter Muskeln; deren mechanische Besonderheiten werden im folgenden Abschnitt erörtert.

3. Mechanik und Energetik

In allen Muskeln hängt die Kontraktionsspannung und der Energieumsatz nicht nur vom Grad der „Aktivierung" ab, sondern auch von mechanischen Faktoren, insbesondere vom Ausmaß der Vordehnung oder Verkürzung und von der Geschwindigkeit der Kontraktion.

3.1. Isometrische Kontraktionskraft und Muskellänge

Die längenabhängige Spannung von kontrahierten Muskelfasern setzt sich aus den aktiv entwickelten Kräften kontraktiler Elemente und aus passiven Kräften elastischer Elemente zusammen.

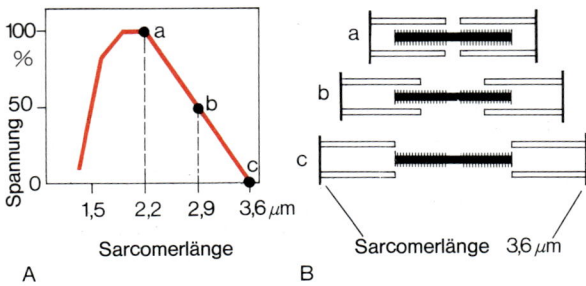

Abb. 10. Beziehung zwischen Kontraktionskraft, Sarkomerlänge und Filamentüberlappung. a. Die im Tetanus entwickelte isometrische Maximalkraft bei verschiedener Länge einer *einzelnen* Muskelfaser und ihrer Sarkomere. Abscisse: Sarkomerlänge; Ordinate: Kraft in Prozent der Maximalkraft bei Ruhelänge der Muskelfaser bzw. bei einer Sarkomerweite von 2,2 μm. b. Überlappung von Myosin- und Actinfilamenten eines Sarkomers bei einer Sarkomerweite von 2,2, 2,9 und 3,6 μm. Nach [6]

Kraft kontraktiler Strukturen. Aufgrund der Gleitfilamenttheorie der Kontraktion erwarten wir, daß die in einem Tetanus entwickelte aktive isometrische *Maximalkraft* eines Muskels vom *Grad der Überlappung* dicker und dünner Filamente abhängt und damit natürlich von der Länge des Muskels und seiner Sarkomere. Bei zunehmender Dehnung über die Ausgangslänge hinaus nimmt der Überlappungsgrad ab, die Zahl der möglichen Querbrückenverbindungen zwischen dicken und dünnen Filamenten wird kleiner und in entsprechender Weise sollte erwartungsgemäß auch die Kontraktionsspannung abnehmen, falls die pro Querbrücke entwickelte Kraft konstant ist. Diese theoretische Voraussage wurde von HUXLEY u. Mitarb. [6] experimentell verifiziert (Abb. 10): isolierte Muskelfasern, die bis zu einer Sarkomerlänge von 3,6 μm gedehnt wurden, entwickelten keine tetanische Spannung, weil unter diesen Bedingungen dicke und dünne Filamente nicht mehr überlappen (vgl. Abb. 10). Bei geringerer Dehnung war die Kraft dem Überlappungsgrad proportional. Mit abnehmender Sarkomerlänge nahm nämlich sowohl der Grad der Überlappung, als auch die Muskelkraft linear mit der Verkürzung zu. Bei Sarkomerverkürzung unter 2 μm jedoch nimmt die Kontraktionsspannung wieder ab, denn dann kommt es zur „Doppelüberlappung" von Actinfilamenten aus den gegenüberliegenden Sarkomerhälften, und schließlich stauchen sich die Myosinfilamente an den Z-Scheiben. Die meisten menschlichen Muskeln können sich physiologisch bis auf ca. 50–70% ihrer Ruhelänge in situ verkürzen.

Ruhedehnungskurve. Durch Dehnung wird auch der ruhende Muskel ähnlich einem Gummiband elastisch gespannt. Die Spannung nimmt jedoch nicht

wie bei Feder oder Gummiband linear mit der Dehnung zu: trägt man die gemessene Kraft gegen die jeweilige Muskellänge in ein rechtwinkeliges Koordinatensystem (Längen-Spannungsdiagramm, Abb. 11) ein, so erhält man eine Ruhedehnungskurve (Kurve a), deren Verlauf um so steiler ist, je stärker der Muskel gedehnt wird. Dieselbe Relation zwischen Kraft und Muskellänge erhält man, wenn der Muskel an einem isotonischen Hebel (Abb. 14) befestigt und mit verschieden schweren Gewichten belastet wird. Die Ruheelastizität entsteht größtenteils durch das bindegewebige Netzwerk (Sarkolemm) um die Muskelfaser, zum Teil aber auch durch das longitudinale System des sarkoplasmatischen Reticulums. Die Myofibrillen hingegen sind im Ruhezustand weich und nachgiebig, weil bei der Muskeldehnung die Actin- und Myosinfilamente widerstandslos übereinander gleiten.

Isometrische Maxima. Zur Bestimmung der maximalen isometrischen Kraftentwicklung wird ein isolierter Muskel mit einem Kraftfühler verbunden (Abb. 11 Inset), dann auf die gewünschte Länge vorgedehnt oder entdehnt und danach bei konstanter Länge tetanisch gereizt. Die Kurve c der Abb. 11 zeigt im Längen-Spannungsdiagramm, wie die aktive Kraftentwicklung im isometrischen Tetanus von der Vordehnung bzw. von der Ausgangslänge des Muskels abhängt (vgl. auch Abb. 10). Die Gesamtspannungen verschieden stark vorgedehnter Muskeln (isometrische Maxima, vgl. Kurve b in Abb. 11) sind jedoch sehr viel größer, weil sich die Aktiven kontraktilen Kräfte der Myofibrillen

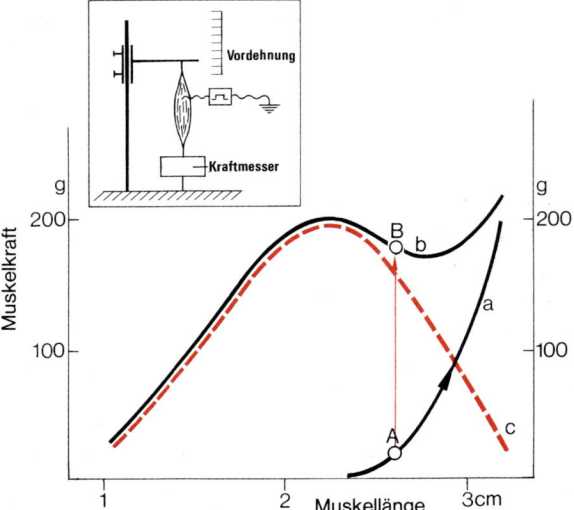

Abb. 11. a. Ruhedehnungskurve; b. Kurve der isometrischen Maxima; c. Kurve der aktiven Kontraktionskraft. Die totale Kraft bei einer bestimmten Vordehnung (z.B. bei B) setzt sich aus der passiven Spannung A und der aktiven Kontraktionskraft (B–A) zusammen. Einsatzfigur: Versuchsanordnung mit Froschmuskel

(Kurve c) den passiven Kräften der mehr oder minder gedehnten elastischen Strukturen des Sarkolemm (Kurve a) additiv überlagern. Die Erklärung dafür liegt nach HILL auf der Hand: die erwähnten elastischen Muskelstrukturen (PE) und die kontraktilen Muskelelemente (CE) sind einander mechanisch parallel geschaltet, so daß sich ihre Kräfte summieren, wie ein Analogmodell (Abb. 12 Inset) veranschaulicht.

Auxotonische Kontraktionsmaxima. Im Gegensatz zu streng isometrischen Versuchsbedingungen ist unter auxotonischen Bedingungen die Verbindung zwischen Muskel und Spannungshebel „dehnbar" elastisch wie eine Spiralfeder. Infolgedessen wird sich der gereizte Muskel bei der Kraftentwicklung verkürzen und dabei die in Serie geschalteten elastischen Strukturen dehnen und anspannen. Die erhaltenen Längen-Spannungswerte werden im Längen-Spannungsdiagramm durch die Kurve der auxotonischen Maxima verbunden, die deutlich unter der Kurve isometrischer Maxima liegt.

Isometrische Maxima bei Einzelzuckungen. Selbst unter äußeren isometrischen Versuchsbedingungen können die kontraktilen Elemente (CE) die von ihnen entwickelte Kraft nur über elastische Strukturen auf Sehnen oder Meßvorrichtung übertragen. Diese Strukturen sind teils im Muskel selbst, teils in den Sehnenansätzen lokalisiert und mechanisch in Serie zu den kontraktilen Elementen geschaltet, wie das mechanische Analogmodell (Abb. 12 Inset) veranschaulicht. Indem bei der Aktivierung die kontraktilen Elemente (CE) auxotonisch um wenige Prozent kontrahieren, spannen sie die serie-elastischen Elemente (SE) und dadurch erst entsteht die meßbare Muskelspannung.

Bei einer Dauerkontraktion, z.B. im Tetanus, verkürzt sich nach HILL das kontraktile Element solange, bis ein Spannungsgleichgewicht erreicht ist. Bei einer nur einmaligen Reizung hingegen (Einzelzuckung) wird die relativ zeitraubende Verkürzung der kontraktilen Elemente wegen der nur kurzen Aktivierungsdauer „auf halbem Wege" abgebrochen, **bevor** das Spannungsgleichgewicht der kontraktilen und elastischen Elemente wirklich erreicht ist, bzw. bevor die serie-elastischen Elemente optimal gedehnt sind. Infolgedessen sind die isometrischen Maxima der Einzelzuckungen bei jeder Muskellänge nur etwa halb so groß wie die Maxima im Tetanus oder nach Superposition von Einzelzuckungen (Abb. 12). Die Kurve dieser Maxima liegt also sehr viel tiefer als die Kurve der tetanischen Maxima, obgleich die freigesetzte intracelluläre Calciummenge (Abb. 7) und damit der Grad der Aktivierung (Kontraktilität, kontraktile Aktivität) bei Zuckungen und Tetanus ähnlich groß sind.

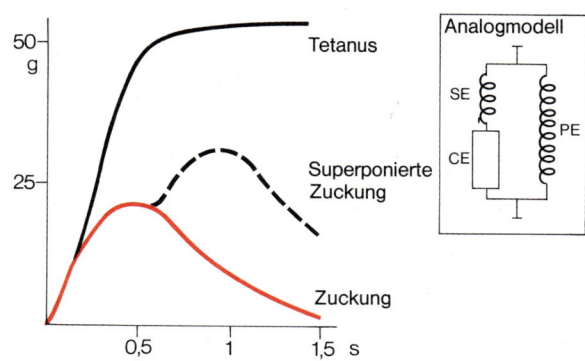

Abb. 12. Summation und Verschmelzung von Einzelzuckungen bei wiederholter Reizung (Reizintervall 500 ms, Superposition der Zuckungen; 50 ms, glatter Tetanus, Froschmuskel 0°C). Nach [20]. Inset: Erklärung der Summation durch mechanisches Analogmodell. CE kontraktiles Element; SE serie-elastische Elemente; PE parallel-elastische Elemente

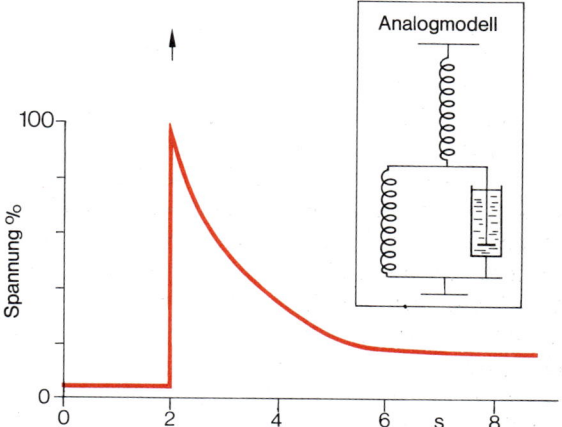

Abb. 13. Viscoelastisches Verhalten glatter Muskeln. Durch Füllen der Harnblase (Pfeil) wird ihre glatte Muskulatur gedehnt, so daß der Blasenbinnendruck plötzlich ansteigt. Infolge eines Nachgebens der Muskulatur fällt darauf jedoch die Muskelspannung und der Blasenbinnendruck quasi exponentiell wieder ab. Inset: Verständnis der Nachdehnung durch ein mechanisches Analogmodell (Federn und ein mit viscöser Flüssigkeit gefüllter Stoßdämpfer), das sich bei Dehnung analog wie ein glatter Muskel verhält

Mechanik glatter Muskeln. Im Gegensatz zu den Skeletmuskeln verhalten sich die meisten **glatten Muskeln** im Dehnungsversuch oft nicht wie mehr oder weniger elastische, sondern wie ausgeprägt plastische oder viscoelastische Körper: nach einem initialen elastischen Spannungsanstieg gibt der glatte Muskel nämlich plastisch nach, so daß in einer Nachdehnungsphase die Spannung wieder abnimmt, und zwar zunächst rasch und dann zunehmend langsamer, bis ein neues Gleichgewicht der Spannung erreicht ist (Abb. 13). Die Relaxation der Spannung dauert Sekunden bis Minuten, und sie ist um so langsamer, je höher der gleichsam als Stoßdämpfer wirkende viscöse Verformungswiderstand *(plastischer Tonus)* ist. Ähnlich verhält sich das in Abb. 13 abgebildete mechanische Analogmodell aus mechanisch parallelgeschalteten Federn und „Stoßdämpfern".

Wegen ihrer Plastizität ist in glatten Muskeln die Längenspannungsrelation oft nicht so eindeutig wie im quergestreiften Muskel, d.h. sie können sowohl im verkürzten als auch im gedehnten Zustand vollkommen entspannt sein. Man denke nur an die Harnblase, deren plastische Nachgiebigkeit beim Füllen in physiologisch sinnvoller Weise einen übermäßigen Anstieg des Binnendruckes verhindert.

In vielen Fällen (z.B. bei Gefäßmuskeln) zeigen jedoch auch glatte Muskeln die aufgrund der Gleitfilamenttheorie erwartete Längen-Spannungscharakteristik ihrer kontraktilen Elemente: die aktive Kontraktionskraft und übrigens auch der Energieumsatz werden bei zunehmender Dehnung zunächst größer und dann jedoch wieder kleiner, weil die Überlappung dicker und dünner Filamente abnimmt.

3.2. Dynamik der isotonischen Kontraktion; Muskelwärme

Isotonische Kontraktion, Unterstützungskontraktion. Zur Registrierung einer Muskelverkürzung wird ein isoliertes Muskelpräparat in eine isotonische Versuchsapparatur (Abb. 14) eingespannt und zunächst mit einem angehängten Gewicht vorgedehnt. Sobald der Muskel tetanisch gereizt wird, hebt er die Last, indem er sich unter konstanter Spannung, d.h. **isotonisch,** verkürzt (isotonischer Kontraktionsverlauf, z.B. entlang der Linie AE in Abb. 14). Die erreichte Muskellänge des kontrahierten Muskels ist eine Funktion seiner Belastung, die durch die Kurve der **isotonischen Maxima** (Linie e im Längen-Spannungsdiagramm der Abb. 14) beschrieben wird.

Durch Unterstützung der Last oder eine geeignete Stellschraube (vgl. Abb. 14) kann die Vordehnung vermieden werden. Dann kontrahiert der tetanisch gereizte Muskel bei Ausgangslänge zunächst isometrisch, bis seine Kraft gerade groß genug ist, um das Gewicht von der unterstützenden Unterlage abzunehmen. Erst danach kontrahiert der Muskel isotonisch (Unterstützungskontraktion), und zwar mit einer Kraft, die der Gegenkraft des belastenden Gewichts entspricht (da actio gleich reactio).

Dazu ein Versuchsbeispiel (vgl. Abb. 14): Ein Froschmuskel mit einer Ruhelänge von 2 cm wird mit 90 g belastet, dadurch aber nicht gedehnt, weil eine Stellschraube eine entsprechende Bewegung des Muskelhebels verhindert. Bei tetanischer Reizung

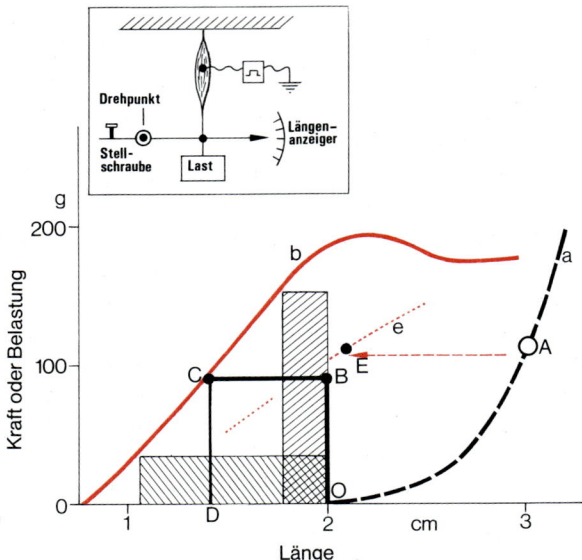

Abb. 14. Beziehung zwischen Belastung und Verkürzung. Passive Verlängerung eines ruhenden Froschmuskels bei zunehmender Belastung (Ruhedehnungskurve a). OA: Dehnung bei 120 g Belastung; AE: isotonische Kontraktion bei tetanischer Reizung des mit 120 g belasteten Muskels bis zur Kurve der isotonischen Maxima (E). OBC: isotonische Unterstützungskontraktion im Tetanus bei 90 g Belastung setzt sich zusammen aus der isometrischen Anspannungsphase (OB) und der isotonischen Verkürzungsphase (BC), bei der eine der Fläche OBCD entsprechende Arbeit vollbracht wird. Die schraffierten Flächen entsprechen den Muskelarbeiten bei 160 bzw. 30 g Belastung. b. Kurve der isotonischen Unterstützungsmaxima. Inset: Vorrichtung für Unterstützungskontraktion

spannt sich der Muskel zunächst etwa 100 ms lang isometrisch an, bis die isometrische Kraft 90 g erreicht und somit ebenso groß wie die am Muskel hängende Last ist (isometrischer Kontraktionsverlauf entlang der Senkrechten OB im Längen-Spannungsdiagramm der Abb. 14). Danach verkürzt sich der Muskel während etwa 0,5 s mit einer konstanten Kraft von 90 g isotonisch um 0,6 cm (isotonischer Kontraktionsverlauf entlang der Horizontalen BC im Längen-Spannungsdiagramm der Abb. 14). Bei „C" ist das isotonische Maximum der Unterstützungskontraktion erreicht. Die vollbrachte Arbeit (Hubhöhe × Last) beträgt in diesem Beispiel 54 g·cm und entspricht der Fläche des Vierecks OBCD. Im beschriebenen Versuch kann sich der mit 90 g belastete Muskel nur bis zur Muskellänge 1,4 cm verkürzen, weil bei dieser Länge die isometrisch mögliche Maximalkraft (DC) des Muskels mit der Gegenkraft der Last gerade im Gleichgewicht ist.

Ein tetanisch gereizter Muskel wird sich im Verlauf einer Unterstützungskontraktion also immer nur solange verkürzen, als die Last nicht größer ist als die mögliche Maximalkraft. Da nun aber die Muskelkraft unterhalb der Ruhelänge mit zunehmender Muskelverkürzung kleiner wird (Abb. 11), so wird sich ein Muskel um so stärker verkürzen können, je weniger er belastet ist. Die Beziehung zwischen Last und Verkürzung bzw. Muskellänge wird durch die Kurve der **isotonischen Unterstützungsmaxima** beschrieben (Kurve b in Abb. 14), die sich mit der der isometrischen Maxima beinahe deckt, während die schon erwähnten isotonischen Maxima (Kurve e) sehr viel tiefer liegen.

Muskelarbeit. Sie ist das Produkt von Hubhöhe (Muskelverkürzung) und Last und entspricht deshalb im Längen-Spannungsdiagramm der Abb. 14 der Fläche eines Rechtecks, dessen Seiten aus der Kraftkomponente und dem Verkürzungsweg (Hubhöhe) gebildet werden. Abb. 14 macht deutlich, daß die Arbeit (Fläche OBCD) bei mittlerer Belastung größer ist, als bei sehr großer oder kleiner Belastung (schraffierte Flächen); sie ist Null, wenn die Last gleich der isometrischen Maximalkraft ist oder wenn sich der Muskel unbelastet verkürzt.

Beziehung von Geschwindigkeit und Kraft (Belastung). Auch die Geschwindigkeit der isotonischen Kontraktion eines tetanisch stimulierten Muskels hängt von seiner Belastung ab (Abb. 15 Inset). Ein unbelasteter Muskel verkürzt sich mit seiner maximal möglichen Geschwindigkeit, die beim Sartorius des Frosches bei 20° C 10 Muskellängen/s bzw. etwa 20 cm/s beträgt. (Ein 2 cm langer Sartorius

würde sich in 50 ms um etwa 1 cm, jedes seiner 2 µm langen Sarkomere um etwa 1 µm verkürzen.) Bei den sehr viel längeren Armmuskeln des Menschen beträgt die maximale Verkürzungsgeschwindigkeit etwa 8 m/s. Mit zunehmender Belastung nimmt die Kontraktionsgeschwindigkeit in hyperbolischer Art und Weise ab (Abb. 15: **Hillsche Kraft-Geschwindigkeits-Relation**), und sie erreicht etwa $1/_5$ des Maximalwertes, wenn die relative Belastung halb so groß ist wie die maximal mögliche Muskelkraft unter isometrischen Versuchsbedingungen (etwa 3 kp/cm^2 des Muskelquerschnitts). Ist die Belastung gerade gleich groß wie die isometrisch mögliche Kraft, so verkürzt sich der Muskel nicht. Bei noch größerer Belastung wird er gedehnt (Beispiel: Bremswirkung der Muskeln beim Bergabgehen).

Die Hillsche Beziehung erklärt die alltägliche Erfahrung, daß wir auch bei größter Anstrengung sehr schwere Gegenstände — wenn überhaupt — nur sehr langsam heben und fortbewegen können. Während jedoch in maximal stimulierten isolierten Skeletmuskeln eine feste Beziehung zwischen der Verkürzungsgeschwindigkeit und der Belastung oder wirkenden Muskelkraft besteht, kann die Kontraktionsgeschwindigkeit im menschlichen Körper willkürlich variiert werden; wir können beispielsweise ein leichtes Gewicht durch Rekrutierung von mehr oder weniger motorischen Einheiten schnell oder langsam heben. Wenn nämlich ein Muskel mit allen motorischen Einheiten eine gegebene Last bewegt, so ist die relative Belastung seiner Fasern kleiner und deshalb die Kontraktionsgeschwindigkeit größer als bei nur partieller Rekrutierung von Muskelfasern.

Die Muskelleistung ist das Produkt von Muskelkraft und Verkürzungsgeschwindigkeit; im gezeigten Beispiel eines menschlichen Armmuskels (Abb. 15) beträgt sie maximal 20 mkg/s bei einer Kontraktionsgeschwindigkeit von 2,5 m/s. Im Diagramm der Abb. 15 entspricht die Leistung der Fläche eines Rechtecks, dessen Seiten aus der Kraft- und Geschwindigkeitskomponente gebildet werden. Es ist dann „graphisch" leicht einzusehen, daß die Leistung bei einer mittleren Belastung (Fläche OBCD), bzw. bei einer mittleren Kontraktionsgeschwindigkeit größer ist, als unter extremen Verhältnissen (schraffierte Flächen). Fahrradübersetzung und Zick-Zack-Weg beim Bergsteigen sind Beispiele einer Nutzanwendung.

Isotonische Einzelzuckungen. Da die Kontraktionsgeschwindigkeit schon bei mäßiger Belastung relativ klein ist, wird sich bei einer isotonischen Einzelzuckung der Muskel während der kurzen Aktivierungszeit nicht soweit verkürzen können wie im

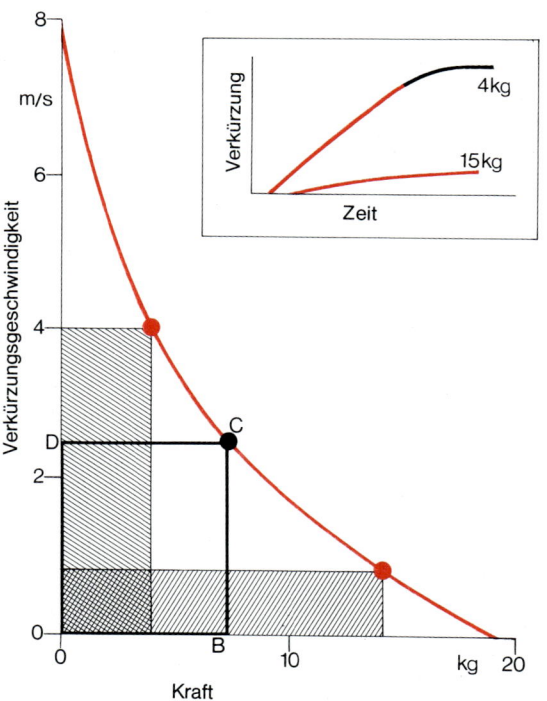

Abb. 15. Beziehung zwischen Belastung und Kontraktionsgeschwindigkeit. Ordinate: Verkürzungsgeschwindigkeit eines menschlichen Armmuskels in m/s. Abscisse: Muskelbelastung (= wirkende Gegenkraft des Muskels) in kg bzw. kp. Die Fläche OBCD bedeutet die optimale mechanische Muskelleistung bei einer Kontraktionsgeschwindigkeit von 2,5 m/s. Schraffierte Flächen: Muskelleistung bei 14 bzw. 4 kg Belastung. Nach [19] modifiziert. Inset: Zeitlicher Verlauf der isotonischen Unterstützungskontraktion bei verschiedener Belastung

Tetanus. Deshalb liegt die Kurve der **isotonischen Maxima** bei Einzelzuckungen immer beträchtlich *unter* den im Tetanus erreichten Maxima. Auch im Fall der isotonischen Zuckung ist die geleistete **Arbeit** bei einer mittleren Belastung sehr viel größer als bei kleiner und großer Belastung, und sie ist praktisch Null, wenn die Last gleich der isometrischen Maximalkraft ist, oder wenn sich der Muskel unbelastet verkürzt (Tabelle 5, vgl. [15]).

Tabelle 5. Die Abhängigkeit der Hubhöhe und Arbeit von der Belastung

Belastung (g)	3	5	9
Verkürzung (cm)	0,5	0,36	0,12
Arbeit (g cm)	1,5	1,8	1,1
Dauer der Zuckung (s)	0,55	0,48	0,4

Isotonische Unterstützungszuckungen eines 3 cm langen Frosch-Sartorius bei 0° C. Isometrische Zuckung: 12 g Kraft. (Vgl. [15])

Energieumsatz, Muskelarbeit und Muskelwärme. Wir haben gesehen, wie groß der Einfluß der Belastung auf die Muskelarbeit während einer Zuckung ist. Dementsprechend ist die in jeder Einzelzuckung gespaltene ATP-Menge keine Konstante, sondern sie hängt in ganz ähnlicher Weise von der Belastung ab wie die Arbeit. Auch wenn die Last so schwer ist, daß sich der maximal gereizte Muskel nur (isometrisch) anspannt, nicht aber verkürzt, so spaltet er ATP. Bei leichterer Belastung verkürzt sich der Muskel und setzt durch ATP-Spaltung um so mehr Energie um, je größer die geleistete Muskelarbeit ist **(Fenn-Effekt)**.

Die Energie für die geleistete Muskelarbeit stammt — wie wir schon erörterten (S. 67) — letztlich aus der Verbrennung von Kohlenhydraten und Fett (etwa 5 kcal/Liter O_2); diese Energie wird im Erholungsstoffwechsel etwa zur Hälfte für die Synthese von ATP und Kreatinphosphat verwendet und gleichsam in energiereichen Phosphatverbindungen reinvestiert. Die andere Hälfte der Energie verpufft als Wärme meist **nach** der Kontraktion während des Erholungsstoffwechsels (sog. **Erholungswärme**). Die in Form „energiereicher" Phosphatverbindungen investierte Energiemenge wird bei der Spaltung von ATP wieder frei, und zwar für jedes gespaltene Mol 10 kcal. Sie wird jedoch **nur** zu etwa 40% in mechanische Arbeit oder Energie umgewandelt; die restlichen 60% „verpuffen" als Wärme **(initiale Wärme) während** der Kontraktion des Muskels, der sich dabei um einige 1/1 000° erwärmt. In der Bilanz ergibt sich mithin ein **Wirkungsgrad** von nur etwa 20%, da nur etwa $^1/_5$ der chemischen Energie (aus der Kohlenhydratoxidation) in mechanische Arbeit transformiert wird. Die restlichen 80% verpuffen

als initiale Wärme und Erholungswärme. (Nach dem thermodynamischen Gesetz von der Konstanterhaltung der Energie muß selbstverständlich auch bei der chemomechanischen Energietransformation im Muskel die umgesetzte chemische Energie gleich der Summe von mechanischer Energie und Wärmeenergie sein.)

Der Wirkungsgrad des Muskels (20–30%) ist verhältnismäßig konstant. Je größer die Arbeitsleistung ist, um so höher ist auch der Energieumsatz und mithin der Verbrauch an Kohlenhydraten oder Fett einerseits und Sauerstoff andererseits, sowie die Wärmeproduktion im Muskel. Dies ist übrigens auch der Grund dafür, daß wir beim Bergaufgehen, nicht aber beim Bergabgehen (wenn die Arbeit „negativ" ist), ermüden, ins Schwitzen kommen und in Atemnot geraten.

Auch bei **Halteleistungen** der Muskeln — ganz ausgeprägt etwa beim Stehen — liegen der Energieumsatz und die Wärmeproduktion beträchtlich über den Ruhewerten. Zwar ist bei der isometrischen Aufrechterhaltung einer tetanischen Muskelspannung die physikalisch meßbare Arbeit gleich null, doch leisten die kontraktilen Myosinquerbrücken bei ihrer Ruderbewegung eine beträchtliche Haltearbeit (s.o., S. 67), spalten ATP und produzieren **Erhaltungswärme,** die der Haltezeit und der Muskelspannung proportional ist.

3.3. Energiestoffwechsel und Leistungsfähigkeit der Muskeln im menschlichen Körper

Dauerleistung. Bei andauernder stetiger Muskeltätigkeit erfolgt die Regeneration des ATP vor allem auf dem Weg über die oxidative Phosphorylierung, und die zur Synthese notwendige Energie stammt aus der Oxidation von Kohlenhydraten oder Fett. Das System ist stationär — im Fließgleichgewicht — wenn die Geschwindigkeit der ATP-Neubildung gerade ebenso groß ist wie die Geschwindigkeit des ATP-Verbrauchs, so daß der Spiegel des intracellulären ATP (etwa 5 m-molar) und des Phosphokreatins (etwa 30 m-molar) auf einem konstanten Niveau bleibt. Während einer sportlichen Dauerleistung ist die Rate der ATP-Spaltung, die ja mit der Leistung gekoppelt ist, im arbeitenden Muskel oft bis 100- oder gar 1 000mal größer als im ruhenden Muskel. Nach dem Gesagten ist ein stationärer Zustand und damit eine Dauerleistung jedoch nur dann möglich, wenn auch die Rate der ATP-Neubildung auf dem Wege über die oxidative Phosphorylierung entsprechend dem größeren ATP-Verbrauch gesteigert wird. Eine solche Steigerung hat folgende Konsequenz für den Stoffwechsel: die Atmung des Muskelgewebes ist bis zu 50–100mal so hoch wie bei Ruhe, weil für die Bildung von einem Mol ATP etwa $^1/_6$ Mol O_2 benötigt wird. Entsprechend erhöht ist auch die Abbaurate von Glykogen im Muskel, weil bekanntlich pro Glucoseeinheit im Glykogen dabei nur 39 Mol ATP geliefert werden.

Leistungsgrenze. Die erwähnte Erhöhung des Tätigkeitsstoffwechsels im Muskel bedingt natürlich einen erhöhten Nachschub an Sauerstoff und Nahrung: aufgrund einer *lokalen Erweiterung der Blutgefäße* des Muskels (nutritiver Reflex) nimmt die *Muskeldurchblutung* auf das 20fache zu, das *Herzminutenvolumen* und die *Pulsfrequenz* steigen auf den 2- oder 3fachen Wert und das Atemminutenvolumen vergrößert sich entsprechend.

All diese Größen nehmen mit zunehmender Leistung mehr oder minder linear zu, aber welcher dieser Faktoren das entscheidende leistungsbegrenzende Prinzip ist, kann nicht generell entschieden werden; möglicherweise ist es der Kreislauf oder die für die Geschwindigkeit des oxidativen Glucoseabbaus maßgebende Enzymkapazität in den Mitochondrien, die übrigens vom Trainingszustand abhängt. Infolgedessen kann eine andauernde (aerobe) Muskelleistung bei einem Wirkungsgrad der Muskelmaschine von etwa 20% nicht höher sein als etwa ein Fünftel der maximalen oxidativen Energieumsatzrate, etwa 0,5 PS bei einem gut trainierten Spitzensportler, die beispielsweise im Dauerlauf (Marathonlauf) bei einer Laufgeschwindigkeit von 6 m/s erreicht werden [20].

Die Dauerleistungsgrenze kann kurzfristig durchbrochen werden, wenn der Körper auf zusätzliche anaerobe Energiereserven zurückgreift. Wenn nämlich Glykogen nicht aerob, sondern **anaerob** durch **Glykolyse** (Tabelle 1) abgebaut wird, so erfolgt die ATP-Bildung 2–3mal so schnell wie durch oxidative Phosphorylierung. Dies ermöglicht eine 2–3mal so hohe ATP-Spaltungsrate und damit auch eine 2–3mal so hohe mechanische Leistung der Muskeln wie im Falle einer (nur aerob erbrachten) Dauerleistung. Deshalb erreicht der Sprinter im Kurzstreckenlauf eine beinahe doppelt so hohe Geschwindigkeit (etwa 10 m/s) wie der Langstreckenläufer. Allerdings kann diese so hohe Rate der ATP-Bildung und damit die große mechanische Leistung nur für kurze Zeit (etwa 30 s) erbracht werden, weil die anaerob verfügbaren Energiereserven auf etwa 0,6 PS-Minuten beschränkt sind, und weil sich infolge der Glykolyse in der Zellflüssigkeit und im Blut Milchsäure anhäuft, die schließlich zur metabolischen Acidose und damit zur Einschränkung der Leistungsfähigkeit, zur **Ermüdung** führt.

Sauerstoffschuld. Anaerob energieliefernde Prozesse sind nicht nur bei körperlichen Spitzenleistungen, sondern sie sind oft zu **Beginn** einer sogar *unter* der Dauerleistungsgrenze liegenden Muskeltätigkeit deshalb kurzfristig nötig, weil die Anpassung des oxidativen Stoffwechsels (und übrigens auch der Glykolyse) an den erhöhten Tätigkeitsstoffwechsel eine gewisse Anlaufzeit braucht. Infolgedessen wird sich erst in etwa $^1/_2$–2 min — nach Überwindung des „Toten Punktes" — ein stationärer Zustand einstellen, in welchem pro Zeiteinheit ebenso viel ATP durch oxidative Phosphorylierung gebildet wird, wie durch die ATPase gespalten wird. Bis dieses Fließgleichgewicht (stationärer Zustand) erreicht ist, wird jedoch ATP aus ADP und Kreatinphosphat über die Lohmannsche Reaktion (Tabelle 1) so schnell regeneriert, daß sein intracellulärer Spiegel praktisch konstant bleibt:

$$ADP + Kreatinphosphat = ATP + Kreatin.$$

Aufgrund dieser Reaktion fällt der intracelluläre Spiegel von Phosphokreatin solange, bis die aerobe ATP-Bildung schnell genug ist, um den laufenden ATP-Verbrauch zu decken. Der Pool von Kreatinphosphat wird meist erst nach Aufhören der Kontraktion durch Umkehr der Lohmannschen Reaktion wieder aufgefüllt. Das hierfür benötigte ATP wird in den ersten Minuten der Erholung durch oxidative Phosphorylierung, also unter Verbrauch von Sauerstoff gebildet. Der dafür benötigte Sauerstoff ist (nach HILL) gewissermaßen eine zurückbezahlte **Sauerstoffschuld**; sie entspricht nach WILKIE [20] etwa der Energiemenge, die der Muskel zu Beginn oder während seiner Tätigkeit anaerob umgesetzt hat, und für die er im Moment nicht durch aerobe energieliefernde Prozesse bezahlt hat. Die allein durch (anaerobe) Hydrolyse von Kreatinphosphat verursachte Sauerstoffschuld beträgt bis zu 4 l; glykolytische Energiegewinnung bei sehr großer körperlicher Anstrengung (s.o.) steigert die Schuld auf bis zu 20 l, da das gebildete und in die Blutbahn abgegebene Lactat (bis zu 1,5 g/l) nur unter Sauerstoffverbrauch eliminiert werden kann. Zum Teil wird Lactat im Herzmuskel oxidiert, zum anderen Teil (vorwiegend in der Leber) für die Neosynthese von Glykogen verwendet (s. dazu die Lehrbücher der Biochemie).

Ermüdung und Erholung. Der größte Teil der Sauerstoffschuld wird unmittelbar nach Aufhören einer Leistung abgetragen; d.h. in der ersten Minute findet der größte Erholungseffekt statt. Dementsprechend ist es arbeitsphysiologisch zweckmäßiger, eine gegebene Arbeit durch viele kurze, als durch wenige lange Pausen zu unterbrechen.

Natürlich hat auch die Wiederherstellung des status quo bzw. das Einlösen der Sauerstoffschuld nach Beendigung einer Muskelleistung eine entsprechend erhöhte Atemintensität und damit verbunden eine erhöhte Herzschlagfrequenz zur Folge. Nach MÜL-LER ist die sog. *Erholungspulssumme* (Summe der Pulsschläge in der 1. und 2. Minute der Erholung minus Pulsfrequenz im Ruhezustand) ein Maß für die eingegangene Sauerstoffschuld, für die zur Erholung und Wiederherstellung des *status quo* notwendige Stoffwechselintensität und damit indirekt ein Maß für die **Ermüdung.** Je besser der menschliche Körper trainiert ist, um so weniger wird sein Muskelstoffwechsel bei einer gegebenen Belastung von dem stationären Zustand abweichen, und um so geringer ist dementsprechend die Sauerstoffschuld, Ermüdung und Erholungspulssumme.

Besonders leicht ermüden wir dann, wenn die Blutgefäße bei „Haltearbeit" durch die angespannten Muskeln oder experimentell etwa durch Anlegen einer Blutdruckmanschette komprimiert werden, weil dann wegen der Drosselung der Durchblutung die Sauerstoffversorgung dem erhöhten Sauerstoffbedarf im Muskel nicht mehr genügt und sich Milchsäure bildet.

Die schnellen, stoffwechsel-intensiven „weißen" Skeletmuskeln sind deshalb für langdauernde Halteleistungen wenig brauchbar. Besser geeignet zur Haltearbeit sind die langsameren, dafür sparsamer und unermüdlicher arbeitenden „roten" Skeletmuskeln (vgl. oben, S. 68) und insbesondere die „tonischen" glatten Muskeln.

4. Literatur

1. BENDALL, J.R.: Muscles, Molecules and Movement. London: Heinemann 1969.
2. BLINKS, TAYLOR und RÜDEL (in Vorbereitung).
3. BUCHTHAL, F.: Einführung in die Elektromyographie. München: Urban und Schwarzenberg 1958.
4. BÜLBRING, E., BRADING, A.F., JONES, A.W., TOMITA, T.: Smooth Muscle. London: Edward Arnold 1970.
5. GÖPFERT, H., BERNSMEYER, A., STUFLER, R.: Steigerung des Energiestoffwechsels und der Muskelinnervation bei geistiger Arbeit. Pflügers Archiv ges. Physiol. **256,** 304 (1953).
6. GORDON, A.M., HUXLEY, A.F., JULIAN, F.J.: The variation in isometric tension with sarcomere length in vertebrate muscle fibres. J. Physiol. (Lond.) **184,** 170 (1966).
7. HASSELBACH, W., MAKINOSE, M.: Über den Mechanismus des Calciumtransports durch die Membranen des sarkoplasmatischen Reticulums. Biochem. Z. **339,** 94 (1963).
8. HUXLEY, A.F., TAYLOR, R.E.: Local activation of striated muscle fibres. J. Physiol. (Lond.) **144,** 426 (1958).
9. HUXLEY, A.F., SIMMONS, R.: Proposed mechanism of force generation in striated muscle. Nature **233,** 533 (1971).
10. HUXLEY, H.E., HANSON, J.: Changes in the cross-striation of muscle during contraction and stretch and their structural interpretation. Nature **173,** 973 (1954).
11. HUXLEY, H.E.: The mechanism of muscular contraction. Science **164,** 1356 (1969).
12. HUXLEY, H.E.: Structural changes in the actin and myosin containing filaments during contraction. Cold Spr. Harb. Symp. quant. Biol. **37,** 361 (1973).
13. HUXLEY, H.E.: Muscular contraction and cellmotility. Nature **243,** 445 (1973).
14. INFANTE, A.A., DAVIES, R.E.: Adenosintriphosphate breakdown during a single isotonic twitch of frog sartorius muscle. Biochem. biophys. Res. Commun. **9,** 410 (1962).
15. JEWELL, B.R., WILKIE, D.R.: An analysis of the mechanical components in frogs striated muscle. J. Physiol. (Lond.) **143,** 515 (1958).
16. MANNHERZ, H.G., SCHIRMER, R.H.: Die Molekularbiologie der Bewegung. Chemie in unserer Zeit **6,** 165–202 (1970).
17. RÜEGG, J.C.: Smooth muscle tone. Physiol. Rev. **51,** 201 (1971).
18. WEBER, H.H., PORTZEHL, H.: The transference of the muscle energy in the contraction cycle. Progr. Biophys. mol. Biol. **4,** 61 (1954).
19. WILKIE, D.R.: J. Physiol. (Lond.) **110,** 249 (1949).
20. WILKIE, D.R.: Muscle. London: Edward Arnold 1970.

VI. Motorische Systeme (R.F. Schmidt)

1. Nervöse Kontrolle von Haltung und Bewegung im Überblick

Nur mit Hilfe seiner Skeletmuskeln kann der Mensch auf seine Umwelt einwirken und sich mit ihr auseinandersetzen. Dies gilt für die gröbste Handarbeit wie für die Übermittlung der subtilsten Gedanken und Gefühle, zum Beispiel durch Sprechen oder Schreiben, durch Mimik oder Gestik. Alle diese Bewegungen können nur gut und richtig ausgeführt werden, wenn durch eine angemessene Haltung des Körpers und eine entsprechende Stellung der Gliedmaßen die für diese Tätigkeiten notwendigen Ausgangspositionen eingenommen werden.

Die nervöse Kontrolle von Haltung und Bewegung ist daher eine der wichtigsten Aufgaben des Zentralnervensystems. Die dafür verantwortlichen Strukturen (,,motorische Zentren") liegen in den verschiedensten Abschnitten des Nervensystems, vom Rückenmark bis zur Hirnrinde. Einen ersten, grob schematischen, der Orientierung dienenden Überblick über diese Zentren gibt die linke Säule in Abb. 1. In gewissem Umfang und mit Einschränkungen, die im Laufe dieses Kapitels erörtert werden, lassen sich diesen Zentren bestimmte motorische Leistungen zuweisen, die in der mittleren Säule der Abb. 1 aufgeführt sind. Die rechte Säule in Abb. 1 gibt stichwortartig die bei einer geplanten Bewegung ablaufenden zentralnervösen Vorgänge wieder.

Im Laufe der *Entwicklungsgeschichte* mußten auch die für die Motorik zuständigen Strukturen an die fortschreitende Differenzierung des Tierreiches angepaßt werden. Der *kaskadenartige Aufbau* der motorischen Zentren wurde dabei weniger durch *Umbau* der vorhandenen als durch *Überbau* mit zusätzlichen, leistungsfähigeren Reflex- und Steuersystemen ergänzt: Die motorischen Zentren des Zentralnervensystems sind also, so gesehen, *hierarchisch*

geordnet. Dieser entwicklungsgeschichtliche Aufbau deckt sich in etwa mit der in Abb. 1 gezeigten Gliederung in motorische Zentren und deren spezielle Leistungen, die im folgenden zur Begriffsklärung kurz angesprochen werden.

Spinalmotorik. Auf Rückenmarksebene existieren zwischen spinalen Afferenzen, Interneuronen und motorischen Einheiten eine große Reihe relativ starrer *Verschaltungen*, bei deren Aktivierung einfache, aber zweckmäßige Bewegungen ablaufen, die wir als **spinale Reflexe** bezeichnen. Die Reflexbögen dieser Reflexe sind monosynaptisch beim *monosynaptischen Dehnungsreflex*, meist aber polysynaptisch, wie z.B. beim *Beugereflex* (Flexorreflex). Die spinalen Reflexe stellen einen **Vorrat elementarer Haltungs- und Bewegungsprogramme** dar, deren sich der Organismus nach Bedarf bedienen kann, ohne daß sich die höheren Abschnitte des Zentralnervensystems im einzelnen um die Ausführung der Programme bemühen müssen.

Stützmotorik. Haltung und Stellung des Körpers im Raum werden über zentralnervöse Strukturen kontrolliert, die vorwiegend im *Hirnstamm* liegen. Auch nach Abtrennen der höheren Anteile des Nervensystems können diese Zentren den Körper *entgegen der Schwerkraft aufrecht halten*. Wir bezeichnen diesen Teil der motorischen Funktionen als **Stützmotorik**.

Zielmotorik. Der Stützmotorik kann man als Zielmotorik all die angeborenen und erlernten motorischen Funktionen gegenüberstellen, die sich als *zielgerichtete Bewegungen* äußern. Die in den subcorticalen Motivationsarealen und im assoziativen Cortex entstehenden **Handlungsantriebe** und **Bewegungsentwürfe** werden anschließend in **Bewegungsprogramme** umgesetzt, an deren Ausarbeitung die Basalganglien und das Kleinhirn beteiligt sind, die beide über thalamische Kerne auf den motorischen Cortex einwirken, der zusammen mit den tiefer gelegenen motorischen Strukturen in Hirnstamm und

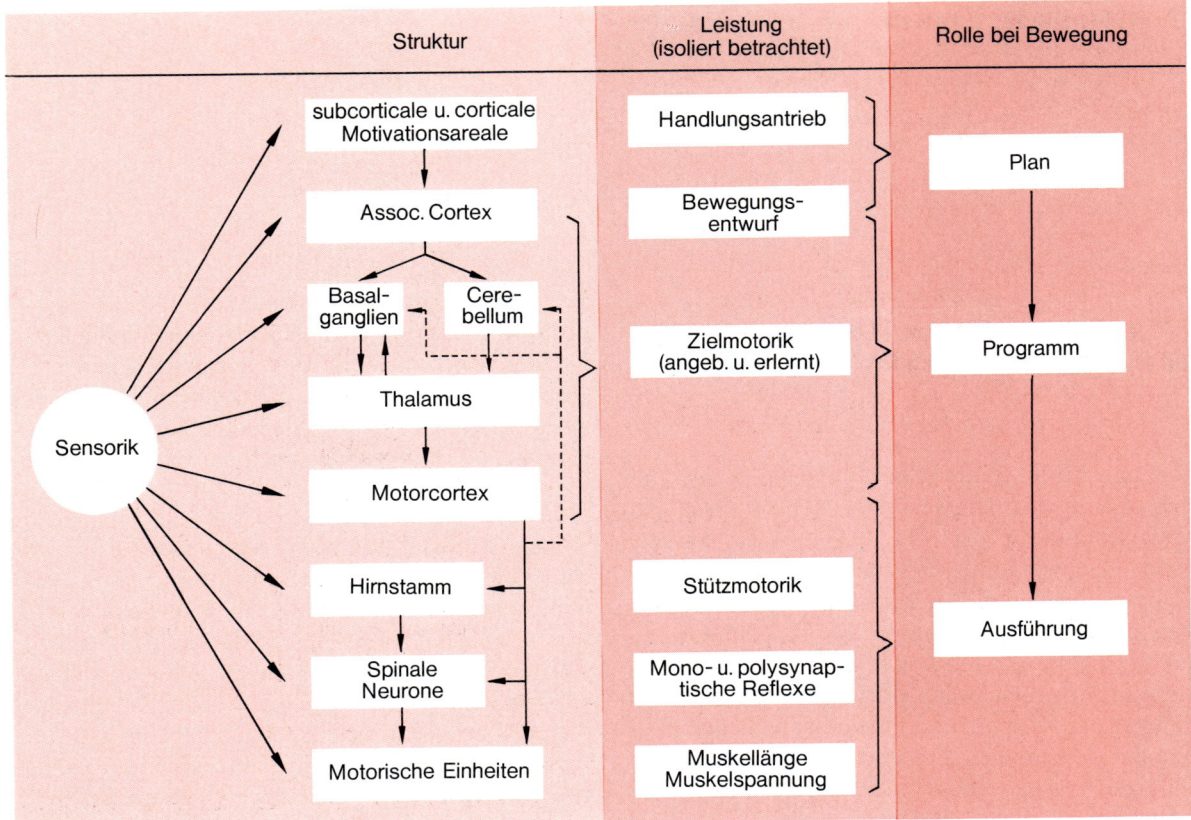

Abb. 1. Motorisches System im Überblick. Die wichtigsten Strukturen und ihre Hauptverbindungen sind in der linken Säule angeordnet. Der Einfachheit halber wurden alle sensorischen Zuflüsse ganz links zusammengefaßt. Die mittlere Säule betont die bei isolierter Betrachtungsweise herausragenden Leistungen der einzelnen Abschnitte des motorischen Systems, die rechte gibt die Rolle bei der Initiierung und Durchführung einer Bewegung wieder. Auf die parallele Position der Basalganglien und des Kleinhirns und die Einordnung des Motorcortex am Übergang zwischen Programm und Ausführung sei hingewiesen

Rückenmark die **Bewegungsausführung** übernimmt (vgl. Abb. 1).

Verknüpfung von Stütz- und Zielmotorik. Planung, Programmierung und Ausführung von Bewegungen werden also von verschiedenen Abschnitten des motorischen Systems eingeleitet und kontrolliert, wobei eingeschränkt werden muß, daß die jeweilige Rolle der einzelnen Strukturen sich in den meisten Fällen noch nicht eindeutig abgrenzen läßt. Bewegung wird aber immer auch von Aktionen und Reaktionen der Stützmotorik begleitet sein, sei es als Vorbereitung auf die Bewegung, sei es zur Korrektur der Haltung während und nach Bewegung. Diese **Verknüpfung von Stütz- und Zielmotorik** ist besonders in den *motorischen Zentren des Hirnstammes* so eng, daß *strukturelle* (anatomisch-histologische) Zuordnungen zum einen oder anderen Teil kaum möglich sind, eine Tatsache, die früher vielfach nicht klar genug gesehen wurde. Zur Analyse der Motorik ist die funktionelle Aufteilung in Stütz- und Zielmotorik jedoch sachlich und didaktisch nützlich, zumal sie auch klinisch brauchbar scheint.

Es muß allerdings eingeräumt werden, daß bei dieser Einteilung einige Aspekte der Motorik etwas zu kurz kommen, so die **Mitbewegungen** bei zielmotorischen Bewegungen, also beispielsweise das Pendeln der Arme beim Gehen, und die **mimischen Ausdrucksbewegungen** samt der oft zugehörigen **Gestik**. Im weiteren Sinne können jedoch auch diese Formen der Motorik zur Zielmotorik gerechnet werden. — Die **Blickmotorik** wird in XII-7 gesondert besprochen.

Auf die Unterteilung motorischer Akte in *bewußte* versus *unbewußte* oder in **willkürliche** versus **unwillkürliche** wird in diesem Kapitel mit Absicht verzichtet. Die naturwissenschaftliche Beobachtung erlaubt nämlich über diese nur introspektiv zu erfahrenden Kategorien keine Aussagen, unabhängig davon, wann eine Handlung als bewußt anzusehen ist und ob der Mensch über einen freien Willen verfügt (s. dazu jedoch 5.6 und VIII-3.1). In der Klinik wird dagegen häufig von *willkürlichen und unwillkürlichen Bewegungen* gesprochen. Gemeint ist dabei, daß diese nach Auffassung des Beobachters und/oder der Aussage des Patienten *gewollt* bzw. *ungewollt* ausgeführt werden. Der Beobachter stützt sich dabei auf Verhaltensmerkmale (s. VIII-3.1), der Patient auf sein subjektives Erleben. Bleibt man sich der Grenzen dieser Positionen eingedenk, ist es aus praktischen Gründen vertretbar, diese Begriffe im klinischen Alltag beizubehalten.

Rolle der Sensorik. Alle an der Motorik beteiligten Strukturen benötigen und erhalten Rückmeldungen aus der Peripherie, die ihnen über die jeweilige Körperhaltung und über die Ausführung von Bewegungen Auskunft geben (Abb. 1, links). Um die große Bedeutung der Sinnesorgane für die Kontrolle von Haltung und Bewegung zu betonen, wird oft auch von **Sensomotorik** gesprochen, wenn die Gesamtheit der an der Motorik beteiligten afferenten und efferenten Funktionen bezeichnet werden soll. Auf spinaler Ebene ist die Abhängigkeit der motorischen Leistungen von den afferenten Zuflüssen besonders deutlich, da hier einzelne Receptortypen (z.B. die Muskelspindelreceptoren) in relativ stereotyper Weise mit den Motoneuronen zu Reflexkreisen verschaltet sind.

2. Spinale Sensomotorik

Die große Bedeutung der afferenten Zuflüsse für die Spinalmotorik läßt es richtig erscheinen, besser von **spinaler Sensomotorik** zu sprechen. Zwei Sinnesorgane des Muskels, die *Muskelspindeln* und die *Sehnenorgane* stehen dabei auf der afferenten Seite im Vordergrund, während auf der efferenten Seite die *Motoneurone die gemeinsame Endstrecke aller motorischen Reflexe* (SHERRINGTON) bilden.

2.1. Receptoren der spinalen Sensomotorik

Aufbau der Muskelspindeln. In jedem Muskel liegen eine Anzahl Muskelfasern, die *dünner* und *kürzer* als die gewöhnlichen Muskelfasern sind. Jeweils einige von ihnen liegen zusammen und sind von einer *bindegewebigen Kapsel* umgeben. Dieses Gebilde wird seiner Form wegen **Muskelspindel** genannt (Abb. 2). Die in der Kapsel liegenden Muskelfasern werden als **intrafusale Muskelfasern** bezeichnet, während die gewöhnlichen Muskelfasern, die den Großteil des Muskels ausmachen, *extrafusale Muskelfasern* genannt werden.
Aufgrund der Kernanordnung lassen sich zwei Typen intrafusaler Muskelfasern unterscheiden, die **Kern-Ketten-Fasern,** bei denen die Kerne in den mittleren Faserabschnitten geldrollen- bzw. kettenförmig hintereinander angeordnet sind und die **Kern-Sack-Fasern,** bei denen die Kerne über eine kurze Strecke den gesamten Querschnitt in dichter Anhäufung ausfüllen (Abb. 2). Die *Kern-Sack-Fasern* sind durchweg doppelt so lang und ihr Durch-

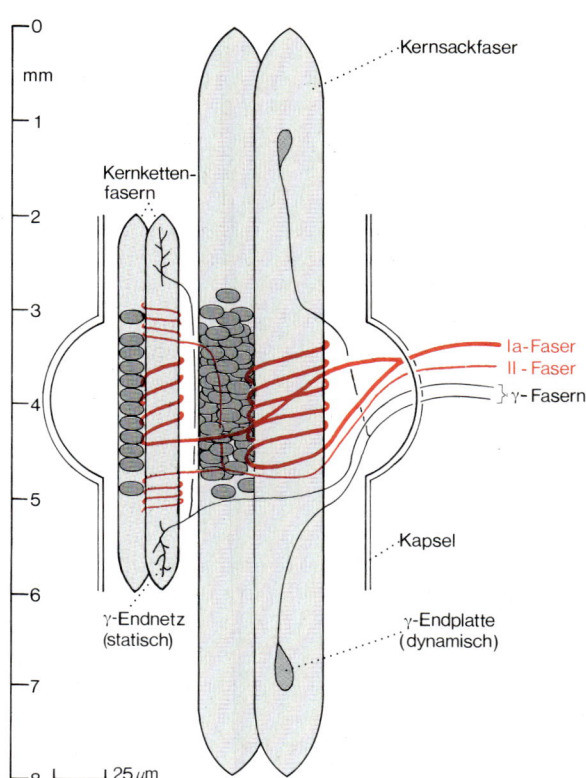

Abb. 2. Schematischer Überblick über den Aufbau einer Muskelspindel. Zusammengestellt nach zahlreichen histologischen und physiologischen Daten, insbesondere von BARKER, BOYD, MATTHEWS und ihren Mitarbeitern. Die unterschiedlichen Maßstäbe in Längs- und Querrichtung geben einen ungefähren Anhalt über die Größenverhältnisse

messer ist doppelt so groß, wie der der *Kern-Ketten-Fasern.* Den beiden Muskelfasertypen scheinen unterschiedliche Funktionen zuzukommen (s. S. 88). Die Muskelspindeln setzen an beiden Enden über 0,5–1 mm lange, sehnenartige Bindegewebszüge am Perimysium extrafusaler Fascikel an (weitere Einzelheiten bei [18, 29]).
Afferente Innervation (Abb. 2). In jede Muskelspindel tritt in Höhe der Kernregion und zusammen mit anderen Nervenfasern (s.u.) und den Gefäßen je eine dicke, markhaltige Nervenfaser (Durchmesser 10–20 μm) ein, die sich in der Spindel aufteilt und als **annulospirale Endigung** jede einzelne Muskelfaser im Zentrum auf etwa 300 μm Länge umschlingt. Man bezeichnet die afferenten Nervenfasern auch als **Ia-Faser** (s. Tabelle II-2), die annulospirale Endigung auch als **primär sensible Endigung.** Jede Ia-Faser scheint nur eine Muskelspindel zu versorgen.

Viele, aber nicht alle Muskelspindeln besitzen eine weitere sensible Innervation durch eine oder mehrere *afferente Fasern der Gruppe II* (Durchmesser 5–6 μm, s. Tabelle II-2). Diese enden peripher von den primär sensiblen Endigungen *nahezu ausschließlich an den Kern-Ketten-Fasern* (Abb. 2). Man bezeichnet diese Receptorstrukturen als **sekundär sensible Endigungen.** Sie ähneln den primären Endigungen in Form und Ausdehnung und werden oft als *spiralig,* manchmal auch als *blütendoldenartig* beschrieben. Im Gegensatz zu den Ia-Fasern verzweigen sich die Gruppe-II-Fasern oft zu zwei oder mehr Spindeln.

Efferente Innervation (Abb. 2). Die intrafusalen Muskelfasern besitzen genau wie die extrafusalen eine motorische Innervation. Die efferenten **fusimotorischen γ-Nervenfasern** (kurz: γ-Fasern) der Spindeln stammen aus den γ-Motoneuronen, die wesentlich kleiner als die α-Motoneurone sind (s. auch S. 43). Entsprechend ist auch der Durchmesser der γ-Fasern geringer (2–8 μm) als der der motorischen α-Nervenfasern (Durchmesser 12–21 μm) der extrafusalen Muskulatur. Die γ-Fasern verzweigen sich innerhalb des Muskels zu mehreren Muskelspindeln und dort zu mehreren intrafusalen Muskelfasern. Die γ-Fasern bilden auf den polaren (peripheren) Abschnitten der intrafusalen Muskelfasern zwei Typen von Endigungen aus, **γ-Endplatten** (vorwiegend auf Kern-Sack-Fasern) und **γ-Endnetze** (vorwiegend auf Kern-Ketten-Fasern, s. Abb. 2). Die γ-Endplatten ähneln den Endplatten auf extrafusalen Muskelfasern (s. Abb. III-1), die γ-Endnetze sind dünne, lange, zum Teil diffus netzartige Neuronalstrukturen (Einzelheiten bei [18, 29]). Eine γ-Faser bildet immer nur Platten oder Netze an ihren Endigungen aus.

Aufbau der Sehnenorgane. In den Sehnen aller Warmblütermuskeln kommen nahe dem muskulären Ursprung der Sehnen Receptoren vor, die aus den Sehnenfascikeln von etwa 10 extrafusalen Muskelfasern bestehen, von einer bindegewebigen Kapsel umhüllt sind und von ein bis zwei dicken myelinisierten Nervenfasern (Durchmesser 10–20 μm) versorgt werden, die **Sehnenorgane** (syn. *Golgi-Organe*, Abb. 3). Die afferenten Nervenfasern werden als **Ib-Fasern** bezeichnet. Diese teilen sich nach Eintritt in die Kapsel in dünnere Äste auf, werden schließlich marklos und enden reich verzweigt zwischen den Sehnenfascikeln (Abb. 3, Einzelheiten bei [18, 29]).

Verteilung von Muskelspindeln und Sehnenorganen. In praktisch allen quergestreiften Muskeln aller Säugetiere kommen **Muskelspindeln** vor. Ausnahmen bilden die äußeren Augenmuskeln einiger Tiere, wie der Katze und des Hundes. Menschen und viele andere Säugetiere besitzen aber auch in diesen Muskeln zahlreiche, typische Muskelspindeln. Die Anzahl der Muskelspindeln pro Muskel hängt von seiner Größe und seiner Funktion ab.

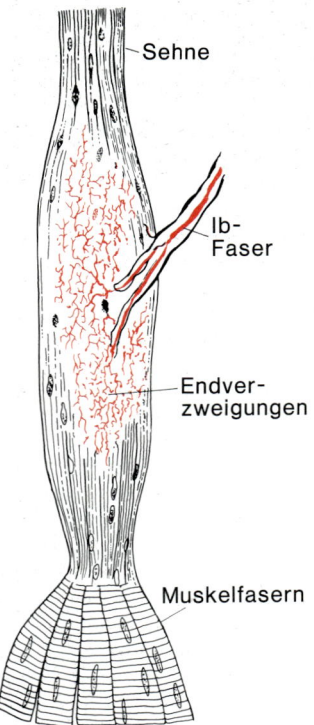

Abb. 3. Lichtmikroskopische Zeichnung eines Golgi-Sehnenorgans durch RAMON Y CAJAL. Besprechung im Text

Sie schwankt zwischen ein bis zwei Spindeln bei sehr kleinen Muskeln, z.B. des Rattenschwanzes, bis zu mehreren hundert Spindeln in den großen Muskeln des Menschen. Die **Spindeldichte**, d.h. die Anzahl der Muskelspindeln pro Gramm Muskelgewebe, ist besonders hoch in kleinen Muskeln, die an Feinbewegungen beteiligt sind, wie den kleinen Nacken- und Handmuskeln. So besitzt *beim Menschen* beispielsweise der M. obliquus capitis sup. rund 140 Spindeln bei einem Gesamtgewicht von 3,3 g, also etwa 42 Spindeln/g, der M. abductor pollicis brevis 80 Spindeln bei 2,7 g Gesamtgewicht (29,3 Spindeln/g), während der M. pectoralis major mit 450 Spindeln bei 296 g und der M. triceps brachii mit 520 Spindeln bei 364 g jeweils nur 1,5 bzw. 1,4 Spindeln/g aufweisen. Schon diese Angaben zeigen, daß die Muskelspindeln eine wichtige Rolle bei der Regulation von Haltung und Bewegung spielen. Die Zahl der **Sehnenorgane** pro Muskel ist bisher nur wenig untersucht worden. Soweit bekannt, sind sie in der Regel etwas weniger zahlreich als die Muskelspindeln. Als Richtwert kann angenommen werden, daß auf je 100 Muskelspindeln 50–80 Sehnenorgane vorkommen [2, 18].

Lage und Entladungsmuster der Muskelspindeln und Sehnenorgane. Muskelspindeln und Sehnenorgane sind nach ihrem *adäquaten Reiz* **Dehnungsreceptoren.** Ihre Anordnung im Muskel ist jedoch unterschiedlich (Abb. 4): die Muskelspindeln liegen **parallel,** die Sehnenorgane **hintereinander** *(in Serie)* zur extrafusalen Muskulatur. Daraus ergeben sich charakteristische Unterschiede der Entladungsmuster vor allem bei der Kontraktion des Muskels, die bei einem Vergleich der Abb. 4 und 5 verständlich werden.

Ist ein Muskel etwa auf seine Ruhelänge gedehnt (Abb. 4(A), 5(A)) entladen die primären Muskelspindelendigungen (versorgt von Ia-Fasern), während die Sehnenorgane (versorgt von Ib-Fasern) stumm sind. Bei **Dehnung** (Abb. 4(B), 5(B)) nimmt die Entladungsfrequenz der Ia-Fasern zu und auch die Sehnenorgane beginnen zu entladen. **Isotonische Kontraktion** der extrafusalen Muskulatur (Abb. 4(C), 5(C)) entlastet die Muskelspindel und die Receptorentladungen hören daher auf. Das Sehnenorgan bleibt gedehnt, seine Entladungsfrequenz nimmt während der Kontraktion sogar vorübergehend zu, da die Beschleunigung der Last zu einer kurzzeitigen stärkeren Dehnung des Sehnenorgans führt.

Aus diesen Befunden ist zu folgern, daß die **Muskelspindeln vorwiegend die Länge** des Muskels messen, während die **Sehnenorgane vorwiegend die Spannung** registrieren. Es ist also zu erwarten, daß bei *isometrischer Kontraktion* die Entladungsfrequenz der Sehnenorgane stark zunimmt, während die der Muskelspindeln etwa gleich bleiben sollte. (Tatsächlich nimmt die Entladungsrate der Muskelspindeln sogar ab, da es trotz konstanter äußerer Länge des Muskels zu einer Verkürzung der kontraktilen auf Kosten der elastischen Elemente kommt, wodurch die Muskelspindeln entlastet werden.)

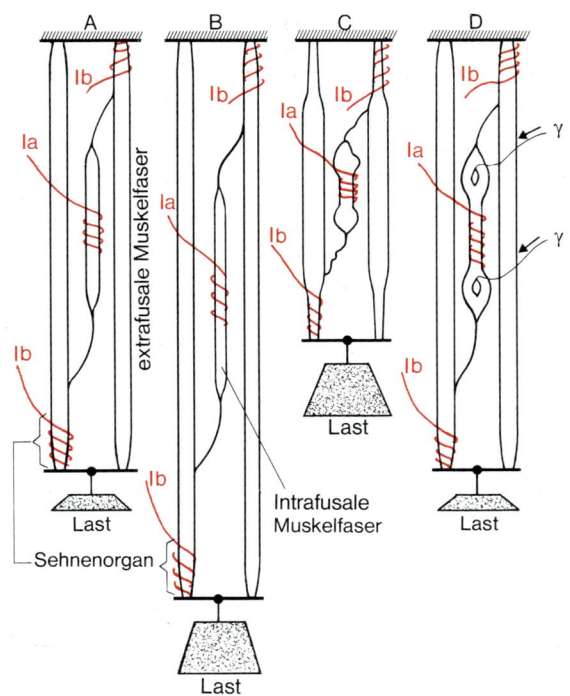

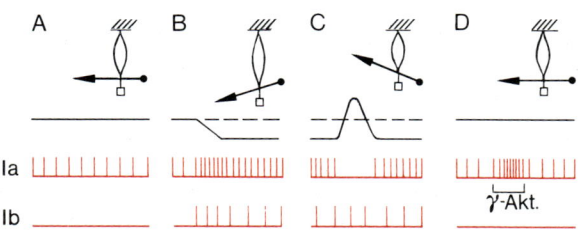

Abb. 4 A–D. Schematische Zeichnung der Lage der Muskelspindeln und der Golgi-Sehnenorgane im Muskel in Ruhe (A) und ihre Formveränderungen bei passiver Dehnung (B), bei isotonischer Kontraktion der extrafusalen Muskelfasern (C) und bei alleiniger Kontraktion der intrafusalen Muskelfasern (D). Kombination von (B) mit (D) führt zu besonders starker Aktivierung der Muskelspindelafferenzen

Abb. 5 A–D. Schematische Darstellung der Entladungsmuster von Muskelspindeln (über Ia-Fasern) und Sehnenorganen (über Ib-Fasern) in Ruhe (A), bei Dehnung (B), bei isotonischer Kontraktion der extrafusalen Muskulatur (C) und bei Kontraktion der intrafusalen Muskelfasern nach Aktivierung über die motorischen γ-Fasern (D)

Dynamische und statische Empfindlichkeit der Muskelspindeln und Sehnenorgane. Bei Dehnung der primären Muskelspindelendigungen hängt die Entladungsfrequenz der Ia-Fasern nicht nur vom Ausmaß der Dehnung (vgl Abb. 6, 7B), sondern während des Dehnungsvorganges auch von der Dehnungsgeschwindigkeit (vgl. Abb. 5B) ab. *Die primären Muskelspindelendigungen* besitzen also eine **dynamische** und eine **statische Empfindlichkeit**. Sie sind in der Sprache der Regeltechnik *Proportional-Differential-Fühler*, abgekürzt **PD-Receptoren** (vgl. XI-1.2, S. 208). Nach einem Dehnungsschritt nimmt die Impulsfrequenz zunächst rasch, danach langsamer ab (schnelle und langsame **Adaptation**),

bis sich schließlich, etwa innerhalb einer Minute, eine Impulsfrequenz einstellt, die in einem mittleren Dehnungsbereich etwa proportional dem Logarithmus der Last ist [18]. Die dynamische Empfindlichkeit der **Sehnenorgane** ist deutlich geringer als die der primären Muskelspindelendigungen. Die Sehnenorgane sind also nahezu ausschließlich *Proportional-Fühler* oder **P-Receptoren**.

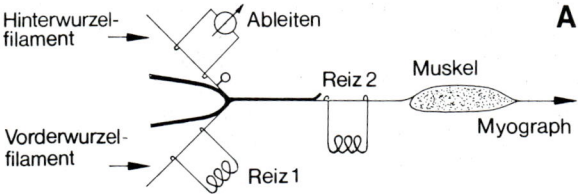

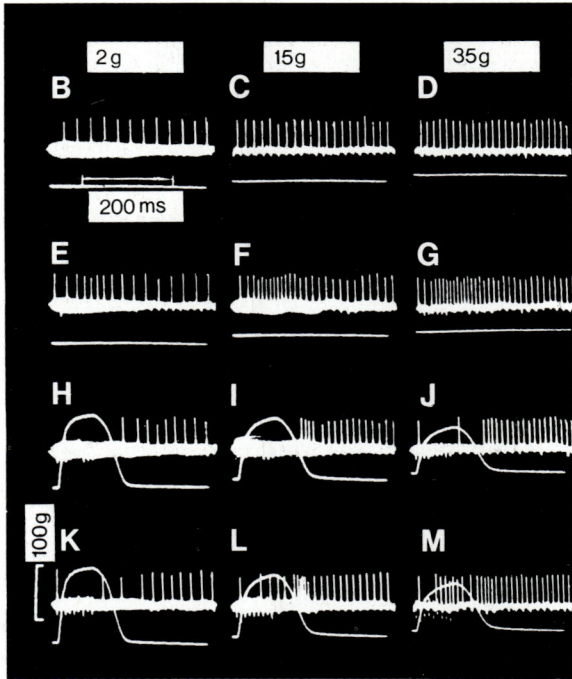

Abb. 6 A–M. Die Wirkung fusimotorischer Aktivität auf die Antworten einer primär sensiblen Endigung. (A) Schema der Versuchsanordnung. Auf der Reizelektrode 1 liegen motorische γ-Fasern derjenigen Muskelspindel, deren Ia-Faser auf der Ableiteelektrode liegt. Die Reizelektrode 2 dient zur Reizung der α-Motoaxone (bei entsprechend klein eingestellter Reizamplitude werden die γ-Motoaxone nicht miterregt). (B–M) Antworten einer Ia-Faser (oberer Strahl) aus dem M. flex. dig. long. der Katze. Der untere Strahl registriert die Muskelkontraktion. (B, C, D) Antworten bei konstanter Belastung mit 2, 15 und 35 g. (E, F, G) Am Beginn jeder Ableitung werden in Reiz 1 zugehörige fusimotorische γ-Fasern gereizt (9 Reize bei 100 Hz). Zunehmender Effekt dieser Reizung bei steigender Vordehnung, keine Muskelkontraktion vorhanden. (H, I, J) Ähnliche Reizung (in Reiz 2) von motorischen α-Fasern. Die Antworten der sensiblen Endigung hören während der Kontraktion auf. (K, L, M) Gleichzeitige Reizung der fusimotorischen und der α-Fasern wie in (E–J). Bei 2 g Ruhelast hören die sensiblen Antworten auf, bei 15 und 35 g wird die fusimotorische Reizung immer wirksamer. Maximale Kontraktionsspannung 140 g. Die Ausschläge nach unten zu Beginn der Ableitung in (H–M) sind Artefakte. (A) nach MATTHEWS [18]; (B–M) nach HUNT und KUFFLER: J. gen. Physiol. **113**, 283 (1951)

Wirkung der fusimotorischen Nervenfasern. Außer durch Dehnung des Muskels gibt es eine zweite Möglichkeit, die primären Muskelspindelendigungen zu erregen, nämlich durch *Kontraktion der intrafusalen Muskelfasern* über eine Aktivierung der fusimotorischen γ-Motoaxone. Isolierte Kontraktion der intrafusalen Muskelfasern ändert Länge und Spannung des gesamten Muskels nicht, sie reicht aber aus, den zentralen Anteil der intrafusalen Fasern zu dehnen und damit Erregungen in den primär sensiblen Anteilen zu induzieren (Abb. 4(D), 5(D), 8). Die beiden Wege der Spindelaktivierung a) *Dehnung des Muskels* und b) *intrafusale Kontraktion* können sich auch in ihrer Wirkung addieren (Abb. 6(B–G), 8(B)), und durch intrafusale Kontraktion kann die Wirkung extrafusaler Kontraktion mehr oder weniger kompensiert werden (Abb. 6(H–M)). Mit anderen Worten, über die *intrafusale Vorspannung* des Dehnungsreceptors kann seine **Schwelle** und sein **Empfindlichkeitsbereich** verstellt werden.

Dynamische und statische γ-Fasern. Zwei Typen von motorischen γ-Fasern können unterschieden werden: die **dynamischen fusimotorischen Fasern** erhöhen die Geschwindigkeitsempfindlichkeit der Muskelspindeln bei nur wenig erhöhter statischer Empfindlichkeit; die **statischen fusimotorischen Fasern** vermindern die Geschwindigkeitsempfindlichkeit, heben aber die Dauerentladungen für eine gegebene Dehnung stark an. Der Wirkmechanismus der beiden Fasertypen ist noch offen. *Dynamische-γ-Motoaxone* scheinen immer nur als γ-**Endplatten** (vorwiegend auf Kern-Sack-Fasern, Abb. 2) zu enden und nur lokale Kontraktionen zu induzieren, während *statische γ-Motoaxone* immer als γ-**Endnetze** enden (vorwiegend auf Kern-Ketten-Fasern) und fortgeleitete Aktionspotentiale auslösen. Die Diskussion ist jedoch noch im Fluß [1, 18].

Eigenschaften sekundärer sensibler Spindelendigungen. Auch die sekundär sensiblen Endigungen der Muskelspindeln mit Gruppe II afferenten Fasern (s. Abb. 2) sind **Dehnungsreceptoren.** Sie haben allerdings eine *höhere Schwelle* und eine *geringere dynamische Empfindlichkeit* als die primär sensiblen Endigungen. Beides, Schwelle und Empfindlichkeit können über die Aktivierung *statischer fusimotorischer Fasern* verstellt werden, während dynamische fusimotorische Fasern ohne Wirkung sind.

2.2. Aufgaben der Muskelspindeln und Sehnenorgane

In IV-2.2 wurde bereits gezeigt, daß die Ia-Fasern monosynaptische *erregende* Verbindungen zu den *homonymen* Motoneuronen besitzen und daß Aktivierung der Muskelspindeln durch Dehnung (Abb. IV-7) oder durch intrafusale Kontraktion (s. S. 62) zu Muskelkontraktionen führen. (Als homonym bezeichnet man ein Motoneuron, wenn es denselben Muskel wie die Ia-Afferenz versorgt. Ein zu einer Ia-Faser *agonistisches* oder *synergistisches* Motoneuron gehört zu einem Muskel, der am selben Gelenk gleichsinnig angreift. Ia-Fasern ziehen monosynaptisch vorwiegend zu homonymen, in geringerem Umfang auch zu agonistischen Motoneuronen.) Außerdem wurde im Zusammenhang mit Abb. IV-4(A) kurz erwähnt, daß die Ia-Fasern *hemmende* Verbindungen zu antagonistischen Motoneuronen haben. In diesem Abschnitt werden wir an diese Kenntnisse anknüpfen und zunächst die zentrale Verschaltung der Ia-Afferenzen und die Bedeutung dieser Reflexschaltungen für die Motorik näher betrachten. Anschließend werden wir die zentrale Verschaltung und die Aufgaben der Sehnenorgane besprechen.

Dehnungsreflex als Längen-Servomechanismus. Um den Einfluß der Schwerkraft auszugleichen, stehen viele unserer Muskeln bei aufrechter Körperhaltung unter einem gewissen aktiven Spannungszustand: **Haltetonus.** Zum Beispiel würden unsere Kniegelenke einknicken, wenn nicht durch den Tonus des M. quadriceps diesem Einknicken entgegengearbeitet würde. Eine entscheidende Rolle spielt dabei der **monosynaptische Dehnungsreflex:** jedes leichte, noch nicht sicht- und merkbare Einknicken der Kniegelenke führt zu einer Dehnung des M. quadriceps und damit zu einer verstärkten Aktivierung der primären Muskelspindelendigungen (vgl. Patellarsehnenreflex, Abb. IV-7). Dadurch kommt es zu einer zusätzlichen Erregung der α-Motoneuronen des M. quadriceps (Abb. 7) und damit zu einem erhöhten Muskeltonus, der das beginnende Einknicken sofort wieder ausgleicht. Umgekehrt führt eine zu starke Kontraktion des Muskels zu einer Entlastung der Dehnungsreceptoren. Ihre Impulsrate vermindert sich und damit auch der erregende Zufluß zu den Motoneuronen: der Muskeltonus läßt nach. In diesem Regelkreis wird also die *Länge des Muskels* konstant gehalten. Der monosynaptische Dehnungsreflex wirkt dabei als ein **Längen-Servomechanismus,** der über die Rückmeldungen aus den Muskelspindeln eine konstante Muskellänge aufrecht erhält. Änderungen in der Belastung des Muskels werden durch diesen Mechanismus automatisch ausgeglichen. Eine genügende Empfindlichkeit der Muskelspindeln wird dabei über die Kontraktion der intrafusalen Fasern vorgegeben. Wird die Aktivierung der γ-Motoneurone, die von zentralen Strukturen erfolgt, unterbrochen, z.B. im Schlaf, so werden die Dehnungsreflexe vermindert und der Muskeltonus läßt nach. Wohlvertrautes Beispiel: beim Einschlafen im Sitzen sinkt der Kopf auf die Brust, „Einnicken".

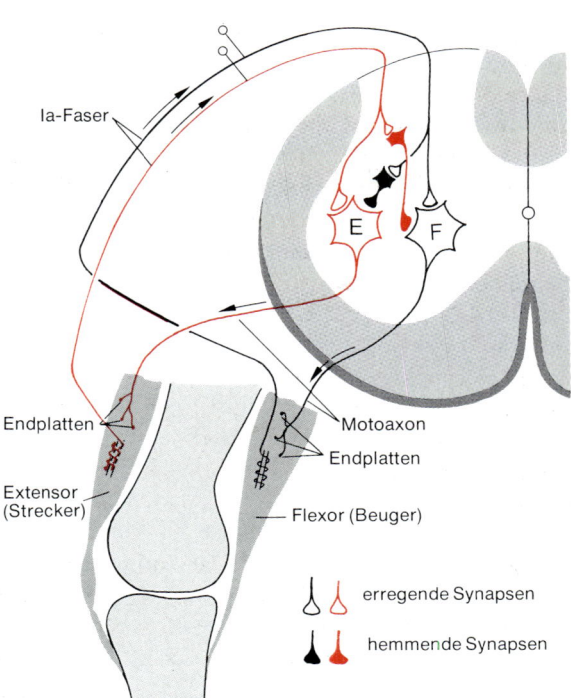

Ia-Faser

E   F

Endplatten

Motoaxon

Endplatten

Extensor
(Strecker)

Flexor (Beuger)

erregende Synapsen

hemmende Synapsen

Abb. 7. Reflexwege des Dehnungsreflexes und der reziproken antagonistischen Hemmung. F Flexormotoneuron, E Extensormotoneuron des Kniegelenks. Die Beuger (Flexoren) und Strecker (Extensoren) dieses Gelenks und die Polarität der Synapsen sind in der Abbildung angegeben

Dehnungsreflexe und reziproke antagonistische Hemmung als Längen-Kontroll-System. Die Ia-Fasern bilden nicht nur *monosynaptische* erregende Verbindungen mit homonymen Motoneuronen (Reflexbogen des Dehnungsreflexes), sondern auch *disynaptische* hemmende Verbindungen zu den *antagonistischen* Motoneuronen (Abb. 7, s. auch Abb. IV-4(A)). Diese Hemmung wird, da sie ursprünglich für monosynaptisch gehalten wurde, als *direkte Hemmung,* besser aber als **reziproke antagonistische Hemmung** bezeichnet. Sie unterstützt die durch Ia-Faser-Aktivität ausgelöste Kontraktion des homonymen und der agonistischen Muskeln durch gleichzeitige Hemmung der am selben Gelenk angreifenden Antagonisten.

Da die Ia-Fasern des antagonistischen Muskels entsprechende Verknüpfungen besitzen (Abb. 7), werden durch passive, d.h. von außen erzwungene Änderungen der Gelenkstellung *vier Reflexbögen aktiviert,* die insgesamt dazu dienen, die Änderung der Gelenkstellung weitgehend rückgängig zu machen, also die *vorgegebene Muskellänge konstant* zu halten. Wird nämlich durch den Einfluß der Schwerkraft das Kniegelenk in Abb. 7 gebeugt, so wird die Dehnung der Muskelspindeln des Extensors *(erstens)* die Extensormotoneurone verstärkt erregen

und *(zweitens)* die Flexormotoneurone verstärkt hemmen. Ferner wird die Entdehnung der Muskelspindeln des Flexors *(drittens)* die homonyme Erregung der Flexormotoneurone vermindern und *(viertens)* die reziproke Hemmung der Extensormotoneurone reduzieren (eine solche „Wegnahme von Hemmung" wird als *Disinhibition* bezeichnet). Damit nimmt insgesamt die Erregung der Extensormotoneurone zu und der Flexormotoneurone ab. Die Reflexbögen bilden also zusammen ein **Längen-Kontroll-System** des Muskels.

Phasische und tonische Dehnungsreflexe. Im decerebrierten Tier führt Dehnung eines Streckermuskels zu einem erhöhten Muskeltonus, wobei sich *während* der Dehnung eine **phasische,** überschießende Komponente von einer auch *nach Abschluß* der Dehnung verbleibenden **tonischen Komponente** abgrenzen läßt. Der Übergang zwischen beiden ist fließend. Für beide Komponenten gilt, daß die bisher besprochenen mono- und disynaptischen Reflexbahnen an ihrer Entstehung *entscheidend, aber nicht ausschließlich* beteiligt sind. So wird auf Rückenmarksebene zusätzlich diskutiert, daß die *Ia-Afferenzen* nicht nur über monosynaptische, sondern *auch über polysynaptische Bahnen* am Zustandekommen insbesondere der tonischen Dehnungsreflexe mitwirken, und daß auch die Gruppe-II-Afferenzen der sekundären Muskelspindelendigungen, ebenfalls über polysynaptische, spinale Reflexbahnen, zur tonischen Komponente beitragen. Neben monosynaptischen gibt es also auch **polysynaptische Dehnungsreflexe** [18]. — Die *Bedeutung descendierender Einflüsse* wird in 3.2 dargestellt.

Aufgaben der γ-Schleife, Folge-Servomechanismus. Nach dem bisher Gesagten gibt es *zwei* Möglichkeiten, eine Kontraktion der extrafusalen Muskulatur auszulösen: *erstens* durch **direkte Erregung der α-Motoneurone,** *zweitens* über eine **Erregung der γ-Motoneurone,** die ihrerseits über eine intrafusale Kontraktion eine Aktivierung des Dehnungsreflexbogens bewirken und dadurch die extrafusale Muskulatur zur Kontraktion bringen. Letztere Möglichkeit wird als **γ-Schleife** bezeichnet (Abb. 8(A)).

Bei Kontraktion des Muskels über die γ-Schleife folgt also einer Kontraktion der intrafusalen Muskulatur eine verstärkte Kontraktion der extrafusalen Muskulatur, bis die ursprüngliche Entladungsrate der primären Spindelafferenzen wieder erreicht ist. Die γ-Schleife mit dem in ihr eingeschlossenen Dehnungsreflexbogen bildet in diesem Fall also einen **Folge-Servomechanismus,** bei dem die *Muskellänge* der *Muskelspindellänge* folgt.

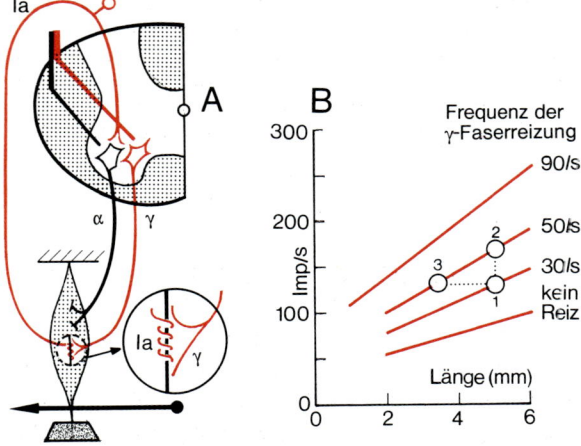

Abb. 8 A u. B. Reflexweg der γ-Schleife (rot in A) und der Einfluß der fusimotorischen Aktivität auf die Entladungsrate einer primären Muskelspindelendigung (B). Bei supraspinaler Aktivierung der γ-Schleife kommt es meist zu einer gleichzeitigen descendierenden Aktivierung der zugehörigen (homonymen) α-Motoneurone (α-γ-Koaktivierung, durch Doppelpfeil angedeutet). Die Muskelspindel von (B) stammte aus dem M. soleus der Katze. Der Versuch wurde wie in Abb. 6 (E, F, G) durchgeführt, es wurde jedoch, wie in der Abszisse angegeben, die Ruhelänge (nicht die Last) variiert und die Frequenz der fusimotorischen Reizung wie angegeben geändert. (B) nach Crowe und Matthews [4]

In Abb. 8(B) ist der Zusammenhang zwischen Muskellänge (Abszisse) und Entladungsfrequenz einer primären Spindelafferenz (Ordinate) bei unterschiedlichen Reizfrequenzen (0, 30, 50, 90 Hz) der zugehörigen γ-Faser graphisch darstellt. Ändert sich beispielsweise in Punkt 1 die Frequenz der γ-Entladungen von 30 auf 50 Hz, so wird die afferente Entladung nach Punkt 2 zunehmen. Die ursprüngliche afferente Entladungsrate wird dann durch Verkürzung des Muskels auf Punkt 3 wieder hergestellt. Über die γ-Efferenzen läßt sich also die Muskellänge verstellen, **ohne daß** sich die Impulsaktivität der Muskelspindelrezeptoren dauernd ändert. (Da die veränderte Gelenkstellung den Antagonisten gedehnt hat, muß dabei, sofern Punkt 3 den gleichen Ordinatenwert haben soll wie Punkt 1, die Spannung der antagonistischen intrafusalen Muskelfasern etwas vermindert werden.)

Eine genauere regeltechnische Betrachtung dieser Reflexkreise wird in XVI gegeben. Hier sei nur noch daran erinnert, daß die Entladungsfrequenz der Muskelspindelrezeptoren nicht nur proportional der Muskellänge ist (wie wir in den bisherigen Betrachtungen vereinfachend angenommen haben), sondern auch eine Komponente besitzt, die der Änderungsgeschwindigkeit der Muskellänge (also der ersten Ableitung) proportional ist (siehe Abb.5(B)). Diese zweite Komponente kompensiert einen Teil der durch die Laufzeit und Masseträgheit verursachten Verzögerungen der Reaktionen des Regelkreises.

Alpha-Gamma-Koaktivierung (Alpha-Gamma-Kopplung).

Ursprünglich wurde angenommen, daß bei zielmotorischen Bewegungen die **direkte Erregung der α-Motoneurone** (Abb. 8(A)) vor allem dann benutzt würde, wenn es auf Schnelligkeit ankommt, die **Aktivierung der γ-Schleife** dagegen für besonders

gleichmäßige und fein abgestufte Bewegungen [11]. Unterdessen hat sich aber für verschiedene Bewegungen (Katze: Atmung, Kauen, Gehen; Mensch: Fingerbewegungen) gezeigt, daß es zwar bei der Kontraktion zu einer Zunahme der Spindelentladungen (also zur intrafusalen Kontraktion) kommt, daß diese aber der Bewegung *nicht vorausgeht,* wie beim Folge-Servomechanismus gefordert, sondern zusammen mit ihr auftritt. Die *α- und γ-Motoneurone* werden also unter diesen Bedingungen *gleichzeitig* aktiviert, man spricht von **α-γ-Koaktivierung** oder **α-γ-Kopplung.** Die Aufgabe der α-Motoneurone wird also durch die Tätigkeit der γ-Motoneurone *unterstützt,* wobei der *Rückkopplungscharakter der γ-Schleife ein stabilisierendes Element* in die Bewegung hineinbringt (z.B. Nachlassen der Ia-Aktivität, falls Bewegung schneller als zentral programmiert und umgekehrt). Die **Aufgabe der γ-Schleife** kann daher am besten als die der **Servo-Unterstützung von Bewegungen** beschrieben werden [18].

Rolle der sekundären Muskelspindelendigungen. Die *zentrale Verschaltung* der Gruppe-II-Fasern von den sekundären Muskelspindelafferenzen ist noch weitgehend unklar [18]. Es wird daher auf sie nicht weiter eingegangen. Sicher ist, daß sie nicht der der Ia-Fasern (Abb. 7) und auch nicht der der Ib-Fasern (Abb. 9) entspricht. Am ehesten ähnelt sie der der „Flexor-Reflex-Afferenzen" (s. 2.3). Auf ihre mögliche Beteiligung an den tonischen Dehnungsreflexen wurde bereits hingewiesen.

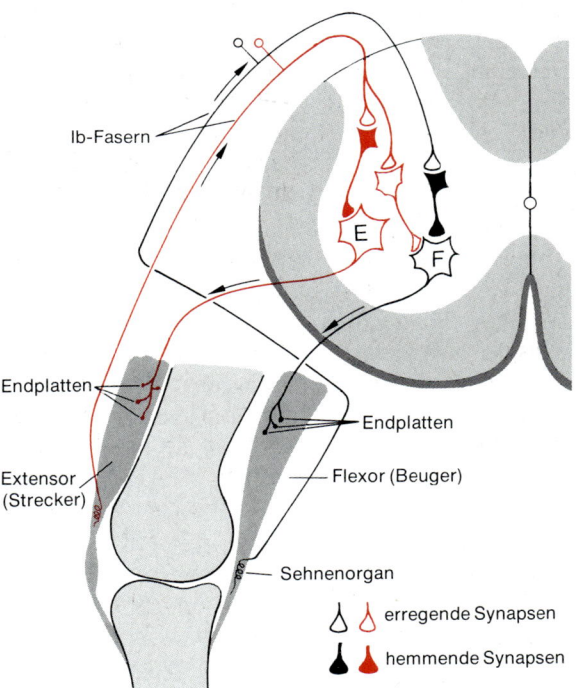

Abb. 9. Segmentale Verschaltung der Ib-Fasern von den Sehnenorganen im Muskel. Darstellung analog Abb. 7. Die erregende Verbindung der Flexor-Ib-Fasern zum Streckermotoneuron E ist weggelassen, da dieser Reflexweg nicht an allen Gelenken ausgebildet ist

Segmentale Verschaltung der Ib-Fasern, Aufgaben der Sehnenorgane. In erster Annäherung ist die segmentale Verschaltung der Ib-Fasern spiegelbildlich der der Ia-Fasern (Abb. 9). Die Sehnenorgane haben *di- oder trisynaptische hemmende* Verbindungen zu ihren *homonymen* und synergistischen agonistischen Motoneuronen (diese Hemmung wird **autogene Hemmung** genannt) und *disynaptische erregende* Verbindungen zu *antagonistischen* Motoneuronen [7, 8]. (Einschränkend muß gesagt werden, daß nicht alle bisherigen relevanten Befunde in dieses Schema eingeordnet werden können. Insbesondere die erregenden Reflexverbindungen der *Flexor*-Ib-Fasern weichen häufig davon ab, ohne daß derzeit eine weitere Generalisierung möglich wäre [11, 18].)

Sehnenorgane und Überlastungsschutz. Da die Sehnenorgane die Spannung des Muskels messen, wird eine Zunahme der Muskelspannung durch extrafusale Kontraktion zu einer Hemmung der homonymen Motoneurone über die Ib-Fasern führen. Damit wird ein zu starkes Anwachsen der Spannung, mit der Gefahr des Muskel- oder Sehnenrisses, verhindert. Beim decerebrierten Tier (s. S. 96) führt zunehmende Dehnung eines Muskels zu zunehmender Muskelspannung (über den Dehnungsreflexbogen), bis bei starker Dehnung der Muskeltonus plötzlich nachläßt. Dieses Phänomen wird **Taschenmesserklappreflex** genannt und vor allem der hemmenden Wirkung der homonymen Sehnenorgane zugeschrieben [18]. Man hat daraus gefolgert, daß die Aufgabe der **autogenen Hemmung** vorwiegend die eines **Schutzreflexes** sei.

Sehnenorgane als Fühler eines Spannungs-Kontroll-Systems. Wahrscheinlich ist der Überlastungsschutz nur ein Teilaspekt der Funktion der Sehnenorgane. Während nämlich Zunahme der Muskelspannung die autogene Hemmung steigert, führt Abnahme der Muskelspannung zu einer entsprechenden Disinhibition der homonymen Motoneurone, wodurch die Muskelspannung wieder zunehmen sollte. Mit anderen Worten: Der *Reflexbogen der Sehnenorgane* ist so verschaltet, daß er dazu dienen kann, die **Spannung des Muskels konstant** zu halten. Jeder Muskel besitzt also zwei Rückkopplungs-(feedback-)systeme (Regelkreise): *ein Längen-Kontroll-System* mit den Muskelspindeln als Fühlern und ein *Spannungs-Kontroll-System* mit den Sehnenorganen als Fühlern.

Von regelungstechnischem Standpunkt ist die Notwendigkeit des Spannungs-Kontroll-Systems neben dem des Längen-Kontroll-Systems nicht sofort einsichtig. In einem idealen Längen-Kontroll-Regelkreis wäre die vom Muskel entwickelte Kraft immer proportional den efferenten Impulse in den α-Motoaxonen, und ein Spannungs-Kontroll-System wäre überflüssig. Wir wissen aber aus V, daß die vom Muskel entwickelte Kraft auch von der Vordehnung, der Geschwindigkeit der Kontraktion und dem Grad der Ermüdung des Muskels abhängt. Die durch diese Faktoren verursachten Abweichungen der Muskelspannung vom gewünschten Wert werden von den Sehnenorganen gemessen und über das Spannungs-Kontroll-System korrigiert (s. auch XVI-2).

2.3. Polysynaptische motorische Reflexe

Außer den Muskelspindeln und Sehnenorganen tragen auch alle anderen somatosensorischen Receptoren zur spinalen Sensomotorik bei, nämlich die **Hautreceptoren,** die **Gelenkreceptoren** und die **„freien" Nervenendigungen** der Muskulatur, die von Gruppe III- und IV-afferenten Fasern versorgt werden. Allen diesen Afferenzen ist gemeinsam, daß sie die Motoneurone über **polysynaptische Reflexwege** erreichen (s. Abb. 10). Dadurch sind die Reflexantworten, wie in IV-2.3 ausgeführt, besonders leicht an die jeweilige Situation anpaßbar.

Flexorreflex. Wird am spinalisierten Tier eine Hinterpfote schmerzhaft gereizt (durch Kneifen, starke elektrische Reize, Hitze), so beobachtet man ein Wegziehen der gereizten Extremität, also eine Beugung (Flexion) in Sprung-, Knie- und Hüftgelenk. Dieses Phänomen bezeichnet man als den **Flexorreflex.** Schmerzhafte Reizung der Vorderpfote führt zu einem entsprechenden *Flexorreflex* der Vorderextremität. Die für diesen Reflex verantwortlichen Receptoren liegen in der Haut. Es handelt sich also um einen Fremdreflex. Er dient offensichtlich dazu, die Extremität aus dem Bereich des schmerzhaften, d.h. schädlichen Reizes wegzuziehen. Er ist also ein typischer *Schutzreflex.* Durch Betasten der Muskulatur während eines Flexorreflexes läßt sich feststellen, daß die *Streckmuskulatur* während der Beugung erschlafft. Dies läßt darauf schließen, daß die Extensormotoneurone der gebeugten Extremität während dieser Zeit gehemmt werden.

Flexorreflexe verschiedenster Ausprägung lassen sich durch elektrische Reizung praktisch aller somato-sensorischen Nerven auslösen, insbesondere wenn die Reizstärken so gewählt werden daß Gruppe III- und IV-Afferenzen erregt werden. Man hat daher diese Afferenzen als **Flexor-Reflex-Afferenzen** zusammengefaßt [10, 12]. Leider hat dieser Begriff weite Verbreitung gefunden, obwohl er Afferenzen mit ansonsten sehr unterschiedlichen zentralen Aufgaben zusammenfaßt [18].

Gekreuzter Extensorreflex. Die Flexion einer Hinter- oder Vorderextremität ist immer von einer Zunahme des Extensortonus der contralateralen Extremität begleitet, was dazu dient, der auf dieses Bein zusätzlich übertragenen Last entgegenzuwir-

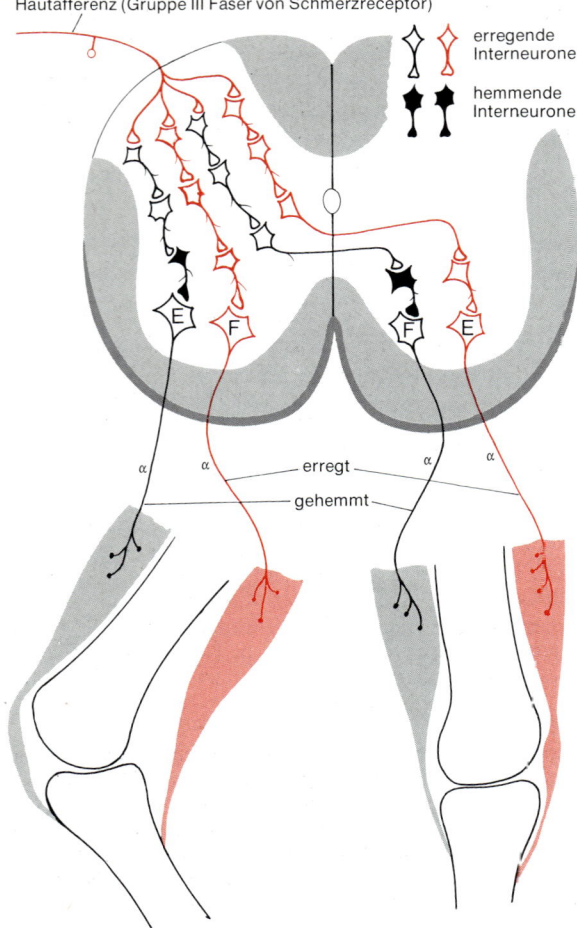

Hautafferenz (Gruppe III Faser von Schmerzreceptor)

erregende Interneurone

hemmende Interneurone

E   F   F   E

α   α   erregt   α   α
           gehemmt

Abb. 10. Intrasegmentale Verschaltung einer afferenten Faser von einem Nociceptor (Schmerzreceptor) der Haut des Fußes. Die Gruppe-III-Afferenz und die Reflexwege des ipsilateralen Beuge-(Flexor-)Reflexes und des kontralateralen Streck-(Extensor-)Reflexes sind rot eingetragen. E Extensormotoneurone, F Flexormotoneurone

ken. Dieser *contralaterale* Streckreflex wird auch als **gekreuzter Streck-** oder **Extensorreflex** bezeichnet, da die afferente Aktivität über die vordere Commissur auf die contralaterale Seite des Rückenmarks kreuzt, um dort den Streckreflex zu induzieren (Abb. 10). Betasten der contralateralen Extremität während des gekreuzten Extensorreflexes zeigt, daß dort die Beugemuskulatur während der Streckung erschlafft. Dies läßt darauf schließen, daß während der Erregung der contralateralen Extensormotoneurone die contralateralen Flexormotoneurone gehemmt werden. Insgesamt werden also, wie Abb. 10 zeigt, durch schmerzhafte Reizung einer Extremität offensichtlich vier Typen von motorischen Reflexbögen erregt, die alle Flexor- und Extensormotoneurone der ipsi- und contralateralen Extremitäten einschließen.

Nicht jeder hat die Möglichkeit, im Labor den Flexorreflex, den gekreuzten Streckreflex und die dazu reziproken Hemmungen am spinalisierten Tier kennenzulernen. Der Flexorreflex kann aber auch ohne Spinalisierung bei neugeborenen oder wenige Tage alten Haustieren (Hunden, Katzen etc.) oder beim menschlichen Säugling gut beobachtet werden, da in dieser Zeit die übergeordneten Hirnabschnitte noch nicht voll ausgereift sind und daher die einfachen spinalen Reflexmuster noch nicht durch kompliziertere überdeckt werden.

Gelenkreflexe. Während die Bedeutung der Gelenkreceptoren für die Tiefensensibilität unbestritten scheint (s. XI-2.2), ist über ihren segmentalen Einfluß auf Motoneurone wenig bekannt [18]. Die Zahl der Gelenkafferenzen relativ zu der der Muskel- und Hautafferenzen ist allerdings gering, so daß angenommen wird, daß sie für die Spinalmotorik nur eine untergeordnete Rolle spielen.

Reflexverbindungen der Gruppe III- und IV-Afferenzen der Muskeln. Ähnlich wie bei den sekundären Muskelspindelendigungen (s.o.) sind die motorischen Reflexverbindungen der freien Nervenendigungen im Muskel noch wenig untersucht. Ihre Afferenzen werden aufgrund von Ergebnissen bei elektrischer Nervenreizung den *Flexor-Reflex-Afferenzen* zugerechnet [18]. Sie übermitteln wahrscheinlich auch den Muskelschmerz und wirken daneben auf das autonome Nervensystem ein, wo sie an der Regelung der Muskeldurchblutung teilnehmen [26].

Intersegmentale Reflexbögen. Bei Vierfüßlern wird die Koordination zwischen Vorder- und Hinterextremitäten durch **intersegmentale Reflexe** übernommen. So führt an spinalisierten Tieren schmerzhafte Reizung einer Extremität zu Reflexbewegungen aller vier Extremitäten, die bei anhaltendem Schmerz in eine rhythmische Beugung und Streckung aller drei nicht gereizten Extremitäten, also in Laufbewegung übergehen. Dies deutet darauf hin, daß auch die normalen lokomotorischen Aktivitäten weitgehend in dieser Form auf spinaler Ebene vorgeformt sind. Die afferenten Impulse für diese intersegmentalen Reflexe scheinen von den sekundären Muskelspindelendigungen und den Hautreceptoren zu stammen; Impulse in Ia- und Ib-Fasern zeigen wenig Wirkung auf entfernt liegende Motoneurone.

Die Interneurone der intersegmentalen Reflexbögen liegen als **propriospinale Neurone** in der grauen Substanz des Rückenmarks. Ihre Axone ziehen in der weißen Substanz als **propriospinale Bahnen** mehr oder weniger weit auf und ab, ohne das Rückenmark zu verlassen. Degenerationsversuche (Herstellen völlig isolierter Rückenmarksabschnitte) haben gezeigt, daß die Mehrzahl der spinalen Nervenzellen zu den propriospinalen Neuronen zählt.

Integrative Funktion des Rückenmarks. Steh- und Laufreflexe können am spinalisierten Tier nicht nur durch schmerzhafte (s.o.), sondern auch durch nicht schmerzhafte Reizung, z.B. durch Druck auf die Fußsohlen, ausgelöst werden. Alle diese Experimente unterstreichen, daß die Verknüpfung der Neurone des Rückenmarks es ermöglicht, auf entsprechenden Anstoß aus der Peripherie oder von höheren Abschnitten des Zentralnervensystems *komplexe motorische Bewegungen auszuführen und aufeinander abzustimmen.* Wir bezeichnen dies als die **integrative Funktion** des Rückenmarks, wobei wir uns bewußt bleiben, daß bei den höheren Wirbeltieren, insbesondere bei den Säugern, die höheren Abschnitte des Zentralnervensystems mehr und mehr die Kontrolle der Rückenmarksfunktionen übernommen haben (Abb. 1).

Bei weitem nicht für alle uns bekannten spinalen Reflexbögen ist die funktionelle Bedeutung bereits voll einsichtig. Ein Beispiel bietet die in Abb. IV-4(B) gezeigte **Renshaw-Hemmung.** Sie ist ein negativer Rückkopplungsschaltkreis, wie er im Zentralnervensystem und in der Technik häufig benutzt wird, und hat als solcher die Aufgabe, ein unkontrolliertes Aufschaukeln (Schwingen) der Motoneuronenaktivität zu verhindern. Insbesondere scheint die Renshaw-Hemmung die **Entladungsfrequenz statischer** (an Haltefunktionen beteiligten) **Motoneurone** zu begrenzen [1]; ihre genaue Rolle im Rückenmark ist aber noch unklar.

Auch die Bedeutung der **präsynaptischen Hemmung** (Abb. III-13, III-14) für die Motorik, insbesondere die Spinalmotorik, ist noch offen, obwohl zahlreiche Details der zentralen Verknüpfung bereits bekannt sind [28, 30]. So gibt Abb. 11 einen Überblick über die präsynaptisch-hemmenden Reflexverbindungen zwischen den wichtigsten spinalen Afferenzen, der (wie bei der Renshaw-Hemmung auf der efferenten Seite) den **generellen negativen Rück-**

kopplungscharakter dieser Hemmung aufzeigt. Dabei sind allerdings einige Fasergruppen (vor allem Ia) wenig, andere (Ib, Hautafferenzen) besonders wirksam. Innerhalb des spinalen Reflexgeschehens läßt sich aber die Rolle der präsynaptischen Hemmung im einzelnen noch kaum abgrenzen.

2.4. Leistungen des isolierten Rückenmarks

Querschnittslähmung. Die Frage, zu welchen reflektorischen Leistungen das isolierte menschliche Rückenmark fähig ist, ist von großer praktischer Bedeutung, nachdem *Rückenmarksdurchtrennungen* bei Unfällen, insbesondere im Straßenverkehr, immer häufiger auftreten, und nachdem es heute durch sorgfältige Intensivpflege immer besser gelingt, diese Patienten über das akute Stadium hinaus zu einem nützlichen und erträglichen Leben zu rehabilitieren.

Bei der kompletten **Querschnittslähmung** (meist im Thorakalbereich, Th_2 bis Th_{12}) kommt es a) zu einer sofortigen und permanenten *Lähmung aller Willkürbewegungen* derjenigen Muskeln, die von den caudal der Verletzung gelegenen Rückenmarkssegmenten versorgt werden; b) sind *bewußte Empfindungen* aus dem Versorgungsgebiet der abgetrennten Rückenmarkssegmente ebenfalls für *immer unmöglich geworden;* und c) sind *alle Reflexe* in den betroffenen Körperabschnitten *zunächst erloschen* (Areflexie).

Die **motorischen Reflexe** erholen sich in den nächsten Wochen und Monaten. Korrekte Pflege vorausgesetzt, läßt sich trotz vieler individueller Unterschiede ein Grundmuster des Erholungsverlaufes in 4 Stadien erkennen: (a) Die **komplette Areflexie** dauert gewöhnlich 4–6 Wochen. Sie wird abgelöst durch eine Periode von 2 Wochen bis mehreren Monaten in der (b) **kleine reflektorische Bewegungen** der Zehen, insbesondere der Großzehe beobachtet werden. Anschließend entwickeln sich immer deutlicher (c) **Flexorreflexe,** zunächst der Zehen- (Babinskisches Zeichen) und Sprunggelenke, während später auch Flexorbewegungen der Knie- und Hüftgelenke auftreten. Diese *Flexor-Massenreflexe* sind teilweise von *gekreuzten Extensorreflexen* begleitet. Der Fuß, insbesondere die Fußsohle, ist dafür die bei weitem empfindlichste *reflexogene Zone.* Hier genügen nichtschmerzhafte Berührungsreize, um ausgedehnte Flexorreflexe auszulösen. Frühestens ein halbes Jahr nach der Durchtrennung bestimmen (d) **Extensorreflexe** immer stärker das Bild. Die langanhaltenden Kontraktionen der Streckmuskeln werden als *Extensorspasmen* bezeichnet. Sie können so stark werden, daß selbst ein kurzfristiges, nicht-unterstütztes Stehen des Patienten („spinales Stehen") möglich wird. Diese Extensorreflexe sind am besten durch plötzliche, kurze Dehnung der Flexoren, besonders der Hüftflexoren, auszulösen. Daneben bestehen die Flexorreflexe fort. Es kann also in diesem Stadium eine Zunahme der Erregbarkeit aller Reflexbögen angenommen werden. Abweichungen von diesem klinischen Bild, vor allem starke Extensorreflexe und erhöhter Muskeltonus kurz nach der Verletzung, sind meist ein Zeichen für eine unvollständige Durchtrennung des Rückenmarks mit entsprechend günstigeren Besserungsaussichten für Motorik und Sensibilität [15, 23]. — Das Verhalten der *autonomen Reflexe* wird in VII besprochen.

Spinaler Schock. Die reversible motorische und autonome Areflexie nach Rückenmarksdurchtrennung wird als **spinaler Schock** bezeichnet. Im Tierexperiment löst auch eine *funktionelle* Durchtrennung durch lokale Abkühlung oder Lokalanaes-

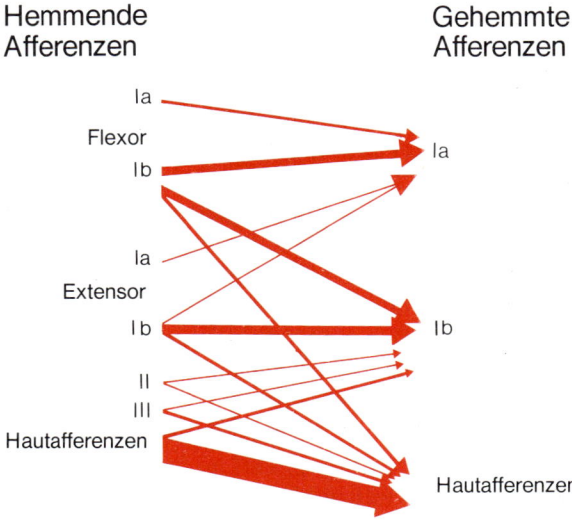

Hemmende Afferenzen

Gehemmte Afferenzen

Abb. 11. Die präsynaptisch hemmende Wirkung primär afferenter Fasern auf Ia-, Ib- und Hautafferenzen des Rückenmarks. Die Breite der Pfeile gibt in etwa die Stärke der Hemmung an. (Nach ECCLES u. Mitarb. [28])

thesie einen spinalen Schock aus. Nach einer ersten Durchtrennung und einer Rückkehr der Reflexe löst eine weitere Durchtrennung unterhalb der ersten Schnittstelle keinen spinalen Schock mehr aus. Entscheidend für sein Auftreten ist also der Verlust der Verbindung zum übrigen Zentralnervensystem.

Über die **Ursachen des spinalen Schocks** und über die Mechanismen, die zur Rückkehr der Reflexe führen, besitzen wir nur sehr unvollkommene und unbefriedigende Kenntnisse. Auffällig ist, daß die Tiefe und Dauer des spinalen Schocks mit zunehmender cerebraler Dominanz (Encephalisation) stark zunehmen. Bei *Fröschen* dauert der spinale Schock wenige Minuten, bei *Fleischfressern* Stunden, bei *Affen* Tage oder Wochen, bei *Menschenaffen* und *Menschen,* wie eben beschrieben, Wochen und Monate. Man kann also annehmen, daß durch die Durchtrennung der descendierenden Bahnen zahlreiche erregende Antriebe auf α- oder γ-Motoneurone und andere spinale Neurone ausfallen und eventuell dazu hemmende spinale Interneurone enthemmt werden, so daß es insgesamt zu einer starken Reflexunterdrückung kommt. Es bleibt aber die bisher ungelöste Frage, welche Mechanismen für die Rückkehr einiger Rückenmarksfunktionen verantwortlich sind, und warum beim Menschen die Erholungsperiode viele Monate dauert.

3. Reflektorische Kontrolle der Körperstellung im Raum

Die Aufrechterhaltung des Gleichgewichts und der normalen Körperstellung im Schwerefeld der Erde geschieht normalerweise völlig automatisch. Diese **Stützmotorik** ist weitgehend eine Leistung des Hirnstammes (vgl. Abb. 1). Experimentell wurde dies vor allem so untersucht, daß die Verbindungen des Hirnstammes zu den höher gelegenen motorischen Zentren unterbrochen und eventuell auch das Kleinhirn ausgeschaltet wurde [17, 25]. Durch gezielte, umschriebene Ausschaltversuche, durch Reizversuche und durch Ableiten mit Mikroelektroden konnten die *motorischen Zentren* des Hirnstammes näher lokalisiert werden [3, 11].

3.1. Funktionelle Anatomie der motorischen Zentren des Hirnstammes

Als **Hirnstamm** im *physiologischen* Sinne faßt man **Medulla oblongata** (verlängertes Mark), **Pons** (Brückenhirn) und **Mesencephalon** (Mittelhirn) zusammen (Abb. 12). Caudal geht der Hirnstamm in die *Medulla spinalis* (Rückenmark) über, nach rostral schließt sich das *Diencephalon* (Zwischenhirn) an. Von den zahlreichen im Hirnstamm gelegenen Strukturen werden hier nur diejenigen berücksichtigt, die für die Stützmotorik wichtig sind.

Motorische Zentren des Hirnstammes. Definiert man als motorische Zentren des Hirnstammes diejenigen Strukturen, deren efferente Bahnen die motorischen Reflexbögen des Rückenmarks (und der motorischen Kopfnerven) direkt beeinflussen und die selbst einbezogen sind in die efferenten Bahnen höher gelegener motorischer Zentren, so lassen sich im Hirnstamm drei solche Zentren abgrenzen (Abb. 12): a) der **Nucleus ruber,** b) die Kernregionen des N. vestibularis, insbesondere der **Nucleus vestibularis lat.** oder *Deiterssche Kern* und c) bestimmte Anteile der **Formatio reticularis.**
Der **Nucleus ruber** liegt im Mesencephalon (s. Abb. 12) in Höhe der Vierhügelplatte. Seine wichtigste efferente Projektion ist der **Tractus rubro-**

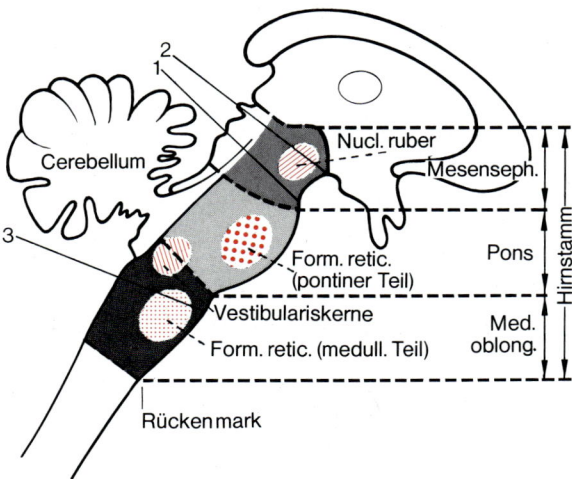

Abb. 12. Schematischer Überblick über die Lage der motorischen Zentren des Hirnstammes in Medulla oblongata (verlängertem Mark), Pons (Brücke) und Mesencephalon (Mittelhirn). Ausschaltung der Gehirnanteile oberhalb der angegebenen drei Schnittebenen führt zu einem decerebrierten Tier (1), einem Mittelhirntier (2) und einem hochspinalisierten Tier (3). Nähere Erläuterung im Text

spinalis. Dieser *kreuzt* unmittelbar nach Verlassen des Kerngebietes und verläuft im Rückenmark ventral und etwas lateral vom *Tractus corticospinalis lat.* Die Fasern enden in der grauen Substanz des Rückenmarks dorsal von den Kerngebieten der Motoneuronen (offene Kreise in Abb. 13 (A), Endigungszonen in Laminae V bis VII nach REXED). Der *Tractus rubrospinalis* wirkt **erregend auf α- und γ-Flexormotoneurone,** und zwar über Interneurone (Abb. 14). Die Extensoren werden vom Tractus rubrospinalis gehemmt. (Bezüglich des ähnlich wirkenden Tractus corticospinalis lat. s. 5.)
Vom **Nucleus vestibularis lat.** oder **Deitersschen Kern** (s. Abb. 12) nimmt der ungekreuzt verlaufende **Tractus vestibulospinalis** seinen Ausgang, der ventromedial in das Rückenmark projiziert und dort in den medialen Anteilen des Vorderhornes

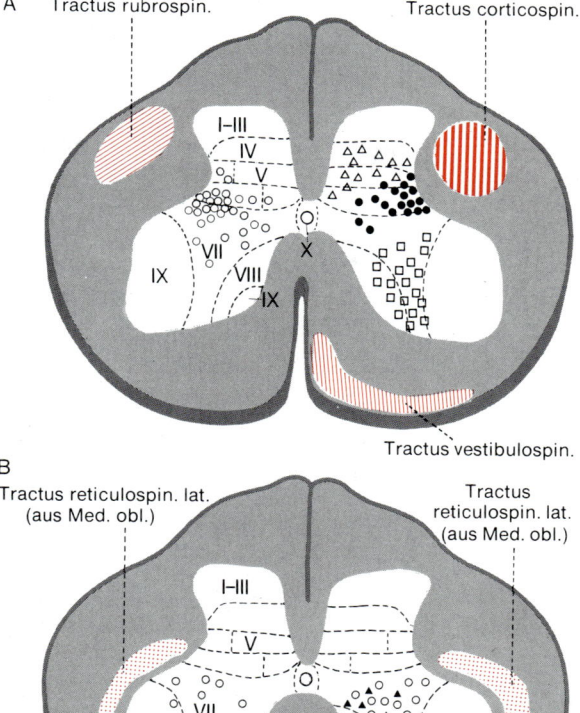

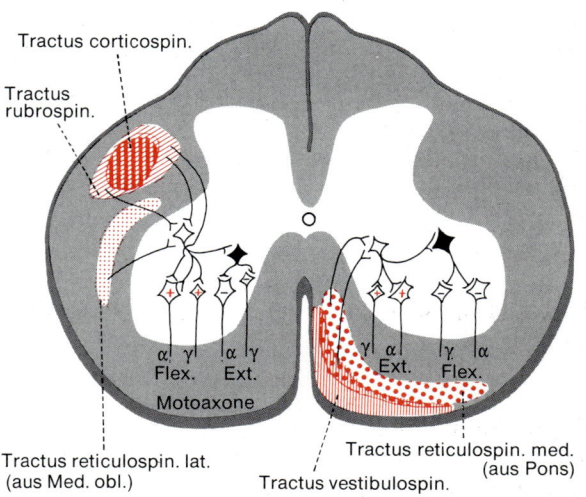

Abb. 13A u. B. Lage der wichtigsten descendierenden motorischen Bahnen des Rückenmarks (rot eingetragen, korrespondierende Schraffuren in Abb. 12 bis 14 bezeichnen identische Bahnen) und Angabe ihrer Endigungsgebiete. Die Gliederung der Kerngebiete der grauen Substanz nach REXED (römische Numerierung) ist angegeben. (A) in der linken Bildhälfte Lage und Endigungsgebiete (offene Kreise) des Tractus rubrospinalis, in der rechten Bildhälfte des Tractus vestibulospinalis (Endigungsgebiete: Vierecke) und des Tractus corticospinalis. Die Endigungsgebiete der aus MsI (s. S. 105, 106) stammenden corticospinalen Fasern (volle Kreise) liegen deutlich weiter ventral als die aus SmI stammenden Fasern (Dreiecke). (B) Lage und Endigungsgebiete der medullären (Endigungsgebiete: offene Kreise) und der pontinen (Endigungsgebiete: Dreiecke) reticulospinalen Bahnen. (Modifiziert aus BRODAL [3] nach Daten von NYBERG-HANSEN und BRODAL)

Abb. 14. Schematische Darstellung der Hauptwirkungen der motorischen Bahnen des Rückenmarks auf Beuger- und Streckermotoneurone (Flexor- und Extensormotoneurone). Die dorsal und lateral liegenden Bahnen (Tr. corticospin., rubrospin. und reticulospin. lat.) wirken erregend auf α- und γ-Beugermotoneurone und hemmend auf die Streckermotoneurone. Die medial und ventral liegenden Bahnen (Tr. vestibulospin. u. reticulospin. med.) haben spiegelbildliche Wirkungen

spinales ausgehen. Der ungekreuzte Tractus reticulospinalis med. enthält Fasern aus dem pontinen Kerngebiet, während der sowohl gekreuzt als auch ungekreuzt verlaufende Tractus reticulospinalis lat. aus dem medullären Kerngebiet stammt. Beide Tractus enden in der grauen Substanz wiederum weitgehend außerhalb der Motoneuronenkerne (Abb. 13(B)), wobei die Endigungsgebiete der *pontinen Fasern ähnlich denen der vestibulären* Bahn sind, die der *medullären Fasern ähnlich denen der Tractus rubrospinalis und corticospinalis* (vgl. Abb. 14). Diese Entsprechung gilt auch für die Funktion: die medullären Fasern **erregen α- und γ-Flexormotoneu-**

(Quadrate in Abb. 13(A)), aber weitgehend außerhalb der Motoneuronenkerngebiete endet. Der *Tractus vestibulospinalis* wirkt **erregend auf α- und γ-Extensormotoneurone** (Abb. 14) und hemmt die Flexoren. Die erregende Wirkung ist zum Teil *monosynaptisch.*

In der **Formatio reticularis** des Hirnstammes lassen sich in Pons und Medulla oblongata je ein Gebiet abgrenzen (Abb. 12), von dem die **Tractus reticulo-**

rone (und hemmen die Extensoren), während die *pontinen Fasern* **erregend auf α- und γ-Extensoren** (und hemmend auf Flexoren) wirken (Abb. 14).

Die **supraspinalen descendierenden Bahnen** können also, grob gesprochen, in *zwei Klassen mit entgegengesetzter Wirkung* auf die Flexor- und Extensor-Motoneurone eingeteilt werden. Wie Abb. 14 zeigt, liegen *die Bahnen jeder Klasse im Rückenmark zusammen*, und zwar diejenigen, die erregend auf Flexoren wirken, dorsolateral von denjenigen, die erregend auf Extensoren wirken. Beide Klassen verfügen über *getrennte Interneuronensysteme*, wie aus den unterschiedlichen Endigungsgebieten (Abb. 13) und anderen Befunden hervorgeht [3].

Afferente Zuflüsse. Der Hirnstamm erhält *aus der Peripherie* afferente Zuflüsse von der gesamten Somatosensorik und auch von den speziellen Kopfnerven. Für die *Stützmotorik* sind dabei besonders zwei Zuflüsse von Bedeutung: die von den **Gleichgewichtsorganen** (s. XIII-1) und die von den **Receptoren des Halses** (aus Muskeln, Fascien und Gelenken). Die ebenfalls für die Stützmotorik, aber nicht nur für diese, wichtigen Zuflüsse aus dem *Kleinhirn* und aus den *höher gelegenen motorischen Zentren* werden in den beiden nachfolgenden Abschnitten 4 und 5 im Zusammenhang behandelt.

3.2. Motorik des decerebrierten Tieres

Enthirnungsstarre. Wird bei einem Versuchstier, z.B. einer Katze, der Hirnstamm in der Ebene des Tentorium cerebelli durchtrennt (Schnittführung 1 in Abb. 12), so entwickelt sich rasch eine starke Tonuserhöhung der gesamten Extensormuskulatur. Das Tier hält dadurch alle vier Extremitäten in maximaler Streckstellung. Kopf und Schwanz sind zum Rücken hin gebogen. Man bezeichnet dieses Bild als **Enthirnungs-** oder **Decerebrationsstarre.** Wird ein decerebriertes Tier aufgerichtet, so bleibt es stehen, da durch den hohen Tonus der Extensormuskulatur die Gelenke nicht einknicken. Die unnatürliche überstreckte Haltung des Tieres wirkt wie eine Karikatur des normalen Stehens.
Die wesentlichste **Ursache der Decerebrationsstarre** ist der durch das Abtrennen des Nucleus ruber und der anderen höher gelegenen motorischen Zentren überwiegende Einfluß des *Deittersschen Kernes* auf die Extensormotoneurone (vgl. 1.3 und Abb. 14). Dies wird unter anderem dadurch deutlich, daß erst eine Schnittführung caudal dieses Kernes (Schnitt 3 in Abb. 12) die Enthirnungsstarre löst. Auch kann diese einseitig durch ipsilaterale Coagulation dieser Kernregion weitgehend zum Verschwinden gebracht werden.
Gamma- und Alpha-Starre. Die eben beschriebene Decerebrationsstarre wird durch Durchschneiden der Hinterwurzeln aufgehoben (SHERRINGTON). Dies zeigt an, daß sie wesentlich über die γ-Schleife aufrecht erhalten wird. Man spricht daher von γ-**Starre** [11]. Bei *ischämischer Decerebration* (Verschluß der Aa. carot. und A. basilaris), bei der große Teile des Kleinhirns und des Pons mitausgeschaltet werden, entwickelt sich eine Decerebrationsstarre, die auch nach Durchschneiden der Hinterwurzeln, d.h. Unterbrechen der γ-Schleife, bestehen bleibt. Bei dieser **α-Starre** überwiegt also der direkte erregende Einfluß auf die α-Extensormotoneurone. (Das Kleinhirn wirkt hemmend auf den Deitersschen Kern. Entfernung des Kleinhirns vertieft daher die Decerebrationsstarre, Reizung des Kleinhirns vermindert sie oder hebt sie auf.)

Haltereflexe. Die Tonusverteilung der Muskulatur eines decerebrierten Tieres kann durch passives Bewegen des Kopfes verändert werden. Da Bewegungen des Kopfes einmal die Stellung des Kopfes im Raum, zum anderen die Stellung des Kopfes relativ zum Körper ändern, kann diese Tonusänderung durch Meldungen aus dem Gleichgewichtsorgan und/oder den Receptoren des Halses hervorgerufen werden. Es ist daher notwendig, die Tonusänderungen nach Ausschalten der einen oder anderen Informationsquelle zu untersuchen. Entfernt man beispielsweise beide Labyrinthe, so wird die Stellung des Kopfes im Raum nicht mehr angezeigt, die Receptoren des Halses werden aber jede Änderung der Kopfstellung relativ zur Körperstellung melden. Diese Meldungen führen in den *motorischen Zentren des Hirnstammes* zu entsprechenden, sinnvollen *Korrekturen der Tonusverteilung der Körpermuskulatur* (Abb. 15), die als **tonische Halsreflexe** bezeichnet werden. Entsprechend werden von den Gleichgewichtsorganen ausgehende Änderungen

Decerebriertes Tier, Labyrinthe entfernt

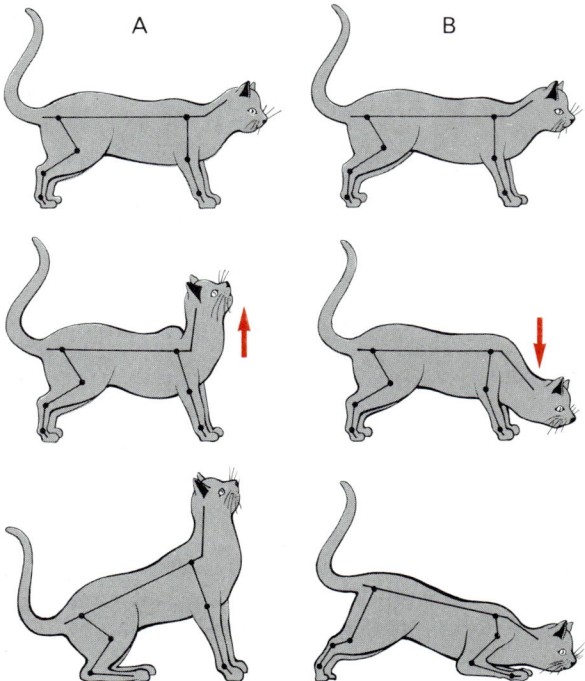

Abb. 15A u. B. Auslösung von Haltereflexen (Stehreflexen) bei einem decerebrierten Tier, dessen Gleichgewichtsorgane (Labyrinthe) entfernt wurden. Passive Beugung des Kopfes nach oben (roter Pfeil in (A)) führt zu einer Verminderung des Strecktonus in den Hinterextremitäten und zu einer Erhöhung des Strecktonus in den Vorderextremitäten. Passive Beugung des Kopfes nach unten (roter Pfeil in (B)) hat den umgekehrten Effekt

der Tonusverteilung **tonische Labyrinthreflexe** genannt. Man faßt solche Reflexe als **Haltereflexe** oder auch als *Stehreflexe* zusammen, da sie die Haltung des ruhig stehenden Tieres bestimmen.

Beispiele tonischer Halsreflexe. Wird bei einem decerebrierten, stehenden Tier, dessen Labyrinthe entfernt wurden, der Kopf nach oben gebeugt (roter Pfeil in Abb. 15(A)), so ändert sich der Tonus der Extremitätenmuskulatur wie angezeigt: der Streckertonus der Hinterextremitäten verringert sich, der der Vorderextremitäten erhöht sich. Beim Beugen des Kopfes nach unten (roter Pfeil in Abb. 15(B)) treten umgekehrte Änderungen der Tonusverteilung auf: der Streckertonus der Vorderextremitäten verringert sich, der der Hinterextremitäten erhöht sich. Ein drittes Beispiel: Wird der Kopf zur Seite gewendet, also das Gleichgewicht der Körperhaltung gestört, so wird dies durch entsprechende Tonuserhöhung der Extremitätenmuskulatur kompensiert. Beim Wenden des Kopfes nach rechts (und damit Verlagerung des Körpergewichts auf die rechte Seite) erhöht sich also der Extensortonus der beiden rechten Extremitäten. In allen drei Fällen wird die neue Körperhaltung solange beibehalten, wie der Kopf in der veränderten Stellung verbleibt.

Tonische Labyrinthreflexe. Wenn man, um Halsreflexe auszuschalten, dafür sorgt, daß der Kopf seine Lage zum Körper nicht ändert, aber Kopf und Körper in verschiedene Lagen im Raum bringt, so kann man am decerebrierten Tier feststellen, daß durch Änderungen der Kopfstellung sehr deutliche Änderungen des Streckertonus aller vier Gliedmaßen ausgelöst werden können [17, 25]. Die Streckmuskeln der vier Gliedmaßen reagieren dabei stets *gleichsinnig*.

Kompensatorische Augenstellungen. Ein interessanter *Sonderfall der Haltereflexe* wird durch die **kompensatorischen Augenstellungen** gebildet. Diese Bewegungen der Augäpfel sorgen dafür, daß sich bei Kopfbewegungen die Lage der Gesichtsfelder nicht ändert, die Netzhautbilder also stehen bleiben. Beim Menschen und bei Tieren mit frontalen Augen wird dies vorwiegend durch die optischen Meldungen der sich überlappenden Gesichtsfelder erreicht, aber bei Tieren mit seitlich angeordneten Augen, bei denen sich die Gesichtsfelder beider Augen wenig oder nicht überlappen, wird die Spannungsverteilung der Augenmuskulatur weitgehend durch das Zusammenarbeiten von Labyrinth- und Halsreflexen beherrscht. Dreht man z.B. den Kopf eines Kaninchens so, daß die rechte Gesichtshälfte sich nach unten bewegt, so wird das rechte Auge nach oben und das linke (oben befindliche Auge) nach unten abgelenkt. Es wird durch dieses **Gegenrollen der Augen** bis zu einem gewissen Grade erreicht, daß die Augen der Kopfstellung nicht folgen, sondern ihre Lage zum Horizont beibehalten.

3.3. Motorik des Mittelhirntieres

Leistungen des Mittelhirntieres. Läßt man neben Medulla oblongata und Pons auch das Mesencephalon weitgehend in Verbindung mit dem Rückenmark (Mittelhirntier, Schnitt 2 in Abb. 12), so werden die motorischen Fähigkeiten des Organismus erheblich verbessert und erweitert. Die zwei bemerkenswertesten Unterschiede zum decerebrierten Tier sind: 1. das Mittelhirn hat *keine* ausgeprägte Decerebrationsstarre; 2. das Mittelhirntier vermag sich selbst zu *stellen*. Da sich bei beiden Präparaten die motorisch relevanten Zuflüsse zum Hirnstamm

nicht unterscheiden, müssen diese Verbesserungen überwiegend durch die motorischen Zentren des Mittelhirns bedingt sein. Für die **Verbesserung der Tonusverteilung** ist beispielsweise entscheidend, daß durch den Einfluß des **Nucleus ruber** die einseitige Bevorzugung der Extensoren beseitigt wird (vgl. 3.1 und Abb. 14).

Stellreflexe. Noch wichtiger als das Fehlen der Decerebrationsstarre ist die Fähigkeit des Mittelhirntieres, sich in die *normale Körperstellung aufzustellen.* Aus allen abnormen Lagen wird jeweils die Grundhaltung reflektorisch und mit vollständiger Sicherheit eingenommen. Diejenigen Reflexe, die das Aufstellen in die normale Körperstellung bewirken, bezeichnen wir als **Stellreflexe** (vgl. Tabelle 1).

Tabelle 1. Reflexe der Körperhaltung und -stellung

Statische Reflexe		Stato-kinetische Reflexe
Haltereflexe	Stellreflexe	
z.B.	z.B.	z.B.
Tonische Halsreflexe	Labyrinth-Stellreflexe	Kopfdrehreaktionen
Tonische Labyrinthreflexe	Hals-Stellreflexe	Augendrehreaktionen
Kompensatorische Augenstellungen		Liftreaktion
		Sprungbereitschaft

Es hat sich gezeigt, daß das Aufrichten in die normale Körperstellung, also der Ablauf der Stellreflexe, in einer bestimmten Reihenfolge, kettenförmig gewissermaßen, erfolgt. Zunächst wird immer über Meldungen aus dem Labyrinth der Kopf in die Normalstellung gebracht. Diese Reflexe werden als **Labyrinth-Stellreflexe** bezeichnet. Das Aufrichten des Kopfes, z.B. aus liegender Stellung, verändert dann die Lage des Kopfes zum übrigen Körper, was durch die Receptoren des Halses angezeigt wird. Dies bewirkt alsdann, daß der Rumpf dem Kopf in die Normalstellung folgt. Analog den Labyrinth-Stellreflexen werden diese Reflexe als **Hals-Stellreflexe** bezeichnet.

Funktion der Halte- und Stellreflexe. Durch die Stellreflexe werden also die normale Körperhaltung und das Körpergleichgewicht unwillkürlich aufrechtgehalten. Außer den *Labyrinth-* und *Hals-Stellreflexen* gibt es noch eine Reihe anderer Stellreflexe, die z.B. von den *Receptoren der Körperoberfläche* ihren Ausgang nehmen und auf Kopf- und

Körperstellung wirken. Nimmt man noch die *opti-schen Stellreflexe* dazu, die bei Mittelhirntieren aus-geschaltet sind, aber unter anderen experimentellen Bedingungen nachgewiesen werden können, so wird klar, daß das Aufrichten in die normale Körperstel-lung über diese mehrfachen Auslösungsmöglichkei-ten zu den bestgesicherten Funktionen des Zentral-nervensystems gehört. Durch die Halte- und Stellre-flexe wird die *Einnahme der Grundstellung* und die *Annahme und das Aufrechterhalten einer bestimmten Haltung* gewährleistet. Wichtig ist, daß bei diesen Reaktionen der Kopf, in welchem Auge, Ohr und Geruchsorgan liegen, eine überwiegende Rolle spielt. So kommt es, daß bereits auf Fernreize hin der Körper die passende Stellung, welche häufig eine Verteidigungsstellung sein wird, einnehmen kann.

Statische und stato-kinetische Reflexe. Die bisher geschilderten Reflexe werden oft als **statische Re-flexe** zusammengefaßt, da sie die Körperstellung und das Gleichgewicht beim ruhigen Liegen, Stehen und Sitzen in den verschiedensten Stellungen bedin-gen und erhalten. Daneben sind beim Mittelhirntier auch eine Reihe von Reflexen nachweisbar, die durch Bewegungen ausgelöst werden und selbst Be-wegungen darstellen. Sie werden daher als **stato-ki-netische Reflexe** zusammengefaßt (Tabelle 1).

Beispiele für stato-kinetische Reflexe. Viele dieser Reflexe neh-men ihren Ausgang vom Labyrinth. Am bekanntesten sind die **Kopf-** und **Augendrehreaktionen.** Wird ein Tier beispielsweise im Uhrzeigersinn gedreht, so wird der Kopf im Gegenuhrzeiger-sinn gewendet usw. Diese Reaktionen sind *kompensatorisch*, d.h. Augen und Kopf werden so bewegt, daß die optischen Bilder während der Bewegung nach Möglichkeit erhalten bleiben. Nach Abschluß der Bewegung werden sie dann durch statische Reflexe (kompensatorische Augenstellungen, s.o.) festgehalten. Andere wichtige stato-kinetische Reflexe sorgen für Gleichgewicht und korrekte Körperstellung bei Sprung und Lauf. Zu ihnen gehören die **Liftreaktion** (erhöhter Extensortonus bei linearer Beschleuni-gung nach unten, erhöhter Flexortonus bei Beschleunigung nach oben) und die **Sprungbereitschaft**, die mithilft, daß eine Katze immer in korrekter Körperstellung auf dem Boden landet. (Für den vestibulären Nystagmus s. XIII-1.3.)

Funktion der Stützmotorik. Im ganzen läßt sich ver-einfachend zusammenfassen, daß sich das Mittel-hirntier in bezug auf Halte-, Stell- und die hier nicht besprochenen Lauf- und Springreaktionen wenig vom intakten Tier unterscheidet. Ohne Zweifel geht aus den Experimenten an decerebrierten und Mit-telhirn-Tieren hervor, daß die Grundlagen für die äußerst ausdrucksvollen verschiedenen Stellungen und Haltungen der Tiere und des Menschen, welche uns im natürlichen Leben und bei den Kunstwerken der Malerei und Skulptur begegnen, im letzten Grunde auf den Gesetzmäßigkeiten der in den mo-torischen Zentren des Hirnstamms integrierten Handlungsabläufe der Stell- und Haltereflexe be-ruhen, die dafür die Muskulatur des gesamten Kör-pers zu gemeinschaftlicher Leistung zusammenfas-sen.

4. Das Kleinhirn

Es ist außer Zweifel, daß das *Kleinhirn* an der *nervö-sen Kontrolle von Haltung und Bewegung* entschei-dend teilnimmt. Wahrscheinlich lassen sich eine Reihe von Tätigkeiten nur unter der Mitwirkung des Kleinhirns *optimal* ausführen. Das Kleinhirn ist allerdings nicht lebensnotwendig, an Menschen mit angeborenem Fehlen des Kleinhirns sind im Alltag keine motorischen Ausfälle beobachtbar.

Trotz großer experimenteller Anstrengungen und erheblicher Fortschritte in den beiden letzten Jahr-zehnten sind die *Mechanismen der cerebellären Tä-tigkeit* erst in Ansätzen aufgeklärt [3, 6, 9, 13, 16, 21]. Da aber an keiner anderen zentralnervösen Struktur unsere Kenntnisse weiter fortgeschritten sind als am Kleinhirn, ist zu hoffen, daß gerade hier bald neue und entscheidende Durchbrüche in unserem Verständnis zentralnervöser Tätigkeit ge-lingen.

4.1. Funktionelle Anatomie des Kleinhirns

Die strukturellen Aspekte des Kleinhirns, soweit sie für ein Verständnis der funktionellen Zusam-menhänge erforderlich sind, sind in Abb. 16 zusam-mengefaßt. Der Sagittalschnitt in (A) zeigt die cha-rakteristische *Fältelung der Kleinhirnrinde*, deren einzelne Lobuli neben ihrer klassischen Bezeich-nung die römische Numerierung nach LARSELL tra-gen, die sich weitgehend durchgesetzt hat [3].

Die linke Hälfte der Aufsicht in Abb. 16(B) gibt die **entwicklungsgeschichtlichen Zusammenhänge** wieder. Es wird sofort deutlich, daß bei den höheren Säugern das *Neocerebellum* (Hemisphären, Vermis caudal der Fissura prima) schon in seiner Ausdeh-nung dominiert gegenüber dem *Palaeocerebellum* (Vermis des Lob. ant., Pyramis, Uvula, Parafloccu-lus) und dem kleinen *Archicerebellum* (Lob. flocu-lo-nodularis). Diese entwicklungsgeschichtliche Einteilung entspricht auch in etwa einer **Einteilung nach den afferenten Zuflüssen** (s. 4.3). Das Archice-rebellum wird daher häufig auch als *Vestibulocere-bellum*, das Palaeocerebellum als *Spinocerebellum*

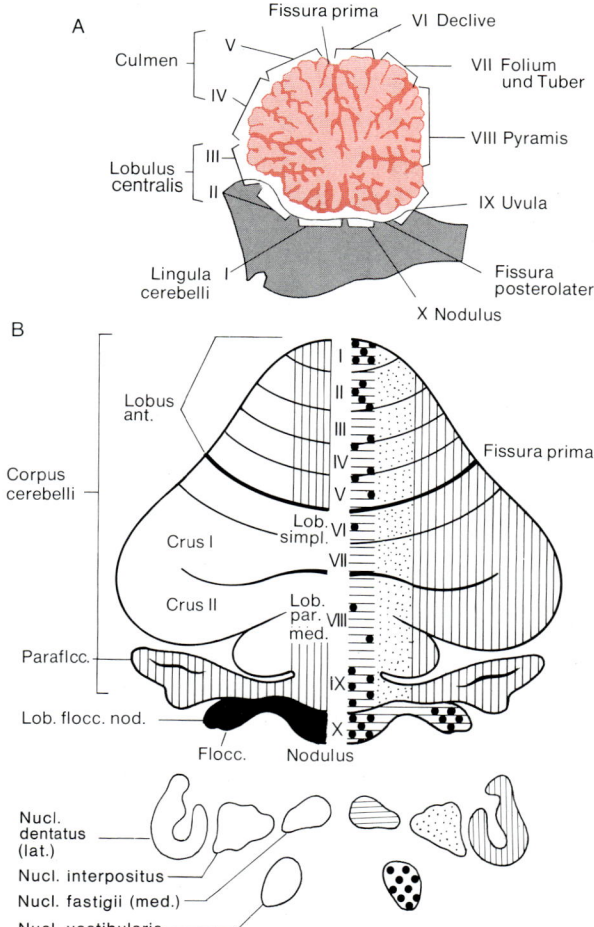

Abb. 16A u. B. Funktionelle Anatomie des Kleinhirns im Überblick. (A) Sagittalschnitt (Affe) mit Numerierung der Lobuli nach LARSELL. (B) zeigt links die Einteilung nach phylogenetischen Gesichtspunkten in Archicerebellum (Lob. flocculonodularis, schwarz), Palaeocerebellum (längs schraffiert) und Neocerebellum (weiß). Rechts in (B) ist die Einteilung in die Längszonen angegeben, die sich aus der Projektion der Kleinhirnrindenareale auf die Kleinhirnkerne ergibt. Korrespondierende Rinden- und Kerngebiete sind identisch markiert. (Nach JANSEN und BRODAL aus [3])

und das Neocerebellum als *Pontocerebellum* bezeichnet.

Funktionell noch bedeutsamer als die bisher beschriebenen Einteilungen ist die **Gliederung in drei Längszonen**, die sich vor allem aus der *Projektion der Kleinhirnrindenausgänge* (der Purkinje-Zell-Axone) auf die Kleinhirnkerne ergibt (rechts in Abb. 16(B)). Der *vermale Anteil* der Kleinhirnrinde projiziert zum **Nucleus fastigii** (syn. Nucl. medialis), die lateral davon liegende *Pars intermedia* zum **Nucleus interpositus**, der beim Menschen aus den Nuclei globosus plus emboliformis besteht, und die *Hemisphären* zum **Nucleus dentatus** (syn. Nucl. lat.), der bei Primaten, entsprechend der starken Zunahme der Hemisphären, der größte der auf jeder

Seite in der weißen Substanz des Kleinhirns liegenden Kleinhirnkerne ist.

Auch auf das **menschliche Kleinhirn** können die weitgehend im Tierexperiment gewonnenen bisher besprochenen Einteilungsgesichtspunkte angewendet werden, wobei die entwicklungsgeschichtlichen Gegebenheiten und die teilweise unterschiedlichen Nomenklaturen zu berücksichtigen sind [3].

4.2. Die Kleinhirnrinde

Aufbau. Die Kleinhirnrinde (Abb. 16(A)) hat eine große Oberfläche. Aufgefaltet würde sie eine Fläche von 17×120 cm^2 (Breite × Länge) bedecken. Trotz dieser großen Ausdehnung ist die **Kleinhirnrinde**, von regionalen Schwankungen abgesehen, weitgehend **einheitlich aufgebaut** (Abb. 17). Die oberflächlichste ihrer *drei Schichten*, die **Molekularschicht**, wird von der untersten, der **Körnerschicht**, durch eine Lage Purkinje-Zellen, die **Purkinje-Zell-Schicht**, getrennt. Molekularschicht und Körnerschicht erhielten ihren Namen durch ihr feingepunktetes bzw. gekörntes Aussehen im frischen Rindenquerschnitt.

Sechs verschiedene Neuronentypen und ihre Fortsätze liegen in den verschiedenen Schichten der Kleinhirnrinde (Abb. 17). Die kleinen (1) **Körnerzellen** (Anzahl beim Menschen 10^{10} bis 10^{11}) der Körnerschicht projizieren ihre Axone in die Molekularschicht. Dort teilen sich die Axone T-förmig auf und laufen als **Parallelfasern** für 1–2 mm in jede Richtung entlang dem Folium. Dabei durchqueren sie die *Dendritenbäume aller anderen fünf Zellen* und bilden *Synapsen* mit diesen. Ebenfalls in der Körnerschicht liegen die größeren (2) **Golgi-Zellen**, deren Dendriten sich weit in die Molekularschicht erstrecken und deren Axone zu den Körnerzellen ziehen.

Die zwischen den beiden anderen Schichten liegenden (3) **Purkinje-Zellen** (beim Menschen 15 Millionen) sind große Neurone mit einem weit in die Molekularschicht sich verzweigenden *Dendritenbaum* (s. auch Abb. I-1(B)), der spalierobstförmig senkrecht zum Folium und zum Verlauf der Parallelfasern ausgebreitet ist. Die *Axone* der Purkinje-Zellen ziehen zu den Kleinhirnkernen, zum geringeren Teil auch zu den Vestibulariskernen. Sie sind der einzige „Ausgang" der Kleinhirnrinde.

Die übrigen drei Zelltypen (4) **Korbzellen**, (5) **Sternzellen** und (6) **Lugaro-Zellen** liegen in der *Molekularschicht*. Während der Verlauf der Axone der Lugaro-Zellen unbekannt ist (sie werden daher hier nicht weiter berücksichtigt), weiß man, daß die Axone der beiden anderen Zellen zu den Purkinje-Zellen ziehen, und zwar die der *Korbzellen zum Soma* (s. auch Abb. 17) und die der *Sternzellen zu den Dendriten*.

In die Kleinhirnrinde treten *zwei Arten von Axonen (Fasern)* ein. In Abb. 17 ist eine davon als **Kletterfaser** bezeichnet. Sie durchläuft die Körnerschicht und endet in der Molekularschicht an den Dendriten der Purkinje-Zellen. Dabei „klettern" die Verzweigungen der Kletterfasern an den Ästen des Dendritenbaumes hoch und ranken sich wie Efeu um seine Zweige herum. Jede Purkinje-Zelle wird von nur einer Kletterfaser erreicht, aber jede Kletterfaser versorgt 10–15 Purkinje-Zellen. Die Neurone der Kletterfasern liegen durchweg in der *unteren Olive* (s. auch 4.3). Alle übrigen, wesentlich zahlreicheren, cerebellären Afferenzen enden als **Moosfasern** (etwa 50 Millionen beim Menschen) an den Körnerzellen, wobei jede Moosfaser sich vorher in zahlreiche Collateralen aufteilt. Aufgrund dieser *Divergenz* erreicht jede Moosfaser zahlreiche Kleinhirnrindenzellen. Umgekehrt wird jede Kleinhirnrindenzelle von zahlreichen Parallelfasern erreicht, so daß viele Hundert Moosfasern über die Körnerzellen auf jede Rindenzelle *konvergieren*.

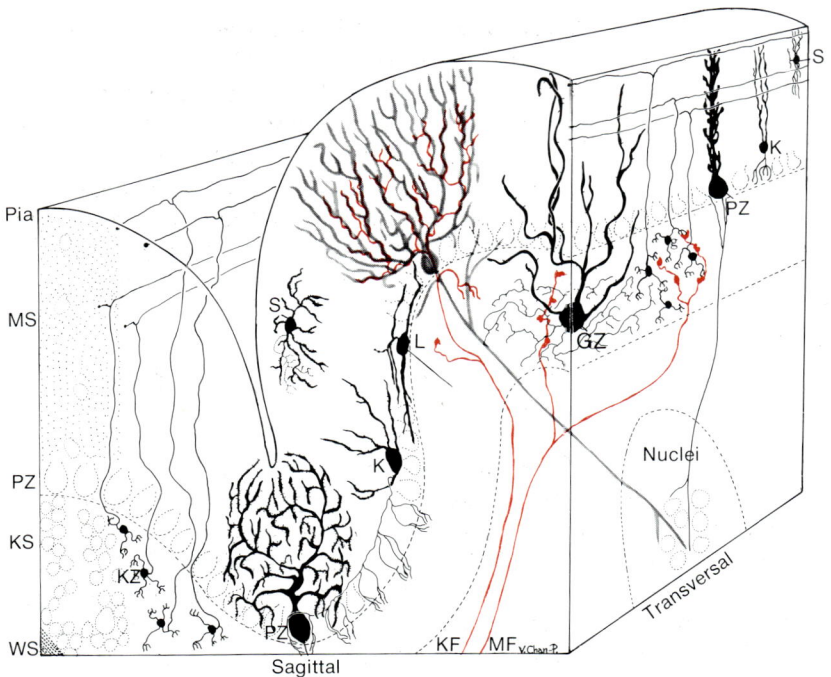

Abb. 17. Halbschematische dreidimensionale Darstellung eines Foliums der Kleinhirnrinde mit den wichtigsten neuronalen Elementen. Die Schichtung der Kleinhirnrinde ist links angegeben: Pia, Mol. Molekularschicht, PZ Purkinje-Zellschicht, K Körnerschicht und WS weiße Substanz. Vier Körnerzellen (KZ) sind samt den T-förmigen Verzweigungen ihrer Axonen eingezeichnet. PZ zwei Purkinje-Zellen, deren Dendritenbäume sich in der Sagittalebene ausbreiten; K Korbzellen, deren Axonen zu den Purkinje-Zell-Somata ziehen; S Sternzellen; L Lugaro-Zelle; KF Kletterfaser; MF Moosfaser; GZ Golgizelle. (Nach PALAY und CHAN-PALAY [21])

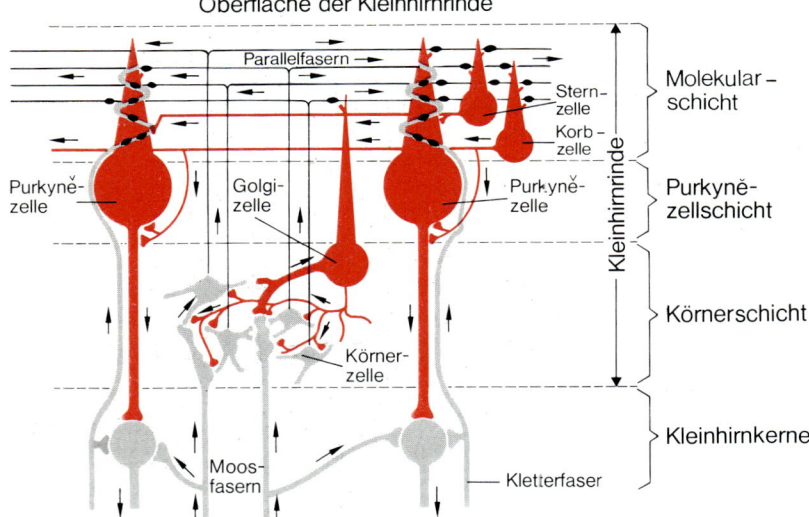

Abb. 18. Die wichtigsten neuronalen Verbindungen in der Kleinhirnrinde nach Untersuchungen von ECCLES u.Mitarb. Hemmende Zellen sind rot. Purkyně ist die tschechische Schreibweise für Purkinje. Ausführliche Besprechung im Text

Synaptische Verschaltung. Die Verschaltung der Kleinhirnrindenzellen wurde vor allem durch ECCLES u.Mitarb. [9] weitgehend aufgeklärt. Die Ergebnisse sind in vereinfachter Form in Abb. 18 zusammengefaßt, um die erregende (schwarz) oder hemmende (rot) Wirkung der einzelnen neuronalen Elemente zu zeigen. Die **Kletterfasern** (Abb. 18) bilden zahlreiche *erregende* Synapsen im Dendritenbaum der Purkinje-Zellen (s. auch Abb. 17); ein einzelner Impuls in einer Kletterfaser führt daher zu einer mehrfachen Entladung dieser Zelle. Die **Moosfasern** erregen die Körnerzellen und diese über die **Paral-**

lelfasern *alle anderen* neuronalen Elemente. Deren Wirkungen sind jedoch *alle hemmend,* so daß also die **Golgi-Zellen** die Körnerzellen hemmen (Rückwärtshemmung, s. IV-1.3), die **Sternzellen** und die **Korbzellen** hemmend auf die Purkinje-Zellen wirken (Vorwärtshemmung, s. IV-1.3) und Entladungen der **Purkinje-Zellen** (Moos- oder Kletterfaser induziert) zu einer Hemmung der Zellen der Kleinhirnkerne führen. *Alle Neurone* der Kleinhirnrinde, bis auf die Körnerzellen, wirken also hemmend. An keiner anderen Stelle des Zentralnervensystems ist ein derartiges Überwiegen der Hemmung bekannt.

Purkinje-Zellen haben eine *Ruheentladung,* die eine **tonische Hemmung der Kleinhirnkerne** bewirkt (Abb. 18). Auf diesem Hintergrund wird vermehrte Tätigkeit der Purkinje-Zellen (Erregung über Moos- oder Kletterfasern) zu einer **Vertiefung der Hemmung** führen, während andererseits Hemmung der Purkinje-Zellen (direkt über Stern- oder Korbzellen, indirekt über Golgi-Zellen, Abb. 18) eine

Disinhibition der Kleinhirnkerne bewirkt. Da alle erregenden Zuflüsse in das Kleinhirn nach höchstens zwei Synapsen *in Hemmung überführt werden,* ist die Wirkung jedes Zuflusses nach 100 ms wieder ausgelöscht und die betreffende Stelle steht zur erneuten Verarbeitung eines weiteren Zuflusses bereit. Es ist anzunehmen, daß dieses automatische „Löschen" vor allem für die Mitarbeit des Kleinhirns bei schnellen Bewegungen wichtig ist.

4.3. Afferente und efferente Verbindungen des Kleinhirns

Afferenzen, Somatotopie. Wie bereits in 4.1 kurz bemerkt, können die Eingänge zum Cerebellum in drei Gruppen eingeteilt werden: 1. Zuflüsse vom N. vestibularis und den Vestibulariskernen; 2. somato-sensorische Zuflüsse, vor allem aus dem Rückenmark; und 3. descendierende Zuflüsse vor allem aus der Großhirnrinde.

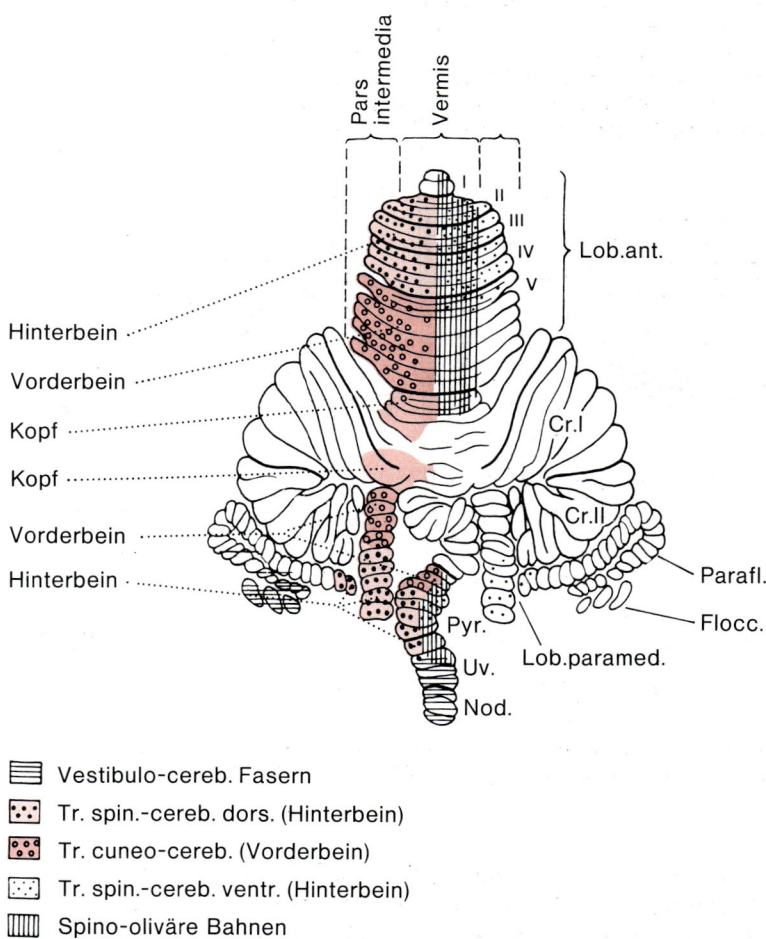

Abb. 19. Schema der Kleinhirnoberfläche mit den Endigungsgebieten der wichtigsten cerebellären Zuflüsse aus der Körperperipherie und dem Gleichgewichtsorgan. Der Tractus spino-olivo-cerebellaris endet als Kletterfasern, alle anderen als Moosfasern. (Aus BRODAL [3])

Die (1) **vestibulären Zuflüsse** ziehen im wesentlichen zu Nodulus und Flocculus, also zum **Archi-** oder **Vestibulocerebellum** (Abb. 16(B), 19). Zu den (2) **somato-sensorischen Zuflüssen** aus dem Rückenmark zählen nicht nur die am längsten bekannten ventralen (Gower) und dorsalen (Clarke) spino-cerebellären Bahnen von den Hinterextremitäten, sondern mindestens weitere 10 Bahnen, deren Verlauf und Übertragungseigenschaften weitgehend aufgeklärt wurden [20]. Etwa die Hälfte dieser Bahnen, z.B. die beiden eben genannten, enden als *Moosfasern*, die anderen sind *spino-olivære Bahnen*, die nach Umschaltung in der Olive als *Kletterfasern* zur Kleinhirnrinde ziehen. Die Bahnen enden, in gewissem Umfang **somatotopisch gegliedert** (also in einer räumlichen Zuordnung zwischen Körperperipherie und Kleinhirnrinde), vor allem im *Vermis*, aber auch in der Pars intermedia des Lobus ant. und im Lobus paramed. des Lobus post., also im **Palaeo-** oder **Spinocerebellum** (Abb. 16(B), 19). Zum Vermis projizieren auch somato-sensorische Afferenzen aus dem Kopfbereich, sowie visuelle und akustische Zuflüsse.

Die *gesamte Großhirnrinde*, aber nicht nur diese, trägt zu den (3) **descendierenden Zuflüssen** in das Kleinhirn bei [3]. Die meisten davon werden in *pontinen Kernen* umgeschaltet und ziehen zu den *Hemisphären*, aber auch zur Pars intermedia und zum Vermis des Lob. post., also zum **Neo-** oder **Pontocerebellum**. Zuflüsse der *motorischen Areale des Cortex* (Definition s. 5.1) ziehen dabei vorwiegend zur Pars intermedia, die des übrigen Cortex zu den Hemisphären (vgl. auch Abb. 21 und 22). Gegenüber den cerebro-cerebellären *pontinen Bahnen*, die als *Moosfasern* enden, sind die cerebro-cerebellären Bahnen über die *untere Olive*, die als *Kletterfasern* weiterziehen, deutlich schwächer ausgeprägt.

Efferenzen. Die Gliederung des Cerebellums in **drei Längszonen**, die sich aus der *Projektion der Kleinhirnrinde auf die cerebellären Kerne* ergibt (Abb. 16(B)), ist bereits in 4.1 erläutert worden. Die Weiterprojektion dieser Kerne zu jeweils unterschiedlichen Strukturen in Hirnstamm und Großhirn wird in 4.4 im funktionellen Zusammenhang erläutert (Abb. 20–22). Erwähnt seien hier nur, weil später nicht wieder aufgegriffen, die efferenten Verbindungen der Rinde des *Vestibulo-(Archi-)cerebellum*. Diese projizieren teils *direkt* zu den Vestibulariskernen, also unter Umgehung der Kleinhirnkerne, teils zu *allen* Kleinhirnkernen. Eine *Beteiligung des Vestibularissystems an allen Operationen* des Kleinhirns ist damit sichergestellt.

4.4. Aufgaben des Kleinhirns

Aufgrund der bei klinischen und experimentellen Ausschaltungen des Kleinhirns oder einzelner seiner Teile gewonnenen Einsichten sowie aufgrund von Reiz- und Ableiteversuchen lassen sich die **Aufgaben des Kleinhirns** so zusammenfassen: Das Kleinhirn dient in erster Linie dazu, die Tätigkeit der anderen motorischen Zentren zu unterstützen und miteinander zu koordinieren. Insbesondere ist es zuständig für a) die Steuerung und Korrektur der stützmotorischen Anteile von Haltung und Bewegung; b) die Kurskorrektur *langsamer* zielmoto-

rischer Bewegungen (soweit notwendig) und ihre Koordination mit der Stützmotorik; und c) die reibungslose Durchführung der vom Großhirn „entworfenen" *schnellen* Zielmotorik. Für jede dieser **drei Aufgaben** ist, etwas vereinfachend zusammengefaßt, je eine der **drei Längszonen** des Kleinhirns zuständig, wie im folgenden erläutert wird.

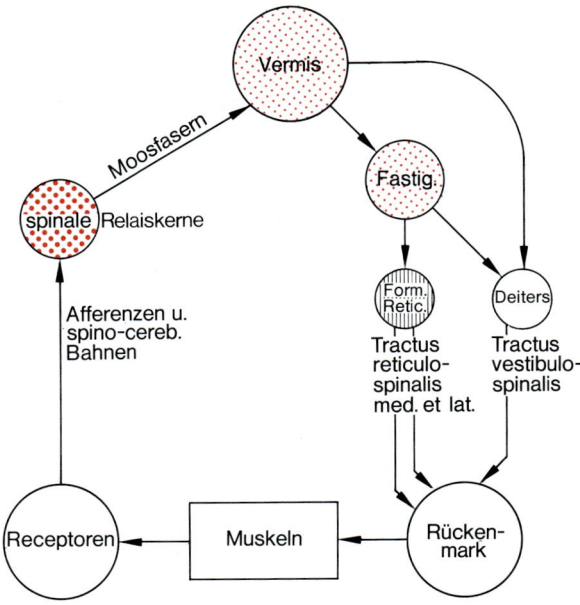

Abb. 20. Beteiligung des Vermis über Nucl. fastig. und Nucl. Deiters an der Steuerung und Regelung der Stützmotorik. Die wichtigsten afferenten Zuflüsse für diese Aufgabe sind in Abb. 19 im einzelnen gezeigt. Die Kletterfasern sind in Abb. 20 bis 22 zur Vereinfachung weggelassen. Sie liegen, wie Abb. 18 zeigt, parallel zu den Moosfasern im Eingang der Kleinhirnrinde

Vermis und Stützmotorik. Wie Abb. 20 zusammenfaßt, empfängt der **Vermis** seine afferenten Zuflüsse vor allem aus der *Somatosensorik* (s. auch Abb. 19), während er seinerseits teils direkt den *Nucleus Deiters* erreicht, teils diesen und die medulläre und pontine *Formatio reticularis* über den **Nucleus fastigii** (s. auch Abb. 16(B)) beeinflußt. Damit hat der Vermis unmittelbaren Zugang zu den stützmotorischen Zentren im Hirnstamm und ihren descendierenden Bahnen (vgl. Abb. 12–14). Als einfachstes Beispiel für diese Wirkung sei erwähnt, daß Entfernung der vermalen Anteile des Kleinhirns den Nucl. Deiters *enthemmt* und dadurch am decerebrierten Tier die Extensorstarre vertieft, während umgekehrt Reizung des Vermis den Extensortonus reduziert (vgl. auch 3.2). Der Vermis ist also in der Lage, die die jeweilige Haltung und Bewegung signalisierenden afferenten Informationen in einer dauernden Rückkopplungsoperation sofort wieder für die Aufrechterhaltung oder Änderung der Kör-

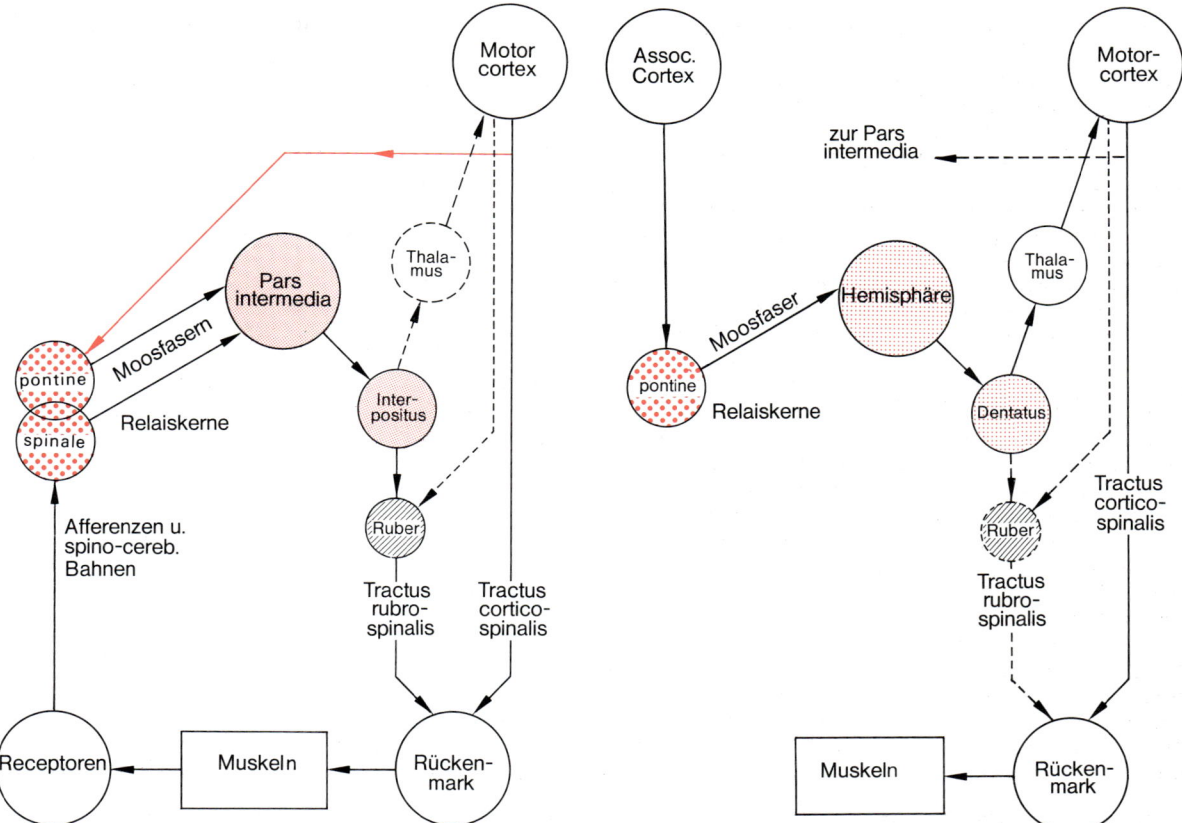

Abb. 21. Einbindung der Pars intermedia und des Nucl. interpositus in das motorische System. Die afferenten Zuflüsse aus der Peripherie entsprechen denen des Vermis (vgl. Abb. 19, 20). Zusätzlich erhält die Pars intermedia afferente Zuflüsse von Collateralen des Tractus corticospinalis. Damit ist sie in der Lage, an der Kurskorrektur von zielmotorischen Bewegungen und an der Koordination von Ziel- und Stützmotorik teilzunehmen

Abb. 22. Einbindung der Kleinhirnhemisphäre und des Nucl. dendatus in das motorische System. Die afferenten Zuflüsse kommen von Assoziationsarealen des Cortex, nicht direkt aus der Peripherie (vgl. dagegen Abb. 20 und 21). Die aus der Großhirnrinde kommenden Bewegungsentwürfe werden von den Hemisphären und ihren Kernen in Bewegungsprogramme umgesetzt. Parallel zu dem hier gezeigten Weg aus der Großhirnrinde liegt ein zweiter über die Basalganglien (vgl. Abb. 1 und 26)

perstellung nutzbar zu machen. In dieser Form *kontrolliert der Vermis Haltung, Tonus, stützmotorische Bewegung und das Körpergleichgewicht*. Es wird dabei vom Vestibulocerebellum unterstützt (s. 4.3).

Pars intermedia: Kurskorrektur und Koordination (Abb. 21). Die **Pars intermedia** erhält ihre afferenten Zuflüsse aus der *Somatosensorik* und, über Collaterale des Tractus corticospinalis, aus dem *motorischen Cortex*. Efferent hat sie über den **Nucleus interpositus** (bzw. globosus plus emboliformis) Anschluß an die motorischen Zentren im Hirnstamm, insbesondere den *Nucleus ruber*. Eine schwächere efferente Projektion zieht über den Thalamus zum *motorischen Cortex* zurück. Die *Vorausmeldungen* zielmotorischer Intentionen über die Collateralen des Tractus corticospinalis und die Rückmeldungen aus der Somatosensorik ermöglichen es der Pars intermedia (a) die *Stützmotorik mit der Zielmotorik zu koordinieren*, also z.B. rechtzeitig das Gleichge-

wicht zu verlagern, und (b) *Kurskorrekturen auszuführen*, die sowohl über den Nucleus ruber als auch rückgekoppelt direkt dem motorischen Cortex eingegeben werden können. Solche Korrekturen werden vor allem für diejenigen Bewegungsabläufe notwendig sein, die nicht oder noch nicht gut genug gelernt oder häufig genug geübt worden sind.

Hemisphären: schnelle Zielmotorik (Abb. 22). Die afferenten Zuflüsse in die **Hemisphären** stammen aus der *gesamten Großhirnrinde* (Lob. front., pariet., temp., occip.). Diese über die pontinen Kerne laufenden *cerebro-cerebellären Bahnen* haben etwa 20 Millionen Fasern, zwanzigmal mehr als der Tractus cortico-spinalis! Die von ihnen dem motorischen System übermittelten *Bewegungsentwürfe* (s. 5.6) werden von den Hemisphären und dem **Nucleus dentatus** in *Bewegungsprogramme* umgesetzt und hauptsächlich über den *Nucleus ventr. lat. des Thalamus* zum *Motorcortex* zur *Bewegungsausführung* weitergeleitet. Daneben hat der Nucleus dendatus über den *Nucleus ruber* Zugang zu den motorischen Zentren des Hirnstammes.

Die in Abb. 22 gezeigten Wege werden hauptsächlich für die *Auslösung und Durchführung schneller zielmotorischer Bewegungen* benutzt, die entweder so schnell sind, daß eine Steuerung oder Regelung über somatosensorische Rückmeldungen aus *Zeitgründen nicht möglich ist,* oder bei denen eine solche Rückmeldung *nicht erforderlich* ist, da sie hinreichend gut beherrscht werden (Beispiele: schnelle Bewegungen beim Hochleistungssport, bei der Musikausübung, beim Sprechen, bei sakkadischen Augenbewegungen). Allerdings ist, wie in Abb. 21 bereits gezeigt, der in Abb. 22 geschilderte Schaltkreis über die Collateralen des Tractus corticospinalis fest eingebunden in den Schaltkreis, der für Kurskorrekturen und die Koordination mit der Stützmotorik zuständig ist. Wie in 5.4 und 5.5 zu besprechen, wird der in Abb. 22 gezeigte Schaltkreis durch einen vergleichbaren ergänzt, der parallel vom *assoziativen Cortex* über die *Basalganglien* und den *Thalamus* zum Motorcortex läuft (Abb. 1, 26).

Funktion der Moosfasern und der Kletterfasern. In den Abb. 20 bis 22 sind die Kletterfasereingänge, die alle über die untere Olive laufen, der Vereinfachung wegen weggelassen. Sie rekrutieren sich jeweils weitgehend aus denselben peripheren und zentralen Strukturen wie die Zuflüsse über die Moosfasern. Die respektive Rolle der beiden Fasertypen ist allerdings noch weitgehend ungeklärt; es wird daher hier nicht weiter darauf eingegangen.

Gekreuzter und ungekreuzter Bahnverlauf. Ein weiterer, wichtiger Aspekt des Einbaus des Cerebellums in das motorische System ist ebenfalls in Abb. 20 bis 22 weggelassen, nämlich der gekreuzte oder ungekreuzte Verlauf der einzelnen Bahnen. Dieser ist teils in den vorhergehenden oder kommenden Abschnitten besprochen (Abb. 13, 14), teils ist er der Literatur zu entnehmen [3, 6, 20]. Hier sei nur festgehalten, daß jede *Kleinhirnhälfte* in erster Linie auf die *ipsilaterale Körperseite* wirkt.

weit und werden anschließend überkompensiert (*Dysmetrie*), der Gang wird dadurch breitbeinig, unsicher, überschießend (*cerebelläre Ataxie*), und rasch aufeinanderfolgende Bewegungen sind nicht mehr möglich (*Adiadochokinese*).

2. **Tremor**, der nicht in Ruhe, aber bei Bewegungen auftritt (*Intentionstremor*). Er kann sich bei zielgerichteten Bewegungen vor Erreichen des Zieles zu einem so starken Wackeln steigern, daß das Ziel verfehlt wird (Störung der Kurskorrektur besonders bei Schädigungen der Kleinhirnkerne).

3. **Hypotonus** der Muskulatur, also ein zu *niedriger Muskeltonus,* oft verbunden mit *Muskelschwäche* und *rascher Ermüdbarkeit* der Muskulatur. Dies ist vor allem ein Symptom von Hemisphärenläsionen, während isolierte Läsionen des Vermis (Lob. ant.) eher zu Hypertonus führen (s.o.).

4. **Nystagmus** (s. XII-7.6 und XIII-1.3) und 5. **Sprachstörungen** sind weitere, bei cerebellären Läsionen beobachtete Symptome. CHARCOT hat ursprünglich als cerebelläre Symptomen-Trias *Nystagmus, Intentionstremor* und *skandierende Sprache* angegeben.

Für weitere *Einzelheiten der klinischen Symptomatik* und für die Untersuchungsmethoden wird auf die Literatur verwiesen [3, 6, 23]. Art und Ausmaß der Symptomatik hängen wesentlich vom Ort und vom Umfang der Schädigung ab, z.B. ob Kleinhirnrinde, Kleinhirnkerne oder die afferenten und efferenten Zuflüsse beteiligt sind. Doch sind gerade hier die Ansichten teilweise noch sehr kontrovers. Erschwerend wirkt sich aus, daß **cerebelläre Ausfälle** vom Zentralnervensystem in der Regel außerordentlich **gut kompensiert** werden können, so daß der Patient bei alltäglichen Tätigkeiten völlig unauffällig ist. Erst eine entsprechend *ausgefeilte Untersuchungsmethodik* läßt den Defekt dann sichtbar werden.

4.5. Pathophysiologische Aspekte

Die in 4.4 geschilderten Funktionen des Kleinhirns lassen erwarten, daß *Störungen der Kleinhirntätigkeit* sich vor allem als Störungen der Muskelkoordination bei Bewegungen und des *Muskeltonus* bemerkbar machen. Entsprechend stehen bei cerebellären Ausfällen die folgenden Symptome im Vordergrund [6]:

1. **Asynergie**, definiert als die Unfähigkeit, die bei einer Bewegung beteiligten Muskeln korrekt dosiert zu innervieren. Die einzelnen Anteile eines Bewegungsprogramms werden nicht gleichzeitig, sondern hintereinander ausgeführt (*Bewegungsdecomposition*), die Bewegungen geraten zu kurz oder zu

5. Aufgaben des motorischen Cortex und der Basalganglien

Für die *Zielmotorik* besonders wichtige Zentren sind der **motorische Cortex** und die **Basalganglien**. Ihre Aufgaben werden deswegen hier im Zusammenhang erörtert. Da beide weitgehend über thalamische Strukturen miteinander verknüpft sind (vgl. Abb. 1), wird in diesem Kapitel auch die *motorische Rolle* des **Thalamus** besprochen (für seine übrigen Funktionen s. X-3). Abschließend wird in diesem Kapitel, wenn auch wegen unserer geringen Kenntnisse nur kurz, auf *Handlungsantrieb* und *Bewegungsentwurf* eingegangen.

5.1. Welche Cortexareale sind motorisch?

Vor rund hundert Jahren zeigten FRITSCH und HIT-
ZIG (1870) und FERRIER (1873) bei einer Reihe von
Säugetieren, daß *elektrische Reizung* umschriebener
Areale der Großhirnrinde Bewegungen der contralateralen Extremitäten auslösen. Diese Areale wurden und werden als **motorischer Cortex** bezeichnet.
Nicht nur am narkotisierten Tier, sondern auch
am wachen *Menschen* sind durch elektrische Reizung der freigelegten Hirnoberfläche *motorische
Areale des Cortex*, vor allem durch PENFIELD u. Mitarb. abgegrenzt worden [22]. Zwei Aspekte des motorischen Cortex wurden erkannt: a) zunächst seine
somatotopische Organisation (Abb. 23), d.h. eine
geordnete räumliche Zuordnung zwischen Körper-

peripherie und motorischem Cortex, und später b)
eine **multiple Repräsentation** der Körperperipherie
in mehreren motorischen Arealen (Abb. 24).

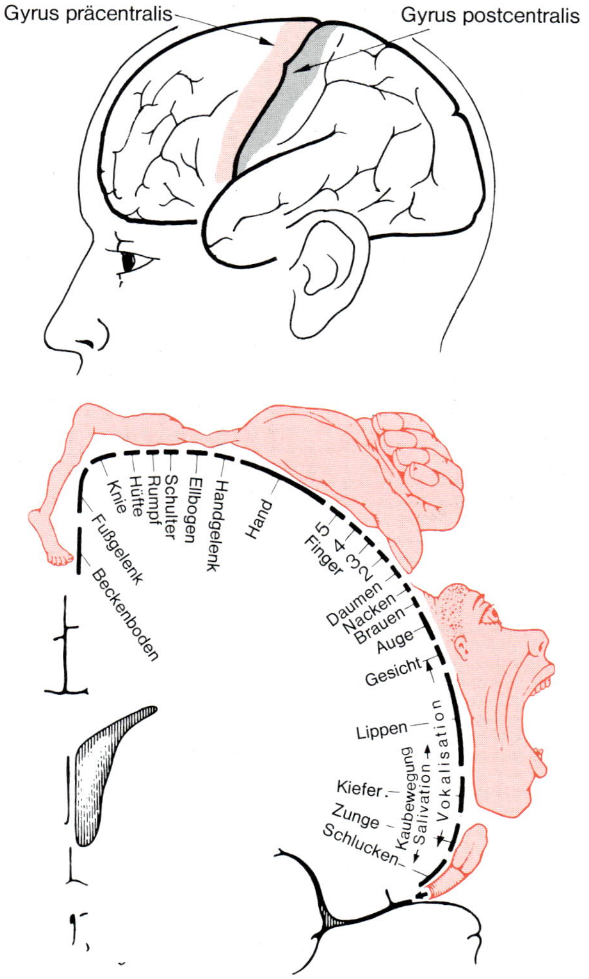

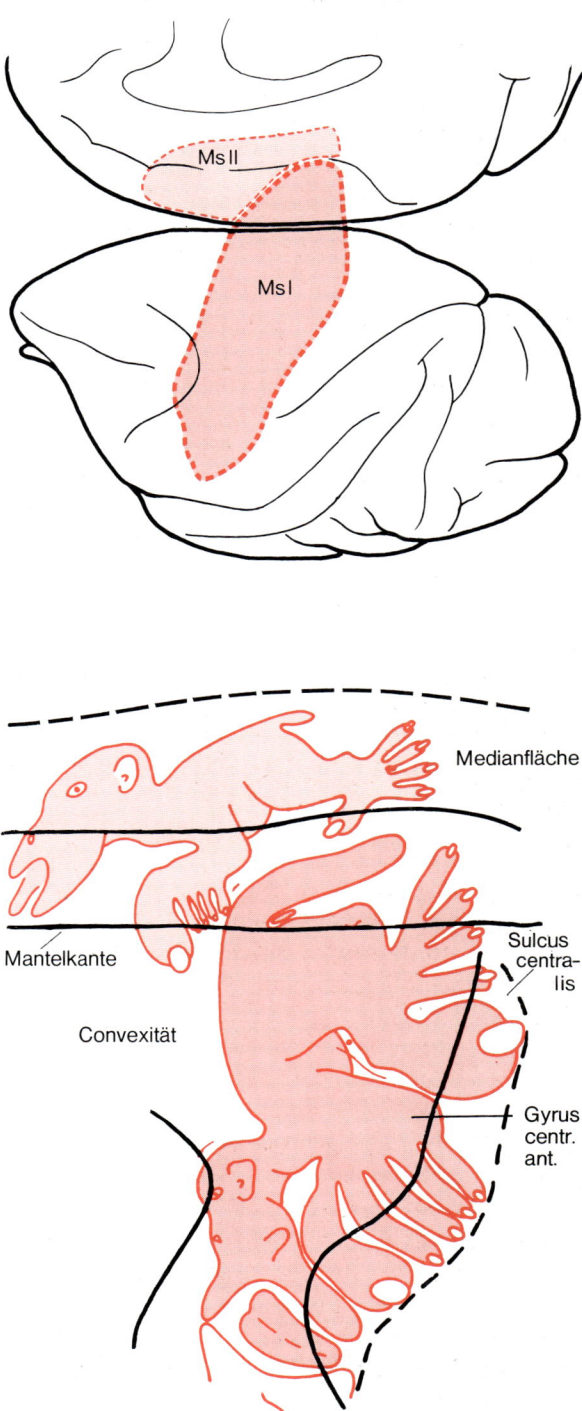

Abb. 23. Motorische Repräsentation des Körpers im Gyrus
praecentralis beim Menschen. Oben: Lage des Gyrus praecentralis im menschlichen Schädel. Unten: Schematisierte somatotopische Projektion auf eine Ebene. Die Zeichnung soll die Größenverhältnisse der Repräsentation einzelner Gebiete veranschaulichen (motorischer Homunculus). Die korrespondierende somatotopische Gliederung des Gyrus postcentralis (sensorischer Homunculus) ist in Abb. X-5 gezeigt. (Nach PENFIELD und RASMUS-
SEN [22])

Abb. 24. Primäres (Ms I) und sekundäres (supplementäres, Ms II)
motorisches Feld in der Großhirnrinde des Affen. Die obere
Zeichnung verdeutlicht die Lage dieser Felder auf der Großhirnrinde, die untere gibt die somatotopische Gliederung an, die in
etwa mit der beim Menschen übereinstimmt (vgl. Abb. 23).
Bezüglich der primären und sekundären somatosensorischen
Felder vgl. Abb. X-1 und X-5. (Nach WOOLSEY u. Mitarb.)

Somatotopie. Das wichtigste corticale motorische Areal des Menschen ist der **Gyrus praecentralis** (Felder 4 und 6 nach BRODMANN, s. Abb. VIII-2). Seine somatotopische Organisation ist in Abb. 23 dargestellt. Es fällt sofort auf, daß diejenigen Körperstellen, die über besonders gute motorische Fähigkeiten verfügen, wie z.B. Finger, Lippen, Zunge, weit überproportionale Anteile des Gyrus praecentralis einnehmen, während Rumpf und proximale Extremitäten nur auf relativ kleinen Anteilen repräsentiert sind (vgl. auch Abb. 24). Das motorische Areal erstreckt sich nicht nur auf die sichtbare Oberfläche des Gyrus praecentralis, sondern auch in die Tiefe des Sulcus centralis, ferner nach medial über die Mantelkante und auch nach rostral etwas über den Gyrus praecentralis hinaus (Abb. 23 und 24).

Multiple Repräsentation. Neben dem eben beschriebenen **primär motorischen Cortex** findet sich ein ebenfalls *somatotopisch gegliederter* **sekundär motorischer Cortex** in der Tiefe der Fissura interhemisphaerica im Anschluß an den primär motorischen Cortex und etwas rostral davon (Abb. 24). Beide Areale besitzen auch eine *sensible* Projektion der Körperperipherie, so daß es nach WOOLSEY besser ist vom primären und sekundären **moto-sensorischen Cortex**, abgekürzt **MsI** und **MsII**, zu sprechen. Entsprechend werden die primären und sekundären *somatosensorischen Felder* (s. X-4) wegen ihrer motorischen Projektionen besser als senso-motorischer Cortex, SmI und SmII, bezeichnet. Insgesamt können wir also von **vier motorischen Feldern**, in der Reihenfolge ihrer Bedeutung MsI, MsII, SmI, SmII, bzw. von **vier sensorischen Feldern** in der Reihenfolge SmI, SmII, MsI, MsII sprechen, je nachdem welcher Aspekt gerade im Vordergrund der Betrachtung steht. Im folgenden wird, wenn nicht ausdrücklich anders vermerkt, unter motorischem Cortex jeweils nur MsI verstanden. (Synonym zu den hier angegebenen Abkürzungen werden auch die Abkürzungen MI, MII, SI, SII benutzt. Das Feld MsII wird häufig auch als supplementär motorisches Feld bezeichnet.)

5.2. Funktionelle Organisation des motorischen Cortex

Aufbau des Motorcortex. Der allgemeine Aufbau der Großhirnrinde wird in VIII-1.1 ausführlich beschrieben und ist in Abb. VIII-1 illustriert. Der *Gyrus praecentralis* und die unmittelbar ventral liegenden Areale gehören zum Typ des *heterotypen, agra-*

nulären Cortex (Abb. VIII-3). Beim Menschen ist der Gyrus praecentralis vor allem gekennzeichnet durch seine beträchtliche Dicke von 3,5–4,5 mm und durch die **Riesenpyramidenzellen** (Betzsche Zellen, Durchmesser 50–100 µm) in der V. Rindenschicht (von außen gezählt). Die Axone dieser und anderer, weniger großer Pyramidenzellen in der III. Schicht ziehen als Ausgang des motorischen Cortex in Richtung innere Kapsel, während ihre Dendriten großenteils der Rindenoberfläche zustreben.

Corticale Säulen. Der Anordnung der Pyramidenzellen senkrecht zur Oberfläche entspricht auch die vieler Interneurone des Motorcortex, so daß sich hier, wie im übrigen Neocortex auch, schon *histologisch* eine *säulenförmige Anordnung* der corticalen Neurone erkennen läßt. Auch aufgrund der *Reizversuche an der Cortexoberfläche* (s.o.) wurde postuliert, daß Pyramidenzellen vergleichbarer Funktion nahe beieinander liegen, da anders die präzise corticale Repräsentation der Körperperipherie kaum zu erklären war. Mit intracorticaler Reizung über eine Mikroelektrode, wobei der Reizerfolg an der Bahnung oder Hemmung monosynaptischer Reflexbögen oder elektromyographisch im Muskel gemessen wurde, konnte die Existenz **funktioneller corticaler Säulen** bestätigt werden. Eine solche **motorische Säule**, von der eine zusammengehörige Gruppe von Motoneuronen erregt oder gehemmt werden kann, hat einen Durchmesser von etwa einem Millimeter und enthält viele Hundert Pyramidenzellen [19, 24]. Benachbarte motorische Säulen überlappen häufig, auch solche deren Reizung zu gegensätzlichen Bewegungen führen. Histologisch sind Säulen von etwa 80 µm Durchmesser erkennbar, deren viele also eine *funktionelle* motorische Säule bilden. Leider unterscheidet der Sprachgebrauch nicht immer scharf genug zwischen beiden.

Corticale Neurone und Bewegung. Bisher ist wenig über die funktionelle Organisation motorischer Säulen bekannt. Die besten Aufschlüsse lieferte die Ableitung der Aktivität einzelner Pyramidenzellen mit Hilfe von Mikroelektroden an wachen Versuchstieren (Abb. 25). *Große Pyramidenzellen* mit hoher Leitungsgeschwindigkeit ihrer Axone entladen vorwiegend nur *während* Bewegung, *kleine Pyramidenzellen* mit langsamer Leitungsgeschwindigkeit dagegen *dauernd*, ihre Entladungsfrequenz ändert sich jedoch während der Bewegung. Benachbarte Pyramidenzellen innerhalb einer motorischen Säule entladen, in Abhängigkeit von der jeweiligen Bewegung, teils gleich-, teils gegensinnig, teils völlig unkorreliert. Der **gemeinsame Nenner** für dieses Verhalten ist die **Bewegung des zugehörigen Ge-**

lenks, das je nach Bewegung in der einen oder anderen Richtung bewegt oder auch festgehalten wird.

Diese Ergebnisse zeigen, daß diejenigen corticalen Neurone, die einen bestimmten Muskel beeinflussen, nicht in einer einzigen motorischen Säule zu finden sind, wie die Reizversuche vielleicht nahelegten. Eine **motorische Säule** ist vielmehr eine **funktionelle Neuronenpopulation**, die eine Reihe von Muskeln beeinflußt, die an einem bestimmten Gelenk angreifen. Diese Schlußfolgerung unterstützt die alte These, daß nicht Muskeln, sondern **Bewegungen im Cortex repräsentiert** sind. Dies bedeutet nicht, daß Muskeln überhaupt nicht, sondern daß sie vielfach im Cortex repräsentiert sind. Dem entspricht der experimentelle Befund, daß Motoneurone eines Muskels oft von großen Arealen des Motorcortex (viele mm^2 Fläche) erregt werden können [24].

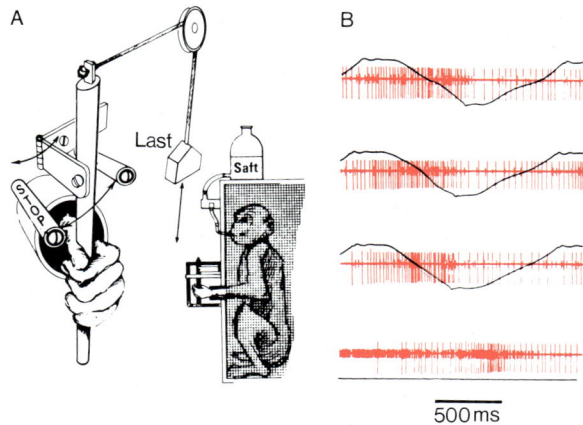

Abb. 25A u. B. Entladungen zweier Pyramidenzellen aus dem präcentralen motorischen Cortex des Affen bei Beugung (Flexion, aufwärts in (B)) und Streckung (Extension) im Handgelenk. (A) zeigt die Versuchsanordnung. Durch operantes Konditionieren (Belohnen mit Fruchtsaft) wird der Affe trainiert, auf Lichtsignale bestimmte Bewegungsabfolgen auszuführen. Ein Mikroelektrodenhalter ist chronisch auf dem Schädeldach implantiert. (B) Ableitung zweier Pyramidenzellen mit deutlich unterschiedlichen Aktionspotentialamplituden. Bei Bewegung (obere drei Ableitungen) sind die Entladungen beider Zellen mit der Streckung des Handgelenkes korreliert. Beide Zellen sind bei Bewegungsruhe spontan aktiv (untere Ableitung). (Messungen von EVARTS aus [31])

Ursache und Bedeutung der **unterschiedlichen Entladungsmuster** großer und kleiner Pyramidenzellen sind nicht bekannt. Vielleicht entsprechen diese beiden Typen den großen (phasischen) und kleinen (tonischen) α-Motoneuronen des Rückenmarks, möglicherweise kontrollieren sie auch getrennt die α- und γ-Motoneurone.

5.3. Efferente Verbindungen des Motorcortex

Zahlreiche histologische Verfahren (z.B. orthograde und retrograde Degeneration) und physiologische Methoden (z.B. Messung evocierter Potentiale nach orthodromer oder antidromer Reizung) sowie viele klinisch-pathologische Befunde sind in den letzten Jahrzehnten zum Studium der efferenten Verbindungen des Motorcortex herangezogen worden. Es zeigte sich, daß die motorischen Areale, vor allem MsI und SmI, über drei Wege auf die Motorik einwirken: a) direkt auf die Motoneurone, entweder monosynaptisch oder über wenige Interneurone, b) indirekt über Verbindungen zu anderen motorischen Zentren, z.B. zur Pars intermedia des Cerebellums (Abb. 21), und c) noch indirekter durch Beeinflussung der Informationsübertragung und -verarbeitung in den sensiblen Projektionskernen, wie z.B. dem Nucleus cuneatus oder dem Thalamus (s. X). In diesem Abschnitt wird im wesentlichen über (a) gesprochen.

Tractus corticospinalis. Aus den motorischen Arealen jeder Hirnhälfte ziehen etwa eine Million efferente Fasern als *Tractus corticospinalis* über Capsula interna, Hirnschenkel, Pons, Pyramide und Pyramidenkreuzung zum Rückenmark (Einzelheiten des Verlaufs s. [3]). In der Pyramidenkreuzung kreuzen 75–90% der Fasern zur Gegenseite und laufen dann als *Tractus corticospinalis lat.* im dorsolateralen Quadranten des Rückenmarks (Abb. 13, 14). Der andere, kleinere Teil verläuft ungekreuzt in den antero-medialen Abschnitten nach caudal. Dieser Anteil erreicht in der Regel nur das Cervical- und Thorakalmark, wobei ein Teil der Axone noch auf segmentaler Ebene auf die contralaterale Seite kreuzt, so daß sich der Prozentsatz der gekreuzten Axone noch weiter erhöht.

Wegen des Verlaufs durch die Pyramide wird der *Tractus corticospinalis* auch **Pyramidenbahn** genannt. Zur Pyramidenbahn werden in der Regel auch diejenigen corticofugalen Fasern gerechnet, die innerhalb der Pyramide und z.T. schon oberhalb die Bahn verlassen, um als *Tractus corticobulbaris* zu den Motoneuronen der Kopfnerven zu ziehen. **Entwicklungsgeschichtlich** ist die Pyramidenbahn die jüngste der descendierenden Bahnen, sie ist bei Primaten und Menschen deutlich stärker ausgebildet als bei anderen Säugern.

Ursprung der Tractus corticospinalis und corticobulbaris sind alle Felder des motorisch-sensorischen Cortex. Etwa 30% der Fasern stammen aus Feld 4 (Gyrus praecentralis), 30% aus dem rostral davon gelegenen Feld 6 und 40% vom Lobus parietalis (SmI und SmII, Felder 3, 1, 2, vgl. Abb. VIII-2).

Auf ihrem Weg in das Rückenmark geben die Axone **zahlreiche Collateralen** zu anderen für die Motorik wichtigen Strukturen ab, so zum Thalamus, zum Nucleus ruber, zu den pontinen Kernen (von dort Moosfasern zum Kleinhirn, vgl. Abb. 21), zur unteren Olive (von dort Kletterfasern zum Kleinhirn), zu den Hinterstrangkernen und wahrscheinlich auch zur Formatio reticularis. Die Axone **enden im Rückenmark** weitgehend an *Interneuronen*, aber auch, zumindest bei Primaten und Menschen teils *monosynaptisch* an α-Motoneuronen. Die von MsI entspringenden Axone enden in der grauen Substanz deutlich ventraler als die, die von SmI kommen (Abb. 13). Überwiegend, wie in 3.1 schon erwähnt, wirkt der *Tractus corticospinalis* (zusammen mit Tractus rubrospinalis und reticulospin. lat.) **erregend auf Flexoren** und hemmend auf Extensoren (Abb. 14).

Die **Leitungsgeschwindigkeit** der überwiegenden Mehrzahl der Fasern des *Tractus corticospinalis* ist **gering**. Nur rund 30 000 der eine Million Fasern jeder Seite sind dicke markhaltige Fasern mit hoher Leitungsgeschwindigkeit (60–120 m/s). Diese entstammen den Betzschen Riesenpyramidenzellen des Gyrus praecentralis. Alle übrigen Fasern sind dünne markhaltige oder marklose Fasern mit Leitungsgeschwindigkeiten von 1 m/s bis zu 25 m/s. Ihre Wirkungen sind noch wenig erforscht.

Corticale Efferenzen zum Hirnstamm. Etwa die *gleichen motorisch-sensorischen Areale*, aus denen die Pyramidenbahn entspringt, entsenden Efferenzen zu den motorischen Zentren des Hirnstammes (s. 3). Dies sind vor allem **corticorubrale Verbindungen**, die sich nach Umschaltung in den *Tractus rubrospinalis* fortsetzen (vgl. Abb. 13, 14, 21) und **corticoreticuläre Verbindungen** zu den pontinen und medullären motorischen Strukturen (Abb. 12), von denen die Tractus reticulospinales med. bzw. lat. ausgehen (Abb. 13, 14). Die funktionelle Bedeutung dieser Verbindungen, ebenso wie die der Pyramidenbahn, wird in Zusammenhang mit der Funktion der Basalganglien besprochen.

Der **Pyramidenbahn** sind die anderen moto-sensorischen corticalen Efferenzen und ihre Fortsetzungen in das Rückenmark als **extrapyramidale Bahnen** gegenübergestellt worden. Diese Gegenüberstellung ist *anatomisch* korrekt. Der Versuch, diesen beiden als „Systemen" auch *funktionell* getrennte Aufgaben innerhalb der Motorik zuzuweisen, erwies sich aber als nicht durchführbar. Dies geht schon aus der bisherigen Besprechung, insbesondere der Aufgaben des Kleinhirns (Abb. 20–22), hervor und wird im folgenden noch deutlicher. Es ist daher zur Vermeidung von Mißverständnissen am besten, auf die Ausdrücke pyramidal und extrapyramidal nicht nur in funktionellem oder neurologisch-pathologischem, sondern auch in anatomischem Zusammenhang zu verzichten.

5.4. Die Basalganglien

Die **Basalganglien** sind ein wichtiges **subcorticales Bindeglied** zwischen der „assoziativen" Großhirnrinde (vgl. Abb. VIII-27) und dem motorischen Cortex (Abb. 1, 26). Ihre Bedeutung wird besonders offensichtlich an den schweren Störungen von Muskeltonus, Haltung und Bewegung bei Erkrankungen dieser Kerne, wie z.B. beim Morbus Parkinson (s. 6.2). Unsere Kenntnisse über diese Strukturen sind aber noch sehr lückenhaft, was größtenteils damit zusammenhängt, daß sie experimentell sehr schwer zugänglich sind [14, 31].

Anteile der Basalganglien. Unter dem Begriff *Basalganglien* fassen wir zusammen **Striatum** (bestehend aus *Nucleus caudatus* und *Putamen*), **Pallidum** (auch Globus pallidus genannt, mit einem äußeren und inneren Teil), die **Substantia nigra** und den **Nucleus subthalamicus** (Abb. 26). Häufig sind auch das Claustrum in diesen Begriff eingeschlossen, seltener der Nucleus amygdalae [3].

Afferente und efferente Verbindungen. Abb. 26 faßt die wichtigsten afferenten, efferenten und inneren Verbindungen der Basalganglien zusammen. Das **Striatum** empfängt die **Mehrzahl aller Afferenzen** zu den Basalganglien, die im wesentlichen aus drei

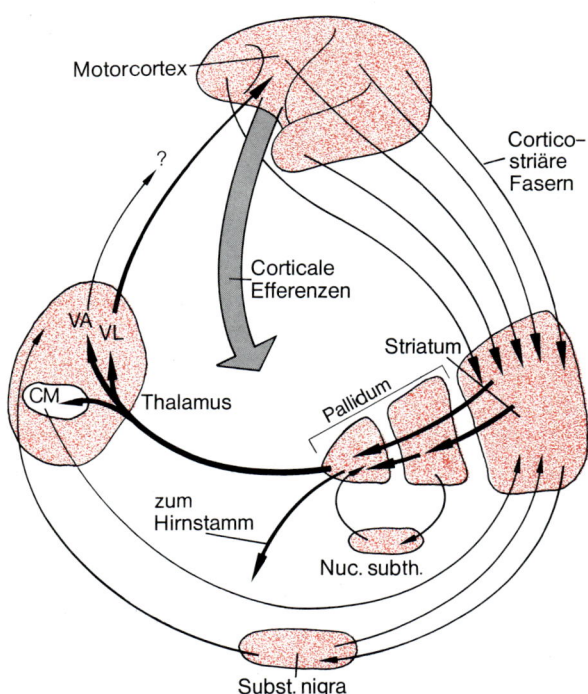

Abb. 26. Zusammenfassung der wichtigsten afferenten, efferenten und Eigenverbindungen der Basalganglien. CM Centrum medianum; VA Nucl. ventralis anterior; VL Nucl. ventralis lateralis; Nuc. subth. Nucl. subthalamicus. Ausführliche Erläuterung im Text. (Nach DELONG aus [31])

Quellen kommen: a) von der gesamten Großhirnrinde, b) von den intralaminären Kernen des Thalamus und c) von der Substantia nigra (dopaminerge Bahn!). Die **Efferenzen des Striatum** gehen zum *Pallidum* und zur *Substantia nigra*. Letztere sendet neben der *dopaminergen* Bahn zum Striatum eine andere zum Thalamus. Vom **inneren Teil des Pallidums** gehen die wichtigsten **Efferenzen** der Basalganglien aus, die hauptsächlich im *Thalamus*, zum geringeren Teil in der *Haube* des Mittelhirns (Tegmentum) enden. Im wesentlichen bilden die Basalganglien also, wie eingangs erwähnt, ein Zwischenglied der Verbindung zwischen der gesamten **nicht-motorischen Großhirnrinde** und dem **Motorcortex**. Sie sind darin den Hemisphären des Kleinhirns vergleichbar (s. Abb. 1 und 22). *Kleinhirnhemisphären* mit Nucleus dendatus und *Basalganglien* sind also **afferent** zum *praecentralen Motorcortex* (Abb. 1, 22, 26).

Neurone der Basalganglien und Bewegung. Klinische, in 6.2 näher erläuterte, und experimentelle Evidenz weist darauf hin, daß die **Basalganglien** für die Durchführung gleichmäßiger, langsamer, d.h. **rampenförmiger Bewegungen** von besonderer Bedeutung sind (s. KORNHUBER in [31]). Ein eindrucksvolles Beispiel des Verhaltens von Neuronen des Putamens bei Armbewegungen eines wachen Affen zeigt Abb. 27. Dieses Neuron zeigte nur bei langsamer Bewegung in eine Richtung (Abb. 2(D)) eine deutliche, länger anhaltende Impulsaktivität. Bei langsamen Bewegungen in der Gegenrichtung

(C) oder bei schnellen Bewegungen (A, B) blieb das Neuron stumm (A, C) oder entlud nur einige Impulse (B). Der Beginn der Entladungen in D (Punkte) ging dem Bewegungsbeginn (mittlerer senkrechter Strich) deutlich voraus. Dies unterstützt die Annahme, daß Putamenneurone dieses Typs an der Einleitung und Aufrechterhaltung rampenförmiger Bewegungen beteiligt sind.

5.5. Motorcortex, Thalamus, Basalganglien und Bewegung

Motorcortex und Bewegung. Durch elektrische Reizung des Gyrus praecentralis bei Mensch und Tier können zwar, wie oben beschrieben, Kontraktionen einzelner Muskeln und auch Bewegungen in Gelenken, nie jedoch zweckgerichtete komplexe Bewegungsabläufe ausgelöst werden. Ferner haben Reizversuche beim Kleinkind und beim Erwachsenen, bei einem geübten Pianisten und bei einem Handarbeiter völlig identische Resultate ergeben [19, 22]. Diese und andere Befunde weisen darauf hin, daß der Motorcortex nicht für den *Entwurf* angeborener oder erworbener zielmotorischer Bewegungen verantwortlich ist. Er ist vielmehr eine, und zwar die **letzte supraspinale Station** für die Umsetzung *cortical* induzierter Bewegungsentwürfe in **Bewegungsprogramme**. Gleichzeitig, wie ein Blick auf Abb. 1 zeigt, beginnt mit ihm die Kette derjenigen Strukturen, die vor allem die **Bewegungsausführung** übernehmen. (Dabei sei allerdings daran erinnert, daß viele komplexe Bewegungsabläufe völlig subcortical verlaufen, vgl. 3 und 4.)

Die genaue Rolle des Motorcortex bei der Bewegungsausführung ist allerdings noch unbekannt. Experimente von Art der Abb. 25 haben bisher keine eindeutigen Aufschlüsse darüber gebracht, welche der zahlreichen Aspekte muskulärer Tätigkeit (z.B. Kraft, Geschwindigkeit, Dauer und Richtung einer Bewegung) unter der besonderen Kontrolle corticaler Neurone stehen. Fest steht nur, daß es zahlreiche corticale Neurone gibt, deren Entladungsfrequenz mit bestimmten Bewegungen korreliert ist (s. z.B. Abb. 25), wobei die Zunahme der Entladung erwartungsgemäß häufig der Bewegung vorausgeht. Auch zeichnet sich ab, daß zumindest bei Haltearbeit der Cortex vor allem die dabei *eingesetzten Muskeln auswählt*, aber nicht, wie ursprünglich angenommen, die aufgewandte Muskelkraft kontrolliert [27].

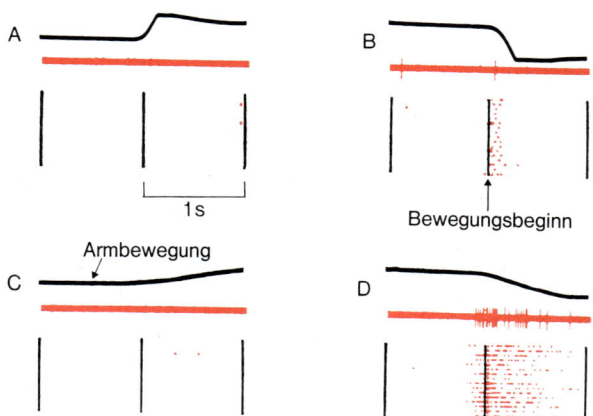

A

B

1 s

Bewegungsbeginn

Armbewegung

C

D

Abb. 27A–D. Impulsaktivität (Punkte unten in (A) bis (D)) eines Neurons im Putamen, das bevorzugt bei rampenförmigen (langsamen) Bewegungen in einer Richtung (D) feuerte. Bei langsamen Bewegungen in der Gegenrichtung (C) oder bei schnellen Bewegungen (A, B) blieb das Neuron stumm (A, C) oder entlud nur einige Impulse. Zwölf Testdurchgänge jeder Bewegung sind untereinander aufgetragen, wobei jeder Impuls in einen Punkt umgesetzt wurde. Je einer der zwölf Durchgänge ist darüber im Original gezeigt. Man beachte in (D), daß der Beginn der neuronalen Entladung vor dem Bewegungsbeginn (senkrechter Strich) liegt. Versuchsanordnung entsprechend Abb. 25 (A). (Messungen von DELONG aus [31])

Zusammenarbeit Basalganglien—Thalamus—Motorcortex. Zur Programmgestaltung sind dem Motorcortex der *Thalamus* und die *Basalganglien* vorgeschaltet (s. Abb. 26). Während letztere, wie oben geschildert, ihre Afferenzen vor allem aus der gesamten Großhirnrinde erhalten und möglicherweise besonders für den **Ablauf langsamer Bewegungen** verantwortlich sind, lassen sich die Aufgaben der beteiligten Kerne des Thalamus, *Nucleus ventralis* *anterior* und *Nucleus ventralis lateralis* noch nicht angeben. Es steht dort jedenfalls die gesamte **somato-sensorische Information** zur Verfügung, die in den jeweils geplanten Handlungsablauf eingebracht werden kann. Daneben laufen in diese Kerne auch die aus dem Nucleus dentatus kommenden Informationen aus dem Kleinhirn ein (Abb. 22).

Vergleich zwischen Cerebellum und Basalganglien. Cerebellum und Basalganglien projizieren über den Thalamus zum Motorcortex (Abb. 1, 22, 26). Hierarchisch betrachtet sind sie also **gleichrangige Zentren,** die an der **Programmierung cortical induzierter Bewegungsabläufe** beteiligt sind. Auffällig ist aber, daß Erkrankungen und Ausfälle dieser Strukturen zu deutlich unterschiedlichen Störungen der Motorik führen. Während beim **Kleinhirn** Hypotonus, Asynergie und Intentionstremor im Vordergrund stehen (vgl. 4.5), sind es, wie in 6.2 erläutert, bei den **Basalganglien** Rigidität, Akinese und Ruhetremor, unter bestimmten Bedingungen auch unkontrollierte, unwillkürliche Bewegungen. Offensichtlich erfüllen Kleinhirn und Basalganglien auf *vergleichbarem funktionellen* Niveau **unterschiedliche Aufgaben,** von denen, wie in 4.4 und 5.4 geschildert, bisher nur Teilaspekte sichtbar geworden sind.

5.6. Handlungsantrieb und Bewegungsentwurf

Über die Entstehung neuronaler Impulsmuster, die von Handlungsantrieben zu Bewegungsentwürfen führen, gleichgültig ob diese Handlungsantriebe (subcorticalen) **angeborenen Auslösemechanismen** (vgl. VII-3.4 und VIII-4) entspringen oder unserem **freien Willen,** ist so gut wie nichts bekannt. Wenn aber Gedanken zu Handlungen führen, ist der Neurophysiologe gezwungen anzunehmen, daß durch **Denken die neuronale Aktivität des Gehirns geändert** werden kann, so daß der efferente Ausstrom aus dem motorischen Cortex zur gewünschten Bewegung der Muskeln führt. Diese Umsetzung von Denken und Wollen in corticale Impulsmuster bleibt allerdings derzeit weit außerhalb unseres Verständnisses.

Bereitschaftspotential. Erste Schritte zur Erforschung der einer Bewegung vorausgehenden neurophysiologischen Vorgänge sind allerdings getan worden. Wird beispielsweise eine Versuchsperson angehalten, auf den zweiten von zwei aufeinanderfolgenden Reizen eine Bewegung auszuführen, so kann vor der Bewegung eine langsame negative Welle über der Großhirnrinde abgeleitet werden. Sie wird **Erwartungspotential** genannt, denn sie ist

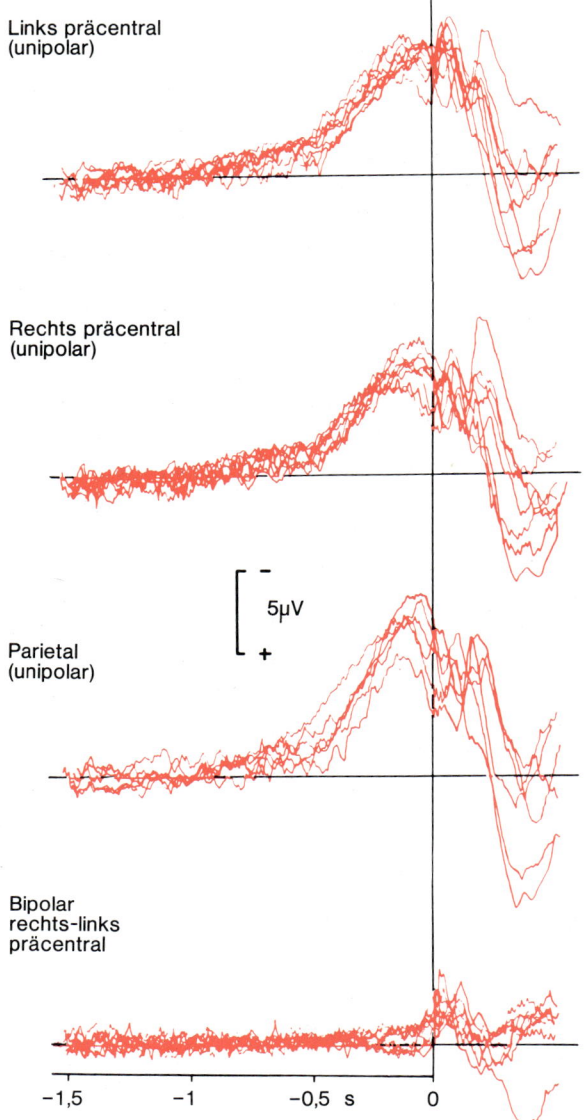

Abb. 28. Hirnpotentiale, abgeleitet von der Kopfhaut des Menschen, vor willkürlichen raschen Beugebewegungen des rechten Zeigefingers. Die Potentiale wurden durch Rückwärtsanalyse zahlreicher, auf Magnetband festgehaltener Einzelmessungen erhalten. Acht Experimente an verschiedenen Tagen mit derselben Versuchsperson, je 1 000 Bewegungen pro Experiment. Obere drei Reihen unipolare Ableitung gegen beide Ohren als indifferente Elektrode, untere Kurve bipolare Ableitung linke gegen rechte präcentrale Handregion des motorischen Cortex. Das Bereitschaftspotential beginnt etwa 0,8 s vor Bewegungsbeginn. Es ist bilateral und weit ausgedehnt über präcentralen und parietalen Regionen. Die prämotorische Positivierung, ebenfalls bilateral und weit ausgedehnt, beginnt etwa 90 ms vor Bewegungsbeginn. Das Motorpotential erscheint nur in der bipolaren Ableitung. Es ist unilateral über der linken präcentralen Handregion und beginnt 50 ms vor Bewegungsbeginn im Elektromyogramm. Die Potentiale rechts vom Nullpunkt (d.h. nach Bewegungsbeginn) sind großenteils reafferente, sensorisch hervorgerufene Potentiale. (Messungen von KORNHUBER u. Mitarb. aus [31])

Folge der durch den ersten Reiz ausgelösten Erwartung des zweiten Reizes [32].

Wird es dagegen der Versuchsperson überlassen, unabhängig von sensorischen Reizen eine Willkürbewegung, z.B. Beugen eines Fingers, in unregelmäßigen Abständen zu wiederholen, so entsteht, beginnend etwa 800 ms vor der Bewegung, ein langsam ansteigendes oberflächennegatives Hirnpotential, das **Bereitschaftspotential** genannt wird und über der gesamten Konvexität des Schädels abgeleitet werden kann (Abb. 28). Das Bereitschaftspotential wird mit denjenigen Prozessen in Zusammenhang gebracht, die der Aussendung eines Bewegungsprogrammes aus dem Motorcortex vorausgehen [5]. Es wird abgelöst durch schnellere, mehr umschriebene Potentiale, die über den contralateralen motosensorischen Arealen besonders ausgeprägt sind und die Aktivität dieser Areale vor und nach Beginn der Bewegung widerspiegeln.

Das Bereitschaftspotential kann also als neuronales Korrelat eines willkürlichen Bewegungsentwurfes aufgefaßt werden. Erstaunlich ist seine weite Ausbreitung und seine langsame Entwicklung. Offensichtlich wirken in diesem Stadium der Willensbildung große Anteile der Hirnrinde zusammen, deren Teilnahme an der Programmvorbereitung erhebliche Zeit erfordert.

6. Pathophysiologie der Motorik

In der bisherigen Schilderung des motorischen Systems sind Störungen und Ausfälle nur insoweit behandelt worden, als sie zum Verständnis der jeweiligen Funktionen beitragen konnten. So wurden an Hand der Querschnittslähmung die Leistungen des isolierten Rückenmarks betrachtet (2.4), die Aufgaben der motorischen Zentren des Hirnstammes an Hand des decerebrierten Tieres und des Mittelhirntieres dargestellt (3.2, 3.3) und cerebelläre Ausfallsymptome zur Unterstreichung der Kleinhirnfunktionen beschrieben (4.5). Auf diese Abschnitte wird verwiesen. Zusätzlich werden im folgenden einige in der Neurologie häufige Symptome oder Krankheitsbilder erläutert, für die, zum Teil nur in Umrissen, eine pathophysiologische Grundlage angegeben werden kann (für Details s. z.B. [3, 23]).

6.1. Periphere Lähmung

Unterbrechung von Motoaxonen (z.B. durch Unfall) oder Ausfall von Motoneuronen (z.B. bei Poliomyelitis) führt zu einer **schlaffen Lähmung,** die durch verminderten Muskeltonus (Hypotonus), durch Atrophie der Muskeln (s. III-1.3), Verminderung (Parese) oder Ausfall (Paralyse) der groben Kraft und entsprechende Beeinträchtigung der Feinmotorik ausgezeichnet ist. Die monosynaptischen Dehnungsreflexe sind abgeschwächt oder erloschen. Alle Symptome sind aus der Schädigung ohne weiteres einsichtig.

6.2. Pathophysiologie der Basalganglien

Läsionen in den Basalganglien führen zu verschiedenen Formen von Bewegungsstörungen, von denen das bereits oben angesprochene **Parkinson-Syndrom** am bekanntesten ist. Die Patienten fallen durch ihre mimische Starre, ihre geringen oder fehlenden Ausdrucksbewegungen, ihren zögernden, kleinschrittigen Gang und durch Zittern ihrer Hände auf. Die Untersuchung zeigt in wechselnder Ausprägung die Symptome *Akinese, Rigor* und *Ruhetremor.* Als **Akinese** bezeichnet man „eine motorische Gebundenheit, in der die Kranken große und oft unüberwindliche Schwierigkeiten haben, eine Bewegung in Gang zu bringen und zu Ende zu führen" [23]. Der **Rigor** ist ein erhöhter Muskeltonus, der unabhängig von Gelenkstellung und Bewegung stets vorhanden ist und als plastischer oder *wächserner Widerstand* beschrieben werden kann. Bei passiven Gelenkbewegungen geben die Muskeln nicht gleichmäßig, sondern ruckartig nach, *Zahnradphänomen.* Der **Ruhetremor** (4–7 Hz, vor allem an den Extremitätenenden) läßt bei zielmotorischen Bewegungen nach und setzt anschließend wieder ein.

Pathophysiologisch kann die *Akinese* als Ausfall oder Störung langsamer Bewegungen (Abb. 27) aufgefaßt werden, also als *Minus-Symptom* (s. KORNHUBER in [31]). Umgekehrt sind *Rigor* und *Tremor* als Enthemmung der motorischen Funktionen der Basalganglien anzusehen, also als *Überschuß-Symptome.* Letzteres gilt auch für andere Erkrankungen der Basalganglien, bei denen überschießende Bewegungsstörungen der einen oder anderen Form im Vordergrund stehen (z.B. Chorea, Athetose, Hemiballismus, s. [23]).

Wahrscheinliche **Ursache des Parkinson-Syndroms** ist der Untergang der vom Nucleus niger zum Striatum ziehenden (hemmenden?) Bahn (Abb. 26), deren Transmitter im Striatum Dopamin ist. Das Parkinson-Syndrom, vor allem die Akinese, kann daher **durch Gaben von L-Dopa,** der Vorstufe des Dopamins, erfolgreich **behandelt** werden (Dopamin selbst ist unwirksam, da es die Blut-Hirn-Schranke nicht passieren kann). Dagegen können durch stereotaktische Ausschaltungen im Pallidum und im Thalamus (VL), also durch Unterbrechen der Projektion zum Motorcortex (Abb. 26), zwar die Überschuß-Symptome, nicht aber die Akinese gebessert werden.

6.3. Pathophysiologie des Motorcortex und seiner Efferenzen

Capsuläre Hemiplegie. Läsionen im Bereich des Motorcortex, die zu Reiz- (z.B. epileptischen Anfällen) oder Ausfallsymptomen führen, sowie Unterbrechungen der corticalen motorischen Efferenzen sind im ärztlichen Alltag selten. Eine Ausnahme bildet die völlige oder teilweise Unterbrechung der corticalen Efferenzen im Bereich der inneren Kapsel durch eine Blutung aus, oder Thrombose in der A. cerebri media am Abgang der A. lenticulostriata (Schlaganfall, Hirnschlag, Apoplex). Dies führt nach einem anfänglichen Schockstadium mit schlaffer Lähmung der contralateralen Körperhälfte (schlaffe Hemiplegie) zu einer *Lähmung mit deutlichem Hypertonus der Muskulatur,* der sich insbesondere als zunehmender Widerstand gegen passive Bewegungen äußert **(spastische Hemiplegie).** Es überwiegt die Spastizität derjenigen Muskeln, die gegen die Schwerkraft arbeiten, also der Extensoren der Beine und der Flexoren der Arme (beim Vierbeiner wären es die Extensoren aller Extremitäten). Eine gewisse Rückkehr der Zielmotorik ist nach einiger Zeit zu beobachten, es bleibt aber meist bei groben Massenbewegungen der Flexoren und Extensoren *(Flexor- bzw. Extensorsynergie).*
Pathophysiologisch ist die **spastische Hemiplegie** als Folge der Unterbrechung cortical motorischer Efferenzen aufzufassen, und zwar **immer sowohl** des *Tractus corticospinalis,* **als auch** der zum Hirnstamm ziehenden Bahnen.
Die **Spastizität** (Spastik) ähnelt in ihrem Charakter der Decerebrationsstarre des Tierexperiments (s. 3.2). Sie kann wie diese durch Durchschneiden der Hinterwurzeln aufgehoben werden, was auf die Beteiligung der γ-Schleife hinweist. Anscheinend kommt es durch den Ausfall der corticalen Efferenzen zu einem Überwiegen des Einflusses des Deitersschen Kernes (der selbst nicht direkt vom Cortex erreicht wird, s. 5.3) und dadurch zu einer Erhöhung (Enthemmung) der motoneuronalen Erregbarkeit der Anti-Schwerkraft-Muskeln (vgl. Abb. 14). Dies geschieht teilweise über eine Steigerung der Dehnungsreflexe, insbesondere der *phasischen* Komponente dieser Reflexe. (Im Unterschied dazu scheint beim *Rigor* eher eine Zunahme der

tonischen Komponente des Dehnungsreflexes eine Rolle zu spielen. Möglicherweise steht im ersten Fall eine verstärkte Aktivität der dynamischen fusimotorischen Fasern, im letzteren der statischen Fasern, vgl. 2.1, im Vordergrund.)
Die **capsuläre Lähmung** ist ursprünglich weitgehend dem Ausfall des Tractus corticospinalis zugeschrieben worden (s. nächster Absatz). Isolierte Unterbrechungen dieser Bahn bei Primaten (in der Pyramide oder im Hirnschenkel) und entsprechende klinisch-pathologische Beobachtungen beim Menschen haben aber gezeigt, daß dabei nach der Erholungsphase nur eine gewisse Einschränkung der Fingerfertigkeit übrigbleibt und keine oder nur eine sehr gering ausgeprägte Steigerung des Muskeltonus und der Dehnungsreflexe. Dagegen findet man im Tierversuch ein der capsulären Hemiplegie ähnliches Bild nach Abtragen des motorischen Cortex im weiteren Sinne, also MsI, MsII und eventuell auch SmI, SmII [3]. Die *capsuläre Hemiplegie* ist also auf den **gemeinsamen Ausfall verschiedener descendierender Bahnen** des Motorcortex zurückzuführen, wobei für den Ausfall der feinen Bewegungen vor allem die Unterbrechung des Tractus corticospinalis und der Projektion zum Nucleus ruber verantwortlich sein dürfte (vgl. Abb. 21, 22).
Unglücklicherweise sind, infolge einer zeitweisen Überbewertung des Tractus corticospin. für die Zielmotorik, die Lähmungserscheinungen bei der capsulären Hemiplegie und bei Läsionen des Motorcortex und seiner Efferenzen als **Pyramidenbahn-Symptome** oder auch als **Pyramidenbahn-Syndrom** in die Neurologie eingegangen. Die Spastizität hat man der Mitbeteiligung des **extrapyramidal-motorischen Systems** zugeschrieben. Auch die motorischen Störungen bei Läsionen der Basalganglien (6.2) werden immer noch als **extrapyramidale Bewegungsstörungen** zusammengefaßt [23]. Wie dieses Kapitel zeigt, ist die anatomisch korrekte Trennung der Pyramidenbahn von den extrapyramidalen Bahnen **funktionell** sinnlos, ja **irreführend.** Diese Einsicht sollte auch in der Klinik einen angemessenen Wechsel der Nomenklatur zur Folge haben.
Entsprechend kann auch nicht länger aufrecht erhalten werden, daß das **Babinskische Zeichen** (tonische Dorsalflexion der Großzehe mit oder ohne tonische fächerförmige Plantarflexion der übrigen Zehen) ein zuverlässiges Symptom für eine Pyramidenbahnschädigung sei. Gegen eine solche einseitige Deutung sprechen auch zahlreiche klinisch-pathologische und humanexperimentelle Befunde, die zeigen, daß das Babinskische Zeichen unter einer ganzen Reihe anderer Bedingungen ebenfalls auftreten kann [3].

7. Literatur

1. BARKER, D., EMONET-DÉNAND, F., LAPORTE, Y., PROSKE, U., STACEY, M.J.: Morphological identification and intrafusal distribution of the endings of static fusimotor axons in the cat. J. Physiol. (Lond.) **230**, 405 (1973).
2. BOYD, J.A., DAVEY, M.R.: Composition of Peripheral Nerves. Edinburgh, London: Livingstone 1968.
3. BRODAL, A.: Neurological Anatomy in Relation to Clinical Medicine, 2. Aufl. New York, London, Toronto: Oxford University Press 1969.
4. CROWE, A., MATTHEWS, P.B.C.: The effects of stimulation of static and dynamic fusimotor fibres on the response to stretching of the primary endings of muscle spindles. J. Physiol. (Lond.) **174**, 109 (1964).
5. DEECKE, L., SCHEID, P., KORNHUBER, H.: Distribution of readiness potential, pre-motion positivity, and motor potential of the human cerebral cortex preceding voluntary finger movements. Exp. Brain Res. **7**, 158 (1969).
6. DOW, R.S., MORUZZI, G.: The physiology and pathology of the cerebellum. Minneapolis: The University of Minnesota Press 1958.
7. ECCLES, J.C.: The Physiology of Nerve Cells. Baltimore: Johns Hopkins Press 1957.
8. ECCLES, J.C.: The inhibitory pathways of the central nervous system. The Sherrington Lectures IX. Springfield/Ill.: Ch.C. Thomas 1969.
9. ECCLES, J.C., ITO, M., SZENTÁGOTHAI, J.: The cerebellum as a neuronal machine. Berlin-Heidelberg-New York: Springer 1967.
10. ECCLES, R.M., LUNDBERG, A.: Synaptic actions in motoneurones by afferents which may evoke the flexion reflex. Arch. ital. Biol. **97**, 199 (1959).
11. GRANIT, R.: The Basis of Motor Control. London, New York: Academic Press 1970.
12. HOLMQVIST, B., LUNDBERG, A.: Differential supraspinal control of synaptic actions evoked by volleys in the flexion reflex afferents in alpha motoneurones. Acta physiol. scand. **54**, Suppl. 186, 1 (1961).
13. JANSEN, J., BRODAL, A.: Handbuch der Mikroskopischen Anatomie des Menschen, IV. Bd.: Nervensystem, 8. Teil: Das Kleinhirn. Berlin-Göttingen-Heidelberg: Springer 1958.
14. KEMP, J.M., POWELL, T.P.S.: The connexions of the striatum and globus pallidus: synthesis and speculation. Phil. Trans. B **262**, 441 (1971).
15. KUHN, R.A.: Functional capacity of the isolated human spinal cord. Brain **73**, 1 (1950).
16. LARSELL, O., JANSEN, J.: The comparative anatomy and histology of the cerebellum. The human cerebellum, cerebellar connections, and cerebellar cortex. Minneapolis: University of Minnesota Press 1972.
17. MAGNUS, R.: Körperstellung. Berlin: Springer 1924.
18. MATTHEWS, P.B.C.: Mammalian Muscle Receptors and their Central Actions. London: Arnold 1972.
19. MOUNTCASTLE, V.B.: Medical Physiology, Band I, 13. Aufl. Saint Louis: Mosby 1974.
20. OSCARSSON, O.: Functional Organization of Spinocerebellar Paths. In: Handb. of Sensory Physiology, Vol. II, Somatosensory System (Hrsg. A. IGGO), p. 340. Berlin-Heidelberg-New York: Springer 1973.
21. PALAY, S.L., CHAN-PALAY, V.: Cerebellar Cortex, Cytology and Organization. Berlin-Heidelberg-New York: Springer 1974.
22. PENFIELD, W., RASMUSSEN, T.: The cerebral cortex of man. New York: Macmillan 1950.
23. POECK, K.: Neurologie, 3. Aufl. Berlin-Heidelberg-New York: Springer 1974.
24. PORTER, R.: Functions of the mammalian cerebral cortex in movement. In: Progress in Neurobiology (Hrsg. G.A. KERKUT, J.W. PHILLIS). Oxford: Pergamon Press 1973.
25. RADEMAKER, G.G.J.: Das Stehen. Berlin: Springer 1931.
26. SATO, A., SCHMIDT, R.F.: Somatosympathetic reflexes: afferent fibers, central pathways, discharge characteristics. Physiol. Rev. **53**, 916 (1973).
27. SCHMIDT, E.M., JOST, R.G., DAVIS, K.K.: Reexamination of the force relationship of cortical cell discharge patterns with conditioned wrist movements. Brain Res. **83**, 213 (1975).
28. SCHMIDT, R.F.: Presynaptic inhibition in the vertebrate central nervous system. Ergebn. Physiol. **63**, 20 (1971).
29. SCHMIDT, R.F.: Propriozeptoren in Muskeln und Sehnen. In: Physiologie des Menschen, Bd. 11, Somatische Sensibilität, Geruch und Geschmack. (Hrsg. O.H. GAUER, K. KRAMER, R. JUNG), S. 155. München: Urban & Schwarzenberg 1972.
30. SCHMIDT, R.F.: Control of the access of afferent activity to somatosensory pathways. In: Handb. of Sensory Physiology, Vol. II, Somatosensory System (Hrsg. A. IGGO), p. 151. Berlin-Heidelberg-New York: Springer 1973.
31. SCHMITT, O., WORDEN, F.G. (Hrsg.): The Neurosciences, Third Study Program. Cambridge/Mass., London: MIT Press 1974.
32. WALTER, W.G.: Slow potential waves in the human brain associated with expectancy, attention and decision. Arch. Psychiat. Nervenkr. **206**, 309 (1964).

VII. Das vegetative Nervensystem (W. Jänig)

Das vegetative Nervensystem innerviert hauptsächlich die *glatte Muskulatur* aller Organe, das *Herz* und die *Drüsen*. Es regelt die Vorgänge **im Körper neuronal** und ist der direkten willkürlichen Kontrolle weitgehend entzogen; es wird deshalb auch als **unwillkürliches** oder **autonomes** Nervensystem bezeichnet. Diese Charakteristika grenzen das vegetative Nervensystem grob vom somatischen Nervensystem ab, welches die afferente und efferente Kommunikation mit der Umwelt besorgt und zum Teil dem Bewußtsein und der willkürlichen Kontrolle unterliegt.

Vegetatives und somatisches Nervensystem arbeiten parallel, ihre neuronalen morphologischen Substrate sind zentral, besonders in Hirnstamm und Cerebrum, nicht mehr voneinander zu trennen. Nur in der Peripherie kann man vegetatives und somatisches Nervensystem klar unterscheiden. Dementsprechend haben diese peripheren Neurone auch ganz beschränkte Funktionen. Ein postganglionäres Vasoconstrictorneuron kann ein Gefäß z.B. nur öffnen oder schließen. Zentrale Neuronenverbände dagegen nehmen an mehreren Funktionen teil, deren gemeinsamer Ausdruck ein **Programm** ist. So mögen z.B. Neurone im Hirnstamm, die den Extensortonus für die Muskulatur der Stützmotorik kontrollieren, auch den Vasoconstrictorentonus kontrollieren, in dem Sinne, daß während der Extensorstarre im decerebrierten Tier (s. S. 96) gleichzeitig auch die Vasoconstrictoren aktiviert werden. Auf diese Weise wird ein Absinken des arteriellen Blutdruckes verhindert. Dieser Vorgang, Aktivierung der Extensoren und der Vasomotoren, wäre gewissermaßen in diesen Neuronen **vorprogrammiert**.

Man muß sich deshalb die zentrale Organisation des vegetativen Nervensystems wie eine **Hierarchie** vorstellen (links in Abb. 21), in der bis zur höchsten, corticalen Ebene die Komplexität dieser Programme zunimmt (rechts in Abb. 21). Das autonome Nervensystem paßt den Organismus den Leistungsanforderungen, die an ihn aus der Umwelt herangetragen werden, neuronal an. Die Komplexität dieser Anpassung nimmt in der Hierarchie nach oben hin zu (rechts in Abb. 21). Im folgenden wird das vegetative Nervensystem einerseits **analytisch** dargestellt, diese Darstellung orientiert sich an der modernen Forschung, die im wesentlichen nach reduktionistischen Konzepten vorgeht. Andererseits wird es mehr **synthetisch** dargestellt; diese Darstellung orientiert sich mehr an Beobachtungen in der Klinik und an Tieren. Dabei kommt es notwendigerweise zu Überschneidungen mit Nachbargebieten der Physiologie (z.B. Kreislauf, Endokrinologie und Thermoregulation).

1. Das periphere vegetative Nervensystem

1.1. Aufbau des peripheren vegetativen Nervensystems

Das periphere vegetative Nervensystem ist efferent und besteht aus zwei Populationen hintereinander geschalteter Neurone: die terminalen Neurone, die den Motoneuronen im somatischen Nervensystem entsprechen, liegen außerhalb des Zentralnervensystems. Ihre Somata liegen in den **vegetativen Ganglien,** man nennt deshalb diese Neurone auch **postganglionäre Neurone.** Die Neurone, welche mit ihren Axonen in den Ganglien auf den postganglionären Somata synaptisch endigen, nennt man **präganglionäre Neurone.** Ihre Somata liegen im ZNS.

Man unterscheidet zwei funktionell verschiedene Teile des peripheren vegetativen Nervensystems: das sympathische Nervensystem oder den **Sympathicus** und das parasympathische Nervensystem oder den **Parasympathicus.** Beide Systeme haben verschiedene Ursprünge aus der **Neuraxis:** der Sympathicus entspringt dem Brustmark und den oberen zwei bis drei Segmenten des Lendenmarkes (*thoracolumbales* System); der Parasympathicus entspringt dem Hirnstamm und dem Sacralmark (*craniosacrales* System).

Sympathicus. Die Zellkörper der präganglionären Neurone des Sympathicus liegen in der Ebene des lateralen Horns des Brust- und Lendenmarkes. Die Axone dieser Neurone sind zum großen Teil myeli-

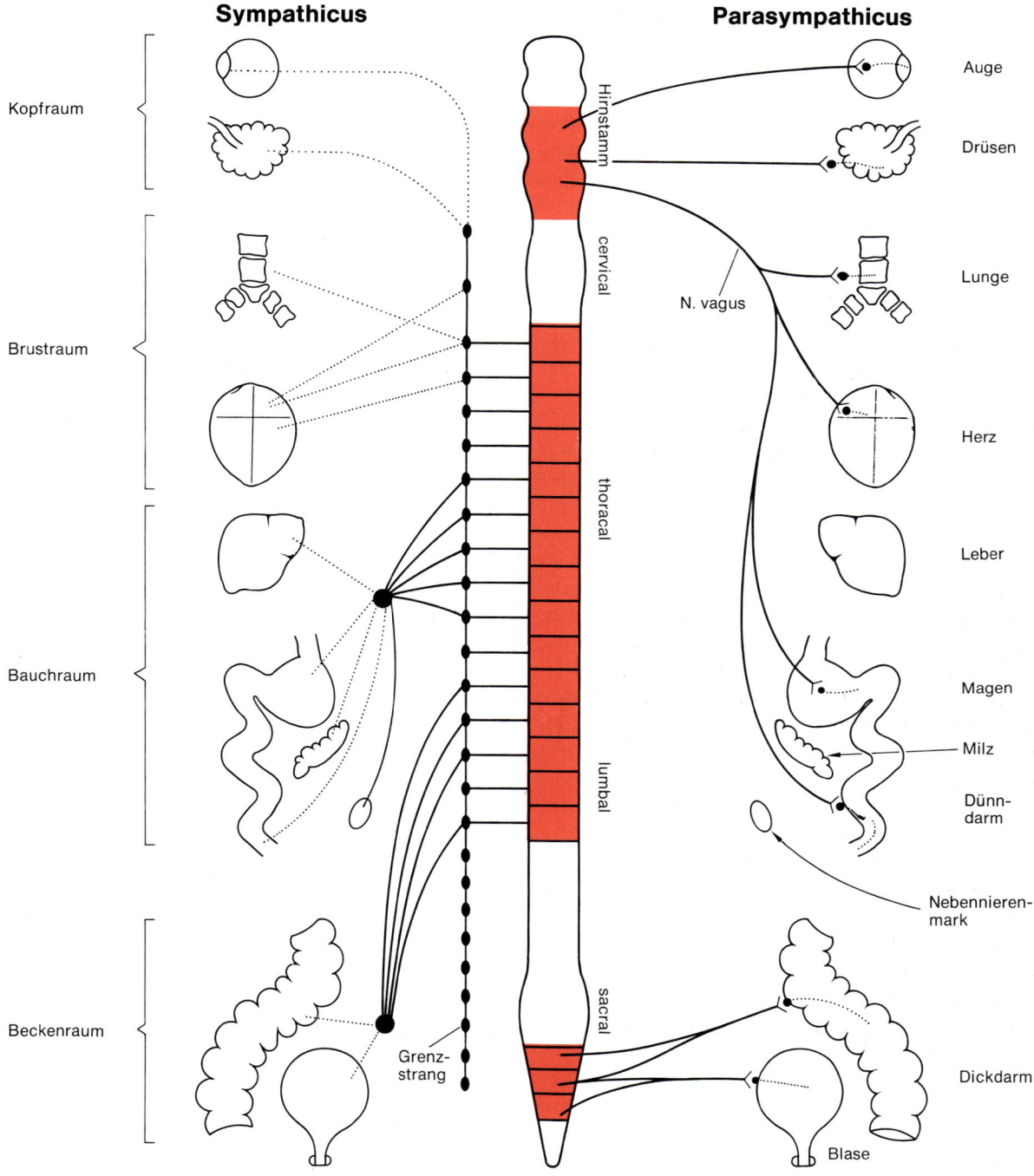

Sympathicus

Kopfraum

Brustraum

Bauchraum

Beckenraum

Grenz-
strang

Parasympathicus

Hirnstamm

cervical

N. vagus

thoracal

lumbal

sacral

Auge

Drüsen

Lunge

Herz

Leber

Magen

Milz

Dünn-
darm

Nebennieren-
mark

Dickdarm

Blase

Abb. 1. Ursprung und Innervationsgebiete peripherer vegetativer Neurone. Rot: Lage der präganglionären Zellkörper in Neuraxis; rechts: Parasympathicus; links: Sympathicus; durchzogene Linien: präganglionäre Axone; gepunktete Linien: postganglionäre Axone. Die sympathische Innervation von Gefäßen, Schweißdrüsen und Arrectores pilorum ist nicht aufgeführt

nisiert und leiten mit Geschwindigkeiten von 1 bis 20 m/s. Sie verlassen das Rückenmark über die Vorderwurzeln und die Rami communicantes albi (Abb. 9) und ziehen zu den paaren paravertebralen Ganglien und zu den unpaaren prävertebralen Bauchganglien. Die paravertebralen Ganglien sind in den *Grenzsträngen* organisiert, die sich links und rechts von der Wirbelsäule von der Hirnbasis bis zum Os sacrum erstrecken. Von den Grenzsträngen ziehen die unmyelinisierten, postganglionären Axone einerseits über die Rami communicantes grisei (Abb. 9) zu den Effectoren in der Peripherie des Organismus, andererseits über spezielle Nerven zu den Organen im Brustraum und im Kopfbereich

(Abb. 1). Von den Bauchganglien gelangen die postganglionären Fasern über Nervengeflechte oder spezielle Nerven zu den Organen im Bauch- und Beckenraum.

Die sympathischen Ganglien liegen *organfern;* deshalb sind die sympathischen postganglionären Axone zum großen Teil sehr lang. Die Erfolgsorgane des Sympathicus sind die *glatte Muskulatur* aller Organe (Gefäße, Eingeweide, Ausscheidungsorgane, Lunge, Haare, Pupille), das *Herz* und die *Drüsen* (Schweiß-, Speichel-, Tränen-, Verdauungsdrüsen). Außerdem werden die Fettzellen, Leberzellen und möglicherweise die Nierentubuli von sympathischen postganglionären Fasern innerviert.

Parasympathicus. Die Zellkörper der präganglionären parasympathischen Neuronen liegen im Kreuzmark und im Hirnstamm (Abb. 1). Ihre Axone sind meist unmyelinisiert und im Gegensatz zu den sympathischen präganglionären Axonen sehr lang. Sie ziehen in speziellen Nerven zu den *organnahe* gelegenen parasympathischen postganglionären Neuronen. Die präganglionären parasympathischen Fasern für die inneren Augenmuskeln und für die Drüsen im Kopfbereich treten mit dem III., VII. und IX. Hirnnerven aus dem Hirnstamm aus. Die präganglionären parasympathischen Fasern zu den Organen im Brust- und Bauchraum laufen im *Nervus vagus* (X. Hirnnerv). Die sacralen parasympathischen Fasern zu den Beckenorganen laufen im Nervus pelvicus.

Parasympathische Ganglien findet man nur im Kopfbereich und im Becken in der Nähe der Erfolgsorgane, ansonsten sind die postganglionären Zellen in oder auf den Wänden des Magen-Darm-Traktes *(intramurale Ganglien),* des Herzens und der Lunge verstreut. Der Parasympathicus innerviert die *glatte Muskulatur* und die *Drüsen* des Magen-Darm-Traktes, der Ausscheidungsorgane, der Sexualorgane und der Lunge; er innerviert weiterhin die Vorhöfe des Herzens, die Tränen- und Speicheldrüsen im Kopfbereich und die inneren Augenmuskeln. Mit der möglichen Ausnahme der Gefäße im Scrotum und im Gehirn innerviert er *nicht* die glatte Gefäßmuskulatur.

Viscerale Afferenzen. Das periphere vegetative Nervensystem ist *efferent.* Nun entspringen den Organen, die durch dieses Nervensystem innerviert werden, auch Afferenzen, die als viscerale Afferenzen bezeichnet werden. Die Receptoren dieser Afferenzen liegen in den Organen oder Organwänden des Brust-, Bauch- und Beckenraumes, wie z.B. Magen-Darm-Trakt, Herz, Aortenausflußbahn, Blase usw. Sie messen über die Dehnung der Wände der Hohl-

organe den *intraluminalen Druck* (z.B. im arteriellen System) und den Füllungszustand der Hohlorgane (z.B. der Blase, s. VII-5) und sprechen meistens besonders deutlich auf die Änderungen der Wandspannung an. Andere Receptoren registrieren den Säuregrad und die Elektrolytenkonzentration in den Organen (z.B. im Magen) und registrieren schmerzhafte Reize im Eingeweidebereich. Ein Teil der visceralen Afferenzen tritt mit den somatischen Afferenzen ins Rückenmark ein und hat seine Zellkörper in den Spinalganglien. Viele viscerale Afferenzen aus dem Brust- und Bauchraum laufen im Nervus vagus und werden als *vagale Afferenzen* bezeichnet. Obwohl die meisten visceralen Afferenzen eng liiert sind mit dem vegetativen Nervensystem, gibt es keine zuverlässigen Kriterien, sie als sympathische oder parasympathische Afferenzen einzuordnen. Ihre funktionellen Bedeutungen werden in den entsprechenden Kapiteln behandelt.

1.2. Wirkungen des peripheren vegetativen Nervensystems auf die Organe

Die Wirkungen des peripheren vegetativen Nervensystems auf die Organe kann man nach elektrischer Reizung vegetativer Nerven studieren. Abb. 2 stellt diese Wirkungen auf das **Herz** und den Darm dar. Aktivierung der sympathischen Herznerven erhöht die Herzfrequenz und die Kontraktionskraft des Herzens (Abb. 2(A)). Aktivierung der parasympathischen Fasern erniedrigt die Herzfrequenz, hat aber auf die Kontraktionskraft keinen Einfluß (Abb. 2(B)). Diesen Wirkungen entsprechen die Innervationsbereiche beider Nerven am Herzen: der Sympathicus innerviert sowohl den Schrittmacher des Herzens als auch die Vorhof- und Ventrikelmuskulatur; der Parasympathicus innerviert nur Schrittmacher und Vorhofmuskulatur. Die cellulären Mechanismen, die diesen Wirkungen zugrunde liegen, werden in XVIII beschrieben.

Der **Darm** wird in entgegengesetzter Art und Weise wie das Herz durch Sympathicus und Parasympathicus beeinflußt. Reizung des Parasympathicus hat eine Verstärkung der Darmbewegungen zur Folge (Abb. 2(D)), Reizung des Sympathicus unterdrückt die Darmbewegungen und vermindert die Grundspannung der Muskulatur (Abb. 2 (C)).

Diese schon lange bekannten **antagonistischen** Effekte von Sympathicus und Parasympathicus auf die Darmmuskulatur und das Herz findet man z.T. auch an anderen Organen. In Tabelle 1 sind einige wichtige Organe aufgeführt. Die Wirkungen des vegetativen Nervensystems auf die Organe werden in den entsprechenden Kapiteln besprochen.

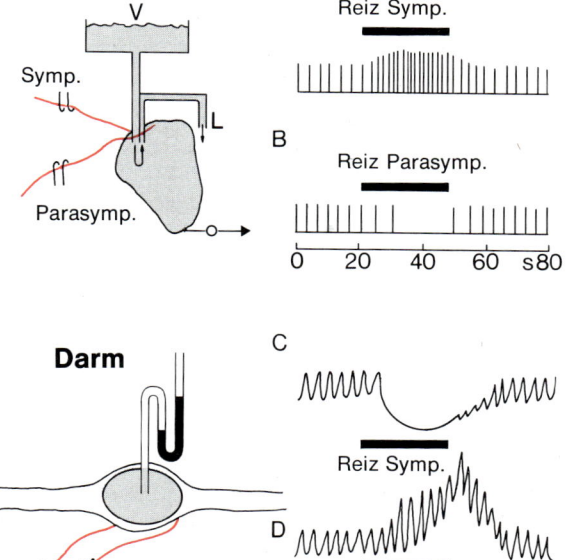

Herz

A
Reiz Symp.

B
Reiz Parasymp.

0 20 40 60 s 80

Darm

C

Reiz Symp.

D

Reiz Parasymp.

0 40 80 s 120

Parasymp.

Symp.

Abb. 2 A–D. Antagonistische Beeinflussung von Herz und Darmmuskulatur durch Sympathicus und Parasympathicus. Schematisierte Experimente. (A, B) Registrierung von Kontraktionskraft (Höhe der Zeigerausschläge) und der Frequenz (Abstände der Zeigerausschläge) eines Froschherzens vor, während und nach der Reizung vegetativer Herznerven. V Vorratsbehälter für Blutersatzflüssigkeit; L Abflußrohr. (C, D) Registrierung der Bewegungen einer Dünndarmschlinge des Hundes vor, während und nach Reizung vegetativer Nerven. Die Darmbewegungen wurden über die Druckschwankungen in einem Ballon im Darm gemessen. [Modifiziert nach Bayliss und Starling: J. Physiol. (Lond.) **24**, 99–143 (1899)]

Tabelle 1. Effekte bei Aktivierung des Sympathicus und Parasympathicus

Organ oder Organsystem	Sympathicus	Parasympathicus
Herz	+	−
glatte Muskulatur		
Blutgefäße		
Vasoconstrictoren	+	Ø
Vasodilatatoren (im Muskel)	−	Ø
Eingeweide		
longitudinale, circuläre Muskulatur	−	+
Spincteren	+	−
Harnblase		
Detrusor vesicae	−	+
Trigonum vesicae (Spincter internus)	+	−
Bronchialmuskulatur	−	+
Interne Geschlechtsorgane	+/−	Ø
Auge		
M. radialis (Dilatator pupillae)	+	Ø
(Constrictor pupillae)	−?	+
M. ciliaris	−	+
M. taris (Oberlid)	+	Ø
Arrectores pilorum	+	Ø
Drüsen		
Schweißdrüsen	+	Ø
Speicheldrüsen	+	+
Tränendrüsen	?	+
Verdauungsdrüsen	−?	+
Bronchialdrüsen	−?	+
Fettzellen	+	Ø

+ Erregung oder Aktivierung; − Erschlaffung oder Hemmung; Ø kein Effekt.

Beide Teile des vegetativen Nervensystems sind normalerweise gleichzeitig aktiv, deshalb hängt der Funktionszustand eines Organs, das sympathisch und parasympathisch innerviert wird, von der Balance der Aktivitäten in Sympathicus und Parasympathicus ab. Bei generalisierter Aktivierung des Sympathicus (*sympathische Reaktionslage*, z.B. im Kampfverhalten) beobachtet man beim Tier die in Tabelle 1 aufgeführten Effekte. Während und nach ungestörtem Fressen beobachtet man Merkmale, die auf eine mehr *parasympathische Reaktionslage* hinweisen.

1.3. Effectoren des vegetativen Nervensystems

Das vegetative Nervensystem innerviert Herz, Drüsenzellen und vorwiegend glatte Muskeln. Im folgenden werden einige generelle Aspekte zur glatten Muskulatur und der neuromuskulären Übertragung in ihr, die zum Verständnis der vegetativen Funktionen wichtig sind, beschrieben. Die Biophysik der Kontraktion und der elektromechanischen Kopplung der glatten Muskulatur wurde in V behandelt.

Struktur der glatten Muskeln und ihrer Innervation. Glatte Muskelzellen sind spindelförmig, etwa 50–400 µm lang und 2–5 µm dick. Sie sind netzartig miteinander verbunden und haben untereinander Kontaktstellen geringen elektrischen Widerstandes (Nexus, s. V). Nervenendigungen schütten ihre Überträgerstoffe entlang der Fasern aus den präterminalen und terminalen Speichern, den *Varicositäten*, aus. Es bestehen etwa 10 bis 30 solcher Varicositäten auf einer Länge von 100 µm. Die Varicositäten sind etwa 20 nm bis maximal 1 000 nm von den

Muskelfasern entfernt. Die Nervenendigungen und Muskelzellen bilden keine der somatischen neuromuskulären Endplatte entsprechenden Strukturen wie Faltenapparat und typische postsynaptische Membran. Bei geringen Entfernungen von etwa 20 nm liegen die Varicositäten in Eindellungen der Muskelfasermembranen. Die Varicositäten enthalten typische *Vesikel*. Man nimmt an, daß sie die chemischen Überträgerstoffe enthalten, die bei Erregung der Nerven ausgeschüttet werden. Drei Haupttypen von synaptischen Bläschen werden immer wieder in den Varicositäten postganglionärer Neurone gefunden: kleine, nichtgranulierte und granulierte Vesikel und große opake Vesikel. Es ist wahrscheinlich, daß die kleinen, nichtgranulierten Bläschen Acetylcholin enthalten und die kleinen granulierten Bläschen Noradrenalin. Die großen opaken Vesikel enthalten möglicherweise ATP als Transmitter [6, 7].

Die Strukturen glatter Muskelverbände variieren außerordentlich von Organ zu Organ. Auf der einen Seite gibt es glatte Muskeln, in denen fast jede Zelle neuromuskulären „Kontakt" hat und in denen nur geringe *elektrotonische Kopplung* (s. V) zwischen den Zellen besteht. Die Abstände der Varicositäten von den Muskelzellmembranen betragen in diesen Muskeln etwa 20 nm (z.B. Samenleiter und Ciliarmuskel). Auf der anderen Seite gibt es glatte Muskeln, in denen nur wenige Zellen direkt innerviert sind, die Entfernungen zwischen Nervenendigungen und Muskelzellen betragen hier mehr als 80 nm. In diesen Muskeln sind alle Zellen elektrotonisch miteinander gekoppelt (z.B. die longitudinale Intestinalmuskulatur, der Uterus und die innere vasculäre Muskulatur). Im ersten Falle wird die Aktivität der glatten Muskulatur ausschließlich neuronal geregelt, im zweiten Falle hat das Nervensystem mehr modulierenden Einfluß auf die autonome Aktivität der glatten Muskulatur. Die Strukturen vieler glatter Muskelverbände befinden sich zwischen diesen beiden Extremtypen [6].

Spontanaktivität und Rhythmizität der glatten Muskulatur.

Glatte Muskeln, deren Zellen elektrotonisch gekoppelt sind (wie z.B. die Intestinalmuskulatur), sind meistens spontan aktiv. Diese *Spontanaktivität* wird auch nach Denervierung der Muskeln beobachtet. Sie äußert sich im Auftreten von Aktionspotentialen in den Muskelzellen und in Kontraktionen der Muskulatur, ohne daß Reize einwirken (s.V). Diese Zellen sind — ganz analog zu den Muskelzellen im Sinus venosus des Herzens — die *Schrittmacher* für ihre Umgebung. Die elektrische Spontanaktivität liegt bei etwa einem Aktionspotential pro Sekunde. Die durch die spontanen

Entladungen ausgelöste myogene mechanische Aktivität wird als **myogener Tonus** bezeichnet (s.V).

Die Spontanaktivität im gesamten glatten Muskelsystem unterliegt charakteristischen rhythmischen Schwankungen. Dieser Rhythmus hat eine Frequenz von etwa 1/min (Abb. 3). Man spricht deshalb auch vom **Minuten-Rhythmus.** Diesen typischen Rhythmus findet man in allen spontan aktiven glatten Muskeln und bei allen Säugern. Der Minuten-Rhythmus hat seine Ursache sicherlich nicht in den elektrischen Membranphänomenen, sondern in *Stoffwechselprozessen* der Muskelzellen. Außer dieser universellen Minuten-Rhythmik kann man andere, langsamere Rhythmen beobachten, die im Stunden- und Tagesbereich liegen [6].

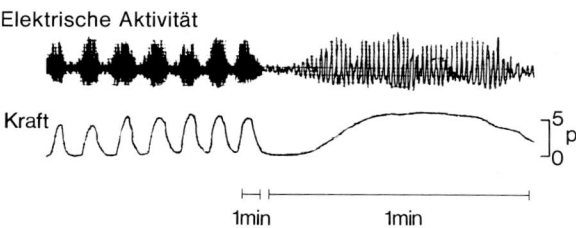

Abb. 3. Rhythmische Aktivität glatter Darmmuskulatur (Minutenrhythmus). Registrierung der elektrischen (oben) und der mechanischen Aktivität (unten) eines Taenia-coli-Streifens vom Meerschweinchen. Die Kraft, die das Präparat entwickelt, wurde wie in Abb. 4(A) isometrisch gemessen. Die elektrische Aktivität wurde extracellulär mit Plattenelektroden gemessen. (Nach Golenhofen, in Bülbring u.Mitarb. [6])

Kontraktion glatter Muskulatur auf Dehnung.

Glatte Muskeln, deren Zellen elektrotonisch gekoppelt sind, kontrahieren sich nach passiver Dehnung. Die Dehnung (z.B. eines Taenia coli-Streifens vom Dickdarm, s.Abb. 4) führt zur Erniedrigung der Entladungsschwelle der glatten Muskelzellen, als Folge davon erhöht sich die Entladungsfrequenz der Zellen und ihre Kontraktionskraft. Glatte Muskelzellen mit diesen Eigenschaften reagieren wie spontanaktive Mechanoreceptoren mit einem eingebauten kontraktilen System.

Die Eigenschaft des glatten Muskels, Dehnung mit Kraftentwicklung zu beantworten, ist für das Funktionieren der *Hohlorgane* im Körper, wie z.B. Darm, Blase und Gefäße, von großer Bedeutung. Sie befähigt diese Organe, auch *ohne* neuronale Kontrolle ihre Funktion in einem gewissen Grade **rein myogen** auszuführen. Ein Spezialfall solch einer *myogenen Regulation* ist die **Autoregulation** vieler Gefäßgebiete. An ihr sind besonders die präcapillären Widerstandsgefäße, die einen hohen myogenen Tonus haben, beteiligt (s. XIX; s. auch myogene Regulation der Blasenentleerung in VII-5.2).

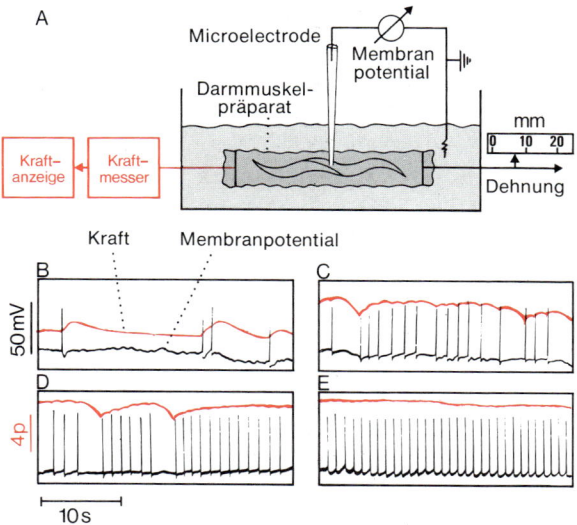

Abb. 4 A–E. Kraftentwicklung glatter Muskulatur auf Dehnung. Taenia-coli-Streifen vom Meerschweinchen. (A) Schema des Versuchsaufbaus zur Registrierung vom Membranpotential einer Einzelzelle und der Kraftentwicklung des ganzen Präparates (links) bei passiver Dehnung (rechts). (B–E) Membranpotential, Frequenz der Aktionspotentiale und Kraft bei zunehmender Dehnung des Präparates. (Nach BÜLBRING [5])

Überempfindlichkeit vegetativer Effectoren nach Denervierung. Wenn man einen autonomen Effector denerviert, zeigt er nur eine gewisse Inaktivitätsatrophie, degeneriert aber nicht. Er entwickelt in 2–30 Tagen (variierend von Effector zu Effector und von Species zu Species) eine Überempfindlichkeit gegen die Überträgerstoffe des peripheren vegetativen Nervensystems und ähnliche Substanzen. Denerviert man z.B. bei einem Tier die sympathische Versorgung der Pupille durch Excision des Ganglion cervicale superior, so stellt sich zunächst infolge Überwiegen des Parasympathicus eine Pupillenverengung ein (s. Tabelle 1). Nach mehreren Wochen jedoch erweitert sich die Pupille wieder. Die Erweiterung nimmt zu, wenn das Tier erschreckt oder emotionalen Reizen ausgesetzt wird. Diese Pupillenerweiterung ist auf die **Sensibilisierung** des denervierten Dilatator pupillae gegenüber Catecholaminen (Adrenalin und Noradrenalin, s.S. 120) im Blut, die dem Nebennierenmark entstammen (s.S. 122), zurückzuführen. Während emotionaler Reize und in Schrecksituationen steigen die Catecholaminkonzentrationen im Blut an. Der Mechanismus einer solchen Überempfindlichkeit ist noch weitgehend unbekannt. Er dürfte im Fortfall kontinuierlicher Freisetzung von Überträgerstoffen aus den präsynaptischen Nervenendigungen einerseits und in entsprechenden Veränderungen der postsynaptischen Membran andererseits zu suchen sein.

1.4. Erregungsübertragung im peripheren vegetativen Nervensystem

Die Erregungsübertragung vom prä- auf das postganglionäre Neuron und vom postganglionären Neuron auf den Effector ist **chemisch.** Man nimmt an, daß die neurohumorale Übertragung im peripheren vegetativen Nervensystem prinzipiell nach den gleichen Mechanismen abläuft wie an der neuromuskulären Endplatte (s. III). Im Gegensatz zur Endplatte sind im vegetativen Nervensystem die postsynaptischen Strukturen sehr variabel (Herzmuskelzellen, glatte Muskelzellen, Drüsenzellen, Neurone) und morphologisch häufig wenig oder nicht differenziert. Dichte und Muster der Innervation variieren sehr stark zwischen den verschiedenen glatten Muskeln.

Acetylcholin. Acetylcholin wird von allen präganglionären autonomen Nervenendigungen und allen postganglionären parasympathischen Neuronen ausgeschüttet (Abb. 5). Außerdem setzen sympathische postganglionäre Neurone an den Schweißdrüsen und möglicherweise die sympathischen postganglionären Vasodilatatorneurone an den Widerstandsgefäßen der Skeletmuskulatur Acetylcholin frei.

Die Wirkungen von Acetylcholin auf die postsynaptischen Membranen lassen sich entweder durch *Muscarin,* ein Gift des Fliegenpilzes, oder kleine Mengen von *Nicotin* simulieren. Deshalb hat man pharmakologisch in den postsynaptischen Membranen zwei Arten von Receptoren, mit denen Acetylcholin reagiert, postuliert und die entsprechenden Acetylcholinwirkungen als **muscarinartig** und **nicotinartig** bezeichnet (Abb. 5).

Die erregenden und hemmenden Potentiale an den Effectormembranen und die langen postsynaptischen, erregenden und hemmenden Potentiale in den postganglionären Neuronen (s. III und VII-1.5) werden durch die muscarinartigen Wirkungen von Acetylcholin erzeugt. Diese *muscarinartigen Wirkungen* können durch **Atropin** selektiv blockiert werden. Die direkte, kurze, erregende cholinerge Wirkung von den präganglionären auf die postganglionären Neurone ist *nicotinartig.* Sie kann selektiv durch **quaternäre Ammoniumbasen** (Ganglienblocker) blockiert werden (weiteres s. [28]).

Noradrenalin, Adrenalin. Die Übertragersubstanz in sympathischen postganglionären Nervenendigungen ist (mit zwei oben genannten Ausnahmen) *Noradrenalin.* Man nennt deshalb diese Neurone **adrenerge Neurone** (Abb. 5). Die Zellen des *Nebennieren-*

markes, das ein Homolog der postganglionären Neurone darstellt, schütten überwiegend **Adrenalin** in den Kreislauf aus (s.S. 122). Noradrenalin und Adrenalin sind **Catecholamine** (s. III).

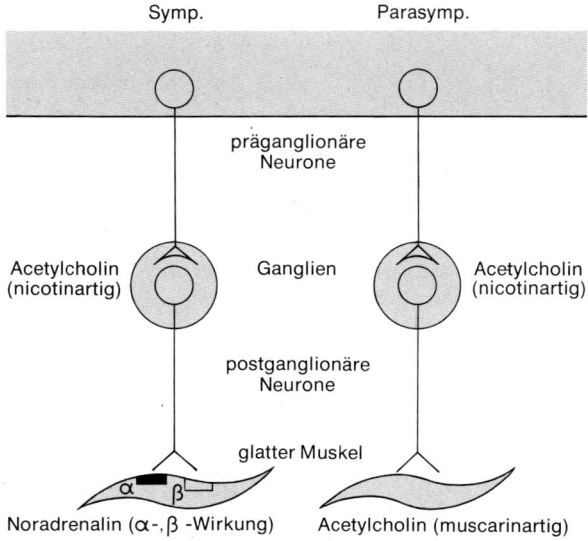

Symp.   Parasymp.

präganglionäre
Neurone

Acetylcholin   Ganglien   Acetylcholin
(nicotinartig)   (nicotinartig)

postganglionäre
Neurone

glatter Muskel

α   β

Noradrenalin (α-, β -Wirkung)   Acetylcholin (muscarinartig)

Abb. 5. Überträgersubstanzen im peripheren vegetativen Nervensystem

Schon sehr früh wurde festgestellt, daß die adrenergen Substanzen zwei verschiedene Wirkungen auf die Effectoren haben. Die erregenden Wirkungen von Adrenalin werden durch das Alkaloid Ergotamin beseitigt, während die hemmenden Wirkungen unbeeinträchtigt bleiben. Auf diesen Befund hin wurde postuliert, daß im sympathischen Nervensystem zwei Überträgerstoffe auf die Effectoren einwirken, ein erregender und ein hemmender; man nannte sie Sympathin E und Sympathin I. Da dieses Postulat aber keineswegs die zweifache Wirkung von Adrenalin erklärt und man herausfand, daß nur *ein* Überträgerstoff im peripheren sympathischen Nervensystem, nämlich *Noradrenalin,* vorkommt, forderte man zwei verschiedene Receptortypen in den Effectormembranen, auf die der sympathische Überträgerstoff wirkt. Man nannte diese beiden pharmakologischen Receptorentypen **α-** und **β-Receptoren.** Beide Receptortypen können *nicht* als erregend und hemmend klassifiziert werden, da ihre Erregung je nach den Effectormembranen beide Wirkungen hervorruft. Die Lösung des Problems, die Wirkungen der Catecholamine und das α-β-Receptoren-Konzept in Einklang zu bringen, kam mit der Entwicklung pharmakologischer Substanzen, die α- und β-Receptoren spezifisch blockieren.

Pharmaka, die die α-Receptoren selektiv blockieren **(α-Blocker),** sind schon seit längerer Zeit bekannt. Das oben erwähnte Ergotamin gehört zu diesen Substanzen. Sie spielen in der therapeutischen Medizin eine bedeutende Rolle. Diese Substanzen beseitigen z.B. die erregende sympathische Wirkung auf das Gefäßsystem. Als es gelang, eine Substanz zu entwickeln, die die hypothetischen β-Receptoren blockiert **(β-Blocker),** wurde das α-β-Receptoren-Konzept ganz wesentlich untermauert. Diese Substanz heißt *Dichlorisoproterenol* und ist ein Derivat des künstlichen Catecholamins **Isoproterenol,** das eine reine β-Wirkung hat, die nicht durch α-Blokkade beseitigt werden kann. Dieser β-Blocker verhindert z.B. die sympathische Wirkung auf das Herz und die meisten hemmenden sympathischen Wirkungen an der glatten Muskulatur (s. Tabelle 2).
Die α- und β-Receptoren sind folglich durch *zwei Kriterien* definiert: 1. Die *Effektivität adrenerger Substanzen* (Noradrenalin, Adrenalin und Isoproterenol), die Receptoren zu erregen (Tabelle 2, Spalten 4–6), und 2. die *Spezifität bestimmter Pharmaca (Blocker),* die α- und β-receptorischen Wirkungen *selektiv* zu blockieren. Die Anwendung dieser beiden Kriterien auf die Wirkungen adrenerger Substanzen an verschiedenen Organen führt zur Erklärung der bekannten Wirkungen des Sympathicus.
Am kardiovasculären System des Hundes werden in Abb. 6 die α- und β-adrenergen Wirkungen der Catecholamine Noradrenalin, Adrenalin und Isoproterenol und die Beseitigung dieser Wirkungen durch α- und β-Blocker näher erläutert. Abb. 6(A) zeigt schematisch, wie die Catecholamine auf die Receptoren der glatten Gefäßmuskulatur und des Herzens wirken. Das **Herz** wird nur über **β-Receptoren** erregt, die **glatte Gefäßmuskulatur** über **α-Receptoren** erregend (Vasoconstriction) und über **β-Receptoren** hemmend beeinflußt (Vasodilatation; s. Tabelle 2 und Abb. 6(A)). Noradrenalin und Adrenalin erhöhen durch ihre β-Wirkung die Herzfrequenz und durch ihre α-Wirkung den peripheren Widerstand in der Muskelstrombahn; Isoproterenol, welches nur β-Wirkung hat, erhöht ebenfalls die Herzfrequenz und erniedrigt den peripheren Gefäßwiderstand (Abb. 6(B)). Blockade der α-Receptoren (Abb. 6(C)) hat zur Folge, daß die Vasoconstriction durch Noradrenalin beseitigt wird, und daß Adrenalin durch Reizung der β-Receptoren der glatten Gefäßmuskulatur eine Vasodilatation erzeugt *(Adrenalinumkehr).* Blockade der β-Receptoren (Abb. 6(D)) beseitigt alle catecholaminergen Effekte auf das Herz und die über die β-Receptoren erzeugte Vasodilatation durch Isoproterenol im peripheren Gefäßgebiet.

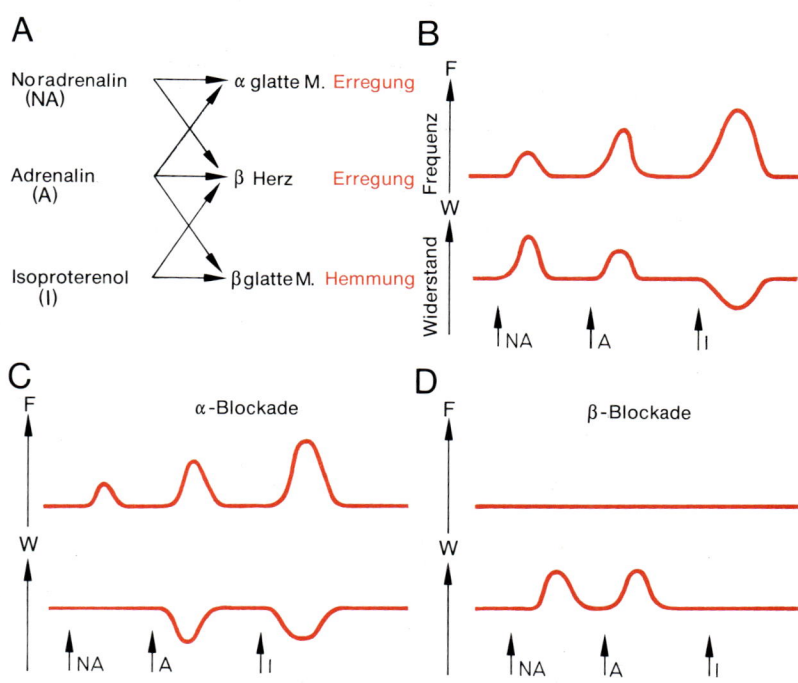

Abb. 6 A–D. Schematisiertes Experiment zur α- und β-Wirkung von Catecholaminen auf das Herzkreislaufsystem des Hundes. (A) Beziehung zwischen Catecholamin, Receptor, Effector und Wirkung. (B–D) Fortlaufende Messung der Herzfrequenz (F) und des Blutflußwiderstandes (W) in der Muskelstrombahn bei intravenöser Gabe der Catecholamine mit und ohne Blockade der α- oder β-Receptoren. (Modifiziert nach CARRIER [8] und KUSCHINSKY u. LÜLLMANN [28])

Tabelle 2. Receptortypen der verschiedenen Organe und ihre Antworten auf adrenerge Substanzen

Organ oder Organsystem	Receptor-typ	Antwort	Wirkung von		
			NA	A	I
Herz	β	Zunahme der Herzfrequenz und der Kontraktilität; Abnahme der Überleitungszeit	3	2	1
Blutgefäße allgemein	α	Constriction	1	2	∅
nur in Muskel, Leber und (?) Herz	β	Dilatation	3	2	1
Bronchien, glatte Muskulatur	β	Erschlaffung	3	2	1
Eingeweide					
Muskulatur, longitudinal, circulär	α, β	Erschlaffung	2	1	∅
Spincteren	α	Kontraktion	2	1	3
Harnblase					
Detrusor vesicae	β	Erschlaffung	3	2	1
Trigonum vesicae (Spincter)	α	Kontraktion	2	1	3
Uterus	α, β	Kontraktion/Erschlaffung			
Auge					
M. radialis (Dilatator)	α	Kontraktion	2	1	∅
M. ciliaris	β	Erschlaffung	3	2	1
Speicheldrüsen					
sekretorische Zellen	β	Sekretion			
myoepitheliale Zellen	α	Kontraktion			

NA Noradrenalin; A Adrenalin; I Isoproterenol. 1 stärkster Effekt; 3 schwächster Effekt; ∅ kein Effekt.

Die Wirkungen von Noradrenalin, Adrenalin und Isoproterenol auf die Organe sind in Tabelle 2 in den letzten drei Spalten semiquantitativ aufgeführt. Bis heute sind keine morphologischen oder biochemischen Substrate der α- und β-Receptoren bekannt. Neuere Untersuchungen deuten darauf hin, daß das Enzym *Adenylcyclase,* welches die Umwandlung von ATP in das cyclische 3,5-AMP katalysiert, eng verknüpft ist mit den molekularen Strukturen dieser Receptoren (weiteres s. [8, 14, 28]).

Ausschüttung von Adrenalin und Noradrenalin aus dem Nebennierenmark. Das Nebennierenmark (NNM) ist ein umgewandeltes sympathisches Ganglion. Seine Zellen sind entwicklungsgeschichtlich *Homologe* der postganglionären Neurone. Diese Zellen werden cholinerg synaptisch durch präganglionäre Axone aktiviert. Erregung dieser Axone führt *beim Menschen* normalerweise zur Ausschüttung eines Gemisches von etwas mehr als **80% Adrenalin** und knapp **20% Noradrenalin** in die Blutbahn. Das Verhältnis von Adrenalin zu Noradrenalin im NNM schwankt erheblich von Tierart zu Tierart: So enthält das NNM des Wales zu 70–80% Noradrenalin und das NNM des Kaninchens fast nur Adrenalin [10].
Die aus dem NNM ausgeschütteten Catecholamine wirken auf dieselben Effectororgane wie die postganglionären sympathischen Fasern. Weil das NNM vorwiegend Adrenalin ausschüttet, kommt es bei seiner Aktivierung akut zu einer **Blutumverteilung** zugunsten von Skeletmuskel, Herzmuskel und Leber bei einer Constriction der Gefäße in Niere, Haut und Gastrointestinaltrakt. Diese Wirkung wird auf den überwiegenden β-Effekt an den Gefäßen der ersten Organgruppe und auf den α-Effekt an den Gefäßen der zweiten Organgruppe zurückgeführt (s. Tabelle 2, Blutgefäße). Normalerweise scheinen allerdings die Effekte der Catecholamine aus dem NNM auf die Gefäße im Vergleich zur direkten Wirkung der postganglionären Fasern klein zu sein.
Es wird angenommen, daß die aus dem *Nebennierenmark ausgeschütteten Catecholamine* überwiegend der **Regulation metabolischer Prozesse** dienen und die Bereitstellung *oxidabler Substanzen* für den Organismus beschleunigen. Sie mobilisieren Lipide in Form von *freien Fettsäuren* aus Fettgewebe und *Glucose* aus Glykogen. Das erstere wird möglicherweise mehr durch Noradrenalin, das letztere mehr durch Adrenalin katalysiert. Adrenalin und Noradrenalin aus dem Nebennierenmark sind also mehr als **Stoffwechselhormone** zu betrachten (weiteres

s. XXXI-4). Diese metabolischen Wirkungen der Catecholamine lassen sich nicht ohne weiteres in das α-β-Receptorenkonzept einordnen; es wird vermutet, daß sie vorwiegend durch Receptoren, die den β-Receptoren ähnlich sind, vermittelt werden [14, 28].
Die *Ruheausschüttung* von Catecholaminen aus dem Nebennierenmark beträgt etwa 4–8 ng je kg Körpergewicht und Minute. Sie hängt von der Spontanaktivität in den präganglionären Fasern ab, ist also *zentralnervös* bedingt. In Notfallsituationen, wie z.B. bei Blutverlust, Unterkühlung, Hypoglykämie, Hypoxie, Verbrennungen oder bei extremer körperlicher Belastung, die zur Erschöpfung führt, erhöht sich die Ausschüttung von Catecholaminen aus dem Nebennierenmark. Abgesehen von den Notfallsituationen wird das Nebennierenmark ganz besonders bei **emotionaler Belastung** des Organismus aktiviert. Unter emotionalem Streß kann es zu Ausschüttungen von Catecholaminen kommen, die kurzzeitig um mehr als das 10fache über der Ruheausschüttung liegen. Diese Ausschüttungen von Nebennierenmark-Hormonen werden durch den Hypothalamus und das limbische System (s. VII-3, VII-4) gesteuert. Die zentralnervösen Mechanismen, die zu dieser Aktivierung führen, sind weitgehend unbekannt. Es ist vorstellbar, daß permanent sich wiederholende Streßsituationen, wie sie im modernen Großstadtleben an der Tagesordnung sind, über einen erhöhten Catecholaminspiegel im Blut das Entstehen verschiedener Erkrankungen begünstigen können.

1.5. Synaptische Organisation des peripheren vegetativen Nervensystems

Sympathische Ganglien. In den vegetativen sympathischen Ganglien ist die Übertragung von prä- nach postganglionär *cholinerg* (Abb. 5). Viele präganglionäre Axone konvergieren auf ein postganglionäres Neuron und ein präganglionäres Axon divergiert auf viele postganglionäre Neurone. Quantitativ variieren der Grad von *Konvergenz* und *Divergenz* außerordentlich von Species zu Species und von Ganglion zu Ganglion. Die divergenten und konvergenten synaptischen Verschaltungen gewährleisten einen hohen Sicherheitsfaktor für die Erregungsübertragung in den Ganglien. Dabei spielen räumliche und zeitliche Summationen postsynaptischer Potentiale eine entscheidende Rolle, weil Einzelimpulse in präganglionären Axonen meistens keine überschwelligen postsynaptischen Potentiale auslösen können.

Außer der nicotinergen cholinergen synaptischen Übertragung (s. VII-1.4) gibt es in sympathischen Ganglien auch muscarinerge *cholinerge Wirkungen*. Diese Wirkungen von Acetylcholin erzeugen einerseits langsam ansteigende und lange anhaltende Depolarisationen in den Ganglienzellen, andererseits langsame Hemmungen über Interneurone, die wahrscheinlich Dopamin ausschütten. Außerdem ist es möglich, daß die Endigungen der präganglionären Axone durch die dopaminergen Interneurone nach Art einer präsynaptischen Hemmung beeinflußt werden. Die Mechanismen dieser langsamen synaptischen Prozesse werden in III erläutert.

Es ist wahrscheinlich, daß in den sympathischen Ganglien die Aktivität von prä- nach postganglionär nicht einfach nach Art einer Telefonrelaisstation übertragen wird, sondern daß die nicotinerge Wirkung von Acetylcholin durch die langsamen postsynaptischen Prozesse *moduliert* wird. Die Ganglien wären demnach **einfache integrative Zentren,** in denen die Erregbarkeit der postganglionären Neurone und somit die Schwelle zur Erzeugung fortgeleiteter Aktionspotentiale durch die langsamen postsynaptischen Ereignisse kontrolliert wird.

Intramurale Ganglien. Aufgrund älterer histologischer Untersuchungen und der Beobachtung, daß der Magen-Darm-Trakt auch dann gut funktioniert, wenn seine parasympathischen und sympathischen Innervationen durchtrennt worden sind, forderte man schon lange, daß die Koordination der Verdauungsbewegungen (Peristaltik, rhythmische Segmentierung, Pendeln etc.; s. XXVIII) durch nervöse Reflexe koordiniert wird, deren Reflexwege außerhalb des ZNS in den Wänden des Verdauungstraktes liegen **(Plexus submucosus, Plexus myentericus).** Man sprach von einer dritten Kategorie autonomer Nerven, dem **Darmnervensystem** [6].

Die Darmwand enthält afferente Neurone, die durch mechanische Dehnungsreize erregt werden und mit einer Axoncollaterale *ohne Umschaltung im ZNS* auf Interneurone im Plexus myentericus synaptisch endigen (Abb. 7). Diese Interneurone erregen andere Neurone, die auf die glatte Darmmuskulatur erregend oder hemmend wirken. Die hemmenden postsynaptischen Potentiale bei elektrischer Darmreizung dauern bis zu 2·s und werden möglicherweise durch ATP als Überträgersubstanz vermittelt. Die erregenden Potentiale werden cholinerg ausgelöst [7]. Das parasympathische und sympathische Nervensystem *modulieren* die Tätigkeit des Verdauungstraktes, indem beide am Darm-

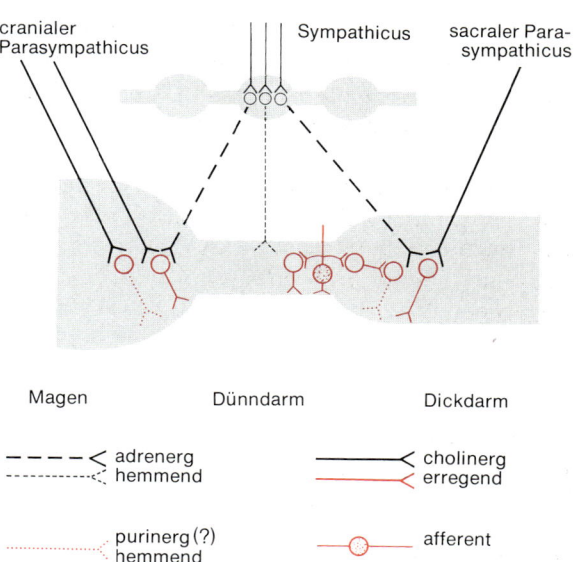

Abb. 7. Organisation der vegetativen Magen-Darm-Trakt-Innervation. (Modifiziert nach Burnstock [7])

nervensystem eingreifen (Abb. 7). Dabei scheinen die präganglionären parasympathischen Neurone nicht nur postganglionäre erregende Neurone zu beeinflussen, sondern höchstwahrscheinlich auch die Neurone, die auf die Darmmuskulatur hemmend wirken (Abb. 7).
Sympathische postganglionäre Neurone haben — im Gegensatz zu früheren Annahmen — nur schwache direkte Wirkungen auf die glatte Darmmuskulatur, sie wirken *hemmend* auf die cholinergen (parasympathischen) postganglionären Neurone und *modulieren* auf diese Weise den parasympathischen Impulsstrom vom ZNS auf die Aktivität im Darmnervensystem (Abb. 7) [13]. Die Hemmung postganglionärer parasympathischer Neurone durch postganglionäre sympathische Neurone existiert auch in den Blasenganglien (s. VII-5.4; Abb. 25).

Axonreflex. Erregung von dünnen cutanen afferenten Axonen durch nociceptive Reize führt zur *Vasodilatation* (Rötung) im Hautgebiet, das durch die Axone innerviert wird oder diesem benachbart ist. Dieser „Reflex" ist auch auslösbar, wenn alle Afferenzen nach zentral durchschnitten sind und wenn die sympathische Innervation der Gefäße durch Herausnahme der Grenzstrangganglien degeneriert ist. Er ist nicht mehr auslösbar, wenn auch die afferenten Fasern degeneriert sind [11]. Aus dieser Beobachtung wird gefolgert, daß Collaterale der nociceptiven Hautafferenzen Hautgefäße innervieren und daß die Gefäße über diese Collateralen bei nociceptiven Reizen dilatiert werden. Man nennt diesen Reflex deshalb **Axonreflex.** Diese Annahme beruht auf indirekten Beobachtungen und kann kaum bewiesen oder widerlegt werden. Es wäre auch möglich, daß die Erregung cutaner nociceptiver Afferenzen Substanzen in der Haut freisetzt, die zur Vasodilatation führen.

2. Zentrale Organisation des vegetativen Nervensystems in Rückenmark und Hirnstamm

2.1. Ruheaktivität im vegetativen Nervensystem

Die Bedeutung der Ruheaktivität für die Regelung autonomer Organe. Prä- und postganglionäre Neurone, besonders zu den Blutgefäßen, sind fast immer spontan aktiv. Diese **neurogene Ruheaktivität** hat funktionell eine außerordentliche Bedeutung für die vegetative Regelung der Organfunktionen. In Vasoconstrictorfasern hält sie z.B. die glatte Gefäßmuskulatur immer im Zustand relativer Kontraktion. Der Kontraktionsgrad bestimmt den Querschnitt der Gefäße, durch den das Blut fließt, d.h. den peripheren Strömungswiderstand. Die Durchblutung der Organe kann durch Erhöhung und Erniedrigung dieser Ruheaktivität in den efferenten Neuronen nach beiden Seiten neuronal geregelt werden. Diese Regelung führt deshalb über dieselben postganglionären Neurone zur Vasoconstriction und zur Vasodilatation.

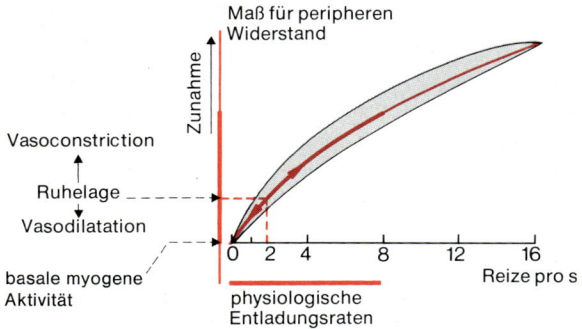

Abb. 8. Beziehung zwischen peripherem Blutflußwiderstand in der Skeletmuskulatur einer Hinterextremität eines Hundes und der Frequenz elektrischer überschwelliger Reizung des lumbalen Grenzstranges. Die dick ausgezogenen roten Linien geben die Bereiche an, innerhalb derer sich peripherer Widerstand und die Entladungsraten postganglionärer Vasoconstrictorneurone physiologisch ändern. Die graue Fläche gibt die Schwankungen der Meßwerte an. [Modifiziert nach MELLANDER: Acta physiol. scand. **50**, Suppl. **176**, 1–86 (1960)]

Dieser Sachverhalt wird in Abb. 8 näher erläutert. Das Diagramm zeigt, daß der periphere Blutflußwiderstand im arteriellen Gefäßgebiet der Hinterextremität der Katze bei elektrischer Reizung des Lumbalsympathicus mit der Reizfrequenz ansteigt. Der periphere Widerstand, der in vivo in Ruhe herrscht, kann durch etwa zwei Reize pro Sekunde erzeugt werden. Diese Reizfrequenz entspricht annähernd einer mittleren Ruheaktivität von 2 Im-

pulsen pro Sekunde in den Vasoconstrictoren. Abnahme der Reizfrequenz hat eine Erniedrigung des peripheren Widerstandes bzw. eine Vasodilatation zur Folge, Zunahme der Reizfrequenz eine Erhöhung des peripheren Widerstandes bzw. eine Vasoconstriction. Beseitigt man die Grundaktivität in den Vasoconstrictoren — z.B. bei durchtrenntem Lumbalsympathicus in der Hinterextremität —, wird der periphere Widerstand nur noch durch die Spontanaktivität der glatten Gefäßmuskulatur bestimmt *(basale myogene Aktivität)*. Der Bereich, über den der Blutfluß durch Änderung der Aktivität in den Vasoconstrictoren **physiologisch** geregelt werden kann, ist in Abb. 8 rot ausgezogen (weiteres s. XIX).

Man kann grundsätzlich annehmen, daß die Aktivität der meisten vegetativ innervierten Organe in der in Abb. 8 angedeuteten Weise reguliert wird. Auch denervierte Organe werden in beschränktem Maße noch über die aus dem Nebennierenmark ausgeschütteten Catecholamine vegetativ beeinflußt. Die **Höhe der Ruheaktivität** in peripheren vegetativen Neuronen kann durch indirekte Methoden (z.B. Messen der Antwort eines Effectors während elektrischer Reizung vegetativer Nerven) und mit Einschränkung durch direkte Ableitungen von prä- und postganglionären Neuronen abgeschätzt werden. Sie variiert von etwa *0,1 Hz bis 10 Hz* und dürfte in Vasoconstrictoren zu Haut- und Muskelgefäßen 2 Impulse pro Sekunde sein [11]. Offenbar ist die Höhe der tonischen Aktivität in den vegetativen Neuronen *dem Verhalten der glatten Muskulatur angepaßt*. Wegen der lange andauernden, relativ langsam ansteigenden und abfallenden Kontraktionen dieser Muskulatur wird durch eine niedrige neurogene Ruheaktivität ein gleichmäßiger Kontraktionszustand **(Tonus)** erzeugt.

Die Herkunft der Ruheaktivität. Wir wissen bisher wenig über die Herkunft und Erzeugung der tonischen Aktivität in vegetativen prä- und postganglionären Neuronen. Sie hängt zum Teil vom kontinuierlichen Einstrom afferenter Aktivität über viscerale und somatische Bahnen zum ZNS ab; so erniedrigt sich z.B. die Aktivität in vagalen Efferenzen zum Herzen nach Durchschneiden der Baroafferenzen. Andererseits basiert die Ruheaktivität auf der inhärenten Eigenschaft zentraler Neurone in der Neuraxis, *„spontan" zu depolarisieren;* man kann nämlich auch in total deafferentierten Präparaten Ruheaktivität in vegetativen Nerven beobachten. Der zentrale Ursprung der Ruheaktivität ist nicht genau zu lokalisieren. Wahrscheinlich ist die Medulla oblongata der Hauptursprungsort. Grund-

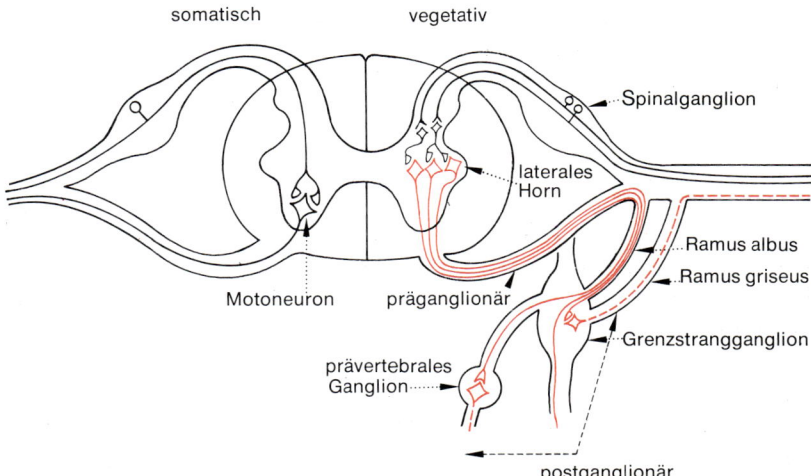

Abb. 9. Aufbau des vegetativen spinalen Reflexbogens (rechts) im Vergleich zum einfachsten somatischen Reflexbogen, dem des monosynaptischen Dehnungsreflexes. (Modifiziert nach BRODAL [4])

sätzlich tragen aber alle Bereiche in der Neuraxis — wie Rückenmark, Medulla oblongata, Pons, Mesencephalon, Hypothalamus — zur Genese dieser Aktivität bei.

2.2. Vegetatives Nervensystem im Rückenmark

Segmentale Organisation vegetativer Reflexe. Die Zellkörper der präganglionären Neurone des Sympathicus und sacralen Parasympathicus erstrecken sich im Rückenmark in Höhe des lateralen Horns in mediolateraler Richtung bis weit in die weiße Substanz hinein und konzentrieren sich besonders im *Nucleus intermedio-lateralis*. Diese Somata sind flach-oval und kleiner und zahlreicher als somatische Motoneurone. Afferente somatische und viscerale Fasern, die über die Hinterwurzeln ins Rückenmark eintreten, haben keine monosynaptischen Verbindungen mit den präganglionären Neuronen. Die synaptische Verschaltung zwischen Afferenzen und vegetativen Efferenzen auf spinaler segmentaler Ebene wird **vegetativer Reflexbogen** genannt. Im Vergleich zum einfachsten somatischen Reflexbogen, dem des monosynaptischen Dehnungsreflexes (Abb. 9, links; Abb. IV-7), hat dieser vegetative Reflexbogen mindestens *drei Synapsen* zwischen afferentem und efferentem (postganglionärem) Neuron (Abb. 9, rechts), zwei Synapsen im Rückenmarksgrau und eine Synapse im vegetativen Ganglion. Die afferenten Neurone dieses Reflexbogens sind sowohl somatisch als auch visceral.

Neuere elektrophysiologische Untersuchungen zeigen, daß die spinale Organisation des sympathischen Nervensystems bevorzugt **segmental** bzw. metamer ist. Die präganglionären Neurone eines Rückenmarkssegmentes erhalten ihren spinalen afferenten Einstrom bevorzugt von den Afferenzen, die in dasselbe Segment eintreten [26, 38]. Segmentale Reflexe in präganglionären Axonen nach elektrischer Reizung von Hinterwurzeln sind am größten, wenn die Hinterwurzel des gleichen Segmentes gereizt wird (Reflex *a* in Abb. 10) und werden kleiner, wenn Hinterwurzeln benachbarter Segmente gereizt werden (rot in Abb. 10). Im Kontrast zu den segmentalen Reflexen ändert sich die Größe der supraspinalen Reflexe nicht, wenn verschiedene benachbarte und nicht benachbarte Hinterwurzeln gereizt werden (Abb. 10).

Eine sehr spezifische segmental-spinale Organisation besteht für die afferente und vegetative Innervation einiger Organe. Afferenzen vom Herzen und von den Entleerungsorganen z.B. sind auf segmentaler Ebene mit präganglionären sympathischen und parasympathischen Neuronen, die dieselben Organe innervieren, synaptisch verschaltet (kardiokardiale Reflexe; Entleerungsreflexe, s. VII-5.3). Es ist wahrscheinlich, daß auch für andere Organe solche spezifischen spinal-segmentalen Reflexe existieren.

Die segmentale Organisation der vegetativen Innervation der Organe kann auch in der **Klinik** beobachtet werden. Bei krankhaften Prozessen im Eingeweidebereich (z.B. bei Gallenblasen- oder Blinddarmentzündungen) ist die Muskulatur über dem Krankheitsherd gespannt und das Hautareal *(Dermatom)*, welches durch dasselbe Rückenmarkssegment afferent und efferent innerviert wird wie die erkrankten Eingeweide, ist gerötet. Dieser Befund ist darauf zurückzuführen, daß viscerale Afferenzen aus dem erkrankten Eingeweidebereich über das entsprechende Rückenmarkssegment sympathische Efferenzen zu Hautgefäßen

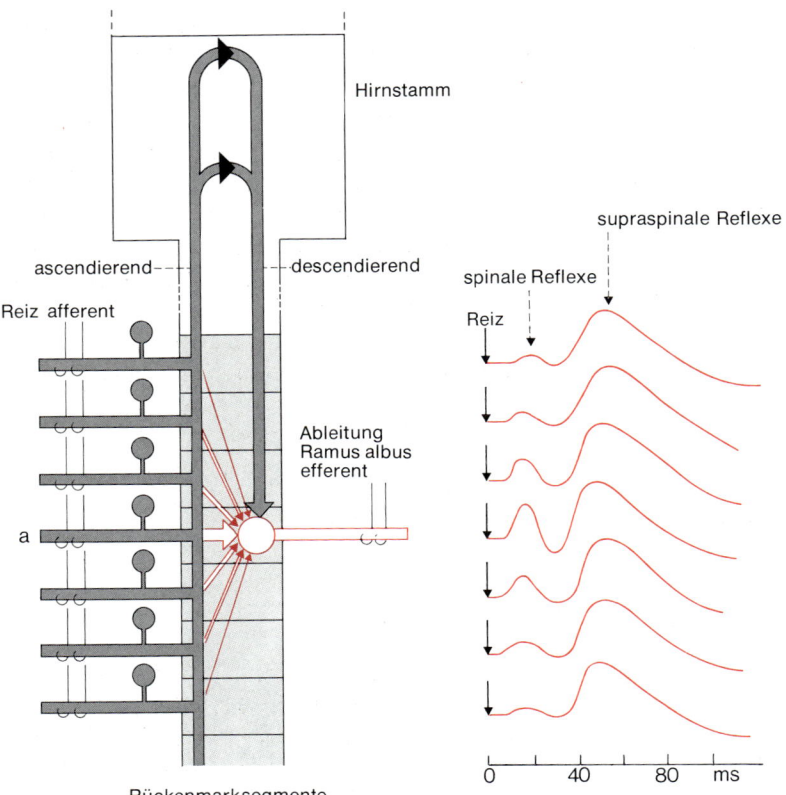

Abb. 10. Prinzip der segmentalen Organisation spinaler vegetativer Reflexe (rot). *Links*: Schema der Neuraxis mit Reflexwegen. Die roten Pfeile geben die Größe der Konvergenz des afferenten Einstroms von verschiedenen Segmenten auf Segment *a* an.

Rechts: Reflexe abgeleitet vom Ramus albus des Segmentes *a* nach Reizung der Hinterwurzeln von Segment *a* und den Nachbarsegmenten

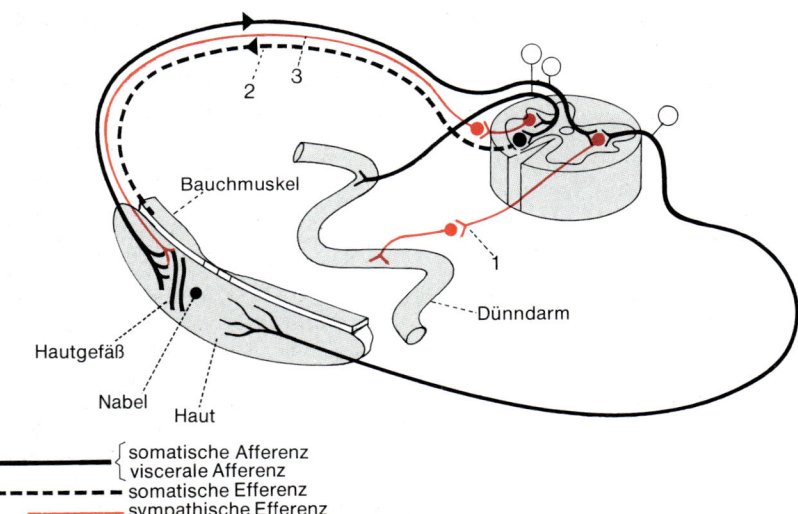

Abb. 11. Spezielle segmentale Reflexe. 1: cuti-visceraler Reflexbogen; 2: viscero-somatischer Reflexbogen; 3: viscero-cutaner Reflexbogen

hemmend reflektorisch (*Hautrötung*; Reflexweg *3* in Abb. 11) und Motoneurone erregend reflektorisch (*Abwehrspannung* der Bauchmuskulatur; Reflexweg *2* in Abb. 11) beeinflussen. Durch Reizung von Thermoreceptoren in der Haut kann man die Eingeweide, die durch dasselbe Rückenmarkssegment innerviert werden wie das gereizte Hautdermatom, über sympathische Neurone hemmend-reflektorisch beeinflussen (Reflexweg *1* in Abb. 11).

Ein wichtiger Befund für den Arzt ist eine gesteigerte Berührungsempfindlichkeit **(Hyperaesthesie)** und ein übermäßiges Schmerzgefühl **(Hyperalgesie)** in umschriebenen Hautarealen bei Erkrankung innerer Organe. Es ist wahrscheinlich, daß cutane nociceptive und nicht nociceptive Afferenzen und viscerale Afferenzen eines Rückenmarkssegmentes auf *dieselben* Neurone des Tractus spino-thalamicus (s. XI) konvergieren. Dadurch geht die Information über die Herkunft der Erregung aus den inneren Organen zum Teil verloren und der Cortex lokalisiert diese Erregung auch in die entsprechenden Hautareale. Man bezeichnet den auf die Hautoberfläche übertragenen Eingeweideschmerz als **übertragenen Schmerz** (s. XI) und die Hautareale, in die übertragen wird, als **Headsche Zonen**.

Vegetative Reflexe nach Rückenmarksdurchtrennung.

Nach Durchtrennung des Rückenmarks (Spinalisation) sind die vegetativen Reflexe, die unterhalb der Unterbrechung organisiert sind, beim Menschen für 1–6 Monate erloschen. Während der ersten ein bis zwei Monate ist die Haut trocken und rosig, weil die Ruheaktivität in den sympathischen Fasern zu Schweißdrüsen und Gefäßen sehr niedrig ist. Die somato-sympathischen Reflexe in den Sudomotoren und Vasoconstrictoren nach noci- und nichtnocireceptiver Hautreizung steigen im Laufe der Monate langsam an und gehen dann in das Stadium der *Hyperreflexie* über. In diesem Stadium erzeugt häufig jede Art von Hautreizung (z.B. durch die Bettwäsche) starke Schweißsekretionen in den Hautgebieten, die vom isolierten Rückenmark innerviert werden [27, 32]. Ähnlich lange Erholungszeiten spinaler Reflexmotorik (VI-2.4) nach Durchtrennung des Rückenmarks findet man für die Blasen- und Darmentleerungsreflexe (VII-5.3).

Die Unterdrückung der spinalen vegetativen Reflexe nach Spinalisation ist ein Teil des **spinalen Schocks** (VI-2.4). Sie ist höchstwahrscheinlich auf die *Unterbrechung der descendierenden Bahnen* vom Hirnstamm, über die die vegetativ-spinale Reflexmotorik kontrolliert wird, zurückzuführen. Die Dauer der Unterdrückung der Reflexe hängt von der *Dominanz* der descendierenden Kontrolle einerseits und möglicherweise vom *Umbau* der synaptischen Organisation im Rückenmark andererseits ab.

Regulative Leistungen des isolierten menschlichen Rückenmarks.

Das vom Gehirn isolierte, im Bereich des Cervicalmarkes unterhalb C_3 durchtrennte Rückenmark ist noch zu einigen regulativen Leistungen fähig. Thermische, nichtschmerzhafte Reizung der Haut oder des Rückenmarkes z.B. führen reflektorisch zur Wärmeabfuhr durch Schweißsekretion und Vasodilatation in der Haut. Aufrichten des Körpers aus der Horizontallage und Blutverlust führen zur Erhöhung der Aktivität in den Vasoconstrictoren über das Rückenmark. Diese Erhöhung der Aktivität hat eine generelle Vasoconstriction, besonders des Venensystems, zur Folge

und verhindert bis zu einem gewissen Grade einen gefährlichen Abfall des arteriellen Blutdruckes (die spinale Regelung der Entleerung der Blase wird in VII-5 besprochen). Diese Befunde zeigen, daß das isolierte menschliche Rückenmark im Prinzip zu denselben vegetativen Leistungen fähig ist wie das Rückenmark niedriger Säugetiere. Sie sind einerseits von theoretischem Interesse, weil man aus diesen Beobachtungen folgern kann, daß das menschliche Rückenmark dieselben neuronalen Mechanismen für die vegetativen Regelungen besitzt wie dasjenige niederer Säuger. Andererseits haben diese Befunde auch praktische Bedeutung, weil diese spinalen neuronalen Mechanismen von Querschnittsgelähmten bei adäquater Pflege und mit adäquatem Training zur vegetativen Regelung gebraucht werden können (s. VII-5.3).

2.3. Hirnstammebene

Die Lage der primären neuronalen *vegetativen* „Zentren" im Hirnstamm (Medulla oblongata, Pons, Mesencephalon, vgl. Abb. VI-12), die über das periphere vegetative Nervensystem die inneren Organe und Organsysteme (Herzkreislaufsystem, Verdauungstrakt, Entleerungsmechanismen; s. die entsprechenden Kapitel) beeinflussen, kennt man nur ungefähr durch Experimente, in denen die Leistungen der Organsysteme vor und nach Durchschneidungen des Hirnstammes, nach gezielten Ausschaltungen bestimmter Kerngebiete oder Bahnen und während elektrischer Reizung von Neuronenverbänden untersucht wurden. Die zelluläre neuronale Organisation des vegetativen Nervensystems im Hirnstamm ist nahezu völlig unerforscht.

Diese Unkenntnis hat einerseits technische Ursachen, weil die Neurone und Neuronenverbände im Hirnstamm, die für die vegetative Regelung verantwortlich sind, meistens sehr klein und deshalb neurophysiologisch und neuroanatomisch nur schwer zu identifizieren sind. Andererseits hat diese Unkenntnis konzeptionelle Ursachen: die Vorstellung, daß die vegetative neuronale Regelung bestimmter Organe von prinzipiell lokalisierbaren Neuronenverbänden ausgeht, ist zum Teil nicht richtig. Man muß vielmehr annehmen, daß die für die vegetative Regelung verantwortlichen verschiedenen Neuronengruppen im Hirnstamm funktionell und anatomisch eng miteinander verzahnt sind, daß diese funktionell homogenen Neuronengruppen deshalb nicht notwendigerweise an einem Ort im Hirnstamm liegen und daß sie nicht einer Funktion, sondern mehreren zuzuordnen sind. Deshalb ist der Begriff „Zentrum" auch nur mit Einschränkung zu gebrauchen.

Medulla oblongata und Kreislauf. Die descendierenden hemmenden und erregenden Einflüsse vom Hirnstamm *synchronisieren* und *koordinieren* die segmental-spinalen sympathischen und parasympathischen Reflexzentren mit somatischen und anderen vegetativen Prozessen. Dieser Vorgang erhält seinen ganz besonderen Ausdruck in der medullären Kreislaufregulation (s. XIX). Diese Regelung ist an die Unversehrtheit der *Formatio reticularis medialis* in der caudalen Medulla oblongata gebunden. Man nennt diesen Hirnbereich deshalb auch **Kreislaufzentrum** (s. XIX, Abb. 38). Hier wird der *Generator der Ruheaktivität* im peripheren sympathischen Nervensystem zu den Gefäßen und zum Herzen vermutet, weil die Abtrennung der Medulla oblongata von der Pons die Höhe und Regelung des arteriellen Blutdruckes fast nicht beeinträchtigt. Auch wenn praktisch alle afferenten Zuströme zum Kreislaufzentrum von den Baroafferenzen, aus dem Eingeweidebereich und von der Haut durchtrennt sind, bleibt die Blutdruckhöhe erhalten. Der Vergleich hochspinalisierter Tiere mit decerebrierten Tieren, in denen nur die Medulla oblongata intakt ist, gibt einen plastischen Eindruck von der Leistungsfähigkeit der medullären Blutdruckregulation. In den **spinalen Tieren** ist die sympathische Grundaktivität niedrig, nur die Herzfunktion kann noch von der Medulla oblongata über den Nervus vagus geregelt werden, nicht mehr die Weite der Arterien und Venen. Der Sympathicus reagiert noch auf Schmerzreize; bei Blutverlust und Lageänderungen des Körpers kommt es zu schwachen kompensatorischen vom Rückenmark ausgelösten Vasoconstrictionen in den peripheren Gefäßbetten, die eine allzu gefährliche Hypotension verhindert. Im **decerebrierten Tier** beobachtet man eine nahezu perfekte Blutdruckregelung. Die Gefäßbette reagieren koordiniert auf Änderungen der Haltung des Körpers im Raum, so daß der *Perfusionsdruck* in den Versorgungsgebieten gleich bleibt.

3. Der Hypothalamus

Die Existenz eines biologischen Organismus ist an die Konstanz der inneren Bedingungen in ihm gebunden (*„fixété du milieu interieur"* nach CLAUDE BERNARD; *„Homöostase"* nach W.B. CANNON). Das gilt sowohl für den Einzeller als auch für die hochentwickelten Säugetierorganismen. Man versteht unter diesem **inneren Milieu** z.B. die Konzentration der Ionen und der Glucose im Blut, den osmotischen Druck im Gewebe, die Körpertemperatur oder den Blutdruck. Die Organismen besitzen Mechanismen, mit Hilfe derer sie die Parameter des inneren Milieus auf bestimmte Werte regeln. Diese Mechanismen nehmen mit aufsteigender Tierreihe immer größere Komplexitätsgrade an. Sie beinhalten auf cellulärer Ebene die Fähigkeit von Membranen, ionale Gradienten aufrecht zu halten, bei mehrzelligen Organismen die hormonelle und humorale Kommunikation zwischen den Zellen und bei komplexen Organismen mit Zentralnervensystemen hormonale und neuronale Mechanismen. Durch diese Mechanismen zeichnen sich Lebewesen als **selbstregulierende Systeme** aus.

Bei den Wirbeltieren ist der **Hypothalamus** ein außerordentlich wichtiges Hirngebiet für die Regelung des inneren Milieus. Er ist *entwicklungsgeschichtlich* ein *alter* Teil des Gehirns und bei den landlebenden Wirbeltieren in seinem *Aufbau* im Gegensatz zu den neueren Teilen des Gehirns wie Neocortex und limbisches System relativ konstant geblieben [18]. Er ist das Zentrum aller *vegetativen* und *hormonalen* Prozesse im Körper. Ein großhirnloses Tier ist daher nicht besonders schwer am Leben zu erhalten, während ein Tier ohne Hypothalamus äußerster Pflege bedarf, um am Leben zu bleiben, da viele vegetativen Regelmechanismen ausgefallen sind.

Die *integrativen* Funktionen des Hypothalamus schließen *vegetative, somatische* und *hormonelle* Funktionen ein. Deshalb werden sie unter verschiedenen Teilgebieten der Physiologie abgehandelt, wie z.B. unter Thermoregulation (s. XXIV), Regelung des Elektrolythaushaltes (s. XXIX) oder endokrinen Regulationen (s. XXX). Alle Funktionen wirken homöostatisch für den Organismus, wenn das auch für einige Verhaltensweisen nicht direkt sichtbar ist und nur indirekt gezeigt werden kann.

3.1. Anatomie des Hypothalamus

Topographische Lage und Einteilung. Der Hypothalamus ist der ventrale Teil des Zwischenhirns *(Diencephalon)* und liegt unterhalb des Thalamus. Er wird rostral von der Lamina terminalis und caudal vom Mesencephalon begrenzt. Lateral wird er von der Capsula interna und vom Subthalamus begrenzt. Er ist keineswegs ein scharf begrenzter Teil des Gehirns, sondern mehr *Teil eines neuronalen Kontinuums,* welches sich vom Mittelhirn über den Hypothalamus zu basalen Bereichen des Telencephalons, die eng assoziiert sind mit dem phylogenetisch alten Riechsystem, erstreckt. Anatomisch-histologisch kann man den Hypothalamus auch als die rostrale Verlängerung der mesencephalen Formatio reticularis bezeichnen.

Man unterscheidet im Hypothalamus die mediale, laterale, vordere und hintere Region. Die *mediale Region* ist besonders zellreich. Von ihrem ventralen Bereich, der sogenannten **Eminentia mediana** entspringt der Hypophysenstiel. Die *laterale Region* zeichnet sich durch ihren Faserreichtum aus. Vor allem über sie ist der Hypothalamus mit anderen ZNS-Bereichen verknüpft. Bis auf wenige Ausnahmen (z.B. Nucleus paraventricularis und supraopticus bei der Osmoregulation, s. XXX) ist eine funk-

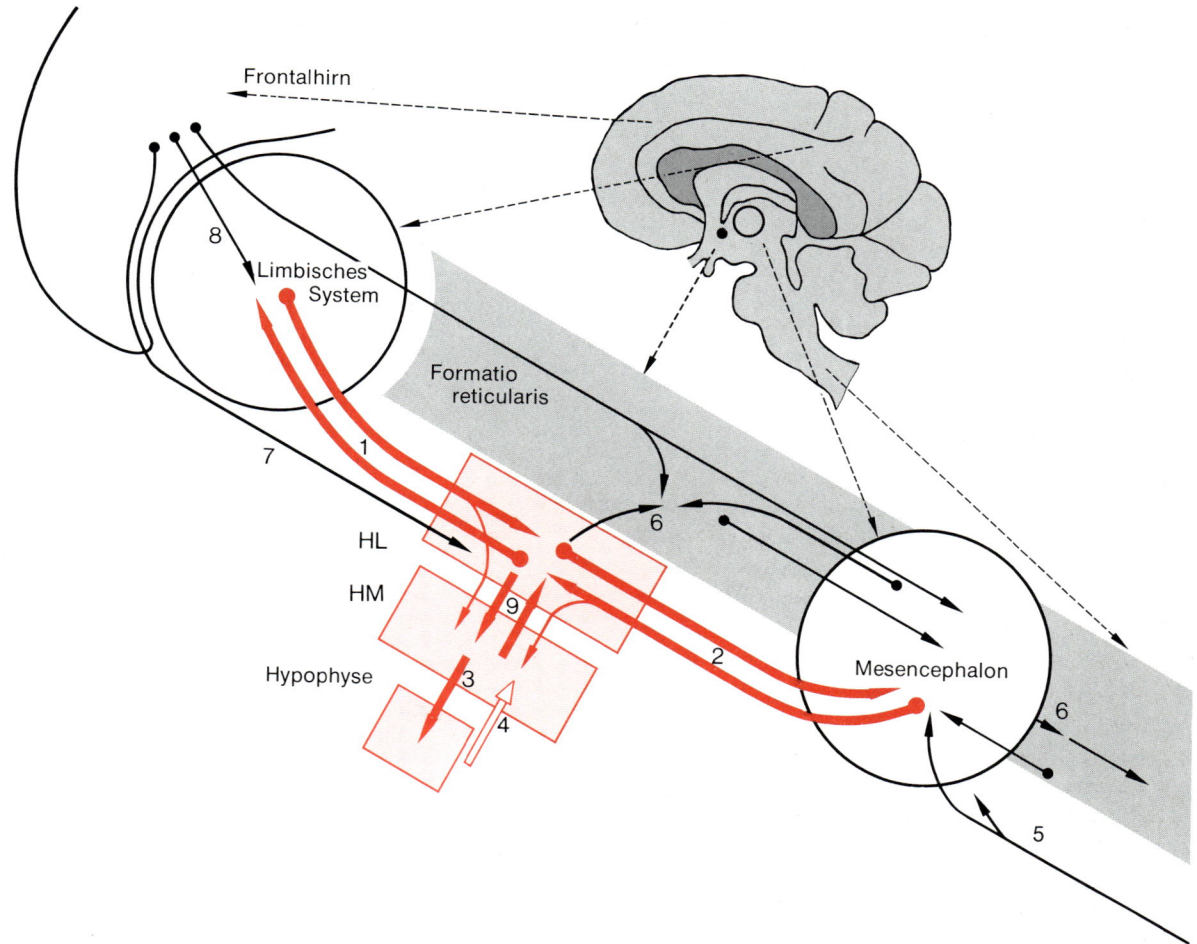

Abb. 12. Afferente und efferente Verbindungen des Hypothalamus. HM Hypothalamus medialis; HL Hypothalamus lateralis. Gepunktet: Formatio reticularis. Zahlen: s. Text. (Modifiziert nach NAUTA und HAYMAKER, in HAYMAKER, ANDERSON und NAUTA [18])

tionelle Zuordnung der diversen histologisch abgrenzbaren Kerngebiete *nicht* möglich [18].

Afferente und efferente Verbindungen des Hypothalamus. Die afferenten und efferenten Verbindungen des Hypothalamus zeigen, daß dieses Hirngebiet ein wichtiges Integrationszentrum für somatische, vegetative und endokrine motorische Funktionen ist. Der *laterale Hypothalamus* ist durch mächtige, phylogenetisch alte Faserstränge mit dem oberen Hirnstamm, der paramedianen mesencephalen Region (limbisches Mittelhirnareal nach NAUTA [18]), und dem übergeordneten limbischen System reziprok verbunden (1 und 2 in Abb. 12). Er enthält zusätzliche direkte und indirekte afferente Einströme vom Frontalhirn (7 und 8 in Abb. 12). Afferente Einströme von der Körperoberfläche und aus dem Körperinneren erhält der laterale Hypothalamus über die ascendierenden spinobulboretikulären Bahnen (5 in Abb. 12). Andere afferente Einströme von den übrigen sensorischen Systemen erhält er über noch z.T. unbekannte multisynaptische Bahnen. Seine efferenten Verbindungen zu den vegetativen und somatischen Kerngebieten im Hirnstamm und im Rückenmark laufen über multisynaptische Bahnen in der Formatio reticularis (6 in Abb. 12).

Der *mediale Hypothalamus* erhält wenige direkte afferente Einströme von nicht-hypothalamischen Hirngebieten und ist durch kurze Axone mit dem lateralen Hypothalamus verknüpft (9 in Abb. 12). Über spezialisierte Neurone, die die Temperatur des Blutes (Warmneurone), die Salzkonzentration des Gewebes (Osmoreceptoren) und die Konzentration endokriner Hormone im Blut messen, erhält er gesonderte afferente Informationen aus dem *inneren Milieu* (4 in Abb. 12). Die Ausschüttung von Hormonen aus dem Vorderlappen und Hinterlappen der Hypophyse wird vom medialen Hypothalamus hormonell über das hypophysäre Pfortadersystem und neuronal gesteuert (3 in Abb. 12).

3.2. Das hypothalamo-hypophysäre System

Die meisten endokrinen Drüsen werden durch Hormone des Hypophysenvorderlappens (HVL) geregelt. Die Ausschüttung der Hormone aus dem HVL wiederum wird durch *Neurohormone* aus dem ventromedialen Hypothalamus, der sogenannten *Eminentia mediana* geregelt. Wir nennen diese hypothalamischen Hormone **Releasing- und Hemmhormone** (RF, IF; s. XXXI). Sie werden aus der Eminentia mediana freigesetzt und gelangen auf dem Blutwege über das hypothalamo-hypophysäre Pfortadersystem zum HVL. Diese Neurohormone werden höchstwahrscheinlich in Kerngebieten dorsal der Eminentia mediana im medialen Hypothalamus (HM) produziert (s. Abb. 13). Die Regelung der Produktion und Ausschüttung dieser hypothalamischen Neurone ist hormonell und geschieht einerseits durch die Hormone endokriner Drüsen (schwarzer Pfeil in Abb. 13), andererseits auch durch die HVL-Hormone direkt (gestrichelter Pfeil in Abb. 13; s. XXXI).

Dieses *Rückkopplungssystem* (schwarzes Blockschaltbild in Abb. 13) zwischen medialem Hypothalamus, Hypophyse und endokrinen Drüsen funktioniert autonom auch ohne steuernde Einflüsse des ZNS, so z.B. in Tieren, bei denen der mediale Hypothalamus vom übrigen ZNS in situ isoliert wurde [17]. Die *Anpassung* dieses Systems an die inneren und äußeren Bedürfnisse des Organismus geschieht durch das ZNS. Diese *zentralnervöse Steuerung* des endokrinen hypothalamo-hypophysären Systems geht vom lateralen Hypothalamus (HL in Abb. 12), von der Regio praeoptica, vom oberen Hirnstamm und vom limbischen System aus (s. Abb. 12). Sie wird vor allem durch *aminerge Neu-*

rone (Noradrenalin, Dopamin, Serotonin) bewirkt, und zwar sowohl erregend als auch hemmend.

Auf diese Weise wird das endokrine System mit vegetativen und somatischen Prozessen koordiniert. Die Rückmeldung von den endokrinen Drüsen erhalten diese ZNS-Bereiche auf dem Blutwege über Hormone (roter Pfeil in Abb. 13). Man kann zeigen, daß die entsprechenden Neurone sehr spezifisch auf endokrine Hormone reagieren und diese Hormone intracellulär speichern. Als Beispiele für die biologische Bedeutung der steuernden Eingriffe des ZNS in das endokrine System mögen die circadiane Rhythmik der ACTH-Ausschüttung, die Regelung der Blutglucosekonzentration (s. XXXI-5.2), die Steuerung der Sexualdrüsen bei der Sexualreifung im menstruellen Cyclus (s. XXXI-3.3) und die Stoffwechselerhöhung durch erhöhte Thyroxinausschüttung bei langanhaltender Kältebelastung (s. XXXI-3.2) gelten.

3.3. Hypothalamus und kardiovasculäres System

Fast von allen Bereichen des Hypothalamus kann man durch elektrische Reizung Reaktionen des Herzkreislaufsystems auslösen. Diese Effekte werden vor allem über den Sympathicus und über den Nervus vagus zum Herzen vermittelt. Sie zeigen, daß der Hypothalamus eine hervorragende Stellung in der *übergeordneten Regelung des Kreislaufs* einnimmt. Man kann einerseits durch Reizung derselben Gebiete entgegengesetzte Effekte in verschiedenen Organen auslösen (z.B. Erhöhung der Durchblutung durch Erniedrigung der Ruheaktivität in Vasoconstrictoren zu Muskelgefäßen und Erniedrigung der Hautdurchblutung durch Aktivierung cutaner Vasoconstrictoren). Andererseits findet man Gebiete im Hypothalamus, deren Reizung entgegengesetzte Effekte in ein und demselben Organ erzeugen. Die biologische Bedeutung dieser Kreislaufeffekte wird für den Gesamtorganismus erst sichtbar, wenn man sie in Zusammenhang mit anderen Reaktionen des Organismus auf hypothalamische Reizung bringt. Das heißt, diese Herzkreislaufeffekte sind *Fragmente von Verhaltensweisen* oder *homöostatischen Prozessen,* die im Hypothalamus integriert sind.

Neuere Untersuchungen deuten darauf hin, daß sich durch den gesamten Hirnstamm und den Hypothalamus links und rechts der Mittellinie Neuronenpopulationen ziehen, die das Herzkreislaufsystem steuern. Das caudale Ende dieser Neuronensäulen ist das klassische Kreislaufzentrum (s. XIX), das craniale Ende liegt im vorderen Hypothalamus. Auf den verschiedenen Hirnstammebenen integriert diese Neuronenpopulation den Kreislauf in spe-

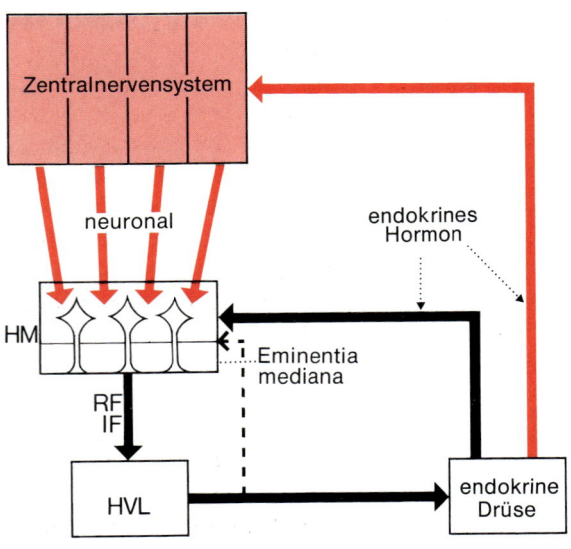

Abb. 13. Neuronale Beeinflussung des endokrinen Rückkoppelungssystems zwischen Hypothalamus, Hypophyse und endokrinen Drüsen (schwarz). Verschiedenste ZNS-Bereiche (rote Kästen) steuern die Produktion und Ausschüttung von hypophysären Hormonen durch aminerge Systeme. Diese ZNS-Bereiche können auch durch die endokrinen Hormone über dem Blutweg beeinflußt werden (langer roter Pfeil). HM Hypothalamus medialis, RF Releasing Faktor, IF (Inhibiting) Hemmfaktor, HVL Hypophysenvorderlappen

zielle Funktionen, wie z.B. die Anpassung des Kreislaufes beim Aufrichten des Körpers, bei Bewegungen und bei Muskelarbeit, die Regelung der Körpertemperatur (s. XXV), das Abwehrverhalten und die Kontrolle der Nahrungsaufnahme (s. VII-3.4). Dieses System erhält wahrscheinlich auf den verschiedenen Ebenen des Hirnstammes und des Hypothalamus spezifische afferente Einströme über aufsteigende extralemniscale Systeme, z.B. von inneren Organen, von der Hautoberfläche, von der Muskulatur, von den Gelenken und vom Gleichgewichtsorgan, deren Aktivierung das kardiovasculäre System in spezifischer Art und Weise aktiviert. Es ist anzunehmen, daß sich die Auffassungen über die zentrale neuronale Kreislaufregulation in Zukunft ganz wesentlich ändern und in ein erheblich differenzierteres Konzept einmünden werden, welches die herkömmliche Idee des medullären Kreislaufzentrums ersetzen wird.

Das cholinerge Vasodilatatorensystem. Die präcapillären Widerstandsgefäße der Muskelstrombahn bei Katze und Hund werden durch cholinerge sympathische Neurone innerviert (s. Tabelle VII-1). Diese Neurone können vom lateralen ventralen Hypothalamus und angrenzenden Bereichen im zentralen Höhlengrau und Tegmentum des cranialen Mesencephalons aktiviert werden und bewirken eine Erhöhung des Blutflusses durch die Muskulatur. Sie nehmen nicht an homöostatischen Reflexen, wie z.B. dem Baroreceptorreflex teil (s. XIX). Man vermutet, daß diese postganglionären Neurone die Schrittmacherzellen der glatten Muskulatur in den größeren präcapillären Widerstandsgefäßen hemmen und auf diese Weise die Muskelstrombahn öffnen [29].
Die cholinerge Vasodilatation der Muskelstrombahn ist wahrscheinlich ein integraler Bestandteil des hypothalamisch organisierten *Abwehrverhaltens* (s. VII-3.4). Man kann eine cholinerge Vasodilatation auch durch elektrische Reizung des *motorischen Cortex* auslösen und zeigen, daß sie durch Axone, die vom Cortex über die Capsula interna zum Hypothalamus laufen, vermittelt wird. Es ist möglich, daß diese cholinerge Vasodilatation für die vom Cortex initiierten Muskelaktionen eine **Bereitstellungsaktion** zur *schnellen nutritiven Versorgung der Muskulatur* ist. Untersuchungen an Katzen deuten darauf hin, daß über dieses Vasodilatatorensystem bei sogenannten *emotionalen Reizen* die Gefäße in aktivierten Muskeln sehr selektiv dilatiert werden können [40]. Es gibt Hinweise, daß dieses System auch beim Menschen eine Rolle spielt.

Anpassung des kardiovasculären Systems während Arbeit. Von ganz besonderer praktischer und theoretischer Bedeutung ist der Mechanismus der Anpassung des Herzkreislaufsystems während körperlicher Arbeit. Bei Muskelarbeit erhöht sich das Herzzeitvolumen (besonders durch Erhöhung der Herzfrequenz), gleichzeitig erhöht sich der Blutfluß durch die Muskelstrombahn, während sich der Blutfluß durch Haut und Eingeweide verringert (weiteres s. XIX). Diese Anpassung des Kreislaufes geschieht *fast sofort* mit Beginn der Arbeit. Sie wird **zentralnervös** über den Hypothalamus ausgelöst.

Versuche an Hunden haben ergeben, daß elektrische Reizung im lateralen Hypothalamus in Höhe der Corpora mammillaria bis ins Detail dieselben vegetativen Reaktionen erzeugt wie bei Tieren, die man auf dem Laufband arbeiten läßt. Am anästhesierten Tier kann man Laufbewegungen und Atembeschleunigung während elektrischer Hypothalamusreizung beobachten. Bei geringen Änderungen der Lokalisation der Reizelektrode können vegetative und somatische Reaktionen auch unabhängig voneinander hervorgerufen werden [37]. Bilaterale **Läsionen** der Neuronenbereiche, deren Erregung zu den beschriebenen vegetativen Reaktionen führt, hat zur Folge, daß der Hund sein kardiovasculäres System bei Arbeit nicht mehr anpassen kann (er ermüdet auf dem Laufband) [37]. Dieser Befund bedeutet, daß im lateralen Hypothalamus neuronale Korrelate vorhanden sind, die die Anpassung des Kreislaufes bei Muskelarbeit steuern. Diese Hypothalamusbereiche unterliegen der **neocorticalen Kontrolle.** Ob der Hypothalamus auch alleine diese zentralnervöse Anpassung vornehmen kann, wissen wir nicht; es bedürfte dazu eines relativ spezifischen afferenten Einstromes vom Muskel zum Hypothalamus.

3.4. Hypothalamus und Verhalten

Topische elektrische Reizung des Hypothalamus mit Mikroelektroden löst bei Tieren charakteristische Verhaltensweisen aus [20]. Sie bestehen aus drei elementaren Verhaltensweisen: dem *Abwehr- und Fluchtverhalten*, dem *nutritiven* Verhalten (Kontrolle der Nahrungs- und Flüssigkeitsaufnahme) und dem reproduktiven Verhalten. Sie dienen der **Selbsterhaltung des Individuums und der Art.** Diese „archetypischen" Verhaltensweisen sind im weiteren Sinne auch *homöostatische* Prozesse. Jede dieser Verhaltensweisen besteht aus **somatischen, vegetativen** und **hormonalen** Reaktionen. Dieses wird in den folgenden Abschnitten erläutert.

Abwehrverhalten. Repetitive elektrische Reizung im caudalen Hypothalamus (Abb. 14(A)) einer frei beweglichen Katze ruft Abwehrreaktionen im Tier hervor. Man beobachtet, daß ein zuerst ruhig daliegendes Tier plötzlich aufmerksam wird, sich erhebt, einen Katzenbuckel macht und anfängt zu knurren und zu fauchen. Weitere somatische und vegetative Merkmale sind gespreizte Zehen, ausgestülpte Krallen, Steigerung der Atmung, Pupillenerweiterung und Piloerektion auf Schwanz und Rücken. Diese Reaktionen können in einen Angriff auf den Experimentator oder eine bereitgestellte Atrappe

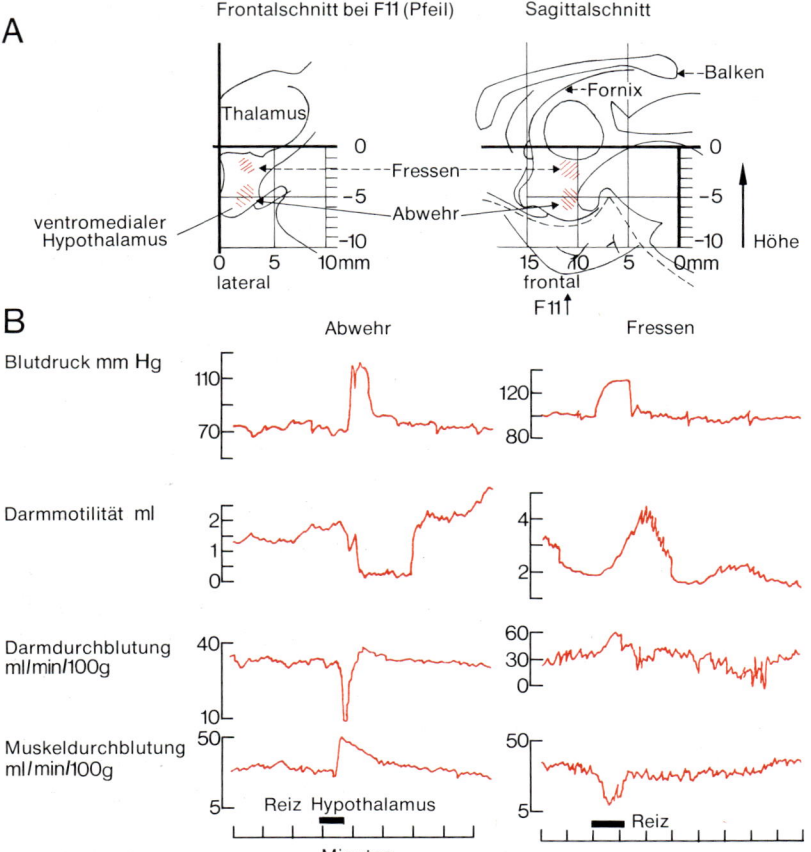

Abb. 14A u. B. Erzeugung von Abwehr- und Freßverhalten durch elektrische Reizung des Hypothalamus. (A) Frontal- und Sagittalschnitte durch Hypothalamus und Thalamus mit Anzeige der Areale (rot schraffiert), von denen die Verhaltensweisen mit Elektroden ausgelöst werden konnten. *F 11*: 11 mm frontal der Interaurallinie; *Höhe 0*: 10 mm oberhalb der Interaurallinie. (B) Änderung vegetativer Parameter während hypothalamischer Reizung. [Modifiziert nach FOLKOW und RUBINSTEIN: Acta physiol. scand. **65**, 292–299 (1966)]

oder in Fluchtverhalten münden. Diese Verhaltensweise der Katze ist dem natürlichen, etwa durch einen Hund induzierten entsprechendem Verhalten ähnlich.

Die Reizung des hypothalamischen Areals, das am freibeweglichen Tier Angriffsverhalten auslöst, erzeugt gleichzeitig im Organismus sehr charakteristische vegetative Reaktionen. Blutdruck, Muskeldurchblutung und Herzzeitvolumen nehmen zu, während Darmmotilität, Darmdurchblutung und Hautdurchblutung abnehmen (Abb. 14(B) links). Diese vegetativen Reaktionen werden im wesentlichen durch Aktivierung *adrenerger Neurone* des Sympathicus herbeigeführt. Die Erhöhung der Muskeldurchblutung ist möglicherweise auch eine Folge aktiver Vasodilatation des Muskelstrombettes durch cholinerge sympathische Fasern (s.S. 131).

Außer den *vegetativen* und *somatischen* Reaktionen sind auch *hormonale* Faktoren an diesem Verhalten beteiligt. **Catecholamine** werden aus dem Nebennierenmark in den Blutkreislauf ausgeschüttet (s. VII-1.4, XXI-4). Weiterhin wird das hypothalamohypophysäre System aktiviert. Die Ausschüttung von ACTH aus dem Hypophysenvorderlappen setzt z.B. Corticosteroide aus der Nebennierenrinde frei.

Verhaltensweisen mit ganz ähnlichen Merkmalen kann man auch an *diencephalen* Katzen mit intaktem Hypothalamus durch natürliche nichtschmerzhafte Hautreizung erzeugen. Da bei diesen Tieren das ganze Vorderhirn fehlt, hat das ausgelöste Verhalten bei ihnen keinen Bezug mehr zur Umwelt. Bei Zerstörung des caudalen Hypothalamus sind nur noch Fragmente dieses Verhaltens durch schmerzhafte Reize auslösbar [1, 2]. Diese Untersuchungen zeigen, daß das neuronale Korrelat, welches dieses Verhalten integriert, im hinteren Hypothalamus vorhanden ist.

Nutritives Verhalten. Im Kontrast zum Abwehrverhalten kann man durch topische elektrische Mikroelektrodenreizung in einem hypothalamischen Areal, das etwa 2–3 mm dorsal vom „Abwehrareal" liegt (Abb. 14(A)), „Freßverhalten" auslösen. Mit Beginn der elektrischen Reizung geht das Tier im Raum in Schnüffelhaltung unruhig hin und her, als ob es etwas suche. Bei Annäherung an den gefüllten Freßtrog beginnt es zu fressen. Es benagt auch ungenießbare Gegenstände oder frißt Nahrung, die es vor hypothalamischer Reizung abgelehnt hat. Die experimentellen Untersuchungen der *vegetativen Parameter* am anästhesierten Tier zeigen, daß die elektrische hypothalamische Reizung Darmkontraktionen, Erhöhung der Darmdurchblutung, Erniedrigung der Muskeldurchblutung und Blutdruckerhöhung induziert (Abb. 14(B) rechts). Charakteristische vegetative Merkmale der Abwehrreaktion wie Pupillenerweiterung, Ventilationssteigerung und Piloerektion können nicht beobachtet werden. Im Vergleich zum Abwehrverhalten ist dieses Verhalten durch eine Reaktionslage charakterisiert, in der der *Parasympathicus erregt* ist und der *Sympathicus* teilweise *gehemmt ist*. Der Organismus wird durch diese vegetative Umstellung gewissermaßen auf den Vorgang **Nahrungsaufnahme** eingestellt. Auch dieses Experiment zeigt, daß das neuronale Korrelat, welches nutritives Verhalten integriert, im Hypothalamus liegt.

Die neuronale Organisation der Verhaltensweisen im Hypothalamus

Lange Zeit wurde angenommen, daß der *vordere* Hypothalamus somatische, vegetative und endokrine Reaktionen im Körper integriert, die die Erholung des Organismus, die Konservierung der Körperenergien, die Verdauung und die Ausscheidung fördern. Dieser Prozeß wurde mit der Erregung des Parasympathicus gekoppelt und in dem Begriff **trophotrope Reaktion** zusammengefaßt. Es wurde weiterhin angenommen, daß Aktivierung des caudalen Hypothalamus zur Erregung des adrenergen sympathischen Systems, zur Mobilisierung der Körperenergien und zur Steigerung des Leistungsvermögens führt. Dieser Prozeß wurde in dem Begriff **ergotrope** Reaktion zusammengefaßt. Die von HESS [20, 21] geprägten Begriffe implizieren, daß der Hypothalamus aus zwei *funktionell* und *anatomisch* verschiedenen Systemen besteht und übertragen den Antagonismus zwischen Sympathicus und Parasympathicus im peripheren vegetativen Nervensystem auf den Hypothalamus. Dieses Konzept hat die Kenntnis über die funktionelle Bedeutung des Hypothalamus wesentlich erweitert, beschreibt aber wahrscheinlich nur die allgemeine Steuerung der Wachheit des Organismus zur Initiierung und Aufrechterhaltung von spezifischen Verhaltensweisen. Es ist aber zu allgemein, um die verschiedenen Funktionen des Hypothalamus erklären zu können.

Die systematische Untersuchung des Hypothalamus mit **topischer elektrischer Reizung** zeigt, daß verschiedenste Verhaltensweisen und (somatische, vegetative oder endokrine) Elemente von Verhaltensweisen von umschriebenen Arealen induziert

werden können [20, 24, 25]. Die Ergebnisse solcher Untersuchungen werden durch Untersuchungen mit anderen Methoden gestützt, wie z.B. mit **Läsionsexperimenten,** intrakranieller **Selbstreizung** oder **chemischer Reizung.** So bewirkt z.B. die Läsion des Areals im lateralen Hypothalamus, von dem durch elektrische Reizung Freßverhalten induziert werden kann (dem sog. Freß- oder Hungerzentrum; s. XV), Aphagie (Nahrungsverweigerung), während die Läsion des Areals im medialen Hypothalamus, von dem man eine Hemmung des Freßverhaltens auslösen kann (dem Sättigungszentrum), Hyperphagie (Freßlust) auslöst.

Die Ergebnisse solcher Untersuchungen lassen den Schluß zu, daß die Verhaltensweisen und Fragmente von Verhaltensweisen, die man durch die verschiedensten Methoden vom Hypothalamus auslösen kann, im Hypothalamus *repräsentiert* sind. Dabei muß noch einmal betont werden, daß diese Verhaltensweisen sowohl somatische als auch sehr charakteristische vegetative und endokrine Reaktionen beinhalten. Man darf sich die neuronalen Strukturen, die die einzelnen Reaktionen zu den Verhaltensweisen integrieren, nicht anatomisch fest umrissen vorstellen, wie es etwa in den Begriffen Sättigungszentrum oder Hungerzentrum zum Ausdruck kommen mag. Vielmehr handelt es sich höchstwahrscheinlich um *diffuse neuronale Bezirke,* die histologisch nicht trennbar und sehr stark untereinander verzahnt sind. Trotz dieser diffusen räumlichen Anordnung der Neuronen, die ein bestimmtes Verhalten steuern, muß man annehmen, daß ein hoher mehrdimensionaler *Ordnungsgrad* (nach der zeitlich-intensiven Abstufung des Erregungsmusters, nach der Spezifität der Afferenzen) in solchen Neuronenpopulationen besteht. Formal gesehen operiert der Hypothalamus als **Operator** auf eine Anzahl von **Variablen** (somatische, vegetative und endokrine). Diese Operationen gehen nach bestimmten **fixierten Programmen** vor (Abb. 15), die im Hypothalamus durch die Struktur der Neuronenpopulationen festgelegt sind. Die Art der Variablen und die Art der Operationen auf die einzelnen Variablen mögen dabei z.T. durchaus gleich sein bei der Erzeugung verschiedener Verhaltensweisen. Es wäre deshalb auch anzunehmen, daß die neuralen Korrelate solcher fixierter Programme sehr stark überlappen (Abb. 15).

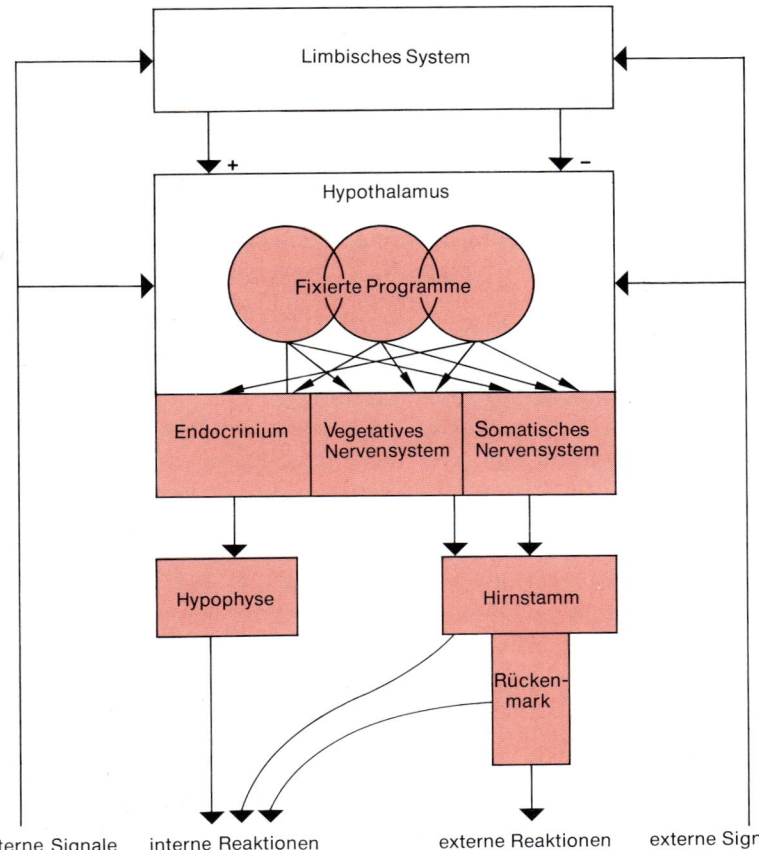

Abb. 15. Schema zur Organisation hypothalamischer Verhaltensweisen. Die Ringe symbolisieren die ineinander verschachtelten neuronalen Korrelate der Verhaltensweisen

4. Das limbische System

Unter dem limbischen System faßt man phylogenetisch alte Teile des Telencephalons und die davon abstammenden subcorticalen Strukturen zusammen. Ursprünglich wurde dieser Begriff von BROCA ([3], *„La grande lobe limbique"*) eingeführt, um anzuzeigen, daß die Bereiche des ZNS, die dieses System ausmachen, etwa *ringförmig* (Limbus) wie ein Gürtel bilateral um den Hirnstamm angeordnet sind (Abb. 17(A)) und eine Art Randzone zwischen Hirnstamm und Hypothalamus einerseits und Neocortex andererseits bilden.

Diese von BROCA eingeführte Bezeichnung konnte sich aber anfangs nicht durchsetzen, da angenommen wurde, daß die zum limbischen System gehörigen Strukturen Riechfunktion haben. Diese Strukturen wurden deshalb lange Zeit als *Rhinencephalon* bezeichnet. Der Begriff *„limbisches System"* wurde in neuerer Zeit von MACLEAN [30] wieder eingeführt in Verbindung mit der Theorie, daß die Strukturen dieses Systems die neuronalen Korrelate der Ausdrucksmechanismen und Gestaltung des affektiven Verhaltens der Säuger enthalten [33]. Der Begriff „limbisches System" ist keineswegs unumstritten und wird vorwiegend von Physiologen, Psychologen, Psychiatern und Psychopathologen, weniger von Anatomen gebraucht. Es besteht z.T. keine Einigkeit über die eindeutige Abgrenzung dieses Hirnbereiches zwischen den verschiedenen Arbeitsgruppen.

4.1. Anatomie des limbischen Systems

Auffällig ist, daß das limbische System bei den Säugern in Größe und Struktur relativ konstant geblieben ist; mit zunehmender Phylogenese wird es

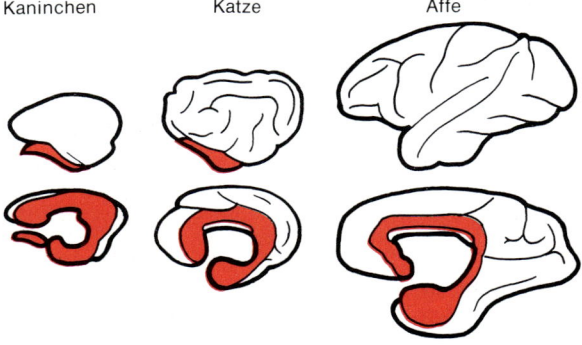

Abb. 16. Mediale und laterale Ansichten der Gehirne von Kaninchen, Katze und Affe. Rot: limbisches System; hell: Neocortex. (Nach MACLEAN [31])

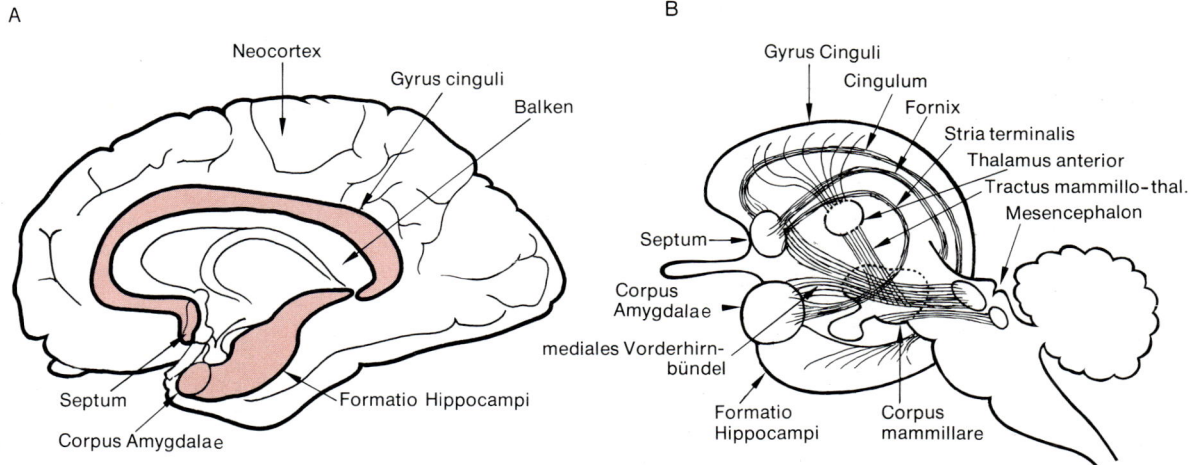

Abb. 17A u. B. Teile (A) und afferente und efferente Verbindungen (B) des limbischen Systems. Gepunktete Linie in (B) zeigt die Grenze des Hypothalamus. (Modifiziert nach MacLean [31])

durch den Neocortex von lateral überwuchert (Abb. 16). Seine Strukturen sind beidseitig ringförmig um den Hilus des Hirnstammes geordnet und bilden einen inneren und einen äußeren Ring. Der **innere Ring** ist der phylogenetisch ältere Anteil des limbischen Systems *(Archipallium)*, er hat einen dreischichtigen Cortex *(Allocortex)*. Zu ihm gehören die Strukturen mit olfaktorischen Verbindungen, der corticomediale Anteil des Nucleus Amygdalae und die gesamte Formatio Hippocampi. Die Strukturen des **äußeren Ringes** liegen phylogenetisch zwischen Neo- und Archipallium, sie haben einen fünfschichtigen Cortex *(Mesocortex)*. Sie sind medial durch den Sulcus cinguli vom Neocortex getrennt. Zu ihnen gehören Gyrus cinguli, die Nuclei septi und der basolaterale Anteil des Amygdalae (Abb. 17(A)). Manche Autoren rechnen auch den orbitoinsulotemporalen Cortex zum äußeren Ring des limbischen Systems.

Afferente und efferente Verbindungen des limbischen Systems. Die afferenten und efferenten Verbindungen der Strukturen des limbischen Systems untereinander und mit Nachbarstrukturen sind sehr vielfältig und erst z.T. bekannt. Ihre funktionellen Bedeutungen können nur sehr vage abgeschätzt werden. Es ist auffällig, daß dieses System über mächtige Faserstränge **reziprok mit dem Hypothalamus** verbunden ist (s. Abb. 17(B)). Die Formatio Hippocampi und das Septum sind über den *Fornix,* der Mandelkern über die *Stria terminalis* und das ventrale *amygdalofugale Bündel,* und die frontobasalen Anteile über das *mediale Vorderhirnbündel* mit dem Hypothalamus verbunden. Diese und andere Verbindungen sind der anatomische Ausdruck dafür,

daß der Hypothalamus der Kontrolle des limbischen Systems unterliegt.

Generell sind die Strukturen des limbischen Systems, der Hypothalamus und das obere Mittelhirn (limbisches Mittelhirnareal) neuroanatomisch in **multiplen Erregungskreisen** organisiert (Abb. 12). Man nimmt an, daß diese Erregungskreise funktionell von großer Bedeutung sind. Dem Erregungskreis, den Hippocampus, Corpus mammillare, Thalamus anterior und Gyrus cinguli bilden, wurde und wird z.B. Bedeutung als neuronales Korrelat der Emotionen zugeschrieben [16, 33]. Neocorticale Strukturen und limbisches System kommunizieren miteinander über Assoziationsareale.

4.2. Die Funktionen des limbischen Systems

Bis heute wissen wir über die funktionelle Bedeutung des limbischen Systems recht wenig. Fast alle Aussagen über dieses System sind grobe Vereinfachungen und Vermutungen. Die Ursache hierfür liegt einerseits in der Komplexität der neuronalen Strukturen des limbischen Systems, die sich bisher zum großen Teil der Analyse mit exakten naturwissenschaftlichen Methoden entziehen. Andererseits aber kann man vermuten, daß die Prinzipien, nach denen die „Natur" die neuronalen Steuersysteme im Telencephalon „für das Verhalten der Tiere" entworfen hat, uns nicht einmal im Ansatz bekannt sind. Man ist deshalb auch bisher nur schwerlich in der Lage gewesen, testbare Theorien über das Funktionieren des Telencephalons aufzustellen. Es ist möglich, daß in diesen neuronalen Strukturen Prinzipien verwirklicht sind, von denen wir grundsätzlich nichts wissen können, weil diese Prinzipien gleichzeitig Voraussetzung für unsere intellektuellen und affektiven Fähigkeiten sind, mit denen wir analysieren (s. VIII; Sprache, Bewußtsein, Gedächtnis). Außerdem sind die verschiedenen Teile des limbischen Systems funktionell notwendigerweise nicht unter einen Hut zu bringen. Im folgenden wird das limbische System besonders als **Kontrollinstanz** des Hypothalamus betrachtet.

Limbisches System und Verhalten. Das limbische System arbeitet nicht unabhängig von anderen Hirnbereichen wie z.B. Neocortex und Hypothalamus. Deshalb kann man kein Konzept seiner Funktionsweise entwerfen, ohne das ganze Gehirn einzubeziehen. MacLean [31] hat vorgeschlagen, das Gehirn der Säuger nach funktionellen, neuroanatomischen, ethologischen und phylogenetischen Gesichtspunkten in drei Systeme einzuteilen: das **protoreptilische** Gehirn, das **paläomammalische** Gehirn und das **neomammalische** Gehirn (Abb. 18). Das protoreptilische Gehirn repräsentiert Hirnstamm, Diencephalon und Stammganglien, das paläomammalische Gehirn repräsentiert die Strukturen des limbischen Systems und das neomammalische Gehirn den Neocortex. Diese Einteilung ist spekulativ. Es gibt keinen Hinweis, daß je ein Reptil existierte, welches ein Gehirn hatte, das dem protoreptilischen Gehirn entspricht. Soweit bekannt, haben alle lebenden Reptilien auch Hirnteile, die den Strukturen des limbischen Systems und dem Neocortex homolog sind [19]. Das Argument für die Einteilung des Gehirns in drei Prototypen leitet sich aus der Möglichkeit ab, allgemeine Verhaltensfunktionen der Organismen mit anatomischen Strukturen zu identifizieren. Deshalb ist dieses Hirnmodell ein bildlicher Ausdruck des hierarchischen Aufbaus von Gehirn und Verhalten.

Protoreptilisches Gehirn. Dieses Gehirn integriert stereotype Verhaltensweisen, die wichtig zum Überleben sind, wie z.B. Abstecken und Verteidigen vom Revier, Nestbau, Aufziehen von Jungen und Paarungsverhalten. Diese Verhaltensweisen sind angeboren, d.h. genetisch festgelegt. Der Ethologe bezeichnet sie mit *Instinkten* [39]. Dieses hypothetische Gehirn kann *keine* länger dauernden Gedächtnisinhalte bilden; es ist an eine stabile Umwelt gebunden (z.B. bei Fischen) und zeichnet sich deshalb durch einen Mangel an Flexibilität aus.

Paläomammalisches Gehirn. Dieses Gehirn umfaßt die Strukturen des limbischen Systems. Es repräsentiert nach MacLean den ersten Versuch in der Natur, Selbstbewußtsein zu erzeugen. Da es auch besonders Informationen aus dem Inneren des Körpers erhält und diese Informationen wichtig sind zur Bildung von Gedächtnisinhalten und zur affektiven Tönung von Erlebnisinhalten, bezeichnete er dieses Gehirn auch als „viscerales Gehirn". Es ist fähig, das genetisch fixierte stammesgeschichtliche Verhaltensrepertoire zu überspielen und zu modifizieren (s. Nucleus Amygdalae, S. 137). Weil sie lernen können und Gedächtnis haben, können die Säuger ihr Verhalten an die im Laufe des Lebens wechselnden Umwelten anpassen. Dieses Gehirn

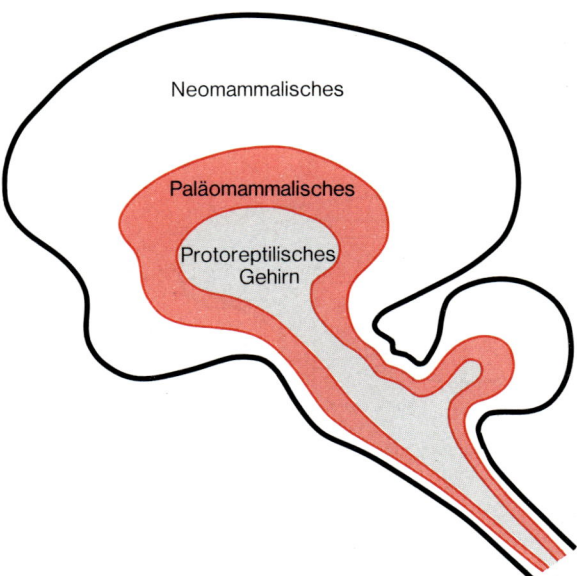

Abb. 18. Schema der Organisation drei hypothetischer fundamentaler Gehirntypen, die im Laufe der Entwicklung des Säugetiergehirns Teile des menschlichen Erbes wurden. (Nach MacLean [31])

enthält wahrscheinlich die Strukturen des artspezifischen Verhaltens der Säuger.

Neomammalisches Gehirn. Dieses Gehirn arbeitet ungeachtet der Signale im Körperinneren und ist frei von ihnen. Es analysiert die Umwelt im zeitlich-räumlichen Koordinatensystem. Im Gegensatz zum paläomammalischen Gehirn entwirft es Handlungsstrategien und Konzepte. Es ist ein Gehirn, welches die Zukunft plant und die „konservativen", „altbewährten" Handlungsstrategien, die sich im paläomammalischen Gehirn herangebildet haben, modifiziert.

Nucleus Amygdalae und Hypothalamus. Der Mandelkern entwickelte sich in enger Beziehung zum Riechsystem bei den Amphibien. Dieses System umfaßte die Analyse *olfaktorischer* Impulse zur Kontrolle der Nahrungsaufnahme, zum Aufspüren des Feindes (Angriff und Verteidigung) und zum Aufspüren des sexuellen Partners (Reproduktion). Obwohl das olfaktorische System bei höheren Säugern und Primaten mit der Entwicklung anderer sensorischer Systeme für die Steuerung des Verhaltens sehr an Bedeutung verlor, blieb der Mandelkern in seiner Funktion erhalten. Er erhielt zusätzliche afferente Informationen über noch z.T. unbekannte Bahnen von den anderen Sinnessystemen und von Strukturen, in denen Erfahrungen aus der Vergangenheit des Organismus gespeichert sind. Morphologische und elektrophysiologische Untersuchungen zeigen, daß über die Stria terminalis und

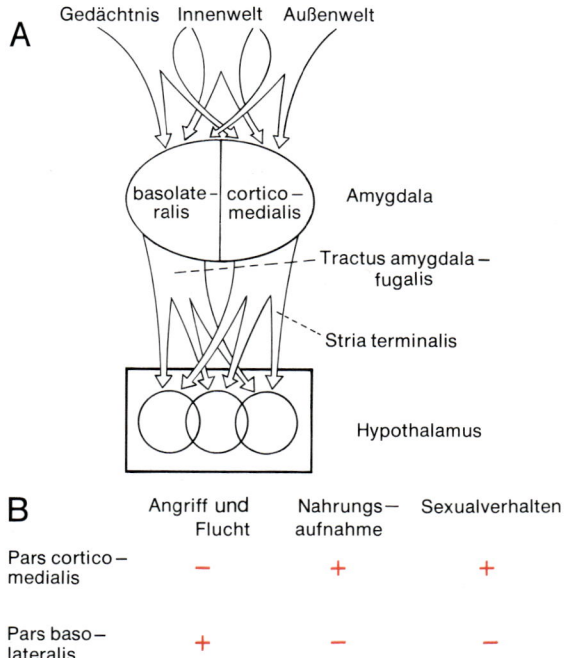

A

Gedächtnis Innenwelt Außenwelt

basolate-
ralis | cortico-
medialis   Amygdala

— Tractus amygdala-
fugalis

- Stria terminalis

Hypothalamus

B

	Angriff und Flucht	Nahrungs- aufnahme	Sexualverhalten
Pars cortico- medialis	−	+	+
Pars baso- laterale	+	−	−

Abb. 19. Kontrolle hypothalamischer Verhaltensweisen durch den Nucleus Amygdalae. (Nach GLOOR u.Mitarb. in HOCKMAN [23]). +Aktivierung, −Hemmung

das ventrale amygdalofugale Fasersystem innige reciproke Verbindungen zwischen Hypothalamus und Mandelkern bestehen. *Corticomediale* und *ventrobasale* Bereiche des Mandelkerns haben vermutlich entgegengesetzte Effekte auf die Neurone im lateralen und medialen Hypothalamus. So beeinflußt z.B. der corticomediale Teil des Mandelkerns die Neurone im **ventromedialen Hypothalamus** hemmend und der basolaterale Teil des Mandelkernes dieselben Neurone erregend. Am Verhalten von Tieren bei *Reizung* und *Läsionen* des Mandelkernes wird beobachtet, daß eine ausgesprochene *Dichotomie* zwischen den beiden Teilen des Mandelkernes besteht (Abb. 19(B)). Angriffs- und Fluchtverhalten werden von den basolateralen Mandelkernstrukturen gefördert und Freß- wie Sexualverhalten gehemmt. Corticomediale Mandelkernstrukturen haben entgegengesetzte Effekte [12, 23].
Man kann annehmen, daß der Mandelkern ein Kerngebiet ist, welche die im Hypothalamus fixierten Verhaltensprogramme den Bedürfnissen des Organismus anpaßt. Zu diesem Zwecke integriert er Signale aus der Umwelt und aus dem Körperinneren (Abb. 19(A)). Für diese Annahme spricht neben den Verhaltensexperimenten die anatomische Nähe des Amygdalae zum temporalen Neocortex und zur Formatio Hippocampi, die die Aufnahme und den Abruf von Gedächtnisinhalten steuert (s. VIII).

Emotionen und limbisches System

Der Begriff Emotion ist jedem Laien verständlich, entzieht sich aber der präzisen wissenschaftlichen Definition. Die Psychologie bemüht sich um die Definition dieses Begriffes seit ihrer Emanzipation von der Philosophie und Physiologie als selbständige formale Disziplin im vorigen Jahrhundert. Grundsätzlich muß man den **Ausdruck von Emotionen** vom **affektiven Aspekt** der Emotionen, der subjektiv erfahren und verbal ausgedrückt werden kann, unterscheiden. Der Ausdruck von Emotionen manifestiert sich in den *efferenten somatischen* und *vegetativen* Reaktionen eines Organismus. Der affektive Aspekt kann nur durch Introspektion erfahren werden. Man weiß von den Emotionen eines anderen Menschen oder eines Tieres nur durch Analogieschluß. Die Emotionen umfassen alle negativen und positiven affektiven Zustände von Angst und Furcht bis zu Liebe und Glück.

Es ist wahrscheinlich, daß der Ausdruck der Emotionen weitgehend auf **ererbten angeborenen Reaktionen** beruht (DARWIN [9]). Diese Reaktionen haben **Signalcharakter** gegenüber Artgenossen und Mitgliedern anderer Species und sind biologisch sicherlich vorteilhaft in der **Evolution** gewesen. Man kann deshalb die Emotionen biologisch höchstwahrscheinlich dem Begriff „artspezifisches Verhalten" unterordnen. Emotionen haben auch Signalcharakter nach innen, indem sie das Individuum dazu veranlassen, sich an Veränderungen in der Umwelt durch Ausbildung neuer Reaktionen anzupassen.
Physiologische Reaktionen während der Emotionen. Emotionen eines Organismus lassen sich objektiv nur am somatomotorischen Verhalten und an den vegetativen und humoralen Veränderungen im Körper feststellen. Beim Menschen kann man relativ leicht *Kreislaufparameter* — wie Blutdruck, Herzfrequenz und Durchblutungen — Pupillenweite und Hautwiderstand (als Ausdruck der Schweißdrüsenaktivität) messen.
Als Beispiel zeigt Abb. 20 das Verhalten von Kreislaufparametern einer Versuchsperson, der suggeriert wurde, sie leide an schwerem Blutverlust. Diese Suggestion ist ein starker emotionaler Reiz. Während der Suggestion steigt die Muskeldurchblutung durch den Unterarm dramatisch an, die Herzfrequenz nimmt zu, Blutdruck und Hautdurchblutung ändern sich in diesem Experiment nicht wesentlich. Im Blut würde man bei dieser Versuchsperson erhöhte Catecholamin- und Corticosteroidkonzentrationen infolge Aktivierung von Nebennierenmark und -rinde messen. Ähnliche und z.T. noch größere Änderungen vegetativer und endokriner Parameter werden beim Beschauen aufregender Filme, beim Autofahren oder bei der widerwillig ertragenen Standpauke durch den Vorgesetzten beobachtet. Diese und ähnliche Beobachtungen zeigen, daß die homöostatischen, vom Hirnstamm

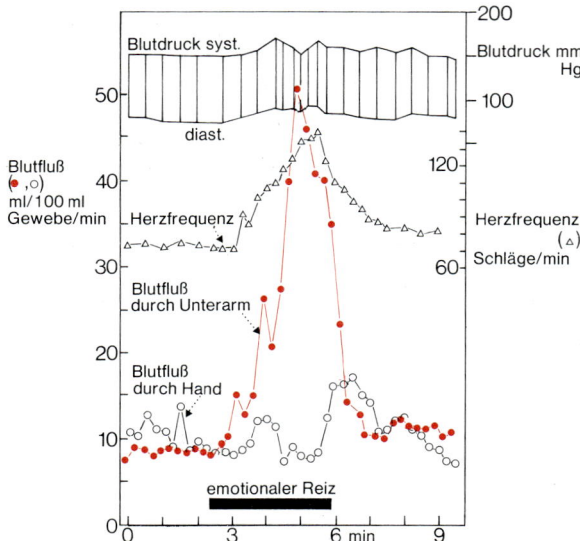

Abb. 20. Wirkung eines „emotionalen Reizes" auf Kreislaufparameter. Während des schwarzen Balkens wurde der Versuchsperson suggeriert, sie leide an schwerem Blutverlust. Registriert wurden der Blutdruck (systolisch, diastolisch), die Herzfrequenz, die Unterarmdurchblutung, die im wesentlichen Muskeldurchblutung anzeigt, und die Handdurchblutung, die im wesentlichen Hautdurchblutung anzeigt. Die Durchblutungen wurden plethysmographisch gemessen. [Nach BLAIR u. Mitarb.: J. Physiol. (Lond.) **148**, 633–647 (1959)]

ausgehenden Kreislaufregulationen durch „emotionale" Reize völlig überspielt werden können. Der Organismus verhält sich, *als ob* eine Bedrohung stattfindet.

Der Versuch, die verschiedenen Emotionen durch die Muster vegetativer, durch Sympathicus und Parasympathicus erzeugter Reaktionen objektiv zu beschreiben, mißlang. Es ist nur möglich, die groben Emotionen auf diese Weise zu erfassen. Dieser Mißerfolg machte zwei Ansätze, die wichtige theoretische und praktische Folgen gehabt hätten, zunichte: 1. Eine operationelle Definition von Emotionen an Hand vegetativer Parameter unter Ausschluß von Introspektion und Analogieschluß wurde unmöglich. 2. Die objektive Diagnose der affektiven Störungen bei sogenannten psychosomatischen Erkrankungen aus dem Muster der peripher zu beobachtenden vegetativen und humoralen Störungen erwies sich prinzipiell als undurchführbar.

Neuronale Korrelate der Emotionen. Bis heute gibt es keine allgemein akzeptierte wissenschaftliche Definition, was Emotion ist. Dementsprechend werden etwa 20 Emotionstheorien ernsthaft auf dem wissenschaftlichen Markt diskutiert. Je nach ihrem Ausgangspunkt sind es entweder physiologische oder kognitive oder behavioristische Theorien. In den modernen Theorien scheint sich herauszukri

stallisieren, daß Emotionen an die *kognitiven Fähigkeiten* des Organismus gebunden sind. Zu ihrer Entstehung sind demnach *Wahrnehmung, Bewertung* von Umweltreizen und die Bildung eines „*affektiven Gedächtnisses"* notwendig. Dabei sind die vegetativen, endokrinen und somatischen Veränderungen, die man während der Emotionen beobachtet, weder Folge noch Ursache sondern Ausdruck solcher kognitiver Prozesse (s. Abb. 20) [16, 34].

Die Suche nach dem neuronalen Substrat der Emotionen ist bis heute mehr oder minder erfolglos geblieben. Es wird vermutet, daß dieses Substrat sich im limbischen System befindet oder das limbische System ist. Nach einem Vorschlag von PAPEZ [33] wird für die Erzeugung der Emotionen ein Neuronenkreis im limbischen System angenommen, der aus der *Formatio Hippocampi,* dem *Corpus mammillare,* dem *vorderen Thalamus* und dem *Gyrus cinguli* besteht. Die einzelnen Kerngebiete dieses Neuronenkreises sind durch mächtige Fasertrakte miteinander verbunden. Die sensorischen Systeme haben über die Assoziationsareale des Neocortex Zugang zu diesem Neuronenkreis. Informationen aus dem Körperinneren fließen in diesen Neuronenkreis über den Hypothalamus und möglicherweise den Neocortex. Der Hauptausgang dieses Systems geht einerseits über den Fornix zum Hypothalamus und zu den motorischen Mittelhirnarealen, andererseits auch zum Neocortex. Über den Fornix werden die hypothalamischen elementaren Programme, die somatische, vegetative und endokrine Reaktionen integrieren, beeinflußt (s. Abb. 17).

Dieses neuroanatomische Modell, dessen Kreierung durch PAPEZ mehr eine von Intuition gesteuerte „tour de force" und weniger auf empirischen Daten begründet war, wurde durch MACLEAN nach 1950 zum Ausgangspunkt für die Erforschung des limbischen Systems im allgemeinen und der neuronalen Korrelate der Emotionen im besonderen. Das Modell ist bei Tier und Mensch nur schwer zu testen. Läsionen der verschiedensten Strukturen dieses Erregungskreises erzeugen bei Ratten Verhaltensstörungen, die im Sinne dieses neuroanatomischen Emotionsmodells interpretiert werden können. Auch beim Menschen kann die durch Krankheit bedingte Zerstörung oder Reizung von Hirnstrukturen, die diesen Erregungskreis z.T. einschließen, Ausfälle, Gedächtnisstörungen und Störungen des affektiven Verhaltens erzeugen, die im Sinne dieses Modells interpretiert werden können.

Trieb und Motivation. Die Begriffe Trieb und Motivation werden besonders von Psychologen und Verhaltensforschern zur Beschreibung der *Variabilität*

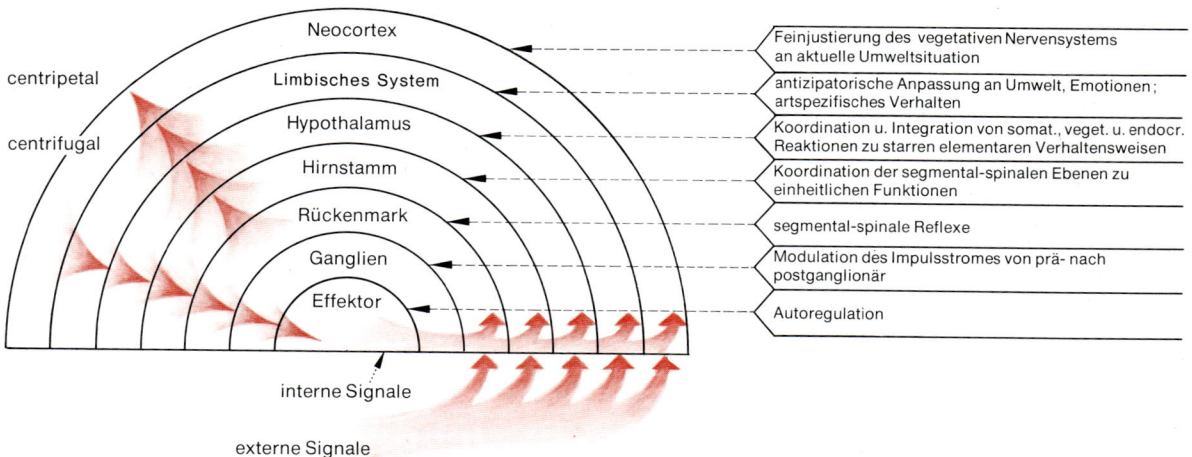

Abb. 21. Schema der hierarchischen Organisation des vegetativen Nervensystems

spezifischer Verhaltensweisen von Organismen bei bestimmten Umweltkonstellationen gebraucht. Dabei sind beide Begriffe durchaus austauschbar. Häufig wird der Begriff Trieb zur Beschreibung eines *primär biologischen* Prozesses (z.B. Durst und Hunger, vgl. Abb. XV-1) gebraucht und der Begriff Motivation, wenn es sich mehr um *psychologische* oder soziale Prozesse handelt (Motivationsmangel, z.B. bei sozialer Isolation).

Beide Begriffe sind hypothetische Konzepte und bezeichnen Regulationsprozesse im ZNS, die aus Reiz-Antwort-Beziehungen für bestimmte Verhaltensweisen gefolgert werden. Triebe und Motivationen können also nicht direkt beobachtet werden. Man kann z.B. den Zustand Hunger nur aus dem Verhalten, etwa der Menge eingenommener Nahrung oder der Geschwindigkeit der Nahrungsaufnahme, schließen. Triebe und Motivationen können deshalb nicht zur Erklärung für spezifische Verhaltensweisen herangezogen werden oder mit ihnen gleichgesetzt werden. Die neuronalen Korrelate der Triebe und Motivationen sind im einzelnen bisher weitgehend unbekannt. Es ist unwahrscheinlich, daß ein Trieb in einer bestimmten, anatomisch umschriebenen zentralnervösen Struktur repräsentiert ist; man kann aber annehmen, daß sich die neuronalen Regulationsmechanismen der Triebe in den Strukturen des Zwischenhirns und des limbischen Systems abspielen und weitgehend überlappen [22, 34].

4.3. Synopsis der Organisation des vegetativen Nervensystems

Das vegetative Nervensystem ist vom Effector bis zu den höchsten zentralen Integrationsbereichen hierarchisch aufgebaut. Abb. 21 vermittelt einen intuitiven Eindruck von dieser **Hierarchie.** Die ineinander geschachtelten Halbkreise symbolisieren die einzelnen Ebenen dieser Hierarchie. Die Pfeile zum Effector hin bezeichnen den *zentrifugalen* Impulsstrom von Ebene zu Ebene; die umgekehrten Pfeile symbolisieren den *zentripetalen Impulsstrom* von der niederen Ebene zur nächsthöheren Ebene. Der zentripetale Impulsstrom informiert die höhere Ebene über den Funktionszustand der niedrigeren Ebene. Es werden bei diesen Informationsflüssen häufig eine oder mehrere Ebenen übersprungen. Alle Ebenen bekommen direkt oder indirekt afferente Informationen aus dem Körperinneren und aus der Umwelt (*interne und externe Signale* in Abb. 21).

Das Wesentliche dieser Organisationsform ist, daß die niedrigere Organisationsebene von der höheren Ebene nicht außer Kraft gesetzt wird, sondern in ihr enthalten ist. Jede Funktionsebene schränkt die *Freiheitsgrade* der jeweiligen unteren Ebenen ein, es kommt zur *Optimierung* der Funktionen; die Komplexität der Funktionen nimmt dementsprechend von unten nach oben zu (s. rechte Seite in Abb. 21). Damit nimmt die *Adaptationsfähigkeit* des Systems an die Bedingungen der Umwelt von Ebene zu Ebene zu. Die Leistungen der verschiedenen Bereiche dieser Organisation sind nicht mit den z.T. verschiedenen afferenten Impulsströmen erklärbar, sondern bedingt durch die neuronalen, genetisch fixierten Strukturen der verschiedenen Integrationsebenen. Diese hierarchische Ordnung des vegetativen Nervensystems ist eng verzahnt mit denjenigen der sensorischen und somato-motorischen Systeme und kann besonders auf höheren Ebenen von diesen nicht mehr getrennt werden.

5. Neuronale Kontrolle der Harnblasenentleerung

Das Verständnis der Harnblasenfunktion ist für Mediziner, besonders Neurologen, Urologen und Gynäkologen, wichtig, weil es bei verschiedenen Erkrankungen häufig zu Blasenfunktionsstörungen kommt. Die Blase wird durch myogene Mechanismen der glatten Blasenmuskulatur und neuronale, parasympathische, sympathische und somatische, Mechanismen kontrolliert. Die Interaktion der verschiedenen neuronalen Mechanismen, besonders auf höheren zentralen Ebenen, ist noch zum Teil unbekannt.

In der nervösen Kontrolle der Harnblase wechseln sich lange **Sammelphasen** mit kurzen **Entleerungsphasen** ab. Während der Sammelphasen wird die Entleerung *nervös* verhindert oder erschwert. Die Fähigkeit der Blase, den Urin zurückzuhalten, nennt man *Kontinenz*. Die Entleerungsphase wird nervös eingeleitet und explosionsartig verstärkt.

5.1. Anatomischer Aufbau der Harnblase und ihre Innervation

Die Harnblase ist ein Hohlmuskel, der die Speicherung und Entleerung des Urins besorgt. Ihre Wand besteht aus langen, **glatten Muskelzellen,** die in einer äußeren und einer inneren Längsschicht und einer mittleren Ringschicht angeordnet sind (Detrusor vesicae). Am Blasenboden befindet sich das *Trigonum vesicae,* welches aus feinen glatten Muskelfasern besteht. An den oberen äußeren Ecken des Trigonums münden die Uretheren *schräg* ein; auf

diese Weise kann bei Erhöhung des Blasendruckes kein Urin rückläufig in die Uretheren geraten. An der Spitze des Trigonums liegt der Ausgang der Blase zur Harnröhre. Durch eine besondere Anordnung der Muskelzellen bildet sich hier funktionell ein Sphincter aus (Sphincter vesicae internus). Dieser innere Sphincter kann nicht unabhängig vom Detrusor vesicae betätigt werden; bei Kontraktion der Blasenmuskulatur kommt es infolge Einstrahlung der Muskelzellen in die Harnröhre zur Verkürzung der Harnröhre und zum automatischen passiven Öffnen des internen Sphincters. Zusätzlich wird die Harnröhre durch den Sphincter externus verschlossen, der aus quergestreifter Muskulatur des Beckenbodens besteht. Dieser äußere Schließmuskel ist bei Frauen nur schwach entwickelt.

Die Blase wird **erregend** innerviert durch parasympathische Fasern, die im Nervus pelvicus laufen und den 2.–4. Sacralsegmenten entspringen. Diese Innervation ist Voraussetzung für die normale Kontrolle der Blasenentleerung. Die sympathische Innervation der Blase wirkt **hemmend** auf den Detrusor und erregend auf die Muskulatur des Trigonum. Sie läuft im Nervus hypogastricus und entstammt dem oberen Lumbalmark. Der Sphincter externus ist somatisch durch Axone im Nervus pudendus, deren Motoneurone im mittleren Sacralmark liegen, innerviert.

Der Füllungsgrad der Blase wird dem ZNS von Dehnungsreceptoren der Blasenwand über afferente Axone im Nervus pelvicus gemeldet. Afferenzen im Nervus hypogastricus melden wahrscheinlich nociceptive Reize im Bereich des Trigonum vesicae zum thorakalen Rückenmark.

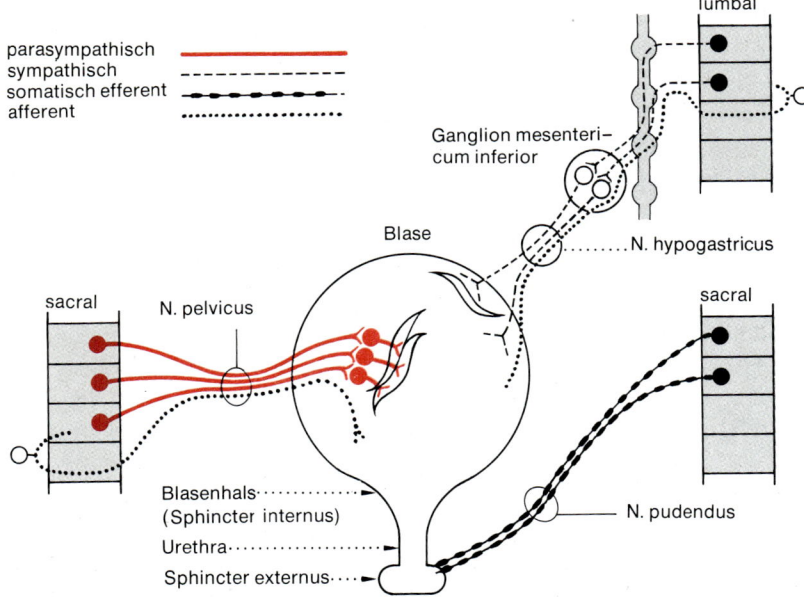

parasympathisch
sympathisch
somatisch efferent
afferent

lumbal

Ganglion mesentericum inferior

N. hypogastricus

Blase

sacral

N. pelvicus

sacral

Blasenhals
(Sphincter internus)

Urethra

Sphincter externus

N. pudendus

Abb. 22. Innervation der Harnblase

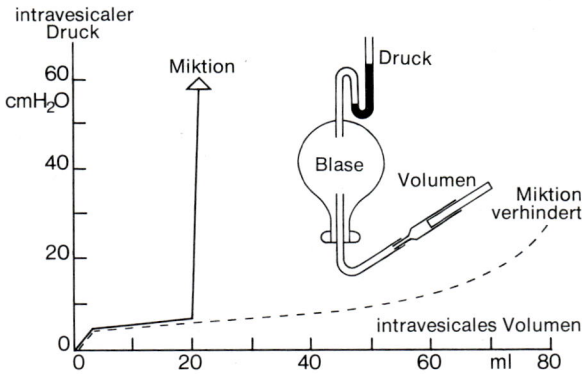

Abb. 23. Volumen-Druck-Diagramm (Cystometrogramm) der Blase der Katze mit normaler Miktion und bei Verhinderung der Miktion durch Nervenvergiftung mit TEA (Tetraäthylammonium). Zur Herstellung der Kurven wurde die Blase in 1,5 min-Schritten mit je 4 ml Flüssigkeit gefüllt

5.2. Blasentonus

Die **Druck-Volumen-Kurve** (Cystometrogramm) der Blase beschreibt die Beziehung zwischen dem Füllungsgrad der Blase und den in ihr herrschenden Druck. Sie ist ein Maß für ihren **Tonus.** Füllt man die Blase einer Katze, so stellt sich nach wenigen ml Füllung ein Druck von etwa 5 cm H_2O ein. Dieser Druck bleibt bei weiterer Füllung der Blase bis zu etwa 20–50 ml konstant oder steigt leicht an, bis die aktive Blasenentleerung (Miktion in Abb. 23) einsetzt. Vor dieser Blasenentleerung steigt der Druck unter geringen Volumenänderungen durch Kontraktion der Blasenmuskulatur steil an. Verhindert man die Miktion durch Sektion der Beckennerven oder durch Vergiftung der Neurone durch TEA (Tetraäthylammoniumchlorid), steigt der Blasendruck erst nach Füllung von mehr als 60–80 ml deutlich an (Abb. 23). Dieses Verhalten der Blase und die physikalische Analyse des Blasentonus zeigen, daß der Verlauf des Druck-Volumen-Diagramms im wesentlichen durch die viscoelastischen Eigenschaften des Blasenmuskels erklärt werden kann [35, 36]. Der Tonus der Blase ist mit großer Wahrscheinlichkeit allein durch die Eigenschaften ihrer glatten Muskulatur bestimmt (s. VII-1.3). Inhibitorische neuronale Reflexe und die intramuralen Neurone sind anscheinend nicht oder nur in geringem Maße an der Erzeugung des Tonus beteiligt.

5.3. Zentrale parasympathische Steuerung der Blasenentleerung

Parasympathischer Blasenentleerungsreflex. Der Urin wird vom Nierenbecken periodisch durch peristaltische Wellen der Uretheren in die Harnblase gefördert. Der primäre Reiz zur neuronalen Auslösung einer Blasenentleerung ist die Dehnung der Blasenwand, hervorgerufen durch Blasenfüllung. Die Aktivierung von Dehnungsreceptoren durch diesen Dehnungsreiz führt über afferente Neurone zur Erregung der parasympathischen erregenden Neurone zum Detrusor vesicae und somit zur Blasenentleerung. Dieser **Entleerungsreflex** ist an die Unversehrtheit der oberen Brückenregion im Hirnstamm gebunden (Reflexbogen 1 in Abb. 24). Durchschneidet man den Hirnstamm *unterhalb* dieser Region, ist im akuten Tier auf Blasenfüllung keine Entleerung mehr zu beobachten. Auch durch elektrische Reizung dieser Region kann man Blasenentleerungen auslösen.

Die Reflexzeit für die Aktivierung der präganglionären parasympathischen Neurone zur Blase nach Aktivierung der Blasenafferenzen beträgt 80–120 ms. Man beobachtet keine frühen Entladungen der präganglionären Neurone, wie man erwarten würde, wenn es sich um einen spinalen Reflex handeln würde (s. Reflex 2 in Abb. 24). Damit kann es sich bei diesem supraspinalen Reflexbogen auch nicht um eine Bahnung eines spinalen Reflexes handeln [15].

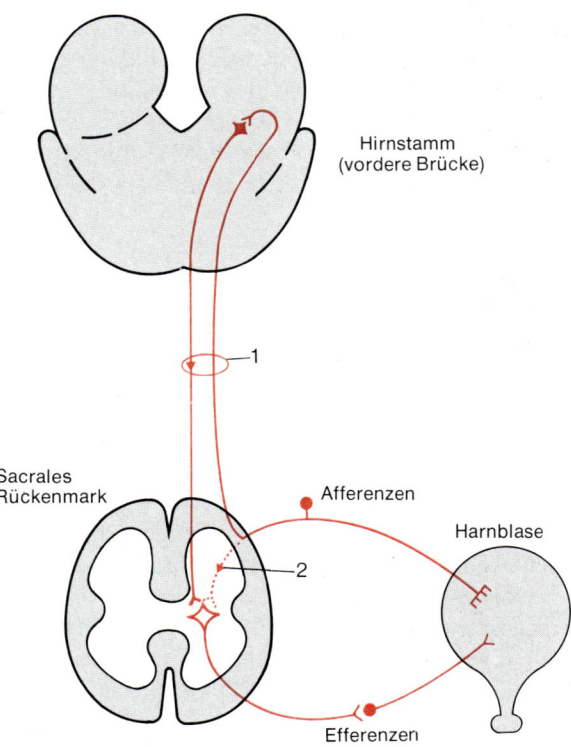

Abb. 24. Der parasympathische Blasenentleerungsreflexbogen beim hirnintakten Tier (1) und beim chronisch spinalisierten Tier (2). Reflexweg (2) funktioniert beim hirnintakten Tier nicht. (Nach DE GROAT [15])

Blasenentleerung im chronischen spinalen Präparat. Nach Durchtrennung des Rückenmarkes oberhalb des Sacralmarkes (Spinalisation) kann man bei Tier und Mensch zunächst auf Blasenfüllung keine reflektorische Entleerung mehr beobachten. Erst im chronischen Stadium, 1 bis 5 Wochen nach der Durchtrennung, beginnt sich die Blase wieder automatisch zu entleeren (**Reflexblase**). In diesem Stadium können beim Tier nach elektrischer Reizung der Blasenafferenzen Reflexentladungen in präganglionären Neuronen mit kurzer Latenz von 7–25 ms nachgewiesen werden, aber keine Entladungen mit langen Latenzen. Dieser Reflex ist also spinal bedingt (Reflexweg 2 in Abb. 24). Dieser spinale Reflexweg funktioniert höchstwahrscheinlich beim Säugling und wird im späteren Lebensalter und beim hirnintakten Tier möglicherweise durch Hemmung, die von den Blasenafferenzen auf spinaler Ebene oder von supraspinal ausgelöst wird, unterdrückt.

Nach einer Querschnittslähmung ist die Blase für Tage bis Wochen schlaff atonisch. Sie geht bei adäquater Pflege und Vermeidung von Harnwegsinfektionen allmählich in die Phase der Reflexblase über, in der geringe Blasenfüllungen reflektorische Kontraktionen des Detrusor vesicae und häufigen Harnabgang verursachen. Durch adäquate Anleitung können Querschnittsgelähmte erlernen, ihre Blasenentleerung zu kontrollieren. Sie können reflektorisch Detrusorkontraktionen durch Beklopfen des Unterbauches selbst einleiten (s. segmentale Reflexe VII-2.2), den dazu geeigneten Zeitpunkt durch Beobachtung der eigenen vegetativen Automatismen abwarten und durch gezielte Bauchpressen unterstützen.

5.4. Erhaltung der Blasenkontinenz durch neuronale Beeinflussung des parasympathischen Entleerungsreflexes

Der Blasenentleerungsreflex setzt plötzlich ein und verhält sich nach Art einer positiven Rückkoppelung wie ein sich selbst verstärkender Regelkreis. Dieser Vorgang, die *explosionsartige* Entwicklung der Blasenentleerung, kann nicht mit dem suprapontinen Reflexbogen allein erklärt werden. Zusätzliche neuronale Mechanismen, die diesen Ablauf teilweise erklären können, und die die Blasenentleerung verhindern (d.h. die Blasenkontinenz bewirken), kommen ins Spiel [15]. Diese Mechanismen, die im folgenden beschrieben werden, sind größtenteils neuronale Hemmungen, die am präganglionären und postganglionären Neuron oder an der glatten Muskulatur der Blase angreifen, und so zur Blasenkontinenz beitragen.

Recurrente Hemmung des präganglionären Neurons (1 in Abb. 25). Präganglionäre Neurone zur Blase unterliegen wie Motoneurone einer recurrenten Hemmung (vgl. Abb. IV-4.8), d.h. die Erregung präganglionärer Neurone wirkt über Interneurone hemmend auf sie selbst zurück und verringert die Aktivität in den präganglionären Neuronen. Sie ist wirksam bei niedrigen intravesicalen Drucken, wenn die Blasenafferenzen wenig aktiviert werden. Bei hohen Blasendrucken wird die recurrente Hemmung der präganglionären Neurone durch die Aktivierung der Blasenafferenzen gehemmt, dadurch fällt die Begrenzung der Entladungsrate der präganglionären Neurone fort. Dieser Mechanismus erschwert jede Blasenentleerung bei niedrigem Blasendruck.

Erregungsübertragung in parasympathischen Ganglien zur Blase (2 in Abb. 25). Die parasympathischen postganglionären Neurone zur Blase wirken wie **Filter** für die Erregungsübertragung von prä- nach postganglionär. Niederfrequente Entladungen der präganglionären Neurone (z.B. bei niedrigen intravesicalen Drucken) werden nicht oder nur sehr unvollkommen übertragen. Während der Blasenentleerung, wenn die präganglionäre Aktivität hoch ist, bahnen die Ganglienzellen diese hochfrequenten Entladungen und beschleunigen auf diese Weise die Blasenentleerung. Die Bahnung der Erregungsübertragung hält für mehrere Minuten an. Diese Frequenzcharakteristik der ganglionären Übertragung trägt sowohl zur Kontinenz der Blase als auch zur Aufrechterhaltung gleichmäßiger Blasenkontraktionen während der Entleerung bei.

Sympathische Hemmung der Blase und der parasympathischen Ganglien. Nach Durchschneidung der sympathischen Fasern zur Blase sind die Spontankontraktionen und Reflexkontraktionen der Blase erhöht und die Blasenentleerungsschwelle erniedrigt (Abb. 26). Diese Befunde deuten darauf hin, daß der Sympathicus eine tonisch hemmende Kontrolle auf die Blasenaktivität ausübt.

Elektrophysiologische Untersuchungen zeigen, daß sympathische Fasern im *Nervus hypogastricus* die glatte Blasenmuskulatur (3 in Abb. 25) und die Erregungsübertragung in den parasympathischen Blasenganglien hemmen (4 in Abb. 25). Die Wirkung auf die glatte Muskulatur ist *β-adrenerg,* diejenige auf die postganglionären parasympathischen Neuronen *α-adrenerg.*

Die sympathischen Neurone zur Blase werden polysynaptisch durch Blasenafferenzen auf *spinaler Ebene* aktiviert (5 in Abb. 25). Bei niedrigen Blasendrucken, die unter der Entleerungsschwelle liegen, verbessert die sympathische Hemmung die Anpas-

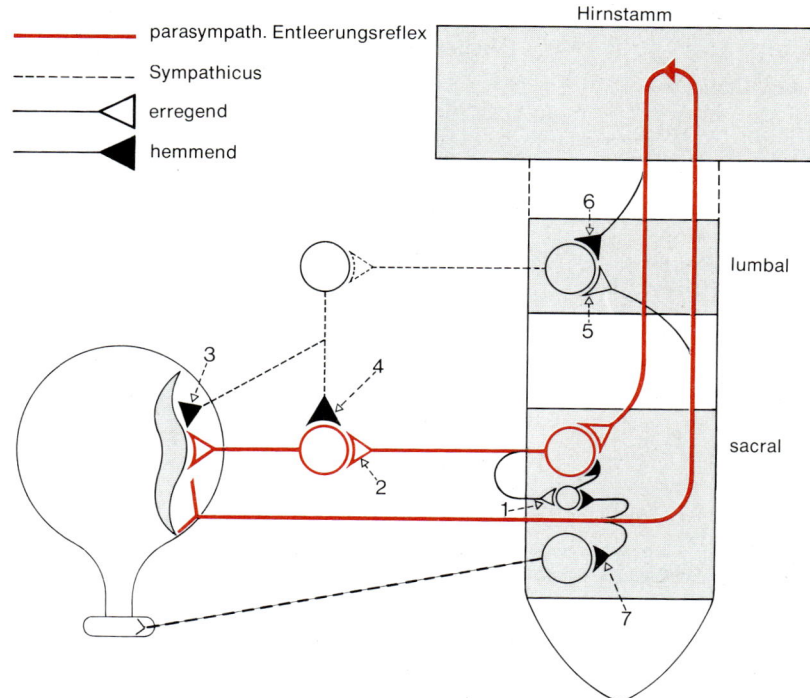

Abb. 25. Neuronale Hilfsmechanismen zur Aufrechterhaltung von Blasenkontinenz und Blasenentleerung. 1: recurrente Hemmung präganglionärer parasympathischer Neurone; 2: Facilitation ganglionärer Übertragung; 3: sympathische Hemmung glatter Blasenmuskelzellen (β-Wirkung); 4: sympathische Hemmung parasympathischer ganglionärer Übertragung (α-Wirkung); 5: Erregung präganglionärer sympathischer Neurone durch Blasenafferenzen auf spinaler Ebene; 6: Hemmung präganglionärer sympathischer Neurone von supraspinal; 7: Hemmung somatischer Motoneurone zum Sphincter externus durch Blasenafferenzen

sungsfähigkeit der Blase an größere Volumina, ohne daß es zur Blasenentleerung kommt. Setzt die Blasenentleerung ein, wird dieser spinale, sympathische, hemmende Reflex von supraspinal, höchstwahrscheinlich vom „pontinen Blasenentleerungszentrum" aus, gehemmt (6 in Abb. 25). Diese Hemmung des Sympathicus bewirkt eine *Enthemmung* an der glatten Blasenmuskulatur und in den parasympathischen Ganglien und fördert die Blasenentleerung. Der Sympathicus trägt nach diesen Befunden sowohl zur Kontinenz der Blase als auch zur Blasenentleerung bei.

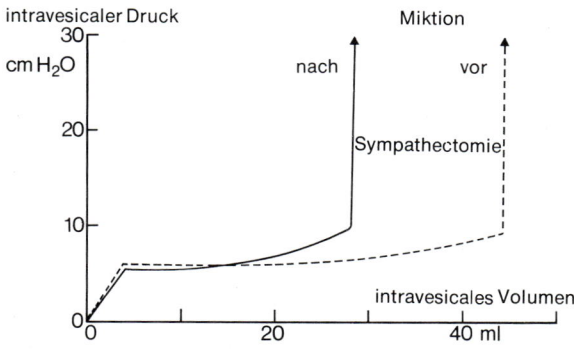

Abb. 26. Cystometrogramme und Miktionsschwellen vor und nach Sympathectomie. [Modifiziert nach Edvardsen: Acta physiol. scand. **72**, 172–182 (1968)]

Funktion des äußeren Blasensphincters. Der Sphincter externus verhindert, daß Urin aus der Blase unkontrolliert abfließt. Die somatischen Motoneurone, die den Sphincter externus innervieren, sind *tonisch* aktiv und halten auf diese Weise den Spincter in einem dauernden Kontraktionszustand. Die Öffnung dieses Sphincters erfolgt durch Hemmung der Motoneurone. Bei Kontraktion des Detrusor vesicae ist die spontane Aktivität und die Reflexaktivität der Motoneurone durch Aktivierung der Blasenafferenzen herabgesetzt (7 in Abb. 25). Es ist nicht bekannt, ob diese Hemmung spinal oder supraspinal vermittelt wird. Sekundäre Reflexe, die der Fluß des Urins durch die Urethra auslöst, mögen die Öffnung des externen Sphincters und die Kontraktion der Blase verstärken.

Zusammenfassung (Abb. 27). Die verschiedenen neuronalen Mechanismen, die eine effiziente Blasenkontinenz und Blasenentleerung ermöglichen, sind in Abb. 27 in einem Blockdiagramm zusammengefaßt. Man kann das Zusammenwirken dieser Mechanismen auf folgende Kurzformel bringen: Bei niedrigen Blasendrucken sind die postganglionären parasympathischen Neurone nicht oder nur sehr wenig erregt; diverse neuronale, z.T. hem-

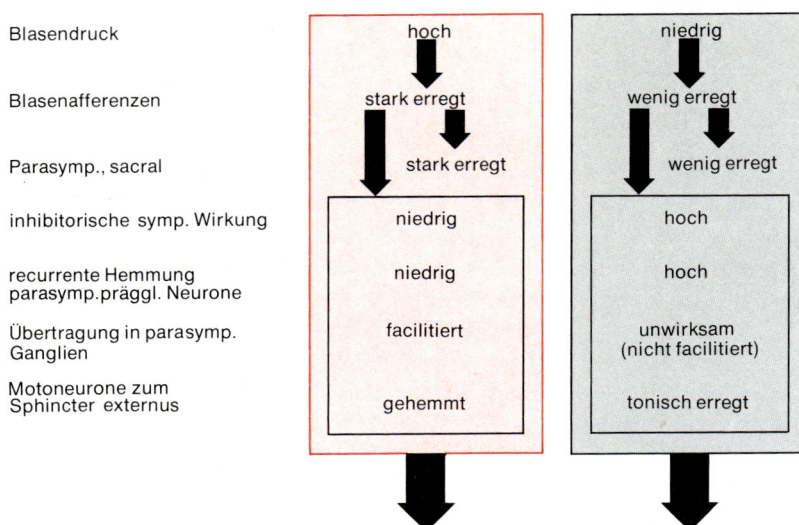

Abb. 27. Schema zum Zusammenwirken verschiedener neuronaler Faktoren für die Erzeugung von Blasenentleerung und Blasenkontinenz

mende Hilfsmechanismen (innerer rechter Kasten in Abb. 27) verhindern die Erregung des postganglionären Parasympathicus und der glatten Muskulatur und das Abfließen von Urin. Bei hohen Blasendrucken sind die postganglionären parasympathischen Neurone stark erregt, neuronale Hilfsmechanismen fördern diese Erregung und den Abfluß von Urin (innerer linker Kasten in Abb. 27).

5.5. Kontrolle der Blasenentleerung durch den oberen Hirnstamm und das Telencephalon

Blasenentleerung und -kontinenz unterliegen der modulierenden Kontrolle des oberen Hirnstammes, des Hypothalamus und des Großhirns. So induzieren psychologische, emotional negativ gefärbte Reize starke Blasenkontraktionen, die höhere Blasendrucke erzeugen können als Reize, die im Rahmen der normalen Blasenregulationen auftreten. Abb. 28 zeigt als Beispiel die Registrierung des intravesicalen Druckes eines Patienten in der Psychiatrie. Husten, Bauchpresse, Aufrichten und

Miktionsversuche erzeugen vergleichsweise niedrige Anstiege des intravesicalen Druckes; ein für den Patienten peinliches und unangenehmes psychiatrisches Interview erzeugt dagegen Blasendrucke, die bis zu fünfmal höher sind. Diese Effekte demonstrieren, daß die auf Hirnstamm- und Rückenmarksebene organisierte Blasenregelung durch das Cerebrum völlig überspielt werden kann.
Den modulierenden Einfluß vom oberen Hirnstamm und vom Cerebrum auf die neuronale Regelung der Blasenentleerung und Blasenkontinenz kann man experimentell an Tieren nachweisen. Durchschneidungen der Neuraxis (Decerebrierung) auf verschiedenen Hirnstammebenen (Abb. 29 (B)) führen zu sehr charakteristischen Änderungen der Schwelle der Blasenentleerung. Das Großhirn hat nach diesen Versuchen hemmende Wirkung, der hintere Hypothalamus fördernde Wirkung und das Mesencephalon hemmende Wirkung auf den Blasenentleerungsreflex (Abb. 29 (A)). Zweifelsohne sind diese Ergebnisse Vereinfachungen, die in Zukunft einer weit differenzierteren Kenntnis der neuronalen Kontrolle der Blasenentleerung, insbesondere vom Großhirn aus, weichen werden.
So wissen wir im einzelnen schon, daß der obere Frontalgyrus des Cortex nahe der Mittellinie und auf der medialen Hirnoberfläche eine ganz besondere Rolle in der neuronalen Kontrolle der Blase spielt. Pathologische oder chirurgische Schädigungen dieses Hirnbereiches führen zu komplexen Blasenentleerungsstörungen. Der Patient ist sich seiner vollen Blase nicht mehr bewußt und leidet unter Blaseninkontinenz, er hat Schwierigkeiten eine ein-

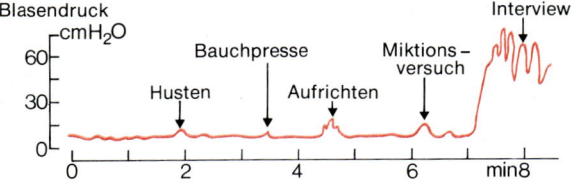

Abb. 28. Wirkung verschiedener Maßnahmen bei einem Patienten in der Psychiatrie auf den Blaseninnendruck. (Nach STRAUB u.Mitarb., in RUCH und PATTON [36])

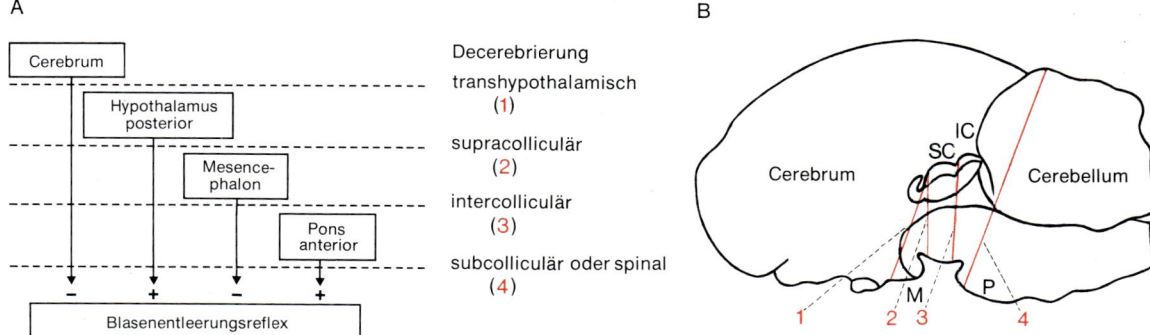

Abb. 29 A u. B. Wirkungen von Durchschneidungen der Neuraxis auf den Blasenentleerungsreflex; − Reflexschwelle erhöht; + Reflexschwelle erniedrigt. M Corpus mammillare; P Pons; CS Colliculus superior; CI Colliculus inferior. (Nach Ruch und Patton [36])

mal begonnene Blasenentleerung willkürlich anzuhalten. Reizexperimente zeigen, daß viele Hirnareale auf die Blasenentleerung Einfluß haben, wie z.B. die sensomotorischen Cortices I und II, der Gyrus cinguli anterior, der Cortex orbitalis, der Cortex piriformis und der Nucleus amygdalae.

6. Literatur

1. Bard, P., Macht, M.B.: The behaviour of chronically decerebrate cats. In: Wolstenholme, G.E.W., O'Connor, C.M. (Hrsg.): Ciba Foundation Symposium Neurological Basis of Behaviour, p. 55. London: Churchill 1958.
2. Bard, P., Rioch, D.Mc.K.: A study of four cats deprived of neocortex and additional portions of the forebrain. Bull. Johns Hopk. Hosp. 60, 73 (1937).
3. Broca, P.: Anatomie comparée des circonvolutions cérébrales. Le grand lobe limbique et la scissure limbique dans la série des mammifères. Rev. Anthrop. 1, 385 (1878).
4. Brodal, A.: Neurological anatomy in relation to clinical medicine, 2. Aufl. New York, London, Toronto: Oxford University Press 1969.
5. Bülbring, E.: Electrical activity in intestinal smooth muscle. Physiol. Rev. 42, Suppl. 5, 160 (1962).
6. Bülbring, E., Brading, A.F., Jones, A.W., Tomita, T. (Hrsg.): Smooth muscle. Baltimore: Williams & Wilkins 1970.
7. Burnstock, G.: Purinergic nerves. Pharmacol. Rev. 24, 509 (1972).
8. Carrier, O.: Pharmacology of the peripheral autonomic nervous system. Chicago: Year Book Medical Publishers 1972.
9. Darwin, C.: The expression of the emotions in man and animal. London: John Murray 1872.
10. Euler, U.S. von: Adrenal medullary secretion and it neural control. In: Martini, L., Ganong, W.F. (Hrsg.): Neuroendocrinology, Vol. II, p. 283. New York, London: Academic Press 1967.
11. Folkow, B., Neil, E.: Circulation. New York, London, Toronto: Oxford University Press 1971.
12. Fonberg, E.: Control of emotional behaviour through the hypothalamus and amygdaloid complex. In: Physiology, Emotion and Psychosomatic Illness, p. 131. Ciba Foundation Symposium 8 (new series). Amsterdam, London, New York: Elsevier, Associated Scientific Publishers 1972.
13. Furness, J.B., Costa, M.: The adrenergic innervation of the gastrointestinal tract. Ergebn. Physiol. 69, 1 (1974).
14. Goodman, L.S., Gilman, A. (Hrsg.): The pharmacological basis of therapeutics. New York, London, Toronto: Macmillan 1966.
15. Groat, W.C. de: Nervous control of the urinary bladder of the cat. Brain Res. 87, 201 (1975).
16. Grossman, S.P.: A textbook of physiological psychology. New York, London, Sydney: John Wiley & Sons 1967.
17. Halász, B.: The endocrine effects of isolation of the hypothalamus from the rest of the brain. In: Ganong, W.F., Martini, L. (Hrsg.) Frontiers in Neuroendocrinology, p. 307. London, Toronto: Oxford University Press 1969.
18. Haymaker, W., Anderson, E., Nauta, W.J.H. (Hrsg.): The Hypothalamus. Springfield/Ill.: Ch.C. Thomas 1969.
19. Herrick, C.J.: The brain of the tiger salamander Ambystoma tigrinum. Chicago, London: The University of Chicago Press 1948.
20. Hess, W.R.: Die funktionelle Organisation des vegetativen Nervensystems. Basel: Benno Schwabe 1948.
21. Hess, W.R.: Das Zwischenhirn. Basel: Benno Schwabe 1954.
22. Hinde, R.A.: Das Verhalten der Tiere, I, II. Frankfurt: Suhrkamp 1973.
23. Hockman, C.H. (Hrsg.): Limbic system mechanisms and autonomic function. Springfield/Ill.: Ch.C. Thomas 1972.
24. Holst, E. v.: Zur Verhaltensphysiologie bei Tieren und Menschen, Band I, II. München: Piper 1969.
25. Holst, E. v., St. Paul, U. v.: Vom Wirkungsgefüge der Triebe. Naturwissenschaften 47, 409 (1960).
26. Koizumi, K., Brooks, C.M.: The integration of autonomic reactions: a discussion of autonomic reflexes, their control and their association with somatic reactions. Ergebn. Physiol. 67, 1 (1972).
27. Kuhn, R.A.: Functional capacity of the isolated human spinal cord. Brain 73, 1 (1950).
28. Kuschinsky, G., Lüllmann, H.: Kurzes Lehrbuch der Pharmakologie. Stuttgart: Thieme 1974.
29. Lisander, B.: Factors influencing the autonomic component of the defence reaction. Acta physiol. scand. Suppl. 351, 1 (1970).
30. MacLean, P.D.: Psychosomatic disease and the "visceral brain". Recent developments bearing on the Papez theory of emotion. Psychosom. Med. 11, 338 (1949).
31. MacLean, P.D.: The triune brain, emotion and scientific bias. In: Intensive study program in the neurosciences, neurosciences research program, Chapter 23, p. 336. New York: Rockefeller University Press 1970.
32. Mountcastle, V.B.: Medical Physiology, 13. Ausgabe. Saint Louis: Mosby 1974.
33. Papez, J.W.: A proposed mechanism of emotion. Arch. Neurol. Psychiat. 38, 725 (1937).
34. Ruch, F.L., Zimbardo, P.G.: Lehrbuch der Psychologie. Berlin-Heidelberg-New York: Springer 1974.
35. Ruch, T.C.: Central control of the bladder. In: Handbook of Physiology, Section 1: Neurophysiology, Vol. II (Hrsg. J. Field), p. 1207. Washington, D.C.: American Physiological Society 1960.
36. Ruch, T.C., Patton, H.D.: Physiology and Biophysics. Philadelphia, London: Saunders 1965.
37. Rushmer, R.F.: Structure and function of the cardiovascular system. Philadelphia, London, Toronto: Saunders 1972.
38. Sato, A., Schmidt, R.F.: Somatosympathetic reflexes: afferent fibers, central pathways, discharge characteristics. Physiol. Rev. 53, 916 (1973).
39. Tinbergen, N.: Instinktlehre. Berlin, Hamburg: Paul Parey 1964.
40. Zanchetti, A., Bacelli, G., Mancia, G., Ellison, G.D.: Emotion and the cardiovascular system in the cat. In: Physiology, Emotion and Psychosomatic Illness, Ciba Foundation Symposium 8 (new series), p. 201. Amsterdam, London, New York: Elsevier, Exerpta Medica, North Holland, Associated Scientific Publishers 1972.

VIII. Integrative Funktionen des Zentralnervensystems (R.F. Schmidt)

1. Allgemeine Physiologie der Großhirnrinde

1.1. Funktionelle Histologie der Großhirnrinde

Neurone der Großhirnrinde, Schichtenanordnung.
Die Großhirnrinde ist eine dünne, vielfach gefaltete
Schicht neuronalen Gewebes, deren *Oberfläche* etwa
2 200 cm^2 beträgt (das entspricht einem Quadrat
von 47 cm $\times$ 47 cm) und deren *Dicke* in den verschiedenen Hirnabschnitten zwischen 1,3 und
4,5 mm schwankt. Ihr Volumen liegt bei 600 cm^3.
Sie enthält **10^9 bis 10^{10} Neurone** und eine große,
aber unbekannte Zahl von Gliazellen [5, 27, 29].
In der Rinde wechseln sich Schichten, die vorwiegend Zellkörper enthalten, mit solchen ab, in
denen vorwiegend Axone verlaufen, so daß die
frisch angeschnittene Rinde ein streifiges Aussehen zeigt. Typischerweise werden aufgrund der
Zellformen und ihrer Anordnungen **6 Schichten**
unterschieden, wobei manche in zwei und mehr
Unterschichten aufgeteilt werden (Abb. 1).

Mehr als 90% der Großhirnrinde gehören zu diesem *6schichtigen
Grundtypus*, der phylogenetisch erst bei Säugern auftritt und
daher als **Neocortex**, wegen seines Aufbaues auch als **Isocortex**
bezeichnet wird. Der phylogenetisch ältere *Allo-* oder *Paläo-*
oder *Archicortex* (Riechhirn, Hippocampus) hat einen anderen
Aufbau [2, 5, 20]. Beim *Isocortex* handelt es sich, von der Oberfläche nach der Tiefe gezählt, um folgende Schichten (Abb. 1):

I. Molekularschicht (Lamina molecularis). Sie ist reich an Fasern,
aber arm an Zellen. Die Fasern bilden einen dichten, tangential
zur Oberfläche verlaufenden Plexus.

II. Äußere Körnerschicht (Lamina granularis externa). Hier liegen
eng gepackt kleine Neurone unterschiedlichster Form, darunter
kleine Pyramidenzellen (Benennung nach ihrer Form). Die Nervenfasern laufen überwiegend tangential zur Oberfläche.

III. Äußere Pyramidenschicht (Lamina pyramidalis externa).
Hier finden sich überwiegend Pyramidenzellen mittlerer Größe.
Die größeren davon liegen in den tieferen Bereichen der Schicht.

IV. Innere Körnerschicht (Lamina granularis interna). Lose angeordnete kleine Neurone unterschiedlicher Größe sind hier
durchzogen von dicht gepackten, tangential zur Oberfläche verlaufenden Fasern.

V. Innere Pyramidenschicht (Lamina pyramidalis interna). Im
wesentlichen mittlere und große Pyramidenzellen. Besonders
groß im Gyrus praecentralis (*Betz*sche Riesenpyramidenzellen).

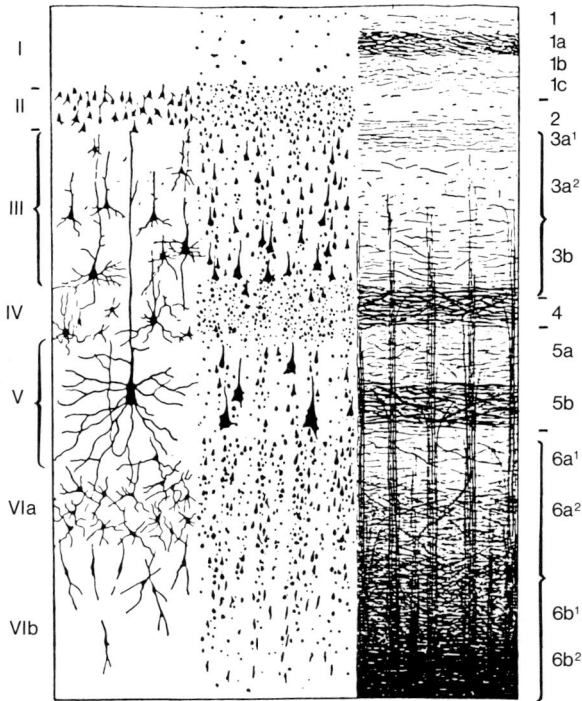

Abb. 1. Halbschematische Darstellung der Schichtenstruktur
der Großhirnrinde. Links aufgrund einer Golgi-Färbung, in der
Mitte nach einer Nissl-Färbung und rechts nach einem Mark-
scheidenpräparat. Die Numerierung der Schichten erfolgt von
der Oberfläche nach der Tiefe. Zwei gebräuchliche Numerierun-
gen sind angegeben. Bezeichnung der Schichten im Text. (Nach
BRODMANN und VOGT)

Wie bei allen Pyramidenzellen ziehen lange apicale Dendriten
bis zur Molekularschicht, während sich die basalen Dendriten
mehr oder weniger tangential zur Oberfläche ausbreiten.

VI. Spindelzellschicht (Lamina multiformis). Vorwiegend spin-
delförmige Neurone. Der innere Anteil dieser Schicht (VI b)
geht in die weiße Substanz über.

Entsprechend dieser Schichtung lassen sich auf-
grund der *Lage der Zellkörper* im Isocortex **drei
Klassen von Neuronen**, nämlich **Pyramidenzellen,
Körner-** oder **Sternzellen** und **Spindelzellen** unter-
scheiden, wobei die beiden ersteren zahlreiche
Unterklassen haben. Einige wichtige Verknüpfun-
gen dieser Neurone untereinander und mit anderen
Neuronen werden im Zusammenhang mit der
Abb. 4 besprochen.

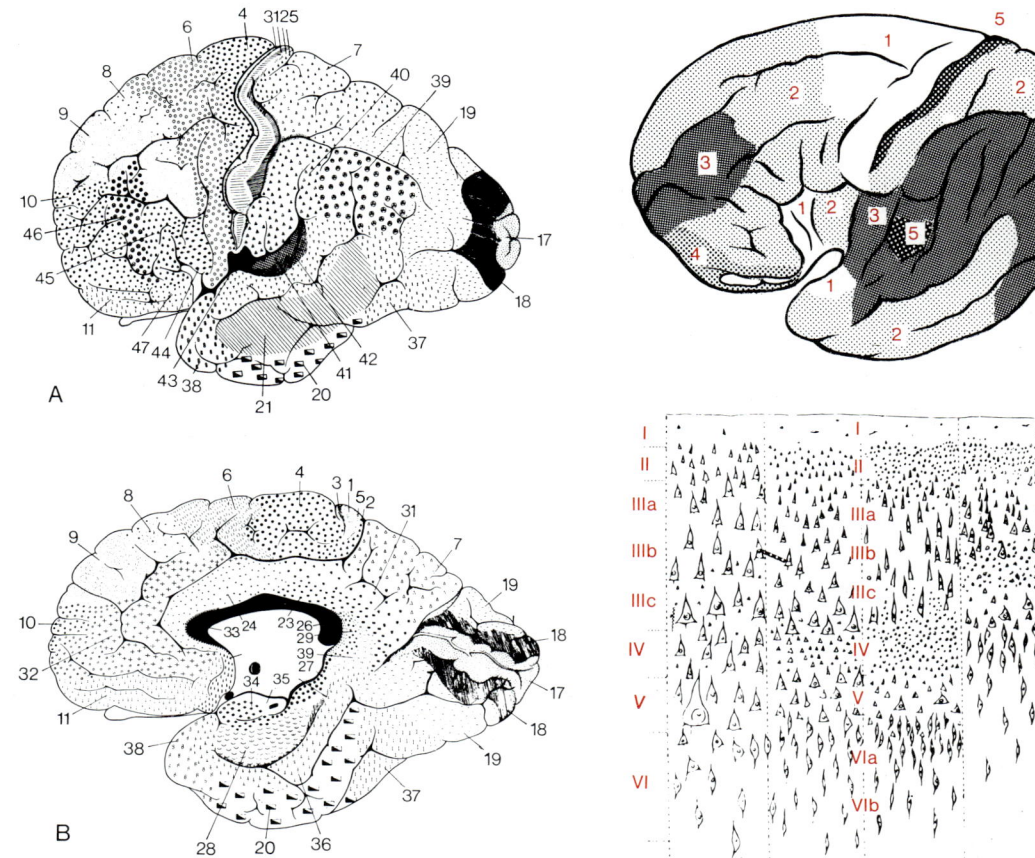

Abb. 2. Karte der cytoarchitektonischen Felder des menschlichen Cortex nach BRODMANN. Die verschiedenen Felder (Areale) sind durch unterschiedliche Symbole gekennzeichnet. Die Numerierung ist angegeben

Abb. 3. Grundtypen neocorticaler Cytoarchitektonik (unten) und deren Vorkommen auf der Großhirnrinde (oben). 2, 3, 4: homotyper Cortex; 1, 5: heterotyper Cortex, und zwar 1 agranulärer und 5 granulärer Cortex. (Nach VON ECONOMO)

Hirnkarten. Innerhalb der Großhirnrinde lassen sich klar abgrenzbare Unterschiede in der **Cytoarchitektonik,** das heißt der Dicke der sechs Schichten und der Dichte, Anordnung und Form der Neuronen erkennen. Aufgrund solcher cytoarchitektonischer Unterschiede hat BRODMANN die Großhirnrinde in etwa 50 Felder eingeteilt (Abb. 2). Andere Karten sind noch detaillierter (VON ECONOMO und VOGT [5]). In gewissem Umfang decken sich diese histologischen Hirnfelder mit denjenigen Arealen, denen aufgrund physiologischer Untersuchungen und klinischer Befunde bestimmte Funktionen zugeschrieben werden. Beispiele werden im Zusammenhang mit der Abb. 3 gegeben.

Unterschiede in der Anordnung der Nervenfasern, also der **Mye-loarchitektonik,** sind ebenfalls in Hirnkarten festgehalten worden. Diese decken sich insgesamt gut mit den cytoarchitektonischen Karten. Auch im Aufbau des Gefäßsystems, der **Angioarchitektonik,** der Anordnung, Art und Form der Gliazellen, **Gliaarchitektonik,** und der in den Zellen vorhandenen chemischen Substanzen, wie Enzyme und Überträgerstoffe, also der **Chemoarchitektonik,** finden sich Differenzen, die zur Charakterisierung der einzelnen Cortexareale herangezogen werden [2, 5].

Homotyper und heterotyper Isocortex. VON ECONOMO faßt die cytoarchitektonischen Hirnfelder in *fünf Grundtypen* zusammen (Abb. 3). Die Typen 2, 3 und 4 im unteren Diagramm der Abbildung enthalten, wenn auch in unterschiedlichem Ausmaß, alle 6 Schichten und werden daher **homotyp** genannt. Dagegen sind bei den Typen 1 und 5 nach Ausreifung des Cortex nicht alle Schichten klar nachweisbar, der Cortex ist **heterotyp.** Beim *heterotypen Cortex* von Typ 1 fehlen deutliche granuläre Schichten, also die II. und die IV. Schicht, beim Typ 5 sind gerade diese Schichten stark ausgeprägt, die Pyramidenzellschichten III und V aber kaum entwickelt. Typ 1 wird daher als **agranulärer Cortex,** Typ 5 als **granulärer Cortex** oder **Koniocortex** bezeichnet.

Der **agranuläre Cortex** kommt besonders in Bereichen vor, von denen *corticale Efferenzen* ihren Ausgang nehmen, also z.B. im Gyrus praecentralis und rostral davon (Abb. 3). Er kann daher als **Prototyp des motorischen Cortex** angesprochen werden. Umgekehrt findet sich der **granuläre** oder Koniocortex besonders in Arealen, in denen die großen sensorischen Bahnen enden. Man kann ihn daher als **Prototyp des sensorischen Cortex** klassifizieren. Der homotype Cortex, der beim Menschen ein weitaus größeres Areal einnimmt als die beiden heterotypen Cortices zusammen, ist zusammen mit subcorticalen Strukturen vor allem an denjenigen komplexen Prozessen beteiligt, die wir im weitesten Sinne als **geistige und psychische Prozesse** bezeichnen und die daher nur am Menschen genauer erforscht werden können (vgl. auch Abb. 27).

Faserverbindungen des Neocortex. Die afferenten und efferenten Verbindungen der Großhirnrinde können in vier Grundtypen eingeteilt werden (s. auch Abb. 4): Die **corticalen Efferenzen** (corticofugalen Fasern) ziehen a) als **Projektionsfasern** zu subcorticalen Strukturen (Beispiele: Tractus corticospinalis, corticopontine Bahnen, corticothalamische Bahnen, b) als **Assoziationsfasern** zu benachbarten und weiter entfernten corticalen Arealen *derselben Hemisphäre* und c) als **Commissurenfasern** zu corticalen Arealen der *contralateralen Hemisphäre*. Die weit überwiegende Mehrzahl der Commissurenfasern kreuzt im *Balken* (Corpus callosum, s. auch 3.2). Ihre Anzahl ist groß. So enthält in der Katze jeder Quadratmillimeter des Balkens etwa 700 000 Fasern.

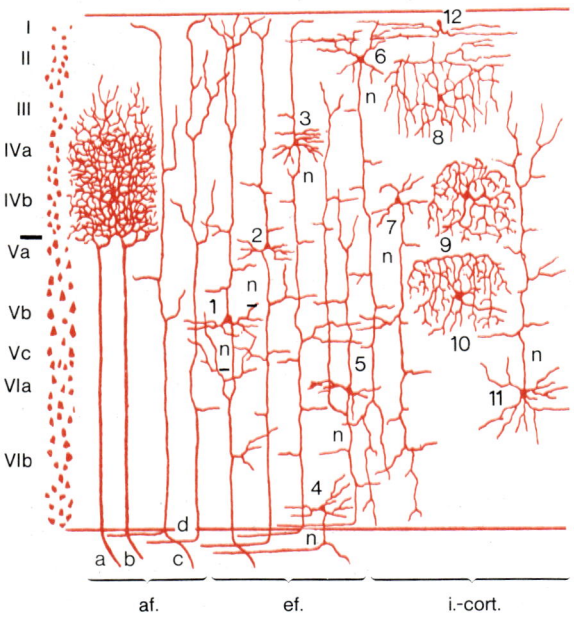

Abb. 4. Schematische Darstellung der an corticalen Schaltkreisen beteiligten Neurone. Die in die Rinde eintretenden Fasern sind mit a bis d bezeichnet und als afferent (af.) zusammengefaßt. Ihre Herkunft wird im Text besprochen. Neurone 1 bis 5 sind efferente Neurone (ef.), ihre Axone verlassen den Cortex. Die Axone der übrigen Zelltypen enden intracortical (i.-cort.). Die Neurite (Axone) der Zellen sind mit n gekennzeichnet. (Nach Lorente de Nó aus [5])

Die **corticalen Afferenzen** (corticopetale Fasern) sind einmal die eben erwähnten *Assoziations- und Commissurenfasern* aus anderen Rindengebieten und dazu die **thalamocorticalen Fasern,** die die überwiegende, wenn nicht ausschließliche Afferenz aus subcorticalen Strukturen bilden. (Es gibt Anhaltspunkte, daß aus retikulären Strukturen corticopetale Fasern ohne Umschaltung im Thalamus zur Rinde ziehen, doch sind diese Befunde noch umstritten.)

Corticale Schaltkreise. In VI-5.2 wurde bereits an Hand des motorischen Cortex das Konzept histologischer und funktioneller *corticaler Säulen* erläutert. Es sagt aus, daß die Informationsverarbeitung in der Hirnrinde im wesentlichen in senkrecht zur Oberfläche ausgerichteten Schaltkreisen erfolgt, wobei einschränkend gesagt werden muß, daß die Analyse solcher corticaler Schaltkreise bei weitem noch nicht so weit fortgeschritten ist wie z.B. bei bestimmten Schaltkreisen des Rückenmarks (Abb. VI-7 bis 10) oder wie im cerebellären Cortex (Abb. VI-17 und 18), so daß nur eine sehr allgemeine Darstellung gegeben werden kann (Abb. 4).

Grob schematisch können im Cortex aufgrund des Verlaufs der Axone **vier Gruppen von Neuronen** gegeneinander abgegrenzt werden. Als erste Gruppe diejenigen Zellen, deren Axone die Rinde als corticofugale Fasern (s.o.) verlassen (Zellen 1 bis 5 in Abb. 4). Eine zweite Gruppe hat kurze Axone, die in unmittelbarer Nähe des Somas enden (Zellen 8 bis 10 in Abb. 4). Eine dritte Gruppe sendet ihre Axone zur Oberfläche der Hirnrinde, wobei sich Collateralen zu einer oder mehreren Hirnschichten abzweigen (Zelle 11 in Abb. 4). Bei der letzten Gruppe von Neuronen (Zelle 12 in Abb. 4) verlaufen die Axone im wesentlichen horizontal.

Von den **corticopetalen Fasern** (links in Abb. 4) enden die *thalamocorticalen Fasern der direkten sensorischen Bahnen* (spezifische thalamocorticale Afferenzen) in dichten Plexus in Lamina IV (innere Körnerschicht), ohne vorher Collateralen zu anderen Rindenschichten abzugeben (Fasern a, b in Abb. 4). Andere thalamocorticale Fasern enden, wie Faser c zeigt, in Lamina I und geben vorher zahlreiche Collateralen ab. Diese Fasern werden oft als „unspezifisch" bezeichnet. Auch die *Assoziations- und Commissurenfasern* (Faser d in Abb. 4) ziehen durch alle Schichten. Ihre Endigungen liegen aber meist in den oberen vier Schichten, vor allem in Laminae II und III.

In bezug auf die **Richtung der Informationsverarbeitung** im Cortex kann man bei Betrachtung der Endigungsgebiete der afferenten Fasern a bis d in Abb. 4 vereinfachend sagen, daß die **oberflächlichen Schichten I bis IV** vor allem der **Reception und Verarbeitung** corticopetaler Information dienen. Insbesondere die innere Körnerschicht, Lamina IV, die im granulären Cortex der direkten sensorischen Projektionsgebiete besonders ausgeprägt ist (Abb. 3), scheint bevorzugte Endstation corticopetaler Afferenzen zu sein (Abb. 4, links). Umgekehrt liegen die Neurone der wichtigsten *corticalen Efferenzen* mehr in den tieferen Schichten (Zellen 1, 2, 4, 5 in Abb. 4), so z.B. die Pyramidenzellen in Lamina V, so daß insgesamt die **tiefen Schichten V und VI** als **Ursprungsgebiete der corticalen Efferenzen** angesprochen werden können. Die Verarbeitung der in die Rinde einströmenden Information erfolgt also durch **Schaltkreise,** die im wesentlichen von der Cortexoberfläche senkrecht in die Tiefe organisiert sind (Konzept der funktionellen corticalen Säulen, s.o.). Querverbindungen horizontal zur Oberfläche (Neuron 12 in Abb. 4) scheinen intracortical nur eine geringe Rolle zu spielen. Dies scheint vor allem Aufgabe der Associationsfasern zu sein.

Diese Darstellung der Verschaltung corticaler Neurone läßt die meisten Fragen noch offen. Ohne Zweifel kommt z.B. der regelmäßigen corticalen Schichtung (Abb. 1) und ihrer unterschiedlichen Ausprägung in den verschiedenen Arealen des Cortex mit starker Bevorzugung bestimmter Schichten in einzelnen Arealen (Abb. 2, 3) große funktionelle Bedeutung zu, ohne daß wir diese Zusammenhänge derzeit genügend klar erkennen können. So ist zwar auffallend, daß in den sensorischen Arealen der granuläre Cortex überwiegt, während in den motorischen Arealen der agranuläre Cortex mit dicken Pyramidenzellschichten anzutreffen ist, aber mehr als einige recht allgemeine, oben bereits angesprochene Schlußfolgerungen lassen sich derzeit daraus nicht ziehen. Fortschritte in dieser Hinsicht sind vor allem von der weiteren Anwendung elektrophysiologischer Mikromethoden (s.u. 1.2) und ihrer Kombination mit histologischen Untersuchungen zu erwarten.

1.2. Elektrophysiologische Korrelate corticaler Aktivität

Eigenschaften corticaler Neurone. Ähnlich wie von Motoneuronen wurden auch von Neuronen des Neocortex und des Hippocampus intracelluläre Ableitungen mit Mikroelektroden durchgeführt, mit dem Ergebnis, daß die **biophysikalischen Eigenschaften** der corticalen Neurone durchaus mit denen der Motoneurone vergleichbar sind. So liegen die **Ruhepotentiale** von großen und kleinen Pyramidenzellen des motorischen Cortex der Katze bei -60 bis -80 mV und die Amplitude der **Aktionspotentiale** beträgt, bei einer Dauer von 0,5–2 ms, 60–100 mV. Die Aktionspotentiale starten am *Axonhügel* der Zellen und breiten sich von dort sowohl nach peripher als auch über Soma und Dendriten aus. **Membranzeitkonstanten und -widerstände,** soweit untersucht, liegen ebenfalls in Größenordnungen, die mit denen bei spinalen Neuronen vergleichbar sind. Synaptisch induzierte oder durch Stromapplikation erzwungene Membrandepolarisationen über die Schwelle führen zu repetitiven Entladungen, deren Frequenzen vom Ausmaß der Depolarisationen abhängen. Auch hier findet sich eine durchgehende Parallelität zu den Befunden an Motoneuronen. Den bioelektrischen Phänomenen corticaler Neurone liegen also die gleichen Mechanismen zugrunde, wie sie an Neuronen tiefer liegender Strukturen gefunden wurden. Soweit Abweichungen in den bioelektrischen Eigenschaften beobachtbar sind, lassen sie sich weitgehend auf Unterschiede in der geometrischen Struktur zurückführen [12, 27].

Synaptische Aktivität corticaler Neurone. Verglichen mit den in Kapitel III ausführlich vorgestellten motoneuronalen postsynaptischen Potentialen (s. auch Abb. III-8 und 9) sind die corticalen Potentiale durchweg länger. **Erregende postsynaptische Potentiale** haben oft eine Anstiegszeit von mehreren Millisekunden und eine Abfallzeit von 10–30 ms, während **hemmende postsynaptische Potentiale** meist noch länger, nämlich 70–150 ms dauern. Spontane corticale erregende postsynaptische Potentiale kommen einzeln, häufig aber auch in Gruppen vor, die sich zu großen depolarisierenden Wellen aufsummieren können. Vom selben Neuron können häufig erregende postsynaptische Potentiale unterschiedlicher Anstiegssteilheit registriert werden, die wahrscheinlich an synaptischen Strukturen entstehen, die verschieden weit von der Ableitelektrode entfernt sind. Hemmende postsynaptische Potentiale sind im spontan aktiven Cortex seltener als erregende und dann von kleiner Amplitude. Dagegen können nach Aktivierung corticopetaler sensorischer Bahnen häufig große und langdauernde hemmende postsynaptische Potentiale entweder isoliert oder im Anschluß an erregende synaptische Potentiale registriert werden. Die Frequenz der durch **postsynaptische Potentiale ausgelösten corticalen Impulsaktivität** ist niedrig, auch an wachen Tieren. Sie liegt meist unter 10 Hz und nicht selten unter 1 Hz: Das Ruhepotential corticaler Zellen schwankt meist 3–10 mV unterhalb der Schwelle [6].

Elektrocorticogramme. Leitet man zwischen zwei auf die Oberfläche der Hirnrinde aufgelegten Elektroden oder zwischen einer solchen und einer indifferenten, entfernteren Elektrode (etwa am Ohrläppchen) ab, so lassen sich beim Menschen (Abb. 5) und anderen Vertebraten kontinuierliche *Potentialschwankungen* ableiten, die als **Elektrocorticogramme, ECoG,** bezeichnet werden. Ihre Frequenzen liegen zwischen 1 und 50 Hz und die Amplituden in der Größenordnung von 100 μV und mehr (Abb. 5).

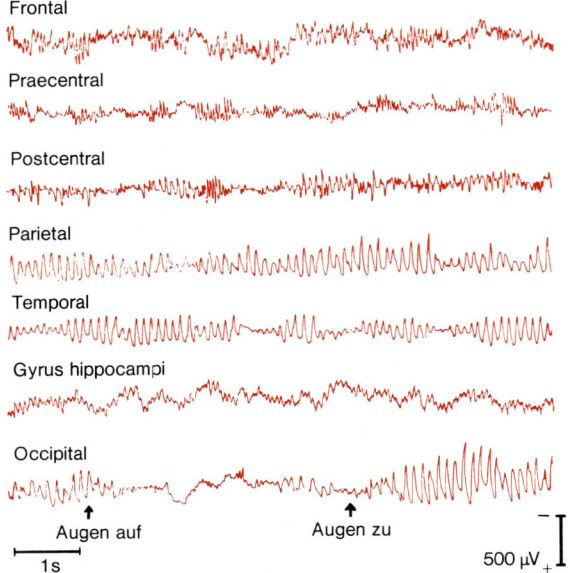

Frontal

Praecentral

Postcentral

Parietal

Temporal

Gyrus hippocampi

Occipital

↑ Augen auf   ↑ Augen zu

1s   500 µV

Abb. 5. Elektrocorticogramme des ruhenden, wachen Menschen, abgeleitet von den angegebenen Cortexarealen mit bipolaren Silberchlorid-Pinsel-Elektroden. Der α-Grundrhythmus überwiegt im occipitalen, temporalen und gesamten parietalen Cortex mit Ausnahme des Gyrus postcentralis. Schnellere Aktivität findet sich in den mehr frontalen Regionen, mit einem relativ reinen β-Rhythmus im Gyrus praecentralis. Der occipitale α-Rhythmus wird durch Öffnen der Augen blockiert (vgl. auch Abb. 8). (Aus PENFIELD und JASPER [30])

Unter normalen Bedingungen hängen **Frequenz und Amplitude des ECoG** im wesentlichen ab von der Tierart, dem Ableitort (Abb. 5) und dem Wachheitsgrad. **Beim Menschen** herrschen im wachen, aber entspannten Zustand langsame Wellen von 8–13 Hz vor, die besonders über dem Occipitalhirn deutlich ausgeprägt sind und als **α-Wellen** bezeichnet werden (Abb. 5). Öffnen der Augen (unterste Ableitung in Abb. 5) bringt die α-Wellen zum Verschwinden (**α-Blockade**) und es treten hochfrequentere **β-Wellen** (14–30 Hz) niedrigerer Amplitude auf. (Für weitere Einzelheiten der Phänomenologie s. 1.3.)

Entstehung des ECoG. Im ECoG spiegelt sich im wesentlichen die **postsynaptische Aktivität der corticalen Neurone** wider, nicht die fortgeleitete Impulsaktivität dieser Zellen und auch nicht Aktivitäten corticaler Gliazellen. Dies ist das Ergebnis zahlreicher Experimente, bei denen das ECoG simultan mit intra- und extracellulären Ableitungen corticaler Neurone registriert wurde.

Vereinfachend kann gesagt werden, daß eine *positive Potentialschwankung* auf der Cortexoberfläche entweder durch erregende postsynaptische Potentiale in den tieferen Schichten des Cortex oder durch hemmende postsynaptische Potentiale in den ober-

flächlichen Schichten verursacht wird, während umgekehrt eine *negative Potentialschwankung* durch die jeweils entgegengesetzte synaptische Aktivität in den betreffenden corticalen Schichten ausgelöst wird [6].

Die rhythmische Aktivität des Cortex, insbesondere der α-Rhythmus, ist weitgehend durch die Tätigkeit tiefer liegender Strukturen, insbesondere des **Thalamus** induziert (Abb. 6). Einseitige Ausschaltung des Thalamus oder Deafferenzierung des Cortex (isoliertes Cortexareal) bringt ipsilateral die α-Wellen zum Verschwinden (Abb. 6 (A, B)), während umgekehrt Decortizierung die rhythmische Aktivität des Thalamus praktisch unverändert läßt. Intrathalamische Ableitungen weisen auf die Existenz multipler **thalamischer Schrittmacher** hin (Abb. 6(C)), die durch entsprechende erregende und hemmende Verknüpfungen in der Lage sind, rhythmische Aktivität zu induzieren und zu unterhalten. Sie werden ihrerseits durch thalamopetale Einflüsse in ihrer Tätigkeit modifiziert. Insbesondere **retikuläre Strukturen** wirken *rhythmusbildend (synchronisierend)* und

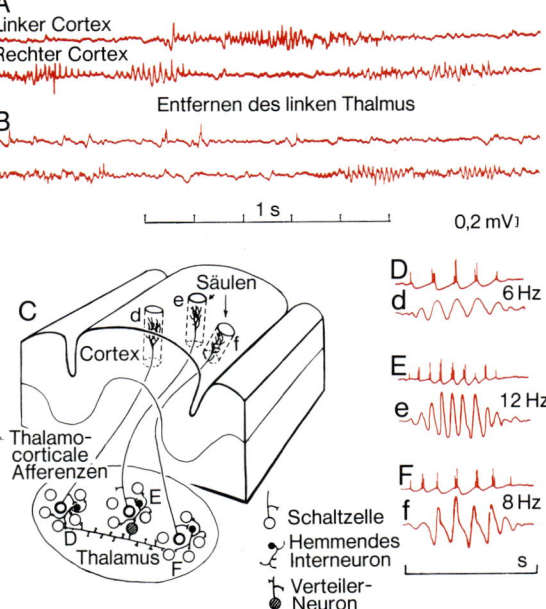

A
Linker Cortex
Rechter Cortex

Entfernen des linken Thalamus

B

1 s   0,2 mV

C Cortex Säulen d e f

Thalamo-corticale Afferenzen

Thalamus

○ Schaltzelle
● Hemmendes Interneuron
⊤ Verteiler-Neuron

D
d   6 Hz
E
e   12 Hz
F
f   8 Hz
s

Abb. 6 A–F. Thalamischer Ursprung des α-Grundrhythmus. (A) Ableitung der Elektrocorticogramme vom linken und rechten motorischen Cortex der Katze. (B) Wie (A), jedoch nach Absaugen des linken Thalamus. Die rhythmische Grundaktivität (α-Spindeln in Barbituratnarkose) ist links verschwunden, rechts unverändert. (C) Modell der Verschaltung thalamischer Schrittmacher-Areale mit dem Cortex (Produktion von (D), (E), (F) nach d, e, f) und untereinander. Die einzelnen Areale sind über „Verteiler-Neurone" miteinander verknüpft. Die Dauer und Intensität der hemmenden Rückkopplung innerhalb der einzelnen Schrittmacher-Gruppen bestimmt den Grundrhythmus der thalamischen Entladungen ((D), (E), (F) rechts, obere Ableitung) und der dadurch induzierten Elektrocorticogramme d, e, f (rechts, untere Ableitung). (Nach ANDERSEN und ANDERSSON [1, 6])

rhythmushemmend (desynchronisierend) auf den Thalamus ein, wie im Abschnitt 2 bei der Besprechung des Schlaf-Wach-Cyclus näher ausgeführt wird [1].

Evocierte Potentiale. Diejenigen elektrischen Potentialschwankungen, die sich im Zentralnervensystem ableiten lassen als Antwort auf eine Reizung von Receptoren, von peripheren Nerven, von sensorischen Bahnen oder Kernen oder von anderen zentralen Strukturen (z.B. Kernen, Bahnen, corticalen Arealen), werden als **evocierte Potentiale** bezeichnet (Abb. 7). So können nach peripherer Reizung von den sensomotorischen Rindenarealen (SmI, SmII) langsame, positiv-negative Potentialschwankungen registriert werden (Abb. 7(A, B)), die als **primär evocierte Potentiale** bezeichnet werden. Solche Potentiale dienen z.B. der Erforschung der somatotopischen Zusammenhänge zwischen Cortex und Peripherie oder dem Studium der Beziehung zwischen Reizstärke in der Peripherie und corticalem Antwortverhalten. Evocierte Potentiale können auch innerhalb des Zentralnervensystems Aussagen über die Verknüpfung zwischen zentralen Strukturen, z.B. über die corticalen Assoziations- und Commissurenfasern, möglich machen [6, 2, 37].

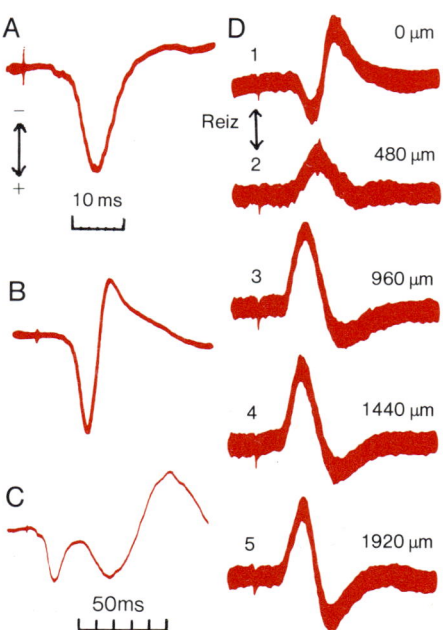

Abb. 7A–D. Evocierte Potentiale vom Cortex der Katze. (A) Primär evociertes Potential von der Oberfläche des primären somatosensorischen Cortex. (B) Primär evociertes Potential von der Oberfläche des sekundären somatosensorischen Cortex. (C) Primär evociertes und langsamere (sekundäre) evocierte Potentiale vom Ableitort A. (D) Veränderung des evocierten Potentials bei Ableitung von der Oberfläche (1) und bei Einführen der Mikroelektrode in die angegebenen Tiefen von der Cortexoberfläche in Schritten von 480 μm (2–5). Das evocierte Potential ändert Polarität und Latenz. (Aus RUCH et al. [37])

Bezüglich des **Mechanismus der Entstehung evocierter Potentiale** herrscht weitgehend Einigkeit, daß sie, ähnlich wie die Wellen des Elektrocorticogramms, im wesentlichen die *synaptische Aktivität,* nicht die Impulsaktivität der Neurone widerspiegeln. So zeigt beispielsweise die Änderung der evocierten Potentiale bei Vordringen einer Mikroelektrode von der Cortexoberfläche in tiefere Rindenschichten (Abb. 7(D)), nämlich das Verschwinden der initialen positiven Komponente zugunsten einer initial negativen mit kürzerer Latenz, daß insbesondere die Neurone der äußeren Körnerschicht während dieser Zeit depolarisiert, d.h. durch den afferenten Zustrom erregt werden, wie dies nach dem unter 1.1 Gesagten auch zu erwarten ist.

Mit Elektroden auf der Haut des Schädels können **beim wachen Menschen** normalerweise keine einzelnen evocierten Potentiale abgeleitet werden, da diese sich nicht genügend von der Spontanaktivität des Elektroencephalogramms (s. 1.3) abheben. Werden jedoch die peripheren Reize mehrfach wiederholt und werden die nachfolgenden Potentialschwankungen einem Rechner zur Mittelwertbildung zugeführt, so heben sich die **gemittelten evocierten Potentiale** deutlich vom Hintergrund der Spontanaktivität ab. Auf diese Weise lassen sich evocierte Potentiale gewinnen, die auch zu klinisch-diagnostischen Zwecken, beispielsweise zur Objektivierung und zur Verlaufskontrolle bestimmter Formen von Schwerhörigkeit, eingesetzt werden können. Auch die durch Konditionierung (Erwartungspotential, s. VI-5.6) und bei der Einleitung von Willkürbewegungen (Bereitschaftspotential, Abb. VI-28) evocierten Potentiale sind nur über Mittelung zahlreicher Einzelpotentiale darstellbar.

Corticale Gleichspannungspotentiale. Normalerweise kann zwischen der corticalen Oberfläche und der darunterliegenden weißen Substanz oder einer entfernt liegenden Referenzelektrode eine Gleichspannungsdifferenz von mehreren Millivolt (Oberfläche negativ) abgeleitet werden. Dieses **corticale Gleichspannungs- oder Bestandspotential** weist aber ebenfalls *Schwankungen,* wenn auch von wesentlich geringerer Frequenz als der des ECoG, auf. So wird z.B. die Cortexoberfläche beim Übergang in den Schlaf positiver, während umgekehrt Weckreaktionen ebenso wie Aktivitätssteigerungen des wachen Tieres mit einer Negativierung der Oberfläche einhergehen. Auch führen lokalisierte oder generalisierte Krampfentladungen und Störungen der Atemgasversorgung (O_2-Mangel, CO_2-Überschuß) zu charakteristischen Gleichspannungsänderungen, aus deren Zeitverlauf und Polarität auch prognostische Schlüsse über die Reversibilität der corticalen Schädigung möglich sind. Leider ist die **klinisch-diagnostische Nutzung** dieser Erkenntnisse schwer möglich, da eine routinemäßige Ableitung von Gleichspannungspotentialen wegen der zahlreichen Störmöglichkeiten (vor allem Elektrodenpotentiale unbekannter Herkunft) technisch kaum zu realisieren ist [6, 12, 28].

Über den **Ursprung der corticalen Gleichspannungspotentiale** gibt es noch keine einheitliche Vorstellung. Denjenigen Spannungsverschiebungen, die z.B. im Rahmen der Schlaf-Wach-Periodik auftreten, liegen sehr wahrscheinlich Änderungen der

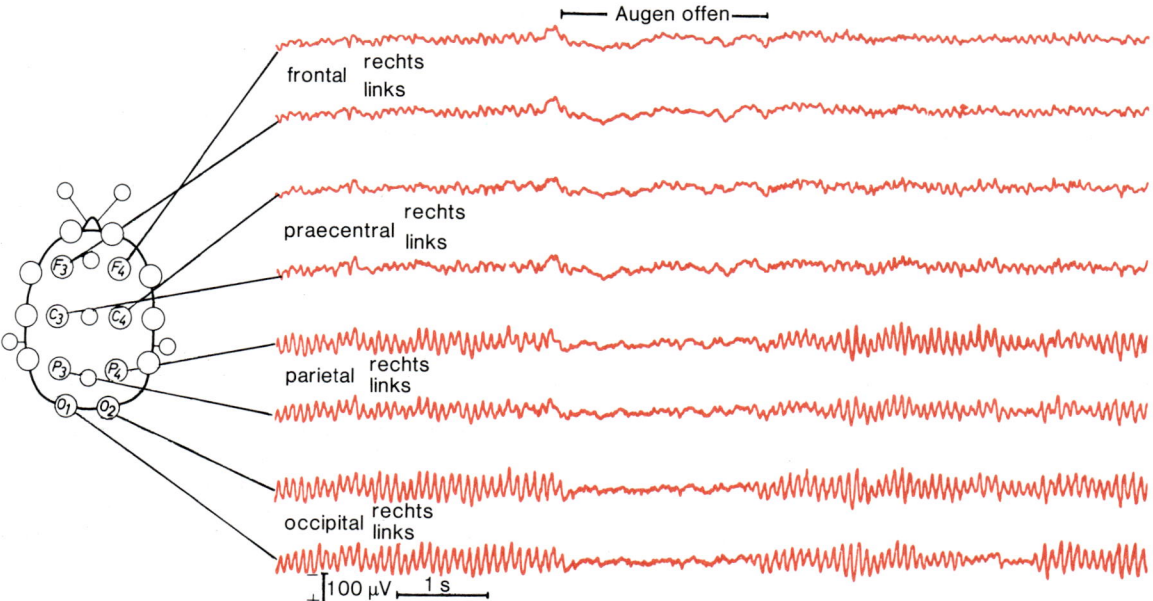

Abb. 8. Normales EEG des ruhenden, wachen Menschen. Simultane, achtkanalige, unipolare Ableitung von den angegebenen Orten auf der Schädeldecke. Öffnen der Augen blockiert den α-Rhythmus. Vergleiche mit Abb. 5. (Nach JUNG)

Membranpotentiale corticaler Neurone zugrunde. Auch bei den anderen, eben aufgeführten Ursachen corticaler Spannungsänderungen sind wahrscheinlich neuronale Strukturen beteiligt, doch kommen als Generatoren auch Potentialdifferenzen an der Blut-Hirn-Schranke, an den Meningen oder an den Gliazellen in Betracht [6, 12, 28].

1.3. Das Elektroencephalogramm (EEG)

Definition, Entstehungsmechanismus. Nicht nur von der Oberfläche des freigelegten Cortex (Elektrocorticogramm, s.o.), sondern auch von der *unverletzten Kopfhaut der Schädeldecke* lassen sich glatte, kontinuierliche Potentialschwankungen ableiten, die als **Elektroencephalogramm** (synonym: Elektrencephalogramm) abgekürzt **EEG,** bezeichnet werden. Diese Möglichkeit, die elektrische Hirnaktivität des Menschen zu registrieren, wurde von HANS BERGER entdeckt, der zwischen 1929 und 1938 die Grundlagen für die klinischen und experimentellen Anwendungen dieser Methode legte. Die **Bedingungen bei der Ableitung** entsprechen im wesentlichen denen bei der Ableitung des Elektrocorticogramms. Es kommt allerdings durch den elektrischen Widerstand der zwischen Gehirnoberfläche und Elektroden liegenden Gewebe zu einer Verkleinerung der Amplitude der Potentialschwankungen und durch die größere Entfernung der Ableitelektroden von den Potentialgeneratoren (und damit der Ableitung von einem etwas größeren corticalen Areal) zu

einem „Ausmitteln" der schnelleren Potentialschwankungen. Das EEG ist also gegenüber dem ECoG von kleinerer Amplitude und etwas niederfrequenter. Ansonsten sei für den **Entstehungsmechanismus des EEG** auf die entsprechenden Ausführungen über die Entstehung des ECoG (s. S. 150) verwiesen.

Ableitung und Auswertung des EEG. Das Registrieren des EEG ist ein international angewandtes Routineverfahren in der neurologischen Diagnostik. Um Vergleiche zu ermöglichen, sind daher die Lage der Ableitelektroden (Abb. 8, links) und die Ableitbedingungen (Schreibgeschwindigkeiten, Zeitkonstanten und Filter des Verstärkersystems) **weitgehend standardisiert** worden [34]. Das EEG wird dabei entweder **bipolar,** d.h. zwischen zwei auf dem Schädeldach aufgebrachten Elektroden, oder **unipolar** zwischen einer *differenten* Elektrode auf der Kopfschwarte und einer entfernt liegenden *indifferenten* Elektrode (z.B. Ohrläppchen) abgeleitet (Abb. 8). Die **Auswertung** konzentriert sich vor allem auf Frequenz, Amplitude, Form, Verteilung und Häufigkeit der im EEG enthaltenen Wellen. Sie kann „von Hand" oder auch mit Hilfe analog und digital arbeitender Analysatoren erfolgen. Ein Beispiel zeigt Abb. 9. Für Einzelheiten wird auf die Literatur verwiesen [34].

Formen des EEG; diagnostische Bedeutung. Bei der Besprechung des ECoG (Abb. 5) wurde schon erwähnt, daß beim *gesunden Erwachsenen* in Ruhe

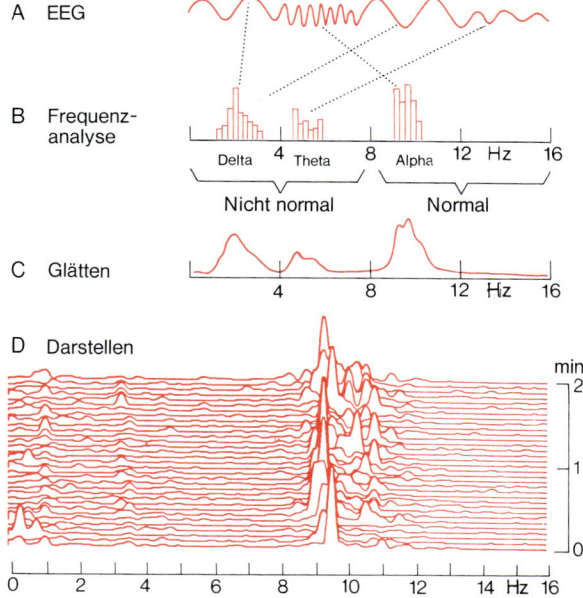

A EEG

B Frequenz-
analyse

Delta 4 Theta 8 Alpha 12 Hz 16

Nicht normal   Normal

C Glätten

4   8   12 Hz 16

D Darstellen

min
2

1

0

0   2   4   6   8   10   12   14 Hz 16

Abb. 9 A–D. Rechner-unterstützte Analyse des EEG. Vier Sekunden lange Abschnitte einer EEG-Aufnahme (A) werden elektronisch in die in ihr enthaltenen Frequenzkomponenten zerlegt (Fourier-Analyse, (B)) und nach Glättung (C) in von unten nach oben angeordneten Kurven dargestellt (D). Es entsteht das Bild einer „EEG-Landschaft", das einen plastischen Eindruck gibt sowohl von den in der Ableitung enthaltenen Frequenzkomponenten (von links nach rechts aufgetragen, hier in (D) der α-Rhythmus einer normalen Versuchsperson), als auch von deren zeitlichem Verhalten (von unten nach oben aufgetragen). [Aus BICKFORD, R.: J. Altered States Consciousness **1**, 49 (1973)]

und bei geschlossenen Augen der **α-Grundrhythmus** (Alpha-Wellen, 8–13 Hz, durchschnittlich 10 Hz) vorherrscht, der occipital besonders stark ausgeprägt ist (*synchronisiertes EEG,* Abb. 8). Beim Öffnen der Augen und bei anderen Sinnesreizen oder bei geistiger Tätigkeit verschwinden die α-Wellen **(Alpha-Blockade)** und es treten hochfrequentere **β-Wellen** (Beta-Wellen, 14–30 Hz, durchschnittlich 20 Hz) kleinerer Amplitude auf: das EEG wird *desynchronisiert* (Abb. 8). Andere, d.h. deutlich lang-

samere Wellenformen größerer Amplitude (Abb. 10, links), wie die **ϑ-Wellen** (Theta-Wellen, 4–7 Hz, durchschnittlich 6 Hz) und die **δ-Wellen** (Delta-Wellen, 0,3–3,5 Hz, durchschnittlich 3 Hz) kommen beim *Erwachsenen im Wachzustand* normalerweise nicht vor. Im *Kindes- und Jugendalter* ist dagegen das EEG langsamer und unregelmäßiger, so daß hier auch im Wachzustand δ-Wellen auftreten. Sonst werden langsame Wellen beim Gesunden nur im Schlaf beobachtet (s. 2.2).

Für die *klinische Bedeutung* des EEG werden hier nur einige Beispiele angeführt [33, 34]. So zeigt Abb. 10 rechts eine Reihe von *Krampfpotentialen,* wie sie vor allem bei Epilepsie vorkommen. Andere Allgemeinveränderungen, wie *Verlangsamungen und Unregelmäßigkeiten des Kurvenbildes,* treten bei diffusen organischen Hirnkrankheiten, nach Hirntraumen und bei Stoffwechselintoxikationen (Koma) auf. Auch Tumoren führen häufig zu (umschriebenen) EEG-Veränderungen. Daneben ist zu beachten, daß viele Medikamente, besonders Psychopharmaka, das EEG beeinflussen. Ein generalisiertes Erlöschen des EEG *(isoelektrisches* oder *Null-Linien-EEG)* wird in Zweifelsfällen immer mehr als *Kriterium des Todes* benutzt. Wird nämlich durch die Anwendung moderner Wiederbelebungs(Reanimations)-Methoden ein Kreislauf- und Atemstillstand unterbrochen, aber der Patient erwacht weder aus seiner Bewußtlosigkeit, noch kehrt seine Spontanatmung zurück, liegt der Verdacht nahe, daß Hirnrinde und Hirnstamm durch die Ischämie (fehlende Durchblutung) irreversibel geschädigt wurden. Ein solcher **Hirntod** zeichnet sich nicht nur durch die bisher beschriebenen Symptome (Null-Linien-EEG, Bewußtlosigkeit, keine Spontanatmung), sondern auch durch fehlende Lichtreaktion und Mydriasis (Weitstellung) der Pupillen, sowie durch Areflexie, Atonie und Reaktionslosigkeit aus.

Hirnrinde und Hirnstamm haben eine *geringe Ischämietoleranz.* Die zeitliche Grenze innerhalb deren eine Ischämie überlebt werden kann, die **Wiederbelebungs-** oder **Strukturerhaltungszeit,** beträgt bei ihnen nur 3–8 min (Hirnrinde) bzw. 7–10 min (Hirnstamm). Bei anderen Organen ist die Wiederbelebungszeit beträchtlich länger. Sie liegt beispielsweise für das Myokard bei 90 min und für die Niere bei 150 min. Daher können diese Organe, auch bei einem schon eingetretenen Hirntod, durch Reanimation am Leben gehalten und eventuell, vor allem wenn der Hirntod bei einem jungen gesunden Menschen als Folge eines Unfalls auftrat, zur **Organtransplantation** herangezogen werden.

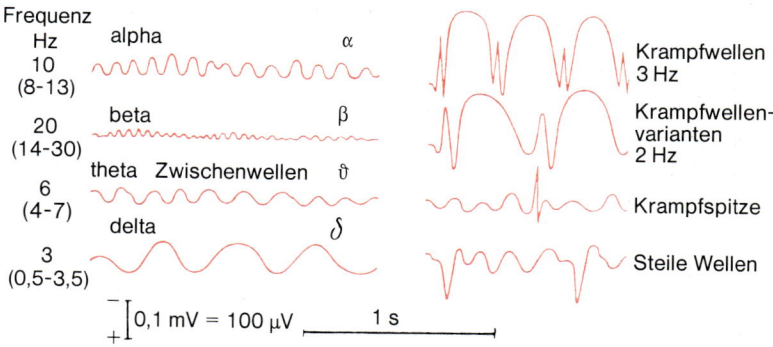

Frequenz
Hz
10
(8-13)   alpha   α

20
(14-30)   beta   β

6
(4-7)   theta Zwischenwellen ϑ

3
(0,5-3,5) delta   δ

0,1 mV = 100 μV   1 s

Krampfwellen
3 Hz

Krampfwellen-
varianten
2 Hz

Krampfspitze

Steile Wellen

Abb. 10. Hauptformen des EEG. Links die verschiedenen Wellenarten, die bei Gesunden vorkommen können. Besprechung im Text. Rechts Beispiele für Krampfpotentiale, wie sie vor allem bei Epilepsie abgeleitet werden. Die charakteristische Abfolge spitzer und langsamer Krampfwellen wird als „spike and wave"-Komplex bezeichnet. (Nach JUNG)

2. Wachen und Schlafen

2.1. Circadiane Periodik als Grundlage des Wach-Schlaf-Rhythmus

Der circadiane Oscillator. Nahezu alle Lebewesen, vom Einzeller bis zum Menschen, weisen rhythmische Zustandsänderungen ihrer Organe und Funktionen auf. Diese sind meistens an die mit der Erddrehung verbundene 24-Stunden-Periodik gekoppelt, so daß häufig der Schluß gezogen wurde, die tierische und menschliche Tagesperiodik sei eine passive Reaktion des Organismus auf die Periodik der Umwelt. Neuere Experimente (s. ASCHOFF in [3] für eine ausführliche Übersicht, ferner [38]) haben aber eindeutig gezeigt, daß diese Periodik auch *nach Ausschalten aller Umweltfaktoren* weiterläuft. Allerdings ist bei dieser **freilaufenden Periodik** die Periodendauer häufig kürzer oder länger als 24 Std. Dies zeigt an, daß die Ursache der Periodik nicht in der Umwelt, sondern in endogenen Prozessen (noch unbekannter Natur) zu suchen ist (biologische Uhr). Die endogene Periodik entspricht also nur ungefähr (circa) der natürlichen Dauer des Tages (dies), weshalb sie als **circadian** bezeichnet wird. Die freilaufende circadiane Periodik klingt über lange Zeit (Wochen, Monate) nicht ab, verhält sich also wie ein **selbsterregter Oscillator.** Normalerweise wird die Periodik dieses Oscillators durch **äußere Zeitgeber,** zum Beispiel den Hell-Dunkel-Wechsel, auf die 24-Stunden-Tages-Periodik **synchronisiert.** Eine solche Synchronisation der freilaufenden circadianen Periodik der Aktivität zweier Buchfinken durch einen Licht-Dunkel-Wechsel mit einer Periodendauer von 24 Std ist in Abb. 11 gezeigt. Bei freilaufender Periodik (konstante Umweltbedingungen in dauerndem Dämmerlicht) hatte Vogel A eine *circadiane Periodendauer* von 22,5 Std, Vogel B eine von 24,5 Std. Im 24-Stunden-Raster der Abbildung drückt sich dies durch entsprechende Verschiebungen der Aktivitätsanfänge nach links (A) bzw. nach rechts (B) aus.

Synchronisation eines Oscillators durch einen Zeitgeber etwas unterschiedlicher Frequenz führt zu einer *Phasenverschiebung* zwischen synchronisierter und synchronisierender Schwingung, wobei eine vorher schnellere Periode nach Synchronisation voreilt, eine vorher langsamere nachhinkt. Entsprechendes zeigt Abb. 11. Nach Synchronisation beginnt Vogel A (Eigenperiodik 22,5 Std) seine Aktivität 1,5 Std vor dem Zeitpunkt „Licht an"; er ist also ein *Frühaufsteher.* Bei Vogel B (Eigenperiodik 24,5 Std) liegen die entsprechenden Aktivitätsanfänge rund 0,5 Std nach „Licht an"; es handelt sich also um einen *Spätaufsteher.*
Unter konstanten Bedingungen hängt die **Dauer der individuellen circadianen Periodik** von Einflüssen ab, die noch nicht hinreichend bekannt sind. So scheint sich die circadiane Periodik im

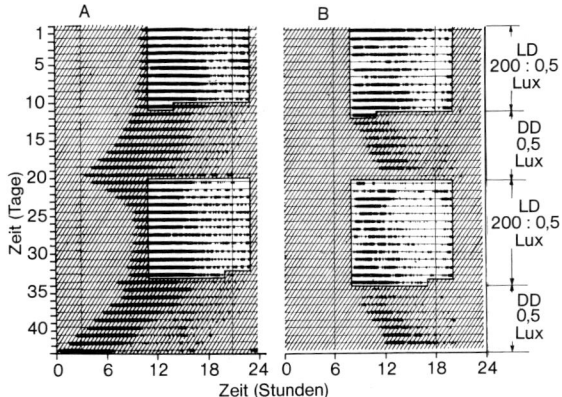

Abb. 11. Freilaufende und synchronisierte circadiane Periodik. Messung der Aktivitätsperiodik zweier Buchfinken (A, B) im Licht-Dunkel-Wechsel (LD; L=200 Lux, D=0,5 Lux) und in dauerndem Dämmerlicht (DD; 0,5 Lux, etwas heller als eine Vollmondnacht). Weiße Flächen: 200 Lux: schraffierte Flächen: 0,5 Lux. Registrierstreifen der einzelnen Versuchstage untereinander geklebt. Die Aktivität wurde durch Federkontakte gemessen, die unter den Sitzstangen angebracht waren. Sie wurden bei jedem Ansprung geschlossen und damit eine Strichmarke aufgezeichnet. Bei hoher Aktivität fließen die Strichmarken zu einem schwarzen Band zusammen. (Messungen von ASCHOFF und WEVER aus [3])

Laufe der Ontogenese und im Laufe eines Jahres regelhaft zu verändern. Ferner spielt wahrscheinlich die Umwelt, z.B. die durchschnittliche Beleuchtungsstärke und die Umgebungstemperatur, eine Rolle. Als **Zeitgeber zur Synchronisation** kommen neben der *Hell-Dunkel-Periodik* vor allem auch **soziale Faktoren** in Betracht.
Auch das **Verhältnis der Aktivitäts- zu den Ruhezeiten** innerhalb einer circadianen Periodik ist nicht konstant. Auffällig ist, *dies gilt auch für den Menschen,* daß Verlängerung der Aktivitätsphase zu einer Verkürzung der anschließenden Ruhephase führt, d.h. die mittlere circadiane Periodendauer nach Möglichkeit konstant gehalten wird. Dieser Befund steht im Gegensatz zu den Erwartungen, die man aufgrund einer Ermüdungshypothese (Schlaf als Erholung) hegen könnte und ist ein Anzeichen dafür, daß die **circadiane Periodik der Primärprozeß** ist, dem Schlafen und Wachen untergeordnet sind (ASCHOFF in [3]).

Circadiane Periodik beim Menschen. Tagesperiodische Verläufe sind am Menschen für mehr als 100 Meßgrößen von Organen und Funktionen nachgewiesen [23]. Bekannt ist z.B. die tägliche Schwankung der Körpertemperatur mit einem Minimum am frühen Morgen und einem um etwa 1–1,5° C höheren Maximum am Abend. Die eindruckvollste tagesperiodische Schwankung ist jedoch der **Wach-Schlaf-Cyclus.** Daher überrascht es nicht, daß die zahlreichen, normalerweise mit dem Eintritt des Schlafes verbundenen Umstellungen im Organismus, wie der Abfall der Körpertemperatur, der Herzfrequenz und der Atemfrequenz (Abb. 14), *ursächlich* auf den Schlaf zurückgeführt wurden. Zahlreiche Versuche haben jedoch gezeigt, daß die Tagesperiodik dieser und vieler anderer vegetativer und psychischer Meßgrößen auch *bei Schlafentzug* bestehen bleibt. Daraus und aus anderen Versuchen wurde gefolgert, daß der Mensch (und andere hochorganisierte Vielzeller) **eine ganze Reihe circadianer Oscillatoren** mit etwas unterschiedlicher Periodendauer besitzt. Diese werden teils untereinander, teils durch äußere Zeitgeber synchronisiert und hängen nur insofern auch vom Wach-Schlaf-Cyclus ab.

Einen deutlichen Hinweis für die **eigenständige Periodik vegetativer Rhythmen** geben *Untersuchungen an Schichtarbeitern*, bei denen z.B. sich die Rhythmen der Körpertemperatur und anderer Meßgrößen auch bei längerer Nachtarbeit in ihrer Phasenlage nur wenig ändern, wenn auch der normale Kurvenverlauf durch die Nachtarbeit *verformt* wird. Offensichtlich sind die sozialen Kontakte und die Kenntnis der Tages- und Uhrzeit für die Phasenlage der circadianen Oscillatoren entscheidender als der Tätigkeitsrhythmus und das dadurch bedingte Wach-Schlaf-Verhalten. Eine der Folgen dieser Konfliktsituation sind Minima der Leistungsfähigkeit in den Stunden nach Mitternacht, was zur Häufung von Fehlhandlungen und Unfällen in dieser Zeit führt (s. auch S. 560).

Unter **Abschluß von der Umwelt** (Versuche in unterirdischen Bunkern und Höhlen) stellt sich auch beim **Menschen eine circadiane Periodik** ein, deren Dauer bei der Mehrzahl der Versuchspersonen etwas über 24 Std liegt (Abb. 12 (A)). Auch hier läßt sich die unterschiedliche Periodendauer und relative Unabhängigkeit einzelner Oscillatoren nachweisen. So verschieben sich in Abb. 12 (A) die Maxima und Minima der Körpertemperatur (Dreiecke nach oben bzw. unten) in den ersten Tagen der freilaufenden circadianen Periodik deutlich gegenüber ihren Positionen im synchronisierten Wach-Schlaf-Rhythmus, die noch in den ersten beiden Tagen zu sehen sind. Dies spricht dafür, daß diese beiden Oscillatoren miteinander gekoppelt sind, wobei ihre Phasenverschiebung von den jeweiligen Umständen, besonders der Periodenlänge des ganzen Systems abhängt. Wenn im Extremfall der Wach-Schlaf-Rhythmus in der Isolation besonders lange Werte annimmt (in einzelnen Fällen sind 48-Stunden-Perioden, also *bicircadiane Rhythmen* beobachtet worden [38]), werden die vegetativen Funktionen völlig abgekoppelt *(interne Desynchronisation)* und laufen mit der ursprünglichen Periodendauer von etwa 25 Std weiter.

Wird der **äußere Zeitgeber einmalig in seinem Rhythmus verschoben**, z.B. verkürzt durch Flug nach Osten oder verlängert durch Flug nach Westen, so brauchen die circadianen Systeme häufig mehrere Perioden, um ihre normale Phasenlage zum Zeitgeber zurückzugewinnen (Abb. 12 (B)). Die einzelnen Funktionen unterscheiden sich dabei in den zur Resynchronisation notwendigen Zeiten. Die Aktivität läßt sich dem verschobenen Zeitgeber schnell anpassen, Körpertemperatur und andere vegetativen

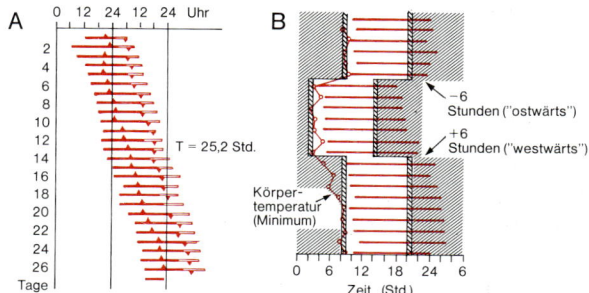

Abb. 12A u. B. Circadiane Periodik des Menschen. (A) Freilaufende circadiane Periodik einer im Bunker ohne Zeitinformation lebenden Versuchsperson. Rote Balken: Aktivitätszeiten; offene Balken: Ruhezeiten; Dreiecke: Extrema der Rectaltemperatur (Maxima über, Minima unter den Balken. (B) Aktivitätsperiodik einer Versuchsperson im Bunker unter dem Einfluß künstlichen Licht-Dunkel-Wechsels als Zeitgeber: Horizontale Linien: Aktivitätszeiten; weiße Flächen: Licht; schraffierte Flächen: Dunkel. (Messungen von ASCHOFF aus [3])

Funktionen folgen langsamer. Diese Dissoziation trägt sicher zur vorübergehenden Leistungsminderung nach Langstreckenflügen bei.

Die biologische Bedeutung der circadianen Rhythmen bei Mensch und Tier ist bisher eher unterschätzt worden. Die circadiane Periodik wird offensichtlich vererbt und ist aufzufassen als phylogenetische Anpassung an die Zeitstruktur unserer Umwelt. Ihre Vorteile reichen vom einfachen Ausnutzen bestimmter Tageszeiten für bestimmte Handlungen bis zur Verwendung als „innere Uhr" zur echten Zeitmessung, wie sie z.B. jene Tiere brauchen, die sich bei ihrer Orientierung der Sonne als Kompaß bedienen. So gesehen ist der **Wach-Schlaf-Rhythmus** nicht die Ursache, sondern eine der *Begleiterscheinungen der endogenen circadianen Periodik*. Eine Aufklärung der Natur dieser endogenen Oscillatoren, die sich gerade abzuzeichnen beginnt [38], wird auch die Mechanismen des Wach-Schlaf-Verhaltens einem Verständnis näherbringen.

2.2. Phänomenologie von Wachen und Schlafen

Wach-Schlaf-Verhalten des Menschen. Während der Mensch im Wachzustand aktiv mit seiner Umwelt in Kontakt tritt, z.B. auf Reize mit adäquaten Handlungen antwortet, ist im Schlaf der Kontakt mit der Umwelt weitgehend aufgehoben. Er ist allerdings nicht völlig eingeschränkt, denn Reize, insbesondere wenn sie eine Bedeutung (Schlüsselcharakter) haben, können aufwecken. So weckt das Wimmern des Säuglings die Mutter, nicht aber erheblich lauterer Straßenlärm. Letzterer jedoch, wie aller Lärm, beeinträchtigt dennoch den Schlafver-

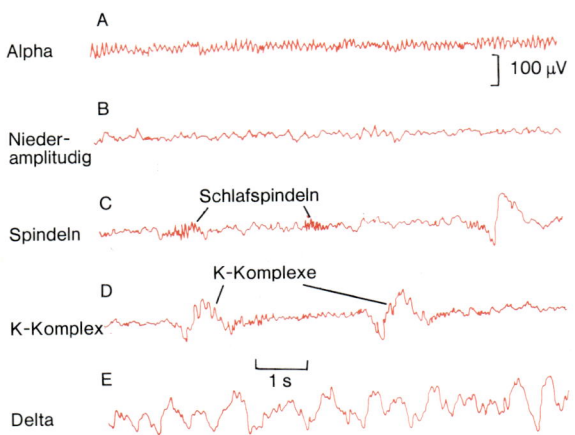

Abb.13. Einteilung der Schlafstadien des Menschen aufgrund des EEG. *Stadium A: Entspanntes Wachsein.* Vorherrschender α-Rhythmus. *Stadium B: Einschlafen.* Rückgang des α-Rhythmus. Auftreten von flachen ϑ-Wellen. *Stadium C: Leichtschlaf.* Weitere Frequenzabnahme bis zu δ-Wellen. Dazwischen gruppierte 12–15 Hz-Schlafspindeln. *Stadium D: Mitteltiefer Schlaf.* δ-Wellen und K-Komplexe. *Stadium E: Tiefschlaf.* Fast ausschließlich große, langsame δ-Wellen. Das *REM-Stadium* entspricht bezüglich des EEG in etwa dem Stadium B. Übergänge zwischen den einzelnen Stadien fließend. Neben dieser Einteilung nach LOOMIS et al. (1936) existieren auch andere [17, 35]. Aus [39]

lauf (Schlaftiefe, Ablauf der einzelnen Schlafstadien) und damit das Wohlbefinden. Von Schlafzimmern sollten daher alle störenden Umweltreize ferngehalten werden.

Wachen und Schlafen sind keine in sich einheitlichen Bewußtseinszustände. Ebenso wie im Wachzustand die nach außen gerichtete Aufmerksamkeit erheblich schwanken kann, lassen sich auch unterschiedliche **Schlafstadien** voneinander abgrenzen. Als einfachstes und ältestes Maß für die **Schlaftiefe** dient die *Intensität eines Weckreizes,* welche in der Lage ist, den Schlaf zu unterbrechen. Je tiefer der Schlaf, desto höher die Weckschwelle. Heute wird meist das **EEG** zur Bestimmung der Schlaftiefe herangezogen. Es können mit seiner Hilfe etwa vier bis fünf Schlafstadien voneinander abgegrenzt werden (Abb. 13), deren Kriterien heute vereinbarungsgemäß weitgehend standardisiert angewendet werden [17, 35]. Insgesamt wird das EEG bei zunehmender Schlaftiefe immer langsamer (synchronisierter), zusätzlich treten besondere Gruppierungen wie Schlafspindeln und K-Komplexe auf (s. Abb. 13, Stadien C und D). Der Tiefschlaf (Stadium E) ist durch langsame Delta-Wellen großer Amplitude eindeutig charakterisiert. Im *Verlauf einer Nacht* werden die einzelnen **Schlafstadien mehrfach durchlaufen,** im Durchschnitt drei- bis fünfmal (Abb. 14). Dabei nimmt im allgemeinen die maximal in jedem Cyclus erreichte Schlaftiefe gegen

Morgen ab, so daß zu dieser Zeit Stadium E nicht mehr erreicht wird [3, 15, 16, 17, 39].

Die zahlreichen **vegetativen Funktionen mit circadianer Periodik** (s. 2.1) bleiben von diesen rhythmischen Schwankungen der Schlaftiefe entweder unbeeinflußt (z.B. Körpertemperatur) oder ihre langsame Periodik wird von phasischen Schwankungen überlagert (z.B. Herzfrequenz und Atmung in Abb. 14). Diese phasischen Überlagerungen treten besonders auf, sobald im Verlauf der Nacht (nicht beim Einschlafen) das Stadium B durchlaufen wird. Andere Reaktionen sind sogar nur während dieser wiederholten B-Stadien zu beobachten (z.B. Peniserektionen in Abb. 14).

Die *Sonderstellung der wiederholten B-Stadien* wird auch durch das Verhalten der Motorik unterstrichen. Ähnlich wie im Tiefschlaf erlischt nämlich während dieser Zeit der Tonus der peripheren Muskulatur praktisch vollkommen (s. EMG in Abb. 14). Eine Ausnahme bilden *Salven schneller*

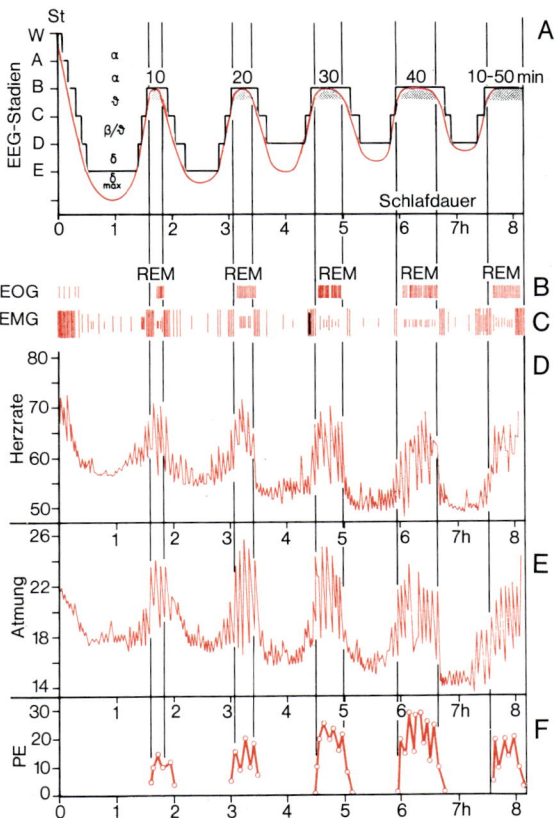

Abb. 14. Verlauf der Schlafstadien und Verhalten einiger vegetativer Variabler während einer Nacht. Durchschnittswerte, stark schematisiert. Von oben nach unten: EEG-Stadien, Nomenklatur nach LOOMIS et al. (1936). Die REM-Stadien sind punktiert unterlegt. EOG Elektrooculogramm. REM-Bewegungen der Augen durch senkrechte Striche angezeigt. Beim Einschlafen einige langsame Augenbewegungen. EMG Elektromyogramm der Nackenmuskeln. Aktivität durch senkrechte Striche angezeigt. Herzrate: Pulsschläge pro Minute. Atmung: Atemzüge pro Minute. PE Peniserektion. (Aus JOVANOVIĆ [15])

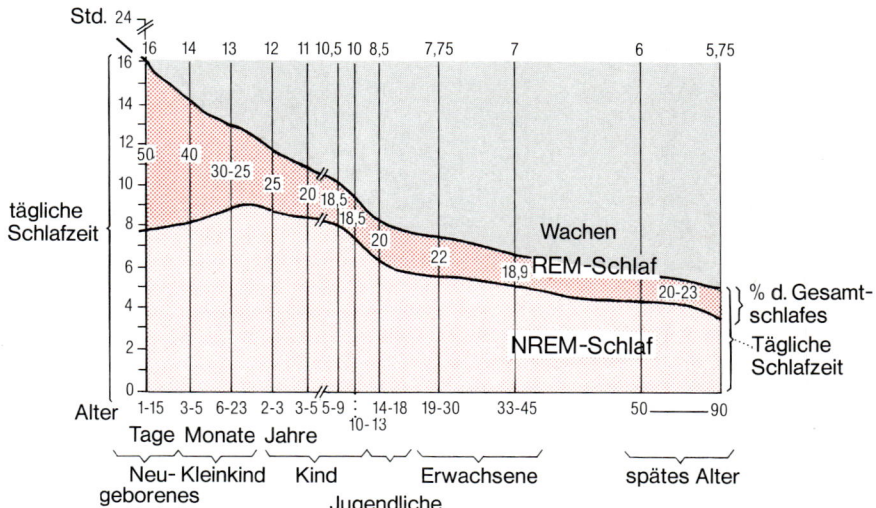

Abb. 15. Wach- und Schlafzeiten und der Anteil von NREM- und REM-Schlaf im Verlauf des menschlichen Lebens. Neben dem Rückgang der Gesamtschlafzeit ist vor allem die starke Abnahme der REM-Schlafdauer nach den frühen Lebensjahren bemerkenswert. (Aus Roffwarg et al. [36])

Augenbewegungen (s. EOG in Abb. 14). Sie sind für dieses Stadium so charakteristisch, daß es als **REM-Stadium** (von Rapid Eye Movements) bezeichnet wird. Auch die Atonie der übrigen Muskulatur kann während der REM-Salven durch kurze Zukkungen, z.B. der Gesichtsmuskeln, unterbrochen werden. Die *Weckschwelle* während des REM-Schlafes ist etwa so hoch wie im Tiefschlaf, während das *EEG* einem *Einschlaf-EEG* gleicht. Daher die zum *REM-Schlaf* synonymen Bezeichnungen **paradoxer Schlaf** und **desynchronisierter Schlaf.** Dem REM-Schlaf werden häufig alle übrigen Schlafstadien als **NREM-Schlaf** (Non-REM Schlaf, synonym *synchronisierter Schlaf, SW-Schlaf* = Slow-Wave-Schlaf) gegenübergestellt. REM-Stadien treten im normalen Schlaf etwa alle 1 $1/2$ Std auf. Ihre Dauer beträgt im Schnitt 20 min und nimmt im Verlauf der Nacht zu (Abb. 14).

Die relativen Anteile von Wachen und Schlafen, ebenso wie die Anteile von REM- und NREM-Schlaf an der Gesamtschlafzeit machen eine charakteristische **ontogenetische Entwicklung** durch. Insgesamt sinkt im Laufe des Lebens nicht nur die Gesamtschlafzeit ab, sondern es wird auch der relative Anteil des REM-Schlafes erheblich kürzer. Die Werte können aus Abb. 15 entnommen werden. Auch die Abfolge und Länge der einzelnen Schlafstadien (nicht ersichtlich aus Abb. 15) ist bei Säugling und Kleinkind deutlich anders als beim Erwachsenen [36]. Der hohe Anteil des REM-Schlafes bei Säugling und Kleinkind hat zu der Vermutung geführt, daß diese Perioden erhöhter neuronaler Aktivität (desynchronisiertes EEG ähnlich dem bei Aufmerksamkeit, s. z.B. α-Blockade in Abb. 5 und

8) für die ontogenetische Entwicklung wichtig sind, da bei diesen Individuen äußere Reize noch weitgehend fehlen [13, 14, 36].

Schlaf und Traum. Werden Kinder und Erwachsene während oder direkt nach einem REM-Stadium geweckt, so berichten sie wesentlich häufiger als nach Wecken aus dem NREM-Schlaf, daß sie gerade geträumt haben. Alle Untersucher fanden einen hohen Prozentsatz (60–90%) von **Traumberichten bei Erwachen aus dem REM-Schlaf,** während die Prozentsätze der Traumberichte bei Erwachen aus dem NREM-Schlaf erheblich schwanken (Übersicht bei [4]). Worauf diese unterschiedlichen Angaben beruhen ist nicht bekannt. Jedenfalls ist es verfrüht, wie dies häufig geschieht, den REM-Schlaf als „Traumschlaf" zu bezeichnen und die nach REM-Schlafentzug (durch Aufwecken jeweils zu Beginn einer REM-Phase) in der Erholungszeit vermehrt auftretenden REM-Phasen als Folge des Traumentzuges aufzufassen [3, 36, 39].

Wach-Schlafverhalten bei Tieren. Außer dem Menschen zeigen auch alle anderen **Säugetiere** ein Schlafverhalten, bei dem sich *NREM-Stadien* deutlich von *REM-Stadien* abgrenzen lassen. So folgt bei den häufigsten Versuchstieren der Schlafforschung, den Katzen, die etwa zwei Drittel ihres Lebens schlafen, beim Einschlafen auf 10–20 min NREM-Schlaf 6 oder 7 min REM-Schlaf. Während Katzen im NREM-Schlaf leicht zu wecken sind und noch einen deutlichen Muskeltonus haben (erkennbar auch an der typischen Haltung, s. Abb. 16(B)), ist während des REM-Schlafes (Abb. 16(C)) die Weckschwelle stark erhöht und die Muskulatur ist völlig atonisch (daher die Seitenlage in Abb. 16(C)). Bei der Katze läßt sich also das REM-Stadium bereits aufgrund der Körperstellung erkennen.

In der **Phylogenese** tritt der *REM-Schlaf relativ spät auf* (Abb. 17). Fische und Reptilien haben keinen REM-Schlaf. Bei

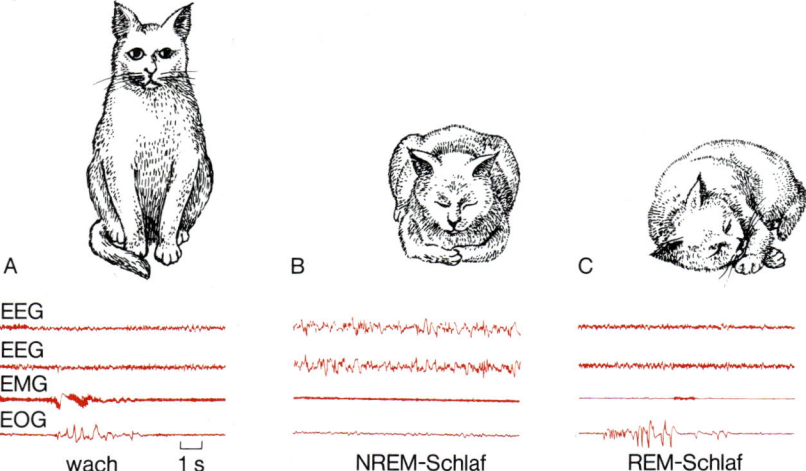

EEG
EEG
EMG
EOG

wach   1 s   NREM-Schlaf   REM-Schlaf

Abb. 16A–C. Schlafstadien beim Säugetier (Katze). Abgeleitet von oben nach unten: EEG, Electromyogramm (EMG) der Nakkenmuskulatur und Electrooculogramm (EOG). (A) Wachzustand. Kopfdrehung mit Augenbewegungen in der Mitte der Ableitung. (B) NREM-Schlaf (synchronisierter Schlaf). (C) REM-Schlaf. Salven schneller Augenbewegungen. Dabei kurze myoklonische Zuckung im sonst ruhigen EMG sichtbar. Die Körperhaltung der Katze ist für die einzelnen Stadien charakteristisch. (Messungen von BAUST aus [3])

Vögeln sind nur kurze Phasen (Sekunden) von REM-Schlaf zu beobachten, so daß er weniger als ein Prozent der Gesamtschlafzeit ausmacht. Dagegen entfällt bei den Säugetieren immer ein beträchtlicher Teil der Gesamtschlafzeit auf den REM-Schlaf. Es fällt auf, daß jagende Tiere (Mensch, Katze, Hund) deutlich mehr REM-Schlaf haben (im Mittel etwa 20% der Gesamtschlafzeit) als gejagte Tiere (Kaninchen, Wiederkäuer, durchschnittlich 5–10%). Das phylogenetisch späte Auftreten des REM-Schlafes spiegelt sich aber nicht in der **Ontogenese** wider. Im Gegenteil, ebenso wie beim Menschen (Abb. 15) ist auch bei

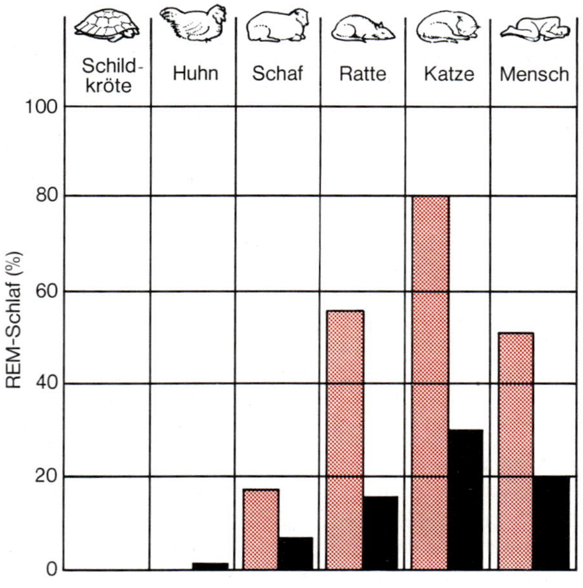

anderen neugeborenen Säugern der Anteil des REM-Schlafes an der Gesamtschlafdauer höher als in späteren Lebensabschnitten (Abb. 17). Während also einerseits REM-Schlaf nur in hochentwickelten Gehirnen auftritt, ist andererseits, wie im Zusammenhang mit Abb. 15 schon angesprochen, der REM-Schlaf möglicherweise für die ontogenetische Entwicklung dieser Gehirne von (noch unbekannter) Bedeutung [13, 14, 16, 17, 36].

2.3. Mechanismen von Wachen und Schlafen

Ebenso wie die Ursachen der circadianen Periodik bei anderen Körperfunktionen sind die *Mechanismen von Wachen und Schlafen* nahezu unbekannt. Wachen und Schlafen betreffen zwar den gesamten Organismus, sie sind aber im wesentlichen durch zentralnervöse Vorgänge bedingt. Die Fragestellung im engeren Sinne lautet also, wie sich die neuronale Tätigkeit eines wachen Gehirnes von der eines schlafenden Gehirnes unterscheidet und welche Vorgänge den Übergang zwischen den einzelnen Stadien bedingen.

Die Unterscheidung zwischen Wachen und Schlafen läßt sich *nicht auf die Frage einengen,* welche Formen der Gehirnaktivität mit *Bewußtsein* verknüpft sind und welche nicht, obgleich es feststeht, daß diese beiden Phänomene im intaktem Organismus eng miteinander verbunden sind. Ein Schlaf-Wach-Rhythmus findet sich nämlich auch bei *Wesen ohne End- und Zwischenhirn,* wie z.B. anencephalen menschlichen Mißbildungen oder chronisch decerebrierten Säugetieren, und es ist höchst unwahrscheinlich, daß diese großhirnlosen Wesen über irgendeine Art von Bewußtsein verfügen. Umge-

| | Schild-kröte | Huhn | Schaf | Ratte | Katze | Mensch |

REM-Schlaf (%)

100

80

60

40

20

0

Abb. 17. Anteil des REM-Schlafes bei drei Klassen von Wirbeltieren in Prozent der Gesamtschlafdauer. Die Komplexität der Hirnstrukturen nimmt von links nach rechts zu. Bei allen Säugetieren ist beim Neugeborenen der Anteil des REM-Schlafes (rote Säulen) mindestens doppelt so hoch wie beim Erwachsenen (schwarze Säulen). (Aus JOUVET [13])

kehrt deuten die Träume darauf hin, daß der Schlaf kein völlig bewußtseinsloser Zustand ist, wie sie z.B. eine tiefe Narkose oder ein Koma darstellen.

Schlaf ist sicher auch *nicht nur das Fehlen der dem Wachen eigentümlichen Aktivitätsmuster des Gehirns,* also eine Art „Ruhe im Gehirn". Im Gegenteil, alle neurophysiologischen Daten zeigen ohne Zweifel, daß die neuronale Aktivität des Gehirns während der verschiedenen Schlafstadien *von gleicher Komplexität wie im Wachzustand* ist. Dies ist zum Teil schon aus den EEG-Ableitungen abzulesen und auch die Träume weisen darauf hin. Schlaf, oder besser die einzelnen Schlafstadien, sind also das **Vorhandensein alternativer funktioneller Organisationsformen des Gehirns,** nicht das Fehlen koordinierter neuronaler Tätigkeit.

Diese Aussage steht nicht in Widerspruch zu der Alltagserfahrung, daß bei Mensch und Tier ein *essentielles Schlafbedürfnis* vorliegt. Letzteres bedeutet lediglich, daß die im Schlaf vorkommenden neuronalen Arbeitsformen des Gehirns für das Wohlbefinden des Organismus (aus unbekannten Gründen) unbedingt erforderlich sind. Die naheliegende Vorstellung, Müdigkeit und Schlaf würden in erster Linie durch periodische Anreicherung, Erschöpfung oder spezifische Produktion von Stoffwechselsubstanzen ausgelöst, die auch im Blut zirkulieren und die während des Schlafes eliminiert oder abgebaut werden müßten *(chemische Theorien von Wachen und Schlafen),* ist sicher in dieser einfachen Form nicht richtig. Dagegen sprechen, neben dem bisher fehlenden Nachweis des Vorkommens solcher Substanzen, vor allem die Beobachtungen an Siamesischen Zwillingen mit gekreuztem, gemeinsamen Kreislauf, aber getrennten Nervensystemen: Die Schlaf-Wach-Cyclen dieser Zwillinge beeinflussen sich gegenseitig nicht. Auch im Tierexperiment läßt sich bei Präparaten, bei denen das Großhirn vom übrigen ZNS getrennt wurde, oder bei denen sagittale Trennungen der beiden Hirnhälften vorgenommen wurden, ein unabhängiges Auftreten von Schlaf-Wach-Symptomen in den einzelnen Hirnteilen feststellen [3].

Theorien von Wachen und Schlafen. Neben der eben erwähnten, unbefriedigenden **chemischen Theorie** existieren weitere theoretische Ansätze über die Natur von Wachen und Schlafen, die teils ebenfalls weitgehend widerlegt, teils wenig abgesichert sind. Sie werden nur kurz besprochen.

Die **Deafferenzierungs-Theorie** ging von der Vorstellung aus, daß die Aktivität des ZNS vor allem durch Sinnesreize induziert und gesteuert werde (einfaches Reflexkonzept). Sie wurde gestützt durch die Beobachtung, daß nach Decerebrierung auf der Höhe der Vierhügelplatte (Cerveau isolé nach BREMER), bei der alle sensorischen Reize außer Sehen und Riechen ausgeschaltet werden, nur ein synchronisiertes (Schlaf-)EEG nachweisbar war. Im wesentlichen wurde postuliert, daß Wachsein von einer Mindestaktivität des Cortex abhängt und daß dieser corticale Tonus durch den sensorischen Zustrom aufrecht erhalten oder entscheidend moduliert wird. Diese Theorie mußte verlassen werden, weil sich im chronischen Cerveau-isolé-Präparat doch wieder ein Schlaf-Wach-Rhythmus ausbildet. Dazu kommt, daß bei konsequenter sensorischer Deprivation des Menschen (in Schlafkammern mit völliger Ausschaltung aller akustischen, visuellen und proprioceptiven Reize) die Schlafdauer im Verlauf der Isolation abnimmt und daß Menschen mit traumatischer hoher Querschnittslähmung ebenfalls unterdurchschnittlich lang schlafen. Schließlich erwies sich auch das Konzept des descendierenden, wachhaltenden corticalen Tonus als irrig, denn, wie oben schon gesagt, auch Wesen ohne Großhirn zeigen Wach-Schlaf-Symptome.

Die **Reticularis-Theorie von Wachen und Schlafen** knüpft an letztere Beobachtung an. Sie betrachtet zwar auch den Cortex und das Zwischenhirn als den primären Sitz der für den Wachzustand verantwortlichen Prozesse, gleichzeitig schreibt sie aber der **Formatio reticularis des Hirnstammes** eine einheitliche Funktion zu, nämlich durch aufsteigende aktivierende Impulse das für den Wachzustand notwendige Erregungsniveau zu erzeugen. Man spricht deshalb von einem *aufsteigenden, retikulären, aktivierenden System,* abgekürzt **ARAS.** Die zum ARAS gehörenden ascendierenden Bahnen werden als **unspezifische Projektionen** bezeichnet und so von den klassischen sensorischen **spezifischen Projektionen** abgegrenzt. *Größere Fluktuationen* in der Menge der aufsteigenden retikulären Aktivierung werden für den Übergang vom Schlaf- zum Wachzustand und umgekehrt verantwortlich gemacht. Diese Fluktuationen wiederum sind abhängig vom sensorischen Zustrom in die Formatio reticularis (über Collateralen der spezifischen Bahnen auf ihrem Weg durch den Hirnstamm; hier zeigt sich eine Verwandtschaft zur Deafferenzierungstheorie) und von der Aktivität descendierender Bahnen aus Cortex und subcorticalen Strukturen, wodurch eine reziproke Verbindung zwischen Gehirn und Hirnstamm geschlossen wird. Innerhalb des Wachzustandes werden *kleinere Fluktuationen* der Aktivität im ARAS für subtile Verhaltensänderungen (z.B. Grad der Aufmerksamkeit) verantwortlich gemacht.

Die Annahme eines Wachzentrums in der Formatio reticularis basiert vor allem auf folgenden experimentellen Beobachtungen: a) *Hochfrequente* elektrische Reizung der Formatio reticularis in Hirnstamm und Medulla oblongata löst eine Weckreaktion (arousal) aus, sichtbar an dem Auftreten eines desynchronisierten EEG. b) Zerstörung der aufsteigenden retikulären Projektionen im Mittelhirnbereich, mit oder ohne Durchtrennung der spezifischen sensorischen Bahnen, hat ein Koma des Versuchstieres zur Folge. Diesen Befunden stehen allerdings andere gegenüber, die die **einseitige Auffassung von der Formatio reticularis als dem entscheidenden Wachzentrum kaum haltbar** erscheinen lassen. Erstens können bei elektrischer Reizung der Formatio reticularis durch Änderung der Reizfrequenz und in Abhängigkeit vom Ausgangszustand nicht nur Weck-, sondern auch Schlafreaktionen ausgelöst werden. Es müßten also Schlaf- und Wachzentren angenommen werden. Zweitens ist die neuronale Aktivität der Formatio reticularis während des Schlafes, insbesondere während des REM-Schlafes, nicht geringer als im Wachzustand (wie von der Reticularis-Theorie postuliert), sie ist nur anders organisiert. Drittens besitzt auch das chronisch isolierte Gehirn, dem die Formatio reticularis fehlt, einen Schlaf-Wach-Rhythmus, für den insbesondere Strukturen im Zwischenhirn verantwortlich zu sein scheinen. Die Formatio reticularis ist also für Wachen und Schlafen nicht unabdingbar (Literatur-Übersichten bei [3, 26]).

Schließlich ist zu erwähnen, daß bestimmte *monoaminerge Überträgersubstanzen,* nämlich Serotonin (5-HT) und Noradrenalin (Biochemie, s. III-4.3) offensichtlich im Wach-Schlaf-Cyclus eine große Rolle spielen, so daß sich eine **biochemische Theorie von Wachen und Schlafen** in ersten Umrissen abzuzeichnen beginnt [13, 14]. Die wichtigsten Beobachtungen sind (vgl. auch Abb. 18): **a)** Neurone der *Nuclei raphé* im Hirnstamm enthalten große Mengen **Serotonin.** Erschöpfung dieses Serotonin, z.B. durch Vergiftung der Synthese (Abb. III-16), führt zu starker Schlaflosigkeit mit Rückgang sowohl des REM- als auch des NREM-Schlafes. Ähnlich wirkt Zerstörung der Nuclei raphé. Diese Schlaflosigkeit kann durch Gabe von 5-Hydroxytryptophan, der

Vorstufe des 5-HT (dieses selbst kreuzt nicht die Blut-Hirn-Schranke), behoben werden. **b)** Neurone des *Locus coeruleus* (in der lateralen pontinen Formatio reticularis) enthalten große Mengen **Noradrenalin.** Beidseitige Zerstörung der Loci coerulei verursacht einen völligen Ausfall des REM-Schlafes, hat aber keinen Einfluß auf den NREM-Schlaf. **c)** Werden die 5-HT- und die Noradrenalin-Vorräte gemeinsam durch Gabe von Reserpin erschöpft, fallen (wie schon nach **a)** zu erwarten) beide Schlafarten aus. Anschließende Gabe von 5-Hydroxytryptophan bringt den NREM-Schlaf, nicht aber den REM-Schlaf zurück, was mit Beobachtung **b)** in Einklang steht. Diese Befunde deuten darauf hin, daß das *Serotonin* insbesondere für den NREM-Schlaf, das *Noradrenalin* dagegen für den REM-Schlaf wichtig ist und daß normalerweise REM-Schlaf nur nach vorhergehendem NREM-Schlaf möglich ist (Abb. 18).

3. Neurophysiologische Korrelate des Bewußtseins und der Sprache

3.1. Bewußtsein bei Mensch und Tier

Verhaltensmerkmale des Bewußtseins. Die eindrucksvollste Zustandsänderung unseres Körpers, die wir täglich erleben, ist das Wiedereinsetzen des **Bewußtseins** beim Erwachen aus dem Schlaf (ähnlich bei Erwachen aus Narkose, Koma, schwerer Gehirnerschütterung). Für diesen, nur introspektiv erlebbaren Zustand *Bewußtsein* mit all seinen Schattierungen, der das Wesentliche unserer Existenz ausmacht, gibt es von physiologischer wie psychologischer Seite zahlreiche, zum Teil sehr widersprüchliche und immer noch im Fluß befindliche Deutungsversuche [7–9, 40, 42]. Die Physiologie kann zu dieser Diskussion beitragen, indem sie aus *naturwissenschaftlicher Sicht* Randbedingungen angibt, unter denen Bewußtsein möglich oder unmöglich erscheint. Um einzugrenzen, welche beobachtbaren Aspekte des Verhaltens von Mensch und Tier als Anhaltspunkte für das Vorliegen von Bewußtsein angenommen werden, seien einige davon hier angegeben [7, 27]:

1. Aufmerksamkeit und die Fähigkeit, die Richtung der Aufmerksamkeit gezielt zu wechseln.
2. Die Kreation und der Umgang mit abstrakten Ideen sowie ihr Ausdruck durch Worte oder andere Symbole.
3. Die Fähigkeit, die Bedeutung einer Handlung im voraus abzuschätzen, also Erwartungen und Pläne zu haben.

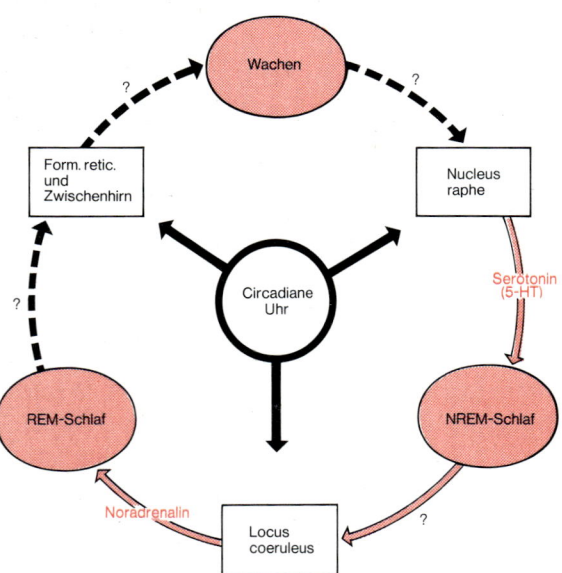

Abb. 18. Beteiligung monoaminerger Transmitter am Schlaf-Wach-Cyclus. Der Wachzustand wird durch Freisetzung von 5-HT aus den synaptischen Endigungen der Neurone der Nuclei raphé überführt in NREM-Schlaf. Dieser bildet die Vorstufe zum REM-Schlaf, welcher nach Aktivierung der Loci coerulei einsetzt. Der rhythmische Ablauf dieser Vorgänge wird durch circadiane Schrittmacher unbekannter Natur mitbestimmt. (In Anlehnung an Jouvet)

4. Selbsterkenntnis und die Erkennung anderer Individuen.

5. Das Vorhandensein ästhetischer und ethischer Werte.

Gewiß, diese Merkmale sind von unterschiedlichem Gewicht und manche sind vorwiegend oder nur beim Menschen zu beobachten. Wenn man sie aber, zumindest vorläufig, akzeptiert, so beinhalten sie, daß *Bewußtsein sowohl bei Menschen als auch bei Tieren vorkommt.*

Phylogenese des Bewußtseins. Nicht alle Tiere haben Bewußtsein im eben definierten Sinne. Während sich nämlich kaum bezweifeln läßt, daß höhere Wirbeltiere (Vögel, Säuger) mit einem *stark differenzierten Nervensystem* einige oder mehrere der eben aufgeführten Merkmale bewußten Verhaltens zeigen, kommen bei Tieren mit *sehr einfachem Nervensystem* solche Verhaltensweisen nicht oder nur vereinzelt und in angedeuteter Form vor. Bewußtsein ist also an *komplexe neuronale Strukturen gebunden* und existiert deswegen außerhalb dieser Strukturen nicht. Allerdings läßt sich, wie die bisherige Betrachtung vielleicht schon deutlich machte, keine scharfe Trennlinie zwischen Tieren mit und ohne Bewußtsein ziehen. Vielmehr scheint sich Bewußtsein in etwa parallel mit der phylogenetischen Entwicklung des Nervensystems herauszubilden. Mit anderen Worten, es gibt im Tierreich zahlreiche Abstufungen und sehr unterschiedliche Formen von Bewußtsein, wobei das menschliche Bewußtsein ohne Zweifel die bei weitem differenzierteste Form bildet.

Diese Auffassung, daß nämlich Bewußtsein ein entsprechend differenziertes Nervensystem voraussetzt, legt den Gedanken nahe, daß in der Phylogenese Bewußtsein in der einen oder anderen Form sich immer dann entwickelt, wenn einfachere Formen neuronaler Aktivität (z.B. Reflexe) zur Steuerung und Kontrolle des Organismus nicht mehr ausreichen. Trifft dies zu, dann ist das Auftreten von Bewußtsein ein *notwendiger entwicklungsgeschichtlicher Schritt,* der für die höheren Lebewesen zur optimalen Anpassung an die Umwelt unbedingt erforderlich ist [7].

3.2. Funktionelle und strukturelle Voraussetzungen des Bewußtseins

Für das *menschliche Bewußtsein* lassen sich bisher über die **funktionellen Voraussetzungen,** d.h. über die zugehörige neuronale Aktivität, nur sehr einfache und insgesamt noch *völlig ungenügende Aussagen* machen. So setzt Bewußtsein offensichtlich ein

mittleres Aktivitätsniveau der beteiligten zentralnervösen Strukturen voraus, wie es sich z.B. in einem desynchronisierten Wach-EEG darstellt. Zu geringe neuronale Aktivität, wie z.B. in Narkose oder im Koma, ebenso wie übersteigerte neuronale Aktivität, wie z.B. beim epileptischen Anfall (EEG mit spikes and waves, s. Abb. 10) oder im Elektroschock, sind mit dem Auftreten von Bewußtsein nicht vereinbar. Auch scheint sicher, daß Bewußtsein nur im **Zusammenspiel von corticalen und subcorticalen Strukturen** möglich wird; jede dieser Strukturen alleine ist nicht zur Ausbildung von Bewußtsein fähig. Das ascendierende, retikuläre, aktivierende System (ARAS) nimmt in diesem Zusammenhang, wie aus seiner Rolle beim Schlaf-Wach-Verhalten zu erwarten (s. 2.3), wahrscheinlich eine Schlüsselstellung ein.

Wichtige Einsichten in die **strukturellen Voraussetzungen** des Bewußtseins haben in jüngster Zeit Untersuchungen an Patienten ergeben, denen Balken (Corpus callosum) und Commissura anterior chirurgisch durchtrennt wurden, um anderweitig nicht zu beherrschende epileptische Anfälle zu bessern oder sie zumindest auf eine Hirnhälfte zu beschränken. Die Durchtrennung der *Commissurenfasern* unterbricht bei diesen **Split-Brain-Patienten** jegliche Verbindung zwischen den beiden Großhirnhälften, so daß dann jede sozusagen auf sich alleine gestellt ist. Postoperativ ist das Verhalten dieser (bisher etwa 20) Patienten im Alltag unauffällig, auch ihr Intellekt erscheint unverändert. Es läßt sich höchstens eine reduzierte Spontanaktivität in der linken Körperhälfte (bei Rechtshändern) und eine fehlende oder geringe Reaktion auf Reize links (z.B. Anstoßen) beobachten. Durch gezielte Tests konnten SPERRY und seine Mitarbeiter aber erhebliche Unterschiede in der Leistungsfähigkeit der beiden Gehirnhälften herausarbeiten [9, 38, 40].

Um diese Tests zu verstehen, sei in Erinnerung gerufen, daß durch die Kreuzung der ascendierenden und descendierenden Bahnen (s. VI und X) die linke Großhirnhälfte somato-sensorisch und motorisch die rechte Körperhälfte versorgt und umgekehrt. Ferner wird infolge der Kreuzung im Chiasma opticum die rechte Gesichtsfeldhälfte zur linken Hemisphäre projiziert und die linke Gesichtsfeldhälfte zur rechten Hemisphäre (Abb. XII-28). Dagegen verlaufen die zentralen Hörbahnen teils gekreuzt, teils ungekreuzt (Abb. XIII-12), so daß jede Hemisphäre sowohl von ipsilateralen als auch von contralateralen akustischen Zuflüssen erreicht wird.

Mit der in Abb. 19 gezeigten Versuchsanordnung können den beiden Gesichtsfeldhälften getrennt visuelle Signale (Lichtblitze, Gegenstände, Schrift) dargeboten werden. Ferner kann die rechte oder linke Hand ohne visuelle Kontrolle zum taktilen Erkennen oder zum Schreiben benutzt werden. Vi-

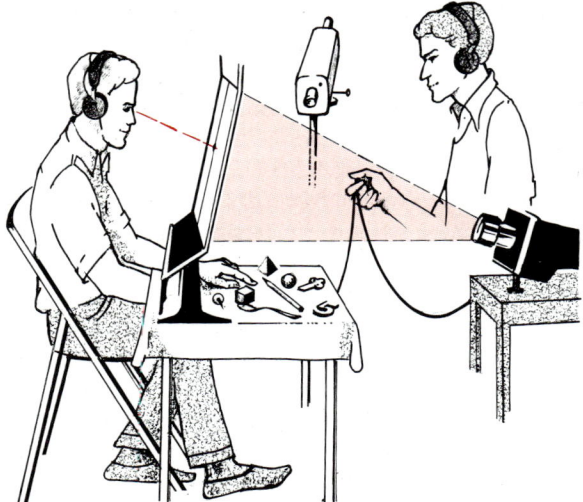

Abb. 19. Versuchsanordnung von SPERRY u.Mitarb. zur Untersuchung von Split-Brain-Patienten. Der Patient sitzt vor einem
undurchsichtigen Milchglasschirm, auf den von hinten Gegenstände oder Schrift in die linke, die rechte oder beide Gesichtsfeldhälften projiziert werden können. Der Patient wird angehalten, einen Punkt in der Mitte des Schirmes zu fixieren. Bei kurzer
Darbietungsdauer (0,1 s) der visuellen Reize wird so eine Änderung der Blickrichtung und dadurch eine Reizaufnahme durch
das andere Gesichtsfeld verhindert. Manuelle Aufgaben können,
nach Durchgreifen unter dem Schirm, auf dem Tisch ohne visuelle Kontrolle durchgeführt werden. Eine Filmkamera hält
dies fest. Akustische Anordnungen werden über Kopfhörer gegeben und vom Versuchsleiter mitgehört

suelle und taktile sensorische Reize rechts werden
aufgrund dieser Versuchsanordnung *nur der linken
Gehirnhälfte* (linken Hemisphäre) zugeleitet und
umgekehrt. Die wichtigsten Resultate dieser Versuche sind:

Werden Gegenstände (z.B. Schlüssel, Bleistift) in
die **rechte Gesichtsfeldhälfte** projiziert, so kann der
Split-Brain-Patient diese *benennen* oder durch die
rechte Hand aus anderen Gegenständen *heraussuchen*. Werden Worte in diese Gesichtsfeldhälfte projiziert, so kann er diese laut *lesen, aufschreiben* und
wiederum mit der rechten Hand den zugehörigen
Gegenstand heraussuchen. Werden ihm Gegenstände in die *rechte Hand* gelegt, so sind die Ergebnisse entsprechend: Der Patient kann die Gegenstände *benennen* und er kann ihre Namen *aufschreiben*. Mit anderen Worten: Der Patient unterscheidet sich in diesen Situationen nicht von einer normalen Versuchsperson.

Werden Gegenstände in die **linke Gesichtsfeldhälfte**
projiziert, so kann der Split-Brain-Patient diese
nicht benennen. Es gelingt ihm aber, diese mit der
linken Hand aus anderen Gegenständen herauszu-
suchen, sobald er dazu aufgefordert wird. Aber
auch dann, nach erfolgreicher Suche, kann er den
Gegenstand nicht benennen. Ebenso nicht, wenn

ihm der Gegenstand in die **linke Hand** gelegt wird.
Werden Worte in die linke Gesichtsfeldhälfte projiziert, so kann er diese nicht laut lesen. Er kann
aber, bei Worten von alltäglichen Gegenständen,
diese mit der linken Hand heraussuchen (Abb. 20).
Auch nach der erfolgreichen Suche kann er den
Gegenstand nicht benennen. In diesen Versuchssi-
tuationen kann der Patient also bestimmte Aufgaben durchführen, aber er kann nicht verbal oder
schriftlich äußern was er tut, auch wenn man ihn
dazu auffordert.

Die wichtigste **Schlußfolgerung** aus diesen Ergebnissen ist folgende: Bezüglich *Sprache* und *Bewußtsein*
ist die **linke Hemisphäre allein** in ihren Leistungen
weder aus der subjektiven Sicht des Patienten noch
nach dem objektiv beobachtbaren Verhalten von
den Leistungen der beiden miteinander verbundenen Hemisphären zu unterscheiden. Sie (oder noch
unbekannte Teile von ihr) ist daher *auch im normalen Gehirn* als das entscheidende neuronale Substrat
für Sprache und spezifisch menschliches Bewußtsein anzusehen [9]. Die **rechte Hemisphäre
allein** kann sich nicht verbal oder schriftlich äußern.
Die von ihr durchgeführten sensorischen, integrativen und motorischen Prozesse werden dem Patien-

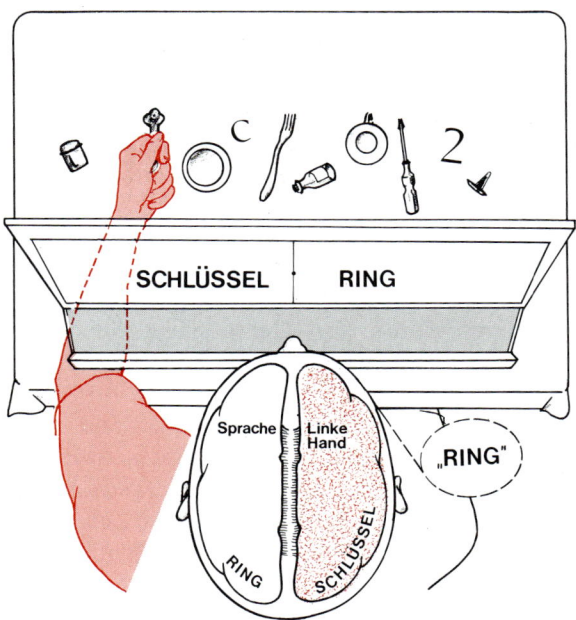

Abb. 20. Antwortverhalten eines Split-Brain-Patienten bei einem
Test durch SPERRY u.Mitarb. Der Patient berichtet (über seine
linke, sprechende Hemisphäre), daß er im rechten Gesichtsfeld
das Wort RING gelesen hat. Er verneint, das Wort SCHLÜS-
SEL im linken Gesichtsfeld gesehen zu haben und kann auch
keine Objekte benennen, die ihm in die linke Hand gelegt werden.
Gleichzeitig sucht er jedoch mit der linken Hand den korrekten
Gegenstand heraus, von dem er nach seiner Aussage keine
Kenntnis hat. Wird er aufgefordert, den ausgesuchten Gegenstand zu benennen, bezeichnet ihn die sprechende Hemisphäre
als „RING". (Nach SPERRY aus [38])

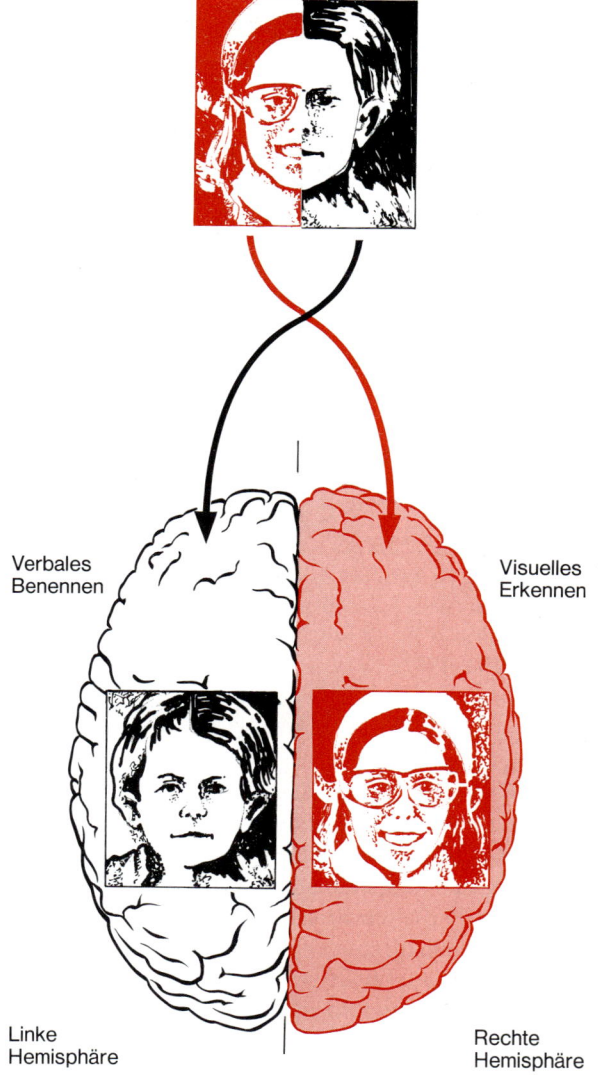

Abb. 21. Erkennen von Gesichtern durch die linke und rechte Hemisphäre eines Split-Brain-Patienten. Werden mit der Anordnung der Abb. 19 als visuelle Reize „zusammengesetzte Portraits" angeboten, so ergänzt jede Hemisphäre die ihr angebotene Gesichtshälfte zu einem kompletten Gesicht, über das die andere Hemisphäre nichts weiß. Wird verbal nach diesen Gesichtern gefragt, dominiert erwartungsgemäß die linke Hemisphäre. Bei allen anderen, nicht verbalen Tests ist die rechte Hemisphäre der linken weit überlegen. Dies gilt auch für den Umgang mit komplexen, verbal nicht zu beschreibenden geometrischen Figuren. (Nach Sperry u. Mitarb. aus [38])

ten offensichtlich auch nicht bewußt. Getrennt von der linken Hemisphäre führt die rechte also ein Eigenleben, das dem Patienten nur indirekt, über die Sinneskanäle der linken Hemisphäre zur Kenntnis kommen kann.

Die *Leistungen der rechten Hemisphäre allein* sind bemerkenswert: sie besitzt zum Beispiel Gedächtnis, visuelle und taktile Formerkennung, Abstraktionsvermögen und ein gewisses Sprachverständnis (akustisch gegebene Befehle werden ausgeführt, ein-

fache Worte gelesen, Abb. 20). Manche Patienten können sogar einfache kurze Worte schreiben oder abschreiben. (Offen ist, ob dieses Sprachverständnis präoperativ vorhanden war oder postoperativ erlernt wurde.) In mancher Hinsicht, so bei dem Erkennen von Gesichtern (Abb. 21) und in bezug auf das räumliche Vorstellungsvermögen oder das Musikverständnis, scheint die rechte Hemisphäre der linken sogar überlegen zu sein. Insgesamt sind die Leistungen der rechten Hemisphäre sicher besser als die jedes tierischen Gehirns, auch jedes Affengehirns. Wenn wir also, wie in 3.1 geschehen, Bewußtsein bei höheren Tieren postulieren, ist, gemessen an den dort angegebenen Verhaltensmerkmalen, **das Bewußtsein der isolierten rechten Hemisphäre hoch entwickelt.** Da ihr jedoch die sprachliche Ausdrucksmöglichkeit fehlt, kann sie mit uns darüber ebensowenig direkt kommunizieren wie die Tiere.

3.3. Neurophysiologische Aspekte der Sprache

Lateralisation der Sprache. Praktisch alle unsere Kenntnisse über die Neurophysiologie der Sprache gehen auf *klinische Beobachtungen* zurück. Die meisten Aufschlüsse kamen bisher von Studien, bei denen Sprachstörungen mit dem postmortalen neuropathologischen Befund der zugrunde liegenden Hirnschädigung korreliert wurden. Aber auch die Hirnchirurgie, vor allem verbunden mit elektrischer Reizung des freigelegten Gehirns am wachen Patienten, sowie andere Untersuchungsmethoden haben wertvolle Beiträge gebracht. So hat die therapeutisch induzierte Durchtrennung der Commissurenfasern (s. 3.2) gezeigt, daß in der Regel nur die **linke Hemisphäre** die für die Sprache notwendigen Regionen enthält. Auch aus wesentlich älteren klinisch-neuropathologischen Befunden wurde dies bereits gefolgert und deswegen diese Hemisphäre auch als **dominante Hemisphäre** bezeichnet. Die Dominanz der linken über die rechte Hemisphäre wurde auch für andere Funktionen angenommen, da auch für die motorische Geschicklichkeit eine deutliche Lateralisation besteht und die meisten Menschen *Rechtshänder* sind. Umgekehrt wurde ferner gefolgert, daß bei *Linkshändern* auch die Sprachregionen in der Regel rechts zu finden seien.

Beide Generalisationen treffen nicht zu. Es stimmt zwar, daß bei Rechtshändern die Sprachregionen praktisch immer links ausgebildet sind, aber Linkshänder haben sie zum Teil links (meistens), zum Teil rechts, zum Teil bilateral [31]. Da sich außerdem, vor allem durch die Untersuchungen an Split-

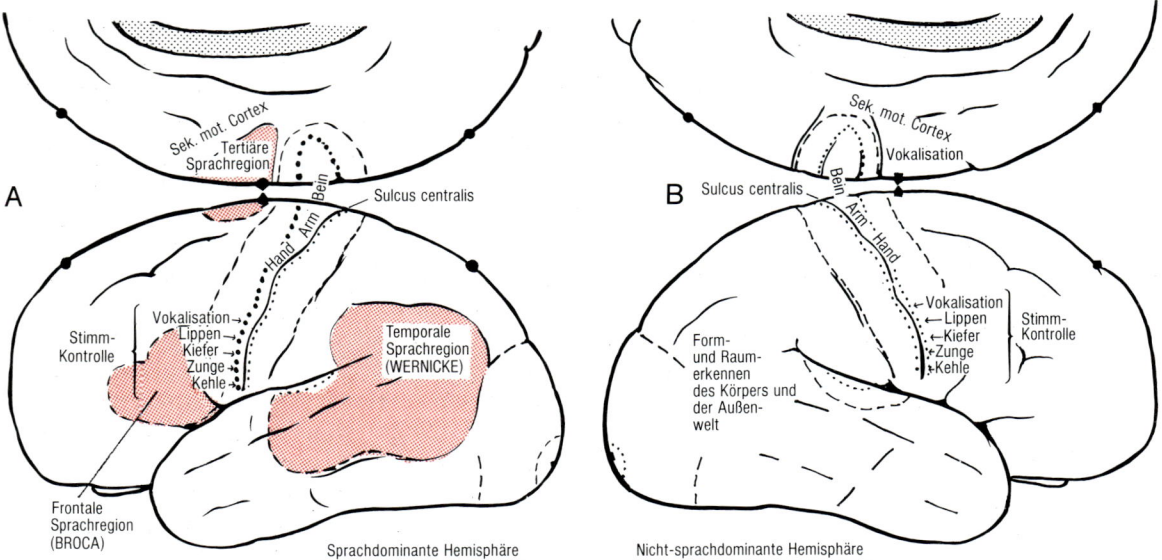

Abb. 22 A u. B. Sprachregionen (rot) in der sprachdominanten (linken) Hemisphäre (A) und korrespondierende Areale der nicht-sprachdominanten (rechten) Hemisphäre (B) nach Ergebnissen bei elektrischer Reizung des freigelegten Cortex von Er-

wachsenen durch PENFIELD u.Mitarb. Die Stimmkontrolle ist beidseitig im Gyrus praecentralis angelegt. Jede Gesichtshälfte ist, anders als der übrige Körper, bilateral repräsentiert. (Nach PENFIELD und ROBERTS [31])

Brain-Patienten, immer mehr herausstellt, daß in mancher Hinsicht die rechte Hemisphäre der linken überlegen ist, ist es zutreffender, von einer sich *gegenseitig ergänzenden* **Spezialisation der beiden Hemisphären** zu sprechen, wobei die linke in der Regel **sprachdominant** ist.

Sprachregionen. Als erster beobachtete BROCA vor mehr als hundert Jahren, daß Läsionen des unteren Abschnittes der dritten Stirnwindung links zu einem *Sprachversagen* (Aphasie) führen, bei dem das Sprachverständnis noch intakt ist, die Kranken aber spontan fast nichts sprechen. Nach Aufforderung bringen sie zögernd mit großer Anstrengung kurze Sätze hervor, die auf die nötigsten Substantive, Verben und Adjektive reduziert sind (Telegrammstil). Diese Form der Aphasie wird als **motorische Aphasie** bezeichnet und das zugehörige Hirnareal **Brocasche Sprachregion** genannt. Wie Abb. 22(A) zeigt, liegt dieses Areal unmittelbar vor denjenigen Abschnitten des motorischen Cortex, die die Muskeln des Gesichts, des Kiefers, der Zunge, des Gaumens und des Rachens kontrollieren, also derjenigen Muskeln, die zur *Artikulation* notwendig sind. Die motorische Aphasie durch Schädigung der *Brocaschen* Region ist aber nicht auf eine Lähmung dieser Muskeln zurückzuführen. Selbst direkte Schädigung der Gesichtsregion des Gyrus praecentralis (Abb. 22(A, B), vgl. auch Abb. VI-23) führt nur zu geringen contralateralen Ausfallserscheinungen, da die Gesichtsmuskulatur beidseitig im Cortex repräsentiert ist und ein unila-

teraler Ausfall durch die Gegenseite kompensiert werden kann.

Kurz nach der *Brocaschen* Entdeckung beschrieb WERNICKE einen anderen Typ der Aphasie, bei der das *Sprachverständnis* extrem gestört, das spontane Sprechen der Patienten aber flüssig, wenn auch entstellt war. Diese **sensorische Aphasie** korreliert auffallend mit Schädigungen im Schläfenlappen, insbesondere im rückwärtigen Abschnitt der ersten Schläfenwindung, also in unmittelbarer Nachbarschaft der Hörrinde (Abb. 22(A)).

Die von BROCA und WERNICKE beschriebenen Sprachregionen wurden in etwa auch durch Reizversuche am freigelegten Cortex durch PENFIELD u.Mitarb. bestätigt (Abb. 22). Elektrische Reizung dieser Areale, sowie eines dritten Areals, das in etwa mit dem sekundären motorischen Areal (MsII) überlappt, führt zur Aphasie für die Dauer der Reizung. Worte oder Sätze werden durch Reizung dieser Regionen nie ausgelöst. Dieser Effekt unterscheidet sich von dem, der bei Reizung des lateralen Gyrus praecentralis erhalten wird: Von dieser Region können auf beiden Seiten *Vokalisationen* (in der Regel vokalische Ausrufe) ausgelöst werden [30, 31]. Auch nach diesen Befunden sind die *Sprachfunktionen in einer Hemisphäre lateralisiert*, während die für die Artikulation, also die Ausführung der Sprache, zuständigen corticalen Areale beidseitig zu finden sind (Abb. 22 (A, B)). Entsprechend zeigen neurochirurgische Beobachtungen, daß einseitiges Entfernen der „Sprechregionen" des Gyrus praecentralis nie zur Aphasie, sondern, wie eben schon erwähnt, nur zu oft erstaunlich geringfügigen Sprechstörungen führt. Bei *Ausschalten der Sprachregionen* kommt es dagegen zu Aphasien unterschiedlicher Dauer: Nach Entfernen der dritten, mit MsII überlappenden Sprachregion bestehen aphasische Störungen für einige Wochen. Entfernen des Brocaschen Areals bewirkt länger anhaltende Aphasie, die sich aber, auch beim Erwachsenen, nach Monaten bis Jahren deutlich bessert. Eine Entfernung der temporalen Sprachregion hat dagegen eine permanente Aphasie im Gefolge. Die *temporale Sprachregion* ist, so gesehen, als die *primäre* anzusehen [30, 31].

Aphasie, Alexie, Agraphie, Acalculie. Störungen der expressiven (motorischen) und receptiven (sensorischen) Sprachleistungen und der ihnen zugeordneten Fähigkeiten, wie Schreiben, Lesen, Rechnen, kommen praktisch nie rein, sondern in vielerlei Kombinationen vor. Die Einteilung in *motorische* und *sensorische* Aphasien, je nachdem ob Störungen der *expressiven* oder der *receptiven* Sprachleistungen im Vordergrund stehen, ist aber nach wie vor klinisch brauchbar und nützlich. Nach POECK [33] ist es zweckmäßig, von diesen noch abzugrenzen, die **globale Aphasie,** bei der die expressiven wie receptiven Leistungen schwer gestört sind, und die **amnestische Aphasie,** bei der *Wortfindungsstörungen* im Vordergrund stehen. Der Patient ersetzt das gesuchte Wort durch ein Füllwort („das Dings da") oder durch eine allgemeinere Kategorie („Vogel" statt Taube) oder durch eine Umschreibung („zum Schreiben" statt Bleistift). Für eine detaillierte Beschreibung der bei den einzelnen Aphasien auftretenden Symptomatik und für neuere Ansätze, Aphasien näher zu charakterisieren und zu klassifizieren, sei auf die Literatur verwiesen [27, 33, 38]. Störungen der sprachverwandten Leistungen, also des *Lesens, Schreibens* und *Rechnens,* treten als Begleitsymptome der Aphasie auf und können gelegentlich als **Alexie, Agraphie** oder **Acalculie** auch im Vordergrund des Krankheitsbildes stehen. Während die Alexie mehr der sensorischen Aphasie zuzurechnen ist, weist Agraphie auf eine Störung der expressiven Sprachleistungen hin. *Lokalisatorische Zuordnungen* der verschiedenen Aphasie-Formen sind aufgrund des klinisch-psychologischen Befundes praktisch nicht möglich. Die von BROCA und WERNICKE ursprünglich getroffenen Zuordnungen haben sich als starke Vereinfachungen erwiesen, die nur in erster Annäherung zutreffen.

Ontogenetische Aspekte. Hat ein Kind sprechen gelernt, führt Zerstörung der Sprachregion in der linken Hemisphäre zu einer vollkommenen Aphasie.

Etwa nach einem Jahr beginnt das Kind wieder zu sprechen. Die Sprache ist dann in den korrespondierenden Regionen der rechten Hemisphäre repräsentiert (vgl. Abb. 22). Diese Übertragung der Sprachdominanz von der linken in die rechte Hemisphäre ist aber spätestens nach dem zehnten Lebensjahr nicht mehr möglich [38]. Die ursprüngliche Fähigkeit, Sprache in der rechten oder in der linken Hemisphäre anzulegen, geht in diesem Lebensalter wahrscheinlich aus zwei Gründen verloren: Einmal ist die Ausbildung der für die Sprache notwendigen *neuronalen Grundmuster* (die auch bei Erlernen einer Zweitsprache später mitbenutzt werden) danach nicht länger möglich; zum zweiten haben die entsprechenden Regionen der *nicht-sprachdominanten Hemisphäre* zu dieser Zeit schon andere Aufgaben übernommen, vor allem die der räumlichen Orientierung und der räumlichen Bewußtheit des eigenen Körpers und seiner Einordnung in die Umgebung (Abb. 22(B)). Die Plastizität des Gehirns hat jedoch ihren Preis: Patienten, bei denen in der Kindheit durch Schädigung der linken Hemisphäre die rechte Hemisphäre zusätzlich zu den eben genannten nicht-verbalen Funktionen auch Sprachaufgaben übernehmen mußte, haben durchweg eine geringere allgemeine Intelligenz und auch geringere sprachliche Fähigkeiten als ein vergleichbares Normalkollektiv [38].

4. Lernen, Gedächtnis, Erinnerung

Aufnahme, Speicherung und Abgabe von Information sind allgemeine Eigenschaften neuronaler Netzwerke. Ihre *biologische Bedeutung* als Grundlage der **Anpassung des individuellen Verhaltens an die Umwelt** kann kaum überschätzt werden. Ohne Lernen, Gedächtnis und Erinnerung wäre weder das Überleben des Einzelnen noch seiner Art möglich, denn es könnten weder Erfolge planvoll wiederholt noch Mißerfolge gezielt vermieden werden. Entsprechend viel Aufmerksamkeit ist daher in den letzten Jahrzehnten von seiten der Neurobiologie diesen Phänomenen entgegengebracht worden, ohne daß sich bisher auch nur einigermaßen befriedigende oder vollständige Theorien über die ihnen zugrunde liegenden Mechanismen abzeichnen. Sicher ist, daß wir nur einen *sehr geringen Teil* der uns bewußt werdenden Vorgänge speichern, die ja selbst nur einen kleinen Ausschnitt aus allen sensorischen Zuflüssen darstellen. Sicher ist auch, daß wir einen Großteil der einmal gespeicherten Information wieder vergessen. Beide Mechanismen, *Auswahl* und *Vergessen* schützen uns vor einer Überflutung mit Daten, die ebenso schädlich wäre wie das Fehlen von Lernen und Gedächtnis.

Die **Speicherkapazität des menschlichen Gedächtnisses** kann bisher nur grob abgeschätzt werden. So zeigen Vergleiche der für das Lernen von Sprachen notwendigen Speicherkapazität (4–$5 \cdot 10^7$ bit) mit der Anzahl der in den entsprechenden temporalen Arealen vorhandenen Neurone ($3 \cdot 10^8$), daß etwa *10 Neurone* notwendig sind, um *ein bit Information* zu speichern. Extrapoliert man diese Werte auf den gesamten menschlichen Cortex, so beträgt seine Speicherkapazität etwa $3 \cdot 10^8$ bit [18]. Diese Speicherkapazität reicht aus, um etwa 1% der durch unser Bewußtsein fließenden Information permanent zu speichern, wie kybernetische Betrachtungen zeigen [19]: Danach beträgt der **Informationsfluß durch das Bewußtsein** aus der gesamten Sensorik jeweils unter 50 bit·s^{-1}. Er liegt beispielsweise für ruhiges Lesen bei 40 bit·s^{-1}, für Kopfrechnen bei 12 bit·s^{-1} und für Zählen bei 3 bit·s^{-1}. Nimmt man also einen Durchschnittswert von 20 bit·s^{-1} an, so beträgt der gesamte Informationsfluß bei einem 16-Stunden-Tag im Laufe eines 70jährigen Lebens rund $3 \cdot 10^{10}$ bit, also hundertmal mehr als nach dem oben Gesagten an Speicherkapazität zur Verfügung steht. Aus diesem Material muß also **ein Prozent für die Langzeit-Speicherung** ausgewählt werden. Es liegt auf der Hand, daß dies vor allem diejenige Information ist, die für das Individuum aus dem einen oder anderen Grunde, z.B. für sein Überleben, besonders wichtig ist [18].

Aufnahme (Lernen) und Speicherung (Gedächtnis) von Information durch das Nervensystem sind in den letzten Jahrzehnten gründlicher bearbeitet worden als das Problem des Rückrufs aus dem Speicher (Erinnerung). Für die beiden ersten Vorgänge zeichnen sich daher einige Umrisse der zugrunde liegenden Mechanismen ab, während die Vorgänge beim Rückruf noch weitgehend dunkel sind. Entsprechend wenig wird daher hier über sie berichtet.

4.1. Das menschliche Gedächtnis

Formen von Gedächtnis. Aus den zahlreichen Daten, die sich in den letzten Jahrzehnten beim experimentellen Studium von Lernen und Gedächtnis angesammelt haben, heben sich einige heraus, die als allgemein anerkannt gelten dürfen und die auf jeden Fall bei der Formulierung von Lern- und Gedächtnistheorien berücksichtigt werden müssen. Dazu gehört als erstes, daß es leichter ist, eine *kurze* Liste, z.B. von sinnlosen Silben, zu behalten als eine *lange*. So banal uns diese Feststellung erscheint, so zeigt sie doch, daß unser Gedächtnis *nicht* wie ein elektronischer Datenspeicher oder wie ein Tonband arbeitet, die beide solange Information aufnehmen, bis die vorhandene Kapazität erschöpft ist oder bis der Speichervorgang angehalten wird.
Ein zweiter wichtiger Punkt ist, daß wir im allgemeinen *Generalisationen abspeichern*, nicht Einzelheiten. So wird nach dem Lesen dieses Absatzes die darin enthaltene Botschaft, daß nämlich **Konzepte gespeichert** werden, in Erinnerung bleiben. Die wörtliche Formulierung dieses Gedankens wird dagegen völlig vergessen. Bei Bedarf setzt der umgekehrte Mechanismus ein: Wir erinnern uns an das Konzept, und die Sprachmechanismen liefern uns die notwendigen verbalen Begriffe dazu. Auch in dieser Hinsicht unterscheiden sich die menschlichen Gedächtnisprozesse deutlich von denen elektronischer Datenspeicher. Die Fähigkeit des Menschen, **Konzepte und Begriffe zu verbalisieren** und in dieser abstrakten Form zu speichern, unterscheidet das **menschliche Gedächtnis** auch entscheidend von dem der Tiere, auch von dem der höchsten Primaten. Zumindest muß man annehmen, daß die beim Menschen mögliche Speicherung verbal codierten Materials zusätzlich vorhanden ist zu der Mensch und Tier gemeinsamen Möglichkeit der nichtverbalen Informationsspeicherung. Entsprechend schwierig ist die Übertragung tierexperimenteller Befunde auf die Interpretation menschlicher Gedächtnisprozesse.

Drittens gibt es gute Anhaltspunkte dafür, daß die *Speicherung von Gedächtnisinhalt in mehreren Schritten* erfolgt, die sich experimentell voneinander abgrenzen lassen, wenn auch die ihnen zugrunde liegenden Mechanismen noch weitgehend unbekannt sind. Nach diesen Befunden haben wir ein (mindestens) zweistufiges Gedächtnis, nämlich ein **Kurzzeitgedächtnis** und ein **Langzeitgedächtnis.** Information im Kurzzeitgedächtnis, z.B. eine Telefonnummer, die man gerade nachgesehen hat, wird schnell wieder vergessen, wenn sie nicht durch *Üben* in das Langzeitgedächtnis übertragen wird. Dort steht sie auch nach längerer Zeit immer wieder zur Verfügung und die von ihr geformte, in ihrem Mechanismus unbekannte Gedächtnisspur, das **Engramm,** verstärkt sich mit jeder Benutzung. Diese Verfestigung des Engramms, die zu einem immer weniger störbaren Gedächtnisinhalt führt, wird **Konsolidierung** genannt.

Die nachfolgende Beschreibung der menschlichen Gedächtnisprozesse berücksichtigt das Konzept des Kurz- und Langzeitgedächtnisses und ergänzt es entsprechend dem heutigen Stand der Erkenntnis. Dazu gehört die Berücksichtigung a) der unterschiedlichen Behandlung verbal und nicht verbal codierten Materials, b) eines **sensorischen Gedächtnisses,** das dem Kurzzeitgedächtnis vorgeschaltet ist, und c) spezieller Gedächtnismechanismen für Speicherung und Abruf besonders gut konsolidierten Materials [10, 41]. Einen Überblick gibt Tabelle 1.

Tabelle 1. Überblick über menschliche Gedächtnisprozesse. (Nach Ervin und Anders [10])

	Sensorisches Gedächtnis	Primäres Gedächtnis	Sekundäres Gedächtnis	Tertiäres Gedächtnis
Kapazität	Begrenzt durch die vom Receptor übertragene Information	7 ± 2 bit	Sehr groß	Sehr groß
Dauer	Bruchteile einer Sekunde	Mehrere Sekunden	Mehrere Minuten bis mehrere Jahre	Dauernd
Aufnahme in den Speicher	Automatisch bei Wahrnehmung	Verbalisierung	Üben	Sehr häufiges Üben
Organisation	Abbild des physikalischen Reizes	Zeitliche Ordnung	Semantisch und nach zeitlich-räumlichen Zusammenhängen (Gestalt-Lernen)	?
Zugriff zum Speicher	Nur begrenzt durch Geschwindigkeit der Ausgabe	Sehr schneller Zugriff	Langsamer Zugriff	Sehr schneller Zugriff
Art der Information	Sensorisch	Verbal (unter anderem?)	Alle Formen	Alle Formen
Art des Vergessens	Verblassen und Auslöschen	Neue Information ersetzt alte	Interferenz, proaktiv und retroaktiv	Möglicherweise kein Vergessen

Sensorisches Gedächtnis. Sensorische Reize werden für die Dauer von wenigen hundert Millisekunden zunächst automatisch in einem *sensorischen Gedächtnis* gespeichert, um dort gesichtet, bewertet und weiterverarbeitet (oder vergessen) zu werden. Das Vergessen beginnt sofort nach der Aufnahme. Zusätzlich kann die gespeicherte Information auch aktiv ausgelöscht, bzw. durch kurz danach aufgenommene Information überschrieben werden (Tabelle 1, Abb. 23).

Die experimentellen Befunde, die zur Annahme eines sensorischen Gedächtnisses geführt haben, stammen bisher nahezu ausschließlich aus dem visuellen Bereich. Wird beispielsweise eine Serie von 16 Buchstaben für 50 ms dargeboten und gefragt, welcher dieser Buchstaben durch einen Punkt markiert war, dann können unmittelbar nach der Darbietung rund 70% der Buchsta-

ben angegeben werden. Wird der Markierungspunkt nicht mit, sondern nach den Buchstaben projiziert, so zeigt sich, daß Vergessen sofort einsetzt und für 150 ms gleichmäßig fortschreitet. Danach wird ein Plateau auf dem 25–30%-Niveau erreicht, anscheinend weil ein Teil der Buchstaben in ein permanenteres Gedächtnis überschrieben wurde. Ohne diesen Prozeß würde nach etwa 250 ms die im sensorischen Gedächtnis gespeicherte Information völlig vergessen sein. Tests mit aufeinanderfolgenden Reizen ergaben, daß neben diesem passivem „Verblassen" der Information auch ein aktives „Überschreiben" durch neue Information möglich ist. Alle Ergebnisse sind unabhängig davon, ob die Reize beiden Augen gleichzeitig oder dem einen oder anderen Auge abwechselnd dargeboten werden. Dies spricht für ein einziges zentrales visuelles Gedächtnis [10].

Die Übertragung der Information aus dem kurzlebigen sensorischen in ein dauerhafteres Gedächtnis kann auf zwei Wegen erfolgen: der eine ist die verbale Codierung der sensorischen Daten, die beim Erwachsenen nach den vorliegenden Versuchsergebnissen am häufigsten ist. Der andere ist ein nicht-verbaler Weg, über den wenig bekannt ist, der aber von kleinen Kindern und Tieren eingeschlagen werden muß und der auch zur Aufnahme verbal nicht oder nur schwer zu fassender Erinnerungen dient.

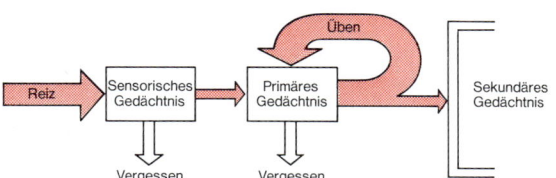

Abb. 23. Diagramm des Informationsflusses vom sensorischen (visuellen) über das primäre in das sekundäre Gedächtnis. Verbales Material wird in das primäre Gedächtnis überführt, wo es entweder wiederholt (geübt) oder vergessen wird. Ein Teil des geübten Materials gelangt in das sekundäre Gedächtnis. Wiederholen erleichtert die Überführung in das sekundäre Gedächtnis. Es ist aber weder eine unabdingbare Voraussetzung dazu, noch garantiert es die Überführung. (Modifiziert nach Waugh und Norman [41])

Primäres Gedächtnis (Tabelle 1). Dieses Gedächtnis dient zur vorübergehenden **Aufnahme verbal codierten Materials.** Seine Kapazität beträgt etwa 7 ± 2 bit. Sie ist damit kleiner als die des sensorischen Gedächtnisses. Die Information ist in zeitlicher Ordnung gespeichert. Vergessen erfolgt durch Ersetzen der eingespeicherten Information durch neue. Da der Organismus dauernd Information verarbeitet, ist die mittlere Verweildauer im primären Gedächtnis kurz. Sie beträgt einige Sekunden. Das **primäre Gedächtnis** entspricht in etwa dem oben angesprochenen *Kurzzeitgedächtnis*. *Nicht-verbal codiertes Material* wird vom primären Gedächtnis nicht gespeichert. Es wird entweder über einen eigenen Zwischenspeicher oder direkt vom sensorischen Gedächtnis in das sekundäre Gedächtnis (s.u.) übertragen.

Übertragung aus dem *primären Gedächtnis* in das dauerhaftere *sekundäre Gedächtnis* wird durch **Üben** erleichtert, und zwar durch aufmerksames Wiederholen und damit korrespondierendes Zirkulieren der Information im primären Gedächtnis (Abb. 23). Die Wahrscheinlichkeit der Übertragung in das sekundäre Gedächtnis hängt von der Dauer dieses Übens ab.

Sekundäres Gedächtnis (Tabelle 1). Dieses Gedächtnis ist ein großes und dauerhaftes Speichersystem. Nur dort gespeicherte Information steht auch nach längerer Zeit zur Erinnerung zur Verfügung. Bisher gibt es keine gut fundierten Abschätzungen seiner Kapazität und der Verweildauer des gespeicherten Materials. Die Information ist nach ihrer „Bedeutung" gespeichert. Der *Organisationsunterschied* zum primären Gedächtnis wird durch die Art der Fehler deutlich, die beim Rückruf aus den Speichern auftreten können: beim primären Gedächtnis handelt es sich meist um die Verwechslung phonetisch ähnlicher Laute, wie p oder b, beim sekundären Gedächtnis um die Verwechslung von Wörtern ähnlicher Bedeutung. Die beiden Speicher unterscheiden sich auch in der *Geschwindigkeit des Zugriffs*: sie ist schnell im primären, langsam im sekundären Gedächtnis (das Suchen in einem großen Speicher benötigt mehr Zeit).

Vergessen im sekundären Gedächtnis scheint weitgehend auf Störung oder Verdrängung (Interferenz) des zu lernenden Materials durch vorher oder anschließend Gelerntes zu beruhen. Im ersteren Fall spricht man von **proaktiver,** im letzteren von **retroaktiver Hemmung.** Proaktive Hemmung scheint der wichtigere Faktor zu sein, da wir über einen großen Vorrat von bereits Gelerntem verfügen. So gesehen ist an einem Großteil unseres Vergessens das bereits vorher Gelernte schuld [10, 25, 27].

Tertiäres Gedächtnis (Tabelle 1). Es gibt Engramme, z.B. den eigenen Namen, die Fähigkeit zu lesen und zu schreiben, oder andere täglich praktizierte Handfertigkeiten, die durch jahrelanges Üben praktisch *nie mehr vergessen* werden, auch nicht, wenn aus klinischen Gründen alle anderen

Gedächtnisinhalte mehr oder weniger verloren gehen. Diese Engramme zeichnen sich außerdem durch *extrem kurze Zugriffszeiten* aus. Sie scheinen in einer besonderen Gedächtnisform, dem **tertiären Gedächtnis** gespeichert zu werden [10]. Das oben angesprochene **Langzeitgedächtnis** entspricht in diesem Konzept dem sekundären plus dem tertiären Gedächtnis.

4.2. Gedächtnisstörungen

Anterograde Amnesie. Die Unfähigkeit, neu aufgenommene Information zu lernen, d.h. dauerhaft zu speichern und zugriffsbereit zu haben, wird als **anterograde Amnesie** bezeichnet. Dieses Krankheitsbild ist in der Klinik als *amnestisches* oder *Korsakoff-Syndrom* bekannt. Die Patienten (häufig chronische Alkoholiker) besitzen ein weitgehend normales sekundäres und tertiäres Gedächtnis für die Zeit vor

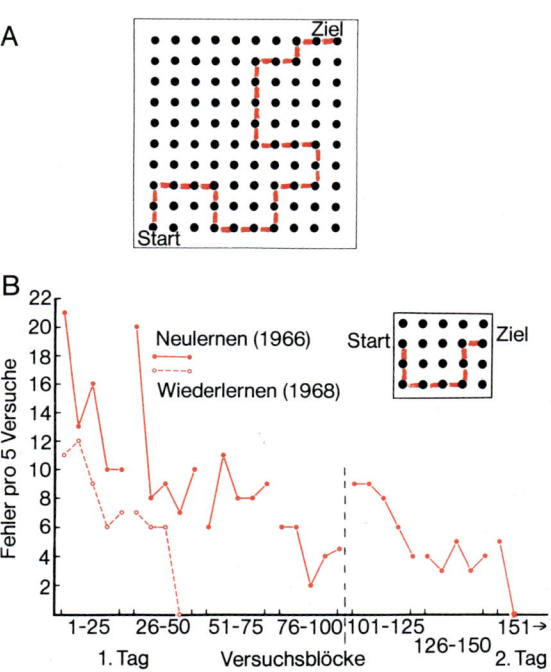

Abb. 24A u. B. Lernen am Bolzenlabyrinth. Die schwarzen Kreise in (A) symbolisieren Metallbolzen auf einem Holzbrett. Die Versuchsperson muß den korrekten Weg vom Start zum Ziel (rot eingezeichnet) entdecken und behalten. Berühren eines falschen Bolzens löst einen Klick aus. Eine normale Versuchsperson kann in zwanzig oder weniger Versuchen lernen, die Aufgabe dreimal hintereinander ohne Fehler auszuführen. Bei Patienten mit anterograder Amnesie ist auch bei hoher Intelligenz die Aufgabe nicht lösbar. (B) Lernen eines Patienten mit anterograder Amnesie am verkürzten Bolzenbrett. Selbst diese einfache Aufgabe konnte erst nach 155 Versuchen (ausgezogene Linie) gelernt werden. Wiederholen des Tests (gestrichelte Linie) zwei Jahre später zeigte ein gewisses Behalten. Der Patient konnte sich jedoch nicht erinnern, die Aufgabe je durchgeführt zu haben. (Aus MILNER [24])

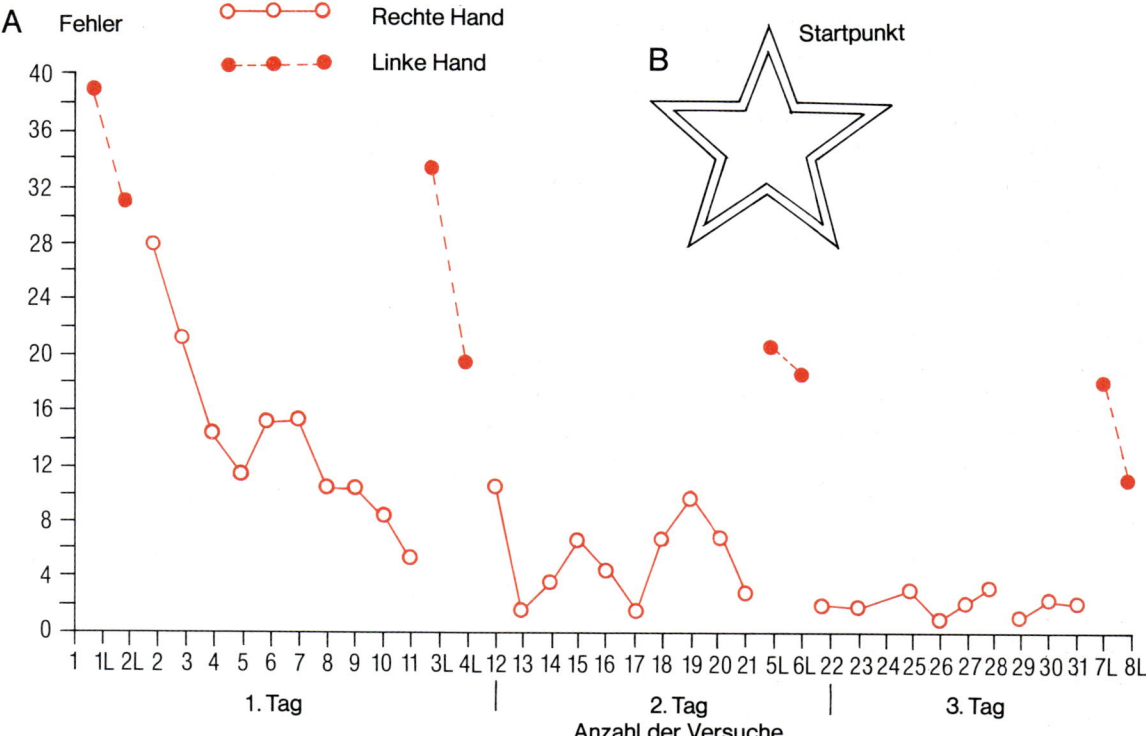

Abb. 25A u.B. Lernen eines motorischen Programms. Die Versuchsperson sieht den Stern in (A) und den von ihr gehaltenen Bleistift in einem Spiegel. Sie muß den Stern zwischen den beiden Umrißlinien nachzeichnen (bitte selbst versuchen!). Kreuzen der Umrißlinien gilt als Fehler. Die Lernkurven in (B) stammen vom selben Patienten wie die in Abb. 24. Der Patient mit ausgeprägter Amnesie lernte diese Aufgabe genau so schnell wie normale Versuchspersonen. Auch hier konnte sich der Patient nicht erinnern, diese Aufgabe je durchgeführt zu haben. (Aus MILNER [24])

der Erkrankung und auch ihr primäres Gedächtnis ist intakt. Sie können jedoch *keine Information aus dem primären in das sekundäre Gedächtnis übertragen*. Klinisch spricht man etwas ungenau vom Verlust des „**Neugedächtnisses**" bei erhaltenem „**Altgedächtnis**".

Pathologisch-anatomische und neurochirurgische Beobachtungen zeigen, daß insbesondere beidseitige Schädigung bzw. Entfernung des *Hippocampus und der mit ihm verbundenen Strukturen* zu anterograder Amnesie führen. Diese Strukturen spielen anscheinend für die *Umcodierung und Übertragung* von Information aus dem primären in das sekundäre Gedächtnis eine Schlüsselrolle. Da mit diesem Prozeß auch die *Selektion* der für dauerhafte Speicherung vorgesehenen Information verbunden ist, muß angenommen werden, daß der Hippocampus und andere limbische Strukturen dabei besonders beteiligt sind [18, 24, 25].

Die gründliche, sich über mehr als 15 Jahre erstreckende Untersuchung des hochintelligenten Patienten H.M. mit **anterograder Amnesie** nach beidseitiger Entfernung der medialen Anteile der Temporallappen zeigte [24, 25], daß er **einfaches Material,** z.B. die Zahl 584, **durch ständiges Wiederholen** (in seinem primären

Gedächtnis) für mindestens 15 min behalten konnte. Wurde jedoch seine Aufmerksamkeit nur kurz abgelenkt, war die Information sofort für immer verloren. Testaufgaben, wie z.B. das Suchen und Behalten des Weges durch ein Bolzenlabyrinth mit 28 Schritten vom Start zum Ziel (Abb. 24(A)), die die Kapazität des primären Gedächtnisses überforderten, konnten auch nach vielhundertfachem Üben nicht gelöst werden. Erst wenn die Aufgabe erheblich vereinfacht wurde (Abb. 24(B)), war sie unter großen Anstrengungen lösbar, allerdings ohne daß sich der Patient an das jeweils vorhergehende Üben erinnern konnte.

Die *anterograde Amnesie* scheint besonders schwer für verbale, **weniger ausgeprägt für nicht-verbale Aufgaben** zu sein. Beispielsweise erzielte der Patient H.M. praktisch normale Ergebnisse beim Erlernen bestimmter, kontinuierlicher motorischer Aufgaben (Abb. 25). Auch hier konnte er sich beim *Wiederholen der Aufgabe nie daran erinnern,* sie vorher schon geübt zu haben. Es handelt sich also hier um ein Lernen, bei dem sich kein Gefühl der Vertrautheit mit dem gelernten Stoff herausbildet. Die normale Lernkurve für diese Art von motorischen Aufgaben deutet darauf hin, daß, wie oben schon gesagt, diese nichtverbalisierbare Information nicht vom sensorischen über das primäre in das sekundäre Gedächtnis übertragen wird, sondern einen anderen, noch unbekannten Weg nimmt. Die Annahme einer **überwiegenden Störung des verbalen Gedächtnisses bei anterograder Amnesie** wird unterstützt durch die Ergebnisse von Versuchen mit klassischem und operantem Konditionieren, sowie von Versuchen zur Gestalterkennung. Solange bei diesen Versuchen auf verbales oder verbalisierbares Material verzichtet wurde, verliefen sie normal oder nahezu normal, wiederum *ohne Erinnerung der Patienten an ihren Lernerfolg* [10].

Bisher ist es *im Tierversuch leider nicht geglückt*, durch Läsionen ein der anterograden Amnesie beim Menschen entsprechendes Syndrom auszulösen. Drei Ursachen müssen dafür in Betracht gezogen werden: a) Die Störung beim Menschen ist begrenzt auf verbales oder verbalisierbares Material, so daß sie beim Tier nicht in Erscheinung treten kann; b) die bisherigen Tierversuche haben Tests benutzt, bei denen die Übertragung vom primären in das sekundäre Gedächtnis nicht genau genug gemessen werden konnte; c) die Rolle des Hippocampus und der ihm zugeordneten Strukturen hat sich in der Phylogenese (zusammen mit der Entwicklung der Sprache?) geändert.

Retrograde Amnesie. Verlust von Erinnerung an die Zeit vor einer Störung der normalen Hirnfunktionen wird **retrograde Amnesie** genannt. Bekannte Beispiele für ihre Auslösung sind mechanische Erschütterung (Gehirnerschütterung, Commotio cerebri), Hirnschlag (Apoplex), Elektroschock (therapeutisch oder bei Unfall) und Anaesthesie. Sie sind alle ziemlich unspezifische Affektionen des Gehirns, so daß bisher nicht bekannt ist, auf welchen strukturellen oder funktionellen Störungen die retrograde Amnesie im einzelnen beruht.

Der Inhalt des *primären Gedächtnisses* wird durch das die retrograde Amnesie auslösende Ereignis in jedem Fall ausgelöscht. Auch gehen zunächst mehr oder weniger große Anteile des sekundären Gedächtnisses verloren, und zwar um so weiter rückwärts in die Vergangenheit, je schwerer die Schädigung war. Auffallend ist aber, daß der Zeitraum des Vergessens später wieder schrumpft, sich manchmal sogar völlig zurückbildet. Auch kann mit speziellen Techniken, z.B. Hypnose, vergessenes Material wieder in Erinnerung gerufen werden. Diese und weitere Befunde machen wahrscheinlich, daß es sich bei der **retrograden Amnesie** im wesentlichen um eine **Störung des Zugriffs zum sekundären Gedächtnis** handelt, weniger um einen Verlust von Gedächtnisinhalt. Das *tertiäre Gedächtnis* ist in der Regel auch bei schweren retrograden Amnesien nicht betroffen [10, 27].

Tierversuche zum Problem der retrograden Amnesie sind bisher insgesamt genauso unbefriedigend verlaufen wie die zur Frage der anterograden Amnesie. Diese Versuche benutzen unter anderem generellen Elektroschock, lokale elektrische Reizung (z.B. des N. amygdalae), rasche Narkose, teilweise bis vollständige *funktionelle Decortication* durch vorübergehendes Aufbringen isotonischer KCl-Lösung auf die Hirnrinde (führt zur lokalen, sich in die Nachbarschaft ausbreitenden massiven Depolarisation und damit Unerregbarkeit der Cortexneurone, genannt „spreading depression"), starkes Abkühlen von Cortexarealen, sowie Applikation von Cholinesterase- und Proteinsynthesehemmstoffen, um eine retrograde Amnesie auszulösen, bzw. den Prozeß der Konsolidierung zu stören. Die Ergebnisse sind außerordentlich uneinheitlich [25, 43].

4.3. Neuronale Mechanismen

Die einfachste und einleuchtendste Annahme über die neuronale Grundlage des Lernens ist die, daß eine Information zunächst in Form **kreisender Erregung** (vgl. Abb. IV-5) in einem räumlich-zeitlich geordneten Muster gespeichert wird *(dynamisches Engramm)*. Diese *reverberatorische* Erregung führt anschließend zu **strukturellen Veränderungen an den beteiligten Synapsen** (Konsolidierung zu einem *strukturellen Engramm*). Der Gedächtnisinhalt kann dann über eine entsprechende Aktivierung dieser Synapsen wieder abgerufen werden.

Dem *Konzept der kreisenden Erregung* entspricht die subjektive Erfahrung, daß wir einen Lernstoff *üben*, d.h. wiederholt durch unser Bewußtsein passieren lassen müssen, um ihn schließlich zu behalten. Morphologische und elektrophysiologische Befunde, die darauf hindeuten, daß ein solches Kreisen von Erregung möglich ist, liegen vor. Aber es ist völlig offen, ob sie in einer Beziehung zum Lernprozeß stehen.

Über die **Änderungen der synaptischen Effizienz** während und nach tetanischer Reizung ist bereits ausführlich berichtet worden (IV-1.4, Abb. IV-6). Vor allem von den *posttetanischen Potenzierungen*, die an bestimmten *erregenden* Synapsen, z.B. im Hippocampus, für viele Stunden beobachtet wurden und wahrscheinlich noch wesentlich länger anhalten können, wird schon lange angenommen, daß sie die bei der Bildung des strukturellen Engramms auftretenden Änderungen im Nervensystem widerspiegeln [8, 9]. Dem entspricht, daß im Rückenmark, wo nur relativ kurze posttetanische Potenzierungen vorkommen (vgl. Abb. IV-6 (D, E)), kein überdauerndes Lernen zu beobachten ist. Für dieses Konzept spricht auch, daß im visuellen Cortex von Mäusen dendritische Synapsen bei von Geburt an ausbleibender Benutzung (durch Entfernen des Auges oder Aufzucht in Dunkelheit) histologische und funktionelle Zeichen der Degeneration zeigen, also ein Abnehmen der Funktionsfähigkeit als Folge unzureichenden Gebrauchs [8, 9].

Der Zusammenhang von Gebrauch und Nicht-Gebrauch von Synapsen und ihrer Effizienz darf jedoch nicht zu einfach gesehen werden. Da das Nervensystem während des gesamten Lebens in kontinuierlicher Aktivität ist, würde daraus schließlich eine beträchtliche Hypertrophie aller Synapsen resultieren. Modifikationen des ursprünglichen Konzepts, die diese Schwierigkeit umgehen, sind unterdessen vorgeschlagen worden. So soll im Kleinhirn nur die *gleichzeitige Aktivierung* von Moos- und Kletterfasersynapsen einer Purkinje-Zelle einen synaptischen Lernprozeß in ersteren induzieren [8, 9].

Das Studium von **Veränderungen des Elektroencephalogramms** hat bisher zwar eine Reihe von interessanten Ergebnissen, insgesamt aber nur wenig Einsicht in die neuronalen Mechanismen von Lernen und Gedächtnis gebracht. Wie in 1.2 und 1.3 geschildert, herrschen beim Menschen im wachen, aber entspannten Zustand langsame α-Wellen von 8–13 Hz vor. Ein neuer, besonders ein unerwarteter Reiz bringt die α-Wellen zum Verschwinden (α-Blockade) und es treten hochfrequente β-Wellen (14–30 Hz) niedrigerer Amplitude auf. Gleichzeitig kommt es auch zu anderen somatischen und vegetativen Reaktionen (z.B. Hinblicken zur Reizquelle, Erhöhung des Muskeltonus, Änderungen der Herzfrequenz). Diese Änderungen werden als **Orientierungsreaktion** zusammengefaßt. Hat der Reiz für das Tier keine Bedeutung, so verschwindet bei wiederholter Darbietung alsbald die Orientierungsreaktion. Diese Gewöhnung an den Reiz, die als *negativer Lernprozeß* aufgefaßt werden kann (das Tier lernt, daß die Orientierungsreaktion für diesen Reiz nicht notwendig ist), wird als **Habituation** bezeichnet. Die Habituation ist für den jeweiligen Reiz spezifisch. Auch Reize, z.B. Klicks, die zunächst nicht zu einer α-Blockade führen, können diese auslösen, sobald sie durch *klassisches Konditionieren* nach PAWLOW (vgl. IX-3.1) vorübergehend mit einem unbedingten Reiz für α-Blockade, wie z.B. einem Lichtreiz, dargeboten wurden. Auf diese Weise können ferner die corticalen Gleichspannungspotentiale (s. 1.2) beeinflußt werden, z.B. wenn man die normalerweise bei hungrigen Katzen beim Füttern auftretenden corticalen Gleichspannungsveränderungen durch visuelle oder akustische Reize konditioniert. Mit anderen Worten: Tier und Mensch können über klassisches Konditionieren *lernen*, elektrophysiologische Korrelate der Hirntätigkeit zu modifizieren [27]. Auch mit *operantem Konditionieren* (Definition und Technik s. IX-3.1) ist es unterdessen gelungen, bei Tier und Mensch Änderungen des EEG herbeizuführen (vgl. auch 4.5). Therapeutische Anwendungen solcher Methoden, z.B. zur Bekämpfung präepileptischer hochfrequenter Entladungen oder als Hilfe zur psychischen Entspannung, sind denkbar.

Studien mit **simultanen Ableitungen von mehreren Hirnregionen** auf der Ebene von Makro- und Mikropotentialen, ebenso wie Kombinationen solcher **Ableitungen mit Verhaltensbeobachtungen** zeigen, daß bei den meisten Lernprozessen in *zahlreichen corticalen und subcorticalen Strukturen* Änderungen der Hirnaktivität auftreten. Auch sind während und nach Lernprozessen deutliche *Phasenverschiebungen* der spontanen Rhythmizität einzelner Hirnabschnitte beobachtet worden, die möglicherweise auf eine durch das Lernen induzierte Verlagerung des führenden Schrittmachers hindeuten. Die Deutung dieser komplexen Befunde ist aber insgesamt noch sehr umstritten [4, 25, 27].

4.4. Biochemische (molekulare) Mechanismen des Engramms

Die erfolgreiche Aufklärung der Verschlüsselung des **genetischen Gedächtnisses** in den Desoxyribonucleinsäuren (DNA) und vergleichbare Resultate beim Studium des **immunologischen Gedächtnisses** haben es nahegelegt, auch für das **neuronale Gedächtnis** nach molekularen Veränderungen zu suchen, die als Basis für das Engramm angesehen werden könnten.

So wurden zahlreiche Versuche mit der Frage durchgeführt, ob durch Lernen **Veränderungen der Ribonucleinsäuren** (RNA) der Neurone und Gliazellen ausgelöst werden können. Mikrotechniken, die sowohl die Menge als auch den relativen Anteil der vier Basen der RNA zu bestimmen gestatten, zeigten in der Tat, daß Änderungen in den Anteilen dieser Basen während Lernprozessen auftreten (HYDÉN in [43]). Es ist aber nicht ausgeschlossen, ja wahrscheinlich, daß diese Änderungen völlig unspezifisch sind. Um diesem Einwand zu entgehen, wurde weiter versucht, durch Extraktion von RNA aus dem Gehirn trainierter Tierpopulationen und Übertragung (Injektion) des Extrakts auf Kontrolltiere nachzuweisen, daß ein **Transfer des gelernten Verhaltens** über diese RNA möglich ist. Diese Versuche sind bisher weder bei einfachen Organismen wie Plattwürmern (Planarien), noch bei Fischen und Säugern überzeugend geglückt [43].

Zwei weitere Wege zur Aufklärung der biochemischen Grundlagen neuronaler Gedächtnisprozesse verdienen Erwähnung: einmal wurde in Umkehrung der eben beschriebenen Ansätze versucht, durch **Hemmung der RNA- oder der Protein-Synthese** (z.B. durch Actinomycin oder Puromycin) mit der Bildung eines strukturellen Engramms in der Zelle oder in der Zellmembran zu interferieren. Soweit dies geglückt ist, bleibt auch hier der Einwand, daß eine generelle Hemmung der Proteinsynthese nicht nur zu einer Störung der Engrammbildung, sondern zu einer allgemeinen Funktionsstörung führt. Zum zweiten wurde aus den Gehirnen von Ratten, die durch Bestrafung mit elektrischen Schlägen darauf trainiert wurden, dunkle Aufenthaltsorte entgegen ihrer Vorliebe zu meiden, ein Polypeptid isoliert, daß bei normalen Ratten (auch bei Mäusen und Fischen) ebenfalls zu einem vermehrten Aufenthalt im Hellen führt. Dieses Polypeptid, **Scotophobin** genannt, hat 15 Aminosäuren. Es konnte unterdessen auch synthetisiert werden (s. UNGER in [43]). Welcher Stellenwert diesen Befunden zukommt, ist heute noch nicht zu sagen. Viel hängt davon ab, ob es gelingt, weitere solche verhaltensändernde Moleküle zu isolieren.

4.5. Lernen im autonomen Nervensystem

Seit PAWLOW ist bekannt, daß über Ankoppelung eines allein nicht wirksamen Reizes an einen unbedingten Reiz anschließend auch durch den *bedingten Reiz* Verhaltensänderungen an den Effectoren des autonomen Nervensystems (Herz, glatte Muskeln, Drüsen) auslösbar sind. Für lange Zeit wurde geglaubt, daß diese sehr eingeschränkte Form des Lernens die einzige sei, zu der das autonome Nervensystem fähig ist. Anwendung der Technik des **operanten Konditionierens** (Synonyme: Typ II-Konditionieren, Versuch- und Irrtum-Lernen, instrumentelles Lernen, vgl. IX-3.1), also der Verstärkung erwünschter Verhaltensweisen durch Belohnung, hat aber gezeigt, daß auch im autonomen Nervensystem Lernen in einem weit größeren Umfang möglich ist. So gelang es beispielsweise im Tierversuch, die Absonderung von Speichel (Abb. 26), die Herzfrequenz, den Tonus der Darmmuskulatur, die Urinsekretion und die Durchblutung der Magenwand in weitem Umfang zu verändern [22].

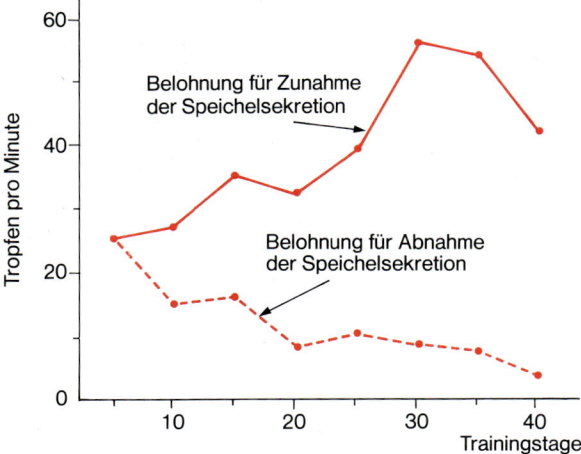

Abb. 26. Lernkurven (Durchschnittswerte) durstiger Hunde, die für Zunahme oder Abnahme ihrer Speichelsekretion mit Wasser belohnt wurden. Es fiel auf, daß die auf Zunahme des Speichelflusses trainierte Gruppe insgesamt aufmerksamer und wacher schien als die andere Gruppe. (Nach MILLER u. CARMONA aus [22])

Die größte Schwierigkeit beim Studium der durch operantes Lernen im autonomen Nervensystem ausgelösten Verhaltensänderungen besteht darin, daß die am leichtesten meßbaren Antworten (z.B. Herzfrequenz) auch *indirekt* über die Skeletmuskulatur, also durch Änderungen der Muskelarbeit, des Muskeltonus oder durch Änderungen der Zwerchfellkontraktion beeinflußbar sind. Das gleiche gilt für noch subtilere indirekte Einflüsse, wie sie zum Beispiel der allgemeine Wachheits- und Aufmerksamkeitsgrad der Versuchstiere darstellen (vgl. Legende Abb. 26). Der Ausschluß solcher indirekter Faktoren als entscheidende Ursache für die beobachteten Änderungen an den Effectoren des autonomen Nervensystems ist bisher nicht immer eindeutig geglückt: zwar sind zahlreiche Versuchsergebnisse bekannt, bei denen auch nach Lähmung der Skeletmuskulatur durch Curare Lernen im autonomen Nervensystem erfolgte, doch blieben die Ergebnisse nicht unwidersprochen [4, 22].
Unterdessen wird auch *am Menschen* versucht, über die Technik des operanten Konditionierens auto-

nome Vorgänge zu beeinflussen. Wird beispielsweise einer Versuchsperson ihr Herzschlag bzw. ihre Herzfrequenz sicht- oder hörbar gemacht, so genügen im allgemeinen kleine Änderungen der Herzfrequenz in der gewünschten Richtung als Belohnung und als Antrieb, noch größere Änderungen zu erreichen. Solche **Biofeedback-Anordnungen** werden als vielversprechender therapeutischer Ansatz angesehen, auf nicht-medikamentösem Wege krankhafte Prozesse im Organismus zu bessern. Beispiele, bei denen über Erfolge berichtet wird, sind Herzrhythmusstörungen, Muskelverspannungen, Migräne und Einschlafstörungen (über Kontrolle der EEG-Frequenz, s. 4.3). Noch mehr als im Tierversuch ist aber hier daran zu denken, daß zahlreiche indirekte Einflüsse an der Veränderung der untersuchten autonomen Parameter beteiligt sein können.

5. Das Stirnhirn

Im Laufe der Entwicklungsgeschichte tritt relativ spät eine bedeutende Zunahme derjenigen neocorticalen Abschnitte auf, denen keine unmittelbaren sensorischen oder motorischen Funktionen zugeordnet werden können. Beim Menschen nehmen diese **„unspezifischen Areale"** den weitaus größten Teil der Hirnrinde ein (Abb. 27). Diese unspezifischen Areale wurden ursprünglich mit dem Ausdruck *„assoziativer Cortex"* oder *„Assoziationsfelder"* belegt, da die Ansicht verbreitet war, sie würden über *cortico-corticale Verbindungen* die sensorischen mit den motorischen Arealen verknüpfen, dabei zur Wahrnehmung und zur Verarbeitung der aufgenommenen Information beitragen und gleichzeitig als Sitz der höchsten geistigen Funktionen dienen. Abgesehen davon, daß solche cortico-corticalen Verbindungen relativ selten sind, hat sich unterdessen aufgrund zahlreicher Reiz- und Ausschaltversuche und durch sorgfältige klinische Beobachtung die Rolle der unspezifischen Cortexareale weiter eingrenzen lassen. So sind die *parietalen* und *temporalen* Abschnitte teils an neuronalen Prozessen der Sprache, teils am Form- und Raumerkennen des Körpers und der Außenwelt beteiligt, wobei interessante Unterschiede zwischen der linken und der rechten Hemisphäre zu beobachten sind (s. 3.2, 3.3 und Abb. 22). Über die **Funktionen des Stirnhirns** (Lobus frontalis) lassen sich derzeit allerdings nur sehr eingeschränkte Angaben machen, die im wesentlichen auf klinischen Beobachtungen beruhen (s. 5.1). Für lange Zeit wurde ge-

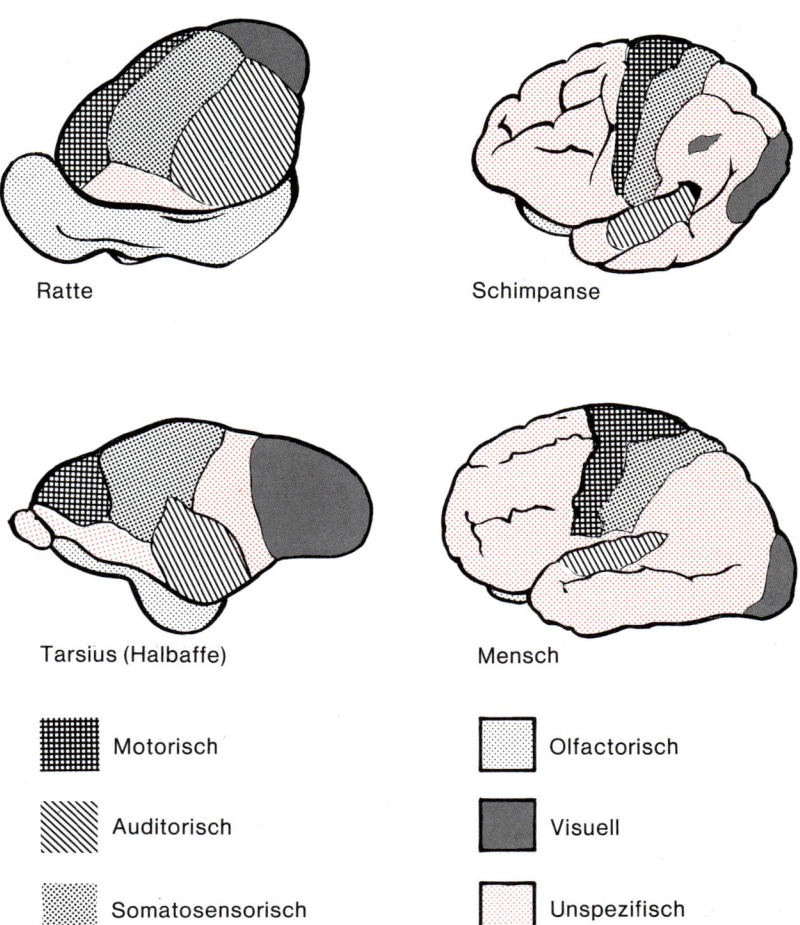

Ratte

Schimpanse

Tarsius (Halbaffe)

Mensch

Abb. 27. Seitenansicht der Gehirne von Säugetieren zur Illustration der massiven Zunahme des unspezifischen Cortex im Verlauf der späten Phylogenese. Bei der Bewertung der relativen Anteile der einzelnen Cortexareale ist auch der beträchtliche absolute Unterschied in der Größe der einzelnen Hirne zu berücksichtigen. (Nach STANLEY COBB aus [32])

▦ Motorisch

▨ Auditorisch

▒ Somatosensorisch

▫ Olfactorisch

■ Visuell

▫ Unspezifisch

glaubt, daß das Stirnhirn der Sitz der höchsten psychischen Funktionen und der Intelligenz des Menschen sei, doch fehlt dafür bis heute eine solide experimentelle und klinische Basis.

Verbindungen des Stirnhirns. Zum frontalen Cortex im engeren Sinne zählen die Areale 9 bis 12 auf der dorsalen und lateralen Seite des Frontallappens (s. Abb. 2), sowie die Areale 13 und 14 auf der orbitalen Seite. Diese *homotypen* Cortexanteile (s. Abb. 3) werden, etwas mißverständlich, als **präfrontaler Cortex** bezeichnet. Der präfrontale Cortex erhält seine Afferenz im wesentlichen vom **Nucleus medialis dorsalis**, einem der *unspezifischen Thalamuskerne* (s. Abb. X-4). Er hat außerdem ausgedehnte reziproke Verbindungen mit verschiedenen Anteilen des limbischen Systems, wie dem Gyrus cinguli, dem Hippocampus, dem Nucleus amygdala und dem Hypothalamus. Der präfrontale Cortex ist daher auch als **neocorticaler Teil des limbischen Systems angesehen** worden, wobei seine dorsalen Anteile mehr mit dem Hippocampus, die ventralen mehr mit dem N. amygdala verbunden sind. Wenn man davon ausgeht, daß das limbische System für

das artspezifische Verhalten (Triebe, Motivationen) eines Organismus eine besondere Rolle spielt (vgl. VII-4), dann läßt sich vielleicht postulieren, daß eine der Aufgaben des präfrontalen Cortex die *erlernte Kontrolle* der angeborenen Verhaltensweisen ist. Für eine solche Annahme spricht, daß von vielen Patienten mit Frontallappenläsionen gesagt wird, sie seien besonders impulsiv, ungehemmt, reizbar, euphorisch oder auf andere Weise psychisch labil [3, 11, 25, 33].

5.1. Aufschlüsse von Läsionen des Stirnhirns beim Menschen

Patienten mit Stirnhirnläsionen erreichen bei den meisten der üblichen *Intelligenztests* völlig normale Werte. Oft zeigen sie aber subtile, relativ schwer qualifizierbare Persönlichkeitsveränderungen wie *Antriebslosigkeit* und das *Fehlen von festen Absichten und planender Vorausschau.* Daneben sind sie oft unzuverlässig, grob oder taktlos, frivol oder jähzornig, so daß sie, trotz ihrer normalen „Intelligenz", häufig in soziale Konflikte, z.B. am Arbeitsplatz, verwickelt sind.

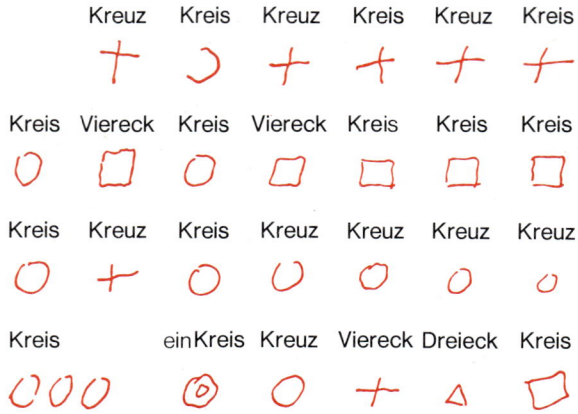

Abb. 28. Perseveration bei der Durchführung motorischer Aufgaben durch vier Patienten mit Schädigungen des Stirnhirns. Jede Zeile zeigt die Zeichnungen der Patienten in Farbe, darüber die vom Untersucher gegebene Anweisung. Der erste, zweite und vierte Patient hatten eine Geschwulst im linken Stirnhirn, der dritte einen Absceß im rechten Stirnhirn. (Aus Luria [21])

In *Tests mit Bewegungsaufgaben* neigen die Patienten dazu, an einem einmal begonnenen motorischen Akt festzuhalten, auch wenn die Spielregeln längst eine Änderung verlangen. So wurde bei der in Abb. 28 gezeigten Aufgabe den Patienten jeweils gesagt, welche geometrische Figur sie als nächstes zeichnen sollten. Obwohl sie diese Aufforderung verstanden (und auf Wunsch auch wiederholen konnten), fuhren sie häufig fort, die vorher schon ein- oder mehrmals gezeichnete Figur wieder zu skizzieren. Dieses Beharren auf einmal Begonnenem wird **Perseveration** genannt.

Bei Perseverationen sieht man häufig auch eine *Dissoziation zwischen den verbalen und anderen motorischen Reaktionen*. Wird beispielsweise ein solcher Stirnhirnpatient aufgefordert, bei einem grünen Signal mit der linken Hand einen Knopf zu drücken, bei einem roten mit der rechten, dann wird er dieser Instruktion einige Male folgen, um dann auf beide Signale nur noch mit einer Hand oder in einem regellosen Wechsel zu drücken. Auf Nachfrage kann er seine Instruktion richtig wiederholen, ohne aber seine Fehler zu korrigieren. Es sieht so aus, als ob die verbale Instruktion nicht zu denjenigen motorischen Arealen vordringt, die für den Bewegungsentwurf der Hände zuständig sind. (Ähnliches kann man gelegentlich im Alltag sehen, wenn jemand beispielsweise „links" sagt, sich aber nach rechts wendet.) Die Tendenz zur Perseveration spiegelt sich auch in Lernversuchen wider, bei denen der Patient Schwierigkeiten hat, die nachfolgenden Reize von den vorangegangenen zu unterscheiden. Es entsteht der Eindruck, daß die vorhergehende Gedächtnisspur nicht schnell genug der nachfolgenden Platz machen kann, daß also eine *verstärkte*

proaktive Hemmung (vgl. 4.1 und Tabelle 1) vorliegt.

Auch am Bolzenlabyrinth (s. Abb. 24) machen diese Patienten, verglichen mit Normalpersonen und mit Patienten mit anderen Hirnverletzungen, weit überdurchschnittlich viel Fehler. Vor allem neigen sie dazu, ohne Rücksicht auf Fehler weiterzugehen oder entgegen den Regeln diagonal von Bolzen zu Bolzen zu springen. Auch hier sind sie sich ihrer Fehler bewußt, aber nicht in der Lage, ihre impulsiven Handlungen unter Kontrolle zu bringen: der Vorsatz, das Ziel zu erreichen scheint alle anderen Motivationen zu überspielen.

Stirnhirnpatienten haben also Schwierigkeiten, ihr Verhalten dann zu ändern, wenn es von den Umständen her notwendig wäre. Die Wirksamkeit externer Motivationen scheint abgeschwächt, und wenn mehrere externe und interne Motivationen miteinander konkurrieren, fällt es dem Patienten schwer, rasch und angemessen von einer zur anderen zu wechseln. Diese Schlußfolgerung aus den Verhaltensbeobachtungen entspricht der, die schon aus der Betrachtung der anatomischen Verbindungen gezogen wurde, daß nämlich der präfrontale Cortex an der **erlernten Kontrolle angeborener Verhaltensweisen** und an der **Abstimmung der externen mit den internen Motivationen** beteiligt ist.

Psychochirurgie. Bei Verhaltensversuchen an Schimpansen (s. 5.2) fand sich als Nebenbefund, daß Tiere, die auf ihre Fehler mit Wutanfällen reagierten, nach Durchtrennung der Verbindungen zwischen Stirnhirn und Thalamus diese Fehler gelassen hinnahmen. Eine etwas voreilige Übertragung dieser Befunde auf den Menschen durch Moniz führte um 1940–1950 zu entsprechenden Eingriffen an neuropsychiatrischen Patienten. Diese **präfrontalen Lobotomien** oder **Leukotomien** dienten zur Behandlung psychischer Erkrankungen und unstillbarer Schmerzen, wobei bei letzteren angenommen wurde, daß die Schmerzen weiterhin empfunden, die affektive Anteilnahme an ihnen aber erheblich reduziert war.

Die präfrontale Leukotomie blieb umstritten und wurde durch die Einführung wirkungsvoller Psychopharmaka obsolet, d.h. überflüssig und nicht mehr verantwortbar. Ihre Einführung in die Therapie markiert aber den Beginn der **Psychochirurgie**, d.h. der planmäßigen Versuche, *durch die Zerstörung oder Entfernung von Hirngewebe menschliches Verhalten zu beeinflussen*. In einem weiteren Sinne müssen auch Elektroschockbehandlungen, Langzeittherapien mit Psychopharmaka, oder die Einführung von Elektroden in das Gehirn als Psychochirurgie betrachtet werden, da auch sie dauernde Veränderungen im Hirngewebe hervorrufen können.

Angesichts unserer noch sehr weitreichenden Unkenntnis über die Arbeitsweise des Gehirns und die Aufgaben seiner einzelnen Anteile, sind psychochirurgische Eingriffe heute mehr empirisch als theoretisch begründbar. Die häufigste Operation scheint derzeit die **Cingulotomie** zu sein, d.h. die stereotaktische Ausschaltung des Gyrus cinguli bei unstillbaren Schmerzen und einer Reihe psychischer Erkrankungen wie Depressionen, schweren Angstzuständen und Zwangsneurosen. Die **Amygdalatomie** wird zur Ausschaltung anderweitig nicht beeinflußbaren aggressiven Verhaltens eingesetzt, nicht ohne daß gegen solche tiefen Eingriffe in die Persönlichkeit erhebliche Bedenken laut werden. Der Gedanke ist in der Tat erschreckend, daß beispielsweise unter entsprechenden Umständen politisch mißliebige „Störer" auf diese Weise in „friedliche Bürger" verwandelt werden könnten.

5.2. Stirnhirnsymptome im Tierversuch

Die systematische Untersuchung der Effekte von Stirnhirnläsionen auf das Verhalten von Schimpansen und anderen Säugetieren erbrachte bisher zwei wesentliche Ergebnisse: a) Die Tiere zeigen, ähnlich wie beim Menschen, eine starke Tendenz zur **Perseveration.** b) Es findet sich ein erheblicher *Leistungsabfall bei Aufgaben mit verzögerter Beantwortung* (s.u.). Letzterer Defekt ist beim Menschen nicht nachweisbar, da die Schwierigkeiten wahrscheinlich durch Verbalisierung der Aufgaben umgangen werden können.

Zahlreiche Testanordnungen haben die *Tendenz zur Perseveration* sichtbar gemacht, z.B. Anordnungen, bei denen auf Lichtsignale wechselnde Schalter zu drücken waren. Statt dessen wurde, ähnlich wie bei den oben beschriebenen Versuchen an Menschen (Abb. 28), ein einmal angenommenes Antwortverhalten für lange Zeit beibehalten. Die *Deutung dieser Befunde* ist analog der beim Menschen (s. 5.1).

Bei **Aufgaben mit verzögerter Beantwortung** wird im einfachsten Fall vor den Augen des Tieres eine Belohnung, z.B. eine Nuß, unter eine von zwei umgestülpten Tassen gelegt und danach ein undurchsichtiger Schirm zwischen Tassen und Versuchstier gesenkt. Nach einer festgelegten Verzögerung wird der Schirm wieder gehoben und das Tier darf unter einer Tasse nach der Belohnung fahnden. Normale Schimpansen können diese Aufgabe bei einer Minute Verzögerung noch gut lösen, Tiere mit Stirnhirnläsionen sind dazu auch bei nur fünf Sekunden langen Verzögerungen nicht fähig. Der naheliegende Verdacht, es handele sich um einen Ausfall des (Kurzzeit-)Gedächtnisses hat sich nicht bestätigt. Wird das Tier nämlich während der Verzögerungsperiode im Dunkeln gehalten, verbessert sich seine Leistung wieder. Dies deutet darauf hin, daß die im Hellen während der Verzögerung einfallenden Reize die ursprüngliche Information über die Lage der Belohnung verdrängen, die Tiere also unter **verstärkter retroaktiver Hemmung** (vgl. 4.1 und Tabelle 1) leiden und es ihnen schwerfällt, den entscheidenden Reizen genügend Aufmerksamkeit zuzuwenden. Für diese These einer **verstärkten Ablenkbarkeit** präfrontal lobektomierter Tiere gibt es noch weitere Hinweise: diese Tiere sind meist hyperaktiv und hyperreaktiv; kleine Gaben von Be-

ruhigungsmitteln, wie Barbituraten, haben ähnlich positive Effekte wie die Verdunklung während der Verzögerungsperiode; und bei Tests mit zahlreichen Reizen oder Auswahlsituationen sind die Ergebnisse besonders schlecht [25].

Allgemein lassen sich diese Befunde insgesamt in der Hypothese zusammenfassen, daß dem präfrontalen Cortex eine große Bedeutung bei der **Entwicklung von Verhaltensstrategien** zukommt. Ein Versagen bei der Ausarbeitung solcher Strategien wird besonders deutlich, sobald rasches Wechseln des Verhaltens notwendig wird und wenn bei Verzögerungen zwischen Problemstellung und Problemlösung die zwischenzeitlich einströmende Information angemessen in die Verhaltensstrategie mit einbezogen werden muß.

6. Literatur

1. ANDERSEN, P., ANDERSSON, S.A.: Physiological basis of the alpha rhythm. New York: Appleton-Century-Crofts 1968.
2. BARGMANN, W.: Histologie und mikroskopische Anatomie des Menschen, 3. Aufl. Stuttgart: Thieme 1967.
3. BAUST, W.: Ermüdung, Schlaf und Traum. Stuttgart: Wissenschaftliche Verlagsgesellschaft 1970; Frankfurt: Fischer Taschenbuchverlag 1971.
4. BIRBAUMER, N.: Physiologische Psychologie. Berlin-Heidelberg-New York: Springer 1975.
5. BRODAL, A.: Neurological anatomy in relation to clinical medicine, 2. Aufl. New York, London, Toronto: Oxford University Press 1969.
6. CREUTZFELDT, O.: The neuronal generation of the EEG. In: Handbook of Electroencephalography and Clinical Neurophysiology, 2/C, (Hrsg. A. RÉMOND). Amsterdam: Elsevier Scientific Publishing 1974.
7. ECCLES, J.C. (Hrsg.): Brain and Conscious Experience. Berlin-Heidelberg-New York: Springer 1966.
8. ECCLES, J.C.: Facing reality. Berlin-Heidelberg-New York: Springer 1970. Deutsche Ausgabe: Wahrheit und Wirklichkeit. Berlin-Heidelberg-New York: Springer 1975.
9. ECCLES, J.C.: The Understanding of the Brain. New York, St. Louis, San Francisco, Düsseldorf: McGraw-Hill 1973. Deutsche Ausgabe: Das Gehirn des Menschen. München, Zürich: Piper 1975.
10. ERVIN, F.R., ANDERS, T.R.: Normal and pathological memory: data and a conceptual scheme. In: The Neurosciences, Second Study Program (Hrsg. F.O. SCHMITT), p. 163. New York: Rockefeller University Press 1970.
11. GROSSMAN, S.P.: A Textbook of Physiology Psychology. New York, London, Sydney: John Wiley 1967.
12. JASPER, H.H., WARD, A.A., POPE, A. (Hrsg.): Basic Mechanisms of the Epilepsies. Boston: Little, Brown and Company 1969.
13. JOUVET, M.: The states of sleep. In: Physiological Psychology. Readings from SCIENTIFIC AMERICAN, p. 328. San Francisco: W.H. Freeman 1967.
14. JOUVET, M.: The role of monoamines and acetylcholine-containing neurons in the regulation of the sleep-waking cycle. Ergebn. Physiol. **64**, 166 (1972).
15. JOVANOVIĆ, U.J.: Normal Sleep in Man. Stuttgart: Hippokrates Verlag 1971.
16. KOELLA, W.P.: Sleep—Its nature and physiological organization. Springfield/Ill.: Ch.C. Thomas 1967.
17. KOELLA, W.P.: Physiologie des Schlafes. Urban Taschenbücher 174. Stuttgart: Kohlhammer 1973.
18. KORNHUBER, H.H.: Neural control of input into long term memory: limbic system and amnestic syndrome in man. In: Memory and Transfer of Information (Hrsg. H.P. ZIPPEL), S. 1. New York, London: Plenum Press 1973.

19. KÜPFMÜLLER, K.: Grundlagen der Informationstheorie und der Kybernetik. In: Physiologie des Menschen (Hrsg. O.H. GAUER, K. KRAMER, R. JUNG), 2. Aufl., Band 10, S. 209. München, Berlin, Wien: Urban & Schwarzenberg 1974.
20. LEONHARDT, H.: Histologie und Zytologie des Menschen, 4. Aufl. Stuttgart: Thieme 1974.
21. LURIA, A.R.: The functional organization of the brain. In: Physiological Psychology. Readings from SCIENTIFIC AMERICAN, p. 406. San Francisco: Freeman 1971.
22. MILLER, N.E.: Learning of visceral and glandular responses. Science **163**, 434 (1969).
23. MILLS, J.N.: Human circadian rhythms. Physiol. Rev., **46**, 128 (1966).
24. MILNER, B.: Memory and the medial temporal regions of the brain. In: Biology of Memory (Hrsg. K.H. PRIBRAM, D.E. BROADBENT), p. 29. New York and London: Academic Press 1970.
25. MILNER, P.M.: Physiological Psychology. London, New York, Sydney, Toronto: Holt, Rinehart and Winston 1971.
26. MORUZZI, G.: The sleep-waking cycle (Neurophysiology and neurochemistry of sleep and wakefulness). Ergebn. Physiol. **64**, 1 (1972).
27. MOUNTCASTLE, V.B. (Hrsg.): Medical Physiology, Band I. 13. Aufl. Saint Louis: Mosby 1974.
28. O'LEARY, J.L., GOLDRING, S.: D-C potentials of the brain. Physiol. Rev. **44**, 91 (1964).
29. PAKKENBERG, H.: The number of nerve cells in the cerebral cortex of man. J. comp. Neurol. **128**, 17 (1966).
30. PENFIELD, W., JASPER, H.: Epilepsy and the Functional Anatomy of the Human Brain. Boston: Little, Brown and Company 1954.
31. PENFIELD, W., ROBERTS, L.: Speech and Brain Mechanisms. Princeton/N.J.: Princeton University Press 1959.
32. PENFIELD, W.: The neurophysiological basis of thought. Mod. Perspectives Psychiat. **1**, 313–349 (1971).
33. POECK, K.: Neurologie, 3. Aufl. Berlin-Heidelberg-New York: Springer 1974.
34. RÉMOND, A. (Hrsg.): Handbook of Electroencephalography and Clinical Neurophysiology. Amsterdam: Elsevier Scientific Publishing Company 1974 und im Druck.
35. RECHTSCHAFFEN, A., KALES, A. (Hrsg.): A Manual of Standardized Terminology, Techniques and Scoring System for Sleep Stages of Human Subjects. Washington (D.C.): Publ. Health Service, U.S. Government Printing Office 1968.
36. ROFFWARG, H.P., MUZIO, J.N., DEMENT, W.C.: Ontogenetic development of the human sleep-dream cycle. Science **152**, 604 (1966).
37. RUCH, TH.C., PATTON, H.D., WOODBURY, J.W., TOWE, A.L.: Neurophysiology, 2. Aufl. Philadelphia and London: Saunders 1966.
38. SCHMITT, O., WORDEN, F.G. (Hrsg.): The Neurosciences, Third Study Program. Cambridge/Mass. and London: The MIT press 1974.
39. SYNDER, F., SCOTT, J.: The psychophysiology of sleep. In: Handbook of Psychophysiology (Hrsg. N.S. GREENFIELD, R.A. STERNBACH). New York: Holt 1972.
40. SPERRY, R.: A modified concept of consciousness. Physiol. Rev. **76**, 532 (1969).
41. WAUGH, N.C., NORMAN, D.A.: Primary memory. Psychol. Rev. **72**, 89–104 (1965).
42. YOUNG, J.Z.: An Introduction to the Study of Man. London, Oxford, New York: Oxford University Press 1974.
43. ZIPPEL, H.P. (Hrsg.): Memory and Transfer of Information. New York, London: Plenum Press 1973.

Zweiter Teil
Sinnesorgane*

---

* Zur Einführung in die Kapitel IX–XVI wird zur Lektüre empfohlen: R.F. Schmidt (Hrsg.): Grundriß der Sinnesphysiologie, 3. Aufl., Berlin-Heidelberg-New York: Springer 1978.

IX. Allgemeine Sinnesphysiologie (J. Dudel)

1. Grundbegriffe

Die allgemeine Sinnesphysiologie befaßt sich mit den den Sinnesleistungen und -wahrnehmungen zugrunde liegenden *Prinzipien* bei Tier und Mensch. Eine solche allgemeine Darstellung ist möglich und nützlich, weil die Organisation und Funktionsweise der einzelnen Sinnesorgane, ihre Verknüpfung mit den Gehirnzentren und die über die Sinnesorgane ausgelösten Reaktionen einander sehr ähnlich sind. Ferner ist allen Sinnesorganen die Problematik der „objektiven" und der „subjektiven" Betrachtungsweise gemeinsam: Wir können die Leistungen der Sinnesorgane bei Tieren oder bei Versuchspersonen beobachten und analysieren, wie wir z.B. das Kreislaufsystem erforschen, und nennen dies **objektive Sinnesphysiologie.** Wir können jedoch darüber hinaus unsere eigenen Empfindungen, die durch Phänomene der Umwelt unter Vermittlung der Sinnesorgane ausgelöst werden, betrachten und zum Gegenstand wissenschaftlicher Analyse machen, und können dazu auch analoge Erlebnisse, die von anderen Menschen berichtet werden, heranziehen. Dies wird als **subjektive Sinnesphysiologie** bezeichnet. Es ist eine wesentliche Aufgabe der allgemeinen Sinnesphysiologie, diese zwei Aspekte herauszuarbeiten und ihre gegenseitige Abhängigkeit herauszustellen.

1.1. Objektive und subjektive Sinnesphysiologie

Die Gegenstände der subjektiven Sinnesphysiologie sind Empfindungen und Wahrnehmungen, also Tätigkeiten des menschlichen *Geistes*. Die objektive Sinnesphysiologie behandelt Receptorpotentiale (s. S. 30), Impulsfrequenzen in sensorischen Gehirnzentren und dergleichen, also im Prinzip durch Physik und Chemie beschreibbare *materielle* Phänomene. Es fragt sich, ob diese Gebiete überhaupt einen gemeinsamen Gegenstand haben, ob Materielles und Geistiges vergleichbar oder voneinander ableitbar ist. Solche Wertungen führen schnell zu Grundaussagen der Ontologie und der Erkenntnistheorie, die hier nur kurz angesprochen werden können. Viele philosophische Schulen halten den Körper und den Geist des Menschen für im Wesen voneinander verschieden; bei dieser Denkweise handeln die objektive und die subjektive Sinnesphysiologie von im Grunde unvergleichbaren Gegenständen. Andere philosophische Systeme, z.B. materialistische, sehen keinen Wesensunterschied von Körper und Geist, und bei dieser Anschauung werden objektive und subjektive Sinnesphysiologie lediglich verschiedene Methoden zur Beobachtung des gleichen Gegenstandes. Diesen verschiedenen ontologischen Standpunkten können erkenntnistheoretische Positionen zur Seite gestellt werden. Eine dieser Positionen betont die Tatsache, daß alles, was ein Mensch weiß, er über seine Sinne erfahren hat. *Empiristen* oder *Positivisten* (z.B. ARISTOTELES, HUME, WITTGENSTEIN) halten somit das Wissen für die Summe des durch unmittelbare Sinneserfahrung gegebenen, und sie nehmen an, daß mittels *induktiver* Schlußfolgerungen aus den Einzelbeobachtungen allgemeine Aussagen möglich werden. Dagegen kann geltend gemacht werden, daß es logisch unmöglich ist, aus einer Reihe von Einzelbeobachtungen eine allgemeine Aussage zu begründen — die Beobachtung von tausend weißen Gänsen rechtfertigt nicht die allgemeine Aussage, daß *alle* Gänse weiß sind (POPPER). Wenn also aus Beobachtungen allgemeingültige Schlüsse gezogen werden sollen, so müssen der Erfahrung Begriffe, Regeln der Logik, Theorien vorausgesetzt werden. Die *idealistischen* Schulen der Erkenntnistheorie halten diese Kategorien für das Primäre und für eine Vorbedingung der Erfahrung (z.B. KANT). Im Extremfall sind allein die Ideen wirklich und wahr (z.B. HEGEL). Es ist leicht einzusehen, daß diese verschiedenen erkenntnistheoretischen Ansätze sehr unterschiedliche Beurteilungen der objektiven und der subjektiven Sinnesphysiologie beinhalten. Die mit der Methodik der Naturwissenschaft arbeitende Physiologie stellt sich methodologisch auf den Standpunkt eines **kritischen Empirismus.** Sie stützt sich auf die Beobachtung von Phänomenen aus dem Bereich der Sinne, weiß aber, daß jede wissenschaftliche Beobachtung eine Theorie schon voraussetzt,

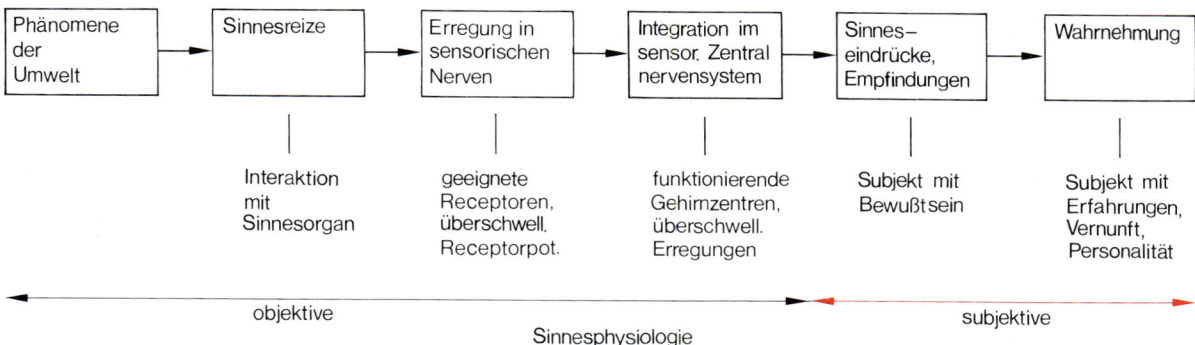

Abb. 1. Abbildungsverhältnisse in der Sinnesphysiologie. In den Kästchen Grundphänomene der Sinnesphysiologie, die Pfeile dazwischen deuten das Verhältnis „Abbildung" an. Unter den Grundphänomenen die Abbildungsbedingungen

und daß jede Zusammenfassung solcher Beobachtungen zu wissenschaftlichen Theorien führt, die in der Regel mehr aussagen, als sich durch unmittelbare Beobachtung belegen läßt. Die Naturwissenschaft wagt solche Theorien, verlangt aber, daß ihre Aussagen durch Beobachtungen kontrollierbar sind. Es sind also alle Theorien zugelassen, deren *Unrichtigkeit* im Prinzip durch Beobachtungen oder *Experimente erweisbar* ist. Naturwissenschaftliche Theorien müssen *falsifizierbar* sein, andere Theorien sind möglicherweise wahr, aber „Metaphysik" [21]. Für die Sinnesphysiologie bedeutet dies, daß sie sich aller Aussagen über eine Wesensverschiedenheit oder -gleichheit von Geist und Materie enthalten muß, denn solche Aussagen sind nicht durch Beobachtungen falsifizierbar. Kausalzusammenhänge zwischen Inhalten der subjektiven und der objektiven Sinnesphysiologie lassen sich also innerhalb der Naturwissenschaft nicht postulieren, wohl aber können gewisse Korrelationen aufgezeigt werden, die durch Beobachtungen kontrollierbar sind.

Die Relation der Abbildung. Um die Form solcher Korrelationen näher definieren zu können, wollen wir ganz allgemein die verschiedenen Ebenen der Sinnesphysiologie vom Reiz bis zur Wahrnehmung charakterisieren (s. Abb. 1). Aus der Mannigfaltigkeit der Umwelteinflüsse, die auf uns treffen, vermögen einige unsere Sinnesorgane zu beeinflussen. Sie werden unter diesem Aspekt als Sinnesreiz oder als **Reize** für ein spezifisches Sinnesorgan bezeichnet. Diese Reize lösen in *Receptoren* Potentiale aus, die zur *Erregung* afferenter sensorischer Nervenfasern führen (s. II.6). Die Erregungen vieler solcher afferenter Fasern gelangen in *sensorische Gehirnzentren* und werden dort integriert. Subjektiv wissen wir von diesen Aktivitäten unseres Nervensystems nichts. Auf einen einfachen Sinnesreiz folgt subjektiv ein **Sinneseindruck:** Licht mit der Wellenlänge

400 nm löst den Sinneseindruck „blau" aus. Sinneseindrücke sind die Elemente der Sinnesempfindungen, die Aussage „ich sehe eine blaue Fläche, in die runde weiße Flächen verschiedener Größe eingelagert sind", beschreibt eine solche **Empfindung.** Das Subjekt nimmt in der Regel eine Deutung der Sinnesempfindungen vor, es ordnet sie in Erfahrenes und Erlerntes ein, und es wird dann aus der Empfindung eine **Wahrnehmung.** Der oben geschilderten Empfindung „ich sehe eine blaue Fläche …" entspricht so die Wahrnehmung: „Am Himmel stehen Haufenwolken".

Die im letzten Absatz angedeutete Kette der Entsprechungen zwischen den Phänomenen der Umwelt und ihrer Wahrnehmung ist in Abb. 1 zusammengefaßt. Die in den Kästchen eingetragenen Grundphänomene der Sinnesphysiologie sind durch Pfeile verknüpft. Die Pfeile stehen allgemein nicht für die Relation *Kausalität,* sondern für die Beziehung der **Abbildung** [3]. So ist die Nervenerregung Abbildung eines Sinnesreizes, und die Wahrnehmung Abbildung von Sinneseindrücken. Der Begriff *Abbildung* ist hier in mathematischem Sinne gemeint, er bedeutet, daß zwischen jedem Punkt eines Gegenstandes und seiner Abbildung eine durch eine mathematische Funktion genau angebbare Relation besteht. Der Gegenstand verursacht nicht das Bild, sondern dies wird in die Bildebene projiziert durch ein geeignetes Hilfsmittel, z.B. eine Kamera. Eine Abbildung wird deshalb nicht nur charakterisiert durch den Gegenstand, sondern auch durch die Bildebene und die Abbildungsbedingungen.

Zu den verschiedenen Grundphänomenen in Abb. 1 sind unter den entsprechenden Kästchen deshalb auch die Bedingungen vermerkt, die für die jeweilige Abbildung gelten. Phänomene der Umwelt sind nur dann Sinnesreize, wenn sie in Interaktion mit einem geeigneten Sinnesorgan treten. Aus den im Zentralnervensystem verarbeiteten und integrierten Erregungen aus den Sinnesorganen werden nur dann Sinneseindrücke oder eine Empfindung, wenn dem Zentralnervensystem ein Subjekt mit Bewußtsein zugeordnet ist.

Die Abbildungsverhältnisse in Abb. 1 sollten im Bereich der objektiven Sinnesphysiologie — vom Reiz bis zur Integration im ZNS — im Prinzip als physikalische und chemische Prozesse beschreibbar sein. In diesem Sinne kann man sagen, der Sinnesreiz verursacht Erregungen in einem sensorischen Nerven. Wie schon besprochen, kann ein solches Kausalverhältnis für den Übergang von den Phänomenen der objektiven Sinnesphysiologie zur subjektiven nicht postuliert werden. Die Pfeilrichtung der *Abbildung* vom ZNS zur Empfindung in Abb. 1 ist dennoch gerechtfertigt, denn die weitgehend intakte Funktion des ZNS ist Voraussetzung für die Empfindung.

1.2. Grunddimensionen der Empfindungen

Nachdem wir bisher den Gegenstand der Sinnesphysiologie ganz allgemein und inhaltsleer behandelt haben, wollen wir jetzt auf Charakteristika der einzelnen Sinnesempfindungen eingehen. Jede Empfindung — aber auch entsprechende Reaktionen des sensorischen Nervensystems — hat 4 **Grunddimensionen**, nämlich **Räumlichkeit, Zeitlichkeit, Qualität** und **Intensität**. Die ersten beiden Dimensionen ordnen die Empfindung oder Wahrnehmung in die Welt bzw. unsere Umwelt ein. Ich kann einen Berührungsreiz auf meiner Haut auf meinem Körper lokalisieren, oder ich empfinde einen Lichtreiz als von einer definierten Stelle meines Sehraumes kommend. Entsprechend hat jede Empfindung auch eine Zeitkomponente, sie hat einen zeitlich festlegbaren Beginn und eine Dauer. Räumlichkeit und Zeitlichkeit sind im übrigen Dimensionen eines jeden materiellen Phänomens und gelten so auch für die objektive Sinnesphysiologie.

Qualität und Modalität. Die dritte Grunddimension, die Qualität oder Modalität, gibt Auswahlkriterien unter den möglichen Sinnesempfindungen. Wir erfahren unsere Umwelt nicht unmittelbar ganzheitlich, sondern über spezialisierte *Sinnesorgane* oder *Sinne*. Dazu gehören die alten „fünf Sinne": das Sehen, das Gehör, das Gefühl (oder Getast), der Geschmack und das Riechen. Die entsprechenden Sinnesorgane sind darauf angepaßt, auf ausgewählte Bereiche von Umwelteinflüssen zu reagieren und entsprechende Informationen an das Zentralnervensystem weiterzugeben.

Die Auswahl der Bereiche, in denen Sinnesorgane auf Reize reagieren, ist entwicklungsgeschichtlich erklärbar. Es werden nur solche Umwelteinflüsse aufgenommen, die für das Überleben in der Umwelt der Primaten und höheren Säugetieren wichtig waren. Als Beispiel für diese Auswahl wollen wir die elektromagnetischen Wellen durchmustern, die auf unsere Körperoberfläche treffen. Wir haben keine Sinneserfahrungen über Gammastrahlen, Röntgenstrahlen und ultraviolettes Licht. Licht mit Wellenlängen zwischen 350 und 800 nm, das von der Erdatmosphäre wenig absorbiert wird, sehen wir mit den Augen. Dagegen sehen wir infrarotes Licht nicht, empfinden jedoch die langwelligen Wärmestrahlen über den Wärmesinn der Haut. Über das ganze Spektrum der Radiowellen haben wir keine Sinneserfahrungen. — Andere Tiere haben in von unseren sehr verschiedenen Lebensräumen eine andere Auswahl über die von Sinnesorganen aufzunehmenden Umwelteinflüsse getroffen. So haben z.B. Schlangen, die nachts jagen, Infrarot-Sinnesorgane, mit denen sie Beute lokalisieren können. Manche Fische haben sehr empfindliche Sinnesorgane für elektrische Feldstärkeänderungen.

Ein Sinnesorgan vermittelt jeweils Sinneseindrücke, die in ihrer Intensität verschieden sein können, in ihrer Qualität einander jedoch ähnlich sind. Wir nennen eine *Gruppe ähnlicher Sinneseindrücke,* die durch ein bestimmtes Organ vermittelt werden, eine **Modalität**. Neben den klassischen „fünf Sinnen" sind solche Modalitäten in der Haut der Wärme- und der Kältesinn, der Vibrationssinn und der Schmerzsinn. Eine weitere Modalität ist der Gleichgewichtssinn. Zu diesen Modalitäten kommen solche *enteroreceptiver* Art hinzu: Die ihnen zugeordneten Sinnesorgane liegen im Körper und stellen seinen eigenen Zustand fest. Beispiele sind die Dehnungs- oder Längenreceptoren der Muskeln oder die Sinnesorgane, die den osmotischen Druck in den Zellen feststellen (Durst), oder die CO_2-Spannung im Gewebe (Atemnot) oder die Magendehnung (Hunger) messen. Bei diesen Modalitäten wird uns die Information kaum oder nur als „Allgemeingefühl" bewußt. Es ist somit klar, daß die Anzahl der Modalitäten über die fünf Sinne weit hinausgeht und auch nicht genau abgrenzbar ist.

Innerhalb der einzelnen Modalitäten lassen sich oft weitere Unterscheidungen in bezug auf die Art des Sinneseindruckes treffen, man nennt diese **Qualitäten.** So unterteilt man den Gesichtssinn in die Qualitäten Helligkeit (oder Grauwert) und die Farben Rot, Grün und Blau. Qualitäten des Gehörsinns sind die Töne verschiedener Höhe, und der Geschmack hat die Qualitäten süß, sauer, salzig und bitter. Im allgemeinen entsprechen den Modalitäten Sinnesorgane, während das organische Korrelat einer Qualität einer der spezialisierten Receptortypen innerhalb eines Sinnesorganes ist. In Abb. 2 sind diese Verhältnisse für den Gesichtssinn deutlich gemacht.

Intensität und Quantität. Die letzte der zu besprechenden Grunddimensionen der Sinnesempfindun-

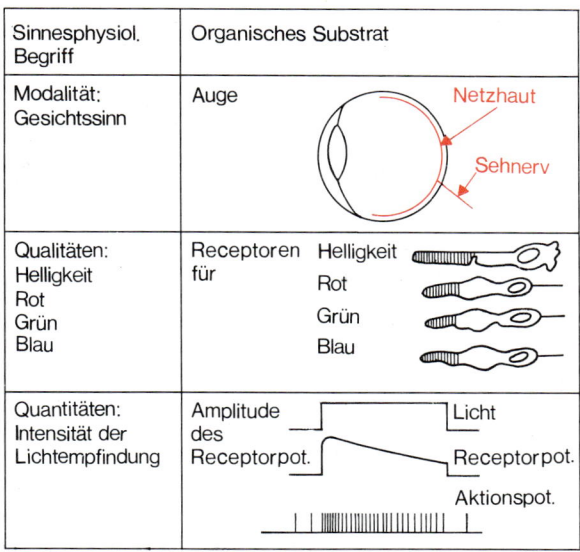

Sinnesphysiol. Begriff	Organisches Substrat		
Modalität: Gesichtssinn	Auge	Netzhaut Sehnerv	
Qualitäten: Helligkeit Rot Grün Blau	Receptoren für	Helligkeit Rot Grün Blau	
Quantitäten: Intensität der Lichtempfindung	Amplitude des Receptorpot.		Licht Receptorpot. Aktionspot.

Abb. 2. Modalität, Quantität, Qualität und ihre organischen Substrate am Beispiel des Sehorgans

gen ist ihre Intensität oder **Quantität.** Eine solche Quantität ist für den Gesichtssinn z.B. die Stärke der Helligkeitsempfindung oder für das Gehör die Lautheit eines Tones. Wie schon in II-6.4 besprochen, ist das organische Korrelat der Quantität eines Sinneseindruckes die Amplitude des Receptorpotentials bzw. die Frequenz der Aktionspotentiale im sensorischen Nerven. Ein Beispiel einer solchen Korrelation zeigt Abb. 2 für den Gesichtssinn. Ebenso wie die Stärke der Reaktion des sensorischen Nervensystems auf einen Reiz kann auch die Quantität von Sinnesempfindungen gemessen werden, dies wird ein Hauptgegenstand des Abschnittes 4 dieses Kapitels sein.

2. Allgemeine objektive Sinnesphysiologie

In diesem Abschnitt sollen die allgemein gültigen Prinzipien der Aufnahme von Reizen und ihrer Verarbeitung im Nervensystem behandelt werden. Das erste Glied des sensorischen Systems, der Receptor, wurde in seiner Funktionsweise schon unter dem Aspekt der Erregungsphysiologie besprochen (II-6), und es kann hier vornehmlich auf die Arbeitsweise der sensorischen Zentren eingegangen werden. Dieser Abschnitt könnte auch unter dem Gesichtspunkt der *Informationsverarbeitung* dargestellt werden, denn Receptoren nehmen Informationen auf, und das Nervensystem übermittelt Informationen, filtert und integriert sie. Die Informa-

tionstheorie hat für diesen Gegenstand eine eigene Fachsprache entwickelt, die ein weiteres Ausholen erfordern würde. Der Informationstheorie und der Kybernetik ist deshalb in diesem Buch ein eigenes Kapitel (XVI) gewidmet, das sich neben dem sensorischen System auch mit motorischen Steuerungen befaßt.

2.1. Spezifität der Sinnesorgane

In den Sinnesorganen sind Receptoren darauf spezialisiert, auf bestimmte Reize optimal zu reagieren. In die Spezialisierung geht die Lage der Receptoren, z.B. in der Zungenschleimhaut oder in einem Muskel, ein. Dazu sind in den Receptoren meist besondere Zellorganellen entwickelt, die auf bestimmte Reize mit hoher Empfindlichkeit mit der Auslösung von Receptorpotentialen reagieren. Beispiele sind die lichtabsorbierenden Pigmentschichten in den äußeren Segmenten der Sehzellen (s.S. 236) oder die durch Flüssigkeitsströmungen leicht abbiegbaren Cilien der Receptoren des Hör- und Gleichgewichtsorgans (s.S. 263). Die Reizformen, auf die ein Sinnesorgan optimal reagiert, werden auch **adäquate** Reize genannt.

Das Sinnesorgan reagiert jedoch nicht nur auf adäquate Reize. Alle Sinnesorgane können beispielsweise durch elektrischen Strom erregt werden. Ähnlich wirken starke Druckänderungen (Schlag auf das Auge: „Sterne sehen") oder Änderungen des chemischen Milieus (pH, Sauerstoffmangel) auf die meisten Receptoren. Bei den bisher angeführten Einschränkungen der Spezifität handelt es sich um unphysiologische Reize, jedoch werden auch Reaktionen auf physiologische nicht adäquate Reize beobachtet. So spricht ein Grün-Receptor der Netzhaut auch auf starkes rotes oder blaues Licht an, seine Empfindlichkeit ist allerdings für grünes Licht am höchsten (s. Abb. 238). Auf dem Gebiet der Hautsinne kann es sogar schwierig sein, den adäquaten Reiz für einen bestimmten Receptor zu definieren. Es gibt z.B. Druckreceptoren, die sowohl auf kleine Druckänderungen wie auch empfindlich auf Temperaturänderungen reagieren. In diesem Fall läßt es sich nur durch das Studium der zentralen Verarbeitung der von diesem und benachbarten Receptoren vermittelten Impulsfolgen klären, welche Modalität der adäquate Reiz hat. Die Spezifität der Sinnesorgane, die Abgrenzung von Modalitäten und Qualitäten, wird also nicht *allein* durch die Spezifität der *Receptoren* erreicht. Der adäquate Reiz für ein Sinnesorgan wird mit definiert durch die *zentrale Verarbeitung* der von den Receptoren kommenden Impulsmuster, durch die Verknüpfung der Funktion gleichartiger Receptoren und den Vergleich mit den aus benachbarten Receptoren anderer Modalität einlaufenden Informationen.

2.2. Neuronale Verschaltungen im sensorischen System

Die von den Receptoren ausgehenden Nervenfasern erreichen die sensorischen Gehirnzentren über eine Reihe von synaptischen Schaltstationen. An diesen Synapsen treten Summations- und Hemmungseffekte auf, und die von benachbarten Receptoren kommenden Erregungen treten in Interaktion. Die in diesem System vorkommenden neuronalen Verschaltungen sind allgemein schon in „Physiologie kleiner Neuronenverbände", Kapitel IV, behandelt worden, sie sollen hier nur in ihrer Auswirkung auf die Weitergabe der Information an die Zentren besprochen werden.

Abb. 3 zeigt ein Nervennetz aus 3 Receptoren und zwei darauf folgenden synaptischen Ebenen. Der mittlere Receptor bildet auf einen Reiz vermehrt Erregungen, und beeinflußt erregend die mit ihm synaptisch verbundenen 3 Nervenzellen. Diese Divergenz hat zur Folge, daß das auf der Ebene der Receptoren noch eng begrenzte „erregte Gebiet" (s. Abb. 3(A), rechts) sich ausweitet, daß die *Lokalisierbarkeit* des Reizes verschlechtert wird. Andererseits gewährleistet die Divergenz, daß auch die Effekte schwacher Reize auf wenige Receptoren in vielen Fasern und parallel über viele Synapsen weitergegeben werden. Im Neuronennetz der Abb. 3 kommt auch *Konvergenz* vor: Jedes Neuron bekommt Afferenzen von einer Vielzahl von Neuronen. Die Konvergenz der von vielen benachbarten Receptoren ausgehenden Erregungen führt zur *räumlichen Summation* oder *Bahnung* der synaptischen Potentiale in diesem Neuron. Damit wird erreicht, daß auch schwache Erregungen in einigen benachbarten Receptoren über ihre synaptischen Verbindungen das sensorische Neuron bis zur Schwelle depolarisieren können, so daß dort eine Erregung ausgelöst wird. Auch die Konvergenz verstärkt also die Effekte schwacher Reize. Bei starken, großflächigen Reizen wird andererseits über die Konvergenz sehr schnell der maximale Erregungszustand der Neuronen erreicht und es tritt *Occlusion* ein.

Hemmung. Würden sich die Erregungen, wie in Abb. 3(A) angenommen, ungehindert ausbreiten, so wäre bald das ganze Gehirn erregt und die Unterscheidung spezifischer Reizqualitäten und Reizorte unmöglich. Dies wird durch das Hinzutreten von

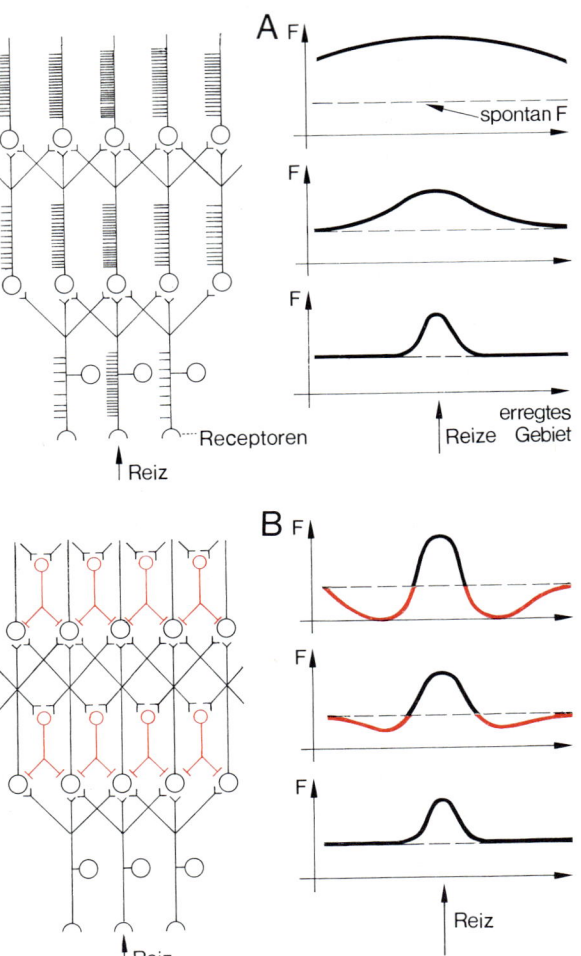

Abb. 3A u. B. Effekt der lateralen Hemmung. (A) Links: Schema der erregenden synaptischen Verbindungen von 3 Receptoren und 2 darauf folgenden synaptischen Ebenen. Die waagrechten Striche neben den Verbindungslinien deuten die entsprechenden Erregungsfrequenzen während des Reizes an. Rechts: Verteilung der Entladungsfrequenzen F im „erregten Gebiet" um den Reizort auf der Ebene der Receptoren und den synaptischen Ebenen. (B) Wirkung zusätzlicher hemmender Interneuronen (rot). In den Entladungsverteilungen rechts wird lateral vom Reizort die Ruhefrequenz (gestrichelt) unterschritten, diese laterale Hemmung ist rot eingetragen

Hemmung verhindert. In Abb. 3(B) ist das Nervennetz von 3(A) um hemmende Interneuronen (rot) ergänzt. Es ist nur ein Typ der Hemmung berücksichtigt, nämlich die *laterale Hemmung durch negative Rückkopplung* (s.S. 57), die im sensorischen System besonders wichtig ist. Im Beispiel der Abb. 3(B) führt die laterale Hemmung dazu, daß sich um die durch den Reiz maximal erregten Neuronen der Mittelachse eine Hemmzone ausbildet, die das erregte Gebiet auch auf den höheren synaptischen Ebenen stark eingrenzt.

In verschiedenen sensorischen Systemen sind auch von übergeordneten Zentren ausgelöste Hemmungen wirksam. Solche *zentrale Hemmungen* können schon auf der Ebene der Receptoren angreifen; ein Beispiel sind die Dehnungsreceptorzellen des Krebses (s. Abb. II-25), deren Reaktion auf Dehnung über eine hemmende Nervenfaser vermindert werden kann [18]. Beim Gehörorgan läßt sich in verschiedenen Ebenen der synaptischen Verbindungen eine zentral gesteuerte Hemmung nachweisen, die die Empfindlichkeit des Organes einstellt [13].

2.3. Receptives Feld

Im letzten Unterabschnitt haben wir vom Receptor ausgehend den Fluß der sensorischen Informationen über verschiedene synaptische Stationen betrachtet. Man geht in der Sinnesphysiologie häufig auch umgekehrt vor und bestimmt die Receptoren oder die Punkte des Raumes, von denen aus eine bestimmte Zelle des sensorischen Systems erregt werden kann. Die Gesamtheit aller Punkte der Körperperipherie, von denen aus eine Zelle durch spezifische Reize beeinflußt werden kann, wird ihr **receptives Feld** [15] genannt. Ein Beispiel zeigt Abb. 4 für ein zentrales sensorisches Neuron, z.B. im Thalamus. Leichte Berührung der Haut in verschiedenen Körperpartien löst nur von Punkten in dem rot umrandeten Bezirk des Unterarmes Änderungen der Impulsfrequenz des Neurons aus. Dieser Bezirk ist das receptive Feld des Neurons mit der Qualität „schwacher Druckreiz".

Sensorische Neuronen haben sehr verschieden ausgedehnte receptive Felder. Einige haben sehr kleine receptive Felder, so z.B. Neuronen des visuellen Cortex, die nur von einer $0{,}02\ mm^2$ großen Fläche der Netzhaut aus durch Lichtreize beeinflußt werden können. Andere Zellen des Zentralnervensystems können z.B. durch Hautreize in sehr große Körperpartien, etwa

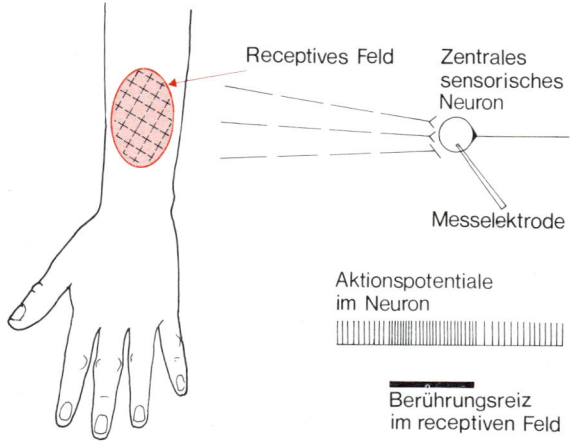

Abb. 4. Receptives Feld für Berührungsreize auf der Haut des Unterarms mit dem zugehörigen zentralen Neuron, in dem während des Reizes eine erhöhte Frequenz von Aktionspotentialen gemessen wird

einem ganzen Bein, beeinflußt werden, wobei die Zelle sowohl auf Berührungs-, wie auch auf Vibrations-, wie auf Kältereize reagiert. Dieses große receptive Feld umfaßt also auch verschiedene Modalitäten.

Überlappung der receptiven Felder. Das einzelne sensorische Neuron „weiß" über den Ort eines spezifischen Reizes nur, daß er sich irgendwo im receptiven Feld befindet. Eine genauere Lokalisierung des Reizortes ist jedoch möglich, wenn die receptiven Felder mehrerer Zellen verglichen werden. Die receptiven Felder nebeneinanderliegender Zellen in einem sensorischen Zentrum überlappen nämlich sehr stark (Abb. 5). Ein bestimmter Reizpunkt muß nicht in allen dieser überlappenden receptiven Felder enthalten sein; so liegt z.B. der kleine Kreis in Abb. 5 in allen Feldern, während das Kreuz in

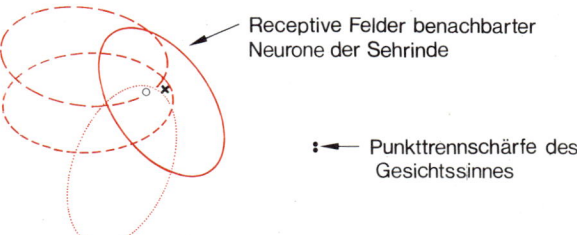

Receptive Felder benachbarter Neurone der Sehrinde

Punkttrennschärfe des Gesichtssinnes

Abb. 5. Überlappung receptiver Felder benachbarter Neuronen der primären Sehrinde. Rechts im gleichen Maßstab wie die receptiven Felder die Punkttrennschärfe

zwei Feldern nicht enthalten ist. Ein höheres Neuron, das mit den Neuronen, deren receptive Felder hier eingezeichnet wurden, in geeigneter Weise verknüpft ist, könnte also die Lage des Kreuzes relativ zum Kreis sehr viel genauer bestimmen, als es der Größe des einzelnen receptiven Feldes entspricht. Eine hohe Punkttrennschärfe (oder Orts-Unterschiedsschwelle, s.S. 185) wird also nur durch Vergleich sich überlappender receptiver Felder erreicht.

Zentrum und Peripherie des receptiven Feldes. Von Punkten seines receptiven Feldes kann ein Neuron *beeinflußt* werden. Man kann nun weiter differenzieren, ob die Aktivität des Neurons gefördert oder gehemmt wird. In der Regel reagieren **Zentrum** und **Peripherie** des receptiven Feldes *gegensätzlich*. Es kann z.B. im Zentrum auf den Reiz hin eine „*an-Reaktion*" erfolgen, d.h. die Impulsfrequenz nimmt während des Reizes zu und wird nach dem Reiz für einige Zeit kleiner als die Ruhefrequenz (Abb. 6). Wenn aber der Reiz im Zentrum eine *an-Reaktion* auslöst, so führen Reize in die Peripherie zu der umgekehrten „*aus-Reaktion*" (Abb. 6, links). Man nennt ein solches receptives Feld ein „*an-Zentrum*"-Feld. Genauso häufig wie die „*an-Zen-*

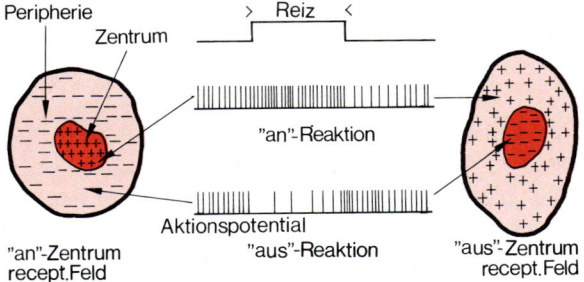

Abb. 6. Organisation receptiver Felder. Mit + sind alle Punkte markiert, von denen aus eine „an-Reaktion" ausgelöst wurde, mit − alle „aus-Reaktionen". In der Mitte Zeitverlauf der „an-" und der „aus-Reaktion" auf einen Reiz

trum"-Felder kommen jedoch auch die umgekehrt organisierten *„aus-Zentrum"*-Felder vor (Abb. 6, rechts) [17].

Grundlage dieser Organisation des receptiven Feldes ist die laterale oder **Umfeldhemmung.** Wie bereits in Abb. 3 gezeigt, erzeugt diese Hemmung um ein durch den Reiz „erregtes Gebiet" eine Hemmzone, und diese wären Äquivalente eines *an-Zentrums* und einer *aus-Peripherie.* Wenn die durch den Reiz ausgelösten Erregungen über eine hemmende Synapse laufen, ergibt sich analog ein *aus-Zentrum*-receptives Feld. Die Organisation des receptiven Feldes in Zentrum und umgekehrt reagierende Peripherie verschärft das räumliche Unterscheidungsvermögen der Gehirnzentren und fördert den *Kontrast* (s.S. 191). Die Grenze von Zentrum und Peripherie mit der örtlich steil sich ändernden Reaktion reagiert besonders gut auf sich bewegende Reize, die ja auch durch den Mechanismus der *Adaptation* (s.Abb. II-28) begünstigt werden.

Die Größe und Organisation des receptiven Feldes darf im übrigen nicht als eine unveränderliche Eigenschaft eines sensorischen Neurons aufgefaßt werden. Die Größe des receptiven Feldes kann durch zentral gesteuerte Hemmvorgänge verkleinert werden, und sogar die relative Größe von Zentrum und Peripherie des receptiven Feldes kann verschieden eingestellt werden. So ist z.B. ein wichtiger Teilmechanismus der Dunkeladaptation des Auges (s.S. 242) die relative Vergrößerung der Zentren der receptiven Felder der Retina-Ganglienzellen bei herabgesetzter Beleuchtung [6]. Diese Änderungen der receptiven Felder sind möglich, weil sie die synaptische Organisation der betreffenden Zentren widerspiegeln, und der Funktionszustand dieser Synapsen läßt sich durch prä- oder postsynaptische Hemmungen stark beeinflussen.

Ontogenese des receptiven Feldes. Im Begriffe des receptiven Feldes sind die synaptischen Verbindungen einer sensorischen Zelle mit einer Population von Receptoren, die Spezialisierung auf bestimmte Qualitäten und die Möglichkeit zentral gesteuerter funktioneller Änderungen der synaptischen Ver-

knüpfungen zusammengefaßt. Es fragt sich, wie diese hochspezialisierten und „sinnvollen" Verknüpfungen zustande kommen. Versuche an neugeborenen Kätzchen haben gezeigt, daß eine so spezifische synaptische Verknüpfung wie die Repräsentation „identischer" Netzhautpunkte beider Augen im receptiven Feld von Zellen der Sehrinde bei der Geburt schon vorhanden ist. Diese korrekte Verknüpfung geht allerdings verloren, wenn das Sehen mit beiden Augen in einer kritischen Periode von den jungen Kätzchen nicht geübt wird [16]. Offenbar sind also schon sehr spezielle synaptische Verknüpfungen *angeboren,* ein *Übungs-* oder *Lernfaktor* kann diese Verbindungen in bestimmten empfänglichen Perioden des wachsenden Organismus jedoch noch ändern.

2.4. Reizstärke-Reizantwort-Beziehungen

Für zentrale sensorische Zellen kann neben der Qualität und der Lokalisation der adäquaten Reize auch die Abhängigkeit von der Reizstärke bestimmt werden. Die Relation von Impulsfrequenz F des Neurons und der überschwelligen Reizstärke $(S - S_0)$ läßt sich meist am besten durch die *Potenzfunktion*

$$F = k \cdot (S - S_0)^n$$

beschreiben, wie dies auch bei den Receptoren gefunden wurde (s. S. 32) [24]. Es kommen verschiedene Werte von n vor: es gibt Proportionalität von Reiz und Reizantwort $(n = 1)$ auch bei zentralen Zellen; bei den meisten Zellen wird mit steigendem Reiz der Zuwachs an Reaktion *kleiner,* der Exponent n ist also kleiner als 1.

An sensorischen Neuronen kann, ebenso wie an Receptoren, die **absolute Schwelle** S_0 für den adäquaten Reiz bestimmt werden. Dies ist die kleinste Reizstärke, für die sich eine Änderung der Impulsfrequenz des Neurons feststellen läßt. Wichtiger sind noch die **Unterschiedsschwellen,** d.h. die *kleinste* Änderung eines Reizparameters, die eine *meßbare* Änderung der Impulsfrequenz des sensorischen Neurons hervorruft. Auf diese Unterschiedsschwellen soll hier noch näher eingegangen werden.

Die Bestimmung einer **Intensitäts-Unterschiedsschwelle** ist in Abb. 7(A) erläutert. Ein überschwelliger Dauerreiz führt zu einer konstanten Impulsfrequenz in einer sensorischen Zelle. Wird die Reizstärke in kleinen Schritten kurz erhöht, so verursacht der erste Reizzuwachs keine merkliche Änderung der Impulsfrequenz. Die nächste, etwas grö-

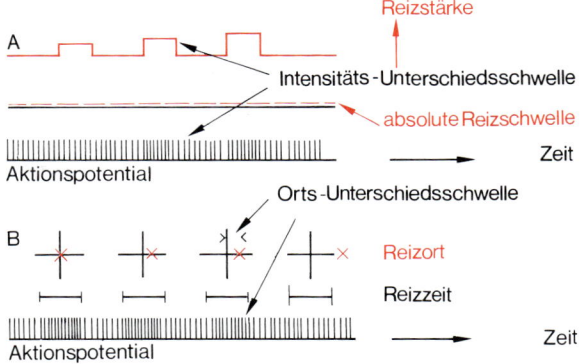

Abb. 7A u. B. Bestimmung einer Intensitäts-Unterschieds-schwelle. Oben Zeitverlauf der überschwelligen Reize, darunter die ausgelösten Aktionspotentiale. Die Frequenzzunahme bei der zweiten Erhöhung des Reizes zeigt die Unterschiedsschwelle an. (B) Bestimmung einer Ortsunterschiedsschwelle: Oben Lage des Reizpunktes (rot) relativ zu einem Achsenkreuz. Darunter Aktionspotentialfrequenz. Beim dritten Reizort ist eine eben unterschiedliche Frequenzsteigerung bemerkbar

ßere Reizstärkenerhöhung bringt eine erhöhte Impulsfrequenz, diese Steigerung entspricht also der Intensitätsunterschiedsschwelle. Abb. 7(B) zeigt die Bestimmung einer **Orts-Unterschiedsschwelle.** Links ist die Ausgangssituation gezeichnet, ein Reiz im Zentrum eines Achsenkreuzes (z.B. auf der Haut) verursacht eine kräftige Erhöhung der Impulsfrequenz des Neurons. Wird für den nächsten Reizversuch der Reizpunkt leicht nach rechts verschoben, so ist der Reizerfolg derselbe wie in der Ausgangssituation. Der dritte Reizort liegt noch weiter rechts, und der Reizerfolg ist merklich geringer als zuvor. Diese Verschiebung des Reizpunktes ist also die Orts-Unterschiedsschwelle.

Ebenso wie für die Reizintensität oder die Verschiebung des Reizortes lassen sich Unterschiedsschwellen für andere Reizparameter bestimmen, so für *Zeitunterschiede, Tonhöhenunterschiede, Farbunterschiede* usw. Bei allen diesen Unterschiedsschwellen hängt der gefundene Wert nicht nur vom Sinnesorgan, sondern auch von Nebenbedingungen der Reizung und insbesonders von der absoluten Reizstärke ab. Bei der Messung der Orts-Unterschiedsschwelle in Abb. 7(B) würde z.B. eine Erhöhung der Reizfläche in gewissen Grenzen die Unterschiedsschwelle verkleinern. Besonders wichtig ist jedoch die Abhängigkeit der Intensitäts-Unterschiedsschwelle von der absoluten Reizstärke.

Webersche Regel. Wird die Intensitäts-Unterschiedsschwelle bei steigenden absoluten Reizstärken gemessen, so nimmt sie in der Regel zu. Für viele Reizqualitäten gilt für einen gewissen Intensitätsbereich, daß die *Intensitäts-Unterschiedsschwelle* ΔS und die Amplitude des Gesamtreizes S

einander proportional sind. Dies wird als **Webersche Regel** bezeichnet:

$$\Delta S/S = \text{const.}$$

Für Druckreize auf die Haut bedeutet die Regel beispielsweise, daß die Unterschiedsschwelle jeweils bei einer Erhöhung des Drucks um 3% erreicht wird. Diese Regel gilt freilich nur für einen beschränkten Bereich von Reizstärken [3, 4].

3. Sinnesreiz und Verhalten

Hören wir von der Seite ein unerwartetes Geräusch, so wenden wir den Kopf in diese Richtung; ein Reh im Walde verhält sich ebenso. Sehen Affen im Zoo zur Fütterungszeit ihren Wärter kommen, so werden sie unruhig und stoßen Laute aus. Taucht beim Autofahren vor uns ein Hindernis auf, so werden wir nicht nur bremsen und ausweichen, sondern auch der Tonus unserer Muskulatur steigt und die Herzschläge beschleunigen sich. In all diesen Beispielen haben spezifische Sinnesreize mehr oder weniger komplexe Änderungen der Aktivität des Tieres oder Menschen ausgelöst. Solche, meist als zielgerichtet interpretierbare Aktivitäten werden auch allgemein als **Verhalten** bezeichnet. Durch Sinnesreize ausgelöste Verhaltensänderungen zeigen die Reaktionen der nervösen Zentren auf Sinnesreize auf einem noch höheren Integrationsniveau an als die Ableitungen von Zellgruppen des Zentralnervensystems, sie schließen ja schon die Verknüpfung von Sensorik und Motorik mit ein. Die Beobachtung von Verhaltensänderungen auf Sinnesreize ist also eine sehr wirkungsvolle Methode der *objektiven* Sinnesphysiologie. Einige Grundbegriffe und Methoden dieses Gebietes, das auch von der *Tierpsychologie,* der *Psychometrie* und der *Lernpsychologie* bearbeitet wird, sollen hier angeführt werden.

3.1. Bedingter Reflex und Konditionierung

Schmerzhafte Reizung des Fußes führt zu einem Anziehen des Beines durch Beugung in allen Gelenken. Dieser *Flexorreflex* ist angeboren und tritt bei allen Tieren unabhängig von ihrer Vorgeschichte auf. Solche *unbedingte Reflexe* beruhen auf starren neuronalen Verschaltungen zwischen den Receptoren und dem Erfolgsorgan. Im Zusammenhang der Sinnesphysiologie sind jedoch die *erworbenen oder bedingten Reflexe* von besonderem Interesse. Bei diesen wird die funktionelle Verbindung zwischen erregten Receptoren und Aktivitätsabläufen in Erfolgsorganen erst durch Lernvorgänge erworben: Der geübte Autofahrer bremst „automatisch", wenn ein Hindernis auftaucht.

Konditionierung. Das Einüben bedingter Reflexe kann bei vielen Tierarten leicht im Labor kontrolliert werden. Das erste solche Verfahren ist die von PAVLOV entwickelte „klassische" *Konditionierung:* Es wird zuerst ein *unbedingter* Reflex ausgelöst, z.B. bei einem Hund der Speichelfluß nach Anbieten von Nahrung. Gleichzeitig mit dem Reiz des unbedingten Reflexes wird dann jeweils ein willkürlicher weiterer Reiz gesetzt — es ertönt z.B. gleichzeitig mit dem Anbieten von Nahrung eine Glocke. Wird diese Assoziation von unbedingtem Reflex und willkürlichem Reiz häufig wiederholt, so löst überraschenderweise bald auch der willkürliche Reiz allein schon den Reflexerfolg aus — der Hund wird auch ohne Anbieten von Nahrung nach Läuten der Glocke mit Speichelfluß reagieren. Beim klassischen Verfahren der Konditionierung wird also durch Assoziation des adäquaten Reizes eines unbedingten Reflexes mit einem willkürlich gewählten Testreiz der letztere zum Auslöser eines *bedingten Reflexes.*

Bei der klassischen Konditionierung bekommt das Tier den bedingten Reflex passiv anerzogen. Leichter und *aktiv* erwirbt das Tier bedingte Reflexe durch die **operante Konditionierung** (Synonyme: operative K./operationale K.) [5]. Bei der operanten Konditionierung wird die gewünschte Antwort auf einen Reiz — d.h. der einzuübende bedingte Reflex — *belohnt,* z.B. durch eine Portion Futter. Die Belohnung führt zu einer *Verstärkung* des gewünschten Verhaltens, und das Tier lernt schnell, auf den Testreiz mit dem korrekten bedingten Reflex zu antworten.

Eine Verstärkung des gewünschten Verhaltens ist auch durch „Bestrafung" unerwünschten Verhaltens durch z.B. Schmerzreize möglich. Die operante Konditionierung gelingt jedoch besser mit Belohnungen. In bezug auf die Art und die Häufigkeit der Belohnungen gibt es verschiedene Strategien, auf die hier nicht näher eingegangen werden kann [5].

Bei der *operanten Konditionierung* soll, im Gegensatz zur Dressur, der Mensch als „Erzieher" möglichst ausgeschaltet werden. Die Konditionierung erfolgt deshalb durch *Geräte,* die automatisch den Reiz setzen, die Antwort registrieren und entsprechend den eingegebenen Kriterien die Belohnung anbieten. Ein bekanntes solches Gerät ist die „Skinner-Box", die zur Konditionierung verschiedener Kleintierarten verwendet werden kann (s. Abb. 8). Das Einüben eines einfachen bedingten Reflexes, z.B. Hebeldruck auf Lichtreiz, gelingt sehr schnell,

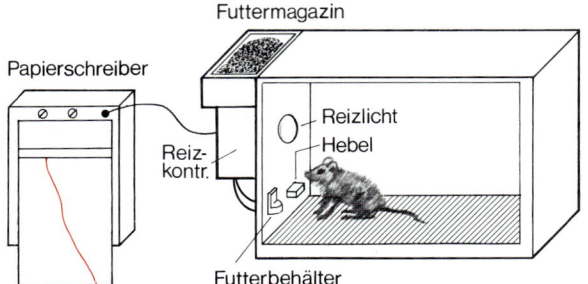

Abb. 8. Operante Konditionierung in „Skinner-Box". Das Versuchstier kann auf einen durch die Reizkontrolle angebotenen Reiz, hier Licht, den Hebel drücken und wird dann automatisch durch Futter belohnt. Die Reize und ihr Erfolg werden durch den Schreiber aufgezeichnet

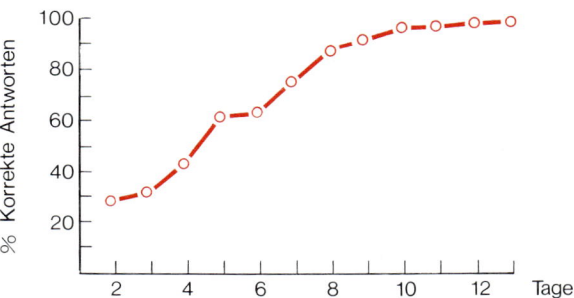

Abb. 9. Lernkurve bei operanter Konditionierung. In der Abscisse Versuchstage ab Lernbeginn, in der Ordinate der Prozentsatz der korrekten Antworten auf den Testreiz

wie die *Lernkurve* in Abb. 9 zeigt; der Prozentsatz der korrekten Antworten steigt in den ersten Tagen steil an und erreicht bald einen Sättigungswert nahe 100%. Durch stufenweise Erschwerung der Aufgaben kann man auch sehr viel komplexere Verhaltensweisen als die Reaktion auf einen einfachen Lichtreiz einüben, so z.B. die Unterscheidung von einem Dreieck und einem Viereck unabhängig vom Maßstab [10].

Geräte zur operanten Konditionierung wie die Skinner-Box kann man in größerer Zahl nebeneinander aufstellen und die Versuchsprogramme automatisch, z.B. über Computer, steuern. Man erhält statistisch abgesicherte Ergebnisse von großer Zuverlässigkeit. In solchen Programmen können die Reize vielfältig abgewandelt werden, und so sinnesphysiologische Fragestellungen bearbeitet werden. Das Verfahren wird aber auch z.B. von experimentellen Psychologen zum Studium des Lernverhaltens, von Pharmakologen zur Bestimmung des Einflusses von Psychopharmaka oder von Biochemikern zum Studium der Auswirkungen von Veränderungen des Hirnstoffwechsels benutzt.

3.2. Messung der Dunkeladaptation durch operante Konditionierung

Kommen wir aus einem hellerleuchteten Raum plötzlich in einen abgedunkelten, so sehen wir anfänglich *nichts.* Nach Minuten werden erste Kontu-

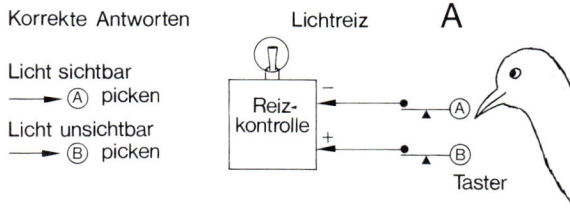

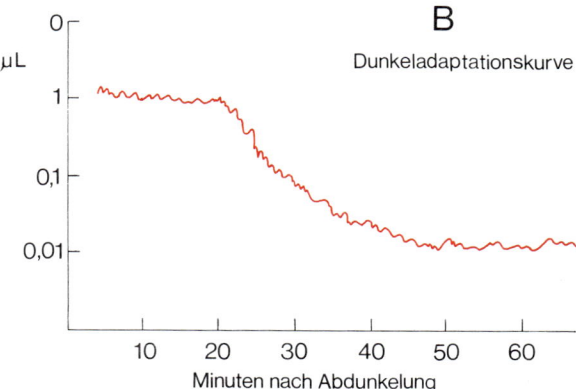

Abb. 10A u. B. Sehschwellenbestimmung im Verhaltensversuch bei einer Taube. (A) Schema der Versuchsanordnung: Die Taube pickt Taste A, wenn sie Licht sieht, dadurch wird der nächste Lichtreiz verkleinert. Picken von Taste B, wenn kein Licht sichtbar ist, vergrößert den nächsten Lichtreiz. (B) Verlauf der von der Taube eingestellten Schwellenreizstärke nach Abschalten einer hellen Hintergrundsbeleuchtung. Nach [9]

ren sichtbar, und nach längerem Verweilen im „Dunkeln" sind wir dann oft erstaunt, wie viele Details wir doch wahrnehmen können. Diese langsame Zunahme der Empfindlichkeit des Gesichtssinnes bei Abnahme der Beleuchtungsstärke heißt *Dunkeladaptation* (s.S. 241). Es soll hier ein Versuch geschildert werden, in dem mit Hilfe einer *operanten Konditionierung* die Sehschwelle und die Dunkeladaptation bei einer Taube quantitativ bestimmt wird. Zur Vorbereitung des Versuches werden bei der Taube zwei bedingte Reflexe eingeübt: Die Taube pickt auf Taste A der Anordnung in Abb. 10(A), wenn sie den *Lichtreiz* sieht, und sie pickt auf Taste B, wenn sie *keinen Lichtreiz* sieht. Die Taube sieht zu Versuchsbeginn das relativ hell leuchtende Reizlicht. Entsprechend dem eingeübten Verhalten wird sie mehrfach die Taste A picken, und die Reizkontrolle (Abb. 10(A)) wird daraufhin jeweils die Helligkeit des Reizlichtes herabsetzen. Schließlich unterschreitet die Helligkeit des Reizlichtes die Reizschwelle, worauf die Taube beginnt, Taste B zu picken. Dies erhöht wiederum über die Reizkontrolle die Lichtstärke, und Taste B wird nur so lange gepickt werden, bis die Stärke des Reizlichtes wieder überschwellig wird. Mit Hilfe der Betäti-

gung der beiden Tasten wird also die Taube eine Lichtstärke einstellen, die um die *absolute Sehschwelle* schwankt.

Mit dieser Versuchsanordnung lassen sich nun auch zeitliche Änderungen der Sehschwelle bestimmen, z.B. der Zeitverlauf der *Dunkeladaptation* [9]. Nach dem Übergang von einer hellen Raumbeleuchtung zur Abdunkelung stellt die Taube für etwa 25 min eine relativ hohe Schwellenreizstärke von 1 μL ein (Abb. 10(B)). Danach fällt die Schwellenreizstärke schnell ab und erreicht etwa 1 Std nach Abdunkelung einen Minimalwert nahe 0,01 μL. Während dieser Zeit hat also die am Verhalten der Taube ablesbare Empfindlichkeit des Sehorganes etwa um den Faktor 100 zugenommen. Die so gewonnene Dunkeladaptationskurve der Taube ist der entsprechenden subjektiv bestimmten Dunkeladaptationskurve des Menschen (s. Abb. XII-25) in Zeitverlauf und Amplitude sehr ähnlich.

Mit derartigen Verhaltensversuchen lassen sich auch andere Schwellenwerte bei Versuchstieren bestimmen [10]. Eingehend untersucht wurde z.B. die Abhängigkeit der absoluten Sehschwelle von der Wellenlänge des Reizlichtes, und so die Absorptionskurven der von verschiedenen Säugetieren, Fröschen, Fischen, Vögeln, aber auch Tintenfischen benutzten Sehfarbstoffe (Pigmente) bestimmt. Es können aber auch Ton-Unterschiedsschwellen oder Orts-Unterschiedsschwellen gemessen werden. Mit Hilfe der operanten Konditionierung können also sehr detaillierte sinnesphysiologische Messungen an Tieren durchgeführt werden. Viele der im nächsten Abschnitt dargestellten subjektiv sinnesphysiologischen Gesetzmäßigkeiten lassen sich so auch bei Tieren analog als Relationen von *Reiz* und *Verhalten* nachweisen. Da auch unsere sprachlichen Äußerungen über subjektive Erlebnisse als — hochdifferenzierte — Verhaltensformen aufgefaßt werden können, ist hier vielleicht ein gewisser Brückenschlag zwischen objektiver und subjektiver Sinnesphysiologie möglich.

4. Allgemeine subjektive Sinnesphysiologie

In diesem Abschnitt sollen vor allem quantitative Meßverfahren der subjektiven Sinnesphysiologie dargestellt werden, um damit in die Methodik einzuführen. Ausgangspunkt sind die Grunddimensionen der Empfindungen *Qualität, Intensität, Räumlichkeit* und *Zeitlichkeit* (s. 1.2). Die Gesichtspunkte der Qualität der Sinnesempfindungen wurden in 1.2 schon ausführlich behandelt, es soll hier vor allem auf die Intensität sowie auf räumliche und zeitliche Aspekte eingegangen werden.

4.1. Messung der Intensität einer Empfindung oder Wahrnehmung

In der objektiven Sinnesphysiologie wird die Reizantwort im physikalisch-chemischen Maßsystem gemessen: als Amplitude des Receptorpotentials oder als Frequenz der ausgelösten Aktionspotentiale.
Empfindungsintensitäten lassen sich in diesem Maßsystem nicht erfassen. Es muß auf Maßstäbe zurückgegriffen werden, die den Empfindungen oder Wahrnehmungen selbst eigen sind; solche für eine **Eigenmetrik** der Sinnesempfindung geeignete Größen sind die absoluten *Schwellen* für die einzelnen Empfindungen und die elementare Empfindungseinheit des „eben merklichen Empfindungszuwachses", die *Unterschiedsschwelle*.

Weber-Fechnersches Gesetz. WEBER untersuchte, um wieviel zwei Druckreize auf die Haut verschieden sein müssen, um eine merkliche Empfindungsänderung zu erzielen. Er fand die Unterschiedsschwelle ΔE der Empfindung proportional dem relativen Reizzuwachs ΔS/S, wobei S die Ausgangsreizstärke ist:

$$\Delta E = k \cdot \Delta S/S.$$

Diese *Webersche Regel* bedeutet, daß in gewissen Bereichen der Reizstärken die Unterschiedsschwelle jeweils bei 3% Zuwachs der Druckreizstärke, oder bei 1–2% Zuwachs der Lichtstärke, oder bei 10% Zunahme der Konzentration eines Geschmacksreizstoffes liegt. Eine analoge Regel gilt auch für objektiv sinnesphysiologisch gemessene Unterschiedsschwellen. Diese Webersche Regel gilt allerdings nur für einen relativ kleinen Intensitätsbereich.
Unter Annahme der Allgemeingültigkeit der Weberschen Regel versuchte der Mathematiker FECHNER eine Relation zwischen der Intensität der Empfindung E und der Reizstärke S abzuleiten, indem er die Webersche Regel über ΔS integrierte und so das **Weber-Fechnersche Gesetz** erhielt:

$$E = K' \cdot \log S.$$

Diese Proportionalität von Empfindungsstärke und Logarithmus der Reizstärke wurde auch als **psychophysisches Grundgesetz** bezeichnet. Aufgrund dieses Gesetzes wurden logarithmische Skalen der Reiz-

stärke für Empfindungen entwickelt, die bekannteste ist die Phon-Skala für die Lautstärke von Tönen. Das Weber-Fechnersche Gesetz gilt freilich, ebenso wie die Webersche Regel, nur für begrenzte Intensitätsbereiche.

Schätzung des Vielfachen einer Empfindungsintensität. Eine direkte *eigenmetrische* Bestimmung einer Empfindungsintensität ist möglich, indem man eine durch einen Standardreiz ausgelöste Standardempfindung definiert, und die Versuchsperson abschätzen läßt, um wieviel mal größer die zu messende Empfindung im Vergleich zur Standardempfindung ist. Man bezeichnet dies auch als Aufstellung einer *Rationalskala*. Als Standard dient oft der absolute Schwellenreiz und die Schwellenempfindung. Das Ergebnis einer solchen eigenmetrischen Messung der Empfindungsintensität zeigt Abb. 11. Den Versuchspersonen wurden Citronensäure- oder Zuckerlösungen der in der Abscisse angegebenen Konzentration zum Schmecken angeboten, und sie gaben daraufhin an, um wieviel mal stärker die Testlösung im Vergleich zur Standardlösung schmeckte. Die Meßwerte sind in Abb. 11 rot eingetragen. Abscisse und Ordinate haben einen logarithmischen Maßstab, und die Meßpunkte lassen sich recht gut für die verschiedenen Reizlösungen durch gerade Linien verschiedener Steigung approximieren. Dies bedeutet, daß sich diese Meßergebnisse durch Potenzfunktionen mit den Exponenten n = 0,85 für Citronensäure und n = 1,1 für Zucker beschreiben lassen. Es gilt also

$$E = K \cdot (S - S_0)^n.$$

Diese Abhängigkeit der Empfindungsintensität von einer für die jeweilige Sinnesqualität typischen Po-

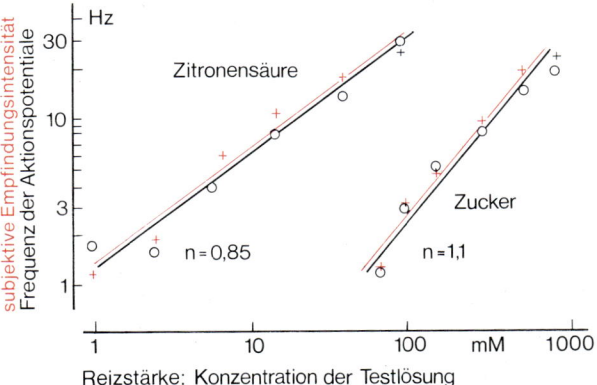

Abb. 11. Abhängigkeit der subjektiven Empfindungsintensität (rot, Kreuze) des Geschmackes sowie der Frequenz der Aktionspotentiale (schwarz, Kreise) in Fasern des Geschmacksnerven von der Konzentration von Citronensäure und von Zuckerlösung. Nach [11]

tenz n der überschwelligen Reizintensität wurde zuerst von STEVENS angegeben [23, 24] und wird allgemein **Stevenssche Potenzfunktion** genannt.

Wie schon bei den Receptoren und für zentrale sensorische Zellen dargestellt (s. Abb. II-30 und S. 188), gelten solche Potenzfunktionen auch für objektiv meßbare Reizantworten. In dem der Abb. 11 zugrunde liegenden Versuch war ein unmittelbarer Vergleich der subjektiven und der objektiven Reizantworten möglich. Die Versuchspersonen waren nämlich Patienten, die sich wegen einer Schwerhörigkeit einer Mittelohr-Operation (Stapes-Mobilisation) unterziehen mußten. Bei dieser Operation wird die *Chorda tympani* freigelegt, in der Geschmacksfasern zum Gehirn ziehen. Von diesen Fasern konnten während der Operation Aktionspotentiale abgeleitet werden, und so die neurale Antwort auf Geschmacksreize verschiedener Intensität registriert werden. Diese Meßwerte sind in Abb. 11 schwarz eingetragen, sie lassen sich ebenfalls durch gerade Linien approximieren, und diese haben die gleiche Steigung wie die entsprechenden durch die subjektive Messung bestimmten. Bei diesen Geschmacksqualitäten lassen sich also die *objektiv* gemessene Reizantwort und die *subjektive* Empfindungsintensität durch *Stevenssche Potenzfunktionen mit gleichem Exponenten n* beschreiben. Analoge Ergebnisse wurden auch für andere Sinnesorgane gefunden.

Intermodaler Intensitätsvergleich. Viele Versuchspersonen haben Schwierigkeiten, wie im Versuch der Abb. 11 die Empfindungsintensität als Vielfaches eines Standards auszudrücken. Dies vermeidet das Meßverfahren des **intermodalen Intensitätsvergleiches,** bei dem die zu messende Empfindungsstärke mit der Stärke einer Referenz-Empfindung in einer anderen Modalität verglichen wird. Die Versuchsperson wird z.B. aufgefordert, entsprechend der empfundenen Helligkeit eines Reizlichtes

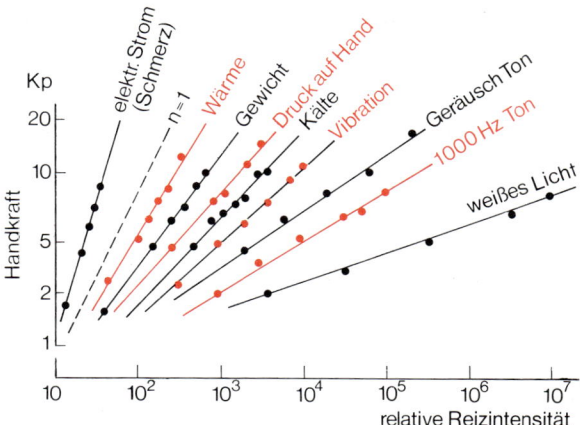

Abb. 12. Intensität der Empfindung in Abhängigkeit von der Reizstärke. Die Empfindungsintensität wurde durch intermodalen Intensitätsvergleich über die auf ein Handdynamometer ausgeübte Kraft (Ordinate) gemessen. Zu den Exponenten der gefundenen Potenzfunktionen siehe Tabelle 1. Nach [23]

mit der Hand ein Dynamometer zu drücken (Abb. 12). Für die Reizstärkenabhängigkeit der Empfindung in den verschiedenen Modalitäten ergeben sich Potenzfunktionen, die hier mit abnehmender Steigung vom Schmerz bis zur Lichtempfindung angeordnet sind. Die Werte der Exponenten sind in Tabelle 1 als intermodale Exponenten n_i eingetragen. Parallel zum intermodalen Intensitätsvergleich über die Handkraft wurde die Empfindungsintensität auch mit einer Rationalskala bestimmt, d.h. wie im vorhergehenden Absatz durch Abschätzung der Relation zu einer Standardempfindung; die entsprechenden Exponenten n_r sind ebenfalls in Tabelle 1 aufgeführt. n_r ist jeweils etwa um den Faktor 1,7 größer als n_i. Nun hat der für die Handkraft gefundene Exponent n gerade den Wert 1,7, und die mit Hilfe des intermodalen Vergleichs gemessenen Exponenten sind also als Produkt des Exponenten für die Handkraft und des für die jeweilige Modalität Charakteristischen erklärbar. Die beiden Methoden der Messung der

Tabelle 1. Die Exponenten n_r und n_i der Stevensschen Potenzfunktion bei verschiedenen Reizen. (Nach [23])

Reizform	Reizbereich	Gemessener Exponent		n_r/n_i
		Rational-skala n_r	Kraft-vergleich n_i	
Elektrischer Wechselstrom	0,29–0,73 mA	3,5	2,13	1,64
Temperatur (warm)	2–14,5° C über Indifferenztemperatur	1,6	0,96	1,67
Schwere von Gewichten	28–480 g	1,45	0,79	1,83
Druck auf Handfläche	0,25–2,5 kg	1,1	0,67	1,64
Temperatur (kalt)	3,3–30,6° C unter Indifferenztemperatur	1,0	0,6	1,67
Vibration 60 Hz	17–47 dB relativ zur Schwelle	0,95	0,56	1,70
Lautheit von Rauschen	55–95 dB relativ zu 0,0002 dyn/cm²	0,6	0,41	1,46
Lautheit 1 000 Hz-Ton	47–87 dB relativ zu 0,0002 dyn/cm²	0,6	0,35	1,71
Helligkeit (weißes Licht)	56–96 dB relativ zu 10^{-10} Lambert	0,33	0,21	1,57

Empfindungsintensität führen also zu übereinstimmenden Ergebnissen, obgleich beide Methoden nicht den Anschein großer Meßgenauigkeit haben.

Anzahl der Unterschiedsschwellenschritte. Ein drittes Verfahren, die Intensität einer Empfindung zu messen, beruht auf der Abzählung der „*Elementarempfindungen*", aus der die Empfindung zusammengesetzt werden kann. Als eine solche Elementarempfindung kann man einen *Unterschiedsschwellenschritt* auffassen, d.h. den Zuwachs an Reizstärke, der eine merkliche Empfindungssteigerung hervorruft. Wenn so die Intensität einer Empfindung gemessen werden soll, so wird zuerst die absolute Schwellenreizstärke für die betreffende Sinnesqualität bestimmt und ihr die Maßzahl $N = 1$ zugeordnet. Dann wird die Reizstärke erhöht, bis ein merkbarer Empfindungszuwachs eintritt, diese Empfindungsintensität bekommt die Maßzahl $N = 2$. Dieses Verfahren wird solange wiederholt, bis die Empfindung zu der zu messenden Intensität anwächst, wurden z.B. dazu 10 Unterschiedsschwellenschritte gebraucht, so hat die betreffende Empfindung die Intensität $N = 10$. Die Größe der aufeinanderfolgenden Reizerhöhungen, die jeweils einer Unterschiedsschwelle entsprechen, ist in Abb. 13 rechts in den beiden Serien von Pfeilen (rot und schwarz) parallel der Ordinate sichtbar. Auch mit diesem Meßverfahren wurden als Relation von Reizstärke und Empfindungsintensität *Potenzfunktionen* erhalten, deren Exponenten mit den entsprechenden Werten in Tabelle 1 gut übereinstimmen.

4.2. Simultane Dimensionsänderungen

Die eigenmetrische Messung der Empfindungsintensität mit Hilfe der Unterschiedsschwellenschritte hat den Vorteil, daß sich dieses Verfahren analog auch auf andere Dimensionen anwenden läßt. Denn Unterschiedsschwellen gibt es nicht nur für die Intensität, sondern auch für empfundene Zeitdauern, Ortsverschiebungen oder Flächen. In jeder dieser Dimensionen ist die Unterschiedsschwelle als dem jeweiligen Subjekt eigene *Einheit* anzusehen, so daß auch quantitative Beziehungen zwischen Größen verschiedener Dimension sinnvoll angegeben werden können. Solche Größen können *simultan* geändert werden, also z.B. die Reizfläche zugleich mit der Reizintensität, und es können die quantitativen Beziehungen zwischen diesen Größen festgestellt werden.
Abb. 13 zeigt einen solchen Versuch mit einem Druckreiz, bei dem die Reizintensität und -fläche

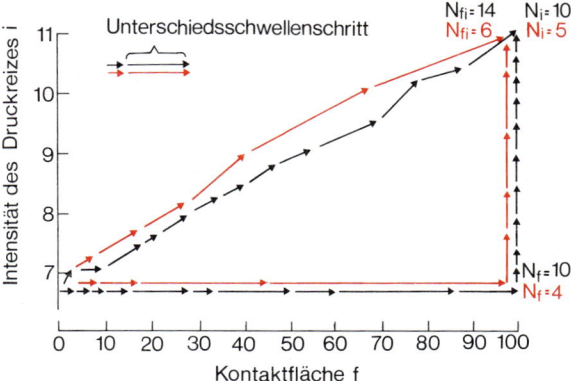

Abb. 13. Zahl N der Unterschiedsschwellenschritte der empfundenen Flächengröße f und der Intensität i eines Druckreizes für zwei Versuchspersonen (schwarz und rot). Die Länge der Pfeile entspricht jeweils der Reizänderung bei einem Unterschiedsschwellenschritt. N_f und N_i geben die Unterschiedsschwellenzahl bei Änderung nur der Reizfläche bzw. seiner Intensität an. N_{fi} ist die Zahl der Unterschiedsschwellenschritte bei simultaner Erhöhung von Reizfläche und -stärke. Nach [8]

geändert werden. Zu Beginn wird die Kontaktfläche vom Wert 1 auf 100 gesteigert und die Anzahl N_f von Unterschiedsschwellenschritten bis zu diesem Wert bestimmt. Danach wird die Reizstärke ausgehend von einem Druck von 6,7 schrittweise bis auf 10,5 erhöht, wozu N_i Unterschiedsschwellenschritte gebraucht werden. Nach der Feststellung dieser Werte wird, ausgehend von Kontaktfläche 1 und Intensität 6,7, die Reizfläche und seine Stärke *simultan* erhöht und damit derselbe Endwert angesteuert wie bei den vorhergehenden Reizänderungen, dazu werden N_{fi} simultane Unterschiedsschwellenschritte benötigt. Das Koordinatensystem in Abb. 13 ist rechtwinkelig wie üblich, und die Kurvenzüge der Versuche bilden ein rechtwinkeliges Dreieck. Die Längen der Seiten dieses Dreieckes entsprechen dem Satz des Pythagoras. Es fragt sich nun, ob die rechtwinkeligen Koordinaten nur den *physikalisch* definierten Reizgrößen Druck und Fläche angemessen sind, oder auch den verschiedenen Dimensionen der *Empfindung*. Wäre dies der Fall, so müßte nach Pythagoras gelten:

$$N_f^2 + N_i^2 = N_{fi}^2,$$

d.h. für die Versuchsperson schwarz:

$$10^2 + 10^2 = 14^2,$$

d.h. für die Versuchsperson rot:

$$4^2 + 5^2 = 6^2.$$

Man sieht, daß diese Beziehungen recht gut erfüllt werden. Dies heißt, daß die *Dimensionen* der *Empfindung* einander *orthogonal* sind, oder daß eine pythagoräische Metrik gilt. Die Gültigkeit einer solchen Metrik ist für die Modalitäten Lichtsinn, Druckempfindungen und Gehör nachgewiesen [3]. Sie zeigt unter anderem, daß die Unterschiedsschwellenschritte wirklich Einheiten der Empfindung darstellen, und daß die verschiedenen Dimensionen der Empfindung voneinander unabhängig sind.

Simultane Reizänderungen an der Schwelle. Eine zweite Gruppe von quantitativen Regeln über die Auswirkungen simultaner Änderungen von Reizdimensionen gilt für die absoluten Schwellen. Sie besagt allgemein, daß an der absoluten Schwelle das *Produkt* zweier Dimensionen des Reizes *konstant* ist. Diese Regel gilt jedoch nicht für alle Dimensionen und Modalitäten, und auch nur in begrenzten Bereichen. Eine wichtige solche Regel stellt fest, daß für den Schwellenreiz zur Auslösung einer Lichtempfindung das Produkt aus Lichtintensität I und leuchtender Fläche F konstant ist [3].

$$I \cdot F = konst.$$

Diese Regel gilt, solange der Sehwinkel des Objektes kleiner als 3 Bogenminuten ist. Eine analoge Beziehung findet man übrigens auch für Schwellenreize an Ganglienzellen der Netzhaut [6]. Eine entsprechende Regel gilt auch für das *Produkt* aus *Lichtstärke* und *Dauer* des Lichtreizes, sofern 120 ms nicht überschritten werden. Weitere konstante Produkte von Reizdimensionen an der absoluten Schwelle wurden auch für den Temperatursinn, den Tastsinn und das Gehör gefunden [3].

Die quantitativen Aussagen über die Wirkungen der *simultanen* Änderung verschiedener Reizdimensionen auf die Intensität der Empfindungen sind besonders wichtig, weil solche komplizierte Reizänderungen den *natürlichen Reizen* in unserer Umgebung näher stehen als die isolierte Änderung einer Intensität oder eines Ortsparameters. In unserem Sehraum ändern sich in der Regel Reizort, Helligkeit und Reizfläche simultan; wenn wir einen Gegenstand abtasten, so ändern sich simultan die Drucke und die Kontaktflächen. Die oben angeführte Produktregel über Reizintensität und -fläche hat beispielsweise die praktische Konsequenz, daß ein schnell zu erkennendes Warnzeichen, z.B. an der Autobahn, eine möglichst große Fläche haben muß.

4.3. Raumdimension der Empfindung, Kontrast

Die dritte hier zu besprechende Dimension der Empfindung ist die des Raumes. Auch in dieser Dimension kann quantitativ die Änderung der

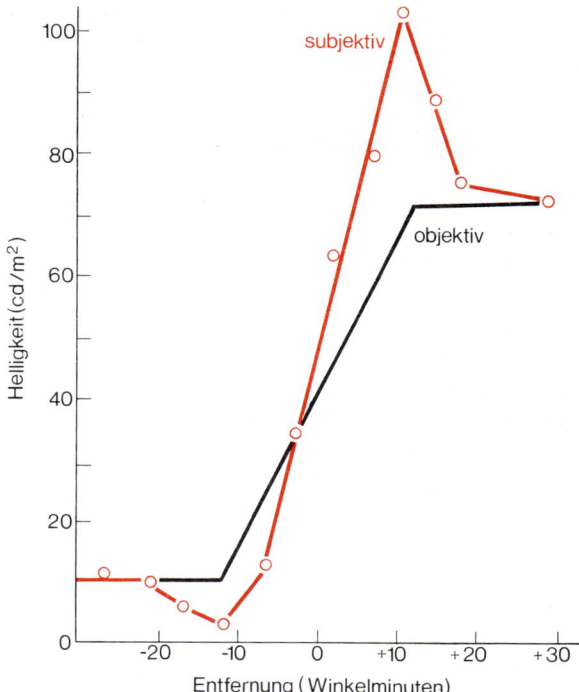

Abb. 14. Kontrastüberhöhung. Übergang von einer dunklen Fläche links zu einer hellen rechts, dargestellt an einer Linie senkrecht zur Kante (Abscisse). Ordinate Helligkeit der betrachteten Fläche. Die schwarze Kurve zeigt die mit einem Photometer gemessene objektive Helligkeitsverteilung, die rote die subjektive Verteilung. Letztere wird durch Einstellung einer als gleich hell empfundenen Vergleichsfläche an den verschiedenen Meßpunkten durch die Versuchsperson bestimmt. Nach [19]

Empfindung in Folge der Änderung eines Ortsparameters des Reizes bestimmt werden. So können z.B. die Schwellen für den kleinstmöglichen Abstand von zwei Reizpunkten, die als getrennt wahrgenommen werden können, bestimmt werden, oder es kann wie in Abb. 13 die Stärke der empfundenen Änderung einer Reizfläche über die Anzahl der in dieser Empfindungsänderung enthaltenen Unterschiedsschwellenschritte gemessen werden. Es soll auf diese Meßverfahren hier nicht weiter eingegangen werden, wir wollen uns vielmehr einer wichtigen Besonderheit der Raumdimension, dem Kontrast, zuwenden.

Unter **Kontrast** versteht man physikalisch das Verhältnis der Lichtstärken zweier nebeneinander liegender Bildteile, und analog kann auch für andere Sinnesbereiche der Begriff Kontrast definiert werden. Ein visueller Reiz mit definiertem Kontrast wurde in dem Versuch der Abb. 14 benutzt: Die Helligkeit einer Fläche ändert sich an einer Kante über eine Entfernung von 20 Winkelminuten gleichmäßig von 10 cd/m² auf 70 cd/m². Es wurde nun die Stärke der subjektiven Helligkeitsempfindung in den verschiedenen Bildanteilen gemessen und die rote Kurve erhalten. Die Empfindungsintensität weicht von der physikalischen Helligkeitsverteilung nach unten und nach oben ab, der Kontrast zwischen heller und dunkler Fläche ist in der Empfindung stärker als im Reiz, für die Empfindung ergibt sich eine **Kontrastüberhöhung.** Diese Kontrastüberhöhung kann leicht im Selbstversuch verifiziert werden: Betrachten Sie irgendeine Trennungslinie zwischen einer hellen und einer dunklen Fläche; unmittelbar neben der Trennungslinie erscheint die helle Fläche heller und die dunkle Fläche dunkler als innerhalb der betreffenden Flächen. Man nennt diese hellen und dunklen Streifen in einem kontrastreichen Bild *Machsche Streifen.* Das Phänomen der Kontrastüberhöhung der Empfindung wird nicht nur im visuellen Bereich, sondern auch für das Gehör, die Hautsinne und den Geschmack empfunden, es handelt sich also um eine allgemeine Eigenschaft unserer Empfindungen [7]. Die Kontrastüberhöhung verschärft das räumliche Unterscheidungsvermögen; die Leistungsfähigkeit dieses Mechanismus zeigt sich, wenn man das „flaue" Photo einer Szene unter den Bäumen eines Waldes mit dem sehr viel kontrastreicheren Sinneseindruck vergleicht.

Auch an sensorischen Zellen werden Reaktionen beobachtet, die der Kontrastüberhöhung in den Sinnesempfindungen analog sind. So werden z.B. an afferenten Fasern aus dem Auge von Limulus [22] oder an Retinaganglienzellen von Katzen bei entsprechenden Reizmustern dem Verlauf der Empfindungsintensität in Abb. 14 völlig analoge Impulsfrequenzverteilungen gefunden [14]. Ursache dieser Erscheinung ist die laterale Hemmung bzw. die Organisation des receptiven Feldes in Zentrum und reciprok reagierende Peripherie (s. Abb. 3 und 6). Bei Neuronen, deren receptives Feld ganz in der gleichmäßig belichteten hellen Fläche liegt, sind Zentrum und Peripherie gleichmäßig gereizt, und die Reizantwort dieses Neurons entspricht der Summe aus Erregung und lateraler Hemmung. Liegt das receptive Feld des Neurons jedoch am Rande der hellen Fläche, so kann ein Teil seiner Peripherie schon in der dunklen Fläche liegen, und dadurch wird die laterale Hemmung des Neurons vermindert. Dieses Neuron wird also stärker erregt sein als das erstere, was die relativ erhöhte Impulsfrequenz bei den dem Rand der hellen Fläche entsprechenden Neuronen erklärt.

4.4. Zeitdimension der Empfindung, Adaptation

Als letzte der zu besprechenden Dimensionen wird bei Sinnesreizen die Zeit wahrgenommen. Die Reizdauer beeinflußt stark die Intensität der Sinnesemp-

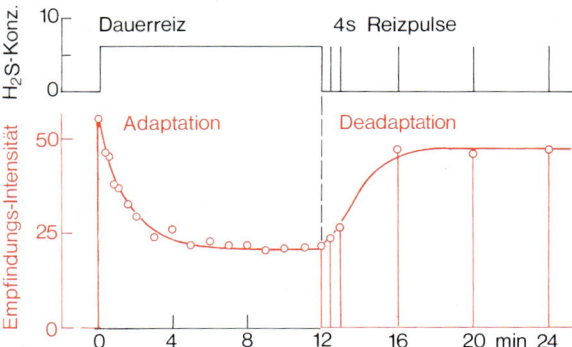

Abb. 15. Adaptation einer Geruchsempfindung. Oben (schwarz) Reizamplitude (Schwefelwasserstoff-Konzentration von $6{,}5 \cdot 10^{-6}$ Volumenanteilen), unten (rot) Empfindungsintensität, geschätzt von 4 Versuchspersonen in je 10 Versuchen als Vielfaches einer Standardintensität. Nach [12]

findungen (s. 4.2), ferner lassen sich *Zeitunterschiedsschwellen* für Reize verschiedener Dauer bestimmen, oder bei periodischen Reizen kann die Frequenz, bei der die Reize gerade nicht mehr getrennt wahrgenommen werden können, die *Verschmelzungsfrequenz,* gemessen werden. Die Sinnesorgane erweisen sich als relativ träge und als für genaue Zeitmessung nicht sehr geeignet.

Es soll hier auf eine während der Dauer eines Reizes oder nach seinem Abschalten fast regelmäßig eintretende Änderung der Empfindungsintensität eingegangen werden, nämlich die **Adaptation.** Abb. 15 zeigt ein Beispiel für die Geruchsempfindung für Schwefelwasserstoff. Unmittelbar nach Einschalten einer konstanten Konzentration des Riechstoffes wird von den Versuchspersonen eine Empfindungsintensität von 56 geschätzt. Die Empfindungsintensität fällt innerhalb der ersten Minuten jedoch steil ab und stellt sich nach etwa 5 min auf eine konstante Intensität von etwa 20 ein. Abb. 15 zeigt weiter die *Deadaptation,* d.h. die Verbesserung der Empfindlichkeit nach Ende des Dauerreizes. Es wurde nach Abschalten des Dauerreizes der Reiz für kurze Perioden gegeben und die Empfindungsintensität bestimmt. Die subjektive Empfindlichkeit für den Reizstoff kehrt mit einem ähnlichen Zeitgang zurück, wie er für die Adaptation beobachtet wurde.

Adaptation wird für alle Empfindungsmodalitäten außer für den Schmerz gefunden, dabei sind Ausmaß der Adaptation und ihr Zeitgang charakteristisch für die jeweilige Modalität. Die Adaptation bedeutet eine Herabsetzung der Empfindlichkeit für lange Reize, sie begünstigt also vor allem die Wahrnehmung von Änderungen von Reizen, die Sinnesorgane sind viel empfindlicher für dynamische Vorgänge als für statische Situationen. Den Ring am Finger spüren wir nicht, sofort aber die Fliege, die sich neben ihn setzt. Die *Adaptation* und die räumliche *Kontrastüberhöhung* sind *analoge* Mechanismen, die beide für ihre Dimension die Wahrnehmung der Änderungen von Reizparametern fördern. Sie dienen beide dazu, aus der Menge der aus den Sinnesorganen einströmenden Informationen nur die wesentlichen auszuwählen und wahrzunehmen.

Adaptationsvorgänge sind auch in der objektiven Sinnesphysiologie weit verbreitet. Die meisten Receptoren zeigen Adaptation (Abb. II-28), und an zentralen Neuronen ist ebenso eine Adaptation, ein Abfall der Impulsfrequenz während des andauernden Reizes, deutlich (Abb. 4 und 6). Auch im Verhaltensversuch bei Tieren können Adaptationsvorgänge verfolgt werden (Abb. 10). Die für zentrale Neuronen gefundenen Adaptationsverläufe stimmen meist quantitativ mit den Adaptationen in den entsprechenden Sinnesempfindungen überein.

4.5. Wahrnehmung und Willensakte

Zum Abschluß dieser Einführung in die subjektive Sinnesphysiologie soll noch einmal auf den Aspekt der *Intentionalität* bei den Wahrnehmungen hingewiesen werden. Empfindung und Wahrnehmung stellen nicht eine passive Reaktion des Subjektes auf die Umwelt dar, sondern eine *aktive Zuwendung*. Erst dieses Wollen der Empfindung macht sie zu meinem persönlichen Erlebnis, bewirkt, daß sie meine *persönliche Zeit* ausfüllt, macht sie zu meiner *Erfahrung*, deren Wiederholbarkeit und damit Voraussagbarkeit in der Zukunft ich zur Grundlage meines *Handelns* machen kann [3]. Dieser aktive Charakter der Empfindung wurde in einer modernen Theorie der Reizstärken-Empfindungsintensität-Beziehung folgendermaßen formuliert: „Die Wahrnehmung wird als eine innere, nach außen gerichtete ‚Abgleich‘-Reaktion auf die Reizung betrachtet, die innerhalb des Organisationssystems erzeugt wird, das den jeweiligen ‚Bereitschaftszustand‘ des Organismus bestimmt" [20].

5. Literatur

Weiterführende Lehr- und Handbücher

1. Allgemeine Neurophysiologie. In: Physiologie des Menschen, Bd. 10 (Hrsg. O.H. GAUER, K. KRAMER, R. JUNG). München: Urban & Schwarzenberg 1971.
2. Handbook of Sensory Physiology, Vol. I: Principles of Receptor Physiology (Ed. W.R. LOEWENSTEIN). Berlin-Heidelberg-New York: Springer 1971.
3. HENSEL, H.: Allgemeine Sinnesphysiologie, Hautsinne, Geschmack, Geruch. Berlin-Heidelberg-New York: Springer 1966.
4. KEIDEL, W.D.: Sinnesphysiologie, Teil I: Allgemeine Sinnesphysiologie, Visuelles System. Berlin-Heidelberg-New York: Springer 1971.

Originalarbeiten

5. ANGERMEIER, W.F.: Kontrolle des Verhaltens. Berlin-Heidelberg-New York: Springer 1972.
6. BARLOW, H.B., FITZHUGH, R., KUFFLER, S.W.: Change of organization in the receptive fields of the cat's retina during dark adaptation. J. Physiol. (Lond.) **137**, 338 (1957).
7. v. BÉKÉSY, G.: Mach band type lateral inhibition in different sense organs. J. gen. Physiol. **50**, 519 (1967).
8. BERGSTRÖM, R.M., LINDFORS, K.O.: Experimental demonstration of the euclidean-pythagorean structure and the quadratic metrics in the perceptual manifold of the cutaneous tactile sense. Acta physiol. scand. **44**, 170 (1958).
9. BLOUGH, D.S.: Dark adaptation in the pigeon. J. comp. Physiol. Psychol. **49**, 425 (1956).
10. BLOUGH, D.S., YAGER, D.: Visual psychophysics in animals. In: Handbook of Sensory Physiology, Vol. VII/4: Visual Psychophysics (Eds. D. JAMESON, L.M. HURVICH). Berlin-Heidelberg-New York: Springer 1972.
11. BORG, G., DIAMANT, H., STRÖM, L., ZOTTERMAN, Y.: The relation between neural and perceptional intensity: a comparative study on the neural and psychophysical response to taste stimuli. J. Physiol. (Lond.) **192**, 13 (1967).
12. ECKMAN, G., BERGLUND, B., BERGLUND, V., LINDFALL, T.: Perceived intensity of odor as a function of time of adaptation. Scand. J. Psychol. **1967**, 177. Zitiert nach: ENGEN, T.: Olfactory Psychophysics. In: Handbook of Sensory Physiology, Vol. IV: Olfaction (Ed. L.M. BEIDLER). Berlin-Heidelberg-New York: Springer 1971.
13. FEX, J.: Auditory activity in centrifugal and centripetal cochlear fibers in cat. Acta physiol. scand. **55**, Suppl. 189 (1962).
14. FIORENTINI, A.: Mach-band phenomena. In: Handbook of Sensory Physiology, Vol. VII/4: Visual Psychophysics (Eds. D. JAMESON, L.M. HURVICH). Berlin-Heidelberg-New York: Springer 1972.
15. HARTLINE, H.K.: The receptive fields of optic nerve fibers. Amer. J. Physiol. **130**, 690 (1940).
16. HUBEL, D.H., WIESEL, T.N.: The period of susceptibility to the physiological effects of unilateral eye closure in kittens. J. Physiol. (Lond.) **206**, 419 (1970).
17. KUFFLER, S.W.: Discharge patterns and functional organization in mammalian retina. J. Neurophysiol. **16**, 37 (1953).
18. KUFFLER, S.W., EYZAGUIRRE, C.: Synaptic inhibition in an isolated nerve cell. J. gen. Physiol. **39**, 155 (1955).
19. LOWRY, E.M., DePALMA, J.J.: Sine wave response of the visual system. I. The mach phenomenon. J. Opt. Soc. Amer. **51**, 740 (1961).
20. McKAY, D.M.: Psychophysics of perceived intensity: a theoretical basis for Fechner's and Steven's laws. Science **139**, 1213 (1963).
21. POPPER, K.R.: Logik der Forschung, 5. Aufl., Tübingen: J.C.B. Mohr, 1973. Objektive Erkenntnis. Hamburg: Hoffmann & Campe, 1973.
22. RATLIFF, F., HARTLINE, H.K.: The responses of Limulus optic nerve fibers to patterns of illumination on the receptor mosaic. J. gen. Physiol. **42**, 1241 (1959).
23. STEVENS, S.S.: The psychophysics of sensory function. Amer. Scientist **48**, 226 (1960).
24. STEVENS, S.S.: Sensory power functions and neural events. In: Handbook of Sensory Physiology, Vol. I: Principles of Receptor Physiology (Ed. W.R. LOEWENSTEIN). Berlin-Heidelberg-New York: Springer 1971.

X. Somato-viscerale Sensibilität: die Verarbeitung im Zentralnervensystem
(M. Zimmermann)

Den subjektiven Sinnesempfindungen liegen objektiv erfaßbare Vorgänge im Nervensystem zugrunde. Receptoren transformieren Reize in Nervenimpulsfolgen, die über afferente Nerven das ZNS erreichen. In neuronalen Verschaltungen mit erregenden und hemmenden Synapsen werden die Impulsfolgen in vielfältiger Weise verändert. Diese zentralnervösen Vorgänge werden unter den allgemeinen Begriffen der *Verarbeitung* oder *Integration* sensorischer Information zusammengefaßt. Die *bewußten Wahrnehmungen* bilden auf der Ausgangsseite dieser Integration im ZNS jedoch nur einen kleinen Ausschnitt. Der weitaus größere Teil des afferenten Informationsflusses bleibt *unbewußt*. In diesem Kapitel wird die zentrale Verarbeitung der afferenten Impulse vorwiegend aus Receptoren von *Haut* und *Viscera* erläutert, dem eigentlichen Gegenstand der Somatosensorik. Gelegentlich wird auch die Verarbeitung des afferenten Einstroms aus *Gelenk-* und *Muskelafferenzen* in die Betrachtung einbezogen *(Proprioception, Tiefensensibilität)*.

1. Übersicht über die zentralen Strukturen

Afferente Systeme werden im ZNS aus funktionellen und entwicklungsgeschichtlichen Gründen allgemein unterteilt in *spezifische* und *nicht-spezifische* Bereiche. Bei der somato-visceralen Sensibilität heißen sie **lemniscales** (spezifisches) und **extralemniscales** (nicht-spezifisches) System. Die Kriterien und funktionellen Aspekte dieser Unterteilung werden in den folgenden Abschnitten erläutert. Hier sollen beide Anteile zunächst zur Orientierung vorgestellt werden (Abb. 1).

Das lemniscale System (rot in Abb. 1) ist phylogenetisch jung. Es besteht aus der Projektion der Peripherie zu den *kontralateralen somato-sensorischen Cortexfeldern* (SI, SII). Diese Projektion verläuft hauptsächlich über: *Hinterstrang* des Rückenmarks — *Hinterstrangkerne* bzw. sensorischer Hauptkern des Trigeminus — *Ventrobasalkern* des Thalamus

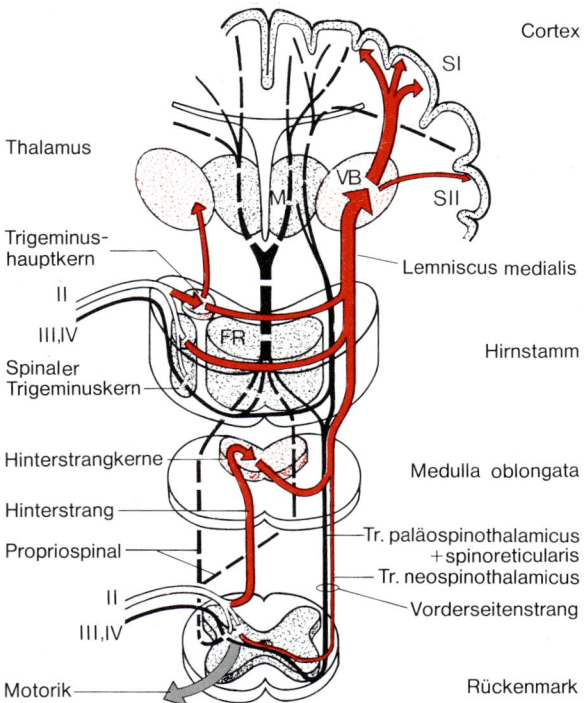

Abb. 1. Anatomische Übersicht des somatosensorischen Systems (schematisiert). Rot: lemniscale Bahnen; schwarz: extralemniscale Bahnen. Pfeile symbolisieren Somatotopie. FR Formatio reticularis des Hirnstamms; VB ventrobasaler Kern des Thalamus; M mediale und intralaminäre Kerne des Thalamus; SI, SII erstes bzw. zweites somatosensorisches Projektionsfeld des Cortex; II, III, IV Afferenzen der Gruppen II, III, IV aus Haut und Viscera

— *Cortex*. Auch der *Tractus neospinothalamicus* im Vorderseitenstrang wird zum lemniscalen System gerechnet. Insgesamt sind in diesem Weg nur *drei synaptische* Umschaltungen enthalten. Ein charakteristisches Merkmal des lemniscalen Systems ist die topologisch geordnete *Abbildung* der Peripherie in allen Stationen: **Somatotopie** (in Abb. 1 durch Pfeilspitzen symbolisiert). Die Afferenzen des lemniscalen Systems kommen in erster Linie von empfindlichen *Mechanoreceptoren* (Hautafferenzen Gruppe II) und möglicherweise auch von Thermoreceptoren (Haut- und Visceroafferenzen der Gruppen III und IV).

Das extralemniscale System (schwarz in Abb. 1) ist phylogenetisch älter als das lemniscale. Seine Bestandteile sind weniger klar definiert, es wurde bisher nur unzureichend experimentell untersucht. Es besteht aus einer Verbindung der Peripherie über: *Hinterhorn* des Rückenmarks (bzw. spinalen Trigeminuskern) — *Vorderseitenstrang* und *propriospinale* Bahnen (bzw. entsprechende Bahnen aus dem spinalen Trigeminuskern) — *Formatio reticularis* des Hirnstamms — *unspezifische Thalamuskerne* — *Cortex*. Im Unterschied zum lemniscalen System enthält dieser aufsteigende Weg *zahlreiche* Synapsen in Serie (durch Unterbrechungen der Linien in Abb. 1 angedeutet), außerdem besteht *keine Somatotopie*. Man nennt diese Verbindung zum Cortex deshalb „diffus". Die afferenten Zuflüsse des extralemniscalen Systems kommen sowohl aus *Thermo-* und *Nociceptoren* mit III- und IV-Afferenzen, als auch aus Mechanoreceptoren mit II-, III- und IV-Fasern. Weitere Details über das lemniscale und extralemniscale System werden in den späteren Abschnitten erläutert.

Sinnesphysiologische Dualität. Dem lemniscalen und dem extralemniscalen System werden zur qualitativen Charakterisierung zwei unterschiedliche Typen von Wahrnehmungen zugeordnet [3, 6, 8]. Aktivierung des *extralemniscalen* Systems soll zu den sog. **protopathischen** Wahrnehmungen führen, bei denen die stark *affektive* und *motivierende* Färbung charakteristisch ist (Lust, Unlust, Hinwendung, Flucht). Zu den Wahrnehmungen mit überwiegend protopathischen Eigenschaften werden z.B. im somato-visceralen Bereich Schmerz (besonders der dumpfe Schmerz), Sexualempfindungen und Hunger, bei anderen Sinnessystemen vor allem Geruch gerechnet. Aktivierung des *lemniscalen* Systems soll dagegen die neurophysiologische Basis der **epikritischen** Wahrnehmungen sein, bei denen der *informative* und *diskriminatorische* Charakter überwiegt (z.B. Information über Ort, Zeit, Intensität eines Reizes; Zweipunktdiskrimination). Solche Wahrnehmungen werden über das Getast sowie über das visuelle und das auditorische System vermittelt.

2. Verschaltung der Afferenzen in Rückenmark und Hirnstamm

2.1. Organisation auf spinaler Ebene

Dermatom. Die Afferenzen der Haut treten, zusammen mit denen aus Muskeln, Gelenken und Viscera, über die Hinterwurzeln in das Rückenmark ein. Dabei läßt sich eine *räumliche (topologische)* Ordnung erkennen (Abb. 2): Die Hautafferenzen jeder Hinterwurzel innervieren jeweils ein umschriebenes Hautgebiet, das **Dermatom** genannt wird. Benachbarte Dermatome *überlappen* beträchtlich; dies rührt daher, daß die Hinterwurzelfasern sich beim

Wachstum in die Peripherie *umbündeln*, besonders in den sog. Nervengeflechten (z.B. Plexus lumbosacralis). So enthält ein peripherer Nerv Fasern aus mehreren benachbarten Hinterwurzeln, und jede Hinterwurzel enthält Anteile verschiedener Nerven. Im Gegensatz zur Durchtrennung eines peripheren Nerven, die einen *umschriebenen* sensorischen Ausfall bewirkt, hat die Durchtrennung einer Hinterwurzel deshalb mehr eine *Verdünnung* der Innervation zur Folge, ohne deutliche Ausfallserscheinungen.

Hinterwurzeldurchschneidung (Rhizotomie) kann therapeutisch zur Schmerzausschaltung [12] angewandt werden (z.B. Phantomschmerz nach Amputation einer Extremität); wegen der Überlappung der Dermatome müssen dabei immer die Hinterwurzeln *mehrerer* benachbarter Segmente durchschnitten werden.

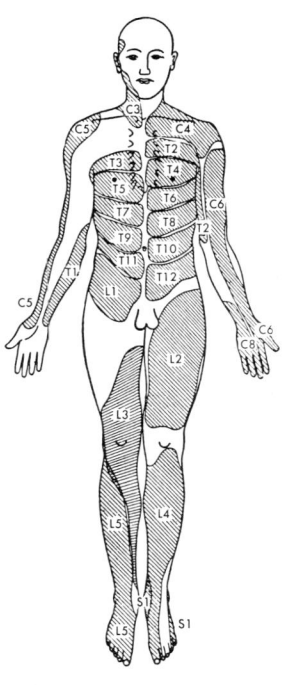

Abb. 2. Dermatome des Menschen. Die Innervationsgebiete der Hinterwurzeln aufeinanderfolgender Rückenmarkssegmente sind alternierend in jeweils einer Körperhälfte angegeben. (Nach FOERSTER, O., aus LEWIS, T.: Pain. New York: The MacMillan Co. 1942)

Segmentale Verschaltung. Die cutanen und visceralen Afferenzen haben synaptische Verbindung zu Neuronen im *Hinterhorn,* über die sie an segmentalen motorischen und sympathischen Reflexen mitwirken. Durch kurze Axonen in der weißen Substanz (*propriospinale* Bahnen) sind dabei auch Nachbarsegmente angeschlossen; lange aufsteigende Bahnen verbinden das Hinterhorn mit *supraspinalen* Bereichen des ZNS (s. 2.2).
Neuronen des Hinterhorns. Mikroelektrodenableitungen von einzelnen Hinterhornneuronen haben

ergeben, daß sie je nach *Modalität* ihrer afferenten Verbindungen in folgende drei Klassen eingeteilt werden können: 1. Neuronen mit *niederschwelligen* mechanosensitiven Afferenzen, vorwiegend aus der Haut, 2. Neuronen mit *hochschwelligen* mechano- und thermosensitiven Afferenzen *(Nociceptoren)*, 3. Neuronen mit *Konvergenz* der Afferenzen von *niederschwelligen* Mechanoreceptoren und von *Nociceptoren*. Diese zuletzt genannten **multimodalen** Neuronen sind besonders häufig. Außerdem wurde Konvergenz von *visceralen* und *cutanen* Afferenzen auf einzelne Hinterhornneuronen nachgewiesen [13], die als Basis für den *übertragenen Schmerz* (s. XI) angesehen werden kann. Wegen der genannten Konvergenzen ist die Entladung eines solchen Neurons im Hinblick auf Ort und Modalität der Afferenzen *vieldeutig,* eine Eigenschaft, die für *extralemniscale Neuronen* charakteristisch ist (s. 3.3).

Eine wichtige Funktion des Rückenmarks ist die *Steuerung des afferenten Einstroms,* vor allem durch die *präsynaptische Hemmung* (Mechanismus s. III). Sie greift an den intraspinalen Endigungen der afferenten Fasern an, somit an der frühest möglichen Stelle im ZNS, an der eine Verarbeitung stattfinden kann. Ihre funktionelle Organisation wird später erläutert (s. 5.1).

2.2. Aufsteigende Bahnen

Hinterstrang. Der Hinterstrang besteht aus *direkten Collateralen* von ipsilateralen *myelinisierten* Hinterwurzelfasern (Gruppen I und II), die ausschließlich von empfindlichen, spezialisierten *Mechanoreceptoren* kommen (aus Muskeln, Haut, Gelenken und Viscera). Seine Funktion ist vorwiegend die Übermittlung von Meldungen über mechanische Reize der Haut und über die Gelenkstellung. Ein Teil dieser Meldungen wird zu *bewußten Wahrnehmungen* verarbeitet, man bezeichnet die sinnesphysiologischen Leistungen als *taktile Sensibilität* und *Tiefensensibilität*. Ein besonderes Kennzeichen der über den Hinterstrang übermittelten Wahrnehmung von mechanischen Hautreizen ist die *Lokalisationsschärfe* sowie das *räumliche Erkennen* von Gegenständen (Stereognosis). Eine wichtige Rolle spielen die Rückmeldungen aus Haut, Muskeln und Gelenken über den Hinterstrang bei der Führung von *Bewegungen,* besonders von Tastbewegungen [14, 15].

Menschen mit Hinterstrangunterbrechung haben deshalb eine stark verminderte Fähigkeit, z.B. Gegenstände durch Tasten oder auf die Haut geschriebene Zahlen zu erkennen.

Vorderseitenstrang. Der Vorderseitenstrang besteht aus aufsteigenden Axonen von Neuronen, die überwiegend in der kontralateralen grauen Substanz liegen. Er ist die klassische spinale Bahn für die *Schmerz-* und *Temperaturwahrnehmung,* da diese Modalitäten bei seiner Durchtrennung ausfallen.

Diese Tatsache wird therapeutisch zur Ausschaltung von anders nicht behandelbaren chronischen Schmerzzuständen ausgenutzt *(Chordotomie)* [12]. Die Ausfälle betreffen die Dermatome (und die entsprechenden visceralen Innervationsgebiete) aller Hinterwurzeln, die *kontralateral* und *caudal* von der Durchschneidungsstelle in das Rückenmark eintreten. Bei unterbrochenem Vorderseitenstrang bleibt die Wahrnehmung der mit thermischen und noxischen Reizen meistens gekoppelten Berührung erhalten (Meldung über Hinterstrang). In diesem Falle, wenn z.B. von einem Nadelstich oder einem kalten Gegenstand nur der taktile Anteil wahrgenommen wird, spricht man von einer *dissoziierten Empfindungsstörung.*

Im Vorderseitenstrang lassen sich, nach den supraspinalen Endigungsgebieten der Axone, drei Anteile unterscheiden (Abb. 1): die entwicklungsgeschichtlich alten *Tr. spinoreticularis* und *palaeospinothalamicus* (beide extralemniscal) sowie der junge *Tr. neospinothalamicus* (rot in Abb. 1). Dieser ist beim Primaten stark entwickelt. Er führt Information aus der Haut in somatotoper Ordnung über den Ventrobasalkern des Thalamus zu den Cortexarealen SI und SII, weshalb er zum lemniscalen System gerechnet wird.

Neuronen des Vorderseitenstrangs. Angesichts der Bedeutung des Vorderseitenstrangs für die Schmerz- und Temperaturwahrnehmung ist es überraschend, daß er nur in geringer Zahl spezifische noci- bzw. thermosensitive Axone enthält. Der überwiegende Teil der Axone stammt aus *multimodalen Neuronen* (s. 2.1), die durch mehrere Reizarten erregt werden können. Es ist unbekannt, durch welche Mechanismen im ZNS aus den Entladungen dieser Neuronen die Information über Schmerzreize und thermische Reize entnommen wird.

Topologie der Bahnen. Innerhalb der aufsteigenden Bahnen bleiben die aus einem bestimmten Segment kommenden Axone *benachbart.* Dadurch entsteht eine *Schichtung* der Bahnen, wie sie für Hinter- und Vorderseitenstrang im Bereich des Cervicalmarks schematisch in Abb. 3 gezeigt ist. Die in einem Segment neu hinzukommenden Axone legen sich immer von der Seite der grauen Substanz her an den Trakt an. Diese *topographische Ordnung* innerhalb der aufsteigenden Rückenmarksbahnen setzt sich in der *Somatotopie* der thalamocorticalen Projektion fort (s. 3.1, 4.1).

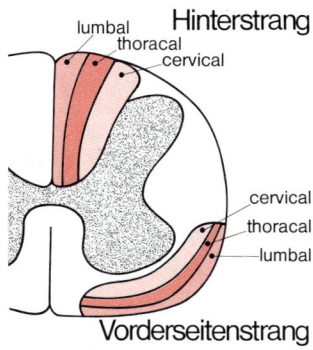

Abb. 3. Schichtung der ascendierenden Rückenmarksbahnen (schematisch). Der Querschnitt durch das obere Cervicalmark zeigt die Ordnung der Fasern je nach dem Eintrittsbereich der Afferenzen in das Rückenmark [Aus SCHMIDT, R.F. (Hrsg.): Grundriß der Neurophysiologie, 3. Aufl. Berlin-Heidelberg-New York: Springer 1974]

Bei einer an der Oberfläche des Rückenmarks beginnenden Schädigung (z.B. Kompression durch Tumor) des Vorderseitenstrangs im Cervicalmark sind somit zuerst Ausfälle in den lumbosacralen Dermatomen zu erwarten.

Andere Bahnen. Als der bisher am wenigsten untersuchte aufsteigende Weg für das *extralemniscale System* muß auch die Leitung im Rückenmark über kurze, in Serie geschaltete *intersegmentale (propriospinale)* Verbindungen angesehen werden (schwarz unterbrochen in Abb. 1). Aus gezielten Durchschneidungsversuchen (Tierexperimente) wird gefolgert, daß diese *multisynaptische* Bahn *diffus* im Rückenmarksquerschnitt verteilt ist, und daß beim Aufsteigen mehrfache Kreuzungen zur Gegenseite und zurück bestehen. Dieser Weg soll vor allem für die *Schmerzwahrnehmung* von Bedeutung sein; er ist eine mögliche Erklärung für die Beobachtung, daß selbst nach bilateraler Chordotomie Schmerzempfindungen bestehen bleiben oder wiederkehren.

Drei lange Bahnen (nicht in Abb. 1 enthalten) sollen hier nur erwähnt werden; ihre sinnesphysiologische Rolle ist unbekannt. Die beiden *Tr. spinocerebellares* übertragen mechanoceptive Informationen aus Haut, Muskeln und Gelenken zum *Cerebellum*, die dort z.B. zur Koordination komplexer Bewegungen verwandt werden (s. VI). Der *Tr. spinocervicalis* kommt vor allem bei Carnivoren vor (z.B. Katze) und soll funktionell die Rolle des hier wenig entwickelten Tr. neospinothalamicus haben; aufgrund seiner supraspinalen Verbindungen wird er zum *lemniscalen* System gerechnet.

2.3. Hinterstrangkerne

Die Axone des Hinterstrangs endigen in einem Kerngebiet der Medulla oblongata, den *Hinterstrangkernen* (*N. cuneatus* bzw. *gracilis*). Sie bilden vor allem Synapsen auf große Neuronen, deren Axonen über den *Tr. lemniscus medialis* zum Thalamus ziehen. Diese Neuronen werden Schalt- oder *Relaisneuronen* genannt, zum Unterschied von ebenso vorhandenen *Interneuronen*. Die Verarbeitung der afferenten Information bei der synaptischen Übertragung auf die Relaisneuronen hat die folgenden Eigenschaften: a) Bewahrung der *Receptorspezifität*, es konvergieren nur Afferenzen derselben Receptorart auf ein Neuron. b) Hohe *Sicherheit* der synaptischen Übertragung; bereits einzelne Impulse in einer afferenten Faser können zur postsynaptischen Impulsauslösung führen. c) *Somatotopische* Ordnung, d.h. geordnete räumliche Abbildung der Peripherie im Relaiskern (s. 3, 4.1). d) *Afferente Hemmung* (laterale Inhibition, s. I). e) *Kleine receptive Felder.* f) *Descendierende Steuerung*, vor allem vom Cortex ausgehend (s. 5.2). Diese Eigenschaften sind auch kennzeichnend für die nachfolgenden Umschaltungen im *lemniscalen System* (s. 3, 4.2).

2.4. Trigeminuskern

Die somatosensorischen Afferenzen der Gesichtsregion (einschließlich Zunge, Zähne, Cornea) treten über den *N. trigeminus* in den Hirnstamm ein. Die Umschaltung auf Neuronen zweiter Ordnung erfolgt im Trigeminuskern (Abb. 1), der aus einem lemniscalen und einem extralemniscalen Teil besteht. Der *sensorische Hauptkern* entspricht den Hinterstrangkernen, er überträgt ausschließlich Information aus empfindlichen Mechanoreceptoren. Der *spinale Trigeminuskern* entspricht funktionell dem Hinterhorn des Rückenmarks. Hier findet eine Integration der somatischen Afferenzen in die *motorischen Reflexe* der Kopfmuskulatur statt, die bei vielen Säugern von großer Bedeutung sind (z.B. taktile Umwelterkennung, Nahrungsaufnahme, Lauterzeugung). Im spinalen Trigeminuskern entspringen auch die Bahnen zur Formatio reticularis und zum Thalamus, die dem Vorderseitenstrang des Rückenmarks entsprechen.

Die Schmerz- und Temperaturwahrnehmung scheint vorwiegend an Axonen aus dem caudalen Trigeminuskern gebunden zu sein, wie die Ausfälle bei neurochirurgischer Abtrennung dieses Bereichs (Tractotomie) zeigen. Dieser Befund und neurophysiologische Ergebnisse zeigen, daß die Ursprungsgebiete der *Tr. neo- bzw. palaeo-trigeminothalamicus* im oralen bzw. caudalen Trigeminuskern liegen (Abb. 1). Bei den entsprechenden Bahnen des Rückenmarks (s. 2.2) besteht eine solche räumliche Trennung nicht.

3. Der Thalamus

3.1. Anatomische Übersicht

Abb. 4(A) gibt eine schematische Übersicht über den rechten Thalamus. Seine Bestandteile können vereinfacht in 4 Klassen eingeteilt werden: 1. Spezifische Relaiskerne der Sinnesorgane Auge, Ohr und Haut (rot). 2. Unspezifische Kerngruppen (grau). 3. Motorische Kerne (schraffiert). 4. Assoziationsgebiete (weiß), in denen Informationen aus mehreren Sinnesorganen zusammenlaufen.

Über viele Funktionen des Thalamus bestehen Unklarheit bzw. kontroverse Auffassungen, bedingt z.B. durch seine schlechte experimentelle Zugänglichkeit, durch Unsicherheit bei der Lokalisierung experimenteller Ergebnisse sowie auch durch uneinheitliche Nomenklatur. Nähere Erläuterungen einiger der in Abb. 4(A) benannten Thalamusbereiche werden in 3.2 und 3.3 sowie in VI-5.5, XII-4 und XIII-2.6 gegeben.

3.2. Der ventrobasale Thalamuskern

Die Projektion aller sensorischer Systeme (außer Riechsystem) führt über den jeweiligen spezifischen Thalamuskern (rot in Abb. 4(A)). Für das somatosensorische System ist dies der sog. *ventrobasale Kern* (dunkelrot), der unterteilt wird in VPL und VPM: Nn. *ventralis posterolateralis* und *ventralis posteromedialis*. Der wichtigste afferente Zustrom kommt über den *Tr. lemniscus medialis* aus den *kontralateralen* Hinterstrangkernen (zum VPL) und aus dem Trigeminushauptkern (zum VPM). Auch die *Tr. neo-spino-thalamicus* und *neo-trigemino-thalamicus* endigen hier. Außer diesen Afferenzen aus der Peripherie erhält der Ventrobasalkern starke rückläufige (recurrente) Faserzüge vom Cortex, deren Aufgabe die Kontrolle der einlaufenden Information ist (s. 5.2, S. 204).

Die Mundregion hat im VPM eine *bilaterale* Repräsentation (s. Abb. 1). Der Lemniscus medialis hat der spezifischen Projektion der somatosensorischen Peripherie auf Thalamus und Cortex den Namen gegeben: **lemniscales System.**

Ventrobasale Neuronen. Mit Abb. 4(C) sollen kennzeichnende Eigenschaften dieser Neuronen anhand eines Experiments (Mikroelektrodenableitungen, adäquate periphere Reizung) demonstriert werden: a) Jedes der Neuronen in der Elektrodenspur der Abb. 4(C) kann nur aus einem bestimmten Bereich der linken Vorderextremität des Versuchstieres erregt werden, dem **receptiven Feld** des Neurons. Die Größe des receptiven Feldes wird determiniert durch die Konvergenz mehrerer afferenter Fasern sowie durch afferente und descendierende Hemmung (s. 5). b) Die receptiven Felder sind um so *kleiner*, je weiter *distal* sie auf der Extremität liegen. Die Neuronen, die dem Vorderfuß, beim Primaten der Hand, zugeordnet sind, haben besonders kleine

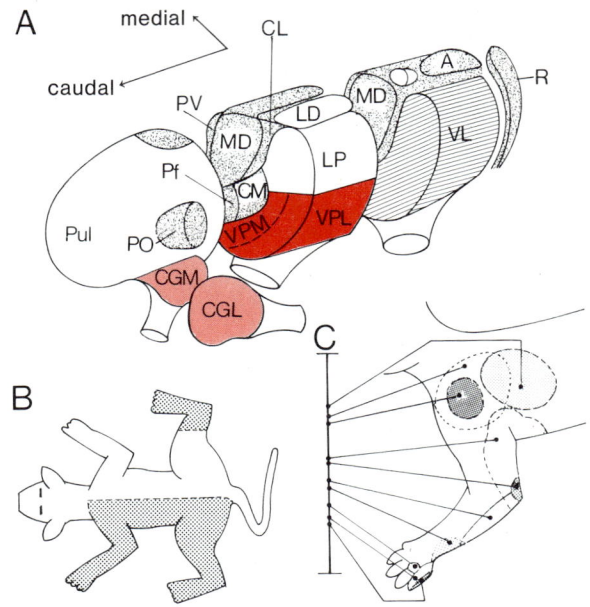

Abb. 4. (A) Übersicht über den (rechten) Thalamus, schematisiert. Die Abkürzungen der Kerne (Nuclei, Abkürzung N. jeweils weggelassen) bedeuten: A anterior; CGL, CGM Corpus geniculatum laterale bzw. mediale; CM Centrum medianum; CL centralis lateralis; LD lateralis dorsalis; LP lateralis posterior; MD medialis dorsalis; Pf parafascicularis; PO posterior; Pul Pulvinar; PV paraventricularis; R reticularis; VL ventralis lateralis; VPL, VPM ventralis posterolateralis bzw. -medialis. 4 Kerngruppen sind unterschieden: spezifische Kerne (rot), unspezifische Kerne (grau), motorische Kerne (schraffiert), Assoziationskerne (weiß). (B) Receptives Feld (schraffiert) *eines* Neurons im PO des rechten Thalamus der Katze. (C) Lage von 10 Neuronen auf der Spur einer Mikroelektrode durch den VPL (rechts) der Katze und receptive Felder der Neuronen auf der Haut. (A) Nach ALBE-FESSARD, D., BESSON, J.M. in [1]; (B, C) nach POGGIO, G.F., MOUNTCASTLE, V.B.: Bull. Johns Hopk. Hosp. **106**, 266 (1960)

receptive Felder; dies ist ein Korrelat für das hohe taktile Auflösungsvermögen der Hand (s. 4.1). c) Benachbart liegende Körperregionen projizieren auf benachbarte Bereiche im Ventrobasalkern: *Somatotopie* (s. 4.1). d) Jedes Neuron wird nur durch *eine Receptorart* erregt, also z.B. durch langsam adaptierende Gelenkreceptoren oder durch schnell adaptierende Haarfollikelreceptoren der Haut (s. 4.2). e) Die *Intensität* eines peripheren Reizes ist, ähnlich wie beim Receptor (s. II), in der *mittleren Entladungsfrequenz* des Neurons codiert. Wie dort läßt sich der quantitative Zusammenhang empirisch als Potenzfunktion darstellen (häufiger Sonderfall: lineare Beziehung).

Über die Größenordnung der *Verarbeitungsmöglichkeiten* in ventrobasalen Relaisneuronen erhält man einen Begriff, wenn man sich die Zahl der hierfür zur Verfügung stehenden Synapsen vergegenwärtigt [16]: nur 8% aller Synapsen sind von Endigungen des Lemniscus medialis besetzt, in überwiegender Anzahl (92%) dienen sie offenbar der Verschaltung innerhalb des Kerns, mit Afferenzen aus anderen subcorticalen Bereichen sowie mit den zahlreichen corticofugalen Axonen (s. 5.2).

3.3. Die unspezifischen Thalamuskerne

Dazu werden die medial und intralaminär gelegenen Kerne (Abb. 4(A)) PV, CM, Pf, CL, MD, A, R sowie die posteriore Kerngruppe PO gerechnet. Trotz der umfangreichen Literatur (z.B. in [1]) besteht noch keine gesicherte Vorstellung über die Physiologie dieser Strukturen. Es läßt sich jedoch bereits absehen, daß die unspezifischen Kerne für *mehrere* Funktionen des ZNS zuständig sind. Dazu gehören vor allem die Steuerung der generellen Erregbarkeit des Cortex, und damit des Bewußtseinszustandes (Schlaf-Wach-Verhalten, s. VIII) sowie die Mitwirkung am limbischen System (s. VII-4). Die für die Somatosensorik wichtige Funktion der unspezifischen Thalamuskerne ist die Verarbeitung der über die *extralemniscalen* Bahnen (s. 2.2, 2.4; Abb. 1) aus dem Rückenmark und dem Trigeminuskern übermittelten afferenten Meldungen. Diese Verarbeitung soll vor allem in den Kernen *Centrum medianum* (CM) und *Parafascicularis* (Pf) sowie in der posterioren Kerngruppe (PO) geschehen (dunkelgrau in Abb. 4(A)); mit diesen Bereichen steht das Rückenmark über den Tr. palaeo-spino-thalamicus und, nach Umschaltung in der Formatio reticularis des Hirnstamms, den Tr. spino-reticularis in Verbindung.

Extralemniscale Neuronen. Neuronen in diesen Gebieten haben einige der folgenden Merkmale, die sie deutlich von denen des lemniscalen Systems (s. 2.3, 3.2) unterscheiden: a) *Lange Latenz* bei peripherer Reizung, d.h. *multisynaptische* Verbindung, die zur Aktivierung oft *zeitliche Bahnung* benötigt. b) *Große receptive Felder,* häufig *bilateral* oder sogar mehrfache, über die Körperoberfläche diskontinuierlich verteilte Felder (Abb. 4(B)). c) *Geringe* Abhängigkeit der Entladungsrate von der *Reizstärke,* d.h. keine Codierung der Information über die Reizintensität. d) *Keine* oder nur sehr grobe Somatotopie. e) *Multimodale Konvergenz,* d.h. Konvergenz aus unterschiedlichen Receptortypen, meistens sensitiven Mechanoreceptoren und Nociceptoren (s. auch Rückenmark und extralemniscale Bahnen, 2.1, 2.2, 2.4). f) *Multisensorische Konvergenz* aus verschiedenen Sinnesorganen (z.B. Haut + Ohr + Auge). Solche Neuronen finden sich auch zahlreich in der Formatio reticularis des Hirnstamms.

Extralemniscales System und Wahrnehmung. Aktivierung des extralemniscalen Systems, z.B. durch selektive Erregung von nociceptiven Afferenzen, durch elektrische Reizung des Vorderseitenstrangs oder der Formatio reticularis, führt zu Reaktionen und Wahrnehmungen mit *affektiver* Färbung. Dies wird durch Verbindungen zu den Zentren der *autonomen* Steuerung im Hirnstamm und Hypothalamus (s. VII-3) sowie zum *limbischen System* (s. VII-4) erklärt. Wie z.B. das Studium der evocierten Potentiale

(s. 4.1) zeigt, ist die *Cortex-Repräsentation* des extralemniscalen Systems über die unspezifischen Thalamuskerne *diffus,* d.h. ohne somatotopische Ordnung. Die Bedeutung dieser Verbindung zum Cortex für die Wahrnehmung ist unklar. Wahrscheinlich ist jedoch die Beziehung zum Bewußtsein beim extralemniscalen System anders organisiert als beim lemniscalen System. *Elektrische Cortexreizung* (s. 4.1, 4.3) führt nämlich weder beim Tier zu affektiven Reaktionen noch beim Menschen zu protopathischen Empfindungen.

Lemniscales und extralemniscales System werden normalerweise meistens *simultan* aktiviert. In Reaktionen und Wahrnehmungen sind deshalb Anteile enthalten, die mit jeweils einem der beiden Systeme korreliert werden können. So läßt sich z.B. erklären, daß Intensität und Ort von Schmerzreizen auf der Haut gut diskriminiert werden können: Aktivierung des lemniscalen Systems über gleichzeitig erregte niederschwellige Mechanoreceptoren.

4. Sensorische Projektionsareale des Cortex

Die Axonen der Relaisneuronen des ventrobasalen Thalamuskerns endigen in zwei Gebieten des Cortex (Abb. 1), die als SI und SII bezeichnet werden. SI, phylogenetisch jünger als SII, ist bei den höheren Säugern, vor allem beim Primaten, von großer Bedeutung: seine Intaktheit ist Voraussetzung z.B. für alle Leistungen des somatosensorischen Systems, die hohes *räumliches Diskriminationsvermögen* zeigen.

4.1. Die Somatotopie von SI

Eine charakterisierende Eigenschaft des lemniscalen Systems ist die bereits mehrfach erwähnte **Somatotopie:** wir verstehen darunter allgemein die Verbindung eines Ortes auf der peripheren Sinnesoberfläche mit einem Ort in einem zentralnervösen Gebiet. Bei dieser Zuordnung bleiben *Nachbarschaftsverhältnisse* erhalten, man spricht deshalb auch von *Projektion* oder *Abbildung.* In SI ist die gesamte Körperoberfläche abgebildet auf die Oberfläche des *Gyrus postcentralis.* Es gibt mehrere Methoden, die Somatotopie von SI zu untersuchen: lokale elektrische Cortexreizung beim Menschen, neurochirurgische Ausschaltung, Ausmessung evocierter Potentiale, Registrierung von Einzelneuronen.

Elektrische Reizung von SI beim Menschen. Reizung mit einer punktförmigen Elektrode beim wachen Menschen (z.B. Epilepsiepatienten) führt zu einer Wahrnehmung, deren Ursache vom Subjekt je nach Reizort in eine bestimmte Region der Peripherie verlegt wird [1, 7, 11]. Systematische Kartographierung von SI entsprechend dieser Lokalisierung hat die in Abb. 5 gezeigte Darstellung der Somatotopie

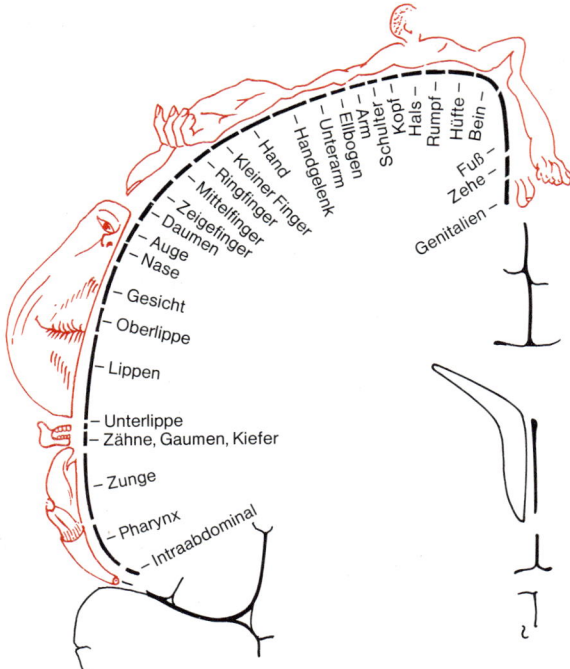

Abb. 5. Somatotopie in SI. Die über dem Gehirnquerschnitt (in Höhe des Gyrus postcentralis) eingezeichneten Symbole und die zugehörige Beschriftung sollen die räumliche Zuordnung zwischen Cortex und Körperoberfläche verdeutlichen, wie sie mit lokaler elektrischer Gehirnreizung bei wachen Patienten ermittelt wurde. Vgl. auch Abb. VI-23. (Aus [11])

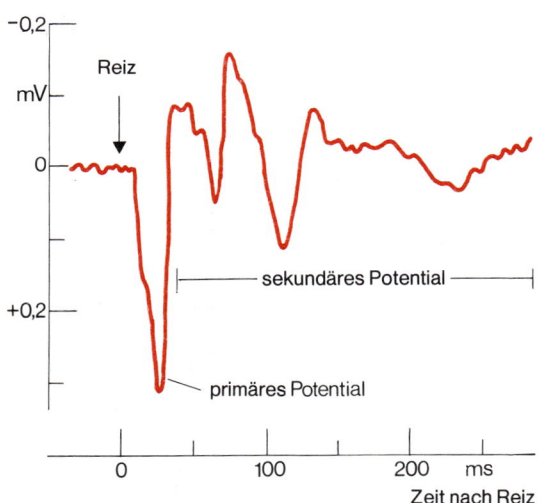

Abb. 6. Evociertes Potential in SI. Elektronisch gemittelter Potentialverlauf nach lokaler elektrischer Hautreizung. Vgl. auch Abb. VIII-7

ergeben. Es fällt auf, daß die somatotopische Zuordnung ein *geometrisch verzerrtes Abbild* der Peripherie ist. Besonders Finger- und Mundregion sind überproportional vertreten, also die Regionen, die beim Menschen eine hohe periphere *Innervationsdichte* haben. Sinnesphysiologisch sind diese Stellen durch hohes *räumliches Unterscheidungsver-*

mögen ausgezeichnet (z.B. Zweipunktschwelle). Hier besteht offensichtlich ein causaler Zusammenhang: je mehr Receptoren und zentrale Neuronen pro mm² der Sinnesoberfläche vorhanden sind, desto besser ist das räumliche Auflösungsvermögen bei der neuronalen Verarbeitung der Reizinformation.

Entsprechende Größenverhältnisse der Cortexprojektion findet man bei Tieren mit anderen hochspezialisierten Sinnesflächen: bei der Ratte z.B. besteht der größte Teil von SI aus der Projektion der Vibrissen. Das Vibrissengetast steht bei der Ratte für die Wichtigkeit der Umwelterkennung wahrscheinlich über dem visuellen System.

Evocierte Potentiale. Bei Versuchstieren lassen sich vom freigelegten Cortex nach peripherer Reizung evocierte Potentiale ableiten, z.B. als Summenantworten von Neuronenpopulationen (Abb. 6, s. auch S. 151). Nach kurzer Latenz (schneller lemniscaler Weg mit minimal drei Synapsen) erscheint das *primäre evocierte Potential.* Für einen bestimmten peripheren Reizort hat es einen maximalen Wert in einem umschriebenen Areal von SI (und SII). Durch systematische Ausmessung der Potentialmaxima bei Variation des Reizortes läßt sich ebenfalls die Somatotopie bestimmen. Dabei erhält man Landkarten wie bei den Untersuchungen mit lokaler Cortexreizung beim Menschen (Abb. 5).
Der spätere Verlauf des evocierten Potentials, das *sekundäre evocierte Potential,* entsteht durch extralemniscale Leitung. Im Gegensatz zum primären zeigt das sekundäre Potential keine Somatotopie, erscheint in Cortexbereichen auch außerhalb von SI und SII und ist sehr variabel (z.B. starke Narkoseabhängigkeit).

4.2. Neuronale Organisation von SI

Corticale Columnen. Bei Mikroelektrodeneinstichen senkrecht zur Cortexoberfläche (Linie a in Abb. 7(A)) trifft man häufig jeweils auf eine *Population* von Neuronen, deren receptive Felder weitgehend überlappen oder identisch sind (Abb. 7(B)). Bei schrägem Einstich (Linie b) findet man dagegen nacheinander *mehrere* solcher Populationen, deren receptive Felder also meistens deutlich auseinanderliegen. Aus diesem Befund wurde abgeleitet, daß der Cortex in Einheiten von vertical zur Oberfläche angeordneten *Neuronensäulen* oder *-columnen* gegliedert ist (in Abb. 7(A) jeweils in den Areae 1, 2 und 3 angedeutet). Die anatomische Basis dieser Säulen (0,2–0,5 mm Durchmesser) ist die begrenzte horizontale Ausbreitung der Endigungsgebiete der *lemniscalen* thalamo-corticalen Afferenzen sowie die verticale Vorzugsrichtung des Dendritenbaums der Pyramidenzellen.

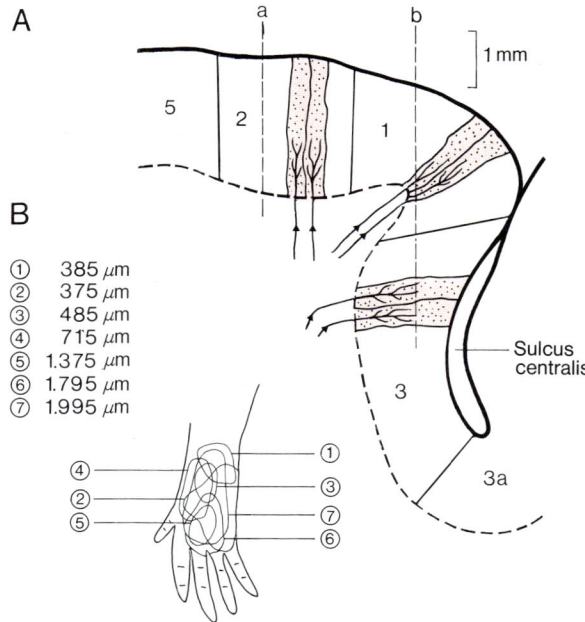

① 385 μm
② 375 μm
③ 485 μm
④ 715 μm
⑤ 1.375 μm
⑥ 1.795 μm
⑦ 1.995 μm

Abb. 7A u. B. Corticale Columnen. (A) Sagittalschnitt durch den Gyrus postcentralis, die Zahlen geben die cytoarchitektonische Unterteilung an (nach Brodmann). In den Areae 1, 2, 3 sind jeweils zwei benachbarte Neuronencolumen mit ihren spezifischen thalamocorticalen Afferenzen angedeutet (schematisch). Die Linien a und b zeigen mögliche Mikroelektrodenpenetrationen parallel und senkrecht zu den Columen. (B) Receptive Felder (Affenhand) von 7 Neuronen bei Mikroelektrodenpenetration in Area 2 (entlang Linie a). Die Abstände der Neuronen (in μm) von der Cortexoberfläche sind angegeben. (Modifiziert nach [4])

Modalitätsspezifität der Columnen. Durch *selektive adäquate* Reizung z.B. von drei verschiedenen Typen der Hautreceptoren (SA-, RA-, PC-Receptoren, s. XI) konnte nachgewiesen werden, daß Neuronencolumen jeweils nur durch Receptoren *eines* Typs erregt werden können. Die Columen sind offenbar funktionelle Einheiten für Lokalisation und Modalität. Eine systematische Untersuchung im corticalen Handareal beim Affen hat ergeben, daß solche mit langsam adaptierenden Afferenzen (z.B. SA) vorwiegend in Area 3, solche mit schnell adaptierenden Afferenzen (z.B. RA) überwiegend in Area 1 angeordnet sind (Abb. 8(A)). Die Primatenhand ist also doppelt repräsentiert, nämlich jeweils receptorspezifisch in Areae 1 und 3 (Abb. 8(B)).

Andere Modalitäten. Für *thermosensitive Neuronen* kann die Frage der columnaren Anordnung noch nicht beantwortet werden. Spezifisch *nociceptive* Neuronen wurden in den corticalen Projektionsfeldern bisher nicht gefunden.

Neuronale Verarbeitung im Cortex. Die Columne hat theoretisch, wegen ihrer großen Zahl von Neuronen (bis ca. 10^5), eine erhebliche Kapazität für die Verarbeitung von Information aus der Peripherie. Es besteht die Vorstellung, daß die Columne über vielfältige erregende und hemmende Wechselwirkungen der Neurone in der Art einer Hierarchie funktioniert. Diese Hypothese wird gestützt durch zahlreiche experimentelle Beobachtungen, die eine Einteilung der Cortexneurone in *einfache* (d.h. „unten in der Hierarchie") und *komplexe* Neurone („oben in der Hierarchie") nahelegen.

Einfache Neurone. Das sind Neurone, deren Entladungscharakteristika weitgehend die der entsprechenden *Receptortypen* widerspiegeln. Ein Beispiel für ein einfaches Neuron ist in Abb. 9 enthalten: der schraffierte Bereich RA gibt den Verlauf der Abstimmkurven einzelner SI-Neurone wieder, die von RA-Receptoren (s. XI) erregt werden. RA-Receptoren haben die gleichen Abstimmkurven, die Eigenschaften der Receptoren bestimmen also das Verhalten der (einfachen) SI-Neurone.

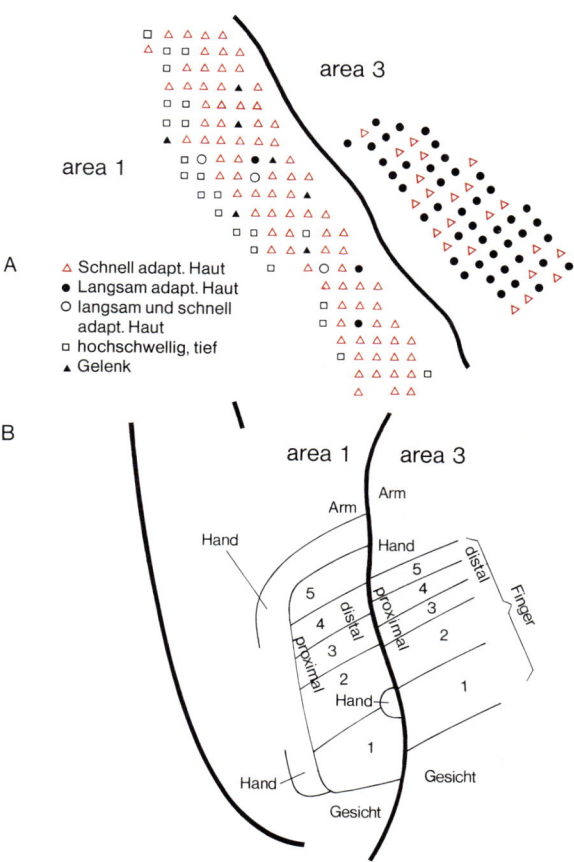

△ Schnell adapt. Haut
● Langsam adapt. Haut
○ langsam und schnell adapt. Haut
□ hochschwellig, tief
▲ Gelenk

Abb. 8A u. B. Receptorspezifität der Columnen in SI. (A) Übersicht über die Modalitäten von Cortexneuronen eines Experiments, die bei systematisch in Abständen von 0,5 mm durchgeführten Mikroelektrodeneinstichen senkrecht zur Cortexoberfläche in Areae 1 und 3 der Handprojektion beim Affen gefunden wurden. Bei jeder Penetration wurden mehrere Neuronen gefunden, der Typ der Afferenzen ist jeweils durch Symbol gekennzeichnet. (B) Somatotopie der Handregion in Areae 1 und 3. [Nach Paul, R.L. u.Mitarb.: Brain Res. **36**, 229 (1972)]

Komplexe Neurone. Cortexneurone, deren Entladungen bei peripheren Reizen *nicht* unmittelbar denjenigen der dazugehörigen *Receptoren* ähnlich sind, sollen hier als *komplexe Neurone* bezeichnet werden. Unter dieser undifferenzierten Bezeichnung ist also eine Vielfalt verschiedener Neurone zusammengefaßt. Dazu gehören z.B. Neurone, die spezifisch auf linear über die Hautoberfläche *bewegte mechanische Reize* ansprechen [1] und eine maximale Antwort bei einer bestimmten *Vorzugsrichtung* der Bewegung haben. Solche Neurone wurden in SI und SII sowie in den *Assoziationsfeldern* des parietalen Cortex (Areae 5 und 7 nach BRODMANN) gefunden.

Auch die bisher beim Affen gefundenen *thermosensitiven* Cortexneurone sind komplexe Neurone [10]. Sie sind jeweils spezialisiert, entweder nur auf *Änderungen* der Hauttemperatur anzusprechen oder nur den *stationären* Temperaturwert anzuzeigen. Das phasisch-tonische Verhalten einzelner Thermoreceptoren (s. XI) ist in einzelnen Cortexneuronen der genannten Art also nicht mehr zu finden. Auch das charakteristische *Entladungsmaximum* der Kaltreceptoren, das bei Temperatur um 26° C auftritt, ist bei diesen Neuronen nicht vorhanden.
Komplexe thermosensitive Neurone anderer Art wurden im Rattencortex gefunden [9]: bei diesen ändert sich die Entladungsfrequenz *sprunghaft* zwischen einem maximalen und einem minimalen Wert, wenn die Temperatur der Scrotumhaut um etwa 2° C geändert wird (Schwellendetektoren).

Diese Beispiele einfacher und komplexer Neurone zeigen, daß bei der Verarbeitung im Cortex die Information über ganz verschiedene Parameter peripherer Reize neuronal dargestellt wird: man spricht von der **Eigenschaftsextraktion** durch die corticalen Neuronenverbände. Im visuellen Cortex ist diese *Abstraktionsleistung* des ZNS besonders gut untersucht (s. XII).
Efferente Verbindungen von SI. Von SI gehen, wie von allen Cortexbereichen, zahlreiche *efferente* Axonen aus. Es wird angenommen, daß sie die Information über die peripheren Reize *verarbeitet,* z.B. nach der vorstehend erörterten Abstraktion zu anderen Teilen des ZNS leiten. Verbindungen von SI bestehen zu folgenden Gebieten (es ist jeweils angegeben, welche hauptsächliche Aufgabe in der genannten Verbindung gesehen wird): *Motorcortex:* Rückkopplungskontrolle von Bewegungen; parietale *Assoziationsfelder:* visuell-somatosensorische Integration; *kontralaterale* SI und SII: bilaterale Integration; *Thalamus, Hinterstrangkerne, Rückenmark:* efferente Steuerung der afferenten Bahnen (s. 5.2).

Das Cortexfeld SII. Es ist wesentlich kleiner als SI und liegt am lateralen Ende des Gyrus postcentralis in der Oberwand der sylvischen Furche. Hier ist die Körperoberfläche *bilateral somatotopisch* abgebildet. Die Neuronencolumen haben meistens receptive Felder auf beiden Körperhälften, die oft symmetrisch liegen.

4.3. Cortex und Wahrnehmung

Hier werden einige der zahlreichen Befunde erörtert, die zeigen, daß die Erregung von SI-Neuronen eine notwendige Voraussetzung für präzise taktile *Diskrimination* und bewußte *Wahrnehmung* des räumlich-zeitlichen Geschehens auf der Hautoberfläche ist. Allerdings führt Erregung von SI nicht immer zu bewußten Wahrnehmungen: z.B. lassen sich auch in Narkose primäre evocierte Potentiale auslösen (s. 4.1).
Neurophysiologie und Psychophysik. In Abb. 9 ist für zwei Typen von Cortexneuronen die Schwellenreizstärke bei sinusförmiger Hautdeformation in Abhängigkeit von der Reizfrequenz aufgetragen (schattierte Bereiche RA, PC). Außerdem ist für dieselben Tiere (Affen) die verhaltensphysiologisch ermittelte Schwelle (operante Konditionierung, s. IX-3.1) für *Detektion* dieser Reize eingezeichnet. Der Verlauf dieser Verhaltensschwelle folgt dem unteren Rand der schattierten Felder. Aus der quantitativen Übereinstimmung von *Neuronenschwelle* und *Verhaltensschwelle* wurde gefolgert,

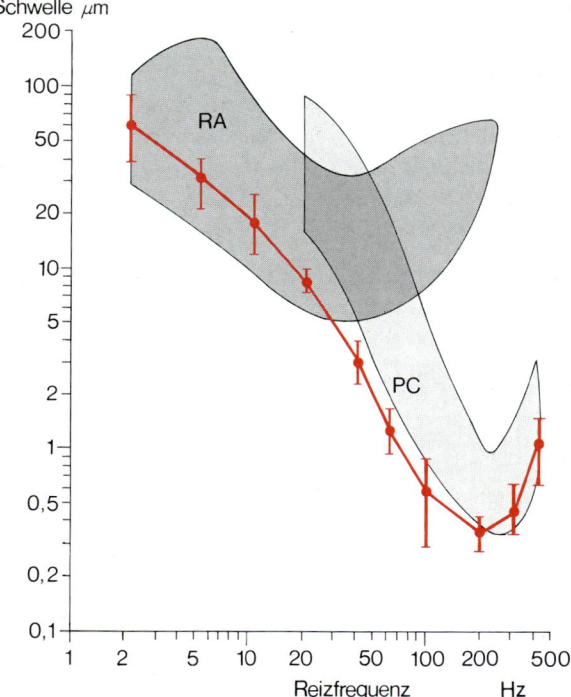

Abb. 9. Schwellen von Cortexneuronen und Detektion bei mechanischer Hautreizung. Bei sinusförmiger mechanischer Hautdeformation variabler Frequenz (Abszisse) wurden beim Affen in SI zwei Typen von Neuronen gefunden, die sich im Frequenzbereich unterscheiden. Die beiden unterschiedlich schattierten Felder RA, PC geben die Schwellenamplituden (Ordinate) zahlreicher Neuronen in beiden Klassen an. Die ausgezogene Kurve mit Meßwerten ($\pm$ Standardabweichung) gibt die im Verhaltensversuch gefundene Schwellenamplitude für Detektion der Reize an. [Daten aus MOUNTCASTLE, V.B. u.Mitarb.: J. Neurophysiol. **32**, 452 (1969) und Neurophysiol. **35**, 122 (1972)]

daß diese Neuronen Glieder der Ereigniskette sind, die bei den Versuchstieren zur Detektion des Hautreizes führen. Die Wahrnehmungsschwelle des Menschen für sinusförmige Hautdeformation hat denselben Verlauf wie die Kurve in Abb. 9. Daraus wird die Analogie der Wahrnehmung von mechanischen Hautreizen bei beiden Species gefolgert.

Der Mensch unterteilt die Wahrnehmung solcher Hautreize je nach Frequenz in *Flattern* (unter 40 Hz) und *Vibration* (über 40 Hz). Die beiden so unterscheidbaren Frequenzbereiche decken sich mit den Bereichen (Abb. 9), in denen die Abstimmkurven der beiden Neuronenklassen RA und PC jeweils mit der Wahrnehmungsschwelle übereinstimmen. Deshalb liegt es nahe, die unterschiedliche *Qualität* der Wahrnehmung beim Menschen mit diesen zwei Typen corticaler Neuronen (und peripherer Receptoren) zu korrelieren.

Cortexreizung beim Menschen. Wie bereits beschrieben wurde (4.1), führt lokale *elektrische* Reizung in SI beim wachen Menschen zu Wahrnehmungen, deren Ursachen aus der Peripherie zu kommen scheinen. Auch Reizung von SII sowie der visuellen und auditorischen Projektionsgebiete erzeugt Wahrnehmungen, vom übrigen Cortex können jedoch durch elektrische Reizung keine bewußten Wahrnehmungen ausgelöst werden. Mit schwellennahen Punktreizen auf SI kommt es vorwiegend zu Wahrnehmungen, die von den Patienten als „ähnlich wie bei natürlicher Reizung" beschrieben werden [1].

Unter den Beschreibungen kommen sowohl einfache *receptorspezifische* Empfindungen vor (Vibration, Wärme, Kälte), jedoch auch solche von *bewegten Reizen,* sowohl auf der Haut als auch im Inneren der Extremitäten, und schließlich von *Gelenkbewegungen.*

Cortexabtragung [1, 4, 7]. Beim Menschen führen Verletzungen und therapeutisch notwendige Ablationen in SI zu Wahrnehmungsdefiziten: Hautreize können als solche zwar noch wahrgenommen werden, jedoch sind *Lokalisierbarkeit* und Erkennbarkeit von *räumlichen Feinheiten* reduziert. Die Schwere der Defizite hängt vom Ausmaß der corticalen Läsion ab.

Nach längerer Zeit nehmen die Defizite wieder ab. Dies soll darauf beruhen, daß andere Cortexbereiche (z.B. Area 5 des parietalen Cortex) die Funktion von SI übernehmen können.

5. Kontrolle des afferenten Zustroms

In allen synaptischen Stationen des ZNS kann afferente Information beeinflußt und verändert werden. Dies geschieht entweder durch eine Wechselwir-

kung (meistens hemmend) der Afferenzen in einer zentralen Struktur untereinander (afferente Hemmung) oder durch eine Wirkung aus einem anderen Bereich des ZNS. Hier werden einige grundlegende Aspekte beider Möglichkeiten an Beispielen erörtert.

5.1. Segmentale präsynaptische Hemmung

Im Hinterhorn des Rückenmarks und in den Hinterstrangkernen wird die Information aus den Hautafferenzen bei der ersten synaptischen Umschaltung moduliert. Dabei ist vor allem (jedoch nicht ausschließlich) die präsynaptische Hemmung wichtig (Mechanismus s. III-3.2). Die wesentlichen *funktionellen* Eigenschaften der *spinalen präsynaptischen Hemmung* von *Hautafferenzen* sind in Abb. 10 zusammengestellt.

Spezifität nach Submodalitäten. Bisher sind zwei weitgehend unabhängige Systeme der präsynaptischen Hemmung für Hautafferenzen beschrieben worden: für die Afferenzen aus *langsam* adaptierenden Mechanoreceptoren das eine, das andere für die aus *schnell* adaptierenden Receptoren

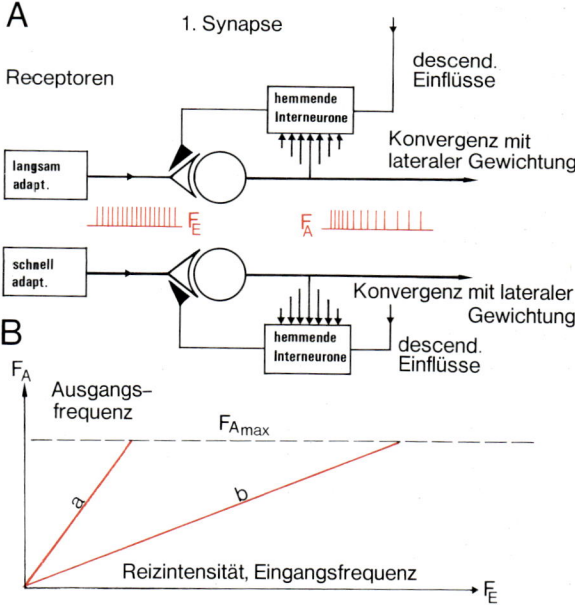

Abb. 10A u. B. Funktionelle Organisation der spinalen präsynaptischen Hemmung von Hautafferenzen (schematisiert). (A) Hemmende Interneurone wirken präsynaptisch auf die von den Hautreceptoren kommenden Impulse. Es bestehen zwei Systeme präsynaptischer Hemmung, jeweils für schnell bzw. langsam adaptierende Afferenzen untereinander. Auf die hemmenden Interneuronen konvergieren Axone aus zahlreichen Neuronen. (B) Einfluß der Feedback-Hemmung auf den Zusammenhang zwischen präsynaptischer (F_E) und postsynaptischer (F_A) Entladungsfrequenz. Es sind zwei Kennlinien gezeigt mit wenig (a) bzw. viel (b) Hemmung

(Abb. 10(A)). Zwischen diesen zwei Systemen besteht praktisch keine Wechselwirkung. Die funktionelle Trennung gemäß Submodalitäten bewirkt z.B., daß die afferenten Wege für Information aus schnell adaptierenden Receptoren ungehemmt sind, auch wenn ein konstanter Druck auf die Haut einwirkt, der die langsam adaptierenden Receptoren und die nachgeschalteten Neuronen aktiviert.

Bereichseinstellung. Die Hemmung ist in beiden Fällen vom Typ der *recurrenten* oder *Feedback-Hemmung,* die postsynaptische Seite wirkt über Interneuronen hemmend auf den Eingang zurück. Diese Eigenschaft verleiht dem Übertragungssystem eine Fähigkeit, die man als *automatische Empfindlichkeitsanpassung* oder *Bereichseinstellung* bezeichnen kann: erhöht sich z.B. plötzlich die afferente Entladungsfrequenz aus den Receptoren (in Abb. 10(A) durch die afferente Impulsserie angedeutet), dann führt dies zunächst zu einer entsprechenden Erhöhung der postsynaptischen Entladungsfrequenz. Infolge der verzögert einsetzenden Hemmung werden die anschließenden afferenten Entladungen stärker gehemmt, die postsynaptische Frequenz geht zurück. Somit besteht eine *hohe Empfindlichkeit* (oder Verstärkung) für *Änderungen* einer Reizsituation, während *stationäre* Reize mit *geringer* Empfindlichkeit übertragen werden. Dieser Sachverhalt ist in Abb. 10(B) in seiner Auswirkung auf die Beziehung zwischen Eingangs- (F_E) und Ausgangsfrequenz (F_A) des synaptischen Übertragungsgliedes mit präsynaptischer Modulation dargestellt. Die Steigung der Eingangs- und Ausgangskennlinien kann man als den *Verstärkungsgrad* der Übertragung ansehen. Hohe Empfindlichkeit (oder Verstärkung, Gerade a) des afferenten Übertragungskanals für *Reizänderungen* ist zweckmäßig, etwa zur Auslösung einer Hinwendungsreaktion. Im anschließenden Zustand geringerer Empfindlichkeit (Gerade b) wird ein größerer Intensitätsbereich (F_E) auf die nach oben begrenzte postsynaptische Entladungsfrequenz (F_A) abgebildet als bei Reizbeginn (Gerade a); der afferente Weg besitzt damit die Fähigkeit, im stationären Zustand bei geringerer Empfindlichkeit *Information* über einen größeren Intensitätsbereich nach zentral zu übertragen.

Umfeldhemmung. Auf die hemmenden Interneuronen (Abb. 10(A)) konvergieren viele gleichartige Afferenzen (d.h. jeweils aus langsam bzw. schnell adaptierenden Receptoren). Sie sind in ihrer Wirkung jedoch um so geringer, je weiter ihr Receptor von dem der gehemmten Afferenz entfernt ist. Diese Gewichtung entsprechend der Entfernung auf der Hautoberfläche ist Ursache für ein weiteres Merk-

mal der präsynaptischen Hemmung: sie ist vom Typ der *Umfeldhemmung* (laterale Hemmung, s. IX), deren Funktion auch hier in der Erhöhung des *räumlichen Kontrastes* gesehen werden kann.

5.2. Zentrifugale Kontrolle afferenter Wege

Vom *Cortex* gehen *efferente (corticofugale)* Wirkungen aus zum Thalamus, zu den Hinterstrangkernen und zum Rückenmark, die sowohl *bahnend* als auch *hemmend* sein können. Auch andere zentrale Strukturen (z.B. Formatio reticularis des Hirnstamms, unspezifische Thalamuskerne) haben steuernde Wirkungen auf die synaptische Übertragung in den aufsteigenden afferenten Systemen.
In Abb. 11(A) sind schematisch einige Möglichkeiten für *corticofugale* Eingriffe im somatosensori-

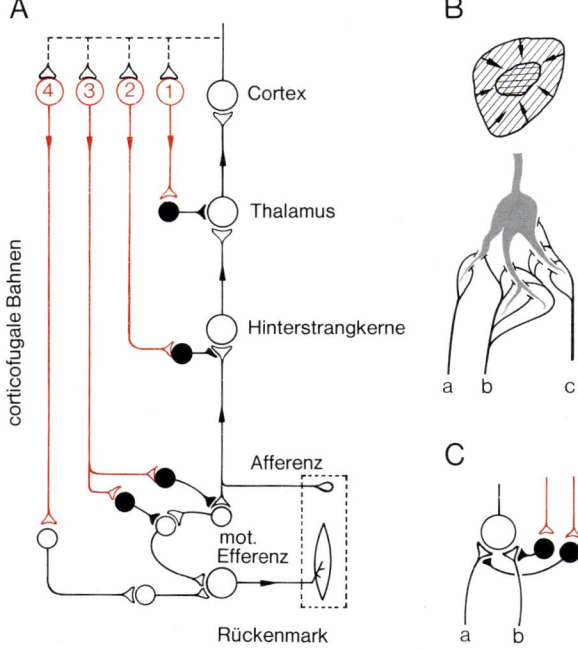

Abb. 11 A–C. Efferente Kontrolle sensorischer Afferenzen (schematisiert). (A) Bei der spezifischen thalamocorticalen Leitung (rechts in A) greift auf allen Ebenen prä- oder postsynaptische Hemmung an, die vom Cortex ausgeht (1, 2, 3). Innerhalb des Cortex ist eine Beeinflussung der corticofugalen Steuerung durch die Afferenz möglich (gestrichelt). (4) gibt die Möglichkeit der efferenten Steuerung von Receptoren über die Motorik an (z.B. Kontrolle der Muskelspindel über die γ-Efferenz; Tast- und Okulomotorik). (B) Die Größe des receptiven Feldes eines Neurons im ZNS kann durch Hemmung verändert werden (oben). Bei stärkerer Hemmung können Afferenzen aus dem Randgebiet (einfach schraffiert) das Neuron nicht erregen, da sie i.allg. weniger synaptische Kontakte mit dem Neuron haben (a, c im unteren Bild) als Afferenzen aus dem Zentrum des Feldes (doppelt schraffiert, b). (C) Bei Konvergenz von Afferenzen mit unterschiedlichen Typen von Receptoren (a, b) kann durch selektive Hemmung jeweils der Afferenzen a oder b die Modalität des Neurons verändert werden

schen System zusammengestellt. In diesem Schema sind vor allem *hemmende* Wirkungen (über schwarz gezeichnete Interneuronen) eingezeichnet, die grundsätzlich prä- und/oder postsynaptisch angreifen können. Folgende Einflüsse auf die afferente Information sind bekannt:

a) Der *Verstärkungsfaktor* der Übertragung im Relaisneuron wird verändert: *Empfindlichkeitsverstellung* (entsprechend Abb. 10(B)).

b) Die *Schwelle* der synaptischen Übertragung wird angehoben: Unterdrückung *trivialer* Information (z.B. Dauerreiz durch Kleidung).

c) Die Größe des *receptiven Feldes* eines zentralen Neurons wird verändert (Abb. 11(B)). Der Anstieg der Schwelle für synaptische Erregung bei zunehmender descendierender Hemmung wirkt sich zuerst auf die Afferenzen aus der Peripherie des receptiven Feldes aus, da diese eine geringere synaptische Sicherheit haben (weniger synaptische Kontakte dieser Fasern zum Neuron, z.B. Afferenzen a, c in Abb. 11(B) unten) als die Afferenzen des Feldzentrums (Afferenz b in Abb. 11(B)).

d) Änderung der *Modalität* eines Neurons, auf das verschiedene Arten von Afferenzen konvergieren (Abb. 11(C)). Die Hemmung kann bevorzugt einen Typ von Afferenzen blockieren (z.B. Mechanoreceptoren—Nociceptoren; Hautafferenzen—Muskelafferenzen).

e) Die Afferenzen selbst können im Cortex wiederum den corticofugalen Ausstrom beeinflussen (Abb. 11(A), gestrichelte Verbindung). Das bedeutet eine *recurrente Schleife* über SI, die z.B. vom Typ der Feedback-Hemmung sein kann, ähnlich wie auf spinaler Ebene (s. 5.1). Da in diese Schleife jedoch die *komplexe corticale Verarbeitung* (s. 4.2) einbezogen sein kann, bestehen prinzipiell komplizierte Möglichkeiten für corticofugale Funktionen. Der derzeitige experimentelle Zugang (elektrische Cortexreizung) läßt hierüber leider noch keine detaillierten Aussagen zu.

f) Auch die Einwirkung der *Motorik* auf die *Sinnesorgane* (in Abb. 11(A) durch das Rechteck um Muskel und Receptor angedeutet) kann als efferente Steuerung afferenter Systeme aufgefaßt werden. Beim aktiven Tasten z.B. resultiert die Erregung der Receptoren aus der Bewegung der Extremität und den Eigenschaften des abgetasteten Gegenstandes (s. auch Blickmotorik, XII).

6. Literatur

Weiterführende Lehr- und Handbücher

1. IGGO, A. (Ed.): Somatosensory System. Handbook of Sensory Physiology, Vol. 2. Berlin-Heidelberg-New York: Springer 1973.
2. KORNHUBER, H.H.: Somatische Sensibilität. In: Physiologie des Menschen (Hrsg. O.H. GAUER, K. KRAMER, R. JUNG), Bd. 11, S. 49. München: Urban u. Schwarzenberg 1972.
3. MILNER, P.M.: Physiological Psychology. London-New York-Sidney-Toronto: Holt, Rinehart and Winston 1970.
4. MOUNTCASTLE, V.B. (Ed.): Medical Physiology, Vol. 1, 13th Ed. Saint Louis: Mosby 1974.
5. RUCH, T.C., PATTON, H.D.: Physiology and Biophysics. Philadelphia-London: Saunders 1966.

Einzel- und Übersichtsarbeiten

6. FOERSTER, O.: Symptomatologie der Erkrankungen des Rückenmarks und seiner Wurzeln. In: Handbuch der Neurologie (Hrsg. O. BUMKE, O. FOERSTER), Bd. 5, S. 1. Berlin: Springer 1936.
7. FOERSTER, O.: Sensible corticale Felder. In: Handbuch der Neurologie (Hrsg. O. BUMKE, O. FOERSTER), Bd. 6, S. 358. Berlin: Springer 1936.
8. HEAD, H.: Studies in Neurology. London: Oxford University Press 1920.
9. HELLON, R.F., MISRA, N.K., PROVINS, K.A.: Neurones in the somatosensory cortex of the rat responding to scrotal skin temperature changes. J. Physiol. (Lond.) 232, 401 (1973).
10. KREISMAN, N.R., ZIMMERMAN, I.D.: Representation of information about skin temperature in the discharge of single cortical neurons. Brain Res. 55, 343 (1973).
11. PENFIELD, W., RASMUSSEN, T.: The cerebral cortex of man. New York: Macmillan 1950.
12. PISCOL, K.: Die spinalen Schmerzoperationen. In: Handbuch der Neurochirurgie (Hrsg. H. OLIVECRONA, W. TÖNNIS, W. KRENKEL), Bd. 7, S. 577. Berlin-Heidelberg-New York: Springer 1974.
13. SELZER, M., SPENCER, W.A.: Convergence of visceral and cutaneous afferent pathways in the lumbar spinal cord. Brain Res. 14, 331 (1969).
14. VIERCK, C.J.: Alterations of spatio-tactile discrimination after lesions of primate spinal cord. Brain Res. 58, 69 (1973).
15. WALL, P.D.: The sensory and motor role of impulse travelling in the dorsal columns towards cerebral cortex. Brain 93, 505 (1970).
16. WELKER, W.I.: Principles of organization of the ventrobasal complex in mammals. Brain Behav. Evol. 7, 253 (1973).

XI. Somato-viscerale Sensibilität: Hautsinne, Tiefensensibilität, Schmerz

(R.F. Schmidt)

Die Sinnesmodalitäten der Haut und ihrer An-
hangsstrukturen, nämlich die *Mechanoreception,*
die *Thermoreception* und die *Nociception* (Schmerzempfindung), werden mit der *Tiefensensibilität* und
der *Schmerzsensibilität des gesamten übrigen Organismus* als **somato-viscerale Sensibilität** zusammengefaßt. Ihr ist gemeinsam, daß ihre Receptoren
nicht in jeweils einem Sinnesorgan zusammengefaßt
(wie z.B. bei Auge und Ohr), sondern in der Regel
weit über den Körper verstreut sind; ferner, daß
ihre afferenten Fasern nicht in speziellen Nerven
(wie z.B. N. opticus, N. statoacusticus), sondern in
zahlreichen Nerven des Körpers und in vielen zentralen Bahnen verlaufen (s. vorhergehendes Kapitel).
Die *Leistungsfähigkeit der somato-visceralen Sensibilität* ist mit der jeder anderen Sinnesmodalität
durchaus vergleichbar. Die früher häufig benutzte
Bezeichnung „niedere Sinne" für die somato-viscerale Sensibilität, die vielleicht das Fehlen komplizierter spezieller Sinnesorgane andeuten sollte, ist
daher mißverständlich und nicht länger brauchbar.

1. Mechanoreception

Dieser Abschnitt befaßt sich mit der Aufnahme und
Verarbeitung mechanischer Reizung der Haut, mit
der **Mechanoreception** (Synonyme: *Mechanopercep-
tion, Tastsinn.* Der Ausdruck „Getast" wurde früher als einer der fünf Sinne für die Gesamtheit der
Hautsinne verwendet). Die Mechanoreception
weist eine Reihe von Qualitäten auf, deren Bezeichnungen auch im Alltag gebräuchlich sind, wie die
*Druck-, Berührungs-, Vibrations- und Kitzelempfin-
dung.* Im folgenden wird nach der Besprechung der
subjektiv erfaßbaren Eigenschaften der Mechanoreception gezeigt werden, daß die Haut eine Reihe
von *mechanosensiblen Receptoren* enthält, deren Eigenschaften sie geeignet erscheinen lassen, jeweils
an der Vermittlung der einen oder anderen Qualität
der Mechanoreception besonders beteiligt zu
sein.

1.1. Subjektiv erfaßbare Eigenschaften der Mechanoreception

Verteilung der Mechanosensibilität auf der Haut. Ta-
stet man die Haut mit Tier- oder Nylonborsten
ab, so zeigt sich, daß sich nur an bestimmten Punkten der Haut Druck- oder Berührungsempfindun-
gen auslösen lassen. Diese Punkte werden als **Tastpunkte** bezeichnet. Ihre Verteilung auf der menschlichen Haut wurde ausgangs des letzten Jahrhunderts
ausführlich untersucht (VON FREY, GOLDSCHEIDER).
Ein Beispiel zeigt Abb. 16. Hautregionen mit zahlreichen Tastpunkten sind insbesondere die Finger-
kuppen und die Lippen, während Oberarme, Oberschenkel und der Rücken besonders wenige Tastpunkte aufweisen.

**Das Auflösungsvermögen der Druck/Berührungs-
empfindung.** Durch Messen der *räumlichen Unterschiedsschwellen* (mit einem abgestumpften Stech-
zirkel o.ä.) läßt sich leicht zeigen, daß entsprechend
der unterschiedlichen Dichte der *Tastpunkte* das
Auflösungsvermögen der Haut für gleichzeitig (simultan) oder hintereinander (sukzessiv) applizierte
Reize bei weitem nicht überall gleich ist. Abb. 1
zeigt als Beispiel **simultane Raumschwellen** bei Erwachsenen (schwarze Balken) und bei einem 12jäh-
rigen Knaben, bei dem sie durchweg etwas kleiner
sind. Die **sukzessiven Raumschwellen** sind deutlich
kleiner, also besser als die simultanen. Oft betragen
sie nur ein Viertel der simultanen Raumschwelle,
also beispielsweise 1 mm statt 4 mm. Dieses *bessere
Auflösungsvermögen* bei sukzessiver Reizung gegenüber der simultanen spiegelt sich auch darin wider,
daß das Erkennen der Oberflächencharakteristika
eines Gegenstandes durch Bestreichen wesentlich
leichter ist als durch unbewegtes Auflegen der Finger. Die *Gründe für diesen Unterschied* liegen zum
geringeren Teil in den mechanischen Eigenschaften
der Haut, zum größeren Teil in der Art und Weise
ihrer Innervation und der zugehörigen Verschaltung ihrer afferenten Nervenfasern (s. 2.3).

Plastizität der Raumschwellen. Das Auflösungsvermögen der
Mechanoreception (s. z.B. Abb. 1) ist keine unveränderbar feste
Größe. So ist seit langem bekannt, daß durch Übung, selbst

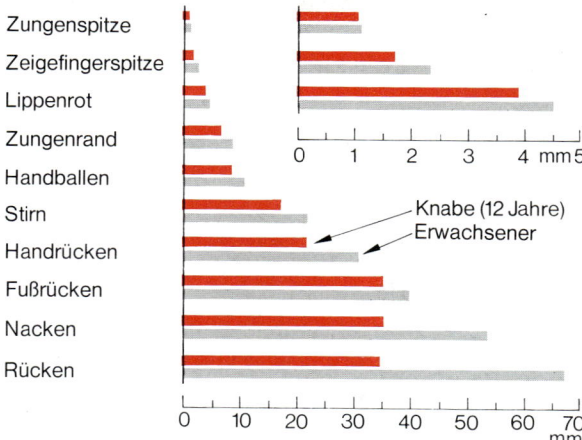

Abb. 1. Simultane Raumschwellen des Erwachsenen (graue Balken) und eines 12jährigen Knaben (rote Balken). Die Einsatzfigur rechts oben zeigt die simultanen Raumschwellen der links angegebenen Hautareale bei einer 10:1 vergrößerten Abscisse. Die Länge der Balken gibt für die jeweilige Körperregion den kleinsten Abstand zwischen zwei gleichzeitig (simultan) applizierten Reizpunkten an, bei dem die beiden Punkte noch als getrennt wahrgenommen werden können. (Nach WEBER und LANDOIS)

innerhalb einiger Stunden, die Raumschwellen etwa halbiert werden können. Bei fehlender Übung geht diese *Verbesserung des räumlichen Auflösungsvermögens* in wenigen Monaten wieder verloren. Blinde sind besonders bekannt für ihre Fähigkeit, kleine Gegenstände, z.B. die Punkte der Blindenschrift, rasch und sicher durch Betasten erkennen zu können. Ähnliches trifft für Schriftsetzer zu. Wird die Raumschwelle eines Hautareals durch Übung verkleinert, so reduziert sie sich nicht nur in und um dieses Areal, sondern auch im entsprechenden Hautareal der anderen Körperhälfte, wenn auch nicht so ausgeprägt. In der Längsachse der Extremitäten ist die Raumschwelle größer, also schlechter, als senkrecht dazu. Faktoren, die das *räumliche Auflösungsvermögen verschlechtern* können, sind beispielsweise a) verringerte Durchblutung oder venöser Blutstau in der Haut, b) zu häufiges Testen der Raumschwelle, c) allgemeine Ermüdung, d) Abkühlen der Haut.

Prüfen der Mechanoreception. Bei der *klinischen Routineuntersuchung* der Mechanosensibilität wird gewöhnlich zur **Prüfung der Berührungsempfindung** die Haut mit einem Wattebausch o.ä. gereizt und der Patient nach seiner Empfindung befragt; ferner darüber, an welchem Ort er den Reiz lokalisiert. Das *Unterscheiden von spitz und stumpf* wird durch unregelmäßig abwechselndes Aufsetzen von Spitze und Kopf einer Glaskopfstecknadel geprüft. Regelmäßig werden bei diesen Untersuchungen auch das *Erkennen auf die Haut geschriebener Zahlen* erfragt. Dabei werden zunächst größere, dann kleiner werdende Zahlen mit einem stumpfen Griffel (Nadelkopf, Fingerspitze) auf die Haut geschrieben.
Die **Prüfung der Vibrationsempfindung** erfolgt mit einer Stimmgabel, die auf einen Knochenpunkt (z.B. Ellenbogen, Schienbein) aufgesetzt wird. Im Experiment oder bei genauerer Untersuchung verwendet man besser von Sinusgeneratoren angetriebene Schwingspulen. Getestet wird in der Regel zum einen die *absolute Schwelle* für eine bewußte Vibrationsempfindung. Sie hat ihr Minimum entsprechend dem Verhalten der *Pacini*-Körperchen (s. 1.2 und Abb. 5) bei etwa 150–300 Hz. Die dabei notwendige minimale Vibrationsamplitude liegt in der Größenordnung von

1 μm, also im Bereich der Schwellenempfindlichkeit der Pacini-Körperchen (s. Abb. 5). Getestet wird zum anderen die *Unterschiedsschwelle für Änderungen der Vibrationsfrequenz.* Diese Unterschiedsschwelle ist am besten im Bereich niedriger Reizfrequenzen und steigt bei Frequenzen über 100 Hz steil an. Bei allen klinischen Messungen soll möglichst ein *Seitenvergleich* durchgeführt werden, um auch geringe Unterschiede mitzuerfassen. Einschränkend ist zu bemerken, daß die klinische Untersuchung, die ohnehin relativ summarisch ist, oft durch die fehlende Kooperation des Patienten beeinträchtigt wird [15].

1.2. Mechanoreceptoren der Haut

Seit über 100 Jahren wird angenommen, daß den Tastpunkten Receptoren entsprechen, die in die Haut unterhalb der Tastpunkte eingebettet sind. In Experimenten an Menschen und Tieren ist daher versucht worden, *physiologische Funktion und histologische Struktur* von Hautreceptoren zu erforschen und miteinander zu korrelieren. In bezug auf die *Mechanoreception* ist dies weitgehend geglückt. Es scheint sowohl in der behaarten als auch in der unbehaarten Haut von Menschen und Affen, aber auch zum Teil von anderen Säugetieren, nur *drei Haupttypen* von Mechanoreceptoren (mit myelinisierten Afferenzen) zu geben, nämlich sehr schnell, mittelschnell und langsam adaptierende. Antwortverhalten, Struktur und physiologische Bedeutung dieser Receptoren werden im folgenden erläutert [1, 7, 10, 11, 13, 16, 20].

Druckreceptoren (Intensitätsdetektoren). In der behaarten und unbehaarten Haut finden sich *Receptoren,* die ausschließlich oder vorwiegend auf *Druckreize* empfindlich sind und die nur *langsam* auf den Druckreiz adaptieren. Beispiele sind in Abb. 2 und 3 gezeigt. Die *Entladungsrate* dieser Receptoren ist zu jedem Zeitpunkt des Reizes *proportional der*

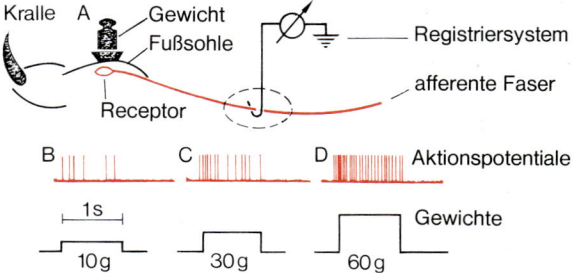

Abb. 2A–D. Untersuchung des Reiz-Antwort-Verhaltens von Hautreceptoren. (A) Schema der Versuchsanordnung. Eine Katzenpfote wird so aufgelegt, daß der zentrale Gehballen nach oben zeigt und auf ihn Gewichte aufgesetzt werden können. (B, C, D) Impulse (Aktionspotentiale) eines Druckreceptors aus der unbehaarten Fußsohle der Katze (obere, rote Registrierungen) bei Reizung mit verschiedenen Gewichten, d.h. Reizen konstanter Kraft (untere Registrierungen). Angabe der Gewichte in g/cm². Der Receptor zeigte keine Spontanaktivität

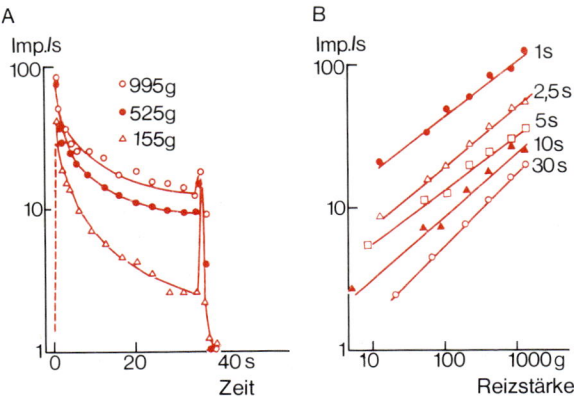

Abb. 3 A u. B. Antwortverhalten eines Druckreceptors auf Reize konstanter Kraft. (A) Zeitverlauf der Receptorentladungen (Ordinate in Impulse/Sekunde, logarithmischer Maßstab) während dreier Reize von 40 s Dauer (Abscisse) mit den durch die Symbole im Bild angegebenen Reizintensitäten. (B) Die Beziehung zwischen Reizstärke (Abscisse) und Frequenz der Receptorentladungen (Ordinate) zu verschiedenen Zeiten nach Reizbeginn. Beide Maßstäbe sind logarithmisch. Die Schwellenreize zu jedem Reizzeitpunkt wurden von den applizierten Reizen abgezogen. Jeder Punkt in (A) und (B) ist der Durchschnittswert aus 10 Einzelmessungen

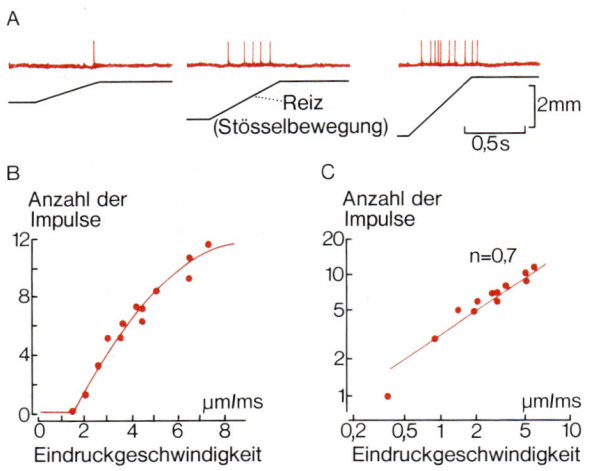

Abb. 4 A–C. Antwortverhalten eines mittelschnell adaptierenden Mechanoreceptors (Geschwindigkeitsdetektors). (A) zeigt Originalregistrierungen (rot) der Receptorantworten bei drei mechanischen Reizen (Stößel) mit unterschiedlicher Eindrucksgeschwindigkeit (schwarze Rampen), jedoch gleicher Reizdauer. (B, C) Die Beziehung zwischen Eindrucksgeschwindigkeit (Abscisse in μm/ms) und Antwortverhalten des Receptors (Ordinate, Zahl der Impulse pro Reiz), dargestellt mit linearen (B) und logarithmischen Maßstäben (C). Der Schwellenreiz von 1,6 μm/ms ist von den in (C) gezeigten Werten abgezogen. (Nach ZIMMERMANN)

Reizintensität. In einem doppelt-logarithmischen Koordinatensystem (Abb. 3(B)) läßt sich die Beziehung zwischen Reizintensität I und Entladungsrate E zu allen Zeiten durch Gerade darstellen, was darauf hinweist, daß diese Beziehung einer Potenzfunktion der Form $E = I^n$ folgt (s. IX-2.4). Funktio-

nell gesehen dienen solche Receptoren wahrscheinlich als **Intensitätsdetektoren,** d.h. sie messen die Stärke oder Eindruckstiefe eines mechanischen Hautreizes. Gleichzeitig, da sie auch nach langer Zeit (s. Abb. 3(A)) nicht vollkommen adaptieren, geben sie auch die *Dauer* eines Druckreizes an.

Berührungsreceptoren (Geschwindigkeitsdetektoren). Bei der Berührung von Haaren, z.B. auf dem Handrücken, entsteht nur während der Bewegung der Haare eine Empfindung, wobei die Intensität der von den Haarfollikelreceptoren vermittelten Empfindung von der *Geschwindigkeit* der Haarbewegung, nicht von ihrem Ausmaß abhängt. Auch in der unbehaarten Haut gibt es Receptoren mit einem vergleichbaren Antwortverhalten. Ein Beispiel zeigt die Abb. 4. Die Entladungsrate dieses Receptors bei rampenförmigen Reizen hängt dabei insbesondere von der *Eindruckgeschwindigkeit* des Stößels ab, wie die Originalregistrierungen in Abb. 4(A) ebenso zeigen wie Auswertung in (B). In einem doppelt-logarithmischen Koordinatensystem (C) hängt die Impulsrate linear von der Eindruckgeschwindigkeit, also der ersten Ableitung nach der Zeit, ab, d.h. die Beziehung zwischen *Entladungsrate* des Receptors und *Eindruckgeschwindigkeit* wird wiederum durch eine *Potenzfunktion* beschrieben. Diese Receptoren können als **Geschwindigkeitsdetektoren** bezeichnet werden. Bei rechteckigen Reizen nach Art der Abb. 2 adaptieren diese Receptoren innerhalb von 50–500 ms. Sie sind daher als *mittelschnell adaptierend* zu bezeichnen.

Receptoren wie die Druckreceptoren, die in erster Linie die Intensität eines Reizes, nicht dessen zeitliche Änderung übermitteln, werden in Anlehnung an technische Meßfühler häufig als **Proportionalreceptoren** oder *P-Receptoren* bezeichnet. Entsprechend werden Receptoren mit dem Antwortverhalten der Berührungsreceptoren häufig **Differentialreceptoren** oder *D-Receptoren* und Mischformen *PD-Receptoren* oder **PD-Fühler** genannt.

Vibrationsreceptoren (Beschleunigungsdetektoren). Abb. 5(A, B) zeigt das Antwortverhalten des dritten Receptortyps auf *Rechteckreize:* Auf einfach (A) und mehrfach (B) überschwellige Reize antwortet der Receptor mit nur einem Impuls: Er adaptiert *sehr schnell.* Daher kann er also weder über die Eindrucktiefe noch über die Eindruckgeschwindigkeit Informationen übermitteln. Bei *sinusförmiger Reizung* (Abb. 5(C, D)) löst jedoch jede Sinusperiode Aktionspotentiale aus, wobei die minimal notwendige Amplitude der Sinusschwingung für ein 1:1 Antwortverhalten beim Ansteigen der Reizfre-

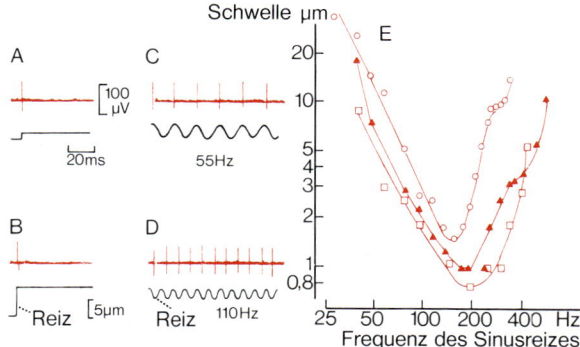

Abb. 5A–E. Antwortverhalten von Pacini-Körperchen (Beschleunigungsdetektoren). (A–D) Antworten eines Pacini-Körperchens auf mechanische rechteckige Reize unterschiedlicher Stärke (A, B) und mechanische Sinusreize von 44 und 110 Hz (C, D). Die Sinusreize sind in ihrer Amplitude gerade überschwellig für 1:1-Antworten des Receptors. Die Eichungen gelten für alle Registrierungen. (E) Schwelle (Ordinate) dreier Pacini-Körperchen in Abhängigkeit von der Frequenz (Abscisse) mechanischer Sinusreize. Die Reize wurden am Ort maximaler Empfindlichkeit jedes Receptors appliziert (Fußsohle Katze). Beide Maßstäbe sind logarithmisch

quenz stark abnimmt. So beträgt in der doppeltlogarithmischen Auswertung in (E) die Steilheit der Kurve im Bereich von 30–200 Hz etwa minus zwei für die Beziehung zwischen Schwellenamplitude S_T und Reizfrequenz f. Diese Beziehung kann daher auch geschrieben werden als $S_T = \text{const.} \cdot f^{-2}$, was anzeigt, daß der *adäquate Reiz* dieser Receptoren die zweite Ableitung der Eindrucktiefe nach der Zeit, also die *Beschleunigung* der Hautverschiebung ist. Wir können diese Receptoren daher als **Beschleunigungsdetektoren** bezeichnen. Sie können

von der behaarten wie von der unbehaarten Haut aus erregt werden. Bei Frequenz über 200 Hz steigt die Schwelle der Receptoren wieder an, bei Frequenzen über 400 Hz ist ein 1:1-Verhalten nicht mehr auszulösen.

Histologische Struktur und afferente Innervation der Mechanoreceptoren. Im Fettgewebe der Subcutis der unbehaarten (Abb. 6(A)) wie der behaarten Haut (B) finden sich relativ große neuronale Endstrukturen, die zwiebelschalenartig von Bindegewebe umhüllt sind, die **Pacini-Körperchen** (Synonym: Vater-Pacini-Körperchen). Es ist experimentell gut belegt, daß diese Pacini-Körperchen die **Beschleunigungsdetektoren** sind. Außer in der Subcutis finden sie sich noch in wechselnder Anzahl an den Sehnen und Fascien der Muskeln, an der Knochenhaut und in den Gelenkkapseln.

Die mittelschnell adaptierenden **Geschwindigkeitsdetektoren** der *unbehaarten* Haut sind die *Meissner-Körperchen*, auch *Meissnersche Tastkörperchen* genannt, die in den Papillen des Coriums liegen (Abb. 6(A)). In der *behaarten* Haut liegen die Geschwindigkeitsdetektoren als **Haarfollikelreceptoren** an den intracutanen Abschnitten der Haare (Abb. 6(B)). Es gibt einige Untertypen dieser Haarfollikelreceptoren, von denen es noch nicht sicher ist, ob sie beim Menschen alle vorkommen.

Die langsam adaptierenden **Intensitätsdetektoren** der *unbehaarten* Haut sind die **Merkel-Zellen.** Sie liegen in kleinen Gruppen in den untersten Schichten der Epidermis, dort wo sich diese zapfenartig in die Papillen des Coriums hineinstülpt

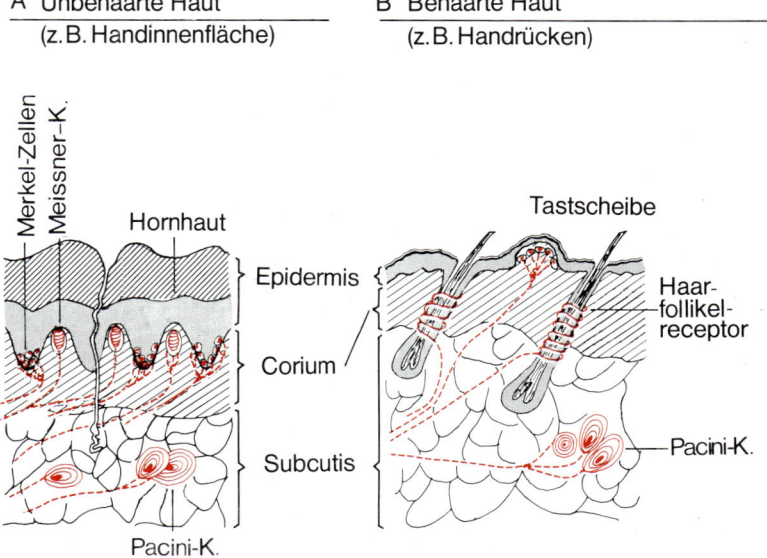

Abb. 6A u. B. Schematische Darstellung der Struktur und der Lage von Mechanoreceptoren in der unbehaarten (A) und der behaarten Haut (B). Besprechung im Text

(Abb. 6(A)). Auch in der *behaarten* Haut gibt es Merkel-Zellen. Sie liegen aber in besonderen, punktförmig über die Hautoberfläche herausragenden **Tastscheiben,** auch *Pinkus-Iggo-Tastscheiben* genannt. Mit ihrer Höhe von etwa 0,1 mm und Durchmesser von 0,2–0,4 mm sind diese Receptoransammlungen mit bloßem Auge gerade erkennbar. Neben der Tastscheibe findet sich in der behaarten Haut ein weiterer langsam adaptierender **intradermaler Receptor** (Typ II nach IGGO), dessen histologisches Korrelat die **Ruffini-Körperchen** sind (in Abb. 6 nicht dargestellt).

Receptives Feld. Als **receptives Feld eines Mechanoreceptors** bezeichnet man dasjenige Areal von dem der Receptor durch einen Reiz definierter Intensität erregt werden kann. Als Reizstärke benutzt man in der Regel einige wenige Vielfache der Schwellenreizstärke. Das in dieser Form definierte receptive Feld wird in manchen Fällen in etwa mit der anatomischen Ausdehnung des Receptors übereinstimmen (z.B. bei den Tastscheiben), in anderen können auch noch weit entfernte Reize den Receptor erregen (z.B. bei den Pacini-Körperchen). Entsprechendes gilt für die **Receptoren der anderen Modalitäten** der somato-visceralen Sensibilität.

Afferente Innervation. Alle bisher besprochenen Mechanoreceptoren werden von **markhaltigen afferenten Nervenfasern** der Gruppe II versorgt (Durchmesser 5–10 µm, Leitungsgeschwindigkeit 30–70 m/s (s. Tabelle II-2)). Die Verschaltung dieser Nervenfasern im Rückenmark, die aufsteigenden Bahnen und die thalamo-corticale Projektion der sensorischen Peripherie sind im Kapitel X besprochen. Für die **Innervationsdichte** der einzelnen Hautareale gibt es bisher wenige, meist indirekte Anhaltspunkte, z.B. aus der Bestimmung von Unterschiedsschwellen (Abb. 1). Auch liegen nur vereinzelte quantifizierte Beobachtungen über die **Divergenz** und **Konvergenz** der afferenten Nervenfasern und der von ihnen versorgten Receptoren vor. So werden beispielsweise von einer afferenten Nervenfaser zwei bis drei Tastscheiben erreicht, wobei innerhalb der Tastscheibe jede Collaterale alle Merkel-Zellen (30–50) versorgt. Eine weitaus stärkere Divergenz und Konvergenz findet sich bei den Haarfollikelreceptoren, wo eine afferente Faser einige Hundert Haarfollikel versorgen kann und jeder Follikel von zahlreichen afferenten Fasern inner-viert wird. Erhebliche **Speciesunterschiede** in der Innervation korrespondierender Hautareale komplizieren weiter das Bild.

Auch bezüglich der **Häufigkeitsverhältnisse der verschiedenen Mechanoreceptoren** in der Haut liegen nur wenige Beobachtungen vor. Danach sind in der behaarten wie der unbehaarten Haut des Affen und wahrscheinlich auch des Menschen die *Geschwindigkeitsdetektoren* eindeutig in der Überzahl. Dies ist funktionell sinnvoll, da Änderungen des Reizgeschehens in der Regel für den Organismus wichtiger sind als die absoluten Größen der Intensität, Dauer oder Frequenz eines Reizes. Man nennt daher die Geschwindigkeits- oder D-Receptoren auch **Neuigkeitsdetektoren.**

Mechanosensible freie Nervenendigungen der Haut. Außer *myelinisierten* (Gruppe II und III) Afferenzen enthält jeder Hautnerv auch noch 50% und mehr *unmyelinisierte* (Gruppe IV) Fasern. Dies sind teils efferente *postganglionäre sympathische* Fasern, teils *afferente* Nervenfasern, die in *freien Nervenendigungen* enden. Die Receptorfunktionen dieser freien Nervenendigungen sind zum großen Teil noch ungeklärt. Manche sind möglicherweise *Temperaturreceptoren,* viele wahrscheinlich *Schmerzreceptoren* (s. 3 und 4). Daneben hat sich gezeigt, daß eine Reihe von ihnen spezifisch auf mechanische Berührungsreize geringer Intensität empfindlich sind. Solche **Mechanoreceptoren** fanden sich im Tierexperiment in der behaarten und, wenn auch nur selten, in der unbehaarten Haut.

Die geringe *Leitungsgeschwindigkeit der Gruppe-IV-Fasern* (um 1 m/s) bedingt, daß zwischen Reizapplikation und Ankunft der afferenten Impulse im ZNS in der Regel mehrere Hundert Millisekunden vergehen. Viele durch mechanische Reize induzierte Reflexe und meist auch unsere subjektiven Empfindungen haben kürzere Latenzen als die Leitungszeiten der afferenten Impulse der Gruppe-IV-Fasern. Letztere sind also an diesen Vorgängen schon aus diesem Grunde in der Regel nicht oder jedenfalls zu Beginn nicht beteiligt.

Prüft man das *Antwortverhalten der mechanosensitiven Gruppe-IV-Receptoren,* so zeigt sich (Abb. 7), daß, im Gegensatz zu den oben besprochenen Intensitätsdetektoren, Hautreize *identischer Reizstärke* sehr *unterschiedliche* Antworten geben. Die *Meßgenauigkeit* dieser Receptoren in bezug auf die Reizintensität ist also gering. Die Zahl der unterscheidbaren Intensitätsstufen (vgl. Abb. XVI-2) ist kleiner als 3, meist um 2. Die durchschnittliche *Informationskapazität* in bezug auf die Reizintensität beträgt also etwa 1 bit pro Reiz. Dieser geringe Wert läßt erwarten, daß diese Receptoren **Schwellendetektoren** sind, also Fühler, die lediglich die Anwesenheit eines Reizes an einem bestimmten Ort der Haut signalisieren. Daneben zeigen neuere Untersuchungen, daß sie möglicherweise besonders bei der Übermittlung schwacher, sich auf der Haut **bewegender Mechanoreize** (Insektenkrabbeln) betei-

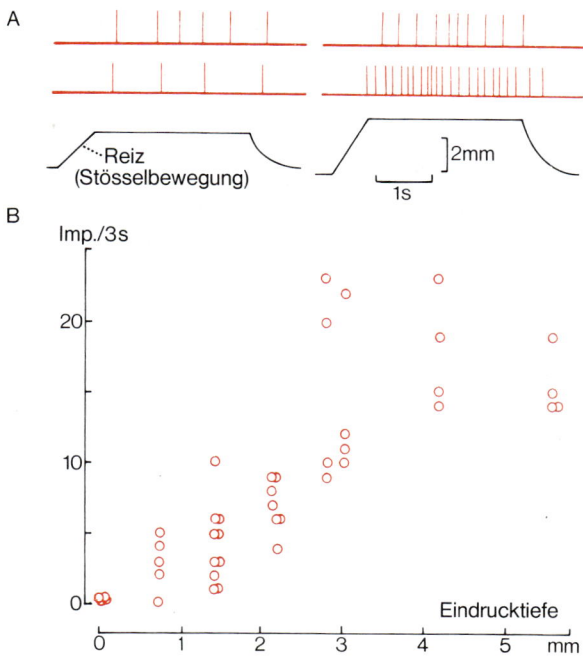

Abb. 7A u. B. Antwortverhalten von mechanosensitiven Einheiten der Haut (Katze) mit Gruppe-IV-afferenten Fasern. (A) Originalregistrierungen (umgezeichnet) der Receptorantworten bei je zwei gleichförmigen Reizen mit einem 1 mm² großen Stempel. Beachten Sie das unterschiedliche Antwortverhalten auf identische Hautreize. 2 min Pause zwischen jeder Reizapplikation. (B) Die Entladungsfrequenz dieses Receptors während der ersten 3 s (Ordinate) eines mechanischen Hautreizes ist gegen die Eindrucktiefe (Abscisse) aufgetragen. (Nach ZIMMERMANN, unveröffentlicht)

ligt sind. Auch wird diskutiert, daß sie, allein oder mit anderen, bei der **Kitzelempfindung** eine Rolle spielen. Eindeutige physiologische Anhaltspunkte gibt es jedoch dafür bisher nicht.

1.3. Receptorfunktion und Mechanoreception

Es liegt nahe anzunehmen, daß für die *Druck-* bzw. die *Berührungs-* bzw. die *Vibrationsempfindung* jeweils einer der Haupttypen von Mechanoreceptoren verantwortlich ist, nämlich die *Intensitäts-* bzw. die *Geschwindigkeits-* bzw. die *Beschleunigungsdetektoren.* Dies gilt insbesondere für Pacini-Körperchen, die bei Reizfrequenzen von über 60 Hz alleinverantwortlich für die Vibrationsempfindung zu sein scheinen. Alltägliche mechanische Hautreize, mit Ausnahme von Vibrationsreizen zwischen 60–800 Hz, reizen jedoch in aller Regel mehrere Mechanoreceptortypen gleichzeitig und je nach Reiz in wechselndem Ausmaß, so daß die resultierenden Empfindungen nicht einem bestimmten Receptortyp zugeordnet werden können. Entsprechend sind

auch in der alltäglichen Erfahrung die Unterschiede zwischen Druck- und Berührungsempfindung fließend und nicht genau definierbar. (Weitere Bemerkungen zur Physiologie des Aufbaus der Tastwelt s. 2.3)

2. Tiefensensibilität

Im Wachzustand sind wir jederzeit über die *Stellung unserer Glieder* zueinander orientiert. Ferner nehmen wir passive *Bewegungen* unserer Gelenke durch von außen einwirkende Kräfte ebenso wahr wie aktive Bewegungen mit Hilfe unserer Muskeln. Auch sind wir in der Lage den *Widerstand,* gegen den wir eine Bewegung durchführen, ziemlich genau anzugeben. Wir fassen diese Fähigkeiten als **Tiefensensibilität** zusammen, da die dafür verantwortlichen Receptoren weniger in der Haut, als in den Muskeln, Sehnen und Gelenken liegen. Die Receptoren werden, da sie ihre Reize aus dem Körper und nicht aus der Umwelt empfangen, als **Proprioceptoren** bezeichnet (zu diesen werden auch die Labyrinth-Receptoren gezählt und sollten, strenggenommen, auch die Receptoren der Eingeweide gerechnet werden). Von der Tiefensensibilität wird daher auch als **Proprioception** gesprochen [2, 8, 10, 13].

2.1. Qualitäten der Tiefensensibilität

Stellungssinn. Auch ohne visuelle Hilfe ist es meist mit großer Genauigkeit möglich, sich die Lage der Glieder und die Stellung der verschiedenen Extremitätenabschnitte zueinander zu vergegenwärtigen. Diese *Qualität der Tiefensensibilität* bezeichnen wir als **Stellungssinn.** Genaugenommen orientiert uns der Stellungssinn über die *Winkelstellung der Gelenke* und damit insgesamt über die Stellung unserer Gelenke zueinander. Wie die subjektive Erfahrung lehrt, *adaptiert der Stellungssinn wenig oder nicht.*

Die *Stellung der Gelenke* kann in der Regel, d.h. ohne spezielle Übung, weder in Winkelgrad noch anders mit Worten einigermaßen zutreffend beschrieben werden. Wie genau wir aber dennoch über die Stellung der Extremitätenabschnitte zueinander orientiert sind, läßt sich leicht an Hand der folgenden Experimente zeigen: Einmal kann jede aktiv oder passiv (durch einen Untersucher) an einer Extremität eingestellte Stellung durch die Extremität der anderen Seite ohne visuelle Kontrolle imitiert werden, zum anderen können wir jeden gewünschten Punkt einer Extremität ebenfalls ohne jede visuelle Kontrolle mit den Fingern mit großer Sicherheit aufsuchen.

Bewegungssinn. Wenn wir ohne visuelle Kontrolle eine Gelenkstellung ändern, nehmen wir sowohl die Richtung wie auch die Geschwindigkeit der Bewegung wahr. Diese *Qualität der Tiefensensibilität* bezeichnen wir als **Bewegungssinn.** *Aktive* Gelenkbewegung mit Hilfe der Muskeln wird von uns ebenso wahrgenommen wie *passive* Gelenkbewegung durch eine andere Person. Die *Wahrnehmungsschwelle des Bewegungssinnes* hängt dabei, ganz analog zu anderen Sinnesmodalitäten, einerseits von dem *Ausmaß* der Winkeländerung und andererseits von der *Geschwindigkeit* der Winkeländerung ab.

Bei *passiven* Bewegungen ist die *Wahrnehmungsschwelle* der proximalen Gelenke deutlich kleiner (besser) als die der *distalen* Gelenke. Beispielsweise beträgt die Schwelle für das Schultergelenk 0,2–0,4° bei einer Mindestgeschwindigkeit von 0,3°/s, während für die Fingermittelgelenke die entsprechenden Werte 1,0–1,3° bei 12,5°/s betragen (GOLDSCHEIDER). Um ein *Maß für die Empfindlichkeit* des passiven Bewegungssinnes zu erhalten, kann man die minimal notwendige Winkeländerung mit der Mindestgeschwindigkeit multiplizieren. Bei dieser Art der Bewertung ist beispielsweise das Schultergelenk mehr als vierzigmal so empfindlich wie die Fingergelenke.
Bei *aktiven* Gelenkbewegungen ist die *Wahrnehmungsschwelle* etwas, aber praktisch vernachlässigbar, kleiner (besser) als bei passiven (GOLDSCHEIDER). Unter bestimmten Bedingungen läßt sich aber auch zeigen, daß die Beurteilung aktiver Gelenkbewegungen mannigfachen *Täuschungen* unterworfen ist. Insbesondere scheint die Geschwindigkeit der Bewegung nicht sehr genau wahrgenommen zu werden, so daß beispielsweise bei beidhändigem, gleichzeitigem symmetrischen Ausführen einer Bewegung die eine Hand eine größere Strecke als die andere zurücklegt, obwohl dies weder beabsichtigt war noch wahrgenommen wurde.

Kraftsinn. Bindet man Fäden an eine Reihe von Gegenständen, die sich in ihrem Gewicht um 10% oder mehr voneinander unterscheiden, so kann man diese Gegenstände in bezug auf ihr Gewicht durch Anheben an den Fäden leicht voneinander trennen. Wir schätzen dabei das *Ausmaß an Muskelkraft* ab, das wir aufwenden müssen, um die Gegenstände anzuheben und freischwebend zu halten. Diese *Qualität der Tiefensensibilität,* nämlich das Abschätzungsvermögen für die Muskelkraft, die notwendig ist, eine Bewegung durchzuführen oder eine Gelenkstellung einzuhalten, bezeichnen wir als **Kraftsinn.** Da die jeweils notwendige Muskelkraft von dem Widerstand abhängt, der sich der Bewegung entgegensetzt, und da uns die Tiefensensibilität über das Ausmaß dieses Widerstandes informiert, könnte der Ausdruck *Widerstandssinn* als Synonym für den Kraftsinn benutzt werden, doch hat sich dieser Begriff nicht durchgesetzt.

Bei der experimentellen Ermittlung der *Fähigkeiten des Kraftsinnes* ist es immer schwierig, Beiträge der Mechanoreception der Haut auszuschalten oder abzugrenzen. Es läßt sich allerdings leicht zeigen, daß das *Diskriminierungsvermögen* des Kraftsinnes deutlich besser ist als das des Drucksinnes der Haut: Das Abschätzen von Gewichten durch Aufsetzen auf die Haut ist wesentlich schwieriger als das durch Aufheben der Gewichte, was jeder im Alltag häufig ausnutzt. Auch beim Kraftsinn sind eine Reihe von Bedingungen bekannt, die zu *Täuschungen* führen können. Zwei davon müssen bei Experimenten mit dem Kraftsinn besonders beachtet werden: a) Beim Vergleich von Gewichten mit einem „Standardgewicht" ist es nicht gleichgültig, welches zuerst abgeschätzt wird, denn das zweite Gewicht wird eher etwas unterschätzt, besonders wenn die Prüfungen kurz hintereinander erfolgen; b) das Unterscheidungsvermögen ist in der Regel besser, wenn die Gewichte vom leichteren zum schwereren fortschreitend geprüft werden als umgekehrt. Es ist aber festzuhalten, daß sich der Kraftsinn durch *große Genauigkeit* und *präzise Reproduzierbarkeit* auszeichnet. Er wird deswegen gerne, wie in Abb. IX-12 gezeigt, beim intermodalen Intensitätsvergleich als Standard eingesetzt.

2.2. Receptoren der Tiefensensibilität (Proprioceptoren)

Stellungssinn und Bewegungssinn könnten durch Receptoren der Haut über den Gelenken vermittelt werden, denn diese wird bei Gelenkbewegungen gestaucht und gedehnt. Durch Lokalanaesthesie dieser Hautpartien konnte aber gezeigt werden, daß die *Hautreceptoren* für Stellungs- und Bewegungssinn nur eine geringe Rolle spielen. Da sie ohnehin für den Kraftsinn keine Rolle spielen können, folgt daraus, daß die *Receptoren der Tiefensensibilität in extracutanen Strukturen* gesucht werden müssen. Es sind dies vorwiegend die Receptoren der Muskeln und Sehnen und die der Gelenkkapseln. Die Eigenschaften der **Muskelspindeln** und der **Sehnenorgane** wurden bereits eingehend besprochen (s. VI-2.1 und 2.2), so daß hier nur noch auf die **Gelenkreceptoren** einzugehen ist.

Receptoren der Gelenkkapseln. In den Gelenkkapseln finden sich Receptoren, deren Entladungsfrequenz einmal **proportional der Stellung des Gelenkes** in Ruhe und zum anderen **proportional der Geschwindigkeit** der Bewegung ist, wobei die Receptorentladungen bei konstanter Gelenkstellung *nicht oder wenig* adaptieren. Abb. 8 zeigt Beispiele für das Antwortverhalten solcher Receptoren bei Änderungen der Gelenkstellung mit verschiedener Winkelgeschwindigkeit (A) oder zu unterschiedlichen Endstellungen (B) oder bei wechselnder Flexion und Extension (C).

Die in Abb. 8 gezeigten Receptoren reagieren auf Flexion mit einer Zunahme ihrer Entladungen und auf Extension mit einer Abnahme. Es gibt aber auch ähnlich viele Receptoren, die ein spiegelbildliches Verhalten zeigen, Abnahme der Entladungen bei Extension, Zunahme bei Flexion. An Gelenken mit vielen

A

Einstellung einer
Gelenkstellung mit drei
verschiedenen Winkel-
geschwindigkeiten

B

Einstellung von drei Gelenkwinkeln
mit konstanter
Winkelgeschwindigkeit

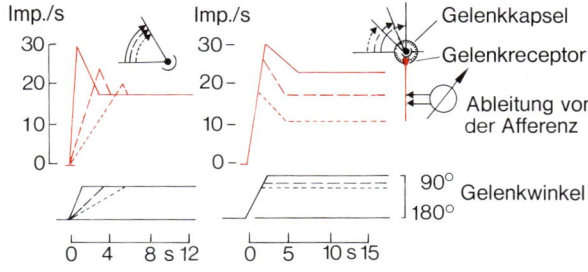

C

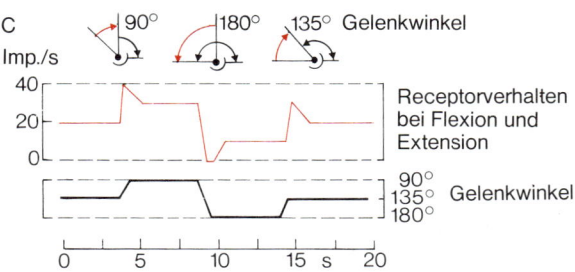

Abb. 8 A–C. Antwortverhalten von Gelenkreceptoren. (A) Änderung der Gelenkstellung um einen festen Betrag mit drei verschiedenen Einstellgeschwindigkeiten. (B) Änderung der Gelenkstellung aus einer Ausgangsposition zu drei verschiedenen Endpositionen. Konstante Einstellgeschwindigkeit. (C) Verhalten eines Receptors beim Hin- und Herbewegen eines Gelenkes. Dieser Receptor reagiert auf Flexion mit einer Zunahme der Entladungsrate. Andere zeigen ein spiegelbildliches Verhalten. (Schematisch, in Anlehnung an BOYD und ROBERTS)

Freiheitsgraden gibt es für praktisch jede Bewegungsrichtung (Innenrotation, Außenrotation, Abduktion, Adduktion) entsprechende Receptoren mit spiegelbildlichem Antwortverhalten.

Die Gelenkreceptoren überstreichen meist geringere Gelenkwinkel als in Abb. 8 gezeigt. Meist sind es nur einige Grad zwischen fehlender und maximaler Entladung. Dies hat den Vorteil, daß dem einzelnen Receptor für *geringe* Winkeländerungen ein *großer* Dynamikbereich zur Verfügung steht, d.h. er zeigt die jeweilige Gelenkstellung, sobald sie in seine Aktivitätszone fällt, mit großer Genauigkeit an. Durch das *Überlappen der Aktivitätszonen* der gesamten Receptorpopulation ist dafür gesorgt, daß jede Gelenkposition nach zentral gemeldet wird. Die *integrative Aufarbeitung* dieser afferenten Information setzt bereits in den entsprechenden *sensorischen Schaltkernen unterhalb des Cortex* ein. So sind im *Thalamus* Neurone gefunden worden, deren Entladungsrate die Gelenkstellung über mehr als 90° treu widerspiegelte. Auf ein solches Neuron muß also eine beträchtliche, präzis organisierte *Konvergenz* von zahlreichen Gelenkreceptoren des betreffenden Gelenks erfolgt sein.

Histologie. Die *histologische Struktur der Gelenkreceptoren* von der Art der Abb. 8 ist nicht völlig klar. Die Gelenkkapsel enthält Receptoren vom *Ruffini-Typ* (s. Lehrbücher der Histologie), die in erster Linie in Frage kommen. Daneben finden sich in den Ligamenten Receptoren vom ähnlich aussehenden *Golgi-Typ* und schließlich wenige *Paciniforme Körperchen.* Echte Pacini-Körperchen liegen in geringer Zahl eher in dem lose umgebenden Bindegewebe als in den Gelenkkapseln selbst.

Zentrale Integration. Rolle der Efferenzkopie. Während einerseits, wie in der bisherigen Schilderung stillschweigend subsumiert, die Wahrnehmung der Tiefensensibilität vorwiegend *von den in 2.2 angesprochenen Receptoren* ausgehen könnte, ist auch vorgeschlagen worden, daß dies weitgehend über entsprechende *Rückmeldungen der motorischen Efferenzen* erfolge. Letztere Ansicht hat bis vor kurzem ihre Stärke vor allem daraus bezogen, daß es nicht gelang, eine Beteiligung der Muskelspindeln und Sehnenorgane an bewußten Empfindungen nachzuweisen, womit insbesondere für den Kraftsinn, aber auch für Stellungs- und Bewegungssinn, kein ausreichendes peripheres Receptorsystem zur Verfügung zu stehen schien. Nachdem aber unterdessen mit elektrophysiologischen Methoden eine *corticale Repräsentation der Ia-Afferenzen* nachgewiesen wurde, und nachdem gezeigt wurde, daß *Reizung der Muskelspindeln beim Menschen zu eindrucksvollen Täuschungen über die tatsächliche Gelenkstellung führen,* erscheinen die früheren Einwände gegen eine Beteiligung der Muskelreceptoren an bewußten Empfindungen weitgehend widerlegt [3, 12, 14, 21].

Es ist daher anzunehmen, daß die gleichzeitige, **regelhafte Aktivierung verschiedener Receptorsysteme** und deren zentrale Integration für die Wahrnehmung der **Tiefensensibilität** in erster Linie verantwortlich sind (Abb. 9). Dabei stehen für den *Stellungs-* und den *Bewegungssinn* wahrscheinlich die *Gelenkreceptoren* im Vordergrund, während für den *Kraftsinn* in erster Linie die *Muskelspindeln* in Frage kommen, aber auch die *Sehnenorgane* und *andere Receptoren* der Muskeln, der Haut und des Bindegewebes, deren Beteiligung uns im einzelnen noch unklar oder unbekannt ist. Ebenfalls weitgehend unbekannt sind uns noch die integrativen Vorgänge, die schließlich zur Wahrnehmung der Tiefensensibilität führen. Eine Beteiligung **rekurrierender Verbindungen von den motorischen Zentren** erscheint notwendig, da die Entladungsrate der Muskelspindeln sowohl von der intrafusalen wie von der extrafusalen Faserspannung abhängt (s. Abb. VI-8). Schließlich ist darauf hinzuweisen, daß der subjektive Gesamteindruck der **Stellung des Körpers im Raum** im wesentlichen gewonnen wird aus einer integrativen Auswertung der über den *Stellungssinn* erhaltenen Information mit von den *Labyrinthen* kommenden Informationen über die *Stellung des Kopfes* im Schwerefeld der Erde (s. Abb. 9).

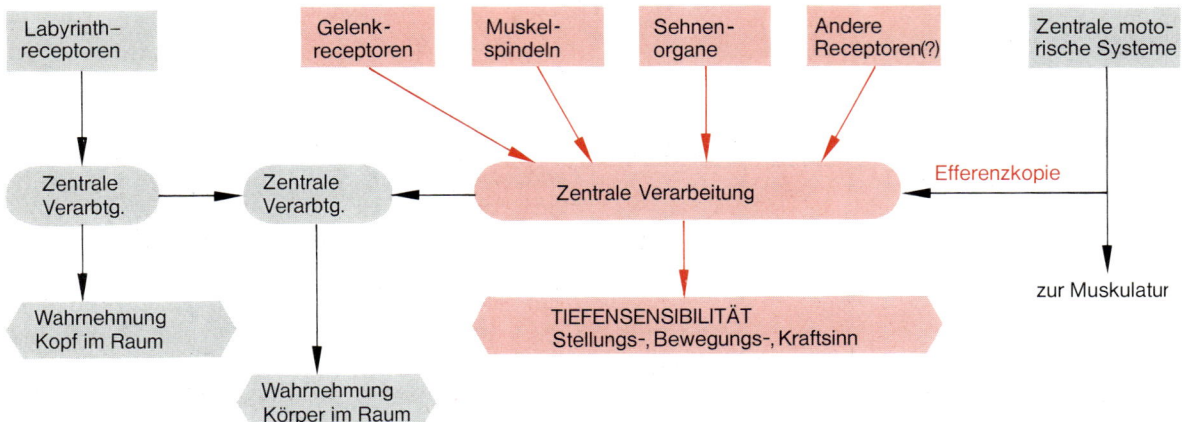

Abb. 9. Wahrnehmung der Tiefensensibilität (rot unterlegt) über Proprioceptoren, deren afferente Zuflüsse mit den motorischen Efferenzkopien im sensorischen Nervensystem zum Stellungs-, Bewegungs- und Kraftsinn verarbeitet (integriert) werden. Die von den Receptoren des Gleichgewichtsorgans kommende Information dient zusammen mit der Tiefensensibilität zur Wahrnehmung des Körpers im Raum

2.3. Der Aufbau der Tastwelt

Tiefensensibilität und *Mechanoreception,* in gewissem Umfang auch die *cutane Thermoreception,* wirken zusammen beim **Aufbau der räumlichen Tastwelt,** die uns vor allem durch die tastende, d.h. sich aktiv bewegende Hand vermittelt wird. Zwar sind unsere Raumvorstellungen weitgehend geprägt durch visuelle Wahrnehmungen, aber viele Eigenschaften unserer Umwelt sind uns vorwiegend oder ausschließlich über die Tastfunktionen zugänglich. Man denke beispielsweise an Eigenschaften wie flüssig, klebrig, fest, elastisch, weich, hart, glatt, rauh, samtartig und viele andere. Wichtig ist, daß diese Eigenschaften durch passives Betasten (Auflegen des Gegenstandes auf die unbewegte Hand oder der Hand auf den Gegenstand) schlecht oder überhaupt nicht erfaßt werden können, während bei *bewegter Hand* es wenig Mühe macht, Struktur und Form zu erkennen. Die Überlegenheit der tastenden gegenüber der ruhenden Hand beruht einmal darauf, daß durch die Bewegung wesentlich mehr Hautreceptoren aktiviert werden und deren Adaptation verhindert oder vermindert wird, wodurch detailliertere Informationen über das Kontaktgeschehen an der Haut nach zentral vermittelt werden, zum anderen darauf, daß bei bewegter Hand die Tiefensensibilität ihren Teil zur Form- und Oberflächenerkennung beiträgt.

Mehrdeutigkeit afferenter Information bei Bewegungen. Eine Reihe der bisher besprochenen Receptoren (z.B. Mechanoreceptoren der Haut über Gelenken) kann einerseits durch von außen kommende Reize, andererseits durch die Bewegungen selbst aktiviert werden. Die von ihnen an das ZNS übermittelte Information ist **mehrdeutig.** Diese Mehrdeutigkeit wird durch gezielte, von den motorischen Zentren ausgehende **efferente Hemmung** der entsprechenden Afferenzen in den verschiedensten sensiblen Schaltkernen beseitigt [19].

Das Bewußtsein der räumlichen Ausdehnung unseres Körpers in der Umwelt ist ebenfalls ein wichtiger Teilaspekt unserer nicht-visuellen Raumvorstellung. Wie stark diese Vorstellung ist, zeigt sich beispielsweise daran, daß viele Amputierte noch längere Zeit nach der Amputation das fehlende Glied wahrzunehmen glauben *(Phantomempfindung).* Die Täuschung ist so eindringlich, daß nicht nur ungehinderte Bewegungen, sondern auch Berührungsreize erlebt werden. Daneben sind die Phantome oft auch der Sitz quälender, therapeutisch schwer zu beeinflussender Schmerzen (Phantomschmerz).

Neben den direkten somatosensorischen thalamocorticalen Projektionsarealen (s. X) sind an den *räumlichen Abstraktions-, Synthese-* und *Orientierungsleistungen* diejenigen **unilateralen parietalen und temporalen Cortexareale** und die ihnen zugeordneten thalamischen Kerne besonders beteiligt, die den *Sprachregionen* auf der sprachdominanten Seite entsprechen (Abb. VIII-21). In der Regel sind diese Leistungen also überwiegend in der rechten Hirnhälfte angesiedelt (vgl. VIII-3.3). Bei Schädigungen in diesen Bezirken kommt es zu räumlichen Orientierungsstörungen, die als **räumlichen Agnosie** bezeichnet werden. Die Symptome sind vielfältig. So verlaufen sich diese Patienten auch in einer ihnen vertrauten Umgebung oder es mißlingt ihnen völlig, dreidimensionale Zeichnungen einfacher Objekte, wie eines Hauses, anzufertigen [15].

3. Thermoreception

Die **Thermoreception** (Syn.: Thermoperception, Temperatursinn) der Haut hat nach objektiven wie subjektiven Befunden zwei Qualitäten, nämlich **Kaltsinn** (Syn.: Kältesinn) und **Warmsinn** (Syn.: Wärmesinn). Die Receptoren dieser Sinnesmodalität vermitteln uns nicht nur bewußte Wahrnehmungen, sondern sie dienen auch als Fühler für die Thermoregulation des Organismus. In letzterer Aufgabe werden sie unterstützt durch Temperaturfühler im ZNS (z.B. im Hypothalamus und Rückenmark, s. VII und XXIV). Die Aktivität dieser zentralen Thermoreceptoren wird uns in der Regel nicht bewußt.

3.1. Die Temperaturempfindungen der Haut

Beim Einstieg in ein warmes (ca. 33° C) Bad kommt es zunächst zu einer deutlichen *Warmempfindung*. Diese Warmempfindung läßt nach kurzer Zeit nach, und zwar schneller als das Bad abkühlt. Steigt man kurz aus dem Bad aus und taucht den Körper wieder in das Wasser ein, so entsteht eine erneute Warmempfindung. Auch das umgekehrte Phänomen ist bekannt: Wer an einem heißen Sommertag in ein Becken mit Wasser von etwa 27° C springt, empfindet das Wasser zunächst als kühl. Nach kurzer Zeit weicht aber die *Kaltempfindung* einer *Neutralempfindung*. Zumindest in einem *mittleren Temperaturbereich* ist es also so, daß Erwärmung oder Abkühlung nur *vorübergehend* zu einer Warm- respektive Kaltempfindung führen. In diesem Temperaturbereich findet sich also eine praktisch **vollständige Adaptation** der Temperaturempfindung auf die neue Hauttemperatur.

Unterhalb, respektive oberhalb dieses mittleren Temperaturbereiches kommt es auch nach dem Ausgleich der Hauttemperatur zu einer **dauernden Temperaturempfindung** (Beispiel: stundenlange „kalte Füße"). Experimentell läßt sich bei *umschriebenen Temperaturreizen* zeigen, daß es bei Hauttemperaturen unterhalb 20° auch nach dem Ausgleich der Hauttemperatur zu einer *dauernden* Kaltempfindung kommt. Entsprechendes gilt bei Erwärmung der Haut über 40°: Auch nach dem Ausgleichen der Hauttemperatur kommt es zu einer dauernden Warmempfindung.

Der *mittlere Temperaturbereich,* bei dem es nach Abkühlen, respektive Erwärmen umschriebener Hautbezirke nur zu einer *vorübergehenden* Temperaturempfindung kommt, liegt also zwischen 20° C und 40° C Hauttemperatur. Wie Abb. 10 zeigt,

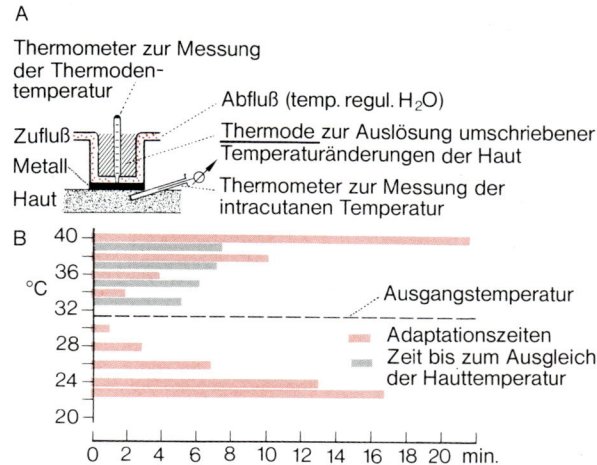

Abb. 10. Adaptationszeit (Abscisse) der Temperaturempfindung (rote Säulen) bei sprunghafter Änderung der Thermodentemperatur von 31,5° C auf den in der Ordinate angegebenen Wert. Die grauen Säulen geben die Zeit bis zum Ausgleich der Hauttemperatur an. (Nach Angaben von HENSEL [4])

kommt es innerhalb dieses Temperaturbereiches bei *kleinen* Temperatursprüngen zu einer *raschen* Adaptation (z.B. 1 min bei Sprung von 31,5° C auf 30° C), während bei großen Temperatursprüngen die **Adaptationszeit** rasch zunimmt (z.B. 20 min bei Sprung von 31,5° C auf 23° C). Wie der Vergleich der (subjektiven) *Adaptationszeiten* (rote Säulen in Abb. 10) mit den *Zeiten bis zum Ausgleich der Hauttemperatur* (graue Säulen) zeigt, stimmen beide nicht überein. Bei kleinen Temperatursprüngen der Thermode ist die Temperaturempfindung schon vor dem Ausgleich der Hauttemperatur adaptiert, bei großen Temperatursprüngen ist es umgekehrt [5, 6].

Bedingungen für Warm- und Kaltempfindungen. Sprunghafte Änderungen der Hauttemperatur, wie in den bisherigen Beispielen, führen auch bei kleinen Temperaturdifferenzen zumindest zunächst zu einer Temperaturempfindung. Ändert sich die Hauttemperatur dagegen stetig, so hängen die resultierenden Temperaturempfindungen a) von der *Geschwindigkeit der Temperaturänderung* und b) von der *Ausgangstemperatur* ab (Abb. 11).

Einfluß der Änderungsgeschwindigkeit. In Abb. 11 zeigen die schwarzen Kurven das Ergebnis eines Versuches, bei dem an einem etwa 20 cm² großen Hautstück des Unterarms die *Schwellen für eine Warm- bzw. Kaltempfindung* ausgehend von einer Temperatur von 33,5° C untersucht wurden. Es ist sofort deutlich, daß die Schwellen stark von der **Geschwindigkeit der Temperaturänderung** abhängig sind. Beispielsweise führt Senken der Hauttemperatur um 5°/min (0,083°/s) innerhalb von knapp 15 s zu einer Kaltempfindung, während bei Abkühlen mit 0,4°/min (0,0067°/s) etwa 11 min bis zu einer Kaltempfindung vergehen. Die Haut wird in dieser Zeit um etwa 4,4° abgekühlt, ohne daß es zum Auftreten einer Kaltempfindung kommt. Bei sehr langsamer Abkühlung der Haut können also große Hautgebiete unbemerkt beträchtlich abkühlen (und damit dem Körper Wärme verloren gehen), insbesondere wenn die Aufmerksamkeit durch andere Dinge abgelenkt ist. Es ist denkbar, daß dieser Faktor auch bei der „Erkältung" eine Rolle spielt.

Einfluß der Ausgangstemperatur. Die rote Kurvenschar in Abb. 11 zeigt, daß bei konstanter Änderungsgeschwindigkeit der Hauttemperatur (1°/min) die Zeit bis zum Auftreten einer Warmempfindung deutlich von der **Ausgangstemperatur** abhängig ist: Je niedriger die Ausgangstemperatur, desto später tritt bei konstanter Erwärmung eine Warmempfindung auf. Bei Abkühlung (nicht abgebildet) ist es entsprechend umgekehrt: Bei konstanter Abkühlungsgeschwindigkeit wird eine Kaltempfindung um so schneller auftreten, je niedriger die Ausgangstemperatur ist.

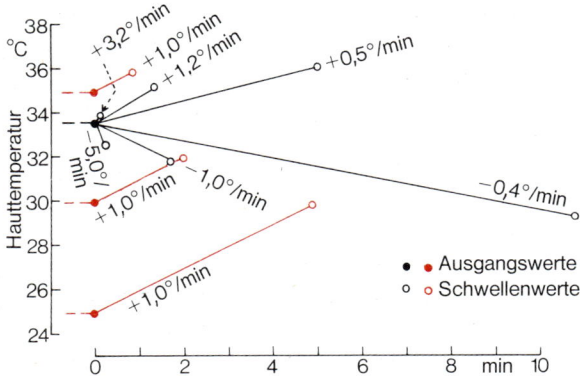

Abb. 11. Lage der Kalt- und Warmschwellen in Abhängigkeit von der Geschwindigkeit der Temperaturänderung (schwarz) und Lage der Warmschwellen in Abhängigkeit von der Ausgangstemperatur (rot). Thermode am Unterarm, Reizfläche 20 cm². (Aus HENSEL: Arch. ges. Physiol. **252,** 165 (1950) und [4])

Abb. 11 zeigt außerdem, daß die *gleiche* Hauttemperatur, in Abhängigkeit von den Reizbedingungen, entweder zu einer *Warm*- oder zu einer *Kaltempfindung* führen kann. Ausgehend von 30° C tritt bei Erwärmen um 1°/min etwa bei 32° eine Warmempfindung auf, während, ausgehend von 33,5° C, Abkühlen mit der gleichen Geschwindigkeit bei 32° zu einer Kaltempfindung führt. Sie können sich von dem eben geschilderten Phänomen leicht überzeugen, indem Sie zunächst je eine Hand in eine Schale mit kaltem und warmem Wasser tauchen. Wechseln Sie jetzt mit beiden Händen in eine Schale mit lauwarmem Wasser, so haben Sie deutlich an der einen Hand eine *Warm*-, an der anderen eine *Kaltempfindung* (**Weberscher Drei-Schalen-Versuch**).

Versuche in der Klimakammer führten zu ähnlichen Ergebnissen wie bei lokalen thermischen Reizen. Ausgehend von einer als kühl empfundenen Temperatur (20° C) und bei Temperaturanstiegen in der Kammer um 0,04–0,6° C/min wurde die zunehmende Erwärmung zuerst an den Körperstellen empfunden, die in der vorhergehenden Abküh-

lungsperiode am wärmsten geblieben waren (Stirn, Brust, Oberarm). Selbst bei sehr langsamer Zunahme (0,04° C/min) wurde bei Temperaturen über 35° C immer warm empfunden. Wegen der größeren Zahl der beteiligten Receptoren (räumliche Summation!) liegt dieser Wert niedriger als bei lokaler Erwärmung (40° C, s.o.). Die **Indifferenztemperatur** für unbekleidete Versuchspersonen betrug in der Klimakammer 32–35° C, bei den lokalen Versuchen etwa 32,5° C [17].

3.2. Kalt- und Warmpunkte; Raumschwellen

Die Kalt- und Warmempfindlichkeit der menschlichen Haut ist an unterschiedlichen Punkten der Haut lokalisiert. Es gibt also **Kaltpunkte** und **Warmpunkte.** Sie sind in wechselnder Dichte auf der Haut verteilt, im ganzen aber weniger häufig als die Tastpunkte der Mechanoreception. *Kaltpunkte* sind deutlich zahlreicher als *Warmpunkte.* Zum Beispiel weisen die Handflächen 1 bis 5 Kaltpunkte pro cm², aber nur 0,4 Warmpunkte pro cm² auf. Beide sind am dichtesten im temperaturempfindlichsten Gebiet, nämlich im Gesicht, verteilt. Es finden sich hier 16 bis 19 *Kaltpunkte* pro cm², während die Warmempfindlichkeit sich hier nicht in einzelne Sinnespunkte auflösen läßt, sie bildet eine *Sinnesfläche*.

Entsprechend der geringen Dichte der Kalt- und insbesondere der Warmpunkte sind die **simultanen Raumschwellen für Temperaturreize** groß. Für Kältereize sind sie besser als für Wärmereize. Auch bestehen erhebliche Unterschiede in Längs- und Querrichtung. Zum Beispiel ist am Oberschenkel die simultane Raumschwelle für Wärmereize in Längsrichtung 26 cm, in Querrichtung 9 cm; bei Kältereizen sind es 16,5 bzw. 2,9 cm.

3.3. Kalt- und Warmreceptoren

Eigenschaften spezifischer Thermoreceptoren. Bei Primaten und anderen Säugetieren, aber auch bei vielen anderen Species ist das Vorkommen **spezifischer Thermoreceptoren** eindeutig gesichert. Ihnen sind folgende Eigenschaften gemeinsam [1, 4, 5, 7, 8]:

— Dauerentladungen bei konstanten Hauttemperaturen, wobei die Entladungsrate proportional der Hauttemperatur ist (statische Antwort, Abb. 12).

— Ein Ansteigen (oder Fallen) der Entladungsrate *während* einer Hauttemperaturänderung (dynamische Antwort, Abb. 13).

— Unempfindlichkeit gegenüber nicht-thermischen Reizen.

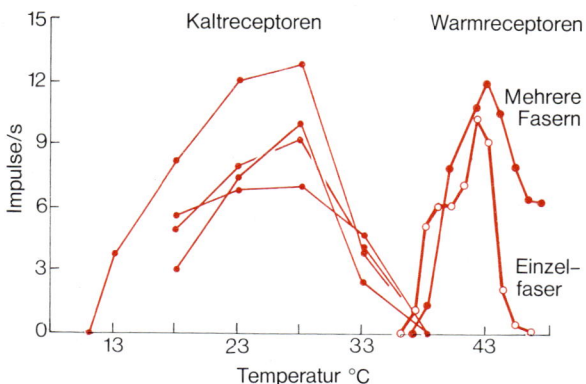

Abb. 12. Statische Empfindlichkeit von Kalt- (links) und Warm-(rechts) Receptoren aus der Haut des Scrotums der Ratte. Ableitung der Aktionspotentiale von dünnen Filamenten des zugehörigen Nerven entsprechend der Skizze in Abb. 2. Die Meßpunkte geben die jeweilige Entladungsfrequenz im Gleichgewichtszustand, also bei lange Zeit gleichbleibender Hauttemperatur wieder. (Nach Iggo [6])

— Schwellenempfindlichkeit vergleichbar den menschlichen Empfindungsschwellen für thermische Hautreize.
— Kleine receptive Felder (1 mm² oder weniger), wobei jede afferente Faser nur ein oder zwei Warm- bzw. Kaltpunkte versorgt.
— Leitungsgeschwindigkeiten unter 20 m/s, bei manchen Species herab bis zu 0,4 m/s.

Antwortverhalten bei konstanter Hauttemperatur.
Abb. 12 zeigt die Entladungsraten (Ordinate) von Thermoreceptoren bei *konstanten* Hauttemperaturen (Abscisse). Jeder Thermoreceptor hat einen engen Temperaturbereich, in dem er mit maximaler Entladungsrate antwortet, wobei sich deutlich zwei Populationen herausschälen, die **Kaltreceptoren** und die **Warmreceptoren.** Die maximalen Empfindlichkeiten liegen beiderseits der normalen Körperkerntemperatur. In Abb. 12 sind die Gipfel der Warm-Kalt-Empfindlichkeit 18° voneinander entfernt, das Tal dazwischen liegt bei 35–37° C.

Antwortverhalten während Änderung der Hauttemperatur.
Die dynamischen Antworten eines Kaltreceptors bei Abkühlung und Wiedererwärmung zeigt Abb. 13. Wie der Vergleich der Abb. 12 und 13 zeigt, ist die Entladungsrate eines Thermoreceptors nicht nur abhängig von der Temperatur (*Proportionalfühler*), sondern auch abhängig von der Änderungsgeschwindigkeit der Temperatur (*Differentialfühler*), wie wir es im übrigen aus den oben geschilderten Ergebnissen der subjektiven Sinnesphysiologie erwarten mußten. Das Verhalten der *Warmreceptoren* während Temperaturänderung ist spiegelbildlich dem der *Kaltreceptoren.* Sie beantworten Erwärmen der Haut mit einer erhöhten Entladungsrate und zeigen während Abkühlung eine unterschießende Abnahme der Entladungsfrequenz.

Allgemein bleibt festzuhalten, daß die **Gipfel der dynamischen Empfindlichkeitsbereiche** der Thermoreceptoren etwa den **Gipfeln der statischen Empfindlichkeitsbereiche** entsprechen, d.h. für gleiche Temperaturschritte hängt die dynamische Antwort,

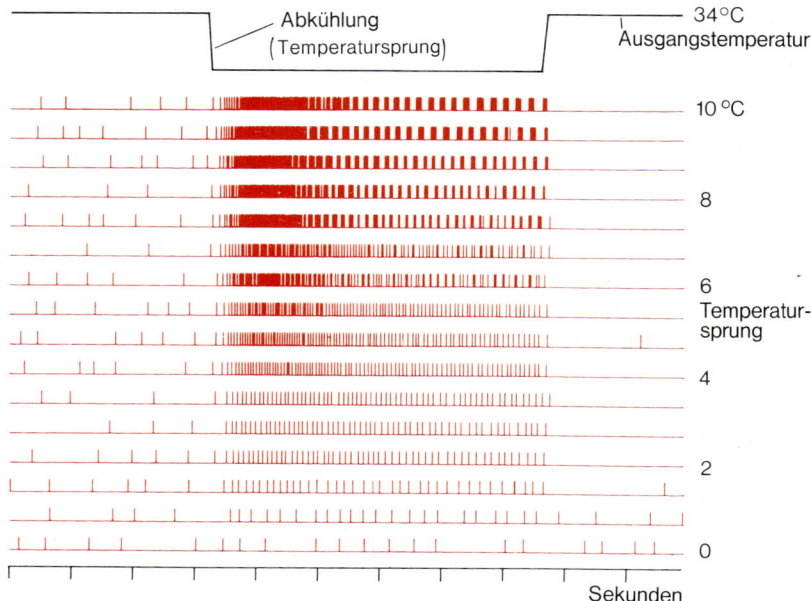

Abb. 13. Verhalten eines Kaltreceptors bei kurzen, abkühlenden Temperatursprüngen. Die Ausgangs- und Rückkehrtemperatur betrug immer 34° C. Die Größe des Abkühlungssprunges ist jeweils rechts in °C angegeben. Besonders bei starker Abkühlung ist das PD-Verhalten zu Beginn und direkt nach der Abkühlung, ferner das Auftreten gruppierter Entladungen im Verlaufe der Abkühlung deutlich zu erkennen. Ableitung von einem Filament des Nervus medianus der Affenhaut mit der in Abb. 2 gezeigten Technik. [Aus Darian-Smith et al.: J. Neurophysiol. **36**, 325 (1973)]

ebenso wie die statische, starke von der Ausgangstemperatur ab. Zusätzlich geht der dynamische Empfindlichkeitsbereich über den statischen hinaus. Zum Beispiel, ein Kaltreceptor, der bei 40° und 38° stumm ist, entlädt während einer Temperaturänderung von 40° auf 38°. Durch diese Eigenschaften des dynamischen Antwortverhaltens kommt es auch bei **Temperaturänderungen im Bereich der Körperkerntemperatur,** trotz des Minimums der statischen Empfindlichkeit an dieser Stelle (Abb. 12), zu gleichzeitigen Änderungen der Entladungsrate der Warm- und Kaltreceptoren. Das Vorkommen dieser beiden Populationen statt einer einheitlichen Thermoreceptorpopulation hat also den Vorteil, daß dem ZNS wesentlich detailliertere Aufschlüsse über das Temperaturgeschehen an der Haut vermittelt werden können. Schließlich sollte noch erwähnt werden, daß lediglich die **Temperatur am Receptor** entscheidend ist für sein Antwortverhalten. Die *Richtung des Temperaturgradienten in der Haut* spielt keine Rolle. Es ist also gleichgültig, ob ein Receptor von der Hautoberfläche her oder z.B. durch intraarterielle Injektion einer kalten bzw. warmen Flüssigkeit von unten her erregt wird.

Gruppierte Entladungen. Während die meisten Thermoreceptoren innerhalb ihres statischen Empfindlichkeitsbereiches kontinuierlich entladen, zeigen insbesondere die *Kaltreceptoren der Primaten* in ihrem mittleren Empfindlichkeitsbereich regelmäßig gruppierte Entladungen (Abb. 13), wobei die Zahl der Gruppen pro Zeiteinheit und die Zahl der Impulse pro Gruppe in charakteristischer Weise von der Temperatur abhängig ist. Es ist noch offen, ob und inwieweit diese zur mittleren Entladungsfrequenz hinzukommende Information vom ZNS genutzt wird.

Unspezifische Thermoreceptoren. Neben den oben geschilderten Thermoreceptoren gibt es Receptoren, die durch *Druck* und durch *Abkühlung* erregt werden können. Sie entladen aber selbst bei starker Abkühlung nur kurzdauernd und mit niedriger Frequenz, während sie auf Druck sehr empfindlich sind. Es sind wahrscheinlich *Intensitätsdetektoren,* die eine gewisse Kälteempfindlichkeit besitzen. Vielleicht erklärt ihr Verhalten, daß von zwei identischen Gewichten auf der Handfläche das kältere schwerer als das wärmere erscheint (Webersche Täuschung).

Histologie. Die Zuordnung bestimmter *histologischer Strukturen* zu den Thermoreceptoren ist bisher nicht vollkommen geglückt. In der Haut des Menschen scheinen die *Kaltreceptoren* in und dicht unter der Epidermis, die *Warmreceptoren* mehr in den oberen und mittleren Schichten des Coriums zu liegen. In der Gesichtshaut der Katze sind freie Nervenendigungen dünner myelinisierter Fasern (Gruppe III) als das histologische Substrat der Kaltreceptoren nachgewiesen worden [7].
Afferenzen. Insgesamt ist es anscheinend so, daß die *Thermoreceptoren* der Haut vorwiegend von **Gruppe-IV-Fasern,** also von marklosen Fasern versorgt werden. Bei den Säugetieren, auch den Primaten, scheint dies ausnahmslos für die *Warmreceptoren* zu gelten, während Kaltreceptoren teilweise auch von **Gruppe-III-Fasern** versorgt werden (s. vorhergehender Absatz).

3.4. Sonderformen der Thermoreception

Beim Temperatursinn kommt es häufig zu **Nachempfindungen.** Preßt man beispielsweise einen kalten Metallstab für etwa 30 s gegen die Stirnhaut, so kommt es auch nach Wegnahme zu einer deutlichen Kaltempfindung, obwohl die Haut sich wieder aufwärmt, so daß eine Warmempfindung auftreten sollte (WEBER). WEBER glaubte, daß die

Kaltempfindung durch Ausbreitung der Abkühlung in die Umgebung auftrete. Direkte Ableitungen von Thermoreceptoren haben aber gezeigt, daß die Kaltreceptoren nach *starker* Abkühlung auch bei Wiedererwärmung, zunächst sogar mit steigender Frequenz entladen (HENSEL). Die Nachempfindung ist also eine normale Kaltempfindung. Entsprechende Warmempfindungen sind ebenfalls beschrieben worden. Bei sehr starken Wärmereizen (z.B. zu heißes Badewasser) kommt es häufig zu einer **paradoxen Kaltempfindung.** Sie beruht wahrscheinlich darauf, daß die Kaltreceptoren, die normalerweise oberhalb 40° stumm sind (Abb. 12), bei *rascher Erwärmung auf über 40°* vorübergehend wieder entladen.

Die **Hitzeempfindung,** die regelmäßig bei Hauttemperaturen über 45° auftritt, ist in ihren neurophysiologischen Grundlagen noch nicht völlig klar. Jedenfalls scheint es spezielle **Hitzereceptoren** zu geben (Abb. 17). Da die *Hitzeempfindung* auch schmerzhaften Charakter hat, und da Hitzereize für den Körper schädlich sind, ist die Hitzeempfindung eher eine Qualität der Schmerz- denn der Temperaturreception. Eine stark unlustbetonte affektive Komponente zeichnet auch die Empfindungen der **Schwüle** und des **Frierens** aus. Beide sind von vegetativen Reflexen, wie Schwitzen und Gefäßerweiterung bzw. Zittern und Gefäßverengung, begleitet. Sie werden entweder durch äußere Reize oder durch psychische Ursachen, seltener durch krankhafte Prozesse im ZNS ausgelöst.

Klinische Prüfung. Meist begnügt man sich mit dem Testen der Kalt- und Warmempfindung mit 2 Reagenzgläsern, von denen das eine heißes, das andere Eiswasser enthält. Umschriebene *Störungen der Thermoreception* finden sich bei Schädigungen oder Unterbrechungen der Temperaturbahnen. Meist ist der Schmerzsinn mitbetroffen, da die Schmerzafferenzen über den gleichen Weg zentralwärts ziehen (s. X-2.2). Mechanoreception und Tiefensensibilität bleiben dabei unbeeinflußt.

4. Somatischer und visceraler Schmerz

Anders als die anderen Sinnesmodalitäten trägt der Schmerz nur wenig zum Erkennen unserer Umwelt bei. Er informiert uns vielmehr über Bedrohungen unseres Organismus, denn er wird durch **Noxen,** d.h. durch gewebsschädigende Reize aktiviert. Da er dadurch, wie keine andere Modalität, vor dauerndem Schaden bewahrt, ist er *für ein normales Leben unentbehrlich.* Der Schmerz ist auch für den Arzt die wichtigste Modalität, denn die Einwirkung der Noxe führt den Patienten zum Arzt: *der Schmerz tut weh.*

4.1. Schmerzqualitäten

Der **Schmerz** (Synonyme: *Schmerzsinn, Nociception*) läßt sich im Hinblick auf seinen Entstehungsort, aber auch im Hinblick auf seinen Charakter, in eine Reihe von Qualitäten einteilen. In Abb. 14 sind diese *Qualitäten* in den roten Kästchen wiedergegeben. Die Modalität **Schmerz** umfaßt zunächst die beiden Qualitäten **somatischer** Schmerz und **visceraler** Schmerz.

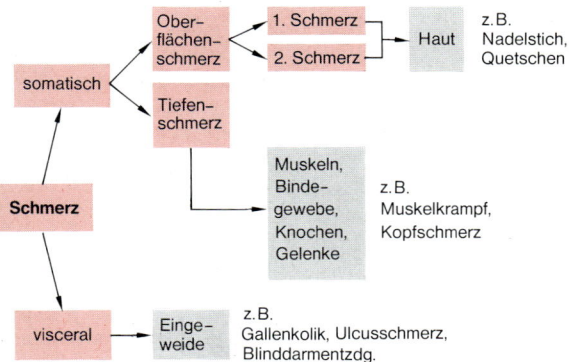

Abb. 14. Schmerzqualitäten (rot unterlegt). Die Lokalisation der jeweiligen Schmerzqualität (grau unterlegt) und Schmerzbeispiele sind ebenfalls angegeben

Somatischer Schmerz. Kommt der somatische Schmerz von der Haut, so wird er als **Oberflächenschmerz** bezeichnet; kommt er aus den Muskeln, Knochen, Gelenken und Bindegeweben, so bezeichnet man ihn als **Tiefenschmerz**. Oberflächen- und Tiefenschmerz sind also (Sub-)Qualitäten des somatischen Schmerzes.

Sticht man zur Auslösung eines *Oberflächenschmerzes* die Haut mit einer Nadel, so empfindet man einen Schmerz von *hellem Charakter*, der gut *lokalisierbar* ist und nach Aufhören des Reizes schnell abklingt. Diesem **ersten Schmerz** folgt oft, besonders bei hohen Reizintensitäten, mit einer Latenz von 0,5–1 s ein **zweiter Schmerz** von *dumpfem (brennendem) Charakter*, der *schwerer zu lokalisieren* ist und nur *langsam* abklingt. Diesen Schmerz kann man besonders gut durch Quetschen einer Interdigitalfalte auslösen.

Das bekannteste Beispiel des *Tiefenschmerzes* ist der **Kopfschmerz**, der in seinen vielfältigen Manifestationen wahrscheinlich die häufigste menschliche Schmerzform ist. Der Tiefenschmerz ist von dumpfem Schmerzcharakter. Er ist in der Regel schlecht lokalisierbar, und er neigt dazu, in die Umgebung auszustrahlen.

Neben den bisher besprochenen Unterschieden zwischen dem ersten Schmerz einerseits und andererseits dem zweiten Schmerz und dem Tiefenschmerz, ist noch ein weiterer Unterschied wichtig: die **affektive** und **vegetative Reaktion** auf das bzw. die **Beteiligung** am Schmerzgeschehen. Zweiter Schmerz und besonders Tiefenschmerz sind von starker Unlust, bis zu Krankheitsgefühlen, begleitet und lösen oft vegetative Reaktionen, wie Übelkeit, Schweißausbruch und Blutdruckabfall aus. Der erste Schmerz gibt dagegen zu Fluchtreflexen Anlaß, zum Beispiel zum Wegziehen des Fußes bei Tritt auf einen spitzen Gegenstand (es hätte natürlich wenig Sinn, vor einem Tiefenschmerz wegzulaufen).

Visceraler Schmerz. Neben dem somatischen Schmerz zeigt Abb. 14 als weitere wichtige Schmerzqualität den **visceralen** oder **Eingeweideschmerz**. Auch dieser Schmerz ist eher dumpf im Charakter, und in den ihn begleitenden vegetativen Reaktionen ähnelt er dem Tiefenschmerz. Bemerkenswert ist, daß in Lokalanaesthesie freigelegte Baucheingeweide schmerzlos gequetscht oder geschnitten werden können, solange das parietale Peritoneum und die Mesenterialwurzeln nicht gereizt werden. Starke Schmerzen treten aber bei rascher und starker Dehnung der Hohlorgane auf. Ferner sind Spasmen oder starke Kontraktionen schmerzhaft, besonders wenn sie mit Ischämie (Unterbrechung der Durchblutung) verbunden sind. Weitere Besonderheiten des Eingeweideschmerzes werden im Abschnitt 5 behandelt.

4.2. Messung der Schmerzintensität; Schmerzadaptation

Die **experimentelle Schmerzforschung** bei Mensch und Tier sieht sich einer großen Reihe von Problemen gegenüber [1, 5, 9, 13, 18, 22]. Es beginnt damit, daß praktisch alle Noxen schmerzerzeugend wirken und damit für den Schmerz *kein eindeutiger adäquater Reiz* angegeben werden kann. Wegen der gewebeschädigenden Natur der Schmerzreize ist außerdem die bei experimentellen Untersuchungen notwendige *Konstanz der Reizbedingungen* schwer einzuhalten. Erhebliche Schwierigkeiten bietet auch das *vergleichende Messen subjektiver Schmerzempfindungen* an Menschen und entsprechender *neurophysiologischer Korrelate* im Tierversuch. Ferner können Schmerzreize zu Versuchszwecken an Mensch und Tier nur innerhalb relativ enger Grenzen angewandt werden. Schließlich ist zu beachten, daß die *affektiven Reaktionen* auf den Schmerz nicht selten für Patient und Arzt wichtiger sind als seine *sinnesphysiologischen Aspekte*, die hier im Vordergrund stehen. Als Beispiel sei erwähnt, daß für die subjektiv empfundene Intensität eines Schmerzes zusätzlich zu seiner Stärke auch der Grad der Zuwendung auf den Reiz eine große Rolle spielt. Ablenkung der Aufmerksamkeit kann die Schmerzempfindung

abschwächen, in extremen Situationen (Unfall-
stress, Kriegsverwundung, Hypnose) sogar aufheben.

Mechanische Schmerzreize. *Messung der Intensität des Oberflächenschmerzes* beim Menschen ist auf verschiedene Weise versucht worden. Ein Beispiel zeigte bereits Abb. IX-12, wo im
intermodalen Intensitätsvergleich die Intensitätszunahme des
durch *elektrische Hautreizung* erzeugten Schmerzes aufgezeichnet wurde. Die Schwelle für **dumpfen Oberflächenschmerz** durch
Druckreize (mechanischer Schmerz, Aufsetzen eines Stempels
von 0,78 cm² Fläche) wurde auf der Stirn zu etwa 550 g/cm²
bestimmt. Bei Erhöhung der Reizintensität bis zu 6600 g konnten
bis zu 15 Unterschiedsstufen empfunden werden. Aus diesen
Messungen wurde eine **Schmerzstärkeskala** gewonnen (Hardy
u. Mitarb.), wobei jeweils 2 Unterschiedsstufen als ein *dol* gesetzt
wurden, so daß der gesamte Intensitätsbereich des dumpfen
Druckschmerzes 7,5 dol umfaßte [18].

Thermische Schmerzreize. *Wärmereize,* insbesondere Wärmestrahlen, die gleichzeitige mechanische Reize vermeiden, sind
ebenfalls ausgiebig zur *Schmerzschwellenmessung* herangezogen
worden. Die erste Schmerzempfindung dieses **Hitzeschmerzes**
tritt bei Hauttemperaturen zwischen 43° und 47°, meist bei 45°
auf. Bei weiterer Erhöhung der Hauttemperatur konnten bis
zu 21 Unterschiedsstufen (also 10,5 dol) bis zum Maximalwert
der Schmerzempfindung angegeben werden. Die Schmerzschwellentemperatur ist unabhängig von Geschlecht, Alter und
soziologischer Herkunft. Auch beim Vergleich einer Gruppe normaler mit einer Gruppe psychisch auffälliger Personen wurde
kein klarer Unterschied in der Schmerzschwellentemperatur gefunden. Es zeigte sich lediglich, daß die psychisch auffällige
Gruppe bei stärkeren Schmerzreizen im Durchschnitt eine niedrigere Schwelle für Schmerzreaktionen, wie Zucken oder Wegziehen, besaß [18].

Chemische Reize werden in der Regel beim direkten Aufbringen
auf die Haut nicht wirksam. Es wird daher im Experiment durch
ein Reizpflaster eine Blase erzeugt und diese anschließend abgetragen. Der Blasenboden, gebildet vom Stratum basale, liegt
dann frei und kann mit beliebigen Lösungen bespült werden.
Dieser Testmethode, ebenso wie lokalen intraarteriellen Injektionen zur Messung von Tiefenschmerz und viszeralem Schmerz,
ist besonders wegen der Möglichkeit eines allen Schmerzen
gemeinsamen **Schmerzstoffes,** der durch die Noxen aus den Geweben freigesetzt wird, großes Interesse entgegengebracht worden. Zusammengefaßt und vereinfacht haben die verschiedenen
chemischen Reizversuche bisher folgendes erbracht: Es gibt eine
Reihe körpereigener Stoffe, die Schmerz erzeugen, darunter Acetylcholin, Serotonin, Histamin (Juckreiz), H^+-Ionen ab pH 6,
K^+-Ionen ab 20 mmol/l, ferner Plasmakinine, z.B. Bradykinin,
und andere noch nicht näher bekannte Polypeptide. Welche dieser Stoffe *in vivo* an der Schmerzauslösung beteiligt sind, ist
noch ungeklärt. Jedenfalls können eine Reihe von ihnen in
schmerzauslösenden Konzentrationen im Körper auftreten. Insgesamt sprechen die Befunde **gegen einen einheitlichen Schmerz-
stoff** [1, 18].

Schmerzadaptation. Neben dem Schmerzcharakter und der Schmerzintensität ist *klinisch* vor allen Din-
gen noch wichtig, ob die Schmerzempfindung adaptiert. Die subjektive Erfahrung weist eher auf **fehlende Adaptation** hin (z.B. stundenlange Kopf- oder
Zahnschmerzen). Ein Experiment zur *Messung der
Schmerzadaptation* beim Hitzeschmerz zeigt

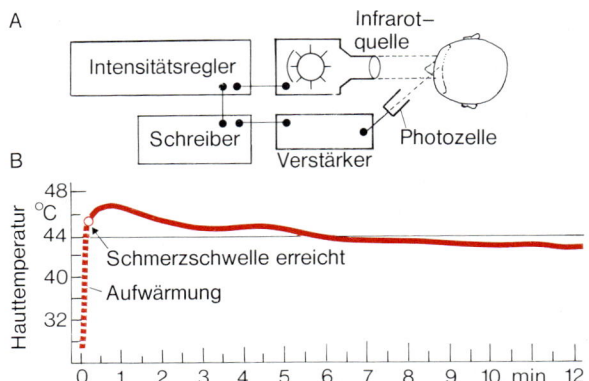

Abb. 15 A u. B. Messungen der Schwelle und der Adaptation
des Hitzeschmerzes. (A) Apparatur zur thermischen Schmerzrei-
zung. Infrarote Strahlen erwärmen ein geschwärztes Hautfeld
auf der Stirn der Versuchspersonen. Die Hauttemperatur wird
über einen Temperaturfühler aufgenommen und auf einem
Schreiber registriert. [Nach Hardy: J. appl. Physiol. **5,** 725
(1953)]. (B) Die Abhängigkeit der Schmerzschwelle (Mittelwerte)
von der Dauer des Hitzereizes. An der in (A) gezeigten Apparatur
wurden die Versuchspersonen angehalten, die Strahlungsintensität selbst so einzuregulieren, daß die Hauttemperatur für die
Dauer des Versuches gerade als schmerzhaft empfunden wurde.
Das anfängliche Überschießen der Hauttemperatur über die
Schmerzschwelle hinaus ist durch die Trägheit der Versuchsanordnung bedingt. [Nach Greene und Hardy: J. appl. Physiol.
17, 693 (1962)]

Abb. 15. Versuchspersonen wird aufgetragen, die
Strahlungsintensität einer die Stirn erwärmenden
Infrarotquelle selbst so zu regeln, daß die Schmerzschwelle immer gerade erreicht wird. Der Verlauf
der Hauttemperatur ist dann ein Maß für den Verlauf der Schmerzschwelle. Wie in (B) zu sehen, ändert sich diese im Verlauf des Experimentes praktisch nicht. Eine geringe Abnahme der Hauttemperatur im Verlauf des Experiments ist jedoch zu erkennen, d.h. die Versuchspersonen haben eine geringere Strahlenintensität benötigt, um gerade
Schmerz zu empfinden. Dies spricht eher gegen eine
Adaptation und für eine **Sensibilisierung** des gereizten Hautareals. Es gibt also weder in der alltäglichen Erfahrung noch beim experimentell erzeugten Hitzeschmerz Anhaltspunkte für das Vorhandensein einer Schmerzadaptation.

4.3. Neurophysiologische Grundlagen
des Schmerzes

Spezifität des Schmerzsinnes. Die Vielfalt schmerzhafter Reize hat zu der Annahme geführt, daß es
keine speziellen Schmerzreceptoren und keine ihnen
zugeordneten separaten peripheren und zentralen
Leitungsbahnen gebe, sondern daß Schmerz immer
dann auftrete, wenn die Mechano- und Thermore-

ceptoren über eine bestimmte Reizintensität hinaus gereizt würden. Aus den durch diese nociceptiven Reize erzeugten Impulsmustern decodiere das ZNS die Empfindung Schmerz. Nach dieser **Mustertheorie der Schmerzübertragung** samt den bisher vorgeschlagenen Modifikationen würden der Schmerzreception völlig andere neurophysiologische Mechanismen zugrunde liegen als jeder anderen Sinnesempfindung. Die experimentelle Unterstützung dieser Annahme blieb aber weitgehend aus, während, wie in folgendem beschrieben, sich die Befunde mehren, die für eine **Spezifität der Schmerzübertragung** analog der bei anderen Sinnesmodalitäten sprechen [9, 16, 18].

Schmerzpunkte. In Analogie zu den Befunden bei der Mechano- und Thermoreception ist die Haut auch für den Schmerz nicht gleichmäßig empfindlich, sondern besitzt **Schmerzpunkte** (Abb. 16). Diese sind deutlich häufiger als *Druckpunkte* (9:1 in Abb. 16) und *Kalt-* und *Warmpunkte* (>10:1). Schon dieser Befund macht es wahrscheinlich, daß die Schmerzreceptoren *nicht identisch* mit den anderen Hautreceptoren sind.

Schmerzreceptoren (*Nociceptoren*). Es mehren sich die Befunde, daß die Nociceptoren nicht nur eine von den übrigen Receptoren völlig unabhängige Population sind, sondern daß sie in bezug auf den ihnen adäquaten Reiz oft wesentlich spezifischer sind als bisher angenommen wurde. Ein Beispiel zeigt Abb. 17. Es handelt sich um einen Receptor, der auf mechanische Reize stumm blieb und auch auf Erwärmung und Abkühlung in Temperaturbereichen unterhalb 45° C nicht reagierte, während er bei Erwärmung über 48° C mit steigender Frequenz entlud. Da Hauttemperaturen über 45° schmerzhaft und hautschädigend sind, wird der in Abb. 17 gezeigte Nociceptor am besten als **Hitzereceptor** bezeichnet. Ferner sind in der Haut auch *mechanosensible Receptoren* gefunden worden, die nur auf *nociceptive mechanische Reize* (Quetschung, Nadelstich), nicht aber auf Temperaturreize, Säureapplikation oder intracutane schmerzauslösende Stoffe reagierten. Auch im Muskel sind unterdessen spezifisch *mechanosensible* und *chemosensible* Nociceptoren bekannt geworden. Es scheint also gesichert, daß es **spezifisch mechanosensible, thermosensible** und **chemosensible Schmerzreceptoren** gibt. Daneben gibt es wahrscheinlich auch **multimodale Nociceptoren,** die durch unterschiedlichste nociceptive Reize erregt werden.

Histologie. Von den beiden Grundtypen von Nervenendigungen in der Haut, den corpusculären und den freien Nervenendigungen, kommen letztere viel häufiger vor. Schon die große Zahl der Schmerz-

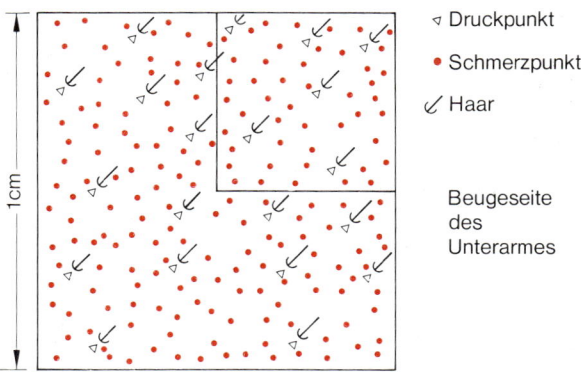

Abb. 16. Schmerz- und Druckpunkte auf der menschlichen Haut. Die Bestimmung der Schmerzpunkte erfolgte mit von Freyschen Stachelborsten. [Aus STRUGHOLD: Z. Biol. **80**, 376 (1924)]

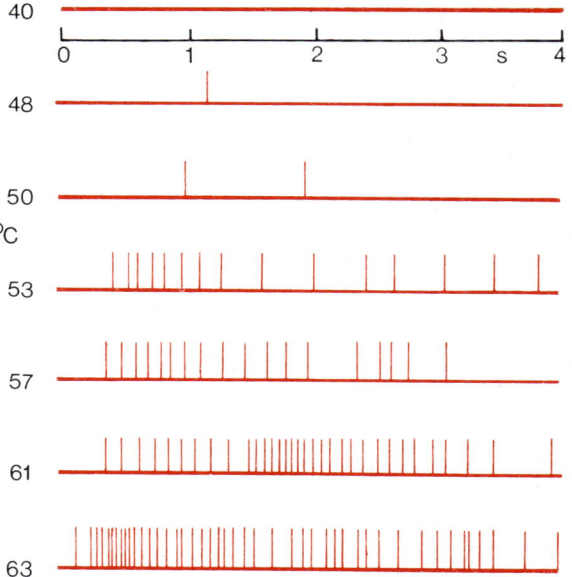

Abb. 17. Antwortverhalten eines Hitzereceptors der Katzenhaut. Ein Metallstab von 1 cm Durchmesser mit der jeweils angegebenen Temperatur wurde in Kontakt mit der Haut gebracht und für die Dauer der gezeigten Registrierung dort belassen. Mechanische Reizung erregte den Receptor nicht. [Umgezeichnet nach IGGO: Quart. J. exp. Physiol. **44**, 362 (1959)]

punkte legt nahe, daß die Schmerzreception über **freie Nervenendigungen** erfolgt. Zahlreiche weitere Befunde stützen diese Annahme. So wurden in ulcerösem Hautgewebe, von dem nur Schmerz und keine anderen Empfindungen ausgelöst werden konnte, ausschließlich freie Nervenendigungen gefunden. Auch Cornea, Trommelfell und Zahnpulpa, von denen Schmerzen leichter als jede andere Empfindung auszulösen sind, enthalten nur freie Nervenendigungen. Bei peripheren Innervationsstörungen, bei denen von den Patienten nur noch Schmerzempfindungen angegeben wurden, konnten ebenfalls nur freie Nervenendigungen gefunden werden. Auch in den Eingeweiden und anderswo im Körper werden freie Nervenendigungen dort gefunden, wo mit entsprechenden Reizen Schmerz ausgelöst werden kann [18].

Es darf auf keinen Fall der Eindruck entstehen, als ob alle freie Nervenendigungen als Nociceptoren dienen. Wie bereits beschrieben, gibt es zahlreiche receptive Einheiten mit Gruppe III- und Gruppe IV-afferenten Fasern, die spezifisch auf mechanische bzw. thermische Reize empfindlich sind und die wahrscheinlich alle keine corpusculären, sondern freie Endstrukturen haben. Die **freien Nervenendigungen** sind also funktionell **keine einheitliche Population,** und das Fehlen der histologischen Differenzierung bedeutet *keineswegs* das Fehlen einer *funktionellen Spezifität*. Diese ist wahrscheinlich an Differenzierungen *molekularer Strukturen* gebunden, die der licht- und elektronenmikroskopischen Beobachtung nicht zugänglich sind.

Afferente Schmerzfasern. Beim **Oberflächenschmerz der Haut** scheinen die Receptoren des ersten *Schmerzes* von *Gruppe-III-Fasern* und die des *zweiten Schmerzes* von *Gruppe-IV-Fasern* versorgt zu werden. Da letztere wesentlich langsamer leiten als erstere, ist die unterschiedliche Latenz der beiden Schmerzempfindungen anscheinend vor allem durch die unterschiedliche *Leitungsgeschwindigkeit* der beteiligten Fasergruppen verursacht.

Beim Menschen sprechen die folgenden Befunde für die Leitung des ersten und zweiten Schmerzes durch Gruppe-III- respektive Gruppe-IV-Fasern: a) Wird durch **mechanischen Druck** auf einen Nerven eine Nervenblockade gesetzt, so fallen zunächst die dikken und erst später die dünnen Fasern aus. Solange nur die Gruppe-II-Fasern geblockt sind, bleiben beide Qualitäten des Oberflächenschmerzes erhalten. Sobald aber die Gruppe-III-Fasern geblockt werden, verschwindet der erste Schmerz und nur der zweite läßt sich noch nachweisen. b) Bei Nervenblockade mit einem **Lokalanaestheticum** (z.B. Novocain), für das die Gruppe-IV-Fasern empfindlicher als die Gruppe-III-Fasern sind, ist das umgekehrte Phänomen zu beobachten: der zweite Schmerz verschwindet vor dem ersten. c) **Elektrische Reizung** freigelegter Hautnerven führt bei Gruppe-III-Reizstärke zu hellen Schmerzempfindungen. Werden jedoch die myelinisierten Fasern geblockt und wird mit Gruppe-IV-Stärke gereizt, dann kommt es zu subjektiv sehr unangenehmen dumpf-brennenden Schmerzen, die von der Versuchsperson als schwer erträglich bezeichnet werden.

Auch in der **Skeletmuskulatur** scheinen die *Nociceptoren* vorwiegend oder ausschließlich von Gruppe-III- und IV-Fasern versorgt zu werden. Die afferen-

ten Fasern der **Eingeweide** sind überwiegend marklos. Welche von ihnen der *visceralen Reflexregulation* dienen und welche am *Eingeweideschmerz* beteiligt sind, ist bisher nicht bekannt.

5. Spezielle und abnorme Schmerzformen; Schmerztherapie

5.1. Spezielle Schmerzformen

Projizierter Schmerz. Bei heftiger mechanischer Reizung (Anstoßen an eine scharfe Kante) des am Ellenbogen oberflächlich verlaufenden N. ulnaris kommt es zu schwer beschreibbaren Mißempfindungen (Kribbeln o.ä.) im Versorgungsgebiet dieses Nerven (ulnare Teile des distalen Unterarms und der Hand). Offensichtlich wird die am Ellenbogen in den afferenten Fasern ausgelöste Aktivität vom ZNS, also auch von unserem Bewußtsein, in das Versorgungsgebiet dieser afferenten Fasern **projiziert,** da wir gelernt haben, daß solche sensorischen Impulse aus den Receptoren dieses Versorgungsgebietes stammen. Die *Interpretation* der dabei auftretenden Empfindung fällt schwer, da das durch direkte mechanische Reizung des Nerven auftretende Impulsmuster normalerweise nicht vorkommt. Projizierte Empfindungen können innerhalb aller Sinnesmodalitäten auftreten. Außer dem eben besprochenen, harmlosen Beispiel ist der **projizierte Schmerz** klinisch wichtig und auch häufiger vorkommend. Seine Entstehung ist schematisch in Abb. 18 gezeigt. Klinisch häufig sind beispielsweise bei Schädigungen der Zwischenwirbelscheiben Kompressionen von Spinalnerven an der Eintrittsstelle in den Wirbelkanal (Bandscheibensyndrom). Die dabei durch die zentripetalen Impulse der nociceptiven Fasern auftretenden Empfindungen werden in das Versorgungsgebiet des gereizten Spinalnerven projiziert. (Daneben können natürlich auch lokale Schmerzen auftreten.) Beim *projizierten Schmerz* ist also der Ort der Einwirkung der Noxe nicht identisch mit dem der Schmerzempfindung.

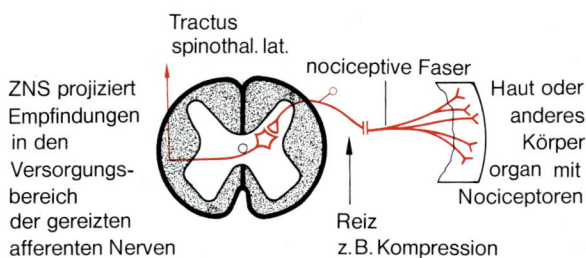

Abb. 18. Entstehung des projizierten Schmerzes (schematisch)

Übertragener Schmerz. Nociceptive Reizung der Eingeweide wird oft nicht oder nicht nur am inneren Organ empfunden, sondern auch an oberflächlichen, entfernten Strukturen des Körpers. Einen solchen Schmerz bezeichnet man als **übertragenen Schmerz.** Die Übertragung erfolgt immer in diejenigen Abschnitte der Peripherie, die vom gleichen Rückenmarkssegment wie das betroffene innere Organ versorgt werden, also, in bezug auf die Hautoberfläche, in das zugehörige **Dermatom** (vgl. Abb. X-2). Ein bekanntes Beispiel sind Herzschmerzen, die von der Brust und einem schmalen Streifen der Innenseite des Armes zu kommen scheinen. Solche übertragenen Schmerzen sind aufgrund des Zusammenhangs zwischen Dermatom und innerem Organ (Versorgung aus demselben Rückenmarkssegment) ein wichtiges *diagnostisches Hilfsmittel.*

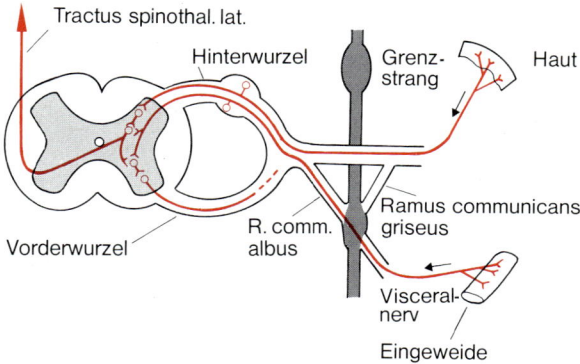

Abb. 19. Reflexweg für den übertragenen Schmerz. Die Schmerzafferenzen aus Haut und Eingeweide enden im Rückenmark zum Teil an denselben Neuronen des Tractus spinothalamicus lateralis

Das **Zustandekommen des übertragenen Schmerzes** beruht wahrscheinlich, wie Abb. 19 zeigt, darauf, daß Schmerzafferenzen aus der Haut und den inneren Organen zum Teil mit denselben Ursprungsneuronen des Tractus spinothalamicus verbunden sind. Erregung dieser Neurone wird als Schmerz der Peripherie interpretiert, da diese Interpretation dem Organismus aus *Erfahrung* geläufig ist. Bei Erkrankungen eines inneren Organs kommt es als weitere Folge der Konvergenz nociceptiver Afferenzen aus dem Dermatom und dem zugehörigen inneren Organ auf Neurone der Schmerzbahn oft zu einer **Hyperpathie** (Überempfindlichkeit) der Haut im zugehörigen Dermatom. Dies beruht darauf, daß die Erregbarkeit der Interneurone durch die visceralen Impulse erhöht ist, so daß ein nociceptiver Hautreiz im Vergleich zum Normalzustand zu einer stärkeren zentralen Aktivität führt (Bahnung).

Andere Wechselwirkungen zwischen dem somatischen und vegetativem Nervensystem. Es gibt anscheinend außer dem übertragenen Schmerz noch andere Wechselwirkungen zwischen dem somatischen und dem vegetativen Nervensystem, die uns noch nicht voll durchsichtig sind. Als Beispiel sei die *therapeutische Wärmeapplikation* auf die Haut bei bestimmten Erkrankungen innerer Organe genannt. Die Wärme wirkt dabei nicht direkt auf die inneren Organe ein, da das zirkulierende Blut ein lokales Erwärmen des Gewebes in der Tiefe verhindert, sondern wahrscheinlich reflexogen über die Warmreceptoren der Haut (s. VII).

Reizung *visceraler Schmerzreceptoren* führt oft zur Erhöhung des **Muskeltonus**, in Extremfällen zu reflektorischen **Dauerkontraktionen** (Muskelverspannungen). Es werden über polysynaptische Reflexwege nicht nur Motoneurone im zugehörigen Segment erregt, sondern auch die anderer, funktionell im Zusammenhang stehender Muskeln. So sind bei Schmerzzuständen in der Bauchhöhle die Bauchmuskeln gespannt. Gleichzeitig liegen die Patienten oft mit angezogenen Knien, da die Flexormuskeln der Beine durch dieselben Afferenzen erregt werden. Eine starke und langanhaltende *Erhöhung des Muskeltonus* führt zu **Muskelschmerzen** und **Überempfindlichkeit** des Muskels. Solche Schmerzen finden sich nicht nur bei organischen Erkrankungen, wo sie wichtige Hinweise geben können, sondern auch bei psychischen Belastungen. Typisch sind z.B. Kopfschmerzen mit schmerzhaften Verspannungen der dorsalen Hals- und Nackenmuskulatur, die nach Beseitigung der psychischen Streßsituation oder entsprechender psychotherapeutischer Behandlung wieder verschwinden. Der Mechanismus der Schmerzentstehung im Muskel ist nicht bekannt. Die durch den hohen Muskeltonus erschwerte und dadurch verminderte Muskeldurchblutung spielt wahrscheinlich eine Rolle (Anhäufung von Metaboliten oder „Schmerzstoffen" im Gewebe?).

Jucken. Möglicherweise ist *Jucken* eine besondere Form der Schmerzempfindung, die bei bestimmten Reizzuständen auftritt. Dafür spricht, daß eine Reihe von Juckreizen bei stärkerer Reizintensität zu Schmerzempfindungen führen und daß eine Unterbrechung der Schmerzleitung im Vorderseitenstrang von einem Ausfall der Juckempfindung begleitet ist, während eine Störung des Druck- und Berührungssinnes (Hinterstrang) die Juckempfindung unbeeinflußt läßt. Auch ließ sich nachweisen, daß die Haut nur an bestimmten Punkten juckempfindlich ist und daß diese **Juckpunkte** mit den *Schmerzpunkten* korrespondieren. Möglicherweise ist Jucken aber auch eine vom Schmerz *unabhängige* Empfindung, die eventuell eigene Receptoren besitzt. So ist die Juckempfindung nur von den äußersten Schichten der Epidermis auslösbar, während Schmerz auch in den tieferen Hautschichten ausgelöst werden kann. Auch ist es möglich, mit entsprechender Technik alle Grade von Juckreiz ohne Schmerz und umgekehrt zu erzeugen. Für das Auftreten der Juckempfindung scheint das Freisetzen einer chemischen Substanz, vielleicht des **Histamins,** notwendig zu sein. Eine intradermale Histamininjektion löst starkes Jucken aus, und bei Hautschäden, die zum Jucken führen, wird in der Haut Histamin freigesetzt [5, 18].

5.2. Periphere und zentrale Störungen der Nociception

Hyperalgesie, Hypalgesie, Analgesie. Einige Stunden nach einer Hautschädigung durch ultraviolette Strahlen (Sonnenbrand) oder durch andere Noxen (Hitze, Erfrieren, Röntgenstrahlen oder Abschürfung) wird die Haut gerötet (*Vasodilatation*) und die Empfindlichkeit für mechanische Reize ist erhöht. Eine solche Überempfindlichkeit wird als **Hyperalgesie** bezeichnet. Die Schmerzschwelle ist gesenkt, selbst normalerweise schmerzlose Reize (Reiben von Kleidungsstücken) werden als unangenehm bis schmerzhaft empfunden. Hyperalgesie und Vasodilatation können für Tage andauern. Es liegt nahe anzunehmen, daß sie durch die lokale Freisetzung einer chemischen Substanz, wie z.B. *Histamin,* aus geschädigten Gewebszellen verursacht sind, doch sind die Befunde zu dieser Frage noch sehr uneinheitlich. Erhöhung der Schmerzschwelle, **Hypalgesie,** sowie völliger Ausfall der Schmerzempfindlichkeit, **Analgesie,** kommen meist nur in Verbindung mit Störungen oder Ausfällen anderer Hautsinnesmodalitäten vor. Beispielsweise wird im einfachsten Fall die Durchtrennung eines Hautnerven zu einer Analgesie seines Versorgungsgebietes, aber auch zum Ausfall der anderen Modalitäten führen.

Störungen der Schmerzverarbeitung. Pathologische Prozesse in den an der Schmerzverarbeitung beteiligten Strukturen führen weniger zu Ausfällen als zu **Änderungen der Schmerzempfindung,** da ein normales Schmerzerlebnis nur bei gleichzeitiger, ungestörter Aktivierung der corticalen und subcorticalen Schmerzsysteme möglich ist. Zum Beispiel kommt es bei Erkrankungen der *sensiblen Ventralkerne des Thalamus* zu besonders unangenehmen Schmerzempfindungen, die subjektiv den *Eindruck einer Schmerzüberempfindlichkeit* entstehen lassen. Außerdem empfinden die Patienten häufig schwere spontane Schmerzen in der zugeordneten, also contralateralen Körperhälfte **(Thalamusschmerz).** Auch die *affektive Anteilnahme am Schmerz* kann durch zentrale Schädigungen verändert sein. Zum Beispiel beachten schwer Stirnhirnverletzte vielfach Schmerzen kaum, solange sie abgelenkt und be-

schäftigt sind. Hierbei sind die Schmerzschwellen völlig unverändert. Bei der **Schmerzasymbolie,** mit meist gleichzeitigen Herden in Stirnhirn, Insel und Parietallappen, fehlen die affektive Bewertung und die motorischen Reaktionen bei Schmerzreizen soweit, daß sich die Patienten den gleichen schädigenden Reizen immer wieder aussetzen. Beidseitige Läsionen oder Ausschaltungen des Schläfenlappens bewirken bei Affen ähnliche Syndrome.

An dieser Stelle sei darauf hingewiesen, daß zweckmäßiges Verhalten und gefühlsmäßig *normale Reaktionen auf schmerzhafte Reize* anscheinend zum großen Teil nicht angeboren sind, sondern vom jugendlichen Organismus in einer frühen Phase seiner Entwicklung *erlernt werden müssen.* Bleiben die frühkindlichen Erfahrungen aus, lassen sie sich später nur sehr schwer erlernen. Dies ließ sich auch in Tierversuchen zeigen. Junge Hunde, die in den ersten 8 Lebensmonaten vor allen schädigenden Reizen bewahrt wurden, waren unfähig, auf Schmerzreize angemessen zu reagieren und lernten dies nur langsam und unvollkommen. Ähnliche Beobachtungen wurden auch an einem Schimpansenbaby gemacht.

5.3. Schmerztherapie

Schmerzbekämpfung ist von der somatischen Seite her durch *physikalische,* durch *pharmakologische* und durch *neurochirurgische* Maßnahmen möglich. Sie ist immer dann angebracht, wenn der Schmerz seine Aufgabe als Schadensanzeiger erfüllt hat, denn oft trägt eine richtig durchgeführte Schmerztherapie wesentlich zu schneller Heilung bei. Aber und gerade auch bei unheilbaren Zuständen ist die Schmerzlinderung oder -ausschaltung besonders wichtig.

Als **physikalische Maßnahmen** kommen mit wechselnder Indikation in Betracht: Ruhigstellung, kalte oder warme Umschläge, Diathermie (Kurzwellenbestrahlungen zur Wärmeapplikation in tiefere Gewebe), Massagen, Lockerungsgymnastik. Für **Pharmaka** gibt es zahlreiche Angriffspunkte. Peripher kann die Entstehung und Weiterleitung der Schmerzimpulse verhindert werden (*Lokalanaesthesie*), oder es kann die Fortleitung in den aufsteigenden Bahnen blockiert werden (z.B. *Lumbalanaesthesie*). Weiter kann die Erregbarkeit der am Schmerz beteiligten zentralen Neurone gedämpft werden (Extremfall: *Narkose*). Schließlich kann auch auf diejenigen Strukturen, die für die affektive Einstellung gegenüber dem Schmerz verantwortlich sind, so eingewirkt werden, daß es zu einer affektiv neutralen Haltung gegenüber dem Schmerz kommt und dieser sich dadurch leichter ertragen läßt. Auf die **neurochirurgischen Maßnahmen,** die wegen ihrer Endgültigkeit chronischen Schmerzzuständen vorbehalten bleiben und die wegen ihrer zahlreichen Nebenwirkungen große Erfahrung erfordern, wird nicht im einzelnen eingegangen. Insgesamt ist die Unterbrechung des Vorderseitenstranges im Rückenmark durch Durchschneiden des vorderen contralateralen Quadranten (*Chordotomie*) eine der erfolgreichsten Maßnahmen, während andere, wie z.B. die Durchtrennung der vom Thalamus zum Stirnhirn führenden Bahnen (*Leukotomie*), wegen schwerer Nachteile wieder verlassen wurden (vgl. VIII-5.1).

Schmerzhemmung. Vielversprechend zur Bekämpfung chronischer Schmerzen sind einige neuere, z.T. schon am Menschen erprobte Ansätze, unter Ausnutzung der spinalen, afferenten, inhibitorischen Interaktionen (s. X-5.1) und der descendierenden Kontrollsysteme der afferenten Eingänge (s. X-5.2) unerwünschte nociceptive Zuflüsse zu hemmen. Es werden dazu Reizelektroden in die betreffenden Bahnen implantiert, über die diese von außen aktiviert werden können. Beispielsweise führte in einer Serie von 30 Patienten elektrische Reizung der Hinterstränge bei etwa 50% der Fälle zu einer guten bis sehr guten Schmerzlinderung.

Eine verwandte Maßnahme zur Schmerzbeeinflussung ist möglicherweise auch die **Akupunktur** (acus = Nadel, pungere = stechen). Ihr Wirkmechanismus ist allerdings noch völlig unbekannt, und die Abgrenzung der ohne Zweifel starken psychologischen, hypnotischen und mystischen Komponenten ist noch nicht geglückt. Nach altchinesischer Auffassung, die 4 000 Jahre zurückreicht, liegen die etwa 750 für die Punktur wichtigen Punkte auf zwölf Längslinien der Körperoberfläche, den Meridianen. In diesen kreist ununterbrochen ein bestimmtes Maß an Lebensenergie „Ch'i", das aus den Antagonisten *Yan* (hell, warm) und *Yin* (dunkel, kalt) besteht, und deren völliges Gleichgewicht den idealen Gesundheitszustand darstellt. Während die Akupunktur zu **therapeutischen Zwecken** (bei funktionellen Organstörungen) nur das Einstechen der Nadeln an den entsprechenden Punkten verlangt (oder Abbrennen einer Moxa-(Wiesenbeifuß-)Zigarette über dem jeweiligen Punkt, genannt *Moxibustion*, oder Massage oder elektrische Reizung), ist für eine **analgetische Wirkung** das dauernde Drehen der Punktionsnadel oder repetitive elektrische Reizung über die Punktionsnadel, mit anderen Worten eine dauernde Reizung der (Mechano-)Receptoren im Einstichareal notwendig. Diese Art der Schmerzhemmung erinnert an andere Verfahren, wie z.B. „Zähnezusammenbeißen" oder Wärmeapplikation, bei denen Aktivierung anderer Receptorsysteme zur Hemmung der zentralen Wirkung der Schmerzafferenzen eingesetzt wird. Allerdings hat die Akupunktur außerhalb Chinas bisher nur sehr begrenzten Erfolg gehabt.

6. Literatur

1. DE REUCK, A.V.S., KNIGHT, J.: Touch, Heat and Pain. London: J. & A. Churchill Ltd. 1969.
2. FULTON, J.F.: Physiology of the nervous system. London-New York-Toronto: Oxford University Press 1943.
3. GOODWIN, G.M., McCLOSKEY, D.I., MATTHEWS, P.B.C.: The contribution of muscle afferents to kinaesthesia shown by vibration induced illusions of movement and by the effects of paralysing joint afferents. Brain **95**, 705–748 (1972).
4. HENSEL, H.: Physiologie der Thermoreception. Ergebn. Physiol. **47**, 166–368 (1952).
5. HENSEL, H.: Allgemeine Sinnesphysiologie, Hautsinne, Geschmack, Geruch. pp. 1–345. Heidelberg: Springer-Verlag 1966.
6. IGGO, A.: Cutaneous thermoreceptors. Symp. zool. Soc. London **31**, 327–344 (1972).
7. IGGO, A., Hrsgb.: Handbook of Sensory Physiology, II, Somatosensory System. Berlin, Heidelberg, New York: Springer Verlag 1973.
8. IGGO, A., GOTTSCHALDT, K.-M.: Cutaneous Mechanoreceptors in Simple and in Complex Sensory Structures. In: SCHWARTZKOPFF, J. (Hrsg.), Mechanoreception, Rheinisch-Westf. Akad. d. Wiss. Opladen: Westdeutscher Verlag 1974.
9. JANZEN, R., KEIDEL, W.D., HERZ, A., STEICHELE, C. (Hrsg.): Schmerz. Stuttgart: Georg Thieme Verlag 1972.
10. KORNHUBER, H.H., ASCHOFF, J.C. (Hrsg.): Somato-Sensory Systems. Stuttgart: Thieme Verlag 1976.
11. LOEWENSTEIN, W.R. (Hrsg.): Handbook of Sensory Physiology, I, Principles of Receptor Physiology. Berlin-Heidelberg-New York: Springer Verlag 1971.
12. MATTHEWS, P.B.C.: Mammalian Muscle Receptors and their Central Actions. London: Edward Arnold (Publishers) Ltd 1972.
13. MOUNTCASTLE, V.B.: Medical Physiology, Band I. 13. Aufl. Saint Louis: The C.V. Mosby Company 1974.
14. PHILLIPS, C.G., POWELL, T.P., WIESENDANGER, M.: Projection from low-threshold muscle afferents of hand and forearm to area 3a of baboon's cortex. J. Physiol. **217**, 419–446 (1971).
15. POECK, K.: Neurologie. 3. Aufl. Berlin-Heidelberg-New York: Springer-Verlag 1974.
16. SCHMIDT. R.F.: Möglichkeiten und Grenzen der Hautsinne. Klin. Wochenschrift **49**, 531–540 (1971).
17. SCHMIDT, R.F.: Temperatursinne: Kalt- und Warmrezeptoren. In: Physiologie des Menschen, Bd. 11, Somatische Sensibilität, Geruch und Geschmack, Hrsg. von O.H. GAUER, K. KRAMER, R. JUNG. Urban & Schwarzenberg, 113–129 (1972).
18. SCHMIDT, R.F.: Schmerz. In: Physiologie des Menschen, Bd. 11, Somatische Sensibilität, Geruch und Geschmack. Hrsg. von O.H. GAUER, K. KRAMER, R. JUNG. Urban & Schwarzenberg, 131–153 (1972).
19. SCHMIDT, R.F.: Control of the access of afferent activity to somatosensory pathways. In: Handb. of Sensory Physiology, Vol. II, Somatosensory System, hrsg. von A. IGGO, pp. 151–206. Berlin-Heidelberg-New York: Springer-Verlag 1973.
20. SCHWARZKOPFF, J. (Hrsg.): Mechanoreception. Rhein. Westf. Akad. d. Wissensch., Opladen: Westdeutscher Verlag 1974.
21. SHERRINGTON, C.S. The muscular sense. In: Schäfer's Textbook of Physiology. London & Edinburgh, Pentland, **2**, 1002–1025 (1900).
22. SWEET, W.H.: Pain. In: Handbook of Physiology; Section 1: Neurophysiology **1**, 459–506. Washington, D.C.: American Physiological Society 1959.

XII. Gesichtssinn und Oculomotorik (O.-J. Grüsser)

1. Licht — Sehen — Blicken

Elektromagnetische Strahlung, deren Wellenlänge zwischen 400 und 750 nm liegt, nehmen wir als **Licht** wahr. Die für uns wichtigste Lichtquelle ist die Sonne. Im bunten *Spektrum* des Regenbogens ist das gelblich-weiße Licht der Sonne in seine spektralen Teile zerlegt: der langwellige Teil des Lichts erscheint uns rot, der kurzwellige Teil blau-violett (Abb. 1). Ein sehr enger Ausschnitt des Spektrums wird **monochromatisches** Licht genannt.

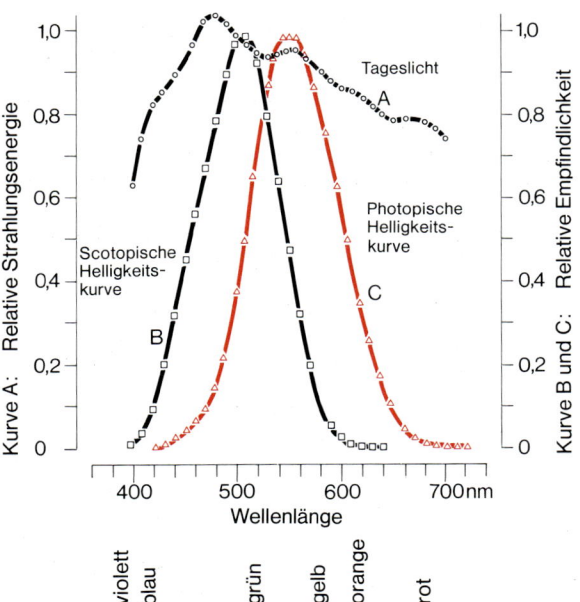

Abb. 1. Spektrum des Sonnenlichtes auf der Erdoberfläche (A) und spektrale Empfindlichkeit des menschlichen Sehsystems (B, C). Für die Kurve A wurde die relative Energie des Tageslichtes bei unbedecktem Himmel im sichtbaren Bereich der elektromagnetischen Strahlung gemessen. Die skotopische (B) und photopische Helligkeitskurve (C) sind Mittelwerte aus Messungen an vielen normalsichtigen Beobachtern (Standardkurven der Internationalen Farbgesellschaft). Zur Ermittlung der Kurven B und C wurde die *relative Energie* gemessen, die zur Erzeugung der Wahrnehmung „gleich hell" für verschiedene monochromatische Lichtreize notwendig war. Zur Darstellung der Kurven wurde der Energiewert für die effektivste Wellenlänge (500 nm beim skotopischen Sehen, 550 nm beim photopischen Sehen) = 1 gesetzt. Die Kurven B und C ergaben sich dann aus den Kehrwerten der relativen Strahlungsenergie

Die Dinge unserer Umgebung reflektieren Licht verschieden stark. Der Unterschied der Leuchtdichten benachbarter Strukturen bestimmt ihren physikalischen *Kontrast* $C = (I_H - I_D)/I_H + I_D)$, wobei I_H die Leuchtdichte des helleren, I_D die Leuchtdichte des dunkleren Gegenstandes ist. Sehen beruht vor allem auf der Wahrnehmung von Hell-Dunkel-Kontrasten und nicht auf der Wahrnehmung der Leuchtdichtewerte. Mit Hilfe des *farbigen Kontrastes* können darüber hinaus Gegenstände voneinander unterschieden werden, deren physikalischer Kontrast $C = 0$ ist, die jedoch verschiedene spektrale Teile des Lichtes unterschiedlich stark reflektieren.

Die mittlere Leuchtdichte der natürlichen Umwelt des Menschen variiert zwischen 10^{-6} [cd·m^{-2}] (cd = candela) bei bewölktem Nachthimmel über 10^{-3} [cd·m^{-2}] bei klarem Sternenhimmel, 10^{-1} [cd·m^{-2}] in einer klaren Vollmondnacht bis 10^7 [cd·m^{-2}] bei hellem Sonnenschein. Das visuelle System paßt sich durch verschiedene, auf S. 246 besprochene *Adaptationsprozesse* an diese sehr große Variationsbreite der natürlichen Umweltleuchtdichte an. Sehen ist in einem relativen Energiebereich von maximal $1:10^{11}$ möglich. Bei konstanter Umweltbeleuchtung ist jedoch nur eine Anpassung der Sehprozesse im Bereich von etwa $1:40$ erforderlich [7, 13, 21, 25].

1.1. Die Duplizitätstheorie des Sehens

Die Anpassung an die stark unterschiedlichen Beleuchtungsbedingungen der Umwelt wird durch zwei verschiedene Receptorsysteme mit unterschiedlichen Absolutschwellen erleichtert **(Duplizitätstheorie)**: Mit den **Stäbchen** der Netzhaut des Auges wird in der Dämmerung und bei Nacht gesehen **(skotopisches Sehen)**, mit den **Zapfen** dagegen unter den Beleuchtungsbedingungen des Tages **(photopisches Sehen)**. An zwei elementaren *Empfindungsqualitäten* (s.S. 180) des Sehens, der Wahrnehmung von *bunten Farben* und von verschiedenen *Helligkeitsstufen*, können wichtige Unterschiede des skotopischen und photopischen Sehens erkannt werden: Die Gegenstände sehen in einer sternenklaren Nacht farblos, aber verschieden hell aus. Beim photopischen Sehen lassen sich dagegen Farbe *und* Helligkeit der Gegenstände unterscheiden. Auch die *spektrale Empfindlichkeit* des Auges ändert sich

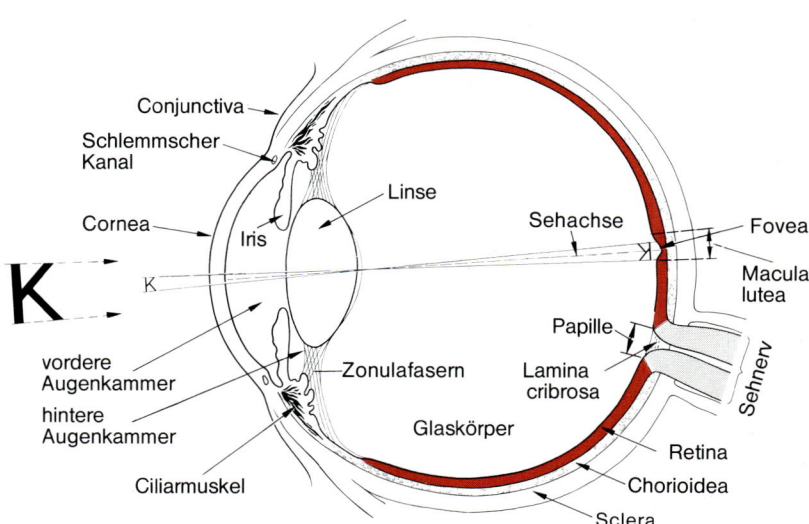

Abb. 2. Horizontalschnitt durch das rechte Auge

beim Übergang vom skotopischen zum photopischen Sehen. Die spektrale Helligkeitskurve (Abb. 1) des skotopischen Sehens hat ein Maximum bei ≈ 500 nm, jene des photophischen Sehens bei ≈ 555 nm [15].

1.2. Sehen und Blicken

Beim Sehen spielen aktive Augen- und Kopfbewegungen eine wichtige Rolle. Unsere Umgangssprache hat eigene Bezeichnungen dafür gebildet: „beschauen", „besehen", „besichtigen", „umherblikken". Durch willkürliche und unwillkürliche Augenbewegungen „tasten" wir unsere visuelle Umwelt ab. Die Amplitude und die Richtung der Augen- und Kopfbewegungen beim Umherblicken sind nicht nur vom internen Zustand des Beobachters (Aufmerksamkeit, Interesse), sondern auch von den visuellen Reizmustern abhängig (s.S. 261). Wird mit Hilfe eines geeigneten optischen Systems ein Bild auf der Netzhaut „stabilisiert", so daß es trotz Augenbewegungen immer auf die gleiche Stelle der Netzhaut fällt, so können innerhalb weniger Sekunden Farben und Konturen nicht mehr wahrgenommen werden. Durch geeignete Verschiebung des Netzhautbildes kann die visuelle Wahrnehmung wieder hergestellt werden. Im folgenden wird die *Verschränkung* motorischer und sensorischer Mechanismen beim Sehen zunächst vernachlässigt und erst im abschließenden Abschnitt nach der Darstellung der Oculomotorik besprochen [34].

2. Das Auge und sein dioptrischer Apparat

2.1. Der Aufbau des Auges

Der dioptrische Apparat. Das optische System des Auges ist ein nicht exakt zentriertes, zusammengesetztes Linsensystem, das auf der Netzhaut ein umgekehrtes und verkleinertes Bild der Umwelt entwirft. Der dioptrische Apparat besteht aus der durchsichtigen **Cornea** (Hornhaut), den mit Kammerwasser gefüllten vorderen und hinteren **Augenkammern**, der die Pupille bildenden **Iris**, der von einer durchsichtigen Linsenkapsel umgebenen **Linse** und dem **Glaskörper**, der den größten Raum des Augapfels ausfüllt (Abb. 2). Der Glaskörper ist ein wasserklares Gel aus extracellulärer Flüssigkeit, in der Kollagen und Hyaluronsäure kolloidal gelöst sind [4, 27].

Die Retina. Die sensorische Empfangsfläche des Auges, die **Retina** (Netzhaut), ist entwicklungsgeschichtlich ein Teil des Gehirns. Sie kleidet die hintere, innere Oberfläche des Auges aus und besteht aus den Schichten der Pigmentepithelzellen, der Photoreceptoren (Signal-Eingangsschicht) und vier verschiedener Nervenzellklassen, sowie Gefäßen und Gliazellen. Die **Ganglienzellen** bilden die Ausgangsschicht der Retina. Die zunächst marklosen Axone der Ganglienzellen ziehen innerhalb der Netzhaut zur Papille, treten durch die Lamina cribrosa der **Sclera** des Auges und bilden dahinter den **Sehnerven** (Nervus opticus, Abb. 2). Dieser besteht beim Menschen aus etwa einer Million meist markhaltiger Axone, die von Gliazellen und Bindegewebe umgeben sind.

Fovea centralis. Am hinteren Pol des Auges hat die menschliche Retina eine kleine Grube (*Fovea centralis*), an der im Gegensatz zum Rest der Retina die Receptorschicht vom Glaskörper her betrachtet nicht durch die anderen Neurone der Netzhaut bedeckt ist. Die Fovea centralis ist die Stelle schärfsten Sehens, auf die der jeweils **fixierte** Gegenstand abgebildet wird [21, 24, 27].

2.2. Tränen

Die äußere Oberfläche der Cornea ist von einem dünnen Tränenfilm überzogen, der die optischen Eigenschaften ihrer Oberflä-

chenstruktur verbessert. Die Tränen werden ständig in kleinen
Mengen durch die Tränendrüsen produziert und durch die Lid-
schläge gleichmäßig auf die Cornea und Conjunctiva verteilt.
Ein Teil der Tränenflüssigkeit geht durch Verdunsten in die
Luft über, der Rest fließt durch den Tränennasengang in die
Nasenhöhle ab. Die Tränen schützen die Cornea und die Conjunctiva vor dem Austrocknen und sind gleichzeitig „Schmier-
mittel" zwischen Augen und Lidern. Ein Fremdkörper zwischen
Lidern und Auge reizt die Mechanoreceptoren des Nervus trigeminus in der Cornea und der Conjunctiva, wodurch *reflektorisch*
die Tränensekretion zunimmt. Die Tränen haben dann die Funktion einer Spülflüssigkeit, durch die gemeinsam mit vermehrten
Lidschlägen der Fremdkörper entfernt werden soll. Tränen
schmecken salzig; ihre Zusammensetzung entspricht etwa einem
Ultrafiltrat des Blutplasmas. Sie enthalten außerdem gegen
Krankheitserreger wirksame Enzyme, die einen gewissen Infek-
tionsschutz für das Auge bilden. Schließlich hat die Tränensekretion des Menschen noch eine Bedeutung als *emotionales Aus-
drucksmittel* beim Weinen.

Nervöse Kontrolle der Tränensekretion. Die Sekretion von Tränen wird durch Teile des vegetativen Nervensystems (s.S. 117)
kontrolliert. Die parasympathischen Ganglienzellen, deren
Axone die Tränensekretion steuern, liegen im *Ganglion pterygo-
palatinum.* Die präganglionären Axone erreichen dieses Ganglion über den *N. petrosus superficialis major* und stammen von
Nervenzellen im pontinen Bereich des Hirnstammes. Die Erregung dieser Nervenzellen wird durch hypothalamische und limbische Neuronensysteme sowie durch Signale aus Nervenzellen
des sensorischen Trigeminuskerns (reflektorische Aktivierung)
kontrolliert. Die sympathische Innervation der Tränendrüsen
wird durch Neurone im oberen Thorakalmark gesteuert, deren
Signale über Ganglienzellen des Ggl. cervicale superius und sympathische Nervenfasern entlang der Hirnarterien die Tränendrüsen erreichen [28].

2.3. Die Bildentstehung auf der Retina

Grundlagen der physikalischen Optik. Das einfachste optische System ist die **Camera obscura**, in der
durch die Wirkung einer Blende ein umgekehrtes
Bild entsteht. Dieses ist nur dann scharf, wenn die
Blende sehr klein ist, so daß das Bild sehr licht-
schwach wird. Wird vor oder hinter der Blende
der Camera obscura zusätzlich eine konvexe Linse
angebracht, die auf der „Empfangsfläche" ein umgekehrtes und verkleinertes Bild entwirft, so kann
die Blende weiter gestellt werden. Dieses Prinzip
ist für die Abbildung der Umwelt auf der Netzhaut
durch das zusammengesetzte optische System des
Auges verwirklicht: die Übergangsfläche {Luft–
Cornea} ist eine Linse vor der Blende (Iris), die
bikonvexe Linse hinter der Iris ist eine zweite Linse
(Abb. 2) [6, 12, 21, 22].

Brechkraft und Brennweite. Eine sphärisch gekrümmte Übergangsfläche zwischen zwei durchsichtigen Medien von verschiedenem optischen Brechungsindex (n) sammelt Licht, das parallel
zur optischen Achse durch die Übergangsfläche (Hauptpunkt
H) tritt, in den Brennpunkten (F₁, F₂, Abb. 3(A)). Die **Brechkraft**
D hängt von dem Krümmungsradius r der Übergangsfläche und
den optischen Dichten (n₁, n₂) der beiden Medien ab. Fallen

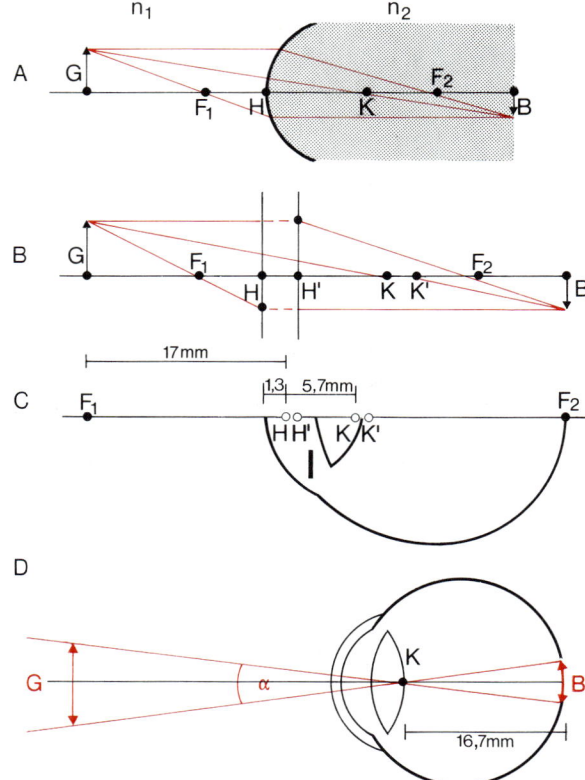

Abb. 3 A–D. *Abbildung durch ein einfaches optisches System,
schematisches und reduziertes Auge.* (A) Strahlengang und Abbildung durch ein einfaches optisches System. F_1, F_2 Brennpunkte;
H Hauptpunkt; K Knotenpunkt; G Gegenstand; B Bild; Brechungsindex $n_2 > n_1$. (B) Vereinfachter Strahlengang in einem
zusammengesetzten, zentrierten optischen System, das auf zwei
Hauptebenen H, H′ und zwei Knotenpunkten K, K′ *reduziert*
wurde. (C) Schematisches Auge nach GULLSTRAND. (D) Reduziertes Auge. Die Punkte H und H′ bzw. K und K′ des schematischen Auges sind zusammengelegt. Die Strecke (K–B) beträgt
16,7 mm. Aus dieser Strecke und dem Winkel α kann die Größe
des Bildes (B), den der Gegenstand G auf der Netzhaut entwirft,
berechnet werden: 1 Winkelgrad ≈ 0,29 mm auf der Retina

Parallelstrahlen aus dem optisch dünneren Medium n_1 durch
die Übergangsfläche, so sammeln sie sich im optisch dichteren
Medium im Brennpunkt F_2. Die „hintere" **Brennweite** $f_2 =$
$\{H–F_2\}$ ist dann:

$$f_2 = \frac{n_2 \cdot r}{n_2 - n_1} \ [m].\qquad(1)$$

Treten Parallelstrahlen dagegen in umgekehrter Richtung durch
die Übergangsfläche, so gilt für die „vordere" **Brennweite**
$f_1 = \{H–F_1\}$:

$$f_1 = \frac{n_1 \cdot r}{n_2 - n_1} \ [m].\qquad(2)$$

Diese Gleichungen gelten exakt nur für einen kleinen inneren
(Gauss'schen) Bereich um die optische Achse der Übergangsflä-
che. Die **optische Achse** ist die Verbindungslinie zwischen den
Brennpunkten F_1 und F_2. Der Schnittpunkt H der optischen
Achse mit der Übergangsfläche ist der Hauptpunkt; der **Knoten-**

punkt K ist der Mittelpunkt der sphärischen Übergangsfläche. Die Brechkraft D der Übergangsfläche ist definiert als

$$D = \frac{1}{f} \, [\text{dpt}]. \tag{3}$$

Wird die Brennweite f in Meter angegeben, so erhält man die Brechkraft in **Dioptrien** ($=$ dpt).
Die Brechkraft D_1 einer Linse mit *zwei* Übergangsflächen kann mit der Gullstrandschen Formel berechnet werden:

$$D_1 = D_v + D_h - \frac{d}{n} \times D_v \times D_h \, [\text{dpt}], \tag{4}$$

wobei D_v die Brechkraft der Linsenvorderfläche, D_h die Brechkraft der Linsenhinterfläche, d der Abstand der brechenden Flächen in Meter und n der Brechungsindex des Mediums zwischen den brechenden Flächen ist.
Bildentstehung. Eine sphärische Linse entwirft von einem g Meter entfernten Gegenstand ein Bild, das b Meter hinter der Linse liegt. Ist die Linse allseitig vom gleichen optischen Medium umgeben, so gilt:

$$\frac{1}{f} = \frac{1}{g} + \frac{1}{b}. \tag{5}$$

Ist der Gegenstand in unendlicher oder hinreichend großer Entfernung ($1/g \to 0$), so ist die Bildweite b gleich der Brennweite f der Linse. Die Brennweite kann also durch Messung der Bildweite für unendlich entfernte Gegenstände bestimmt werden.

Die Abbildung durch den dioptrischen Apparat. Die zur Berechnung der Abbildung im Auge notwendigen Werte sind in Tabelle 1 zusammengefaßt. Die Übergangsfläche {Luft–Cornea} hat nach Gl. (2) die **objektseitige Brennweite**:

$$f_c = \frac{n_1 \cdot r_1}{n_c - n_1} = \frac{7,7}{0,376} \approx 20,5 \, [\text{mm}]. \tag{6}$$

Die Brechkraft D_c der Corneavorderfläche ist daher $1/0,0205 = 48,8$ [dpt]. Die Übergangsfläche zwischen Cornea und

Tabelle 1. Schematisches Auge. (Nach GULLSTRAND)

Brechungsindices:

Luft	$=1,00$
Hornhaut	$=1,376$
Kammerwasser und Glaskörper	$=1,336$
Linse	$=1,414$ (Fernakkommodation, FA)
Linse	$=1,424$ (Nahakkommodation, NA)

	Krümmungs-radius (mm)	Distanz von der Hornhaut (mm)
Vordere Hornhautfläche	7,7	0
Hintere Hornhautfläche	6,8	0,5
Vordere Linsenfläche	10,0 (FA)	5,6 (FA)
Vordere Linsenfläche	5,3 (NA, max)	5,2 (NA, max)
Hintere Linsenfläche	6,0 (FA)	7,2
Hintere Linsenfläche	5,3 (NA, max)	7,2
Retina		24,4
1. Hauptpunkt		1,35
2. Hauptpunkt		1,60
Hintere Brennweite		22,78 (FA)
Vordere Brennweite		−17,05 (FA)

Kammerwasser hat eine zerstreuende Wirkung, da $n_k < n_c$ ist (Tabelle 1). Nach Gln. (1) und (3) ist die Brechkraft D_k dieser Übergangsfläche $= -5,9$ dpt. Mit der Gullstrandschen Formel (Gl. 4) kann die Gesamtbrechkraft D_{co} des Systems {Luft–Cornea–Kammerwasser} aus D_c, D_k und $d = 0,5$ mm errechnet werden: $D_{co} = 43$ dpt. Die *bildseitige Brennweite* f_{co} der Cornea ist nach Gln. (1) und (3):

$$f_{co} = \frac{n_k}{D_{co}} = \frac{1,336}{43} \approx 31 \, [\text{mm}]. \tag{7}$$

Die Linse. Um eine scharfe Abbildung auf der 24,4 mm vom Corneascheitel entfernten Fovea centralis zu erhalten, ist also die *zusätzliche Brechkraft* der Linse des Auges erforderlich. Die bikonvexe Linse besteht aus mehreren lamellenförmigen Schichten von verschiedenem Krümmungsradius und unterschiedlichem optischen Brechungsindex, der von der *Linsenrinde* zum *Linsenkern* zunimmt. Die Linse ist also optisch inhomogen. Der in Tabelle 1 angegebene experimentell bestimmte **Totalindex** ist größer als die Einzelindices der Linsenschichten. Für die Brechkraft D_1 der Linse im flachsten Zustand hat GULLSTRAND im Mittel 19,1 dpt gefunden.
Gesamtbrechkraft des Auges. Aus der Brechkraft der Cornea D_{co} und der Brechkraft der Linse D_1 kann mit Hilfe der Gullstrandschen Formel (Gl.(4)) die Gesamtbrechkraft D_A des dioptrischen Apparates des Auges errechnet werden (d $= 5,6$ mm, $n = n_k = 1,336$). Man erhält $D_A = 58,6$ dpt. Die für die Abbildung im Auge wichtige hintere Brennweite (f_h) ist dann:

$$f_h = \frac{n_k}{D_A} = \frac{1,336}{58,6} \, [\text{m}] = 22,8 \, [\text{mm}]. \tag{8}$$

Das schematische Auge. Die Konstruktion der Abbildung durch ein *zusammengesetztes optisches System* wird durch die Bestimmung der **Kardinalpunkte** erleichtert (Einzelheiten s. Lehrbuch der Physik). Bei dieser Reduktion des optischen Systems wird die Wirkung aller optischen Übergangsflächen durch zwei Hauptebenen (H, H′), zwei Knotenpunkte (K und K′) und zwei Brennpunkte (F_1, F_2, Abb. 3(B)) zusammengefaßt. GULLSTRAND hat für das menschliche Auge die in Tabelle 1 angegebenen Werte bestimmt (Abb. 3(C)). Die Distanz des hinteren Hauptpunktes vom Corneascheitel (1,60 mm) und die bildseitige Brennweite f_h des Auges (22,8 mm) ergeben zusammen die Distanz vom Hornhautscheitel zur Fovea (24,4 mm).
Das reduzierte Auge. Eine weitere Vereinfachung ist das reduzierte Auge (Abb. 3(D)), in dem H und H′ sowie K und K′ zusammenfallen. Die Distanz im reduzierten Auge vom Knotenpunkt K zur Retina beträgt 16,67 mm. Aus diesem Wert und dem Sehwinkel α des Objektes kann näherungsweise die Bildgröße auf der Netzhaut berechnet werden.

2.4. Regelprozesse des dioptrischen Apparates

Die Brechkraft der Linse und die Pupillenweite werden durch neuronal kontrollierte glatte Muskeln verändert.

Pupillenreaktionen. Normalerweise sind beide Pupillen rund und gleich weit. Der mittlere Pupillendurchmesser nimmt mit dem Lebensalter ab.
Lichtreaktion. Bei konstanter Umweltbeleuchtung ist die pro Zeiteinheit in das Auge eintretende Lichtmenge proportional zur *Pupillenfläche*. Die Pupil-

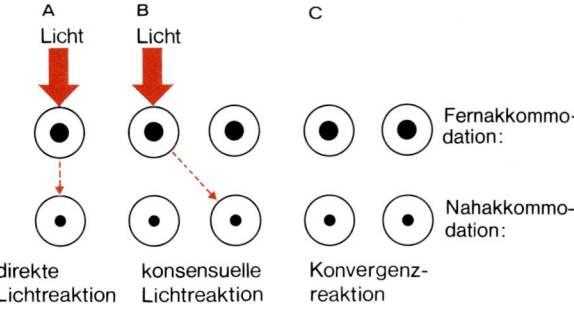

Abb. 4. *Schema der Pupillenreaktionen* (direkte und konsensuelle Lichtreaktion, Konvergenzreaktion). Die Pfeile symbolisieren die Belichtung eines Auges

len sind um so weiter, je geringer die Umweltleuchtdichte ist. Werden bei Tageslicht die Augenlider für 10—20 s geschlossen und danach wieder geöffnet, so werden die Pupillen enger. Diese **Lichtreaktion** kann durch *getrennte Belichtung* jedes Auges weiter differenziert werden (Abb. 4). Bei Belichtung eines Auges verengt sich innerhalb von 0,3–0,8 s nicht nur die Pupille des belichteten Auges **(direkte Lichtreaktion)**, sondern auch die des nicht belichteten Auges **(konsensuelle Lichtreaktion)**. Die Lichtreaktion ist ein sinnvoller Regelmechanismus, durch den bei hoher Umweltleuchtdichte — z.B. bei hellem Sonnenschein — der Lichteinfall auf die Netzhaut reduziert wird, während bei schwacher Umweltleuchtdichte durch Vergrößerung der Pupille der relative Lichteinfall auf die Netzhaut zunimmt. Fühler in diesem **Regelkreis** sind die Receptoren der Netzhaut, Regelstrecke ist die Pupillenweite. Bei Jugendlichen kann die Pupillenweite zwischen 1,5 und etwa 8 mm, der relative Lichteinfall in das Auge also etwa um den Faktor 30 variieren. Im Vergleich zu der auf S. 226 besprochenen Variationsbreite der mittleren Umweltleuchtdichte ist das Ausmaß der Regelung des Lichteinfalls in das Auge durch Änderung der Pupillenweite jedoch gering.

Konvergenzreaktion (Naheinstellungsreaktion). Die Pupillenweite des Menschen hängt auch von der *Entfernung* des gerade fixierten Gegenstandes ab. Blickt eine Versuchsperson zunächst in die Ferne und danach auf einen Gegenstand in 30 cm Entfernung, so werden die Pupillen enger. Da beim Blick in die Nähe die Sehachsen beider Augen in der Regel konvergieren (s.S. 257), wird diese Pupillenverengung auch **Konvergenzreaktion** genannt. Die Naheinstellung der Pupille geht einher mit der im folgenden besprochenen Zunahme der Brechkraft der Linse. Wie beim Photoapparat durch Abnahme der Blendenweite, so nimmt auch beim Auge die *Tiefenschärfe* zu, wenn die Pupille enger wird.

Funktion und Innervation der pupillomotorischen Muskeln (Abb. 5). Die Pupillenreaktionen werden von zwei glatten Muskelsystemen in der Iris bewirkt. Durch Kontraktion des ringförmigen *M. sphincter pupillae* wird die Pupille enger **(Miosis)**, während die Kontraktion des radial zur Pupille angeordneten *M. dilatator pupillae* die Pupille erweitert **(Mydriasis)**. Der M. sphincter pupillae ist durch parasympathische Nervenfasern innerviert, die ihren Ursprung im Ganglion ciliare hinter dem Auge haben. Die präganglionären Fasern stammen von *pupillomotorischen Neuronen* des Edinger-Westphal-Kerns, dem „vegetativen" Teil des Oculomotoriuskerns im Hirnstamm, und ziehen mit den übrigen Fasern des N. oculomotorius in die Orbita. Der Aktivitätszustand der pupillomotorischen Neurone des Edinger-Westphal-Kerns wird durch Nervenzellen der prätectalen Region kontrolliert (Abb. 5, 28). Dort endigen Axone aus der Ganglienzellschicht der Retina und aus dem visuellen Cortex (Area 18, 19). Der M. dilatator pupillae wird dagegen durch sympathische Nervenfasern innerviert, deren Erregung von Neuronen im **ciliospinalen Zentrum** des Rückenmarks in Höhe des 8. Cervicalsegmentes und des 1. bis 2. Thorakalsegmentes abhängt. Der Aktivierungszustand des ciliospinalen Zentrums hängt von der allgemeinen vegetativen Tonuslage ab (s.S. 124).

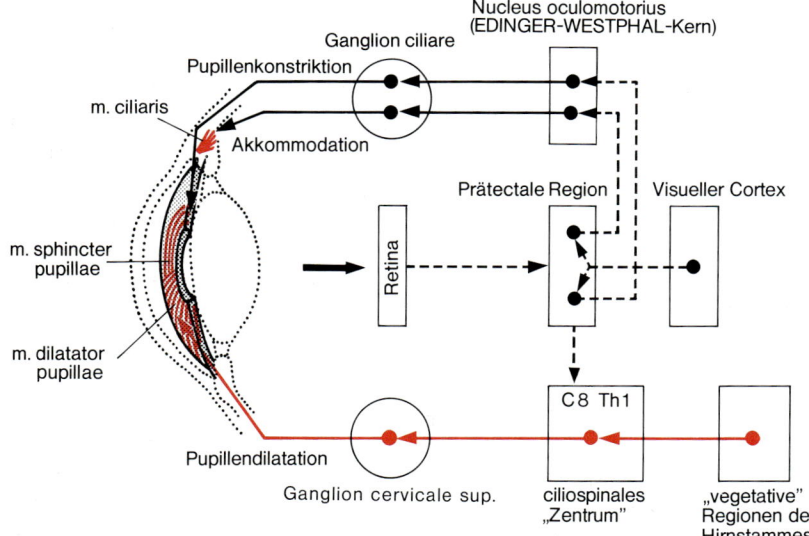

Abb. 5. *Innervationsschema für die Irismuskulatur und den Ciliarmuskel.* Die Neurone des efferenten sympathischen Nervensystems sind rot, die des efferenten parasympathischen Nervensystems schwarz gezeichnet

Klinische Bedeutung der Pupillenreaktion. Die Beurteilung der Pupillenweite und der Pupillenreaktionen ist ein wichtiges diagnostisches Mittel, um Läsionen der Netzhaut und des Sehnerven, Läsionen im Hirnstamm (Oculomotoriusbereich), im Halsmark oder im Bereich des Verlaufs der prä- und postganglionären pupillomotorischen Fasern (tiefe Halsregion, Keilbein und Augenhöhle) festzustellen. Die vegetative Innervation der Irismuskeln erklärt auch, warum die Pupillenweite von psychischen Faktoren, von der Aufmerksamkeit und vom Grad der Ermüdung abhängt [12, 28].

Akkommodation. Im menschlichen Auge erfolgt die Anpassung **(Akkommodation)** der Brechkraft des dioptrischen Apparates an die Fixationsdistanz durch eine Änderung der Krümmung vorwiegend der *vorderen* Linsenfläche. Die Krümmung der Linse hängt von deren Elastizität und von den auf die Linsenkapsel einwirkenden Kräften ab. Die passiven elastischen Kräfte des Ciliarapparates, der Chorioidea und der Sclera werden durch die Fasern der **Zonula Zinnii** auf die Linsenkapsel übertragen. Sie dehnen die Linse und bewirken daher eine Abflachung. Der Einfluß dieser passiven elastischen Kräfte auf die Linse wird durch den ringförmig um die Linse gelegenen Ciliarmuskel (Abb. 2, 6) modifiziert. Dieser Muskel hat radiäre, circuläre und meridional verlaufende glatte Muskelfasern und ist durch vegetative, vorwiegend parasympathische Nervenfasern innerviert. Kontrahiert sich der Ciliarmuskel, so werden die über die Zonulafasern auf die Linse einwirkenden elastischen Kräfte zum Teil aufgehoben. Dadurch nimmt die Spannung der

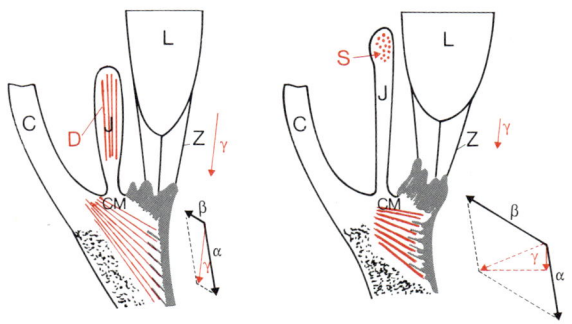

Fernakkommodation   Nahakkommodation

Abb. 6. *Schema zur Wirkungsweise des Ciliarmuskels.* Kontrahiert sich der Ciliarmuskel (CM), so wird die elastische Spannung der Zonulafasern (Z) kleiner und die Krümmung der Linse (L) nimmt zu *(Nahakkommodation)*. Bei Reduktion des Tonus des Ciliarmuskels überträgt sich die Spannung des elastischen Gewebes der Chorioidea stärker über die Zonulafasern auf die Linsenkapsel; die Linsenkrümmung nimmt ab *(Fernakkommodation)*. In den schematischen Vektordiagrammen ist α der elastische Zug aus der Chorioidea, β die durch den Ciliarmuskel bewirkte Kraftkomponente und γ der *resultierende Vektor* in Richtung der Zonulafasern. Die Weite der Pupille ändert sich mit dem Akkommodationszustand. Bei Nahakkommodation ist der M. sphincter pupillae (S) kontrahiert, bei Fernakkommodation nimmt die Kontraktion des M. dilatator pupillae (D) zu. I Iris; C Cornea

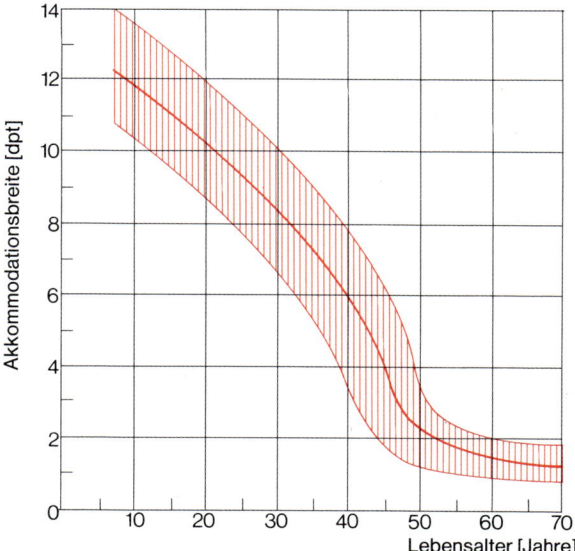

Abb. 7. *Akkommodationsbreite* (Ordinate [dpt] mit Standardabweichungen) normalsichtiger Beobachter verschiedenen Alters (Abscisse). (Nach GRAFF, 1954)

Linsenkapsel ab; besonders die Vorderfläche der Linse krümmt sich stärker und die Brechkraft der Linse nimmt zu **(Nahakkommodation)**. Erschlafft der Ciliarmuskel, so wird die Linse flacher und erreicht ihre geringste Brechkraft **(Fernakkommodation)**. Im normalen Auge werden dann unendlich weit entfernte Gegenstände scharf auf der Netzhaut abgebildet (Fernpunkt = ∞ m).

Akkommodationsbreite. Die in dpt gemessene Differenz der Brechkraft bei Einstellung des Nahpunktes und des Fernpunktes heißt Akkommodationsbreite. Im jugendlichen Auge kann die Brechkraftdifferenz zwischen Fernakkommodation und Nahakkommodation maximal 14 dpt betragen. Entsprechend Gl. (3) und (5) werden vom normalen Auge dann bei maximaler Nahakkommodation Gegenstände auf der Netzhaut scharf abgebildet, die $1/_{14}$ m = 0,07 m = 7 cm entfernt sind. Mit dem Alter wird die Linse infolge von Wasserverlust immer weniger elastisch, ihre Fähigkeit zur Brechkraftänderung und die Akkommodationsbreite nehmen daher ab. Der Nahpunkt rückt mit dem Alter also immer weiter vom Auge weg, weshalb ältere Menschen mit sonst normalen Augen zum Lesen eine Brille benötigen **(Presbyopie,** Abb. 7) [19, 21, 22, 26].

Nervöse Kontrolle der Akkommodation. Die präganglionären Axone (s.S. 114) des Akkommodationssystems haben wie die des pupillomotorischen Systems ihren Ursprung in Zellen des Edinger-Westphal-Kerns und ziehen zum Ggl. ciliare. Der adäquate Reiz zur Änderung der Akkommodation ist eine **unscharfe Abbildung** auf der Netzhaut. Diese Eigenschaft des Reizmusters wird vermutlich von Neuronen des visuellen Cortex (Area 18) ermittelt; aus dieser corticalen Region bestehen Verbindungen zu dem Edinger-Westphal-Kern. Die peripheren vegetativen Synapsen am Ciliarmuskel und in der Iris können wie die anderen Synapsen des vegetativen Nervensystems durch Drogen beeinflußt werden. Wird gelöstes **Atropin** in den Bindehautsack eingeträufelt, so erreicht es durch Diffusion die Iris und den Ciliarkörper und blockiert die Signalübertragung der parasympathischen Synapsen (→Fernakkommodation, Pupillenerweiterung). **Neostigmin** (s.S. 41) bewirkt dagegen eine Pupillenverengung und Nahakkommodation [12, 19, 27, 28].

2.5. Optische Fehler des Auges und Refraktionsanomalien

Das Linsensystem eines modernen Photoapparates hat im Vergleich zum dioptrischen Apparat des Auges wesentlich bessere Abbildungsqualitäten. Der Physiker und Physiologe HERMANN V. HELMHOLTZ (1821–1894) schrieb einmal, daß er einem Optiker ein so nachlässig wie das Auge konstruiertes optisches Instrument wieder zurückgeben würde. Die im folgenden besprochenen „physiologischen" Abbildungsfehler des Auges, die Anlaß zu dieser Bemerkung waren, werden jedoch durch neuronale Kontrastmechanismen weitgehend kompensiert (s.S. 240).

Astigmatismus. Die Corneaoberfläche ist nicht ideal sphärisch, sondern meist in vertikaler Richtung etwas stärker als in horizontaler Richtung gekrümmt. Nach Gl. (1) entsteht so ein richtungsabhängiger Brechkraftunterschied *(Astigmatismus)*. Wenn dieser nicht mehr als 0,5 dpt beträgt, bezeichnet man ihn als „physiologischen" Astigmatismus.

Sphärische Aberration. Die Cornea und die Linse des Auges haben wie alle nicht korrigierten einfachen Linsen im Randbereich eine kürzere Brennweite als im zentralen Bereich um die optische Achse. Die dadurch entstehende *sphärische Aberration* macht die Abbildung unscharf. Je enger die Pupillen sind, um so kleiner wird infolge der Abblendung der Randstrahlen dieser störende Einfluß der sphärischen Aberration.

Chromatische Aberration und Akkommodation. Wie bei allen chromatisch nicht korrigierten einfachen Linsen wird auch durch den dioptrischen Apparat kurzwelliges Licht stärker gebrochen als langwelliges Licht (chromatische Aberration). Zur scharfen

Abbildung der roten Teile eines Gegenstandes muß daher stärker akkommodiert werden als für die Abbildung der blauen Teile. Diese Akkommodationsdifferenz ist die Ursache, warum uns bei gleicher objektiver Entfernung Blau weiter entfernt erscheint als Rot. Die Meister der gotischen Bauhütten haben diese physiologische Täuschung ausgenutzt und in der Regel bei figürlichen Darstellungen auf den Kirchenfenstern den Hintergrund blau, die Figuren bevorzugt in anderen Farben angefertigt, so daß der Betrachter eine scheinbare räumliche Distanz zwischen Figur und Hintergrund wahrnimmt.

Streulicht und Trübungen im dioptrischen Apparat. Linse und Glaskörper sind Kolloide. Daher entsteht im dioptrischen Apparat eine geringe *diffuse Dispersion* des Lichtes. Dieses *Streulicht* beeinträchtigt die visuelle Wahrnehmung jedoch nur bei stark blendenden Lichtreizen (s.S. 243). Auch in gesunden Augen kommen kleine *Glaskörpertrübungen* vor. Sie sind gegen eine weiße Wand als kleine runde Scheibchen oder unregelmäßig geformte, kleine graue Flecken zu erkennen. Da sie sich mit jeder Augenbewegung scheinbar gegen den hellen Hintergrund verschieben, werden sie *fliegende Mücken* genannt. Bei älteren Menschen kann der Wassergehalt der Linse so niedrig sein, daß es zu einem Ausfall der kolloidal gelösten Substanzen kommt und eine milchig-trübe Linsenstruktur entsteht *(grauer Star)*.

Myopie. Die Gesamtbrechkraft des dioptrischen Apparates beträgt für das normale Auge bei Fernakkommodation 58,6 dpt (s.S. 229). Bei dieser Brechkraft wird ein unendlich weit entfernter Gegenstand scharf auf der Netzhaut abgebildet, wenn die Distanz zwischen Hornhautscheitel und Fovea

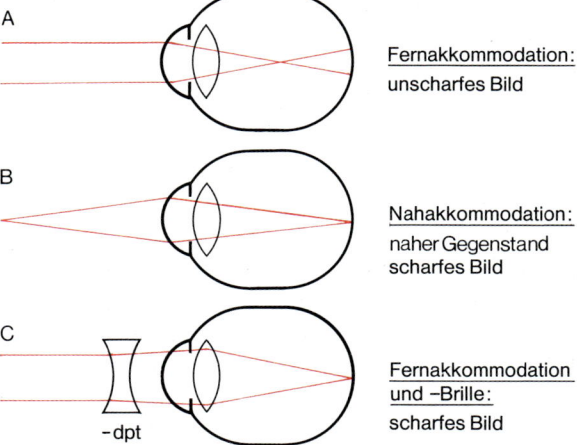

Abb. 8. *Myopie* (Kurzsichtigkeit) und Korrektur durch zerstreuende Linse (– dpt)

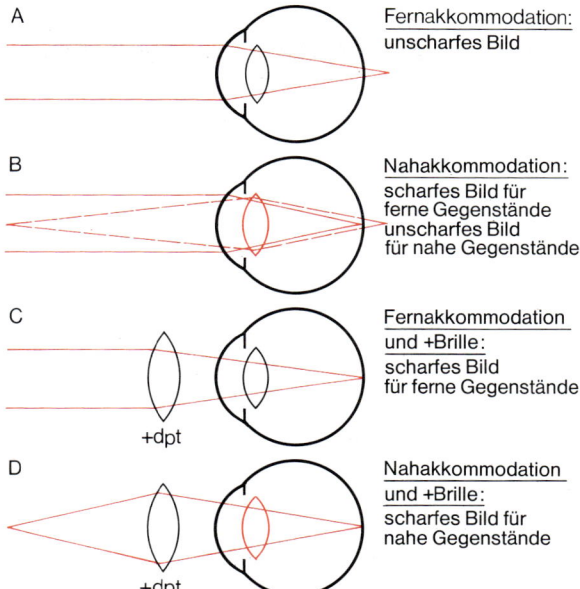

A — Fernakkommodation: unscharfes Bild

B — Nahakkommodation: scharfes Bild für ferne Gegenstände unscharfes Bild für nahe Gegenstände

C — Fernakkommodation und +Brille: scharfes Bild für ferne Gegenstände
+dpt

D — Nahakkommodation und +Brille: scharfes Bild für nahe Gegenstände
+dpt

Abb. 9. *Hyperopie* (Weitsichtigkeit) und Korrektur durch sammelnde Linse (+dpt)

centralis 24,4 mm beträgt. Ist der Bulbus jedoch länger, so können ferne Gegenstände nicht mehr scharf gesehen werden, da die Bildebene *vor* der Fovea centralis liegt **(Kurzsichtigkeit, Myopie).** Der Kurzsichtige muß eine Brille mit zerstreuenden Linsen (−dpt) tragen, wenn er in die Ferne scharf sehen will (Abb. 8).

Hyperopie. Ist der Bulbus im Verhältnis zur Brechkraft des dioptrischen Apparates dagegen zu kurz, so liegt eine **Weitsichtigkeit (Hyperopie)** vor. Der Hyperope kann durch zusätzliche Nahakkommodation Gegenstände im Unendlichen scharf sehen, jedoch reicht oft seine Akkommodation nicht aus, um auch Gegenstände in der Nähe scharf zu sehen. Daher benötigt der Weitsichtige Sammellinsen (+dpt), um seine Fehlsichtigkeit zu kompensieren (Abb. 9) [12, 22, 26].

2.6. Refraktionsbestimmung und Berechnung von Brillengläsern

Objektive Refraktionsbestimmung. Mit der **Skiaskopie** („Schattenprobe") ist eine objektive Refraktionsbestimmung mit einer Genauigkeit von etwa 0,5 dpt möglich: Aus etwa 1 m Entfernung wird ein paralleles Lichtbündel aus dem **Retinoskop** in das fern akkommodierte Patientenauge projiziert (Abb. 10). Der Arzt beobachtet das von der Netzhaut reflektierte Licht und sieht dabei den Schatten

seines eigenen Pupillenrandes. Wenn er das Retinoskop dreht, so bewegt sich auch das reflektierte Lichtbündel und der Schatten. Aus der Bewegungsrichtung des Schattens kann erkannt werden, ob sich die aus dem Patientenauge reflektierten Strahlen vor dem Auge des Arztes vereinigt haben. Dies ist der Fall, wenn der Fernpunkt des untersuchten Auges zwischen Arzt- und Patientenauge liegt. Liegt dagegen der Fernpunkt des Patientenauges nicht zwischen Arzt- und Patientenauge, so bewegen sich das reflektierte Lichtbündel und der Schatten in Drehrichtung des Retinoskops. Um die Refraktion zu bestimmen, werden vor das Patientenauge Linsen mit steigender Dioptrienzahl (− oder +) gehalten, bis ein Umschlagen der Bewegungsrichtung des Schattens erfolgt. Aus der Dioptrienzahl, der für das Umschlagen notwendigen Linse läßt sich die Refraktionsanomalie des Patientenauges ermitteln, wobei bei der Messung aus 1 m Ent-

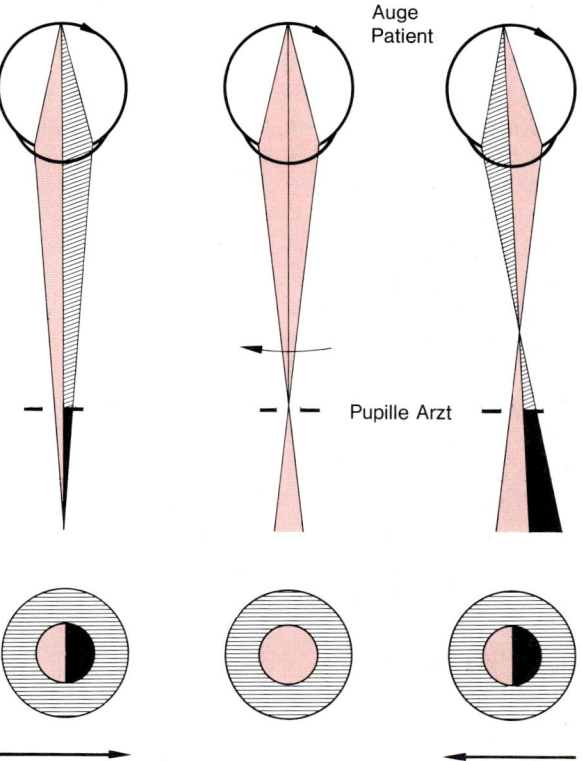

Auge Patient

Pupille Arzt

Licht-Schattenbewegung

Abb. 10. *Vereinfachtes Schema des Strahlenganges bei der Refraktionsbestimmung durch Skiaskopie.* Sammeln sich die aus dem Auge des Patienten reflektierten Lichtstrahlen in einem Brennpunkt vor oder hinter der Pupille des untersuchenden Arztes, so sieht dieser das vom Patientenauge reflektierte Licht und den Schatten seiner eigenen Iris. Beide bewegen sich mit Drehung des Ophthalmoskops. Liegt der Fernpunkt des Patientenauges *zwischen* Arzt- und Patientenauge, so dreht sich der Schatten entgegengesetzt zur Drehrichtung des Ophthalmoskops. Liegt der Fernpunkt des Patientenauges dagegen *hinter* dem Auge des Arztes, so dreht sich der Schatten in Drehrichtung des Ophthalmoskops

fernung 1 dpt vom Dioptrienwert der Linse abgezogen werden muß.

Subjektive Refraktionsbestimmung. Mit Hilfe der auf S. 246 beschriebenen Sehprobentafel kann eine subjektive Refraktionsbestimmung vorgenommen werden. Der Patient betrachtet monocular die Sehprobentafeln aus 6 m Entfernung. Ein kurzsichtiger Patient bekommt bei monocularer Messung Linsen steigender (−) Dioptrienwerte vor das Auge, bis ein optimaler Sehschärfenwert erreicht ist. Die Brechkraft der dafür notwendigen Linse entspricht etwa seinem Refraktionsfehler. Ein weitsichtiger Patient erreicht in der Regel seinen optimalen Sehschärfewert ohne Brille. Ihm werden solange Sammellinsen vor das Auge gesetzt, bis die Sehschärfe abnimmt. Dann ist nach Bestimmung des Nahpunktes aus der Dioptrienzahl der Brillenlinse die Übersichtigkeit berechenbar [19, 26].

Brillen. Die Linse der Brille und das Auge bilden ein zusammengesetztes optisches System, für das Gl. (4) gilt. Wird statt einer Brille mit zerstreuenden Linsen eine Corneakontaktlinse getragen, so nimmt d in Gl. (4) ab, d.h. die Brechkraft der *Corneakontaktlinse* kann etwas kleiner sein als die einer Brillenlinse. Beim Anpassen einer Brille muß darauf geachtet werden, daß (beim Blick nach geradeaus vorne) die optischen Achsen von Auge und Brillenlinse übereinstimmen. Um dies zu gewährleisten muß die Pupillendistanz (56–70 mm) zwischen dem linken und dem rechten Auge gemessen werden.

Die *Größe* des Netzhautbildes hängt von der Stärke der Brille ab. Ist die Refraktion des linken und des rechten Auges ungleich, so entstehen nach vollständiger Korrektur unterschiedlich große Netzhautbilder, wodurch eine Störung des **Binocularsehens** (s.S. 249f.) zustande kommen kann. Es muß dann ein Kompromiß zwischen optimaler Korrektur und ungestörtem Binocularsehen gefunden werden. Der Unterschied der Brechkraft der Linsen sollte nicht mehr als 3 dpt betragen.

Ein stärkerer „regulärer" **Astigmatismus**, bei dem die in einer Richtung stärker gekrümmt ist, kann durch **zylindrig** geschliffene Linsen korrigiert werden. Ein „irregulärer" Astigmatismus mit unregelmäßiger Deformierung der Cornea wird dagegen besser durch Kontaktlinsen kompensiert.

2.7. Die Betrachtung des Augenhintergrundes mit dem Augenspiegel

Blickt ein Tier aus dem Dunkeln in das Scheinwerferlicht eines Autos, so kann der Autofahrer ein „Aufleuchten" der Tieraugen beobachten, weil das Scheinwerferlicht durch den Augenhintergrund reflektiert wird. Diese Lichtreflexion wird beim **Augenspiegeln** ausgenützt. Der vereinfachte Strahlengang beim Augenspiegeln im **aufrechten Bild** ist in Abb. 11 gezeigt. Der Arzt akkommodiert bei der Betrachtung des Augenhintergrundes auf unendlich und muß Refraktionsfehler bei sich oder dem Patienten durch Linsen korrigieren. Ein Bild des Augenhintergrundes, das man beim Augenspiegeln sieht, zeigt Abb. 12: Die **Papille,** die **Gefäße** der Netzhaut und die innere Netzhautoberfläche erscheinen beim Augenspiegeln im aufrechten Bild etwa 15mal vergrößert, weil der dioptrische Apparat als vergrößernde Linse wirkt.

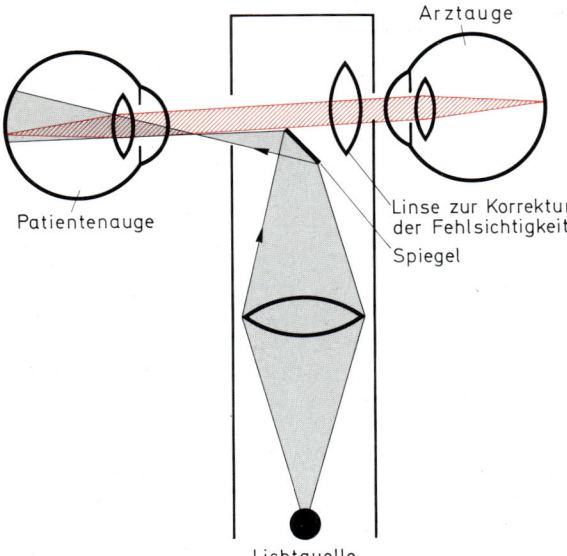

Abb. 11. Stark vereinfachtes Schema des Strahlenganges beim *Augenspiegeln im aufrechten Bild*

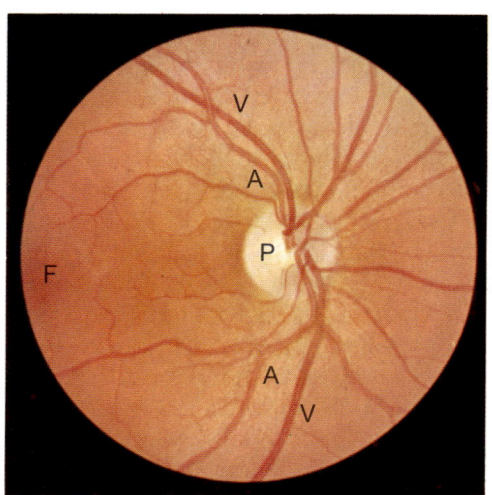

Abb. 12. *Augenhintergrund* (Ausschnitt), wie er beim Spiegeln im aufrechten Bild gesehen wird. A Arteria centralis retinae; V Venae centrales retinae; P Papilla nervi optici; F Fovea centralis. (Aus W. Leydhecker, Grundriß der Augenheilkunde, 1975)

Beim Augenspiegeln im **umgekehrten Bild** betrachtet der Arzt den Augenhintergrund des Patienten aus einer Distanz von etwa 80 cm. Die aus dem Auge des Patienten parallel austretenden Lichtstrahlen werden durch eine Sammellinse von +13 bis +15 dpt zu einem umgekehrten virtuellen Bild vor dem Patientenauge vereinigt. Auf dieses Bild akkommodiert der Arzt. Der Augenhintergrund erscheint bei dieser Methode nur etwa 4fach vergrößert, jedoch kann der Arzt gleichzeitig größere Teile der Netzhaut und auch leichter als beim Augenspiegeln im aufrechten Bild die peripheren Bereiche der Netzhaut sehen.

2.8. Der Augeninnendruck

Die äußere Form des Auges und die Lage der Teile des dioptrischen Apparates zueinander sind in hohem Maße konstant. Dies wird durch die feste **Sclera** und die Konstanz des **Augeninnendruckes** gewährleistet [28, 33, 41].

Die Sekretion von Kammerwasser. Der Augeninnendruck hängt vor allem von der Menge des kontinuierlich gebildeten und abfließenden Kammerwassers ab. Durch *Ultrafiltration* (s. Kap. XXVIII) gelangt Plasmaflüssigkeit aus den Blutcapillaren des Ciliarkörpers in den Extracellulärraum des Ciliarkörpers (Abb. 2) und wird von dort von den Epithelzellen des Ciliarkörpers als Kammerwasser in die hintere Augenkammer **secerniert.**

Aus der hinteren Augenkammer fließt das Kammerwasser in die vordere Augenkammer und von dort über das Trabekelwerk im Kammerwinkel durch den Schlemmschen Kanal in das venöse Gefäßsystem ab. Der Augeninnendruck ist konstant, wenn die Menge des durch den Schlemmschen Kanal abgeleiteten Kammerwassers genau der pro Zeiteinheit produzierten Kammerwassermenge entspricht. Meist durch eine Abflußbehinderung bei normaler Kammerwasserproduktion oder selten durch eine starke Erhöhung der Kammerwasserproduktion bei normalem Schlemmschen Kanal steigt der Augeninnendruck an. Eine pathologische Erhöhung des Augeninnendrucks wird **Glaukom** genannt. Beim chronischen Glaukom (Glaucoma simplex) wölbt sich die mechanisch schwächste Stelle der Augenwand, die Lamina cribrosa **nach außen** aus, wodurch die Sehnervenfasern geschädigt werden. Beim **akuten Glaukomanfall** („Winkelblockglaukom") entsteht durch Verlegung des Kammerwinkels ein akuter Anstieg des Augeninnendruckes und eine Durchblutungsstörung der Netzhaut. Als Folge der retinalen Durchblutungsstörung kann eine vorübergehende oder bleibende Schädigung der Retina mit Erblindung eintreten.

Die elastischen Kräfte der Iris übertragen sich auf die Zone des Kammerwinkels (Abb. 2). Das Trabekelwerk und der Schlemmsche Kanal werden erweitert, wenn die Iris gedehnt, d.h. die Pupille eng ist. Daher wird der Kammerwasserabfluß durch pupillenverengende Mittel verbessert, durch pupillenerweiternde Mittel (z.B. Atropin) dagegen verschlechtert. Bei Glaukomverdacht sind daher pupillenerweiternde Medikamente streng zu meiden.

Tonometrie. Der Augeninnendruck kann von außen durch Messung der Corneaeindellung bestimmt werden, die ein Senkstift von definiertem Durchmesser und Gewicht bewirkt (Impressionstonometrie), oder durch Messung der Kraft, die notwendig ist, die Cornea über einen kleinen Bereich abzuflachen (Applanationstonometrie). Eine pathologische Erhöhung des Augeninnendruckes liegt vor, wenn dieser bei wiederholten Messungen über 22 mm Hg liegt. Beim akuten Glaukomanfall kann der Augeninnendruck bis über 60 mm Hg ansteigen [28, 33].

3. Die Signalaufnahme und Signalverarbeitung in der Retina

Die Schicht der Receptoren liegt im Wirbeltierauge von der Glaskörperseite abgewandt in engem Kontakt mit den Pigmentepithelzellen, die an das Gefäßsystem der Chorioidea angrenzen und den Stoffwechsel der Receptorzellen beeinflussen. Zwischen

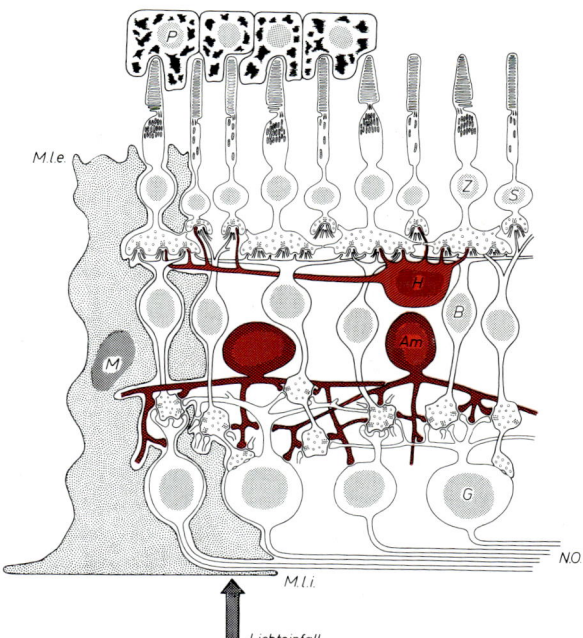

Abb. 13. *Schema des Aufbaus der Primatennetzhaut* nach elektronenoptischen Befunden: S Stäbchen; Z Zapfen; B Bipolarzellen; H Horizontalzellen; A Amakrinen; G Ganglienzellen; M Müllersche Stützzellen (Gliazellen); P Pigmentepithelzellen mit Fortsätzen zwischen den Außengliedern der Receptoren; M.l.i. Membrana limitans interna; M.l.e. Membrana limitans externa. [Unter Verwendung einer Abbildung von DOWLING und BOYCOTT. Proc. Roy. Soc. (London), **166**, 1966]

den Receptoren und dem Glaskörper liegen die Schichten der Horizontalzellen, Bipolarzellen, Amakrinen und Ganglienzellen (Abb. 13). Im folgenden werden im Anschluß an die Darstellung der Signalverarbeitung im Neuronensystem der Retina einige psychophysische Befunde des Sehens (Simultankontrast, Adaptation, Nachbilder, Flimmerfusion) besprochen, da sie weitgehend durch retinale Mechanismen erklärt werden können.

3.1. Der Transduktionsprozeß des Sehens

Der Aufbau der Photoreceptoren. Die Receptorschicht des menschlichen Auges besteht aus etwa 120 Millionen Stäbchen und 6 Millionen Zapfen, die nach histologischen Merkmalen unterschieden werden (Abb. 13). Die *Receptordichte* (Receptoren pro Flächeneinheit) ist für die Zapfen in der Mitte der Fovea, für die Stäbchen dagegen im parafovealen Bereich am höchsten. In der Fovea centralis gibt es keine Stäbchen (Abb. 14). Stäbchen und Zapfen sind ähnlich aufgebaut: Das Außenglied der Receptorzelle besteht aus etwa tausend Membranscheibchen (Stäbchen) bzw. Membraneinfaltungen (Zapfen) und ist durch ein dünnes Cilium

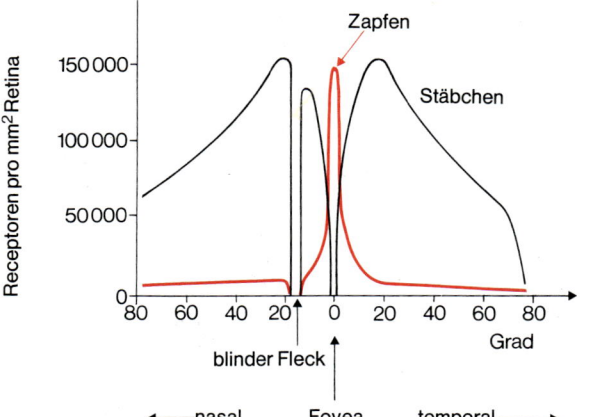

Abb. 14. Verteilung der Zapfen und Stäbchen an verschiedenen Stellen der Netzhaut. Auf der Ordinate ist die Receptordichte (Zahl der Receptoren pro mm² Retinafläche), auf der Abscisse die Distanz von der Fovea centralis in temporaler und nasaler Richtung in Winkelgrad angegeben (schematisiert)

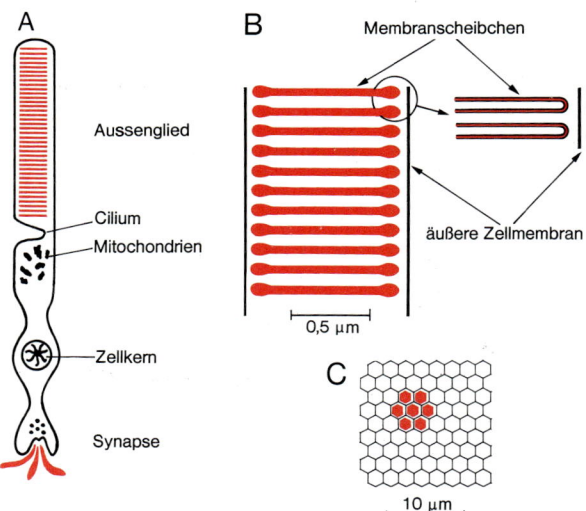

Abb. 15. (A) Schematischer Aufbau eines *Säugetierphotorecep-tors*. (B) Schema der Anordnung der Membranscheibchen im *Außenglied* eines Stäbchens. Der Sehfarbstoff ist in die Membranscheibchen eingelagert. (C) *Querschnitt durch die Receptorschicht* in der Fovea centralis des Menschen; schematisiert. Die Außenglieder der Receptoren (Zapfen) bilden eine regelmäßige Mosaikstruktur

mit dem übrigen Zellkörper verbunden (Abb. 13, 15). Die Außenglieder der Photoreceptoren bilden im Querschnitt eine Mosaikstruktur von hoher Regelmäßigkeit [6, 12].

Sehfarbstoffe. Die Moleküle der Sehfarbstoffe sind sehr regelmäßig in die Lipid-Doppelschicht der Membranscheibchen der Außenglieder eingelagert. Eine im Dunkeln präparierte Netzhaut oder eine im Dunkeln hergestellte Lösung des Sehfarbstoffes der Stäbchen (**Rhodopsin** = „Sehpurpur") sieht rot aus, weil Rhodopsin grünes und blaues Licht besonders gut absorbiert. Dies kann durch Bestimmung

der **spektralen Absorptionskurve** oder der **spektralen Extinktionskurve** exakt gemessen werden. Absorption ist die Differenz der in die untersuchte Lösung einfallenden (I_e) und ausfallenden Lichtmenge (I_a). Extinktion dagegen ist der negative Logarithmus des Quotienten von I_a und I_e. Die Messung der Extinktion hat den Vorteil, daß der Wert unabhängig von der absoluten Konzentration des Farbstoffes in der Lösung ist. Eine Rhodopsinlösung hat zwei Absorptionsmaxima, im sichtbaren Bereich bei etwa 500 nm und im ultravioletten Bereich bei etwa 350 nm [3, 4, 20].

Die Extinktionskurven der Sehfarbstoffe einzelner Stäbchen und Zapfen wurden durch **Mikrospektrophotometrie** bestimmt: Unter mikroskopischer Kontrolle wird ein sehr kleines Lichtbündel durch die isolierten Außenglieder der Photoreceptoren eines Operationspräparates projiziert und mittels hochempfindlicher Photozellen die spektrale Absorptionskurve bestimmt (Abb. 16):

a) Die Sehfarbstoffe der Stäbchen und Zapfen haben unterschiedliche spektrale Extinktionskurven.

b) Die Extinktionskurve für die Stäbchen entspricht der des Rhodopsins und stimmt in guter Näherung mit den Kurven für die spektrale Empfindlichkeit des skotopischen Sehens (Abb. 1) überein.

c) Es gibt *3 verschiedene Zapfentypen* mit unterschiedlichen Sehfarbstoffen.

Chemische Analysen ergaben, daß Rhodopsin aus einem Glykoprotein (Opsin) und einer chromophoren Gruppe, dem 11-cis-Retinal (Abb. 17) besteht. Retinal ist der Aldehyd des Vitamins A_1 (Retinol) [6, 20].

Zerfall und Regeneration der Sehfarbstoffe nach Lichtabsorption. Durch Belichtung wird eine Rhodopsinlösung *gebleicht;* es entsteht eine farblose Lösung aus Opsin sowie aus 11-trans-Retinal und 11-trans-Retinol (Redox-Gleichgewicht). Dieser photoche-

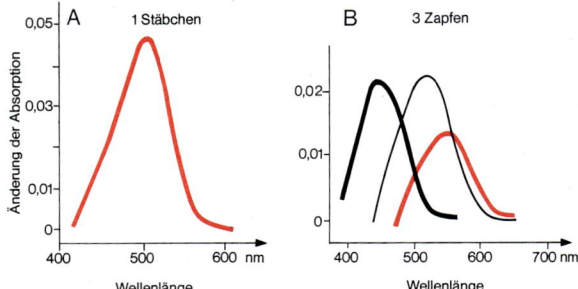

Abb. 16. *Resultate mikrospektrophotometrischer Messungen* der spektralen Absorption einzelner Receptoren der menschlichen Retina (Operationspräparate). Es sind die Differenzspektren vor und nach Bleichung dargestellt. Bei den Zapfen können drei Typen unterschieden werden. [Nach BROWN und WALD, Science **144**, 45 (1964) schematisiert]

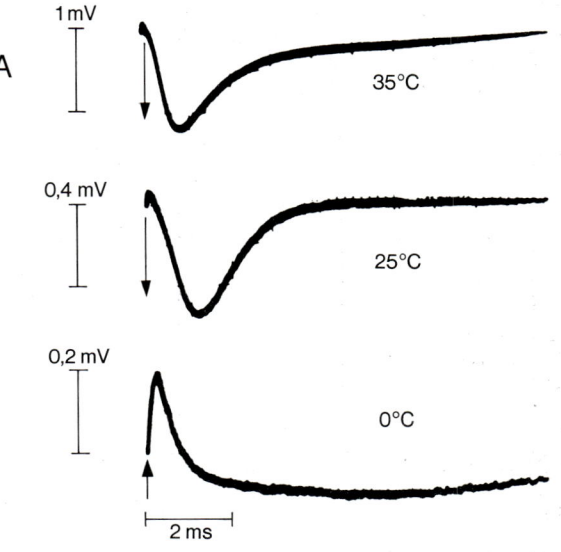

Abb. 17. *Strukturformel des 11-cis-Retinals* und seiner Änderung (all-trans-Form) während der initialen Stufe des Transducerprozesses. Die schematisch dargestellte Bindung des Retinals an das *Opsin* erfolgt wahrscheinlich über das Kohlenstoffatom 15 und eine Stickstoffbrücke

mische Zerfall des Sehfarbstoffes findet auch bei Belichtung in den Receptoren statt: Als erste Stufe des **Transduktionsprozesses** (s. S. 30) wird nach Absorption eines Photons im Sehfarbstoffmolekül die 11-cis-Form des Retinals in die all-trans-Form umgewandelt *(Stereoisomerisation,* Abb. 17). Dadurch wird ein mehrstufiger Zerfall des Sehfarbstoffes eingeleitet, durch den die Einlagerung des Rhodopsinmoleküls in die Membranscheibchen der Außenglieder räumlich verändert wird. Hierbei werden vermutlich Schwefelwasserstoffbrücken frei, wodurch direkt oder über Zwischenprozesse Calciumionen „aktiviert" werden. Diese diffundieren zur Außenmembran der Photoreceptoren und vermindern dort den Leitwert für kleine Ionen (besonders Na^+), wodurch das sekundäre Receptorpotential (s. S. 238) ausgelöst wird [6, 32, 44].

Durch Stoffwechselprozesse wird aus Retinal bzw. Retinol und Opsin wieder Rhodopsin aufgebaut. Innerhalb des physiologischen Meßbereiches eines Photoreceptors stellt sich bei konstanter Belichtung ein **Gleichgewicht** zwischen dem lichtinduzierten Sehfarbstoffzerfall und der vorwiegend enzymatisch kontrollierten Regeneration des Sehfarbstoffes ein. Die Lage dieses *dynamischen Gleichgewichtes,* das die photochemische Grundlage der auf S. 242 besprochenen Adaptationsprozesse darstellt, verschiebt sich zu immer höheren Sehfarbstoffkonzentrationen, je geringer der Lichteinfall auf die Netzhaut ist [6, 20].

Das primäre Receptorpotential der Photoreceptoren. In den Photoreceptoren entsteht nach einer extrem kurzen Latenzzeit von < 1 ms nach Belichtung eine elektrische Potentialschwankung, das **primäre** Receptorpotential (*early receptor potential,* ERP, Abb. 18). Die Amplitude des ERP nimmt mit der Reizstärke über 2–3 ^{10}log-Einheiten zu Abb. 18B). Teilkomponenten des ERP sind auch bei Temperaturen weit unter dem Gefrierpunkt zu registrieren; sie sind also von Ionenbewegungen durch die Zellmembran unabhängig. Das ERP entsteht durch elektrische Ladungsverschiebungen in den Membranscheibchen der Außenglieder im Verlauf der Stereoisomerisation und des Zerfalls der Sehfarbstoffmoleküle. Ob das ERP direkt in die Kausalkette {Photonenabsorption →sekundäres Receptorpotential} eingeschaltet ist, erscheint ungewiß. Seine Messung ermöglicht jedoch eine wichtige quantitative Analyse des Transduktionsprozesses in den Photoreceptoren [6, 40].

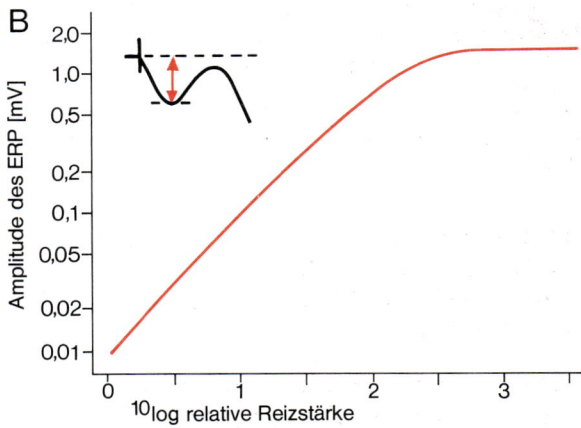

Abb. 18A u. B. *Primäres Receptorpotential (ERP).* (A) Registrierung des ERP der Zapfennetzhaut des mexikanischen Erdhörnchens bei drei verschiedenen Temperaturen. [Nach PAK und EBREY: J. gen. Physiol. **49** (1966)]. (B) Abhängigkeit der Amplitude der negativen Komponente des ERP der Rattenretina (Ordinate) von der Reizstärke (Abscisse). [Nach CONE: Nature **204**, 738 (1964)]

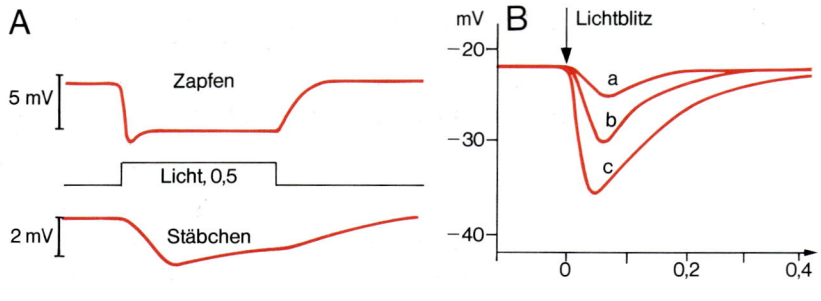

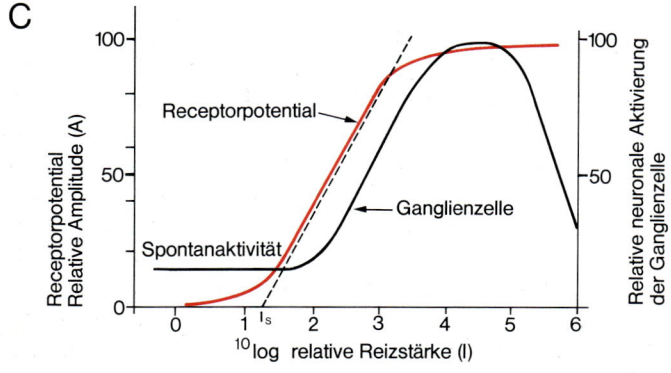

Abb. 19 A–C. *Sekundäres Receptorpotential der Photoreceptoren der Wirbeltiernetzhaut.* (A) Intracelluläre Registrierung des Receptorpotentials eines Zapfens und eines Stäbchens der Wirbeltierretina; schematisiert. (B) Receptorpotential eines Zapfens der Schildkrötenretina auf Lichtblitze (10 ms Dauer) steigender Intensität. Relative Reizstärke a = 1, b = 4, c = 16. (C) *Intensitätsfunktion* des Receptorpotentials eines einzelnen Zapfens der Schildkrötenretina. Die relative Amplitude (A, Ordinate) nimmt in einem engen Bereich linear mit dem Logarithmus der relativen Reizstärke (I, Abscisse) zu. (B) und (C) nach BAYLOR und FUORTES: J. Physiol. (Lond.) **207** (1970). In (C) ist schematisiert die Abhängigkeit der Aktivierung einer retinalen on-Zentrum Ganglienzelle von der Reizstärke eingetragen

3.2. Das Receptorpotential der Zellmembran der Photoreceptoren

Die Photoreceptoren der Wirbeltierretina haben im Dunkeln ein niedriges Ruhemembranpotential (*RMP*, s.S. 7) von −20 bis −40 mV. Belichtung löst eine *Hyperpolarisation* des RMP aus (Abb. 19). Die Amplitude dieses sekundären Receptorpotentials *(late receptor potential,* **LRP***)* steigt mit der Intensität der Lichtreize im Bereich von 2–3 ^{10}log-Einheiten oberhalb der adaptationsabhängigen Reizschwelle I_s an. Das sekundäre Receptorpotential ist im Gegensatz zum ERP mit der Leitwertänderung der Receptorzellmembran korreliert. Während der Belichtung nimmt der Leitwert (g_{Na}) der Zellmembran für Na^+-Ionen ab. Dadurch vermindert sich der im Dunkeln vorhandene Membranstrom. Mit Hilfe der Nernst- bzw. der Goldman-Gleichung (s.S. 9) läßt sich die Hyperpolarisation des RMP erklären. Im Gegensatz zu allen anderen bisher untersuchten Receptoren (s.S. 30) gilt für die Photoreceptoren also nicht das Schema {Erregung→Depolarisation des RMP} sondern {Erregung→Hyperpolarisation des RMP} [6, 32, 44].

Das sekundäre Receptorpotential der Stäbchen verläuft langsamer als jenes der Zapfen. Das Stäbchensystem ist also träger als das Zapfensystem, was auch in der auf S. 243 näher besprochenen niedrigeren oberen Frequenzgrenze der Stäbchen bei intermittierender Lichtreizung zum Ausdruck kommt. Messungen der spektralen Empfindlichkeit des Re-

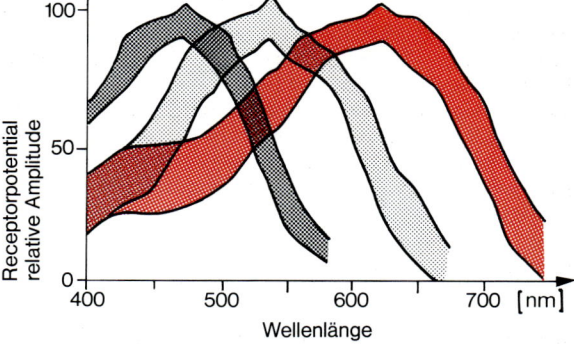

Abb. 20. *Spektrale Empfindlichkeit* der Receptorpotentiale der Fischretina. Mittelwerte mit Standardabweichung der Messung von drei verschiedenen Klassen von Zapfen sind dargestellt. (Nach TOMITA, 1970)

ceptorpotentials von Zapfen ergaben in guter Übereinstimmung mit den Ergebnissen der Mikrospektrophotometrie (Abb. 16) bei farbtüchtigen Tieren drei verschiedene Klassen von Zapfen (Abb. 20). Die spektrale Empfindlichkeit der Receptorpotentiale der Stäbchen hat wie die spektrale Absorptionskurve des Rhodopsins bei ≈ 500 nm ein Maximum [6].

3.3. Das corneo-retinale Bestandspotential und das Elektroretinogramm (ERG)

Vom ganzen Auge kann man mit Makroelektroden zwei funktionell verschiedene elektrische Potentialformen registrieren: das **Bestandspotential** zwischen der Cornea und der dazu elektrisch

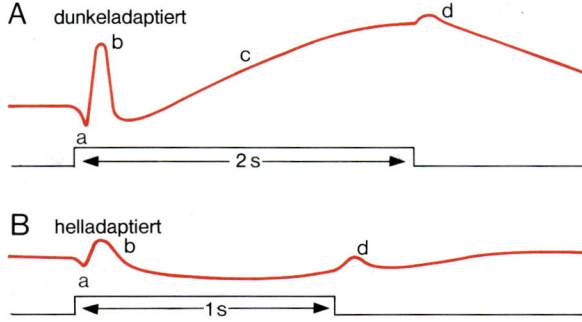

Abb. 21. *Elektroretinogramme der menschlichen Netzhaut.* Schematisiert nach Registrierungen von HANITZSCH u. Mitarb. [Vision Res. **6**, 245 (1966)]

relativ negativen Retina und das **Elektroretinogramm (ERG)**. Das corneo-retinale Bestandspotential ist durch eine Gleichspannungsdifferenz von -6 bis $-15\,mV$ zwischen Glaskörper und Netzhaut bedingt; es ändert sich mit dem Adaptationszustand der Netzhaut.

Das ERG ist eine durch Belichtung oder Verdunklung der Netzhaut ausgelöste elektrische Spannungsschwankung, die aus mehreren „Wellen" (a, b, c, d) besteht (Abb. 21). Die a-Welle entsteht vermutlich durch summierte Receptorpotentiale, die langsamere b-Welle vorwiegend durch Potentialänderungen der Gliazellen und die c-Welle durch Potentialänderungen der Pigmentepithelzellen bei „Licht an"; die d-Welle durch die Änderung des Membranpotentials der Photoreceptoren und Bipolarzellen bei „Licht aus" (off-Effekt). Bei Lichtreizen über 0,3 s Dauer beginnt die c-Welle während des Lichtreizes und wird vom off-Effekt überlagert. Bei kurzen Lichtblitzen fallen b- und d-Welle zusammen [6, 8].

3.4. Receptive Felder retinaler Ganglienzellen

Das retinale Neuronennetz. Die Signale der Receptoren werden durch synaptische Kontakte auf die Bipolarzellen und die Horizontalzellen übertragen (Abb. 13) und in diesen Zellen durch langsame Membranpotentialänderungen „verrechnet". Die Signale der Bipolarzellen werden direkt oder über die Amakrinen auf die Dendritenmembran der Ganglienzellen übertragen. Eine Ganglienzelle ist in der Regel mit mehreren Bipolarzellen verbunden. Eine genauere Analyse der Abb. 13 zeigt z.B., daß alle dort abgebildeten Ganglienzellen direkt oder indirekt mit allen auf dieser Abbildung gezeichneten Receptoren, Bipolarzellen, Horizontalzellen und Amakrinen verbunden sind. Das Ausmaß der auch anatomisch nachweisbaren **Signalkonvergenz** ist um so größer, je weiter außen in der Netzhautperipherie eine Ganglienzelle liegt. Die Signalkonvergenz hängt von der Größe des Dendritenbaumes der Ganglienzellen und von der Ausdehnung der lateralen Fortsätze von Horizontalzellen und Amakrinen ab. Diese beiden Neuronenklassen sind für

die Übertragung **lateraler inhibitorischer Signale** (s.S. 184) verantwortlich [11, 17, 18].

Da *ein* Photoreceptor meist mit *mehreren* Bipolarzellen verbunden ist und diese wiederum Kontakte mit mehreren Ganglienzellen haben, besteht im retinalen Neuronennetz auch eine erhebliche **Signaldivergenz**. Wie das Zahlenverhältnis von Receptoren (≈ 125 Millionen) und Ganglienzellen (≈ 1 Million) zeigt, überwiegt in der menschlichen Netzhaut die Signalkonvergenz.

Receptive Felder. Die Konvergenz und Divergenz der Verknüpfungen in der Retina bilden die Grundlage der **receptiven Felder (RF)** retinaler Ganglienzellen. Das RF ist jenes Areal auf der Netzhaut, von dem durch geeignete visuelle Reizmuster ein Neuron erregt oder gehemmt werden kann. Die RF der Neurone des visuellen Systems sind oft aus funktionell verschiedenwertigen Arealen zusammengesetzt. Die von verschiedenen Stellen eines RF ausgelösten Erregungs- und/oder Hemmungsprozesse werden durch die Ganglienzelle räumlich summiert [6, 11, 17, 18].

Klassen retinaler Ganglienzellen. In der hell adaptierten Säugetiernetzhaut lassen sich mit *unbunten* Lichtreizen zwei Klassen retinaler Ganglienzellen feststellen, die jeweils *antagonistisch* organisierte RF haben: Die **on-Zentrum-Neurone** reagieren auf Belichtung des RF-Zentrums mit einer Depolarisa-

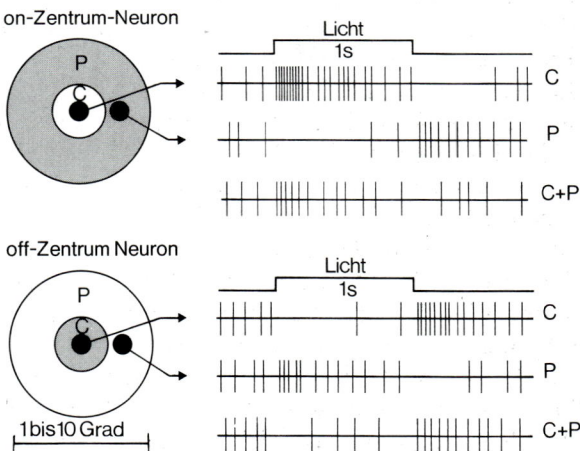

Abb. 22. *Funktionelle Organisation receptiver Felder der Ganglienzellen in der Säugetiernetzhaut.* Zur Analyse der receptiven Felder werden Lichtpunkte (schwarz gezeichnet) entweder in das RF-Zentrum (C) oder in die RF-Peripherie (P) projiziert. Lichtreizung bewirkt bei den *on-Zentrum-Neuronen* und den *off-Zentrum-Neuronen* verschiedene Reaktionen. Wenn beide Teile des receptiven Feldes gleichzeitig belichtet werden (C+P), summieren sich die durch Belichtung des RF-Zentrums und der RF-Peripherie ausgelösten Erregungs- und Hemmungsprozesse. Es überwiegt jedoch die aus dem RF-Zentrum ausgelöste Antwort

tion und daher mit einer Zunahme der neuronalen Impulsfrequenz (Abb. 22). Die Belichtung der RF-Peripherie löst wie „Licht aus" im RF-Zentrum dagegen eine Hyperpolarisation des Membranpotentials und eine Hemmung der neuronalen Impulsaktivität aus. Bei gleichzeitiger Belichtung von RF-Zentrum und RF-Peripherie dominiert die Reaktion aus dem RF-Zentrum. Die Lichtaktivierung ist jedoch schwächer als bei Belichtung des RF-Zentrums allein, da sich die Erregung aus dem RF-Zentrum und die Hemmung aus der RF-Peripherie summieren. Die receptiven Felder der **off-Zentrum-Neurone** sind im Vergleich zu jenen der on-Zentrum-Neurone umgekehrt organisiert (Abb. 22). Der adäquate Reiz zur Erregung der off-Zentrum-Neurone ist eine Abnahme der Leuchtdichte im RF-Zentrum oder eine Zunahme der Leuchtdichte in der RF-Peripherie.

Reizstärke und neuronale Antwort. Bei konstantem mittleren Adaptationszustand nimmt die Impulsfrequenz der on-Zentrum-Neurone über 2–3 ^{10}log-Einheiten mit der Intensität des Lichtreizes ähnlich wie die Amplitude des Receptorpotentials zu (Abb. 19). Auf sehr starke Lichtreize vermindert sich die neuronale Impulsfrequenz infolge starker Inhibition wieder. Auch die Impulsfrequenz der off-Aktivierung der off-Zentrum-Neurone ist nach einer logarithmischen Funktion von der Amplitude des vorausgehenden (negativen) Reizsprunges bei „Licht aus" abhängig.

Zeitlicher Verlauf der neuronalen Erregung. Sowohl bei den on-Zentrum- als auch bei den off-Zentrum-Neuronen kann man zwei Reaktionstypen unterscheiden: *„Tonische" Neurone* reagieren beim adäquaten Wechsel der Leuchtdichte mit einer anhaltenden Aktivierung, *„phasische" Neurone* dagegen nur mit einer kurzen on- oder off-Aktivierung von einigen Sekunden Dauer.

3.5. Neurophysiologische Grundlagen des Simultankontrastes

Im folgenden wird ein erstes Beispiel einer **Korrelation** zwischen der visuellen Wahrnehmung und der Aktivierung bestimmter Neuronenklassen im visuellen System dargestellt. Unabhängig von den erkenntnistheoretischen Grenzen einer solchen psychophysischen Korrelation besteht deren Wert vor allem in der wechselseitigen Voraussage, wenn die richtige „Abbildung" der neurophysiologischen Daten in wahrnehmungspsychologische Befunde bekannt ist (s. S. 179). Für diese Abbildung wird

im folgenden angenommen, daß die Aktivierung der on-Zentrum-Neurone die Bedeutung „heller" für den Ort ihres receptiven Feldzentrums hat, die Aktivierung der off-Zentrum-Neurone dagegen die Bedeutung „dunkler". Die Stärke der subjektiven Empfindungen „heller" oder „dunkler" ist offenbar linear mit der mittleren neuronalen Impulsfrequenz korreliert.

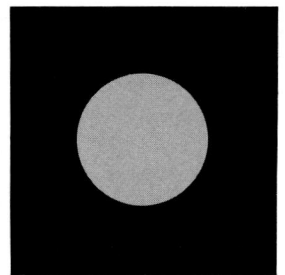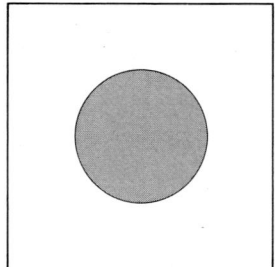

Abb. 23. Visueller Simultankontrast

Die Abb. 23 zeigt den **visuellen Simultankontrast:** Ein graues Feld auf weißem Hintergrund wirkt dunkler als auf schwarzem Hintergrund. Entlang der Hell-Dunkel-Grenze erscheint der helle Teil etwas heller, der dunkle Teil etwas dunkler als die jeweils weitere Umgebung (Mach-Band). Aus der funktionellen Organisation des RF retinaler Ganglienzellen kann der Simultankontrast erklärt werden (Abb. 24): Die Aktivierung der retinalen Neurone durch eine Hell-Dunkel-Grenze ist von der Position der Hell-Dunkel-Grenze im receptiven Feld abhängig. Die stärkste neuronale Aktivierung tritt auf, wenn die Hell-Dunkel-Grenze am Übergang zwischen RF-Zentrum und RF-Peripherie liegt. Die Aktivierung der off-Zentrum-Neurone erreicht ein Maximum, wenn ihr RF-Zentrum auf der dunkleren Seite der Hell-Dunkel-Grenze liegt, die Aktivierung der on-Zentrum-Neurone erreicht ein Maximum, wenn ihr RF-Zentrum auf der helleren Seite der Hell-Dunkel-Grenze liegt. Die mittlere Aktivierung aller on- und off-Zentrum-Neurone im Bereich einer Hell-Dunkel-Grenze entspricht in ihrer räumlichen Verteilung dem wahrgenommenen Simultankontrast.

Durch Simultankontrast werden die auf S. 232 beschriebenen physiologischen Fehler des dioptrischen Apparates zum Teil funktionell kompensiert. Darüber hinaus ist der Simultankontrast eine wichtige Grundlage für die Gestalt- und Formwahrnehmung, da die **Sehschärfe** (S. 246) nicht nur von der Dichte des Receptorenrasters (Abb. 14), sondern auch vom Simultankontrast abhängig ist [11, 12, 17, 31].

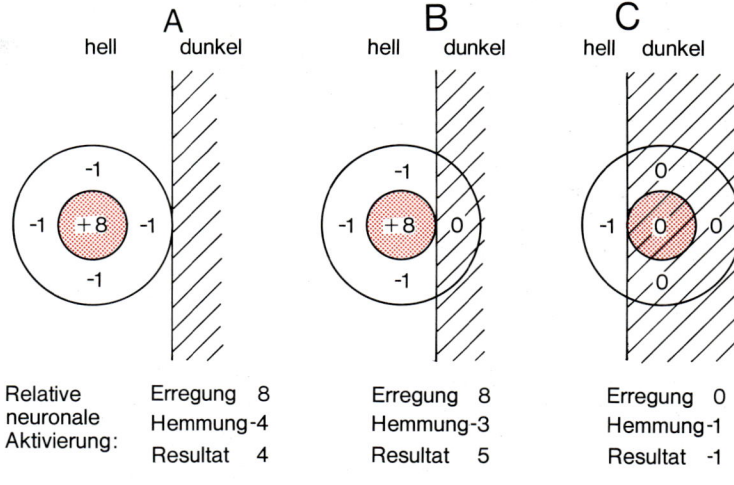

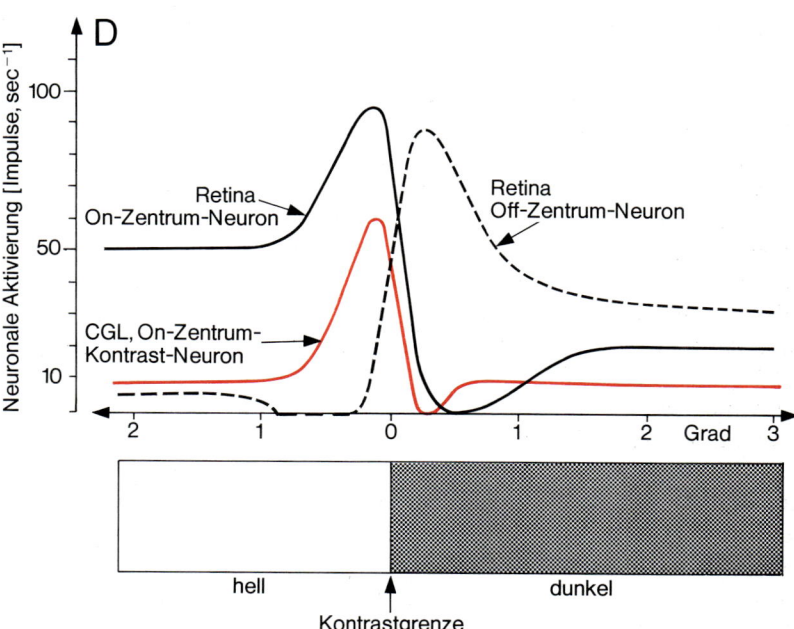

Abb. 24. *Schema zur Entstehung des Simultankontrastes.* (A–C) Die Aktivierung eines on-Zentrums-Neurons hängt von der Position einer Hell-Dunkel-Grenze innerhalb des RF ab. Die maximale Aktivierung wird bei Position (B) erreicht, wenn die Hell-Dunkel-Grenze mit der Grenze zwischen RF-Zentrum und RF-Peripherie zusammenfällt. Die Zahlen geben Relativwerte ohne die spontane Impulsrate an. (D) Abhängigkeit der Aktivierung visueller Neurone von der Position einer Hell-Dunkel-Grenze im receptiven Feld (Abscisse). Dargestellt sind schematisierte Resultate von retinalen on-Zentrum- und off-Zentrum-Neuronen sowie von on-Zentrum-Kontrastneuronen des Corpus geniculatum laterale. (Nach BAUMGARTNER [31] und EYSEL und GRÜSSER [11])

3.6. Hell-Dunkel-Adaptation, Blendung, Nachbilder

Dunkeladaptation. Bei Änderung der mittleren Umweltleuchtdichte paßt sich die Empfindlichkeit des Sehsystems an die veränderten Bedingungen an. Wer bei Nacht aus einem hell erleuchteten Raum ins Freie tritt, kann zunächst in der nächtlichen Umgebung die Gegenstände nicht, nach einiger Zeit jedoch in groben Umrissen erkennen. Während der Dunkeladaptation nimmt die **absolute Empfindlichkeit** des Sehsystems langsam zu, die Sehschärfe ist im dunkeladaptierten Zustand jedoch immer erheblich reduziert. Durch Messung der Schwellenreizstärke wird der zeitliche Verlauf der Dunkeladaptationskurve bestimmt (Abb. 25). Der langsame Verlauf der Dunkeladaptation ist an die langsame Abnahme der Umweltleuchtdichte während der Abenddämmerung gut angepaßt. Das Stäbchensystem erreicht bei der Dunkeladaptation eine wesentlich höhere Empfindlichkeit als das Zapfensystem. Nach mehr als 10 min Dunkeladaptation ist die stäbchenfreie Fovea centralis weniger empfindlich als die extrafoveale Netzhaut. Die absolute Sehschwelle wird nach einem Dunkelaufenthalt von mehr als 2 Std erreicht; für großflächige, auf die periphere Netzhaut projizierte Lichtreize wird eine Empfindlichkeit von 1–4 Photonen pro Minute pro Receptor erreicht [6, 13, 15, 25].

Adaptation und Sehschärfe. Auch innerhalb des *photopischen* Bereiches sinkt die Sehschärfe mit Abnahme der mittleren Umweltleuchtdichte:

Diesen kleingedruckten Text können Sie nur lesen, wenn hinreichend viel Licht auf das Buch fällt.

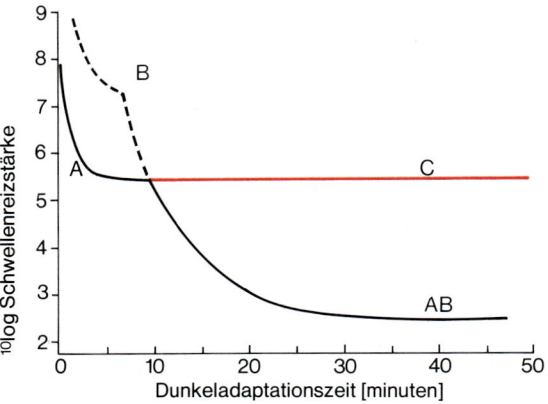

Abb. 25. *Dunkeladaptationskurve des Menschen.* (A) Kurve der Mittelwerte von 9 normalen Versuchspersonen. (B) Dunkeladaptationskurve eines total Farbenblinden, gemessen für den retinalen Ort 8° oberhalb der Fovea centralis. (C) Dunkeladaptationskurve für das Zapfensystem des normal farbentüchtigen Menschen (Fovea centralis, rote Lichtreize). Für die Kurve (B) ist die Zeitachse (Abscisse) um 2 min nach rechts zu verschieben. (A und B nach Untersuchungen von E. AUERBACH, Vision Res. Laboratory, Jerusalem, 1973)

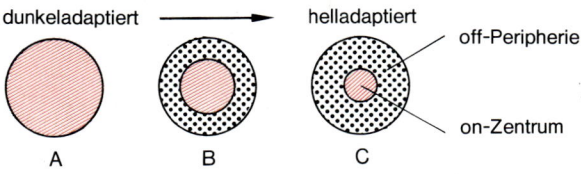

Abb. 26. *Abhängigkeit der funktionellen Organisation des RF einer retinalen on-Zentrum-Ganglienzelle vom Adaptationszustand.* Das RF-Zentrum wird relativ um so kleiner, je heller die Adaptationsleuchtdichte ist. Im dunkeladaptierten Zustand ist die antagonistische Organisation des RF aufgehoben. Lichtreize bewirken dann im ganzen RF eine Erregung

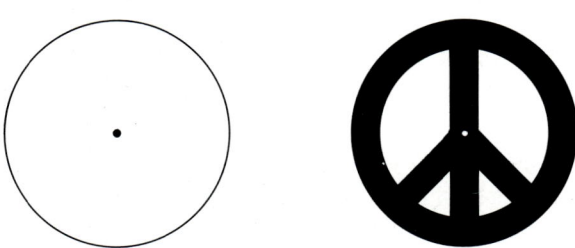

Abb. 27. *Vorlage zur Beobachtung eines Nachbildes.* Fixiert man für etwa 30 s das Zentrum der geometrischen Figur rechts und blickt anschließend auf das Zentrum des Kreises links, so sieht man ein negatives *Nachbild* der rechten Figur

Die Abhängigkeit der Kontrastwahrnehmung und der Sehschärfe von der mittleren Leuchtdichte läßt sich durch die Änderung der RF-Organisation retinaler Ganglienzellen erklären: Die receptiven Feldzentren werden wegen der relativen Zunahme lateraler Inhibitionsprozesse um so kleiner, je größer die mittlere Leuchtdichte eines Reizmusters ist (Abb. 26). Bei skotopischen Adaptationsbedingungen ist keine antagonistische Organisation zwischen

RF-Zentrum und RF-Peripherie nachzuweisen. Alle Receptoren innerhalb des ganzen RF bewirken bei Belichtung eine Erregung der on-Zentrum-Neurone und eine Hemmung der off-Zentrum-Neurone. Die über ein größeres Netzhautareal ausgedehnte Summation der Erregung ist neben der Zunahme der Sehfarbstoffkonzentration in den Receptoren ein wichtiger Mechanismus zur Erhöhung der Empfindlichkeit der Netzhaut bei Dunkeladaptation.

Helladaptation. Der zur Dunkeladaptation entgegengesetzte Prozeß verläuft wesentlich schneller und heißt **Helladaptation.** Betritt ein dunkeladaptierter menschlicher Beobachter einen hell erleuchteten Raum, so paßt sich sein Sehsystem innerhalb von einigen Sekunden an die neue Umweltleuchtdichte an, wobei vorübergehend Blendungseffekte auftreten können.

Mechanismen der Hell-Dunkel-Adaptation. Neben der Änderung des Gleichgewichts zwischen zerfallenem und unzerfallenem Sehfarbstoff in den Photoreceptoren (S. 236) spielen weitere neuronale Mechanismen eine wichtige Rolle bei der Hell-Dunkel-Adaptation: Durch neuronale Mechanismen erfolgt eine „Umschaltung" des Sehens vom Zapfensystem zum Stäbchensystem. Die Flächenzunahme der receptiven Feldzentren retinaler Ganglienzellen wird durch adaptationsabhängige laterale Inhibitionsprozesse bewirkt, an denen die Horizontalzellen und Amakrinen beteiligt sind. Auch die auf S. 230 besprochene Abhängigkeit der **Pupillenweite** von der mittleren Umweltleuchtdichte ist eine weitere neuronale Komponente der Hell-Dunkel-Adaptation.

Lokaladaptation und Nachbilder. Eine Lokaladaptation tritt auf, wenn bei konstanter mittlerer Leuchtdichte der Umwelt umschriebene Bezirke der Netzhaut verschieden stark belichtet werden. Betrachtet man den Mittelpunkt des geometrischen Musters der Abb. 27 für etwa 30 s, so sieht man danach auf einem weißen Hintergrund für mehrere Sekunden ein negatives **Nachbild.** Im negativen Nachbild erscheint dunkel, was im Originalbild war und hell, was dunkel war. Jene Netzhautstellen, auf die sich die dunklen Teile des fixierten Musters abgebildet haben, sind empfindlicher geworden als die benachbarten Bereiche der Netzhaut, auf denen während der Fixationsperiode der hellere Hintergrund abgebildet war.

Lang anhaltende Nachbilder treten auf, wenn ein Bereich der Netzhaut stark oder hinreichend lange belichtet wurde. Eine Lokaladaptation durch **farbige Reizmuster** löst Nachbilder in der *Gegenfarbe* aus (s.S. 254):

„Als ich gegen Abend in ein Wirthshaus eintrat und ein wohlgewachsenes Mädchen mit blendend weißem Gesicht, schwarzen Haaren und einem scharlachrothen Mieder zu mir in's Zimmer trat, blickte ich sie, die in einiger Entfernung vor mir stand, in der Halbdämmerung scharf an. Indem sie sich nun daraufhin wegbewegte, sah ich auf der mir entgegenstehenden weißen Wand ein schwarzes Gesicht, mit einem hellen Schein umgeben, und die übrige Bekleidung der völlig deutlichen Figur erschien von einem schönen Meergrün" (W. v. GOETHE, Zur Farbenlehre, I, 52).

Nach kurzen Lichtblitzen nimmt man eine rasche Folge von positiven (hellen) **periodischen Nachbildern** wahr (2–4 Nachbilder innerhalb von 2 s), die durch oscillatorische excitatorische und inhibitorische Prozesse im retinalen Neuronensystem bedingt sind [35].

Blendung. Bei einer plötzlichen starken Belichtung der Netzhaut, z.B. durch das Scheinwerferlicht eines entgegenkommenden Autos im nächtlichen Straßenverkehr, tritt **Blendung** ein. Darunter versteht man eine vorübergehende Aufhebung der Gestaltwahrnehmung während eines starken positiven Nachbildes, wobei die Sehschwelle erhöht und die Kontrastwahrnehmung reduziert ist. Plötzliche Blendung löst über Verbindungen subcorticaler visueller Zentren mit Neuronen des Facialiskerns einen **reflektorischen Lidschluß** aus.

3.7. Die zeitlichen Übertragungseigenschaften der Netzhaut

Als **Flimmerfusionsfrequenz** (kritische Flimmerfrequenz, CFF) bezeichnet man die obere Grenzfrequenz, bei der intermittierende Lichtreize **keinen Flimmereindruck** mehr hervorrufen. Im Bereich **skotopischer Reizstärken** (Stäbchensehen) beträgt die maximale CFF 22–25 Lichtreize pro Sekunde. Im photopischen Bereich steigt die CFF etwa proportional zum Logarithmus der Leuchtdichte und der Reizfläche bis maximal ≈ 80 Lichtreize pro Sekunde an. Die psychophysisch gemessene CFF wird weitgehend durch das zeitliche Übertragungsverhalten der Netzhaut bestimmt. Für die Flimmerfusionsfrequenz retinaler Ganglienzellen gelten die gleichen Gesetze wie für die subjektive Flimmerfusionsfrequenz. Intermittierende Lichtreize in einem Frequenzbereich zwischen 5 und 15 Hz lösen eine besonders starke Aktivierung retinaler Nervenzellen aus, wodurch ein starker Erregungszufluß zum Gehirn entsteht. Bei manchen epileptischen Patienten kann daher durch Flimmerlicht ein Krampfanfall (s.S. 5) ausgelöst werden [16].

4. Die Signalverarbeitung im zentralen visuellen System

4.1. Die zentrale Sehbahn

Anatomie. Die visuelle Information wird durch die den Sehnerven bildenden Axone der retinalen Ganglienzellen in das Gehirn übertragen. Die Sehnerven vereinigen sich an der Schädelbasis zum **Chiasma opticum** (Abb. 28), wo die aus der nasalen Retinahälfte stammenden Sehnervenfasern zur Ge-

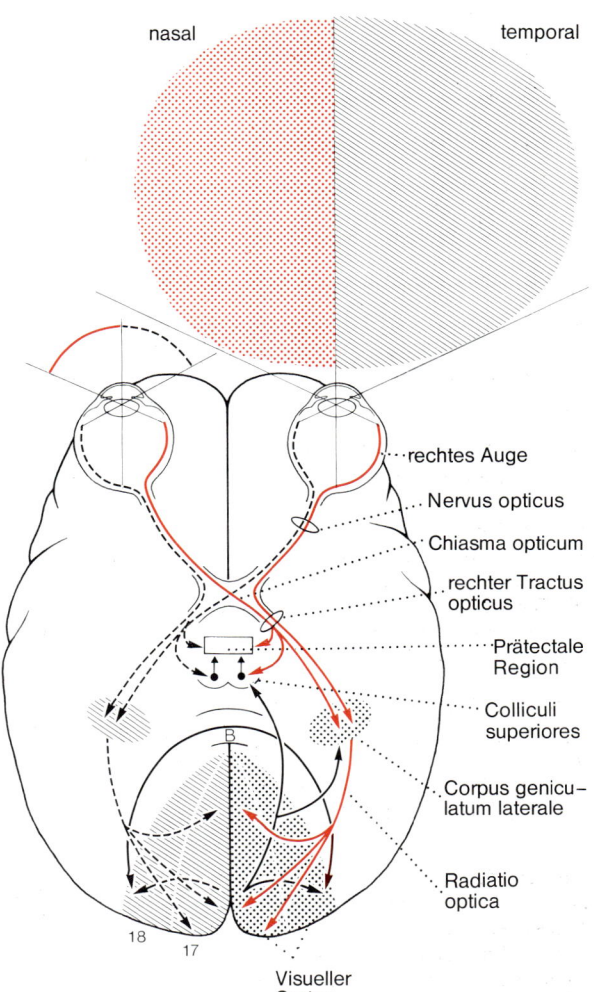

Abb. 28. *Schema der Sehbahn im Gehirn des Menschen.* Die efferenten Verbindungen zwischen dem visuellen Cortex und subcorticalen Strukturen sind auf der rechten Seite zusätzlich eingezeichnet. Der visuelle Cortex der linken und der rechten Hirnhälfte sind durch Axone miteinander verbunden, die durch das Corpus callosum ziehen

genseite kreuzen. Die Sehnervenfasern aus der temporalen Retinahälfte ziehen ipsilateral mit den gekreuzten Axonen des anderen Sehnerven im **Tractus opticus** zu den ersten zentralen Schaltstellen der Sehbahn, dem **Corpus geniculatum laterale,** den **Colliculi superiores** und der **prätectalen Region** des Hirnstammes. Die Axone der Geniculatumzellen verlaufen durch die Sehstrahlung **(Radiatio optica)** vorwiegend zum **primären visuellen Cortex** (Area striata = Area 17 der occipitalen Großhirnrinde). Von dort gehen weitere Verbindungen zum **sekundären** (Area 18) und **tertiären** (Area 19) **visuellen Cortex** sowie zu den Colliculi superiores.

Topologische Organisation der Sehbahn. Die Axone und die verschiedenen Nervenzellschichten der zentralen Sehbahn weisen eine topologische Organisation auf: Ähnlich der Abbildung eines bestimmten geographischen Gebietes auf einer Landkarte bildet sich die Umwelt über die Projektion der Netzhaut im räumlichen Erregungsmuster der Neurone des Corpus geniculatum laterale, der Colliculi superiores und der Sehrinde ab. Im Unterschied zu einer Landkarte mit einer Verkleinerung von z.B. 1:100000, bei der jeder Kilometer Luftlinie in der Natur einem Zentimeter auf der Landkarte entspricht, ist die topologische Projektion der Netzhaut jedoch *nichtlinear*: Das kleine Gebiet der Fovea centralis projiziert sich auf ein sehr viel größeres Gebiet der Sehrinde als ein flächengleiches Areal der Netzhautperipherie.

4.2. Die Signalverarbeitung in den Colliculi superiores

Die Nervenzellen der Colliculi superiores reagieren bevorzugt auf bewegte visuelle Reizmuster und sind zum Teil auch **richtungsempfindlich**: Ein visuelles Reizmuster löst nur dann eine Aktivierung der Nervenzellen aus, wenn es in bestimmter Richtung durch das RF bewegt wird. Die Neurone der Colliculi sind in „Säulen" senkrecht zur Oberfläche der Colliculi angeordnet. Die Neurone innerhalb einer Säule haben ihr RF jeweils in der *gleichen Region des Gesichtsfeldes*. In den tieferen Schichten der Colliculi gibt es Nervenzellen, die kurz vor Augenbewegungen aktiviert sind und die vermutlich eine *blickmotorische Kontrollfunktion* haben (s.S. 262).

Reizt man beim Affen über chronisch implantierte dünne Mikroelektroden einen kleinen Bereich der Colliculi superiores, so werden **Augenbewegungen** ausgelöst. Richtung und Amplitude dieser Augenbewegungen sind gerade so groß, daß das Bild eines Gegenstandes, das *vor* der Augenbewegung im receptiven Feld der elektrisch erregten Nervenzellen war, *nach* der Augenbewegung auf die Fovea centralis fällt. Die tiefen colliculären Neuronenschichten haben offenbar die Funktion eines *„fovealen Zentrierungssystems"*, das durch Verbindungen zwischen dem visuellen Cortex und den Colliculi kontrolliert wird (Abb. 28). Das foveale Zentrierungssystem steuert die reflektorischen Kopf- und Augenbewegungen, die durch plötzlich in der Gesichtsfeldperipherie erscheinende bewegte Objekte ausgelöst werden [1, 42, 43, 45].

4.3. Die Signalverarbeitung im Corpus geniculatum laterale (CGL)

Im CGL endigen die Opticusaxone in drei dem ipsilateralen und drei dem kontralateralen Auge zugeordneten Zellschichten. Die Nervenzellen des CGL haben wie die Ganglienzellen der Retina konzentrisch organisierte receptive Felder (Abb. 22). Mit unbunten Hell-Dunkel-Mustern findet man im CGL zwei verschiedene Neuronenklassen: **„Kontrastneurone"** und **„Hell-Dunkel-Neurone".** In beiden Neuronenklassen gibt es etwa gleich häufig on-Zentrum- und off-Zentrum-Neurone. Die Kontrastneurone reagieren wegen verstärkter lateraler Inhibitionsprozesse nicht oder nur schwach auf diffuse Lichtreize, jedoch sehr stark auf eine Hell-Dunkel-Kontur im RF (Abb. 24). Die Aktivierung der Hell-Dunkel-Neurone hängt dagegen von der mittleren Leuchtdichte des visuellen Reizmusters im ganzen receptiven Feld ab [11, 17].

Bei farbtüchtigen Säugetieren, z.B. Affen, hat ein Teil der CGL-Neurone receptive Felder mit einer **farbspezifischen Organisation.** Monochromatische Lichtreize lösen je nach Wellenlänge eine Erregung oder eine Hemmung aus; zum Teil ist die spektrale Empfindlichkeit von RF-Zentrum und RF-Peripherie verschieden (s.S. 255, Abb. 42C) [6].

4.4. Die Signalverarbeitung im visuellen Cortex

Durch die Leistung der Neuronensysteme der Netzhaut und des CGL werden die visuellen Signale nach ihren chromatischen Eigenschaften, der räumlichen Kontrastverteilung und der mittleren Leuchtdichte an den verschiedenen Gesichtsfeldstellen bewertet. Eine weitere „Strukturierung" des visuellen Signalflusses erfolgt durch die Neuronensysteme des visuellen Cortex. In drei verschiedenen Feldern der occipitalen Hirnrinde, dem primären, sekundären und tertiären visuellen Cortex ist jeweils die ganze kontralaterale Gesichtsfeldhälfte repräsentiert (Abb. 28). Durch Mikroelektrodenableitungen an höheren Säugetieren wurde die Signalverarbeitung durch die Neuronennetze des visuellen Cortex näher analysiert. Aus solchen Untersuchungen weiß man, daß ein großer Teil der Nervenzellen des visuellen Cortex nicht mehr auf einfache Hell-Dunkel-Reize antwortet, sondern nur noch auf **Konturen** bestimmter Orientierungen, **Konturunterbrechungen** usw. Im Reaktionsmuster corticaler visueller Neurone ist also eine weitere „Spezialisierung" der visuellen Signalverarbeitung zu erkennen. Der Grad der Spezialisierung wird durch die receptiven Feldeigenschaften gekennzeichnet: **einfache, komplexe** und **hyperkomplexe** receptive Felder werden unterschieden.

Die Nervenzellen des visuellen Cortex sind in 6 bis 8 *Schichten* parallel und in *Säulen* senkrecht zur Hirnoberfläche angeordnet. Die receptiven Felder aller Nervenzellen in einer etwa 200–300 μm dicken Säule befinden sich im gleichen Bereich des Gesichtsfeldes, können jedoch eine unterschiedliche Ausdehnung haben. Gemeinsam für die Nervenzellen einer Säule ist die ähnliche „Achsenorientierung" der receptiven Felder.

Einfache receptive Felder. Ein Teil der Nervenzellen der Area 17 hat „einfache" receptive Felder mit konzentrisch oder parallel zueinander angeordneten on- oder off-Zonen (Abb. 29). Diffuse Belich-

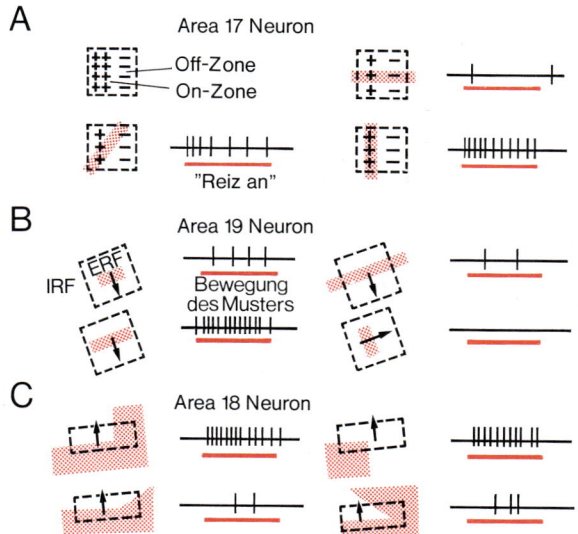

Abb. 29 A–C. *Entladungsmuster einzelner Neurone des visuellen Cortex.* (A) Neuron mit *einfachem* receptivem Feld, parallel angeordnete on- und off-Zonen. (B) Neurone mit *komplexem* receptivem Feld. Die stärkste Aktivierung wird durch einen schräg orientierten Lichtbalken begrenzter Ausdehnung hervorgerufen. (C) Neuron mit *hyperkomplexem* receptivem Feld. Die maximale Aktivierung wird durch *zwei Kontrastgrenzen* ausgelöst, die rechtwinklig aufeinanderstoßen. Die Reizmuster sind jeweils rot dargestellt. In (B) und (C) zeigen die Pfeile die *Bewegungsrichtung* des Reizmusters an. (Schematisiert nach Resultaten von HUBEL und WIESEL)

tung des ganzen receptiven Feldes löst keine oder nur eine schwache Aktivierung aus. Als **Achsenorientierung** wird die Richtung der Grenze zwischen den on- und off-Zonen bezeichnet. Eine Hell-Dunkel-Kontur löst die stärkste Aktivierung aus, wenn sie an und parallel zu der Grenze zwischen on- und off-Zone liegt.

Komplexe receptive Felder. Um Nervenzellen mit komplexen receptiven Feldern zu aktivieren, müssen differenzierte Reizmuster in das RF projiziert werden, z.B. *Hell-Dunkel-Konturen* bestimmter Orientierung oder *Konturunterbrechungen* bestimmter Ausdehnung. Komplexe RF sind in der Regel in ein **excitatorisches receptives Feld** (ERF) und ein **inhibitorisches receptives Feld** (IRF) unterteilt. Eine gleichzeitige Reizung von ERF und IRF löst eine geringe oder keine neuronale Aktivierung aus (Abb. 29). In Area 18 und 19 gibt es außer Neuronen mit komplexen RF Neurone mit *hyperkomplexen* receptiven Feldern. Diese Nervenzellen werden nur dann aktiviert, wenn in das ERF Hell-Dunkel-Konturen bestimmter Orientierung *und* begrenzter Ausdehnung, Konturunterbrechungen oder aufeinanderstoßende Konturen (Ecken) projiziert werden (Abb. 29).

Binoculare Aktivierung. Die Neurone des visuellen Cortex haben in der Regel in jeder Retina ein recep-

tives Feld. Ihr Entladungsmuster ist das Resultat einer binocularen „Verrechnung" und Grundlage für die in Abschnitt 5 besprochene **binoculare Fusion** und das **binoculare Tiefensehen**.

Bewegungsempfindlichkeit corticaler Neurone. Neurone mit komplexem oder hyperkomplexem RF reagieren auf **bewegte Reizmuster** stärker als auf unbewegte. Diese Bewegungsempfindlichkeit kann als Anpassung an die beim normalen Sehen ständig vorhandenen Augenbewegungen gedeutet werden. Das „cerebrale Bild" der stationären Welt wird aus bewegten retinalen Reizmustern ermittelt (s.S. 261). Zum Teil steuern die bewegungsempfindlichen corticalen Neurone über Verbindungen zu den Colliculi superiores die auf S. 261 näher erläuterten **Abtastbewegungen** der Augen beim Sehen und über Verbindungen mit der prätectalen Region die Akkommodation und die Pupillenweite (s.S. 230) [11, 17, 18, 38, 39].

4.5. Neurophysiologische Grundlagen der Gestaltwahrnehmung

Konturen bestimmter Orientierung und Länge, Konturunterbrechungen und Winkel sind optimale Reizmuster für die Aktivierung der verschiedenen Neuronenklassen in der Sehrinde. Im räumlichen Erregungsmuster des Neuronennetzes jeder Klasse werden jeweils andere Eigenschaften („Gestaltmerkmale") des Reizmusters „abgebildet". In Abb. 30 ist am Beispiel des Reizmusters „A" schematisch das räumliche Erregungsmuster angegeben, das dieses Reizmuster in der Netzhaut, in den Kontrastneuronen des CGL und in den verschiedenen corticalen Neuronenklassen auslöst. Infolge der nichtlinearen Projektion der Netzhaut in die Seh-

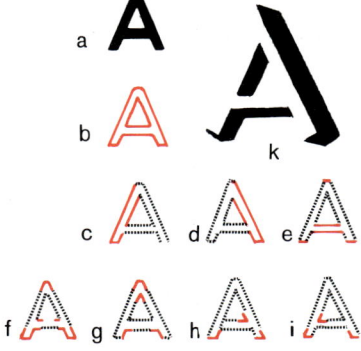

Abb. 30. Ein Leuchtbuchstabe „A" wird auf die Netzhaut projiziert und löst in der Receptorschicht der Netzhaut ein entsprechendes räumliches Erregungsmuster aus (a), das zu einem räumlichen Erregungsmuster in der retinalen Ganglienzellschicht und im Corpus geniculatum laterale (a, b) führt. Die Neurone des visuellen Cortex reagieren entweder auf die Konturen (b), Konturen bestimmter Richtung, Konturunterbrechungen, Winkel und Ecken des „A" (c bis i). Die aktivierenden „Gestaltmerkmale" des „A" sind jeweils rot gezeichnet. In k sind drei schwarze Reizmuster so angeordnet, daß der Eindruck eines räumlich ausgedehnten Buchstabens „A" entsteht. Beispiel für eine *visuelle Gestaltergänzung*

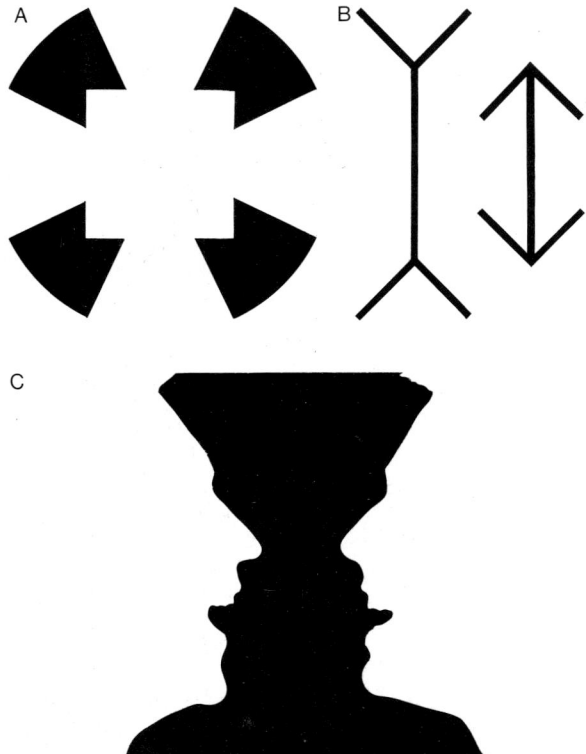

Abb. 31. (A) Beispiel für eine *visuelle Gestaltergänzung* (weißes Quadrat). (B) Müller-Lyer-Täuschung; die vertikalen Balken sind objektiv gleich lang. (C) Muster zur Demonstration des *Figur-Hintergrundwechsels*. Man sieht entweder einen schwarzen „Kerzenständer" auf weißem Hintergrund oder zwei sich zulachende Profile auf schwarzem Hintergrund (Negativ eines Schattenrisses)

rinde (s.S. 244) ist die räumliche Verteilung der Erregung in einer Neuronenklasse der Sehrinde jedoch nicht so gleichförmig wie in Abb. 30 gezeichnet [11, 17, 18].

Optische Täuschungen. Aus der Organisation receptiver Felder corticaler visueller Neurone lassen sich auch einige bekannte **optische Täuschungen** erklären: Der unvoreingenommene Beobachter sieht in Abb. 31(A) ein weißes Quadrat auf einem etwas dunkleren Hintergrund und in Abb. 30(k) ein vollständiges dreidimensional wirkendes A. Der zwingende Eindruck einer **Gestaltergänzung** der Reizmuster wird vermutlich durch die Erregung corticaler Neurone bewirkt, die wie das in Abb. 29(C) gezeigte Neuron ein Reaktionsmaximum erreichen, wenn die Konturen bestimmter Orientierung aufeinanderstoßen. Die in Abb. 31(B) gezeigte Müller-Lyer-Täuschung weist darauf hin, daß auch für die „einfache" Wahrnehmung der Länge einer Strecke offenbar die Erregung corticaler Neurone mit komplexen receptiven Feldern eine Rolle spielt, da der Winkel zwischen den vertikalen und den seitlichen Balken die Wahrnehmung der Länge beeinflußt.

Figur und Hintergrund bei der Gestaltwahrnehmung. Betrachtet man Abb. 31(C), so sieht man entweder den Schattenriß eines schwarzen Kelches (oder Kerzenständers) auf weißem Hintergrund oder zwei einander sich zulachende, weiße Profile auf schwarzem Hintergrund. Es ist nicht möglich, *gleichzeitig* die

schwarze Figur und die hellen Profile als Gestalten wahrzunehmen. Bei längerer Betrachtung wechseln, ohne daß man dies verhindern kann, Figur und Hintergrund dieses Musters. Bei der visuellen Gestalterkennung spielen also noch andere neuronale Operationen in den höheren visuellen Zentren eine Rolle als die oben dargestellte Signalverarbeitung durch Neurone mit komplexen und hyperkomplexen receptiven Feldern.

Form und Größenkonstanz. Wir sehen die Dinge unserer Umwelt in der Regel nach Form und Größe unverändert, auch wenn sich die Winkelgröße und die Form ihres Bildes auf der Netzhaut verändern: Fährt z.B. ein Radfahrer an uns vorbei, so erscheint er uns immer gleich groß, unabhängig von seiner Distanz. Die Räder des Fahrrades bleiben für uns kreisförmig, auch wenn ihr Bild auf unserer Netzhaut schmalen Ellipsen entspricht. Bei dieser **Form- und Größenkonstanz** bestimmt zum Teil die Erfahrung, wie wir unsere Umwelt sehen. Für die Größenkonstanz gibt es darüber hinaus noch erfahrungsunabhängige neuronale Mechanismen. Offenbar wird der von der Distanz eines Gegenstandes zu den Augen abhängige Grad der *Konvergenz* und der *Akkommodation* mit der visuellen Information im Zentralnervensystem „verrechnet". Betrachtet man einen Gegenstand durch eine geeignete Kombination von sphärischen Linsen und Prismengläsern, so läßt sich die funktionelle Koppelung von Nahakkommodation und Konvergenz aufheben. Bei konstanter Winkelgröße des Netzhautbildes erscheint uns in diesem Experiment ein Gegenstand um so kleiner, je mehr die Augen konvergieren und/oder je stärker in die Nähe akkommodiert wird. Aufgrund solcher Befunde wird eine **Rückmeldung** der Signale aus den Neuronensystemen, die Konvergenz und Nahakkommodation kontrollieren (s.S. 231) in den sensorischen Teilen des zentralen visuellen Systems angenommen.

Optische Agnosie und Alexie. Die vielfache Abbildung des retinalen Erregungsmusters im räumlichen Erregungsmuster corticaler Neurone stellt einen wichtigen Mechanismus der visuellen **Zeichenvorverarbeitung** im Gehirn dar. Welche neuronalen Operationen für die endgültige **Zeichenerkennung** — also die Unterscheidung eines „A" von einem „B" oder einer Tulpe von einer Glockenblume — im Gehirn ausgeführt werden, ist noch ungeklärt. Man weiß, daß Signale des Neuronensystems der Sehrinde in höhere Assoziationsfelder des parietalen Cortex übertragen werden. Sind diese Assoziationsfelder geschädigt, so ist die visuelle Gestalterkennung gestört (**optische Agnosie**). Bei Ausfall bestimmter, mit der sensorischen Sprachregion verbundener visueller Assoziationsfelder kann eine isolierte Lesestörung (**Alexie**) auftreten (s.S. 165).

4.6. Die Bestimmung der Sehschärfe

Das Bild eines fixierten Gegenstandes projiziert sich bei normaler Augenstellung jeweils auf die Fovea centralis jedes Auges. Die alltägliche Erfahrung lehrt uns, daß beim photopischen Sehen die Sehschärfe im Bereich der Fixationsstelle am größten ist und von dort zur Peripherie des Gesichtsfeldes abnimmt (Abb. 32). Der Arzt bestimmt den **Visus** (=Sehschärfe an der Stelle schärfsten Sehens) mit den Landolt-Ringen, normierten Schriftenprobentafeln oder Schattenrissen bekannter Gegenstände des Alltages. Der **Visus** V ist durch folgende Formel definiert:

$$V = \frac{1}{\alpha} \; [\text{Winkelminuten}^{-1}],$$

wobei α die Lücke in Winkelminuten ist, die von der Versuchsperson in einem Landolt-Ring gerade noch erkannt wird. Der Visus ist also 1, wenn $\alpha = 1$ Winkelminute ist. Wird

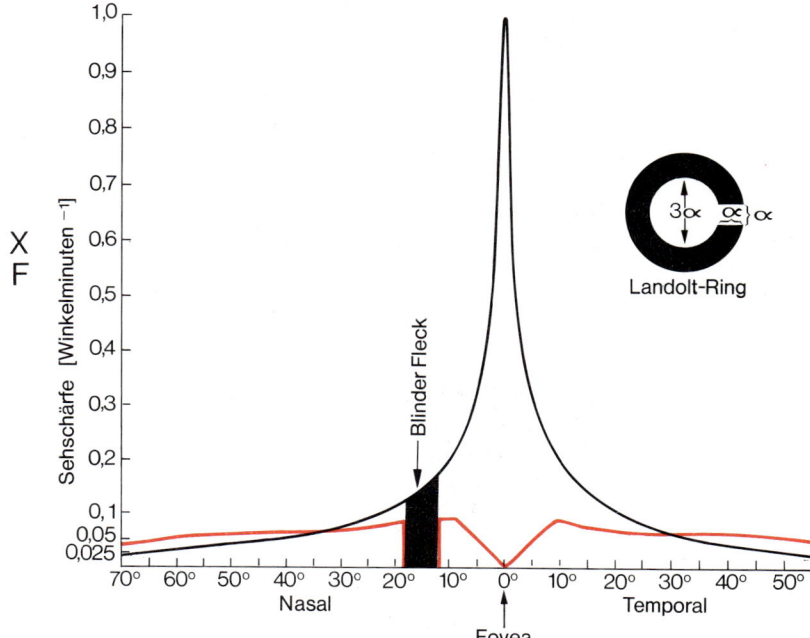

Abb. 32. *Abhängigkeit der Sehschärfe (Ordinate) vom Ort im Gesichtsfeld (Abscisse)*. Schwarze Kurve: *photopisches Sehen*, rote Kurve: *skotopisches Sehen*. Landolt-Ring zur Sehschärfenbestimmung. An dieser Figur kann der Beobachter den blinden Fleck feststellen, wenn er aus etwa 30 cm Entfernung das Kreuz F mit dem rechten Auge monocular fixiert. Der Landolt-Ring fällt dann auf den blinden Fleck und wird nicht mehr gesehen

der Visus nach Korrektion von Refraktionsfehlern mit einer Brille (s.S. 232f.) gemessen, so bezeichnet man das Resultat als **Visus cum correctione** (Visus c.c.), wird der Visus ohne Brille bestimmt als **Visus sine correctione** (Visus s.c.). Die Sehschärfe nimmt beim photopischen Sehen von der Fovea zur Netzhautperipherie ab; dies ist durch drei Faktoren bedingt:

a) Die Abbildungsgüte des dioptrischen Apparates ist für den Bereich der Fovea besser als für die periphere Netzhaut.

b) Die Zapfendichte ist in der Fovea am größten (Abb. 14).

c) Die Durchmesser der RF-Zentren retinaler und corticaler Neuronen nehmen mit der Distanz von der Fovea zu.

Konturensehschärfe und Punktsehschärfe. Mit den Landolt-Ringen oder mit normierten Schriftprobentafeln wird bei der Visusbestimmung die Konturwahrnehmung und die Gestaltwahrnehmung mit überprüft. Die **Konturensehschärfe** ist immer größer als die **Punktsehschärfe**. Die Punktsehschärfe ist der Kehrwert des in Winkelminuten gemessenen Abstandes, den zwei kleine Lichtpunkte voneinander haben müssen, um gerade noch getrennt wahrgenommen werden zu können. Die Konturensehschärfe ist der Kehrwert der in Winkelminuten gemessenen minimalen Konturunterbrechung, die gerade noch als Stufe in einer Hell-Dunkel-Kontur erkannt wird [2, 19, 28].

4.7. Die Bestimmung des Gesichtsfeldes durch Perimetrie

Unter dem **monocularen Gesichtsfeld** versteht man jenen Teil der visuellen Umwelt, der mit *einem* unbewegten Auge wahrgenommen wird. Das **binoculare Gesichtsfeld** ist entsprechend die Summe aller Orte im Raum, die mit beiden (unbewegten) Augen wahrgenommen werden können. Im binocularen Gesichtsfeld gibt es einen Bereich, der mit beiden Augen gesehen wird (*binoculares Deckfeld*) und je einen lateralen Bereich, den das linke und das rechte Auge allein sehen. Unter **Blickfeld** versteht man

jenen Bereich der visuellen Umwelt, der bei unbewegtem Kopf, aber frei umherblickenden Augen wahrgenommen wird. Der Verlust der visuellen Empfindung in einem Teil des Gesichtsfeldes wird **Gesichtsfeldausfall** oder **Skotom** genannt. Skotome sind entweder durch eine Schädigung in der Netzhaut oder in der Sehbahn bedingt. Die Grenzen des normalen Gesichtsfeldes sowie Skotome werden quantitativ mit Hilfe der **Perimetrie** bestimmt (Abb. 33, 34). Bei einer exakten Perimetrie müssen der *Adaptationszustand* sowie *Größe, Leuchtdichte* und *spektrale Zusammensetzung* des Reizlichtes genau definiert sein. Aus der Art der Skotome kann der Arzt auf den Ort einer Schädigung im Verlauf der Sehbahn schließen, wobei er die auf S. 243 besprochene Anatomie der Sehbahn kennen muß (Abb. 28). Das Gesichtsfeld ist im helladaptierten Zustand für eine Hell-Dunkel-Wahrnehmung größer als für eine Farbwahrnehmung (Abb. 32). Die Farbenblindheit der äußeren Gesichtsfeldperipherie ist durch die geringe Zapfenzahl in diesem Bereich der Netzhaut bedingt (Abb. 14). Im Gesichtsfeld jedes Auges gibt es ein physiologisches Skotom, den **blinden Fleck.** Dieser ist durch die Austrittsstelle des Sehnerven (Papille) durch die Sclera bedingt, da an dieser Stelle die Netzhaut fehlt. Der Leser kann seinen blinden Fleck an Hand der Abb. 32 selbst feststellen [2, 28].

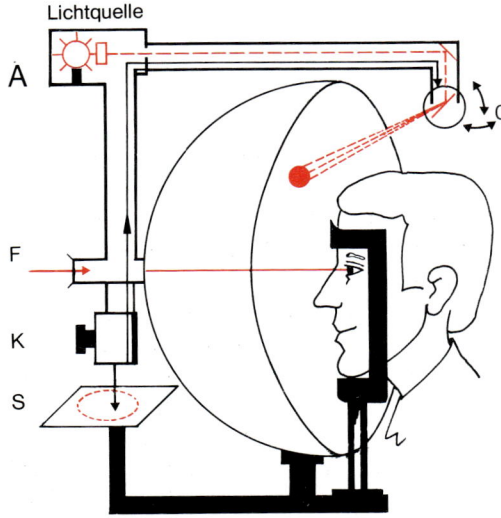

Gesichtfeld des linken Auges

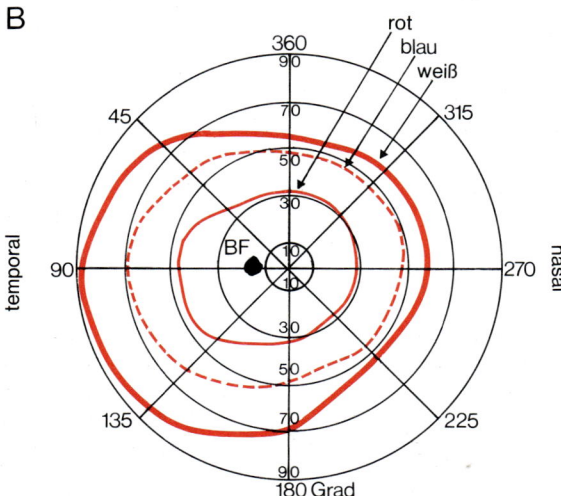

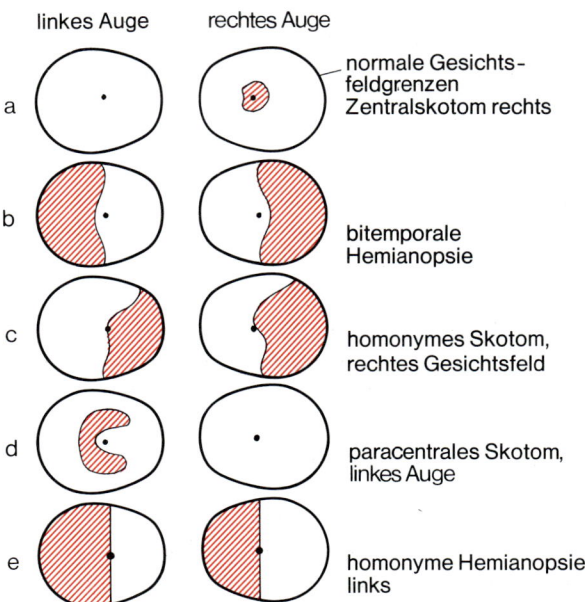

Abb. 34. *Typische Gesichtsfeldausfälle*, schematisiert. Mögliche Lokalisationen für das Auftreten dieser Gesichtsfeldausfälle sind: a: rechte Retina (Fovea centralis) oder rechter Sehnerv; b: Chiasma N. optici; c: linker Tractus opticus oder linkes zentrales visuelles System; d: linke Retina oder linker N. opticus; e: rechter Tractus opticus oder rechtes zentrales visuelles System

Abb. 33. (A) *Perimeterapparatur*, schematisiert. Die Messung des Gesichtsfeldes (B) wird monocular durchgeführt. Das Auge des Patienten befindet sich im Mittelpunkt der Perimeterhemisphäre. Der Patient fixiert einen Punkt am Pol des Perimeters. Der untersuchende Arzt kontrolliert die Fixation durch den Einblick (F) und bewegt eine Lichtmarke (P) über die Fernbedienung (K) der Projektionsoptik (O). Die Lichtmarken können verschiedene Größe, Leuchtdichte oder Farbe haben. Die Versuchsperson gibt ein Zeichen, sobald sie die Reizmarke sieht. Die Position der Reizmarke wird gleichzeitig auf einer Karte (S) mitgeschrieben. (B) Resultat einer Bestimmung der normalen Gesichtsfeldgrenzen mit weißem, blauem und rotem Licht. BF blinder Fleck. Der Fixationspunkt ist der Mittelpunkt der Kreise, die den Abstand vom Fixationspunkt (in Winkelgraden) des Meßpunktes im Gesichtsfeld angeben

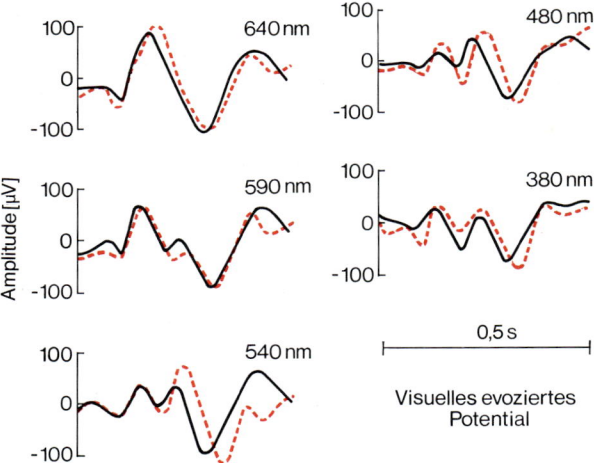

Abb. 35. *Visuelles evociertes Potential (VEP)* von zwei Versuchspersonen (schwarze und rote Kurven). Kurze Lichtblitze aus monochromatischem Licht verschiedener Wellenlänge (380–640 nm) wurden jeweils zum Beginn der Registrierung appliziert. Mittelwertbildung aus 30 Reaktionen. (Nach SHIPLEY u. Mitarb., Vision Res. 1972)

4.8. Das visuelle evocierte Potential (VEP)

Die Perimetrie, die Bestimmung der Sehschärfe und die Überprüfung der Gestaltwahrnehmung sind **subjektive Methoden** zur Diagnose einer Schädigung in der Netzhaut oder im Verlauf der

Sehbahn. Das Ergebnis dieser Messungen hängt auch von der Kooperationswilligkeit des Patienten ab. Erste Schritte zu einer **objektiven Prüfung** der Funktion der Netzhaut und des zentralen visuellen Systems wurden in den letzten Jahren durch die Messung des ERG (s.S. 239) und des **visuellen evocierten Potentials** (VEP) unternommen. Das VEP wird *elektroencephalographisch* (s.S. 152) vom Hinterhaupt abgeleitet, wobei die Netzhaut wiederholt mit Reizmustern definierter Reizstärke, Reizgröße und Lokalisation im Gesichtsfeld erregt wird. Die von Reiz

Abb. 37. *Farbenkreis.* (Nach HERING, E.: Grundzüge der Lehre vom Lichtsinn, 1920)

trums (Abb. 1) unterschiedlich farbig, wobei ein *kontinuierlicherer* Übergang der Empfindung von violett über blau, grün, gelb und rot wahrgenommen wird, andererseits nehmen wir Farben wahr — nämlich die Purpurtöne zwischen Rot und Blau —, die im Spektrum nicht vorkommen. Sehr unterschiedliche physikalische Reizbedingungen können zu genau gleichen Farbwahrnehmungen führen: Spektrales Gelb kann z.B. von einer bestimmten **additiven Mischfarbe** aus spektralem Grün und spektralem Rot nicht unterschieden werden (s.S. 252).

Die durch sinnespsychologische Messungen ermittelten **Gesetze des Farbensehens** beschreiben die *phänomenale Struktur* der Farbwahrnehmung. Daraus wurden seit über 100 Jahren verschiedene Theorien zur Physiologie des Farbensehens entwickelt, die seit etwa 20 Jahren durch elektrophysiologische Messungen an einzelnen Receptoren und Nervenzellen des visuellen Systems direkt überprüft werden können.

Die phänomenale Struktur der Farbenwahrnehmung. Die Sehdinge unserer Umwelt haben für den normal farbtüchtigen Menschen eine große Mannigfaltigkeit verschiedener Farbnuancen. Etwa 7 Millionen verschiedener **Farbvalenzen** können unterschieden werden, die sich in zwei große Klassen gliedern: **bunte und unbunte Farben.** Die **unbunten Farbvalenzen** bestehen aus der „natürlichen Reihe" vom hellsten Weiß über die verschiedenen Graustufen bis

zur tiefsten, durch Simultankontrast (s.S. 240) hervorgerufenen Schwarzempfindung. Die **bunten Farbvalenzen** der *Körperfarben* (das sind die Oberflächenfarben der Objekte) lassen sich durch drei phänomenale Größen charakterisieren: **Farbton, Sättigung** und **Dunkelstufe.** Bei selbstleuchtenden Farbreizen (z.B. einer farbigen Lichtquelle) tritt an Stelle der Dunkelstufe die **Helligkeit.** Auf S. 226 wurde schon erwähnt, daß energiegleiche monochromatische Lichtreize verschiedener Wellenlänge unterschiedliche Helligkeitsempfindungen hervorrufen. Aus der systematischen Messung der für die subjektive Helligkeitsgleichheit notwendigen Strahlungsenergie verschiedener monochromatischer Lichtreize wurden die spektralen Helligkeitskurven (bzw. die spektralen Empfindlichkeitskurven) für das photopische und das skotopische Sehen bestimmt (Abb. 1).

Die **Farbtöne** bilden ein „natürliches" **Kontinuum,** das qualitativ als *Farbenkreis* dargestellt werden kann, der von Rot über Gelb, Grün, Blau und Purpur zurück nach Rot reicht (Abb. 37). *Farbton* und *Sättigung* bestimmen zusammen die **Farbart.** Die Sättigung einer Farbe wird durch den Weiß- bzw. Schwarzgehalt bestimmt. Spektrales Rot mit Weiß gemischt ergibt z.B. die **Farbart** Rosa. Die Farbarten lassen sich in einem dreidimensionalen „Farbenraum" darstellen. Die Abb. 38 zeigt eine frühe, nicht-metrische Darstellung eines solchen **Farbenraumes,** die *Farbenkugel* des Malers PHILIPP OTTO RUNGE (1812). Jede Farbvalenz ist durch einen be-

Abb. 38. *Die Farbenkugel* von Ph.O. Runge (1812), eine nicht-metrische Darstellung des Farbenraumes

stimmten Ort auf oder in der Farbenkugel repräsentiert, an der die wichtigsten **qualitativen** Eigenschaften der Farbwahrnehmung erläutert seien:

1. Die Wahrnehmung aller Farbvalenzen des Farbenraumes bildet ein Kontinuum, d.h. benachbarte Farbvalenzen gehen ohne Sprünge ineinander über.
2. Jeder Ort im Farbenraum läßt sich durch drei Größen exakt definieren.
3. Der Farbenraum weist eine polare Struktur auf: die **Gegenfarben** Schwarz–Weiß, Grün–Rot und Blau–Gelb.

In den modernen **metrischen** Farbsystemen wird die Farbwahrnehmung in empfindungsgleiche Unterstufen nach den „Dimensionen" Farbton, Sättigung und Dunkelstufe gegliedert, wobei die unten erwähnten *Farbmischungsgesetze* berücksichtigt werden. In den metrischen Farbenräumen ist die einfache Farbenkugel zu einem nicht-kugelförmigen Farbenkörper deformiert. Ziel dieser metrischen Farbsysteme (in Deutschland wird das DIN-Farbsystem, DIN-Norm 6164, von M. Richter angewandt) ist nicht eine physiologische *Erklärung* des Farbensehens, sondern eine eindeutige *Beschreibung* der Farbwahrnehmung. Es ist jedoch zu fordern, daß eine umfassende physiologische Theorie des Farbensehens, die zur Zeit noch nicht vorliegt, die Struktur der metrischen Farbsysteme voraussagt.

Farbmischungen. Eine **additive** Farbmischung entsteht, wenn auf die gleiche Netzhautstelle Licht verschiedener Wellenlänge fällt. Im *Anomaloskop,* das

zur Diagnostik von Farbsinnesstörungen (s.S. 255f.) benützt wird, wird z.B. auf die eine Hälfte eines Kreises spektrales Gelb (589 nm) projiziert, auf die andere Hälfte eine Mischung von spektralem Rot (671 nm) und Grün (546 nm). Zur Herstellung der Empfindungsgleichheit der additiven Farbmischung mit der Spektralfarbe gilt folgende „*Farbmischungsgleichung*" (Abb. 39(A)):

$$a \cdot (\text{rot, } 671) + b \cdot (\text{grün, } 546) \cong c \cdot (\text{gelb, } 589). \qquad (9)$$

Das Zeichen $\cong$ bedeutet *empfindungsgleich* und hat keine mathematische Bedeutung. Ein normal

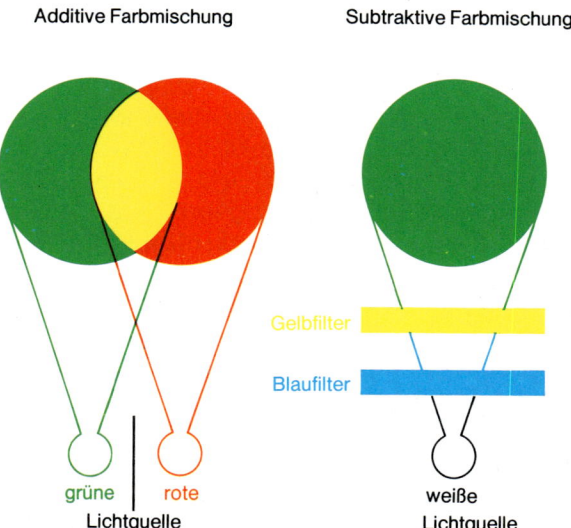

Abb. 39. Schema einer *additiven* und einer *subtraktiven* Farbmischung

Farbentüchtiger stellt in dieser Gleichung für den Rot-Anteil etwa 40, für den Grün-Anteil 33 relative Einheiten ein.

Werden zwei monochromatische Lichtreize zwischen 430 nm und 555 nm bzw. zwischen 660 nm und 492 nm additiv gemischt, so entsteht eine Farbmischung, deren Farbton weiß ist oder einer Spektralfarbe entspricht, deren Wellenlänge *zwischen* den Wellenlängen der gemischten Lichtreize liegt. Werden jedoch je ein monochromatischer Lichtreiz oberhalb von 660 nm und unterhalb von 430 nm gemischt, so entstehen **Purpurtöne,** die im Spektrum nicht vorkommen.

Die Farbe Weiß. Zu jedem Farbton des Farbenkreises kann man einen anderen Farbton des Farbenkreises mischen, derart daß die Farbe **Weiß** entsteht. Die Konstanten (Gewichtungsfaktoren a und b) dieser Mischungsgleichung

$$a\{F_1\} + b\{F_2\} \cong K\{Wei\beta\} \qquad (10)$$

hängen von der Definition von „Weiß" ab. Die Farbtöne F_1 und F_2, die jeweils die Gl. (10) erfüllen, heißen **Komplementärfarben.**

Subtraktive Farbmischung. Von der additiven Farbmischung ist die subtraktive Farbmischung zu unterscheiden, die ein rein physikalischer Vorgang ist: Fällt weißes Licht durch ein breitbandiges Gelbfilter und danach durch ein breitbandiges Blaufilter, so ergibt sich die subtraktive Mischfarbe Grün, da nur der Grünbereich des Spektrums durch beide Filter durchgelassen wird (Abb. 39(B)). Ein Maler, der Pigmentfarben mischt, stellt eine subtraktive Farbmischung her, da die einzelnen Farbkörnchen wie breitbandige Farbfilter wirken.

Das trichromatische Sehen. Für den normal Farbtüchtigen kann jede Farbart (F_4) durch eine additive Farbmischung von drei geeignet gewählten Farbtönen F_1–F_3 hergestellt werden, wobei immer eine eindeutige und hinreichende Empfindungsgleichung gilt:

$$a\{F_1\} + b\{F_2\} + c\{F_3\} \cong d\{F_4\}. \qquad (11)$$

Aufgrund internationaler Übereinkunft werden für die Konstruktion der modernen Farbsysteme als **Primärfarben** F_1, F_2 und F_3 Spektralfarben mit den Wellenlängen 700 nm (rot), 546 nm (grün) und 435 nm (blau) gewählt. Für die additive Mischung der Farbe **Weiß** gilt für die Gewichtungsfaktoren a, b, c dieser Primärfarben:

$$a + b + c = d = 1. \qquad (12)$$

Zur geometrischen Darstellung der sinnespsychologischen Resultate der Gln. (9) bis (12) wird die **Normfarbtafel** (Abb. 40, „Farbendreieck") benützt. Im Vergleich zu den Farbkörpern vernachlässigt

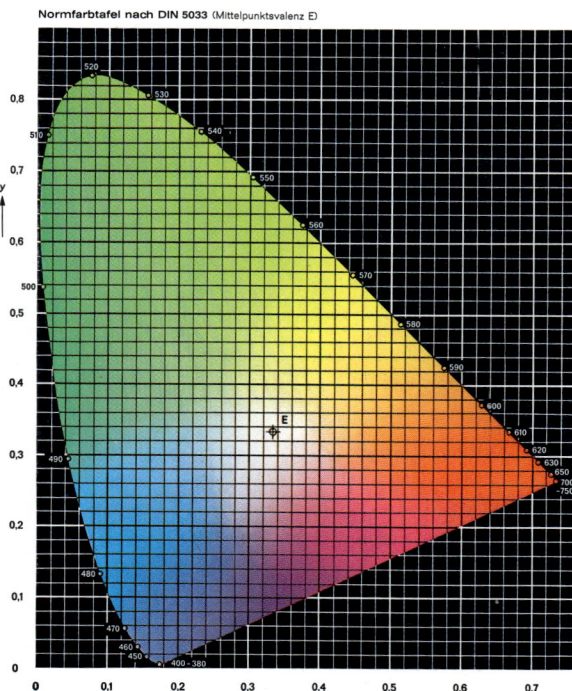

Abb. 40. *Normfarbtafel nach DIN 5033.* Der Weißbereich liegt um den Punkt E. Die Basis des „Farbendreiecks" bilden die Purpurtöne. Die *additive Mischfarbe* M zwischen zwei beliebigen Farben A und B liegt auf der Geraden AB. *Komplementärfarben* liegen jeweils auf Geraden durch den Punkt E

die Normfarbtafel die Dunkelstufen. Werden zwei Farben miteinander gemischt, so liegt in der Normfarbtafel die Mischfarbe auf der Geraden zwischen den beiden Farben. An Hand der Normfarbtafel können die jeweils einander zugeordneten Komplementärfarben durch Geraden ermittelt werden, die durch den „Weißpunkt" (E) gehen.

Die Farbwahrnehmung beim **Farbfernsehen** beruht auf einer additiven Farbmischung von drei analog zu Gl. (11) ausgewählten Farbtönen [7, 12, 13, 25, 29].

6.2. Theorien des Farbensehens

Die im folgenden kurz geschilderten beiden wichtigsten Theorien des Farbensehens, deren Anhänger sich früher heftig bekämpften, können heute als zwei sich ergänzende theoretische Deutungen des Farbensehens betrachtet werden. Jede der beiden Theorien ist auf einer anderen Stufe des afferenten visuellen Systems „richtig". Die Synthese der rivalisierenden Theorien wurde schon vor 70 Jahren durch v. KRIES in der **Zonentheorie** vorgeschlagen.

Die trichromatische Theorie des Farbensehens. Aus Gl. (11) und der Normfarbtafel folgt, daß für das

Farbensehen drei unabhängig voneinander wirksame physiologische Prozesse angenommen werden können. Die trichromatische Theorie des Farbensehens (YOUNG, MAXWELL, HELMHOLTZ) postuliert **drei verschiedene Zapfentypen,** die als unabhängige Empfängersysteme des photopischen Sehens arbeiten und deren Signale gemeinsam in einem *neuronalen Helligkeitssystem* und in einem *neuronalen Farbensystem* verrechnet werden. Für diese Theorie wurden neben den Farbmischungsgesetzen zahlreiche sinnespsychologische Beobachtungen angeführt. Ein Beispiel ist die Farbigkeit des Spektrums an der unteren Empfindlichkeitsgrenze des photopischen Sehens, an der nur drei Farbtöne unterschieden werden: Rot, Grün und Blau.

Die in Abb. 16 dargestellten mikrospektrophotometrischen Messungen an einzelnen Zapfen und die farbspezifische Antwort der Receptorpotentiale der Zapfen in der Netzhaut farbtüchtiger Tiere (Abb. 20) können als erste objektive Bestätigung für die Drei-Receptorhypothese des Farbensehens angesehen werden [3, 12, 15].

Die Gegenfarbentheorie. Umgibt ein leuchtend grüner Ring eine graue Fläche, so erscheint diese infolge von **farbigem Simultankontrast** leicht rot getönt. Daraus folgt, daß farbspezifische laterale inhibitorische oder excitatorische Prozesse im visuellen System die Farbwahrnehmung mitbestimmen, denn die spektrale Zusammensetzung des von der grauen Fläche reflektierten Lichtes ändert sich durch Hinzufügen eines grünen Ringes nicht. Der farbige Simultan- und der farbige Sukzessivkontrast (Nach-

bilder, s.S. 242) werden durch die von HERING im 19. Jahrhundert aufgestellte **Gegenfarbentheorie** gedeutet. HERING nahm für die bunten Farbvalenzen vier **Urfarben** an: Rot, Gelb, Grün und Blau, die durch zwei jeweils antagonistische organisierte physiologische Prozesse, den **Grün-Rot-Prozeß** und den **Gelb-Blau-Prozeß** gekoppelt sind. Ein dritter antagonistischer Prozeß wurde für die unbunten Gegenfarben **Weiß** und **Schwarz** gefordert. Die Bezeichnung Gegenfarben wurde aus der polaren Struktur der Farbwahrnehmung hergeleitet: Es gibt kein „grünliches Rot" und kein „bläuliches Gelb".

Die Gegenfarbentheorie fordert also antagonistische, farbspezifische neuronale Machanismen. Löst Grün z.B. an farbspezifischen Neuronen eine Erregung aus, so müßte Rot eine Hemmung auslösen. Diese durch HERING postulierten antagonistischen Prozesse sind zum Teil schon in der Reaktion von Nervenzellen erkennbar, die den Receptoren direkt nachgeschaltet sind. Farbtüchtige Wirbeltiere haben Rot-Grün-Horizontalzellen (s.S. 235), die auf Belichtung ihres receptiven Feldes mit spektralen Lichtreizen zwischen 400 und 600 nm mit einer Hyperpolarisation des Ruhemembranpotentials antworten, während spektrales Licht über 600 nm eine Depolarisation bewirkt. Horizontalzellen des Gelb-Blau-Systems werden durch spektrales Licht unter 530 nm hyperpolarisiert und durch spektrales Licht zwischen 530 und 620 nm depolarisiert (Abb. 41). Auch in der Ganglienzellschicht der Netzhaut und im Corpus geniculatum laterale gibt es Nervenzellen mit farbspezifischen Reaktionen. Entsprechend den Voraussagen der Gegenfarbentheorie löst bei

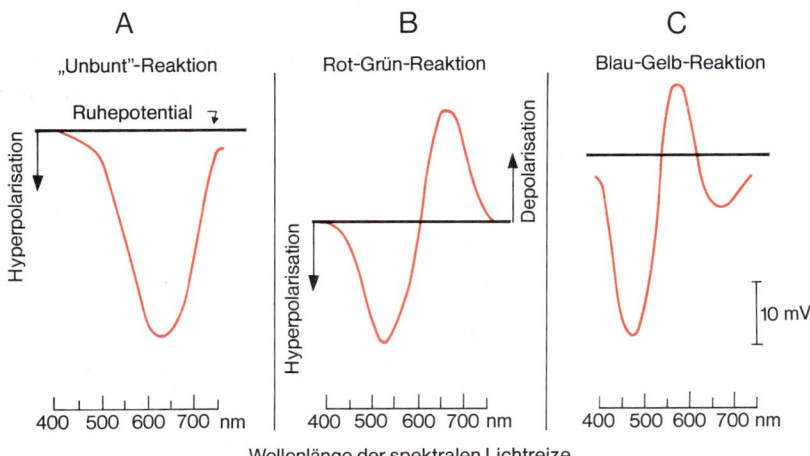

Abb. 41 A–C. *Abhängigkeit des Membranpotentials dreier verschiedener Horizontalzellen (Fischretina) von der Wellenlänge monochromatischer Lichtreize (Abscisse).* Die Wellenlänge energiegleicher monochromatischer Lichtreize wurde langsam geändert. (A) Horizontalzelle, die mit Hyperpolarisation in allen Bereichen des Spektrums reagierte. (B) Rot-Grün-Horizontalzelle. Grüne Lichtreize bewirken eine Hyperpolarisation, rote

Lichtreize eine Depolarisation. (C) Gelb-Blau-Horizontalzelle. Das Niveau des Ruhemembranpotentials ist jeweils durch eine schwarze Linie gekennzeichnet. Hyperpolarisation bewirkt einen Ausschlag unter dieser Linie, Depolarisation einen Ausschlag über diese Linie. [Nach SPEKREIJSE und NORTON: J. gen. Physiol. **56** (1970)]

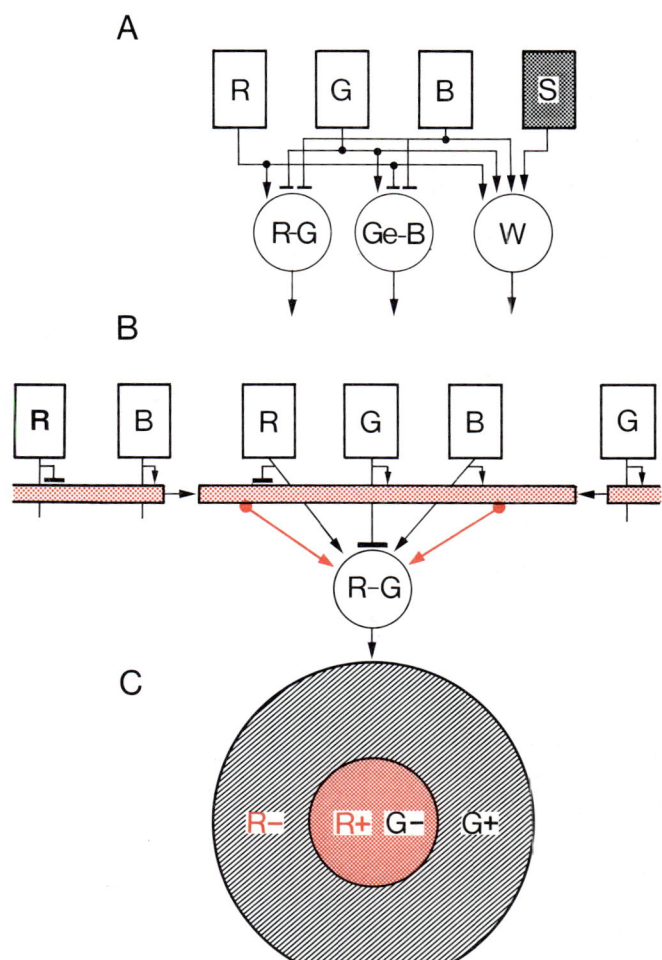

Abb. 42. (A) *Schema der Verschaltung der Signale von drei unabhängigen Receptortypen des Zapfensystems mit nachgeschalteten Neuronen* (Bipolarzellen), die entsprechend der Gegenfarbentheorie eine Rot-Grün-Antwort (R-G), Gelb-Blau-Antwort (Ge-B) oder eine Unbuntantwort (W) haben. (B) *Schema der Entstehung eines farbspezifischen Antagonismus zwischen RF-Zentrum und RF-Peripherie eines retinalen Rot-Grün-Neurons.* In A und B sind hyperpolarisierende Kontakte durch Querbalken, depolarisierende Kontakte durch Pfeile gekennzeichnet. R Rot-Receptor; G Grün-Receptor; B Blau-Receptor (Zapfen); S Stäbchen; H Horizontalzellen. (C) *Farbspezifisch organisiertes receptives Feld* eines retinalen oder eines CGL-Neurons. R^+G^- Aktivierung durch rote, Hemmung durch grüne Lichtreize im RF-Zentrum; R^-G^+ Hemmung durch rote, Erregung durch grüne Lichtreize in der RF-Peripherie

Belichtung des RF-Zentrums ein Teil des Spektrums Erregung, ein anderer Hemmung aus. Die spektrale Empfindlichkeit der RF-Peripherie ist zum Teil spiegelbildlich zur spektralen Empfindlichkeit des RF-Zentrums, zum Teil jedoch gleich (Abb. 42(C)).

Die Abb. 42 (A) und (B) zeigen einfache Schemata, die erklären, wie drei unabhängig voneinander operierende Zapfensysteme verschaltet sein können, um die farbspezifischen neuronalen Antworten in den nachgeschalteten Neuronensystemen hervorzurufen. In diese Schaltschemata ist entsprechend der v. Kriesschen Zonentheorie für die Receptorebene die Gültigkeit der trichromatischen Theorie, für die nachgeschalteten Neuronensysteme die Gültigkeit der Gegenfarbentheorie angenommen [6, 13].

6.3. Störungen des Farbensinnes

Störungen der Farbwahrnehmung sind entweder durch eine pathologische Veränderung der Sehfarb-

stoffe, der Signalverarbeitung in den Photoreceptoren und den nachgeschalteten Nervenzellen, oder der spektralen Durchlässigkeit des dioptrischen Apparates bedingt. Bei den im folgenden besprochenen genetisch bedingten Störungen des Farbensinnes sind fast immer beide Augen betroffen, jedoch gibt es sehr seltene Fälle von typischen Farbsinnesstörungen, die nur ein Auge betreffen. Diese Menschen können dann die subjektiven Wahrnehmungen bei Farbsinnesstörungen beschreiben, da sie ihre unterschiedlichen Farbempfindungen mit dem rechten und dem linken Auge vergleichen können.

Anomalien des trichromatischen Sehens. Die mildeste Form der Farbsinnesstörungen stellen die **Farbanomalien** dar, die x-chromosomal recessiv vererbt werden. Die Menge der durch farbanomale Trichromaten unterscheidbaren Farbvalenzen ist im Vergleich zu normalfarbtüchtigen Menschen reduziert, jedoch sind zur vollständigen Beschreibung des Farbenraumes der anomalen Trichromaten entsprechend Gl. (11) drei Primärvalenzen notwendig. Der **Protanomale** und der **Deuteranomale** verwechseln

ungesättigtes Rot und Grün. Um die Empfindungsgleichung (9) zu erfüllen, mischt der Protanomale
im **Anomaloskop** mehr Rot zur Farbmischung als
der normal Farbtüchtige, der Deuteranomale dagegen mehr Grün. Bei der sehr selten auftretenden
Tritanomalie liegt eine Störung des Gelb-Blau-Systems vor.

Dichromaten. Die verschiedenen Formen der Di-
chromasie werden ebenfalls x-chromosomal recessiv vererbt. Bei diesen Menschen genügen zwei
Spektralfarben, um analog zur Gl. (11) **alle** Farbtöne ihres Farbenraumes zu beschreiben. Beim **Protanopen** und beim **Deuteranopen** ist das Rot-Grün-
System gestört. Die spektrale Helligkeitskurve
(Abb. 1) ihres photopischen Sehens ist im Vergleich
zum Normalen verschoben. Beim Protanopen liegt
das Maximum um 520 nm, beim Deuteranopen um
580 nm. Der Protanope verwechselt Rot mit
Schwarz, Dunkelgrau, Braun und zum Teil wie
auch der Deuteranope mit Grün. Der Protanope
hat im Spektrum unbunte Stellen zwischen 480 und
495 nm, der Deuteranope zwischen 495 und
500 nm. Die sehr seltenen **Tritanopen** verwechseln
Gelb und Blau, das blau-violette Ende des Spektrums erscheint ihnen in Schwarz- und Grautönen.
Dem Tritanopen erscheint das Spektrum zwischen
565 und 575 nm unbunt [6, 15, 25, 29].

Totale Farbenblindheit. Weniger als 0,01% der Bevölkerung sind
total farbenblind. Diese Menschen sehen die Welt etwa so wie
ein normal Farbtüchtiger sie in einem Schwarzweißfilm wahrnimmt, nämlich in verschiedenen Graustufen (*Monochromasie*).
Total Farbenblinde haben meist eine Störung der Helladaptation
im photopischen Bereich. Wegen der sehr niedrigen Blendungs-
schwelle ist die Formwahrnehmung des Monochromaten beim
Tageslichtsehen stark beeinträchtigt, was zum Symptom der
Photophobie führt. Total Farbenblinde tragen daher schon bei
normalem Tageslicht starke Sonnenbrillen. Ihre Sehschärfe
(s.S. 247) ist für den Bereich der Fovea centralis auf unter
0,1 Winkelminuten^{-1} reduziert. Histologisch zeigt die Netzhaut
von total Farbenblinden meist keine Veränderung der Zapfen.
Da total Farbenblinde die spektrale Helligkeitskurve des Normalen für den skotopischen Bereich haben (Abb. 1), ist anzunehmen, daß ihre Zapfen Rhodopsin als Sehfarbstoff enthalten.
Darauf weisen auch ihre Dunkeladaptationskurven (Abb. 25)
hin [15].
Störungen des Stäbchensystems. Menschen mit Störungen des
Stäbchensystems haben keine Farbsinnstörungen, zeigen jedoch eine stark eingeschränkte Dunkeladaption. Ursache dieser „Nachtblindheit" oder *Hemeralopie* genannten Störung kann
ein Mangel von Vitamin A$_1$ in der Nahrung sein, das Vorstufe
des Retinals ist (s.S. 237).

Diagnostik der Farbsinnstörungen. Entsprechend dem x-chro-
mosomalen Erbgang kommen Störungen des Farbensinnes bei
Männern sehr viel häufiger vor als bei Frauen. Etwa 0,9% der
männlichen Bevölkerung sind protanomal, 1,1% protanop, 3–
4% deuteranomal und 1,5% deuteranop. Die Tritanomalie und
die Tritanopie sind sehr selten. Etwa 0,3% der weiblichen Bevölkerung sind deuteranomal, 0,05% protanomal.

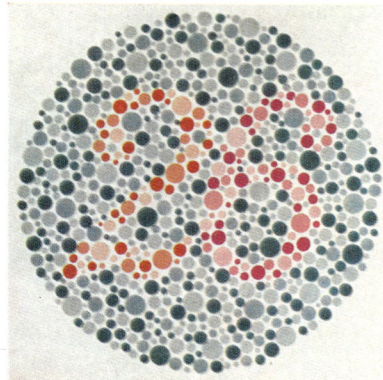

Abb. 43. Beispiel aus der Serie „pseudo-isochromatischer" Tafeln von I**SHIHARA**. Der normal Farbtüchtige erkennt „26", der
Protanope „6", der Deuteranope „2".

Da ein normales trichromatisches Farbensehen für zahlreiche
Berufe erforderlich ist (z.B. Piloten, Lokomotivführer, Modedi-
rektricen), sollten alle Kinder vor der Entscheidung ihrer Berufs-
wahl auf Farbtüchtigkeit untersucht werden. Ein einfaches Verfahren dazu ist die Prüfung mit den „pseudoisochromatischen"
Tafeln von I**SHIHARA** (Abb. 43). Auf diesen Tafeln sind mittels
verschieden großer und verschieden farbiger runder Flecken
Buchstaben oder Zahlen dargestellt, wobei verschieden farbige
Flecken *gleichen Dunkelstufen* des Farbenraumes entsprechen.
Daher können Menschen mit Störungen des Farbensinns zum
Teil die Zahlen nicht lesen. Durch eine hinreichend große Kombination verschiedener Farbtöne können mit diesen Tafeln recht
zuverlässig Farbsinnstörungen in Reihenuntersuchungen her-
ausgefunden werden. Eine genaue Diagnostik der Farbsinnstörungen ist durch Bestimmung der verschiedenen Mischungsglei-
chungen (9) bis (11) möglich.

7. Augenbewegungen, Bewegungssehen und sensorisch-motorische Integration beim Sehen

7.1. Der motorische Apparat des Auges

Das menschliche Auge wird durch sechs äußere Augenmuskeln
bewegt. Die motorischen Nervenfasern, die zu diesen sechs äußeren Augenmuskeln ziehen, verlaufen in drei Hirnnerven: der
Nervus trochlearis innerviert den M. obliquus superior, der Nervus abducens den M. rectus lateralis und der Nervus oculomotorius die vier übrigen äußeren Augenmuskeln (M. rectus medialis,
M. rectus inferior, M. rectus superior, M. obliquus inferior).

Die motorischen Nervenzellen für die äußeren Augenmuskeln
liegen zu „Kernen" gruppiert im Hirnstamm. Ihre Erregung
wird vor allem durch die „blickmotorischen Zentren" des Hirnstammes kontrolliert. Abhängig von den übergeordneten Programmen der **Blickmotorik** arbeiten die sechs äußeren Augenmuskeln synergistisch oder antagonistisch zusammen. Normalerweise besteht eine wohl abgewogene Koordination der Bewe-
gungskommandos für das rechte und das linke Auge, so daß
jeweils der gleiche Gegenstand auf der Fovea centralis jedes
Auges abgebildet wird.

In Abb. 44 ist schematisch die Wirkung der einzelnen Augenmuskeln auf die Bulbusbewegung dargestellt. Als **Primärwirkung** bezeichnet man die Bewegung des Auges durch einen Augenmuskel, wenn das Auge sich in Grundstellung (Blick geradeaus) befindet. Von den äußeren Augenmuskeln haben nur der M. rectus lateralis, dessen Kontraktion zu einer Außenwendung (*Abduction*), und der M. rectus medialis, dessen Kontraktion zu einer Innenwendung (*Adduction*) führen, eine einfache Wirkung, die unabhängig von der Bulbusstellung ist. Die Wirkung aller anderen Augenmuskeln hängt dagegen von der jeweiligen Stellung des Bulbus in der Orbita ab (Einzelheiten s. Lehrbücher der Anatomie).

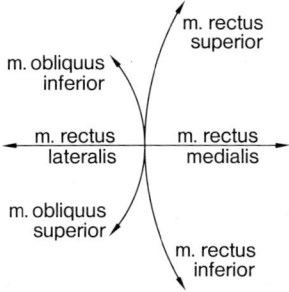

Abb. 44. *Schema der Wirkung der äußeren Augenmuskeln.* Gezeichnet ist die Verschiebung des vorderen Augenpols (Cornea-Mitte) bei Kontraktion je eines der 6 äußeren Augenmuskeln. (Nach E. HERING)

7.2. Verschiedene Formen der Augenbewegungen

Für die *gemeinsame Bewegung* beider Augen lassen sich drei verschiedene „Programme" unterscheiden: Die Augen können durch **konjugierte Augenbewegungen** jeweils zusammen nach oben, nach unten, nach links oder rechts bewegt werden. Fixiert man dagegen abwechselnd Gegenstände in der Ferne oder in der Nähe, so treten **Vergenzbewegungen** auf, d.h. beide Augen bewegen sich in bezug auf die Kopfkoordinaten näherungsweise spiegelbildlich. Wird binocular zunächst mit parallelen Sehachsen ein Punkt in der Ferne und danach ein Punkt in der Nähe fixiert, so konvergieren beim Fixationswechsel die Sehachsen **(Konvergenzbewegung)**. Wird anschließend wieder ein Gegenstand in der Ferne fixiert, so bewegen sich die Sehachsen beider Augen durch **Divergenzbewegungen** auseinander, bis sie beim Blick nach ∞ parallel zueinander sind. Vergenzbewegungen und konjugierte Augenbewegungen treten gemeinsam auf, wenn z.B. von einem Gegenstand in der Ferne rechts auf einen nahen Gegenstand links geblickt wird. Eine dritte Form der Augenbewegungen, die **rotatorischen Bewegungen** in der frontoparallelen Ebene, treten bei Neigung des Kopfes zur Seite auf. Sie sind beim Menschen jedoch nur schwach ausgeprägt [1, 2, 5, 20a].

7.3. Zeitliche Eigenschaften der Augenbewegungen

Saccaden. Beim freien Umherblicken bewegen sich unsere Augen in raschen Rucken **(Saccaden)** von einem Fixationspunkt zum nächsten. Die Amplitude der Saccaden kann wenige Winkelminuten betragen (Mikrosaccaden) oder viele Grade, wie bei einem Wechsel des Fixationspunktes von der rechten in die linke Hälfte des Blickfeldes. Die mittlere Winkelgeschwindigkeit der Augen während der Saccaden beträgt 200–400 grad · s^{-1}, wobei während großer Saccaden Maximalgeschwindigkeiten bis 600 grad · s^{-1} vorkommen. Die Dauer der Saccaden schwankt zwischen 10 und etwa 100 ms und ist näherungsweise proportional der Saccadenamplitude. Größere Saccaden werden häufig von zusätzlichen Kopfbewegungen in die gleiche Richtung begleitet.

Fixationsperioden. Während der 0,2–2 Sekunden langen Fixationsperioden in den Pausen zwischen den Saccaden verändert sich die Augenposition nur sehr geringfügig. Die Augen verschieben sich infolge langsamer „drifts", die von einer ständig vorhandenen frequenten Bewegungsunruhe der Augen von wenigen Winkelsekunden Amplitude überlagert sind (*Augentremor* mit Frequenzkomponenten zwischen 20 und 200 Hz).

Augenfolgebewegung. Wird ein bewegtes Objekt mit den Augen verfolgt, so treten **langsame Augenfolgebewegungen** auf, deren Winkelgeschwindigkeit näherungsweise der Winkelgeschwindigkeit des bewegten Objektes entspricht, wenn dasselbe sich nicht schneller als 120 grad · s^{-1} bewegt. Die langsamen Augenfolgebewegungen haben offenbar den „Zweck", das Bild des bewegten Gegenstandes in der Foveamitte beider Augen, also auf der Stelle schärfsten Sehens zu „halten". Die Augenfolgebewegungen sind in der Regel mit *Kopfbewegungen* koordiniert. Wird ein rasch bewegtes Objekt beobachtet, so beginnen die Augenbewegungen vor den ergänzenden Kopfbewegungen. Beide Bewegungen werden in den blickmotorischen Zentren miteinander „verrechnet".

Wird ein ruhender Gegenstand mit den Augen fixiert und der Kopf bewegt, so führen die Augen langsame Augenfolgebewegungen entgegengesetzt zur Kopfbewegung aus. Dies kann mit Hilfe eines Spiegels beobachtet werden: Fixieren Sie dabei die Pupille eines Auges im Spiegel und drehen Sie den Kopf langsam nach rechts, nach links, nach oben oder unten. Die Augen bewegen sich gleichmäßig in der Orbita und scheinen im Raum stillzustehen [1, 5].

Neuronale Kontrolle der Augenbewegungen. Langsame Augenfolgebewegungen und Saccaden sind zwei verschiedene, binocular koordinierte Bewegungsformen der Augen, die durch ein drittes Programm, nämlich die „Haltekommandos" während der Fixationsperioden ergänzt werden. Für diese verschiedenen Programme der Augenbewegungen sind unterschiedliche Neuronensysteme in den **blickmotorischen „Zentren"** des Hirnstammes verantwortlich. Die Augenfolgebewegungen werden durch Neurone kontrolliert, die in der mesencephalen Formatio reticularis liegen oder deren Axone durch dieses Gebiet ziehen. Bei Läsionen im oralen Teil der *mesencephalen Formatio reticularis* treten regelmäßig Blicklähmungen für visuell ausgelöste Augenbewegungen auf, während vestibulär ausgelöste Augenbewegungen (s.S. 266) nicht wesentlich beeinträchtigt werden. Saccaden werden dagegen durch ein Neuronensystem im pontinen Bereich der *Formatio reticularis* kontrolliert. Diese Regionen erhalten außer indirekten visuellen Afferenzen einen Erregungszufluß aus dem System der Propriorecptoren der äußeren Augenmuskeln (s.S. 88), den Vestibulariskernen (s.S. 267) und dem Kleinhirn. Bei Kleinhirnläsionen ist die Genauigkeit der Saccaden und der Fixation reduziert.

Durch die *blickmotorischen Neuronensysteme* im Hirnstamm, zu denen auch Neurone der Colliculi superiores, des Nucleus interstitialis und der prätectalen Region gehören, wird eine abgewogene Aktivierung der motorischen Nervenzellen der Augenmuskelkerne erreicht. Die blickmotorischen Programme bestimmen, nach welcher zeitlichen Form die Augenbewegungen ausgeführt werden (Saccaden, Augenfolgebewegungen, Fixationsperioden) und wie Erregung und Hemmung auf die verschiedenen Motoneurone verteilt werden, die den Kontraktionszustand der Augenmuskeln und damit die Position des Auges in der Orbita kontrollieren. An zwei einfachen Beispielen sei dies für die Steuerung der Kontraktion des M. rectus medialis und des M. rectus lateralis erläutert:

(A) Eine Versuchsperson blickt von einem geradeaus in Horizonthöhe befindlichen weit entfernten Gegenstand auf einen in gleicher Höhe befindlichen Gegenstand in 30 cm Entfernung. Die Augen machen eine saccadische Konvergenzbewegung, bei der die Mm. recti mediales sich rasch kontrahieren und gleichzeitig der Tonus der Mm. recti laterales abnimmt.

(B) Die Versuchsperson betrachtet aus 1 m Entfernung ein großes Uhrenpendel, das mit 1 Hz Frequenz und 40 cm Amplitude hin und her schwingt. Dabei macht die Versuchsperson langsame horizontale Augenfolgebewegungen, die entsprechend der Pendelbewegung einen sinusförmigen Verlauf von 1 Hz haben. Der Tonus des linken M. rectus lateralis ändert sich jetzt langsam und gleichsinnig mit dem Tonus des rechten M. rectus medialis, aber entgegengesetzt zum Tonus des linken M. rectus medialis und des rechten M. rectus lateralis.

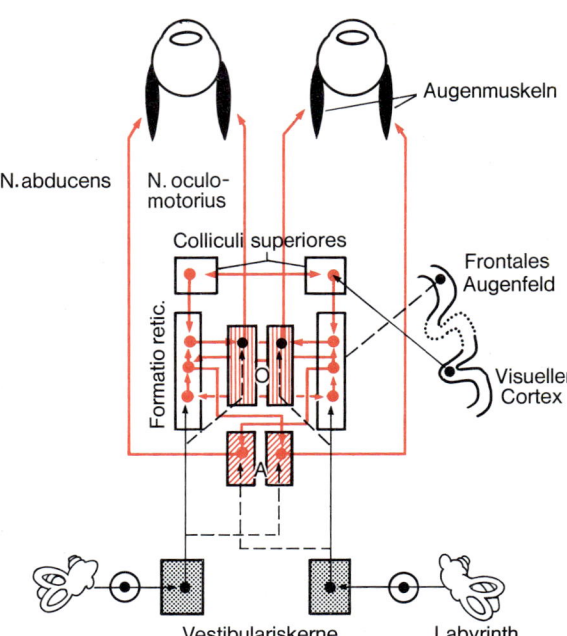

Abb. 45. *Schema der subcorticalen Zentren zur Steuerung der Blickmotorik* (horizontale Augenbewegungen). Die blickmotorischen „Zentren" befinden sich in der Formatio reticularis, in den Colliculi superiores und der prätectalen Region (nicht eingezeichnet). Die Erregung der Nervenzellen dieser Strukturen wird durch das frontale Augenfeld und durch Verbindung aus dem visuellen Cortex kontrolliert. Aus den blickmotorischen Gebieten sind Verbindungen zu jenen Nervenzellen des Oculomotoriuskerns gezeichnet, die den Musculus rectus medialis innervieren und Verbindungen zum Abducenskern, dessen Neurone den Musculus rectus lateralis innervieren. Blickmotorische und oculomotorische Neurone werden durch Afferenzen aus dem Vestibulariskern des Hirnstammes beeinflußt, deren Aktivität von den Receptoren des Labyrinths abhängt. Auch Verbindungen aus dem Kleinhirn greifen in das Regelsystem der Augenbewegungen ein

In Abb. 45 ist vereinfacht das neuronale System zur Steuerung der *horizontalen Augenbewegungen* dargestellt: Die visuellen Regionen der Hirnrinde und das frontale Augenfeld kontrollieren die blickmotorischen Zentren des Hirnstammes vorwiegend über Verbindungen zu den Colliculi superiores (s.S. 244) und der prätectalen Region. Diese Verbindungen sind für den auf S. 261 besprochenen Zusammenhang zwischen visuellen Reizmustern und den Abtastbewegungen der Augen wichtig.

Die Verknüpfungen zwischen den **Vestibulariskernen** und den oculomotorischen bzw. blickmotorischen Neuronensystemen des Hirnstammes dienen vor allem der reflektorischen Änderung der Augenstellung bei Änderung der Kopflage im Raum. Bei dem oben geschilderten Experiment, langsame Augenfolgebewegungen durch Kopfbewegungen und mit Hilfe eines Spiegels auszulösen, werden visuelle und vestibuläre Informationen gemeinsam zur

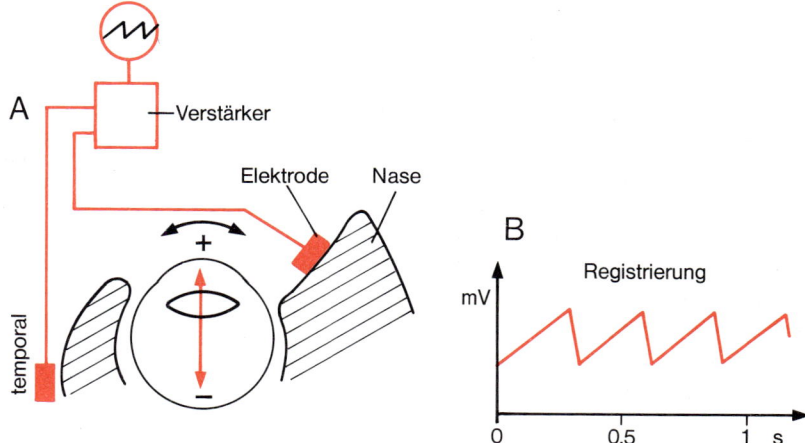

Abb. 46. *Schema der Elektrodenlage bei der Elektrooculographie* (A) und Registrierung eines optokinetischen Nystagmus mit Hilfe des Elektrooculogramms (B)

Kontrolle der Augenbewegungen ausgewertet. Beim wachen Menschen werden die durch Erregung der Receptoren der Bogengänge ausgelösten **oculomotorischen Reflexe** (s.S. 266) meist anderen nervösen Kommandos zur Steuerung der Augenbewegungen untergeordnet. Die vestibulär ausgelösten oculomotorischen Reflexe haben vorwiegend eine Hilfsfunktion zum „Festhalten" des Fixationspunktes bei Kopfbewegungen. Tritt in den Receptoren des vestibulären Systems oder in den Vestibulariskernen des Hirnstammes eine pathologische Erregung auf, so kann diese allein die Augenbewegungen bestimmen. Es kommt dann zum **vestibulären Nystagmus** mit Drehschwindel, Bewegungsempfindung und Bewegungswahrnehmung der stationären Umwelt (s.S. 267) [1, 5, 20a, 28, 36, 37, 43, 45].

7.4. Messung der Augenbewegungen

Für die klinische Untersuchung hat sich zur Messung des Zusammenhanges zwischen visuellen Reizmustern und Augenbewegungen besonders die **elektrooculographische Registrierung** bewährt. Bei diesem Verfahren wird das *corneo-retinale Bestandspotential* (s.S. 238) ausgenützt (Abb. 46). Die Position eines Auges kann mit einer Genauigkeit von 1 bis 2 Grad relativ zu den Kopfkoordinaten registriert werden. Bei der **Elektronystagmographie** werden die *konjugierten* Bewegungen beider Augen nach dem Prinzip der Elektrooculographie gemeinsam gemessen. Die Elektroden zur Messung der *horizontalen* Augenbewegungen sind auf beiden Seiten am temporalen Rand der Orbita angebracht. Die *vertikalen* Augenbewegungen werden durch Messung der Potentialdifferenz zwischen einer Elektrode an der Stirn und einer Elektrode im Bereich des unteren Orbitalrandes registriert.

7.5. Horizontale Augenbewegungen beim Lesen

Beim Lesen verschieben sich die Augen in raschen Saccaden über die Zeile; zwischen den Saccaden treten Fixationsperioden auf, während derer sich die Position der Augen nur sehr geringfügig ändert (Abb. 47). Ist der Fixationspunkt beim Lesen am

Zeilenende angelangt, so bewegen sich die Augen zum Zeilenwechsel in *einer* Saccade nach links. Die Dauer der Fixationsperioden zwischen den Saccaden hängt von der Geübtheit des Lesenden ab. Erwachsene, die einen sogenannten „Schnell-Lesekurs" gemacht haben, zeigen nicht mehr die in Abb. 47 dargestellte regelmäßige und etwa gleich große Folge von Saccaden von links nach rechts; ihre Augen „springen" innerhalb einer Zeile und zwischen den Zeilen unregelmäßig hin und her. Es ist zweifelhaft, ob bei diesem Leseverfahren außer einem geringen Anstieg der mittleren Lesegeschwindigkeit auch eine Zunahme der pro Zeiteinheit aufgenommenen Information erreicht wird.

Abb. 47. *Augenbewegungen beim Lesen von drei Zeilen.* Ein Ausschlag nach oben entspricht einer Augenbewegung nach links, ein Ausschlag nach unten einer Augenbewegung nach rechts. Die Zeile wird durch 5 bis 6 Saccaden abgetastet. Bei Z Rückstellsaccade beim Zeilenwechsel. Elektrooculographische Registrierung entsprechend Abb. 46(A)

7.6. Der optokinetische Nystagmus

Ein periodischer Wechsel von Saccaden und langsamen Augenfolgebewegungen *(Nystagmus)* wird durch bewegte visuelle Reizmuster ausgelöst. Fixiert man aus dem Seitenfenster eines fahrenden Wagens blickend einen Punkt der Umwelt, so folgen beide Augen gleichzeitig dem entgegen der Fahrtrichtung scheinbewegten visuellen Reizmuster. Durch „Rückstellsaccaden" wird ein neuer Fixationspunkt eingestellt, der während der anschließenden Augenfolgebewegungen „festgehalten" wird. In diesem Fall lösen bewegte optische Reizmuster den Nystagmus aus, er wird daher **optokinetischer Nystagmus** genannt. Ein optokinetischer Nystagmus entsteht z.B. auch, wenn die Versuchsperson ein Meßband betrachtet, das vor ihr in horizontaler oder vertikaler Richtung bewegt wird

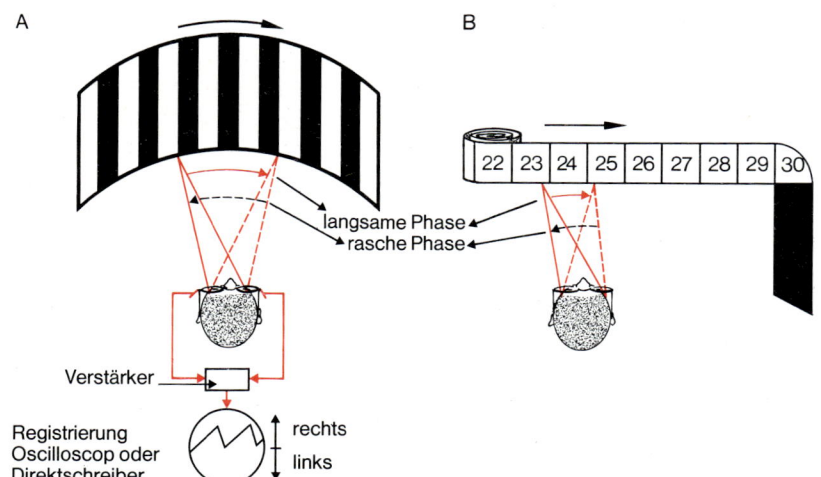

Abb. 48. *Schema zur Auslösung des optokinetischen Nystagmus.* (A) Horizontal bewegte Hell-Dunkel-Streifen als Reizmuster. (B) Horizontal bewegtes Meßband als Reizmuster

(Abb. 48). Die Richtung des Nystagmus wird nach der Schlagrichtung der *raschen Phase* (Saccade) angegeben. Zur klinischen Messung wird der optokinetische Nystagmus mit horizontal oder vertikal bewegten Hell-Dunkel-Streifen geprüft, die auf die Innenseite eines Halbzylinders projiziert und mit verschiedener Winkelgeschwindigkeit bewegt werden [16].

7.7 Bewegungssehen

Die visuelle Bewegungswahrnehmung ist eine eigene **Empfindungsqualität** der Modalität Sehen. Die Bewegungswahrnehmung erfolgt mit Hilfe „bewegungsspezifischer" Neuronensysteme, die bei höheren Säugetieren vorwiegend im visuellen Cortex vorhanden sind. Psychophysische Befunde zur Bewegungswahrnehmung weisen darauf hin, daß für die Bewegungswahrnehmung Augen-, Kopf- und Körperbewegungen verrechnet werden.

Schwellen für die Bewegungswahrnehmung. Bewegung ist die Relativverschiebung eines Objektes im Verhältnis zu einem als ruhend angesehenen Koordinatensystem. Für die Wahrnehmung der Bewegung eines Sehdinges gibt es eine **obere** und eine **untere** Schwelle. Die untere Schwelle (1 bis 2 Winkelminuten pro Zeitsekunde) ist beim photopischen Sehen für den Bereich der Fovea centralis am kleinsten. Der Schwellenwert erhöht sich, wenn die Bewegung in einem sonst visuell „leeren" Feld (z.B. bewegter Lichtpunkt in einem sonst dunklen Raum) erfolgt. Oberhalb der unteren visuellen Bewegungsschwelle wird bis zu einer Geschwindigkeit von 300–400 grad·s^{-1} außer der Bewegung auch die Richtung der Bewegung wahrgenommen. Oberhalb dieses Wertes bis etwa 600 grad·s^{-1} nimmt man zwar

Bewegungen im Gesichtsfeld wahr, ohne jedoch die Richtung sicher angeben zu können. Noch schneller bewegte Objekte erscheinen nur als Hell-Dunkel-Reize, ohne einen Bewegungseindruck hervorzurufen. Die Schwellen für die Wahrnehmung der Bewegung eines kleinen Objektes nehmen mit der Distanz von der Fovea centralis zu. Die Bewegungsempfindlichkeit nimmt ähnlich wie die Sehschärfe mit der Entfernung der erregten Netzhautstelle von der Fovea centralis ab. Dennoch sind bewegte Reize in der Gesichtsfeldperipherie *auffälliger* als im Bereich der Fovea centralis. Neu in der Gesichtsfeldperipherie auftauchende bewegte Objekte lösen reflektorisch Augen- und Kopfbewegungen aus (s.S. 244).

Augenbewegungen und Bewegungswahrnehmung. Bewegung wird bei unbewegten Augen wahrgenommen, wenn das Bild eines Gegenstandes sich auf der Netzhaut verschiebt. Bewegung wird aber auch gesehen, wenn das Bild eines mit den Augen verfolgten Objektes konstant auf die *gleiche* Stelle der Fovea centralis fällt, die Augen sich jedoch bewegen. Andererseits tritt beim Umherblicken *keine Bewegungswahrnehmung* auf, obgleich sich das Bild der Umwelt während der Saccaden auf der Netzhaut verschiebt. Wird jedoch das Auge *passiv* mit dem Finger hin und her bewegt, so löst die Bildverschiebung auf der Netzhaut eine Bewegungswahrnehmung aus. Schließlich kann eine visuelle Bewegungswahrnehmung auch erfolgen, wenn sicher keine Bildverschiebung auf der Netzhaut möglich ist und ein visuelles Bezugssystem für Relativbewegungen fehlt: Ein im Dunkeln betrachtetes positives Nachbild (s.S. 242) verschiebt sich scheinbar bei jeder aktiven Augenbewegung.

Auf Grund solcher Beobachtungen hat schon H. v. Helmholtz gefordert, daß eine *zentralnervöse*

Verrechnung der motorischen „Kommandos" für die Augen- und Kopfbewegungen mit den visuellen Signalen aus der Netzhaut erfolgt. Die neuronalen Grundlagen dieser sensorisch-motorischen Verrechnungsprozesse sind noch unbekannt [10, 12, 17].

Adaptation der Bewegungswahrnehmung. Nach längerer Beobachtung eines bewegten Reizmusters unterschätzt man die Geschwindigkeit des bewegten Reizes. Ein solches Phänomen tritt auch auf, wenn der Beobachter sich selbst gleichförmig linear bewegt, also z.B. bei einer längeren Fahrt auf einer geraden Autobahnstrecke. In neurophysiologischen Untersuchungen wurden an bewegungsspezifischen Neuronen des visuellen Cortex ähnliche Bewegungsadaptationseffekte beobachtet.

Bewegungsnacheffekte. Ein Zeichen für die Adaptation bewegungsempfindlicher Neuronensysteme sind die Bewegungsnacheffekte, die richtungsabhängig nach längerer Betrachtung eines bewegten Reizmusters ausgelöst werden. Stationäre visuelle Reizmuster scheinen sich danach entgegengesetzt zur Richtung des vorausgehenden Bewegungsreizes zu bewegen.

Phi-Bewegung. Wenn zwei stationäre Reize in kurzem zeitlichen Abstand (30 bis etwa 200 ms) auf **verschiedene** Stellen der Netzhaut projiziert werden, so wird eine **Scheinbewegung** wahrgenommen. Diese φ-Bewegung tritt auch auf, wenn der erste Reiz eine andere Form hat als der zweite. Die Bewegungswahrnehmung beim Betrachten eines Filmes ist eine rasche Folge (18–24mal pro s) von φ-Bewegungen, da jedes einzelne Bild des Filmes für kurze Zeit stationär projiziert wird. Bewegungsspezifische visuelle Neurone der Hirnrinde reagieren auf scheinbewegte Reize dieser Frequenz in ähnlicher Form wie auf die wirkliche Bewegung des Reizmusters.

Bewegungswahrnehmung und Eigenbewegung. Die visuelle Bewegungswahrnehmung erfolgt relativ zu einem jeweils stationär wahrgenommenen Bezugssystem. Dies gilt auch, wenn das Bezugssystem der eigene Körper ist. Blickt man längere Zeit von einer Brücke auf das rasch dahinfließende Wasser eines Flusses, so tritt jedoch häufig die Wahrnehmung einer *Eigenbewegung* auf. Der Beobachter glaubt, sich gemeinsam mit der Brücke entgegengesetzt zur Flußrichtung zu bewegen. Ähnliches gilt für die subjektive Drehempfindung eines selbst unbewegten Beobachters, der in einem sich drehenden Streifenzylinder sitzt. Die Ursache dieser **Circularvektion** ist die richtungsspezifische Aktivierung der Neurone in den Vestibulariskernen (s.S. 266) durch optokinetische Reizmuster [1, 5, 10, 17, 18].

7.8. Augenbewegungen bei Betrachtung komplexer Reizmuster

Bisher wurden lediglich vertikale oder horizontale Augenbewegungen besprochen. Beim freien Umherblicken in einem visuell gut strukturierten Raum treten jedoch Augenbewegungen in allen Richtungen auf, wobei mit der Änderung der Distanz des Fixationspunktes die Augenachsen einen verschiedenen Konvergenzgrad einnehmen.

Betrachtet eine Versuchsperson ein gut strukturiertes Bild, so wechselt sie in kurzen Abständen von 0,2 bis 1,5s ihren Fixationspunkt. Aus der zwei-dimensionalen Aufzeichnung der Augenbewegungen (Abb. 49) kann man erkennen, daß hierbei die Augenbewegungen bevorzugt durch die *Konturen, Konturunterbrechungen* oder *Konturüberschneidungen* des Reizmusters bestimmt werden. Bei der Betrachtung eines menschlichen Gesichtes sind darüber hinaus die *Augen* und der *Mund* häufige Fixationsstellen. Die blickmotorische Steuerung wird also nicht nur durch die formalen Eigenschaften des Reizmusters bestimmt, sondern auch durch die „Bedeutung" der visuellen Signale für das Verhalten. Bei hinreichend langer Betrachtung durch die motorischen Abtastbewegungen der Augen entsteht ein „Bewegungsbild" des Reizmusters [30].

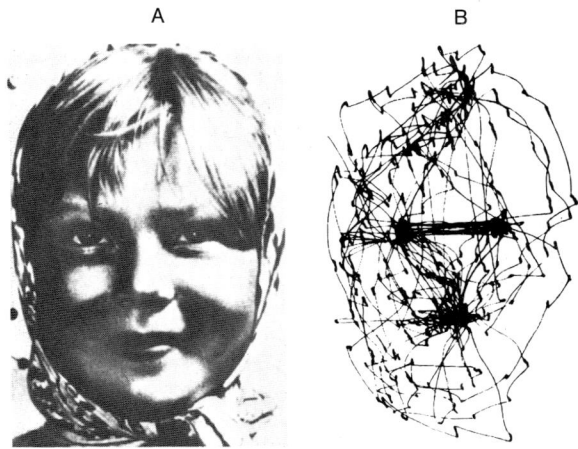

Abb. 49. *Zweidimensionale Aufzeichnung der Augenbewegungen* beim Betrachten eines Gesichtes (B). Eine Versuchsperson betrachtete mehrere Minuten die Photographie (A). (Nach YARBUS, 1967)

Die neuronalen Grundlagen dieser sensorisch-motorischen Koordination sind vor allem in der Verbindung zwischen der Sehrinde und den blickmotorischen Regionen des Hirnstammes zu suchen (Abb. 28, 46). Die Nervenzellen der Sehrinde mit komplexen oder hyperkomplexen receptiven Feldern (s.S. 245) werden besonders durch die Konturen, Konturunterbrechungen oder Konturüberschneidungen der Reizmuster aktiviert. Es erscheint sehr wahrscheinlich, daß diese Nervenzellen über Verbindungen zwischen der Sehrinde und den subcorticalen blickmotorischen Zentren, insbesondere über die Verbindungen zu den Colliculi superiores die Abtastbewegungen der Augen steuern. Die sensorischen Zentren der Hirnrinde bestimmen durch diese, meist unbewußt ablaufende Kontrollfunktion, *welcher Teil der visuellen Umwelt* in jedem Augenblick auf der Fovea centralis abgebildet wird. Eine differenziertere Gestaltwahrnehmung erfolgt fast nur im Projektionsbereich der Fovea centralis. Die Netzhautperipherie und die ihr zugeordneten Teile des zentralen visuellen Systems haben dagegen vorwiegend die Aufgabe, neu in das Gesichtsfeld eintretende, d.h. bewegte Objekte wahrzunehmen (s.S. 260), die dann mittels einer reflektorischen Blickbewegung auf der Fovea centralis abgebildet werden.

8. Literatur

Zusammenfassende Arbeiten

1. BACH-Y-RITA, P., COLLINS, C.C. (Hrsg.): The control of eye movements. New York, London: Academic Press 1972.
2. BING, R., BRÜCKNER, R.: Gehirn und Auge. Grundriß der Ophthalmo-Neurologie, 3. Aufl. Basel: Schwabe 1954.
3. DARTNALL, H.J.A. (Hrsg.): Photochemistry of vision. Handbook of Sensory Physiology, Bd. VII/1. Berlin-Heidelberg-New York: Springer 1972.
4. DAVSON, V.: The Eye. 4 Bände. London: Academy Press 1962.
5. DICHGANS, J., BIZZI, E. (Hrsg.): Cerebral control of eye movements and motion perception. Basel: Karger 1972.
6. FOURTES, M.G.F. (Hrsg.): Physiology of photoreceptor organs. Handbook of Sensory Physiology, Bd. VII/2. Berlin-Heidelberg-New York: Springer 1972.
7. GRAHAM, C.H. (Hrsg.): Vision and visual perception. New York, London. Sidney: J. Wiley 1965.
8. GRANIT, R.: Sensory Mechanisms of the Retina. London: Oxford University Press 1947.
9. GRANIT, R.: Receptors and sensory perception. New Haven: Yale University Press 1955.
10. GRÜSSER, O.-J., GRÜSSER-CORNEHLS, U.: Neurophysiologie des Bewegungssehens. Bewegungsempfindliche und richtungsspezifische Neurone im visuellen System. Ergebn. Physiol. **61**, 178 (1969).
11. GRÜSSER, O.-J., KLINKE, R. (Hrsg.): Zeichenerkennung durch biologische und technische Systeme. Berlin-Heidelberg-New York: Springer 1971.
12. v. HELMHOLTZ, H.: Handbuch der Physiologischen Optik, 2. Aufl. Hamburg, Leipzig: L. Voss 1896.
13. HERING, E.: Grundzüge der Lehre vom Lichtsinn. Berlin: Springer 1920.
14. HOFMANN, F.B.: Die Lehre vom Raumsinn des Auges (1920). Berlin-Heidelberg-New York: Springer 1970 (Nachdruck).
15. JAMESON, D., HURVICH, L.M. (Hrsg.): Visual Psychophysics. Handbook of Sensory Physiology. Bd. VII/4. Berlin-Heidelberg-New York: Springer 1972.
16. JUNG, R.: Neurophysiologische Untersuchungsmethoden. In G. v. BERGMANN (Hrsg.): Handbuch der Inneren Medizin, Bd. V/1, 4. Aufl. Berlin-Göttingen-Heidelberg: Springer 1953.
17. JUNG, R. (Hrsg.): Central processing of visual information. A: Integrative function and comparative data. Handbook of Sensory Physiology, Bd. VII/3A. Berlin-Heidelberg-New York: Springer 1973.
18. JUNG, R. (Hrsg.): Central processing of visual information. B: Visual centers in the brain. Handbook of Sensory Physiology, Bd. VII/3B. Berlin-Heidelberg-New York: Springer 1973.
19. LANDOLT, E.: Die Untersuchung der Refraktion und der Akkommodation. In: Graefe-Saemisch's Handbuch der gesamten Augenheil-kunde, 3. Aufl., Untersuchungsmethoden, Bd. 1. Berlin: Springer 1930.
20. LANGER, H. (Hrsg.): Biochemistry and Physiology of visual pigments. Berlin-Heidelberg-New York: Springer 1973.
20a. LENNERSTRAND, G., BACH-Y-RITA, P.: Basic mechanisms of ocular motility and their clinical implications. Oxford: Pergamon Press, 1975
21. LINKSZ, A.: Physiology of the eye. Band I: Optics. Band II: Vision. New York: Gruner und Stratton 1950–1952.
22. MÜTZE, K., NEHRLING, B., REUTTER, J.: Brillenglasbestimmung. Zürich: Verlag für Augenheilkunde und Optik 1972.
23. PERRY, N.W., CHILDERS, D.G.: The human visual evoked response. Method and theory. Springfield/Ill. Ch.C. Thomas 1970.
24. POLYAK, S.: The vertebrate visual system. Chicago: University of Chicago Press 1957.
25. SCHOBER, H.: Das Sehen, Band 2, 2. Aufl. Leipzig: Fachbuchverlag 1958.
26. SIEBECK, R.: Optik des menschlichen Auges. Berlin-Göttingen-Heidelberg: Springer 1960.
27. WALLS, G.L.: The vertebrate eye and its adaptive radiation. New York, London: Hafner 1963.
28. WALSH, F.B., HOYT, W.F.: Clinical neuroophthalmology, 3. Aufl. Baltimore: William and Wilkins 1969.
29. WRIGHT, W.D.: The measurement of colour, 3. Aufl. London: Hilger und Watts 1964.
30. YARBUS, A.L.: Eye movements and vision. New York: Plenum Press 1967.

Einzelarbeiten

31. BAUMGARTNER, G., HAKAS, P.: Die Neurophysiologie des simultanen Helligkeitskontrastes. Pflüg. Arch. ges. Physiol. **274**, 489 (1962).
32. BAYLOR, D.A., FOURTES, M.G.F.: Electrical responses of single cones in the retina of the turtle. J. Physiol. (Lond.) **207**, 77 (1970).
33. BILL, A.: Uveoscleral drainage of aqueous humour in human eyes. Exp. Eye Res. **12**, 275 (1971).
34. GERRITS, H.J.M., VENDRIK, A.J.H.: Eye movements necessary for continuous perception during stabilization of retinal images. Bibl. Ophthal. **82**, 339 (1972).
35. GRÜSSER, O.-J., GRÜSSER-CORNEHLS, U.: Periodische Aktivierungsphasen visueller Neurone nach kurzen Lichtreizen verschiedener Dauer. Pflüg. Arch. ges. Physiol. **275**, 292 (1962).
36. HENN, V., COHEN, B.: Eye muscle motor neurons with different functional characteristics. Brain Res. **45**, 561 (1972).
37. HENN, V., COHEN, B.: Quantitative analysis of activity in eye muscle motoneurons during saccadic eye movements and positions of fixation. J. Neurophysiol. **36**, 115 (1973).
38. HUBEL, D.H., WIESEL, T.N.: Receptive fields and functional architecture of monkey striate cortex. J. Physiol. (Lond.) **195**, 215 (1968).
39. HUBEL, D.H., WIESEL, T.N.: Cells sensitive to binocular depth in area 18 of the macaque monkey cortex. Nature **225**, 41 (1970).
40. HAGINS, W.A., PENN, R.D., YOSHIKAMI, S.: Dark current and photocurrent in retinal rods. Biophys. J. **10**, 380 (1970).
41. PEDERSON, J.E., GREEN, K.: Aqueous humor dynamics: experimental studies. Exp. Eye Res. **15**, 277 (1973).
42. SCHAEFER, K.-P.: Mikroableitungen im Tectum opticum des frei beweglichen Kaninchens. Arch. Psychiat. u. Z. ges. Neurol. **208**, 120 (1966).
43. SCHILLER, P.H.: The role of the monkey superior colliculi in eye movement and vision. Invest. Ophthal. **11**, 451 (1972).
44. TOMITA, T.: Electrical activity of vertebrate photoreceptors. Quart. Rev. Biophys. **3**, 179 (1970).
45. WURTZ, R.H., GOLDBERG, M.E.: The primate superior colliculus and the shift of visual attention. Invest. Ophthal. **11**, 441 (1972).

XIII. Physiologie des Gleichgewichtssinnes, des Hörens und des Sprechens

(R. Klinke)

Im folgenden Kapitel wird die Physiologie zweier entwicklungsgeschichtlich verwandter Sinnesorgane besprochen. **Gleichgewichtsorgan** und **Hörorgan** liegen nicht nur anatomisch benachbart im Felsenbein und bilden das sogenannte **innere Ohr,** sondern sie entstammen auch der gleichen entwicklungsgeschichtlichen Wurzel. Da andererseits das Hörorgan beim Menschen insbesondere im Dienste des wichtigsten Kommunikationsmittels, nämlich der Sprache, steht, wird die *Physiologie des Sprechens* in diesem Kapitel ebenfalls behandelt. Kenntnisse der Anatomie von äußerem, mittlerem und innerem Ohr sowie der Anatomie des Kehlkopfes und des Mund-Rachen-Raumes werden vorausgesetzt. Im vorliegenden Text können nur die wichtigsten anatomischen Grunddaten rekapituliert werden.

1. Physiologie des Gleichgewichtssinnes

1.1. Physiologie des peripheren Sinnesapparates

Anatomische Vorbemerkungen. Das Vestibularorgan gehört zum inneren Ohr und liegt im Felsenbein. Es bildet einen Teil des **häutigen Labyrinths,** dessen anderer Teil das Hörorgan ist (s. Abb. 5). Das häutige Labyrinth ist mit einer Flüssigkeit angefüllt, die **Endolymphe** genannt wird, und von einer anderen Flüssigkeit umgeben, die man als **Perilymphe** bezeichnet (über deren Zusammensetzung s. S. 270). Das Vestibularorgan besitzt zwei morphologische Untereinheiten, erstens die sogenannten **Maculaorgane** (*Macula utriculi* und *Macula sacculi*), die auch als **Statolithenorgane** bezeichnet werden, und zweitens die sogenannten **Bogengangsorgane** (*horizontaler* sowie *vorderer* und *hinterer vertikaler Bogengang*). Im Bereich der Maculae und in den Bogengängen im Bereich der sogenannten Ampullen findet sich ein Sinnesepithel, in das die Receptoren eingebettet sind. Dem Sinnesepithel liegt eine gallertige Masse auf, die reichlich *Mucopolysaccharide* enthält. Im Falle der Maculaorgane bedeckt sie kissenförmig die Sinneszellen und enthält Einlagerungen von Calciumcarbonat in Form winziger *Calcit-Kristalle.* Sie wird wegen der eingelagerten Steinchen **Otolithenmembran** genannt. Bei den Bogengängen ähnelt die Gallerte einem fahnenförmigen Gebilde, das als **Cupula** bezeichnet wird. Die Cupula enthält keine Kristalle!

Die Receptoren und der adäquate Reiz. Von den Sinneszellen des Vestibularorgans gibt es morphologisch zwei verschiedene Typen [21]. Beide tragen an der freien Oberfläche submikroskopische Härchen (*Cilien*) und werden deswegen als Haarzellen bezeichnet (Abb. 1). Aufgrund elektronenmikroskopischer Kriterien unterscheidet man die **Stereocilien,** von denen jede Receptorzelle etwa 60 bis 80 trägt, vom **Kinocilium,** hiervon kommt nur eines auf jedem Receptor vor. Die Receptoren sind sekundäre Sinneszellen, d.h. sie besitzen keine eigenen Nervenfortsätze, sondern werden von afferenten Nervenfasern innerviert, die von den Nervzellen des **Ganglion vestibuli** (Scarpae) stammen. Daneben endigen auch noch efferente Nervenfasern an den Receptorzellen. Die afferenten Nervenfasern tragen die Information über den Erregungszustand des peripheren Organs von den Receptoren zum ZNS. Die efferenten Fasern beeinflussen die Receptoren, ohne daß bisher jedoch über die Bedeutung dieses Einflusses Endgültiges bekannt wäre [14].

Afferente Einzelfasern des Nervus vestibularis besitzen eine relativ hohe **Ruheaktivität** [10, 21], wobei die Entladungen meistens in sehr regelmäßigen Zeitabständen erfolgen. Diese neuronalen Entladungen treten also auf, ohne daß äußere Reize auf das Sinnesorgan einwirken. Verschiebt man experimentell die Gallerte über dem Sinnesepithel, so kann die vorhandene Aktivität je nach Richtung der Verschiebung erhöht oder reduziert werden. Dies geschieht auf folgende Weise: Die Cilien ragen tief in die Gallerte, die durch den Reiz gegenüber dem Sinnesepithel verschoben wird. Dabei kommt es zu einer Scherung (Verbiegung) der Cilien. Diese Scherung stellt den adäquaten Reiz für die Receptoren dar. Wird das Cilienbündel in Richtung auf

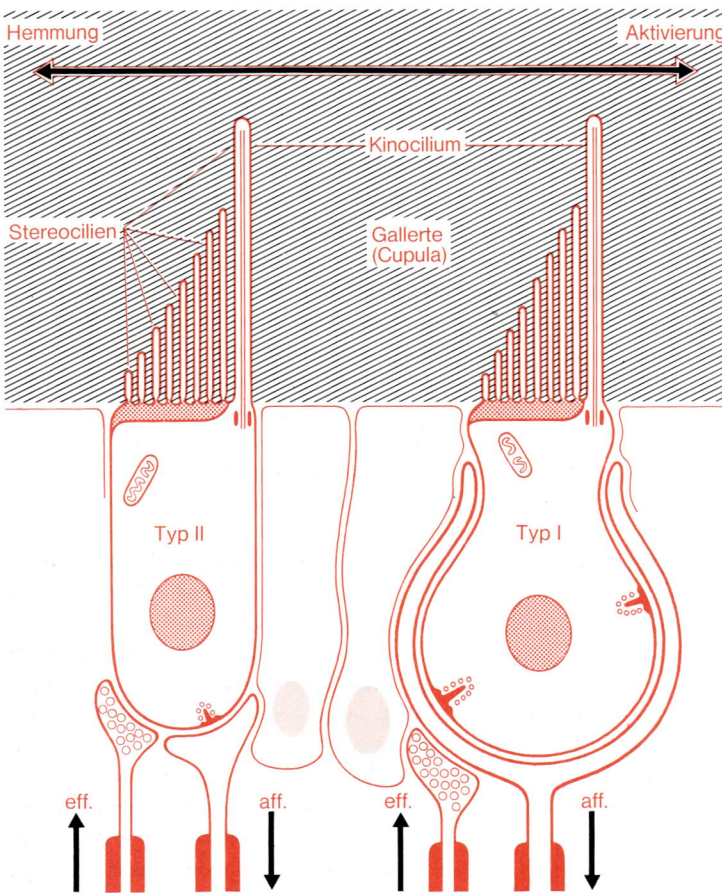

Abb. 1. Schematische Darstellung zweier Receptorzellen aus dem Sinnesepithel des Vestibularorgans mit den zugehörigen Nerven. aff.=afferente; eff.=efferente Nervenfaser. Abbiegung des Cilienbündels in Richtung auf das Kinocilium führt zu Erhöhung der Entladungsrate im afferenten Nerven, Abbiegung vom Kinocilium weg zu einer Reduktion

das Kinocilium (Abb. 1) hin abgeschert, so wird die zugehörige afferente Nervenfaser aktiviert, d.h. die Entladungsrate nimmt zu. Wird das Cilienbündel in die Gegenrichtung abgebogen, so wird die Entladungsrate reduziert [21]. Die Informationsübertragung von der Receptorzelle auf die afferente Nervenendigung erfolgt wahrscheinlich über ein Receptorpotential mit Hilfe eines bisher noch unbekannten Transmitters.

Wir halten fest, daß *Abscherung* (Abbiegung) der Cilien den adäquaten Reiz für die vestibulären Receptoren darstellt, durch den die Aktivität im afferenten Nerven je nach Richtung der Abscherung entweder erhöht oder erniedrigt wird. Die Receptorzellen besitzen also eine morphologische und funktionelle **Orientierung.**

Die natürlichen Reize für die Maculaorgane. Wie bereits gesagt, ragen die Cilien der Receptorzellen in die Otolithenmembran. Wegen der Einlagerung der Calcit-Kristalle ist die Dichte der Otolithenmembran beträchtlich höher (etwa 2,2 [24]) als die Dichte der Endolymphe (etwa 1), die die verbleibenden Innenräume des Utriculus bzw. Sacculus ausfüllt. Dies ist sehr wichtig! Wirken nämlich **Transla-**

tionsbeschleunigungen (Linearbeschleunigungen) auf das Organ ein, so wirken wegen der unterschiedlichen Dichte unterschiedliche Kräfte auf Endolymphe und Otolithenmembran (Kraft = Masse × Beschleunigung; die Masse pro Volumeneinheit ist bei der Otolithenmembran beträchtlich größer als bei der Endolymphe). Daher rutscht die ganze Otolithenmembran einen winzigen Betrag über das Sinnesepithel hinweg, so wie beim scharfen Bremsen im Auto ein beweglicher Gegenstand nach vorn rutscht. Dadurch werden die Cilien abgeschert, d.h. die Receptoren werden adäquat gereizt [21, 24].

Eine allgegenwärtige Form einer Translationsbeschleunigung ist die *Gravitationsbeschleunigung.* Unter dem Einfluß der Schwerkraft befinden sich die Maculaorgane also ständig. Die M. utriculi liegt bei aufrechter Körperstellung und normaler Kopfhaltung etwa waagrecht. Die Otolithenmembran übt also keine Scherkräfte auf das darunterliegende Sinnesepithel aus. Wird der Kopf jedoch geneigt, so kommt die M. utriculi in eine schräge Lage und die schwere Otolithenmembran rutscht über dem Sinnesepithel ein wenig ab, die Cilien werden abgebogen, es wird also ein Reiz auf die Receptoren ausgeübt. Je nach Neigungsrichtung des Kopfes wird die Entladungsrate der afferenten Nervenfasern entweder zu- oder abnehmen. Prinzipiell gleiches gilt für die M. sacculi. Sie befindet sich jedoch bei normaler Körperhaltung etwa in senkrechter Stellung (s. Abb. 5). So nimmt jede Otolithenmembran bei jeder Stellung des Schädels im Raum eine bestimmte Lage gegenüber dem darunterliegenden Sinnesepithel ein. Dies führt zu einer bestimmten Erregungskonstellation in den zugehörigen Nervenfasern, die in den zentralen Anteilen des vestibulären Systems ausgewertet wird [10, 15, 24]. Der Organismus gewinnt so die Information über die Stellung des Schädels im Raum. Dies ist die wichtigste Aufgabe der Maculaorgane. Sie sprechen aber selbstverständlich neben der Gravitationsbeschleunigung auch auf jede andere Translationsbeschleunigung an. Da im Sinnesepithelverband einer Macula verschiedene Orientierungsrichtungen der Cilien vorkommen, kann man nicht allgemein angeben, welche Kopfneigung die Nervenfasern aktiviert [21]. Ob die beiden Receptorzelltypen unterschiedliche Eigenschaften besitzen, ist nicht bekannt.

Die natürlichen Reize für die Bogengangsorgane. Die zweite Möglichkeit, vestibuläre Receptoren adäquat zu reizen, ist in den Bogengangsorganen verwirklicht (Abb. 2). Wenn auch der tatsächliche Bau der Bogengänge im Organismus von der Idealform abweicht (Abb. 5), so handelt es sich im Prinzip doch um kreisförmig geschlossene Kanäle, die mit Endolymphe gefüllt sind. Im Bereich der Ampulle trägt die Kanalwand an der Außenseite ein Sinnesepithel (Abb. 2). An dieser Stelle ragt die Cupula in die Endolymphe. Die Cilien der Receptorzellen dringen tief in die Cupula ein. Im Falle der Bogengänge besitzen Cupula und Endolymphe **genau die gleiche** Dichte. Translationsbeschleunigungen beeinflussen daher das Organ nicht, bei gradlinigen Beschleunigungen verweilen Bogengang, Cupula und Cilien in unveränderter Stellung zueinander. Anders ist es bei **Winkelbeschleunigungen** (Drehbeschleunigungen). Wird der Schädel aus einer Ruhelage in Drehung versetzt, so bleibt die Endolymphe in den Bogengängen zunächst wegen ihrer Trägheit in Ruhe, während die Bogengangswände mitgedreht werden. Dadurch wird die Cupula, die nur an einer Stelle mit der Kanalwand verwachsen ist, in Gegenrichtung ausgelenkt [10, 24]. Dies führt wiederum zur Abscherung der Cilien und damit zu einer Aktivitätsänderung im afferenten Nerven. An den horizontalen Bogengängen sind alle Receptoren so orientiert, daß das Kinocilium zum Utriculus zeigt. Eine Erhöhung der Aktivität im afferenten Nerven tritt also dann ein, wenn die Cupula in Richtung auf den Utriculus (*utriculopetal*) ausgelenkt wird. Dies ist am linken horizontalen Bogen-

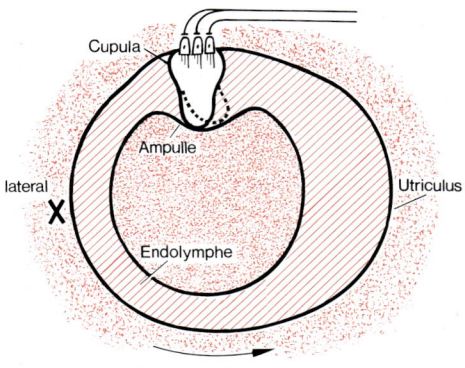

Abb. 2. Schema des linken horizontalen Bogengangs von oben gesehen. Erwärmung bei X hat den gleichen Effekt wie eine Winkelbeschleunigung in Pfeilrichtung

gang bei Andrehung nach links der Fall. An den vertikalen Bogengängen führt eine *utriculofugale* Cupulaauslenkung (also vom Utriculus weg) zu einer Aktivierung der Nervenfasern. Die Aktivität dieser Nervenfasern wird wiederum zentral ausgewertet. Der Organismus entnimmt dem Entladungsmuster der afferenten Nerven von den insgesamt zwei mal drei Bogengängen die Information, welche Drehbeschleunigungen auf den Schädel einwirken. Da man den Kopf um die drei Achsen des Raumes bewegen kann, sind die drei Bogengänge tatsächlich notwendig. Sie sind, wie erforderlich, ungefähr in senkrecht zueinanderstehenden Ebenen angeordnet. Es ist für die klinische Untersuchung (s.S. 268) wichtig zu wissen, daß der sogenannte horizontale Bogengang nicht genau horizontal verläuft, sondern daß sein vorderer Rand um etwa 30 Grad angehoben ist.

Besonderheiten der Cupulamechanik. Die Abb. 3 stellt zunächst in (A) die Auslenkung der Cupula bei einer kurzdauernden Winkelbeschleunigung dar, wie sie im täglichen Leben z.B. bei Kopfwendungen vorkommt. Es zeigt sich, daß die Cupulaauslenkung nicht der Winkelbeschleunigung, sondern der momentanen Winkelgeschwindigkeit entspricht. Dementsprechend gibt auch die Änderung der neuronalen Entladungsrate gegenüber der Spontanrate näherungsweise den Verlauf der Winkelgeschwindigkeit und nicht den Verlauf der Winkelbeschleunigung wieder, obwohl die zur Cupulaauslenkung führenden Kräfte Beschleunigungskräfte sind. Nach Beendigung dieser kurzen Bewegungen ist die Cupula wieder in die Ausgangslage zurückgekehrt, und die afferente Nervenfaser feuert wieder mit der Ruheentladungsrate. (B) der Abb. 3 zeigt das grundsätzlich andere Verhalten bei langdauernden Drehbewegungen (z.B. am Drehstuhl). Die anfängliche Beschleunigung führt zu einer konstanten Winkelgeschwindigkeit, die über lange Zeit

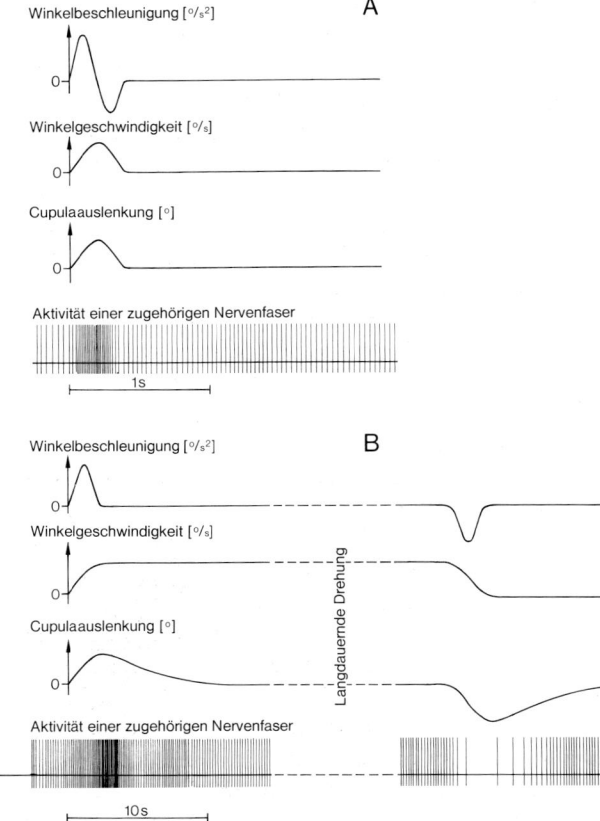

Abb. 3 A u. B. Cupulaauslenkung und Aktivität einer afferenten Nervenfaser. (A) bei kurzdauernden Drehbewegungen (z.B. Kopfwendung) und (B) bei langdauernden Drehbewegungen (ż.B. Drehstuhl). Unterschiedliche Zeitachsen bei (A) und (B)!

beibehalten wird. Die Cupula wird zunächst ausgelenkt und kehrt während der Phase der gleichförmigen Drehbewegung langsam in die Ruhelage zurück, weil die anfänglich ruhende Endolymphe wegen der Reibung an der Bogengangswand allmählich von der Drehbewegung erfaßt wird und schließlich keine Differenz mehr zwischen der Bewegung des Kopfes und der Bewegung der Endolymphe besteht. Wegen ihrer Elastizität nimmt die Cupula dann wieder ihre Ruhelage ein. Es bestehen also auch keine Kräfte mehr, die die Cupula aus ihrer Ruhelage auslenken. Ein schneller Stop aus der erreichten gleichförmigen Drehbewegung führt nun wieder zu einer Cupulaauslenkung, und zwar in die entgegengesetzte Richtung. Sonst zeigt diese Auslenkung jedoch die gleichen Charakteristika wie beim Beginn der Bewegung. Erst nach relativ langer Zeit (10–30 s) hat die Cupula wieder ihre Ruhelage erreicht.

Das unterschiedliche Verhalten der Cupula bei kurz- bzw. langdauernden Reizen liegt an den mechanischen Eigenschaften des Systems Cupula-Endolymphe, das sich, allerdings nur in erster Näherung, wie ein Torsionspendel mit hoher Dämpfung

verhält [29]. Man muß sich jedoch stets vor Augen halten, daß die zur Cupulaauslenkung führenden Kräfte **immer** und **ausschließlich** Beschleunigungskräfte sind, auch wenn bei den physiologischerweise vorkommenden kurzen Winkelbeschleunigungen die Cupulaauslenkung der Winkelgeschwindigkeit und nicht der Winkelbeschleunigung proportional ist.

Die hier geschilderten Vorstellungen über die Cupulamechanik, die bislang allgemein anerkannt waren, sind in letzter Zeit allerdings verschiedentlich angegriffen worden [36]. Insbesondere ist der unter physiologischer Reizung resultierende Betrag der Cupulaauslenkung erheblich kleiner als bisher angenommen. Cupulaauslenkungen von nur 0,005° vermögen bereits die Entladungsrate afferenter Nervenfasern zu modulieren [30].

1.2. Das zentrale vestibuläre System

Die primären afferenten Nervenfasern des Nervus vestibularis enden vorwiegend im Gebiet der Vestibulariskerne, die in der Medulla oblongata liegen. Es gibt auf jeder Seite vier verschiedene Kerne, die sich anatomisch und funktionell voneinander abgrenzen lassen, den *Nucleus superior, medialis, lateralis* (Deiters) und *inferior.* Die Eingänge von den Vestibularisreceptoren in diese Kerne reichen jedoch nicht aus, um dem ZNS eine eindeutige Information über die Stellung des Körpers im Raum zu übermitteln, da der Kopf in den Halsgelenken unabhängig vom Rumpf beweglich ist. Das ZNS muß die Stellung des Kopfes gegenüber dem Rumpf kennen und verrechnen, um über die Körperstellung Klarheit zu gewinnen. Die Vestibulariskerne erhalten also neuronale *Eingänge* nicht nur von den Vestibularisreceptoren, sondern auch *von den Halsreceptoren* (von Muskeln und Gelenken) [15]. Werden diese Verbindungen experimentell ausgeschaltet, so ergeben sich Gleichgewichtsstörungen ähnlich denen bei Ausfall eines Labyrinths (s.S. 268). Von den Vestibulariskernen gibt es zentralnervöse Verschaltungen, die die zur Erhaltung des Gleichgewichts notwendigen Reflexe ermöglichen. Im einzelnen sind es Verbindungen [3, 15]:

a) zum **Tractus vestibulospinalis,** über den schließlich insbesondere γ-Motoneuronen der Extensoren beeinflußt werden. Ein Teil der Fasern geht allerdings auch zu den α-Motoneuronen.

b) zu den **Motoneuronen des Halsmarkes,** die im Prinzip dem Tractus vestibulospinalis entsprechen.

c) zu den **Augenmuskelkernen** (s. Abb. XII-45), über die die vestibulär auslösbaren Augenbewegungen zustande kommen. Diese Fasern laufen über das mediale Längsbündel.

d) zu den **Vestibulariskernen der Gegenseite,** mit deren Hilfe die Eingänge von beiden Seiten gegeneinander verrechnet werden.

e) zum **Kleinhirn,** insbesondere dem Archicerebellum (s. später).

f) zur **Formatio reticularis,** über die der Tractus reticulospinalis beeinflußt wird. Über ihn werden, polysynaptisch, auch wiederum die γ- und α-Motoneurone erreicht.

g) über den **Thalamus** zur **hinteren Zentralwindung** des Cortex, die der bewußten Verarbeitung vestibulärer Eingänge und damit der bewußten Raumorientierung dienen.

h) zum **Hypothalamus;** diese Fasern spielen insbesondere für das Zustandekommen von Kinetosen (Bewegungskrankheiten, s.S. 268) eine Rolle.

Die zahlreichen neuronalen Verschaltungen, von denen hier nur die wichtigsten genannt sind, ermöglichen es dem vestibulären System, eine zentrale Rolle für Blick- und Stützmotorik zu spielen. In die hierbei ablaufenden Prozesse greift insbesondere auch das Cerebellum ein, in das neben den bereits angegebenen sekundären Vestibularisneuronen auch einige primäre Vestibularisafferenzen projizieren (sog. direkte sensorische Kleinhirnbahn). Sowohl primäre als auch sekundäre Vestibularisfasern enden (beim Säuger) als Moosfasern (s.S. 100) an den Körnerzellen des Nodulus und Flocculus (Archicerebellum) sowie Teilen der Uvula und des Paraflocculus (Teile des Paläocerebellum) [17]. Die Körnerzellen erregen die Purkinjezellen in diesen Gebieten, wobei die Axone dieser Purkinjezellen wiederum zurück in das Vestibulariskerngebiet projizieren. Dieser Regelkreis kontrolliert die Feinabstimmung der Vestibularisreflexe. Beim Ausfall des Kleinhirns kommt es zu einer Enthemmung dieser Reflexe, z.B. Verstärkung des Nystagmus bzw. Spontannystagmus (s. später und Kapitel Optomotorik, S. 258).

Die Entladungsmuster der Neurone im Gebiet der Vestibulariskerne sind vielfältig wie ihre anatomischen Verknüpfungen, so daß hier auf Einzelheiten nicht eingegangen werden kann. Der interessierte Leser sei auf die weiterführende Literatur verwiesen [4, 10, 15].

1.3. Die Vestibularisreflexe und deren klinische Prüfung

Statische und statokinetische Reflexe. Das Gleichgewicht wird reflektorisch ohne primäre Beteiligung des Bewußtseins aufrechterhalten. Die dazu notwendigen Reflexe werden in zwei Gruppen, die **statischen** und die **statokinetischen** Reflexe eingeteilt

[10, 15], für deren Zustandekommen die Vestibularisreceptoren und somatosensorischen Eingänge, insbesondere von den Proprioceptoren des Halsgebietes verantwortlich sind. Die statischen Reflexe bewirken bestimmte Haltungen der einzelnen Glieder zueinander oder bestimmte Stellungen des Körpers im Raum. Dementsprechend werden sie in *Haltungsreflexe* und *Stellreflexe* eingeteilt. Die statokinetischen Reflexe stellen Antworten auf Bewegungsreize dar, die selbst wieder Form von Bewegungen annehmen. Die genannten Reflexe sind in VI genauer abgehandelt, so daß hier lediglich auf die Ausführungen der S. 96 verwiesen wird.

Ein klinisch besonders wichtiger statokinetischer Reflex muß jedoch noch besprochen werden, nämlich der **vestibuläre Nystagmus.** Es handelt sich um eine vestibulär ausgelöste *Augenbewegung,* die dazu dient, die Augen während der Drehbewegung so **gegen** die Drehung zu führen, daß die Augen die ursprüngliche Blickrichtung beibehalten. Bevor die Augen seitlich anschlagen, erfolgt eine ruckhafte Augenbewegung **in** Richtung der Drehung, die so schnell ist, daß die Drehbewegung überholt wird. An diese schnelle Phase schließt sich wieder eine **langsame** Bewegung entgegen der Drehrichtung an (s. auch optokinetischer Nystagmus, S. 259).

Bei einer Drehung des Körpers um die vertikale Achse sind praktisch nur die horizontalen Bogengänge betroffen. Eine Auslenkung der Cupulae der beiden horizontalen Bogengänge ruft daher auch einen **horizontalen Nystagmus** hervor. Die Richtung der beiden Nystagmuskomponenten hängt dabei von der Drehrichtung bzw. der Auslenkrichtung der Cupulae ab. Wie gesagt, besteht der Nystagmus aus zwei Komponenten. Verabredungsgemäß wird die Richtung eines Nystagmus nach der schnellen Phase bezeichnet. Beim Rechtsnystagmus geht also die schnelle Phase nach rechts.

Bei einer passiven Drehung wird erstens auf den Vestibularisapparat ein Reiz ausgeübt, zweitens wird, bezogen auf die Versuchsperson, das visuelle Umfeld verschoben. Beides löst für sich bereits einen Nystagmus aus, der vestibuläre Reiz einen vestibulären, die Verschiebung des Gesichtsfeldes einen optokinetischen. Beide ergänzen sich synergistisch. Die daran beteiligten neuronalen Verschaltungen zeigt die Abb. XII-45, S. 258.

Diagnostische Bedeutung des Nystagmus. Der Nystagmus wird zur *klinischen Funktionsprüfung* des Vestibularapparates verwendet, meistens in der Form des sogenannten **postrotatorischen** Nystagmus. Die Versuchsperson wird dazu auf einen Drehstuhl gesetzt und lange Zeit gleichförmig gedreht. Danach wird die Bewegung plötzlich gestoppt. Die Abb. 3 zeigt das Verhalten der Cupula bei einem Stop aus einer langdauernden gleichförmigen Bewegung. Wie man sieht, kommt es beim Stop aus einer solchen Bewegung zu einer Auslenkung der Cupula. Die Richtung der Auslenkung ist der Auslenkungsrichtung beim Andrehen entgegengesetzt. Da die Auslenkung der Cupula einen Nystagmus auslöst, kommt es also beim Stop aus einer langdauernden, gleichförmigen Bewegung zu einem Nystagmus, der als *postrotatorischer Nystagmus* bezeichnet wird. Aus der dabei entstehenden Cupulaauslenkung kann man sich die Richtung des postrotatorischen Nystagmus überlegen: Bezogen auf die vorherige Drehrichtung muß die Richtung des postrotatorischen Nystagmus **entgegengesetzt** gerichtet sein. Registriert man die Augenbewegungen, so erhält man Bilder, die der Registrierung des optokinetischen Nystagmus ähneln (s. Abb. XII-46, S. 259). Derartige Registrierungen nennt man **Nystagmogramme**.

Wichtig ist, daß bei der Prüfung des postrotatorischen Nystagmus die **visuelle Fixation** ausgeschaltet wird. Sonst wird ein Nystagmus unter Umständen unterdrückt, da für die Optomotorik visuelle Eingänge über die vestibulären dominieren. Aus diesem Grunde setzt man dem Patienten eine Brille auf, die sehr stark konvexe Linsen und eine Beleuchtung enthält (*Frenzelsche Brille*). Der Patient wird mit dieser Brille myop und kann nicht mehr fixieren. Andererseits kann der Arzt die Augen des Patienten gut beobachten. Auch wenn man bei der klinischen Untersuchung prüfen will, ob der Patient einen Spontannystagmus zeigt, muß man unbedingt mit der Leuchtbrille die visuelle Fixation ausschalten.

Eine andere Möglichkeit, bei einer klinischen Prüfung einen vestibulären Nystagmus auszulösen, besteht in der **calorischen Reizung** des horizontalen Bogenganges. Hierbei besteht der Vorteil, daß man jede Seite getrennt prüfen kann. Man neigt dazu den Kopf der sitzenden Versuchsperson um etwa 60° nach hinten. Dann liegt der sog. horizontale Bogengang genau vertikal. Nun wird der **äußere Gehörgang** mit kaltem bzw. mit warmem Wasser gespült. Der äußere Rand des Bogenganges liegt dem Gehörgang sehr nahe. Er wird deswegen abgekühlt bzw. erwärmt. Die erwärmte Endolymphe wird spezifisch leichter und steigt auf, es kommt zu einer *Endolymphströmung*, zu einer Cupulaauslenkung und schließlich zu einem Nystagmus (s. Abb. 2, Erwärmung bei X). Wegen dieser Auslösungsform spricht man von einem **calorischen Nystagmus**. Warmspülung ruft einen Nystagmus zur gespülten Seite hervor. Der Nystagmus bei Kaltspülung ist dem bei Warmspülung entgegengesetzt. Im Erkrankungsfalle weicht der Nystagmus qualitativ und quantitativ von der Norm ab. Einzelheiten über Nystagmusprüfungen bei [15, 19]. Es soll noch erwähnt werden, daß die langsame Phase des Nystagmus durch das vestibuläre System ausgelöst wird, wogegen die schnelle Rückstellbewegung von der pontinen Formatio reticularis bewirkt wird (s.S. 258).

Störungen des Vestibularapparates. Starke Erregung des Vestibularapparates geht häufig mit Unwohlsein, Schwindel, Erbrechen, Schweißausbrüchen, Pulsanstieg etc. einher. Man faßt diese Erscheinungen mit dem Begriff **Kinetosen** (Bewegungskrankheiten) zusammen. Derartige Kinetosen entstehen besonders dann, wenn ungewohnte Reizkonstellationen (z.B. auf See) auf den Organismus einwirken. Hierbei sind als Auslöser insbesondere die Coriolis-Beschleunigungen [11] wirksam. Auch Diskrepanzen zwischen optischen Eindrücken und Meldungen von seiten des Vestibularapparates führen besonders leicht zu Kinetosen. Bei Säuglingen und bei labyrinthlosen Patienten werden Kinetosen nicht beobachtet.

Der **akute** Ausfall **eines** Labyrinths führt zu Übelkeit, Erbrechen, Schweißausbrüchen und ähnlichen Symptomen, zu Drehschwindel zur gesunden Seite und zu einem Nystagmus zur gesunden Seite. Ferner tritt eine Fallneigung zur kranken Seite auf. Der **chronische** Ausfall eines Labyrinths kann dagegen relativ gut kompensiert werden. Das zentrale vestibuläre System kann nämlich die Reaktion auf ungewöhnliche Erregungszustände durch Habituationsvorgänge reduzieren [15]. Dies gelingt insbesondere

dann, wenn andere Sinneskanäle zur Korrektur beitragen, z.B. visuelle oder taktile Eingänge. So macht sich beim chronischen Ausfall der Schaden im Dunkeln wieder stärker bemerkbar.

Ein **doppelseitiger akuter** Ausfall kommt beim Menschen selten vor. Im Tierexperiment ergeben sich weit weniger gravierende Symptome als beim einseitigen akuten Ausfall, da in diesem Fall die neuronalen Eingänge in die Vestibulariskerne auf beiden Seiten fehlen, also wieder eine Symmetrie besteht.

Vom schwerelosen Zustand (bei Raumfahrern) sind die Bogengänge nicht betroffen. Die Gravitationskräfte, die auf die Otolithen einwirken, fallen jedoch weg, so daß in allen Maculae die Otolithenmembran diejenige Stellung einnimmt, die durch die elastischen Kräfte der Gallerte bedingt ist. Es entsteht eine Erregungskonstellation, die auf der Erde nicht vorkommen kann und die gelegentlich zu Kinetosen geführt hat, insbesondere während Kopfbewegungen [35]. Die Habituation an den schwerelosen Zustand geht jedoch schnell vonstatten. Man muß jedoch bedenken, daß Raumfahrer auch in dieser Hinsicht hochtrainiert sind und vielleicht deswegen so schwach reagieren.

2. Physiologie des auditorischen Systems

Der Hörsinn ist beim Menschen von überragender Bedeutung, weil er Voraussetzung für das wichtigste zwischenmenschliche Kommunikationsmittel, nämlich die Sprache, ist. So stellen Taubheit und Schwerhörigkeit ein erhebliches medizinisches Problem dar, da die Erkrankten, insbesondere die Tauben, meist starke psychische Veränderungen aufweisen, die auf die erschwerten sozialen Kontakte zurückzuführen sind. Eine kausale Therapie ist in den allermeisten Fällen noch nicht möglich, da wir über die pathophysiologischen Grundlagen der Schwerhörigkeit, besonders der Innenohrschwerhörigkeit, keine ausreichende Kenntnis besitzen. Hier liegt noch ein weites Feld für die Forschung offen.

2.1. Die physikalischen Eigenschaften des Schallreizes

Unter Schall versteht man Schwingungen der Moleküle eines elastischen Stoffes, etwa Luft (Luftschall), die sich wellenförmig ausbreiten. Diese Schwingungen werden im allgemeinen durch schwingende Körper angeregt, z.B. eine Stimmgabel oder eine Lautsprechermembran, wobei Energie an das umgebende Medium dadurch abgegeben wird, daß die Luftmoleküle der unmittelbaren Umgebung beschleunigt werden. Diese geben die Schwingungsenergie wieder an die weitere Umgebung ab usw. Der Vorgang breitet sich wellenförmig um die Schallquelle aus, in Luft mit einer Geschwindigkeit von ca. 340 m/s. Bei der Schwingung der Moleküle entstehen Zonen, in denen die Moleküle dichter gepackt sind und solche, in denen weniger Moleküle vorhanden sind. In diesen Zonen ist dementsprechend der Druck erhöht bzw. erniedrigt. Die dabei auftretende Druckamplitude nennt man **Schalldruck.** Man kann den Schalldruck mit geeigneten Meßmikrophonen messen und entweder seinen Effektivwert [5, 11, 28] oder seinen Zeitverlauf aufzeichnen und zur Charakterisierung des Schalles verwenden. Der Schall wird, wie jeder andere Druck, in N/m² bzw. dyn/cm² = μbar angegeben. Meist verwendet man in der Akustik jedoch ein anderes Maß, den sogenannten **Schalldruckpegel.** Er wird in Dezibel (dB) angegeben. Es handelt sich um eine Verhältniszahl, wobei jeder anzugebende Schalldruck p_x mit dem im Grunde willkürlich festgelegten Bezugsschalldruck von $p_0 = 2 \cdot 10^{-5}$ N/m² ($= 2 \cdot 10^{-4}$ dyn/cm²) verglichen wird.

Grundlage einer dB-Skala bilden können, werden die Werte des Schalldruckpegels häufig als „dB SPL" bezeichnet. Der Zusatz SPL bedeutet „**s**ound **p**ressure **l**evel", er soll betonen, daß die Zahlenwerte nach der obigen Definitionsgleichung gewonnen wurden, wobei als Bezugsschalldruck p_0 der Druck von $2 \cdot 10^{-5}$ N/m² ($2 \cdot 10^{-4}$ dyn/cm²) verwendet wurde.

Unter **Schallintensität** versteht man die pro Zeiteinheit durch eine Flächeneinheit hindurchtretende Schallenergie: Sie wird in Watt/m² angegeben. 10^{-12} Watt/m² entsprechen im ebenen Schallfeld $2 \cdot 10^{-5}$ N/m².

Die Frequenz eines Schalles wird in **Hertz** (Hz) angegeben. Dies sind Schwingungen pro Sekunde. Bei ruhender Schallquelle haben Schall und Schallquelle die gleiche Frequenz.

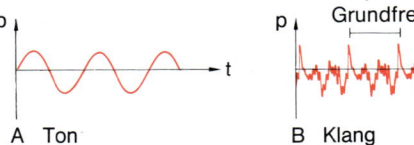

Abb. 4. Zeitverlauf des Schalldruckes bei einem Ton, einem Klang und einem Geräusch. T ist die Periodendauer der Grund-

frequenz des Klanges. Beim Geräusch ist keine Periode vorhanden

Man bildet dazu den Quotienten p_x/p_0. Dieser Quotient wird logarithmiert (dekadischer Logarithmus) und mit 20 multipliziert, so daß der Schalldruckpegel L folgendermaßen definiert ist:

$$L = 20 \cdot \log_{10} \frac{p_x}{p_0} \, [dB].$$

Diese unübersichtlich erscheinende Definition wurde gewählt, weil sie für die rechnerische Behandlung vieler akustischer Probleme Vorteile bietet. Hier soll darauf nicht eingegangen werden. Ein Beispiel soll jedoch den Umgang mit der obigen Definitionsgleichung zeigen: Gesucht sei der Schalldruckpegel eines Tones mit dem Schalldruck $p_x = 2 \cdot 10^{-1}$ N/m². Es ist

$$\frac{p_x}{p_0} = \frac{2 \cdot 10^{-1}}{2 \cdot 10^{-5}} = 10^4;$$

$$L = 20 \cdot \log_{10} 10^4 = 20 \cdot 4 = 80 \, [dB].$$

Der Schalldruck von $2 \cdot 10^{-1}$ N/m² entspricht also einem Schalldruckpegel von 80 dB. Die Ordinaten links in Abb. 7 geben eine Gegenüberstellung von weiteren Werten.
Da auch andere Größen, z.B. elektrische Spannungen, in einer dB-Skala angegeben werden können und andererseits beliebige andere Bezugsgrößen

Wenn ein Schallereignis nur eine einzige Frequenz enthält, nennt man es einen **Ton.** Abb. 4(A) zeigt den Zeitverlauf des Schalldruckes für diesen Fall. Reine Töne kommen jedoch im täglichen Leben praktisch nicht vor. In den meisten Fällen sind in einem Schall mehrere Frequenzen gleichzeitig enthalten (Abb. 4(B)). Man spricht dann von einem **Klang.** Es handelt sich dabei meist um einen *Grundton* mit mehreren *Obertönen*, die ganzzahlige Vielfache der Grundfrequenz sind. Der Grundton ist in der Periode des Schalldruckverlaufes (T in Abb. 4(B)) zu erkennen. Da verschiedene Schallquellen Obertöne in unterschiedlichem Ausmaß erzeugen, entstehen auch bei gleicher Grundfrequenz verschiedene Klangbilder. So kommt der Klangreichtum eines Orchesters zustande [22]. Ein Schallereignis, das praktisch alle Frequenzen des Hörbereiches enthält, heißt **Geräusch** (Abb. 4(C)). Im zeitlichen Verlauf des Schalldruckes ist hierbei keine Periodizität mehr zu erkennen.

2.2. Anatomische Grundlagen des Hörvorganges; das periphere Ohr

Der Schall wird vom **äußeren Ohr** aufgefangen und gelangt durch den äußeren Gehörgang an das **Trommelfell** (s. Abb. 5). Diese feine, perlmuttfarben glänzende Membran schließt den Gehörgang ab

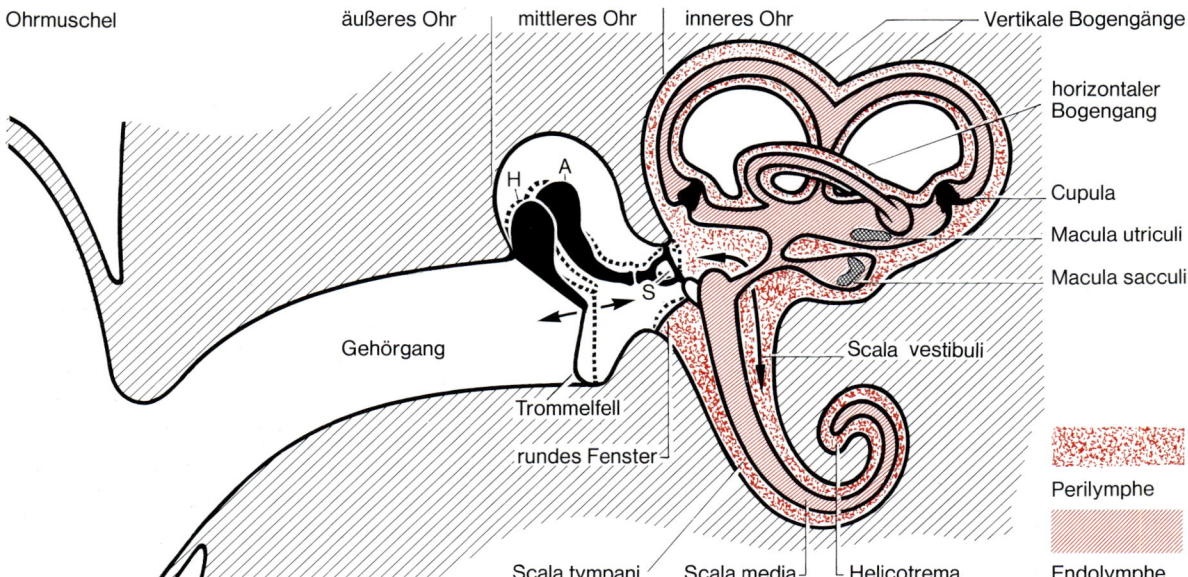

Abb. 5. Schematische Darstellung von äußerem, mittlerem und innerem Ohr. H Hammer; A Amboß; S Steigbügel. Punktiert eingezeichnet ist ein Extremwert eines Schwingungszustandes des Trommelfell-Gehörknöchelchen-Apparates

und bildet die Grenze zum ebenfalls luftgefüllten **Mittelohr.** Das Mittelohr besteht aus der **Paukenhöhle** und den **Gehörknöchelchen,** die als *Hammer, Amboß* und *Steigbügel (Stapes)* bezeichnet werden. Sie bilden eine gelenkig verbundene Kette, die **Gehörknöchelchenkette.** Der Hammer ist mit dem sogenannten Handgriff mit dem Trommelfell fest verwachsen, während der Stapes, der wirklich wie ein Steigbügel aussieht, sich mit seiner Fußplatte einer Öffnung im Felsenbein, dem ovalen Fenster, einpaßt. Dort grenzt der Stapes an das **innere Ohr.** Die Schallenergie wird vom Trommelfell über Hammer, Amboß und Stapes ans Innenohr übertragen, und zwar dadurch, daß diese Gebilde in Schwingungen geraten. Die Paukenhöhle steht durch die Tuba eustachii mit dem Pharynx in Verbindung. Bei jedem Schluckakt öffnet sich die Tube, belüftet so die Paukenhöhle und sorgt damit für gleichen Luftdruck in Mittelohr und atmosphärischer Luft. Schleimhautschwellungen bei einem Katarrh verhindern ein Öffnen der Tube. Bei Schwankungen des äußeren Luftdruckes, z.B. im Flugzeug, oder durch Resorption der Luft aus der Paukenhöhle entstehen dann Druckunterschiede, die sich als „Druck auf den Ohren" bemerkbar machen.

Das innere Ohr liegt im Felsenbein. Es enthält das Gleichgewichtsorgan und das Hörorgan. Wegen seiner Form wird das Hörorgan auch als **Schnecke (Cochlea)** bezeichnet. Die Cochlea besteht aus drei übereinanderliegenden Kanälen, die schneckenförmig aufgerollt sind. Sie werden als **Scala tympani, Scala media** und **Scala vestibuli** bezeichnet. *Scala tympani* und *Scala vestibuli* stehen am sogenannten

Helicotrema miteinander in Verbindung (s. Abb. 5). Sie sind mit **Perilymphe** angefüllt, einer Flüssigkeit, die ähnlich einer extracellulären Flüssigkeit zusammengesetzt ist und dementsprechend viel Na$^+$ (etwa 140 mval/l) enthält [10]. Sie entsteht wahrscheinlich als Ultrafiltrat aus der Blutflüssigkeit; inwieweit die vorhandenen Verbindungen der Perilymphräume zu den Liquorräumen von funktioneller Bedeutung sind, ist unbekannt. Die chemische Zusammensetzung von Liquor und Perilymphe ähneln sich jedoch weitgehend.

Die *Scala media* ist mit **Endolymphe** angefüllt. Diese Flüssigkeit ist K$^+$-reich (etwa 145 mval/l) und ähnelt somit einer intracellulären Flüssigkeit [10]. Peri- bzw. endolymphatische Räume der Cochlea stehen mit den peri- bzw. endolymphatischen Räumen des Vestibularorgans in Verbindung (s. Abb. 5). Der Stapes grenzt am ovalen Fenster mit seiner Fußplatte an die Perilymphe der Scala vestibuli, das **Ringband** dichtet dort den Perilymphraum gegen die Paukenhöhle ab, so daß keine Perilymphe austreten kann. An der Basis der Scala tympani befindet sich ebenfalls eine Öffnung zur Paukenhöhle, das sogenannte **runde Fenster.** Es ist durch eine feine Membran abgeschlossen, so daß auch dort keine Perilymphe austreten kann.

Die Abb. 6 stellt einen Querschnitt durch eine Schneckenwindung dar. Sie zeigt, daß die Scala vestibuli und die Scala media durch die **Reißnersche Membran** voneinander getrennt sind. Zwischen Scala media und Scala tympani liegt die **Basilarmembran.** Auf ihr befindet sich eine wulstförmige Verdickung, das **Cortische Organ.** In ihm liegen,

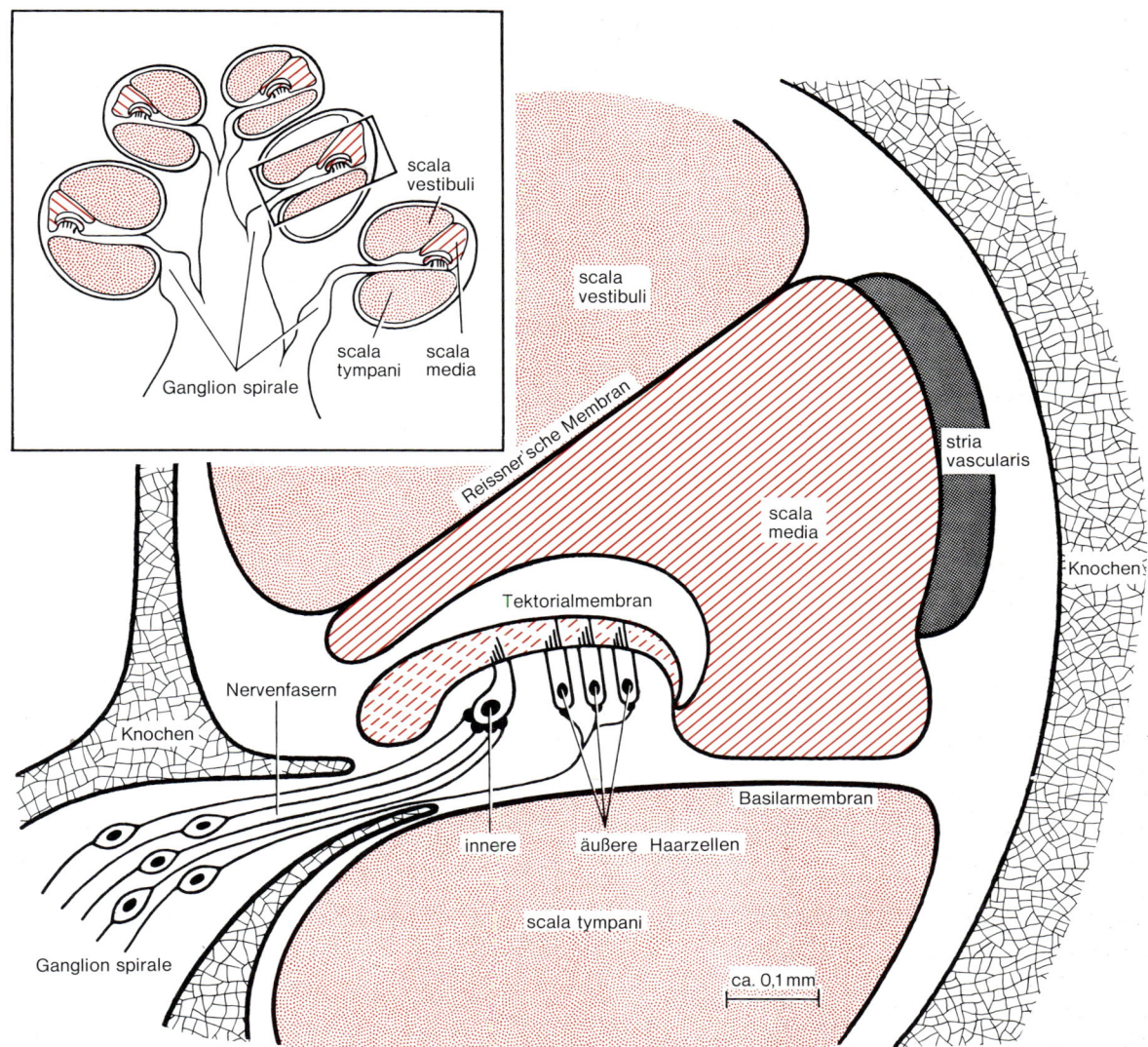

Abb. 6. Schnitt durch eine Windung der Cochlea

umgeben von Stützzellen, die *Receptoren.* Es sind wiederum Haarzellen, die jedoch hier nur Stereocilien enthalten. Das Kinocilium ist bei den Receptoren des Cortischen Organs zurückgebildet [12]. Man unterscheidet **innere** und **äußere Haarzellen.** Die äußeren Haarzellen sind in drei Reihen angeordnet, während die inneren Haarzellen nur eine einzige Reihe bilden. Beim Menschen gibt es etwa 3500 innere und 12000 äußere Haarzellen [23].

Auch am Cortischen Organ sind die Haarzellen sekundäre Sinneszellen. Die afferenten Nervenfasern, die die Haarzellen innervieren, stammen aus den Bipolarzellen des **Ganglion spirale,** das inmitten der Cochlea liegt. Der zentrale Fortsatz dieser Zellen läuft zum ZNS. Etwa 95% der Nervenfasern aus dem Ganglion spirale laufen zu den inneren Haarzellen, an jeder von ihnen endigen viele Nervenfa-

sern [38]. Nur der Rest von 5% geht an die zahlenmäßig weit überlegenen äußeren Haarzellen. Die Fasern für diese Receptoren müssen sich also stark verzweigen, damit alle äußeren Haarzellen nervös versorgt werden können. Eine afferente Faser für die äußeren Haarzellen versorgt viele verschiedene Receptoren, die allerdings in Nachbarschaft zueinander liegen. Insgesamt gibt es im Nervus acusticus etwa 30000 bis 40000 afferente Fasern [23]. Auch efferente Fasern laufen in das Cortische Organ. Über ihre funktionelle Bedeutung ist jedoch nichts Sicheres bekannt [14].

Über das Cortische Organ deckt sich die sogenannte **Tektorialmembran,** eine gallertige Masse, die an der Innenseite der Schnecke, in der Gegend der Schneckenspindel, befestigt ist. Die Stereocilien der äußeren Haarzellen sind mit ihren Enden mit der Unter-

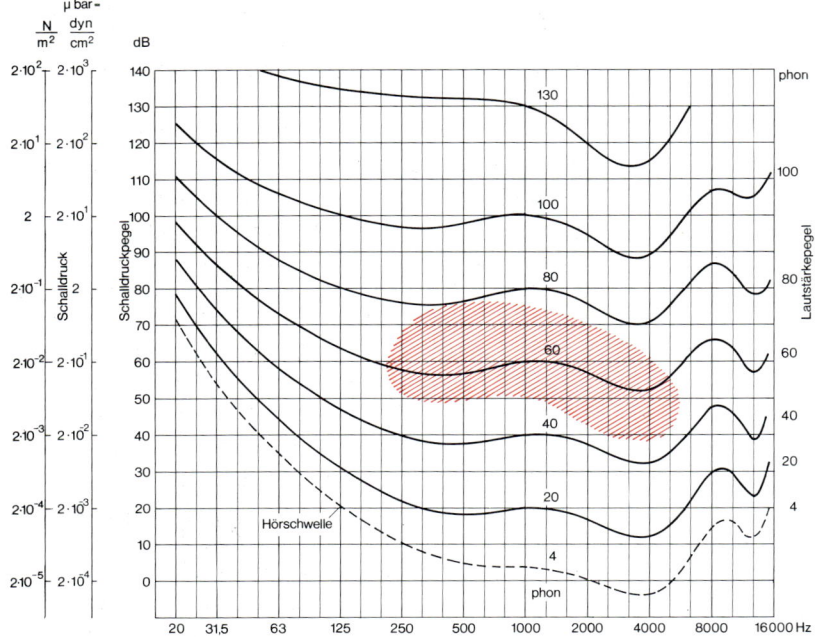

Abb. 7. Kurven gleicher Lautstärke-pegel (Isophone) nach DIN 45630. Die Ordinaten der linken Seite geben eine Gegenüberstellung von Schall-druck und Schalldruckpegel. Rot schraffiert eingezeichnet ist der Hauptsprachbereich

seite der Tektorialmembran verhaftet [23]. Nach neueren Untersuchungen [31] könnte dies auch für die inneren Haarzellen gelten, obwohl frühere Befunde [34] gegen einen solchen Kontakt sprachen.

An der Außenseite der Scala media befindet sich eine blutgefäßreiche Region, die **Stria vascularis.** Sie stellt ein stoffwechselaktives Gebiet dar, das für die *Energieversorgung* der Cochlea und die Zusammensetzung der Endolymphe eine wichtige Rolle spielt. Es finden sich dort verschiedene Ionenpumpen, u.a. für K^+, die das Ionenmilieu in den Innenohrflüssigkeiten aufrechterhalten [6]. Da einige Diuretika (harntreibende Medikamente) schädigende Nebenwirkungen auf das Ohr haben, kann man annehmen, daß manche dieser Pumpen ähnlich arbeiten wie bestimmte Transportsysteme in den Tubulusepithelien der Niere.

2.3. Psychophysik der Hörempfindungen

Hörschwellen. Der Schall muß einen bestimmten Schalldruckpegel überschreiten, um gehört werden zu können. Diesen Schwellenwert nennt man **Hörschwelle.** Die Hörschwelle (Abb. 7, gestrichelte Kurve) ist frequenzabhängig, im Bereich von 2000–4000 Hz ist das menschliche Ohr am empfindlichsten, während im Bereich hoher und tiefer Frequenzen erheblich höhere Schalldruckpegel nötig sind, um die Schwelle zu überschreiten. Im mittleren Frequenzbereich liegen die für die Sprache wichtigen Frequenzen, so daß man sagen kann, daß das menschliche Ohr zur Aufnahme von Sprache optimal geeignet ist.

Lautstärke. Ist die Hörschwelle überschritten, so wird, unabhängig von der Frequenz, mit zunehmendem Schalldruck ein Ton immer lauter empfunden. Die Zuordnung von (physikalisch definiertem) Schalldruckpegel zum subjektiv empfundenen **Lautstärkepegel** kann man quantitativ beschreiben. Man kann eine Versuchsperson nämlich nicht nur fragen, ob ein Ton hörbar ist, also die Hörschwelle überschritten hat, sondern auch danach, ob sie zwei sukzessiv dargebotene Töne gleicher oder verschiedener Frequenz als **gleich laut** empfindet. Man bietet dazu der Versuchsperson sukzessiv zwei Töne an, einen Testton und einen Vergleichston von 1 000 Hz. Der Versuchsperson wird die Aufgabe gestellt, mit Hilfe eines Potentiometers den Schalldruck des Vergleichstones (1 000 Hz) solange zu verändern, bis ihr Testton und Vergleichston als **gleich laut** erscheinen. Man sagt dann, beide Töne besitzen den gleichen Lautstärkepegel. Der Lautstärkepegel wird in **phon** angegeben. Als Maßzahl wird der Schalldruckpegel des als gleich laut empfundenen 1 000 Hz Tones verwendet. Hat die Versuchsperson z.B. den 1 000 Hz Ton auf 70 dB SPL eingestellt, um subjektiv gleiche Lautstärke zu empfinden, dann besitzt der Testton den Lautstärkepegel von 70 phon. Entsprechend dieser Festlegung sind bei 1 000 Hz dB-Werte und phon-Werte *identisch.* Dies ist auch Abb. 7 zu entnehmen. Diese Abbildung zeigt ferner neben der Hörschwelle noch die **Kurven gleicher Lautstärkepegel.** Es handelt sich um die international genormten Mittelwerte von Angaben einer großen Zahl gesunder, jugendlicher Versuchspersonen. Alle Töne, unabhängig von ihrer Frequenz, die auf einer dieser Kurven liegen, werden als gleich laut empfunden. Diese Kurven werden daher auch als **Isophone** bezeichnet. Auch die Hörschwellenkurve ist eine Isophone. Alle Töne, die auf ihr liegen, werden als gleich laut, nämlich eben überschwellig, empfunden. Die mittlere Hörschwelle gesunder Versuchspersonen liegt bei 4 phon [10]. Individuelle Werte können davon freilich nach beiden Richtungen abweichen.

Intensitätsunterschiedsschwelle. Da die oben besprochene phon-Skala auf subjektiven Angaben von Versuchspersonen aufgebaut ist, stellt sich die Frage, wie genau diese Angaben sind, d.h. ab wann eine Versuchsperson zwei Töne, die der Einfachheit halber die gleiche Frequenz haben sollen, als unterschiedlich laut beurteilt. Gefragt ist also nach der **Intensitätsunterschiedsschwelle,** und Versuche ergeben, daß diese sehr klein ist. Zwei Töne gleicher Frequenz werden bereits dann als unterschiedlich laut empfunden, wenn der Schalldruckpegel sich um nur 1 dB voneinander unterscheidet. Im oberen Intensitätsbereich kann der Wert sogar noch kleiner werden [28].

Lautheit. Neben der eben beschriebenen phon-Skala gibt es noch einen anderen, ähnlich zu gewinnenden psychophysischen Zusammenhang. Hier wird die Versuchsperson danach gefragt, wann sie einen Testton n-mal so laut (also etwa 2mal oder 4mal so laut) empfindet, wie einen Vergleichston von 1000 Hz und 40 dB SPL. Obwohl die Aufgabe im ersten Augenblick absurd erscheint, kann man jedoch sehr zuverlässige Angaben damit gewinnen und so die **Lautheit** eines Tones messen. Die Lautheit wird in **sone** angegeben. Ein Ton, der 4mal so laut ist wie der Vergleichston von 1000 Hz und 40 dB SPL, besitzt die Lautheit von 4 sone, ein halb so lauter 0,5 sone usw. Von der Versuchsperson wird hierbei ein differenzierteres Urteil über den Schall verlangt als bei der phon-Skala, wo nur die Gleichheit zu beurteilen ist. Die sone-Skala ist daher in gewissem Umfang aussagekräftiger und spielt daher auch bei der Beurteilung störenden Lärms eine größere Rolle. Die Lautheit eines Tones und dessen Schalldruck hängen über eine Potenzfunktion miteinander zusammen (Stevenssche Potenzfunktion, s. Allgemeine Sinnesphysiologie, S. 189 und [28]).

Schalltrauma. Steigt der Schalldruckpegel eines Schalles stark an, so empfindet die Versuchsperson schließlich *Schmerz.* Dies ist etwa bei einem Lautstärkepegel von 130 phon der Fall. Derartige Schallbelastungen führen jedoch nicht nur zu Schmerzempfindungen, sondern auch zu reversiblem Hörverlust (TTS = temporary threshold shift) bzw., in Abhängigkeit von der Einwirkungsdauer, auch zu irreversiblen Schädigungen des Ohres **(Schalltrauma).** Dabei kommt es zu Schädigungen der Sinneszellen und der Mikrozirkulation in der Cochlea. Schalltraumata treten, wenn der Schall nur lange genug einwirkt, jedoch auch bei erheblich geringeren Schallintensitäten auf. Bei Dauerbela-

stungen muß man ab 90 dB (A) mit Hörschäden rechnen. Solche Schalldruckpegel werden z.B. in Diskotheken gewöhnlich weit überschritten.

Hörfläche und Hauptsprachbereich. Die Hörbarkeit eines Tones hängt, wie Abb. 7 zeigt, neben dem Schalldruck auch noch von der Frequenz ab. Der gesunde jugendliche Erwachsene kann Frequenzen von 20 Hz bis 16000 Hz (16 kHz) hören. Höhere Frequenzen als 16 kHz bezeichnet man als **Ultraschall,** tiefere als 20 Hz als **Infraschall.** Der menschliche Hörbereich erstreckt sich also von 20 Hz bis 16 kHz einerseits und 4 phon und 130 phon andererseits. Dieser Bereich des Diagramms der Abb. 7 wird daher auch als **Hörfläche** bezeichnet. Im mittleren Bereich dieser Fläche liegen die beim Sprechen erzeugten Frequenzen und Intensitäten. Dieser Bereich, in Abb. 7 schraffiert, wird deswegen als **Hauptsprachbereich** bezeichnet. Um eine ausreichende Sprachverständlichkeit zu erreichen, müssen Übertragungssysteme (z.B. Telefon) mindestens den Frequenzbereich von 300 Hz bis 3,5 kHz übertragen. Im Alter nimmt die Empfindlichkeit für hohe Frequenzen regelmäßig ab, was als **Presbyakusis** bezeichnet wird.

Frequenzunterschiedsschwelle. Wie aus der täglichen Erfahrung bekannt, können wir einen Ton nicht nur nach seiner Lautstärke, sondern auch nach seiner **Tonhöhe** beurteilen, die mit der Frequenz des Tones gesetzmäßig verknüpft ist [22, 28]. Wir bezeichnen einen Ton als „hoch", wenn er eine hohe Frequenz besitzt und umgekehrt. Die Fähigkeit, Tonhöhen zu unterscheiden, ist erstaunlich gut, im Optimalbereich bei etwa 1000 Hz beträgt die **Frequenzunterschiedsschwelle** 0,3%, entspricht also hier 3 Hz.

Auch Klängen kann man eine Tonhöhe zuordnen; sie werden im allgemeinen so hoch empfunden wie ein reiner Ton mit der gleichen Frequenz wie die Grundfrequenz des Klanges [22].

Technische Messung von Schalldruckpegel und Lautstärkepegel. Wie aus dem anfangs Gesagten hervorgeht, werden die Isophonen durch eine psychophysische Methode gewonnen. Daraus ergibt sich von selbst, daß die phon-Werte eines Schalles nicht ohne weiteres mit einer physikalischen Methode gemessen werden können, so etwa wie der physikalisch definierte Schalldruck, der über geeignete Meßmikrophone und Verstärker meßbar ist (sog. Schallpegelmesser). Um wenigstens näherungsweise Messungen des Lautstärkepegels durchführen zu können, werden Schalldruckpegelmesser verwendet, in die Frequenzfilter eingebaut sind. Diese Filter haben eine Filtercharakteristik, die der Hörschwelle bzw. dem Verlauf anderer Isophonen angenähert ist. Dadurch wird das Meßgerät für verschiedene Frequenzen unterschiedlich empfindlich, ähnlich wie das menschliche Ohr. Es gibt drei international genormte Filterkurven, die mit A, B und C bezeichnet werden. Werden mit einem derartigen Gerät

Messungen durchgeführt, so muß man mit dem Meßwert angeben, welche Filterkurve benutzt wurde. Dies geschieht durch Hinzufügen des Buchstabens an den am Meßgerät abgelesenen dB-Wert. Ein Meßergebnis lautet dann z.B. 30 dB (A). Dieser Wert stimmt näherungsweise mit 30 phon überein. Die Filterkurve A ist dem Verlauf der Hörschwelle angenähert und wird im unteren Intensitätsbereich verwendet.

2.4. Die Aufgaben des Mittelohres

Es wurden im letzten Abschnitt einige Leistungen des Hörsystems vorgestellt, wir wollen uns in den nächsten drei Abschnitten fragen, wie der Organismus diese Leistungen vollbringt.

Wie bereits gesagt, nimmt das Trommelfell den Schall auf und gibt die Schwingungsenergie über die Gehörknöchelchenkette an die Perilymphe der Scala vestibuli weiter. Dieser Weg der Schallübertragung wird als **Luftleitung** bezeichnet.

Bei der Luftleitung muß der Schall von Luft auf die Flüssigkeiten des Innenohres übertreten. Bei einem solchen Übergang von Luft auf Flüssigkeit wird normalerweise der größte Teil der ankommenden Schallenergie *reflektiert,* da die beiden Medien unterschiedliche Schallwellenwiderstände (Schallkennimpedanzen) besitzen. Im Mittelohr werden jedoch durch den **Trommelfell-Gehörknöchelchenapparat** die Schallwellenwiderstände von Luft und Innenohr aneinander angepaßt und damit die Reflexionsverluste erheblich geringer. Der Mechanismus entspricht etwa der Vergütung photographischer Objektive, durch die ebenfalls die Reflexion an den Grenzflächen Luft–Glas verringert wird. Die *Impedanzanpassung* wird insbesondere durch zwei Mechanismen erreicht: 1. Die Fläche des Trommelfells ist erheblich größer als die der Stapesfußplatte. Da Druck = Kraft/Fläche, wird der Druck am ovalen Fenster höher als am Trommelfell. 2. Eine weitere Druckerhöhung wird durch die unterschiedliche Länge der Hebelarme in der Gehörknöchelchenkette erreicht. Das System arbeitet also im Prinzip wie ein Transformator, doch spielen auch noch andere Faktoren eine Rolle, nämlich Massen und Elastizitäten in der Übertragungskette und Krümmung und Schwingungseigenschaften des Trommelfells. Insgesamt wird durch den Mechanismus der Impedanzanpassung im mittleren Frequenzbereich eine Verbesserung der Hörleistung um 15–20 dB erreicht. Die Übertragungseigenschaften des Trommelfell-Gehörknöchelchenapparates sind frequenzabhängig. Im mittleren Frequenzbereich wird am besten übertragen, was teilweise den Verlauf der Hörschwelle erklärt.

Eine Schallempfindung entsteht aber auch dann, wenn man einen schwingenden Körper, etwa eine Stimmgabel, direkt auf den Schädel aufsetzt und damit primär die Schädelknochen anregt. Dieser Fall wird als **Knochenleitung** bezeichnet. Wie im nächsten Abschnitt gezeigt werden wird, sind zur Anregung des Innenohres jedoch Flüssigkeitsbewegungen nötig, wie sie bei Luftleitung durch die Stapesbewegung hervorgerufen werden. Bei Anregung des Innenohres durch Knochenleitung entstehen ähnliche Flüssigkeitsbewegungen einmal dadurch, daß in den schwingenden Schädelknochen Zonen von Kompression und Dekompression entstehen. Bei diesen Kompressionsvorgängen wird Flüssigkeit aus dem voluminösen vestibulären Labyrinth in die Cochlea verschoben und umgekehrt (Kompressionstheorie [10]). Zum anderen besitzt der Trommelfell-Gehörknöchelchenapparat eine Masse. Infolge deren Trägheit bleiben die Gehörknöchelchen bei Schwingungen der Schädelknochen hinter der Schwingung zurück, was zu einer Relativbewegung zwischen Stapes und Felsenbein und damit zu einer Anregung des Innenohres führt (Massenträgheitstheorie [10]).

Für das Hören im täglichen Leben spielt die Knochenleitung keine nennenswerte Rolle, und die weit verbreitete Hypothese, wonach hohe Frequenzen durch Knochenleitung ans Innenohr gelangen würden, hat sich experimentell nicht bestätigen lassen [10]. Doch ist die Knochenleitung als diagnostisches Hilfsmittel für den Arzt von großer Bedeutung (s.S. 280).

Am Hammer und am Steigbügel setzen die **Mittelohrmuskeln,** der M. tensor tympani und der M. stapedius an. Diese kontrahieren sich reflektorisch bei Beschallung, was die Schallübertragung verschlechtert, da die Impedanz des Mittelohres verändert wird. Dieser Mechanismus vermag jedoch nicht einen wirksamen Schutz vor überlauten Schallereignissen zu bieten, obwohl dies diskutiert wird. Es besteht somit über die funktionelle Bedeutung der Mittelohrreflexe keine endgültige Klarheit [10].

2.5. Die im Innenohr ablaufenden Prozesse

Mechanische Vorgänge. Der Stapes überträgt, wenn er durch Beschallung des Ohres in Schwingungen gerät, Schallenergie auf die Perilymphe der Scala vestibuli (s. Abb. 5). Da die Innenohrflüssigkeiten inkompressibel sind, muß an einer Stelle ein Druckausgleich möglich sein. Dies ist am runden Fenster der Fall. Die Membran des runden Fensters bewegt sich dabei nach außen bzw. innen. Bei diesen Bewegungen des Stapes wird gleichzeitig der basale, stapesnahe Anteil der Scala media mit ihren Hüllen, der Reissnerschen Membran und der Basilarmembran, aus seiner Ruhelage ausgelenkt und schwingt auf und ab gegen die Scala vestibuli bzw. die Scala tympani. Wir wollen der Einfachheit halber im folgenden die Scala media mit ihren Hüllen als „*Endolymphschlauch*" bezeichnen. Die soeben beschriebene basale Auslenkung des Endolymphschlauches

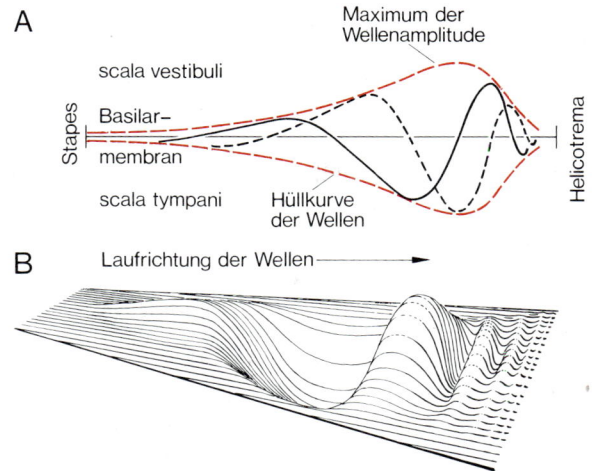

A

scala vestibuli

Basilar–
membran

scala tympani

Stapes

Maximum der
Wellenamplitude

Hüllkurve
der Wellen

Helicotrema

B   Laufrichtung der Wellen

Abb. 8. (A) Schematische Darstellung einer Wanderwelle. Es sind zwei Wellenbilder zu verschiedenen Zeitpunkten eingezeichnet. Die Hüllkurve gibt an, welche Extremwerte die Wellen bei festgehaltener Frequenz an den verschiedenen Orten der Cochlea erreichen können. (B) Räumliches Bild der Welle (aus [10], verändert)

führt dazu, daß eine Welle den Endolymphschlauch von Stapes zum Helicotrema entlangläuft, ähnlich wie eine Welle an einem horizontal aufgespannten Seil. Die Abb. 8 zeigt in ihrem oberen Teil zwei festgehaltene Zustände einer derartigen Welle. Der Endolymphschlauch ist hier als einfacher Strich dargestellt. Da der Stapes bei Beschallung ständig hin und her schwingt, werden also am Endolymphschlauch ständig Wellen angeregt, die in Richtung Helicotrema laufen. Man spricht von **Wanderwellen** (Einzelheiten s. [6]). Wegen der vom Stapes zum Helicotrema hin abnehmenden Steife der Basilarmembran wird zum Helicotrema hin die Fortpflanzungsgeschwindigkeit der Wellen immer kleiner, und die Wellenlängen nehmen ab. Aus dem gleichen Grund nimmt die Amplitude der gegen das Helicotrema laufenden Wellen zunächst zu (s. Abb. 8). Dabei werden die Amplituden erheblich größer als in der Stapesregion, wo sie entstanden. Wegen bestimmter Dämpfungseigenschaften der flüssigkeitsgefüllten Innenohrkanäle werden die Wellen aber bald wieder gedämpft, nehmen sehr schnell an Amplitude ab und verschwinden schließlich völlig, im allgemeinen bevor sie das Helicotrema wirklich erreicht haben. Notwendigerweise entsteht also zwischen dem Ursprungsort der Wellen am Stapes und dem Ort, wo sie durch Dämpfung verschwinden, ein *Amplitudenmaximum* (s. Abb. 8). Dieses Maximum bildet sich für jede Frequenz an einem **anderen** Ort, je höher die Frequenz, desto näher am Stapes, je tiefer die Frequenz, desto näher am Helicotrema. Durch die Ausbildung dieses Schwingungsmaximums wird also jede Frequenz des Hörbereichs auf **einen** bestimmten Ort des Endolymphschlauchs

bzw. der Basilarmembran abgebildet. Man spricht von **Frequenzdispersion**. Die Sinneszellen werden in erster Linie am Ort des Schwingungsmaximums erregt, unterschiedliche Frequenzen erregen daher unterschiedliche Sinneszellen **(Ortstheorie).**
Die geschilderten Wellenbewegungen lassen sich bei hohen Schalldrucken direkt unter dem Mikroskop beobachten [1], bei Schalldrucken im physiologischen Bereich können sie mit Hilfe des Mössbauer-Effektes [6], einer kapazitiven Sonde [41] oder mit Hilfe von Laserlicht [33] nachgewiesen werden. Die bei der geschilderten Wellenbewegung auftretenden Amplituden sind außerordentlich klein. Aus den Meßwerten, die im mittleren Schalldruckbereich gewonnen wurden, muß man die Auslenkungen, die im Hörschwellenbereich am Amplitudenmaximum entstehen, auf etwa 10^{-11} m abschätzen [6, 41].

Der Transduktionsprozeß an den Haarzellen. Wie im letzten Abschnitt gezeigt, wird durch mechanische Eigenschaften der Cochlea erreicht, daß bei Beschallung des Ohres mit einer bestimmten Frequenz die Basilarmembran nur an einem einzigen, eng umschriebenen Ort Schwingungen von nennenswerter Amplitude ausführt, nämlich im Bereich des Amplitudenmaximums. An dieser Stelle kommt es unter anderem auch zu **Relativbewegungen** zwischen Basilarmembran und Tektorialmembran. Da die Cilien der äußeren Haarzellen festen Kontakt zur Tektorialmembran haben [22], werden sie dabei abgeschert (verbogen), was für die Haarzellen den adäquaten Reiz darstellt, ähnlich wie bei den Vestibularisreceptoren. Sollten die Cilien der inneren Haarzellen ebenso zur Tektorialmembran Kontakt haben [31], kann für sie der gleiche Mechanismus angenommen werden. Sonst wäre eine Abbiegung durch Strömungen der subtektorialen Flüssigkeit zu diskutieren.
Die Abscherung der Cilien löst den *Transduktionsprozeß* aus, durch den winzige mechanische Verformungen der Haarzellen in neuronale Erregung umgewandelt werden. Wichtige Voraussetzung für diesen Prozeß ist zunächst das sogenannte **cochleäre Bestandspotential.** Messungen mit Mikroelektroden zeigen, daß der Endolymphschlauch gegenüber der Scala vestibuli bzw. gegenüber den übrigen Extracellulärräumen des Körpers positiv geladen ist (etwa +80 mV). Die Stria vascularis und das Cortische Organ zeigen eine negative Ladung (s. Abb. 9). Das positive endocochleäre Potential wird durch energieliefernde Prozesse in der Stria vascularis aufrechterhalten. Man nimmt an, daß die Abscherung der Cilien zu einer reizsynchronen Änderung des Membranwiderstandes der Haarzellen führt. Da wegen der geschilderten Bestandspotentiale zwi-

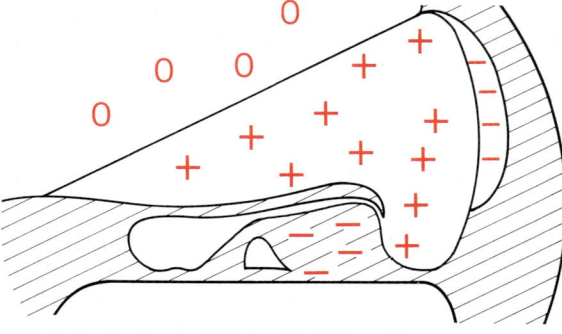

Abb. 9. Bestandspotentiale im Cortischen Organ

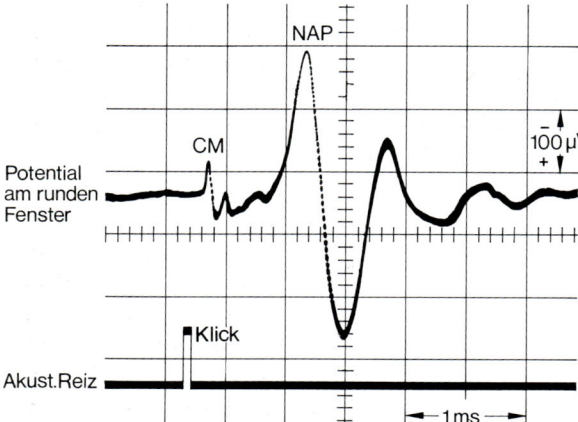

Abb. 10. Mikrophonpotential (CM) und Summenaktionspotential des Nervus acusticus (NAP) vom runden Fenster bei Beschallung des Ohres mit einem Klick

schen Endolymphraum und dem Inneren der Haarzellen eine große Potentialdifferenz von mindestens 150 mV besteht, müssen diese *reizsynchronen* Änderungen des Membranwiderstandes zu Ionenströmen führen, die das Membranpotential der Haarzelle ändern, also „Receptorpotentiale" bilden (sog. **Batteriehypothese** [6, 10]). Diese Receptorpotentiale an den Haarzellen zu registrieren ist schwierig, inzwischen jedoch gelungen [40]. Einfacher ist es, während einer Beschallung in der Nähe der Receptoren, also etwa in der scala tympani oder am runden Fenster mit Makroelektroden ein Potential abzuleiten, das **Mikrophonpotential** genannt wird (s. Abb. 10). Es verhält sich wie die Ausgangsspannung eines Mikrophons und gibt den Schalldruckverlauf recht genau wieder. So ist z.B. eine Bandaufnahme von Sprache, die statt durch ein Mikrophon über die Mikrophonpotentiale eines Versuchstieres aufgenommen wurde, ohne weiteres verständlich. Dieses Mikrophonpotential stellt wahrscheinlich die Summe aller extracellulär ableitbaren Receptorpotentiale dar. Das Mikrophonpotential folgt dem Reiz praktisch ohne Latenz (1), es besitzt keine Refraktärzeit (2), keine meßbare Schwelle (3) und ist nicht ermüdbar (4), verhält sich also nicht wie ein Nervenaktionspotential.

Die durch die Abscherung der Cilien hervorgerufenen Ionenströme bewirken am basalen Teil der Haarzellen eine Ausschüttung eines Transmitters, dessen chemische Natur jedoch noch nicht bekannt ist. Der Transmitter erregt die afferenten Nervenfasern. Wird das Ohr mit einem Klick (ein kurzer Druckpuls) beschallt, so kommt es zu einer synchronen Erregung der Fasern des Nervus acusticus, und es läßt sich am runden Fenster zusätzlich zum Mikrophonpotential noch ein Summenaktionspotential ableiten. Bei Dauerbeschallung entladen die Fasern nicht mehr synchron, deswegen können dann keine Summenaktionspotentiale mehr nachgewiesen werden. Die Abb. 10 zeigt Mikrophonpotential (CM) und Nervenaktionspotential (NAP) bei Beschallung des Ohres mit einem Klick.

Schallcodierung in den Fasern des Hörnerven. Jede Nervenfaser des Nervus acusticus kommt aus einem eng umschriebenen Bezirk der Cochlea bzw. von einer einzigen inneren Haarzelle. Da bestimmten Orten der Cochlea bestimmte Frequenzen zugeordnet sind, folgt daraus, daß jede Nervenfaser durch eine ganz bestimmte Frequenz optimal erregt werden kann. Diese Frequenz nennt man die **charakteristische Frequenz** einer Faser. Eine Einzelfaser des Nervus acusticus ist also dann am leichtesten zu erregen, wenn das Ohr mit dieser charakteristischen Frequenz beschallt wird. Wird das Ohr mit anderen Frequenzen erregt, so läßt sich die Faser entweder überhaupt nicht aktivieren, oder nur dann, wenn entsprechend höhere Schalldruckpegel verwendet werden. Dies zeigt Abb. 11, wo für zwei verschiedene Einzelfasern des Hörnerven die Schwellen in Abhängigkeit von der Reizfrequenz schematisch dargestellt sind. Jede Faser ist innerhalb des schraffierten Bereichs aktivierbar. Die dargestellten Schwellenkurven nennt man auch **tuning-Kurven** (Abstimmkurven). Sie bestehen aus einem scharf abgestimmten, schmalen Teil mit niedriger Schwelle und einem weniger scharf abgestimmten Teil mit

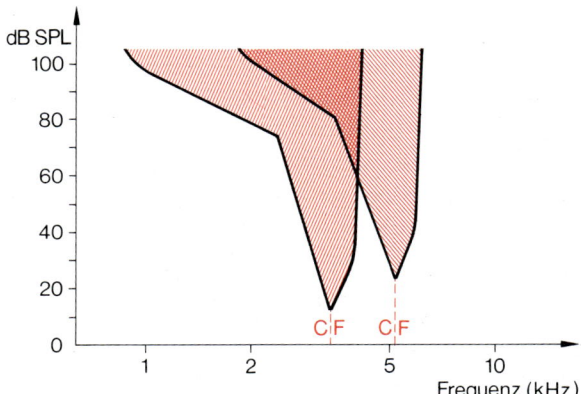

Abb. 11. Schematische Darstellung von tuning-Kurven zweier afferenter Fasern des Hörnerven mit verschiedenen charakteristischen Frequenzen (CF)

höherer Schwelle. Die scharfe Abstimmung des hoch empfindlichen Teils kann nicht durch die Schwingungsmaxima der Basilarmembranbewegung allein erklärt werden. Es scheint neben dem ersten Filterprozeß in der Cochlea, der mechanischen Abbildung der Frequenzen auf der Basilarmembran, noch einen zweiten Filterprozeß zu geben, der für diesen scharf abgestimmten Teil der tuning-Kurve verantwortlich ist. Dieser Prozeß ist offenbar stoffwechselabhängig und leicht zu schädigen [20, 32], s. auch S. 281. Näheres über diesen zweiten Filterprozeß ist jedoch nicht bekannt.

Enthält ein Schallreiz mehrere Frequenzen, so werden alle zugehörigen Gruppen von Nervenfasern erregt. Die *Dauer* eines Schallreizes wird durch die Dauer der Aktivierung, seine *Intensität* durch den Grad der Aktivierung codiert. Mit zunehmendem Schalldruck nimmt die Entladungsrate zu. Allerdings kann jede Faser nur bis zu einer bestimmten Entladungsrate aktiviert werden und erreicht dann einen Sättigungsbereich. Bei höheren Schalldruckpegeln werden aber nicht nur die betroffenen Fasern stärker erregt, sondern es werden zusätzlich auch noch benachbarte Fasern rekrutiert. Auch dies ist der Abb. 11 zu entnehmen. Beide der dargestellten Fasern werden aktiviert, wenn der Schall im doppelt schraffierten Bereich liegt. Zusammenfassend kann man also sagen, daß auf der Ebene der primären afferenten Fasern der Schallreiz in seine Frequenzkomponenten zerlegt ist. Die einzelnen Komponenten erregen die zugehörigen afferenten Fasern. Auf höheren Stationen der Hörbahn verhalten sich die Neurone anders.

Bis zu Schallfrequenzen von etwa 4 kHz treten die neuronalen Entladungen im Hörnerven bevorzugt zu bestimmten Zeitpunkten innerhalb des Schwingungscyclus auf (sog. frequenzgekoppelte Entladungen). Es ist jedoch fraglich, ob der Organismus die so entstehende Zeitstruktur im Entladungsmuster auswerten und damit ausnutzen kann. Andererseits gibt es psychoakustische Phänomene [37], die zeigen, daß der Organismus zur Gewinnung einer Tonhöhenempfindung nicht ausschließlich die Frequenzzusammensetzung eines Schallreizes heranzieht, also den Schall entsprechend der Ortstheorie zerlegt, sondern daß unter Umständen auch die Zeitstruktur des Reizes eine Rolle spielen kann (sog. *Periodizitätsanalyse*). Der Organismus nutzt dabei offenbar im Schalldruck regelmäßig auftretende Schalldruckspitzen aus.
Über unterschiedliche Eigenschaften und Aufgaben von inneren und äußeren Haarzellen ist nichts bekannt. Es gibt zwar verschiedene Hypothesen, nicht eine von ihnen ist bisher jedoch experimentell abgesichert. Innere und äußere Haarzellen sind sicher getrennt innerviert. Bei Mikroelektrodenableitungen von Hörnervenfasern haben sich jedoch zwei verschiedene Faserpopulationen nicht finden lassen. Da 95% der afferenten Fasern von den inneren Haarzellen stammen [38], ist die Wahrscheinlichkeit auch nicht groß, im Experiment von Fasern von den äußeren Haarzellen abzuleiten. Somit stammen die experimentellen Ergebnisse höchstwahrscheinlich von Fasern der inneren Haarzellen. Fasern, die man in derartigen Experimenten findet, haben eine niedrige Schwelle, die mit der Hörschwelle der betroffenen

Versuchstiere gut übereinstimmt. Daraus folgt, daß die Hypothese, wonach die inneren Haarzellen im Gegensatz zu den äußeren Haarzellen eine hohe Schwelle haben, vermutlich nicht richtig ist.

2.6. Das zentrale auditorische System

Verlauf der Höhrbahn. Die Abb. 12 zeigt ein stark vereinfachtes Schema der Höhrbahn. Der Übersichtlichkeit halber sind nur Bahnen vom linken Ohr eingezeichnet. Eine Pfeilspitze bedeutet jeweils Umschaltung auf ein weiteres Neuron, wobei auf die Differenzierung zwischen hemmenden und erregenden Synapsen der Einfachheit halber verzichtet wurde. Die primären afferenten Fasern ziehen zunächst in den **Nucleus cochlearis,** der in einen **ventralen** und einen **dorsalen** Kern unterteilt ist. Vom ventralen Teil geht eine ventrale Bahn aus, die zum Olivenkomplex der gleichen und der gegenüberliegenden Seite zieht. Die Nervenzellen des Olivenkomplexes erhalten so Eingänge von beiden Ohren. Auf dieser neuronalen Ebene besteht also erstmalig die Möglichkeit, akustische Signale, die auf beide Ohren einwirken, miteinander zu vergleichen. Derartige Vergleiche werden insbesondere im **Nucleus accessorius** vorgenommen, darauf soll später noch eingegangen werden. Vom Nucleus cochlearis dorsalis, der in sich kompliziert aufgebaut ist, entspringt eine dorsale Bahn. Die Fasern kreuzen auf die andere Seite und werden im **lateralen Schleifen-**

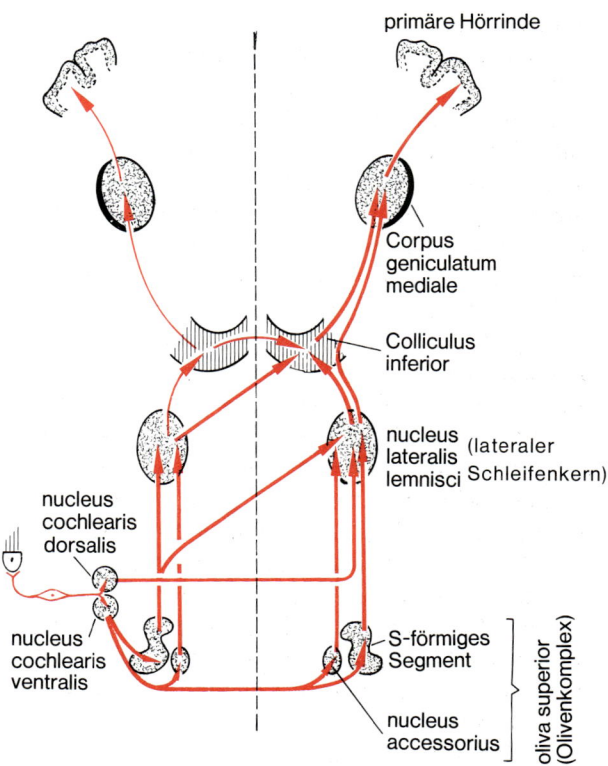

Abb. 12. Stark vereinfachtes Schema der Hörbahn. Dargestellt sind nur die von einer Seite ausgehenden Bahnen

primäre Hörrinde

Corpus geniculatum mediale

Colliculus inferior

nucleus lateralis (lateraler Schleifenkern) lemnisci

nucleus cochlearis dorsalis

nucleus cochlearis ventralis

S-förmiges Segment

nucleus accessorius

oliva superior (Olivenkomplex)

kern der Gegenseite umgeschaltet. Die Zellen des Olivenkomplexes projizieren zum Teil auf der gleichen Seite, zum Teil auf der Gegenseite nach oben. Nach jeweils neuer Umschaltung läuft die Hörbahn über den **Colliculus inferior** und das **Corpus geniculatum mediale** schließlich zur **primären Hörrinde** im Temporallappen. Von dort gibt es Verbindungen zur sekundären Hörrinde und zu verschiedenen anderen Rindengebieten. Bis zur primären Hörrinde besteht die Bahn somit aus wenigstens 5 bzw. 6 Neuronen, doch kommen auch noch weitere Umschaltungen und rückläufige Collateralen vor, die nicht im Schema der Abb. 12 eingezeichnet sind. Deswegen sind auch längere Ketten möglich. Einzelheiten sind in [3] zu finden. Schließlich gibt es im Hörsystem neben den afferenten zentripetalen Fasern noch ein zentrifugales, efferentes System, das ebenfalls in Abb. 12 nicht eingezeichnet ist [14].

Erregungsbedingungen zentraler Neurone des Hörsystems. Während die primären afferenten Neurone des Hörnerven durch reine Töne, also sehr einfache akustische Reize erregbar sind, ist dies bei Neuronen der höheren Stationen der Hörbahn im allgemeinen nicht mehr der Fall. Die Neurone des *ventralen Nucleus cochlearis* verhalten sich zwar noch ähnlich wie die des Hörnerven. Reine Töne führen dort, falls sie überhaupt überschwellig sind, immer zu Aktivierung. Es gibt scharfe tuning-Kurven, die Latenzen sind kurz. Doch bereits im *dorsalen Nucleus cochlearis* hat sich das Bild grundlegend gewandelt [8, 25]. Obwohl auch hier die Neurone im allgemeinen noch durch reine Töne erregbar sind, können manche von ihnen durch Beschallung gehemmt werden oder bestimmte Frequenzen aktivieren, Nachbarfrequenzen hemmen das Neuron. Andere Neurone wiederum lassen sich besonders leicht durch Töne erregen, deren Frequenz sich ändert, sogenannte frequenzmodulierte Töne, wobei derartige Neurone im Nucleus cochlearis jedoch auch durch reine Töne erregbar sind. Anatomische Grundlage für das Verhalten dieser Neurone, das stark von den Eigenschaften der Fasern des Hörnerven abweicht, sind collaterale Verschaltungen, die teils excitatorisch, teils inhibitorisch wirken. Je weiter man sich in der Hörbahn von der Cochlea entfernt, desto komplexere Schallmuster muß man verwenden, um die Neurone aktivieren zu können [8]. Oft reagieren die Zellen überhaupt nicht mehr auf reine Töne. Im *Colliculus inferior* z.B. gibt es Zellen, die nur durch frequenzmodulierte Töne erregbar sind, wobei häufig Richtung und Grad der Modulation von Bedeutung sind. Andere Zellen des Colliculus inferior reagieren zwar auf einen Ton, aber nur, wenn er amplitudenmoduliert

ist, d.h. sich seine Intensität ändert. Auch hier muß häufig die Modulation bestimmte Eigenschaften haben, um das Neuron erregen zu können.

Ganz allgemein kann man sagen, daß die in einem Schallreiz enthaltene Information mehrfach umkodiert wird, während die neuronale Erregung die verschiedenen Stationen der Hörbahn durchläuft. Dabei extrahieren verschiedene Neuronentypen bestimmte Eigenschaften des Schallreizes und sprechen dann mehr oder minder spezifisch nur noch auf diese eine Eigenschaft an.

Wir werden im täglichen Leben fast nie mit reinen Tönen konfrontiert. Die Schallereignisse sind vielmehr aus verschiedenen Frequenzkomponenten zusammengesetzt, die sich ständig und unabhängig voneinander ändern können. Es ändert sich deren Amplitude sowie deren Frequenz, die Dauer ist unterschiedlich, Beginn und Ende sind abrupt oder allmählich, die Reize können repetitiv auftreten oder nur vereinzelt, die Schallquelle kann sich bewegen, nah oder fern sein usw. Zumindest Personen mit einem geschulten Gehör können über diese Eigenschaften eines Schalles Aussagen machen. Neuronale Prozesse, die diese Beurteilung vorbereiten, lassen sich insbesondere im *auditorischen Cortex* nachweisen [25]. So finden sich in der primären Hörrinde Neurone, die nur auf den Beginn eines Schallreizes reagieren und andere, die nur durch dessen Ende aktiviert werden. Wieder andere feuern nur, wenn der Schall bereits eine gewisse Zeit angedauert hat, andere, wenn er mehrfach wiederholt wird. Manche Neurone lassen sich nur dann aktivieren, wenn der Reiz in bestimmter Weise frequenz- oder amplitudenmoduliert ist. Viele lassen sich durch ein breites Frequenzband, also durch Geräusche, aktivieren, andere wieder haben tuning-Kurven mit einem oder mehreren scharfen Minima. Die meisten corticalen Neurone werden vom kontralateralen Ohr aktiviert, manche jedoch vom ipsilateralen, andere wieder nur, wenn beide Ohren gleichzeitig beschallt werden. Ein beträchtlicher Prozentsatz der Neurone in der primären Hörrinde ist unter Laborbedingungen überhaupt nicht aktivierbar, d.h. also, daß diese Neurone vermutlich hochspezifisch auf sehr komplizierte Schallmuster reagieren, die im Verlaufe eines Experimentes nicht bestimmt werden können [8].

Insgesamt reagieren die Zellen des *primären auditorischen Cortex* ähnlich wie die komplexen bzw. hyperkomplexen Neurone des visuellen Cortex (s.S. 244). Ihre funktionelle Bedeutung liegt vermutlich darin, daß sie die Vorarbeit für die auditorische Mustererkennung leisten. Dies ist z.B. für das Sprachverständnis außerordentlich wichtig, und in der Tat finden sich Zellen im auditorischen Cortex von Affen, die ausschließlich auf bestimmte arteigene Kommunikationslaute reagieren [8]. Hirnläsionen, die den Temporallappen umfassen, führen dementsprechend auch zu Schwierigkeiten im Sprachverständnis, in der räumlichen Lokalisation einer Schallquelle (siehe später) und im Erkennen von zeitlichen Mustern des Schallreizes. Das Unterscheidungsvermögen für Frequenzen und Intensitäten bleibt bei derartigen Verletzungen jedoch erhalten. Einzelheiten über die zentrale Informationsverarbeitung beim Hören sind in [25] zu finden.

Eine tonotopische Organisation der Hörrinde, also eine Abbildung bestimmter Frequenzen auf bestimmte Orte des Cortex, hat sich an nicht anaesthesierten Tieren nicht finden lassen oder spielt funktionell keine dominierende Rolle [8, 26]. Doch ist die Diskussion um diese Frage noch nicht abgeschlossen [25]. Auch findet, entgegen früheren Annahmen, in den höheren Neuronen der Hörbahn offenbar keine nennenswerte Verschärfung des Frequenzkontrastes statt. Es hat sich gezeigt, daß tuning-Kurven der primären Neuronen des Hörnerven bereits außerordentlich scharf sind, wenn die Versuchstiere in optimaler körperlicher Verfassung gehalten werden [20].

Auditorische Raumorientierung. Das zentrale Hörsystem liefert auch einen wichtigen Beitrag zur *Raumorientierung*. Wie die tägliche Erfahrung zeigt, kann man die Richtung einer Schallquelle recht genau angeben. Dazu ist beidohriges **(binaurales)** Hören nötig. Physikalische Grundlage für das **räumliche Hören** ist der Umstand, daß meist ein Ohr von der Schallquelle weiter entfernt ist als das andere. Da der Schall sich mit endlicher Geschwindigkeit fortpflanzt, trifft er am entfernteren Ohr **später** ein und nimmt außerdem an **Intensität** ab. Die Abb. 13 zeigt, wie man den Laufzeitunterschied berechnen kann. Der Wegunterschied beträgt $\Delta s = d \cdot \sin \alpha$, wobei d der Abstand der beiden Oh-

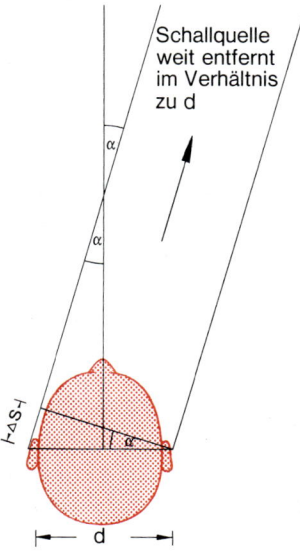

Abb. 13. Berechnung der Laufzeitdifferenzen beim räumlichen Hören (s. Text)

ren ist und α der Winkel, unter dem die Schallquelle erscheint. Für die Zeitverspätung Δt ergibt sich dann $\Delta t = \Delta s/c$; c ist die Schallgeschwindigkeit. Schallverspätungen bis hinab zu $3 \cdot 10^{-5}$ s sind sicher zu beurteilen, was einer Abweichung der Schallquelle um ca. 3° von der Mittellinie entspricht. Unter optimalen Bedingungen kann dieser Wert noch um etwa die Hälfte verkleinert werden.

Es läßt sich sowohl im psychophysischen als auch im neurophysiologischen Experiment zeigen, daß zur Bildung eines Raumeindruckes tatsächlich **Laufzeit- und Pegeldifferenzen** ausgenutzt werden. Werden beide Ohren mit Kopfhörern unabhängig voneinander akustisch gereizt, so führt eine Verspätung oder eine Abschwächung des Signals auf einem Ohr zu einem Raumeindruck, das Schallereignis wird in das andere Ohr lokalisiert. Man kann aber eine Schallverspätung durch eine gleichzeitige Erhöhung der Intensität am gleichen Ohr wieder wettmachen und so wieder einen Mitteneindruck erzeugen [2]. Ähnliches läßt sich im neurophysiologischen Experiment zeigen: Im *Nucleus accessorius* der oberen Olive, wo erstmalig Bahnen von beiden Seiten gegeneinander verschaltet werden, gibt es Neurone, bei denen ein ähnliches Verhalten hinsichtlich Reizzeitpunkt und Intensität zu beobachten ist [8]. Sie werden maximal erregt, wenn der Schall auf einem Ohr lauter **und** früher ist als auf dem anderen und umgekehrt. Im *Colliculus inferior* finden sich zwei Zelltypen, die nur dann maximal erregt werden, wenn das akustische Signal den beiden Ohren entweder mit bestimmten Zeit- oder mit bestimmten Intensitätsunterschieden dargeboten wird. Werden sie aktiviert, so bedeutet dies, daß die Schallquelle unter einem eindeutig definierten Raumwinkel erscheint. Auch im *auditorischen Cortex* gibt es Zellen, die nur dann aktiviert werden können, wenn sich die Schallquelle an einem bestimmten Ort befindet [8].

Laufzeit- und Pegeldifferenzen reichen aber nicht aus, zu entscheiden, ob sich die Schallquelle vorn oder hinten bzw. oben oder unten befindet. Um dies zu unterscheiden, ist ein weiteres Hilfsmittel nötig, das wir in Form der Ohrmuschel besitzen. Die Ohrmuschel besitzt eine Richtcharakteristik und "verzerrt" ein Schallsignal in bestimmter Weise, abhängig vom Ort der Schallquelle. Der Organismus nützt dies zur Schallokalisation aus. Benützt man dieses Hilfsmittel technisch, so kann man mit Hilfe eines künstlichen Kopfes, der anstelle der Trommelfelle Mikrophone besitzt, hervorragende stereophone Tonaufnahmen machen.

Adaptation im Hörsystem. Das Hörsystem zeigt wie andere Sinnessysteme das Phänomen der **Adaptation.** An diesem Vorgang sind sowohl peripheres Ohr als auch zentrale Neurone beteiligt. Ausdruck der Adaptation ist ein Anstieg der Hörschwelle **(temporary threshold shift = TTS).** Die Adaptation ist nicht ein nutzloser oder unerwünschter Mechanismus. Sie führt vielmehr

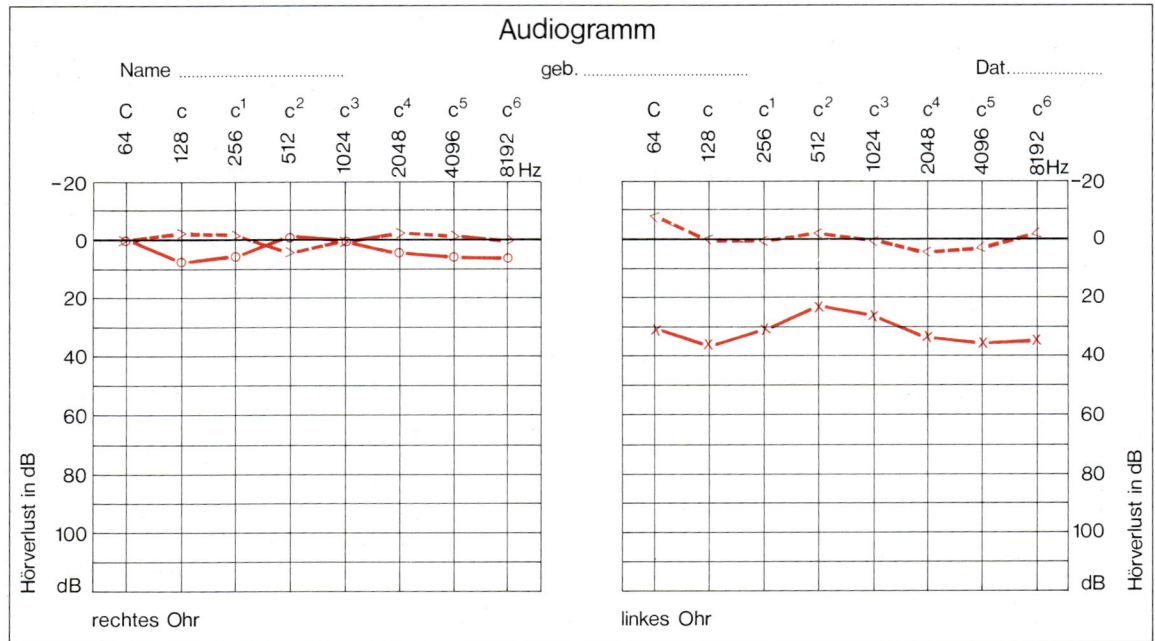

Abb. 14. Audiogramm eines Patienten mit einer linksseitigen Schalleitungsstörung. ⟩······⟨······⟩ Knochenleitung; ⊗═⊗═⊗ Luftleitung

zu einer Verkleinerung der Unterschiedsschwelle und trägt daher zur Differenzierung unserer Hörerlebnisse bei. Erreicht wird dies dadurch, daß im adaptierten Zustand die Isophonen nach oben verschoben werden, dabei gleichzeitig aber näher zusammenrükken.

2.7. Klinische Hörprüfungen

Die Prüfung des Hörvermögens eines Patienten wird als **Audiometrie** bezeichnet. Mit Hilfe unterschiedlicher Tests kann nicht nur eine Schädigung an sich nachgewiesen werden, sondern auch Rückschlüsse auf deren Sitz sind möglich (Einzelheiten in [6]).

Der wichtigste klinische Test ist die **Schwellenaudiometrie.** Dem Patienten werden hierbei über Kopfhörer einohrig verschiedene Töne dargeboten. Der Arzt beginnt im sicher unterschwelligen Bereich und erhöht den Schalldruck langsam, bis der Patient eine Hörempfindung angibt. Der dazu benötigte Wert wird zur Dokumentation in ein Diagramm eingetragen (s. Abb. 14), das als *Audiogramm* bezeichnet wird. In diesen Formularvordrucken ist die normale Hörschwelle als gerade Linie dargestellt, die mit „0 dB" bezeichnet wird. Höhere Schwellenwerte sind im Gegensatz zur Abb. 7 nach unten abgetragen. Sie geben an, um wieviel dB die Hörschwelle eines Patienten über der normalen Hörschwelle liegt. Die Werte dürfen nicht mit dem Schalldruckpegel verwechselt werden, der in dB SPL angegeben wird. Liegt die Hörschwelle

eines Patienten um soundsoviel dB über dem normalen Wert, so spricht man von einem Hörverlust von soundsoviel dB. Das beschriebene Verfahren prüft, unter Verwendung von Kopfhörern, die *Luftleitung.* In ähnlicher Weise kann man die *Knochenleitung* prüfen, wenn man statt des Kopfhörers einen Schwingkörper verwendet, der auf den Warzenfortsatz der zu prüfenden Seite aufgesetzt wird und der die Schädelknochen direkt zu Schwingen anregt. Der Vergleich von Schwellenkurven von Luft- und Knochenleitung erlaubt eine Unterscheidung der zwei wichtigsten Arten der Schwerhörigkeit, nämlich der Mittelohrschwerhörigkeit und der Innenohrschwerhörigkeit. Die Mittelohrschwerhörigkeit stellt eine **Schalleitungsstörung** dar, bei der der Trommelfell-Gehörknöchelchenapparat nicht im üblichen Umfang Schallenergie auf das Innenohr überträgt, weil seine Schwingungsfähigkeit aus verschiedenen Gründen, z.B. wegen einer Entzündung, beeinträchtigt ist.

Das Innenohr selbst ist dabei nicht geschädigt. Bei einem solchen Schaden wird also für Luftleitung ein Hörverlust bestehen (s. Abb. 14). Für Knochenleitung werden dagegen normale Schwellenwerte gefunden, denn bei Knochenleitung gelangt ja die Schallenergie ohne Mithilfe des Mittelohres an die Haarzellen.

Bei einem Innenohrschaden sind die Haarzellen oder die afferenten Nervenfasern geschädigt, das Mittelohr ist jedoch intakt. Es handelt sich also um eine **Schallempfindungsstörung.** In einem solchen Fall wird also sowohl das Hörvermögen bei Luft- als auch bei Knochenleitung verschlechtert sein, da ja der Hörverlust durch eine Schädigung des receptorischen Prozesses bedingt ist.

Mit Hilfe einer Stimmgabel (üblicherweise 256 Hz) kann sehr einfach eine Schalleitungsstörung von einem Innenohrschaden abgegrenzt werden, sofern man weiß, welches Ohr schwerhörig ist **(Weberscher Versuch)**. Man setzt dazu den Griff der schwingenden Stimmgabel auf die Mitte des Schädels auf. Bei einem Innenohrschaden gibt der Patient an, den Ton auf der gesunden Seite zu hören, wogegen er ihn bei einem Mittelohrschaden auf die kranke Seite lateralisiert.

Die Erklärung dieses Phänomens für den Fall des Innenohrschadens ist einfach. Die geschädigten Receptoren des kranken Ohres führen zu einer schwächeren Erregung des Hörnerven, also erscheint der Ton am gesunden Ohr lauter, was zu einem Richtungseindruck (s.S. 279) verarbeitet wird. Im Falle des Mittelohrschadens sind drei Vorgänge gleichzeitig am Zustandekommen beteiligt. Zum ersten beruht die Erkrankung ja auf einer Einschränkung der Schwingungsfähigkeit der Gehörknöchelchen. Es ist daher nicht nur der Schalltransport von außen nach innen, sondern auch umgekehrt der Schallabfluß von innen nach außen reduziert. Aus dem durch Knochenleitung erregten Innenohr geht also weniger Schallenergie nach außen verloren als auf der gesunden Seite (Machsche Schallabflußtheorie). Zweitens ist das erkrankte Mittelohr meistens entzündlich verändert, deswegen werden die Gehörknöchelchen schwerer. Dies verbessert die Anregungsbedingungen für das Innenohr bei Knochenleitung. Zum dritten wird das kranke Ohr auf einen geringeren Geräuschpegel adaptiert, da wegen der Schalleitungsstörung weniger Umweltgeräusche an das Innenohr gelangen. Die Receptoren der kranken Seite sind dadurch empfindlicher als auf der gesunden Seite. Am Patienten mit Mittelohrschaden wirken alle drei Faktoren synergistisch in dem Sinne, daß das kranke Ohr den Ton lauter empfindet.

Der **Rinne-Test** vergleicht Luft- und Knochenleitung am gleichen Ohr. Die schwingende Stimmgabel wird auf den Warzenfortsatz aufgesetzt (Knochenleitung). Ist der Ton nicht mehr hörbar, so wird sie vor das Ohr gehalten (Luftleitung). Der Ohrgesunde und der Patient mit einer Schallempfindungsstörung hört den Ton wieder (Rinne pos.), der Schalleitungsgestörte hört ihn nicht (Rinne neg.).

Im Gegensatz zur Schwellenaudiometrie untersuchen andere Testverfahren das Differenzierungsvermögen des Hörsystems im überschwelligen Bereich. Bei der **Sprachaudiometrie** werden dem Patienten über ein Tonband Zahlwörter oder genormte Silben dargeboten. So wird das **Sprachverständnis** geprüft. Bei einer Innenohrschwerhörigkeit kann auch bei hohen Schalldrucken kein hundertprozentiges Sprachverständnis erreicht werden, weil beim Innenohrschaden vermutlich die tuning-Kurven der Hörnervenfasern verändert sind (s.u.). Besteht ein einseitiger Hörschaden, so erlaubt die Messung des sogenannten **Recruitment** die Entscheidung, ob es sich um eine Schädigung des Cortischen Organs handelt. Dabei werden die Ohren mit

Kopfhörern beschallt, und es werden die Schalldruckpegel verglichen, die auf beiden Ohren zu gleicher Lautstärkeempfindung führen. Am kranken Ohr ist die Hörschwelle erhöht, so daß also zunächst ein höherer Schalldruck erforderlich ist. Liegt eine Schädigung des Cortischen Organs vor, so genügt am kranken Ohr eine geringere Erhöhung des Schalldruckes, um den gleichen Zuwachs in der Lautstärkeempfindung hervorzurufen wie am gesunden Ohr. Schließlich wird bei weiterer Erhöhung ein Wert erreicht, wo auf beiden Ohren bei gleichem Schalldruck die gleiche Lautstärkeempfindung hervorgerufen wird (sog. positives Recruitment). Bei einem Mittelohrschaden oder bei Schädigungen des Hörnerven tritt kein Recruitment auf [16].

Das Phänomen des Recruitment muß folgendermaßen erklärt werden: Bei Schädigungen des Cortischen Organs geht an den tuning-Kurven der Hörnervenfasern der scharf abgestimmte, hochempfindliche Teil verloren [28]. Übrig bleiben flache tuning-Kurven mit hoher Schwelle. Fasern mit derartigen Eigenschaften werden bei niedrigem Schalldruckpegel überhaupt nicht aktiviert. Ist aber einmal die Schwelle für die Fasern überschritten, und der Schalldruck wird weiter erhöht, so werden schnell sehr viele Fasern aktiviert, da flache tuning-Kurven ja geringe Frequenzselektivität bedeuten. So werden dann sehr schnell ebenso viele Fasern aktiviert wie am gesunden Ohr, und ab einem bestimmten Schalldruck wird der Testton auf beiden Ohren gleich laut empfunden.

Es gibt noch eine ganze Reihe anderer Tests, z.B. den SISI-Test [16], die mit anderen Methoden den Zuwachs der Lautstärkeempfindung messen, und die ebenso erklärt werden müssen wie das Recruitment. Zur Hörprüfung werden schließlich noch durch akustische Reize ausgelöste Reaktionspotentiale des Hirnstammes und der Hirnrinde verwendet. Dabei werden die durch mehrere Einzelreize hervorgerufenen EEG-Änderungen mit Hilfe eines Computers summiert. Die so erhaltenen Mittelwertskurven erlauben gewisse Rückschlüsse, inwieweit die einem Reiz folgenden neuronalen Prozesse intakt sind (sog. *evoked response audiometry*) [7]. Die Methode ist weniger zur Schwellenmessung als zur otoneurologischen Untersuchung geeignet. Von den durch den Schallreiz evocierten Potentialen (s. auch S. 151) sind besonders diejenigen mit kurzer Latenz (< 30 ms) von klinischem Wert.

3. Physiologie des Sprechapparates

Auf die Bedeutung der Sprache für den Menschen wurde bereits hingewiesen. Dieser Abschnitt soll ein Teilgebiet aus der Physiologie der Sprache, nämlich die Physiologie des peripheren Sprechapparates behandeln. Auf die interessanten zentralnervösen Prozesse, die eigentlich das Fundament der „Sprache" ausmachen, und bei deren Ausfall das Kommunikationssystem weit mehr gestört ist als bei Ausfall des peripheren Sprechapparates, soll hier nicht eingegangen werden, einige Hinweise sind in Kap. VIII-3.3 zu finden.

3.1. Grundsätzliche Eigenschaften des beim Sprechen erzeugten akustischen Signals

Die tägliche Erfahrung lehrt, daß Stimmen verschiedener Personen unterschiedlich „hoch" sein können. So unterscheidet sich z.B. die Sprechlage eines Mannes von der einer Frau um etwa eine Oktave. Ferner kann ein Sprecher seine eigene Stimmlage verändern, insbesondere beim Singen. Wenn jemand (nach der Melodie: „Fuchs Du hast die Gans gestohlen") die Silben la la la… singt, so zeigt sich, daß der Vokal /a/ in jedem Fall eindeutig erkannt werden kann, obwohl die Höhe des gesungenen „Tones" sich ändert. Umgekehrt können wir die Tonhöhe festhalten und die gesungenen Vokale ändern, also /a, e, i, o, u/. Ein Zuhörer erkennt klar, daß die Tonhöhe gleich bleibt, aber die gesungenen Vokale geändert werden. Das beim Sprechen oder Singen erzeugte und vom Hörsystem analysierte akustische Signal muß also mindestens zwei unabhängig voneinander zu verändernde Parameter enthalten, von denen der eine die Information über die Stimmlage, der andere die Information über den phonemischen Gehalt, also z.B. bestimmte Charakteristika für den Vokal /a/ übermittelt. Dies ist tatsächlich der Fall. Die beiden Parameter werden durch zwei grundsätzlich verschiedene Mechanismen erzeugt. Der Mechanismus, der die Stimmlage kontrolliert, wird **Phonation** (Stimmbildung) genannt und läuft im Kehlkopf ab. Der Mechanismus, der den phonemischen Aufbau bestimmt, wird **Artikulation** genannt. Er spielt sich im Mund-Rachen-Raum (evtl. auch Nasenraum) ab. Daß beide Mechanismen voneinander zu trennen sind, zeigt das Beispiel der Flüsterstimme (s.S. 284). Der Flüsterstimme kann keine Stimmlage zugeordnet werden, die zur Stimmbildung führenden Prozesse sind ausgeschaltet und nur die Artikulation wird durchgeführt.

3.2. Phonation

Funktionelle Anatomie des Kehlkopfes. Der Kehlkopf (Larynx) bildet das obere Ende der Trachea (s. Abb. 15). Er besteht aus dem **Ringknorpel** (Carti-

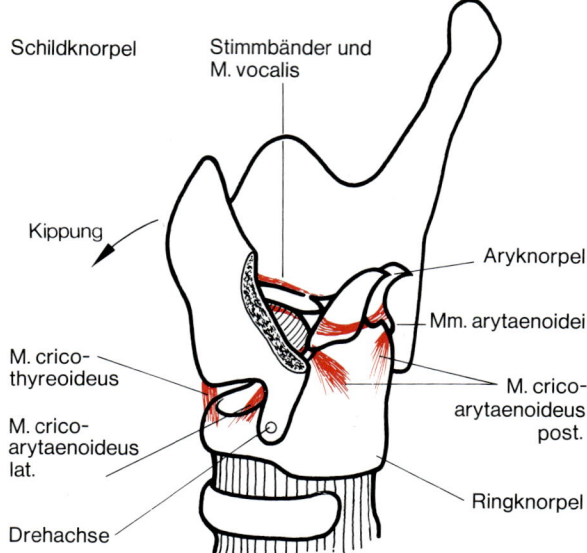

Abb. 15. Schematische Darstellung des Kehlkopfes und der Kehlkopfmuskulatur. Ein Teil des Schildknorpels ist entfernt. Der Pfeil gibt die Richtung an, in die der Schildknorpel kippen kann

lago cricoidea), dem **Schildknorpel** (Cartilago thyreoidea) und den beiden **Stellknorpeln** (Cartilagines arytaenoideae). Der Schildknorpel kann gegenüber dem Ringknorpel 1. nach vorn gleiten und 2. nach vorn unten kippen. Die Stellknorpel sitzen der Platte des Ringknorpels auf und können dort 1. sowohl um ihre Längsachse gedreht werden als auch 2. auf der Platte des Ringknorpels gleitend voneinander weg bzw. aufeinander zu bewegt werden (s. Abb. 16). Sie können 3. nach vorne geneigt werden. Zwischen dem Schildknorpel und den Processus vocales der beiden Stellknorpel spannen sich die beiden **Stimmbänder,** die zwischen sich einen Spalt bilden, die **Glottis.** Durch diesen Spalt muß die Luft sowohl beim Atmen als auch beim Sprechen hindurchtreten. Von besonderer funktioneller Bedeutung sind die Kehlkopfmuskeln: Der **M. cricothyreoideus** liegt ventral zwischen Ring- und Schildknorpel. Der **M. cricoarytaenoideus** bildet auf jeder Seite zwei Teile, der M. cricoarytaenoideus lateralis zieht vom Stellknorpel zum lateralen Teil des Ringknorpels, der cricoarytaenoideus posterior (Posticus) zum hinteren Teil der Ringknorpelplatte. Die **Mm. arytaenoidei** verbinden beide Stellknorpel auf ihrer Dorsalseite. Die **Mm. vocales** liegen in den Stimmbändern und ziehen also von den Stellknorpeln zum Schildknorpel. Lateral davon gibt es beiderseits noch einen Muskel, den M. thyreoarytaenoideus lateralis.

Die nervöse Versorgung des Kehlkopfes geschieht über zwei Äste des N. vagus. Der N. laryngeus superior versorgt sensibel die Schleimhaut und motorisch den M. cricothyreoideus. Der

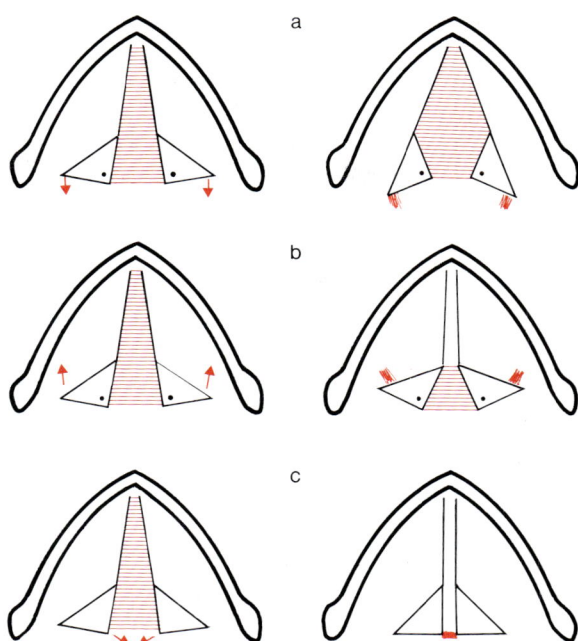

Abb. 16a–c. Schematische Darstellung der Wirkungsweise der Kehlkopfmuskulatur. (a) Erweiterung der Stimmritze durch M. cricoarytaenoideus post. (=posticus). (b) Verengung durch den M. cricoarytaenoideus lat. Das sog. Flüsterdreieck bleibt offen. (c) Kompletter Schluß durch Mm. arytaenoidei. Das Bild entspricht in etwa dem Anblick beim Kehlkopfspiegeln

N. laryngeus inferior ist der Endast des N. recurrens, er versorgt motorisch die übrigen Kehlkopfmuskeln und sensibel den subglottischen Raum.

Aufgabe der Kehlkopfmuskeln ist es, die *Weite der Stimmritze* und die *Spannung der Stimmbänder* den Erfordernissen bei der Stimmbildung anzupassen. Dabei wirken unterstützend auch andere Muskeln mit, die direkt oder indirekt Kräfte auf den Larynx ausüben können, z.B. der M. sternohyoideus. Die Stimmritze wird erweitert durch den M. cricoarytaenoideus posterior (Posticus), der die Stellknorpel auseinanderzieht und die Processus vocales nach lateral dreht (s. Abb. 16). Verengt wird die Stimmritze durch die Mm. arytaenoidei, die Mm. cricoarytaenoidei laterales und die Mm. thyreoarytaenoidei laterales. Schließlich wird die **Spannung** der Stimmbänder durch die Mm. cricothyreodei und die Mm. vocales reguliert. Dabei kippt der M. cricothyreodeus den Schildknorpel nach vorn (s. Abb. 15) und entfernt ihn so von den Processus vocales der Stellknorpel. Dadurch werden die Stimmbänder gespannt. Die Mm. vocales andererseits erhöhen durch ihre Kontraktion den Elastizitätsmodul und damit die Spannung der Stimmbänder. Während normaler Atmung halten die Mm. cricoarytaenoidei postici die Stimmritze weit offen (s. Abb. 16).

Mechanismus der Phonation (Stimmbildung). Beim Sprechen und Singen wird zunächst eine Exspiration eingeleitet. Im Gegensatz zu den Verhältnissen bei der normalen Atmung ist jedoch die Glottis geschlossen oder zumindestens stark verengt. Dadurch baut sich im Thorax ein höherer Druck auf als bei einer normalen Exspiration (subglottischer Druck). Er überschreitet auf jeden Fall 4–6 cm H_2O ($\approx$ 40–60 N/m^2) und kann ohne weiteres 20 cm H_2O ($\approx$ 200 N/m^2) oder mehr erreichen. Ist die Glottis geschlossen, so werden die Stimmbänder durch diesen Druck auseinandergepreßt. In diesem Moment entsteht ein Luftstrom, Luft strömt durch die Glottis in den Mund-Rachen-Raum. Die Glottis bildet einen Engpaß im Exspirationstrakt. Dort ist die Strömungsgeschwindigkeit der Exspirationsluft weit höher als in der Trachea. Nach den Bernoullischen Gesetzen [11] folgt daraus, daß dort der Luftdruck sehr klein wird; deswegen schließt sich die Glottis wieder, und der Vorgang beginnt von neuem. Die Stimmbänder führen also *Bernoulli-Schwingungen* aus. Diese Schwingungen können über einen Kehlkopfspiegel, das ist ein kleiner Spiegel, der in den Pharynx eingeführt wird und die Stimmbänder sichtbar macht, mit einer Hochgeschwindigkeitskamera gefilmt werden. Im Rhythmus dieser Schwingungen wird der Luftstrom ständig unterbrochen, es entsteht ein hörbarer Klang, die Stimme, deren Grundfrequenz („Tonhöhe" des allgemeinen Sprachgebrauchs) den Unterbrechungen des Luftstromes entspricht. Da der Luftstrom durch das Öffnen und Schließen der Stimmbänder nicht sinusförmig moduliert wird, entsteht kein reiner Ton, sondern ein Klanggemisch, das reich an Obertönen ist [9]. Die Häufigkeit, mit der die Glottis pro Zeiteinheit geöffnet bzw. geschlossen wird, und damit die Grundfrequenz des erzeugten Klanges, hängt in erster Linie von der Spannung der Stimmbänder und erst in zweiter Linie vom subglottischen Druck ab. Beide Parameter können aber durch die Kehlkopfmuskulatur und dieThoraxmuskulatur verändert werden. Je höher die Spannung der Stimmbänder (bzw. je höher der subglottische Druck), desto höher wird die Grundfrequenz des erzeugten Klanges. Das heißt also, daß die Grundfrequenz des beim Sprechen oder Singen erzeugten Klanges willkürlich verändert werden kann. Es entspricht dies unserem ersten einleitenden Beispiel, in dem der Vokal /a/ in verschiedenen „Tonhöhen" gesungen werden sollte. Bedingt durch die anatomischen Unterschiede, insbesondere in den Dimensionen, die unterschiedliches Schwingungsverhalten bedingen, teilt man die Stimmlage in **Baß, Tenor, Alt** und **Sopran** ein. Innerhalb einer Stimmlage unterscheidet man noch verschiedene **Register**.

Zum Erzeugen und Halten eines „Tones" müssen außerordentlich fein abgestimmte Kontraktionen der beteiligten Muskeln ausgeführt werden. Daran sind unter anderem Proprioceptoren in den Kehlkopfmuskeln und der Schleimhaut sowie die Kontrolle durch das Gehör beteiligt. Die Ergebnisse sind erstaunlich gut: Geübte Sänger können dargebotene Töne mit einem Fehler kleiner als 1% nachsingen. Besonders schwierige Situationen entstehen dann, wenn sich bei festgehaltener Tonhöhe die Intensität ändern soll. Da zunehmender subglottischer Druck, der zu einer Intensitätszunahme führt, gleichzeitig geringfügig die Frequenz anhebt, muß durch entsprechendes Erschlaffen des M. cricothyreoideus die Spannung der Stimmbänder verringert werden. Daß dies tatsächlich der Fall ist, läßt sich durch elektromyographische Registrierung der Aktivität der beteiligten Muskeln beweisen.

Beim Singen können beträchtliche Schallintensitäten entstehen, eine Sopranstimme vermag (in 1 m Entfernung gemessen) den Schalldruck von 100 dB SPL mühelos zu überschreiten.

Die erwähnte Kontrolle durch das Gehör ist außerordentlich wichtig. Angeboren taube Kinder lernen nicht zu sprechen, weil ihnen der auditorische Stimulus fehlt. Das ist nicht verwunderlich. Deswegen ist es wichtig, bei connatal schwerhörigen Kindern schon im Kleinkindalter eine Hörhilfe zu verordnen. Aber auch bei Personen, die erst im Erwachsenenalter ertauben, verschlechtert sich die Sprache beträchtlich.

Beim **Flüstern** geraten die Stimmbänder nicht in Schwingung. Sie liegen eng aneinander, nur im Bereich der Aryknorpel besteht eine dreieckige Öffnung, das sog. *Flüsterdreieck* (s. Abb. 16). Die dort durchtretende Luft erzeugt ein Rauschen, das zur Artikulation ausgenutzt wird und so die Flüsterstimme erzeugt (s. 3.3).

3.3. Artikulation

Funktionelle Anatomie des Ansatzrohres. Aus der Glottis austretende Luft gelangt zunächst in den Mund-Rachen-Raum, der als **Ansatzrohr** bezeichnet wird. Dieser Raum umfaßt Pharynx-, Nasen- und Mundraum. Seine Form ist aber sehr variabel. Der Nasopharynx und Rachenraum können durch das Gaumensegel (Velum) vom Mund-Rachen-Raum abgetrennt werden. Durch Zungen- und Kieferstellung kann der Mundraum in seiner *Konfiguration* erheblich verändert werden. Auch kann die Zunge durch Bildung eines Buckels den Mundraum in zwei Räume unterteilen (s. Abb. 17). Verantwortlich für diese Veränderungen sind die Gaumenmuskulatur, die Kaumuskulatur und insbesondere die Zungenmuskulatur. Die Zunge kann innerhalb des Mundraumes praktisch jede Stellung einnehmen. Dies geschieht unter Zuhilfenahme der Zungenbinnenmuskulatur sowie der Muskeln, die von verschiedenen knöchernen Ansatzpunkten in die Zunge einstrahlen, bzw. solchen, die das Zungenbein in seiner Lage verschieben können.

Mechanismus der Artikulation. Bei der Phonation entsteht nicht nur die bereits geschilderte periodi-

sche Unterbrechung des Luftstromes an der Stimmritze. Auch an anderen Engpässen innerhalb des Respirationstraktes entstehen, sobald die Exspirationsgeschwindigkeit groß genug ist, Wirbel, turbulente Strömungen, die ein akustisches Ereignis darstellen. Es ist ein relativ schwaches Rauschen, das einen breiten Frequenzbereich überstreicht. Die Räume des Ansatzrohres besitzen nun, je nach ihrer jeweiligen Konfiguration, bestimmte *Eigenfrequenzen*. Das sind Frequenzen, die entstehen, wenn man die Luft in diesen Räumen zu Schwingungen anregt. Wenn man z.B. mit dem Finger die Wange beklopft und dabei die Mundstellung verändert, kann man die verschiedenen Eigenfrequenzen des Mundraumes hörbar machen (Versuch im ruhigen Zimmer ausführen!). Das an Engstellen entstehende Rauschen bzw. der obertonreiche Klang der an den Stimmbändern erzeugten Stimme, enthalten auch diese Frequenzen. Durch sie wird das Ansatzrohr zur *Resonanz* [11] angeregt. Die Amplituden dieser Frequenzen werden also erheblich vergrößert, sie werden überschwellig und deutlich hörbar. Da das Ansatzrohr seine Konfiguration verändern kann, besitzen die dabei entstehenden Räume auch jeweils verschiedene Eigenfrequenzen. Bei jeder Artikulationsstellung, d.h. jeder bestimmten Stellung von Kiefer, Zunge, Gaumensegel werden also, sobald die gebildeten Hohlräume in Resonanz geraten, ganz charakteristische Frequenzen bzw. Frequenzbänder hörbar [9, 10, 16a]. Diese, für die jeweilige Artikulationsstellung charakteristischen Frequenzbänder werden **Formanten** genannt. Sie hängen praktisch **nur** von der Konfiguration des Ansatzrohres ab und nicht von der im Kehlkopf gebildeten Stimme.

Vokale. Beim normalen Sprechen entstehen die Vokale durch eine stimmhafte Anregung des Ansatzrohres. Dabei hat das Ansatzrohr eine relativ stabile Konfiguration, die Schallabstrahlung erfolgt vom Mund [9]. Die dabei entstehenden *Formanten* sind dafür verantwortlich, daß der Vokal /a/ in unserem einführenden Beispiel unabhängig von der Tonhöhe und dem Sprecher als /a/ erkannt wird, oder, daß trotz festgehaltener Tonhöhe /a, e, i, o, u/ voneinander unterschieden werden. Der Formant, oder in Fällen, wo es mehrere gibt, die Formanten sind also das akustische Äquivalent eines bestimmten Vokals oder mancher Konsonanten. Die Abb. 17 gibt ein Beispiel für die Konfiguration des Mundraumes beim Sprechen der Vokale /a/ und /i/. Bildet der Mund einen großen Raum (z.B. bei /a/), so entsteht ein Hauptformant. Unterteilt die Zunge den Mundraum (z.B. bei /i/), so entstehen zwei Hauptformanten. Die Tabelle 1 gibt die Bereiche der Hauptformanten für die Vokale der deutschen Sprache an.

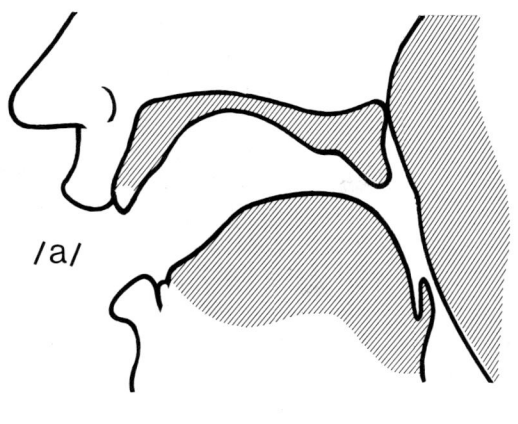

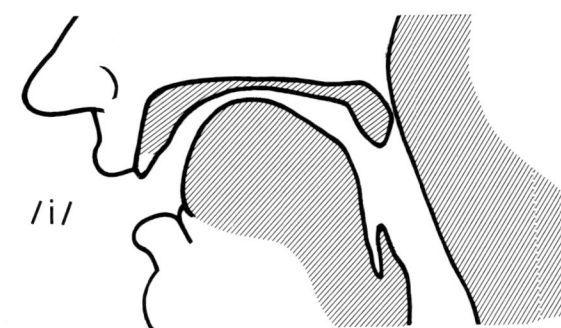

Abb. 17. Mund-Rachen-Raum beim Sprechen von /a/ und /i/. (Nach [39], verändert)

Tabelle 1. Lage der Formanten der Vokale der deutschen Sprache (angegeben in Hz)

/a/		800–1100	
/e/	400–600	1700–1900	2200–2600
/i/	200–400	1900–2100	3000–3200
/o/	400–700		
/u/	300–500		

Tabelle 2. Unterteilung der Konsonanten

	stimmhaft	stimmlos
1. Reibelaute		
labio-dental	/w/	/f/
dental	/s/	/ss/
guttural	/j/	/sch/ und /ch/
2. Explosionslaute		
labial	/b/	/p/
dental	/d/	/t/
guttural	/g/	/k/
3. Nasale		
labial	/m/	
dental	/n/	
guttural	/ng/	

Man kann leicht selbst ausprobieren, welche Veränderungen in der Konfiguration des Mundraumes die Übergänge von einem zum anderen Vokal verursachen.

Konsonanten. Konsonanten werden i. allg. in einer weniger stabilen Konfiguration des Ansatzrohres gebildet; sie sind nicht notwendigerweise stimmhaft, noch werden sie ausschließlich vom Mund abgestrahlt. Das Ansatzrohr ist stärker verengt als bei den Vokalen, wobei insbesondere den Lippen und der Zahnreihe eine große Bedeutung beikommt [9, 16a]. Die Konsonanten bilden also keine einheitliche Klasse von Lauten. Man unterscheidet **Reibelaute,** die an einer Konstriktion entstehen, **Explosionslaute,** die durch das plötzliche Freigeben eines Verschlusses gebildet werden und **Nasale,** bei denen das Gaumensegel den Nasenraum freigibt, wodurch sich die Resonanzverhältnisse erheblich ändern. Die Konsonanten können an den drei Artikulationszonen, den Lippen (*labial*), den Zähnen (*dental*) oder am Gaumen (*guttural*) entstehen. Schwingen gleichzeitig mit dem Erklingen eines Konsonanten auch die Stimmbänder, so spricht man von stimmhaften Konsonanten. In den übrigen Fällen wird von stimmlosen Konsonanten gesprochen. Tabelle 2 gibt einen Überblick über die wichtigsten in der deutschen Sprache benutzten Konsonanten.

Die Konsonanten /r/ und /l/ sind nach den Kriterien der Tabelle nicht einzuordnen. Sie stehen phonetisch Vokalen sehr nahe. Ganz allgemein sind die Konsonanten akustisch durch ebenfalls bestimmte Frequenzanteile oder Zeitmuster charakterisiert. Bei den Reibe- und Explosionslauten wird ein breites Frequenzspektrum erzeugt, das hohe Frequenzanteile enthält, z.B. /t/, /s/, wobei die beiden Genannten sich in ihren Frequenzanteilen praktisch nicht unterscheiden, aber aufgrund ihres verschiedenen zeitlichen Verhaltens ohne weiteres unterschieden werden können.

Man kann sich übrigens leicht davon überzeugen, daß bei Nasalen der Luftstrom an der Nasenöffnung austritt: Diese Laute können nämlich nicht über längere Zeit bei zugehaltener Nase gesprochen werden.

3.4. Schallspektrographie

Man kann Sprache über ein Mikrophon aufnehmen und über einen Satz von Bandpaßfiltern in ihre Frequenzkomponenten zerlegen. Damit lassen sich die besprochenen akustischen Charakteristika, insbesondere die Formanten, darstellen. Die Abb. 18 gibt ein Beispiel eines derartigen **Schallspektrogramms.** In der Abscisse ist die Zeit, in der Ordinate

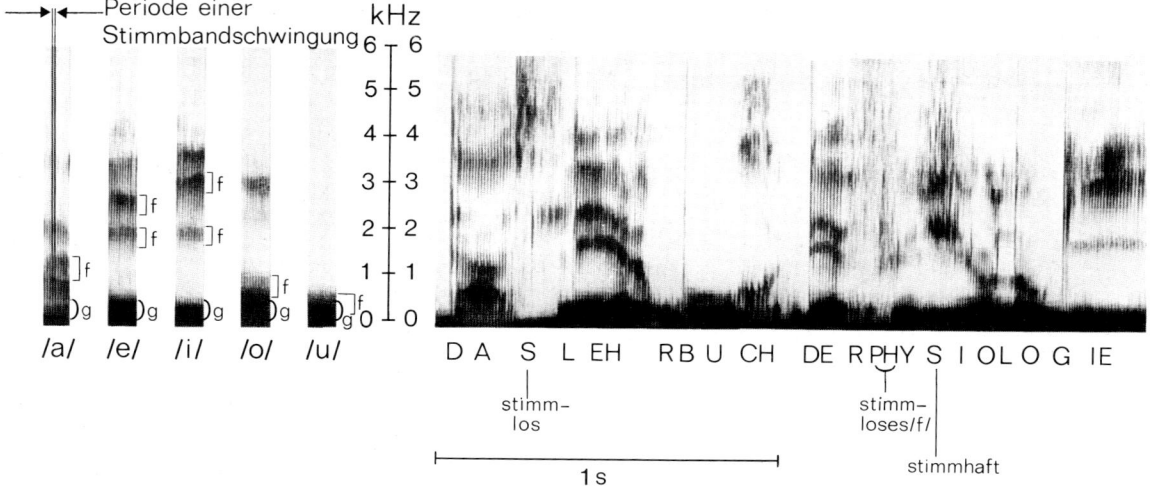

Abb. 18. Sonagramm der Vokale /a, e, i, o, u/ sowie der Worte /Das Lehrbuch der Physiologie/. Die Abscisse stellt die Zeit, die Ordinate die im Klangbild enthaltenen Frequenzen von 0– 6 kHz dar. Je stärker die Schwärzung, desto größer ist die Schallenergie in einem bestimmten Frequenzband. f Formant; g Grundfrequenz

ist die Frequenz dargestellt. Die Schwärzung zeigt an, zu welchen Zeitpunkten bestimmte Frequenzen im Sprachlaut vorkommen. Je stärker die Schwärzung, desto größer ist die Schallenergie in einem bestimmten Frequenzbereich. Man kann in der Abbildung die Formanten gut erkennen. Ferner sieht man, daß Explosionslaute (/d/) und Reibelaute (/f/, /s/) ein breites Frequenzspektrum haben und hohe Frequenzanteile enthalten.

3.5. Sprechstörungen

Der komplizierte Mechanismus des Sprechens kann an vielen Stellen gestört sein, wobei man zwischen *peripheren* und *zentralen* Störungen unterscheiden muß. Häufige Ursache einer peripheren Störung ist ein ein- bzw. doppelseitiger Ausfall der Kehlkopfmuskulatur infolge einer Recurrens-Lähmung. Leichte Schäden führen zu Heiserkeit, wogegen bei komplettem doppelseitigem Ausfall die Phonation nicht mehr möglich ist **(Aphonie).** Da dann die Stimmritze nicht mehr aktiv erweitert werden kann (Posticus-Lähmung), führt dies zu einer erheblichen Behinderung der Atmung. Jedoch ist eine sprachliche Verständigung mit Hilfe der **Flüsterstimme** nach wie vor möglich, da die Bildung der Formanten nicht gestört ist. Selbst nach operativer Entfernung des Kehlkopfes können Patienten wieder eine Sprache erlernen, die sogenannte **Oesophagussprache.** Dabei wird Luft in den Oesophagus verschluckt, die bei ihrem Austritt ein Rauschen erzeugt, das den Mund-Rachen-Raum zu Resonanzschwingungen anregt, die je nach Artikulationsstellung einem bestimmten Formanten entsprechen. Auch *elektronische Sprechhilfen* können bei Kehlkopflosen die Phonation ersetzen. Ein Generator erzeugt dabei ein schnarrendes Grundgeräusch. Durch Andrücken des Gerätes an den Mundboden wird das Ansatzrohr angeregt. Da das Ansatzrohr nach wie vor zu den Artikulationsstellungen konfiguriert werden kann, können also Formanten gebildet werden, und es entsteht eine leidlich verständliche Sprache.

Eine Funktionseinbuße der Zungen- und Rachenmuskulatur führt jedoch oft zu einer erheblichen Beeinträchtigung des Sprechvermögens, da die Formanten nicht gebildet werden können. Dies ist bei manchen **zentralen** Störungen der Fall. So kommt z.B. die „kloßige Sprache" bei der *Bulbärparalyse* zustande, einer neurologischen Erkrankung, die u.a. die motorischen Hirnnervenkerne erfaßt.

Unter den **zentralen Sprachstörungen** ist insbesondere der Ausfall des Brocaschen Sprachzentrums zu nennen. Die Fähigkeit zu sprechen geht dabei verloren, obwohl die primäre motorische Rinde für die Sprechmuskulatur bzw. die entsprechenden Hirnnerven und deren Kerne und der periphere Sprechapparat völlig intakt sind. Man spricht von **motorischer Aphasie** (s. auch S. 165). Weitere Einzelheiten über Sprachstörungen sind in [16a] zu finden.

4. Literatur

Übersichtsarbeiten

1. VON BÉKÉSY, G.: Experiments in Hearing. New York, Toronto, London: McGraw-Hill 1960.
2. BLAUERT, J.: Räumliches Hören. Stuttgart: Hirzel 1974.
3. BRODAL, A.: Neurological Anatomy, Second Edition. New York, London, Toronto: Oxford University Press 1969.
4. BRODAL, A., POMPEIANO, O. (Eds.): Basic Aspects of Central Vestibular Mechanisms. Amsterdam: Elsevier Publishing 1972.
5. CREMER, L.: Vorlesungen über Technische Akustik. Berlin-Heidelberg-New York: Springer 1971.
6. DALLOS, P.: The Auditory Periphery. New York, London: Academic Press 1973.
7. DAVIS, H.: Electric Response Audiometry, with special reference to the vertex potentials. In: Handbook of Sensory Physiology, Vol. V/3 (Eds. W.D. KEIDEL, W.D. NEFF). Berlin-Heidelberg-New York: Springer (in press).
8. EVANS, E.F.: Neuronal Processes for the Detection of Acoustic Patterns and for Sound Localization. In: The Neurosciences, third study program (Eds. F.O. SCHMIDT, F.G. WORDEN), p. 131. New York: MIT Press 1974.
9. FLANAGAN, J.L.: Speech Analysis, Synthesis and Perception, Second Edition. Berlin-Heidelberg-New York: Springer 1972.
10. GAUER, O.-H., KRAMER, K., JUNG, R. (Hrsg.): Physiologie des Menschen, Bd. 12: Hören, Stimme, Gleichgewicht. München: Urban & Schwarzenberg 1972.
11. GERTHSEN, CHR., KNESER, H.O., VOGEL, H.: Physik, 12. Aufl. Berlin-Heidelberg-New York: Springer 1974.

12. IURATO, S. (Ed.): Submicroscopic Structure of the Inner Ear. London: Pergamon Press 1967.
13. KEIDEL, W.D., NEFF, W.D. (Eds.): Handbook of Sensory Physiology, Berlin-Heidelberg-New York: Springer, Vol. V, 1 (1974), Vol. V, 2 (1975), Vol. V, 3 (1976).
14. KLINKE, R., GALLEY, N.: Efferent Innervation of Vestibular and Auditory Receptors. Physiol. Rev. **54**, 316 (1974).
15. KORNHUBER, H.H.: Physiologie und Klinik des zentralvestibulären Systems. In: BERENDES, J., LINK, R., ZÖLLNER, F. (Hrsg.): Hals-Nasen-Ohren-Heilkunde, Bd. III/3, p. 2150. Stuttgart: Thieme 1966.
16. LANGENBECK, B., LEHNHARDT, E.: Lehrbuch der praktischen Audiometrie, 4. Aufl., Stuttgart: Thieme 1970.
16a. LENNEBERG, E.H.: Biologische Grundlagen der Sprache, Frankfurt, Suhrkamp 1973.
17. LLINÁS, E. (Ed.): Neurobiology of Cerebellar Evolution and Development. Chicago: American Medical Association 1969.
18. LUCHSINGER, R., ARNOLD, G.E. (Hrsg.): Handbuch der Stimm- und Sprachheilkunde, Bd. I: Die Stimme und ihre Störungen. Wien: Springer 1970.
19. MITTERMAIER, R.: Die experimentellen Gleichgewichtsprüfungen. In: BERENDES, J., LINK, R., ZÖLLNER, F. (Hrsg.): Hals-Nasen-Ohrenheilkunde, Bd. III/1, p. 581. Stuttgart: Thieme 1965.
20. MØLLER, A. (Ed.): Basic Mechanisms in Hearing. New York, London: Academic Press 1973.
21. DE REUCK, A.V.S., KNIGHT, J. (Eds.): Myotatic, Kinesthetic and Vestibular Mechanisms. London: Churchill 1967.
22. ROEDERER, J.G.: Introduction to the Physics and Psychophysics of Music, 2nd edition, Heidelberg, Springer 1975
23. SPOENDLIN, H.: The Organization of the Cochlear Receptor. Fortschritte der Hals-Nasen-Ohrenheilkunde, Bd. 13 (Ed. L. RÜEDI), Basel-New York: Karger 1966
24. TRINCKER, D.: Physiologie des Gleichgewichtsorgans. In: BERENDES, J., LINK, R., ZÖLLNER, F. (Hrsg.): Hals-Nasen-Ohrenheilkunde, Bd. III/1, p. 311. Stuttgart: Thieme 1965.
25. WEBSTER, W.R., AITKIN, L.M.: Central Auditory Processing. In: Handbook of Psychobiology, GAZZANIGA, M.S., BLAKEMORE, COLIN (Eds.), p. 325, New York, Academic Press 1975
26. Whitfield, I.C.: The Auditory Pathway, London: Arnold 1967.
27. ZEMLIN, W.R.: Speech and Hearing Science, Anatomy and Physiology. New Jersey: Englewood Cliffs 1968.
28. ZWICKER, E., FELDTKELLER, R.: Das Ohr als Nachrichtenempfänger, 2. Aufl., Stuttgart: Hirzel 1967.

Originalarbeiten

29. GOLDBERG, J.M., FERNANDEZ, C.: Physiology of Peripheral Neurons Innervating Semicircular Canals of the Squirrel Monkey. I–III. J. Neurophysiol. **34**, 635 (1971).
30. HARTMANN, R., KLINKE, R.: System Analysis of Properties of Primary Vestibular Fibres. Exp. Brain Res. Suppl. **23**, 85 (1975).
31. HOSHINO, T.: Relationship of the Tectorial Membrane to the Organ of Corti. Arch. Histol. Jap. **37**, 25 (1974).
32. KLINKE, R., EVANS, E.F.: The Effects of Drugs on the Sharpness of Tuning of Single Cochlear Nerve Fibres. Pflügers Arch. ges. Physiol. Suppl. **347**, R 53 (1974).
33. KOHLLÖFFEL, L.U.E.: A Study of Basilar Membrane Vibrations III. The Basilar Membrane Response Curve in the Living Guinea Pig. Acoustica **27**, 82 (1972).
34. LIM, D.J.: Fine Morphology of the Tectorial Membrane. Arch. Otolaryng. **96**, 199 (1972).
35. MILLER II, I.E.F., GRAYBIEL, A.: Experiment M-131-. Human Vestibular Function. Aerospace Med. **44**, 593 (1973).
36. OMAN, C.M., YOUNG, L.R.: The Physiological Range of Pressure Difference and Cupula Deflections in the Human Semicircular Canal. Acta oto-laryng. (Stockh.) **74**, 324 (1972).
37. SMALL, A.M.: Periodicity Pitch. In: TOBIAS, J.V. (Ed.): Foundations of Modern Auditory Theory, p. 3, New York, Academic Press 1970.
38. SPOENDLIN, H.: Innervation Densities of the Cochlea. Acta oto-laryng. (Stockh.) **73**, 235 (1972).
39. WÄNGLER, H.H.: Atlas deutscher Sprachlaute. Berlin 1958.
40. WEISS, T.F., MULROY, M.J., ALTMANN, D.W.: Intracellular Responses to Acoustic Clicks in the Inner Ear of the Alligator Lizard. J. Acoust. Soc. Amer. **55**, 606 (1974).
41. WILSON, J.P., JOHNSTONE, J.R.: Basilar membrane and middle ear vibrations in guinea pig measured by capacitive probe. J. Acoust. Soc. Amer. **57**, 705 (1975).

XIV. Geschmack und Geruch (H. Altner und J. Boeckh)

1. Charakterisierung

Geschmack und Geruch beruhen auf einer selektiven und hochempfindlichen Reaktion spezialisierter Sinneszellen auf die Anwesenheit der Moleküle bestimmter Verbindungen. Im weiteren Sinne sind spezifische Reaktionen auf Moleküle, etwa eines Hormons (s. XXX) oder eines Neurotransmitters (s. III-4) kennzeichnend für viele Zellen und Gewebe. Geschmacks- und Geruchssinneszellen arbeiten jedoch als Exteroreceptoren, deren Reaktionen auf Moleküle wichtige Information über Außenreize liefern, die in speziell zugeordneten Hirnarealen verarbeitet wird und zu Sinnesempfindungen führt. Andere chemoreceptive Zellen dienen als Enteroreceptoren, z.B. der Messung des CO_2 (s. XX-5.3).

Geschmack und Geruch lassen sich anhand morphologischer und physiologischer Kriterien charakterisieren und unterscheiden. Eine klare Trennung ist insbesondere anhand der Qualitätsgliederung möglich (Tabelle 1). Andere Merkmale, wie Empfindlichkeit oder adäquate Reize, können ebenfalls zur Kennzeichnung dienen, zeigen aber Überlappungen.

Im Vergleich zu anderen Sinnen zeigen Geschmack und Geruch besonders ausgeprägte **Adaptation** (vgl. Abb. IX-15). Die Erregung in den afferenten Bahnen sinkt noch während des Reizes stark ab; dementsprechend erlischt z.B. die Geruchswahrnehmung häufig bereits nach kurzem Aufenthalt in einer duftstoffhaltigen Umgebung. Eine ebenso charakteristische Eigenschaft der chemischen Sinne ist eine für bestimmte Reize sehr hohe Empfindlichkeit. Der **quantitativ verarbeitbare Bereich** verschiedener Reizintensitäten ist jedoch gering (etwa 1:500), die Unterschiedsschwelle hoch. Der Exponent in der Stevensschen Potenzfunktion liegt für Gerüche bei 0,4–0,6 für Schmeckreize bei 1 (vgl. Abb. IX-11).

Tabelle 1. Einteilung und Charakterisierung der chemischen Sinne

	Geschmack	Geruch
Receptoren	Sekundäre Sinneszellen	Primäre Sinneszellen Enden des V. (IX. und X.) Hirnnerven
Lage der Receptoren Afferent Hirnnerven	Auf der Zunge N. VII, N. IX	Im Nasen- und Rachenraum N. I, N. V (N. IX, N. X)
Stationen im Zentral- nervensystem	1. Medulla oblongata 2. Ventraler Thalamus 3. Cortex (Gyrus postcentralis) Verbindungen zum Hypothalamus	1. Bulbus olfactorius 2. Endhirn (Area praepiriformis) Verbindungen zum limbischen System und Hypothalamus
Adäquater Reiz	Moleküle organischer und anorganischer, meist nicht flüchtiger Stoffe. Reizquelle in Nähe oder direktem Kontakt zum Sinnesorgan	Moleküle fast ausschließlich organischer, flüchtiger Verbindungen in Gasform, erst direkt an Receptoren in flüssiger Phase gelöst. Reizquelle meist in größerer Entfernung
Zahl qualitativ unter- scheidbarer Reize	Niedrig 4 Grundqualitäten	Sehr hoch (einige Tausend), zahlreiche, schwer abgrenzbare Qualitätsklassen
Absolute Empfindlichkeit	Geringer mindestens 10^{16} und mehr Moleküle/ml Lösung	Für manche Substanzen sehr hoch (10^7 Moleküle pro ml Luft, bei Tieren bis zu 10^2 bis 10^3)
Biologische Bedeutung	Nahsinn Nahrungskontrolle, Steuerung der Nahrungsaufnahme und -verarbeitung (Speichelreflexe)	Fernsinn und Nahsinn Umweltkontrolle (Hygiene), Nahrungskontrolle Bei Tieren auch Nahrungs- und Futtersuche, Kommunikation, Fortpflanzung Stark hedonische Komponenten

Primärprozesse und chemische Spezifität. Man nimmt heute allgemein an, daß der erste Reizvorgang an Chemoreceptoren aus einer Wechselwirkung aufgrund schwacher Bindungskräfte zwischen dem Reizmolekül und einem *Receptorprotein* besteht. Aus Geschmacksorganen wurden Proteine mit Enzymcharakter isoliert, deren Stoffspezifität und Umsetzungsdynamik gleiche Werte wie die der Receptoren zeigen. Die weiteren Vorgänge, welche zur Ausbildung der elektrischen Reaktion der Zellmembran führen, sind unbekannt. Die Receptorzellen reagieren jeweils sehr spezifisch und selektiv auf eine ganz bestimmte Auswahl von Stoffen. Leichte Änderungen in der Struktur einer Substanz können zum Wechsel in der Sinnesqualität oder zur Unwirksamkeit führen. Wahrscheinlich spielen für die Wirksamkeit eines Moleküls die Molekülgröße (z.B. die Kettenlänge) und die Verteilung elektrischer Ladungen innerhalb des Moleküls (z.B. die Lage funktioneller Gruppen) eine entscheidende Rolle. Es ist jedoch ungeklärt, weshalb in vielen Fällen chemisch recht verschiedenartige Moleküle dieselben Geruchsempfindungen hervorrufen. So riechen z.B. die drei folgenden Verbindungen trotz ihrer unterschiedlichen Struktur moschusartig (vgl. Beets in [2]).

$(CH_2)_{14}$ C=O

O_2N — NO_2

Für die Existenz diskreter, nur für bestimmte Stoffgruppen spezifischer **Receptionsorte** an Chemoreceptoren sprechen z.B. Fälle von partieller Anosmie (vgl. S. 293), bei welchen nur eine begrenzte Zahl von chemisch recht nah verwandten Gerüchen selektiv nicht mehr wahrgenommen wird. Zu ähnlicher Interpretation führt die selektive Wirkung bestimmter Drogen auf Geschmacksorgane. Wird Kaliumgymnemat, ein Stoff aus der indischen Pflanze Gymnema silvestre, auf die Zunge gebracht, erlischt spezifisch nur die Süßwahrnehmung: Zucker „schmeckt wie Sand". Ein in der Frucht der westafrikanischen Pflanze Synsepalium dulcificum enthaltenes Protein verwandelt sauren Geschmack in süßen: Zitrone schmeckt wie Orange (vgl. Kurihara in [2]). Wird Cocain auf die Zunge gebracht, fallen zu verschiedenen Zeiten nacheinander folgende Empfindungen aus: bitter, süß, salzig, sauer.

2. Geschmackssinn

2.1. Receptoren und Neurone

Die **Geschmackssinneszellen** (syn. *Schmeckzellen*) finden sich beim Erwachsenen auf der Zungenoberfläche. Sie bilden gemeinsam mit Stützzellen in Gruppen von 40–60 Elementen die **Geschmacksknospen** im Epithel der Zungenpapillen (Abb. 1). Große Wallpapillen am Zungengrund enthalten jeweils bis zu 200 Knospen, die kleineren Pilz- und Blätterpapillen in vorderen und seitlichen Zungenabschnitten jeweils nur wenige. Insgesamt besitzt ein Erwachsener einige Tausend Knospen. Zwischen den Papillen liegende **Drüsen** scheiden Sekret aus, welches die Knospen umspült. Die reizempfindlichen distalen Abschnitte der *Schmeckzellen* sind zu *Mikrovilli* aufgefaltet. Sie ragen in einen gemeinsamen Raum hinein, der wiederum durch einen Porus an der Oberfläche der Papille mündet (Abb. 1). Die Reizmoleküle gelangen durch Diffusion durch die Pore zu den Sinneszellen.

Wie bei anderen sekundären Sinneszellen bilden die Geschmackssinneszellen bei Reizung ein Receptorpotential. Die Weiterleitung der Erregung in Form von Nervenimpulsen erfolgt durch synaptisch nachgeschaltete **afferente Fasern** von **Hirnnerven.** Im vorderen und seitlichen Zungenabschnitt wird diese Aufgabe von der **Chorda tympani,** einem Ast des **N. facialis** (VII) übernommen, im hinteren Abschnitt durch den **N. glossopharyngeus** (IX) (Abb. 2). Dabei erfaßt eine einzelne afferente Faser

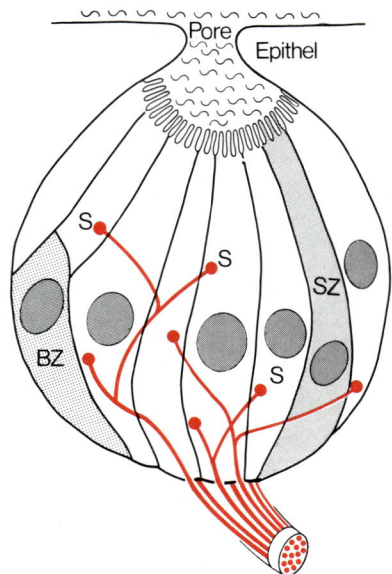

Abb. 1. Schemabild einer ins Epithel einer Zungenpapille eingesenkten Geschmacksknospe mit Basalzellen (BZ), Sinneszellen (S), Stützzellen (SZ) und afferenten Fasern des versorgenden Hirnnerven

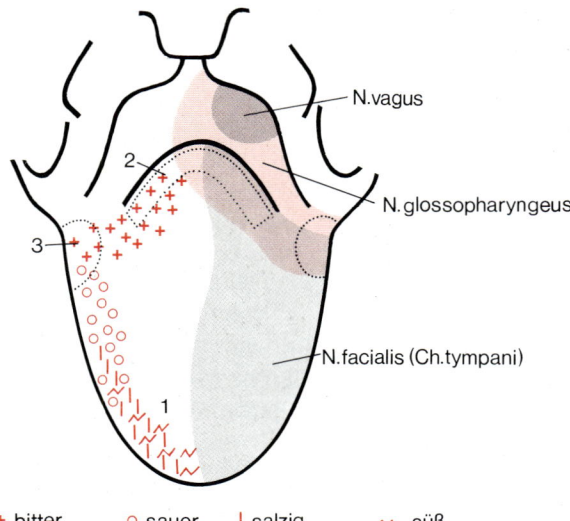

+ bitter　　○ sauer　　| salzig　　∿ süß

Abb. 2. Schemabild der menschlichen Zunge mit der afferenten Innervation durch verschiedene Hirnnerven (Schattierung) und den Regionen verschiedener Papillenbesatzes (1 Pilzpapillen, 2 Wallpapillen, 3 Blätterpapillen). Die regionale Vorzugsempfindlichkeit für verschiedene Geschmacksqualitäten ist durch Symbole angegeben

mit ihren Verzweigungen die Erregungen von Schmeckzellen verschiedener Knospen.

Schmeckzellen unterliegen einer auffälligen **Mauser.** Jede Zelle wird nach einer Lebensdauer von etwa 10 Tagen durch einen Abkömmling der Basalzellen ersetzt. Bei der Verknüpfung der neuen Schmeckzellen mit den afferenten Fasern bleibt die Spezifität der Fasern erhalten. Die Vorgänge, die zu dieser Abstimmung zwischen Receptoren und Fasern führen, sind noch nicht geklärt (vgl. OAKLEY in [11]).

Reaktionen der Zellen und Fasern. Einzelne **Schmeckzellen** reagieren in den meisten Fällen auf Vertreter mehrerer Geschmacksqualitäten (Abb. 3). Ein entsprechendes Bild der Erregung bieten die ableitenden Fasern (Abb. 4). Dieses spezifische Erregungsmuster wird auch als „Geschmacksprofil" bezeichnet. Dabei finden sich unter den Fasern des N. IX viele mit besonders hoher Erregung bei Reizung mit Bitterstoffen, die Fasern von N. VII reagieren stärker bei Salz-, Zucker- oder Säurereizen (vgl. 2.2). Die Höhe der Erregung der einzelnen Fasern differiert für verschiedene Stoffgruppen. Eine Klasse von Fasern reagiert stärker auf Zucker als auf Salz, eine andere Gruppe stärker auf Salz als auf Zucker usw. Diese geschmacksspezifisch unterschiedliche Erregung in verschiedenen Fasergruppen enthält die Information über die **Geschmacksqualität,** d.h. die Art der Moleküle. Die Gesamterregung aller entsprechenden Fasern ent-

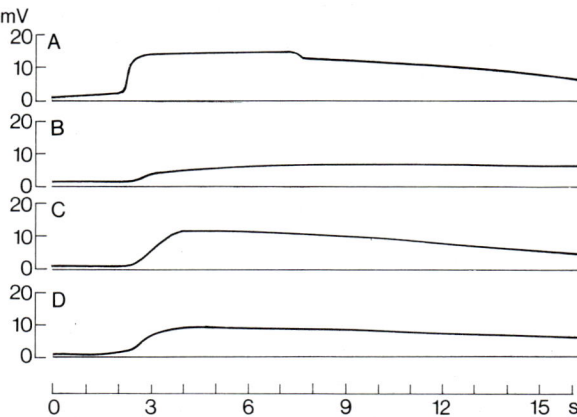

Abb. 3. Intracellulär gemessene Receptorpotentiale einzelner Geschmackssinneszellen der Zunge eines Frosches. Reizung bei (A) mit 0,5 mol/l NaCl, (B) mit 0,016 mol/l Essigsäure, (C) mit 0,25 mol/l Saccharose, (D) mit 0,004 mol/l Chininhydrochlorid. (Verändert nach SATO, aus [2])

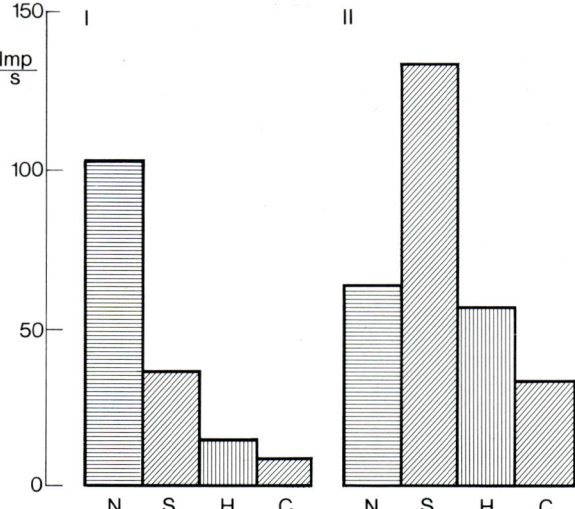

Abb. 4. Reaktionen von zwei einzelnen Fasern (I und II) aus der Chorda tympani einer Ratte auf verschiedene Schmeckstoffe. N 0,1 mol/l NaCl, S 0,5 mol/l Saccharose, H 0,01 n HCl, C 0,02 mol/l Chininhydrochlorid. (Verändert nach SATO, aus [11])

hält die Information über die **Reizintensität,** d.h. die Konzentration der Moleküle.

Zentrale Neuronen. Die **Schmeckfasern** der Nn. VII und IX enden in der Nähe oder im **Nucleus solitarius** der *Medulla oblongata.* Von dort ziehen Verbindungen über die mediale Schleife zum **Thalamus** in den Bereich des *Nucleus ventralis posteriomedialis.* Die Neuronen dritter Ordnung laufen über die innere Kapsel und enden im Bereich des *Gyrus postcentralis* der **Großhirnrinde.** Im Laufe der Verarbeitung in diesen Stationen finden sich zunehmend mehr Neuronen engerer Geschmacksspezifität. Im Cortex tritt eine gewisse Zahl von Zellen auf, die nur auf Stoffe einer einzigen Geschmacksqualität reagieren. Die Lage dieser Neuronen zeigt eine gewisse räumliche Anordnung entsprechend der wirksamen Geschmacksqualität. Andere Neuronen dieser Zentren reagieren zusätzlich zum Geschmack auch auf thermische oder mechanische Reizung der Zunge.

2.2. Die Leistung des Geschmackssinns

Die Qualitäten. Der Mensch unterscheidet hauptsächlich 4 Geschmacksqualitäten: **süß, sauer, bitter, salzig.** Diese sind recht gut durch repräsentative Verbindungen charakterisiert (Tabelle 2). Süß schmecken hauptsächlich natürlich vorkommende Zucker wie Saccharose oder Glucose, salzig schmeckt NaCl, andere Salze wie z.B. KCl schmekken salzig, zugleich aber auch bitter. Solche **Mischempfindungen** sind auch charakteristisch für viele natürliche Geschmacksreize entsprechend deren Stoffzusammensetzung. Zum Beispiel schmeckt Orange süß und sauer, Pampelmuse sauer, süß und bitter. Saure Schmeckstoffe sind Säuren, bitter schmecken viele pflanzliche Alkaloide.

Tabelle 2. Charakteristische Geschmacksstoffe und ihre Wirksamkeit auf den Geschmackssinn des Menschen. (Nach PFAFF-MANN, aus [2])

Qualität	Substanz	Schwelle (mol/l)
Bitter	Chininsulfat	0,000008
	Nicotin	0,000016
Sauer	Salzsäure	0,0009
	Citronensäure	0,0023
Süß	Saccharose	0,01
	Glucose	0,08
	Saccharin	0,000023
Salzig	NaCl	0,01
	$CaCl_2$	0,01

Auf der Zunge können **spezifisch empfindliche Zonen** gegeneinander abgegrenzt werden. Bitterreize wirken vornehmlich am *Zungengrund,* die anderen Qualitäten *seitlich* und *an der Spitze* ineinander überlappenden Bereichen (Abb. 2, vgl. 2.1). Die eindeutige **Zuordnung chemischer Eigenschaften** eines Stoffes zu seiner **Schmeckwirkung** ist unmöglich. So schmecken neben Zuckern auch Bleisalze süß, die wirksamsten Süßreize sind künstliche Süßstoffe wie Saccharin. Die *Empfindungsqualität* eines Stoffes ist zusätzlich von seiner *Konzentration* abhängig. So schmeckt Kochsalz in geringer Konzentration süß und erst in höherer rein salzig. Auffällig ist die hohe Empfindlichkeit des Geschmackssinns

für Bitterstoffe. Da diese oft giftig sind, erscheint eine Warnung vor bereits geringen Konzentrationen bei der Wasser- oder Nahrungsaufnahme sinnvoll. Stärkere Bitterreize lösen leicht *Brech-* und *Würgereflexe* aus. Die **hedonische Komponente** von Geschmacksempfindungen variiert stark mit dem Versorgungsstand des Organismus. So werden bei Salzmangel noch beträchtliche Konzentrationen an Kochsalz in Speisen als akzeptabel empfunden, die normalerweise als versalzen abgelehnt werden.

Der **Geschmackssinn von Säugetieren** ist offensichtlich sehr einheitlich organisiert. Verhaltensversuche zeigen, daß dieselben Qualitäten unterschieden werden wie beim Menschen. Ableitungen von Einzelfasern haben allerdings Leistungen erkennen lassen, die von den Geschmacksorganen des Menschen nicht erbracht werden. So sind z.B. bei Katzen „*Wasserfasern*" gefunden worden, die auf Wasser allein ansprechen oder ein Geschmacksprofil zeigen, in dem neben anderen Qualitäten auch Wasser als wirksamer Reiz enthalten ist (vgl. SATO in [2]).

Biologische Bedeutung. Die biologische Rolle des Geschmackssinns liegt neben einer *Prüfung der Nahrung* (s.o.) in einer Einwirkung auf den *Verdauungsprozeß.* Verbindungen zu vegetativen Efferenzen ermöglichen reflektorisch die Steuerung der Sekretion von Verdauungsdrüsen. Dabei wird nicht nur die Sekretmenge durch Schmeckreize beeinflußt, sondern auch die Sekretzusammensetzung etwa je nach überwiegend süß oder salzig schmekkender Nahrung.

Mit zunehmendem **Lebensalter** wird der Geschmackssinn weniger leistungsfähig. Einnahme von Drogen wie z.B. Coffein oder starkes Rauchen mindern ebenfalls die Geschmacksleistung.

3. Geruchssinn

Die Oberfläche der Nasenschleimhaut wird durch von der Seite in die Nasenhöhle vorspringende Conchen vergrößert. Die Sinneszellen enthaltende **Regio olfactoria** ist auf die obere Conche beschränkt, allenfalls liegen noch Inseln von Riechepithel auf der mittleren Conche (Abb. 5).

3.1. Receptoren

Die **Riechzellen** entsenden als primäre, bipolare Sinneszellen zwei Fortsätze. Apical laufen sie in einen **Cilien** tragenden Dendriten, basal in einen Axon

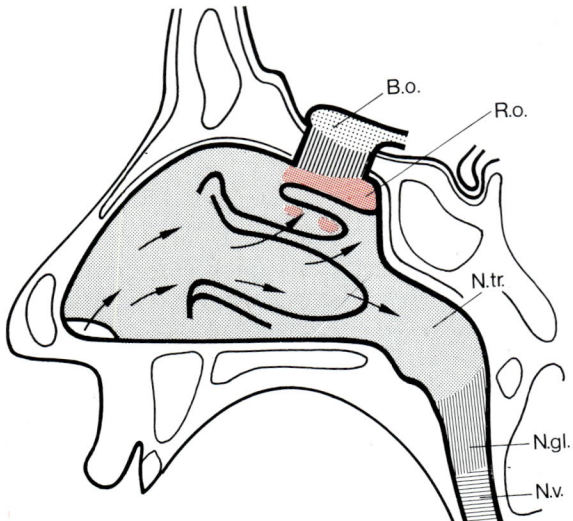

Abb. 5. Schematische Darstellung des menschlichen Nasen-Rachenraumes (Sagittalschnitt). Die Regio olfactoria (R.o.) beschränkt sich auf die obere und mittlere Conche. Die Einzugsbereiche von Nervus trigeminus (N. tr.), Nervus glossopharyngeus (N. gl.) und Nervus vagus (N. v.) sind eingetragen. B. o. Bulbus olfactorius

aus. Die Cilien, die im Innenbau gegenüber normalen Kinocilien modifiziert sind, liegen, zu aktiver Bewegung nicht befähigt, in einer Schleimschicht, die das Riechepithel bedeckt. Duftstoffe, die über die Atemluft herangetragen werden, gelangen an die Membran der Cilien, wo die Orte der Wechselwirkung zwischen Reizmolekül und Receptor zu suchen sind. Die Axonen ziehen gebündelt als *Fila olfactoria* zum Bulbus olfactorius. In der gesamten Nasenschleimhaut liegen außerdem freie Endigungen des *Nervus trigeminus,* die zum Teil ebenfalls auf Geruchsreize antworten. Im Rachenraum sprechen auch Fasern des Nervus glossopharyngeus und des Nervus vagus auf Geruchsreize an (Abb. 5). Die vor Austrocknung schützende Schleimschicht über dem Riechepithel wird durch fortgesetzte Sekretion und die Tätigkeit von Kinocilien der umliegenden Epithelbereiche laufend erneuert.

Die **Zuführung von Duftstoffen** erfolgt periodisch mit der Inspiration durch die äußere Nasenöffnung. In geringerem Maß gelangen auch Gerüche durch Diffusion aus dem Mundraum durch die Choane zum Riechepithel. Daher überlagern sich bei der Nahrungsaufnahme Geschmacks- und Geruchsempfindungen zu Mischempfindungen. Durch das Schnüffeln, besonders ausgeprägt bei zahlreichen Säugetieren, kann die Luftzufuhr und damit die Anreicherung von Reizstoffmolekülen erheblich verstärkt werden.

Insgesamt enthält die Regio olfactoria des Menschen, die etwa 10 cm² umfaßt, rund 10^7 Receptoren. Bei anderen Wirbeltieren ist die Zahl der Receptoren größer (z.B. Schäferhund $2{,}2 \cdot 10^8$ Receptoren). Wie die Geschmackssinneszellen werden auch die Riechzellen stetig erneuert, so daß nicht alle Zellen gleichzeitig funktionstüchtig sein dürften.

Vom Riechepithel von Wirbeltieren können bei Duftreizung langsame Potentiale komplexen Aufbaues von einigen Millivolt Amplitude abgegriffen werden. Diese **Elektroolfaktogramme** (EOG, Abb. 6, vgl. OTTOSON in [2]) sind wie Elektroretinogramme (ERG) Summenpotentiale. Die Analyse der EOGs läßt allerdings keine Aussagen über die Eigenschaften einzelner Receptoren zu. Registrierungen von *Einzelreceptoren* in der Riechschleimhaut von Wirbeltieren sind bisher nur in Einzelfällen gelungen (Abb. 6). Sie zeigen, daß die spontane Entladungsfrequenz der Riechsinneszellen mit nur einigen Impulsen pro Sekunde sehr niedrig liegt und daß die Receptoren jeweils auf eine größere Zahl von Stoffen ansprechen. Wie beim Registrieren von Geschmacksprofilen (vgl. 2.1) kann man *Reaktionsspektren* einzelner Sinneszellen zusammenstellen (vgl. GESTELAND in [2]).

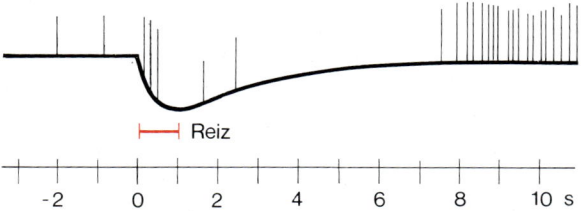

Abb. 6. Gleichzeitige Registrierung von Elektroolfaktogramm (EOG, durchlaufende Spur) und Aktionspotentialen eines einzelnen Receptors im Riechepithel des Frosches bei Reizung mit Nitrobenzol. Dauer des Reizes (rot) 1 s. (Nach GESTELAND, aus [2])

3.2. Geruchsqualitäten

Der Mensch kann tausende verschiedener Duftstoffe geruchlich unterscheiden. Die Geruchsempfindungen lassen sich dabei in Gruppen entsprechend gewisser Ähnlichkeiten ordnen, so daß **Duft-** oder **Qualitätsklassen** abgegrenzt werden können. Diese Einteilung entspricht allerdings in ihrer Schärfe keineswegs der klaren Qualitätsgliederung beim Geschmackssinn. Die Unsicherheit der Abgrenzungen ist schon daraus zu ersehen, daß die Anzahl der Klassen von den verschiedenen Autoren sehr unterschiedlich angegeben wird. Qualitäten und chemisch definierbare Reizmerkmale entsprechen sich noch weniger als beim Geschmackssinn (vgl. S. 291). Die Duftklassen werden, wie Tabelle 3 zeigt, in der Regel nach den natürlichen Quellen

Tabelle 3. Merkmale zur Kennzeichnung von Duftklassen. (Nach AMOORE und SKRAMLIK)

Duftklasse	Bekannte, repräsentative Verbindungen	Riecht nach	„Standard"
Blumig	Geraniol	Rosen	d-l-β-Phenyläthylmethylcarbinol
Ätherisch	Benzylacetat	Birnen	1,2-Dichloräthan
Moschusartig	Moschus	Moschus	1,5-Hydroxypentadecansäurelacton
Campherartig	Cineol, Campher	Eukalyptus	1,8-Cineol
Faulig	Schwefelwasserstoff	faulen Eiern	Dimethylsulfid
Stechend	Ameisensäure, Essigsäure	Essig	Ameisensäure

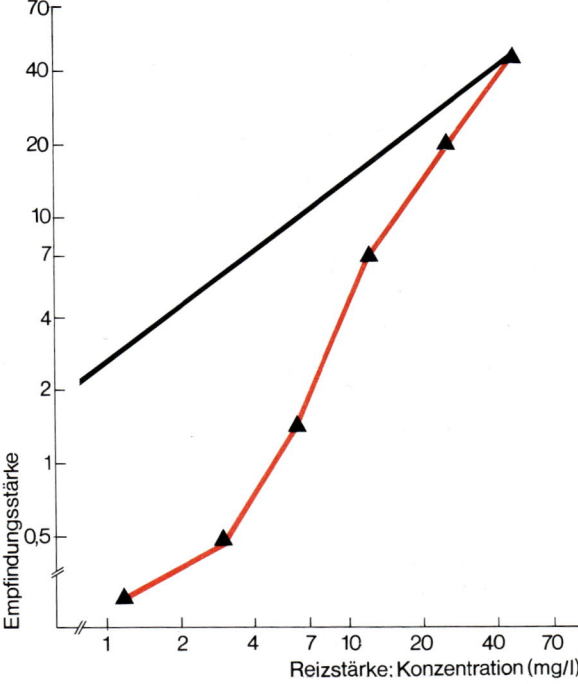

Abb. 7. Anstieg der Empfindungsstärke in Abhängigkeit von der Reizstärke (Reiz: Propanol): unadaptiert (schwarze Gerade) und nach vorheriger Adaptation auf Pentanol (schwarze Dreiecke, rote Kurve). (Verändert nach CAIN und ENGEN, aus [10])

von Duftstoffen oder nach typischen Vertretern benannt und können durch „Standarddüfte" gekennzeichnet werden.

Eine neurophysiologische Grundlage für eine Aufteilung der Duftstoffe auf Qualitätsklassen ist bisher nicht gegeben. Die Auffassung, daß Gruppen nahe verwandter Duftstoffe gegeneinander abgegrenzt werden können, wird durch die beim Menschen beobachteten partiellen Geruchsblindheiten, die **partiellen Anosmien** gestützt (s.S. 289). In solchen Fällen sind die Schwellen für bestimmte Duftstoffe stark erhöht. Partielle Anosmien haben, wenigstens teilweise, eine genetische Grundlage. Die Schwellenerhöhung betrifft häufig mehrere Duftstoffe und es zeigt sich, daß diese in der Regel derselben Duftklasse angehören. Experimentelle Daten, von denen eine Klassifizierung von Duftstoffen ausgehen kann, lassen sich auch durch Versuche mit *Kreuzadaptation* gewinnen. Die Versuche gehen von der Beobachtung aus, daß die Erhöhung der Wahrnehmungsschwelle, die bei langdauernder Reizung mit einem Duftstoff auftritt, nicht nur für diesen, sondern auch für andere Duftstoffe gilt (Abb. 7). Durch wechselseitige Prüfung, inwieweit die Schwelle für einen beliebigen Duftstoff durch andere Substanzen, die vorher als Reiz geboten wurden, angehoben wird, läßt sich ein *Verwandtschaftsschema* erarbeiten (Abb. 8). Eine eindeutige und detaillierte Gliederung der Mannigfaltigkeit der Duftstoffe läßt sich aber auch auf diesem Weg nicht ermitteln [6].

Bei Aussagen, die von Geruchsempfindungen des Menschen ausgehen, muß allerdings berücksichtigt

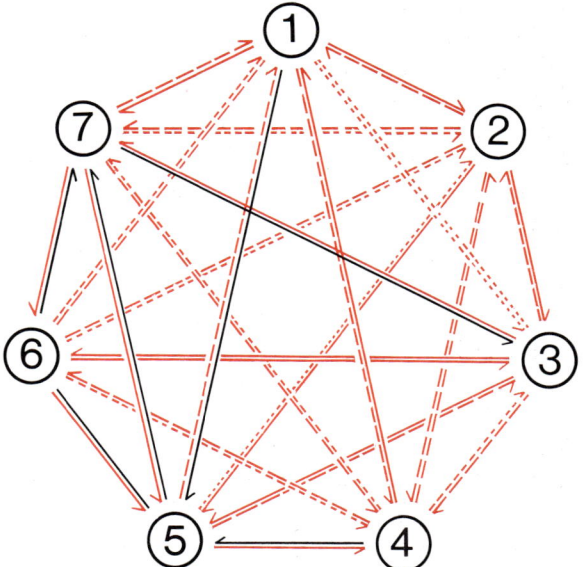

Abb. 8. Verwandtschaftsschema zwischen 7 Duftstoffen (1: Citral, 2: Cyclopentanon, 3: Benzylacetat, 4: Safrol, 5: m-Xylol, 6: Methylsalicylat, 7: Butylacetat) entworfen nach den Ergebnissen von Kreuzadaptationsversuchen. Die gegenseitige Adaptationswirkung ist in der Regel ungleich stark. Das Ausmaß der Erhöhung der Wahrnehmungsschwelle ist durch die Verbindungslinien wiedergegeben. Schwarze Linien: sehr starke Erhöhung; rote durchgezogene Linien: starke Erhöhung; rote gestrichelte Linien: mittlere Erhöhung; rote punktierte Linien: schwache Erhöhung der Schwelle. (Verändert nach KÖSTER [6])

werden, daß auch die Fasern des *Nervus trigeminus,* die in der Nasenschleimhaut enden, auf Duftstoffe reagieren und zur Entstehung von Geruchsempfindungen beitragen, ebenso wie Endigungen des *Nervus glossopharyngeus* und *Nervus vagus* im Rachenraum (Abb. 5). Diese nicht über den Nervus olfactorius vermittelten Empfindungen bleiben nach Ausfall des Riechepithels, z.B. infolge von Katarrhen, Tumoren oder Verletzungen erhalten. In solchen Fällen, die unter dem Begriff **Hyposmie** zusammengefaßt werden, sind die Schwellen gegenüber dem Normalzustand beträchtlich erhöht.

3.3. Empfindlichkeit, Codierung

Die Empfindlichkeit des Geruchssinns des Menschen ist sehr groß, wenn auch von Tieren noch bessere Leistungen der Riechorgane bekannt sind. In Tabelle 4 sind für zwei Riechstoffe Konzentrationswerte angegeben, bei denen beim Menschen eine Empfindung ausgelöst wird. Bei sehr niedrigen Konzentrationen kommt zunächst eine unspezifische Empfindung zustande; erst bei höheren Konzentrationen wird die spezifische Geruchsnote eines Duftstoffes deutlich. So wird Scatol bei niedrigen Konzentrationen keineswegs als unangenehm riechend empfunden, erst ab einer gewissen Grenze manifestiert sich der typische widerwärtige Geruch dieser Substanz. Dementsprechend unterscheidet man zwischen **Wahrnehmungs-** und **Erkennungsschwelle.**

Tabelle 4. Wahrnehmungsschwelle für Buttersäure und Butylmercaptan. (Nach NEUHAUS und STUIVER)

Stoff	Moleküle/ml Luft	Verdünnung
Buttersäure	$2,4 \cdot 10^9$	$1 : 10^{10}$
Butylmercaptan	10^7	$1 : 2,7 \cdot 10^{12}$

Solche Schwellenwerte, die auf die Entstehung von Empfindungen bzw. Verhaltensreaktionen bei Tieren bezogen sind, geben noch keine Auskunft über die *Empfindlichkeit einzelner Receptoren.* Diese kann aber unter Berücksichtigung der räumlichen Ausdehnung des Riechorgans und der Zahl der Sinneszellen auch für den Menschen ermittelt werden. Demnach dürfte die einzelne Sinneszelle bereits auf den Treffer eines oder weniger Duftstoffmoleküle mit Depolarisation und Bildung eines Aktionspotentials reagieren. Eine Verhaltensantwort kommt allerdings erst dann zustande, wenn durch die Aktivierung einer größeren Zahl von Receptoren das

Rausch-Signal-Verhältnis im Sinneseingang einen kritischen Wert übersteigt. Bei Tieren, insbesondere Insekten, bei denen die entsprechenden Parameter leichter zu erfassen sind und auch die Reaktionen der Receptoren elektrophysiologisch registriert werden können, läßt sich die monomolekulare Reaktion der Einzelzelle überzeugend nachweisen.

Codierung. Die Frage, wie Duftreize durch die Receptoren codiert werden, kann bislang nur in erster Näherung beantwortet werden. Man hat von der Tatsache auszugehen, daß die einzelnen Receptorzellen auf eine größere Anzahl verschiedener Duftstoffe reagieren. Dementsprechend zeigen die Receptoren, ähnlich wie beim Geschmackssinn, sich überlappende Reaktionsprofile. Jedem Duftstoff entspräche dann ein spezifisches Erregungsmuster, das sich über der Population der Sinneszellen ausbildet. Die Konzentration des Duftstoffes würde sich bei unverändertem Muster aus den jeweiligen Erregungsbeträgen ergeben.

3.4. Zentrale Verarbeitung

Bulbus olfactorius. Der Bulbus olfactorius ist histologisch in mehreren Schichten gegliedert, die durch bestimmte Zellformen oder Zellausläufer charakterisiert werden können und typische Verknüpfungen von Zellfortsätzen enthalten. Wesentliche Merkmale der Informationsverarbeitung im Bulbus olfactorius sind 1. eine starke **Konvergenz** der Sinneszellen auf die Mitralzellen als zweites Neuron der Riechbahn, 2. ausgeprägte **Hemmungsmechanismen** und 3. eine **efferente Kontrolle** der einlaufenden Erregungen. In der Schicht der Glomeruli enden jeweils Axone von etwa 1 000 Riechzellen am primären Dendriten einer *Mitralzelle* (Abb. 9). An diesen Dendriten bilden die *periglomerulären Zellen* reziproke dendrodendritische Synapsen aus. Die auf diese Zellen gerichteten Kontakte wirken erregend, die entgegengesetzt auf die Mitralzellen gerichteten hemmend. Die Axone der periglomerulären Zellen enden an Mitralzelldendriten benachbarter Glomeruli. Durch diese Anordnug ist eine Modulation der lokalen dendritischen Antwort möglich: es wird eine *Selbst-* bzw. *Umfeldhemmung* vermittelt. Über die ebenfalls reziproken dendrodendritischen Synapsen der *Körnerzellen* an den sekundären Dendriten der Mitralzellen wird die Impulsbildung der Mitralzellen kontrolliert. Wieder wirken die auf die Mitralzellen gerichteten Synapsen hemmend. Die reziproken Kontakte sind somit wie bei den periglomerulären Zellen Kanäle einer Selbsthemmung. Außerdem sind die Körnerzellen mit Mitralzellcol-

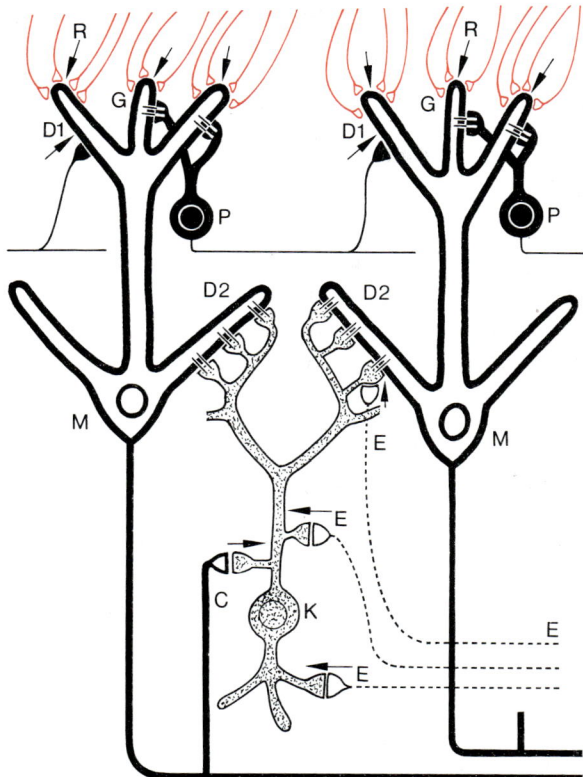

Abb. 9. Übersicht über die neuronalen Verbindungen im Bulbus olfactorius. In den Glomeruli (G) enden die Riechzellaxonen (R) an den primären Dendriten (D 1) der Mitralzellen (M). Periglomeruläre Zellen (P) und Körnerzellen (K) bilden reziproke Synapsen an den primären bzw. sekundären (D 2) Dendriten der Mitralzellen. C Collaterale; E efferente Fasern. Die Richtung der synaptischen Übertragung ist durch Pfeile bzw. bei reziproken Synapsen durch parallele Striche angegeben. (Kombiniert und modifiziert nach SHEPHERD, aus [12])

lateralen sowie mit *efferenten* (*bulbopetalen*) *Axonen* verschiedener Herkunft verbunden. Ein Teil der zentrifugalen Fasern kommt über die Commissura anterior vom Bulbus der kontralateralen Seite.

Das Besondere der Hemmung durch die axonlosen Körnerzellen liegt darin, daß diese Zellen im Gegensatz zur typischen Renshaw-Hemmung partiell, d.h. räumlich graduiert aktiviert werden können. Das Muster der höchst komplexen Wechselwirkungen kann durchaus mit den Vorgängen in der Retina verglichen werden; allerdings werden die Abläufe dort über eine andersartige celluläre Gliederung erreicht [12].

Zentrale Verbindungen. Die Axonen der *Mitralzellen* bilden den *Tractus olfactorius lateralis,* der u.a. zur *Area praepiriformis* und zum *Lobus piriformis* zieht. Über Umschaltung auf ein weiteres Neuron werden auch Verbindungen mit der *Hippocampusformation* und über den Mandelkernkomplex mit den vegetativen Kernen des *Hypothalamus* hergestellt. Auf Geruchsreize ansprechende Neuronen

sind auch in der *Formatio reticularis mesencephali* nachgewiesen worden.

Olfaktorisch beeinflußte Funktionskreise. Die unmittelbare Verbindung mit dem limbischen System erklärt die starke **emotionale Komponente** der Geruchswahrnehmungen. Durch Geruchsempfindungen werden leicht Lust- und Unlustgefühle (hedonische Komponente der Empfindung) geweckt, die Affektlage des Organismus wird entsprechend verschoben. Ferner darf die Bedeutung von Geruchsreizen für die *Steuerung des Fortpflanzungsgeschehens* nicht unterschätzt werden, wenn auch die Ergebnisse von Tierversuchen, insbesondere Ausschaltungsexperimenten an Nagetieren, nicht direkt auf den Menschen übertragen werden dürfen. Im Tierversuch wurde auch nachgewiesen, daß die Antworten von Neuronen aus der Riechbahn in Abhängigkeit von Testosterongaben variieren. Der Erregungsfluß steht demnach auch unter dem Einfluß der Sexualhormone.

4. Literatur

1. BARGMANN, W., SCHADÉ, J.P. (Hrsg.): The Rhinencephalon and Related Structures. Progress in Brain Res., Vol. 3. Amsterdam: Elsevier 1963.
2. BEIDLER, L.M. (Hrsg.): Chemical Senses. Part 1: Olfaction, Part 2: Taste. Handbook of Sensory Physiology, Vol. IV. Berlin-Heidelberg-New York: Springer 1971.
3. EISENBERG, J.F., KLEIMAN, D.G.: Olfactory Communication in Mammals. Ann. Rev. Ecol. Syst. **3**, 1 (1972).
4. HAYASHI, T. (Hrsg.): Olfaction and Taste, Vol. II. Oxford-London-New York-Paris: Pergamon Press 1967.
5. JAENICKE, L. (Hrsg.): Biochemistry of Sensory Functions. 25. Mosbacher Koll. Ges. Biol. Chemie. Berlin-Heidelberg-New York: Springer 1974.
6. KÖSTER, E.: Adaptation and Cross-Adaptation in Olfaction. Rotterdam: Bronder 1971.
7. MOULTON, D.G., BEIDLER, L.M.: Structure and Function in the Peripheral Olfactory System. Physiol. Rev. **47**, 1–52 (1967).
8. OHLOFF, G., THOMAS, A.F. (Hrsg.): Gustation and Olfaction. London-New York: Academic Press 1971.
9. OTTOSON, D., SHEPHERD, G.M.: Experiments and Concepts in Olfactory Physiology. In: ZOTTERMAN, Y. (Hrsg.): Sensory Mechanisms. Progress in Brain Res., Vol. **23**, Amsterdam: Elsevier 1967.
10. PFAFFMANN, C. (Hrsg.): Olfaction and Taste, Vol. III. New York: Rockefeller University Press 1969.
11. SCHNEIDER, D. (Hrsg.): Olfaction and Taste, Vol. IV. Stuttgart: Wiss. Verlagsges. 1972.
12. SHEPHERD, G.M.: Synaptic organization of the mammalian olfactory bulb. Physiol. Rev. **52**, 864 (1972)
13. WOLSTENHOLME, G.E.W., KNIGHT, J. (Hrsg.): Taste and Smell in Vertebrates. London: Churchill 1970.
14. ZOTTERMAN, Y. (Hrsg.): Olfaction and Taste, Vol. I. Oxford-London-New York-Paris: Pergamon Press 1963.

Bibliographie neu erscheinender Arbeiten
    Chemoreception Titles (London) **1** (1973) ff.

XV. Durst und Hunger: Allgemeinempfindungen (R. F. Schmidt)

Die Durstempfindungen bei Flüssigkeitsmangel und die Hungerempfindungen bei Nahrungsmangel können weder einem bestimmten Sinnesorgan noch einer bestimmten Körperstruktur zugeordnet werden. Sie werden deshalb als **Allgemeinempfindungen** (Synonyme: *Allgemeingefühle, Gemeingefühle*) bezeichnet. Als solche lassen sich beispielsweise auch Müdigkeit, Lufthunger (Atemnot) und sexuelle Appetenz auffassen. Sinnesphysiologisch ist ihnen gemeinsam, daß sie einen oder mehrere *adäquate Reize besitzen, die ihren Ursprung im Organismus selbst,* nicht in der Umwelt haben. Diese Reize werden von zum Teil noch unbekannten Receptoren registriert und führen damit zu den jeweiligen Allgemeinempfindungen (Abb. 1 (A), Pfeile 1 bis 3). So wird unten gezeigt, daß eine intracelluläre osmotische Hypertonizität erfaßt und dadurch Durst (Synonyme: Durstempfindung, Durstgefühl) ausgelöst wird (Abb. 1 (B), Pfeile 1 bis 3).

Die adäquaten Reize der Allgemeinempfindungen lösen aber nicht nur diese aus, sondern induzieren auch **Triebe** oder **Antriebe,** die darauf gerichtet sind, den festgestellten Mangel zu beheben. Teils wird das Triebgeschehen über die Empfindungen gesteuert (Pfeile 3 und 5 in Abb. 1 (A)), teils ist es unabhängig davon (Pfeil 4 in Abb. 1 (A)). Wassermangel führt also nicht nur zur Durstempfindung, sondern auch zur Wassersuche und durch Trinken zur Behebung des Wassermangels (Pfeile 6 und 7 in Abb. 1 (B)). Allgemein gesagt: die *Triebbefriedigung beseitigt die Ursache der Allgemeinempfindung* (Pfeile 6 und 7 in Abb. 1 (A)).

Biologisch gesehen dienen die mit den Allgemeingefühlen verbundenen Triebe der **Sicherung des Überlebens** des Individuums oder der Art. Sie müssen daher in der Regel auch gestillt werden. Sie sind angeboren und brauchen nicht erlernt zu werden. Sie werden aber im Laufe des Lebens durch zahlreiche Einflüsse modifiziert, deren Bedeutung mit der phylogenetischen Entwicklung rasch zunimmt. Diese Einflüsse greifen an zahlreichen Stellen des Trieb- und Empfindungsgeschehens an (Pfeile 8 bis 10 in Abb. 1 (A, B)). Im folgenden werden weder die Triebe noch ihre Modifikation geschildert; es

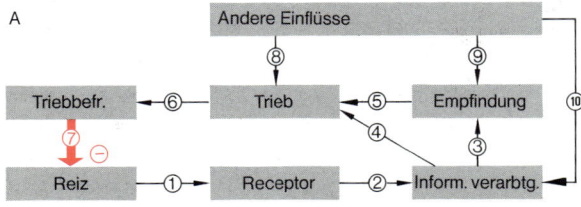

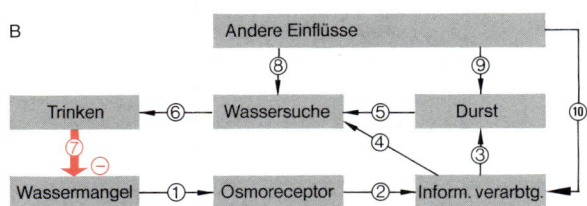

Abb. 1A. u. B. Schematische Darstellung des Zusammenhangs zwischen Allgemeingefühlen und Trieben. (A) Allgemeine Darstellung der Entstehung von Allgemeingefühlen und Trieben. (B) Entstehung des Durstgefühls und des Wassersuchtriebes bei Wassermangel. Neben den Osmoreceptoren sind auch andere Receptoren für die Entstehung des Durstgefühls verantwortlich (s. Abb. 2)

wird lediglich auf die sinnesphysiologischen Aspekte des Durstes und des Hungers eingegangen, deren Darstellung beispielhaft für die Allgemeinempfindungen sein soll.

1. Durst

1.1. Entstehung des Durstes

Bedingungen für das Auftreten einer Durstempfindung. Der erwachsene menschliche Körper besteht zu etwa 70–75% seines Gewichtes aus Wasser (Fettdepots unberücksichtigt). Dieser Wassergehalt wird mit großer Genauigkeit konstant gehalten: Er schwankt normalerweise nur um $\pm 0{,}22\%$ des Körpergewichts, bei einem Mann von 70 kg also nur um rund ± 150 ml. Verliert der Körper mehr als 0,5% seines Gewichtes an Wasser, entsteht Durst [4, 5, 10].

Die physiologischen Wasserverluste des Körpers (Harn, Schweiß, Atemluftfeuchtigkeit) führen insgesamt zu *Wasserverlusten im Extra- wie im Intracellulärraum,* wobei es zusätzlich zu einer, wenn auch normalerweise nur geringen osmotischen *Hypertonizität* kommt. Ferner *vermindert sich die Speichelsekretion,* wodurch das für den Durst so *charakteristische Trockenheitsgefühl* des Mund-Rachen-Raumes entsteht. Entsprechende Receptoren vorausgesetzt, könnte also Wassermangel des Körpers gemessen werden a) am Volumen oder osmotischen Druck der *Zellen,* b) am Volumen oder osmotischen Druck des *Extracellulärraumes* und c) indirekt über die Reduktion der *Speichelsekretion* und die daraus resultierende Trockenheit der Mund- und Rachenschleimhaut. Versuche zur Entscheidung zwischen diesen Alternativen werden weitgehend an Tieren durchgeführt, wobei die von den Tieren getrunkene Wassermenge als Indiz für das Ausmaß des experimentell erzeugten Durstes gilt.

Adäquate Reize der Durstempfindung. Intravenöse Infusion einer hypertonen NaCl-Lösung führt beim Hund zu einer doppelt so großen Wasseraufnahme wie die i.v. Infusion einer osmotisch äquivalenten Harnstofflösung. Im ersten Fall kommt es wegen der Impermeabilität der Zellmembranen für Na^+-Ionen zu einem Wasseraustritt aus den Zellen. Dagegen sind die Zellmembranen für Harnstoff gut permeabel. Im zweiten Fall kommt es daher zu einem Ausgleich der Harnstoffkonzentration von Intra- und Extracellulärraum und damit zu deutlich geringeren Änderungen von Zellvolumen und -tonizität. Dieser Befund, der sich bei zahlreichen Modifikationen und an den verschiedensten Säugetieren insgesamt immer wieder bestätigt hat, läßt den Schluß zu, daß **Abnahme des Zellvolumens** (bei konstanter *Salzmenge* der Zellen) Durst auslöst [4].

Wird experimentell die Na^+-Menge des Extracellulärraumes verringert (z.B. durch entsprechende Diät oder durch Peritonealdialyse), so verliert der Extracellulärraum Wasser, teils durch Abgabe nach außen, teils durch Diffusion von Wasser in die Zellen. Trotz dieser Zunahme des Zellvolumens kommt es unter diesen Bedingungen zu Durst. (Daneben tritt auch Kochsalz-Hunger auf.) Wird experimentell die Extracellulärflüssigkeit insgesamt, ohne Änderung der NaCl-Konzentration verändert, tritt ebenfalls Durst auf. Wir können also folgern, daß auch die **Abnahme der Extracellulärflüssigkeit** Durst ausgelöst. Experimente haben gezeigt, daß *gleichzeitige Abnahmen des Zellvolumens und der Extracellulärflüssigkeit* **additiv** wirken, also besonders **starken Durst** auslösen [4].

Die bei praktisch allen Durstformen auftretende **Trockenheit des Mundes** ist, wie bereits erwähnt, durch die *Abnahme der Speichelsekretion* bedingt. Sie reflektiert den Wassermangel und scheint entgegen früheren Annahmen nur ein **Begleitsymptom** des generellen Durstgefühls zu sein, wie folgende Befunde zeigen: Befeuchten des Mund-Rachen-Raumes stillt Durst nicht, wenn es ihn auch lindern kann. Auch durch Lokalanaesthesie der Mundschleimhaut oder durch eine komplette Denervierung des Mund-Rachen-Raumes kann Durst weder verhindert noch gestillt werden. Schließlich beeinflußt angeborenes Fehlen der Speicheldrüsen (Mensch) oder deren operative Entfernung (Tier) die normale Wasseraufnahme nicht wesentlich.

1.2. Receptoren und zentrale Mechanismen

Intracelluläre Receptoren. Die neuralen Strukturen, die in erster Linie mit der Regelung des Salz-Wasser-Haushaltes befaßt sind, finden sich im Zwischenhirn, besonders im **Hypothalamus** und in seiner **Umgebung.** Vor allem in Arealen *vor* dem Hypothalamus konnten zahlreiche **Osmoreceptoren** nachgewiesen werden, die auf Erhöhung der *intracellulären* Salzkonzentration bei Wasserverlust der Zelle ansprechen. Die Injektion kleinster Mengen (weniger als 0,2 ml) hypertoner Kochsalzlösung in bestimmten Stellen dieser Region führte beispielsweise bei der Ziege nach 30–60 s zum Trinken für 2–5 min, wobei 2–8 l Wasser aufgenommen wurden. Elektrische Reizung der gleichen neuralen Strukturen löst ebenfalls starkes Trinken aus. Bei Ausschaltungen hypothalamischer Strukturen durch Durchschneidung oder Coagulation fanden sich bei zahlreichen Versuchen Konstellationen, bei denen das Trinken, auch bei Wassermangel im Organismus, reduziert oder aufgehoben war. Insgesamt können wir daraus folgern, daß **Osmoreceptoren des Zwischenhirns,** vor allem in den vor dem Hypothalamus gelegenen Arealen, als *Meßfühler* des durch **cellulären Wassermangel** induzierten Durstes dienen (Pfeile 1 und 2 in Abb. 2). Neuronale Strukturen des Hypothalamus sind an der *Verarbeitung* der von den Osmoreceptoren kommenden Information anscheinend entscheidend beteiligt [2, 5].

Extracelluläre Receptoren. In bezug auf die Fühler für den durch *Wassermangel im Extracellulärraum ausgelösten Durst* gibt es nur Vermutungen und indirekte Hinweise. Am wahrscheinlichsten ist derzeit, daß die **Dehnungsreceptoren** in den Wänden der herznahen großen Venen, neben ihren Aufgaben im Kreislaufgeschehen, auch bei der Regulierung des Wasserhaushaltes und beim Entstehen des Durstgefühls beteiligt sind (Pfeile 3 und 4 in Abb. 2). Der Hypothalamus ist auch für die von ihnen über Vagusafferenzen nach zentral gesandte

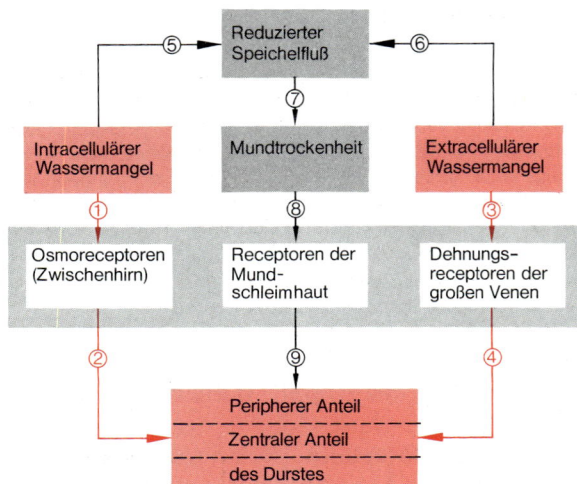

Abb. 2. Entstehung des Durstgefühls. Die an der Entstehung des Durstgefühls beteiligten Receptoren sind durch graue Unterlegung zusammengefaßt. Darüber (Pfeile 1, 8 und 3) sind die ihnen adäquaten Reize angeordnet. Die Mundtrockenheit ist eine indirekte Folge des intra- und extracellulären Wassermangels (Pfeil 5 bis 7)

Information eine wichtige Verarbeitungsstelle. Außerdem gibt es Hinweise, daß neben der neuronalen Komponente auch **hormonale Faktoren,** vor allem das **Renin/Angiotensin-System** bei der Auslösung des Durstes beteiligt sind. Im Augenblick läßt sich über die Stellung und Bedeutung dieser Faktoren im Durstgeschehen noch nichts Näheres sagen.

Mund- und Rachenreceptoren. Die durch *reduzierten Speichelfluß verursachte Trockenheit des Mundes wird uns über Receptoren der Mund- und Rachenschleimhaut* vermittelt (Pfeile 5 bis 7 in Abb. 2). In welchem Umfang die einzelnen aus Tierversuchen bekannten Receptortypen (Mechano-, Kälte-, Wärme-, Wasser-Receptoren) am Zustandekommen dieses *peripheren Anteils* des Durstes beteiligt sind, ist nicht bekannt. Werden diese Receptoren gereizt, ohne daß ein Wassermangel des Organismus vorliegt, z.B. durch Sprechen, Rauchen, Mundatmung, sehr trockene Kost, so wird bei diesem **falschen Durst** durch Befeuchten der Mundschleimhaut das Durstgefühl beseitigt, während, wie oben schon erwähnt, dies bei echtem Durst höchstens das Durstgefühl lindert, es aber nicht stillt.

Zentrale Integration. Durst ist also eine Allgemeinempfindung, die durch die **Mitwirkung zahlreicher Receptortypen** entsteht, die teils in der Peripherie, teils im Zentralnervensystem selbst lokalisiert sind. Das **Zwischenhirn,** insbesondere der Hypothalamus, scheint bei der Integration dieser vielfachen

afferenten Zuflüsse eine dominierende Rolle zu spielen. Wieweit die im Tierversuch gewonnenen Experimente auf den Menschen übertragen werden können, ist im einzelnen nicht bekannt, auch nicht, welche zentralen Strukturen am Zustandekommen des Durstes beteiligt sind. Es darf aber angenommen werden, daß die in Abb. 2 gezeigten Zusammenhänge auch beim Menschen im wesentlichen zutreffen. Die **Durstempfindung adaptiert nicht.** Dies konnte auch im Tierversuch bestätigt werden: Die nach i.v. Injektion von hypertoner Kochsalzlösung aufgenommene Wassermenge war unabhängig von der Geschwindigkeit der Infusion. Mit anderen Worten, der durch die Kochsalzinfusion ausgelöste Durst war bei sehr langsamem Anstieg der NaCl-Konzentration genauso groß wie bei sehr schnellem. Da der Durst nicht adaptiert, ist eine Durststillung daher in aller Regel nur durch Wasseraufnahme möglich (Abb. 1 (B)).

1.3. Durststillung

Präresorptive und resorptive Durststillung. Vom Beginn des Trinkens bis zur Beseitigung eines Wassermangels vergeht geraume Zeit, da das Wasser zunächst resorbiert werden muß. Es ist aber eine alltägliche und im Tierexperiment vielfach bestätigte Beobachtung, daß die Durstempfindung erlischt, d.h. das Trinken aufhört, lange bevor der intra- und extracelluläre Wassermangel beseitigt ist. Der **resorptiven** Durststillung geht also eine **präresorptive** voraus, die eine übermäßige Aufnahme von Wasser verhindert und die Zeit bis zur resorptiven Durststillung überbrückt (Abb. 3). In Tierversuchen hat sich gezeigt, daß diese *präresorptive Durststillung* mit *großer Präzision* arbeitet: Die getrunkene Wassermenge entspricht in engsten Grenzen der benötigten [3, 4].

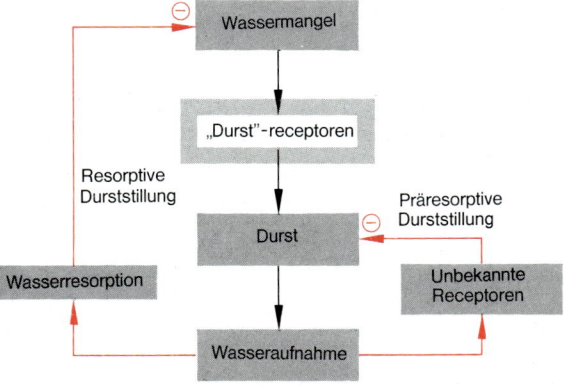

Abb. 3. Schema der präresorptiven und resorptiven Durststillung durch Wasseraufnahme. Die in Abb. 2 eingetragenen Receptoren sind hier als „Durst"-Receptoren zusammengefaßt

Die **Receptoren und Mechanismen der präresorptiven Durststillung** sind nicht bekannt. Ein Hund mit einer Oesophagusfistel trinkt etwa doppelt so viel Wasser wie ein normaler Hund mit dem gleichen Wasserdefizit. Danach unterbricht er das Trinken für 20–60 min. Also bewirkt das Trinken selbst, beziehungsweise die mit ihm verbundenen motorischen und sensiblen Vorgänge eine gewisse, vorübergehende Durststillung. Auch Dehnung des Magens durch die aufgenommene Flüssigkeit scheint wichtig: Bei Ratten und anderen Tieren reduziert direkt in den Magen eingefülltes Wasser das Trinken genau um die eingefüllte Menge. Die meisten Fragen sind aber noch offen [4].

Durstschwelle. Ist der Durst *endgültig* gestillt (*resorptive Durststillung*), das relative (bei Aufnahme von zuviel Kochsalz) oder absolute Wasserdefizit also beseitigt, so vergeht trotz der stetigen, wenn auch langsamen physiologischen Wasserverluste eine gewisse Zeit, bis erneut Durst auftritt. Es gibt also eine *Schwelle* für den Durst. Sie liegt, wie eingangs gesagt, beim Menschen bei einem Wasserverlust von 0,5% des Körpergewichtes. Durch diese **Durstschwelle** wird verhindert, daß geringgradige Wasserverluste schon zum Auftreten von Durst führen. Physiologischerweise schwankt der Wassergehalt des menschlichen Körpers also zumindest zwischen einem *Maximum nach resorptiver Durststillung* und einem *Minimum,* das im Idealfall gerade *etwas unterhalb der Durstschwelle* liegt. Die normalen Schwankungen des Wassergehaltes des menschlichen Körpers sind jedoch oft größer, weil wir einerseits oft mehr Flüssigkeit als nötig aufnehmen und andererseits den Durst nicht immer unmittelbar bei seinem Auftreten löschen können.

Primäres und sekundäres Trinken. Trinken als Folge eines absoluten oder relativen Wassermangels in einem der Flüssigkeitsräume des Körpers bezeichnen wir als **primäres Trinken,** alles Trinken ohne offensichtliche Notwendigkeit der Wasserzufuhr als **sekundäres Trinken.** Letzteres ist normalerweise die übliche Form der Flüssigkeitszufuhr! Im allgemeinen nehmen wir (das gilt auch für andere Säuger) meist schon im voraus das physiologischerweise benötigte Wasser auf. Zum Beispiel wird *mit und nach dem Essen* Flüssigkeit aufgenommen, wobei wir anscheinend gelernt haben, die *Flüssigkeitsmenge* an die Art der Speise *anzupassen,* bei salzhaltiger Kost also mehr zu trinken, selbst wenn noch kein Durstgefühl aufgetreten ist. Auch *Gewohnheiten* scheinen eine Rolle zu spielen, doch sind wir über die Mechanismen der Vorausschätzung unseres Wasserbedarfs noch sehr unvollkommen informiert. Jedenfalls ist *primäres Trinken* im Grunde eine *Notfallreaktion,* die bei regelmäßiger Lebensweise nur selten auftritt.

1.4. Klinischer Durst

Vermehrter Durst im Verlaufe von Erkrankungen kann einmal die Folge eines abnorm hohen Wasserverlustes sein bei ansonsten normal funktionierenden Durstmechanismen, zum anderen kann er Störungen der Durstmechanismen oder allgemein, der Regelung des Salz/Wasserhaushaltes anzeigen. Eklatante Beispiele für den ersten Fall sind die *Wasserverluste* bei anhaltendem Erbrechen oder bei schweren Durchfällen, wie z.B. bei der Cholera (der englische Arzt THOMAS LATTA stillte 1832 erstmals den Durst der Cholerakranken durch intravenöse Flüssigkeitszufuhr und konnte dabei schlagartige Besserung der Symptome beobachten). Das Paradebeispiel des zweiten Falles ist der Diabetes insipidus, bei dem der Körper täglich viele Liter hypotonen Urin ausscheidet. Ohne Therapie leiden diese Patienten unter unersättlichem Durst, und ihr ganzer Tagesablauf ist durch die ständige Notwendigkeit zu trinken bestimmt. — Für nähere Einzelheiten über die zahlreichen Aspekte des klinischen Durstes wird auf die pathophysiologischen und klinischen Lehrbücher verwiesen.

2. Hunger

2.1. Entstehen der Hungerempfindung

Kurzzeit- und Langzeit-Regulierung der Nahrungsaufnahme. Mensch und Tier passen ihre Nahrungsaufnahme normalerweise rasch den wechselnden Bedürfnissen des Alltags (Art und Umfang der Arbeit, Klima) und dem Nährwert (Energiegehalt) der Nahrung an. Diese **Kurzzeit-Regulierung** der Nahrungsaufnahme wird ergänzt und überlagert durch eine **Langzeit-Regulierung,** die Diätfehler ausgleicht und für die Wiederherstellung des normalen Körpergewichtes sorgt. Wenn beispielsweise Tiere durch *Zwangsfütterung* übergewichtig werden, fressen sie anschließend unter Normalbedingungen deutlich weniger als Tiere der Kontrollgruppe. Die Nahrungsaufnahme nimmt langsam wieder zu, sobald die Tiere sich wieder ihrem ursprünglichen Kontrollgewicht nähern. Umgekehrt wird *nach einer Fastenzeit* das ursprüngliche Kontrollgewicht durch vorübergehend vermehrte Nahrungsaufnahme wieder eingestellt [1, 3, 5].

Auslösung des Hungers. Nach subjektiver Erfahrung ist **Hunger** eine in der Magengegend lokalisierte oder dorthin projizierte **Allgemeinempfindung,** die bei leerem Magen auftritt und nach Füllen des Magens mit Nahrung wieder verschwindet, bzw. dem **Gefühl der Sattheit** Platz macht. Entsprechend ist von einigen Seiten schon früh postuliert worden, daß der Hunger durch **Leerkontraktionen** des Magens ausgelöst wird. Gestützt wird diese Ansicht durch Befunde, die zeigen, daß der Magen neben den üblichen Kontraktionen, die dem Transport und der Verarbeitung des Speisebreies dienen, im

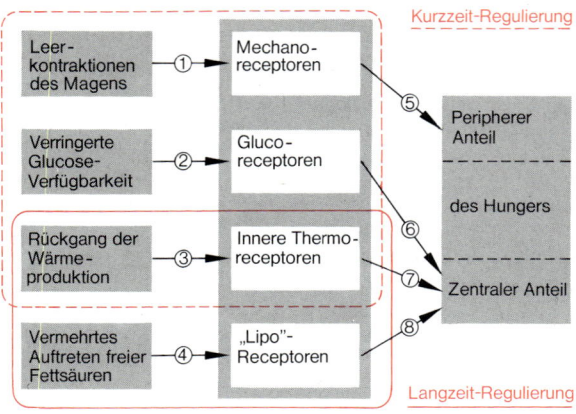

Abb. 4. Entstehung des Hungergefühls. Die an der Entstehung des Hungergefühls beteiligten Receptoren sind durch graue Unterlegung zusammengefaßt. Daneben (Pfeile 1 bis 4) sind die ihnen adäquaten Reize angeordnet. Die an der Kurzzeit- bzw. Langzeit-Regulierung der Nahrungsaufnahme beteiligten Faktoren und Receptoren sind durch rot gestrichelte bzw. durchgehend rote Einrahmung zusammengefaßt

leeren Zustand besonders kräftige Kontraktionen ausführt, die gut mit dem Auftreten von Hunger korreliert sind. Die Leerkontraktionen werden möglicherweise über **Mechanoreceptoren der Magenwand** registriert (Pfeile 1 und 5 in Abb. 4). Der von den Leerkontraktionen ausgehende Einfluß auf den Hunger darf jedoch nicht überschätzt werden: Im Tierversuch lassen *Denervation des Magens* oder seine völlige *operative Entfernung* das Freßverhalten im wesentlichen unbeeinflußt. Die Leerkontraktionen des Magens sind also ein, allerdings entbehrlicher Faktor des Hungergefühls [2].

Glucostatische Hypothese. Eine entscheidende Rolle bei der Auslösung des Hungers scheint die im Blut gelöste Glucose zu spielen. (Bezüglich der hormonellen Steuerung des Glucosespiegels und der Verfügbarkeit von Glucose für die Zelle s. XXX-5.2.) Es könnte nämlich experimentell gezeigt werden, daß **abnehmende Verfügbarkeit von Glucose** (nicht die Höhe des Blutzuckerspiegels selbst) sehr gut korreliert ist mit Hungergefühlen und Leerkontraktionen des Magens. Dieser Faktor scheint ein entscheidender Parameter für die Entstehung des Hungers zu sein. Weiter gestützt wird die **glucostatische Hypothese** der Hungerentstehung durch verschiedene experimentelle Befunde, die in Zwischenhirn, Leber, Magen und Dünndarm die Existenz von **Glucoreceptoren** wahrscheinlich machen, die eine verringerte Verfügbarkeit von Glucose registrieren und damit Hunger auslösen (Pfeile 2 und 6 in Abb. 4). So zerstört bei Mäusen die Injektion des Zellgifts *Goldthioglucose* zahlreiche Zellen im Zwischenhirn, die anscheinend Glucose besonders stark aufnehmen, und diese Zerstörungen lösen schwere Störungen der Nahrungsaufnahme aus [2, 7, 9].

Thermostatische Hypothese. Weniger gut gestützt als die glucostatische ist die **thermostatische Hypothese** der Hungerauslösung. Sie geht von der Beobachtung aus, daß die Nahrungsaufnahme von Warmblütern umgekehrt proportional der Umgebungstemperatur ist. Die inneren Thermoreceptoren des Körpers könnten dabei als Fühler für eine Integration der Gesamtenergiebilanz dienen. *Rückgang der Gesamtwärmeproduktion* würde also über die **inneren Thermoreceptoren** Hunger auslösen (Pfeile 3 und 7 in Abb. 4). Experimentell läßt sich zeigen, daß durch lokales Kühlen und Erwärmen im Zwischenhirn, dem Sitz innerer Thermoreceptoren, Änderungen im Freßverhalten entsprechend dieser Hypothese erzeugt werden können, doch sind andere, mehr unspezifische Deutungsmöglichkeiten nicht ausgeschlossen [2, 5].

Lipostatische Hypothese. Überschüssige Nahrungsaufnahme führt zur Anlage von Fettdepots im Organismus. Nahrungsmangel zu deren Auflösung. Entsprechende **Liporeceptoren** vorausgesetzt, könnten solche Abweichungen vom Sollgewicht des Körpers an Hand der jeweils auftretenden Zwischenprodukte des Fettstoffwechsels registriert und als Hunger- bzw. Sättigungssignale verwertet werden (Pfeile 4 und 8 in Abb. 4). Es gibt einige gute experimentelle Hinweise für diese **lipostatische Hypothese**, vor allem die bereits oben erwähnte Beobachtung, daß zwangsgemästete Tiere anschließend bis zum Abbau der Fettdepots weniger Nahrung als unter Kontrollbedingungen aufnehmen [6, 9].

Hungerauslösung und Kurzzeit-Langzeit-Regulierung. Der lipostatische Hungermechanismus dient, wie das eben erwähnte Experiment zeigt, vor allem der *Langzeit-Regulierung* der Nahrungsaufnahme, während die Leerkontraktionen des Magens und der glucostatische Mechanismus vor allem der *Kurzzeit-Regulierung* dienen. Der thermostatische Mechanismus ist möglicherweise bei beiden beteiligt (s. entsprechende rote Umrandungen in Abb. 4). Insgesamt sorgt die Vielfalt der für den Hunger verantwortlichen physiologischen Mechanismen dafür, daß selbst unter den komplexesten Lebensbedingungen Hungergefühl und Nahrungstrieb eine angemessene Nahrungsaufnahme sicherstellen.

2.2. Sättigung

Präresorptive und resorptive Sättigung. Ähnlich wie bei der Durststillung wird die Nahrungsaufnahme bei Mensch und Tier in der Regel beendet, lange bevor durch Resorption der Nährstoffe aus dem Verdauungstrakt das Energiedefizit abgedeckt wird, das ursprünglich zum Hunger und damit zur Nahrungsaufnahme führte. Wir bezeichnen die Vorgänge, die den Organismus zum Beenden der Mahlzeit anhalten, insgesamt als **Sättigung.** Das **Gefühl der Sattheit** ist, wie jeder aus Erfahrung weiß, nicht nur ein Verschwinden des Hungergefühls, sondern hat durchaus eigene, teilweise lustbetonte Aspekte ("wohlig satt sein"), zu denen bei übermäßiger Nahrungsaufnahme deutliche Gefühle der **Völle** treten. Das *Gefühl der Sattheit* läßt bei zunehmendem zeitlichen Abstand von der letzten Mahlzeit langsam nach und macht, nach einer mehr oder minder langen neutralen Periode, erneutem Hunger Platz. Wir können demnach davon ausgehen, daß die Sättigung zunächst **präresorptiv** ist, d.h. durch Vorgänge erfolgt, die mit der Nahrungsaufnahme selbst in Verbindung stehen, während anschließend die **resorptive** Sättigung dafür sorgt, daß kein erneuter Hunger auftritt.

Faktoren der präresorptiven Sättigung. Tiere mit einer Fistel der Speiseröhre fressen wesentlich länger als vor der Operation und wiederholen ihre Mahlzeit in kurzen Abständen. Die mit dem Fressen verbundene *Reizung der Geruchs-, Geschmacks- und Mechanoreceptoren* des Nasen-Mund-Rachen-Raumes und der Speiseröhre sowie möglicherweise der *Kauakt* selbst (Pfeile 2 und 1 in Abb. 5) tragen also anscheinend zur präresorptiven Sättigung bei, wenn auch nach den bisher vorliegenden Ergebnissen ihr Einfluß auf Einleitung und Aufrechterhaltung der Sättigung gering ist. Ein weiterer Faktor scheint die *Dehnung des Magens* und vielleicht auch der anschließenden Darmabschnitte durch die Nahrung zu sein (Pfeil 3 in Abb. 5): Wird im Tierversuch der Magen vor der Mahlzeit über eine Fistel oder Sonde gefüllt, so wird die Füllung im gewissen Umfang durch eine verminderte orale Nahrungsaufnahme kompensiert. Das *Ausmaß der Kompensation* hängt dabei nicht vom Nährwert der Nahrung, sondern vom Volumen und Zeitpunkt der Zufuhr ab. Im Extremfall läßt sich über Wochen eine orale Nahrungsaufnahme völlig hemmen, indem regelmäßig kurz vor den Mahlzeiten große Mengen hochcalorischer Nahrung in den Magen gegeben werden. Ergänzt werden die bisher genannten Faktoren durch die *Effekte von Chemoreceptoren* des Magens und der oberen Dünndarmabschnitte (Pfeil 4 in Abb. 5), die anscheinend auf den Glucose- und Aminosäuregehalt der Nahrung empfindlich sind. So steigt beispielsweise schon während der Nahrungsaufnahme der Glucosespiegel des Blutes in Abhängigkeit vom Kohlenhydratgehalt der Nahrung. Dies könnte natürlich auch eine humoral ausgelöste Reaktion sein, doch sind elek-

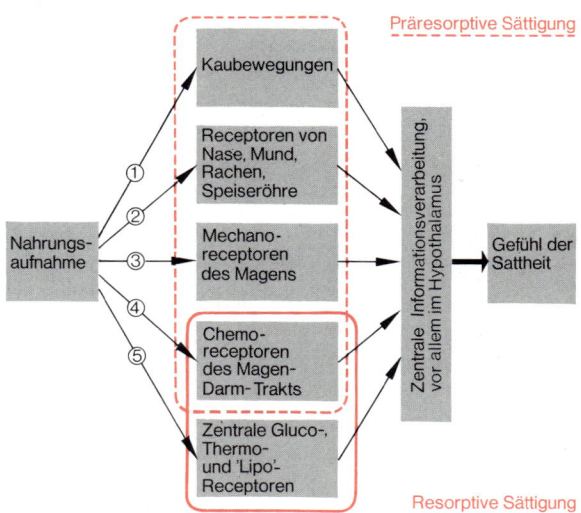

Kaubewegungen

Receptoren von Nase, Mund, Rachen, Speiseröhre

Mechanoreceptoren des Magens

Chemoreceptoren des Magen-Darm-Trakts

Zentrale Gluco-, Thermo- und 'Lipo'-Receptoren

Nahrungsaufnahme

Zentrale Informationsverarbeitung, vor allem im Hypothalamus

Gefühl der Sattheit

Resorptive Sättigung

Abb. 5. Entstehung des Gefühls der Sattheit bei Nahrungsaufnahme. Die an der präresorptiven bzw. resorptiven Sättigung beteiligten Faktoren und Receptoren sind durch rot gestrichelte bzw. durchgehend rote Einrahmung zusammengefaßt. Pfeil 5 entspricht den Pfeilen 2 bis 4 in Abb. 4, jedoch mit umgekehrtem Vorzeichen. Die Kaubewegungen (Pfeil 1) können entweder über eine direkte zentrale Efferenzkopie der Kaumotorik oder über die beim Kauen aktivierten Receptoren (z.B. Muskelspindeln, Sehnenorgane) oder über beides zur präresorptiven Sättigung beitragen

trophysiologisch *Gluco- und Aminosäure-Receptoren* der Darmwand nachgewiesen worden [2, 3, 5].

Faktoren der resorptiven Sättigung. Bei der resorptiven Sättigung sind möglicherweise die letztgenannten *Chemoreceptoren des Verdauungstraktes* (Pfeil 4 in Abb. 5) ebenfalls beteiligt, da sie den Organismus über die noch im Darm vorhandene Konzentration an verwertbaren Nahrungsstoffen informieren können. Dazu treten aber alle enteroreceptiven sensorischen Prozesse, die wir bei der Besprechung des Hungers kennengelernt haben. Die *vermehrte Verfügbarkeit von Glucose,* die *erhöhte Wärmeproduktion* durch die Aufbereitung der Nahrungsmittel und die *Änderungen im Fettstoffwechsel* haben auf die entsprechenden zentralen Receptoren (Pfeil 5 in Abb. 5) den umgekehrten Effekt wie die in Abb. 4 eingezeichneten Pfeile 2 bis 4. **Hunger** und **Sattheit** sind also in gewissem Umfang die beiden Seiten derselben Medaille: Das (Kurzzeit-)Hungergefühl regt die Nahrungsaufnahme an (go-Signal), das Gefühl der (präresorptiven) Sattheit beendet sie (stop-Signal). Das Ausmaß der Nahrungsaufnahme und die Länge der Pausen zwischen den Mahlzeiten sind dagegen durch diejenigen Vorgänge bestimmt, die wir *„Langzeit-Regulierung der Nahrungsaufnahme"* und *„resorptive Sättigung"* genannt haben und die sich, wie wir jetzt erkennen (vgl. Abb. 4 und 5), mehr oder weniger weitgehend überlappen.

2.3. Psychologische Faktoren des Hungers, Appetit

Neben den bisher besprochenen *physiologischen Faktoren* sind an der Regelung der Nahrungsaufnahme zahlreiche **psychologische Faktoren** beteiligt, auf die hier nur kurz hingewiesen werden soll. So wird Zeitpunkt und Umfang der Nahrungsaufnahme nicht nur vom Hunger bestimmt, sondern auch von vielen anderen Lebensumständen, wie der Gewöhnung an Mahl-„Zeiten", der Menge und der Schmackhaftigkeit der angebotenen Nahrungsmittel. Unser Verlangen nach bestimmten Speisen bezeichnen wir als **Appetit**. Er kann Teil des Hungergefühls sein oder auch unabhängig davon auftreten (z.B. beim Anblick oder der Vorstellung besonders leckerer Speisen). Der Appetit hat oft eine *somatische Grundlage,* wie z.B. das Verlangen nach salzigen Nahrungsmitteln bei Salzverlusten des Körpers, er ist aber häufig davon unabhängig und spiegelt dann die angeborene oder erworbene *individuelle Bevorzugung* bestimmter Speisen wider. Letztere hinwiederum, ebenso wie die oft sehr konsequente *Ablehnung* anderer Speisen, ist geformt von der Art der regional verfügbaren Nahrungsmittel und geprägt von den Normen des jeweiligen Kulturkreises, deren Ursprünge meist religiöser Natur sind, auch wenn sie anschließend rationalisiert wurden. So gesehen hängt die **„Schmackhaftigkeit"** einer Speise, die sich vordergründig zusammensetzt aus Geruch, Geschmack, Konsistenz, Temperatur, Zubereitung, Darbietungsform und anderen Faktoren, vor allem ab von unserer **affektiven Einstellung** zu der Speise. Beispiele lassen sich leicht auf regionaler, nationaler und übernationaler Ebene finden [3, 8].
Hingewiesen werden soll ferner auf den großen Stellenwert der Nahrungsaufnahme bei *Neurosen* und *Psychosen.* Übermäßiges Essen oder Nahrungsverweigerung wird häufig als Ersatzbefriedigung oder Protest bei Störungen in anderen Triebbereichen benutzt. Das bekannteste Beispiel ist die *Anorexia nervosa,* eine Form der Nahrungsverweigerung, die als psychische Entwicklungsstörung in der Pubertät von Mädchen manchmal zum Hungertode führt.

2.4. Zentrale Mechanismen des Hungers und der Sättigung

Der *Hypothalamus* ist anscheinend die wichtigste zentrale *Schalt- und Integrationsstruktur* für Hunger und Sattheit. Beidseitige umschriebene Zerstörungen in bestimmten ventromedialen Regionen des Hypothalamus lösen im Tierversuch extreme *Fettsucht* aus, die durch vermehrte Nahrungsaufnahme hervorgerufen wird, während durch Zerstörung weiter lateral gelegener Stellen Verweigerung der Nahrungsaufnahme bis zum Tode durch *Verhungern* hervorgerufen werden kann. Diese eindrucksvollen Befunde und vergleichbare Ergebnisse bei lokalen elektrischen Reizungen über in den Hypothalamus eingepflanzten Elektroden, sowie die bereits erwähnten Befunde mit Goldthioglucose, haben lange Zeit die Aufmerksamkeit der Forschung so stark auf den Hypothalamus konzentriert, daß über die *Bedeutung anderer Hirnstrukturen* für die Regelung der Nahrungsaufnahme noch sehr wenig bekannt ist. Sicher ist es eine zu starke Vereinfachung, aufgrund der oben geschilderten Versuche die gesamte zentrale Informationsverarbeitung in zwei hypothalamische „Zentren" zu lokalisieren, deren eines als **„Sättigungszentrum"** agiert und dessen Zerstörung zu einer Enthemmung des **„Hungerzentrums"** und damit zur Freßsucht führt, während umgekehrt bei Zerstörung des „Hungerzentrums" ein permanentes Gefühl der Sattheit auftritt, wodurch jede weitere Nahrungsaufnahme verweigert wird [2, 5, 9].

3. Literatur

1. ANAND, B.K.: Nervous regulation of food intake. Physiol. Rev. **41,** 677 (1961).
2. ANDERSSON, B.: Thirst—and brain control of water balance. Amer. Scientist **59,** 408 (1971). Receptors subserving hunger and thirst. In: Handbook of Sensory Physiology, Vol. III/1 (Hrsg. E. NEIL), S. 187. Berlin-Heidelberg-New York: Springer 1972.
3. CODE, C.F. (Hrsg.): Handbook of Physiology. Section 6: Alimentary Canal, Vol. I: Control of Food and Water Intake. Washington: American Physiology Society 1967.
4. FITZSIMONS, J.T.: Thirst. Physiol. Rev. **52,** 468 (1972).
5. GROSSMAN, S.P.: A Textbook of Physiological Psychology. New York, London, Sydney: John Wiley 1967.
6. KENNEDY, G.C.: Interactions between feeding behavior and hormones during growth. Ann. N.Y. Acad. Sci. **157,** 1049 (1969).
7. MAYER, J.: Regulation of energy intake and body weight: glucostatic theory and lipostatic hypothesis. Ann. N.Y. Acad. Sci. **63,** 15 (1955).
8. PILGRIM, F.J.: Human food attitudes and consumption. In: Handbook of Physiology. Section 6: Alimentary Canal, Vol. I: Control of Food and Water Intake (Hrsg. C.F. CODE), S. 139. Washington: American Physiological Society 1967.
9. RABIN, B.M.: Ventromedial hypothalamic control of food intake and satiety: a reappraisal. Brain Res. **43,** 317 (1972).
10. WOLF, A.V.: Thirst: Physiology of the urge to drink and problems of water lack. Springfield/Ill.: Ch.C. Thomas 1958.

XVI. Kybernetische Aspekte des Nervensystems und der Sinnesorgane
(M. Zimmermann)

Die *Kybernetik* befaßt sich mit den Prozessen der **Kommunikation** und der **Regelung** [1, 2, 12]. Ihre theoretischen Säulen sind Informationstheorie [9, 13] und Regelungstheorie [8]. Diese wurden ursprünglich für den Bereich der Technik formuliert, dringen jedoch immer stärker auch in die Biologie ein [1, 5, 10]. Ihre Anwendung auf lebende Systeme (*Biokybernetik*) führt zu einer besonders übersichtlichen, häufig auch quantitativen Beschreibung biologischer Funktionen, was vielfach ein vertieftes Verständnis von Zusammenhängen zur Folge hat. Bei zahlreichen Vorgängen der Kommunikation und Regelung in Lebewesen ist das *Nervensystem* beteiligt. Entsprechend wurde die Biokybernetik vorwiegend in der Neuro- und Sinnesphysiologie entwickelt [16, 31]. Die folgenden Abschnitte bringen an Beispielen aus diesen Bereichen eine Einführung in die Elemente der kybernetischen Betrachtungsweise.

1. Das sensorische System — nachrichtentechnisch gesehen

1.1. Das Konzept der Informationstheorie

Das grundlegende Konzept der Informationstheorie (Abb. 1) besteht aus der Funktionsfolge: Informationsquelle, Sender, Übertragungskanal, Empfänger, Verbraucher, sowie aus einer z.B. auf den Übertragungskanal einwirkenden Störquelle. Dieses einfache Konzept läßt sich auf alle Arten der Informationsübertragung anwenden, im technischen und biologischen Bereich.

Der Informationsbegriff. In der Informationstheorie ist mit dem Begriff **Information** (Synonym: *Nachricht*) nur der *meßbare,* mathematisch formulierbare Anteil einer Nachricht gemeint, oder, anders ausgedrückt, die meßbare *Beseitigung* von *Unsicherheit* über einen beliebigen Sachverhalt.
Ein Beispiel soll diesen Informationsbegriff veranschaulichen: Beim Würfelspiel wird jeweils eine von sechs möglichen Zahlen gewürfelt. Jede der sechs Zahlen besitzt vor einem Wurf die gleiche Wahrscheinlichkeit $p = 1/6$, gewürfelt zu werden; beim Spieler wird deshalb jedesmal die gleiche Unsicherheit beseitigt, jeder Wurf hat den gleichen meßbaren Informationsgehalt.

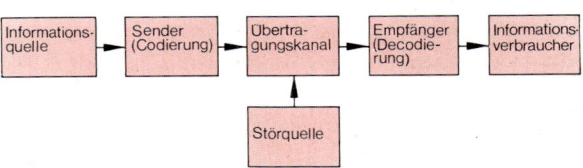

Abb. 1. Schema des Konzepts der Informationstheorie

Die Gleichwahrscheinlichkeit beim Würfeln ist ein Sonderfall; meistens haben Ereignisse x_i unterschiedliche *Wahrscheinlichkeiten* $p(x_i)$. Je seltener ein bestimmtes Ereignis x_i ist, d.h. je geringer $p(x_i)$ ist, desto mehr Unsicherheit wird beim Eintreten von x_i beseitigt, desto größer ist der *Informationsgehalt* des Ereignisses x_i. Es erscheint damit sinnvoll, den Informationsgehalt eines Ereignisses x aus dem Kehrwert seiner Wahrscheinlichkeit p(x), also aus $1/p(x)$ herzuleiten. Diese Überlegung führt zur Definition des Informationsmaßes (s. 1.3).

Semantische Information. Die *Bedeutung* oder der *Sinn* einer Nachricht für einen Verbraucher ist für den hier eingeführten Informationsbegriff unerheblich. Beim Würfelspiel z.B. ist die subjektive Bedeutung verschiedener gewürfelter Zahlen unterschiedlich, sie ist von einer Vielfalt von Faktoren abhängig (Art des Spieles, frühere Erfahrungen, Mitspieler). Diese in der Informationstheorie nicht berücksichtigten Aspekte werden mit dem Begriff der *semantischen Information* gekennzeichnet.

Zeichen, Codierung, gestörte Nachricht. Zur *Nachrichtenübertragung* benötigt man **Zeichen** (z.B. die Buchstaben des Alphabets, die Ziffern 0 bis 9), aus denen die Informationsquelle (Abb. 1) auswählt.

Meistens werden diese Zeichen im Sender in andere Zeichen *verschlüsselt,* die sich zur Übertragung eignen (z.B. frequenzmodulierte elektromagnetische Wellen beim UKW-Rundfunk). Eine solche Verschlüsselung oder *eindeutige Zuordnung* zweier Zeichenmengen wird allgemein **Codierung** genannt

(Beispiel: Zuordnung des Alphabets zu Morsezeichen). Im Empfänger wird die übertragene Information entschlüsselt (*decodiert*) und an den Verbraucher weitergegeben.

Ein wesentlicher Bestandteil des Konzeptes der Informationstheorie ist der Fall der **gestörten Nachrichtenübertragung.** Störungen können im Sender (bei der Codierung), im Übertragungskanal und im Empfänger (Decodierung) auftreten. Sie werden durch *Störquellen* symbolisiert, die in Abb. 1 zusammengefaßt sind zu einer einzigen, auf den Übertragungskanal einwirkenden Störquelle. Es ist eine der Aufgaben der Informationstheorie, *Codierungsverfahren* zu bestimmen, die *Nachrichten vor Verlust durch Störung schützen* (s. 1.6).

Wir wollen das bisher allgemein beschriebene Konzept der Abb. 1 auf die *Informationsübertragung im Nervensystem* anwenden. Als Beispiel eignet sich die Nervenfaser, bei der Information, in Nervenimpulse verschlüsselt, übertragen wird. Die Nervenfaser ist hier also der Übertragungskanal, der Sender ein Receptor, die Informationsquelle sind die Reize aus der Umwelt, der Empfänger eine Synapse auf ein zentrales Neuron, das als Verbraucher aufgefaßt werden kann.

1.2. Der ideale Receptor: Codierung und Informationsgehalt

Codierung im Receptor. Die physikalisch meßbaren Parameter von Reizen (z.B. Intensität von Druck auf die Haut, Ort eines Reizes auf der peripheren Sinnesoberfläche, Wellenlänge von Licht- und Schallreizen) sind Nachrichten. In Kap. II (Abb. 30) ist an einem Beispiel gezeigt worden, wie ein Reizparameter die Antwort eines Receptors bestimmt: Gleichsinnig mit der Reizintensität ändert sich die Entladungsrate in der afferenten Faser. In diesem Falle wird die Nachricht oder Information „*Reizstärke*" codiert in die Information „*mittlere Frequenz der Nervenimpulse*". Diese Codierungsart, die man mit der *Frequenzmodulation* der Nachrichtentechnik vergleichen kann, findet sich bei Receptoren verschiedener Modalitäten: Druckreceptoren der Haut, Muskelspindeln, Baroreceptoren der Arterien, Photoreceptoren der Retina, alle wandeln die Intensität ihres adäquaten Reizes in die mittlere Frequenz einer Impulsfolge um. Die *Nervenimpulsfrequenz* ist offensichtlich ein universeller *Informationsträger*. Da die afferenten Fasern bestimmter Receptoren jeweils mit bestimmten, zugehörigen Neuronen des ZNS in Verbindung stehen, wird die Nachricht der Impulsfolge jeweils sinnvoll ausgewertet, sie wird erkannt.

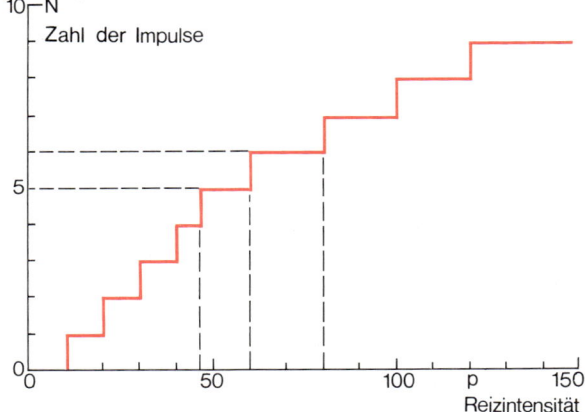

Abb. 2. Codierung der Reizstärke in Nervenimpulse. Bei einem Reiz bestimmter Dauer können im Receptor nur ganzzahlige Anzahlen N von Aktionspotentialen entstehen (Ordinate), die Codierungskennlinie bei Variation der Reizintensität (Abscisse) ist eine Stufenfunktion

Informationsgehalt der Receptorenentladung. Der Informationsgehalt einer Nachricht hängt mit der Zahl der nach der Codierung unterscheidbaren Zustände zusammen, wie nachfolgend am Beispiel der Codierung der Reizintensität im Receptor erläutert wird. Antwortet der Receptor bei Reizung z.B. nur entweder mit *keinem* oder mit *einem* Impuls, dann kann er über *zwei Stufen* der Reizintensität informieren, nämlich: kein Aktionspotential = Reizintensität kleiner als Reizschwelle, ein Aktionspotential = Reizintensität größer als Schwelle. Ist die mögliche Anzahl von Nervenimpulsen 0, 1 oder 2, kann der Informationsverbraucher entsprechend zwischen drei Reizzuständen unterscheiden. Löst ein Reiz maximal *N Impulse* in der afferenten Faser aus, dann kann der Receptor theoretisch *N + 1 verschiedene Intensitätsstufen* zum ZNS melden. Dieser Sachverhalt ist in Abb. 2 veranschaulicht. Die Entladungszahl N in der afferenten Faser (Ordinate) kann nur *ganzzahlige* Werte annehmen. Dadurch hat der Zusammenhang mit der Reizintensität S (Abscisse) die Form einer Treppenkurve. Bei einem *idealen Receptor*, der einen Dauerreiz mit einer Entladung *konstanter* Frequenz beantwortet, ist die Impulszahl N das Produkt aus *Entladungsfrequenz* f und *Beobachtungszeit* t, also $N = f \times t$. Die Zahl der auf der Seite der Nervenfaser unterscheidbaren Intensitätsstufen des Reizes ergibt sich somit zu

$$N + 1 = f_m \times t + 1, \qquad (1)$$

wobei f_m der *maximale* Wert der Entladungsfrequenz des Receptors ist. Aus diesem Zusammenhang folgt theoretisch, daß die Zahl der unterscheidbaren Stufen der Intensität zunimmt mit der Maximalfrequenz f_m und mit der Länge der Beobachtungzeit t, während der die afferente Entladung im ZNS, oder durch den Beobachter im physiologischen Experiment, ausgewertet wird. Eine obere Grenze für f_m ist durch die Refraktärzeit der Nervenfaser gegeben. Im Falle eines Receptors mit einer *spontanen* Entladung (ohne erkennbaren äußeren Reiz) der Frequenz f_0 ist in Gl. (1) und allen nachfolgenden Beziehungen f_m zu ersetzen durch $f_m - f_0$.

1.3. Das Informationsmaß der Nachrichtentechnik

Als *quantitatives Maß des Informationsgehaltes* wird in der Nachrichtentechnik der **Logarithmus** der Anzahl n unterscheidbarer Zustände einer Nachrichtenquelle benutzt. Bei der Festlegung (Definition) wählte man den Logarithmus zur Basis 2 ($\log_2 = ld$; praktische Berechnung: $ld\ n = \log_{10} n/\log_{10} 2$). In nachfolgenden Überlegungen soll diese Definition plausibel gemacht werden.

Binäre Zeichen. Wie bereits gesagt wurde, benötigt man zur Informationsübertragung einen Zeichenvorrat, aus dem die Informationsquelle auswählt. Im einfachsten Falle besteht der Zeichenvorrat aus 2 Zeichen, **Binärzeichen** genannt (z.B. 0 und 1). Damit kann die Informationsquelle über eine Entscheidung zwischen zwei Möglichkeiten Auskunft geben (z.B. ja–nein). Binärzeichen lassen sich technisch leicht realisieren (z.B. hell–dunkel, Schalterstellungen ein–aus, Loch–kein Loch auf dem Lochstreifen, usw.). Das ist einer der Gründe, warum man den Informationsgehalt des Binärzeichens als **Maßeinheit der Information** gewählt hat. Man bezeichnet die elementare Informationsmenge, die von einem einzelnen Binärzeichen übertragen wird, als **ein bit.** Das ist eine sehr kleine Nachrichtenmenge; sollen mit Binärzeichen größere Nachrichten übertragen werden, dann muß man mehrere Zeichen aneinanderreihen, man muß *Worte* aus Binärzeichen bilden (das „Alphabet" zur Wortbildung besteht dann aus den „Buchstaben" 0 und 1). Die Wortlänge, d.h. die Zahl der pro Wort verwendeten Binärzeichen, gibt direkt die Menge der übertragenen Information in bit: ein Wort aus 2 Binärzeichen kann 2 bit übertragen, bei 3 Zeichen sind es 3 bit, usw. Die Anzahl der Worte, die aus 2 Binärzeichen gebildet werden können, ist $2^2 = 4$: 00, 01, 10, 11. Mit 3 Zeichen sind $2^3 = 8$ Wortkombinationen möglich, nämlich die folgenden: 000, 001, 010, 011, 100, 101, 110, 111. Mit **m** binären Zeichen pro Wort gibt es offenbar $n = 2^m$ Möglichkeiten für Wortanordnungen, wir können damit

$n = 2$ *verschiedene* Nachrichten bilden, die jeweils eine Information von **m bit** enthalten.

Nichtbinäre Zeichen. Die vorstehend erläuterte Bestimmung des Informationsgehaltes läßt sich auch in Fällen anwenden, in denen *beliebige andere Zeichen* als Informationsträger dienen. Jeder beliebige Zeichenvorrat kann nämlich durch Binärzeichen dargestellt werden. Zur *eindeutigen Zuordnung* (Codierung) einer Zeichenmenge mit *n Zeichen* zu Binärworten müssen letztere eine Wortlänge von durchschnittlich $m = ld\ n$ Binärzeichen haben.

Der Leser mache sich dies am Beispiel der Codierung des Schriftalphabets in Binärworte gleicher Länge klar; die erforderliche Binärwortlänge für jeden Buchstaben ist dabei die nächstgrößere ganze Zahl über ld 26, also $5\,(2^5 = 32)$.

Wenn aber ein beliebiges Zeichen durch ein Binärwort ersetzt werden kann, dann darf man auch sagen, daß es den selben Informationsgehalt (in bit) hat wie das zugeordnete Binärwort. Der *durchschnittliche* Informationsgehalt I eines Zeichens einer Menge von n Zeichen ist $I = ld\ n$.

Unsere Einführung in die informationstheoretischen Grundbegriffe enthält erhebliche Vereinfachungen. Die strenge Definition des Informationsgehaltes berücksichtigt die Wahrscheinlichkeit $p(x_i)$ für das Auftreten individueller Zeichen x_i einer Informationsquelle.
Der Informationsgehalt $I(x_i)$ ist definiert als

$$I(x_i) = ld\ \frac{1}{p(x_i)}.$$

Der *mittlere* Informationsgehalt $H(x)$ jedes der n Zeichen einer Informationsquelle (auch *Entropie* der Informationsquelle genannt) ist der arithmetische Mittelwert aller $I(x_i)$, nämlich:

$$H(x) = \sum_{i=1}^{n} p(x_i) \times ld\ \frac{1}{p(x_i)}.$$

Sind alle n Zeichen *gleich* wahrscheinlich, dann ist $p(x_i) = 1/n$; es läßt sich leicht zeigen, daß dann $H = I = ld\ n$. Dieser bereits weiter oben erklärte Zusammenhang gilt also nur, wenn alle Zeichen einer Informationsquelle gleich häufig sind. Unsere Betrachtungen beschränken sich auf diesen Sonderfall. Ausführliche Darstellungen der Informationstheorie finden sich in der Spezialliteratur (z.B. [13]).

1.4. Die Informationsübertragung im idealen Receptor

Die Überlegungen des vorausgehenden Abschnittes lassen sich auch auf die Codierung im Receptor anwenden. Der Zeichenvorrat ist hier die Anzahl der unterscheidbaren Zustände der Entladungsantwort im afferenten Nerven. Der Informationsgehalt über die Reizintensität im Beispiel der Abb. 2 ist somit: $I = ld\,(N+1) = ld\ 10 = 3,3$ bit. Bei einem Re-

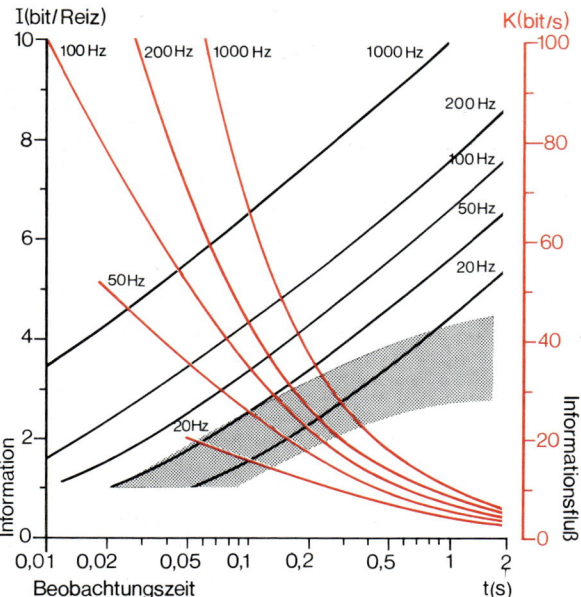

Abb. 3. Informationsgehalt I (linke Ordinatenskala, schwarze Kurven) und Informationsfluß K (rechte Skala, rote Kurven) eines idealen Receptors in Abhängigkeit von der Beobachtungszeit t (Abscisse); Parameter der Kurvenscharen ist die maximale Entladungsfrequenz f_m des Receptors, Berechnung nach Gln. (2) und (3). Der schattiert gezeichnete Bereich gibt Werte des Informationsgehaltes mechanosensitiver Hautreceptoren an, in Abhängigkeit von t (Nach eigenen Beobachtungen an SA-Receptoren der Katze, sowie [19, 28, 29])

ceptor mit einer reizbedingten Entladung der maximalen Frequenz f_m ist der *Informationsgehalt über die Reizintensität* allgemein

$$I = ld(f_m \times t + 1). \tag{2}$$

Die Beziehung zwischen I, f_m und Beobachtungszeit t ist in Abb. 3 dargestellt (schwarze Kurven, schwarze Ordinatenskala). Es ist ersichtlich, daß der Informationsgehalt I mit f_m und t größer wird. Die maximale Frequenz f_m ist als unveränderliche Eigenschaft eines Receptors vorgegeben. Durch Verlängerung der Beobachtungszeit t läßt sich dagegen der Informationsgehalt über die Intensität eines langdauernden konstanten Reizes theoretisch beliebig groß machen. Praktisch begrenzt jedoch die *Integrationszeit der Decodierung* im ZNS, wie lange die afferente Entladung zur Erhöhung des Informationsgehaltes ausgewertet wird [16]. Auch aus Untersuchungen an *realen* Receptoren lassen sich Anhaltspunkte dafür gewinnen, wieweit eine Steigerung von t sinnvoll sein kann (s. 1.5.).

Informationsfluß. Er ist definiert als die pro Zeiteinheit in einem Kanal übertragene Informationsmenge, gemessen in bit/s. Wendet man diese Definition auf den idealen Receptor an, dann ergibt sich

für den Informationsfluß

$$K = \frac{I}{t} = \frac{1}{t} \times ld(f_m \times t + 1). \tag{3}$$

Dieser Zusammenhang ist in Abb. 3 eingetragen (rote Kurven, rote Ordinatenskala): Bei *Verkleinerung* der Beobachtungszeit t *steigt* der Informationsfluß an. Dieser Anstieg läßt sich anschaulich so erklären, daß bei Verkürzung von t die Information der Impulsfolge in immer schnellerer Aufeinanderfolge ausgewertet werden kann, beim idealen Receptor nämlich 1/t mal pro Sekunde. Der Informationsfluß des idealen Receptors erreicht bei Verkleinerung von t einen Höchstwert K_m, wenn $f_m \times t_0 = 1$, wenn also im Zeitintervall t_0 maximal ein einziger Impuls entsteht; es gilt dann:

$$K_m = f_m \; bit/s.$$

Der *Höchstwert* des *Informationsflusses* kann, unter Zusatzbedingungen für die Codierung [2, 13], als *Kanalkapazität* bezeichnet werden.

1.5. Die Informationsübertragung im realen Receptor

Die gestörte Codierung, Rauschen. Die oben ermittelte theoretische Anzahl unterscheidbarer Reizintensitätsstufen sowie die daraus berechneten Größen Informationsgehalt I und Informationsfluß K werden von den Receptoren in Wirklichkeit nicht erreicht. Dies beruht auf den experimentellen Befunden, daß bei *gleicher* Reizintensität die Entladungsfrequenz eines Receptors bei aufeinanderfolgenden Messungen *unterschiedlich* ist. In Abb. 4 ist die Entladung eines Druckreceptors vom Katzenfuß bei Variation der Reizintensität gezeigt. In (A) fällt auf, daß die Entladungsfrequenz, Träger für die Information „Reizintensität", ohne ersichtlichen Grund stochastisch (zufällig) schwankt. Solche *Schwankungen* des Informationsträgers werden vom Nachrichtentechniker allgemein als **Rauschen** bezeichnet. Sie bedeuten immer eine *Verminderung* der Leistungsfähigkeit eines Nachrichtenkanals, somit eine Störung der Nachrichtenübertragung (Störquelle in Abb. 1).

Um abzuschätzen, wieviel Information durch das Rauschen bei der Codierung im Receptor *verlorengeht*, betrachten wir den experimentell gemessenen Codierungszusammenhang in Abb. 4(B). Jeder Punkt bedeutet das Ergebnis einer Einzelmessung wie in (A), jedoch mit einer Beobachtungszeit von 5 s. Die Anzahl der unterscheidbaren Zustände läßt

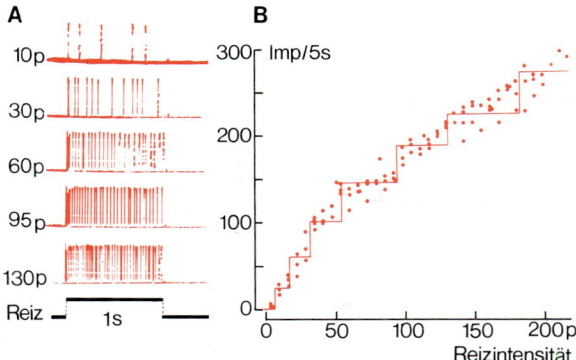

Abb. 4A u. B. Rauschen bei der Codierung im Receptor. (A) Originalregistrierung der Entladung eines Druckreceptors der Katzenfußsohle bei 1 s dauernden Reizen, die Reizintensität nimmt von oben nach unten zu. (B) Meßwerte der Entladungsfrequenz (Impulse/5 s, Ordinate) von vielen Einzelexperimenten wie in (A) sind in Abhängigkeit von der Reizintensität (Abscisse) aufgetragen. Die in den Streubereich der Meßwerte eingezeichnete Stufenkurve gibt näherungsweise an, wie viele Stufen der Reizintensität in der Entladung des Receptors unterschieden werden können

sich durch Einzeichnen einer *Treppenkurve* in dieses Punktefeld abschätzen; es ergeben sich 8 Stufen (erste Stufe bei 0 Imp), also 3 bit/Reiz.

Diese *graphische Ermittlung* des Informationsgehaltes läßt sich so begründen: zwei Reizintensitäten sind sicher dann unterscheidbar, wenn alle zu einer Intensität gehörigen Impulszahlen (Ordinate in Abb. 4(B)) von denen einer anderen Intensität verschieden sind. Der Grenzfall für eine *gerade noch mögliche völlige Unterscheidbarkeit* ist durch die Stufenkurve mit maximaler Stufenhöhe gegeben, die sich in das Punktefeld des experimentell gemessenen Codierungszusammenhanges einzeichnen läßt. In einigen Untersuchungen dieser Art wurde der Grenzfall der Unterscheidbarkeit von Reizintensitäten bei einer bestimmten Überlappung der Entladungswerte angenommen [27, 29]. Die dabei berechneten Werte für die Anzahl unterscheidbarer Reize sind etwas größer als die nach der graphischen Methode gewonnenen.

Würde sich unser Receptor wie ein *idealer* Frequenzmodulator (ohne Rauschen, idealer Receptor, s. 1.3, 1.4) verhalten, dann müßten unter den Versuchsbedingungen der Abb. 4(B) etwa 300 Stufen der Reizintensität unterscheidbar sein, der Informationsgehalt wäre dann 8,2 bit/Reiz (s. Gl. 2). In diesem Beispiel gehen somit pro Reiz 8,2 bit − 3 bit = 5,2 bit durch Rauschen verloren.
Die bisher höchsten Werte für den Informationsgehalt pro Reiz wurden an de-efferentierten Muskelspindeln ermittelt: primäre Endigungen können pro Reiz (1 s Dauer) 4,8 bit übertragen, sekundäre Endigungen sogar 6,3 bit [22]. Bei intakten γ-Efferenzen sind die entsprechenden Werte erheblich kleiner: 2,7 bit bzw. 4,7 bit pro Reiz.
Beobachtungszeit, Informationsfluß. Abweichungen vom Verhalten des idealen Receptors zeigen sich auch bei der experimentellen Variation der Beobachtungszeit t. Bei Verlängerung von t läßt sich der Informationsgehalt realer Receptoren, entgegen der Aussage von Gl. (2), *nicht* beliebig steigern [19, 28, 29]. Zum Beispiel haben Druckreceptoren des Katzenfußes (Abb. 4) bereits nach etwa 1 s praktisch den Höchstwert (3 bit/Reiz) erreicht. In Abb. 3 ist der Bereich angegeben (schattiert), in dem sich der *experimentell* gemessene Informationsgehalt pro Reiz einiger Mechanoreceptoren der Haut in Abhängigkeit von der Beobachtungszeit t bewegt (Methode z.B. wie in Abb. 4). Obwohl diese Receptoren Entladungsfrequenzen von mehreren 100 Hz erzeugen können, sind sie offensichtlich nicht oder nur wenig leistungsfähiger als ein idealer Receptor mit einer maximalen Entladungsfrequenz von 20 Hz. Auch die erreichbaren Werte für den *Informationsfluß bei realen Receptoren* sind weit geringer, als theoretisch nach Gl. (3) zu erwarten wäre (Abb. 3, rote Kurven). Experimentelle Werte für Druckreceptoren der Katzenpfote (SA-Receptoren) sind etwa 6 bit/s, für schnell adaptierende Mechanoreceptoren (RA-Receptoren) der Katzenpfote 30 bit/s, für primäre Muskelspindelendigungen mindestens 15 bit/s (Abschätzung unter Verwendung der Werte in [22] und [28]), während empfindliche Mechanoreceptoren der behaarten Haut des Katzenfußes mit unmyelinisierten Fasern (Abb. 7 in XI) nur ca. 0,1 bit/s übertragen können.

1.6. Die Redundanz

Die ungenaue Codierung im realen Receptor (Rauschen) ist als *Störung* der Informationsübertragung anzusehen. Lassen sich im Nervensystem Prinzipien erkennen, die solche Störungen *kompensieren?* In der Nachrichtentechnik werden Maßnahmen zur Sicherung von Information gegen Störungen unter dem Begriff Redundanz zusammengefaßt. Zur Veranschaulichung dieses Begriffes zunächst ein Beispiel aus dem Bereich der Sprachwissenschaft.
Bitte versuchen Sie, die nachfolgende Buchstabenzusammenstellung zu entziffern:

D . . Ne . v . n . mpul . . st d . . Ze . ch . n
zu . .nfo . . atio . sü . . rtra . . ng

Man kann die Information dieses Satzes erkennen, obwohl hier 37% der Buchstaben fehlen; die geschriebene Sprache enthält also *mehr* Zeichen, als zur eindeutigen Erkennung notwendig sind. Dieses *Zuviel an Zeichen* ist Redundanz (Weitschweifigkeit), sie ist in bit meßbar. Untersuchungen mit systematisch verstümmelten Texten haben ergeben, daß die geschriebene deutsche Sprache durchschnittlich nur *1,5 bit pro Buchstabe* ausnutzt. Theoretisch ist der mittlere Informationsgehalt jedes der 26 Buchstaben unseres Alphabets jedoch *ld 26 = 4,7 bit* (unter Vernachlässigung der unterschiedlichen Auftrittswahrscheinlichkeit); die Redundanz ist damit durchschnittlich 4,7 bit − 1,5 bit = *3,2 bit pro Buchstabe.*

Diese zunächst überflüssig erscheinende *Zeichenverschwendung* ist jedoch nur eine Seite der Redundanz. Ihre Vorteile zeigen sich bei *gestörtem* Übertragungskanal, z.B. bei schlechter Telephonverbindung, verrauschtem Rundfunkempfang, unleserlicher Handschrift. Hier sorgt die Redundanz der Sprache dafür, daß schon mit einem Bruchteil identifizierbarer Zeichen ein Text erkannt werden kann. Die Informationstheorie zeigt schließlich generell, daß man eine *Nachrichtenübertragung um so störsicherer macht, je mehr Redundanz man bei der Codierung einbaut.*

Redundanz im Nervensystem. Eine wirkungsvolle Art der Störsicherung durch Redundanz besteht darin, die Nachricht *parallel* über zwei oder mehrere Kanäle zu übertragen. Dieser Fall ist beim Nervensystem verwirklicht. In der Peripherie ist die *Dichte der Receptoren* meistens so hoch, daß selbst durch punktförmige Reize *mehrere Fasern* erregt werden. Was vom Informationsgehalt einer solchen *Parallelübertragung* tatsächlich ausgenützt wird, hängt von der Art der zentralnervösen Verarbeitung ab. Über diese Frage liegen erst wenige Untersuchungen vor [14, 22, 28]. Nimmt man die einfache Situation an, daß zur Auswertung einer Parallelfasercodierung die Impulse aller erregten Fasern *addiert* werden, dann ergibt sich für einen „idealen Beobachter" die verfügbare Information über die Reizintensität aus der *Variabilität der Summenentladung,* z.B. entsprechend der in Abb. 4(B) skizzierten Methode [18]. Wenn die Störquellen der einzelnen Receptoren (d.h. die stochastischen Fluktuationen ihrer Entladungen) voneinander *unabhängig* sind, dann ist der Informationsgehalt der Summenentladung *größer* als der eines *einzelnen* Receptors [18]. *Redundanz durch Parallelfaserübertragung kompensiert also die Störung der Codierung im Receptor.* Die Parallelübertragung sichert die Information jedoch nicht nur gegen Störungen durch ungenaue Codierung, sondern auch gegen solche durch *partielle Schäden* von Nervenbahnen, bei denen nur ein Teil der Axone aus einem bestimmten Bereich der Sinnesoberfläche unterbrochen ist. Redundanz durch Parallelfaserübertragung besteht auch im ZNS. Hier kommen jedoch neue Gesichtspunkte hinzu: einmal laufen die parallel übertra-

genden Axonen, die von einem peripheren Punkt kommen, häufig in *getrennt aufsteigenden Bahnen* (z.B. Hinterstrang und Tr. neospinothalamicus). Zum anderen besteht durch *Konvergenz* und *Divergenz* bei den synaptischen Umschaltungen eine *Vernetzung* der parallelen Kanäle untereinander, die zusätzliche Redundanz erzeugt.

Diese enorme Sicherung der Information über die Reizintensität würde jedoch zwangsläufig zu einem *Verlust* der Information über den *Reizort* führen. Die *laterale Inhibition* (s. IV, IX) kann als eine Maßnahme angesehen werden, die hier steuernd eingreift: je nach dem Grad dieser Hemmung wird bei der Abbildung der Peripherie im ZNS entweder mehr die Information über die Reizintensität oder mehr die über den Reizort geschützt.

1.7. Neurophysiologie und Psychophysik

Die Informationstheorie wird auch in der Psychologie angewandt [1, 3], vor allem im Teilgebiet der *Psychophysik.* Die neuere Forschung hat gezeigt, daß der *Vergleich* quantitativer Untersuchungen in *Neurophysiologie* und *Psychophysik* für das Verständnis der Funktion des Nervensystems von großem Nutzen ist. Das Neue dieser Untersuchungen besteht darin, daß unter *identischen Reizbedingungen* die in der *Entladung* afferenter Nerven oder zentraler Neuronen enthaltene Information (z.B. bei Affen) verglichen wird mit dem *subjektiven Erkennungs- und Diskriminationsvermögen* des Menschen im psychophysischen Versuch [11, 20, 29]. Für folgende psychophysische Leistungen der Hautsinne wurden bisher Vergleiche mit der neuronalen Information durchgeführt: Schwelle für Detektion eines sinusförmigen Hautreizes (s. X, Abb. 9); Frequenzunterscheidungsvermögen bei solchen Reizen [23, 24]; subjektiv wahrgenommene (geschätzte) Reizintensität bei Druckreizen [30]; Unterschiedsschwelle bei Kaltreizen [18]. In allen Untersuchungen konnte aufgrund des quantitativen Vergleichs die Frage entschieden werden, welche Arten von Receptoren die Information über den jeweils relevanten Reizparameter übertragen.

Neuronale Intensitätscodierung und Psychophysik. Die beiden letztgenannten Vergleiche werden jetzt ausführlich betrachtet. Langsam adaptierende Receptoren der Affenhand übertragen eine Information von 3,3 bit/Reiz (d.h. 10 unterscheidbare Stufen) über die Reizintensität [30]. Menschliche Versuchspersonen können unter den gleichen Reizbedingungen bei subjektiven Schätzungen der Reizintensität jedoch nicht mehr als 8 Intensitätsstufen unterscheiden. Daraus läßt sich als *theoretischer Grenzfall* folgern, daß die in einem *einzigen Receptor* codierte Information über die Reizintensität für die *subjektive Messung* der Reizintensität ausreicht; der Informationsgehalt der anderen erregten Fasern wäre dann als Redundanz zu betrachten, die z.T. Verluste durch Rauschen bei der synaptischen Übertragung kompensiert [22, 28].

Unser zweites Beispiel zeigt eine Situation, bei der der Informationsgehalt einer *Population von Receptoren* für eine psychophysische Diskriminationsaufgabe *völlig ausgewertet* wird (d.h. keine Redundanz). Hier wurde das *Unterscheidungsvermögen* des Menschen für *Kaltreize* (Hand) mit dem *Informationsgehalt* von *Kaltreceptoren* der Affenhand verglichen [18]. Unter den Bedingungen dieser Experimente konnte eine trainierte Versuchsperson z.B. zwei im Zeitabstand von 10 s aufeinanderfolgende Kaltreize (Thermode mit 1 cm² Fläche) von 34° C auf etwa 29° C als *unterschiedlich* wahrnehmen, wenn die Endtemperaturen eine Differenz von mindestens 0,05° C hatten (Unterschiedsschwelle). Die Analyse der *Variabilität* der Kaltreceptorenentladung ergab, daß ein einzelner Receptor *nicht* die erforderliche Genauigkeit zur neurophysiologischen Begründung der Unterschiedsschwelle hat. Unter der Annahme, daß das ZNS die Information „Intensität des Kaltreizes" aus der *Summe* der Antworten zahlreicher Receptoren entnehmen kann, wurde errechnet, daß praktisch *alle* Kaltreceptoren (ca. 50) aus dem gereizten Hautareal für die Diskrimination im psychophysischen Experiment benötigt werden (d.h. keine Redundanz).

Die Beispiele sollen zeigen, daß das ZNS in der Lage ist, je nach Aufgabe in *unterschiedlichem Maße* die von peripher kommende Information auszunutzen. Von vergleichenden Untersuchungen der geschilderten Art, vor allem mit Einbeziehung von Messungen auch an zentralnervösen Neuronen, ist ein Fortschritt der Theorie der Sinneswahrnehmung zu erwarten.

2. Die spinale Motorik — interpretiert als Regelkreis

Eine der Aufgaben des spinalen Dehnungsreflexes ist es, die *Länge* eines Muskels **konstant** zu halten (s. VI). Konstanthalten ist aber eine Eigenschaft eines **Regelkreises**: wir stellen deshalb die Funktion des Dehnungsreflexes nachfolgend in der Sprache der *Regelungslehre* [8] dar. Der Abschnitt dient gleichzeitig als Einführung in die Grundbegriffe dieser in der Technik entwickelten Disziplin; ihre Anwendung auf zahlreiche Prozesse *biologischer Regelung* [5, 6, 10, 12] erleichtert deren Verständnis (z.B. Blutdruck, Atmung, Temperatur, Wasserhaushalt).

2.1. Regelkreis, regelungstechnische Terminologie

Übersicht. Anhand des allgemeinen *Blockschaltbildes* eines *Regelkreises* (Abb. 5(A)) sollen zunächst die Grundbegriffe erläutert werden (mit dem konkreten Beispiel der Raumtemperaturregelung). Die **Regelgröße** bezeichnet einen *Zustand,* der konstant gehalten werden soll (in unserem Beispiel: Raumtemperatur). Die gerätetechnische Einrichtung, in der dies geschieht, ist die *Regelstrecke* (Zimmer mit Ofen). Eine Meßeinrichtung, *Fühler* genannt (Thermometer), mißt den augenblicklichen Wert der Regelgröße, den *Istwert.* Dieser wird an den **Regler** gemeldet (Thermostat) und dort mit der *Führungsgröße* verglichen, die den *Sollwert* der Regelgröße darstellt (gewünschte Temperatur). Der Vergleich von Ist- und Sollwert ist eine Rechenoperation; es läßt sich allgemein feststellen, daß der Regler immer die Eigenschaft eines Rechners hat. Sind Soll- und Istwert verschieden, dann liegt eine *Regelabweichung* vor, die den Regler zu einer Korrektur der Regelgröße veranlaßt. Der Korrekturbefehl ist die *Stellgröße,* die über ein Gerät mit adäquater Ausgangsleistung, dem *Stellglied* (Ofen mit variabler Brennstoffzufuhr) korrigierend auf die Regelgröße einwirkt. Die Stellwirkung besteht solange fort, bis Ist- und Sollwert übereinstimmen. Einwirkungen, die Abweichungen der Regelgröße vom Sollwert verursachen, werden als *Störgröße* bezeichnet (z.B. Wärmeverluste des Zimmers).

Das wesentliche Kennzeichen der Regelung ist also der geschlossene Wirkungskreis mit einer Polarität derart, daß jede Störung der Regelgröße selbsttätig korrigiert wird. Für diese Rückwirkung hat sich die Bezeichnung *negative Rückkopplung (negative feedback)* eingebürgert.

Steuerung. Ordnet man die in einem Regelkreis benutzten Geräte in einer *Wirkungskette ohne Rückkopplung* an, dann spricht man von einer *Steuerung* (z.B. bei fehlender Rückmeldung der Ist-Temperatur an die Ofensteuerungsanlage). Durch Steuerung läßt sich eine bekannte Störung ebenfalls kompensieren (z.B. ein konstanter Wärmeverlust bei einer bestimmten Außentemperatur), jedoch nicht eine variable, unvorhersagbare Störung (z.B. Wärmeverluste durch wechselnde Außentemperatur und durch verschieden häufig geöffnete Türen und Fenster).

Ergänzung des Regelkreises. In Abb. 5(B) ist unser Blockschaltbild mit einigen Modifikationen versehen, die zur Erläuterung weiterer Eigenschaften

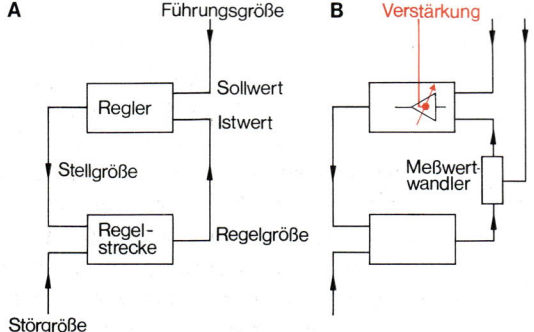

Abb. 5. (A) Blockschaltbild eines einfachen Regelkreises. Die Linien mit Pfeilen geben die Wirkungsrichtungen an, mit der sich die Elemente des Regelkreises: Regler und Regelstrecke, gegenseitig beeinflussen. Die Regelgröße ist ein konstant zu haltender Zustand. (B) Blockschaltbild eines erweiterten Regelkreises: die Führungsgröße greift hier, im Unterschied zu (A), am Regler und am Informationswandler des Ist-Wertes an. Der rote Pfeil symbolisiert eine von außen verstellbare Regelverstärkung

eines Regelkreises dienen sollen, insbesondere im Hinblick auf die Anwendung auf den Dehnungsreflex. In Erweiterung der Abb. 5(A) ist hier der Regler mit einer *variablen Verstärkung* versehen; die *Regelverstärkung* bestimmt die *Empfindlichkeit* des Reglers für Unterschiede von Ist- und Sollwert. Der Einfluß der Verstärkung auf das Verhalten des Regelkreises wird später am Beispiel des Dehnungsreflexes beschrieben (s. 2.3 und 2.4).

In Abb. 5(B) geschieht die Übertragung des Ist-Wertes über einen *Meßwertwandler,* in dem die Information des Fühlers codiert wird. Umcodierung der Information bei der Übertragung sowohl des Ist-Wertes als auch der Stellgröße ist bei Regelkreisen üblich, so daß Informationswandler im Schaltbild meistens nicht explizit gezeigt werden. Wir benötigen dieses Element jedoch bei der Analyse des Dehnungsreflexes (s. 2.5).

Halteregler und Folgeregler. Bisher haben wir die Fähigkeit des Regelkreises betrachtet, die Regelgröße auf einem konstanten Sollwert zu halten. In dieser Funktionsart spricht man von einem *Halteregler.* Nun wollen wir den Fall einer willkürlich *veränderbaren Führungsgröße* betrachten, wir verstellen also den Sollwert. Wir tun dies z.B., wenn wir durch Drehen der Temperaturwählscheibe am Thermostat unserer Heizung die Raumtemperatur ändern wollen. Auch in diesem Falle stellt der Regler die *Abweichung* von *Ist-* und *Sollwert* fest, die jetzt jedoch von der geänderten *Führungsgröße* herrührt. Über das Stellglied wird die Regelgröße solange beeinflußt, bis sie sich auf dem neuen Sollwert befindet. Weil die Regelgröße der Führungsgröße folgt, wird ein Regelsystem in dieser Betriebsart als *Folgeregler* oder *Servoregler* bezeichnet.

In Abb. 5(B) wurde außer der *Sollwertführung* am *Regler* noch eine andere Führungsmöglichkeit eingezeichnet, nämlich durch Beeinflussung der *Meßwertwandlung.* Diese in der Technik wenig gebräuchliche Art der Sollwertverstellung ist bei der spinalen Motorik in Form der γ-Efferenz zur Muskelspindel realisiert (s. 2.5).

2.2. Der Regelkreis Dehnungsreflex

Zur Anwendung des Regelkreiskonzepts auf den Dehnungsreflex gehen wir von einem klassischen Experiment SHERRINGTONS aus: wir erhöhen die Belastung eines Muskels mit intakter Nervenverbindung zum Rückenmark und beobachten die Muskellänge. Es zeigt sich, daß eine Muskelkontraktion der Längenänderung durch die erhöhte Belastung *entgegenwirkt* (Reflextonus): die Muskellänge wird auf einem annähernd konstanten Wert gehalten, es liegt also eine *Halteregelung* vor.

Nachfolgend sind die *Elemente* dieses *Regelkreises* benannt:

Regelstrecke	Muskel mit Sehnen und Gelenk
Regelgröße	Muskellänge
Regler	α-Motoneuron
Stellglied	extrafusale Muskulatur
Stellgröße	Frequenz des α-Motoaxons
Fühler mit Meßwertwandler	Muskelspindel
Ist-Wert (codiert)	Frequenz der Ia-Faser
Führungsgröße	von supraspinal vorgegebener Wert für die Muskellänge
Störgröße	Schwerkraft, Ermüdung des Muskels, Belastung

Analyse des stationären Regelkreises. Zur Analyse wird ein Regelkreis *aufgetrennt:* dabei wird entweder die Rückmeldeverbindung zum Regler oder die Stellgrößenverbindung vom Regler zum Stellglied unterbrochen und in diesem Zustand die Eigenschaften der Bestandteile des Regelkreises quantitativ gemessen.

Stellglied. Wir gehen aus vom Nerv-Muskel-Präparat; der motorische Nerv wird mit variabler Frequenz und Rekrutierung der Zahl der α-Motoaxonen gereizt. Es ergibt sich ein Zusammenhang $L = f(F_\alpha)$, wie schematisch in Abb. 6(A) gezeigt ist; dabei ist mit F_α die *Gesamtzahl* der in einem Muskelnerven laufenden *efferenten* Aktionspotentiale pro Zeiteinheit gemeint. Da wir die Steuerung bei variabler Belastung des Muskels (Störgröße) untersu-

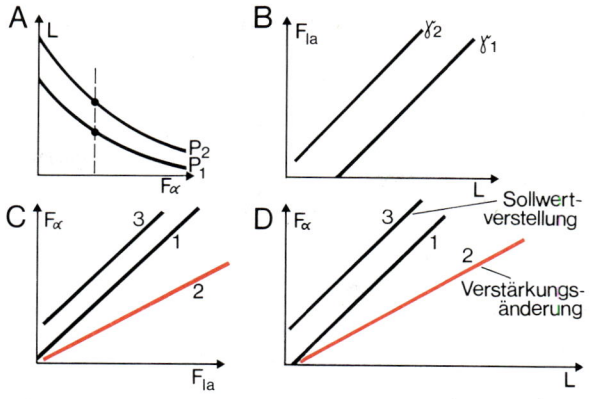

Abb. 6 A–D. Wirkungszusammenhänge im aufgetrennten Regelkreis für die Muskellänge. (A) Muskellänge L in Abhängigkeit von der Impulsfrequenz F_α im motorischen Nerv bei zwei Lasten ($P_1 < P_2$). Gestrichelt ist angegeben, wie sich L bei Änderung der Belastung ändert, wenn F_α konstant bleibt. (B) Codierungskennlinie der Muskelspindel, d.h. Frequenz F_{Ia} der afferenten Faser in Abhängigkeit von der Muskellänge L bei zwei verschiedenen Erregungsniveaus der γ-Efferenz ($\gamma_2 > \gamma_1$). (C) Kennlinien des α-Motoneurons, d.h. Zusammenhang der Entladungsfrequenz F_α von der Frequenz F_{Ia} der synaptisch einwirkenden Muskelspindelafferenzen. Die Kennlinienlage hängt von der Erregbarkeit des Motoneurons ab, Lageänderungen bestehen aus Parallelverschiebung (Übergang Gerade $1 \to 3$) und Steigungsänderung ($1 \to 2$). (D) Zusammenhang zwischen Muskellänge L und Entladungsfrequenz F_α des α-Motoneurons, durch Kombination der Diagramme in (B) und (C) erhalten. Bedeutung der drei Linien wie in C

chen wollen, haben wir im F_α-L-Diagramm die *Kennlinie des Stellgliedes* bei zwei verschiedenen am Muskel angreifenden Lasten P_1, P_2 gezeichnet.

Die durch erhöhte Belastung verursachte Änderung von L kann durch Erhöhung von F_α kompensiert werden. Wegen Elastizität und Ermüdbarkeit des Muskels ist es jedoch nicht möglich, allein durch eine efferente *Steuerung* über die Entladungsfrequenz der α-Motoneuronen eine definierte Muskellänge und damit eine bestimmte Körperhaltung zu realisieren. Dazu bedarf es vielmehr der ständigen Rückmeldung, also eines Regelkreises.

Rückmeldung. Der *Ist-Wert* der Muskellänge wird durch die *Muskelspindeln* gemessen und in Nervenimpulse codiert (s. VI). Wegen der Möglichkeit der intrafusalen Kontraktion ist die Codierung mehrdeutig; diese Eigenschaft wird zur Änderung der Muskellänge im Sinne eines Folgereglers benutzt (s. 2.5). In Abb. 6(B) sind *Kennlinien* einer *Muskelspindel* dargestellt, also der Zusammenhang zwischen Muskellänge L und Entladungsfrequenz F_{Ia} der Muskelspindeln (s. Abb. 8(B), Kap. VI). Es sind zwei Kennlinien mit unterschiedlicher intrafusaler Kontraktion gezeigt (γ_1 und γ_2).
Regler. Die *Kennlinie des Reglers,* hier als linear angenommen, ist in Abb. 6(C) dargestellt (Gerade 1), es ist der Zusammenhang $F_\alpha = f(F_{Ia})$ am Motoneuron. F_{Ia} und F_α sollen *summierte* Frequen-

zen sein, also etwa die Gesamtzahl der afferenten bzw. efferenten Aktionspotentiale pro Zeiteinheit im Muskelnerven. Die Kennlinie des Reglers kann ihre Lage im Diagramm der Abb. 6(C) verändern; solche Änderungen lassen sich zerlegen in *Parallelverschiebungen* (wie Kurve 3) und *Steigungsveränderungen* (Kurve 2). Die funktionelle Bedeutung solcher Kennlinienverschiebungen für die Regelung werden wir anschließend behandeln.
Die Kennlinien der Abb. 6(B) und (C) können wir zusammenfassen zu einer Funktion $F_\alpha = f(L)$: eine bestimmte Änderung der Muskellänge L führt zu einer bestimmten Änderung der Frequenz der α-Motoneurone F_α, wie in Abb. 6(D) (Gerade 1) angedeutet ist. Die Größe der Änderung ΔF_α bei einer vorgegebenen Änderung ΔL hängt offensichtlich von der *Steigung* der Kennlinie ab. In Analogie zu technischen Geräten können wir auch hier vom **Verstärkungsfaktor** des Reglers sprechen: je steiler die Kennlinie des Reglers, um so höher ist der Verstärkungsfaktor. Änderungen der Verstärkung des Reglers (Linie 2 in Abb. 6(C, D)) können auftreten durch Änderung der Erregbarkeit des Motoneurons (Abb. 6(C)), und durch Änderung der Empfindlichkeit der Muskelspindel (s. 2.5).
Schließung des Regelkreises. Unter Verwendung der am aufgetrennten Regelkreis gewonnenen Kennlinien lassen sich die *stationären* Eigenschaften des *geschlossenen Regelkreises* ermitteln. Dies geschieht dadurch, daß man die Kennlinie des Reglers (Abb. 6(D)) und die Kennlinie des Stellglieds (Abb. 6(A)), die beide einen Zusammenhang zwischen L und F_α darstellen (mit entgegengesetzter Wirkungsrichtung), überlagert (Abb. 7). Die Regelgröße kann nur Endzustände annehmen, die auf der Kennlinie des Reglers liegen; die Regelgröße stellt sich somit auf die *Schnittpunkte* der *Reglerkennlinie* (1) mit den Kennlinien des *Stellglieds* ein (Punkt A bei Belastung P_1). Wenn jetzt die Belastung geändert wird von P_1 nach P_2 (Störgröße), stellt sich ein neuer stabiler Wert ein (B in Abb. 7). Dieser neue Wert ist mit einer geringen Änderung der Muskellänge ΔL_m verbunden. Ohne die Funktion des Reglers würde sich bei Änderung der Belastung die Endlage C ergeben, die mit einer um ein Vielfaches größeren Änderung ΔL_0 einhergeht. Je geringer ΔL_m ist, um so besser funktioniert offenbar unsere Regelung. Quantitativ kann man die *Güte der Regelung* beschreiben durch den *Regelfaktor R*:

$$R = \frac{\Delta L \text{ mit Regelung}}{\Delta L \text{ ohne Regelung}} = \frac{\Delta L_m}{\Delta L_0}.$$

Durch Ausmessen der Strecken in Abb. 7 ergibt sich bei diesem Beispiel ein Regelfaktor von etwa

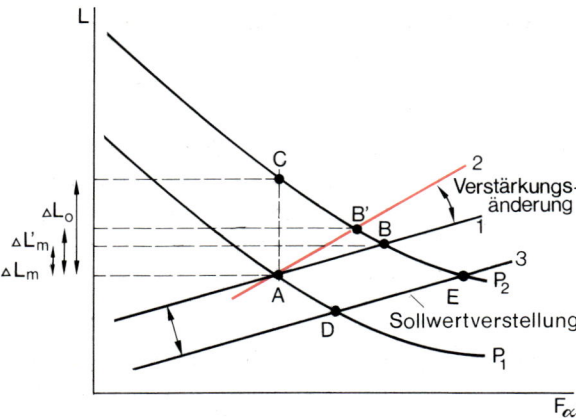

Abb. 7. Diagramm des statischen Verhaltens des Regelkreises für die Muskellänge L, durch Übereinanderzeichnen von Abb. 6(A) und (D) im F_α-L-Koordinatensystem erhalten. Erläuterungen im Text

$R = 0,13$. Bei technischen Regelkreisen lassen sich weit niedrigere Werte erreichen. Die Güte der Regelung hängt entscheidend von der *Verstärkung des Reglers* ab; bei geringerer Verstärkung (Linien 2 in Abb. 6(D) und Abb. 7) ist die Längenänderung $\Delta L'_m$ bei Erhöhung der Belastung des Muskels größer, die Regelung also schlechter (Punkt B′ in Abb. 7). Als Regelfaktor kann man aus den Strecken $\Delta L'_m$ und ΔL_0 in diesem Falle einen Wert von 0,40 errechnen.

2.3. Verstärkungsänderung des Längenreglers

Alle Maßnahmen, die *die Verstärkung des Reglers ändern,* beeinflussen die Regelung. Zahlreiche supraspinale und segmentale Einwirkungen auf den Dehnungsreflex können so verstanden werden [4, 15, 17, 21, 25, 26].

Hemmung und Regelverstärkung. Wir haben in einem anderen Zusammenhang gesehen, daß insbesondere *Hemmung* interpretiert werden kann als ein Eingriff zur Verstärkungsänderung (s. X-5.1). Beispiele für Hemmung am Motoneuron sind die autogene Hemmung durch die Sehnenorgane, die direkte Hemmung durch die Ia-Fasern des antagonistischen Muskels und die Renshaw-Hemmung. Man kann sich am Kennlinienfeld der Abb. 7 klarmachen, daß durch Hemmung die Regelung infolge *Verringerung der Verstärkung* schlechter wird (Übergang auf Kennlinie 2). Das kann durchaus ein nützlicher Effekt sein: bei geringerer Verstärkung ist die Regelung *weniger hart,* der Muskel ist *nachgiebiger.* Dies ist z.B. der Fall beim Antagonisten einer Gelenkbewegung: der durch die Bewegung passiv gedehnte Muskel ist meistens nicht völlig erschlafft, sein eigener Dehnungsreflex somit

nicht ganz aufgehoben, lediglich die Verstärkung ist herabgesetzt. Dadurch kann eine gewisse *Bremswirkung* aufrechterhalten werden. Auch die autogene Hemmung durch die Sehnenorgane läßt sich als Verringerung des Verstärkungsfaktors im Regelkreis sehen, die im Extremfall so weit gehen kann, daß die Längenregelung praktisch aufhört: Taschenmesser-Klappreflex.

Auf der anderen Seite kann die Verstärkung aller segmentalen Regelkreise durch pathologische Veränderungen im *supraspinalen ZNS* so groß werden, daß es zu einer ständigen tonischen Aktivierung auch antagonistischer Muskelgruppen kommt: *Spastik* [25].

In einer anderen regelungstechnischen Darstellung [6] der spinalen Motorik wurde die autogene Hemmung als Regelkreis für die *Spannung* des Muskels (Spannungskontrollsystem, s. VI) betrachtet, der *subtraktiv* der Längenregelung zu überlagern sei. Zur Klassifizierung der beiden Deutungen sei ohne weitere Erläuterung festgestellt: Der Mechanismus der Hemmung nach [6] bedeutet eine *subtraktive,* unser Vorschlag eine *multiplikative* Verarbeitung durch das Motoneuron. Das vorliegende experimentelle Material reicht nicht für eine Entscheidung zwischen beiden Modellen aus. Es ist möglich, daß beide Mechanismen gleichzeitig zur Verarbeitung am Motoneuron beitragen (s. 2.5).

2.4. Das Zeitverhalten des Regelkreises

Bisher haben wir den Regelkreis nur betrachtet in den stationären Endzuständen. Von großer Bedeutung für die Qualität einer Regelung ist jedoch auch das *Zeitverhalten* des Regelkreises: Störungen sollen möglichst schnell ausgeregelt werden.

Zur Untersuchung des dynamischen Verhaltens eines Regelkreises und seiner Bestandteile läßt man eine Störgröße mit einem definierten Zeitverhalten einwirken. Wir wollen zur Analyse unseres Muskelregelkreises eine *Sprungfunktion* verwenden (Abb. 8).

Aufgetrennter Regelkreis. In Abb. 8 sind die Wirkungen der stufenförmigen Störgröße (Abb. 8(A)) an verschiedenen Stellen des aufgetrennten Regelkreises zusammengestellt. Abb. 8(B) gibt die Antwort der Muskelspindel, also die *Ist-Wert-Meldung* nach der Codierung im Meßwertwandler. Gestrichelt eingezeichnet ist der Verlauf einer Antwort unter der Annahme eines Fühlers, dessen Anzeige *proportional* zur Längenänderung des Muskels ist (*Proportionalfühler);* dieses Verhalten zeigen meistens die sekundären Endigungen der Muskelspindel (Gruppe II). Die ausgezogene Kurve ist die Antwort einer primären Muskelspindelendigung (Ia); hier ist der überschießende, dynamische Anteil der Entladung bei Beginn der Muskeldehnung ein Maß für die *Dehnungsgeschwindigkeit,* d.h. für den zeitlichen Differentialquotienten der Bewegung [7]. Im

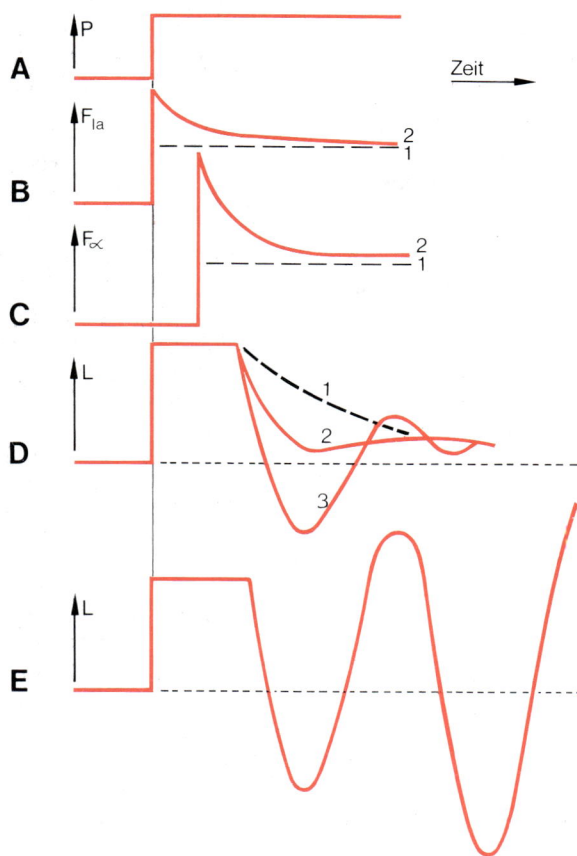

Abb. 8A–E. Zeitverhalten des Regelkreises. (A) Sprungförmige Störgröße durch plötzliche Änderung der Last P des Muskels. (B) Dadurch erzeugter Zeitverlauf der Entladungsfrequenz F_{Ia} einer Muskelspindel; Antwort 1 (gestrichelt) nur längenproportionale Entladung; Antwort 2 mit dynamischer Komponente. (C) Zeitverlauf der Entladungsfrequenz F_α des Motoneurons, Fälle 1 und 2 wie in (B). (B) und (C) am aufgetrennten Regelkreis (de-efferentiertes Präparat) ermittelt. (D) Übergangsfunktion des intakten Regelkreises, das ist Zeitverlauf von L bei sprungförmiger Störgröße; Kurven 1 und 2 entsprechend zu (B, C); Kurve 3 bei Erhöhung der Regelverstärkung. (E) Regelschwingung bei Instabilität des Regelkreises, z.B. bei unzulässig hoher Regelverstärkung

späteren Teil der Entladung ist dagegen F_{Ia} proportional zum Betrag der Dehnung. Technisch gesehen ist die primäre Muskelspindelendigung (Ia) daher ein *Proportional-Differential-Fühler* (*PD-Fühler*).

Abb. 8(C) zeigt den Zeitverlauf der *Stellgröße* F_α auf eine sprunghafte Störung. Auch hier erscheint ein PD-Verlauf; dieser ist z.T. durch die Muskelspindelantwort bedingt, z.T. jedoch dadurch, daß auch das α-Motoneuron PD-Verhalten zeigt: *PD-Regler*. Das Auftreten eines großen dynamischen Anteils in F_α zu Beginn einer sprunghaften Längenänderung wird weiter dadurch begünstigt, daß die *Verstärkung* des Reglers bei Beginn der Entladung groß ist, dann jedoch durch das Einsetzen der Renshaw-Hemmung zurückgeht (s. auch X-5.1).

Totzeit. Ein für die Regelung ganz wesentlicher Umstand geht aus Abb. 8 hervor: die zeitliche Verzögerung infolge der Impulsleitung im afferenten und efferenten Nerven, die *Totzeit* des Regelkreises. Die Totzeit limitiert die *Schnelligkeit* einer Regelung. Offensichtlich hat die Natur die Totzeit beim Dehnungsreflex bereits dadurch minimalisiert, daß die beteiligten Nervenfasern (Ia, Aα) die höchsten Leitungsgeschwindigkeiten der peripheren Nerven haben.

Übergangsfunktion. In Abb. 8(D) ist der Zeitverlauf der *Regelgröße* bei sprunghafter Störung gezeigt, nunmehr bei geschlossenem Regelkreis: *Übergangsfunktion des Regelkreises*. Zunächst erscheint die passive Veränderung der Regelgröße unter dem Einfluß der sprunghaften Störung. Nach Ablauf der Totzeit (durch afferente und efferente Nervenleitung) setzt die Wirkung der Regelung ein. Hierfür sind drei Varianten eingezeichnet. Die gestrichelte Kurve (1) entspricht dem (hier hypothetischen) Fall, daß sowohl Fühler als auch Regler nur *P-Verhalten* haben. Die Regelgröße verändert sich hierbei relativ *langsam*, infolge der Trägheit des Einsatzes einer Muskelkontraktion bei einer efferenten Impulsfolge mit konstanter Frequenz. Man sieht, daß dadurch eine weitere Verzögerung im Zeitablauf der Regelung eintreten würde, zusätzlich zur Totzeit infolge Nervenleitung. Die ausgezogene Kurve (2) gibt den Verlauf unter Berücksichtigung der *D-Komponenten* von Fühler und Regler. Durch die anfänglich höhere Frequenz F_α steigt die Muskelkontraktion *schneller* an, und stellt sich, oft nach einem kleinen *Überschwingen,* auf den neuen stationären Wert ein. Der dritte Fall in Abb. 8(D) (Kurve 3) gibt das Verhalten des Regelkreises wieder, wenn man durch weiteres *Vergrößern der Regelverstärkung* die Regelung noch schneller machen möchte: das Überschwingen wird erheblich größer, anschließend kommt es zu einer *gedämpften Oscillation* der Regelgröße beim Übergang zum neuen stationären Wert.

Die Gegenüberstellung der drei Möglichkeiten in Abb. 8(D) zeigt, daß die dem Regelkreis inhärente Trägheit (infolge Totzeit und Trägheit des Stellglieds) in der endgültigen Übergangsfunktion des Reglers durch den *D-Anteil* und die hohe Regelverstärkung am Anfang z.T. kompensiert werden können.

Bei vielen Regelkreisen ist der stationäre Zustand der Regelgröße ständig von einer kleinen Oscillation überlagert; auch beim Dehnungsreflex kann eine solche Oscillation auftreten, sie ist als *physiologischer Tremor* bekannt.

Instabilität des Regelkreises. Wenn man in einem Regelkreis die Regelverstärkung zu sehr erhöht, dann geht häufig die gedämpfte Oscillation der Übergangsfunktion in eine ungedämpfte *Regelschwingung* über (Abb. 8(E)). In einem solchen Falle spricht man von *Instabilität* des Regelkreises; die Amplitude der ungedämpften Oscillation kann dabei so groß sein, daß sich die Regelgröße ständig zwischen ihren Extremwerten hin- und herbewegt. Wir können aus dieser Betrachtung folgendes Fazit ziehen: die für eine *wirksame Regelung wünschenswerte hohe Regelverstärkung wird durch das Auftreten von Instabilität begrenzt.* Instabilität eines Reglers ist aber schlechter als gar keine Regelung.

Es gibt mehrere, z.T. pathologische Zustände, die man als Instabilität des Regelkreises Dehnungsreflex interpretieren kann: den Ruhetremor bei Parkinsonismus, den Schüttelkrampf z.B. bei Strychninvergiftung, und schließlich den Klonus bei Hyperreflexie. Dabei treten ungedämpfte bzw. langsam gedämpfte Oscillationen mit einer Frequenz auf, die durch die Totzeit der Regelung und die ballistischen Eigenschaften der betroffenen Gelenkbewegung bestimmt werden.

2.5. Die Sollwert-Führung

Bisher haben wir beim Regelkreis für die Muskellänge nur den Aspekt des Konstanthaltens (Halteregler) betrachtet. Jetzt soll die Betriebsart der *Folge-* oder *Servoregelung* näher untersucht werden: wie wir bereits wissen (s. 2.1), wird hierbei die Regelabweichung durch *Änderung der Führungsgröße* erzeugt, die Regelgröße wird auf einen neuen *Sollwert nachgeführt.*

Variable Führungsgröße. Wenn eine *Bewegung,* also eine Änderung der Muskellänge, ausgeführt werden soll, muß beim Regelkreis Dehnungsreflex eine *Sollwertverstellung* erreicht werden. Die Natur hat hierfür eine Lösung entwickelt, die als *Servosystem* interpretiert werden kann [6, 17, 21]. Die *Führungsgröße,* also der Befehl zur Sollwertverstellung, kommt über descendierende Bahnen aus *supraspinalen* Bereichen des ZNS. Aus Abb. 7 ist ersichtlich, daß die Veränderung des Sollwertes unseres Regelkreises bewirkt wird durch eine *Parallelverschiebung* der Kennlinie des Reglers (Übergang zu Linien 3 in Abb. 6(D) und 7). Wir müssen hier an die im Zusammenhang mit Abb. 7 getroffene Feststellung erinnern, daß nur die Schnittpunkte der Stellgliedkennlinie und der Reglerkennlinie *stationäre* Endwerte für die Regelgröße sein können. Daraus folgt, daß die *Verschiebung* der Kennlinie des Reglers, bewirkt durch supraspinale Befehle, den Regelkreis auf einen *neuen Wert der Muskellänge L nachführt.* Wie aus Abb. 7 zu entnehmen ist, funktioniert auch in dieser neuen Lage unser Regelkreis zur Konstanthaltung der (neuen) Muskellänge,

wenn sich z.B. die Belastung von P_1 nach P_2 ändert (Punkte D, E in Abb. 7).

Eingriffe der Führungsgröße. Bemerkenswerterweise geschieht beim Dehnungsreflex die Eingabe der Führungsgröße an zwei Stellen (s. Abb. 5(B)): am *Regler,* dem α-Motoneuron und, über das γ-Motoneuron, an der Meßwertwandlung in der Muskelspindel [4, 7, 15, 26]. Wir wollen die Parallelverschiebung der Reglerkennlinie L/F_α am Beispiel einer von supraspinal her befohlenen Verkürzung des Muskels erklären (Gerade 3 in Abb. 6(D) und 7). Die Parallelverschiebung kann sowohl durch eine Verschiebung des Zusammenhangs L/F_{Ia} (Codierungskennlinie der Muskelspindel, Abb. 6(B)) als auch durch eine Verschiebung des Zusammenhangs F_{Ia}/F_α (Kennlinie des α-Motoneurons, Abb. 6(C)) erzeugt werden. Beide Möglichkeiten zur *Sollwertverstellung* werden benutzt. Der Eingriff an der Muskelspindel über die γ-Innervation (Abb. 6(B)) ist bereits früher (s. VI) erläutert worden. Die Änderung der Kennlinie des α-Motoneurons kommt über *synaptische* Erregung via *descendierende Bahnen* zustande: z.B. wird bei Erhöhung der tonischen Aktivität des Tr. reticulospinalis das Membranpotential in *depolarisierende* Richtung verschoben. Die *Schwelle* für die Auslösung von α-Impulsen bei zusätzlicher synaptischer Aktivierung über die Ia-Afferenzen wird dabei *erniedrigt,* d.h. die Kennlinie nach links verschoben (Übergang $1 \rightarrow 3$ in Abb. 6(C, D), Abb. 7).

Gleichzeitige Änderungen von Verstärkung und Führungsgröße. Ob eine *reine* Parallelverschiebung der Kennlinie des α-Motoneurons vorkommt, wie schematisch in Abb. 6(C) gezeigt, ist bisher nicht systematisch überprüft worden. Die wenigen experimentellen Hinweise, die supraspinale Einflüsse auf die Kennlinie des α-Motoneurons demonstrieren, lassen vielmehr sowohl eine Änderung der Lage als auch der Steilheit erkennen. Das bedeutet in regeltechnischer Interpretation, daß durch die descendierenden Einflüsse am α-Motoneuron *Sollwert* und *Regelverstärkung gleichzeitig* geändert werden.
Auch an der *Muskelspindel* sind analoge Effekte bekannt: ein Teil der γ-Motorik führt weniger zu einer reinen Parallelverschiebung der Kennlinie (wie in Abb. 6(B) gezeigt), sondern auch zu Steilheits-(Verstärkungs-)Änderungen. Besonders die starke Zunahme der *dynamischen* Antwort in den Ia-Fasern bei Aktivierung der γ-Efferenzen ist als Erhöhung des Verstärkungsfaktors der Muskelspindel zu deuten. Dadurch kann besonders der Anfangsteil der Übergangsfunktion des Regelkreises modifiziert werden (s. 2.4, Abb. 8(D)).

2.6. Vermaschung segmentaler und supraspinaler Regelkreise

Das Regelkreiskonzept läßt sich über die Längenregelung eines einzelnen Muskels hinaus erweitern. An der Bewegung eines Scharniergelenkes sind

Beuge- und Streckermuskeln beteiligt. Diese hemmen sich *wechselseitig* (antagonistische Hemmung, s. IV, VI). Die beiden Dehnungsreflex-Regelkreise antagonistischer Muskeln sind somit in zweifacher Weise *gekoppelt:* einmal mechanisch, die Kontraktion eines der Muskeln bedeutet eine Störgröße für den anderen, und zweitens über die reziproke Beeinflussung des Verstärkungsfaktors durch die antagonistische Hemmung. Diese derart gekoppelten Regelkreise kann man zusammenfassen zu einem komplexen Regelkreis für die *Position eines Gelenkes* [6].

Auf supraspinaler Ebene erfolgt eine *Vermaschung* mehrerer solcher Gelenkpositions-Regelkreise, die am Ablauf einer Bewegung beteiligt sind [6]. Hierbei spielt eine Vielfalt von *Rückmeldungen* direkt zu diesen supraspinalen ZNS-Bereichen eine Rolle [17, 26], und zwar von Muskelspindeln, sowie auch von Afferenzen aus Gelenken, Bändern, aus der Haut und dem Vestibularorgan. Man hat auf diese Weise mehrere *übergeordnete,* supraspinale Regelkreise erkannt. Obwohl eine geschlossene Darstellung dieser Regelkreise noch nicht möglich ist, hat die Anwendung des Regelkreiskonzepts auch auf die supraspinale Motorik bereits zu deren Verständnis beigetragen [17].

3. Literatur

Weiterführende Lehrbücher und Monographien

1. ERISMANN, T.H.: Grundprobleme der Kybernetik. Berlin-Heidelberg-New York: Springer 1972.
2. FLECHTNER, H.-J.: Grundbegriffe der Kybernetik. Eine Einführung. Stuttgart: Wissenschaftl. Verl. Ges. 1966.
3. GARNER, V.R.: Uncertainty and structure as psychological concepts. New York: John Wiley 1962.
4. GRANIT, R.: The basis of motor control. London-New York: Academic Press 1970.
5. HASSENSTEIN, B.: Biologische Kybernetik. Heidelberg: Quelle & Meyer 1967.
6. HOUK, J.: Feedback control of muscle: a synthesis of the peripheral mechanisms. In: Medical Physiology, Vol. 1 (Ed. V.B. MOUNTCASTLE), p. 668. Saint Louis: Mosby 1974.
7. MATTHEWS, P.B.C.: Mammalian muscle receptors and their central actions. London: Arnold 1972.
8. OPPELT, W.: Kleines Handbuch technischer Regelvorgänge. Weinheim: Verlag Chemie 1953, 4. Aufl. (Nachdruck) 1967.
9. SHANNON, C.E., WEAVER, W.: The Mathematical Theory of Communication. Urbana: The University of Illinois Press 1949.
10. WAGNER, R.: Probleme und Beispiele biologischer Regelung. Stuttgart: Thieme 1954.
11. WERNER, G.: The study of sensation in physiology: psychophysical and neurophysiologic correlations. In: Medical Physiology, Vol. 1 (Ed. V.B. MOUNTCASTLE), p. 551. Saint Louis: Mosby 1974.
12. WIENER, N.: Kybernetik. Düsseldorf: Econ-Verlag 1963. (Deutsche Übersetzung; Originalausgabe in Englisch 1948.)
13. ZEMANEK, H.: Elementare Informationstheorie. Wien-München: Oldenbourg 1959.

Einzel- und Übersichtsarbeiten

14. DARIAN-SMITH, I., ROWE, M.J., SESSLE, B.J.: "Tactile" stimulus intensity: information transmission by relay neurons in different trigeminal nuclei. Science **160**, 791 (1968).
15. GRANIT, R.: Linkage of alpha and gamma motoneurones in voluntary movement. Nature New Biology **243**, 52 (1973).
16. GRÜSSER, O.-J.: Informationstheorie und die Signalverarbeitung in den Sinnesorganen und im Nervensystem. Naturwissenschaften **59**, 436 (1972).
17. HOUK, J.C.: On the significance of various command signals during voluntary control. Brain Res. **40**, 49–53 (1972).
18. JOHNSON, K.O., DARIAN-SMITH, I., LaMOTTE, C.: Peripheral neural determinants of temperature discrimination in man: A correlative study of responses to cooling skin. J. Neurophysiol. **36**, 347 (1973).
19. KENTON, B., KRUGER, L.: Information transmission in slowly adapting mechanoreceptor fibers. Exp. Neurol. **31**, 114 (1971).
20. KRUGER, L., KENTON, B.: Quantitative neural and psychophysical data for cutaneous mechanoreceptor function. Brain Res. **49**, 1 (1973).
21. MARSDEN, C.D., MERTON, P.A., MORTON, H.B.: Servo action in human voluntary movement. Nature **238**, 140 (1972).
22. MATTHEWS, P.B.C., STEIN, R.B.: The regularity of primary and secondary muscle spindle afferent discharges. J. Physiol. (Lond.) **202**, 59 (1968).
23. MOUNTCASTLE, V.B., LaMOTTE, R.H., CARLI, G.: Detection thresholds for stimuli in humans and monkeys: comparison with threshold events in mechanoreceptive afferent nerve fibers innervating the monkey's hand. J. Neurophysiol. **35**, 122 (1972).
24. MOUNTCASTLE, V.B., TALBOT, W.H., SAKATA, H., HYVÄRINEN, J.: Cortical neuronal mechanisms in flutter-vibration studied in unanesthetized monkeys. Neuronal periodicity and frequency discrimination. J. Neurophysiol. **32**, 452 (1969).
25. NEILSON, P.: Interaction between voluntary contraction and tonic stretch reflex transmission in normal and spastic patients. J. Neurol. Neurosurg. Psychiat. **6**, 853 (1972).
26. PHILLIPS, C.G.: Motor apparatus of the baboon's hand. Proc. roy. Soc. B **173**, 141 (1969).
27. STEIN, R.B.: The information capacity of nerve cells using a frequency code. Biophys. J. **7**, 797 (1967).
28. WALLØE, L.: On the transmission of information through sensory neurons. Biophys. J. **10**, 745 (1970).
29. WERNER, G., MOUNTCASTLE, V.B.: Neural activity in mechanoreceptive cutaneous afferents: stimulus-response relations, Weber functions and information transmission. J. Neurophysiol. **28**, 359 (1965).
30. WERNER, G., MOUNTCASTLE, V.B.: Quantitative relation between mechanical stimuli to the skin and the neural responses evoked by them. In: The Skin Senses (Ed. D.R. KENSHALO), p. 112. Springfield/Ill.: Ch. C. Thomas 1968.
31. ZIMMERMANN, M.: Sinneswahrnehmung und Informatik: Nachrichtentechnische Aspekte der Sinnesphysiologie, Umschau **72**, 781 (1972).

Dritter Teil

Blut, Blutkreislauf und Atmung

XVII. Funktion des Blutes (Ch. Weiss)

1. Grundbegriffe der Blutphysiologie

1.1. Aufgaben des Blutes

Transportfunktion. Blut ist in erster Linie ein Transportmedium. Es transportiert die Atemgase Sauerstoff und Kohlendioxyd physikalisch gelöst und chemisch gebunden, O_2 von den Lungen zu den atmenden Geweben und CO_2 von dort zu den Lungen. Blut schafft die Nährstoffe von den Orten ihrer Resorption oder Speicherung zu denen des Verbrauches. Es bringt von dort die Metaboliten zu den Ausscheidungsorganen oder den Stätten ihrer weiteren Verwendung. Blut dient als Vehikel für körpereigene Wirkstoffe, die es an den Orten ihrer Bildung oder Speicherung aufnimmt und — im gesamten Intravasalraum verteilt — an die spezifischen Wirkorte heranbringt. Blut verteilt — dank der großen Wärmekapazität seines Hauptbestandteils Wasser — die im Stoffwechsel gebildete Wärme und sorgt für ihre Abführung an die Umgebung über die Lungen und Atemwege sowie über die äußere Körperoberfläche.

Milieufunktion. Bei seinem Kreislauf durch den Körper werden die Zusammensetzung und die physikalischen Eigenschaften des Blutes ständig durch bestimmte Organe kontrolliert und — wenn nötig — so korrigiert, daß der Zustand der **Homöostase**, d.h. die weitgehende Konstanz der Konzentrationen gelöster Stoffe, der Temperatur und des pH gewahrt bleibt. Diese Konstanz des inneren Milieus bildet eine Grundvoraussetzung für die normale Funktion aller Zellen.

Schutz vor Blutverlust. Die dem Blut eigene Fähigkeit, Blutungen durch den Verschluß kleiner verletzter Gefäße und durch Gerinnung (s. 6) entgegenzuwirken, stellt eine weitere wichtige Funktion dar.

Abwehrfunktion. Die Fähigkeit des Körpers, eingedrungene Fremdkörper und Krankheitserreger unschädlich zu machen, ist vor allem an phagocytierende und an antikörperbildende Blutzellen gebunden (s. 7).

1.2. Blutvolumen

Blut ist eine undurchsichtige rote Flüssigkeit, die aus dem schwach gelblichen *Plasma* und den darin suspendierten roten Blutzellen (den *Erythrocyten*), den weißen Blutzellen (den *Leukocyten*) und den Blutplättchen (den *Thrombocyten*) besteht. *Der Anteil des Blutes am Körpergewicht beträgt etwa 6–8%.* Für den Erwachsenen entspricht das einem Blutvolumen von 4–6 Liter.

Bestimmung des Blutvolumens. Das zirkulierende Blutvolumen läßt sich mit Hilfe der Verdünnungsmethode ermitteln. Dazu injiziert man einen Farbstoff (z.B. Kongorot oder Trypanblau, bzw. Evans-blue) oder radioaktiv markiertes Serumalbumin in die Blutbahn. Nach vollständiger Durchmischung im Blutstrom wird eine Probe entnommen und darin die Konzentration der injizierten Substanz gemessen. Unter der Voraussetzung, daß der zugeführte Stoff während der Versuchsdauer nicht in die Erythrocyten eindringt oder die Blutbahn verläßt, kann aus der Konzentration der Substanz in der Probe (C_2) das zirkulierende Plasmavolumen (V_p) errechnet werden, denn die injizierte Substanzmenge ($S = C_1 \cdot V_1$) ist dann gleich der im Gefäßsystem befindlichen Menge ($C_2 \cdot V_p$), so daß gilt:

$$V_p = \frac{C_1 \cdot V_1}{C_2} = \frac{S}{C_2}.$$

Mißt man gleichzeitig den Hämatokrit (vgl. den folgenden Abschnitt), dann läßt sich das zirkulierende Blutvolumen (V_b) berechnen:

$$V_b = \frac{V_p \cdot 100}{100 - \text{Hämatokrit}}.$$

Man kann anstatt eines Farbstoffes oder radioaktiven Serumalbumins auch eine bestimmte Menge mit radioaktivem Eisen oder Phosphor markierter Erythrocyten injizieren und nach dem gleichen Prinzip aus der Verdünnung der zugeführten Erythrocyten das zirkulierende Blutvolumen bestimmen. Zwischen den mit der Verdünnungsmethode bestimmten zirkulierenden Blutvolumen und der im Körper vorhandenen Gesamtblutmenge besteht beim Menschen kein nennenswerter Unterschied.

1.3. Hämatokrit

Definition und Normalwerte. *Der Anteil der Blutzellen am Blutvolumen wird Hämatokrit genannt.* Er beträgt beim gesunden erwachsenen Mann 44–46 Vol.-%, bei der Frau 41–43 Vol.-% (ml Zellen/dl Blut). Stärkere und anhaltende Abweichungen findet man beim Gesunden nur bei der Höhen-

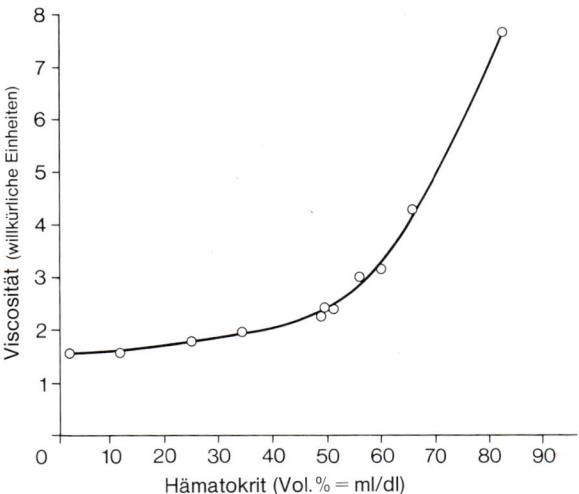

Abb. 1. Zusammenhang zwischen Hämatokrit und Viscosität des Blutes. Nach [26]

anpassung. Neugeborene haben einen um etwa 10% höheren, Kleinkinder einen um etwa 10% niedrigeren Wert.

Zur **Hämatokritbestimmung** (nach WINTROBE) werden die spezifisch schwereren Blutzellen (im ungerinnbar gemachten Blut) durch 10 min Zentrifugieren bei etwa 1000 g (g = relative Erdbeschleunigung) in standardisierten (Hämatokrit-)Röhrchen geringen Durchmessers vom Plasma getrennt. Dabei kommt es außerdem zu einer Separation von den spezifisch leichteren Leukocyten, die zwischen den sedimentierten Erythrocyten und dem Plasma eine dünne weißliche Schicht bilden. Aufgrund der besonderen Strömungseigenschaften der Erythrocyten stellen sich in einzelnen Organen voneinander abweichende Hämatokritwerte ein. Daher bestehen Unterschiede zwischen den Hämatokritwerten des venösen, des arteriellen und des capillären Blutes. Die Multiplikation des mit der Wintrobeschen Methode im Cubitalvenenblut gemessenen Hämatokrites mit 0,9 ergibt einen Wert, der dem mittleren Hämatokrit des Gesamtblutes entspricht.

Hämatokrit und Blutviscosität. Bezogen auf das Wasser = 1 beträgt die mittlere **relative Blutviscosität** gesunder Erwachsener 4,5 (3,5–5,4), die von Blutplasma 2,2 (1,9–2,6). Die innere Reibung des Blutes, seine Viscosität, nimmt mit steigendem Hämatokrit überproportional zu (Abb. 1). Da der Strömungswiderstand linear mit der Viscosität ansteigt, bedeutet jede krankhafte Steigerung des Hämatokritwertes eine Mehrbelastung des Herzens und führt u.U. zur Minderdurchblutung von Organen.

2. Blutplasma

In Abb. 2 sind die drei großen Flüssigkeitsräume des Körpers, das **Blutgefäßsystem**, der **interstitielle**

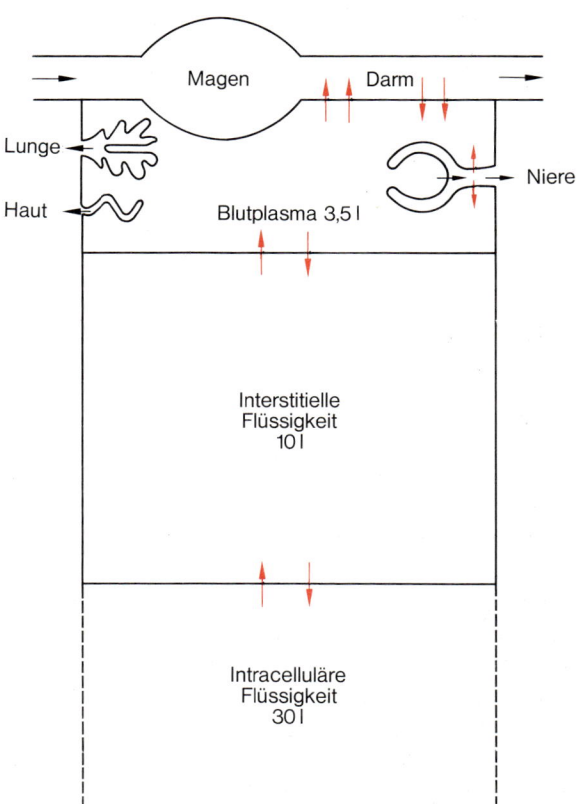

Abb. 2. Schematische Darstellung der Flüssigkeitsräume des Organismus. Die abgerundeten Volumina beziehen sich auf ein Körpergewicht von 70 kg. Nach [10]

Raum (Zwischenzellraum) und der **intracelluläre Raum** schematisch dargestellt. Die interstitielle Flüssigkeit bildet die Umwelt für die Masse der Körperzellen. Sie steht über die große Oberfläche der Capillarwände (die für Wasser und Elektrolyte eine sehr hohe Durchlässigkeit besitzen) im Stoffaustausch mit dem Plasma. Da der Austausch von Wasser und kleinmolekularen Substanzen zwischen Plasma und Interstitium sehr rasch erfolgt, ändert sich die Zusammensetzung der Zwischenzellflüssigkeit trotz der wechselnden Intensität der Stoffaufnahme und -abgabe durch die Zellen nur in sehr engen Grenzen. Versuche mit schwerem (mit Deuterium markiertem) Wasser (D_2O) haben z.B. gezeigt, daß über 70% der Plasmaflüssigkeit innerhalb einer Minute mit der interstitiellen Flüssigkeit ausgetauscht werden.

Nennenswerte *Konzentrationsunterschiede zwischen Plasma und interstitieller Flüssigkeit* bestehen nur für die Eiweißkörper, die wegen ihrer Molekülgröße die Capillarmembran nicht ungehindert passieren können. Menschliches **Blutplasma** besteht zu 90–91 Gew.% (= mg/dg) aus Wasser, zu 6,5–8% aus Eiweiß und zu 2% aus kleinmolekularen Substanzen. Es hat ein spezifisches Gewicht von 1,025–

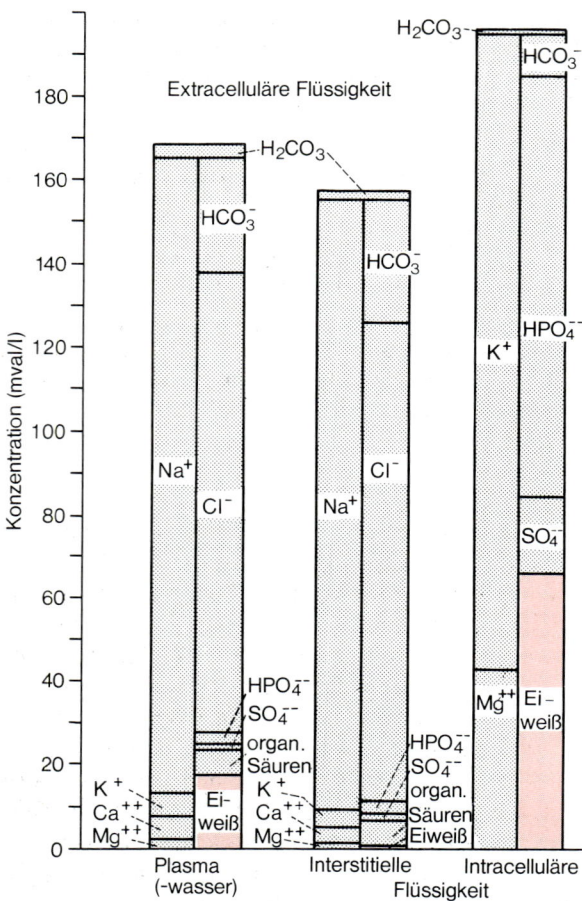

Abb. 3. Elektrolytzusammensetzung von Plasma, interstitieller und intracellulärer Flüssigkeit. Nach [10]

Tabelle 1. Konzentrationen der Elektrolyte und Nicht-Elektrolyte im menschlichen Plasma. Nach [2]

	mg/dl	mval/l	mmol/kg Plasmawasser
Elektrolyte			
Kationen:			
Natrium	328	143	153
Kalium	18	5	5
Calcium	10	5	3
Magnesium	2	2	1
insgesamt		155	
Anionen			
Chlorid	365	103	110
Bicarbonat	61	27	28
Phosphat	4	2	1
Sulfat	2	1	1
Org. Säuren		6	
Eiweiß	7000 bis 8000	16	2
insgesamt		155	
Nicht-Elektrolyte			
Glucose	90–100	5	5
Harnstoff	40	7	7

1,029; sein pH schwankt geringfügig (7,37–7,43) um einen Mittelwert bei 7,40 (arterielles Blut).

2.1. Plasmaelektrolyte

Elektrolytkonzentrationen. Tabelle 1 und Abb. 3 geben einen Überblick über die ionale Zusammensetzung des Plasmas. Zu der nicht näher beschriebenen Gruppe der organischen Säuren gehören (in der Reihenfolge ihrer mittleren Konzentration im Plasma) Milchsäure, die Aminosäuren, Citronensäure und Brenztraubensäure (Tabelle 4).

Als Konzentrationsmaße sollte man nicht mehr g% (g/dl) bzw. mg% (mg/dl), sondern **Molarität** (mol/Liter) und **Normalität** oder Äquivalentkonzentration (val/Liter = mol/(Wertigkeit · Liter)) verwenden. Um bei großem Raumbedarf der gelösten Teilchen Einschränkungen des Lösungsraumes berücksichtigen zu können, wird vielfach die **Molalität** (mol/kg Lösungsmittel) als Konzentrationsmaß verwendet (s. Tabelle 1).

Osmotischer Druck. Ein Maß für die Konzentration gelöster Stoffe im Plasma ist der *osmotische Druck*. Er beträgt rund 7,3 atm (5600 mm Hg = 745 kPa) und entspricht einer Gefrierpunktserniedrigung von −0,54° C. Lösungen, die den gleichen osmotischen Druck haben wie Plasma, bezeichnet man als *isotonisch*; sinngemäß nennt man Lösungen mit höherem osmotischen Druck *hypertonisch*, solche mit niedrigerem osmotischen Druck *hypotonisch*. Plasma ist einer knapp $^1/_3$ molalen Lösung eines Nichtelektrolyten isotonisch. 96% des osmotischen Druckes des Blutes beruhen auf der Anwesenheit der anorganischen Elektrolyte. Ihr Molekulargewicht ist niedrig, die Zahl der Moleküle pro Gewichtseinheit infolgedessen hoch.

Für die Konstanthaltung des inneren Milieus, die **Homöostase**, spielt die Regulierung des osmotischen Druckes im Plasma eine entscheidende Rolle. Der Permeationswiderstand der wasserdurchlässigen Zellmembranen ist für viele gelöste Stoffe sehr hoch, so daß jede Abweichung vom normalen osmotischen Druck in der extracellulären Flüssigkeit, also im Plasma und Interstitium, zu Wasserverschiebungen zwischen den Zellen und ihrer Umgebung führt. *Hypotonie* der extracellulären Flüssigkeit bringt die Zellen durch Wassereinstrom zum Schwellen (*celluläres Ödem*). Durch starke Volumenzunahme kann es dabei zur Zerstörung der Zellmembranen kommen (s. osmotische Hämolyse in 3).

Tabelle 2. Zusammensetzung einiger gebräuchlicher Suspensionsmedien. Die Zahlen geben die jeweilige Konzentration [mmol/l] an

	Ringer		Krebs-Ringer	Tyrode
	Amphibien	Säuger		
			Säuger	
NaCl	111,0	154,0	119,0	137,0
KCl	1,9	2,7	4,7	2,7
CaCl$_2$	1,1	1,8	2,5	1,8
NaHCO$_3$	2,4	1,2	25,0	12,0
KH$_2$PO$_4$			1,2	
NaH$_2$PO$_4$				0,4
MgSO$_4$			1,2	1,2
Glucose				5,0

Hypertonie andererseits läßt die Zellen durch Wasserausstrom schrumpfen und bewirkt den Verlust des normalen Gewebsturgors. In beiden Fällen ist die Funktionstüchtigkeit der Zellen mehr oder weniger schwer beeinträchtigt.

Berechnung und Messung des osmotischen Druckes. Der osmotische Druck einer Lösung hängt in erster Näherung von der Konzentration gelöster Teilchen ab, unabhängig von deren Beschaffenheit. In verdünnten Lösungen verhält er sich so, als ob die Partikel dem allgemeinen Gasgesetz für ideale Gase folgten, und es gilt wie für den Gasdruck P für den osmotischen Druck (π):

$$\Pi = \frac{nRT}{V} = CRT = C \cdot 0,0821 \cdot T \text{ [atm]},$$

wobei n die Molzahl der gelösten Teilchen, V das Volumen des Lösungsmittels, C die Konzentration der Lösung (in mol/l), R die allgemeine Gaskonstante und T die absolute Temperatur bedeuten.

Funktionen der Plasmaelektrolyte. Die Isotonie des Suspensionsmediums bildet eine der Grundvoraussetzungen für die Erhaltung der Funktionsfähigkeit isolierten, überlebenden Gewebes. Sie ist allein jedoch nicht ausreichend für die Aufrechterhaltung der Zellfunktionen. Es bedarf der Anwesenheit bestimmter Ionen in einem ausgewogenen Verhältnis, um den Zustand der **Isoionie** zu erhalten. Tabelle 2 zeigt die Zusammensetzung einiger „balancierter" Salzlösungen, die sich als *Suspensionsmedium* für überlebende Gewebe bewährt haben. Obwohl die unterschiedlichen Wirkungen der einzelnen Ionenarten schon lange bekannt sind, ist ihr Wirkungsmechanismus nicht in allen Einzelheiten aufgeklärt.

Als Beispiele für einige der bisher bekannten biochemischen oder biophysikalischen Wirkungen der Alkali- und Erdalkalimetallionen seien genannt:
1. Die *Beeinflussung der Enzymaktivitäten* durch spezifische Ionen. Die Aktivierung der Pyruvat-Kinase, die Aktivierung der Hexokinase durch Mg^{++}; die Aktivierung der Acetylcholineste-

rase durch Ca^{++} und Mg^{++}; die Aktivierung der Cholin-Acetylase durch K$^+$ und Mg^{++} und deren Hemmung durch Ca^{++}; die Aktivierung der Erythrocyten-ATPase durch Na$^+$ und K$^+$ in Gegenwart von Mg^{++}.
2. Die *Löslichkeitsbeeinflussung von Eiweißkörpern* durch Salze (Aussalzen, Einsalzen) über Veränderungen des Solvatationszustandes oder Umladung polarer Gruppen durch polyvalente Salzionen.
3. Die *Beeinflussung des Polymerisationsgrades von Eiweißkörpern* durch Alkalimetallionen, wie z.B. beim Actin.
4. Die *Beeinflussung des Quellungszustandes von Nucleinsäuren* durch Na$^+$.
5. Die *bioelektrischen Prozesse*, für die Konzentrationsgefälle insbesondere der Alkalimetallionen zwischen intra- und extracellulärem Raum eine Grundvoraussetzung bilden (s. II).

2.2. Plasmaproteine

Allgemeine Eigenschaften und Funktionen. Die hohe relative Viscosität des Plasmas von 1,9–2,2 (Wasser = 1) beruht fast ausschließlich auf seinem Eiweißgehalt, der *6,5–8 g/dl* beträgt. Wegen des hohen Molekulargewichtes der Eiweißkörper entspricht dieser beträchtlichen Konzentration, wie Tabelle 1 zeigt, eine *molale* Konzentration von nur rund 2 mmol/kg. Das sogenannte Plasmaprotein stellt ein Gemisch aus zahlreichen Eiweißkörpern dar, das sich mit dem in 2.2 beschriebenen Verfahren fraktionieren läßt. Die **Molekulargewichte** der einzelnen Plasmaproteine liegen zwischen 44000 und 1300000, ihr **Molekulardurchmesser** zwischen 1–100 nm Teilchen dieser Größenordnung gehören zu den Kolloiden (Abb. 4). Die Plasmaeiweißkörper erfüllen eine Reihe von Funktionen:

1. Nährfunktion. In den etwa 3 Litern Plasma des Erwachsenen sind rund 200 g Protein gelöst. Diese Menge stellt ein schnell verfügbares Eiweißreservoir dar. Während die Körperzellen im allgemeinen nicht Proteine, sondern nur deren Bausteine, die Aminosäuren, aufnehmen, sind insbesondere die Zellen des *Reticuloendothelialen Systems (RES)* be-

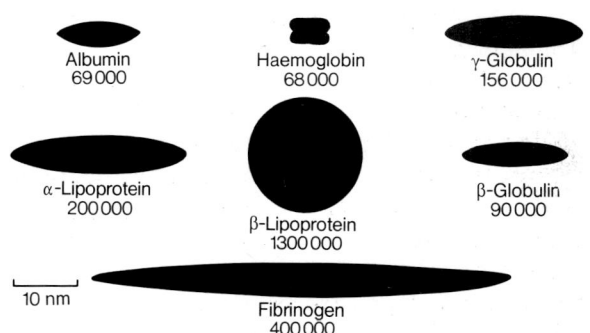

Abb. 4. Molekulargewichte und schematisierte Molekularformen einiger Plasmaeiweiße und des Hämoglobins. Nach [8]

fähigt, Plasmaeiweißkörper im Ganzen aufzunehmen und sie mit Hilfe intracellulärer Enzyme in Aminosäuren zu zerlegen, die dann — in das Blut diffundiert — als rasch verfügbarer Bausteinnachschub für die Eiweißsynthese im Körper dienen. Der Umsatz von Plasmaeiweiß kann so weit ansteigen, daß die gesamte täglich benötigte Eiweißmenge in Form von Plasmaeiweiß parenteral, d.h. unter Umgehung des Magen-Darm-Kanals, durch Injektion zugeführt werden muß.

2. Vehikelfunktion. Zahlreiche kleinmolekulare Stoffe (s. 2.3) werden beim Transport vom Darm oder von den Speicherorganen zu den Stätten des Verbrauchs an spezifische Plasmaproteine gebunden. Ihre große Oberfläche mit zahlreichen hydrophilen und lipophilen Haftstellen macht die Proteinmoleküle für diese Vehikelfunktion besonders geeignet. Durch Bindung ihrer lipophilen Gruppen an wasserunlösliche, fettartige Substanzen dienen sie als Lösungsvermittler. Ihre Fähigkeit, eine große Zahl kleinmolekularer Stoffe während des Transportes im Blut zu binden, trägt überdies zur Konstanthaltung des osmotischen Druckes bei.

3. Unspezifische Trägerfunktion. Alle Plasmaproteine binden bluteigene Kationen in nichtdiffusibler Form. Zum Beispiel liegen etwa $^2/_3$ des im Plasma vorhandenen Calciums an Eiweißkörper unspezifisch gebunden vor. Zwischen dem physiologisch wirksamen ionisierten, ungebundenen und dem an Eiweiß gebundenen Calcium besteht ein Gleichgewicht.

4. Erzeugung des kolloidosmotischen Druckes. Der Anteil am osmotischen Druck des Plasmas, der durch die Eiweißkörper hervorgerufen wird, ist, entsprechend ihrer geringen molaren Konzentration, sehr klein. Trotzdem spielt der kolloidosmotische (onkotische) Druck bei der *Regulierung der Wasserverteilung zwischen Plasma und Interstitium* eine große Rolle. Da kleinmolekulare Stoffe durch die Capillarmembranen praktisch frei permeieren, ist ihre Konzentration und daher der von ihnen verursachte osmotische Druck in Plasma und Interstitium annähernd gleich. Die Plasmaeiweißkörper jedoch können wegen ihrer Molekülgröße die Capillarwand nur gegen einen vergleichsweise großen Widerstand passieren (isotopenmarkiertes Albumin z.B. verläßt die Blutbahn mit einer Halbwertszeit von etwa 14 h). Wegen der Eiweißaufnahme durch die Zellen und des Eiweißtransportes durch die Lymphe besteht daher ein Konzentrationsgradient für Eiweißkörper zwischen Plasma und Inter-

stitium, der einen kolloidosmotischen Druckunterschied von etwa 22 mm Hg (3 kPa) bewirkt.

Jede Änderung der osmotisch wirksamen Konzentration der Plasmaeiweißkörper stört den Stoffaustausch und die Wasserverteilung zwischen Blut und interstitieller Flüssigkeit. Da unter den Plasmaeiweißkörpern das Albumin (s.S. 323) die größte Menge ausmacht (da seine molale Konzentration wegen der geringeren Molekülgröße etwa 6mal höher als die aller anderen Plasmaeiweißkörper ist), wirken sich Veränderungen seiner Konzentration besonders stark auf den kolloidosmotischen Druck aus. Eine Abnahme der Albuminkonzentration im Plasma führt häufig zu einer Wasserretention im Interstitium, zu einem *interstitiellen Ödem.*

5. Pufferfunktion. Aufgrund ihrer Fähigkeit, mit Basen und Säuren Salze zu bilden, leisten die Plasmaproteine einen Beitrag zur Aufrechterhaltung eines konstanten pH-Wertes (s.S. 501).

6. Schutz vor Blutverlusten. Die Gerinnungsfähigkeit des Blutes, die dem Schutz vor Blutverlusten dient, beruht u.a. auf dem Gehalt des Plasmas an Fibrinogen (s.S. 325). Am Ende einer Reaktionskette, in deren Verlauf eine Reihe von Bluteiweißkörpern mit Enzymcharakter aufeinander einwirken, steht die Umwandlung des gelösten Fibrinogens in den Faserstoff Fibrin (s.S. 333).

Fraktionierung der Plasmaproteine. Seitdem es gelang, die von TISELIUS eingeführte *Elektrophorese* von Eiweißgemischen in Form der sog. Papier- oder Kunststoffstreifenelektrophorese technisch zu vereinfachen, werden qualitative und quantitative Analysen der Plasmaeiweißkörper routinemäßig durchgeführt (Abb. 5). Die Eiweißelektrophorese ist ein wichtiges diagnostisches Hilfsmittel, da viele Erkrankungen charakteristische Veränderungen des Plasmaeiweißspektrums hervorrufen.

Unter **Elektrophorese** versteht man die Wanderung gelöster oder in einer Flüssigkeit suspendierter elektrisch geladener Teilchen im elektrischen Gleichspannungsfeld. Eiweißmoleküle sind aus einzelnen Aminosäuren aufgebaut, die jeweils durch Peptidbindungen miteinander verknüpft sind. Die Elektrolytnatur dieser Moleküle beruht auf der Ionisierbarkeit von Amino- ($-NH_2$) und Carboxylgruppen ($-COOH$), die, besonders in Seitenketten, *entsprechend dem pH-Wert des Lösungsmittels elektrische Ladungen tragen* ($-NH_3^+$ bzw. $-COO^-$).

Carboxylgruppen liegen in saurer Lösung als ungeladene COOH-Gruppen vor, während die Aminogruppen Protonen (H^+) anlagern ($-NH_3^+$), so daß das Eiweißmolekül nach außen positiv geladen ist. Mit steigendem pH geben sowohl die COOH- als auch die NH_3^+-Gruppen entsprechend ihren Dissoziationskonstanten zunehmend Protonen an das Lösungsmittel ab, so daß schließlich im Alkalischen NH_2- und COO^--Gruppen vor-

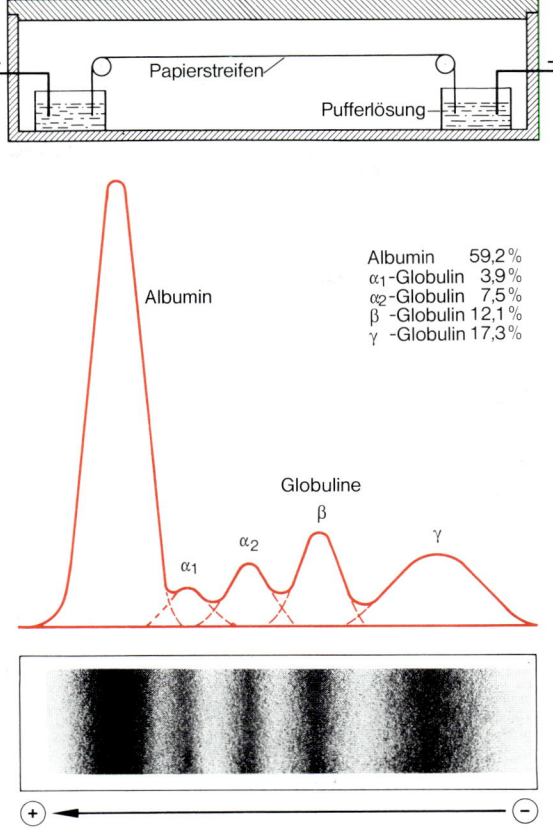

Albumin   59,2 %
α_1-Globulin   3,9 %
α_2-Globulin   7,5 %
β -Globulin 12,1 %
γ -Globulin 17,3 %

Albumin

Globuline

β

α_1 α_2 γ

(+) ⟵   (−)

Abb. 5. Elektropherogramm eines menschlichen Serums. Unten der angefärbte Papierstreifen, darüber die Photometer-Kurven, der prozentuale Anteil der einzelnen Plasmaeiweißfraktionen und die Apparatur zur Papierelektrophorese

liegen und das Molekül nach außen negativ geladen ist. Schon für ein Dipeptid mit jeweils nur einer freien Amino- und Carboxylgruppe lassen sich 3 Möglichkeiten der Ladungsverteilung aufstellen: 1. NH_2/COO^- (Protein-Anion); 2. $NH_3^+/COOH$ (Protein-Kation); 3. NH_3^+/COO^- (elektrisch neutrales Protein). Am **Isoelektrischen Punkt** (IP), der bei einem für jeden Eiweißkörper charakteristischen pH liegt, ist die Zahl ionisierter Carboxyl- und Aminogruppen gleich, das Molekül ist nach außenhin neutral und daher elektrophoretisch unbeweglich. Die Lage des IP wird von der Anzahl und den Dissoziationskonstanten der im Molekül vorhandenen sauren und basischen Gruppen bestimmt. Enthält das Molekül mehr Amino- als Carboxylgruppen (wie etwa bei den Eiweißkörpern mit einem hohen Gehalt an Diaminomonocarbonsäuren), dann befindet sich der IP weiter im Alkalischen; überwiegen die Carboxylgruppen (wie bei den Dicarbonsäuren), dann liegt er mehr im sauren Bereich.

Die **elektrophoretische Wanderungsgeschwindigkeit** der Eiweißkörper ist im wesentlichen eine Funktion der angelegten Spannung, der Größe und Gestalt der Moleküle und deren elektrischer Ladung, die vom Abstand des Isoelektrischen Punktes (IP) zu der in der Lösung herrschenden pH abhängt. Wie aus Tabelle 3 hervorgeht, liegen die IP der einzelnen Plasmaeiweißkörper verschieden weit unterhalb von pH 7. Bei neutraler oder alkalischer Reaktion wandern die Eiweißkörper deshalb im elektrischen Feld mit unterschiedlicher Geschwindigkeit in gleicher Richtung zur Anode (Abb. 5).

Bei einer anderen Methode der Fraktionierung, die gleichzeitig die Bestimmung der Molekulargewichte erlaubt, benutzt man Schwerefelder vom 100 000- bis 750 000fachen der Erdbeschleunigung in der **Ultrazentrifuge** (SVEDBERG). Bei gegebener Beschleunigung (Zentrifugalkraft) hängt die Sedimentationsgeschwindigkeit vom spezifischen Gewicht und der Gestalt der Moleküle (Abb. 4) sowie von der Dichte des Suspensionsmediums ab. Bei der **Dichtegradienten-Zentrifugation** lassen sich die in bestimmten Höhenschichten konzentrierten einzelnen Eiweißkomponenten des Gemisches besonders gut trennen.

Die **unterschiedliche Fällbarkeit** der einzelnen Eiweißkörper durch Schwermetalle, insbesondere Blei (das mit Sulfhydryl- und Carboxylgruppen reagiert), bietet eine weitere Möglichkeit zur Trennung von Proteingemischen. Nachdem das Blei durch H_2S in PbS überführt worden ist, lassen sich die (nicht denaturierten) Proteine wieder lösen. Die systematische Kombination von Änderungen des pH, der Ionenstärke (durch Variation der Salzkonzentration) und der Dielektrizitätskonstanten (durch Zusatz organischer Lösungsmittel) erlaubt bei niedrigen Temperaturen die schonende Trennung der Plasmaeiweißkörper in eine große Zahl von Einzelkomponenten, von denen die meisten nur aus einer einzigen Molekülsorte bestehen.
Eine noch weitergehende Auftrennung der Plasmaproteine erlaubt die Kombination von Elektrophorese und Immunpräcipitation im Verfahren der **Immunelektrophorese.** Dabei läßt man elektrophoretisch getrennte Eiweißfraktionen einzeln in einem Gel in einen Tropfen antikörperhaltiges Serum diffundieren. Beim Zusammentreffen der Eiweiß-Antigens mit den Serum-Antikörper kommt es zur Präcipitation (Fällung), die als weißliche Trübungszone im Gel erkennbar ist. Auf diese Weise ließ sich zeigen, daß elektrophoretisch einheitliche Eiweißfraktionen u. U. aus mehreren immunologisch unterschiedlichen Eiweißkörpern bestehen (s. Tabelle 3). Im menschlichen Blutplasma ließen sich mehr als 30 Proteine nachweisen.

Eigenschaften und Funktionen einzelner Fraktionen. Mit den erwähnten Fraktionierungsverfahren lassen sich aus dem Plasma eine Reihe von Proteinen gewinnen, deren Zahl und Reinheitsgrad von der angewandten Technik abhängen. Da die Elektrophorese das am häufigsten benutzte Analyseverfahren ist, wird die Besprechung auf die mit dieser Methode unterscheidbaren Komponenten beschränkt. In Abb. 4 sind die Größenverhältnisse und die Gestalt der wichtigsten Eiweißkörper des Plasmas schematisch dargestellt.

Plasmaalbumin. Etwa 60% der Plasmaeiweißmenge stellt das Albumin (3,5–4,5 g/dl). Mit seinem Molekulargewicht von 69 000 gehört es zu den kleinsten Plasmaeiweißkörpern. Wegen seiner relativ großen Konzentration und der Kleinheit der Moleküle ist es für fast 80% des kolloidosmotischen Druckes im Plasma verantwortlich. Dank der geringen Molekülgröße besitzen seine Teilchen eine sehr große Gesamtoberfläche. Das befähigt sie in besonderem Maße zur Bindung einer Reihe von Substanzen, die sie als Träger im Blut transportieren. Zu den vom Albumin gebundenen Stoffen gehören das Bilirubin, Urobilin, Fettsäuren, gallensaure Salze und einige körperfremde Stoffe wie z.B. Penicillin, Sul-

Tabelle 3. Proteinfraktionen des menschlichen Blutplasmas. MG = Molekulargewicht; IP = Isoelektrischer Punkt. Nach [9, 11, 19, 27]

Proteinfraktion		Mittlere Konzentration		MG ($\times 1000$)	IP	Physiologische Bedeutung
elektro-phoretisch	immunelektro-phoretisch	mg/dl	µmol/l			
Albumin	Präalbumin	30	4,9	61	4,7	Begrenzte Bindung von Thyroxin;
	Albumin	4000	579,0	69	4,9	kolloidosm. Druck, Vehikel-Funktion; Reserve-Eiweiß
α_1-Globuline	Saures α_1-Glyko-protein	80	18,2	44	2,7	Gewebsabbauprodukt?;
	α_1-Lipoprotein	350	17,5	200	5,1	Lipidtransport (bevorzugt Phospholipide)
α_2-Globuline	Coeruloplasmin	30	1,9	160	4,4	Oxidase-Aktivität;
	α_2-Makroglobulin	250	3,1	820	5,4	Plasmin- und Proteinasen-Inhibition;
	α_2-Haptoglobulin	100	11,8	85	4,1	Nichtharnfähige Hämoglobin-Bindung
β-Globuline	Transferrin	300	33,3	90	5,8	Eisentransport;
	β-Lipoprotein	550	0,3 bis 1,8	3000 bis 20000	–	Transport von Lipiden (bevorzugt Cholesterin)
	Fibrinogen	400	11,8	340	5,8	Blutgerinnung
γ-Globuline	γG-Globuline	1200	76,9	156 ⎫	5,8	Immunglobuline Antikörper gegen bakterielle Anti-
	γA-Globulin	240	16,0	150 ⎬	7,3	gene und körperfremdes Protein;
	γM-Globulin	125	1,3	960 ⎭		„Natürliche" Antikörper, z.B. Isohämagglutinine:
	γE-Globulin	0,03	0,002	190	–	Antikörper

fonamide und Quecksilber. Ein einziges Albumin-molekül kann z.B. 25–50 Bilirubinmoleküle (MG 500) gleichzeitig binden. Bei vielen pathologischen Zuständen ist die Albuminmenge verringert.

Plasmaglobuline. Unter dem Namen Globulin wird eine ganze Gruppe von elektrophoretisch trennba-ren Proteinkomponenten zusammengefaßt und nach der Wanderungsgeschwindigkeit im elektri-schen Feld als α_1-, α_2-, β- und γ-Globulin unter-schieden (Abb. 4). Doch repräsentieren auch diese Unterfraktionen noch keine einheitlichen Eiweiß-körper. Mit anderen Trennverfahren wie z.B. der schon erwähnten Cohnschen Methode der Löslich-keitsbeeinflussung oder der Immunelektrophorese lassen sie sich weiter auftrennen (Tabelle 3).

Mit der Untergruppe der **α_1-Globuline** wandert eine Reihe von konjugierten Proteinen, die Kohlenhy-drate überwiegend in Form von Hexosen und Hexos-amin als prosthetische Gruppen besitzen und unter dem Namen *Glykoproteine* zusammengefaßt wer-den. Etwa $^2/_3$ der Glucose des Plasmas sind als Glykoprotein gebunden. Diese gebundene Glucose wird bei der klinischen Bestimmung des Blutzuckers in enteiweißtem Plasma nicht miterfaßt. Sie wird

erst durch Säurehydrolyse aus den Glykoproteinen freigesetzt, ihre Konzentration liegt bei 80–165 mg $\cdot dl^{-1}$. Eine andere Gruppe von kohlenhydrathal-tigen Proteinen dieser Unterfraktion bilden die *Mucoproteine*, sie enthalten Mucopolysaccharide im Molekül.

In der Fraktion der **α_2-Globuline** finden sich die *Haptoglobuline*, die chemisch zu den Muco-proteinen gehören, und das kupferhaltige *Coerulo-plasmin*. Dieses Metallprotein enthält pro Molekül 8 Kupferatome, die für die Oxidaseeigenschaften dieser Substanz verantwortlich sind. Im Coerulo-plasmin liegen etwa 90% des gesamten Plasmakup-fers gebunden vor. Der Transport des Kupfers auf dem Blutweg zu den Körperzellen findet jedoch nicht mit dem Coeruloplasmin, sondern an Albu-min gebunden statt. Ebenfalls mit der α_2-Gruppe wandert das *Thyroxin-bindende Protein*, das, wie sein Name sagt, das Schilddrüsenhormon Thyroxin gebunden hält; auch das Vitamin B_{12}-bindende Globulin (*Transcobalamin*), das *Bilirubin-bindende Globulin* und Cortisol-bindende Globulin (*Trans-cortin*) finden sich in der α_2-Fraktion.

Zu den **β-Globulinen** gehören die wichtigsten Trä-gerproteine für Lipide und Polysaccharide. Von großer funktioneller Bedeutung ist die Fähigkeit der *Lipoproteine*, für die nicht wasserlöslichen Fette und Lipoide als Lösungsmittler und Vehikel bei ihrem Transport im Blut zu dienen. Etwa 75% aller Fette und Lipoide im Plasma sind als Lipoproteine gebunden. Lipoproteine finden sich in geringer Menge zwar auch in der α_1-Fraktion, ihr Hauptanteil wandert jedoch mit den β-Globulinen. Das wichtigste Lipoprotein ist hier das β_1-Lipoprotein, das bis zu 77% Lipide im Molekül enthalten kann. Mit der β-Fraktion wandert außer den Lipoproteinen noch eine Gruppe metallbindender Proteine, unter ihnen das als Träger von Kupfer und vor allem von Eisen dienende *Transferrin*. Dieses Metallprotein bindet 2 Eisenatome (Fe) pro Molekül und stellt die Transportform des Eisens im Blut dar. Schließlich gehören noch die zu den Schutz- und Abwehrstoffen des Blutes zu rechnenden Erythrocyten-agglutinierenden Substanzen *Anti-A* und *Anti-B* zu den β-Globulinen.

Die hetorogene Fraktion der **γ-Globuline** enthält die elektrophoretisch am langsamsten wandernden Proteine, deren isoelektrische Punkte entsprechend näher am Neutralpunkt liegen als die der übrigen Plasmaeiweißkörper (vgl. Tabelle 3). Unter den γ-Globulinen finden sich die meisten *Schutz- und Abwehrstoffe des Blutes*, von denen viele Enzymcharakter haben. Entsprechend ihrer besonderen Aufgabe sind die funktionellen Schwankungen in Menge und Zusammensetzung der γ-Globulinfraktion sehr groß, da es bei fast allen — besonders den entzündlichen — Erkrankungen zu einer Vermehrung der γ-Globuline kommt. Dabei bleibt jedoch im allgemeinen die Gesamtmenge der Plasmaproteine annähernd unverändert, denn mit der Zunahme der Globulinmenge geht eine etwa gleich große Verringerung der Albuminmenge einher, so daß sich lediglich der sogenannte *Albumin-Globulin-*(Eiweiß-)*Quotient* erniedrigt.

Das **Fibrinogen** findet sich als ein schmales separates Band zwischen der β- und γ-Fraktion der Globuline. Fibrinogen ist die gelöste Vorstufe des bei der Blutgerinnung ausfallenden Faserstoffes Fibrin (s. 6.2). Das Fibrinogen stellt ein langgestrecktes Molekül mit einem Achsenverhältnis (Länge:Breite) von 17:1 dar. Die Neigung der Moleküle, sich perlschnurartig aneinanderzureihen, ist der Grund für die hohe Viscosität von Fibrinogenlösungen.

Charakteristische Veränderungen der Fibrinogenfraktion treten nur bei einigen seltenen Erkrankungen auf. Der diagnostische Wert elektrophoretisch nachweisbarer Veränderungen der Fibrinogenfraktion ist deshalb gering. Da zudem die Wanderungsgeschwindigkeit des langgestreckten Fibrinogenmoleküls bei der Papierstreifenelektrophorese stärker als die der anderen Plasmaproteine von der Beschaffenheit des verwendeten Papiers abhängt, benutzt man in der Klinik im allgemeinen Serum und

nicht Plasma zur Papierelektrophorese der Bluteiweißkörper. In dem typischen Elektropherogramm der Abb. 5 fehlt daher die Fibrinogenfraktion.

Bildung und Umsatz der Plasmaproteine. Bei normaler Ernährung werden in 24 Std etwa 17 g Albumin und 5 g Globulin neugebildet. Die Halbwertszeit für Albumin beträgt beim Menschen 10–15 Tage, die für Globulin etwa 5 Tage. Nach diesen Zeiten sind 50% der am ersten Tag vorhandenen Eiweißkörper durch neugebildete ersetzt worden.

2.3. Transportierte Plasmabestandteile

Wie in den vorangehenden Abschnitten gezeigt wurde, stellt das Plasma für die anorganischen Elektrolyte und die Eiweißkörper ein Transportmittel dar, dessen wichtigste funktionelle Eigenschaften von der Anwesenheit dieser Substanzen entscheidend bestimmt werden. In diesem Sinne sind die *anorganischen Elektrolyte und die Eiweißkörper Funktionsbestandteile des Plasmas.*

Anders verhält es sich mit der Gruppe der transportierten Plasmabestandteile. Ihr Einfluß auf die charakteristischen physiko-chemischen Eigenschaften des Plasmas ist — innerhalb des physiologischen Konzentrationsbereiches — sehr gering. Für diese heterogene Gruppe von Substanzen stellt das Plasma in erster Linie ein Transportmittel dar. Zu den Stoffen dieser Gruppe gehören: a) *Nährstoffe, Vitamine und Spurenelemente*, b) *Intermediäre Stoffwechselprodukte*, c) *Hormone* und *Enzyme* sowie d) *Ausscheidungsprodukte.*

Transportierte Nährstoffe, Vitamine und Spurenelemente. Die größte Gewichtsmenge unter den im Plasma transportierten Nährstoffen stellen die **Lipide** (alle ätherlöslichen Substanzen, d.h. Fette, Lipoide und Steroide). Ihre Konzentration unterliegt allerdings sehr starken funktionellen Schwankungen (Tabelle 4). Nach reichlichen fetthaltigen Mahlzeiten kann der Lipidgehalt soweit ansteigen (bis zu 2 000 mg/dl, daß das Plasma milchigweiß aussieht (*Lipämie*). Etwa 80% der Fettsäuren liegen als Glyceride, Phospholipide und Cholesterinester an Globulin gebunden vor (Lipoproteine), während die unveresterten Fettsäuren überwiegend Albuminkomplexe bilden. Im Gegensatz zu den Lipiden des Plasmas, deren Konzentration von der jeweiligen Stoffwechsellage abhängt, wird der Gehalt an **Glucose**, dem wichtigsten Kohlenhydrat, trotz wechselnder Aufnahme und stark schwankenden Verbrauchs bei 80–120 mg/dl relativ konstant gehalten. Die zu den transportierten Nährstoffen gehörenden **Aminosäuren** sind im Plasma in einer mittleren Konzentration von etwa 4 mg/dl vorhanden. Sie entstammen vornehmlich dem mit der Nahrung aufgenommenen Eiweiß. Tabelle 4 zeigt einige Nüchternwerte.

Alle **Vitamine** (s. XXVI) und die essentiellen Nahrungsstoffe mit Vitamincharakter, wie z.B. das Cholin, sind stets im Plasma vorhanden. Ihre Konzentration schwankt nicht nur mit der in der Nahrung zugeführten oder von der Darmflora synthetisierten Menge; bei einigen Vitaminen hängt sie vom Vorhandensein bestimmter resorptionsfördernder Faktoren ab (z.B. die Resorp-

Tabelle 4. Reststickstoff, Lipide (mg/100 ml), freie Aminosäuren, Stoffwechselzwischenprodukte und Spurenelemente (μmol/l) im menschlichen Plasma. Nach [9, 24]

Substanz	Mittel	Variation
Harnstoff-N	14	10–17
Aminosäuren-N	5,0	3–7
Harnsäure-N	1,7	1,0–2,3
Kreatinin	0,5	0,4–0,5
Ammoniak-N	0,2	0,1–0,2
Total-Rest-N	25	22–30
Fette, Neutralfett		0–450
Fettsäuren		200–450
Steroide, Cholesterin		120–350
Freies Cholesterin		40–70
Gallensäuren		0,2–3
Gallensalze		5–12
Phosphatide, total		150–250
Lecithin		100–200
Cephalin		0–30
Sphingomyelin		10–30
Total äther-löslische Stoffe		380–680
Alanin		213–472
Arginin		40–140
Asparaginsäure		1–11
Glutamin		140–570
Glycin		179–587
Histidin	freie Amino-	32–97
Leucin	säuren	78–176
Lysin		105–207
Prolin		103–290
Serin		76–164
Tyrosin		22–83
Valin		168–317
Milchsäure		1 000–1 800
Brenztraubensäure	Stoffwechsel-	80–120
Citronensäure	zwischenprodukte	89–162
Bernsteinsäure		~42
Äpfelsäure		1,4–5,0
Magnesium		740–1 050
Bromid		~35
Eisen		13–31
Kupfer		13–23
Zink	Spurenelemente	11–23
Mangan		~1,5
Fluorid		~0,74
Jod		0,25–0,57
Kobalt		~0,005

tion des Vitamin B_{12} von der Anwesenheit des Castleschen „Intrinsic factor"). Während viele Vitamine in freier Lösung im Plasma transportiert werden, sind andere, insbesondere die fettlöslichen Vitamine und einige wasserlöslichen, wie z.B. das Vitamin B_{12}, an Protein gebunden.

Über den Gehalt des Plasmas an **Spurenelementen**, die als Bestandteile von Bau- und Wirkstoffen unentbehrlich sind, unterrichtet die Tabelle 4. Eine wichtige Rolle spielt das *Eisen*, dessen Resorption aus dem Darm sich nicht nach der Größe des Ange-

bots, sondern nach dem Bedarf des Körpers richtet. Eisen wird als Proteinkomplex (*Ferritin*) resorbiert. Die Menge des in der Darmschleimhaut vorhandenen Proteins Apoferritin bestimmt — bei ausreichendem Eisenangebot in der Nahrung — die Höhe der Resorption. Der Plasmaeiweißkörper *Transferrin* (s.S. 325) übernimmt vom Ferritin der Darmschleimhaut das Eisen und transportiert es zu den Orten des Verbrauchs oder den Depotorganen, wo das Eisen — wieder als Ferritin — gespeichert wird. Eisenverluste werden zunächst aus den Depots ersetzt. Erniedrigung des Serumspiegels führt zu erhöhter Abgabe von Eisen aus dem Ferritin der Darmschleimhaut. Das dabei freiwerdende Apoferritin steht dann wieder zur Eisenresorption aus dem Darm zur Verfügung. Bei voller Sättigung des Eisenbedarfs des Organismus ist in der Darmmucosa kein Apoferritin, sondern nur noch Ferritin vorhanden, eine weitere Eisenaufnahme aus dem Darm ist mithin nicht mehr möglich. Es kommt zu einer Blockierung der Eisenresorption, zum sogenannten „Mucosa-Block". Da das im Transferrin gebundene Plasmaeisen in ständigem Gleichgewicht mit dem Ferritin der Resorptions- und Depotorgane steht, ist seine Konzentration ein Maß für den Eisenvorrat des Organismus.

Die anderen zu den Spurenelementen gehörenden Metalle liegen überwiegend als Metallproteine im Serum vor, ähnlich wie das zu 90% an den Eiweißkörper *Coeruloplasmin* (s.S. 324) gebundene Kupfer. Kobalt bildet einen wesentlichen Bestandteil des Vitamin B_{12} (*Cobalamin*). Das Jod liegt fast ausschließlich in Form eines Jodeiweißkomplexes im sogenannten *Thyroxin-bindenden Protein* (s.S. 324) vor.

Transportierte Stoffwechselzwischenprodukte. Unter den Intermediärprodukten des Stoffwechsels steht die **Milchsäure** mengenmäßig an der Spitze. Ihre Konzentration steigt bei Sauerstoffmangel und schwerer Muskelarbeit. Eine andere stets im Plasma vorhandene organische Säure ist die **Brenztraubensäure**, die als gemeinsames Zwischenprodukt des Aminosäure- und Kohlenhydratstoffwechsels eine Schlüsselstellung im Energiestoffwechsel einnimmt. Tabelle 4 enthält die Konzentrationen einiger wichtiger Stoffwechselzwischenprodukte im Plasma.

Transportierte Hormone und Enzyme. Die dritte Gruppe der transportierten Plasmabestandteile umfaßt die Hormone und Enzyme. Bisher kann man im Plasma über 50 verschiedene Stoffe dieser Gruppe nach ihrer Wirkung oder ihrer chemischen Konstitution unterscheiden. Viele dieser Substanzen sind Eiweißkörper, Polypeptide, Amine, Amide oder Steroide.

Transportierte Ausscheidungsprodukte. Die Gruppe der Ausscheidungsprodukte setzt sich aus Substanzen zusammen, die im Körper nicht weiterverwendet, sondern als Endprodukte des Stoffwechsels ausgeschieden werden. Als wichtigste Stoffe gehören dazu: *Kohlendioxid, Harnstoff, Harnsäure, Kreatinin, Bilirubin* und *Ammoniak.* Alle diese Substanzen sind mit Ausnahme des Kohlendioxids stickstoffhaltig und werden durch die Nieren ausgeschieden. Bei Nierenfunktionsstörungen ist ihre Konzentration im Plasma erhöht. Ihre Bestimmung wird zur Erkennung von Nierenerkrankungen benutzt. Dazu wird nach Fällung der Eiweißkörper der Stickstoffgehalt des Plasmas mit der Methode nach KJELDAHL bestimmt. Der so gemessene Gehalt des Plasmas an nicht eiweißgebundenem Stickstoff, der sogenannte **Rest-N**, entstammt im wesentlichen den obengenannten stickstoffhaltigen Ausscheidungsprodukten. Er enthält allerdings auch noch zu etwa $1/7$ Stickstoff aus den — nicht zu den Ausscheidungsprodukten zu rechnenden — Aminosäuren des Plasmas. Tabelle 4 gibt einen Überblick über die wichtigsten Komponenten des Rest-N im normalen Plasma.

3. Erythrocyten

3.1. Zahl, Form und Größe

Den größten Anteil an den rund 44 Vol.-% cellulärer Blutbestandteile stellen die roten Blutkörperchen, von denen sich *beim Mann im Mittel 5,1, bei der Frau 4,6 Millionen im µl Blut* finden. Neben dem Wasser stellt das Hämoglobin die Hauptmasse des Erythrocyten. 34% ihres Feuchtgewichtes, 90% des Trockengewichtes entfallen auf den Eiweißkörper Hämoglobin (s. XXI).

Erythrocytenzählung. Hierzu verdünnt man eine Capillarblutprobe aus der Fingerbeere oder dem Ohrläppchen 100- oder 200fach und zählt die Zellen in einer Zählkammer unter dem Mikroskop. Die Zählkammer besteht aus einer Glasplatte, in deren Oberfläche ein quadratisches Netzwerk mit Kantenlängen von 0,05 mm eingeritzt ist. Durch Aufschieben eines planen Deckglases, das durch zwei Abstandsblöcke in genau 0,1 mm Abstand über der Oberfläche des Netzwerkes durch Adhäsion fixiert wird, entstehen über den Quadraten kleine „Kammern" mit kalibriertem Inhalt. Das Kammervolumen über einem kleinen Quadrat beträgt $0,05 \cdot 0,05 \cdot 0,1 = 0,00025$ µl. Nach Auszählung der Erythrocyten in mindestens 80 solcher Volumen-Einheiten und Mittelwertsbildung wird durch Umrechnung unter Berücksichtigung des Verdünnungsfaktors und des Kammervolumens die Zahl der Erythrocyten im µl Blut erhalten.

In den letzten Jahren werden zunehmend nichtmikroskopische Verfahren zur Erythrocytenzählung benutzt, wobei die Erythrocytenkonzentration in einer verdünnten Suspension entweder aus dem Grad der Streuung durchfallenden Lichtes oder aus den elektrischen Leitfähigkeitsänderungen bei der Passage eines dünnen Röhrchens gemessen werden.

Erythrocyten-Durchmesser **(Price-Jones-Kurve).** Menschliche Erythrocyten sind flache, runde, in der Mitte eingedellte kernlose Scheiben, deren Durchmesser sich beim Gesunden um einen mittleren Wert von 7,5 µm (*Normocyt*) in Form der in Abb. 6 dargestellten Häufigkeitsverteilung (Price-Jones-Kurve) gruppieren. Die physiologische Form des Normocyten führt zu einer Vergrößerung der Oberfläche im Vergleich zur Kugelform. Die Gesamtoberfläche der Erythrocyten eines erwachsenen Mannes liegt bei 3800 m². Die charakteristische Form der roten Blutkörperchen begünstigt ihre Hauptfunktion, die des Gastransportes (s. XXI) durch große Diffusionsflächen bei kurzen Diffusionsstrecken. Außerdem bildet sie eine günstige Voraussetzung für die Verformung bei der Passage durch enge und gekrümmte Capillarabschnitte.

Kommt es durch **Erkrankungen des erythropoetischen Systems** zu einer Verschiebung der Price-Jones-Kurve nach rechts, d.h. zu einer signifikanten Zunahme der Erythrocyten-Anzahl mit Durchmessern >8 µm, so spricht man von einer *Makrocytose.* Bei perniziöser Anämie können sogar Erythrocyten mit einem Durchmesser >12 µm (*Megalocyten*) auftreten. Eine Verschiebung der Price-Jones-Kurve nach links, d.h. eine signifikante Vermehrung der Erythrocyten-Anzahl mit Durchmessern <6 µm, bezeichnet man als *Mikrocytose.* Die Durchmesser der kurzlebigen Zwergformen können bis zu 2,2 µm betragen. Bei abgeflachter Price-Jones-Kurve, d.h. beim gleichzeitig vermehrten Vorkommen von Makro- und Mikrocyten, spricht man von einer *Anisocytose.* Sind die Erythrocyten unregelmäßig gestaltet, spricht man von einer *Poikilocytose* (Perniziöse Anämie, Thalassämie). Charakteristische Sonderfälle einer Formveränderung sind kugelförmige Sphärocyten (Hämolytischer Ikterus) und Sichelzellen (Sichelzellanämie).

3.2. Bildung, Lebensdauer und Abbau

Erythropoese. Die beim Erwachsenen im roten Mark der platten Knochen aus kernhaltigen Vorstufen gebildeten Erythrocyten kreisen für 100–120 Tage im Blut. Dann zerfallen sie, und ihre Fragmente werden von Zellen des reticuloendothelialen Systems in Leber, Milz und Knochenmark phagocytiert (Blutmauserung). Wie das Beispiel der Resorption eines Blutergusses, eines „blauen Fleckes", zeigt, ist allerdings jedes Gewebe zum Blutkörperchenabbau befähigt. Rund 0,8% der 25×10^{12} Erythrocyten eines Erwachsenen werden in 24 Std erneuert. Das bedeutet eine *Neubildung (Erythropoese) von 160×10^6 Erythrocyten pro Minute.* Nach Blutverlusten oder bei Krankheiten mit verkürzter Lebensdauer der Erythrocyten kann die Erythropoeserate um das Mehrfache ansteigen. Wirksamer Reiz für die Erythropoese ist das Absinken des O_2-Partialdruckes im atmenden Gewebe (bei einem Mißverhältnis zwischen O_2-Bedarf und -Zufuhr). Unter

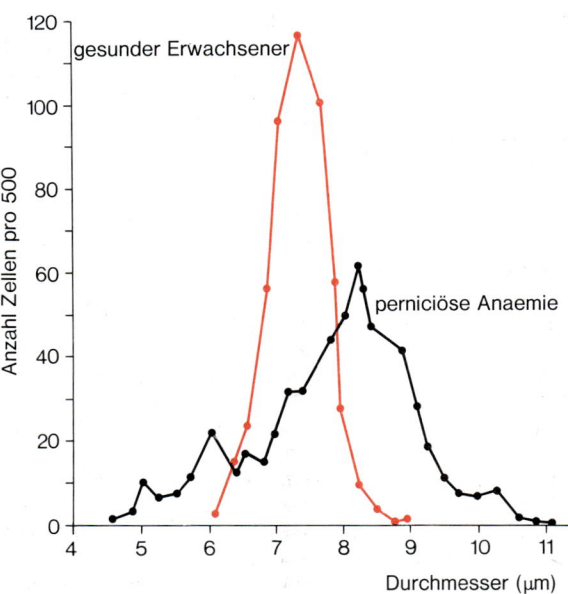

Abb. 6. Price-Jones-Kurven. Häufigkeitsverteilung der Erythrocytendurchmesser bei einem Gesunden (rote Linie) und bei einem Patienten mit perniziöser Anämie (schwarze Linie). Nach [23]

diesen Umständen läßt sich im Plasma ein Stoff vermehrt nachweisen, **Erythropoetin** genannt, der zu einer Steigerung der Erythropoese führt. Die chemische Struktur des Erythropoetin ist noch nicht gänzlich geklärt. Wahrscheinlich handelt es sich um ein Glykoprotein mit einem MG von ca. 30 000. Hauptbildungsort ist die Niere, rund 10% stammen aus der Leber.

Lebensdauer der Erythrocyten. Die Lebensdauer der roten Blutkörperchen und damit die Geschwindigkeit ihres Umsatzes lassen sich mit Hilfe radioaktiver Markierung von Erythrocyten bestimmen. Diagnostisch und therapeutisch wichtige Informationen über die Aktivität der Erythropoese lassen sich jedoch auch durch Zählung der Reticulocyten im Blut gewinnen. **Reticulocyten** sind die letzte Vorstufe der reifen, lichtmikroskopisch von intracellulären Strukturen freien Erythrocyten. Durch Vitalfärbung (Färbung der lebenden Zellen z.B. mit Brillant-Kresylblau) lassen sich körnige oder netzartige Strukturen (Substantia granulo-reticulo-filamentosa) in diesen jungen Blutzellen erkennen. Reticulocyten finden sich im Knochenmark und im kreisenden Blut. Unter Normalbedingungen beträgt ihr Anteil beim Gesunden 5–10⁰/₀₀ der Erythrocyten im Blut. Jede Steigerung der Erythropoese führt zu einer Zunahme, jede Verminderung zu einer Abnahme ihres Anteils.

3.3. Stoffwechsel und Membraneigenschaften

Der Stoffwechsel der reifen, kernlosen Erythrocyten ist für die Aufgabe des Sauerstofftransportes und für die Mittlerrolle beim Transport des Kohlendioxids spezialisiert. Er weicht von dem der übrigen Körperzellen ab und ist nicht zuletzt auf die Erhaltung der Fähigkeit zur reversiblen Sauerstoffbindung gerichtet. Dazu gehört die Bereitstellung von geeigneten Reduktionsmitteln, die das ständig durch spontane Oxidation vom 2wertigen in den 3wertigen Zustand übergehende Eisen des Häm in die 2wertige Form zurückführen.

Während die kernhaltigen Vorstufen der Erythrocyten über die bekannten Enzyme für die oxidative Energiegewinnung und die Proteinsynthese verfügen, ist der reife Erythrocyt auf die Glykolyse mit vornehmlich Glucose als Substrat angewiesen. Neben dem in der Glykolyse als Hauptenergielieferanten gebildeten ATP (das insbesondere für den aktiven Ionentransport durch die Erythrocytenmembran gebraucht wird und damit der Aufrechterhaltung der intra-extracellulären Ionenkonzentrationsgradienten dient) entstehen reduzierende Stoffe wie NADH (reduziertes Nicotinsäureamid-Adenin-Dinucleotid) und aus dem Pentosephosphat-Cyclus stammendes NADPH (reduziertes Nicotinsäureamid-Adenin-Dinucleotidphosphat). NADH wird u.a. für die schon erwähnte Reduktion des ständig entstehenden

Hämiglobins (*Methämoglobins*) zu O_2-transportfähigem Hämoglobin benötigt, NADPH für die Reduktion des im Erythrocyten vorhandenen Glutathions. Das leicht oxidierbare Glutathion seinerseits schützt eine Reihe wichtiger Enzyme mit SH-Gruppen im Zellinneren, insbesondere am Hämoglobinmolekül und in der Erythrocytenmembran, vor der Oxidation.

Die **Erythrocytenmembran** hat offenbar keine statische Struktur, sondern stellt ein flexibles molekulares Mosaik dar, das aus Eiweiß, Lipo- und Glykoproteiden und — wahrscheinlich — aus Arealen reiner Lipoide besteht. Die Dicke der Membran liegt bei 10 nm. Die Permeabilität der Erythrocytenmembran ist für Anionen rund 1 Million mal größer als für Kationen. Membranpermeierende Stoffe können nach ihrer chemischen Natur entweder per diffusionem bzw. hydrodynamisch als Lösung wassergefüllte Poren der Membran durchdringen, oder sie können sich — Lipoidlöslichkeit vorausgesetzt — durch die Lipoidareale hindurchlösen. Schließlich können sich bestimmte Stoffe in leicht reversibler Form an in der Membran vorhandene Trägermoleküle binden und von diesen durch die Membran hindurchgeschleust werden. Träger- oder Carriertransporte können als sog. aktiver Transport, d.h. „bergauf" gegen bestehende chemische und/oder elektrische Gradienten, aber auch „bergab" als sog. passiver Transport stattfinden. Im ersten Fall muß die Energie für den Transport aus dem Stoffwechsel der Zelle bereitgestellt werden, im letzteren stammt sie aus der Verringerung vorgegebener chemischer und/oder elektrischer Gradienten. Aufgrund experimenteller Daten ist zur Erklärung der Kationen/Anionen-Selektivität der Erythrocytenmembran das *Festladungsmodell* entwickelt worden. Danach sind in den Wänden der Membranporen fixierte elektrische Ladungen (dissoziierte Gruppen von Struktureiweißen der Membran) Ursache der Selektivität. Positive Festladungen sollten die Penetration von Anionen elektrostatisch begünstigen, die von Kationen jedoch hemmen.

3.4. Besondere physiko-chemische Eigenschaften

Verformbarkeit. Normale Erythrocyten sind durch äußere Kräfte leicht verformbar. Sie können deshalb in Capillargefäße eintreten, deren lichte Weite geringer ist als der freie mittlere Erythrocytendurchmesser (7,5 μm). Diese leichte Verformbarkeit führt u.a. dazu, daß die relative Viscosität des Blutes in Gefäßen kleiner Durchmesser effektiv geringer ist als in Gefäßen mit einem Durchmesser weit oberhalb von 7,5 μm. Die leichte Verformbarkeit ist an das Vorhandensein von Hämoglobin vom Typ A (s. XXI) gebunden; bei einigen erblichen Hämoglobinopathien ist sie stark herabgesetzt, und es kommt zu Durchblutungsstörungen.

Osmotische Eigenschaften. Die Eiweißkonzentration im Erythrocyten ist höher, die der kleinmolekularen Stoffe niedriger als im Plasma. Die osmotische Wirkung der höheren Eiweißkonzentration im Erythrocyten wird durch die gegenüber dem Plasma niedrigere Konzentration kleinmolekularer Stoffe osmotisch so weit kompensiert, daß ein geringer, eben für den normalen Turgor des Erythrocyten ausreichender Überdruck im Inneren bestehen bleibt. (Na$^+$ und K$^+$ werden aktiv durch die Membran transportiert; Na$^+$ aus der Zelle hinaus und K$^+$ in sie hinein, vgl. Abb. 3.) Wegen der für die einzelnen Ionensorten stark unterschiedlichen, aber prinzipiell bestehenden Durchlässigkeit der Erythrocytenmembran für kleinmolekulare Stoffe führt eine Hemmung des aktiven Ionentransportes zum Ausgleich der Konzentrationsunterschiede der Ionen und damit zum Wirksamwerden des vollen kolloidosmotischen Druckgradienten (aufgrund des weiterbestehenden, höheren intracellulären Gehaltes an Eiweißkörpern). Wasser strömt in den Erythrocyten ein, bis die Membran platzt und Hämoglobin in das Plasma übertritt, ein Prozeß, der als (kolloid-)**osmotische Hämolyse** bezeichnet wird. Bei geringer Hypotonie der extracellulären Flüssigkeit schwellen Erythrocyten lediglich an und nähern sich der Kugelform (Sphärocyten). Im hypertonischen Medium verlieren die Zellen Wasser, und es kommt durch Faltungen der Membran zu sog. *Stechapfelformen* (vgl. Abb. 7).

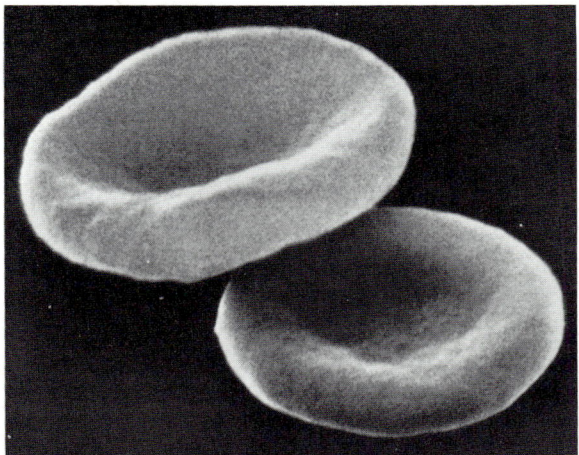

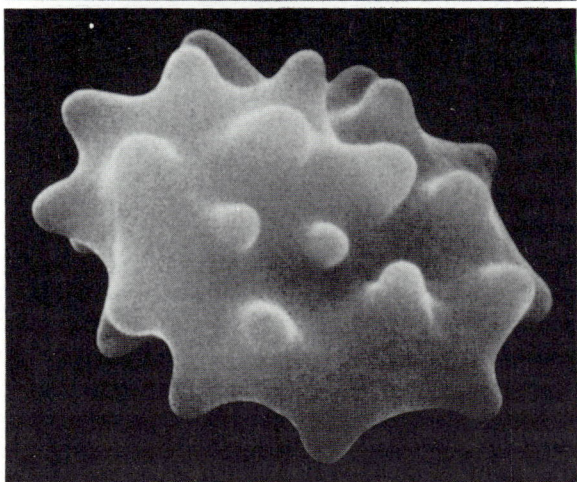

Abb. 7. Oben: Bikonkave Scheibenform normaler Erythrocyten. Unten: Stechapfelform (Echinocyt), die u.a. nach Verbringen von Erythrocyten in hypertone Salzlösungen auftritt. Nach [6]

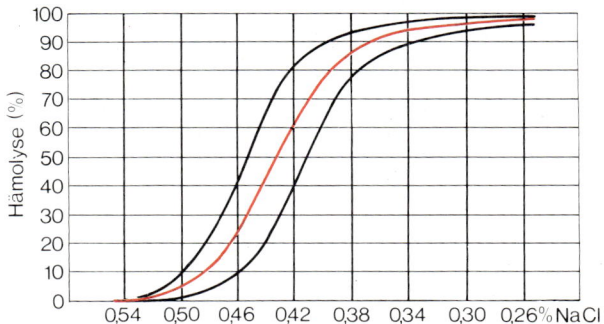

Abb. 8. Osmotische Resistenz von Erythrocyten. Normalkurve mit Streuung in einer 1:40 Blutverdünnung. Ordinate: Photometrisch gemessener Hämolysegrad in % gegenüber Totalhämolyse. Abscisse: % (g/dl) der verwendeten Kochsalzlösung. Nach [21]

Die systematische Untersuchung der **osmotischen Resistenz** von Erythrocyten in Suspensionsmedien mit schrittweise vermindertem osmotischem Druck zeigt, daß bei bestimmten Erkrankungen, insbesondere bei einigen Anämieformen, die osmotische Resistenz verändert ist. Aus der Kurve in Abb. 8 geht hervor, daß 50% der Erythrocyten eines Gesunden beim Erreichen der Tonicität einer Lösung mit 0,43 g/dl NaCl hämolysiert sind.

Bringt man Erythrocyten in eine isosmotische Lösung von gut membrangängigen Stoffen, wie z.B. Harnstoff, dann kommt es ebenfalls zur osmotischen Hämolyse. Der **Harnstoff** verteilt sich gleichmäßig im Erythrocyten und Suspensionsmedium. Da für die physiologischen Inhaltsstoffe der Erythrocyten die Membran den freien Austritt verhindert, nimmt der intracelluläre osmotische Druck um den Betrag des einströmenden Harnstoffes gegenüber dem Suspensionsmedium zu. Wasser strömt ein und führt zur mechanischen Zerstörung der Membran. Schließlich können **Lipoidlösungsmittel** wie Chloroform, Äther u.ä. durch Herauslösen der Lipoidanteile der Membran zu Lecks und damit zur Hämolyse führen. Die hämolysierende Wirkung von Seifen, Saponin und synthetischen Waschmitteln beruht auf der Herabsetzung der Oberflächenspannung zwischen der wäßrigen und der Lipoidphase der Membran. Die Lipoide werden emulgiert und aus der Membran herausgehoben. Infolge der dabei entstehenden Membranlücken hämolysieren die Zellen.

Blutkörperchen-Senkungsgeschwindigkeit. Das spezifische Gewicht von Erythrocyten ist höher (1,096) als das des Plasmas (1,027), deshalb sinken sie im (ungerinnbar gemachten) stehenden Blut langsam ab. Die *Blutkörperchensenkungsgeschwindigkeit (BSG)* des gesunden Mannes beträgt 3–6 mm in der ersten Stunde, 8–10 mm bei der Frau. Besonders bei Entzündungen und bei vermehrtem Gewebszerfall (Tumoren) ist die Senkungsgeschwindigkeit erhöht. Hauptursache ist die verstärkte Neigung der Erythrocyten, sich zu größeren Aggregaten zusammenzuballen. Der Strömungswiderstand dieser *Agglomerate* ist wegen der pro Volumeneinheit kleineren Oberfläche geringer, sie sinken daher schneller als eine entsprechende Zahl von Einzelzellen gleichen Gesamtvolumens. Die verstärkte Agglomerationsneigung beruht auf Änderungen der Zusammensetzung der Plasmaeiweißkörper, die — neben anderen, noch nicht bis in alle Einzelheiten geklärten Wirkungen — zu einer Abschwächung der suspensionsstabilisierenden elektrostatischen Felder zwischen den negativ geladenen Erythrocyten und den als Anionen vorliegenden Plasma-Eiweißkörpern führt. Die die Senkungsgeschwindigkeit besonders beschleunigenden Eiweißkörper nennt man **Agglomerine**. Der Konzentrationsanstieg von Fibrinogen, von γ-G-Globulinen, Haptoglobinen und Coeruloplasmin ist in diesem Sinne wirksam. Albumine wirken dagegen suspensionsstabilisierend. Das erklärt die seit langem bekannte Tatsache, daß Erhöhungen der Senkungsgeschwindigkeit mit Verschiebungen des Albumin/Globulin-Quotienten zugunsten des Globulins einhergehen.

Zur **Messung der Senkungsgeschwindigkeit** wird überwiegend die Methode nach WESTERGREN benutzt. 1,6 ml Blut werden mit einer 2 ml-Spritze, die 0,4 ml einer 3,8%igen Natriumcitratlösung enthält, aus der Cubitalvene entnommen. Das durch Citratlösung ungerinnbar gemachte Blut wird in ein mit einer Millimeter-Graduierung versehenes Westergren-Röhrchen von 2,5 mm lichter Weite bis zur Marke 0 gefüllt und das Röhrchen senkrecht fixiert. Es ist üblich, die Höhe des erythrocytenfreien Überstandes nach einer und nach zwei Stunden abzulesen.

4. Leukocyten

4.1. Gemeinsame Eigenschaften

Leukocytenzahl. Leukocyten oder weiße (farblose) Blutkörperchen sind kernhaltige, hämoglobinfreie Zellen, von denen sich *4000–10000 im μl Blut* des Gesunden befinden. Die Leukocyten sind keine einheitliche Zellgruppe. Sie werden nach morphologischen und funktionellen Gesichtspunkten und nach ihren Bildungsorten in Gruppen unterteilt. Im Gegensatz zu den relativ festliegenden Erythrocytenzahlen des Gesunden ändert sich die Zahl der Leukocyten im Blut in sehr viel weiteren Grenzen in Abhängigkeit von der Tageszeit und dem Funktionszustand des Organismus. Bei mehr als 10000 Leukocyten im μl Blut spricht man von einer **Leukocytose**, bei weniger als 4000 von einer **Leukopenie**. Zu Leukocytosen kommt es besonders bei entzündlichen Erkrankungen und — in schwerster Form — bei Leukämien.

Zählung der Leukocyten. Sie erfolgt nach dem gleichen Prinzip wie bei den Erythrocyten in der Zählkammer unter dem Mikroskop. Da die Leukocyten wesentlich weniger zahlreich als die Erythrocyten sind, wird die Blutprobe in der kalibrierten Leukocytenpipette nur 1 : 10 mit 0,3%iger Essigsäure unter Zusatz von Methylenblau verdünnt. Die Erythrocyten werden dabei von der Essigsäure zerstört, die nicht zerstörten Kerne der Leukocyten vom Methylenblau angefärbt. In den üblichen Zählkammern wird die Zahl der Leukocyten über die gesamte Fläche von 1 mm² bei einer Kammertiefe von 0,1 mm (in einem Volumen von 0,1 μl) bestimmt. Unter Berücksichtigung der Verdünnung und des Kammervolumens wird die Zahl in 1 μl Blut berechnet.

Emigration. Alle Leukocyten sind amöboid beweglich. Sie können die Wände der Blutgefäße im Prozeß der *Leukodiapedese* durchdringen. Durch Bakterientoxine, Zerfallstoffe von Bakterien oder von Körperzellen und durch Antigen-Antikörperkomplexe werden sie angelockt (*Chemotaxis*) und sind in der Lage, Fremdkörper zu umschließen und in sich aufzunehmen (*Phagocytose*). Sie verfügen — je nach Leukocytentyp — über bestimmte Enzyme, zu denen Proteasen, Peptidasen, Diastasen, Lipasen, Desoxyribonucleasen, Oxidasen, Katalasen, Dehydrogenasen und Phosphatasen gehören. Die größte Zahl (> 50%) hält sich im extravasalen, in-

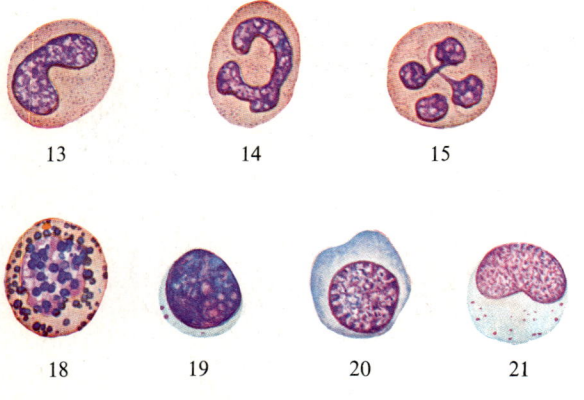
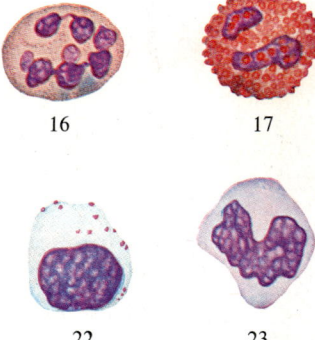

Abb. 9. Formen der Leukocyten. 13–18 sog. myeloische Reihe (Granulocyten); 13 Metamyelocyt; 14 stabkerniger; 15 segmentkerniger; 16 übersegmentierter polymorphkerniger neutrophiler Leukocyt; 17 eosinophiler; 18 basophiler segmentkerniger Leukocyt; 19 kleiner Lymphocyt (mit Azurgranulation); 20 lymphatische Plasmazelle; 21 lymphatische Reizform (sog. Riederform); 22 großer Lymphocyt (mit Azurgranulation); 23 Monocyt. Nach [15]

Tabelle 5. Leukocytenzahlen (pro µl) im Blut des Gesunden. Nach [9]

	Mittelwert	Variation
Granulocyten		
Neutrophile	4150	712– 7588
Eosinophile	165	0– 397
Basophile	44	0– 112
Lymphocyten	2185	1029– 3341
Monocyten	456	66– 846
Leukocyten	7000	2800–11200

terstitiellen Raum auf, während die übrigen (> 30%) sich im Knochenmark befinden. Offenbar stellt das Blut für diese Zellen — mit Ausnahme der basophilen Granulocyten (s. 4.2) — vornehmlich einen Transportweg von den Bildungsstätten im Knochenmark und im lymphatischen Gewebe zu den Einsatzorten dar.

Nach ihrer Häufigkeit im Blut geordnet, unterscheidet man (Abb. 9 u. Tabelle 5) 1. *Granulocyten*, 2. *Lymphocyten*, 3. *Monocyten*.

4.2. Granulocyten

Die Granulocyten, so genannt wegen der Granula, die sich nach den üblichen Fixations- und Färbeverfahren in ihrem Protoplasma finden, stammen aus dem Knochenmark (sog. *myeloische Reihe*). Ihre Zelldurchmesser liegen im Ausstrichpräparat zwischen 10 und 17 µm. *Rund 60% der Blutleukocyten sind Granulocyten*. Die Verweildauer der Granulocyten im Blut kann sehr kurz sein, maximal beträgt sie zwei Tage, entsprechend der Lebensdauer dieser Zellen. Nach der Anfärbbarkeit ihrer Granula unterteilt man die Granulocyten in *neutrophile, eosinophile* und *basophile* Zellen. Aus Tabelle 5 geht die Verteilung der drei Typen hervor.

Neutrophile Granulocyten. Etwa 50–70% aller Leukocyten (und die überwiegende Anzahl der Granulocyten) sind Neutrophile (etwa 4500 Zellen pro µl). Ihre mittlere Zirkulationszeit im Blut beträgt aufgrund der hohen Auswanderungsrate in die Schleimhautoberflächen nur 6–8 h. Im Beginn akuter Infektionen nimmt ihre Zahl besonders rasch zu. Sie phagocytieren Bakterien und Gewebstrümmer, die sie mittels ihrer *lysosomalen Fermente* abbauen (z.B. Proteasen, Peptidasen, Oxidasen, Desoxyribonucleasen und Lipasen). **Eiter** besteht zum größten Teil aus Neutrophilen bzw. aus ihren Trümmern. Die freiwerdenden lysosomalen Enzyme führen zur Erweichung des umgebenden Gewebes (*Abszeßdurchbruch*). Die Neutrophilen sind

die wichtigsten Funktionsträger im unspezifischen Abwehrsystem des Blutes (s. auch S. 341). Sie können zur zellmorphologischen Geschlechtsbestimmung beim Menschen herangezogen werden, denn bei einer genetisch weiblichen Person finden sich an mindestens 7 von 500 Kernen neutrophiler Granulocyten geschlechtsspezifische Anhängsel, sog. **Drumsticks** (1,5–2 µm große „Köpfe", die durch feine Chromatinbrücken mit einem Segment des Zellkerns verbunden sind, vgl. Abb. 10). Solche Bestimmungen sind u.U. für die Wahl der Therapie bei Mißbildung der primären Geschlechtsorgane, wie beim Hermaphroditismus, von Bedeutung.

Eosinophile Granulocyten. 2–4% der Blutleukocyten sind Eosinophile (100–350 Zellen pro µl). Ihre Zahl im Blut unterliegt einer ausgeprägten 24-Std-Periodik. Spätnachmittags und frühmorgens liegen die Zahlen um 20% niedriger, um Mitternacht rund 30% höher als der 24-Std-Mittelwert. Diese Schwankungen stehen mit der Glucocorticoidausschüttung der Nebennierenrinde im Zusammenhang. Anstieg des Corticoidspiegels im Blut führt zu einer Abnahme der Zahl der Bluteosinophilen, Senkung zur Zunahme. Die Zellen können phagocytieren. Sie enthalten große, ovale, acidophile Gra-

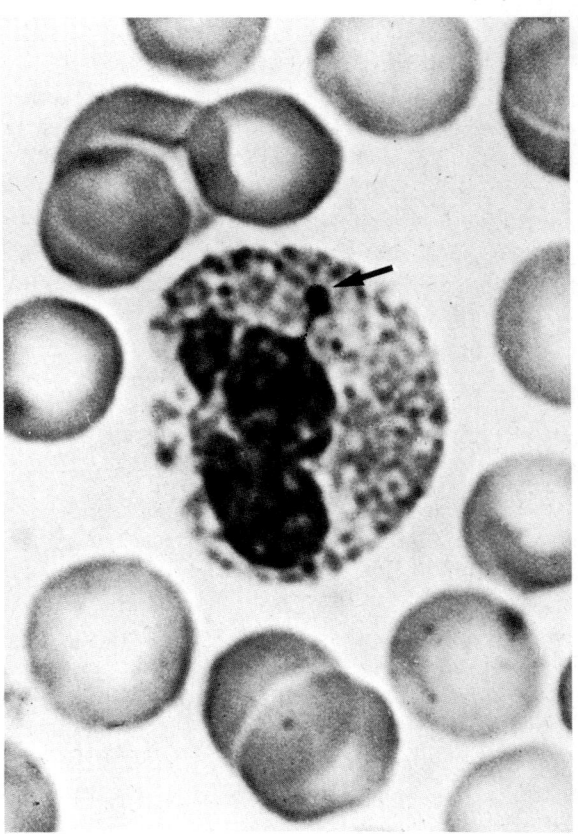

Abb. 10. Geschlechtsspezifisches Kernanhängsel (Drumsticks) bei einem Granulocyten einer genetisch weiblichen Person.

nula aus Aminosäuren, Eiweißkörpern und Lipiden. Außerdem enthalten sie Phosphatasen, Katalase, Peroxidase, Oxidase, Proteasen, Trypsin, Amylase und Lipase. Ein über die Tagesschwankungen hinausgehender Anstieg der Eosinophilenzahl, eine **Eosinophilie**, wird insbesondere bei allergischen Reaktionen, bei Wurminfektionen und den sog. Autoimmunisationskrankheiten, bei denen Antikörper gegen körpereigene Zellen gebildet werden, beobachtet.

Basophile Granulocyten. 0,5–1 % (etwa 50 Zellen pro µl) der Blutleukocyten sind Basophile. Ihre mittlere Verweildauer im Blut beträgt 12 h. Im Ausstrichpräparat liegen die Zelldurchmesser bei 7–11 µm. Das Protoplasma enthält grobe basophile Granula, die Heparin und Histamin in salzartiger Verbindung enthalten. Neuere Untersuchungen haben gezeigt, daß nach Resorption von Nahrungsfetten die Anzahl basophiler Granulocyten im peripheren Blut erhöht ist. Durch *Freisetzung von Heparin* aktivieren sie die Serum-Lipolyse, den sog. **Klärfaktor**, wobei Heparin möglicherweise die prosthetische Gruppe der Serumlipase bildet. Dieses Enzym (oder dieser Enzymkomplex) spaltet die Esterbindungen der in den Chylomikronen des Blutes an Polypeptide gebundenen Triglyceride, wodurch die Fett-Opalescenz des Plasmas verringert und dessen Gehalt an freien Fettsäuren erhöht wird. Die Blutbasophilen tragen an ihrer Oberfläche γE-spezifische Receptoren, an die sich — z.B. bei **Heuschnupfen** — γE-Globuline heften, die sich wiederum — bei Exposition zu Pollen — mit Antigen verbinden. Durch die Bildung dieses Immunkomplexes an der Basophilen-Oberfläche wird *Histamin* aus den Granula freigesetzt und es kommt zu allergischen Symptomen wie Gefäßerweiterung, Hautrötung, Quaddelbildung und u.U. Bronchospasmen.

4.3. Lymphocyten

25–40% der Blutleukocyten (1 000–3 600 Zellen pro µl) *des Erwachsenen sind Lymphocyten*, bei kleinen Kindern bis zu 50%. Lymphocytenvermehrung auf über 4 000 Zellen/µl beim Erwachsenen und entsprechende Erhöhung der Zahl bei Kindern wird als *Lymphocytose*, ein Unterschreiten der mittleren Normalwerte als *Lymphopenie* bezeichnet. Bildungsorte der Lymphocyten sind Lymphknoten, lymphatische Organe wie Tonsillen, Peyersche Plaques, Appendix, Adenoide, Milz, Thymus und das Knochenmark.

Nach ihrer Größe lassen sich im Blut zwei Typen von Lymphocyten unterscheiden, die weit zahlreicheren sog. „kleinen" (Durchmesser im Ausstrichpräparat 8–10 µm) von den — wahrscheinlich jüngeren — „großen" (10–25 µm). Durch Zusatz des pflanzlichen Eiweißkörpers *Phytohämagglutinin* zu Kulturen kleiner Lymphocyten ließ sich zeigen, daß diese bisher für relativ ausdifferenziert und inaktiv gehaltenen Zellen fähig sind, sich erheblich zu vergrößern, sich mitotisch zu teilen, ihren Bestand an Zellorganellen und ihre Produktion von RNA, DNA, Eiweißkörpern und Enzymen zu steigern. Offenbar dienen diese Veränderungen, die *in situ* durch Antigene ausgelöst werden, der vermehrten Bereitstellung von Immunglobulinen (spezifische Abwehr, s. 7.2).

4.4. Monocyten

Eine zweite Gruppe von Leukocyten mit ungranuliertem Plasma bilden die Monocyten mit Ausstrichdurchmessern von 12–20 µm. *Sie stellen 4–8%* (im Mittel 450 Zellen pro µl) *der Blutleukocyten*. Entgegen früherer Meinung stammen die Monocyten nicht aus dem reticuloendothelialen System, sondern aus dem Knochenmark. Monocyten besitzen im Vergleich zu allen übrigen Leukocyten den höchsten Gehalt an unspezifischer Esterase und *übertreffen die Phagocytose-Kapazität sämtlicher anderer Blutzellen*. Sie sind amöboid beweglich und verweilen zwischen 1,5 und 5 Tagen im Blut. Vieles spricht dafür, daß die „Histiocyten" des Bindegewebes aus dem Blut gewanderte Monocyten sind.

Im Verlauf von **Infektionskrankheiten** verändern sich die Zellen der einzelnen Leukocytenarten häufig in charakteristischer Weise. Bei akuten bakteriellen Infekten tritt zunächst eine neutrophile Leukocytose bei gleichzeitiger Abnahme der Lymphocyten- und Eosinophilenzahlen auf (sog. *neutrophile Kampfphase*). Im weiteren Verlauf kommt es zu einer Monocytose (der sog. *monocytären Überwindungsphase*). Schließlich klingt der Infekt mit einer Lymphocytose und Eosinophilie ab (sog. *lymphocytär-eosinophile Heilphase*). Bei chronischen Infekten tritt eine Lymphocytose auf.

In den in der Klinik gebräuchlichen Tabellen, die die einzelnen Leukocytenformen des Blutes enthalten, werden üblicherweise auf der linken Seite die mit weniger segmentiertem Kern angegeben. Bei einer relativen Zunahme der Zahl dieser Formen spricht man daher auch von einer „*Linksverschiebung*". Neuere autoradiographische Untersuchungen haben ergeben, daß — entgegen früheren Vermutungen — kein Zusammenhang zwischen der Segmentierung der Granulocytenkerne und dem Alter der Zellen besteht. Offenbar ist die Segmentierung von vornherein festgelegt. Bei einer Reihe von Erkrankungen (z.B. perniziöser Anämie) kommt es jedoch zur Bildung von Granulocyten mit ungewöhnlich hoher Kernsegmentierung.

Zur **Bestimmung der Anzahl der einzelnen Leukocytenarten** im Blut färbt man einen luftgetrockneten Objektträgerausstrich von Capillarblut mit standardisierten Gemischen aus sauren und basischen Farbstoffen (z.B. nach Giemsa) und differenziert unter dem Mikroskop bei hoher Vergrößerung die einzelnen Leukocytenarten nach färberischen und strukturellen Kriterien. Man zählt mindestens 100 Leukocyten und gibt die Zahl der Arten in % an.

5. Thrombocyten

Mit der in der Klinik üblichen Methode zur Bestimmung der **Thrombocytenzahl** im Blut (nach Fonio) findet man beim gesunden Erwachsenen 150000–300000 Blutplättchen pro μl. Die flachen unregelmäßig runden, kernlosen Thrombocyten haben Längsdurchmesser von 1–4 μm und eine Dicke von 0,5–0,75 μm. Sie entstehen im Knochenmark als Abschnürung des Cytoplasmas von Knochenmarkriesenzellen (Megakaryocyten). Die **Verweildauer** der Thrombocyten im Blut beträgt 5–11 Tage. Sie werden in der Leber, der Lunge und der Milz abgebaut. Im Lichtmikroskop liegt unter der die Blutplättchen umgebenden Membran eine Zone unstrukturierten Protoplasmas, das *Hyalomer*. Weiter innen sind Granula in die plasmatische Grundsubstanz eingelagert, das *Granulomer*. Unter den morphologisch und in ihrer chemischen Zusammensetzung differenten Granula unterscheidet man die Lipoproteide (den **Plättchenfaktor 3**) enthaltende α-Granula von β-Granula, die wahrscheinlich die Träger der Enzyme des Plättchenstoffwechsels sind, und schließlich γ-Granula aus Tubuli und Vesikeln mit phagocytiertem Material. Thrombocyten enthalten nennenswerte Mengen von Serotonin und Histamin. Sie verfügen über die Enzyme der Glykolyse, des Pentosephosphatcyclus, des Citronensäurecyclus, der Atmungskette und über ATP-ase. Ihr Gehalt an ATP ist hoch. Neben ihren Funktionen bei der Blutstillung und Blutgerinnung (s. 6) spielen die Thrombocyten mit ihrer Fähigkeit zur Phagocytose von unbelebten Fremdstoffen, von Viren und Immunkörpern eine Rolle im unspezifischen Abwehrsystem des Organismus (s. 7.3).

Zahlen unter 50000–30000 Blutplättchen pro μl Blut führen zu erhöhter Blutungsneigung und meistens kleinen punktförmigen Blutaustritten (aus Capillaren in allen Geweben des Körpers), zur *thrombocytopenischen Purpura*.

6. Blutungsstillung und Gerinnung

6.1. Grundlagen der Hämostase

Mechanismus der Blutungsstillung. Nach Verletzungen, bei denen es zur Eröffnung von kleinen Blutge-

fäßen gekommen ist, stoppt die Blutung beim Gesunden nach 1–3 min. Diese vorläufige, **primäre Hämostase** kommt vornehmlich durch Vasoconstriction und den mechanischen Verschluß kleiner Gefäße durch einen Thrombocytenpfropf zustande. An den Bindegewebsfasern der Wundränder bleiben Blutplättchen haften. Dieser Kontakt führt zu einer Erhöhung der Durchlässigkeit der Plättchenmembran: vasoconstrictorisch wirkendes Serotonin, Catecholamine sowie ATP und ADP werden frei (außerdem ein Phospholipid, der Plättchenfaktor 3, dessen Bedeutung für die Blutgerinnung weiter unten besprochen wird). Die vasoconstrictorischen Substanzen bewirken eine Verengung des Lumens der verletzten Gefäße (*Reparaturischämie*), die an den Kollagenfasern anhaftenden Blutplättchen seine Verlegung. Durch das freigesetzte ADP wird die Neigung der Thrombocyten zur Zusammenballung verstärkt und so der Gefäßverschluß durch den Thrombocytenpfropf beschleunigt. Diese unter ADP-Wirkung entstandenen Plättchenaggregate sind reversibel.

Zur *irreversiblen Thrombocytenaggregation* im Prozeß der **sekundären Hämostase** kommt es wenig später durch **Thrombin**, das in dieser Phase der Gerinnung in geringen Mengen unter der Wirkung von **Gewebsthrombokinase** aus Prothrombin entsteht. Nach Abschluß der Bildung des Thrombocytenpfropfes läßt die Vasoconstriction im Verletzungsbereich nach, und es bestände die Gefahr erneuter Blutung durch Herausspülen des Verschlußpfropfens. Inzwischen sind jedoch die zur sekundären Hämostase führenden Prozesse (Abb. 12 und 13) so weit fortgeschritten, daß die verletzten Gefäße durch Blutgerinnsel endgültig verschlossen sind.

Prinzip der Blutgerinnung. Blut gerinnt außerhalb des Körpers in wenigen Minuten. Durch Umwandlung des im Plasma gelösten Eiweißkörpers **Fibrinogen** in den Faserstoff **Fibrin** geht es dabei aus dem flüssigen zunächst in einen gallertartigen Zustand über. Innerhalb einiger Stunden trennt sich durch *Retraktion* (Zusammenziehung) der Fibrinfäden die

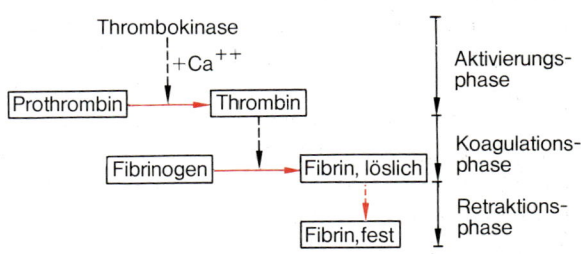

Abb. 11. Klassisches Schema der Blutgerinnung nach MORAWITZ

Tabelle 6. Blutgerinnungsfaktoren; a=aktivierte Stufen. Nach [11, 17, 18, 19, 27]

Faktor	Bezeichnung, Synonym	Bildungsort	Vorkommen	Eigenschaft, Funktion	Mangelsyndrom	
					Bezeichnung	Ursache
I	Fibrinogen	Leber	Plasma	Lösliches Eiweiß, Vorstufe des Fibrins	Afibrinogen-ämie	angeboren (recessiv, congenital)
II	Prothrombin	Leber	Plasma	α_2-Globulin, Vorstufe des Thrombins	Hypopro-thrombinämie	Leberschäden, Vitamin K-Mangel
(III)	Thrombokinase, Thromboplastin	Vorstufen in Plasma, Geweben, Thrombo-cyten	als vorüber-gehende Gerinnungs-aktivität des Blutes	Endprodukt komplexer Reak-tionen zahlreicher Gerin-nungsfaktoren des Plasmas mit Phospholipiden aus Ge-weben (Gewebsthrombo-kinase) und Thrombocyten (Blutthrombokinase), kata-lysiert die Umwandlung von F. II in F. II a	—	—
IV	Ca^{++}	—	Plasma	Notwendig für die Aktivie-rung bzw. Umwandlung der meisten Gerinnungsfaktoren	Beim Menschen unbekannt	
V	Proaccelerin, Accelerator-Globulin	vorwiegend Leber	Plasma	Lösliches Globulin, beschleu-nigt die Umwandlung von F. II in F. II a, durch Throm-bin und Ca^{++} aktiviert	Parahämophilie, Hypoproaccele-rinämie	angeboren (congenital), Leberdystrophie
(VI)	entfällt, aktivierter F. V					
VII	Proconvertin	Leber	Serum	β-Globulin, beschleunigt Thrombinbildung durch Aktivierung von F. X in Gegenwart von Ca^{++}	Hypoproconver-tinämie	angeboren (dominant, congenital), Vitamin K-Mangel
VIII	Antihämophiles Globulin, AHG	haupt-sächlich Leber (Niere, Milz)	Plasma	β_2-Globulin, in der Gerinnungs-vorphase wesentlich an der Bildung der Blutthrombo-kinase beteiligt, durch F. IX a und Ca^{++} aktiviert	Hämophilie A (klassische Hämophilie)	abnormes Gen am X-Chromo-som, angeboren (congenital)
IX	Christmas-Faktor	Leber	Serum	Kontaktsensible Protease, Funktion ähnlich F. VIII, mit aktivem F. XI und Ca^{++} wirksam	Hämophilie B	angeboren (congenital)
X	Stuart-Prower-Faktor	Leber	Serum	Accelerator von F. III, durch F. VII, Ca^{++} und F. VIII a seinerseits aktiviert	F. X-Mangel	angeboren (congenital)
XI	Plasmathrombo-plastin antecedant, PTA	—	Serum	Lösliches Globulin, kontakt-sensible Protease, in der Gerinnungsvorphase durch F. XII a seinerseits aktiviert	PTA-Mangel	angeboren (congenital)
XII	Hagemann-Faktor	—	Serum	Saures Glykoprotein, Prote-ase, kontaktsensibel (d.h. durch Kontakt mit benetz-baren Oberflächen aktiviert)	Hagemann-Syndrom	angeboren (congenital)
XIII	Fibrin-stabili-sierender Faktor, FSF	—	Serum	Transpeptidase, festigt in Gegenwart von Ca^{++} Fibrin durch kovalente Bindungen, durch Thrombin aktiviert	F. XIII-Mangel	angeboren (congenital)

gallertartige Masse in den halbfesten roten soge-nannten *Blutkuchen*, der die Blutzellen in den Zwischenräumen eines Maschenwerkes aus Fibrinfäden enthält, und eine darüberstehende klare gelbliche Flüssigkeit, das *Serum* (fibrinogenfreies Plasma).

Die zur Blutgerinnung führenden Hauptschritte sind schon lange bekannt. Bereits 1915 hat MORAWITZ das heute noch gültige Grundschema beschrieben (Abb. 11). Der Plasmaeiweißkörper *Prothrombin* wird durch *Thrombokinase*, die beim Zerfall von Thrombocyten entsteht, in Gegenwart von *ionisiertem Calcium* zu *Thrombin* umgewandelt. Thrombin bewirkt die Umwandlung des gelösten Plasmaeiweißkörpers Fibrinogen zu Fibrin, das das fädige Gerüst der Blutgerinnsel bildet. Seither ist eine große Zahl von weiteren Gerinnungsfaktoren entdeckt worden, deren Fehlen insbesondere die Bildung der Thrombokinase oder des Thrombins beeinträchtigt. Die Ursachen der verschiedenen Blutgerinnungsstörungen sind heute weitgehend geklärt (Tabelle 6).

6.2. Gerinnungsfaktoren und Gerinnungsablauf

Thrombokinase (Thromboplastin). Dieser Begriff bezeichnet weniger ein einzelnes, definiertes Enzym als vielmehr die vorübergehende, Prothrombin umwandelnde (enzymatische) Aktivität des Blutes als Folge einer Reihe komplexer Reaktionen. Nach der Herkunft eines Lipoidfaktors, der zusammen mit Blutplasmafaktoren Thrombokinase bildet, unterscheidet man *Gewebs-* von *Plasmathrombokinase*. Da bei der Gewebsthrombokinase der aktivierende Lipoidfaktor nicht aus dem Blut, sondern aus verletzten Gefäß- und anderen Gewebszellen stammt, stellt man das zur Gewebsthrombokinase führende sogenannte *extrinsic System* dem *intrinsic System* gegenüber, bei dem der aktivierende Lipoidfaktor aus beschädigten Blutzellen, vornehmlich Thrombocyten, freigesetzt wird (Abb. 12).

Thrombinbildung. Thrombokinase wirkt proteolytisch auf den elektrophoretisch in der α_2-Globulinfraktion wandernden Plasmaeiweißkörper **Prothrombin** (MG 66 800) und wandelt diesen in Gegenwart von Ca^{++} in **Thrombin** um. Im Plasma des Gesunden finden sich 10–15 mg/100 ml Prothrombin. Zu seiner Bildung in der Leber muß *Vitamin K* vorhanden sein. Mangel an Vitamin K (z.B. durch Behinderung der enteralen Fettresorption) führt zu Störungen der Blutgerinnung. Die Halbwertzeit von Prothrombin im Plasma beträgt 1,5–3 Tage. Thrombin (MG 35 000) ist eine Peptidase, die

besonders aktiv Arginylbindungen spaltet und zu einer teilweisen Proteolyse des Fibrinogenmoleküles führt.

Fibrinbildung. Das aus zwei gleichen Untereinheiten zusammengesetzte, dimere **Fibrinogen** (MG 340 000) wird zunächst in seine beiden Untereinheiten aufgetrennt, die aus je drei Polypeptidketten (α, β, γ) bestehen. **Thrombin** spaltet dann in den zwei α- und den zwei β-Ketten vier Arginyl-Glycinbindungen und setzt so die beiden Aminopeptide A und B frei, die beide vasoconstrictorisch wirken sollen. Die nach der Abspaltung der Fibrinopeptide zurückgebliebenen Fibrinomonomere lagern sich zunächst unter der Wirkung elektrostatischer Kräfte längs-parallel aneinander zu sog. Fibrinpolymeren. Zu dieser **Polymerisation** bedarf es der Anwesenheit von Fibrinopeptid A, einem Plasmafaktor, und von Calcium. Das entstandene Gel kann durch Zusatz von Wasserstoffbrücken-lösenden Reagenzien (wie z.B. *Harnstoff*) wieder verflüssigt werden. Erst unter der Wirkung des durch Thrombin in Gegenwart von Ca^{++} aktivierten fibrinstabilisierenden Faktors XIII entstehen covalente Bindungen zwischen den Fibrinmonomeren, wodurch die Fibrinfäden ihre endgültigen physikochemischen Eigenschaften erhalten. Noch nicht endgültig ist indessen in diesem Stadium die mechanische Struktur des zunächst noch lockeren dreidimensionalen Maschenwerks aus Fibrinfäden, das Zellen und Blutplättchen in großer Zahl gefangen hält.

Retraktion. Über einen im einzelnen noch nicht geklärten Vorgang bewirken die (zerfallenden) Thrombocyten mit Hilfe des dabei freigesetzten Retraktionsfaktors **Retractozym** (oder Thrombosthenin) ein dichteres Aneinanderrücken der Fibrinfäden und (möglicherweise) deren Verkürzung durch Faltung. Es kommt zur Verkleinerung des Gerinnsels, zur *Fibrinretraktion*. Man nimmt an, daß die relativ großen Mengen an ATP, die im Stoffwechsel der Blutplättchen gebildet wurden, die Energie für diesen Prozeß liefern. Durch die Retraktion wird das Gerinnsel mechanisch verfestigt, die Wundränder werden zusammengezogen und so günstigere Bedingungen für das Einsprossen von Bindegewebszellen geschaffen.

Aus dem Blutgerinnungsschema der Abb. 12 geht hervor, daß neben den bereits erwähnten Faktoren die Anwesenheit einer ganzen Reihe weiterer Stoffe erforderlich ist. Einige von ihnen haben Enzymcharakter, andere stellen Teile von bei der Blutgerinnung zusammentretenden Komplexen dar. Der ganze Vorgang läßt sich als ein kaskadenförmig ablaufender, vernetzter Prozeß verstehen, in wel-

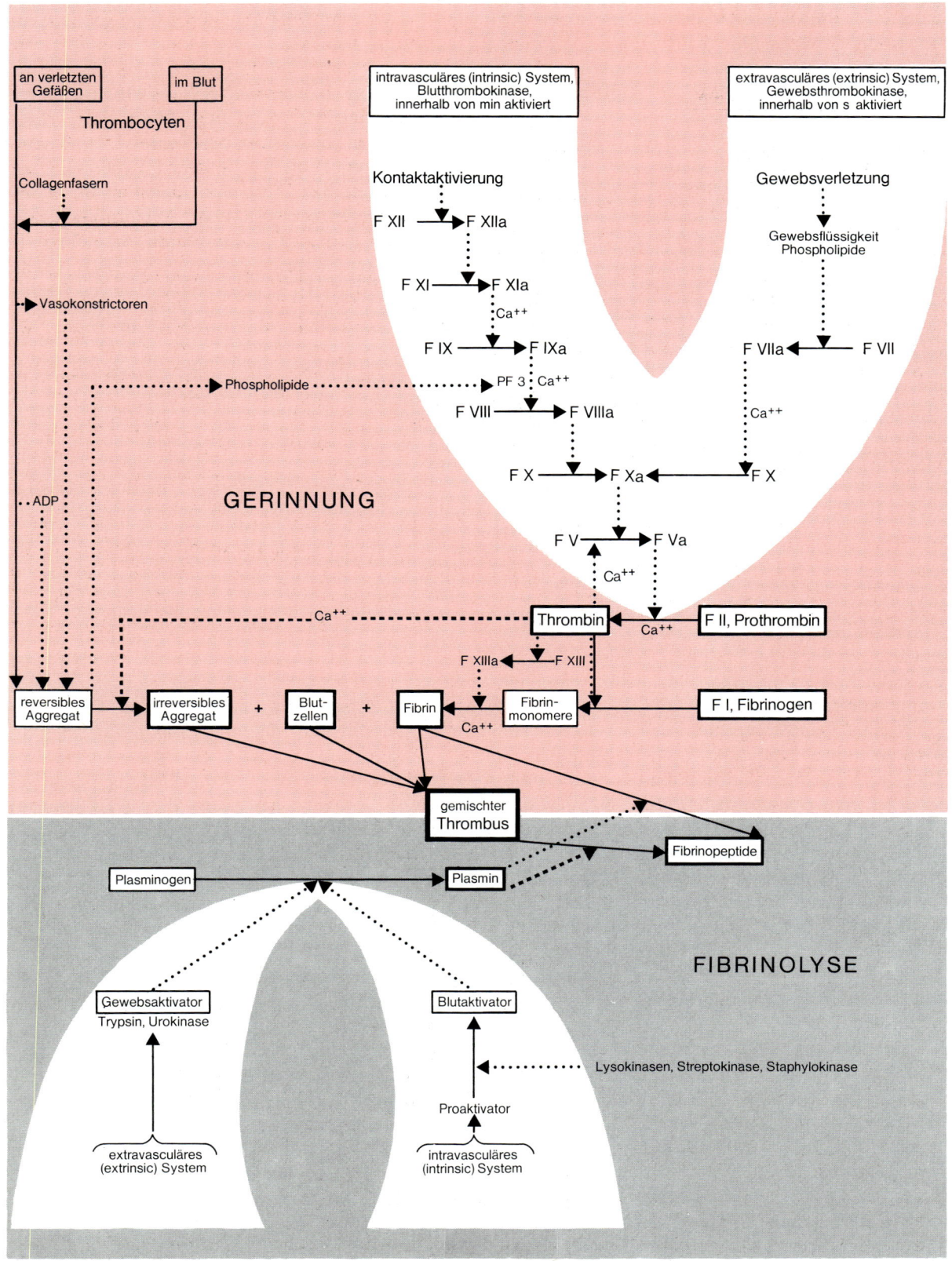

Abb. 12. Schema der Blutgerinnung und Fibrinolyse. Gerinnungsfaktoren vgl. Tabelle 11 (Pf 3 = Plättchenfaktor 3). Nach [4, 13, 18, 19, 27]

chem nacheinander die jeweils für den nächsten Schritt benötigten Stoffe aktiviert bzw. gebildet werden.

6.3. Fibrinolyse

Bedeutung der Fibrinolyse. Dem beschriebenen komplexen Prozeß der Blutgerinnung steht ein ähnlich ablaufender Vorgang gegenüber, der zur Fibrinolyse, zur Auflösung von Fibringerinnseln, führt (Abb. 13). Man nimmt heute an, daß ständig eine gewisse Menge von Fibrinogen in Fibrin umgewandelt wird. Im funktionellen Gleichgewicht hält jedoch dieser Fibrinbildung ein ebenfalls ständig ablaufender, fast spiegelbildlicher fibrinolytischer Prozeß die Waage. Erst nach zusätzlicher Aktivierung des Gerinnungssystems durch Verletzungen überwiegt dann am Ort der Verletzung zunächst die Fibrinbildung, und es kommt zur lokalisierten manifesten Gerinnung.

Aktivierung der Fibrinolyse. Unter den Globulinen der Plasmaeiweißkörper findet sich das **Plasminogen** (Profibrinolysin). Dieser Stoff kann, ähnlich wie das Prothrombin, durch Gewebs- oder durch Blutfaktoren (Fibrinolysokinasen) analog dem ex-trinsic und dem intrinsic System bei der Blutgerinnung in seine aktive Form zu **Plasmin** (Fibrinolysin) umgewandelt werden. Plasmin löst das Fibrin der Blutgerinnsel auf. Diese Protease mit besonderer Affinität zu Fibrin spaltet hierbei hydrolytisch lösliche Peptide ab, die dann durch Peptidasen weiter abgebaut werden. Im gleichen Sinne wirkt Plasmin auf Fibrinogen, Faktor V, Faktor VIII, Faktor XII und Prothrombin. Es bewirkt daher nicht nur die Auflösung von Blutgerinnseln, sondern auch eine Verminderung der Blutgerinnungsfähigkeit.

Die aus dem Gewebe stammenden **Plasminogenaktivatoren,** die *Gewebsfibrinolysekinasen,* von denen sich die höchste Aktivität im Myometrium des Uterus findet, vermögen Plasminogen direkt in Plasmin umzuwandeln (Abb. 12 und 13). Die **Blutaktivatoren** hingegen bedürfen zu ihrer Wirksamkeit der Einwirkung sog. *Proaktivatoren* (Profibrinolysekinasen). Die wichtigsten Proaktivatoren sind *Lysokinasen,* die durch traumatische oder entzündliche Gewebsschäden aus Blutzellen freigesetzt werden. Eine Lysokinase mit hoher Aktivität, die *Urokinase,* findet sich im Urin. Es ist nicht geklärt, ob sie der Verhinderung der Bildung bzw. der Auflösung von Fibringerinnseln im Harntrakt dient oder ob sie lediglich ausgeschieden wird. Eine therapeutisch

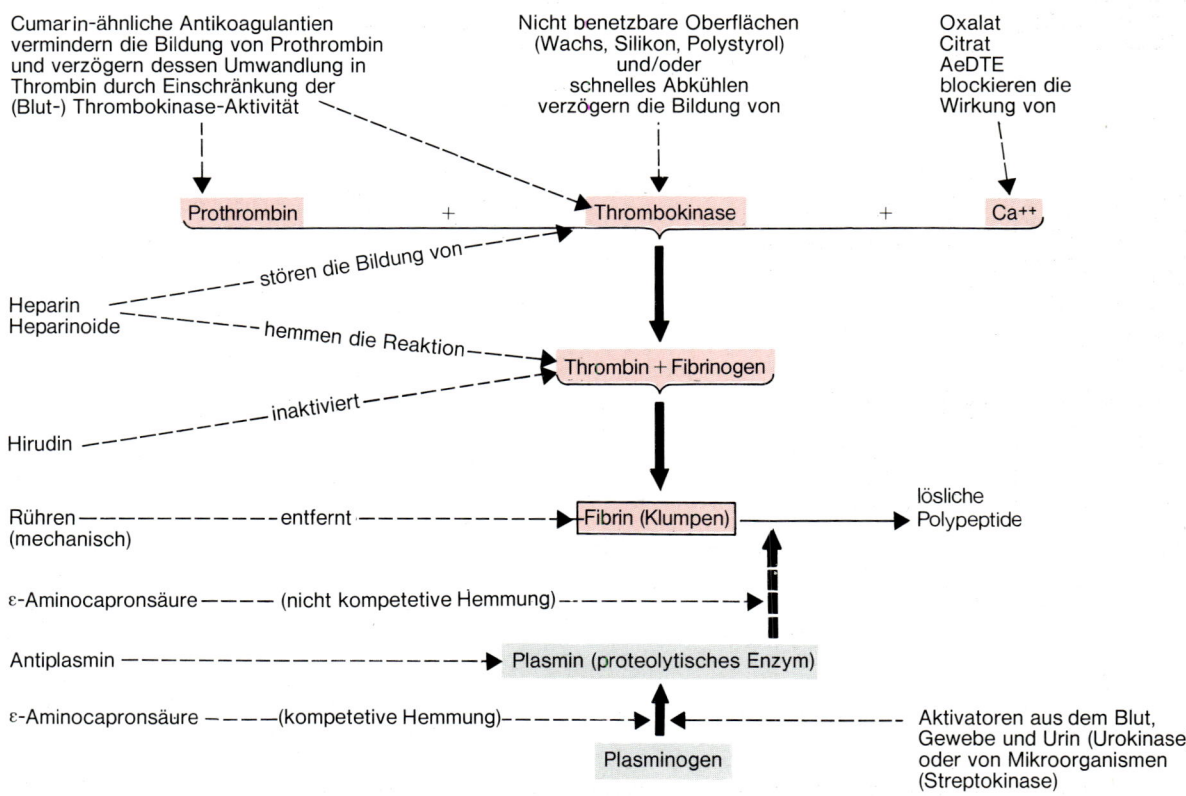

Abb. 13. Wirkungsweise einiger Anti-Coagulantien und Anti-Fibrinolytica. Nach [4]

wichtige Fremdlysokinase ist die von hämolytischen Streptokokken produzierte *Streptokinase*, die man zur Behandlung von Thrombosen benutzt.

Die proteolytische Wirkung von Plasmin wird durch den antiproteolytischen Effekt eines im Plasma vorkommenden Albumins, des **Antiplasmins**, gehemmt. Die Anwesenheit von Antiplasmin im Plasma führt dazu, daß Plasmin seine stärkste fibrinolytische Wirkung im Inneren von Gerinnseln entfaltet, dort, wo aufgrund der Absorption von Plasminogen an Fibrin die Plasminkonzentration hoch, die Antiplasminkonzentration indes niedrig ist, weil letzteres nur langsam aus dem strömenden Blut durch Diffusion in das Gerinnsel hineingelangt. Therapeutisch verwendet man zur Fibrinolyseverlangsamung Proteasenhemmstoffe, wie z.B. die ε-*Aminocapronsäure*, deren Wirkung aus dem Schema in Abb. 13 hervorgeht.

6.4. Störungen und Hemmung der Blutgerinnung, Gerinnungsaktivitätsprüfungen

Gerinnungsstörungen. In Anbetracht der vielen Funktionen, die die Thrombocyten im Prozeß der Blutgerinnung erfüllen, sind Gerinnungsstörungen beim Absinken ihrer Zahl im Blut, im Zustand der **Thrombocytopenie** oder bei Produktion von funktionell nicht vollwertigen Blutplättchen, der **Thrombasthenie**, zu erwarten. Wie schon erwähnt, kommt es bei Thrombocytenzahlen < 60 000/μl Blut zu petechialen (kleinfleckigen) Blutungen aus den Capillaren aller Organe, zu verlängerter Blutungszeit und abgeschwächter und verzögerter Retraktion des Fibringerinnsels.

Bei der seltenen **Thrombasthenie** treten ähnliche Symptome bei normalen Thrombocytenzahlen auf. Bei thrombopenischer Blutungsneigung unterscheidet man solche mit bekannter Ursache nach Knochenmarksschädigung (z.B. durch ionisierende Strahlen, durch Mitosegifte oder durch neoplastische oder chronisch entzündliche Prozesse) von den idiopathischen Thrombocytopenien unbekannter Ursache.

Schwere Formen entzündlicher und degenerativer **Lebererkrankungen** können die Synthese von Prothrombin, von Faktor VII, IX und X so stark beeinträchtigen, daß Blutgerinnungsstörungen eintreten. Auch **Vitamin K-Mangel** führt zu Blutgerinnungsstörungen, ohne daß jedoch ein Leberschaden vorliegt. Ein „innerer" Mangel des fettlöslichen, in pflanzlicher Nahrung vorkommenden und von Darmbakterien gebildeten Vitamins tritt bei Störungen der enteralen Fettresorption auf, insbesondere bei vermindeter Galleausscheidung in den Darm. Die Wirkungsweise des Vitamin K ist noch nicht völlig geklärt, sein Mangel beeinträchtigt die Produktion von Prothrombin, von Faktor VII, IX und X.

Bei der beim männlichen Geschlecht auftretenden, rezessiv geschlechtsgebunden vererbten Bluterkrankheit, der **Hämophilie**, besteht in der weit überwiegenden Zahl der Erkrankungen ein **Mangel an Faktor VIII**, auch *Antihämophiles Globulin* genannt. Bei einer kleinen Zahl von Blutern fehlt dagegen der *Faktor IX*. Im klinischen Erscheinungsbild, im Erbgang, den pathologischen Veränderungen des Prothrombin-Verbrauchstests und der Gerinnungszeit sind die beiden Hämophilieformen nicht zu unterscheiden. Eine dritte, noch seltener vorkommende Form

der Hämophilie geht auf einen Mangel an *Faktor XI* zurück. Wiederum sind die klinischen Symptome kaum von den anderen beiden Hämophilieformen zu unterscheiden. Allerdings sind sie meistens weniger ausgeprägt. Dieses ebenfalls recessive Erbleiden tritt bei beiden Geschlechtern auf.

Da die Faktoren IX und XI relativ stabil sind und auch in Blutkonserven längere Zeit wirksam bleiben, lassen sich Hämophilien mit Faktor IX- und XI-Mangel mit Plasma- oder Blutkonserven behandeln. Wegen der Labilität von Faktor VIII konnte man bis zum Erscheinen der relativ teuren lyophilisierten Faktor VIII-Konzentrate die klassische Hämophilie nur mit Frischblut bzw. Plasmatransfusionen behandeln.

Hemmung der Blutgerinnung (Abb. 13). **Temperatursenkung** verlangsamt die extravasale Blutgerinnung, macht das Blut jedoch nicht ungerinnbar. Ein ähnlicher Effekt läßt sich durch Gewinnung des Blutes mittels silikonierter Kanülen und Auffangen in paraffinierten oder silikonierten Gefäßen erzielen. Die **nicht benetzbaren Oberflächen** bringen — im Gegensatz zu rauhen, benetzbaren Oberflächen — die Thrombocyten kaum zur Aggregation und zum Zerfall. Deshalb ist die Bildung von (Blut)Thrombokinaseaktivität unter diesen Bedingungen erheblich verzögert. Verhindern läßt sich die extravasale Blutgerinnung durch Zusatz von Stoffen, die das auf vielen Stufen des Blutgerinnungsprozesses notwendige *ionisierte Calcium in eine schwer lösliche oder Komplex-Verbindung überführen*. Dazu eignen sich z.B. Lösungen von **Na-Oxalat, K-Oxalat** oder **Ammoniumoxalat,** von **Na-Citrat** und vom Chelatbildner **AeDTE (EDTA)** (Äthylendiamin-tetraessigsäure). Am häufigsten verwendet wird Na-Citrat, weil es in geringen Mengen ungiftig und deshalb die versehentliche Injektion kleiner Mengen ungefährlich ist.

Intra- und extravasal hemmt **Heparin** die Blutgerinnung. Heparin stellt eine Mischung von Polyschwefelsäureestern eines Mucopolysaccharids dar. Es kommt im Leber-, Lungen-, Herz- und Muskelgewebe, außerdem in den Gewebsmastzellen und den basophilen Granulocyten im Blut vor. Heparin übt seine gerinnungshemmende Wirkung aus als Komplex (Antithrombin II) mit einem im Plasma enthaltenen Eiweißkörper, dem sog. Heparinkomplement oder Heparin-Cofaktor. Neben den in Abb. 13 schematisch dargestellten hemmenden Wirkungen auf die Blutgerinnung fördert Heparin als Fibrinolyse-Aktivator die Auflösung von Blutgerinnseln.

Da Heparin parenteral zugeführt werden muß und wegen seines raschen Abbaus und seiner Ausscheidung nur 4–6 Std wirkt, bevorzugt man zur Dauertherapie von Erkrankungen mit Thromboseneigung **Cumarinderivate**, die bei oraler Gabe wirksam sind. Sie sind *Vitamin K-Antagonisten*, die das Vitamin von seinem Apoferment in der Leber fernhalten bzw. verdrängen. Dabei kann ihre Wirkung durch einen Anstieg der Konzentration an Vitamin K wieder aufgehoben werden (kompetitiver Antagonismus oder konkurrierende Hemmung).

Weitere Anticoagulantien. Als **Antithrombin III** wird ein albuminartiger Plasmabestandteil bezeichnet, der aus Thrombin inaktives Metathrombin bildet und so den Thrombingehalt des strömenden Blutes niedrig hält. Wegen der Eigenschaft von Fibrinogen (und Fibrin), große Mengen von Thrombin adsorptiv zu binden, wird Fibrinogen im Zusammenhang mit Hemmstoffen der Blutgerinnung auch **Antithrombin I** genannt. Ein anderes natürliches Anticoagulans ist das **Hirudin**, ein im Speichel von Blutegeln enthaltenes Antithrombin. Einige Schlangengifte mit blutgerinnungshemmendem Effekt enthalten Antithrombokinaseaktivität. Auch der Speichel blutsaugender Insekten hat gerinnungshemmende Wirkung. Aus der Speicheldrüse einer Stechfliege (Tabanus) ließ sich das **Tabanin** isolieren, das als Antithrombin wirkt.

Gerinnungsfunktionsprüfungen. Zur Messung der **Recalcifizierungszeit** wird Blut mit Na-Citrat ungerinnbar gemacht und zusammen mit einer Glasperle in schrägstehende, in einem Wasserbad bei 37° C langsam rotierende Teströhrchen gefüllt. Nach Temperaturausgleich wird Calciumchlorid im Überschuß zugesetzt und die Zeit vom Calciumzusatz bis zum Mitrotieren der Glasperle gemessen. Normalwerte: 80–130 s.

Der **Prothrombin-** oder **Quick-Test** ist die am häufigsten verwendete Methode zur Kontrolle der Wirkung der Cumarintherapie: Oxalat- oder Citratplasma wird ein Präparat zugesetzt, in dem — bis auf die zu untersuchenden Faktoren — alle übrigen Blutgerinnungsfaktoren im Überschuß enthalten sind. Unterschiede in der Gerinnungszeit (im Vergleich zu einem Normalplasma mit etwa 14 s = 100%) beruhen auf einem verminderten Gehalt an Prothrombin oder auf Aktivitätsunterschieden im Bereich der nicht hinzugegebenen (Thrombokinase-)Faktoren.

7. Abwehrfunktion des Blutes

7.1. Grundlagen der Abwehrfunktion

Einteilung der Abwehrmechanismen. Dem Organismus stehen zur Abwehr potentiell schädigender Substanzen vielfache Möglichkeiten zur Verfügung: 1. unspezifische Mechanismen unter Beteiligung von Zellen **(unspezifische celluläre Abwehr)** und gelösten Substanzen **(unspezifische humorale Abwehr)** sowie 2. spezifische Mechanismen über hochspezialisierte chemische Reaktionen **(Immunreaktionen)**. Gegen eine definierte Noxe **(Antigen)** wird dabei vom Organismus eine spezifische Abwehrsubstanz **(Antikörper)** gebildet. Ein solcher Antikörper verbindet sich mit dem Antigen (*Antigen-Antikörper-Reaktion*) und nimmt diesem dadurch seine schädlichen Eigenschaften. Träger einer Antikörperfunktion können Immunglobuline des Blutplasmas sein **(spezifische humorale Abwehr)** oder spezielle Lymphocyten **(spezifische celluläre Abwehr)**. Das *unspezifische System* ist in der Lage, primär (d.h. ohne vorangegangenen Kontakt) einen Fremdkörper für den Organismus unschädlich zu machen. Das *spezifische System* dagegen bedarf zur Erreichung des gleichen Zustandes (der erworbenen Immunität) einer vorangegangenen Auseinandersetzung mit dem Fremdkörper.

Antigene sind potentiell schädigende Substanzen (Krankheitserreger, artfremdes Eiweiß, inerte Substanzen), deren Eindringen in den Organismus die Bildung spezifischer, gegen sie gerichteter Antikörper auslöst. Ein Antigen baut sich auf aus einem unspezifischen hochmolekularen **Trägermolekül** (Polysaccharide, Proteine, Lipoide, MG > 10000) und den für die serologische Spezifität maßgeblichen Teilstrukturen (*Determinanten*), die exponiert an der Oberfläche des Antigenmoleküls sitzen. Die vom makromolekularen Träger gelöste Determinante wird **Hapten** genannt. Ein Hapten vermag zwar mit dem zu ihm passenden (homologen) Antikörper zu reagieren, ist jedoch nicht in der Lage, die Bildung von neuen Antikörpern auszulösen.

Antikörper sind spezifische Reaktionsprodukte des tierischen und menschlichen Organismus, die beim Eindringen von Antigenen gebildet werden und im Serum des immunisierten Organismus zu finden sind. Es handelt sich um γ-Globuline mit Glykoproteidcharakter. Man bezeichnet sie als **Immunglobuline (Ig)** und teilt sie nach ihrem Molekulargewicht ein (Tabelle 3). Alle Antikörper besitzen die Fähigkeit, mit einer korrespondierenden Antigen-Determinante spezifisch zu reagieren.

7.2. Spezifische Abwehrmechanismen

Eine zentrale Rolle bei der Entwicklung der spezifischen Abwehrfähigkeit des Organismus spielen die **Lymphocyten**. Man unterscheidet im spezifischen System zellgebundene von humoralen Antikörpern, letztere werden von Plasmazellen in das Blut abgegeben.

Zellgebundene Immunreaktion. Aus den lymphatischen Stammzellen des Knochenmarks werden immunologisch noch nicht geprägte Lymphocyten in das Blut abgegeben, mit dem sie zu ihren Prägungsstätten gelangen (Abb. 14). Eine Reihe der ungeprägten Lymphocyten gelangt in den Thymus und vermehrt sich dort. Dabei werden die Zellen in einem unbekannten Prozeß zu immunologisch kompetenten **T-Lymphocyten** (T von Thymus) umgewandelt, die wiederum mit dem Blut zirkulieren und dort die Masse der Blutlymphocyten darstellen. Beim ersten Kontakt mit einem Antigen proliferiert ein Teil der T-Lymphocyten. Einige der neugebildeten Tochterzellen suchen das Antigen auf und zerstören es im Zuge einer Antigen-Antikörperreaktion, die an der Oberfläche der Lymphocyten (,,*Killer Cells*'') an membranständigen Receptorproteinen stattfindet (die man sich als fixierte Immunglobuline vorstellen kann).

Eine andere Gruppe aus den Tochterzellen der Keimzentren stellen langlebige, sogenannte *Gedächtniszellen* dar. Diese langlebigen Zellen kreisen im Blut und ,,erkennen'' ein Antigen bei erneuter Exposition u.U. noch nach Jahren wieder. Beim zweiten Antigenkontakt lösen die ,,Gedächtniszellen'' eine Sekundärreaktion aus. Dabei proliferieren sie noch lebhafter als bei der Primärreaktion (Erst-

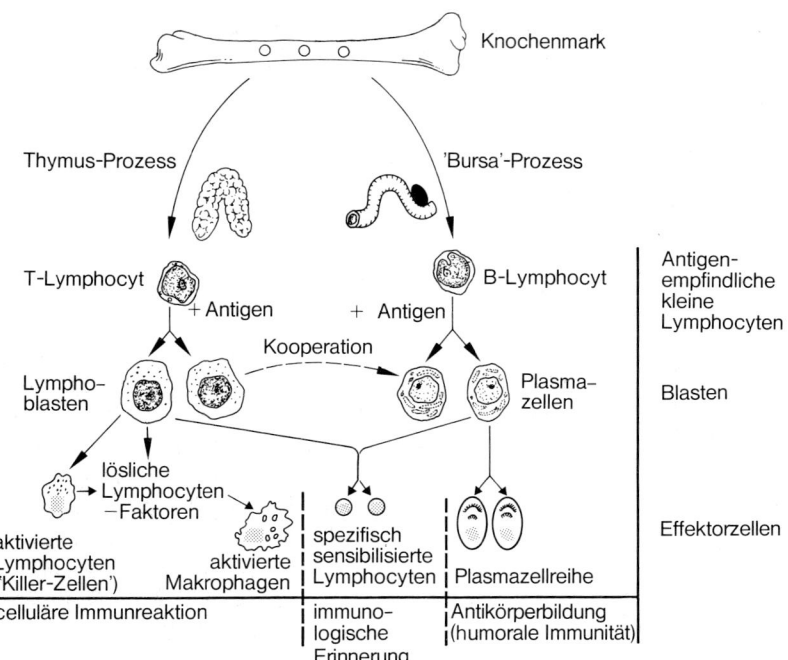

Abb. 14. Schematische Darstellung des Entwicklungsganges der T- und B-Lymphocyten sowie des cellulären und humoralen Abwehrsystems des Blutes. Nach [25]

kontakt) und führen rasch zu einer großen Zahl von „Killer Cells". Obwohl die Sekundärreaktion bei der geschilderten zellgebundenen Immunantwort relativ schnell anläuft und nach etwa 48 h ihren Höhepunkt erreicht, bezeichnet man sie — im Gegensatz zu den noch rascheren Reaktionen bei der humoralen Sekundärantwort — als **Immunreaktion vom verzögerten Typ.** Zu dieser Gruppe gehören viele der sogenannten Kontaktallergien (z.B. bei Exposition der Haut mancher Menschen zu bestimmten Kunststoffen, zu mit Chromsalzen gegerbtem Leder und zu nickelhaltigem Schmuck), die in Form von Hautrötungen, Bläschenbildung und Nässen auftreten.

Humorale Immunreaktion. Andere der aus dem Knochenmark kommenden immunologisch noch ungeprägten Lymphocyten werden (bei den Vögeln in der Bursa Fabricii) bei den Säugern an noch unbekannter Stelle (vielleicht in den Lymphknotenaggregaten des Dünndarms, des Wurmfortsatzes und der Tonsillen) zu immunologisch kompetenten **B-Lymphocyten** (B von Bursa) umgewandelt. Wiederum auf dem Blutwege erreichen sie anschließend Milz, Lymphknoten und andere lymphatische Organe, wo sie sich ansiedeln. Sie stellen nur einen geringen Anteil der Blutlymphocyten dar. Bei der ersten Exposition zu einem Antigen (Primärreaktion bzw. *Sensibilisierung*) proliferieren die für das jeweilige Antigen empfindlichen B-Lymphocyten.

Ein Teil der entstandenen Tochterzellen verläßt die Keimzentren als „*Gedächtniszellen*", die anderen siedeln sich z.B. in der Pulpa des Lymphknotenmarks an, wo sie sich zu **Plasmazellen** umwandeln. Diese Plasmazellen und ihre Vorläufer bilden Antikörper, die sie an ihre Umgebung, d.h. in das Plasma hinein, abgeben (*humorale Antikörper*). Auf eine noch ungeklärte Weise wird die Antikörperbildung der B-abhängigen Zellen durch T-Lymphocyten gefördert (*Kooperation*) (Abb. 14).
Wie die geschilderte Sekundärreaktion bei der zellgebundenen Immunantwort verläuft auch im humoralen Immunsystem die Reaktion bei wiederholter Antigen-Exposition rascher und intensiver. Entsprechend steil steigt der Immunglobulintiter des Blutes gegen das auslösende Antigen an. Da die *humorale Immunantwort schneller erfolgt als die zellgebundene*, nennt man die erstere auch **Immunreaktion vom Soforttyp.** Hierzu gehören viele Überempfindlichkeitsreaktionen, wie z.B. solche gegen Medikamente und gegen Pollen (*Heuschnupfen*) sowie die allergische Form des *Asthma bronchiale* und die *Transfusionsreaktionen* beim Übertragen gruppenungleichen Blutes.

Im Vergleich zu den verschiedenen Lymphocytenformen und ihren Abkömmlingen, den Plasmazellen, spielen andere Blutzellen im spezifischen Abwehrsystem eine relativ geringe Rolle. Studien mit markierten Antikörpern zeigten immerhin, daß **eosinophile Granulocyten** in der Lage sind, Antigen-Antikörperkomplexe zu phagocytieren und intracellulär abzubauen. Gewisse Antikörper lagern sich der Membran von **basophilen Granulocy-**

ten und von **Thrombocyten** an und führen bei erneuter Exposition zum Antigen zur Bildung von membrangebundenen Antigen-Antikörperkomplexen, die die Permeabilität der Zellmembran verändern und z.B. bei den Basophilen zum Austritt von Histamin und Heparin führen. Bei den Basophilen ist ein *Immunglobulin E* als Antikörper mit Membranaffinität nachgewiesen [22].

Allergie und Immunität. Ist der Organismus in der Lage, einen Fremdstoff mit seinem Abwehrsystem ohne pathologische Reaktion unschädlich zu machen, so ist er gegen diesen immun. Führt nach wiederholter Exposition gegenüber einem Fremdstoff die Antigen-Antikörperreaktion zu pathologischen (Überempfindlichkeits-)Erscheinungen (Anaphylaxie) — wie z.B. erhöhter Capillarpermeabilität, vermehrter Durchblutung von Haut und Schleimhäuten, zur Quaddelbildung, zu vermehrter Sekretion exokriner Drüsen und zu Bronchiospasmen — dann liegt eine sogenannte **Allergie** vor. Findet keine Antikörperbildung nach Zufuhr eines (bei anderen Menschen zur Antikörperbildung führenden) Fremdstoffes statt, dann handelt es sich um den Zustand der Immuntoleranz oder **Immunparalyse**. In diesem Falle ist der Organismus möglichen Schädigungen durch den Fremdstoff schutzlos ausgesetzt.

Immuntoleranz ist gefährlich, sie wird aber z.B. zur Verhinderung oder Verzögerung der Abstoßung des körperfremden Eiweißes von Transplantaten durch gezielte Ausschaltung des Abwehrsystems (durch selektive Hemmung oder Entfernung von Lymphocyten, durch Gabe von Antimetaboliten oder durch Anwendung ionisierender Strahlen) therapeutisch angestrebt. Immuntoleranz kann auch als Folge vorangegangener Exposition von übermäßig hohen Dosen eines Antigens auftreten, da sehr große Antigenmengen die Ausbildung einer normalen Immunreaktion unterdrücken können.

Aktive und passive Immunisierung. Antigen-Antikörperkomplexe können bestimmte Plasmaeiweißkörper (Komplemente) aktivieren und dadurch die Freisetzung von Substanzen bewirken, die zu erhöhter Capillarpermeabilität, zur Anziehung von Granulocyten (*Chemotaxis* bzw. *Leukotaxis*), zu vermehrter Phagocytoseaktivität (*Opsonisation*) und zum fermentativen Abbau des auslösenden Antigen-Antikörperkomplexes führen. Bei der **Impfung**, der *„aktiven"* Immunisierung, macht man von der Tatsache Gebrauch, daß vor erneuter Exposition zu einem Antigen eine erhöhte Abwehrbereitschaft vorliegt. Man nimmt die Primärreaktion vorweg und führt dem Organismus unschädliche Mengen eines Antigens oder Antigenproduzenten zu (lebende, in ihrer Virulenz abgeschwächte oder tote Bakterien oder Viren). Bei einer ungewollten zweiten Exposition (Infektion) zum gleichen Antigen sind (oft noch Jahre nach der Impfung) dann schon spezifische Antikörper vorhanden. Vor allem aber

nehmen nun die zellgebundene und die humorale Abwehrfähigkeit sehr viel rascher als bei einer Erstexposition zu. Bei der *„passiven"* Immunisierung werden dem Patienten spezifische Antikörper gegen das jeweilige Antigen in Form von Immunglobulinpräparaten zugeführt.

7.3. Unspezifische Abwehr

Unspezifische humorale Abwehr. Die unspezifische humorale Abwehrfunktion des Blutes beruht auf dem Vorhandensein sog. „natürlicher" oder „normaler" Antikörper, deswegen so genannt, weil man annahm, daß sie ohne vorangegangene Exposition des Organismus zu einem Fremdstoff vorhanden sind. Heute setzt sich indes die Ansicht immer stärker durch, daß es — streng genommen — natürliche Antikörper nicht gibt, und daß die für „natürlich" gehaltenen als Antwort auf den früheren Kontakt mit bakteriellen Antigenen aus der obligaten Darmflora gebildet wurden (Gram-negative Keime erweisen sich gegenüber den „natürlichen" Antikörpern am empfindlichsten).

In vielen Geweben und Körperflüssigkeiten wird das Wachstum und die Vermehrung von Bakterien und Viren durch ein mucolytisch wirkendes basisches Protein mit Enzymeigenschaften, das **Lysozym** gehemmt. Dieser Stoff kommt in hoher Konzentration in den Granula der polymorphkernigen Leukocyten und in den Makrophagen des Lungengewebes vor. Beim Zerfall dieser Zellen wird es freigesetzt und gelangt in die extracelluläre Flüssigkeit. Auch im Schleim des Darmes, des Nasen-Rachenraumes und im Conjunctivalsekret ist Lysozym enthalten. Vermutlich begrenzt es die Vermehrung der dort lebenden saprophytischen Mikroorganismen.

Dem **Properdin**, einem in normalem Plasma vorkommenden Faktor mit Eiweißnatur, schrieb man die Fähigkeit zu, eine Reihe von Bakterien und Viren zu vernichten. Der zunächst für chemisch einheitlich gehaltene Faktor ließ sich indes in eine Anzahl von Antikörpern vom γM-Typ (mit den beschriebenen Eigenschaften) und einem davon unterscheidbaren Eiweißkörper vom MG 230000 mit unbekannter Funktion auftrennen.

Nach Aufnahme lebender oder toter Viren in den Zellkörper wird von vielen tierischen Zellen ein lösliches Protein (MG um 20000–30000) produziert, das **Interferon**. Dieses Protein bewirkt eine nicht streng spezifische Resistenz gegenüber Virusinfektionen. Die Produktion und Ausschüttung von Interferon erfolgt rasch (innerhalb von Stunden), so daß schon vor dem Anstieg der spezifischen Antikörper-Konzentration im Körper ein gewisser Schutz gegen die Vermehrung der Viren gegeben ist. Die Wirkungsweise des Interferons ist noch nicht endgültig geklärt. Wahrscheinlich beruht seine Wirkung z.T. darauf, daß es die Verwendbarkeit von Zellribosomen für die Proteinsynthese der Viren einschränkt.

Unspezifische celluläre Abwehr. Grundlage des cellulären unspezifischen Abwehrsystems stellt im Blut die Fähigkeit der weißen Blutkörperchen zur **Phagocytose** dar, und zwar phagocytieren die Granulocyten, die Monocyten, die Thrombocyten und — entgegen der früheren Auffassung — die Lymphocyten. Die Monocyten phagocytieren am lebhaftesten, sie sind wie die Granulocyten besonders reich an lysosomalen Fermenten, mit deren Hilfe sie das phagocytierte Material abbauen. Möglicherweise wirken manche der von Granulocyten und Monocyten an ihre Umgebung abgegebenen Abbauprodukte als Antigene (über den Fermentbesatz der Leukocyten s. 4), die die Bildung von Antikörpern auslösen und so die Verbindung zwischen unspezifischem und spezifischem Abwehrsystem herstellen.

8. Blutgruppen des Menschen

Agglutination. Vermischt man das Blut von zwei Personen auf einem Objektträger, so beobachtet man in den meisten (nicht in allen) Fällen eine Zusammenballung der Erythrocyten, die als Agglutination bezeichnet wird. Häufig ist dieser Vorgang mit einer *Hämolyse* kombiniert. Die gleichen Phänomene würden auch auftreten, wenn durch eine Bluttransfusion zwei *incompatible* (unverträgliche) Blutsorten innerhalb der Blutbahn in Kontakt kämen. Die Folgen wären Verstopfung der Capillaren durch agglutinierte Erythrocyten, hämolysebedingte Schädigung des Tubulusapparates der Niere und andere Noxen (Anaphylaxie), die u.U. zum Tod führen können.

Die **Ursache der Agglutination** ist eine Antigen-Antikörper-Reaktion. An der Zellmembran der Erythrocyten befindet sich eine Anzahl spezifischer Polysaccharid-Aminosäure-Komplexe mit Antigen-Eigenschaften, die man als **Agglutinogene** (syn. *Hämagglutinogene, agglutinable Substanzen*) bezeichnet. Die spezifischen Antikörper, die mit diesen Agglutinogenen der Erythrocytenmembran reagieren, sind im Blutplasma gelöst. Sie gehören zur γ-Globulinfraktion und werden als **Agglutinine** (syn. *Iso-Hämagglutinine*) bezeichnet. Bei der Antigen-Antikörper-Reaktion sollen die Antikörper, die über zwei Bindungsstellen verfügen, jeweils zwei Erythrocyten brückenartig miteinander verbinden und so die Agglutination bewirken. Offenbar enthält das Blut normalerweise nur solche Agglutinine, die nicht gegen die eigenen Erythrocyten gerichtet sind, weil andernfalls eine Selbst-Agglutination eintreten müßte.

Das Blut jedes Menschen ist durch einen bestimmten Satz spezifischer Erythrocyten-Agglutinogene charakterisiert. Unter den vielen bisher nachgewie-

senen Erythrocytenantigenen lösen rund 30 (weiter als nur in einigen Sippen verbreitete) Antigene heftigere Reaktionen aus. Die wichtigsten 9 Systeme, ihre Agglutinogene und die Erscheinungen bei Antigen-Antikörper-Reaktion sind in der Übersicht in Tabelle 7 dargestellt. Man kennt heute etwa 400 Merkmale der Erythrocyten-Membran. Allein bei den klassifizierten Gruppen gibt es fast 300 Millionen Kombinationsmöglichkeiten. Nimmt man alle

Tabelle 7. Einige wichtige blutgruppenspezifische Antikörper. Nach [9]

Blut-gruppen-system	Antikörper	Hämolytische Transfusions-reaktion	Neugeborenen-Erythro-blastose
AB0	Anti-A	ja	ja
	Anti-B	ja	selten
	Anti-A$_1$	sehr selten	nein
	Anti-H	nein	nein
Rh	Anti-C	ja	selten
	Anti-c	ja	ja
	Anti-C^w	ja	selten
	Anti-D	ja	ja
	Anti-E	ja	ja
	Anti-e	selten	sehr selten
MNSs	Anti-M, -N, -S, -s	sehr selten	sehr selten
P	Anti-P$_1$	sehr selten	nein
Lutheran	Anti-Lu^b	ja	sehr selten
Kell	Anti-K	ja	ja
Lewis	Anti-Le^a	ja	nein
	Anti-(Le^a+Le^b)	ja	nein
Duffy	Anti-Fy^a	ja	sehr selten
Kidd	Anti-Jk^a	ja	selten

bekannten — auch die nicht klassifizierten — Gruppen zusammen, so ergeben sich mehr als 500 Milliarden mögliche Kombinationen. Glücklicherweise sind die meisten Gruppenmerkmale in ihren Antigeneigenschaften so schwach, daß man sie bei Blutübertragungen nicht zu berücksichtigen braucht.

Das **AB0-System** und das **Rh-System** besitzen eine besondere Bedeutung für die praktische Medizin.

8.1. AB0-System

Blutgruppen des AB0-Systems. Die Entdeckung der AB0-Gruppen durch LANDSTEINER stand 1901 am Anfang der systematischen Untersuchungen der Blutgruppeneigenschaften. Im **AB0-System** können *menschliche Erythrocyten* vier verschiedene Antigeneigenschaften haben, die *Eigenschaft A*, die *Eigenschaft B,* die *Eigenschaft A* und *B (AB)* sowie die *Eigenschaft 0* (Merkmal H). Die Blutgruppenzugehörigkeit richtet sich also nach den Antigeneigenschaften der Erythrocyten des Trägers. Während Blut des Neugeborenen in der Regel keine Blutgruppenantikörper des AB0-Systems enthält, werden im Laufe des ersten Lebensjahres Antikörper (Iso-Agglutinine, Anti-A, -B und -AB) gegen diejenigen Antigene entwickelt, die die eigenen Erythrocyten *nicht* besitzen. Das Serum der Blutgruppe 0 enthält z.B. Anti-AB, das der Gruppe AB dagegen keinen der genannten. Als Auslöser der Antikörperproduktion gegen Antigene, die nicht im eigenen Blut vorhanden sind, kommen mit der Nahrung aufgenommene und von Darmbakterien gebildete Stoffe in Betracht.

Vererbung der Blutgruppeneigenschaften. Je zwei der drei **Allele A, B, 0** (in den Genen lokalisierte Blutkörpercheneigenschaften) finden sich im diploiden Chromosomensatz eines Individuums und bestimmen den **Blutgruppenphänotypus** (die Antigeneigenschaften der Erythrocyten). Aus der Tabelle 8 ist der Phänotyp für jede mögliche Genkombination ersichtlich. Man erkennt, daß die Blutgruppenei-

Tabelle 8. Antigene und Antikörper der Blutgruppen im AB0-System

Blutgruppen-bezeichnung (Phänotyp)	Genotyp	Agglutino-gene (an den Erythro-cyten)	Agglutinine (im Serum)
0	00	weder A noch B	Anti-A (α) Anti-B (β)
A	0A oder AA	A	Anti-B (β)
B	0B oder BB	B	Anti-A (α)
AB	AB	A und B	—

genschaften A und B *dominant* sind, so daß 0 phänotypisch nur in homozygoter Form auftritt. Für A und B gilt das Prinzip der *Codominanz.* Der Erbgang der Blutgruppeneigenschaften erlaubt Rückschlüsse aus dem Blutgruppenphänotypus eines Kindes auf die biologischen Eltern. Beim gerichtlichen Vaterschaftsverfahren wird z.B. davon ausgegangen, daß ein Mann mit der Blutgruppe AB nicht der Vater eines Kindes mit der Blutgruppe 0 sein kann. In diesem Falle besteht eine Ausschluß-wahrscheinlichkeit von nur rd. 10%. Die Sicherheit des Ausschlusses der Vaterschaft nimmt zu, je mehr Blutgruppenfaktoren berücksichtigt werden. Heute liegt sie bei etwa 99%.

Die **Blutgruppe A** läßt sich in die *Untergruppen A_1 und A_2* unterteilen. Der Hauptunterschied zwischen beiden Untergruppen besteht darin, daß die Agglutination von A_1-Erythrocyten bei Kontakt mit Anti-A-Serum wesentlich stärker und rascher verläuft als die von A_2-Blutkörperchen. Rund 80% der Blutgruppenträger A haben Erythrocyten vom Typ A_1, 20% vom Typ A_2. Für die Bluttransfusion ist die Unterteilung ohne praktische Bedeutung, da Antigen-Antikörperreaktionen zwischen A_1- und A_2-Blut sehr selten auftreten und nur schwach ausgeprägt sind.

Geographische Verteilung der Blutgruppen. Über 40% der Mitteleuropäer haben die Blutgruppe A, knapp 40% die Gruppe 0, gut 10% die Gruppe B und rund 6% die Gruppe AB. Bei den Ureinwohnern Amerikas kommt die Gruppe 0 in über 90% vor. In der zentralasiatischen Bevölkerung findet sich die Gruppe B in über 20%. Die Anthropologen können aus dem Vorkommen und der Verteilung der Blutgruppen in der Erdbevölkerung bestimmte Schlüsse auf Herkunft und Vermischung von Bevölkerungsgruppen ziehen.

8.2. Rh-System

Serum von Kaninchen, die man gegen Erythrocyten von Rhesusaffen durch Injektion von Erythrocyten dieser Tiere immunisiert hat, bringt bei den meisten Europäern die Erythrocyten zur Agglutination (**Rh-positiv**). Sinngemäß werden nicht agglutinierende Blutkörperchen als **Rh-negativ** bezeichnet. Nach der Transfusion Rh-positiven Blutes auf Rh-negative Empfänger bilden diese innerhalb von Monaten gegen die Rh-positiven Blutkörperchen gerichtete Agglutinine.

Rh-Eigenschaft der Erythrocyten. Sie wird durch mehrere Antigene (*Partialantigene*) bestimmt, die auf verschiedenen Oberflächenbezirken der Erythrocyten lokalisiert sind. Die wichtigsten Rh-Agglutinogene heißen **C, D, E, c** und **e.** Unter diesen hat das *Agglutinogen D die größte antigene Wirksamkeit.* Blut, das D-Erythrocyten enthält, wird daher vereinfachend als **Rh-positiv** (Rh) bezeichnet, Blut, dessen Erythrocyten die D-Eigenschaft fehlt, charakterisiert man vereinfachend als **Rh-negativ** (rh). In Europa findet man die Rh-positive Eigenschaft bei 85% und Rh-negative Eigenschaften bei 15% der Bevölkerung.

Ein praktisch wichtiger **Unterschied zwischen dem Rh- und dem AB0-Blutgruppensystem** besteht darin, daß die Agglutinine des AB0-Systems nach Ablauf der ersten postnatalen Lebensmonate immer vorhanden sind, Agglutinine des Rh-Systems dagegen nicht ohne vorangegangene Exposition des Trägers zu Rh-Antigenen auftreten (*Sensibilisierung*). Daraus folgt, daß die erste Übertragung Rh-gruppen-ungleichen Blutes in der Regel keine Transfusions-reaktion auslöst und erst bei weiteren Übertragungen Rh-incompatiblen Blutes Antigen-Antikörper-reaktionen auftreten.

Rh-Incompatibilität und Schwangerschaft. Während der Schwangerschaft können aus dem Blut eines Rh-positiven (Rh) Feten geringe Mengen von Ery-throcyten in den Kreislauf einer Rh-negativen (rh) Mutter gelangen, wo sie die Bildung von Agglutini-nen gegen Rh-Blutkörperchen anregen. Wegen des relativ langsamen, Monate dauernden Anstieges der mütterlichen Agglutininkonzentration verläuft die erste Schwangerschaft ohne ernstere Störungen. Bei erneuter Schwangerschaft mit einem Rh-Kind kann dann jedoch der Agglutininspiegel der Mutter so hoch sein, daß der diaplacentare Übertritt von Agglutininen u.U. in solchem Umfang zur Zerstö-rung kindlicher Blutkörperchen führt, daß es zu schweren Schäden des Neugeborenen oder zum in-trauterinen Tod kommt (*Erythroblastosis fetalis*). Die Antikörperbildung der rh-Mutter kann durch eine sogenannte **Anti-D-Prophylaxe** verhindert wer-den. Durch Gabe eines Anti-D-Serums in der Zeit der ersten und folgenden Schwangerschaften wer-den die antigenen Eigenschaften der kindlichen Ery-throcyten im mütterlichen Blutkreislauf maskiert, so daß der immunologische Apparat der Mutter nicht zur Antikörperbildung angeregt wird. Blut-gruppenungleichheit zwischen Mutter und Fetus in-nerhalb anderer Gruppensysteme, insbesondere des AB0-Systems, kann zwar auch zu Antigen-Antikör-perreaktionen führen, meistens sind die Symptome jedoch sehr milde.

8.3. Bluttransfusion

Blutgruppen-Untersuchungen. Zur Übertragung von Blut verwendet man heute praktisch ausschließlich AB0-gruppengleiches Blut. Hinsichtlich des Rh-Sy-stems wird in der Regel nur das D-Antigen berück-sichtigt, also lediglich festgestellt, ob es sich um Rh-positives (D) oder -negatives Blut (kein D) han-delt. Man benutzt käufliche Testseren, die man auf einem Objektträger oder einer Blutgruppendoku-mentationskarte mit einem Tropfen Blut vermischt. Bei Agglutination ballen sich die Blutkörperchen zu vielen kleinen Klumpen zusammen, während sie bei Blutgruppenverträglichkeit in feiner Verteilung verbleiben. Zum Ausschluß von Verwechslungen, von Fehlbestimmungen und von — selten vorkom-menden — Unverträglichkeiten aufgrund incompa-

tibler anderer Gruppenmerkmale führt man vor je-der Blutübertragung eine sog. **Kreuzprobe** durch. Dazu werden zunächst Erythrocyten des Spenders auf einem Objektträger mit defibriniertem Plasma (Serum) des Empfängers bei 37° C vermischt. Die Feststellung, ob das Empfängerserum Antikörper enthält, die gegen Antigene der Spender-Erythrocy-ten gerichtet sind, bezeichnet man als *Major-Test*. Tritt keine Agglutination ein, so werden in der Ge-genprobe Erythrocyten des Empfängers bei 37° C in Spenderserum suspendiert (*Minor-Test*) und so das Spenderserum auf Antikörper, die gegen Anti-gene der Empfängererythrocyten gerichtet sind, ge-prüft. Eine Transfusion darf nur erfolgen, wenn beide Tests einwandfrei negativ verlaufen sind.

Problematik des „Universalspenderblutes". Übertragungen des früher sogenannten „Universalspenderblutes" der *Gruppe 0* auf gruppenungleiche Empfänger werden heute vermieden. Wegen des Fehlens (bzw. der extrem schwachen Ausprägung) der Anti-gene A und B an Blutkörperchen der Gruppe 0 lassen sich zwar praktisch beliebig viele 0-Erythrocyten reaktionslos auf gruppen-ungleiche Empfänger übertragen. Da im Plasma der Gruppe 0 je-doch Agglutinine gegen A- und B-Erythrocyten vorhanden sind, ist die Menge des reaktionslos übertragbaren Plasmas der Gruppe 0 begrenzt. Bei größeren Transfusionsvolumina reicht die Verdünnung der Spenderagglutinine durch das Empfänger-plasma nicht mehr aus, und die Empfängererythrocyten werden in erheblichem Umfang agglutiniert.

Herrn Dr. rer. nat. G. Gronow, Kiel, bin ich für wertvolle Ratschläge und Kritik dankbar.

9. Literatur

1. Antweiler, H.J. (Hrsg.): Die quantitative Elektrophorese in der Me-dizin, 2. Aufl. Berlin-Göttingen-Heidelberg: Springer 1957.
2. Balint, P. (Hrsg.): Lehrbuch der Physiologie. Budapest: Verlag der Ungarischen Akademie der Wissenschaften 1963.
3. Bargmann, W., Leonhard, H., Töndury, G. (Hrsg.): Anatomie des Menschen, Band II. Stuttgart: Thieme (im Druck).
4. Bell, G., Davidson, J.N., Scarborough, H. (Eds.): Textbook of Physiology and Biochemistry. Edinburgh, London: Livingstone 1965.
5. Bessis, M. (Ed.): Living Blood Cells and their Ultrastructure. Berlin-Heidelberg-New York: Springer 1973.
6. Bessis, M.: Corpuscles. Atlas of Red Blood Cells. Berlin-Heidelberg-New York: Springer 1974.
7. Brobeck, J.R. (Ed.): Best & Taylor's Physiological Basis of Medical Practice, 9. Ed. Baltimore: Williams and Wilkins 1973.
8. Cohn, E.J.: Chemical, physiological and immunological properties and clinical uses of blood derivatives. Experientia (Basel) **3**, 125 (1947).
9. Documenta Geigy: Wissenschaftliche Tabellen, 7. Aufl. Basel: J.R. Geigy AG 1968.
10. Gamble, J.L.: Chemical anatomy, physiology and pathology of extra-cellular fluid, 6. Aufl. Cambridge Mass.: Harvard University Press 1954.
11. Ganong, W.F. (Hrsg.): Lehrbuch der medizinischen Physiologie. Ber-lin-Heidelberg-New York: Springer 1974.

12. GERLACH, E., MOSER, K., DEUTSCH, E., WILMANNS, W. (Eds.): Erythrocytes, Thrombocytes, Leukocytes. Recent Advances in Membrane and Metabolic Research. Stuttgart: Thieme 1973.
13. GUYTON, A.C. (Ed.): Textbook of Medical Physiology, 3. Ed. Philadelphia, London: Saunders 1966.
14. Hämatologische Tafeln Sandoz, 2. Aufl. (1972).
15. HEILMEYER, L. (Hrsg.): Lehrbuch der inneren Medizin, Berlin-Göttingen-Heidelberg: Springer 1955.
16. HIENZ, H.A. (Hrsg.): Chromosomen-Fibel. Stuttgart: Thieme 1971.
17. HUMPHREY, J., WHITE, R.G.: Kurzes Lehrbuch der Immunologie (Hrsg. Egon Macher). Stuttgart: Thieme 1971.
18. JAENECKE, J. (Hrsg.): Antikoagulantien- und Fibrinolysetherapie. Stuttgart: Thieme 1971.
19. KABOTH, W., BEGEMANN, H.: Blut. In: Physiologie des Menschen (Hrsg. Gauer, Kramer, Jung), Band 5. München-Berlin-Wien: Urban & Schwarzenberg 1971.
20. KARLSON, P. (Hrsg.): Kurzes Lehrbuch der Biochemie. Stuttgart: Thieme 1972.
21. KEIDEL, W. (Hrsg.): Kurzgefaßtes Lehrbuch der Physiologie. Stuttgart: Thieme 1973.
22. PARWARESCH, M.R.: Der Basophile Granulocyt. Morphologie, Herkunft, Kinetik, Funktion und Pathologie. Habilitationsschrift der Medizinischen Fakultät der Universität Kiel 1972.
23. PRICE-JONES, C.: The variation in the sizes of red blood cells. Brit. med. J. 1910 II, 1418.
24. REIN, H., SCHNEIDER, M. (Hrsg.): Physiologie des Menschen, 16. Aufl. Berlin-Heidelberg-New York: Springer 1971.
25. ROITT, J.M. (Ed.): Essential Immunology, 5. Printing. Oxford: Blackwell Scientific Publications 1971.
26. WHITTACKER, S.R.F., WINTON, F.R.: The apparent viscosity of blood flowing in the isolated hindlimb of the dog, and it's variation with corpuscular concentration. J. Physiol. (Lond.) **78**, 339 (1933).
27. WINTROBE, M.M. (Ed.): Clinical Hematology, 6. Ed. Philadelphia: Lea & Febiger 1968.

XVIII. Funktion des Herzens (H. Antoni)

1. Aufbau und allgemeine funktionelle Aspekte

Das Blut kann seine Aufgaben im Organismus nur erfüllen, wenn es ständig durch den Körper zirkuliert. Zentrale Umwälzpumpe der Blutbewegung durch die Gefäße ist das Herz. Es umfaßt zwei voneinander getrennte muskulöse Hohlorgane, die rechte (*venöse*) und die linke (*arterielle*) Herzhälfte (Abb. 1). Die Bezeichnung venös besagt, daß von dieser Herzhälfte immer nur sauerstoffarmes Blut gefördert wird. Die andere Hälfte kommt dagegen nur mit sauerstoffreichem arteriellem Blut in Kontakt.

Großer und kleiner Kreislauf. Das rechte Herz nimmt das venöse Blut aus dem gesamten Körper auf und führt es der Lunge zu. Hier wird es wieder mit Sauerstoff angereichert (arterialisiert) und gelangt nun zurück in das linke Herz, von wo aus die Verteilung auf die verschiedenen Organe erfolgt (vgl. Abb. 1). Der Teil der Strombahn des Blutes zwischen dem rechten und dem linken Herzen, in dem die Lunge liegt, wird gewöhnlich als kleiner oder *Lungen-Kreislauf* dem großen oder *Körper-Kreislauf* gegenübergestellt.

Als Entdecker eines in sich geschlossenen Blutkreislaufs gilt der englische Arzt WILLIAM HARVEY (1578–1657), der in seinem 1628 veröffentlichten berühmt gewordenen Traktat „De motu cordis et sanguinis in animalibus" die Lehrmeinung seiner Zeit mit einer beispielhaft klaren Argumentation widerlegte. Bis dahin herrschte die von GALEN (120–201 n. Chr.) geprägte Vorstellung, daß das Blut in der Leber aus den Nahrungsstoffen entstehe, über die V. cava zum Herzen gelange und durch die Blutadern (Venen) den Organen zuströme, wo es dann verbraucht würde.

Systole und Diastole. Die eigentliche Pumpwirkung des Herzens beruht auf der rhythmischen Erschlaffung (*Diastole*) und Zusammenziehung (*Systole*) der Herzkammern (Ventrikel). In der Diastole füllen sich die Kammern mit Blut. In der Systole werfen sie es in die angeschlossenen großen Arterien (A. pulmonalis bzw. Aorta) aus. Ein Rückstrom wird durch die Ventilwirkung der Herzklappen verhindert. Jeder Herzkammer ist ein Vorhof (Atrium) vorgeschaltet, der das Blut aus den großen Venen (Vv. cavae bzw. Vv. pulmonales) aufnimmt. Die Systole der Vorhöfe geht der Ventrikelsystole jeweils zeitlich voraus und unterstützt die Füllung der Kammern.

Arterien und Venen. Die Bezeichnung von Blutgefäßen als Arterien bzw. Venen richtet sich nach der Strömungsrichtung — nicht nach der Beschaffenheit des enthaltenen Blutes. Venen führen das Blut dem Herzen zu; Arterien führen es vom Herzen weg. Im großen (Körper-) Kreislauf enthalten die Arterien arterielles und die Venen venöses Blut. Im kleinen (Lungen-) Kreislauf ist es genau umgekehrt.

Embryonales Herz. Die strenge funktionelle Trennung des Herzens in eine rechte venöse und eine linke arterielle Hälfte entsteht erst während der Geburt. Beim Fetus stehen beide Vorhöfe noch durch das *Foramen ovale* in offener Verbindung miteinander. Außerdem sind die A. pulmonalis und Aorta durch den weitlumigen *Ductus arteriosus Botalli* kurzgeschlossen (vgl. Abb. 2). Vorhöfe und Ventrikel arbeiten beim Fetus demnach wie ein einziger Hohlmuskel. Die funktionslose kollabierte Lunge bekommt nur wenig Blut zugeleitet. Die Arterialisierung des Blutes geschieht in der Placenta.

Umstellung bei der Geburt. Bei der Geburt sinkt mit der Entfaltung der Lungen durch die erwachende Atemtätigkeit ihr Strömungswiderstand ab. Damit steigt der Druck im linken Vorhof über den des rechten. Die Klappe vor dem Foramen ovale legt sich über die Öffnung und bewirkt einen vorläufigen Verschluß. Außerdem kommt es zu einer fortschreitenden Verengung des Ductus Botalli. Etwa 2 Wochen nach der Geburt ist die Umstellung endgültig, d.h. Foramen ovale und Ductus Botalli sind dicht verschlossen. Die fetale *Parallel*schaltung beider Herzhälften ist durch eine *Serien*schaltung ersetzt worden (Abb. 2 (A, B)). Diese Umstellung des Kreislaufs während der Geburt bedeutet eine wesentliche Entlastung der rechten Herzkammer im Vergleich zur linken. Da der Strömungswiderstand des Gefäßbettes der Lunge nur rund $1/8$ dessen im großen Kreislauf beträgt, braucht die rechte Kammer weniger Kraft zu entwickeln, um das Blut durch den kleinen Kreislauf zu befördern. Die unterschiedliche Belastung beider Kammern bewirkt ein vermehrtes Wachstum des stärker beanspruchten linken Ventrikels, der schließlich die nahezu dreifache Muskelmasse des rechten Ventrikels erreicht. Beim Erwachsenen beträgt der Gewichtsanteil des Herzens am Körpergewicht etwa 0,5%.

Anpassungsfähigkeit. Die unterschiedlichen Anforderungen des Kreislaufs an die Tätigkeit des Herzens bei wechselnden Belastungen setzen eine erhebliche Anpassungsfähigkeit voraus. So kann beispielsweise das von einer Herzkammer pro Minute geförderte Blutvolumen (*Herzzeitvolumen*) von ca. 5 Liter in Ruhe auf nahezu 30 Liter bei schwerer Muskelarbeit ansteigen. Eine volle Anpassung wird allerdings nur erreicht, wenn alle Teilfunktionen des Herzens wie Erregungsablauf, Kontraktilität, Klappenspiel, Durchblutung u.a. in geordneter Weise zusammenwirken. Schon geringfügige Abweichungen von der Norm können zu schweren Störungen der Herztätigkeit führen. Um krank-

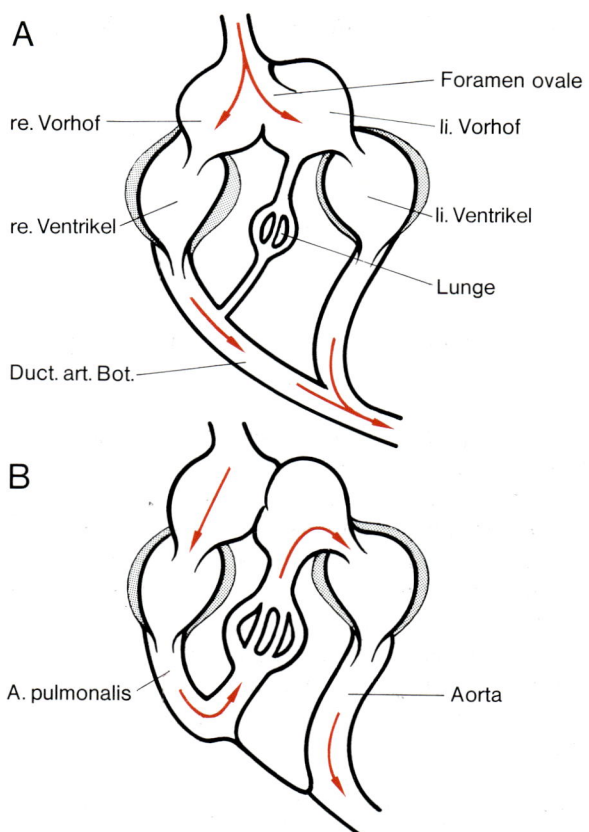

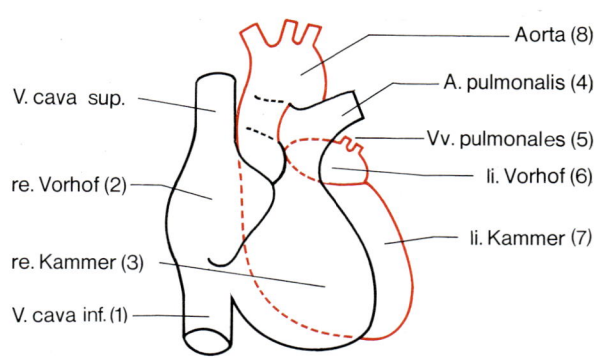

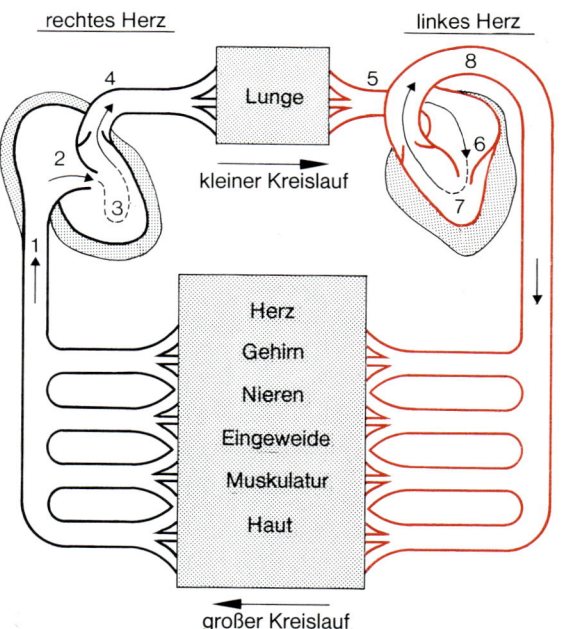

Abb. 2. (A) Fetales Herz vor der Geburt. Beide Herzhälften sind einander parallel geschaltet. Die Lunge liegt im Nebenschluß. (B) Nach der Geburt werden beide Herzhälften hintereinander geschaltet. Die Umstellung geschieht durch Eröffnung der Lungenstrombahn und Verschluß des Foramen ovale zwischen rechtem und linkem Vorhof sowie des Ductus Botalli zwischen Aorta und A. pulmonalis. Nach [2]

Abb. 1. *Oben:* Kontur des Herzens und der großen angeschlossenen Gefäße bei Betrachtung von vorn. Rechte Herzhälfte — schwarz; linke Herzhälfte — teilweise verdeckt — rot. *Unten:* Schematische Darstellung der Verbindungen der beiden Herzhälften mit dem kleinen und dem großen Kreislauf. Die Zahlen beziehen sich auf die entsprechenden Bezeichnungen im oberen Bild

hafte Veränderungen der Herzfunktion richtig zu erkennen und sinnvoll zu behandeln, bedarf es einer detaillierten Kenntnis der normalen Funktionsweise, ihrer meßbaren Äußerungen und der Mechanismen ihrer möglichen Beeinflussung.

2. Grundprozesse der Erregung und der elektro-mechanischen Koppelung

Die Funktionselemente des Herzens sind die einzelnen Herzmuskelzellen oder Herzmuskelfasern. Morphologisch und funktionell sind zwei Typen von Herzmuskelfasern zu unterscheiden:

1. die **Arbeitsmuskulatur** (Arbeitsmyokard) der Vorhöfe und der Ventrikel, welche die Hauptmasse des Herzens ausmacht und die mechanische Pumparbeit verrichtet,

2. die Fasern des spezifischen **Erregungsbildungs-
und -leitungs-Systems,** die — wie der Name besagt — besondere Aufgaben im Dienste der
Herzerregung erfüllen.

2.1. Entstehung und Ausbreitung der Erregung

Die Herzmuskelfasern sind wie Nervenfasern oder
Skeletmuskelfasern erregbare Zellen, d.h. sie haben
ein *Ruhepotential,* reagieren auf überschwellige Reizung mit einer Erregung in Gestalt eines *Aktionspotentials* und sind in der Lage, Erregungen ohne Verminderung (Dekrement) fortzuleiten. Die morphologisch nachweisbaren Zellgrenzen in Form der
Glanzstreifen bilden kein Hindernis für die Erregungsfortleitung. Vorhöfe und Ventrikel verhalten
sich daher im Hinblick auf die Erregungsausbreitung wie ein zusammenhängendes Netzwerk von
Zellen (*Syncytium*). Eine Erregung, die irgendwo
in den Vorhöfen oder Ventrikeln entsteht, breitet
sich über alle unerregten Fasern aus, bis auch die
letzte Zelle von der Erregung ergriffen ist.

Autorhythmie. Die rhythmischen Pulsationen des
Herzens werden durch Erregungen ausgelöst, die
im Herzen selbst entstehen. Ein aus dem Körper
entnommenes Herz schlägt daher unter geeigneten
Bedingungen mit konstanter Frequenz weiter. Man
bezeichnet diese Eigenschaft als *Autonomie* oder
Autorhythmie. Die Fähigkeit zur spontanen rhythmischen Auslösung von Erregungen ist jedoch nicht
allen Zellen des Herzens eigen, sondern auf die Fasern des spezifischen Erregungsbildungs- und -lei-
tungssystems beschränkt. In Abb. 3 sind die verschiedenen Anteile dieses Systems vereinfacht dargestellt.

Reihenfolge der Erregungsausbreitung. Normalerweise geht der Anstoß zu einem Herzschlag vom
Sinusknoten aus, der im rechten Vorhof an der Einmündung der V. cava superior liegt. Er treibt das
Herz bei Körperruhe mit einer Frequenz von ca.
70 Impulsen/min an. Vom Sinusknoten breiten sich
die Erregungen zunächst über die Arbeitsmuskulatur beider Vorhöfe aus. Für die Überleitung auf
die Kammern steht nur die in Abb. 3 rot dargestellte Bahn zur Verfügung. Alle übrigen Kontaktstellen zwischen Vorhöfen und Ventrikeln sind
durch unerregbares Bindegewebe isoliert. Bei der
Passage dieses Weges erfolgt im **Atrioventricular-
Knoten (AV-Knoten)** zunächst eine Verzögerung,
die verhindert, daß sich die Kammern bereits kontrahieren, während sie noch durch die Vorhof-Sy-
stole gefüllt werden. Das anschließende **His-Bündel,**

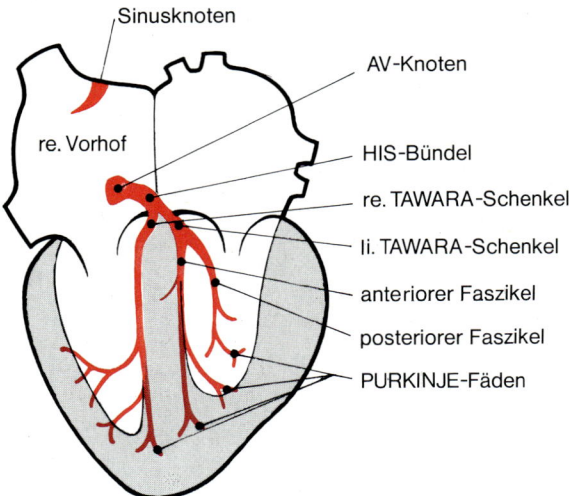

Abb. 3. Schema der Anordnung des Erregungsbildungs- und
Leitungssystems in einem Frontalschnitt des Herzens

die **Tawara-Schenkel** und ihre Endaufzweigungen,
die **Purkinje-Fäden,** leiten die Erregung schnell weiter (Leitungsgeschwindigkeit ca. 2 m/s), so daß viele
Stellen des ventriculären Arbeitsmyokards nahezu
gleichzeitig erreicht werden. Von hier aus läuft die
Erregungsausbreitung dann auf myokardialen Wegen mit einer Geschwindigkeit von ca. 1 m/s über
den Rest der Kammermuskulatur ab.

Alles-oder-Nichts-Gesetz. Das syncytiale Verhalten
der Herzmuskulatur ist funktionell in vieler Hinsicht wichtig. Es liefert u.a. die Erklärung für das
sogen. Alles-oder-Nichts-Gesetz. Das Gesetz besagt, daß das Herz auf Reizung entweder mit der
Erregung aller Fasern antwortet oder nicht reagiert,
falls der Reiz in keiner Zelle eine überschwellige
Stärke erreicht. In einem Nerven oder Skeletmuskel
antworten dagegen auf Reizung jeweils nur die
überschwellig gereizten Einzelfasern mit einer fortgeleiteten Erregung, die nicht auf die Nachbarzellen
übergreift.

Hierarchie der Erregungsbildung. Die Autorhythmie
des Herzens steht und fällt nicht mit der Funktionsfähigkeit des Sinusknotens, da — wie bereits erwähnt — auch die übrigen Teile des Erregungsleitungs-Systems die Fähigkeit zur automatischen Erregungsbildung besitzen. Ihre Erregungsbildungs-
frequenz nimmt jedoch mit der Entfernung vom
Sinusknoten beträchtlich ab. Sie werden daher
unter normalen Bedingungen stets von dem rascher
entladenden übergeordneten Erregungsbildungs-
Zentrum überspielt, d.h. durch Zuleitung erregt,
bevor sie selbst eine Erregung auslösen (vgl.
Abb. 5). Der Sinusknoten ist der führende **primäre
Schrittmacher** des Herzens, weil er die höchste Entladungsfrequenz aufweist.

Ersatzrhythmen. Fällt aus irgendeinem Grund die Erregungsbildung im Sinusknoten aus oder wird die Erregung nicht auf die Vorhöfe weitergeleitet (sinu-auriculärer Block), so kann ersatzweise der AV-Knoten als *sekundäres* Erregungsbildungs-Zentrum die Schrittmacher-Funktion übernehmen (*AV-Rhythmus*, Frequenz 40–60/min). Im Falle einer kompletten Unterbrechung der Erregungsüberleitung von den Vorhöfen auf die Herzkammern (**totaler Herzblock**) kann schließlich ein *tertiäres* Zentrum im ventriculären Erregungsleitungs-System als Schrittmacher der Kammerautomatie einspringen. Mit Bezug auf den Ort der Erregungsbildung wird der Sinusknoten auch als *nomotopes* Automatie-Zentrum den *heterotopen* Zentren des übrigen Erregungsleitungs-Systems gegenübergestellt.

Bei einem totalen Herzblock schlagen Vorhöfe und Kammern völlig unabhängig voneinander — die Vorhöfe mit der Frequenz des Sinusknotens, die Kammern mit der wesentlich geringeren Frequenz eines tertiären Zentrums (30–40/min). Beim plötzlichen Eintritt eines totalen Herzblocks vergehen mitunter mehrere Sekunden, bis die ventriculäre Automatie „erwacht". In dieser präautomatischen Pause kann es als Folge mangelnder Durchblutung des Gehirns zu Bewußtlosigkeit und Krämpfen kommen (*Morgagni-Adams-Stokesscher Anfall*). Springt die ventriculäre Automatie nicht an, so führt der Stillstand der Kammern zu irreversiblen Schäden des Gehirns und zum Tod.

Künstliche Schrittmacher. Da die Herzkammern bei Ausfall der Automatie zunächst erregbar bleiben, ist es möglich, die Blutzirkulation durch künstliche *elektrische Reizung* der Herzkammern aufrecht zu erhalten. Die elektrischen Impulse werden notfalls durch die intakte Brustwand appliziert. Auch bei gehäuften Morgagni-Adams-Stokesschen Anfällen oder bei Patienten mit totalem Herzblock und sehr niedriger Kammerfrequenz wird die elektrische Reizung des Herzens u.U. über Jahre angewendet. Die Impulse werden hierbei von subcutan implantierten batteriebetriebenen Miniatur-Reizgeräten (Schrittmacher) geliefert und dem Herzen durch Kabelelektroden zugeleitet.

Schenkelblock. Unterbrechungen der Erregungsleitung in den Tawara-Schenkeln des spezifischen Systems führen nicht zum totalen Herzblock, solange wenigstens noch ein Schenkel oder Fascikel funktionsfähig bleibt. Die Erregungen breiten sich dann von den Endverzweigungen des noch intakten Leitungssystems über das gesamte Kammermyokard aus. Die Dauer der Erregungsausbreitung ist hierbei allerdings erheblich verlängert.

2.2. Charakteristika des elementaren Erregungsablaufs

Das **Aktionspotential** der Herzmuskelzellen beginnt wie bei Nerven- oder Skeletmuskelfasern mit einer raschen Umladung vom Wert des Ruhepotentials (ca. -90 mV) bis zum Gipfel der *initialen Spitze* (ca. $+30$ mV; vgl. Abb. 4). An diese schnelle Depolarisationsphase, die nur 1–2 ms dauert, schließt sich als besonderes Charakteristikum der Herzmuskulatur ein langdauerndes *Plateau* an, bevor die *Repolarisation* zum Ruhepotential erfolgt. Das Aktionspotential der Herzmuskulatur dauert ca. 200–400 ms, d.h. etwa 100mal länger als der elementare Erregungsvorgang einer Skeletmuskel- oder einer Nervenfaser. Dies hat — wie wir sehen werden — erhebliche funktionelle Konsequenzen.

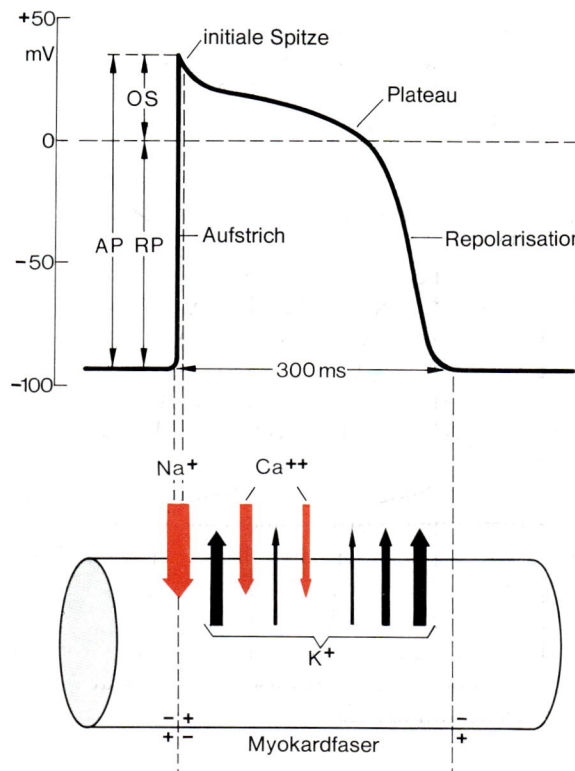

Abb. 4. *Oben:* Allgemeine Form des Aktionspotentials einer Herzmuskelzelle. RP Ruhepotential; OS Overshoot; AP Amplitude des Aktionspotentials. *Unten:* Stark vereinfachtes Schema der Ionenströme, die dem Aktionspotential zugrunde liegen. Die Dicke der Pfeile symbolisiert die Stärke des betreffenden Stroms. Der Einstrom positiver Ladungen (Na^+, Ca^{++}) wirkt depolarisierend, der Ausstrom (K^+) repolarisierend

Ionale Mechanismen. Beim Zustandekommen des Aktionspotentials wirken Potentialverschiebungen, Permeabilitätsänderungen der Membran und Ionenströme in komplizierter kausaler Verknüpfung zusammen. Da die Grundlagen der Ionentheorie der Erregung bereits an anderer Stelle ausführlich erörtert wurden (vgl. II), können wir uns hier mit einer kurzen Rekapitulation und dem Hinweis auf die spezifischen Eigenarten der Herzmuskulatur begnügen [13, 15]: Das *Ruhepotential* des Myokards ist vorwiegend ein K^+-*Potential*. Wie beim Nerven kommt die schnelle Aufstrichsphase des Aktionspotentials durch eine starke kurzdauernde Erhöhung der Na^+-Leitfähigkeit zustande, die zu einem kräftigen *Na^+-Einstrom* führt (vgl. Abb. 4). Dieser initiale Na^+-Einstrom wird jedoch in der Myokardfaser ebenso wie beim Nerven sehr rasch inaktiviert. Für die erhebliche Verzögerung der Repolarisation des Herzmuskelgewebes sind daher spezielle Mechanismen erforderlich und zwar:

1. ein zusätzlicher *langsamer Einstrom,* der hauptsächlich von Ca^{++}-Ionen getragen wird und der

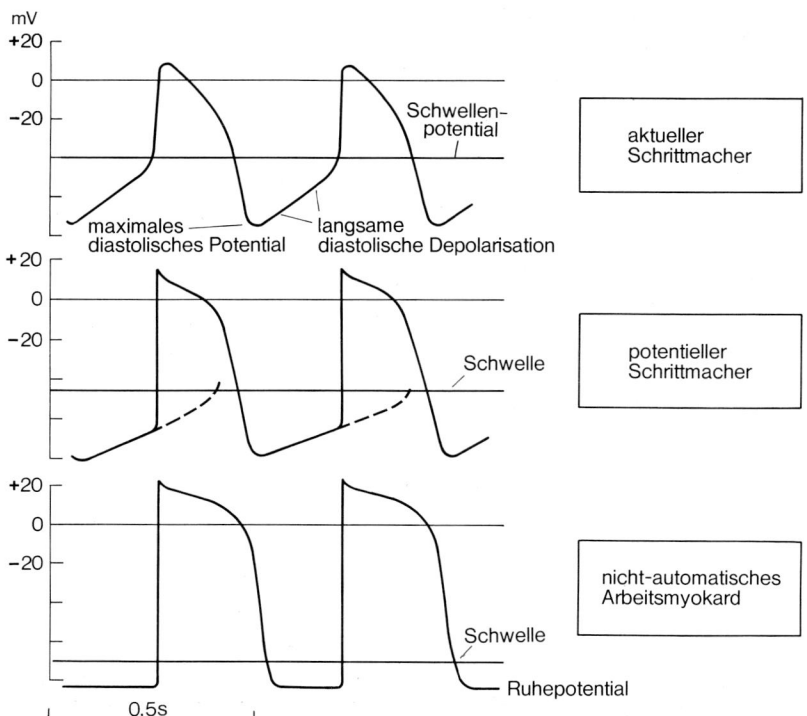

Abb. 5. Allgemeine Form des Erregungsablaufs im automatischen Gewebe verglichen mit dem nicht-automatischen Arbeitsmyokard. In Zellen des erregungsbildenden Gewebes folgt auf
die Repolarisation des Aktionspotentials eine langsame diastolische Depolarisation (Präpotential), die im *aktuellen* Schrittmacher das Schwellenpotential erreicht und ein neues Aktionspotential auslöst. Im *potentiellen* Schrittmacher wird das Präpotential von dem Aufstrich eines zugeleiteten Aktionspotentials
unterbrochen, bevor es die Schwelle erreicht. Im *nicht-automatischen* Arbeitsmyokard fehlt das Präpotential. Das Aktionspotential entsteht durch Zuleitung

den repolarisierenden K^+-Ausstrom teilweise
kompensiert;
2. eine *Verminderung der K^+-Leitfähigkeit* bei Depolarisation, besonders im Potentialbereich des
Plateaus.
Die endgültige Repolarisation kommt daher beim
Herzmuskel erst in Gang, wenn nach Abklingen
des Ca^{++}-Einstroms das Membranpotential wieder
Werte erreicht, bei denen die K^+-Leitfähigkeit zunimmt und damit auch der repolarisierende K^+-
Ausstrom ansteigt.

Elementarvorgang der Erregungsbildung. In der
nicht automatisch tätigen Arbeitsmuskulatur der
Vorhöfe und Ventrikel entstehen die Aktionspotentiale durch Zuleitung. Auslösend wirken dabei
Stromschleifen, die von erregten Stellen des Faser-
kabels auf unerregte Stellen übergreifen und hier
eine Senkung des Ruhepotentials herbeiführen. Das
Aktionspotential beginnt, wenn die Depolarisation
ein kritisches Schwellenpotential erreicht (vgl. II).
In allen Herzmuskelzellen mit der Fähigkeit zur
autorhythmischen Erregungsbildung erfolgt die
Depolarisation zur Schwelle dagegen spontan. Man
kann den Elementarvorgang der Erregungsbildung

bei intracellulärer Ableitung aus einer Schritt-
macherzelle unmittelbar beobachten. Wie Abb. 5
zeigt, kommt es im Anschluß an die Repolarisationsphase eines Aktionspotentials — ausgehend
vom *maximalen diastolischen Potential* — zu einer
langsamen Depolarisation, die das Schwellenpotential erreicht und damit eine neue Erregung auslöst.
Die langsame diastolische Depolarisation (*Schritt-
macherpotential, Präpotential*) ist ein lokaler Erregungsvorgang, der nicht wie das Aktionspotential
fortgeleitet wird.

Aktuelle und potentielle Schrittmacher. Normalerweise sind nur wenige Zellen im Sinusknoten des
Herzens tatsächlich für die Erregungsbildung verantwortlich (*aktuelle* Schrittmacher). Alle übrigen
Fasern des spezifischen Systems werden von fortgeleiteten Erregungen ergriffen, bevor ihre langsamen
diastolischen Depolarisationen das Schwellenpotential erreichen (*potentielle* Schrittmacher). Die
Gegenüberstellung in Abb. 5 macht verständlich,
daß bei Ausfall des aktuellen Schrittmachers ein
potentieller Schrittmacher die Erregungsbildung
übernehmen kann. Wegen der geringeren Steilheit
der langsamen diastolischen Depolarisation dauert

es hierbei jedoch länger, bis die Schwelle erreicht wird; infolgedessen ist die Entladungsfrequenz des potentiellen Schrittmachers geringer. Im nicht-automatischen Arbeitsmyokard erfolgt die Depolarisation zur Schwelle durch den ausgreifenden Strom so rasch, daß sich der Aufstrich des Aktionspotentials abrupt vom Ruhepotential absetzt (Abb. 5 unten).

Mechanismus des Schrittmacherpotentials. Das Zustandekommen der langsamen diastolischen Depolarisation des erregungsbildenden Gewebes läßt sich nach den heute vorliegenden Befunden auf folgende Weise erklären [12]: Während der Repolarisation des Aktionspotentials ist die K^+-Leitfähigkeit der Membran stark erhöht. Das Membranpotential nähert sich dadurch zunächst dem theoretischen K^+-Gleichgewichtspotential E_K an (maximales diastolisches Potential). Indem die K^+-Leitfähigkeit nun wieder langsam auf ihren Ruhewert abfällt, entfernt sich das Membranpotential von E_K und erreicht die Schwelle zur Auslösung eines neuen Aktionspotentials. Die Depolarisation zur Schwelle beruht dabei letzten Endes auf einem Einstrom von Na^+- bzw. Ca^{++}-Ionen, der sich auf das Membranpotential in stärkerem Maße depolarisierend auswirkt, wenn der Gegenspieler, nämlich der repolarisierende K^+-Ausstrom nachläßt. Im nicht-automatischen Arbeitsmyokard ist die Ruhe-Na^+-Leitfähigkeit dagegen so gering, daß sich Veränderungen der K^+-Leitfähigkeit praktisch nicht bemerkbar machen.

Die Fähigkeit zur automatischen Erregungsbildung ist eher eine primitive als eine hochspezialisierte Funktion des Herzmuskelgewebes. Im frühen Embryonalstadium zeigen zunächst alle Zellen der Herzanlage Spontanaktivität. Im Laufe der weiteren Differenzierung geben die Fasern des prospektiven Vorhof- und Kammermyokards ihre Autorhythmizität auf und entwickeln ein stabiles hohes Ruhepotential. Unter dem Einfluß diverser Schädigungen, die mit einer Erhöhung der Na^+-Leitfähigkeit einhergehen, kann jedoch die Stabilität des Ruhepotentials wieder verloren gehen. Die betroffenen Fasern können dann ähnlich wie natürliche Schrittmacherzellen diastolische Depolarisationen entwickeln und u.U. den Herzrhythmus stören. Ein Automatiezentrum außerhalb des regulären Schrittmachergewebes wird als *ektopisches Zentrum* oder *ektopischer Focus* bezeichnet.

Refraktärperiode.
Die Herzmuskulatur hat mit anderen erregbaren Geweben auch die Eigenschaft gemeinsam, daß ihre Ansprechbarkeit auf Reize während bestimmter Phasen des Erregungsablaufs aufgehoben oder vermindert ist. Man spricht von einer **absoluten** und einer **relativen Refraktärperiode.** Abb. 6 zeigt ihre Zuordnung zum Aktionspotential. Während der absoluten Refraktärperiode ist keine Neuerregung möglich. In der anschließenden relativen Refraktärperiode kehrt die Erregbarkeit allmählich zurück. Dabei kann ein neues Aktionspotential um so früher ausgelöst werden, je stärker der einwirkende Reiz ist. Sehr früh in der relativen Refraktärperiode entstehende Aktionspotentiale zeigen einen trägen Anstieg, eine niedrige Amplitude und eine kurze Dauer (Abb. 6).

Die **Ursache des refraktären Verhaltens** liegt vor allem in der Inaktivierung des initialen Na^+-Einstroms bei andauernder De-

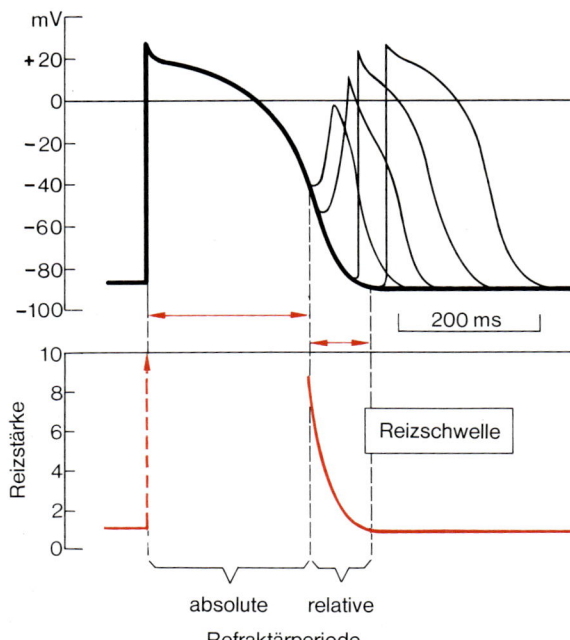

Abb. 6. Zuordnung der absoluten und der relativen Refraktärperiode zum Aktionspotential des Herzmuskels. Reizschwelle gemessen in relativen Einheiten der schwellenwirksamen Reizstärke. Während der absoluten Refraktärperiode — vom Aufstrich des Aktionspotentials bis gegen Ende des Plateaus — ist die Reizschwelle unendlich hoch. In der anschließenden relativen Refraktärperiode kehrt die Erregbarkeit allmählich wieder. Mehrfach überschwellige Reize lösen dabei zunächst abgeschwächte Aktionspotentiale aus

polarisation (vgl. II). Erst wenn die Repolarisation des Aktionspotentials wieder einen Wert von ca. -40 mV erreicht hat, setzt die Erholung dieses Systems ein. Die Dauer der Refraktärperiode ist daher in der Regel eng mit der Dauer des Aktionspotentials verknüpft. Verkürzungen oder Verlängerungen des Aktionspotentials führen infolgedessen zu einer entsprechenden Veränderung der Refraktärperiode. Arzneimittel mit lokalanaesthetischer Wirkung, die den initialen Na^+-Einstrom hemmen oder seine Erholung nach einer Inaktivierung verzögern, können jedoch auch ohne Beeinflussung der Aktionspotential-Dauer die Refraktärperiode verlängern.

Funktionelle Bedeutung der Refraktärperiode.
Durch ihre langdauernde Refraktärzeit wird die Muskulatur des Herzens vor einer zu schnellen Wiedererregung geschützt, die ihre Pumpfunktion beeinträchtigen könnte. Gleichzeitig wird verhindert, daß Erregungen im muskulären Netzwerk des Herzens im Kreise laufen und dadurch den rhythmischen Wechsel von Kontraktion und Erschlaffung stören. Wegen der langen Refraktärperiode kann eine vom Sinusknoten oder einem heterotopen Zentrum ausgehende Erregung das Herz jeweils nur einmal durchlaufen und muß dann erlöschen, weil sie am Ende allerorts auf refraktäres Gewebe trifft. Ein *Wiedereintritt* (engl. re-entry) findet daher normalerweise nicht statt.

Frequenzabhängigkeit der Aktionspotential-Dauer.
Ein Aktionspotential, das unmittelbar nach Beendigung der relativen Refraktärperiode einer vorausgehenden Erregung ausgelöst wird, zeigt nach Abb. 6 bereits wieder eine normale Aufstrichsgeschwindigkeit und Amplitude. Seine Dauer ist jedoch im Vergleich mit dem vorausgehenden Aktionspotential noch deutlich verkürzt. Tatsächlich besteht eine enge Beziehung zwischen der Aktionspotential-Dauer und dem jeweils vorangehenden Intervall und damit zugleich zu der Erregungs-Frequenz. Dieser Einfluß ist in Abb. 7 anhand einer Originalregistrierung aus einer Faser des Ventrikelmyokards vom Menschen dargestellt.

Aktionspotential-Formen. In ein und demselben Herzen zeigen die Aktionspotentiale verschiedener Regionen z.T. charakteristische Unterschiede. Einige typische Formen sind in Abb. 8 zusammengefaßt. Die Reihenfolge und Zeitversetzung der Aktionspotentiale entspricht dabei ihrer Entstehung im Erregungscyclus des Herzens. In den Anteilen des Erregungsbildungs- und -leitungssystems nimmt die Steilheit der langsamen diastolischen Depolarisationen mit der Entfernung vom Sinusknoten deutlich ab. Die Plateaudauer ist im Vorhofmyokard kürzer als in der Kammermuskulatur; entsprechend verhält sich die Refraktärzeit. Durch ihre besonders lange Aktionspotential-Dauer wirken die Fasern des ventriculären Erregungsleitungs-Systems wie ein — zwischen Vorhöfe und Kammermuskulatur eingeschaltetes — „Frequenzsieb", d.h. hohe Erregungsfrequenzen der Vorhöfe werden von den Ventrikeln nur auswahlweise beantwortet. Außerdem wird ein Zurücklaufen der Erregungen aus dem Ventrikelmyokard in das Leitungssystem verhindert, da hier die Refraktärzeit am längsten andauert.

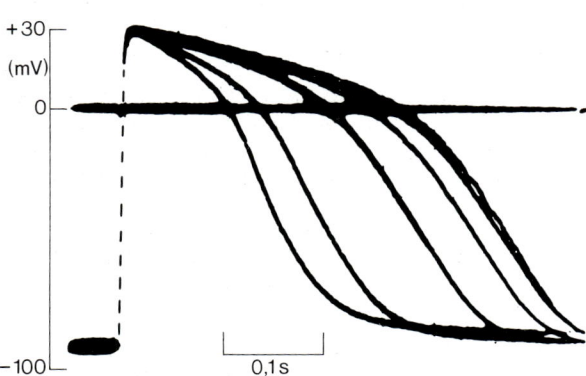

Abb. 7. Übereinander photografierte Aktionspotentiale einer Einzelfaser aus einem isolierten Ventrikeltrabekel des menschlichen Herzens. Die Registrierung zeigt die Verkürzung der Aktionspotential-Dauer bei stufenweiser Erhöhung der Reizfrequenz von 24/min auf 162/min. Aus: [14]

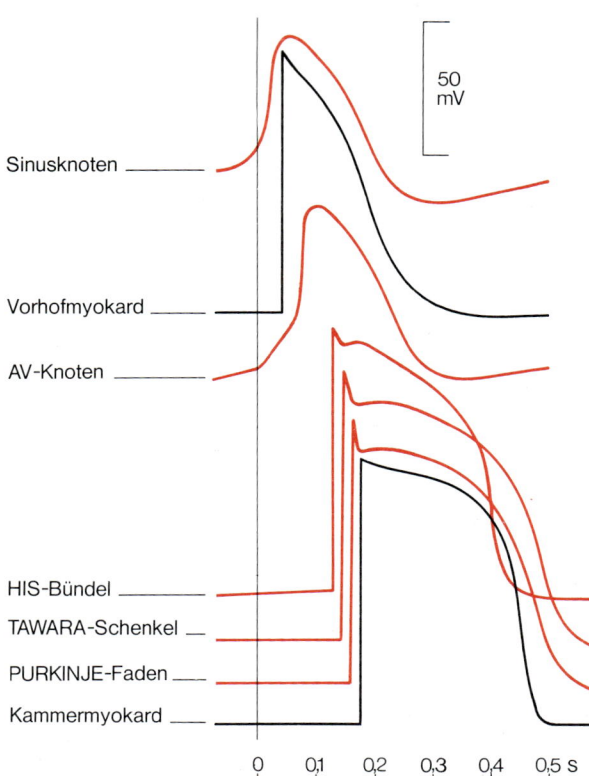

Abb. 8. Charakteristische Aktionspotential-Formen in verschiedenen Herzregionen. Die Zeitversetzung entspricht dem Eintreffen der Erregung in der betreffenden Region während der Erregungsausbreitung. Nach [10]

2.3. Beziehungen zwischen Erregung und Kontraktion — elektro-mechanische Koppelung

Wie beim Skeletmuskel (V) löst auch in der Herzmuskelzelle das Aktionspotential die Kontraktion aus. Die Aktivierung des kontraktilen Systems erfolgt über eine Erhöhung der intracellulären Konzentration von ionisiertem Ca^{++}. Der Elementarvorgang der Kontraktion besteht in einer teleskopartigen Verschiebung der längenkonstanten Actin- und Myosinfilamente gegeneinander. Die Kontraktionsenergie stammt aus der Spaltung von ATP.

Unterschiede zwischen Skelet- und Herzmuskel. Ein charakteristischer Unterschied zwischen beiden Muskeltypen besteht u.a. in der zeitlichen Beziehung zwischen Aktionspotential und Kontraktion: Während im Skeletmuskel das Aktionspotential nur wenige Millisekunden dauert und die Kontraktion erst einsetzt, wenn der Erregungsvorgang schon praktisch zu Ende ist, findet sich im Myokard eine weitgehende zeitliche Überlappung beider Vorgänge (vgl. Abb. 9 oben). Das Aktionspotential ist hier erst beendet, wenn die Muskulatur bereits wieder erschlafft. Da eine neue Kontraktion eine

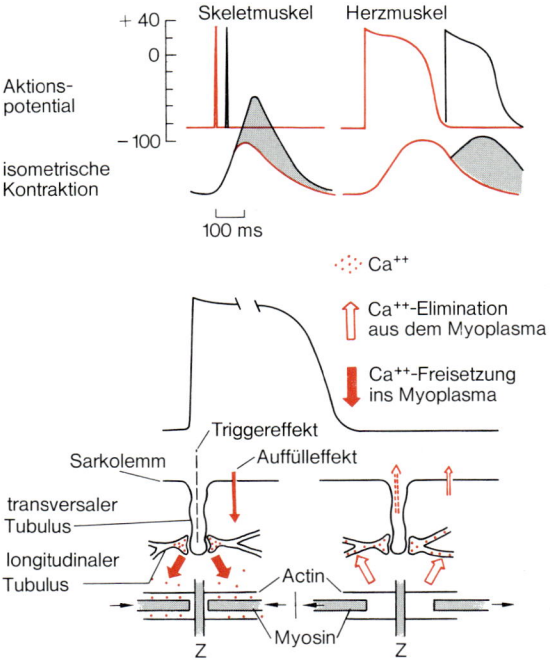

Abb. 9. *Oben:* Zeitliche Beziehung zwischen Aktionspotential und Kontraktion beim Skelet- und beim Herzmuskel. Beim Skeletmuskel ist das Aktionspotential praktisch beendet, wenn die Kontraktion beginnt. Bei schneller Aufeinanderfolge von Aktionspotentialen kommt es zur Superposition der Einzelkontraktionen. Im Herzmuskel ist wegen der zeitlichen Überlappung von Refraktärzeit und Kontraktion keine Superposition möglich. *Unten:* Schema des Zusammenspiels von Erregung, Ca⁺⁺-Strömen und Aktivierung des kontraktilen Apparates. Links sind die Vorgänge im Kontraktionsbeginn, rechts während der Erschlaffung dargestellt. Nähere Erläuterungen im Text

Neuerregung voraussetzt und diese wiederum erst nach Ablauf des refraktären Stadiums der vorangehenden Erregung erfolgen kann, ist der Herzmuskel im Unterschied zum Skeletmuskel nicht in der Lage, eine rasche Folge von Aktionspotentialen mit der Superposition von Einzelkontraktionen bzw. einem glatten Tetanus (vgl. S. 77) zu beantworten.

Die **„Nicht-Tetanisierbarkeit"** des Myokards erscheint im Hinblick auf die Funktion des Herzens als Pumpe durchaus sinnvoll; denn eine — die Auswurfsphase überdauernde — tetanische Kontraktion des Herzens würde seine Füllung beeinträchtigen. Andererseits fehlt dem Herzen damit aber auch die für den Skeletmuskel typische Fähigkeit zur Steuerung der Kontraktionskraft durch die Frequenz der Aktionspotentiale. Es kommt hinzu, daß das Myokard als funktionelles Syncytium auch nicht — wie der Skeletmuskel — über die Möglichkeit der Rekrutierung (vgl. S. 74) einer variablen Zahl von motorischen Einheiten verfügt, um seine Kontraktionskraft abstufbar zu verändern; denn entsprechend dem Alles-oder-Nichts-Gesetz wer-

den bei jeder Kontraktion stets alle Fasern in Aktion versetzt. Zum Ausgleich dieser physiologischen Mängel ist im Herzmuskel die Beeinflußbarkeit der Kontraktion über den Erregungsvorgang bzw. über direkte Eingriffe in die elektromechanischen Koppelungsprozesse wesentlich stärker entwickelt.

Mechanismus der elektro-mechanischen Koppelung im Myokard. In den Myokardfasern der Säugetiere und des Menschen finden sich im Prinzip die gleichen Strukturelemente, wie sie beim Skeletmuskel als Träger der elektro-mechanischen Koppelungsprozesse beschrieben wurden (vgl. V). Das **transversale Tubulus-System (T-System)** ist besonders im Ventrikelmyokard deutlich entwickelt und weist hier auch Verbindungen in der Längsrichtung auf. Das als intracellulärer Ca⁺⁺-Speicher fungierende **longitudinale System** ist dagegen — verglichen mit dem Skeletmuskel — schwächer ausgebildet. Sowohl die Strukturbesonderheiten des Myokards als auch sein funktionelles Verhalten weisen auf eine intensive Wechselwirkung zwischen den intracellulären Ca⁺⁺-Speichern und dem Außenmedium der Fasern hin. Tatsächlich lassen sich manche charakteristische mechanische Reaktionen des Myokards auf eine solche Wechselwirkung zurückführen. Eine Schlüsselfunktion kommt dabei dem **Ca⁺⁺-Einstrom** während des Aktionspotentials zu. Dieser Strom dient also nicht allein der oben erwähnten Verlängerung der Aktionspotential-Dauer und damit der Refraktärperiode, sondern auch zur Steuerung der Kontraktionskraft. Der Hauptanteil des einströmenden Ca⁺⁺ wird jedoch offenbar nicht zur direkten Aktivierung des kontraktilen Apparates, sondern zur Auffüllung des Ca⁺⁺-Speichers für die folgenden Kontraktionen verwendet (vgl. Abb. 9 unten).

Kürzt man z.B. im Experiment die Dauer eines einzelnen Aktionspotentials durch einen anodischen Stromstoß ab, so daß der Ca⁺⁺-Einstrom vorzeitig unterbrochen wird, so findet man die zugehörige Kontraktion nur wenig abgeschwächt, während die nächste Kontraktion, die wieder durch ein normales Aktionspotential ausgelöst wird, erheblich reduziert ist. Bei künstlicher Verlängerung eines Aktionspotentials beobachtet man den umgekehrten Effekt, d.h. eine Verstärkung nachfolgender Kontraktionen. Wiederholt man die Verkürzung bzw. Verlängerung der Aktionspotentiale über mehrere Schläge, so stellt sich nach 5 bis 7 Schlägen ein Gleichgewicht auf u.U. beträchtlich erniedrigtem bzw. erhöhtem Kontraktionsniveau ein.

Das Aktionspotential erfüllt demnach mindestens zwei wichtige Aufgaben im Dienste der Kontraktion:

1. einen **Triggereffekt**, d.h. die Auslösung der Kontraktion durch Freisetzung von Ca⁺⁺ vorwiegend aus intracellulären Depots;

2. einen **Auffülleffekt**, d.h. eine mit der Aktionspotential-Dauer eng korrelierte Bereitstellung von Ca^{++} für die folgenden Kontraktionen.

Verschiedene Einflüsse auf die Kontraktionskraft des Myokards kommen vorwiegend durch eine Veränderung der Aktionspotentialdauer zustande (Verminderung der Kontraktionskraft durch Erhöhung der extracellulären K^+-Konzentration bzw. im Vorhofmyokard auch durch Acetylcholin, Verstärkung der Kontraktionsstärke durch Abkühlung). Im gleichen Sinne wie eine Verlängerung der Aktionspotential-Dauer wirkt sich eine Vermehrung der Zahl der Erregungen in der Zeiteinheit aus (*Frequenzinotropie*, Kontraktionsverstärkung durch *paarige Stimulation, postextrasystolische Potenzierung*). Das sog. **Treppenphänomen**, d.h. ein stufenweises Ansteigen der Kontraktionsamplitude nach Stillstand, hängt ebenfalls mit der Wiederaufnahme von Ca^{++} in die Zelle zusammen.

Nach diesen Überlegungen ist es nicht erstaunlich, daß sich auch Veränderungen der extracellulären Ca^{++}-Konzentration rasch auf die Kontraktionskraft des Herzens auswirken. Im Experiment läßt sich durch extracellulären Ca^{++}-Entzug eine komplette **elektromechanische Entkoppelung** erzeugen, d.h. das Myokard zeigt kaum veränderte Aktionspotentiale, die jedoch von keiner mechanischen Antwort mehr begleitet sind. Einen ähnlichen Effekt kann man durch chemische Wirkstoffe erzielen, die den Ca^{++}-Einstrom während des Aktionspotentials hemmen (Ca^{++}-Antagonisten [8]). Auch eine direkte kompetitive Verdrängung des Ca^{++} aus intracellulären Depots kann zu einer Abschwächung der systolischen Kraft des Myokards führen. Umgekehrt ist eine Steigerung der Kontraktionsamplitude sowohl durch extracelluläre Ca^{++}-Erhöhung als auch durch Wirkstoffe möglich, die den Ca^{++}-Einstrom während des Aktionspotentials verstärken (*Adrenalin* bzw. *Noradrenalin*). In der Klinik werden zur medikamentösen Besserung der Herzkraft sog. **Herzglykoside** (Digitalis, Strophanthin) verwendet. Ihr Wirkungsmechanismus ist bisher noch nicht völlig geklärt. Mit Hilfe von radioaktiv markiertem Ca^{++} konnte experimentell eine verstärkte Freisetzung von Ca^{++}-Ionen im Zellinneren nachgewiesen werden, die jedoch nicht auf einem verstärkten transmembranären Ca^{++}-Einstrom beruht.

2.4. Neuro-vegetative und ionale Einflüsse

Die *efferenten vegetativen Herznerven* des **Sympathicus** und des **Vagus** verbinden das Herz als Erfolgsorgan mit den kreislaufregulierenden Zentren in der Medulla oblongata und vermitteln die Anpassung der Herztätigkeit an die Erfordernisse des Gesamtkreislaufs. Wie in allen Eingeweideorganen werden auch im Herzen die Wirkungen der vegetativen Nerven chemisch übertragen, und zwar die des Vagus durch *Acetylcholin*, die des Sympathicus durch ein Gemisch aus *Noradrenalin* und *Adrenalin*. Die vegetativen Einflüsse auf das Herz sind jedoch nicht nur von der Wirkungsweise der Überträgerstoffe, sondern auch von der räumlichen Verteilung der Nervenendigungen im Herzen abhängig. Dies gilt vor allem für die parasympathische Innervation, da der Überträgerstoff Acetylcholin besonders rasch abgebaut wird und daher praktisch nur am Ort seiner Freisetzung wirksam werden kann.

Parasympathische Innervation. Die das Herz versorgenden parasympathischen Nerven zweigen als präganglionäre *Rami cardiaci* vom beiderseitigen N. vagus ab. Die Fasern der rechten Seite gelangen vorwiegend zum rechten Vorhof und hier speziell zum Sinusknoten. Der AV-Knoten wird dagegen hauptsächlich von den linksseitigen Anteilen erreicht. Dementsprechend erfolgt bei Reizung des **rechten** Herzvagus eine Senkung der *Herzfrequenz*, bei Reizung des **linken** eine Verlängerung der *atrioventriculären Überleitung*. Die parasympathische Innervation der Kammern ist spärlich; ihre Bedeutung ist umstritten.

Sympathische Innervation. Im Unterschied zum Parasympathicus versorgt der Sympathicus alle Anteile des Herzens nahezu gleichmäßig. Die sympathischen Herznerven beziehen ihre präganglionären Anteile aus den Seitenhörnern der oberen Thorakalsegmente des Rückenmarks. Nach Umschaltung in Ganglien des Grenzstrangs aus dem Hals- bzw. dem oberen Thorakalbereich, besonders dem Ggl. stellatum, ziehen die postganglionären Fasern als *Nn. cardiaci* oder *Nn. accelerantes* zum Herzen. Sympathische Einflüsse können dem Herzen auch durch die im Blut zirkulierenden Catecholamine aus dem Nebennierenmark zufließen.

Wir wollen zunächst die vegetativen Einflüsse auf Erregung und Kontraktion der einzelnen Herzmuskelzelle betrachten. Die Einordnung dieser Effekte in die komplexen vegetativen Regulationsvorgänge wird uns später noch ausführlicher beschäftigen.

Chronotrope Wirkung. Bei Reizung des rechten Herzvagus oder bei direkter Applikation von Acetylcholin auf den Sinusknoten nimmt die *Herzfrequenz ab* (**negativ chronotrope Wirkung**); stärkere

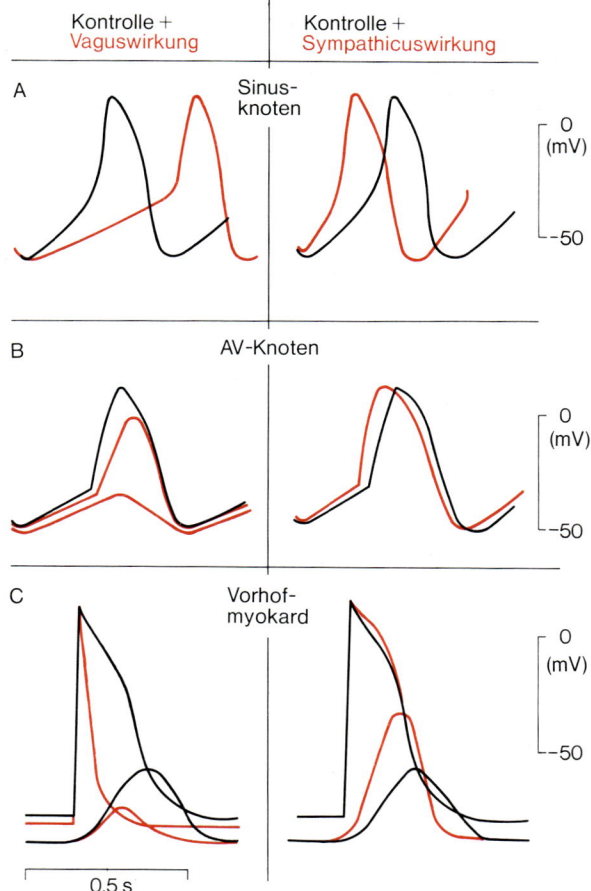

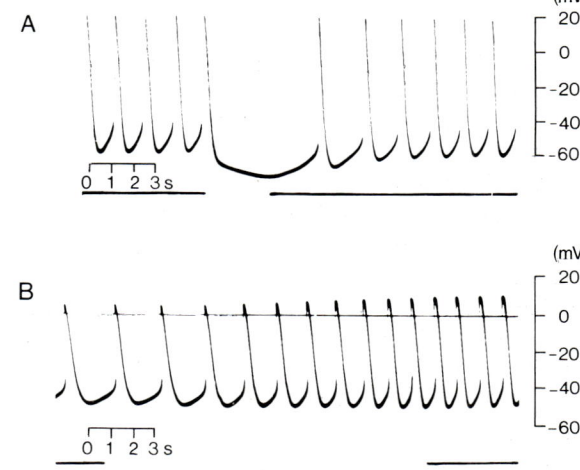

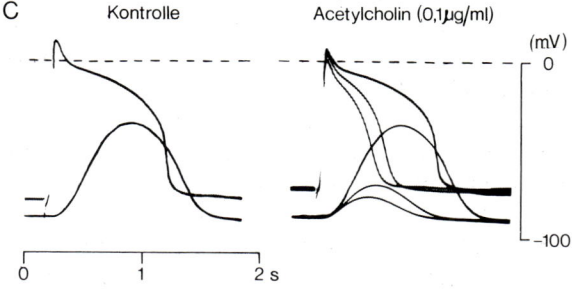

nimmt die Steilheit der diastolischen Depolarisation zu, so daß das Schwellenpotential jeweils früher erreicht wird. Abb. 11 zeigt beide Wirkungen anhand von intracellulären Originalregistrierungen aus dem Sinus venosus des Froschherzens.

Da sich die positiv chronotope Wirkung des Sympathicus auf das gesamte Erregungsleitungs-System erstreckt, kann es bei Ausfall eines führenden Automatie-Zentrums entscheidend von der Sympathicus-Aktivität abhängen, wann und in welchem Umfang ein untergeordnetes Zentrum die Schrittmacherfunktion übernimmt. Darüber hinaus besitzt der Sympathicus auch *restitutive* automatie-fördernde Effekte auf Schrittmacherzellen, deren Spontanaktivität durch äußere Einflüsse wie K^+-Erhöhung oder Überdosierung von automatie-lähmenden Arzneimitteln unterdrückt wird. Allerdings kann auf die gleiche Weise auch ein ektopisches Automatie-Zentrum zu gesteigerter Aktivität angeregt und die Entstehung von Rhythmusstörungen begünstigt werden.

Abb. 10. Einige charakteristische Wirkungen der efferenten vegetativen Herznerven bzw. ihrer Überträgerstoffe auf die Aktionspotentiale von Sinusknoten (A), AV-Knoten (B) und Vorhofmyokard (C). Beim Vorhofmyokard ist außerdem noch das Verhalten der isometrischen Kontraktion dargestellt. Die Sympathicuswirkung auf das Ventrikelmyokard gleicht der Wirkung auf den Vorhof. Der Vagus besitzt dagegen keinen oder nur geringen Einfluß auf die Ventrikelmuskulatur

Reize können zum Herzstillstand führen. Sympathicusreizung oder Verabreichung der sympathischen Überträgerstoffe hat den umgekehrten Effekt (**positiv chronotrope Wirkung**). Bei gleichzeitiger Reizung von Vagus und Sympathicus überwiegt stets die Vaguswirkung. Der modifizierende vegetative Einfluß auf die autorhythmische Aktivität des Sinusknotens kommt hauptsächlich durch Veränderung des Verlaufs der langsamen diastolischen Depolarisationen zustande (Abb. 10A): Unter *Vaguseinfluß* nimmt die Steilheit der diastolischen Depolarisationen ab. Infolgedessen wird das Schwellenpotential jeweils erst nach längeren Intervallen erreicht. Im Extremfall bleibt die diastolische Depolarisation vorübergehend aus, und das Membranpotential stellt sich auf stärker negative Werte ein (Hyperpolarisation). Unter *Sympathicuseinfluß*

Abb. 11. Einfluß des Vagus (A) bzw. Sympathicus (B) auf die Erregungsbildung im primären Automatiezentrum des Froschherzens. Die Unterbrechung der Linie unter der Zeiteichung gibt jeweils die Dauer der Nervenreizung (20 Hz) an. Aus [11]. (C) Wirkung des parasympathischen Überträgerstoffes Acetylcholin auf Aktionspotential und Kontraktion des Ventrikelmyokards vom Frosch. Im Unterschied zum Ventrikelmyokard vieler Säugetiere ist der Froschventrikel empfindlich gegen Acetylcholin. In der rechten Bildhälfte sind Aktionspotentiale und Kontraktionskurven während der fortschreitenden Acetylcholinwirkung übereinander photografiert. Aus [5]

Vagus- und Sympathicustonus. Während bei den meisten Säugern und beim Menschen die Herzkammern praktisch nur dem Einfluß des Sympathicus unterliegen, läßt sich im Bereich der Vorhöfe, am deutlichsten in der Aktivität des Sinusknotens, eine ständige antagonistische Beeinflussung durch Vagus und Sympathicus nachweisen. Sie kommt z.B. darin zum Ausdruck, daß bei Durchtrennung oder pharmakologischer Blockierung eines Anteils jeweils die Wirkung des Gegenspielers überwiegt. Beim Hundeherzen steigt z.B. nach Vagusausschaltung die Frequenz von ca. 100/min in Ruhe auf 150/min und darüber an; bei Sympathicusausschaltung sinkt sie auf 60/min und weniger ab. Der ständige Erregungszustrom über die vegetativen Nerven wird auch als „*Vagustonus*" bzw. „*Sympathicustonus*" bezeichnet. Da die Frequenz des komplett denervierten Herzens (*autonome Frequenz*) deutlich über der normalen Ruhefrequenz liegt, ist anzunehmen, daß in Ruhe der Vagustonus gegenüber dem Sympathicustonus überwiegt.

Inotrope Wirkung. Änderungen der Schlagfrequenz besitzen schon für sich allein einen beträchtlichen Einfluß auf die Kontraktionskraft des Myokards (vgl. S. 379). Darüber hinaus entfalten die efferenten vegetativen Herznerven auch unmittelbare Wirkungen auf die mechanische Kraftentwicklung (vgl. Abb. 10). Unter *Vaguseinfluß* wird die Kontraktionsstärke des Vorhofmyokards vermindert. Dabei nimmt die Anstiegsdauer des Mechanogramms, d.h. die Zeit vom Fußpunkt der Kontraktionskurve bis zu ihrem Maximum, ab. Diese **negativ inotrope Wirkung** beruht auf einer primären Verkürzung der Aktionspotential-Dauer (vgl. Abb. 11 (c)). Der *Sympathicus* erhöht die Kontraktionskraft sowohl im Vorhof- als auch im Kammermyokard (**positiv inotrope Wirkung**). Der Kontraktionsablauf zeigt dabei eine steilere Anstiegsflanke, eine verkürzte Anstiegsdauer und eine beschleunigte Erschlaffung. Die Form des Aktionspotentials ist dagegen kaum verändert (Abb. 10(C)).

Auch bei der Beeinflussung der kontraktilen Kraft zeigt der Sympathicus eine starke restitutive Wirksamkeit, die besonders in Erscheinung tritt, wenn die Kontraktionskraft durch eine Beeinträchtigung der elektro-mechanischen Koppelung herabgesetzt ist (Verkürzung der Erregungsdauer, Ca^{++}-Mangel, Ca^{++}-antagonistische Wirkstoffe). Hierbei finden sich im Myokard hohe Vorräte an energiereichen Phosphaten, die jedoch wegen der ungenügenden Aktivierung nicht ausgenützt werden können (**Utilisationsinsuffizienz**) [40]. Am energetisch erschöpften Herzmuskel (O_2-Mangel, Stoffwechselstörungen) kann dagegen der Antrieb durch gesteigerte Sympathicus-Aktivität die Situation noch weiter verschlechtern und das Herzversagen herbeiführen (**Mangelinsuffizienz**).

Dromotrope Wirkung. Ein vegetativer Einfluß auf die Erregungsleitung ist normalerweise nur im Bereich des *AV-Knotens* nachweisbar. Der *Sympathicus* beschleunigt die atrio-ventriculäre Überleitung und verkürzt dadurch die Pause zwischen Vorhof- und Kammeraktion. Der *Vagus* — vor allem sein linksseitiger Ast — verlangsamt die atrioventriculäre Leitung im Extremfall bis zum vorübergehenden totalen AV-Block. Der bevorzugte Einfluß der vegetativen Überträgerstoffe auf die Erregungsleitung im AV-Knoten hängt mit einer spezifischen Eigenart seiner Zellen zusammen: Im Unterschied zum vorgeschalteten Vorhofmyokard bzw. zum anschließenden ventriculären Erregungsleitungs-System zeigen die Fasern des AV-Knotens ein auffallend niedriges Ruhepotential und eine geringe Aufstrichsgeschwindigkeit des Aktionspotentials (Abb. 8). Wie Abb. 10 (B) zeigt, bewirkt der Vagus eine weitere Abflachung, der Sympathicus dagegen eine Versteilung der Aufstrichsgeschwindigkeit. Da die Anstiegssteilheit des Aktionspotentials und die Geschwindigkeit seiner Fortleitung eng zusammenhängen, spiegeln sich im Verhalten der Anstiegsphase auch die Größe und die Veränderungen der Leitungsgeschwindigkeit wider.

Verschiedene Befunde sprechen dafür, daß bei den Zellen des AV-Knotens der schnelle initiale Na^+-Einstrom durch das niedrige Ruhepotential inaktiviert ist oder überhaupt fehlt. Der träge Erregungsbeginn der AV-Knotenfasern könnte dann durch den langsamen Ca^{++}-Einstrom bedingt sein, der in anderen Zellen lediglich die Dauer des Plateaus bestimmt (vgl. S. 349). Die Beeinflussung der Aufstrichsgeschwindigkeit durch die vegetativen Überträgerstoffe hängt wahrscheinlich mit einer Veränderung dieses Stromes zusammen. In den Myokardfasern mit hohem Ruhepotential, deren Aktionspotential mit dem schnellen Na^+-Einstrom beginnt, ist dagegen keine Veränderung des Aktionspotential-Aufstrichs und damit auch keine Beeinflussung der Leitungsgeschwindigkeit durch die efferenten Herznerven bzw. ihre Überträgerstoffe zu erwarten.

Bathmotrope Wirkung. Eine Beeinflussung der *Erregbarkeit* durch die efferenten Herznerven im Sinne einer Senkung oder Erhöhung der *Reizschwelle* ist selten eindeutig nachzuweisen. Der Vagus soll im Vorhofmyokard die Schwelle für kurze Impulse senken, für lange dagegen erhöhen. Für den Sympathicus gilt, daß er unter Bedingungen einer verminderten Erregbarkeit eine restitutive erregbarkeitssteigernde Wirkung besitzt, ansonsten die Reizschwelle jedoch nicht beeinflußt. Insgesamt hat der Begriff der bathmotropen Wirkung bisher mehr Verwirrung als Klarheit gebracht und sollte daher besser aufgegeben werden [4].

Wirkungsmechanismus der vegetativen Überträgerstoffe. Die Wirkungen des *Vagus* bzw. seines Überträgerstoffes *Acetylcholin* können auf eine gemeinsame Grundwirkung zurückgeführt werden — nämlich eine *Erhöhung der K^+-Leitfähigkeit* der erregbaren Membran. Ein solcher Einfluß äußert sich generell in der Tendenz, das Membranpotential dem Wert des K^+-Gleichgewichtspotentials anzunähern, also einer Depolarisation entgegen zu wirken. Ausdruck dieser Tendenz sind sowohl die oben beschriebene Abflachung der langsamen diastolischen Depolarisationen im Sinusknoten als auch die Verkürzung der Erregungsdauer im Vorhofmyokard, die wiederum zur Abschwächung der Kontraktionskraft führt. Auch die Reduktion der Aufstrichsgeschwindigkeit des Aktionspotentials im AV-Knoten läßt sich in der Weise erklären, daß ein verstärkter K^+-Ausstrom aus der Zelle dem langsamen Ca^{++}-Einstrom entgegenwirkt.

Für die Wirkungen des *Sympathicus* bzw. seiner Überträgerstoffe sind wahrscheinlich verschiedene Angriffspunkte anzunehmen: Nach Befunden an der Purkinje-Faser beruht die positiv chronotrope Wirkung auf einer *Verminderung der K^+-Leitfähigkeit*. Ob dieser Wirkungsmodus auch für den Sinusknoten zutrifft, ist bisher nicht geklärt. Die Steigerung der Kontraktionskraft (positiv inotrope Wirkung) kommt dagegen durch eine *Verstärkung des langsamen Ca^{++}-Einstroms* zustande, der im Sinne einer Intensivierung der elektro-mechanischen Koppelung wirkt. Auch die positiv dromotrope Wirkung auf den AV-Knoten dürfte — nach den obigen Überlegungen — mit der Verstärkung des langsamen Ca^{++}-Einstroms zusammenhängen.

Pharmakologische Beeinflussung. Man stellt sich vor, daß die vegetativen Überträgerstoffe mit bestimmten Molekülkonfigurationen der Effectorzelle (Receptoren — nicht zu verwechseln mit Sinneszellen) in Beziehung treten und durch deren Vermittlung ihre Wirkungen entfalten. Die beschriebenen Effekte von Noradrenalin bzw. Adrenalin werden am Herzen durch sog. **β-Receptoren** vermittelt. Zur pharmakologischen Ausschaltung der Sympathicuswirkung dienen **β-Receptorenblocker** wie Dichlorisoproterenol (DCI), Nethalid u.a. (vgl. hierzu auch S. 379). Als Antagonist der parasympathischen Effekte von Acetylcholin wirkt am Herzen ebenso wie in anderen Organen das Tollkirschengift *Atropin*.

Afferente Innervation.

Neben den efferenten vegetativen Nerven finden sich im Herzen auch reichlich Nervenfasern, die Meldungen afferent leiten und sich in ihrem Verlauf teils dem Vagus, teils dem Sympathicus anschließen. Bei den afferenten *Vagus*fasern handelt es sich im wesentlichen um markhaltige Neuriten, die von sensiblen Receptor-Zellen der Vorhöfe bzw. des linken Ventrikels ausgehen. Durch Einzelfaserableitung konnten in den Vorhöfen zwei Arten von Mechanoreceptoren ermittelt werden, die passive Dehnung (**B-Receptoren**) bzw. aktive Spannung (**A-Receptoren**) signalisieren. Die enge Verbindung dieser afferenten Nervenfasern mit dem Vagus weist bereits auf ihre spezielle Funktion bei der Auslösung depressorischer Reflexe hin. Ein typisches Beispiel ist der sog. *Bezold-Jarisch-Reflex* — eine bei Dehnung des linken Ventrikels

eintretende Vasodilatation und Herzverlangsamung. Weitere Einzelheiten über die reflektorische Steuerung der Herztätigkeit folgen in dem Kapitel über die Funktion des Kreislaufs (XIX).

Außer den markhaltigen afferenten Nervenfasern, die von spezialisierten sensiblen Receptoren ausgehen, finden sich im Herzen vor allem subendokardial dichte Netze markloser Fasern mit freien Endigungen, deren afferente Fortsätze im *Sympathicus* verlaufen. Wahrscheinlich vermitteln diese Nerven die starken segmental ausstrahlenden Schmerzen bei Durchblutungsstörungen des Herzens (Angina pectoris, Myokardinfarkt).

Ionale Einflüsse. Unter den Einflüssen des extracellulären Ionenmilieus auf die Herztätigkeit kommt vor allem der *K^+-Konzentration* praktische Bedeutung zu. Eine *Erhöhung* des extracellulären K^+ (K_e^+) hat zweierlei Wirkungen auf das Myokard: 1. eine Verminderung des Ruhepotentials infolge Abflachung des Gradienten K_i^+/K_e^+, 2. eine Erhöhung der K^+-Leitfähigkeit der erregbaren Membran — vergleichbar der Vaguswirkung auf die Vorhöfe. Bei mäßiger K^+-Erhöhung von normal 4 auf etwa 8 mval/l kommt es zu einer geringen Depolarisation mit Zunahme der Erregbarkeit und der Leitungsgeschwindigkeit sowie zur Dämpfung heterotoper Automatiezentren. Stärkere K^+-Erhöhung (über 8 mval/l) reduziert die Erregbarkeit und die Leitungsgeschwindigkeit, verkürzt die Aktionspotential-Dauer und vermindert dadurch die Kontraktionskraft und lähmt schließlich auch die Automatie des Sinusknotens. Bei *Erniedrigung* der extracellulären K^+-Konzentration unter 4 mval/l dominiert der Einfluß auf die Erregungsbildung. Durch gesteigerte Aktivität heterotoper Automatiezentren können Rhythmusstörungen auftreten.

Von der lähmenden Wirkung erhöhter extracellulärer K^+-Konzentrationen wird in der Herzchirurgie Gebrauch gemacht, um das Herz für operative Eingriffe vorübergehend ruhig zu stellen (**kardioplege Lösungen**). Der Kreislauf wird hierbei durch eine extracorporale Blutpumpe aufrechterhalten (Herz-Lungen-Maschine). Die Beeinträchtigung der Herzfunktion durch Anstiege des K^+-Gehaltes im Blut, wie sie bei extremer Muskelarbeit oder unter krankhaften Bedingungen auftreten, kann durch den Sympathicus weitgehend kompensiert werden. Bei intracellulärer Ableitung ließ sich zeigen, daß die sympathischen Überträgerstoffe im Sinusknoten die — durch K^+-Erhöhung unterdrückten — diastolischen Depolarisationen wiederherstellen. In der K^+-gelähmten Arbeitsmuskulatur der Vorhöfe und der Ventrikel erfolgt die Restitution der Erregbarkeit und der Erregungsfortleitung durch die sympathischen Überträgerstoffe trotz fortbestehender Depolarisation [4].

In Tabelle 1 sind die wichtigsten Einflüsse auf Erregung und Kontraktion des Herzens in einer Übersicht zusammengefaßt. Dabei wurden jeweils nur die vorherrschenden Effekte berücksichtigt.

Tabelle 1. Vorherrschende Wirkungen verschiedener Einflüsse auf die elementare elektrische und mechanische Aktivität des Herzens. Es bedeuten: + Vergrößerung; − Verkleinrung; → Wirkung bei Verstärkung des betreffenden Einflusses

	Ruhe-potential	Aktionspotential			Leitungs-geschwin-digkeit	Schritt-macher-potential Steilheit	Kontrak-tionskraft
		Amplitude	Dauer	Anstiegs-steilheit			
Frequenz-Erhöhung			−			als Ursache +	Treppe +
Frequenz-Erniedrigung			+			als Ursache −	−
Temperatur-Erhöhung			−			+	
Temperatur-Erniedrigung	→−	→−	+	→−	−	−	+
pH < 7			+			−	−
O$_2$-Mangel	−	−	−	−	−	+ →−	−
K$_e^+$-Erhöhung	−	−	−	−	(+)→−	−	−
K$_e^+$-Erniedrigung		+ →−				+	+
Ca$_e^{++}$-Erhöhung		→−					+
Ca$_e^{++}$-Erniedrigung		→+					−
(Nor-) Adrenalin		→+	(+)	im AV-Knoten +	im AV-Knoten +	+	+
Acetylcholin (im Bereich der Vorhöfe)	(+)		−	im AV-Knoten −	im AV-Knoten −	−	−

3. Elektrokardiogramm

Das Elektrokardiogramm (EKG) ist Ausdruck der Herzerregung — nicht der Kontraktion! Im EKG wird der zeitliche Verlauf von elektrischen Spannungen registriert, die als Folge der Erregungsvorgänge im Herzen zwischen definierten Stellen der Körperoberfläche auftreten. Die Form einer EKG-Kurve ist sowohl vom Erregungsablauf im Herzen als auch von der Art der Ableitung abhängig. Das EKG liefert Anhaltspunkte über Frequenz und Ursprung, Ausbreitung und Rückbildung der Erregung des Herzens. Gleichartige EKG-Veränderungen können jedoch verschiedene Ursachen haben und nicht jede Störung der Herzerregung tritt im EKG in Erscheinung. Die klinische Beurteilung des EKG setzt folgende Kenntnisse voraus: 1. die Variationsbreite des Normalen, 2. die wesentlichen Grundlagen der Entstehung und Beeinflussung des EKG, 3. charakteristische Symptome bzw. Symptomenkomplexe, die auf bestimmte Störungen hindeuten. Wir werden uns im folgenden hauptsächlich mit den Punkten 1 und 2 beschäftigen.

3.1. Grundform des EKG, Terminologie

Die beim EKG auftretenden Spannungen von z.T. weniger als 1 mV müssen für die Registrierung ver-

stärkt werden. Dazu dienen elektronische Verstärker, die in die handelsüblichen EKG-Geräte eingebaut sind. Eine spezielle Schaltung (CW-Kopplung) bewirkt, daß Gleichspannungen z.B. in Form galvanischer Potentiale an den metallischen Abgriffselektroden exponentiell (Zeitkonstante 2 s) gegen Null abklingen. Auf diese Weise werden störende Verschiebungen der Grundlinie vermieden. Sämtliche EKG-Geräte besitzen eine Empfindlichkeitskontrolle in Form einer 1 mV-Eichung, die auf einen Ausschlag von 1 cm eingestellt wird.

Form des EKG. Bei Ableitung zwischen dem rechten Arm und dem linken Bein (Standardabl. II nach EINTHOVEN, vgl. Abb. 16) zeigt das normale EKG einen Kurvenverlauf entsprechend der Darstellung in Abb. 12. Es finden sich Ausschläge in positiver und negativer Richtung (*Zacken, Wellen*), die mit P bis T bezeichnet werden. Den Abstand zwischen zwei Zacken nennt man *Strecke* oder auch *Segment* (z.B. PQ-Strecke zwischen Ende P und Beginn Q). Ein *Intervall* umfaßt Zacken und Strecken (z.B. PQ-Intervall von Beginn P bis Beginn Q). Das RR-Intervall zwischen den Gipfeln zweier aufeinanderfolgender R-Zacken entspricht der Dauer einer Herzperiode und ist ein reziprokes Maß der Herzfrequenz (60/RR-Intervall (s) = Schläge/min).

Beziehungen zum Erregungsablauf, Normwerte. Bevor wir uns näher mit der Entstehung der EKG-

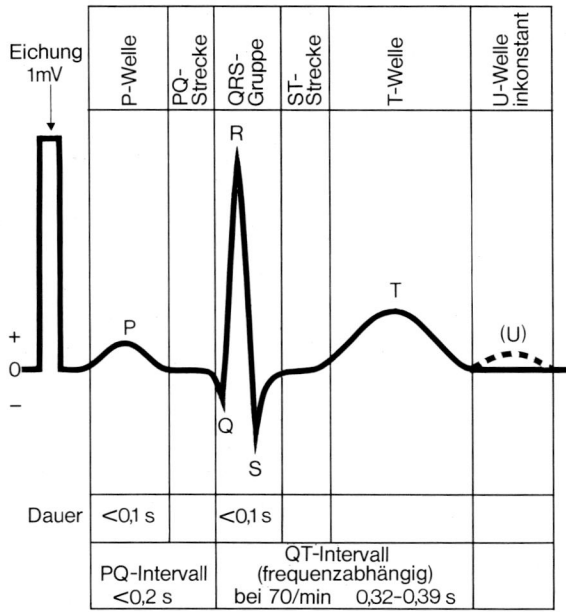

Eichung 1mV	P-Welle	PQ-Strecke	QRS-Gruppe	ST-Strecke	T-Welle	U-Welle inkonstant
	P		R		T	(U)
			Q			
			S			
Dauer	<0,1 s		<0,1 s			
	PQ-Intervall <0,2 s		QT-Intervall (frequenzabhängig) bei 70/min 0,32–0,39 s			

Abb. 12. Normalform des EKG bei bipolarer Ableitung von der Körperoberfläche in Richtung der Herzlängsachse. Unter der EKG-Kurve sind wichtige Grenzwerte der Dauer einzelner Abschnitte angegeben

Kurve befassen, wollen wir uns die allgemeine Bedeutung der einzelnen Abschnitte klarmachen. Man unterscheidet einen **Vorhofteil** (*Elektroatriogramm Eag*) und einen **Kammerteil** (*Elektroventriculogramm Evg*). Der Vorhofteil beginnt mit der **P-Welle**. Sie ist Ausdruck der Erregungsausbreitung über beide Vorhöfe. Während der anschließenden **PQ-Strecke** sind die Vorhöfe als Ganzes erregt. Die Erregungsrückbildung in den Vorhöfen fällt mit der Anfangsschwankung des Kammerteils zusammen und wird von ihr verdeckt. Der Kammerteil dauert von Beginn Q bis Ende T. Die **QRS-Gruppe** ist Ausdruck der Erregungsausbreitung über beide Ventrikel, die **T-Welle** Ausdruck der ventriculären Erregungsrückbildung. Dazwischen liegt die **ST-Strecke**, die — analog der PQ-Strecke im Vorhofteil — die Totalerregung des Ventrikelmyokards anzeigt. Gelegentlich wird im Anschluß an die T-Welle noch eine sog. *U-Welle* sichtbar. Sie ist möglicherweise Ausdruck der Erregungsrückbildung in den Endverzweigungen des Erregungsleitungs-Systems. Das **PQ-Intervall**, die sog. *Überleitungszeit,* umfaßt den Zeitraum vom Beginn der Vorhoferregung bis zum Beginn der Kammererregung. Es dauert normalerweise kürzer als 0,2 s. Verlängerungen über 0,2 s deuten auf Störungen der Erregungsleitung im Bereich des AV-Knotens bzw. des His-Bündels hin. Eine Verlängerung der QRS-Gruppe über 0,1 s spricht für Störungen der ventriculären Erregungsausbreitung. Die **Gesamtdauer von QT** ist von der

Frequenz abhängig. Bei Zunahme der Herzfrequenz von 40 auf 180/min nimmt z.B. die QT-Dauer von etwa 0,5 auf 0,2 s ab. Für die Amplituden der einzelnen Zacken gelten etwa folgende Richtwerte: $P < 0,25$ mV; $Q < 1/4$ von R; $R + S > 0,6$ mV; $T\ 1/6–2/3$ von R.

3.2. Entstehung des EKG

Für das Zustandekommen des EKG sind Potentialdifferenzen in der *Längsrichtung* der Herzmuskelfasern verantwortlich, die bei der Ausbreitung und Rückbildung der Erregung des Herzens auftreten. Würden alle Herzmuskelzellen gleichzeitig in Erregung geraten und identische Aktionspotentiale erzeugen, so würden keine solchen Potentialunterschiede entlang den Fasern entstehen und es wäre folglich auch kein EKG abzuleiten. Die tatsächlich zwischen bestimmten Abgriffsstellen an der Körperoberfläche meßbaren Potentialunterschiede sind Ausdruck von elektrischen Feldern, die von den Potentialdifferenzen im Herzen ausgehen und sich im leitenden Medium des Körpers ausbreiten.

Vektorielle Deutung. Wie die Potentialverteilung an der Körperoberfläche in einem bestimmten Augenblick der Herzerregung aussieht, hängt nicht nur von der Größe der zahlreichen Potentialgradienten im Herzen ab, sondern auch ganz entscheidend von ihrer Richtung. Auf dieser Tatsache basiert die sog. vektorielle Deutung des EKG, mit der wir uns im folgenden näher beschäftigen wollen.
Ein *Vektor* ist eine gerichtete Größe, die durch einen Pfeil symbolisiert wird. Für jede Herzmuskelfaser läßt sich die Potentialdifferenz zwischen einer erregten und einer unerregten Stelle als Vektor in der Richtung des Faserverlaufs darstellen. Nach Vereinbarung zeigt die Vektorspitze *von minus nach plus,* d.h. vom erregten zum unerregten Bezirk; denn eine erregte Stelle verhält sich — von außen betrachtet — elektronegativ gegenüber einer unerregten. Jedes Aktionspotential, das sich in Gestalt einer Erregungswelle über das Myokard ausbreitet, erzeugt 2 Potentialvektoren, da ja sowohl an ihrer Front als auch an ihrem Ende erregte (depolarisierte) und unerregte (repolarisierte) Bereiche aneinander grenzen (Abb. 13 oben). Den Vektor an der Erregungsfront wollen wir **Depolarisationsvektor**, den am Schwanz des Aktionspotentials **Repolarisationsvektor** nennen. Normalerweise sind beide Vektoren nicht gleichzeitig im Herzen existent, da die Länge der fortschreitenden Erregungswelle weitaus größer ist als die von ihr durchlaufene Strecke. Man kommt der Wirklichkeit am nächsten,

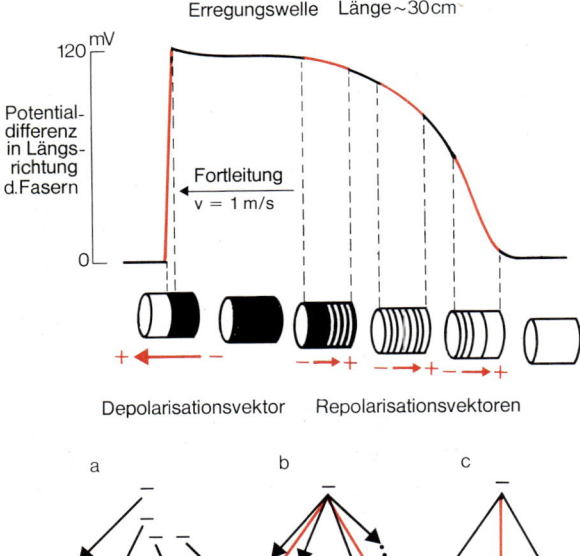

Erregungswelle   Länge ~30cm

120 mV

Potential-
differenz
in Längs-
richtung
d.Fasern

Fortleitung
v = 1 m/s

0

Depolarisationsvektor   Repolarisationsvektoren

a   b   c

Abb. 13. *Oben:* Erregungswelle des Herzens. Im Unterschied zum Aktionspotential ist die Potentialdifferenz in Längsrichtung der Fasern dargestellt. Ein Aktionspotential von 0,3 s Dauer, das mit einer Geschwindigkeit von 1 m/s fortgeleitet wird, erzeugt eine Erregungswelle von 0,3 m Länge. Die kurzen Zylinder unterhalb der Erregungswelle symbolisieren ein Myokardsegment — über das die Erregungswelle hinweggewandert — in verschiedenen Phasen seiner Erregung. Die Front der Erregungswelle erzeugt einen Depolarisationsvektor; gegen Ende der Erregungswelle entstehen Repolarisationsvektoren in umgekehrter Richtung. *Unten:* Prinzip der Vektoraddition. 4 Einzelvektoren (a) werden durch zwei Resultanten (b) und schließlich durch eine Resultante (c), den sog. Integralvektor, ersetzt

wenn man sich vorstellt, daß das ventriculäre Erregungsleitungssystem mit seiner hohen Leitungsgeschwindigkeit die Erregung nahezu gleichzeitig an viele Stellen der Kammern überträgt und daß sich nun lange Erregungswellen (Größenordnung 0,3 m) über relativ kurze Myokardbezirke (Größenordnung 1–2 cm) hinwegschieben, wie dies in Abb. 13 oben schematisch dargestellt ist. Welche Potentialvektoren zu einem gegebenen Zeitpunkt tatsächlich vorhanden sind, hängt von der Phase der ablaufenden Erregungswelle ab: An der Erregungsfront erscheint ein Potentialgradient von 120 mV entsprechend der Amplitude des Aktionspotentials auf einer Länge von nur etwa 1–2 mm. Im weiteren Verlauf der Erregungswelle treten dagegen viel geringere Potentialunterschiede von umgekehrter Richtung längs der kontinuierlich erregten Segmente

auf. Im Unterschied zum Depolarisationsvektor ändert der Repolarisationsvektor seine Größe.

Integralvektor. In jedem Augenblick der Herzerregung summieren sich alle im Herzen vorhandenen Einzelvektoren zu einem Summations- oder Integralvektor. Man kann sich die Entstehung des Integralvektors wie die Bildung einer Resultante im Parallelogramm der Kräfte vorstellen, wobei jeweils 2 Vektoren durch einen dritten ersetzt werden (vgl. Abb. 13 a–c). Ein großer Teil der Vektoren werden sich dabei in ihrer Wirkung nach außen gegenseitig aufheben, da sie in entgegengesetzte Richtungen weisen. Man hat geschätzt, daß bei der Erregung des Herzens zeitweise 90% der Potentialvektoren einander gegenseitig auslöschen.

Beziehungen zum Erregungscyclus des Herzens. Nach allem bisher Gesagten ist es nicht weiter überraschend, daß der Integralvektor in jedem Augenblick der Herzerregung in eine andere Richtung zeigt, verschwindet und wieder auftaucht, je nach dem Verhalten der unzähligen Einzelvektoren. In Abb. 14 sind die momentanen Integralvektoren für aufeinanderfolgende Erregungsphasen des Herzens dargestellt. Während der Erregungsausbreitung über die Vorhöfe (*P-Zacke*) laufen die Erregungswellen überwiegend von oben nach unten; d.h. die einzelnen Depolarisationsvektoren weisen in der Mehrzahl zur Herzspitze und erzeugen dementsprechend einen *herzspitzenwärts gerichteten Integralvektor*. Wenn die Vorhöfe als Ganzes erregt sind, verschwinden für kurze Zeit die Potentialunterschiede, da sich alle Vorhoffasern in der Plateauphase des Aktionspotentials befinden (vgl. Abb. 13). Die gleichzeitig beginnende Erregungsausbreitung im ventriculären Erregungsleitungs-System erzeugt wegen der geringen erregten Zellmasse keine nennenswerte Potentialdifferenz (*PQ-Strecke*). Erst wenn die Erregung auf das Ventrikelmyokard übergreift, treten wieder nachweisbare Integralvektoren auf. Wie man sieht, beginnt die ventriculäre Erregungsausbreitung auf der linken Seite des Kammerseptums und erzeugt einen nach rechts *basiswärts* gerichteten Integralvektor (*Q-Zacke*). Kurze Zeit später überwiegt die Ausbreitung in Richtung auf die *Herzspitze* (*R-Zacke*). In der Wand des linken und rechten Ventrikels laufen die Erregungen dabei jeweils von innen nach außen. Die ventriculäre Erregungsausbreitung endet mit der Erregung eines Saums an der Basis des linken Ventrikels, wobei der Integralvektor nun nach links *basiswärts* zeigt (*S-Zacke*). Während der Erregungsausbreitung über die Herzkammern (QRS) ist gleichzeitig die Vorhoferregung wieder abgeklungen. Die hierbei nach Abb. 13 auftretenden Repolarisationsvektoren sind in den Integralvektoren von Q, R und S mit „verrechnet". Im Zustand der Totalerregung der Ventrikel (*ST-Strecke*) verschwinden für kurze Zeit ebenso wie bei der Vorhoferregung (PQ-Strecke) und aus den gleichen Gründen die Potentialunterschiede. Während der folgenden Erregungsrückbildung der Ventrikel (*T-Welle*) wird die Richtung des Integralvektors von verschiedenen Einflüssen bestimmt. Einmal summieren sich die Repolarisationsvektoren zu einem Integralvektor. Dazu kommen jedoch zusätzliche Potentialdifferenzen, die auf einer unterschiedlichen Repolarisationsgeschwindigkeit in verschiedenen Ventrikelregionen beruhen (frühere Repolarisation der Spitze gegenüber der Basis bzw. der subendokardialen Schichten gegenüber den subepikardialen). Die Repolarisation schreitet daher von der Spitze zur Basis fort und erzeugt einen nach links *spitzenwärts* gerichteten Integralvektor. Würde die Repolarisation in allen Regionen gleich rasch erfolgen, so würde man erwarten, daß sich der Integralvektor während der Erregungsrückbildung quasi spiegelbildlich zur Erregungsausbreitung verhält.

Richtung der EKG-Ausschläge. Man kann sich leicht davon überzeugen, daß zwischen dem Verhalten des Integralvektors (Abb. 14) und der Ausschlagsrichtung der EKG-Kurve (Abb. 12) ein Zusammenhang besteht: Wenn der Integralvektor zur *Herzspitze* zeigt, erfolgt im EKG ein *positiver* Ausschlag (P, R, T); weist er dagegen zur *Herzbasis,* so wird die EKG-Kurve in *negativer* Richtung, d.h. nach unten ausgelenkt (Q, S). Beim Zustandekommen dieser Beziehung spielt außer der Lage des Integralvektors auch die sog. **Ableitungsrichtung** eine wichtige Rolle, gegeben durch die Verbindungslinie zwischen beiden Ableitungsstellen an der Körperoberfläche. Im Fall von Abb. 12 wurde eine Ableitung zwischen dem rechten Arm und dem linken Bein angenommen. Die Ableitungsrichtung verläuft also in der Frontalebene von rechts oben nach links unten und entspricht damit ungefähr der anatomischen Längsachse des Herzens. Die abgreifbare Spannung verhält sich nun so, als ob sich der *Integralvektor auf diese Ableitungsrichtung projizierte,* d.h. die Spannung ist am größten, wenn beide Richtungen übereinstimmen; sie ist gleich Null, wenn die Richtung des Vektors senkrecht zur Ableitungsrichtung verläuft. Die Polung der Ableitung beruht allerdings auf reiner Konvention. Im vorliegenden Fall ist sie so orientiert, daß eine Negativität des rechten Arms gegenüber dem linken Bein im EKG einen positiven Ausschlag verursacht und umgekehrt. Die Projektionswirkung des Integralvektors

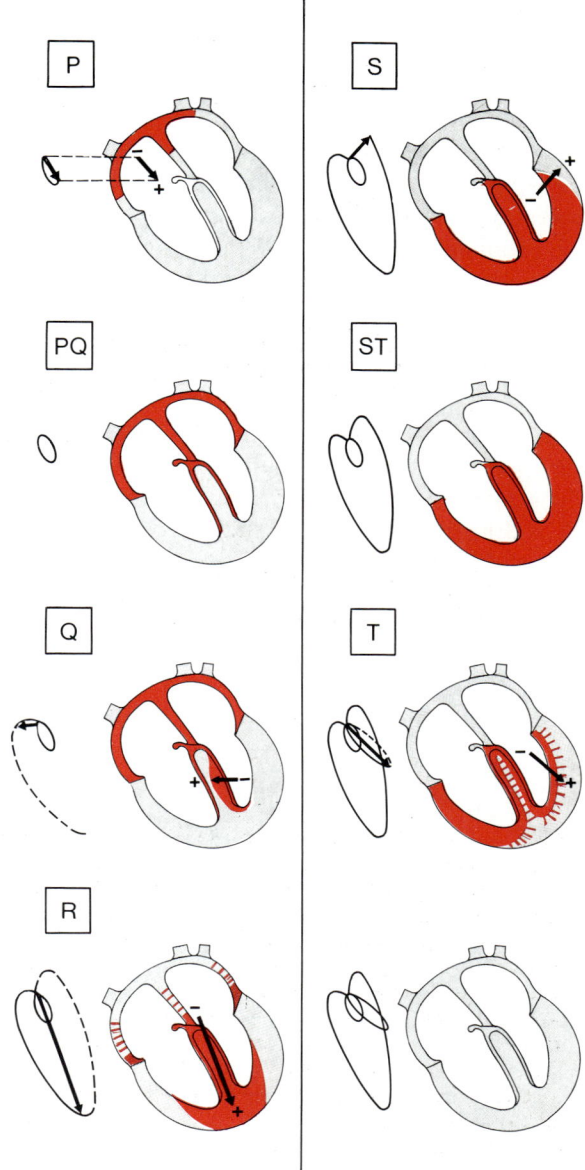

Abb. 14. Zuordnung von Erregungsphasen des Herzens zu bestimmten Abschnitten des EKG. Die schwarzen Pfeile kennzeichnen die Richtung und relative Größe des Integralvektors in dem betreffenden Augenblick. Auf der linken Seite ist der Teil der frontalen Vektorschleife als dicke Linie dargestellt, der bis zu dem betreffenden Zeitpunkt durchlaufen wurde

auf die Ableitungsrichtung kommt dadurch zustande, daß sich der Integralvektor wie ein elektrischer *Dipol* in einem *Volumenleiter* (Körperflüssigkeiten) verhält, wobei die von ihm ausgehenden Feldlinien etwa die gleiche Richtung wie der Integralvektor aufweisen. Durch Inhomogenitäten der elektrischen Leitfähigkeit der Körpergewebe sind jedoch gewisse Verzerrungen der Feldausbreitung unvermeidlich.

Vektorschleife und Vektorkardiographie. Denkt man sich die Integralvektoren während eines Erregungscyclus des Herzens von einem Fußpunkt ausgehend und ihre Spitzen durch einen kontinuierlichen Linienzug verbunden, so entsteht eine dreidimensionale Figur, die **Vektorschleife.** Abb. 14 zeigt, wie sich die Vektorschleife in der Projektion auf die Frontalebene im Verlauf eines Erregungscyclus entwickelt. Mit der in Abb. 15 oben dargestellten Ableitetechnik gelingt es, den Ablauf der Vektorschleife in einer beliebigen Projektionsebene direkt auf dem Bildschirm eines Kathodenstrahloscillographen sichtbar zu machen. Diese Ableitungsmethode wird als **Vektorkardiographie** bezeichnet. Das Prinzip ist in Abb. 15 am Beispiel eines auf die Frontalebene projizierten Integralvektors dargestellt. Ein Elektrodenpaar mit horizontaler Ableitungsrichtung wird über Verstärker mit den vertikalen Ablenkplatten des Oscillographen verbunden und erzeugt eine Auslenkung x des Kathodenstrahls.

entsprechend der Projektion des Integralvektors auf die Ableitungsrichtung. Ein gleichzeitig in vertikaler Richtung angelegtes Elektrodenpaar, das mit den horizontalen Ablenkplatten verbunden ist, bewirkt die Auslenkung y. Als Resultante beider Einflüsse entsteht eine Verlagerung des Kathodenstrahls in der Richtung des untersuchten Integralvektors. Da das gleiche Prinzip auch für alle übrigen Integralvektoren gilt, zeichnet der Kathodenstrahl während eines Erregungscyclus die Hüllkurve um alle Vektorspitzen, d.h. die Vektorschleife. Durch Verlagerung der Abgriffselektroden in die Sagittal- bzw. Horizontalebene kann man auch die Projektionen der Vektorschleife auf diese Ebenen darstellen. Aus je zwei dieser Projektionen ergibt sich das räumliche Bild der Vektorschleife (vgl. Abb. 15 unten).

3.3. Ableitungsformen

Die unterschiedlichen Kurvenformen der gebräuchlichen Extremitäten- und Brustwandableitungen stellen letztlich Projektionen der dreidimensionalen Vektorschleife auf bestimmte Ableitungsrichtungen dar. Die Vektorschleife enthält demnach ebensoviel Information wie alle diese Ableitungen zusammen. Aus praktischen Gründen bevorzugt man jedoch die bekannte Art der EKG-Darstellung in Form von Spannungsänderungen als Funktion der Zeit; denn abgesehen von dem geringeren apparativen Aufwand sind in derartigen Registrierungen die praktisch bedeutsamen zeitlichen Veränderungen der Herzerregung und besonders Rhythmusstörungen viel leichter zu erkennen als aus der Analyse von Vektorschleifen. Allerdings werden für eine erschöpfende Beurteilung dann auch mehrere Ableitungen benötigt.

Man unterscheidet *bipolare* Ableitungen und sogen. „*unipolare*" Ableitungen. Bei den letzteren wird ein definierter Ort der Körperoberfläche gegen eine *Bezugselektrode* abgeleitet, die durch Zusammenschluß von Extremitätenableitungen über hochohmige Widerstände gebildet wird und annähernd — wenn auch nicht in streng physikalischem Sinn — dem elektrischen Nullpunkt entspricht. In der Praxis sind heute vor allem folgende Ableitungsformen üblich (Abb. 16):

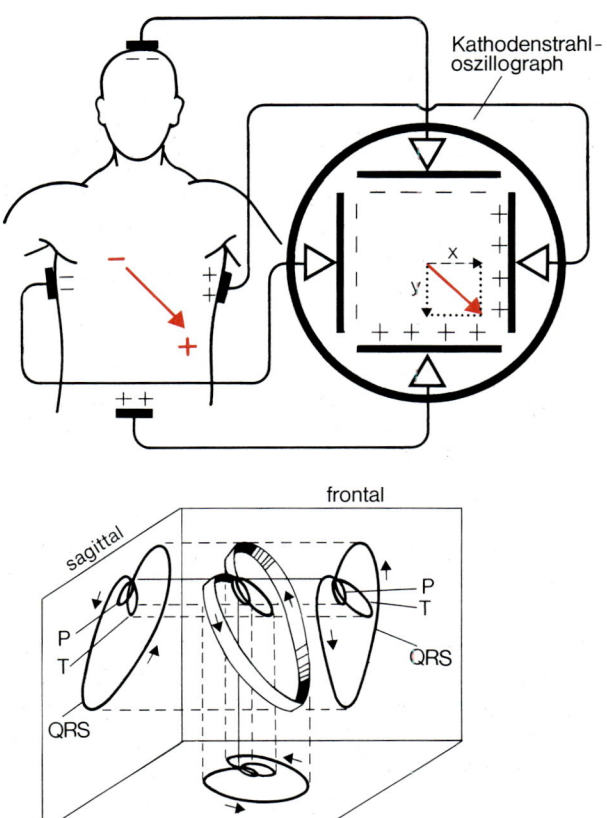

Abb. 15. *Oben:* Prinzip der Vektorkardiographie. Die einander gegenüberliegenden Paare von Ablenkplatten eines Oscillographen stehen über Verstärker mit Paaren von Ableitelektroden in Verbindung. Das Potentialfeld des Integralvektors projiziert sich damit auf die Ablenkplatten und bewirkt eine Auslenkung des Kathodenstrahls (roter Pfeil), die in Größe und Richtung dem Integralvektor in dem betreffenden Augenblick entspricht. *Unten:* Räumliche Darstellung einer Vektorschleife und ihrer Projektionen auf die 3 Ebenen des Raums

Extremitätenableitungen

bipolar: Standardableitungen nach EINTHOVEN (I, II, III);

unipolar: Ableitungen nach GOLDBERGER (aVR, aVL, aVF).

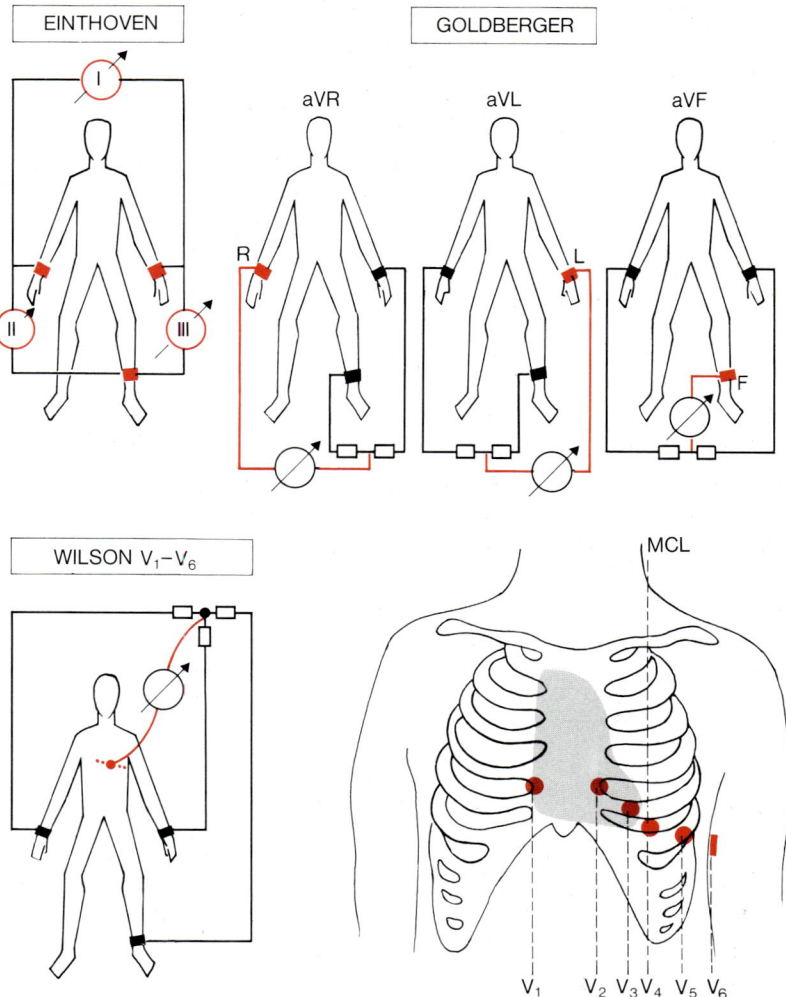

Abb. 16. Gebräuchliche Ableitungsformen des EKG, ihre Abgriffsorte und Verschaltungen. Bei den sog. unipolaren Ableitungen (GOLDBERGER, WILSON) ist jeweils die differente Elektrode rot gezeichnet. Bei den Wilsonschen Brustwandableitungen sind links die Elektrodenschaltung und rechts die Abgriffstellen dargestellt. MCL Medioclavicular-Linie

Brustwandableitungen

bipolar: sogen. kleines Brustwanddreieck nach NEHB (D, A, J), in Abb. 16 nicht dargestellt;

unipolar: Ableitung nach WILSON (V1–V6).

Einthovensches Dreieck. Da bei den bipolaren Extremitätenableitungen nach EINTHOVEN Arme und Beine wie verlängerte Elektroden wirken, liegen die eigentlichen Ableitorte am Rumpf und lassen sich angenähert als Eckpunkte eines gleichseitigen Dreiecks auffassen, dessen Seiten die Ableitungsrichtungen darstellen. In Abb. 17 ist gezeigt, wie sich die Größenverhältnisse der EKG-Ausschläge in den drei Ableitungen aus der Projektion der frontalen Vektorschleife auf die entsprechenden Ableitungsrichtungen ergeben. Die zeitlichen Verhält-

nisse wurden hierbei entsprechend dem normalen EKG-Verlauf angenommen.

Lagetypen. Wie Abb. 17 zeigt, besitzt die frontale Vektorschleife eine längliche Form. Die Richtung des größten Integralvektors während der Erregungsausbreitung wird nicht sehr treffend als **elektrische Herzachse** bezeichnet. Bei normaler Erregungsausbreitung stimmt ihre Richtung in der frontalen Projektion weitgehend mit der anatomischen Längsachse des Herzens überein. Aus den Extremitätenableitungen lassen sich demnach auch Rückschlüsse auf die *Herzlage* ziehen. Die Einteilung in verschiedene Lagetypen orientiert sich an dem Winkel α, den die elektrische Herzachse mit der Horizontalen bildet. Beim **Normaltyp (Indifferenztyp)** — wie er in Abb. 17 oben dargestellt ist — liegt die elektrische Herzachse etwa parallel zu

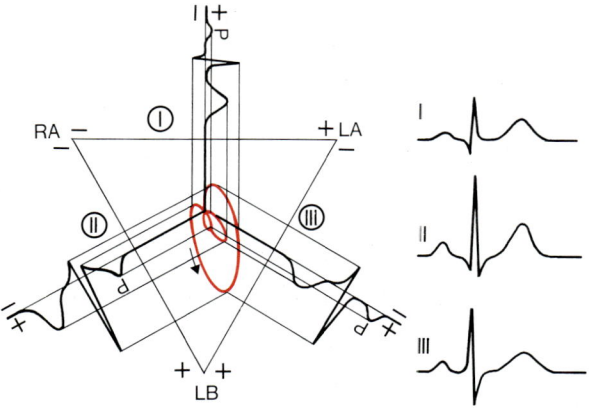

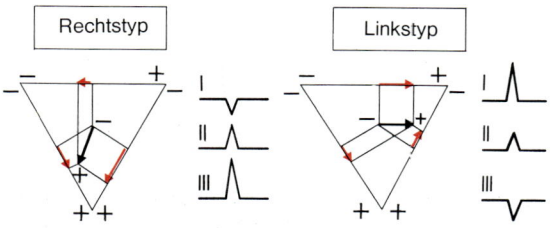

Abb. 17. *Oben:* Dreieckschema nach EINTHOVEN. Die Abgriffspunkte an den Extremitäten sind als Eckpunkte eines gleichseitigen Dreiecks dargestellt (RA rechter Arm, LB linkes Bein). Die Seiten des Dreiecks entsprechen den Ableitungsrichtungen. Die Abbildung zeigt die Projektion der frontalen Vektorschleife auf die drei Ableitungsrichtungen. Auf der rechten Seite ist das Größenverhältnis der verschiedenen Ausschläge in den drei Ableitungen bei der üblichen Darstellung wiedergegeben. Zur genauen zeitlichen Auswertung der Vektorschleife müßte der Kurve noch eine Zeitmarkierung aufgeprägt werden. *Unten:* Richtung und Größenverhältnis der Maximalausschläge der QRS-Gruppen beim Rechtstyp und beim Linkstyp. Positive Ausschläge entstehen, wenn die Polung der Vektorprojektion mit der vorgeschriebenen Polung übereinstimmt

Abl. II; der Winkel zur Horizontalen beträgt +60°. Winkel oberhalb der Horizontalen werden mit negativen Vorzeichen versehen. Allgemein gilt: **Linkstyp** ($-30 < \alpha < +30$); **Indifferenztyp** ($30 < \alpha < 60$); **Steiltyp** ($60 < \alpha < 90$); **Rechtstyp** ($90 < \alpha < 120$).

Bei der Konstruktion der elektrischen Herzachse aus dem EKG mit Hilfe des Einthovenschen Dreieckschemas (Abb. 17 unten) genügen zwei Ableitungen, da sich die dritte jeweils aus den beiden anderen ergibt. Für jeden Zeitpunkt der Herzerregung gilt: Ausschlag in II = Ausschlag in I + Ausschlag in III, wobei Auslenkungen der EKG-Kurve nach unten mit negativem Vorzeichen in die Gleichung eingehen.

Der Zusammenhang zwischen der elektrischen und der anatomischen Herzachse gilt nur bei normaler Erregungsausbreitung. Unter veränderten Erregungsbedingungen kann die elektrische Herzachse stark von der anatomischen abweichen. Die Hauptrichtung der QRS-Schleife gibt dann keine Auskunft mehr über die Herzlage. Sie kann jedoch zusammen mit anderen Zeichen, die auf eine Veränderung des Erregungsablaufs hinweisen, diagnostisch verwertet werden.

Unipolare Extremitätenableitungen. Bei der Ableitung aVR nach GOLDBERGER wird die Spannung zwischen dem rechten Arm und einer Bezugselektrode gemessen, die durch Spannungsteilung zwischen dem linken Arm und dem linken Bein entsteht (vgl. Abb. 16). Als *Ableitungsrichtung,* auf die sich die Vektorschleife projiziert, gilt dann die Winkelhalbierende zwischen Abl. I und Abl. II im Einthovenschen Dreieck (vgl. Abb. 18 (A)). In entsprechender Weise entstehen die Ableitungsrichtungen für aVL und aVF. Die Bezeichnung aVR bedeutet so viel wie „verstärktes" (augmented) VR, wobei VR eine nicht mehr gebräuchliche Ableitung zwischen dem rechten Arm und einer indifferenten Nullelektrode darstellt. In dem Schema von Abb. 18 (B) sind die Richtungen der bipolaren und der unipolaren Extremitätenableitungen so parallel verschoben, daß sie alle den Ursprung der Vektorschleife schneiden. Man erkennt, daß die einzelnen Ableitungs-Richtungen sich jeweils um einen Winkel von 30° unterscheiden. Alle 6 Extremitätenableitungen zusammen liefern daher die wesentlichen Informationen, die in der frontalen Vektorschleife enthalten sind.

Unipolare Brustwandableitungen. Während die beschriebenen Extremitätenableitungen im wesent-

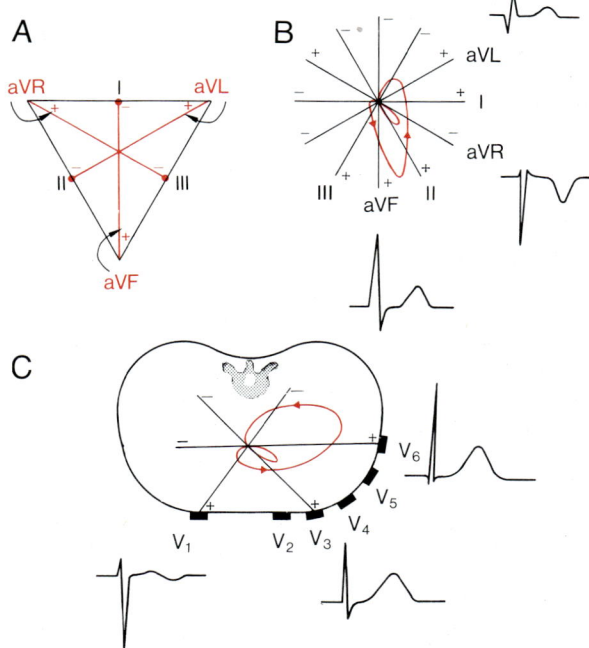

Abb. 18. (A) Ableitungsrichtungen, auf die sich die frontale Vektorschleife bei den unipolaren Extremitätenableitungen nach GOLDBERGER projiziert. (B) Zusammenfassung der Ableitungsrichtungen bei den unipolaren (GOLDBERGER) und den bipolaren (EINTHOVEN) Extremitätenableitungen. Ableitung aVR bildet hinsichtlich der Polung eine Ausnahme. (C) Thoraxquerschnitt in Herzhöhe. Ableitungsrichtungen, auf die sich die horizontale Vektorschleife bei den Brustwandableitungen nach WILSON projiziert, mit 3 Beispielen (V1, V3, V6)

lichen die frontale Projektion der Vektorschleife erfassen, geben die unipolaren Brustwandableitungen nach WILSON vorrangig Auskunft über die *horizontale* Vektorprojektion. Durch Zusammenschaltung der 3 Extremitätenkabel wird eine indifferente Bezugselektrode erzeugt, gegen die definierte Orte auf der Brustwand in Herzhöhe abgeleitet werden (vgl. Abb. 16). In Abb. 18 (C) sind *Ableitungsrichtungen* dargestellt, auf die sich die Vektorschleife bei den verschiedenen Abgriffsorten projiziert. Ein positiver Ausschlag entsteht, wenn der — auf die betreffende Ableitungsrichtung projizierte — Momentanvektor zur Ableitungsstelle hin zeigt. Weist er von der Ableitungsstelle weg, so erfolgt eine Auslenkung in negativer Richtung. Der *Beginn der Negativitätsbewegung* gibt also den Zeitpunkt an, zu dem die Vektorschleife aus einer Bewegung auf die Ableitungsstelle hin in die Gegenrichtung umschwenkt. Dieser Zeitpunkt hat spezielle diagnostische Bedeutung (Erregungsverspätung bei gestörter Erregungsausbreitung in bestimmten Regionen).

3.4. Diagnostische Aussagen

In der kardiologischen Diagnostik spielt das EKG eine wichtige Rolle, um Veränderungen der Herzerregung als Ursache oder Folge von Störungen der Herztätigkeit aufzudecken. Grundsätzlich kann der Arzt aus den Routineableitungen des EKG Informationen folgender Art gewinnen:

Frequenz. Differenzierung zwischen normaler Frequenz (60–90/min in Ruhe), Tachykardie (über 90/min) und Bradykardie (unter 60/min)).

Ursprung der Erregung. Entscheidung, ob Erregungen im Sinusknoten entstehen oder in den Vorhöfen, im AV-Knoten bzw. im rechten oder linken Ventrikel.

Rhythmusstörungen. Unterscheidung nach Art und Ursprung (Sinusarrhythmie, supraventriculäre oder ventriculäre Extrasystolie, Flattern und Flimmern).

Leitungsstörungen. Differenzierung nach Grad und Lokalisation. Leitungsverzögerung oder Leitungsblock. Sinu-atrialer Block, AV-Block, Blockierung einzelner Schenkel oder Fascikel des ventriculären Erregungsleitungs-Systems sowie kombinierte Störungen.

Herzlage. Hinweise auf die anatomische Herzlage (Normaltyp, Linkstyp, Steiltyp, Rechtstyp). Pathologische Lagetypen, die auf zusätzliche Veränderungen des Erregungsablaufs hinweisen (einseitige Hypertrophie, Schenkelblock u.a.).

Extrakardiale Einflüsse. Anhaltspunkte für Einflüsse vegetativer Art, Stoffwechselstörungen, hormonelle Störungen, Elektrolytveränderungen, Vergiftungen, Arzneimittel (Digitalis) u.a.

Primär kardiale Störungen der Erregung. Hinweise auf ungenügende Coronardurchblutung, O_2-Mangelversorgung des Myokards, Entzündungen, Einflüsse von Allgemeinerkrankungen, Traumen, angeborene oder erworbene Herzfehler u.a.

Myokardinfarkt (gänzliche Unterbrechung der Coronardurchblutung in einem umschriebenen Bezirk). Anhaltspunkte hinsichtlich Lokalisation, Ausdehnung und Verlauf.

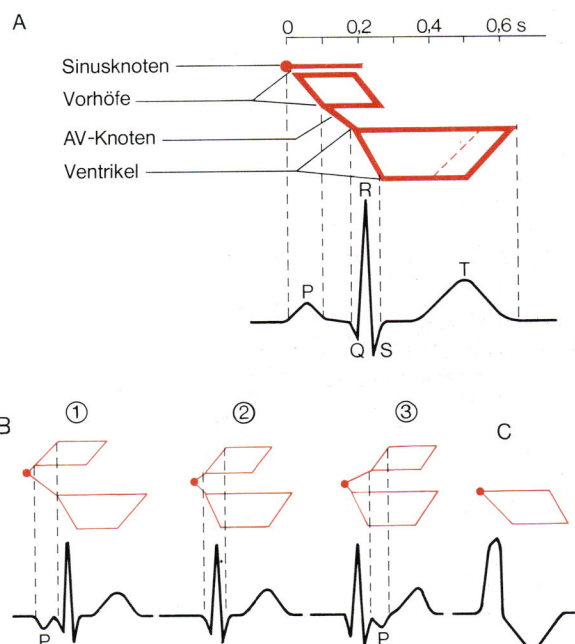

Abb. 19. (A) Schema des normalen Erregungsablaufs im Herzen. Von oben nach unten sind die einzelnen Etappen der Erregungsausbreitung, in Abszissenrichtung die jeweiligen Erregungsdauern aufgetragen. (B) (1–3) Erregungsursprung im Bereich des AV-Knotens mit retrograder Erregung der Vorhöfe (negative P-Welle). In (2) fällt die Vorhoferregung mit QRS zusammen. (C) Erregungsursprung in den Ventrikeln. Die Erregungsausbreitung ist verlängert, der Kammerkomplex stark deformiert

Man sollte sich jedoch eindringlich klarmachen, daß EKG-Veränderungen — abgesehen von einigen typischen Rhythmus- bzw. Leitungsstörungen — in der Regel nur Hinweise auf pathologische Prozesse liefern. Ob ein EKG als krankhaft zu bewerten ist oder nicht, ergibt sich häufig nur aus dem gesamten klinischen Bild. In keinem Falle erlaubt das EKG allein zwingende Rückschlüsse auf die Ursache der beobachteten Abweichungen.

Beispiele. An einigen charakteristischen Beispielen soll gezeigt werden, wie sich Störungen der Erregungsbildung bzw. -leitung im EKG darstellen können. Als Ableitungsform legen wir — falls nichts anderes angegeben wird — die Extremitätenableitung II nach EINTHOVEN zugrunde (vgl. Abb. 12).

Sinusrhythmus. Bei Erregungsursprung im Sinusknoten geht dem Kammerkomplex eine normal geformte P-Welle voraus. In Abb. 19 (A) ist oberhalb der EKG-Kurve ein Schema des Erregungsablaufs eingezeichnet, das sich zur Charakterisierung von Rhythmus- bzw. Leitungsstörungen gut bewährt hat. Es zeigt von oben nach unten die einzelnen Etappen der Erregungsausbreitung und in Abscissenrichtung die Erregungsdauer (absolute und relative Refraktärperiode) der Vorhöfe bzw. der Ventrikel. Die Trapezform des Ventrikelanteils besagt, daß die Erregung in den zuerst erregten Bezirken länger dauert als in den zuletzt erregten (vgl. Abb. 14).

Erregungsursprung im AV-Knoten (Abb. 19 (B)). Entstehen Erregungen im Bereich des AV-Knotens, so werden die Vorhöfe einschließlich des Sinusknotens rückläufig erregt. Als Ausdruck dieser Richtungsumkehr der Erregungsausbreitung über die Vorhöfe ist die *P-Welle negativ*. Der Kammerkomplex zeigt dabei keine Änderung, da die Kammer-Erregung regulär abläuft. Je nach dem Ausmaß der Verzögerung der retograden Vorhoferregung gegenüber dem ventriculären Erregungsbeginn kann die negative P-Welle der QRS-Gruppe vorausgehen (Abb. 19 (B) (1)), in ihr verschwinden (2) oder ihr nachfolgen (3). Nicht ganz exakt spricht man von einem oberen, mittleren und unteren AV-Knotenrhythmus.

Erregungsursprung in den Ventrikeln (Abb. 19 (C)). Auf welchen Wegen sich Erregungen ausbreiten, die im Bereich der Ventrikel entstehen, hängt davon ab, wo ihr Ursprung liegt und wann bzw. wo die Erregung Anschluß an das Erregungsleitungs-System gewinnt. Da die myokardiale Leitung langsamer erfolgt als die Fortleitung über das spezifische System, ist die Dauer der Erregungsausbreitung meist erheblich verlängert. Infolge der veränderten Leitungswege erscheint der ganze Ventrikelkomplex außerdem stark deformiert.

Extrasystolen. Als Extrasystolen werden Herzschläge bezeichnet, die außerhalb eines regulären Grundrhythmus auftreten und diesen vorübergehend verändern. Nach ihrem Erregungsursprung unterscheidet man **supraventriculäre** (Sinusknoten, Vorhof, AV-Knoten) und **ventriculäre** *Extrasystolen*. Im einfachsten Fall kann eine Extrasystole zwischen zwei Normalschläge eingeschaltet sein, ohne den Grundrhythmus weiter zu stören (*interponierte* Extrasystole, Abb. 20 (A)). Interponierte Extrasystolen werden praktisch nur bei langsamem Grundrhythmus beobachtet, wo die langen Erregungsintervalle die Zwischenschaltung einer zusätzlichen Aktion erlauben. Stets handelt es sich dabei um Erregungen ventriculären Ursprungs, die nicht über das — von der vorangehenden Erregung noch refraktäre — Erregungsleitungssystem auf die Vorhöfe zurückgeleitet werden und damit auch den Sinusrhythmus nicht stören. Bei höherer Grundfrequenz folgt dagegen auf eine ventriculäre Extrasystole im allgemeinen eine sog. **kompensatorische Pause.** Wie Abb. 20 (B) zeigt, fällt hierbei eine reguläre Kammererregung aus, weil die vom Sinusknoten ausgehende Erregung die Kammern noch in der absoluten Refraktärzeit der Extrasystole antrifft. Der nächste postextrasystolische Schlag erfolgt daher zum normalen Zeitpunkt. Die Dauer zwischen dem letzten Normalschlag vor der Extrasystole und dem ersten Normalschlag danach entspricht also genau 2 regulären Sinusintervallen. Bei supraventriculären oder ventriculären Extrasysto-

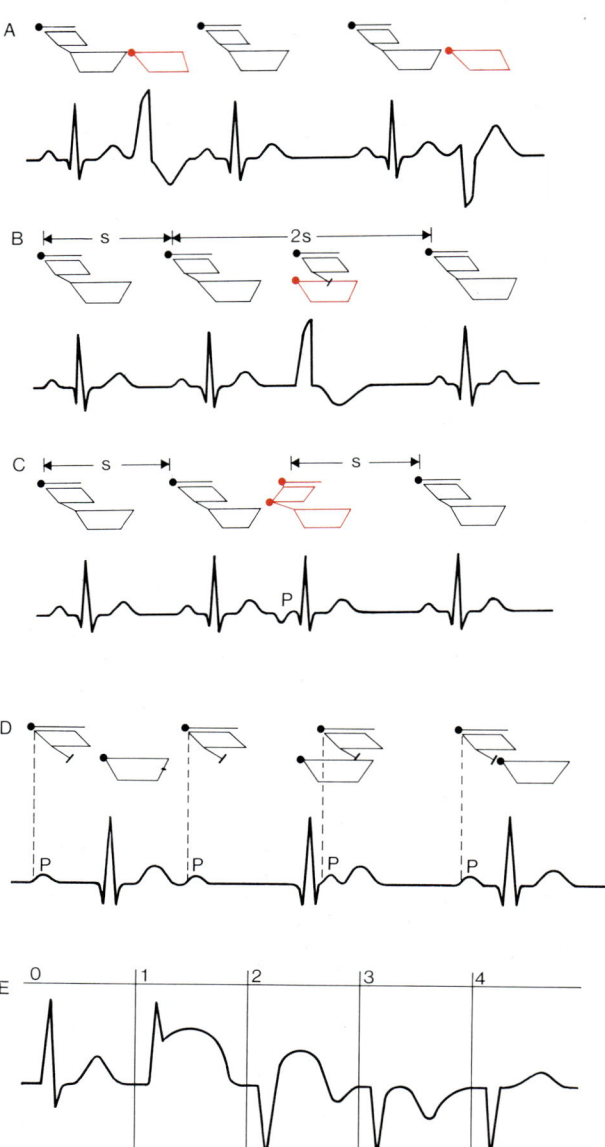

Abb. 20. Beispiele typischer EKG-Veränderungen. (A) Interponierte ventriculäre Extrasystolen. Die unterschiedliche Form deutet auf verschiedene Ursprungsorte in den Herzkammern hin. (B) Ventriculäre Extrasystole mit voll kompensierender Pause. S normales Sinusintervall. (C) Supraventriculäre Extrasystole aus dem Bereich des AV-Knotens mit unvollständig kompensierender Pause. (D) Totaler AV-Block (AV-Block 3. Grades). Vorhöfe und Kammern schlagen unabhängig voneinander, und zwar die Vorhöfe im Sinusrhythmus, die Kammern im langsameren Eigenrhythmus eines tertiären Zentrums. (E) EKG-Umformung im Verlauf eines Myokard-Infarkts. Das Beispiel zeigt Abl. V3 nach WILSON bei Infarcierung der Vorderwand des Herzens. (0) Normalbild vor dem Infarkt, (1) frisches Stadium wenige Stunden nach Infarktbeginn, (2) Zwischenstadium nach mehreren Stunden bis zu einigen Tagen, (3) nach mehreren Tagen bis Wochen, (4) Endstadium Monate bis Jahre nach dem Infarkt

len, die rückläufig auch den Sinusknoten erfassen, wird dagegen der gesamte Grundrhythmus verschoben (Abb. 20 (C)). Man muß sich vorstellen, daß die zurückgeleitete Erregung die angelaufene diastolische Depolarisation im Sinusknoten unterbricht und einen neuen Erregungscyclus anstößt. Auf diese Weise kommt eine abrupte Phasenverschiebung des Grundrhythmus zustande.

Atrio-ventriculäre Leitungsstörungen. In Abb. 20 ist das EKG bei einem *totalen Herzblock* dargestellt. Wie auf S. 349 beschrieben, schlagen dabei Vorhöfe und Kammern unabhängig voneinander, und zwar die Vorhöfe mit der Frequenz des Sinusknotens, die Kammern mit der niedrigeren Eigenfrequenz eines tertiären Automatiezentrums. Der Kammerteil erscheint normal konfiguriert, wenn das tertiäre Zentrum z.B. im His-Bündel liegt, so daß noch eine normale Erregungsausbreitung über die Kammern erfolgt. Ein *partieller Herzblock* liegt vor, wenn die Leitungsblockierung alternierend erfolgt, so daß z.B. jede 2. oder 3. Vorhoferregung auf die Kammern übergeleitet wird (2:1- bzw. 3:1-Block). Gelegentlich findet man, daß das PQ-Intervall von Schlag zu Schlag zunimmt, bis schließlich ein Kammerkomplex ausfällt und daß sich dieses Geschehen periodisch wiederholt (*Wenckebachsche Periode*). Experimentell lassen sich solche Störungen der atrio-ventriculären Leitung leicht erzeugen unter Bedingungen, die das Ruhepotential senken (K^+-Erhöhung, O_2-Mangel u.a.). Starke Depolarisation unterbricht die Erregungsleitung; schwächere Depolarisation verzögert die Erholung des Na^+-Carriers, so daß u.U. nur jede 2. oder 3. zugeleitete Erregung beantwortet wird.

Veränderungen der ST-Strecke und der T-Welle. Schädigungen des Myokards durch Sauerstoffmangel und andere Einflüsse führen an der Einzelfaser im allgemeinen schon zu einem „Plateauverlust" des Aktionspotentials, bevor das Ruhepotential merklich abnimmt. Im EKG äußern sich solche Wirkungen im Verlauf der Erregungsrückbildung, d.h. als Abflachung bzw. Negativierung der T-Welle oder als Anhebung bzw. Senkung der ST-Strecke im Verhältnis zur Nullinie. Beim Verschluß von Coronargefäßen (*Infarkt*) kann die Lokalisation nur aus der Analyse mehrerer Ableitungen — vor allem auch der Brustwandableitungen — ermittelt werden. Dabei ist noch zu berücksichtigen, daß sich die infarktbedingten EKG-Alterationen mit der Zeit erheblich verändern können (vgl. Abb. 20 (E)). Eine — für das frische Infarktstadium charakteristische — monophasische Form des Kammerteils verschwindet, wenn sich der geschädigte Bezirk durch Ausbildung von isolierenden Grenzschichten von der erregbaren Umgebung demarkiert hat.

Vorhofflattern und Vorhofflimmern.

Hierbei handelt es sich um Rhythmusstörungen, bei denen die Erregungsausbreitung über die Vorhöfe unkoordiniert erfolgt, so daß sich einzelne Vorhofbezirke kontrahieren, während andere gleichzeitig erschlaffen (*funktionelle Fragmentation*). Beim **Vorhofflattern** sind im EKG anstelle der P-Wellen sogen. Flatterwellen von sägezahnähnlicher Form mit einer Frequenz von 220 bis 350/min zu sehen (Abb. 21 (A)), denen in periodischen Abständen reguläre Kammerkomplexe folgen. Die partielle AV-Blockierung ist dabei durch die Refraktärzeit des ventriculären Erregungsleitungs-Systems bedingt. Beim **Vorhofflimmern** (Abb. 21 (B)) zeigt sich die Vorhofaktivität nur noch in frequenten (350–600/min) unregelmäßigen Schwankungen der Grundlinie. Die Kammer-

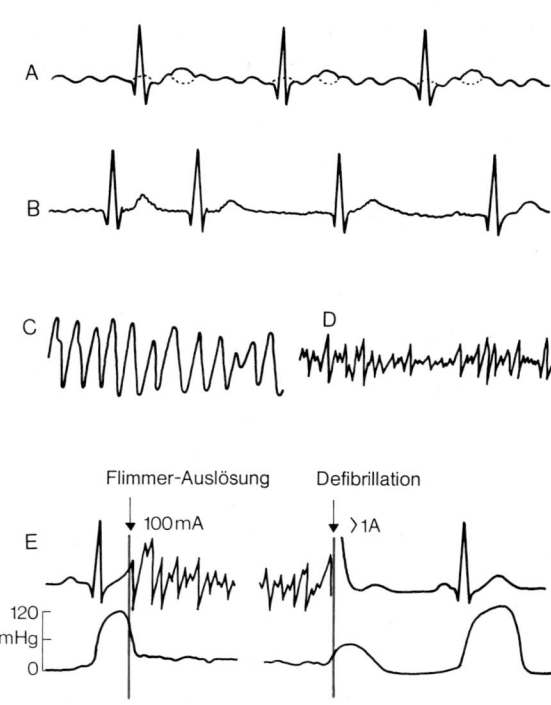

Abb. 21. A–E. EKG-Veränderungen beim Flattern und Flimmern. (A) Vorhofflattern. Flatterwellen während der Ventrikelkomplexe sind punktiert. Nach jeder 4. Flatterwelle erfolgt hier die Überleitung auf die Kammern. (B) Absolute Kammerarrhythmie bei Vorhofflimmern. (C) Kammerflattern. (D) Kammerflimmern. (E) Auslösung von Kammerflimmern durch einen elektrischen Impuls (100 mA) in der vulnerablen Periode. Unterbrechung des Kammerflimmerns durch einen starken Impuls (>1 A). Unter der EKG-Kurve ist das Verhalten des Drucks im linken Ventrikel dargestellt

komplexe treten in irregulären Abständen auf (**absolute Arrhythmie**), sind jedoch, wenn keine zusätzliche Störung vorliegt, normal konfiguriert. Zwischen Vorhofflattern und Vorhofflimmern bestehen fließende Übergänge. Die hämodynamischen Auswirkungen bleiben im allgemeinen gering. Häufig werden die Rhythmusstörungen subjektiv überhaupt nicht wahrgenommen.

Kammerflattern und Kammerflimmern. Viel gravierender sind die Folgen, wenn die gleichen Störungen die Herzkammern betreffen. Infolge der unkoordinierten elektrischen Aktivität kommt keine hämodynamisch wirksame Füllung und Entleerung der Ventrikel zustande. Die Folge ist ein Kreislaufstillstand mit Bewußtlosigkeit, der — wenn er nicht innerhalb von Minuten behoben werden kann — tödlich endet. Im EKG finden sich beim **Kammerflattern** frequente Wellen von hoher Amplitude (Abb. 21 (C)). Das **Kammerflimmern** bietet im EKG ein Bild von sehr unregelmäßigen, in Frequenz, Form und Amplitude rasch wechselnden Potentialschwankungen (Abb. 21 (D)). Flattern und Flimmern können durch vielerlei Schädigungen des Herzens ausgelöst werden: Sauerstoffmangel, Coronarverschluß (Infarkt), Überdehnung, Unterkühlung, Überdosierung von Arzneimitteln, Narkotica usw. Kammerflimmern ist außerdem die häufigste akute Todesursache beim elektrischen Unfall.

Ursachen von Flattern und Flimmern. Die Grundstörung beim Flattern bzw. Flimmern liegt in der elektrischen Aktivität. Als Ursache der unkoordinierten Erregung werden hauptsächlich zwei Mechanismen diskutiert, nämlich 1. Störungen der automatischen Erregungs*bildung* und 2. Störungen der Erregungs*ausbreitung*. Nach der ersten Auffassung liegt dem Flimmern die Entstehung eines oder mehrerer ektopischer Automatiezentren zugrunde, die den betreffenden Herzteil mit hoher Frequenz antreiben und dadurch die reguläre Erregungsbildung und -ausbreitung überspielen. Die zweite Flimmertheorie macht das *Wiedereintreten* (engl. *re-entry*) oder *Kreisen* von Erregungen für das Flimmern verantwortlich. Durch eine Verkürzung der Refraktärzeit und/oder Verminderung der Leitungsgeschwindigkeit soll die Erregungswelle in ihrer räumlichen Ausdehnung so stark verkürzt werden, daß sie im Netzwerk des Myokards nach Durchlaufen einer Wegstrecke ihren Ausgangspunkt wieder erregbar vorfindet und erneut in dieselbe oder eine ähnliche Bahn einmündet. Nach heutiger Auffassung ist es wahrscheinlich, daß beide Mechanismen beim Flimmern eine Rolle spielen, indem *ektopische Foci* in erster Linie für die *Flimmerauslösung, kreisende Erregungen* dagegen für seine *Fortdauer* verantwortlich sind. Zwischen Flattern und Flimmern bestehen nur graduelle Unterschiede im Ausmaß der funktionellen Fragmentation, d.h. in der Größe der Areale, die unabhängig voneinander aktiviert werden.

Vulnerable Periode. Experimentell, aber auch beim Elektrounfall des Menschen kann Flattern oder Flimmern durch einen einzelnen überschwelligen elektrischen Reiz ausgelöst werden, wenn er das Herz in einer bestimmten Phase der *Erregungsrückbildung* trifft. Diese sogen. *vulnerable Periode* fällt im EKG etwa mit der aufsteigenden Flanke der T-Welle zusammen (vgl. Abb. 21 (E)). Zu diesem Zeitpunkt sind Teile des Herzens noch absolut refraktär, andere relativ. Erregungen, die in der relativen Refraktärperiode ausgelöst werden, weisen, wie auf S. 351 beschrieben, eine kurze Refraktärzeit auf und werden langsamer fortgeleitet. Damit sind jedoch entscheidende Voraussetzungen für den Wiedereintritt erfüllt. Auch spontane Extrasystolen können so u.U. zum Flimmern führen, wenn sie in der vulnerablen Periode vorausgehender Erregungen auftreten.

Elektrische Defibrillation. Der elektrische Strom kann Flattern und Flimmern des Herzens auslösen. Er kann — in geeigneter Form appliziert — auch ein bestehendes Flattern bzw. Flimmern unterbrechen. Man benötigt dazu einen kurzdauernden Impuls von einigen Ampère Stärke, der mit großflächigen Elektroden durch die intakte Brustwand auf das Herz appliziert wird und die Rhythmusstörungen meist augenblicklich beendet (vgl. Abb. 21 (E)). Die elektrische *Defibrillation* stellt bis heute die wirksamste Methode der Flatter- bzw. Flimmer-Beseitigung dar.

Der rhythmisierende Effekt kommt wahrscheinlich dadurch zustande, daß der breitflächig einwirkende Strom die — zwischen den kreisenden Erregungen vorhandenen — erregbaren Myokardbezirke synchron in Erregung und damit in einen refraktären Zustand versetzt, so daß den kreisenden Erregungen gewissermaßen der Weg verlegt wird. Der Erfolg einer elektrischen Defibrillation ist allerdings entscheidend davon abhängig, daß in der Zeit zwischen dem Beginn des Kammerflimmerns und der elektrischen Defibrillation infolge des Kreislaufstillstandes keine irreversiblen Organveränderungen auftreten (Wiederbelebungszeit des Gehirns 8–10 min). Dieser Gefahr kann durch künstliche Aufrechterhaltung eines Minimalkreislaufs durch äußere Herzmassage in Verbindung mit Mund-zu-Mund-Beatmung vorgebeugt werden (vgl. XX-2.5). Diese Methode sollte schon jeder Medizinstudent beherrschen.

4. Die mechanische Herzaktion

Die beschriebenen Erregungsvorgänge des Herzens stehen letzten Endes im Dienste seiner mechanischen Funktion. Durch die Erregung werden die Herzmuskelzellen zur Kontraktion veranlaßt. Die Transformation von Kontraktion und Erschlaffung des Myokards in einen gerichteten Bluttransport aus dem venösen in das arterielle Gefäßsystem setzt neben der Anordnung der Muskulatur als Hohlkörper noch Ventileinrichtungen voraus, die einen Rückstrom des Blutes verhindern. Diese Aufgabe wird von den Herzklappen erfüllt.

4.1. Ventilwirkung der Herzklappen

Herzklappen finden sich an den Ein- und Auslaßöffnungen beider Ventrikel. Die *Atrio-Ventricularklappen* zwischen Vorhöfen und Kammern (Mitralklappe links, Tricuspidalklappe rechts) dienen zur Abdichtung der Ventrikel gegen die Vorhöfe während der Systole; die *Aorten-* und die *Pulmonalklappen* an der Wurzel der großen Arterien verhindern den Rückstrom von Blut in die Kammern während der Diastole (vgl. Abb. 22).
Bei den AV-Klappen handelt es sich um häutige Segel (*Segelklappen*), die trichterförmig in die Kammern hineinhängen und über Sehnenfäden mit Papillarmuskeln in Verbindung stehen. Diese Zügelung verhindert ein Durchschlagen der Segel in die Vorhöfe. Die Flächen der Segelklappen sind erheblich größer, als der zu verschließenden Öffnung entspricht. Durch breites Aneinanderlegen der Klappenränder wird so auch bei Veränderungen der Ventrikelgröße ein zuverlässiger Verschluß garantiert. Die Aorten- und Pulmonalklappen umgeben die Gefäßöffnung in Gestalt von je drei halbmondförmigen Taschen — daher auch die Bezeichnung

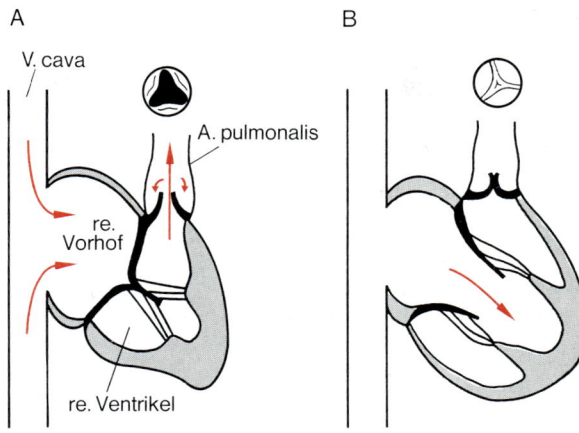

A **B**

Abb. 22 A und B. Halbschematischer Längsschnitt durch die rechte Herzhälfte zur Darstellung des Klappenspiels und des Ventilebenenmechanismus. (A) Diastole des Vorhofs und Systole der Kammer. Tricuspidalklappe geschlossen, Pulmonalklappen geöffnet. Durch die Verlagerung der Ventilebene in Richtung zur Herzspitze wird Blut in den Vorhof angesaugt. (B) Systole des Vorhofs und Diastole der Kammer. Tricuspidalklappe geöffnet, Pulmonalklappen geschlossen. Die Einsatzfiguren oben zeigen die Pulmonalklappen in Aufsicht

als *Taschen*- oder *Semilunarklappen*. Bei geschlossenen Klappen liegen die Ränder „mercedessternförmig" aneinander (Abb. 22). Ein rascher diastolischer Verschluß mit minimalem Rückstrom wird durch das sogen. „Stellen" der Klappen erreicht: Aus strömungstechnischen Gründen (Bernoulli-Effekt) nähern sich die Klappenränder im Blutstrom einander an, und zwar um so mehr, je größer die Strömungsgeschwindigkeit ist.

Klappenfehler. Wer Gelegenheit hat, das Öffnen und Schließen der Herzklappen an einem gefensterten Tierherzen zu beobachten, ist überrascht, mit welcher Schnelligkeit und Präzision diese Bewegungen erfolgen. Infolgedessen bedeutet es auch eine schwere Beeinträchtigung der Herztätigkeit, wenn z.B. durch entzündliche Prozesse Veränderungen der Herzklappen entstehen, die eine ungenügende Öffnung (*Stenose*) oder einen undichten Verschluß (*Insuffizienz*) zur Folge haben. Den betroffenen Herzteilen wird dadurch eine stärkere Druckentwicklung oder die Förderung eines größeren Volumens aufgebürdet — eine Belastung, auf die das Myokard mit Hypertrophie bzw. Dilatation reagiert. Derartige Anpassungsvorgänge können die gestörte Klappenfunktion u.U. über Jahre kompensieren.

4.2. Aktionsphasen

Das Spiel der Herzklappen wird im wesentlichen vom Verhalten des Drucks in den angrenzenden Herzhöhlen bzw. Gefäßen bestimmt. Gleichzeitig wirkt das Öffnen und Schließen der Klappen auf den Kontraktionsmodus des Myokards zurück. Dementsprechend lassen sich sowohl in der Systole als auch in der Diastole Aktionsphasen gegeneinan-

der abgrenzen, in denen entweder vorwiegend Druckänderungen bei konstantem Volumen oder vorwiegend Volumenverschiebungen bei relativ geringen Änderungen des Drucks erfolgen. In der Systole unterscheidet man eine **Anspannungsphase** und eine **Austreibungsphase**, in der Diastole eine **Entspannungs-** und eine **Füllungsphase**. In Abb. 23 sind die zeitlichen Beziehungen der Aktionsphasen zu verschiedenen Vorgängen und Meßgrößen zusammengefaßt.

Anspannungsphase. Im Beginn der Kammersystole führt der Anstieg des intraventriculären Drucks sofort zum Verschluß der AV-Klappen. Da die Arte-

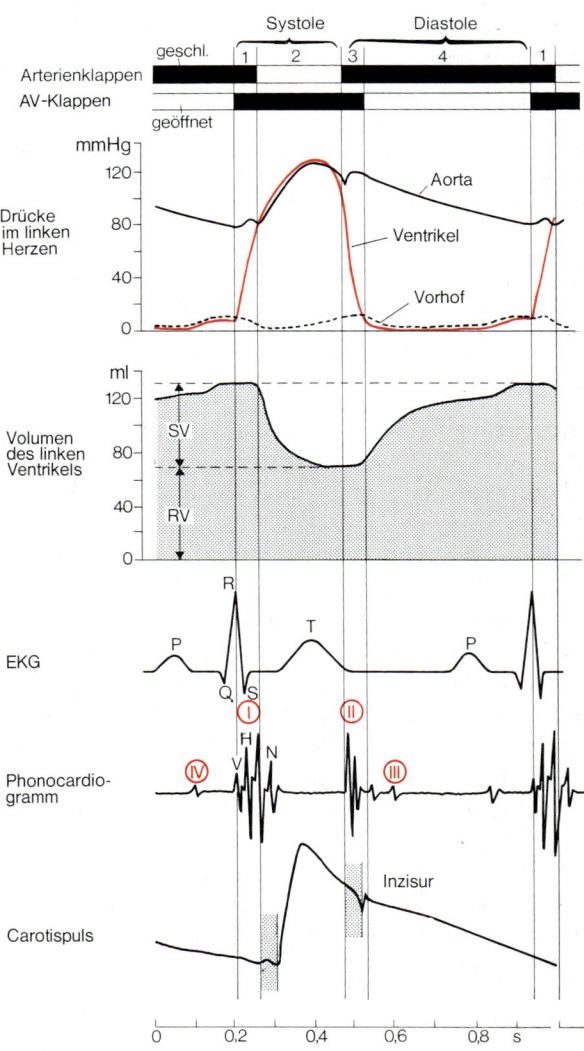

Abb. 23. Zeitliche Zuordnung einiger Registriergrößen bzw. Vorgänge zu den Aktionsphasen des Herzens. Erklärung der Abkürzungen: 1) Anspannungsphase, 2) Austreibungsphase, 3) Entspannungsphase, 4) Füllungsphase, SV Schlagvolumen, RV Restvolumen. Die schwarzen Querbalken im oberen Teil des Diagramms markieren die Dauer des Verschlusses der betreffenden Klappen

rienklappen zunächst ebenfalls noch verschlossen sind, spannt sich die Ventrikelmuskulatur um den inkompressiblen Inhalt an und bewirkt einen weiteren steilen Druckanstieg (vgl. Abb. 23). Obwohl sich das Ventrikelvolumen in dieser Phase noch nicht ändert, liegt keine rein isometrische Kontraktion vor, da eine Umformung der Ventrikel mit partieller Faserverkürzung erfolgt. Man spricht daher besser von einer *isovolumetrischen* Kontraktion. Die Dauer der Anspannungsphase beträgt bei normaler Schlagfrequenz unter Ruhebedingungen im linken Ventrikel etwa 60 ms.

Austreibungsphase. Wenn der intraventriculäre Druck den diastolischen Aortendruck von ca. 80 mm Hg übertrifft, öffnen sich die Taschenklappen und die Austreibung beginnt. Der Ventrikeldruck steigt dabei zunächst noch weiter bis zu einem Maximalwert von ca. 130 mm Hg an und fällt dann gegen Ende der Systole wieder ab. Wie die Volumenkurve in Abb. 23 zeigt, wirft der Ventrikel unter Ruhebedingungen in der Austreibungsphase nur etwa die Hälfte seines Inhalts von etwa 130 ml als **Schlagvolumen** (SV) in die Aorta aus. Es bleibt also am Ende der Systole ein **Restvolumen** (RV) von ca. 70 ml in der Herzkammer zurück. Der Verschluß der Aortenklappe, der das Ende der Systole markiert, erfolgt etwas später, als man nach dem Verhalten des Drucks erwarten würde (vgl. Abb. 23). Diese Diskrepanz erklärt sich aus der Trägheit des systolisch beschleunigten Blutvolumens, das aufgrund der ihm erteilten kinetischen Energie noch kurze Zeit — sogar entgegen dem herrschenden Druckgefälle — weiterfließt.

Entspannungsphase. Ähnlich wie die Systole beginnt auch die Diastole mit einer kurzen Phase (ca. 50 ms), in der zunächst noch alle Klappen geschlossen sind. Sie verläuft als isovolumetrische Erschlaffung. Der intraventriculäre Druck fällt hierbei rasch auf nahezu 0 ab. Beim Unterschreiten des Vorhofdrucks öffnen sich die AV-Klappen. Damit beginnt die Füllung des Ventrikels für die nächste Systole.

Füllungsphase. In dieser Phase steigt der Ventrikeldruck nur wenig an. Die Volumenvergrößerung geschieht anfangs schnell (*rasche Füllungsperiode*), dann langsamer (*Diastase*). Bei normaler Herzfrequenz ist die Kammerfüllung zur Zeit der Vorhofkontraktion fast völlig abgeschlossen, so daß die Vorhofsystole nur noch einen geringfügigen zusätzlichen Effekt hat (Volumenzunahme um etwa 8%). Anders liegen die Verhältnisse bei höherer Herzfrequenz, bei der sich die Diastole stärker verkürzt als die Systole. Unter diesen Bedingungen kann die

Vorhofkontraktion noch wesentlich zur Füllung der Ventrikel beitragen.

Vergleich mit dem rechten Herzen. Die am Beispiel des linken Herzens dargestellten Aktionsphasen können in prinzipiell gleicher Weise auch beim rechten Herzen nachgewiesen werden. Wegen des geringeren Gefäßwiderstands im kleinen Kreislauf kommt das rechte Herz jedoch mit wesentlich kleineren systolischen Drücken aus (vgl. S. 384). Die Schlagvolumina sind bei beiden Ventrikeln etwa gleich groß. Die Aktionsphasen beider Herzhälften stimmen zeitlich nicht exakt überein: So beginnt die Anspannungsphase des rechten Ventrikels nach der des linken, dauert jedoch wegen des geringeren Druckanstiegs kürzer. Dementsprechend setzt die Austreibungsphase im rechten Ventrikel schon früher ein als im linken. Trotzdem wird das Ende der Systole im rechten Ventrikel etwas später erreicht als im linken. Die Zeitversetzungen sind relativ gering (Größenordnung 10–30 ms) und beim normalen Herzen praktisch ohne Einfluß auf die Hämodynamik.

Allgemeine Beziehungen zwischen Wandspannung und Druck. Der oben beschriebene Anstieg des Ventrikeldrucks in der Austreibungsphase ist nicht — wie man leicht meinen könnte — durch eine zusätzliche Kraftentwicklung der Ventrikelmuskulatur bedingt, sondern das physikalisch begründete Ergebnis der Größenänderung des Herzens. Zur Erklärung: Zwischen der muskulären Wandspannung K (Kraft pro Querschnitt der Wand) und dem Innendruck P eines kugelförmigen Hohlkörpers vom Radius r und der Wanddicke d gilt nach LAPLACE die Beziehung:

$$K = P \, \frac{r}{2d} \quad \text{bzw.} \quad P = K \, \frac{2d}{r}.$$

Wenn man den Ventrikel als eine Hohlkugel betrachtet und berücksichtigt, daß in der Austreibungsphase der Radius abnimmt während die Wanddicke wächst, so ist nach der obigen Beziehung bei konstanter Kraft ein Anstieg des Innendrucks zu erwarten. Umgekehrt ist bei gegebenem Druck die — auf eine Flächeneinheit des Wandquerschnitts wirkende — Kraft proportional dem Radius und umgekehrt proportional der Wanddicke. Diese Beziehung hat wichtige Konsequenzen, auf die wir in verschiedenen Zusammenhängen noch zurückkommen werden.

4.3. Funktionelle Struktur und Bewegungsmuster der Herzkammern

Auf einem Querschnitt durch das Herz in Höhe der Ventrikelmitte fällt die ungleiche Ausbildung der Muskulatur beider Kammern auf (Abb. 24). Sie ist ein Ausdruck der Anpassung des Herzens an die unterschiedliche Belastung der Ventrikel.

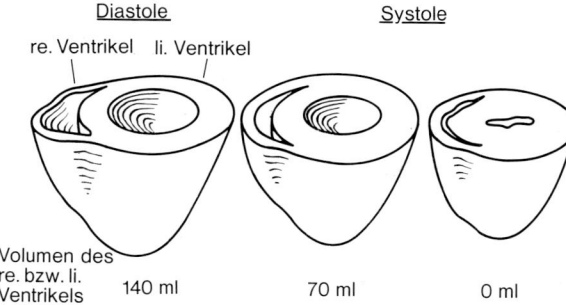

Abb. 24. Querschnitt durch das Herz zur Verdeutlichung der unterschiedlichen Form und Wandstärke beider Ventrikel

Aber nicht nur hinsichtlich der Muskelmasse, sondern auch in ihrer funktionellen Struktur bestehen charakteristische Unterschiede: So verfügt der linke Ventrikel über eine sehr kräftige *Ringmuskulatur,* die den Hauptanteil der Ventrikelwand ausmacht. An diesen Hohlzylinder aus circulär verlaufenden Fasern ist außen und innen eine Schicht von sogen. *Spiralmuskeln* angelagert, die von der Basis zur Spitze ziehen. Die Wand des rechten Ventrikels besteht fast nur aus solchen Spiralmuskelzügen; die Ringmuskulatur ist dagegen relativ schwach entwickelt.

Kontraktionsablauf im rechten Ventrikel. Schon allein aus der Anordnung der Muskulatur des rechten Ventrikels lassen sich Schlüsse auf seine Arbeitsweise ziehen: Wie Abb. 24 zeigt, ist die rechte Kammer wie eine dünnwandige halbmondförmige Schale dem linken Ventrikel angelagert. Die den Hohlraum begrenzende Oberfläche ist daher im Verhältnis zum Volumen groß. Schon eine geringe Verschiebung der Wand gegen das Septum muß infolgedessen eine relativ große Volumenänderung bewirken. Da der Strömungswiderstand im kleinen Kreislauf niedrig ist, bedarf es keines großen Kraftaufwands, um den erforderlichen Druck zur Austreibung des Schlagvolumens zu erzeugen. Die systolische Verkleinerung des rechten Ventrikels wird außerdem noch durch die Vorwölbung des Septums unterstützt, das sich bei der Kontraktion des linken Ventrikels stärker krümmt.

Kontraktionsablauf im linken Ventrikel. Die kräftige Ringmuskulatur des linken Ventrikels ist sehr gut geeignet, den hohen Druck zu erzeugen, der für den Auswurf des Schlagvolumens in den großen Kreislauf benötigt wird. Bei normaler diastolischer Füllung erfolgt die Austreibung vorwiegend durch Verkürzung dieses Muskelanteils. Nimmt jedoch die Füllung aus irgendeinem Grunde ab, so vermindert sich zwangsläufig der Ventrikelradius und damit auch der Verkürzungsspielraum der Ringmuskulatur. Die mehr in Längsrichtung verlaufenden Spiralmuskeln werden dagegen prozentual weniger stark entdehnt und können daher bei abnehmender Füllung einen wachsenden Anteil der Austreibungsarbeit des linken Ventrikels übernehmen. Anstelle der vorherrschenden Querschnittsverkleinerung bei normaler Füllung erfolgt also bei kleinem enddiastolischem Volumen eine stärkere Verkürzung des Ventrikels in der Längsrichtung, die wiederum für den — gleich zu besprechenden — sog. Ventilebenen-Mechanismus von entscheidender Bedeutung ist.

Ventilebenen-Mechanismus. Wir haben die Ventrikelsystole bisher nur unter dem Aspekt des Blutauswurfs aus dem Herzen betrachtet. Beim Ventilebenen-Mechanismus haben wir es dagegen mit einer Wirkung der Systole zu tun, die eng mit der diastolischen Füllung zusammenhängt. Kurz gesagt: Während der Austreibungsphase pressen die Ventrikel in *einem* Arbeitsgang Blut in die großen Arterien aus und saugen gleichzeitig Blut aus den großen Venen in die Vorhöfe hinein an. Die Sogwirkung kommt dadurch zustande, daß sich die Ventilebene — d.h. die Grenzfläche zwischen Vorhöfen und Herzkammern, in der die Herzklappen liegen — in Richtung zur Herzspitze verschiebt und die inzwischen erschlafften Vorhöfe dehnt. Dieser Effekt ist beim rechten Ventrikel besonders deutlich ausgeprägt, da hier die Spiralmuskeln überwiegen, die den Ventrikel in der Längsachse verkürzen. Im linken Ventrikel verstärkt sich die Wirkung — wie oben beschrieben — mit abnehmendem enddiastolischen Volumen. Am Ende der Austreibungsphase sind die Vorhöfe also prall mit Blut gefüllt (Abb. 22 (A)). Sobald nun die Ventrikelmuskulatur erschlafft, kehrt die Ventilebene bei weit geöffneten AV-Klappen in ihre Ausgangslage zurück und schiebt sich dabei gewissermaßen über das — in den Vorhöfen bereitgestellte — Blutvolumen hinweg (Abb. 22 (B)). Auf diese Weise wird eine rasche initiale Füllung der Ventrikel garantiert, die besonders bei erhöhter Herzfrequenz mit entsprechend verkürzter Diastolendauer ins Gewicht fällt. Die nachfolgende Vorhofkontraktion trägt dann u.U. nur noch unwesentlich zur Ventrikelfüllung bei.

Man kann sich fragen, weshalb eine Verkürzung der Ventrikel in ihrer Längsachse zur Senkung der Ventilebene und nicht etwa zur Anhebung der Herzspitze führt, wie sie beispielsweise bei einem isolierten, an einer Aortenkanüle befestigten Herzen zu beobachten ist. Die Erklärung ist einfach: Eine Anhebung der Herzspitze kann in situ deshalb nicht erfolgen, weil zwischen dem Herzen und dem es umschließenden Herzbeutel ein inkompressibler (und damit auch undehnbarer) Flüssigkeitsspalt besteht und der Herzbeutel selbst am Zwerchfell verankert ist. Eine Verlagerung der Herzspitze zur Basis wird also einfach durch den „horror vacui" verhindert.

Der beschriebene Ventilebenen-Mechanismus ist nicht allein für die Bereitstellung von Blut zur diastolischen Füllung der Ventrikel verantwortlich. Auch die diastolische Erschlaffung der Ventrikel selbst erzeugt eine gewisse Saugwirkung, die auf dem passiv elastischen Ausgleich von Verformungen beruht, die während der Systole erfolgten. Man kann diese Wirkung mit dem Zurückschnappen des eingedrückten Gummisaugers einer Pipette vergleichen. Auf weitere Triebkräfte des venösen Rückstroms zum Herzen wird bei der Besprechung des Kreislaufs näher eingegangen.

4.4. Äußere Signale der Herztätigkeit

Um beim Menschen Aufschlüsse über die Funktionsweise des Herzens zu gewinnen, ist man gewöhnlich auf äußerlich nachweisbare Begleiterscheinungen der Herzaktion angewiesen. Eine Reihe von wichtigen Signalen können mittels geeigneter Registriereinrichtungen ohne nennenswerte Belästigung von der Körperoberfläche abgegriffen werden. Wir haben bereits das *EKG* als Indiz der elektrischen Erregungsvorgänge des Herzens kennengelernt. An mechanischen Äußerungen der Herzaktion sind u.a. von praktischer Bedeutung: der *Herzspitzenstoß*, der *Herzschall*, der *Arterienpuls* und der *Venenpuls*.

Herzspitzenstoß. Bei mageren Menschen kann man den Herzspitzenstoß leicht mit den Fingern fühlen und u.U. auch als schnelle Bewegung der Haut im 5. Intercostalraum links medioclaviculär sehen. Die Bezeichnung „Herzspitzenstoß" ist allerdings etwas irreführend, da die Erschütterungen der präcordialen Brustwand nicht einfach durch das Anstoßen der Herzspitze entstehen. Als Ursache wirken vielmehr Form-, Volumen- und Lageänderungen des Herzens in komplizierter Weise zusammen. Aus der Registrierung des Herzspitzenstoßes (Mechano-Kardiogramm, Apex-Kardiogramm) lassen sich gewisse Rückschlüsse auf die *Füllungsphase des linken Ventrikels* ziehen.

Herzschall. Während der Herzaktion werden auch höher frequente Schwingungen (15–400 Hz) auf die Brustwand übertragen, die bei aufgelegtem Ohr oder mit Hilfe eines Hörrohrs (*Stethoskop*) als charakteristische *Herztöne* wahrnehmbar sind.

Physikalisch versierte Leser müssen sich nolens volens damit abfinden, daß man diese Schallerscheinungen als „Töne" bezeichnet, obwohl es sich nicht um rein periodische Schwingungen handelt. Der eher zutreffende Ausdruck „Herzgeräusche" ist jedoch seit langem für bestimmte Normabweichungen des Herzschalls reserviert (s.u.).

Beim Abhorchen (*Auscultation*) kann man in der Regel ohne Schwierigkeit einen **I. Herzton** zu Beginn der Systole und einen **II. Herzton** zu Beginn der Diastole unterscheiden. Der dumpfe längere I. Herzton ist komplexer Natur. Er kommt hauptsächlich dadurch zustande, daß sich das Ventrikelmyokard beim Schluß der AV-Klappen ruckartig um den inkompressiblen Inhalt anspannt und dabei samt den geschlossenen AV-Klappen in Schwingungen gerät, die sich auf die Brustwand übertragen (*Anspannungston*). Der kürzere helle II. Herzton entsteht beim Zuschlagen der Taschenklappen von Aorta und A. pulmonalis (*Klappenton*), wobei auch die Blutsäulen in den großen Gefäßen in Schwingung geraten. Die günstigsten Auscultationsstellen für den II. Herzton liegen dementsprechend nicht direkt über dem Herzen, sondern in der Richtung des Blutstroms verschoben, d.h. für die Aortenklap-

pen im 2. Intercostalraum rechts vom Sternum, für die Pulmonalklappen links. Für den I. Herzton liegen die besten Auscultationsstellen dagegen unmittelbar über den Ventrikeln, d.h. etwa im 5. Intercostalraum links medioclaviculär (linkes Herz) bzw. rechts am Rand des Sternums (rechtes Herz).

Phonokardiographie. Mittels geeigneter Mikrophone und Registriereinrichtungen können die Wellen des Herzschalls direkt aufgezeichnet werden (Abb. 23). Das sog. *Phonokardiogramm* bietet neben dem Vorteil der Dokumentation von Befunden auch die Möglichkeit, die zeitlichen Relationen des Herzschalls zu anderen Vorgängen zu analysieren. Durch Einschaltung von Frequenzfiltern gelingt es darüber hinaus, verschiedene Schallkomponenten gegeneinander abzugrenzen und pathologische Geräusche zu klassifizieren. Beim Vergleich des Phonokardiogramms mit dem subjektiv gehörten Herzschall können erhebliche Differenzen auftreten, die auf der unterschiedlichen Empfindlichkeit des Ohrs für verschiedene Frequenzbereiche beruhen (vgl. S. 273).

I. Herzton. Man unterscheidet ein sog. *Vorsegment* von kleiner Amplitude und niedriger Frequenz (V in Abb. 23), ein *Hauptsegment* (H) und ein *Nachsegment* (N). Das Vorsegment entsteht durch die Umformung des linken Ventrikels im Beginn der Anspannungsphase. Das Hauptsegment markiert den steilen ventriculären Druckanstieg. Das Nachsegment reicht in den Beginn der Austreibungsphase hinein.

II. Herzton. Der Beginn des II. Herztons fällt gewöhnlich mit dem Ende der T-Welle des EKG zusammen und signalisiert das *Ende der Austreibungsphase*. Gelegentlich ist eine Spaltung des zweiten Tons in eine erste Komponente beim Schluß der Aortenklappen und eine zweite beim Schluß der Pulmonalklappen zu erkennen. Im Beginn der Füllungsphase sind außerdem beim Öffnen der Mitral- bzw. Tricuspidalklappen Schallschwingungen zu registrieren (*Mitral-* bzw. *Tricuspidal-Öffnungston*), die zur Abgrenzung dieser Phase gegen die vorangehende Entspannungsphase herangezogen werden.

III. Herzton und IV. Herzton. Durch den Ruck der Kammerwand beim Einströmen des Blutes in der frühen Füllungsphase wird ein sog. III. Herzton ausgelöst, der jedoch im allgemeinen nur bei Kindern wegen der günstigeren Schalleitungsbedingungen hörbar ist. Am Ende der P-Welle und vor Beginn der Q-Zacke des EKG kann gelegentlich eine Schwingung registriert werden, die durch die Kontraktion der Vorhöfe entsteht. Dieser sog.

IV. Herzton ist bei der gewöhnlichen Auscultation nicht wahrnehmbar.

Herzgeräusche. Die als Herzgeräusche bezeichneten Veränderungen des normalen Herzschalls beruhen hauptsächlich auf Turbulenzen des Blutstroms. Sie unterscheiden sich von den Herztönen durch eine höhere Frequenz (800 Hz), eine längere Dauer und ein allmähliches An- bzw. Abklingen. Häufige Ursache von Herzgeräuschen sind angeborene oder erworbene Stenose oder Insuffizienz der Herzklappen, aber z.B. auch Defekte des Vorhof- bzw. Kammerseptums u.a. Für die Diagnostik sind neben dem Geräuschcharakter der Zeitpunkt (systolisch, diastolisch) und die Auscultationsstelle, an der das Geräusch am deutlichsten gehört wird (*Punctum maximum*), von Bedeutung. Bei einer *Aortenstenose* wird z.B. das Blut in der Austreibungsphase durch das verengte Aortenostium gepreßt. Die entstehende Turbulenz erzeugt im Anschluß an den I. Herzton ein lautes an- und abschwellendes *systolisches* Geräusch mit Punctum maximum im 2. ICR rechts vom Sternum. Hätte das Geräusch dagegen sein Punctum maximum über der Herzspitze, so würde man eine *Mitralinsuffizienz* vermuten. Bei diesem Klappenfehler entsteht das Geräusch infolge des systolischen Rückstroms von Blut aus dem linken Ventrikel durch die defekte Mitralklappe in den linken Vorhof. Systolische Geräusche sind jedoch keineswegs immer Zeichen von anatomischen Veränderungen des Herzens. Sie können z.B. auch auf einer veränderten Blutzusammensetzung beruhen. *Diastolische* Geräusche treten auf, wenn z.B. Arterienklappen insuffizient oder AV-Klappen stenosiert sind. Hinweise auf die jeweilige Lokalisation der Störung ergeben sich u.a. aus dem Punctum maximum bei der Auscultation.

Carotispuls. Auf die pulsatorischen Schwankungen der Gefäße soll hier nur insoweit eingegangen werden, als sich daraus Anhaltspunkte für den jeweiligen Funktionszustand des Herzens ergeben. Mit dem Auswurf des Schlagvolumens aus dem linken Ventrikel breitet sich eine Druckwelle über das Arteriensystem aus, die in Herznähe (A. carotis com.) einen typischen Verlauf zeigt (Abb. 23): Ausgelöst durch die Austreibung erfolgt zunächst ein Steilanstieg mit einem deutlichen Druckgipfel. Im abfallenden Schenkel entsteht durch das Zuschlagen der Aortenklappen eine scharf begrenzte Incisur. Die Zeit vom Fuß des Steilanstiegs der Kurve bis zur Incisur entspricht der Dauer der *Austreibungsphase* des linken Ventrikels. Bei der Festlegung des Beginns der Austreibungsphase ist allerdings zu berücksichtigen, daß der Carotispuls gegenüber den praktisch trägheitslos ansprechenden elektrischen und akustischen Phänomenen mit einer gewissen Verzögerung auftritt, die durch die Laufzeit der Pulswelle von der Aorta bis zur A. carotis bedingt ist. Diese sog. **zentrale Pulswellenlaufzeit** kann man aus dem Abstand zwischen dem Beginn des II. Herztons und der Incisur ermitteln (schraffierter Bereich in Abb. 23).

Venenpuls. In den herznahen Venen entstehen im Laufe eines Herzcyclus Änderungen der Blutfüllung, die z.B. an der V. jugularis ext. als *Volumen*-Schwankungen registrierbar sind. Dieser sog. Venenpuls gibt Hinweise auf Vorgänge im rechten Herzen, speziell im rechten Vorhof (vgl. XIX).

4.5. Intrakardiale Meßmethoden

Die beschriebenen extrakardialen Registrierungen von EKG, Pulskurven und Herzschall haben ohne Zweifel große praktische Bedeutung. Sie liefern jedoch nur indirekte Hinweise auf die Funktion des Herzens und reichen für spezielle Fragestellungen u.U. nicht aus. In den letzten Jahren wurde in der klinischen Herzdiagnostik die Technik intravasaler und intrakardialer Messungen mit Hilfe von sog. Herzkathetern wesentlich ausgebaut. *Herzkatheter,* die es in verschiedenen Ausführungen, Längen und Durchmessern gibt, werden von einem peripheren Gefäß aus meist unter Röntgenkontrolle in das Herz vorgeschoben. Über einen transvenös eingeführten Katheter können so der rechte Vorhof, die rechte Kammer und die A. pulmonalis meist ohne Schwierigkeit erreicht werden. Die Katheterisierung des linken Herzens erfolgt retrograd von einer peripheren Arterie oder vom rechten Vorhof aus nach schonender Punktion des Vorhofseptums.

Anwendung des Herzkatheters. Die Herzkatheterisierung dient in erster Linie der exakten *Druckmessung* in den verschiedenen Herzhöhlen und den angeschlossenen Gefäßen. Durch Registrierung des Druckverlaufs können Druckkurven gewonnen werden, wie sie z.B. in Abb. 23 dargestellt sind. In der tabellarischen Übersicht am Schluß dieses Kapitels sind die praktisch wichtigen Druckwerte zusammengefaßt. Durch einen Herzkatheter lassen sich aus dem jeweils interessierenden Abschnitt auch *Blutproben* gewinnen und beispielsweise auf ihren Sauerstoffgehalt analysieren. Durch Injektion einer Testsubstanz können sog. **Indikator-verdünnungskurven** aufgenommen werden, die eine Berechnung des Herzzeitvolumens erlauben. Wird durch den Katheter ein Kontrastmittel injiziert, so kann durch Röntgenaufnahmen mit rascher Bildfolge eine anatomische Darstellung der Herzhöhlen und Gefäße in verschiedenen Aktionsphasen erhalten werden (*Angiokardiographie*). Schließlich sind für spezielle Fragestellungen Herzkatheter zur intrakardialen elektrischen Ableitung (*intrakardiales EKG*) und Registrierung des Herzschalls (*intrakardiale Phonographie*) entwickelt worden. Der Einsatz und die detaillierte Kenntnis dieser Untersuchungsmethoden muß jedoch wegen des apparativen Aufwands dem klinischen Spezialisten vorbehalten bleiben.

5. Dynamik der Anpassung an wechselnde Belastungen

Wir wollen uns zunächst an einigen Beispielen klar machen, welchen Anforderungen von seiten des Kreislaufs das Herz normalerweise genügen muß. Anschließend werden wir uns näher mit den Grundmechanismen der Anpassung beschäftigen.

Ein gesundes Herz ist in der Lage, seine Förderleistung in weiten Grenzen zu verändern. Das sog. **Herzzeitvolumen**, d.h. die Blutmenge, welche die rechte bzw. die linke Kammer in einer Minute auswirft, kann bei Bedarf auf mehr als das 5fache des Ruhewerts ansteigen. Da beide Herzkammern in Serie geschaltet sind (Abb. 1), müssen ihre Minutenvolumina stets weitgehend übereinstimmen. Würde z.B. die rechte Kammer nur 2% mehr Blut fördern als die linke, so käme es innerhalb von wenigen Minuten zu einer bedrohlichen Blutstauung in der Lunge mit der Gefahr eines Lungenödems. Daß eine solche Komplikation normalerweise nicht eintritt, weist auf einen präzisen Anpassungmechanismus hin. Auch im Falle einer Erhöhung des Strömungswiderstandes im Körperkreislauf, z.B. infolge einer ausgedehnten Vasoconstriction, entsteht normalerweise kein bedrohlicher Rückstau des Blutes, da sich die linke Kammer rasch den veränderten Bedingungen anpaßt, d.h. mehr Kraft entwickelt, um unter erhöhtem Druck das gleiche Volumen auszuwerfen. Ebenso werden Veränderungen des venösen Zustroms und der diastolischen Füllung durch eine entsprechende Angleichung der Förderleistung bewältigt.

Für diese erstaunliche Anpassungsfähigkeit des Herzens sind im wesentlichen zwei Arten von Mechanismen verantwortlich, nämlich: 1. **Intrakardiale Regulationen,** die auf natürlichen Grundeigenschaften der Herzmuskulatur beruhen und daher auch am isolierten Herzen nachweisbar sind (s. 5.1. und 5.2.). 2. **Extrakardial ausgelöste Regulationen,** bei denen neurovegetative und humorale Einflüsse eine entscheidende Rolle spielen (s. 5.3.).

5.1. Druck-Volumen-Beziehungen am isolierten Herzen

Die in Kap. V beschriebenen mechanischen Eigenschaften des Skeletmuskels lassen sich in prinzipiell ähnlicher Form auch an länglichen Präparaten der Herzmuskulatur, z.B. an isolierten Papillarmuskeln, nachweisen: Ein Papillarmuskel ist elastisch dehnbar. Er vermag sich unter konstanter Belastung aktiv zu verkürzen (**isotonische Kontraktion**) oder bei konstant gehaltener Länge aktiv Spannung zu entwickeln (**isometrische Kontraktion**). Zur Veranschaulichung der Verhältnisse kann auch für das Myokard das sog. **Zweikomponenten-Modell** dienen, das den Muskel als Serienschaltung eines kontraktilen und eines elastischen Elements beschreibt (Abb. 25). Die isometrische Kontraktion erscheint hierbei als Verkürzung des kontraktilen Elements, die eine entsprechende Dehnung des elastischen Elements bewirkt.

Elementare Kontraktionsformen. Es ist sicher vernünftig anzunehmen, daß sich das Myokard im intakten Herzen nicht wesentlich anders als der isolierte Papillarmuskel verhält. Bei der Übertragung der Ergebnisse von linearen Muskeln auf muskuläre Hohlkörper ist allerdings zu beachten, daß sich das

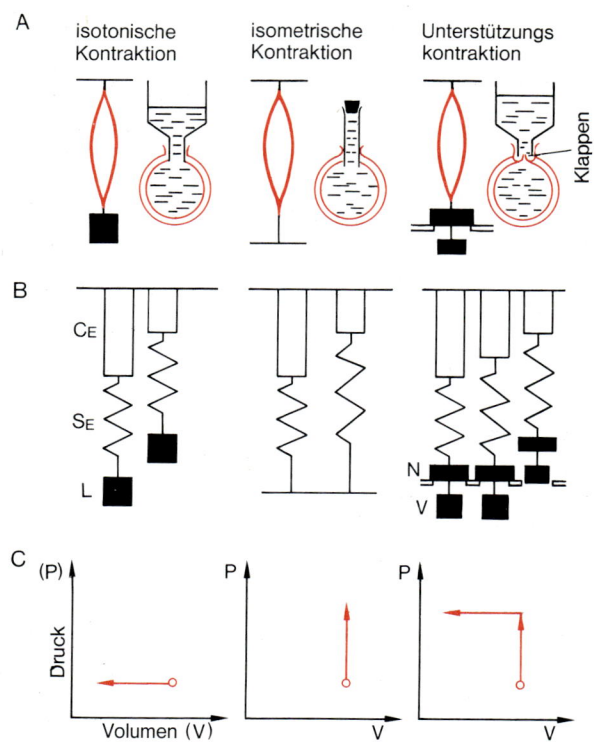

Abb. 25 A und B. Elementare Kontraktionsformen des Myokards. (A) Mechanische Kontraktionsbedingungen beim länglichen Myokardpräparat (Papillarmuskel) und beim myokardialen Hohlkörper (kanülierter Ventrikel). (B) Verhalten des Zwei-Komponenten-Modells bei den verschiedenen Kontraktionsformen (CE kontraktiles Element, SE in Serie geschaltetes elastisches Element, L Last, V Vorbelastung, N Nachbelastung). (C) Darstellung der elementaren Kontraktionsformen im Druck-Volumen-Diagramm: Bei der isotonischen Kontraktion erfolgt eine Volumenabnahme unter konstantem Druck. Bei der isometrischen Kontraktion steigt der Druck ohne Änderung des Volumens. Bei der Unterstützungskontraktion wird zunächst isometrisch der Druck erhöht und anschließend isotonisch das Volumen verkleinert. Die Vorbelastung V entspricht beim Hohlkörper dem Füllungsdruck, die Nachbelastung N dem Druck der Flüssigkeitssäule auf die geschlossenen Klappen.

— der Länge analoge — Volumen mit der 3. Potenz der Faserlänge ändert. Ferner ist bei gegebener Wandspannung der im Innern des Hohlkörpers entstehende Druck aufgrund der oben erwähnten Laplaceschen Beziehung (S. 370) dem Kugelradius umgekehrt proportional. In Abb. 25(A) sind für lineare Muskeln und für muskuläre Hohlkörper die mechanischen Bedingungen von 3 Kontraktionsformen dargestellt, die uns im folgenden hauptsächlich begegnen werden. Abb. 25(B) zeigt das entsprechende Verhalten der elastischen und kontraktilen Elemente des Zweikomponenten-Modells. In Abb. 25(C) sind die den Längen-Spannungs-Diagrammen beim Skeletmuskel analogen **Druck-Volumen-Diagramme** des muskulären Hohlorgans wiedergegeben: Bei der isotonischen Kontraktion erfolgt eine Volumenverminderung unter konstantem Druck. Die isometrische Kontraktion ist durch eine Druckerhöhung bei konstantem Volumen charakterisiert (daher besser **„isovolumetrische" Kontraktion**). Bei der **Unterstützungskontraktion**, die am meisten der natürlichen Tätigkeit des Herzens entspricht, beginnt die Kontraktion mit einer isovolumetrischen Phase. Dabei steigt zunächst der Innendruck bei konstantem Volumen an. In dem Augenblick, da der Innendruck den hydrostatischen Druck der Flüssigkeitssäule erreicht, die auf den Klappen lastet, öffnen sich diese und es erfolgt eine isotonische Volumenverkleinerung.

Gleichgewichtskurven. Die in Abb. 25 dargestellten Druck-Volumen-Diagramme beziehen sich jeweils nur auf *eine* bestimmte Ausgangsbedingung, d.h. auf ein bestimmtes Volumen bei einem gegebenen Füllungsdruck. Durch Variation des Füllungsdrucks lassen sich Veränderungen des Volumens herbeiführen, die sich wiederum auf die Amplitude der isovolumetrischen bzw. isotonischen Kontraktionen auswirken. Die hierbei geltenden Gesetzmäßigkeiten werden in sog. *Gleichgewichtskurven* zusammengefaßt (Abb. 26 oben). Gleichgewichtskurven stellen Grenzbedingungen dar, innerhalb derer bei einem bestimmten kontraktilen Zustand des betreffenden Hohlmuskels alle Druck- bzw. Volumenänderungen ablaufen.

Wir wollen uns klarmachen, wie man z.B. beim isolierten Froschherzen die Gleichgewichtskurven bestimmt: Zunächst wird durch Füllung des Ventrikels unter verschiedenen Drücken und Registrierung des jeweiligen Volumens die **Ruhe-Dehnungs-Kurve** bestimmt. Ihr ansteigender Verlauf zeigt, daß die passive Dehnbarkeit des Herzens mit wachsendem Volumen abnimmt; d.h. es werden immer größere Druckerhöhungen benötigt, um den gleichen Volumenzuwachs auszulösen. Von jedem Punkt der Ruhe-Dehnungs-Kurve ausgehend, können nun — wie in Abb. 25 dargestellt — sowohl isovolumetrische als auch isotonische Kontraktionen ausgelöst werden. Verbindet man die Druckgipfel bzw. die maximalen Volumenänderungen durch Kurvenzüge, so erhält man die sog. **isovolumetrischen** bzw. **isotonischen Kontraktions-Maxima.** In Abb. 26 sind als Beispiel zwei Punkte der Ruhe-Dehnungs-Kurve (P_1 und P_2) mit ihren zugehörigen Maxima eingezeichnet. Es ist ohne Schwierigkeit zu erkennen, daß sowohl die Druck- als auch die Auswurfmaxima je nach Ausgangsfüllung des Ventrikels verschieden groß sind. Sie nehmen mit steigender Anfangsfüllung zu, um von einer gewissen Füllungsgröße an wieder abzunehmen. Diese Feststellung ist wichtig. Sie besagt nämlich, daß das Herz ohne sonstige Einflüsse nur in Abhängigkeit von der Fül-

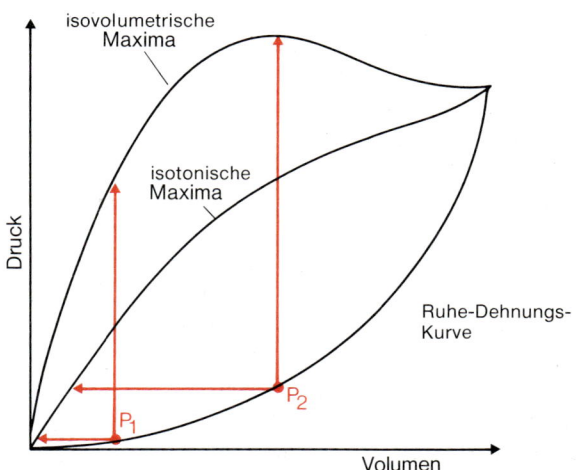

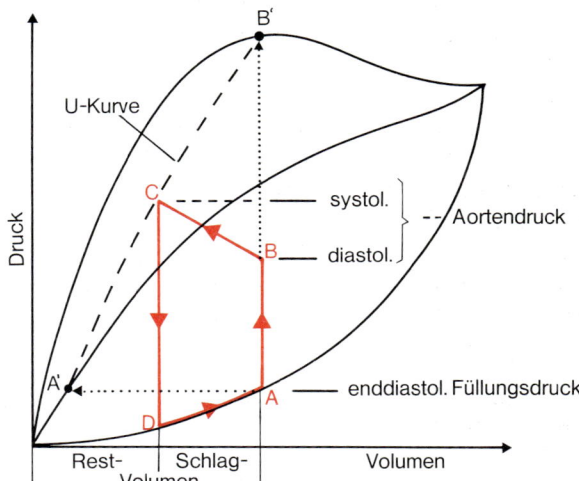

Abb. 26. Gleichgewichtskurven und Arbeitsdiagramm des isolierten Froschherzens nach FRANK. *Oben:* In ein Koordinaten-System mit dem intraventriculären Druck als Ordinatenachse und dem Ventrikelvolumen als Abscissenachse sind 3 sog. Gleichgewichtskurven eingetragen: die Ruhe-Dehnungs-Kurve, die isovolumetrischen und die isotonischen Maxima. Anhand der Punkte P_1 und P_2 wird gezeigt, daß jedem Punkt der Ruhedehnungskurve ein bestimmtes isovolumetrisches und isotonisches Maximum zuzuordnen ist (Pfeile). *Unten:* Darstellung eines Herzcyclus (Arbeitsdiagramm) im obigen Koordinaten-System. Der Kurvenzug A B C D A verbindet verschiedene Phasen der Herzaktion (vgl. Text). Auf der gestrichelten U-Kurve müssen alle Unterstützungskontraktionen enden, die vom Punkt A ausgehen. B′ isovolumetrisches Maximum zu Punkt A. A′ isotonisches Maximum zu Punkt A

lung unterschiedliche Drücke entwickeln bzw. Volumina auswerfen kann. Auf die praktische Bedeutung dieses Mechanismus kommen wir noch zurück.

Ursache der unterschiedlichen Maxima. Der Grund für die Abhängigkeit der Kontraktionsmaxima vom jeweiligen Füllungszustand des Ventrikels liegt in erster Linie in der Anordnung der Myofilamente im Sarkomer. Wie bei der Besprechung des Skeletmuskels ausführlich dargelegt wurde (vgl. S. 66), kommt die Verkürzung des kontraktilen Elements durch eine teleskopartige

Verschiebung der Actin- gegen die Myosinfilamente zustande. Die Verschiebung selbst wird durch Querbrücken zwischen den Filamenten bewirkt, die allerdings nur im Überlappungsbereich von Actin und Myosin wirksam werden können. Die Überlappung ist bei mittleren Graden der Vordehnung optimal. Bei sehr großen Volumina wird die Kontraktion unmöglich, weil die Actinfilamente ganz oder fast ganz aus dem Bereich der Myosinfilamente herausgezogen sind. Bei sehr kleinen Volumina schieben sich die Actinfilamente in der Mitte des Sarkomers teilweise übereinander, so daß die Bildung von Querbrücken gestört wird. Auch in diesem Zusammenhang ist wieder zu bedenken, daß die Höhe des entwickelten Drucks außer von der kontraktilen Kraft der Muskulatur auch von der Ventrikelgeometrie abhängt. Bei kleinem Volumen wird für die Erzeugung des gleichen Drucks weniger Kraft benötigt als bei großem Volumen (vgl. S. 370).

Arbeitsdiagramm. Im unteren Teil von Abb. 26 ist ein normaler Kontraktionscyclus des linken Ventrikels als roter Kurvenzug in das Druck-Volumen-Diagramm mit den Gleichgewichtskurven eingetragen. Die geschlossene Druck-Volumen-Schleife wird als *Arbeitsdiagramm* bezeichnet. Tatsächlich haben Flächen im Druck-Volumen-Diagramm als Produkt aus P und V die Dimension einer Arbeit (Druck-Volumen-Arbeit, s.S. 381). Man kann ohne Übertreibung sagen, daß das — ursprünglich von FRANK [29] am isolierten Kaltblüterherzen experimentell ermittelte — Arbeitsdiagramm bis heute die wichtigste Grundlage für das Verständnis der Herzdynamik bildet. Die Punkte A bis D stehen dabei für zeitlich aufeinanderfolgende Phasen der Herzaktion. Am Punkt A der Ruhe-Dehnungs-Kurve beginnt die Systole mit einem *isovolumetrischen Druckanstieg*. Das Kurvenstück AB entspricht also der Anspannungsphase. Beim Erreichen des diastolischen Aortendrucks (B) öffnen sich die Aortenklappen und die Austreibung beginnt. Da sich hierbei Volumen und Druck gleichzeitig ändern, spricht man von einer *auxotonischen Kontraktion*. Am Punkt C ist der Auswurf des Schlagvolumens beendet. Es beginnt die *isovolumetrische Entspannung* (CD), an die sich nach dem Öffnen der Mitralklappe die Füllung (DA) für den nächsten Schlag anschließt.

Die normale Ventrikelsystole stellt nach der oben gegebenen Definition eine **Unterstützungskontraktion** dar. Die **Vorbelastung** (V in Abb. 25(B)) ist durch den enddiastolischen Füllungsdruck, die **Nachbelastung** (N) durch den diastolischen Aortendruck gegeben. Bei großer Nachbelastung, d.h. bei einem hohen diastolischen Aortendruck, würde die Unterstützungskontraktion schließlich in eine rein isovolumetrische Kontraktion übergehen, d.h. der Druckanstieg würde den Punkt B′ erreichen, ohne daß sich die Klappen öffnen und ein Auswurf erfolgt. Bei fehlender Nachbelastung käme es zu dem anderen Extrem, d.h. zu einer rein isotonischen

Kontraktion, bei der die Volumenverkleinerung den Punkt A′ erreicht. Unter normalen Bedingungen tritt weder das eine noch das andere ein. Die Maxima aller — von Punkt A ausgehenden — Unterstützungskontraktionen liegen dementsprechend auf einer Linie, welche die Extremwerte A′ und B′ verbindet, auf der Kurve der sog. **Unterstützungsmaxima** oder kurz — der **U-Kurve** zu Punkt A (Abb. 26). Zu jedem Arbeitsdiagramm gehören also jeweils eine Ruhe-Dehnungs-Kurve und je eine Kurve der isovolumetrischen bzw. isotonischen Maxima — aber eine große Schar von U-Kurven, da der Ausgangspunkt A an verschiedenen Stellen der Ruhe-Dehnungs-Kurve liegen kann.

5.2. Autoregulatorische Mechanismen bei akuter Volumen- bzw. Druck-Belastung

Herz-Lungen-Präparat. Von STARLING wurde eine Präparation des Säugetierherzens angegeben (Abb. 27), bei der Aortendruck und venöser Zustrom unabhängig voneinander in weiten Grenzen

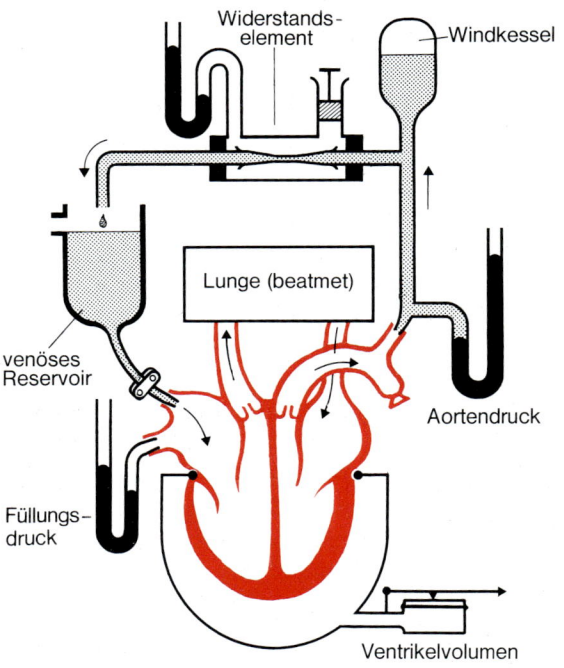

Abb. 27. Herz-Lungen-Präparat nach STARLING. Der Lungenkreislauf ist voll erhalten, der Körperkreislauf durch ein blutgefülltes Meßsystem ersetzt. Das Blut wird in der künstlich beatmeten Lunge oxigeniert. Ein venöses Reservoir fängt das — vom linken Ventrikel ausgetriebene — Blut auf. Durch Heben und Senken des Reservoirs kann der Füllungsdruck im rechten Ventrikel und — wegen des geringen Strömungswiderstands der Lunge — auch im linken Ventrikel willkürlich verändert werden. Eine Verstellung des Strömungswiderstandes geschieht in einem Widerstandselement. Hier wird ein dünnwandiger Gummischlauch in einem Glasrohr durch Druck von außen komprimiert

verändert und mit der enddiastolischen Ventrikel-größe korreliert werden können. Das Herz behält dabei seine natürlichen Verbindungen zur künstlich belüfteten Lunge. Der große Kreislauf ist durch

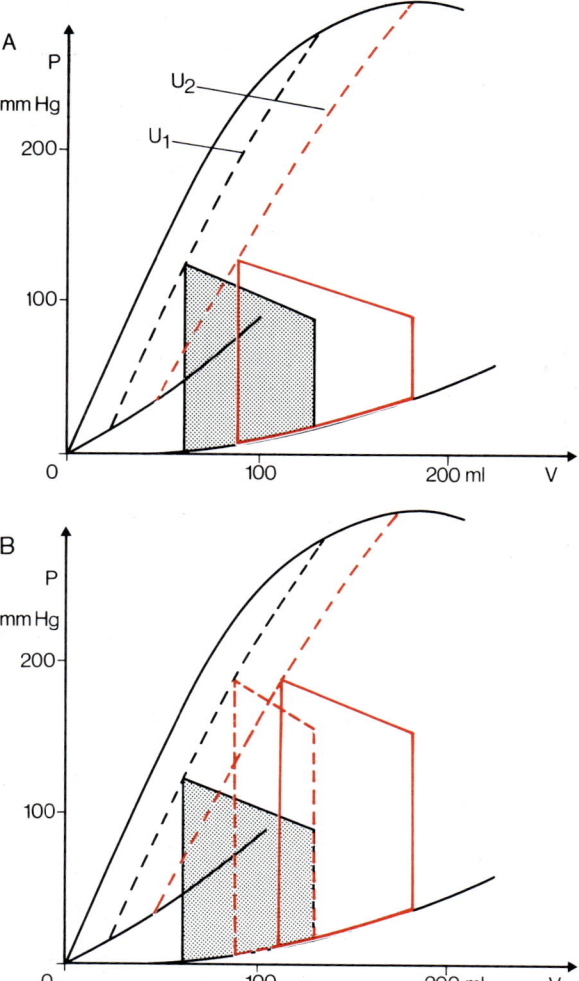

ein blutgefülltes Meßsystem mit einstellbarem Widerstand ersetzt. Der venöse Zustrom kann von einem Reservoir aus beliebig variiert werden. Da die Bluttemperatur konstant gehalten wird und die Herznerven durchtrennt sind, schlägt das Herz mit konstanter Frequenz. Wir wollen nun betrachten, auf welche Weise ein derart „reduziertes" Herz noch auf Belastungen zu reagieren vermag.

Anpassung an akute Volumenbelastung. Eine Vergrößerung des venösen Zustroms wird bei dem Starlingschen Präparat durch Anheben des Vorratsgefäßes erreicht. In Abb. 28(A) ist dargestellt, wie der linke Ventrikel auf eine solche Volumenbelastung reagiert. Vor dem Eingriff wird bei einer *enddiastolischen Füllung* von 130 ml das schraffierte Arbeitsdiagramm umlaufen und ein Schlagvolumen von 70 ml ausgeworfen. Das *endsystolische Restvolumen* liegt bei ca. 60 ml. Unter dem vergrößerten venösen Zufluß erfolgt eine stärkere diastolische Füllung auf 180 ml. Für den neuen Ausgangszustand gilt nun das rote Arbeitsdiagramm. Man erkennt, daß ohne Änderung der isovolumetrischen bzw. isotonischen Maxima und bei gleichem diastolischem und systolischem Aortendruck nun ein Schlagvolumen von rund 90 ml gefördert wird. Das endsystolische Restvolumen hat ebenfalls zugenommen. Entsprechend dem veränderten Ausgangszustand gilt eine andere U-Kurve (U_2). Als wesentliches Ergebnis ist also festzuhalten, daß das isolierte, mit konstanter Frequenz schlagende Herz aus sich heraus — *autoregulatorisch* — eine vermehrte diastolische Füllung durch den Auswurf eines größeren Schlagvolumens bewältigen kann. Dieser Anpassungsmechanismus wird nach seinen Entdeckern als **Frank-Starling-Mechanismus** bezeichnet [29, 36]. Er liegt im Prinzip auch der Anpassung an erhöhte Druckbelastung zugrunde.

Anpassung an akute Druckbelastung. Wird im Herz-Lungen-Präparat plötzlich über den variablen Widerstand der Druck im Auslaß erhöht, so erfolgt die Umstellung der Herztätigkeit in zwei Phasen — mit dem Erfolg, daß der linke Ventrikel nach vollzogener Anpassung das gleiche Schlagvolumen auch gegen den höheren Aortendruck auswirft. Im Arbeitsdiagramm des Herzens stellt sich diese Anpassung wie folgt dar (Abb. 28(B)): Zu Beginn muß wegen des *erhöhten diastolischen Aortendrucks* (150 statt 90 mm Hg) der intraventriculäre Druck während der Anspannungsphase stärker ansteigen, ehe die Austreibung einsetzt (rot gestricheltes Diagramm). Dies führt jedoch zwangsläufig zu einer *Verkleinerung des Schlagvolumens*. Am Ende der Systole bleibt infolgedessen ein **größeres Restvolu-**

Abb. 28 A und B. Druckvolumen-Diagramme des linken Ventrikels zur Veranschaulichung der Anpassung an akute Volumen-bzw. Druckbelastung nach dem Frank-Starling-Mechanismus. (A) Akute Volumenbelastung. Bei einem enddiastolischen Volumen von 130 ml wird zunächst das schraffierte Arbeitsdiagramm umlaufen. Erhöhung des venösen Zustroms vergrößert die end-diastolische Füllung auf 180 ml. Nun gilt das rot gezeichnete Arbeitsdiagramm. Der Ventrikel wirft nun ohne Änderung des Drucks ein größeres Schlagvolumen aus (90 statt 70 ml). Das endsystolische Restvolumen hat von 60 ml auf 90 ml zugenommen. (B) Akute Druckbelastung. Es gelten die gleichen Ausgangsbedingungen wie in (A). Bei Erhöhung des peripheren Widerstandes (gleichbedeutend mit einem Anstieg des diastolischen Aortendrucks) erfolgt die Anpassung in zwei Phasen. Die erste Phase ist gekennzeichnet durch eine Druckerhöhung auf Kosten des Schlagvolumens (rot gestricheltes Arbeitsdiagramm). In der zweiten Phase (rot ausgezogenes Arbeitsdiagramm) nimmt die enddiastolische Füllung zu. Der Ventrikel wirft nun — unter Inkaufnahme eines größeren Restvolumens — das ursprüngliche Schlagvolumen von 70 ml gegen einen höheren Druck aus. Der Arbeitsbereich des linken Ventrikels ist entlang der Ruhe-Dehnungs-Kurve zu größeren Volumina verschoben

men zurück. Da der venöse Zustrom bei der verwendeten Anordnung konstant gehalten wird, kommt automatisch eine *stärkere diastolische Füllung* zustande. Der Arbeitsbereich des linken Ventrikels wird also entlang der Ruhe-Dehnungs-Kurve zu größeren Volumina verschoben. In der neuen Ausgangslage vermag der linke Ventrikel nun **unter höherem Druck das ursprüngliche Volumen** auszuwerfen (rot ausgezogenes Diagramm). Auch bei der Druckbelastung erfolgt die Umstellung des isolierten Herzens also autoregulatorisch über eine vermehrte diastolische Füllung. Im Unterschied zur primären Volumenbelastung wird die stärkere Faserdehnung jedoch für eine größere Kraftentfaltung benötigt.

Eine Erhöhung des diastolischen Aortendrucks steigert auch den Druck in den Coronararterien des Herzens (vgl. S. 383). Durch die vermehrte Füllung der Gefäße kommt eine Streckung des Gefäßbaums zustande (*„Gartenschlaucheffekt"*), die ihrerseits zu einer verstärkten Vordehnung bestimmter Myokardbezirke und damit zu einer erhöhten Arbeitskapazität des Herzens beiträgt [33].

Tonische Autoregulation. Verschiedene Beobachtungen weisen ferner darauf hin, daß sich das Herz in der Diastole nicht rein druckpassiv elastisch verhält, sondern vermittels eines aktiven kontraktilen Tonus den Grad seiner enddiastolischen Füllung mitbestimmt und sogar aktiv verändert [37]. Da derartige Reaktionen besonders auch an isolierten Herzen beobachtet wurden, ist anzunehmen, daß es sich dabei um myogene Prozesse im Sinne einer *variablen partiellen Dauerverkürzung* der Herzmuskelfasern handelt. Die Bedeutung eines solchen kontraktilen Tonus könnte u.a. darin liegen, daß er das Herz als Stellglied im Rahmen der übergeordneten Blutdruckregulation rückwirkungsfrei macht, d.h. unabhängig von dem zu regelnden Druck. Das Konzept der tonischen Autoregulation ist jedoch bis heute nicht allgemein akzeptiert.

5.3. Dynamik des innervierten Herzens in situ

Die im vorausgehenden Abschnitt beschriebenen Anpassungsmechanismen des isolierten Herzens wurden lange Zeit als Grundlage der Herzdynamik schlechthin betrachtet. Auch das Herz in situ sollte nach dem sog. *Starlingschen Gesetz* ohne Änderung seines kontraktilen Zustandes, d.h. bei gleichbleibenden isovolumetrischen und isotonischen Maxima eine größere Schlagarbeit allein aufgrund einer Vergrößerung seines enddiastolischen Volumens bewältigen. Diese Vorstellung trifft nach heutiger Auffassung jedoch zumindest für die Anpassung der Herzleistung an körperliche Arbeit nicht zu. Nach der erwähnten Theorie von der Regulation der Herztätigkeit durch das enddiastolische Volumen war nämlich u.a. zu erwarten, daß ein leistungsfähiges Herz in Ruhe klein ist und sich bei Belastung in Anpassung an den vermehrten venösen

Zustrom vergrößert. Genau das Umgekehrte ist jedoch der Fall! Läßt man z.B. gesunde Versuchspersonen auf einem Fahrradergometer körperliche Arbeit verrichten, so kann man gleichzeitig auf dem Röntgenschirm eine deutliche enddiastolische und endsystolische *Verkleinerung* des Herzschattens beobachten und in ihren verschiedenen Phasen darstellen (Röntgenkymogramm). Diese Anpassung erfolgt unter dem Einfluß des *Sympathicus* und beruht auf einer von der Vordehnung unabhängigen Steigerung der kontraktilen Kraft des Myokards. Wir haben diesen Effekt des Sympathicus bereits als *positiv inotrope Wirkung* kennen gelernt (vgl. S. 356).

Kontraktilitätssteigerung (positiv inotrope Wirkung) im Arbeitsdiagramm. Die geschilderte Anpassung des Herzens an körperliche Arbeit erscheint im Arbeitsdiagramm des linken Ventrikels (Abb. 29) als Verlagerung der Kurve der isovolumetrischen Maxima nach oben mit einer entsprechenden Versteilung der Kurve der Unterstützungsmaxima. Aus Abb. 29 geht hervor, daß diese Umstellung den Ventrikel befähigt, *ohne Vergrößerung des enddiastolischen Volumens entweder einen höheren Druck zu überwinden oder ein größeres Schlagvolumen auszuwerfen*. Die letztere Wirkung geschieht dabei *auf Kosten des Restvolumens;* sie muß also, wenn kein vergrößerter venöser Zustrom erfolgt, zu einer Abnahme der enddiastolischen Füllung führen, was die beobachtete Verkleinerung des Herzens ohne weiteres erklärt. Aber selbst bei gleichzeitigem Anstieg des venösen Rückstroms kann durch die Sympathicus-bedingte Frequenzsteigerung (positiv *chronotrope* Wirkung) die Förderleistung erhöht und dadurch eine übermäßige Füllung vermieden werden.

Leistungsreserve. Unter dem Antrieb des Sympathicus wird das Herz also dazu befähigt, seine Förderleistung zu steigern, noch ehe ein vergrößerter venöser Zustrom einsetzt. Auf die außerdem noch vorhandene Möglichkeit der Leistungsanpassung durch Vergrößerung des enddiastolischen Volumens wird dabei nicht zurückgegriffen. Aus dieser Sicht erscheint nunmehr auch die sog. *Leistungsreserve* des Herzens in einem neuen Licht: Nach der früheren Vorstellung sollte sie davon abhängen, inwieweit das Herz in der Lage ist, sein enddiastolisches Volumen bei Belastung gegenüber der Ruhe zu vergrößern. Unter dem positiv inotropen Einfluß des Sympathicus wird die Leistungsreserve dagegen durch die Größe des *enddiastolischen Herzvolumens bei Körperruhe* limitiert. Die Herzen von trainierten Sportlern sind z.B. in Ruhe auffallend groß und fassen u.U. 3 bis 4 normale Schlagvolumina — gegenüber etwa 2 Schlagvolumina beim Untrainierten. Das **Sportherz** besitzt demnach eine große Leistungsreserve. Nach der alten Auffassung hätte es als leistungsschwach gelten müssen [35].

Einfluß der Schlagfrequenz auf die Herzdynamik. Das Herz in situ unterscheidet sich vom isolierten

Herzen im besonderen auch durch die Variabilität seiner Schlagfrequenz. Eine Sympathicus-bedingte *Zunahme der Herzfrequenz* stellt nach heutiger Auffassung sogar den wichtigsten Mechanismus zur *Steigerung des Herzzeitvolumens* bei Belastung dar. Ein Frequenzanstieg erhöht nun nicht nur die Zahl der Herzaktionen in der Zeiteinheit, sondern verändert auch die zeitlichen Beziehungen von Systole und Diastole in charakteristischer Weise. Die Verkürzung der einzelnen Herzperiode erfolgt nämlich vorwiegend auf Kosten der *Diastole.* Dafür einige Zahlenbeispiele: Bei einer Ruhefrequenz von 60–70 pro min dauert die Ventrikelsystole im Mittel rund 0,3 s, die Diastole 0,6 s. Das Verhältnis von Diastolen- zu Systolendauer liegt demnach bei 2:1. Steigt nun die Frequenz bei Belastung auf 150 pro min an, so verkürzt sich die Diastole auf ca. 0,15 s, die Systole dagegen nur auf ca. 0,25 s. Das Verhältnis beträgt jetzt 3:5. Dies bedeutet, daß die *Nettoarbeitszeit* der Ventrikel (errechnet als Summe aller Systolendauern in einer Minute) von 20 s pro min in Ruhe auf 40 s pro min bei Belastung ansteigt und die Erholungspausen entsprechend abnehmen. Eine ausreichende *Füllung der Ventrikel* ist auch bei starker Verkürzung der Diastolendauer noch dadurch gewährleistet, daß der Großteil der Ventrikelfüllung zu Beginn der Diastole erfolgt und außerdem der Sympathicus eine deutliche Beschleunigung der Erschlaffung bewirkt (vgl. S. 356 und Abb. 10(C)). Auch eine Verstärkung der Vorhofsystole durch den Sympathicus wirkt sich günstig auf die Ventrikelfüllung aus.

Rolle des Frank-Starling-Mechanismus im intakten Herzen. Der dominierende Einfluß des Sympathicus im Rahmen der Leistungsanpassung des Herzens schließt nicht aus, daß das Herz unter anderen Bedingungen anderen Gesetzmäßigkeiten folgt. Von der Möglichkeit einer Regulation der Herztätigkeit durch das enddiastolische Volumen im Sinne des *Frank-Starling-Mechanismus* wird z.B. dann Gebrauch gemacht, wenn Füllungsänderungen eintreten, *ohne* daß eine *generelle Aktivitätssteigerung* vorliegt. Dies gilt insbesondere für die gegenseitige Abstimmung der Förderleistung beider Ventrikel. Da beide Ventrikel mit gleicher Frequenz schlagen, kann diese Abstimmung nur über das Schlagvolumen erfolgen. Andere Beispiele sind: Änderungen der Körperstellung, die den venösen Rückstrom beeinflussen (Vergrößerung des Schlagvolumens im Liegen gegenüber aufrechter Haltung), akute Vergrößerung des zirkulierenden Blutvolumens (Transfusion) oder Erhöhung des Abflußwiderstandes. Auch bei pharmakologischer Ausschaltung der Sympathicuswirkung durch sog. Beta-Sympatholy-

tica bleiben die autoregulatorischen Mechanismen erhalten und fallen dann stärker ins Gewicht.

Maximale Druckanstiegsgeschwindigkeit als Maß der Kontraktilität. Die positiv inotrope Wirkung des Sympathicus befähigt das Herz, ohne Vergrößerung der diastolischen Füllung ein größeres Schlagvolumen zu fördern oder das Schlagvolumen gegen einen höheren Druck auszuwerfen. Einen ähnlichen Einfluß auf die Herzdynamik findet man auch bei Erhöhung der extracellulären Ca^{++}-*Konzentration,* nach Gabe von *Herzglykosiden* oder als unmittelbare Folge einer *Frequenzsteigerung.* Allen diesen Einflüssen ist gemeinsam, daß sie die Herzleistung unabhängig vom Dehnungsgrad des Myokards erhöhen, oder — mit anderen Worten — seine **Kontraktilität** vergrößern. Eine Kontraktilitätssteigerung (*positive Inotropie*) liegt dagegen nicht vor, wenn das Schlagvolumen oder der systolische Druckgipfel allein aufgrund einer stärkeren diastolischen Füllung zunehmen, wie dies beim sog. Frank-Starling-Mechanismus der Fall ist. Veränderungen des kontraktilen Zustands des Herzens lassen sich nach den obigen Überlegungen aus dem Verlauf der Maxima-Kurven des Druck-Volumen-Diagramms ablesen. Wie Abb. 29 zeigt, entspricht einer erhöhten Kontraktilität ein steilerer Anstieg der U-Kurve infolge der Vergrößerung der isovolumetrischen Maxima. Der Verlauf dieser Kurven kann jedoch nur unter eingreifenden experimentellen Bedingungen ermittelt werden. Um am Herzen in situ und speziell beim Menschen Anhaltspunkte für die Beurteilung der Kontraktilität zu erhalten, werden daher andere Kriterien herangezogen, z.B. die **maximale Druckanstiegs-Geschwindigkeit** in der isovolumetrischen Anspannungsphase **(dP/dt max),** die mittels Herzkatheter bestimmt werden kann.

Die **theoretische Begründung** für die Verwendung dieses Parameters als Kontraktilitätsmaß ist ziemlich kompliziert. Sie geht letztlich zurück auf die muskelphysiologische Tatsache, daß kontraktilitätssteigernde Einflüsse bei einer gegebenen Vordehnung des Myokards nicht nur die maximale isometrische Kraft, sondern auch die unter isotonischen Bedingungen **maximal mögliche Verkürzungsgeschwindigkeit** (V_{max}) des kontraktilen Elements erhöhen. Bei verstärkter Vordehnung im Sinne des Frank-Starling-Mechanismus würde dagegen nur die maximale Kraft gesteigert ohne Veränderung von V_{max}. Die Bezeichnung V_{max} gilt hierbei definitionsgemäß für den Grenzfall einer Unterstützungskontraktion, bei der die Belastung dem Wert 0 zustrebt (vgl. S. 79). Eine erhöhte Verkürzungsgeschwindigkeit des kontraktilen Elements wird naturgemäß die serienelastischen Anteile rascher dehnen und damit auch die Steilheit des isovolumetrischen Druckanstiegs vergrößern, so daß die Verwendung dieses Parameters als Maß der Kontraktilität einleuchtet.

Man sollte sich jedoch klarmachen, daß eine Erhöhung der Kontraktilität bei gegebener Füllung des Ventrikels und bei konstantem Strömungswiderstand in der Aorta nicht notwendig zu einer

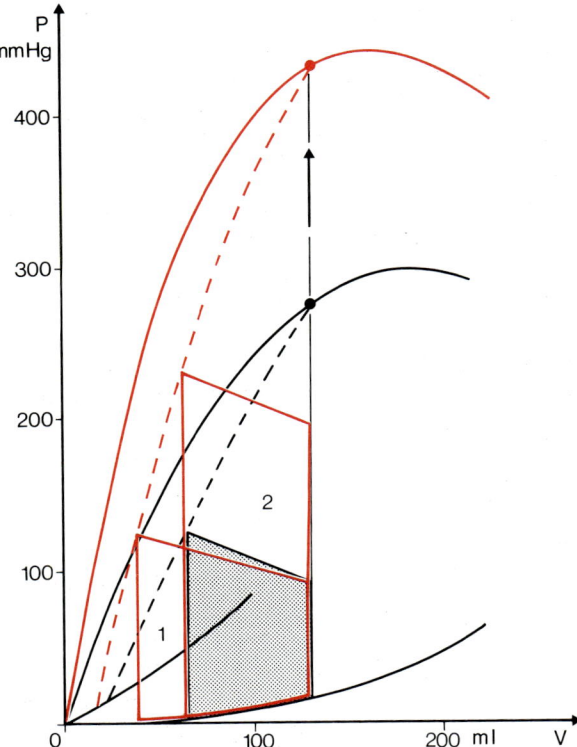

Abb. 29. Einfluß einer Kontraktilitätserhöhung (positiv inotrope Wirkung) auf die Arbeit des linken Ventrikels. Unter Sympathicuseinfluß wird die Kurve der isovolumetrischen Maxima zu höheren Drücken verschoben (Pfeil). Die zugehörige U-Kurve verläuft dadurch steiler. Der Ventrikel ist nun in der Lage, bei gleichbleibendem enddiastolischem Volumen entweder ein größeres Schlagvolumen auszuwerfen (1), oder das gleiche Schlagvolumen gegen einen höheren Druck zu befördern (2). Bei Vergrößerung des Schlagvolumens nimmt das endsystolische Volumen ab, d.h. das Herz wird während der Systole kleiner

Vergrößerung des Schlagvolumens führt. Dies ist z.B. nicht der Fall, wenn gleichzeitig die Systolendauer abnimmt. Die positive Inotropie kann dann u.U. nur bewirken, daß das Schlagvolumen trotz Abnahme der Systolendauer gleich bleibt, was allerdings de facto einer Vergrößerung des Schlagvolumens gegenüber dem unbeeinflußten Zustand entspricht [32].

5.4. Anpassung des Herzens an langdauernde Belastungen

Hypertrophie. Wir haben bisher nur Anpassungsvorgänge kennen gelernt, die es dem Herzen ermöglichen, seine Leistung rasch auf akut veränderte Kreislaufbedingungen einzustellen. Wird das Herz jedoch wiederholt oder ständig einer erhöhten Arbeitsbelastung ausgesetzt, so treten strukturelle Veränderungen hinzu. Es kommt zu einer Vergrößerung des Herzens durch *Hypertrophie*. Als Beispiel kann das oben erwähnte große Herz des trainierten Sportlers dienen (Abb. 30). Typischerweise findet man die stärksten Herzvergrößerungen mit

Herzmassen bis 500 g (normales Herz 300 g) bei solchen Athleten, die ausgesprochene Dauerleistungen vollbringen (Langstreckenläufer, Radrennfahrer u. dgl.).

Bei der Hypertrophie des chronisch belasteten Herzens bleibt die Zahl der Herzmuskelzellen praktisch konstant. Lediglich ihre Dicke und ihre Länge nehmen gleichmäßig zu (vgl. Abb. 30 unten). Damit müssen sich aber zwangsläufig auch die Hohlräume des Herzens vergrößern. Nach der oben (S. 370) erwähnten Laplaceschen Beziehung heißt dies, daß nun zur Erzeugung eines bestimmten Drucks eine größere Wandspannung benötigt wird. Da jedoch bei der Hypertrophie auch die Muskelmasse wächst, bleibt die Kraft pro Muskelquerschnitt praktisch gleich. Das Sportherz verfügt also über ein großes Volumen und braucht diesen Vorteil nicht wie das akut gedehnte Herz mit einem ungünstigen Übersetzungsverhältnis von Muskelspannung in Druck zu bezahlen. Nach Beendigung des sportlichen Trainings bildet sich die Hypertrophie innerhalb von einigen Wochen wieder zurück.

Pathologische Belastungen. Werden nur Teile des Herzens einer chronischen Belastung ausgesetzt, so beschränkt sich die Hypertrophie auf die betroffene Region. Dies ist im allgemeinen nur bei pathologischen Veränderungen des Herzens der Fall. Dabei kann man zwei Formen der Anpassung unterscheiden: Bei reiner **Druckbelastung** kommt es zunächst zur Hypertrophie ohne nennenswerte Vergrößerung der Herzhöhle (Beispiel: Hypertrophie des linken Ventrikels bei Aortenstenose); beruht die erzwungene Mehrarbeit dagegen auf einer vergrößerten **Volumenleistung**, so geht die Hypertrophie mit einer deutlichen Vergrößerung des

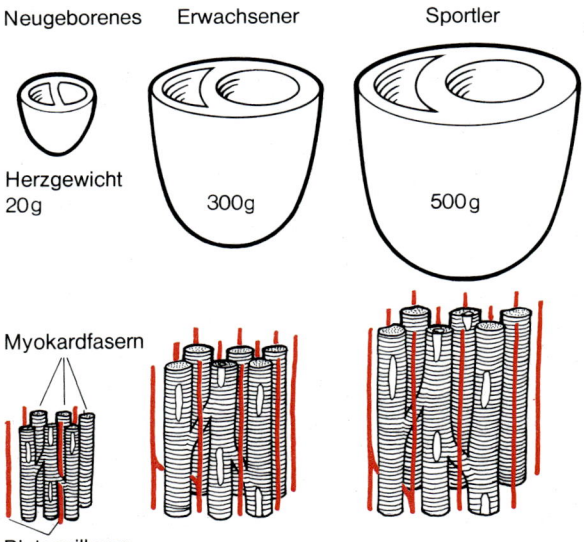

Abb. 30. Schema zur Veranschaulichung des natürlichen Herzwachstums und der Ausbildung des Sportherzens. Das Herz wird größer, weil die einzelnen Herzmuskelzellen an Dicke und Länge zunehmen. Beim Erwachsenen ist etwa jeder Muskelzelle eine Capillare zugeordnet; beim Neugeborenen ist die relative Capillardichte geringer. Nach [34]

Hohlraums (Dilatation) einher (Beispiel: Hypertrophie und Dilatation des linken Ventrikels bei Aortenklappeninsuffizienz). Die Möglichkeit der Kompensation solcher Störungen durch Strukturänderung des Myokards ist jedoch begrenzt; denn mit der Zunahme des Faserradius werden gleichzeitig die Diffusionswege zwischen den Capillaren und dem Innern der Herzmuskelfasern größer (Abb. 30), so daß die Gefahr einer ungenügenden O_2-Versorgung entsteht. Auch auf die Ca^{++}-abhängigen Prozesse der elektro-mechanischen Koppelung wirken sich starke Vergrößerungen der Herzmuskelzellen ungünstig aus. Bei Fortdauer einer starken pathologischen Belastung kann es daher schließlich zum Herzversagen (Myokardinsuffizienz) kommen.

6. Energetik der Herzaktion

In den vorausgehenden Kapiteln war schon in verschiedenen Zusammenhängen von der Arbeit des Herzens die Rede. Wir wollen dazu nun einige quantitative Überlegungen anstellen und diejenigen Vorgänge näher betrachten, die der Energiebereitstellung für das Herz dienen. Wenden wir uns jedoch zunächst der Ausgabenseite der Energiebilanz zu.

6.1. Herzarbeit und Herzleistung

Physikalische Arbeitsformen bei der Herzaktion. Die Arbeit ist definiert als Produkt aus Kraft und Weg mit der Einheit Nm (Newton-Meter = Joule). Diese Formel läßt sich auch dazu verwenden, die Arbeit eines Skeletmuskels zu berechnen, der sich verkürzt und dabei ein Gewicht hebt (Arbeit = Gewicht × Hubhöhe). Auch der Herzmuskel vollbringt seine Arbeitsleistung letzten Endes durch Faserverkürzung und Kraftentwicklung. Dabei wird jedoch kein Gewicht angehoben, sondern ein bestimmtes Blutvolumen (V) unter Entwicklung von Druck (P) gegen einen Strömungswiderstand verschoben. Die hierbei geleistete **Druck-Volumen-Arbeit** berechnet sich aus dem Produkt P · V. Dabei ist es zweckmäßig, den Druck nicht — wie in den vorausgehenden Abschnitten — in mm Hg, sondern in SI-Einheiten (vgl. XXXI) als Pascal (Dimension N/m^2) auszudrücken. Wenn außerdem das Volumen in m^3 eingesetzt wird, ergibt sich als Dimension $N \cdot m^{-2} \cdot m^3 = Nm$ (s.o.). Zur Druck-Volumen-Arbeit addiert sich noch die sog. **Beschleunigungsarbeit,** die aufgewendet wird, um die träge Masse (m) des Blutes auf eine verhältnismäßig hohe Geschwindigkeit (v) zu beschleunigen. Sie errechnet sich nach der Formel für die kinetische Energie ($1/2\,mv^2$).

Berechnung der Herzarbeit. Da sich die einzelnen — die Herzarbeit bestimmenden — Faktoren wäh-

rend der Arbeitsphase ständig ändern, müßte man die zeitabhängigen Produktwerte P · V bzw. $1/2\,mv^2$ über die Dauer der Austreibungszeit integrieren. Wir begnügen uns hier mit einer Vereinfachung, die jedoch eine befriedigende Schätzung erlaubt, und setzen:

für **P** den *systolischen Mitteldruck* am Ventrikelausgang (1 mm Hg = 133 N/m^2),
für **V** das *Schlagvolumen*,
für **m** die *Masse des beschleunigten Blutes* (Schlagvolumen),
für **v** die *mittlere Auswurfgeschwindigkeit*.

Bezogen auf eine einzelne Systole ergeben sich die folgenden Werte:

Druck-Volumen-Arbeit: P · V

linker Ventrikel		
P = 100 mm Hg	$\cong 100 \cdot 133\ N/m^2$	P·V = 0,931 Nm
V = 70 ml	$\cong 70 \cdot 10^{-6}\ m^3$	
rechter Ventrikel		
P = 15 mm Hg	$\cong 15 \cdot 133\ N/m^2$	P·V = 0,199 Nm
V = 70 ml	$\cong 70 \cdot 10^{-6}\ m^3$	

Beschleunigungsarbeit: $1/2\,mv^2$

linker Ventrikel	$m = 70\ g \cong 70 \cdot 10^{-3}\ kg$	$1/2\,mv^2 = 0{,}009\ Nm$
rechter Ventrikel	$v = 0{,}5\ m/s$	$1/2\,mv^2 = 0{,}009\ Nm$

Gesamtarbeit A = 1,148 Nm

Die Dimension Nm ergibt sich bei der Beschleunigungsarbeit aus $kg \cdot m^2 \cdot sec^{-2}$, da $N = kg \cdot m \cdot sec^{-2}$ (vgl. XXXI). In der älteren Literatur wird die Herzarbeit statt in Nm meist in kpm ausgedrückt. Dabei entspricht 1 Nm = 0,102 kpm.

Verglichen mit der Druck-Volumen-Arbeit des linken Ventrikels beträgt dessen Beschleunigungsarbeit nur etwa 1%. Die vom ganzen Herzen pro Systole zu leistende Arbeit wird überwiegend von der Größe des Schlagvolumens und von der Höhe des Aortendrucks bestimmt. Sie liegt in der *Größenordnung von 1 Nm (= 0,1 kpm)*.

Der **Anteil der Beschleunigungsarbeit** an der gesamten Herzarbeit kann erheblich zunehmen, wenn die Auswurfleistung des Herzens größer wird und damit die Strömungsgeschwindigkeit des Blutes wächst. Auch eine Abnahme der elastischen Dehnbarkeit der Aorta im Alter wirkt sich im Sinne einer Vergrößerung der Beschleunigungsarbeit des Herzens aus; denn durch die Erstarrung des „Windkessels" (vgl. S. 402) sinkt die Geschwindigkeit der Blutströmung in der Aorta während der Diastole auf niedrige Werte ab. Der linke Ventrikel muß dann nicht nur das Schlagvolumen, sondern eine erheblich größere Blutmenge während der Systole beschleunigen. Die Beschleunigungsarbeit kann unter derartigen Bedingungen nahezu den Betrag der Druck-Volumen-Arbeit erreichen.

Herzleistung und Leistungsgewicht. Leistung ist bekanntlich Arbeit pro Zeit. Wenn wir rund eine Systole pro s veranschlagen, so liegt die *Herzleistung* in der Größenordnung von 1 Nm/s oder 0,1 kpm/s. Dies entspricht $1,3 \cdot 10^{-3}$ PS (1 PS = 75 kpm/s). Beim Vergleich mit technischen Kraftmaschinen interessiert das sog. **Leistungsgewicht** (Gewicht pro Leistung). Bei einem Gewicht des Herzens von 0,3 kp beträgt sein Leistungsgewicht 0,3 kp/ $1,3 \cdot 10^{-3}$ PS = 230 kp/PS. Dies ist eine weit ungünstigere Relation, als man sie bei den meisten Kraftmaschinen findet (z.B. Automotor 3–5 kp/PS). Bei körperlicher Arbeit kann die Herzleistung allerdings erheblich ansteigen, wobei sich das Leistungsgewicht dem von technischen Pumpen annähert. Jedenfalls zeigt diese Rechnung, daß der Bau von künstlichen Pumpen möglich sein müßte, die u.U. als „Ersatzherz" eingesetzt werden können und weniger Masse beanspruchen als das natürliche Herz [2].

6.2. Sauerstoff- und Nährstoffverbrauch

Das Herz bezieht die Energie für seine mechanische Arbeit vorwiegend aus dem oxidativen Abbau von Nährstoffen. Darin liegt ein wesentlicher Unterschied zum Skeletmuskel, der seinen akuten Energiebedarf weitgehend durch anaerobe Prozesse zu decken vermag und dabei eine „Sauerstoff-Schuld" eingehen kann, die nachträglich wieder ausgeglichen wird. Die Ausrichtung des Herzens auf die oxidative Energiegewinnung kommt auch sehr deutlich in dem großen Mitochondrienreichtum der Herzmuskelzellen zum Ausdruck — also jener Organellen, die Sitz der Oxidationsfermente der Zelle sind.

O_2-Verbrauch und Wirkungsgrad. Um am Herzen in situ den O_2-Verbrauch zu ermitteln, bestimmt man im allgemeinen die Differenz des O_2-Gehaltes des arteriellen und coronarvenösen Blutes (AVD_{O_2}) und multipliziert den gefundenen Wert mit der Coronardurchblutung. Bei Körperruhe liegt der so ermittelte O_2-Verbrauch des Herzens in der Größenordnung von 8–10 ml/100 g min. Ein Herz von 300 g Gewicht verbraucht demnach 24–30 ml O_2/min; das sind rund 10% des gesamten Ruhe-O_2-Verbrauchs eines Erwachsenen — und dies bei einem Gewichtsanteil des Herzens am gesamten Körpergewicht von knapp 0,5%. Bei starker körperlicher Arbeit kann der O_2-Verbrauch des Herzens auf das 4fache des Ruhewerts ansteigen. Man

würde nun erwarten, daß im wesentlichen der vom Herzen pro Systole geleistete Betrag an äußerer Arbeit seinen O_2-Verbrauch bestimmt. Dies ist jedoch nicht der Fall; denn bei gleicher Arbeitsleistung ist der O_2-Verbrauch erheblich höher, wenn das Herz gegen einen hohen Druck arbeitet, als wenn es ein großes Volumen gegen einen entsprechend niedrigeren Druck auswirft. Der **Wirkungsgrad** der Herztätigkeit, d.h. der in mechanische Arbeit umgesetzte Bruchteil der gesamten aufgewendeten Energie, ist demnach bei überwiegender **Druckbelastung** geringer als bei überwiegender **Volumenbelastung**. In Abhängigkeit von den vorherrschenden Bedingungen liegt er in der Größenordnung zwischen 15% und 35%.

Im Falle einer *Coronarinsuffizienz*, d.h. bei einem Mißverhältnis zwischen dem O_2-Verbrauch des Herzens und dem O_2-Angebot des Blutes, versucht man, durch Herabsetzung des Strömungswiderstandes im großen Kreislauf den arteriellen Druck zu senken und damit eine Reduktion des O_2-Verbrauchs zu erreichen. Auf dieser Wirkung beruht z.B. der günstige Effekt von Nitroglycerin im Angina pectoris-Anfall.

Verbrauchsbestimmende Faktoren. Neuere Untersuchungen sprechen dafür, daß beim Herzen die Höhe des O_2-Verbrauchs pro Systole in erster Linie von der entwickelten *Faserspannung* abhängt, wobei der O_2-Verbrauch allerdings mit der Dauer der Anspannung wächst. Als Bezugsgröße dient meist der sog. **Tension-Time-Index**, d.h. das Produkt aus mittlerer Myokardfaserspannung und Systolendauer. Änderungen der *Herzfrequenz* wirken sich etwa im gleichen Maße auf den O_2-Verbrauch aus, indem sie die *Nettoarbeitszeit* pro min (Produkt aus Systolendauer und Frequenz) verändern; d.h., der O_2-Verbrauch steigt und fällt etwa proportional zur Quadratwurzel der Frequenz. Im O_2-Verbrauch des tätigen Herzens ist außerdem stets ein kleiner Anteil (ca. 1,5 ml O_2/min · 100 g) enthalten, der auch am stillstehenden Herzen nicht unterschritten werden kann, ohne daß irreversible Veränderungen der lebenden Struktur eintreten (*Basalverbrauch*).

Nährstoffverbrauch. Um festzustellen, welche Substrate das Herz in welchem Umfang zur Energiegewinnung verbraucht, kann man das gleiche Prinzip wie bei der Bestimmung des O_2-Verbrauchs anwenden, d.h. man ermittelt die Konzentrationsdifferenz zwischen dem arteriellen und dem coronar-venösen Blut und multipliziert mit dem Betrag der Coronardurchblutung. Dabei zeigt sich, daß das Herz — verglichen etwa mit dem Skeletmuskel — eine Art „Allesfresser" ist (vgl. Tabelle 2 am Ende des Kapitels).

Besonders bemerkenswert erscheint der hohe Anteil von **freien Fettsäuren** am Substratverbrauch sowie die Tatsache, daß der Herzmuskel im Unterschied zum Skelettmuskel auch **Milchsäure** zu verbrennen vermag. Da bei schwerer körperlicher Arbeit aus der anaeroben Glykolyse der Muskulatur Milchsäure ins Blut gelangt, wird dem Herzen dadurch gewissermaßen zusätzlicher Brennstoff für die geforderte Mehrarbeit angeboten. Indem das Herz die Milchsäure abbaut, gewinnt es nicht nur Energie, sondern trägt gleichzeitig noch zur Konstanthaltung des pH-Wertes des Blutes bei.

Der Anteil der verschiedenen Substrate am Gesamtverbrauch richtet sich in erster Linie nach dem Angebot, d.h. nach der **arteriellen Konzentration.** Diese bemerkenswerte Anpassungsfähigkeit des Herzens an das jeweilige Nährstoffangebot hat zur Folge, daß bei unzureichender Coronardurchblutung die Hauptgefahr für das Herz nicht aus einer Substrat-Verknappung, sondern aus dem O_2-Mangel resultiert.

6.3. Blutversorgung des Myokards

Der Coronarkreislauf des Herzens ist ein Teil des großen Kreislaufs (vgl. Abb. 1), der jedoch spezielle Eigenarten aufweist, die eng mit der Funktionsweise des Herzens verknüpft sind. Es erscheint daher zweckmäßig, schon hier näher auf diesen Abschnitt des Kreislaufs einzugehen: Im menschlichen Herzen finden sich in der Regel zwei Coronararterien, die beide aus der Aortenwurzel entspringen, jedoch unterschiedliche Kaliber besitzen. Die linke Coronararterie, die u.a. den muskelstarken linken Ventrikel versorgt, nimmt allein etwa $4/5$ des coronaren Stromvolumens auf; der Rest fließt durch die rechte Arterie. Die venöse Drainage erfolgt zu etwa $2/3$ über den Sinus coronarius, zu $1/3$ über Vv. parvae cordis bzw. Vv. cordis min. (Thebesii). Das venöse Blut des Coronarsinus entstammt übrigens nur der linken Coronararterie.

Größe der Myokard-Durchblutung. Im Tierversuch kann die Durchblutung des Herzens mittels elektromagnetischer Strömungsmesser direkt bestimmt werden. Beim Menschen ist man auf indirekte Meßmethoden angewiesen, bei denen u.a. die Aufnahme oder Auswaschung von Fremdgasen (NO_2, Argon, Xenon) im Herzen bestimmt wird, deren Löslichkeit im Gewebe bekannt ist. Derartige Messungen ergeben beim menschlichen Herzen in Ruhe eine Durchblutung von ca. 80–90 ml/100 g min. Bezogen auf das Minutenvolumen beträgt der Anteil der Coronardurchblutung etwa 5%. Bei körperlicher Arbeit kann der Betrag auf das 4fache des Ruhewertes ansteigen (vgl. Tabelle 2). In der gleichen Größenordnung liegt der Anstieg des O_2-Verbrauchs des Herzens bei schwerer Arbeit (vgl. S. 382).

Variation des Blutstromes mit dem Herzcyclus. Im Unterschied zu anderen Organkreisläufen zeigt der Coronarkreislauf starke Schwankungen seines Blutstromes im Rhythmus von Systole und Diastole. Für diese phasischen Schwankungen sind einerseits die rhythmischen Pulsationen des *Aortendrucks,* andererseits aber vor allem Veränderungen des *interstitiellen Myokarddrucks* verantwortlich. Dieser wirkt von außen auf die — in den mittleren und inneren Wandschichten des Herzens verlaufenden — Gefäße ein. Der Druck kann aus Gründen, auf die wir hier nicht näher eingehen, Werte erreichen, die sogar über dem Druck in den Herzhöhlen bzw. der Aorta liegen. Das ist beispielsweise in der Anspannungsphase der Fall. Wie Abb. 31 zeigt, wird dadurch der Einstrom in die linke Coronararterie vorübergehend völlig unterdrückt. Erst in der Diastole, wenn der intramurale Druck absinkt, steigt der Einstrom auf hohe Werte an. Die Verkürzung der Diastolendauer bei Frequenzerhöhung (S. 379) bewirkt daher — für sich allein betrachtet — eine Verringerung der Coronardurchblutung, die auf andere Weise ausgeglichen werden muß. Im Ausbreitungsgebiet der rechten Coronararterie ist der intramurale Druck geringer, so daß der Einstrom im wesentlichen den Schwankungen des Aortendrucks folgt. In der Systole entleert sich infolge der Kompression der muskulären Herzwand ein Schwall von Blut aus dem Coronarsinus; während der Diastole sistiert der Ausstrom dagegen weitgehend (Abb. 31).

Regulation der Coronardurchblutung. Schon bei normaler Ruhetätigkeit ist im Herzen die O_2-Entnahme aus dem Blut weit größer als in anderen Organen. Von 20 Vol.-% O_2 des arteriellen Blutes extrahiert das Herz rund 14 Vol.-% (vgl. Tabelle 2). Bei erhöhtem O_2-Verbrauch infolge Mehrbelastung ist daher kaum eine weitere Ausschöpfung möglich. Das Herz muß daher **Vergrößerungen seines O_2-Bedarfs** vor allem durch eine **erhöhte Durchblutung** decken. Dies geschieht durch Weiterstellung der Gefäße und damit Reduktion des Strömungswiderstandes. Der *stärkste Dilatationsreiz* für die Coronargefäße ist nach übereinstimmender Auffassung der **O_2-Mangel.** Schon eine Abnahme der O_2-Sättigung des Blutes um 5% (ca. 1 Vol.-% O_2-Gehalt) führt zu einer coronaren Vasodilatation. Inwieweit die vegetativen Herznerven darüber hinaus eine direkte Wirkung auf die Coronargefäße

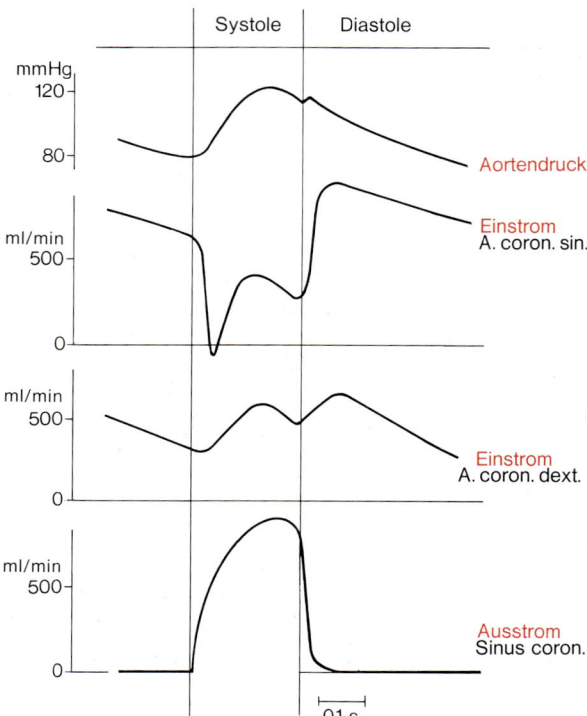

Abb. 31. Verhalten des coronaren Blutstroms und zeitliche Beziehungen zu Systole, Diastole und Aortendruck

Wird im Experiment die Coronarperfusion aufrechterhalten und nur die O_2-Zufuhr unterbunden (*Anoxie*), so treten praktisch identische Veränderungen auf: Unter fortschreitender Verminderung der Kontraktionskraft entwickelt sich eine starke Dilatation; nach etwa 6–10 min steht das Herz still. Als Ausdruck einer schweren Behinderung der Energiebereitstellung sind unter diesen Bedingungen die Bestände des Herzmuskels an *energiereichen Phosphaten* (Phosphokreatin, ATP) drastisch vermindert. Da der Milchsäureabbau im Herzmuskel bei O_2-Mangel sistiert und gleichzeitig aus der anaeroben Glykolyse Milchsäure anfällt, steigt ihre coronar-venöse Konzentration über die arterielle hinaus an. Dauert die Anoxie länger als 30 min an, so treten zu der Beeinträchtigung der Funktion des Myokards irreversible strukturelle Veränderungen hinzu, die eine Wiederbelebung unmöglich machen. Bei normaler Körpertemperatur markiert die Anoxiedauer von 30 min daher eine kritische Grenze, die man als **Wiederbelebungszeit** bezeichnet. Die Wiederbelebungszeit des Herzens läßt sich jedoch

besitzen, ist wegen ihrer gleichzeitigen sonstigen Einflüsse auf die Herztätigkeit schwer zu entscheiden. Neuere Untersuchungen sprechen für eine direkte gefäßerweiternde Wirkung des Sympathicus.

Güte der Coronardurchblutung, Coronarreserve. Eine ausreichende O_2-Versorgung des Herzens ist gewährleistet, wenn das O_2-Angebot dem O_2-Verbrauch entspricht. Der Quotient aus beiden Größen wird als Kriterium für die **„Güte der Coronardurchblutung"** verwendet. Durch Herauskürzen des Faktors coronare Durchblutung läßt sich der Quotient reduzieren auf das Verhältnis von arteriellem O_2-Gehalt zu AVD_{O_2} (z.B. 20 Vol.-%/14 Vol.-% = 1,4). Ein Absinken des Wertes unter 1,2 bedeutet eine kritische Einschränkung der O_2-Versorgung des Herzens (*Coronarinsuffizienz*). Neben der aktuellen Situation interessiert im Hinblick auf die O_2-Versorgung des Herzens auch die Anpassungsbreite, die sog. **Coronarreserve.** Man versteht darunter die Differenz zwischen der maximal verfügbaren O_2-Menge (bei maximaler Durchblutung und maximaler O_2-Extraktion ca. 50 ml O_2/100 g min) und dem tatsächlichen O_2-Verbrauch — oder das Verhältnis dieser Differenz zum tatsächlichen Verbrauch. Unter Ruhebedingungen errechnet sich nach dem letzteren Ansatz für ein voll anpassungsfähiges Coronarsystem ein Wert zwischen 4 und 5; d.h. die verfügbare O_2-Reserve ist 4–5mal höher als der Ruhebedarf des Herzens.

Anoxie und Wiederbelebung. Die überwiegende Ausrichtung des Herzstoffwechsels auf Energiegewinn aus oxidativen Abbauvorgängen macht es verständlich, daß eine plötzliche Unterbrechung der Durchblutung (*Ischämie*) innerhalb weniger Minuten zu einem weitgehenden Funktionsverlust führt.

Tabelle 2

(A) Physiologische Drücke (mm Hg) im Herzen und in den großen Arterien des Menschen bei Körperruhe

	höchster systolischer Druck	end-diastolischer Druck	mittlerer Druck
rechter Vorhof	—	—	5
rechter Ventrikel	25	5	
A. pulmonalis	25	10	
linker Vorhof	—	—	10
linker Ventrikel	120	10	
Aorta	120	70	

(B) Coronardurchblutung, arterio-coronarvenöse O_2-Differenz (AVD_{O_2}) und Substrataufnahme des menschlichen Herzens in Ruhe und bei Belastung. Die Substrataufnahme ist als prozentualer Anteil des betreffenden Substrats am O_2-Verbrauch des Herzens (O_2-Extraktionsquotient) ausgedrückt [45]

	Ruhe	Arbeit
Coronardurchblutung (ml/100 g min)	80	320
AVD_{O_2} (ml/100 ml Blut)	14	16
Coronarvenöser O_2-Gehalt (ml/100 ml Blut)	6	4
Substrate		
Glucose	31 (%)	16 (%)
Milchsäure	28	61
freie Fettsäuren	34	21
Brenztraubensäure, Ketonkörper, Aminosäuren	7	2

erheblich verlängern, wenn die Stoffwechselintensität durch Kühlung gesenkt wird. Von dieser Möglichkeit macht die moderne Herzchirurgie Gebrauch. Betrifft die Anoxie den ganzen Organismus — z.B. im Falle einer Erstickung — so wird die Möglichkeit einer erfolgreichen Wiederbelebung durch das Gehirn limitiert, das empfindlicher als das Herz reagiert und schon nach einer Anoxie von 8–10 min Dauer irreversible Veränderungen erleidet.

7. Literatur

Aufbau und allgemeine funktionelle Aspekte

1. BARGMANN, W., DOERR, W. (Hrsg.): Das Herz des Menschen. Stuttgart: Thieme 1962.
2. TRAUTWEIN, W., GAUER, O.H., KOEPCHEN, H.P.: Herz und Kreislauf. In: GAUER, O.H., KRAMER, K., JUNG, R.: (Hrsg.): Physiologie des Menschen, Bd. 3. München-Berlin-Wien: Urban & Schwarzenberg 1972.
3. LOCHNER, W.: Herz. In: BAUEREISEN, E. (Hrsg.): Physiologie des Kreislaufs, Bd. 1. Berlin-Heidelberg-New York: Springer 1971.

Grundprozesse der Erregung und der elektro-mechanischen Koppelung

4. ANTONI, H.: Elektrophysiologie peripherer vegetativer Regulationen am Beispiel des Herzmuskels. In: BÜCHNER-LETTERER-ROULET (Hrsg.): Hdb. Allgem. Pathologie, Bd. VIII/2. Berlin-Heidelberg-New York: Springer 1966.
5. ANTONI, H., ROTMANN, M.: Zum Mechanismus der negativ inotropen Acetylcholin-Wirkung auf das isolierte Froschmyokard. Pflügers Arch. ges. Physiol. 300, 67 (1968).
6. BROOKS, C. McC., HOFFMAN, B.F., SUCKLING, E.E., ORIAS, O.: Excitability of the Heart. New York: Grune and Stratton, 1955.
7. DE MELLO, W.C. (Hrsg.): Electrical phenomena in the heart. New York-London: Academic Press 1972.
8. FLECKENSTEIN, A.: Neuere Ergebnisse zur Physiologie, Pharmakologie und Pathologie der elektromechanischen Koppelungsprozesse im Warmblütermyokard. In: KEIDEL, W.D., PLATTIG, H. (Hrsg.): Vorträge der Erlanger Physiologentagung 1970. Berlin-Heidelberg-New York: Springer 1971.
9. HARRIS, P., OPIE, L. (Hrsg.): Calcium and the heart. London-New York: Academic Press 1971.
10. HOFFMAN, B.F., CRANEFIELD, P.F.: Electrophysiology of the Heart. New York: McGraw-Hill 1960.
11. HUTTER, O.F., TRAUTWEIN, W.: Vagal and sympathetic effects on the pacemaker fibres in the sinus venosus of the heart. J. gen. Physiol. 39, 715 (1956).
12. TRAUTWEIN, W.: Elektrophysiologie der Herzmuskelfaser. Ergebn. Physiol. 51, 131 (1961).
13. TRAUTWEIN, W.: Membrane currents in cardiac muscle fibres. Physiol. Rev. 53, 793 (1973).
14. TRAUTWEIN, W., KASSEBAUM, D.G., NELSON, R.M., HECHT, H.H.: Electrophysiological study of human heart muscle. Circulat. Res. 10, 306 (1962).
15. WEIDMANN, S.: Elektrophysiologie der Herzmuskelfaser. Bern: Huber 1956.

Elektrokardiogramm

16. HEINECKER, R.: EKG-Fibel, 9. Aufl. Stuttgart: Thieme 1973.
17. HOLZMANN, M.: Klinische Elektrokardiographie, 5. Aufl. Stuttgart: Thieme 1965.
18. ROTSCHUH, K.E.: Elektrophysiologie des Herzens. Darmstadt: Steinkopff 1952.
19. SCHAEFER, H., HAAS, H.G.: Electrocardiography. In: HAMILTON, W.F., Dow, P. (Hrsg.): Handbook of Physiology, Vol. 1: Circulation. Washington: Amer. Physiol. Soc. 1962.
20. SPANG, K.: Rhythmusstörungen des Herzens. Stuttgart: Thieme 1957.
21. WENGER, R.: Klinische Vektordiagraphie, 2. Aufl. Darmstadt: Steinkopff 1969.

Die mechanische Herzaktion

22. BRAUNWALD, E., ROSS, J., SONNENBLICK, E.H.: Mechanism of contraction of the normal and failing heart. Boston: Little, Brown and Co. 1967.
23. GREGG, D.E.: The heart as a pump. In: BEST, C.H., TAYLOR, N.B. (Hrsg.): The physiological basis of medical practice. Baltimore: Williams and Wilkins 1961.
24. HOLLDACK, K., WOLF, D.: Atlas und kurzgefaßtes Lehrbuch der Phonokardiographie, 2. Aufl. Stuttgart: Thieme 1965.
25. ROBB, J.S., ROBB, R.C.: Normal heart. Anatomy and physiology of the structural units. Amer. Heart. J. 23, 455 (1942).
26. RUSHMER, R.E.: Cardiovascular dynamics. Philadelphia: Saunders 1961.
27. WEBER, A.: Atlas der Phonokardiographie. Darmstadt: Steinkopff 1956.

Dynamik der Anpassung an wechselnde Belastungen

28. BAUEREISEN, E.: Kontraktion und Kontraktionsbewertung. Verh. dtsch. Ges. Kreisl.-Forsch. 37, 18 (1971).
29. FRANK, O.: Zur Dynamik des Herzmuskels. Z. Biol. 32, 370 (1895).
30. GAUER, O.H.: Volume changes of the left ventricle during blood pooling and exercise in the intact animal. Their effects on left ventricular performance. Physiol. Rev. 35, 143 (1955).
31. JACOB, R.: Druck-Volumen-Zeitbeziehungen im Tierexperiment. In: REINDELL, H., KEUL, J., DOLL, E. (Hrsg.): Herzinsuffizienz. Stuttgart: Thieme 1968.
32. JACOB, R., GÜLCH, R., KISSLING, G., RAFF, U.: Muskelphysiologische Grundlagen für die Beurteilung der Leistungsfähigkeit des Herzens. Z. inn. Med. 28, 1 (1973).
33. LOCHNER, W.: Kontraktilität des Myokards im physiologischen Bereich. Verh. dtsch. Ges. inn. Med. 27, 20 (1971).
34. LINZBACH, J.: Die pathologische Anatomie der Herzinsuffizienz. Handb. d. Inn. Med., Bd. 9/I. Berlin-Göttingen-Heidelberg: Springer 1960.
35. REINDELL, H., KÖNIG, K., ROSKAMM, H.: Funktionsdiagnostik des gesunden und kranken Herzens. Beziehungen zwischen Herzgröße und Leistung. Stuttgart: Thieme 1967.
36. STARLING, E.H.: Linacre lecture on the law of the heart. Cambridge 1915. London: Longmans, Green & Co. 1918.
37. WEZLER, K.: Neue Erkenntnisse über die Autoregulation des Herzens. Ärztl. Fortbildg. XVII, 1 (1969)

Energetik der Herzaktion

38. BERNSMEIER, A., RUDOLPH, W.: Myokardstoffwechsel. Verh. Dtsch. Ges. Kreisl.-Forsch. 27, 59 (1961).
39. BRETSCHNEIDER, H.J.: Aktuelle Probleme der Koronardurchblutung und des Myokardstoffwechsels. Regensb. Jb.ärztl. Fortb. XV, 1 (1967) 1.
40. FLECKENSTEIN, A., DÖRING, J., KAMMERMEIER, H.: Myokardstoffwechsel und Insuffizienz. Ärztl. Forsch. 21, 1 (1967).
41. FLECKENSTEIN, A.: Pathophysiologische Kausalfaktoren bei Myokardinfarkt und Nekrose. Wien. Z. inn. Med. 52, 133 (1971).
42. GERLACH, E., DEUTICKE, B., DREISBACH, R.H.: Der Nucleotid-Abbau im Herzmuskel bei Sauerstoffmangel und seine mögliche Bedeutung für die Coronardurchblutung. Naturwissenschaften 50, 228 (1963).
43. GREGG, D.E.: The Coronary Circulation in the Unanesthetized Dog. Int. Symp. on the Coronary Circulation and Energetics of the Myocardium, Milan 1966. Basel-New York: Karger 1967.
44. HIRCHE, H.: Regulation der Substrataufnahme des Herzens. Internat. Symposium Herzinsuffizienz, Hinterzarten 1967. Stuttgart: Thieme 1968.
45. KEUL, J., DOLL, E., STEIM, H., FLEER, U., REINDELL, H.: Über den Stoffwechsel des menschlichen Herzens. III. Der oxydative Stoffwechsel des menschlichen Herzens unter verschiedenen Arbeitsbedingungen. Pflügers Arch. ges. Physiol. 282, 43 (1965).
46. LOCHNER, W.: Substratumsatz, Sauerstoffverbrauch und anaerober Energiegewinn des Herzens. Z. Kreisl.-Forsch. 54, 103 (1965).
47. SCHÜTZ, E.: Über den Einfluß des intraventrikulären systolischen Druckes auf die Koronardurchblutung. Z. Kreisl.-Forsch. 45, 708 (1956).

XIX. Funktionen des Gefäßsystems (E. Witzleb)

Allgemeiner Aufbau und Aufgaben des Gefäßsystems. Das Herz-Gefäßsystem (kardiovasculäre System) stellt das Haupttransportsystem des Körpers dar. Es besteht aus dem Herzen als einer *Doppelpumpe*, die die Energie für die Blutströmung liefert, und den *Gefäßen*, die ein in sich *geschlossenes System* von *elastischen Röhren* bilden, in dem das *Transportmittel Blut* in Form eines Kreislaufes zirkuliert.

Als wichtigste **Aufgaben des Blutkreislaufs** sind der Transport von O_2 und CO_2, die Beförderung von Nährstoffen zwischen Orten der Aufnahme, des Verbrauchs, der Verarbeitung oder der Speicherung, ebenso wie der Abtransport von Stoffwechselprodukten zu den Ausscheidungsorganen und der Transport von Wasser und Elektrolyten im Rahmen des Wasser- und Mineralhaushaltes anzusehen. Ferner ist die Ableitung der in den Organen entstehenden Wärmemengen an die Körperober-

fläche für die Thermoregulation bedeutungsvoll. Schließlich werden im Blut Zellen sowie Proteine als Vehikel, Hormone als chemische Informationsüberträger und Immunkörper als Abwehrstoffe befördert.

Das **Gefäßsystem** weist zwei *in Serie* (hintereinander) geschaltete Abschnitte auf, nämlich das **Körpergefäßsystem** (großer oder peripherer bzw. Körperkreislauf) mit dem linken Ventrikel als Pumpe und das **Lungengefäßsystem** (kleiner bzw. Lungenkreislauf) mit dem rechten Ventrikel als Pumpe. Aufgrund der Serienschaltung der beiden Gefäßsysteme muß (von kurzfristigen Abweichungen abgesehen) die Auswurfleistung der beiden Ventrikel exakt aufeinander abgestimmt sein (Abb. 1).

Im **Körperkreislauf** befördert der linke Ventrikel bei jeder Kontraktion Blut in die Aorta, aus der die *parallel* geschalteten Arterien zu den einzelnen *Organen* abzweigen. Im weiteren Verlauf entstehen

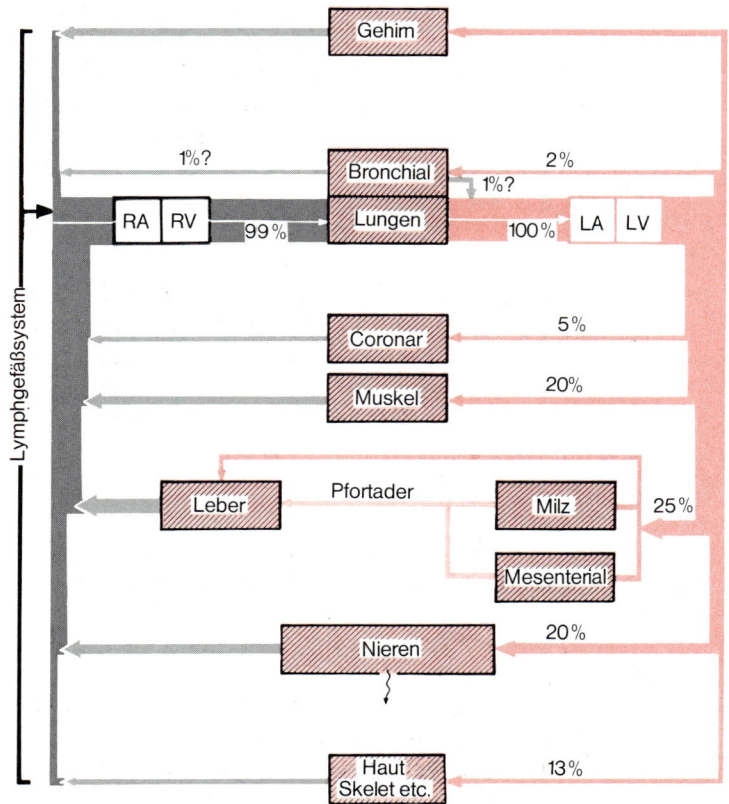

Abb. 1. Schematische Darstellung des Herz- und Gefäßsystems und Angaben der ungefähren Verteilung des Herzzeitvolumens auf die wichtigsten Organkreisläufe. Die Gefäßabschnitte mit O_2-gesättigtem „arteriellem" Blut sind rot, die Austauschgebiete rot/schwarz und die Gefäßabschnitte mit partiell O_2-entsättigtem „venösem" Blut schwarz schraffiert. RA und RV=rechter Vorhof und Ventrikel, LA und LV=linker Vorhof und Ventrikel

durch fortgesetzte Teilungen in zunehmender Zahl kleinere Arterien, Arteriolen und Capillaren, die ein äußerst dichtes Netz kleinster Gefäße bilden, in denen der Stoffaustausch mit den Geweben erfolgt. Die Capillaren gehen ihrerseits in Venolen über, wobei durch fortgesetzte Vereinigungen in abnehmender Zahl größere Venen entstehen, die schließlich über die V. cava sup. und inf. in den rechten Vorhof münden. Die Mesenterial- und Milzgefäße nehmen dabei insofern eine Sonderstellung ein, als sich in der Leber ein zweites Capillargebiet anschließt.

Im **Lungenkreislauf** gelangt das Blut aus dem rechten Ventrikel über den Truncus pulmonalis in das Lungengefäßsystem, in dem sich prinzipiell gleichartige Verzweigungen wie im Körpergefäßsystem befinden. Über die 4 großen Lungenvenen erreicht das Blut den linken Vorhof und mit dem Übertritt in den linken Ventrikel ist der Kreislauf geschlossen.

Die **Arterien** üben somit weitgehend **Verteiler-**, die **Venen** dagegen **Sammelfunktionen** aus, während in den Capillaren die o.a. Austauschvorgänge stattfinden. Als ein *zusätzliches Sammelsystem* für Flüssigkeiten sind die **Lymphcapillaren** anzusehen.

Der wesentlichste **funktionelle Unterschied** zwischen Körper- und Lungenkreislauf liegt darin, daß im **Körperkreislauf** das Herzzeitvolumen auf **alle Organsysteme** und Gewebe mit ihren unterschiedlichen und teilweise stark wechselnden funktionellen und nutritiven Ansprüchen **verteilt** wird, wobei über die Bronchialgefäße auch die Lungen versorgt werden. Diese Vorgänge werden durch verschiedene Kontroll- und Regulationsmechanismen überwacht und gesteuert. Der **Lungenkreislauf**, den das gesamte Herzzeitvolumen passiert, dient dagegen im wesentlichen nur dem *Gasaustausch* (O_2-Aufnahme und CO_2-Abgabe) und der *Wärmeabgabe*. Seine Funktionen werden relativ weniger kontrolliert und reguliert.

1. Hämodynamische Grundlagen

Die **Blutströmung** in den Gefäßen wird durch **Druckdifferenzen** zwischen den einzelnen Abschnitten aufrechterhalten, wobei das Blut aus Gebieten höherer Drücke in Gebiete niederer Drücke fließt. Das **Druckgefälle** liefert die Kraft zur Überwindung des **Strömungswiderstandes,** der u.a. von den *Abmessungen des Gefäßsystems* und der *Viscosität des Blutes* abhängt.

Zum Verständnis der komplexen Funktionen des Gefäßsystems sind Kenntnisse über die wichtigsten physikalischen Grundlagen der Blutströmung einschließlich der wechselseitigen Beziehungen zwischen Druck, Widerstand und Strömung sowie über spezielle Eigenschaften des Mediums Blut im Gefäßsystem erforderlich.

1.1. Gesetzmäßigkeiten der Strömung in starren Röhren

Beziehungen zwischen Stromstärke, Druck und Widerstand. In einfachster Form lassen sich bei laminarer Strömung in *starren Röhren* die Beziehungen zwischen **Stromstärke $\dot{V}$**, **Druckdifferenz (ΔP)** und **Widerstand (R)** analog dem *Ohmschen Gesetz* mit den Formeln

$$\dot{V} = \frac{\Delta P}{R} \quad \text{oder} \tag{1}$$

$$\Delta P = \dot{V} \times R \quad \text{oder} \tag{2}$$

$$R = \frac{\Delta P}{\dot{V}} \tag{3}$$

ausdrücken.

Die **Stromstärke $\dot{V}$** (Stromzeitvolumen) ist die für die Blutversorgung eines Organs entscheidende Größe, sie entspricht dem durch einen Gefäßquerschnitt strömenden Volumen pro Zeiteinheit ($\dot{V} = ml \cdot s^{-1}$), das sich aus der über den Querschnitt gemittelten linearen Strömungsgeschwindigkeit ($\bar{v}$) und der Fläche des Querschnitts ($Q = \pi \cdot r^2$) ergibt:

$$\dot{V} = \bar{v} \cdot \pi \cdot r^2. \tag{4}$$

In einem aus unterschiedlich weiten Röhren zusammengesetzten System (s. Abb. 2) ist die *Stromstärke* nach dem **Kontinuitätsgesetz** unabhängig vom unterschiedlichen Querschnitt in jedem beliebigen vollständigen Querschnitt *konstant*, d.h.

$$\dot{V} = \bar{v}_a \cdot Q_a = \bar{v}_b \cdot Q_b \ldots \tag{5}$$

Bei *gleichbleibender* Stromstärke in hintereinander geschalteten Gefäßabschnitten verändert sich danach die **lineare** Strömungsgeschwindigkeit *umgekehrt proportional* zum Querschnitt der einzelnen Teilabschnitte.

Die **Drücke** im Gefäßsystem stellen als (*arterieller* oder *venöser*) **Blutdruck** die Kraft (pro Flächeneinheit) dar, die das Blut auf die Gefäßwand ausübt. Aufgrund der in der Medizin seit langem durchge-

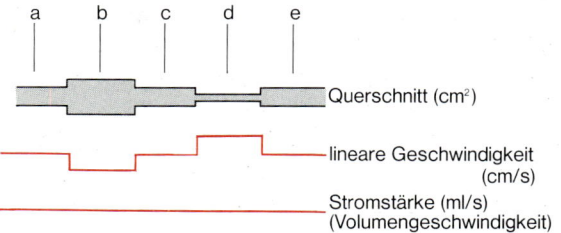

Abb. 2. Verhalten von linearer Geschwindigkeit und Volumengeschwindigkeit bei Veränderungen des Querschnitts in hintereinandergeschalteten Gefäßgebieten

führten Messung mit Quecksilbermanometern werden die Werte meist in mm Hg, gelegentlich auch in cm H_2O angegeben (1 mm Hg $\approx$ 13,6 mm H_2O $\approx$ 133 Pa $(N \cdot m^{-2})$; 10 mm $H_2O \approx$ 98 Pa $(N \cdot m^{-2})$). Weitere Hinweise s. S. 682 ff.

Der **Widerstand** kann zwar nicht direkt gemessen werden, er läßt sich jedoch aus der *Druckdifferenz* zwischen zwei Punkten im Gefäßsystem und der *Stromstärke* nach (3) berechnen. Für die Umrechnung von mm Hg in Werte des häufig noch verwendeten CGS-Systems und des SI gelten folgende Beziehungen:

$$R = \frac{x \text{ mm Hg}}{y \text{ ml/s}} = \frac{x}{y} \cdot \frac{1333 \text{ dyn cm}^{-2}}{\text{cm}^3/\text{s}}$$

$$= \frac{x}{y} 1333 \text{ dyn} \cdot \text{s} \cdot \text{cm}^{-5} \qquad (6)$$

bzw.

$$R = \frac{x \, 133 \text{ Pa}}{y \text{ ml/s}} = \frac{x}{y} \, 133 \text{ Pa} \cdot \text{ml}^{-1} \cdot \text{s}$$

Der Strömungswiderstand beruht auf der *inneren Reibung* zwischen den Flüssigkeitsschichten, die im wesentlichen von den Abmessungen der Gefäße, der Art der Strömung und der Viscosität der Flüssigkeit bestimmt wird.

Strömungswiderstände in Röhrensystemen. Bei *hintereinander geschalteten* Gefäßen ergibt sich der *Gesamtwiderstand* nach dem 1. Kirchhoffschen Gesetz aus der Summe aller Einzelwiderstände, d.h.

$$R_{gesamt} = R_1 + R_2 \dots \qquad (7)$$

Bei *parallel geschalteten* Gefäßen addieren sich dagegen nach dem 2. Kirchhoffschen Gesetz die *Leitfähigkeiten*, d.h.

$$L_{gesamt} = L_1 + L_2 \dots \text{ oder,} \qquad (8)$$

da L der reziproke Wert des Widerstandes ist,

$$L_{gesamt} = \frac{1}{R_1} + \frac{1}{R_2} \dots$$

Nach (3) bzw. (1) ist somit

$$L = \frac{\dot{V}}{\varDelta P} \quad \text{und} \quad \dot{V} = \varDelta P \cdot L, \qquad (9)$$

d.h. die Stromstärke nimmt bei gleichbleibender Druckdifferenz proportional zur Leitfähigkeit zu. Der *Widerstand* ergibt sich dagegen aus dem reziproken Wert der Leitfähigkeit, so daß bei parallel geschalteten Gefäßen

$$R_{gesamt} = \frac{1}{\dfrac{1}{R_1} + \dfrac{1}{R_2}} \dots \qquad (10)$$

ist.

Der *Gesamtwiderstand* von mehreren gleich weiten parallel geschalteten Röhren entspricht somit dem Widerstand des einzelnen Gefäßes dividiert durch die Zahl *aller* Gefäße und ist daher wesentlich kleiner als der des einzelnen Gefäßes. Diese Beziehungen sind für die Beurteilung des Gesamtwiderstandes in den verschiedenen Gefäßabschnitten bedeutungsvoll.

1.2. Strömungsformen

Laminare Strömung. Unter physiologischen Bedingungen liegt in nahezu allen Gefäßabschnitten ständig eine **laminare** oder **Schichtenströmung** vor. Die Flüssigkeit strömt dabei in *coaxialen zylindrischen* Schichten, in denen sich alle Teilchen ausschließlich parallel zur Gefäßachse bewegen. Die einzelnen molekularen Flüssigkeitsschichten verschieben sich teleskopartig gegeneinander, wobei die unmittelbar der Gefäßwand anliegende Schicht aufgrund der Adhäsion ruht, während sich die zweite gegenüber der ersten, die dritte gegenüber der zweiten Schicht usw. verschiebt, so daß ein **parabolisches Geschwindigkeitsprofil** mit einem Maximum im Axialstrom entsteht (Abb. 3).

In kleinen Gefäßen befindet sich die Flüssigkeit überwiegend in den nicht bzw. relativ langsam gleitenden wandnahen Flüssigkeitszylindern; die mittlere Strömungsgeschwindigkeit ist dementsprechend gering. In größeren Gefäßen bilden sich dagegen durch die zunehmende Zahl von molekularen Flüssigkeitsschichten zur Gefäßmitte hin mehr und immer schneller gleitende Flüssigkeitszylinder mit dem Ergebnis aus, daß die mittlere Strömungsgeschwindigkeit erheblich ansteigt.

Als Besonderheit ist zu erwähnen, daß die im Blut befindlichen corpusculären Elemente bei laminarer Strömung um so stärker in die Mitte gedrängt werden, je größer sie sind. Im **Axialstrom** finden sich daher fast nur Erythrocyten, die sich beinahe wie

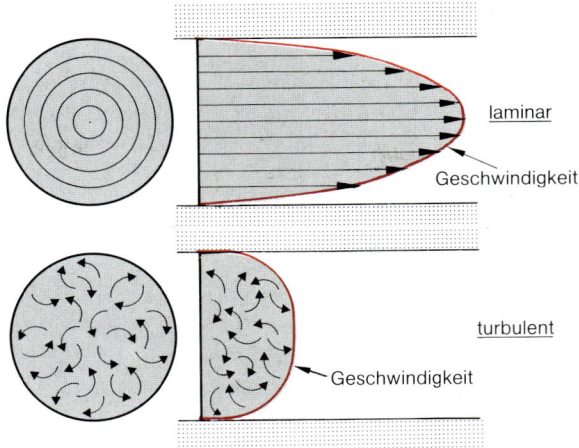

Abb. 3. Geschwindigkeitsprofil bei laminarer (coaxialer zylindrischer) und turbulenter Strömung. Bei laminarer Strömung ist in den konzentrischen Schichten die Strömung um so schneller, je weiter sie von der Gefäßwand entfernt sind

ein *kompakter Zylinder* in einem weitgehend zellfreien Plasmamantel bewegen. Ihre lineare Strömungsgeschwindigkeit ist damit zwangsläufig größer als die des Plasmas.

Turbulente Strömung. Die laminare Strömung kann unter bestimmten Bedingungen in **turbulente** Strömung übergehen, bei der *Wirbel* auftreten, in denen sich die Flüssigkeitsteilchen nicht nur parallel, sondern auch *quer* zur Gefäßachse bewegen. Die innere Reibung nimmt dadurch erheblich zu und das Strömungsprofil wird abgeflacht (Abb. 3). Die Stromstärke ist dabei nicht mehr direkt, sondern annähernd proportional der Quadratwurzel des Druckgefälles, d.h. eine Verdoppelung der Stromstärke erfordert vierfach höhere Drücke. Turbulente Strömungen stellen daher eine erhebliche Mehrbelastung für das Herz dar.

Der Übergang zur turbulenten Strömung hängt direkt proportional vom *Radius des Gefäßes* (r) in cm, der *mittleren Strömungsgeschwindigkeit* (v̄) in cm/s sowie der *Massendichte* (ρ) in g/cm³ (für Blut 1,06) und umgekehrt proportional von der *Viscosität* (η) in Pa·s bzw. dyn·s·cm² der Flüssigkeit ab, aus denen sich die dimensionslose **Reynoldsche Zahl** (Re) ergibt:

$$Re = \frac{r \cdot \bar{v} \cdot \rho}{\eta}. \tag{11}$$

Bei Werten über 200 treten an Arterienabgängen oder -verengungen bzw. in starken Gefäßkrümmungen lokale Wirbel in den Randschichten der Strömung auf, während bei Werten zwischen 1000 und 1200 die laminare Strömung vollständig in

Turbulenz übergeht. Dieser sog. **kritische Wert** wird in den proximalen Abschnitten der Aorta und A. pulmonalis während der Austreibungszeit weit überschritten, dementsprechend besteht in diesen Teilen vorübergehend Turbulenz. Bei erhöhten Strömungsgeschwindigkeiten (z.B. bei starker Muskelarbeit) oder bei reduzierter Blutviscosität (z.B. bei schweren Anämien) können in allen großen Arterien Turbulenzen entstehen. Dabei treten *Geräusche* auf, die u.U. sogar ohne Stethoskop hörbar sind (*Nonnensausen*).

1.3. Parameter des Strömungswiderstandes

Hagen-Poiseuillesches Gesetz. Bei laminaren Strömungen läßt sich die Abhängigkeit der mittleren Strömungsgeschwindigkeit vom Rohrdurchmesser durch Integration der Geschwindigkeiten aller Flüssigkeitszylinder nach folgender Formel

$$\bar{v} = \frac{\Delta P \cdot r^2}{8 \cdot \eta \cdot l} \tag{12}$$

berechnen, in der v̄ die *mittlere Geschwindigkeit* in cm/s, ΔP die *Druckdifferenz* in Pa bzw. dyn/cm², r der *Radius* in cm, η die *Viscosität* der Flüssigkeit in Pa·s bzw. Poise und l die *Länge* des Gefäßes in cm ist, während sich der Faktor 8 aus der Integration des Geschwindigkeitsprofils ergibt.

Mit diesen Werten für v̄ ergibt sich nach (4) das **Hagen-Poiseuillesche Gesetz** zur Berechnung der **Stromstärke**

$$\dot{V} = \frac{\pi \cdot r^4}{8 \cdot \eta \cdot l} \cdot \Delta P \tag{13}$$

und nach Formel (3) für den *Strömungswiderstand*

$$R = \frac{8 \cdot l \cdot \eta}{\pi \cdot r^4}. \tag{14}$$

Stromstärke und **Strömungswiderstand** hängen demnach direkt bzw. reziprok proportional von der **4. Potenz** des Radius ab. Beide Größen werden somit sehr viel stärker durch Veränderungen des Durchmessers als durch Veränderungen der Rohrlänge, der Druckdifferenz oder der Viscosität beeinflußt. So steigt z.B. die Stromstärke in einem Gefäß mit dem relativen Radius 1 und einer angenommenen Stromstärke von 1 ml/s bei Zunahmen des Durchmessers um das 2- bzw. 4fache auf 16 ml/s bzw. 256 ml/s an, während der Strömungswiderstand auf $^1/_{16}$ bzw. $^1/_{256}$ absinkt (Abb. 4). Bei gleichbleibendem Durchmesser würden entsprechende Zunahmen der Stromstärke 16-

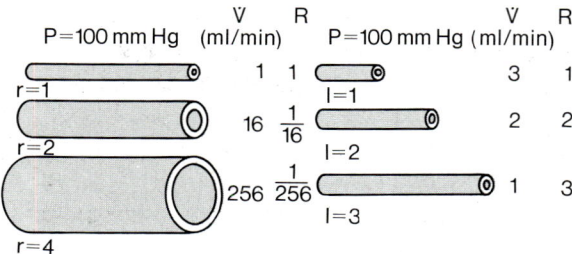

Abb. 4. Einfluß des Gefäßradius (r) und der Gefäßlänge (l) auf die Stromstärke und den Strömungswiderstand bei konstanten Drücken

bzw. 256fache Steigerungen des Druckes erfordern. Diese Effekte sind funktionell insofern bedeutungsvoll, als sie die Grundlage für eine *wirkungsvolle Regulation der Durchblutung und des Drucks* im Rahmen von lokalen oder übergeordneten Kreislaufumstellungen bilden.

Das Hagen-Poiseuillesche Gesetz gilt jedoch nur für 1. *starre Röhren*, 2. *laminare Strömungen*, 3. *homogene Flüssigkeiten* und 4. *benetzbare Wandungen*. Die Bedingungen unter 1.–3. werden im Kreislauf nicht oder nur teilweise erfüllt, so daß das Hagen-Poiseuillesche Gesetz nur mit großen Einschränkungen auf die Hämodynamik im Gefäßsystem übertragen werden kann.

Viscosität des Blutes. Die *Viscosität* (η) kennzeichnet die Eigenschaft von Flüssigkeiten, der gegenseitigen laminaren Verschiebung zweier benachbarter Schichten eine Kraft, die sog. „*innere Reibung*", entgegenzusetzen. Sie stellt eine temperaturabhängige *Materialkonstante* dar und wird durch das Verhältnis zwischen einwirkender Kraft pro Flächeneinheit, d.h. der Scherkraft, und dem als Folge der inneren Reibung in den angrenzenden Flüssigkeitsschichten entstehenden Geschwindigkeitsgradienten definiert. Der Viscosität von 1 Pa·s entsprechen 10 dyn·s·cm² bzw. 10 Poise (P). Die Viscosität wird häufig in *relativen Einheiten* auf der Basis des mit 1,0 angenommenen Wertes von Wasser angegeben, der bei 20° C 0,001 Pa·s beträgt. Im Gegensatz zur konstanten Viscosität von *homogenen* Flüssigkeiten (z.B. Wasser, Elektrolytlösungen, Blutplasma) weisen *inhomogene (heterogene) Flüssigkeiten* (z.B. Blut und alle Emulsionen) eine *variable Viscosität* auf.

Die Viscosität des Blutes hängt vor allem vom Gehalt an Erythrocyten und im geringeren Ausmaß vom *Proteingehalt des Plasmas* ab. Beim Menschen liegen die Werte für Blut bei 3–5 relativen Einheiten, für Plasma bei 1,5 relativen Einheiten. Sie liegen um so höher, je größer die Zellzahl und

bzw. oder der Proteingehalt des Plasmas ist (Abb. 5).

Unabhängig davon nimmt die Viscosität des Blutes bei *sehr niedrigen Strömungsgeschwindigkeiten* mit entsprechend geringen Scherkräften extrem zu. Als Folge davon können bei pathologisch verlangsamter Strömung, z.B. durch Abfall des treibenden Drucks oder distal von Gefäßverengungen, zusätzliche Zirkulationsstörungen ausgelöst werden. Aufgrund dieser *hämatokrit-* und *geschwindigkeitsabhängigen Änderungen* wird die Viscosität des Blutes unter Berücksichtigung der jeweiligen Bedingungen als **scheinbare Viscosität** beschrieben. Bei Strömungsgeschwindigkeiten innerhalb des physiologischen Bereichs liegen allerdings in allen Gefäßabschnitten so hohe Schubspannungen vor, daß die Viscosität weitgehend den für jeden Hämatokrit möglichen *Minimalwert* aufweist.

Als weitere Besonderheit ist zu erwähnen, daß die *scheinbare Viscosität* in Röhren mit Durchmessern unter 1 mm erheblich abnimmt. Bei sehr kleinen Durchmessern, wie sie in den Capillaren vorliegen, ist sie um ca. 50% reduziert (**Sigma-** bzw. **Fahraeus-Lindquist-Effekt**). In kleinen Gefäßen werden dadurch die Strömungsbedingungen wesentlich verbessert und die Druckverluste reduziert.

Die Veränderungen der scheinbaren Viscosität haben sehr komplexe Ursachen, sie dürften sowohl auf der Anwesenheit von *corpusculären Bestandteilen* als auch auf *spezifischen Eigenschaften der Blutkörper* sowie auf ihrer *Konzentration im Axialstrom* (s.o.) beruhen, wobei jedoch die Bedeutung der einzelnen Faktoren noch nicht in allen Punkten geklärt ist.

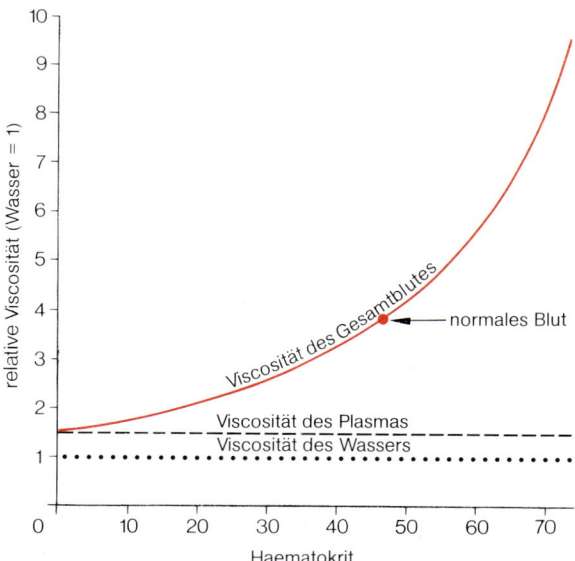

Abb. 5. Einfluß des Hämatokrits auf die Viscosität. Nach GUY-TON

2. Eigenschaften der Gefäßwände und Variabilität der Gefäßweite

2.1. Morphologische Grundlagen

Aufbau der Gefäßwände. Alle Gefäße verfügen über eine innere, dem Lumen zugewandte *Endothelschicht*, die aus einschichtigen Pflasterzellen (im Bereich der präcapillären Sphincteren und arteriovenösen Anastomosen mehrschichtigem Pflasterepithel) besteht. Sie geben der Gefäßwand eine glatte innere Oberfläche, deren Intaktheit die Blutgerinnung verhindert.

Darüber hinaus finden sich in allen Gefäßen mit Ausnahme der echten Capillaren in wechselnder Menge 1. **elastische Fasern**, 2. **kollagene Fasern** und 3. **glatte Muskelfasern**.

Die *elastischen Fasern* bilden vor allem in der *Intima* ein relativ dichtes Netz und lassen sich leicht und um das Vielfache ihrer ursprünglichen Länge dehnen. Sie üben eine **elastische Spannung** aus und setzen ohne Aufwand von biochemischer Energie der dehnenden Kraft des Blutdrucks einen Widerstand entgegen.

In der *Media* und *Adventitia* bilden die *kollagenen Fasern* ein Netzwerk, das einer Dehnung sehr viel mehr *Widerstand* entgegensetzt als die elastischen Fasern. Sie sind der Gefäßwand relativ locker aufgelagert, gelegentlich auch gefältelt und üben daher erst einen Gegendruck aus, wenn die Gefäßwand bereits einen größeren Dehnungsgrad erreicht hat.

Die spindelförmigen, ca. 4,7 µm dicken und 15–20 µm langen *glatten Muskelzellen* sind untereinander, ebenso aber auch mit den elastischen und kollagenen Fasernetzen verbunden. Ihre Funktion besteht vor allem darin, der Gefäßwand eine *aktive Spannung*, den **myogenen Gefäßtonus**, zu geben und im Rahmen der physiologischen Anpassungsvorgänge die Weite des Lumens zu regulieren. Die glatte Gefäßmuskulatur wird von vegetativen Nervenfasern innerviert. Die Steuerung des Kontraktionszustandes wird auf S. 418 erläutert.

Durchmesser und Wandstärke der verschiedenen Blutgefäße sowie die Anteile der wichtigsten Bauelemente sind in Abb. 6 schematisch dargestellt. Die Halbkreise deuten die möglichen Änderungen des Durchmessers in Abhängigkeit vom Kontraktionszustand der glatten Muskelfasern an. Zugleich

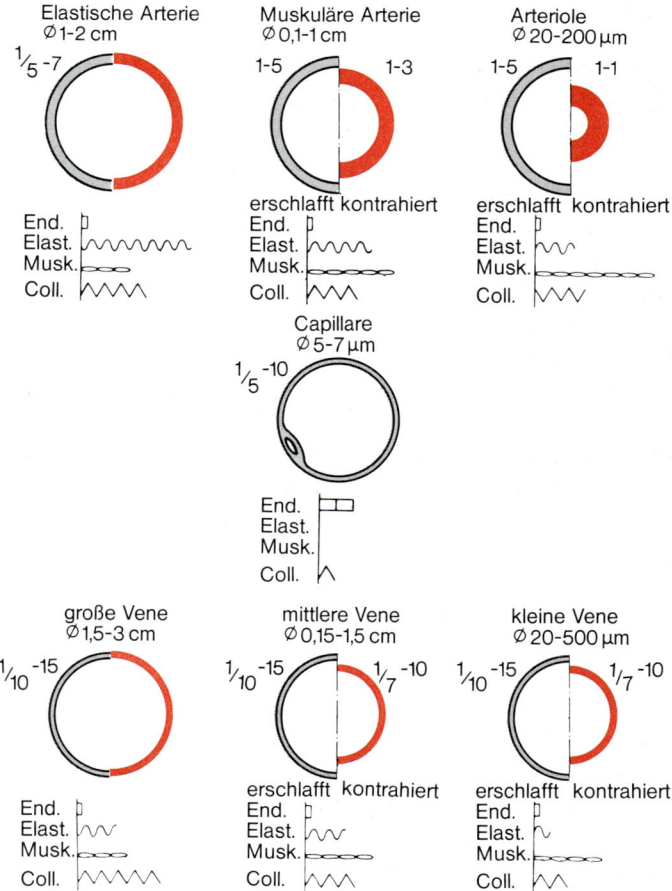

Abb. 6. Aufbau der Gefäßwände sowie Beziehungen zwischen Wandstärke und Innenradius der verschiedenen Gefäße bei unterschiedlichem Kontraktionszustand der glatten Gefäßmuskulatur. Nach Burton, modifiziert von Folkow und Neil

Tabelle 1. Schematische und ungefähre Angaben über die morphologische Aufteilung des Gefäßsystems beim Hund*

Gefäß	Zahl	Länge (cm)	Durch-messer (mm)	Gesamt-querschnitt (cm²)	Gesamt-oberfläche (cm²)	Gesamt-volumen (ml)
Aorta	1	40	10	0,8	126	30
Große Arterien	40	20	3	3,0	754	60
Arterienäste	600	10	1	5,0	1 884	50
Terminale Arterienäste	1 800	1	0,6	5,0	339	5
Arteriolen	40 000 000	0,2	0,02	125	50 240	25
Capillaren	1 200 000 000	0,1	0,008	600	301 440	60
Venolen	80 000 000	0,2	0,03	570	150 720	110
Terminale Venenäste	1 800	1	1,5	30	848	30
Venenäste	600	10	2,4	27	4 522	270
Große Venen	40	20	6,0	11	1 507	220
V. cava	1	40	12,5	1,2	157	50
Gesamt					512 528	910

* GREEN et al., nach Daten von MALL

sind die Beziehungen zwischen Wandstärke und innerem Radius in den einzelnen Abschnitten des Gefäßbettes eingetragen. Dabei zeigt sich, daß die *Relation Wandstärke/Innenradius* in den kleinen muskulären Arterien, Arteriolen (und Metarteriolen) größer als in den elastischen Gefäßen ist. Eine Verkürzung der externen Muskelfasern (von denen die neurogene Constriction ausgeht) verlagert in den kleinen Gefäßen zugleich relativ größere Gewebsmengen nach innen, so daß infolge der Abhängigkeit der Strömung von r^4 bereits kleine Veränderungen des Kontraktionszustandes der glatten Muskulatur den Strömungswiderstand in diesen Gefäßen stark beeinflussen.

Morphometrie des Gefäßsystems. Die Länge der *Aorta* des Menschen beträgt ca. 50 cm, die der nachfolgenden *Arterien* schwankt zwischen einigen Zentimetern bis zu 50 cm. Die *Arteriolen* sind wenige Millimeter, die *Capillaren* nur 0,5–1,0 mm lang. Die *Venen* weisen annähernd gleiche Längen wie die entsprechenden Arterien auf.

Durch die in den einzelnen Abschnitten des *Arteriensystems* verschieden stark ausgeprägten Verzweigungen nimmt die *Zahl der Gefäße* bis zu den Capillaren erheblich zu, ihr *Durchmesser* dagegen stark ab. Dabei ist jedoch die Summe aller Querschnitte der nachfolgenden (distalen) Segmente immer *größer* als die der vorangehenden (proximalen) Segmente. Im Zusammenhang damit tritt eine erhebliche Oberflächenvergrößerung auf.

Im *Venensystem* bestehen grundsätzlich ähnliche Relationen zwischen den einzelnen Gefäßabschnitten wie im arteriellen System. Aufgrund der größeren Zahl von Venenästen und des größeren Durchmessers liegen allerdings die Gesamtquerschnitte in allen Abschnitten deutlich *über* denen der entsprechenden Arterienabschnitte.

Eine Übersicht über Länge, Zahl, Durchmesser, Gesamtquerschnitt und -oberfläche sowie das Gesamtvolumen in den einzelnen Abschnitten gibt Tabelle 1. Die Angaben stellen Durchschnittswerte für den Hund dar. Unabhängig von gewissen Differenzen zum Gefäßsystem des Menschen lassen sich jedoch aus diesen Werten die charakteristischen Eigenarten des arteriellen und venösen Systems erkennen.

2.2. Transmuraler Druck und Wandspannung

Einfluß des transmuralen Druckes auf die Gefäßweite. Bei Steigerungen des *transmuralen Druckes*, d.h. der *Druckdifferenz* zwischen der *Innenseite* und der *Außenseite* der Gefäßwand ($P_t = P_i - P_a$), nimmt der Gefäßdurchmesser aufgrund der elastischen Wandeigenschaften zu und umgekehrt bei Senkungen ab, oder anders ausgedrückt, die Gefäße werden gedehnt bzw. entdehnt. Die Berücksichtigung des intravasalen Drucks allein genügt dabei insofern nicht, als die Gefäße durch das umgebende Gewebe verschieden starken und wechselnden Drücken von außen ausgesetzt sein können.

Die Deformation von elastischen Körpern ist nach dem **Hookeschen Gesetz** innerhalb bestimmter Grenzen proportional zur einwirkenden Kraft. Die Elastizität des Materials stellt eine *Materialkonstante*, den **Elastizitätsmodul E** dar, der aus der Längenänderung (Δl in cm) eines Körpers von der Länge (l in cm) und dem Querschnitt Q (in cm²) unter der Wirkung einer Kraft P nach

$$E = \frac{P/Q}{\Delta l/l} = \frac{P \cdot l}{Q \cdot \Delta l} \ \text{dyn} \cdot \text{cm}^{-2} \ \text{bzw.} \ \text{N} \cdot \text{m}^{-2} \tag{15}$$

ermittelt wird. Der **Youngsche Modul (Y)** entspricht dabei der Kraft pro cm² Querschnittsfläche, die zur (linearen) Dehnung eines Materials auf das Doppelte der Ausgangslänge erforderlich ist. Er beträgt z.B. für Gummi 4×10^6 Pa·s und für Stahl 2×10^{11} Pa·s.

Die *Elastizitätsdiagramme* der Gefäße entsprechen allerdings *nicht* den *linearen* Spannungs-Längen-Beziehungen nach dem *Hookeschen Gesetz*. Es zeigt sich vielmehr, daß bei Arterien der Youngsche Modul von 10^6 dyn cm^{-2} bei geringer Dehnung auf 10^7 dyn cm^{-2} bei stärkerer Dehnung zunimmt. Das bedeutet, daß sich ihr effektiver Youngscher Modul vergrößert und die Arterienwände mit zunehmender Dehnung weniger dehnbar (*starrer*) werden. Diese Effekte dürften auf der stärkeren Einbeziehung von kollagenen Fasern mit einem größeren Youngschen Modul bei zunehmender Dehnung beruhen. Grundsätzlich ähnliche Bedingungen liegen bei den Venen vor.

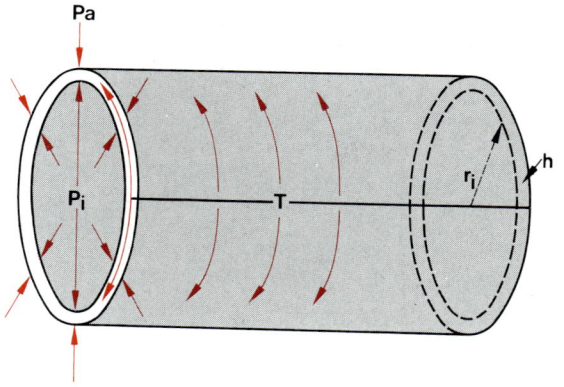

Abb. 7. Schematische Darstellung der Anwendung des Laplaceschen Gesetzes auf ein zylindrisches Blutgefäß. P_i = intravasculärer Druck, P = extravasculärer Druck, r_i = Innenradius, h = Wandstärke, T = tangentiale Spannung. Bei einem longitudinalen Schnitt durch die Wand würden die Schnittränder mit der Kraft T auseinanderstreben

Laplacesches Gesetz. Bei elastischen Hohlkörpern kann jedoch die Umsetzung der einwirkenden Drücke in Wandspannung *unabhängig* von dem sich verändernden Elastizitätsmodul sehr einfach nach dem **Laplaceschen Gesetz** berechnet werden. Danach ist unter Gleichgewichtsbedingungen bei kugelförmigen Körpern der dehnende (transmurale) Druck $P_t (N \cdot m^{-2})$ gleich dem Produkt aus Wandspannung $T (N \cdot m^{-1})$ und der Summe der reziproken Werte der beiden Hauptradien der Wandkrümmung r_1 und r_2 (cm):

$$P_t = T \cdot \left(\frac{1}{r_1} + \frac{1}{r_2} \right). \tag{16}$$

Bei einem Zylinder ist — ebenso wie bei den nahezu kreisrunden Blutgefäßen — einer der beiden Krümmungsradien unendlich, d.h. $1/r = 0$, während der zweite gleich dem Radius des Zylinders gesetzt werden kann und damit

$$P_t = \frac{T}{r} \tag{17}$$

ist (Abb. 7).

Für die Tangentialspannung in Zylindern mit unendlich dünner Wand gilt demnach

$$T = P_t \cdot r \ (dyn \cdot cm^{-1} \ bzw. \ N \cdot m^{-1}) \tag{18}$$

und bei Berücksichtigung der Wandstärke (h)

$$T_t = P_t \frac{r_i}{h} (dyn \cdot cm^{-2} \ bzw. \ N \cdot m^{-2}). \tag{19}$$

Nach dem Laplaceschen Gesetz sind somit zum Ausgleich des Dehnungsdrucks um so *geringere Wandspannungen* erforderlich, je *kleiner der Gefäßradius* und bzw. oder je *größer die Wandstärke* ist.

In Tabelle 2 sind die *tangentialen Wandspannungen* für verschiedene Gefäßtypen zusammengefaßt. Ein Vergleich der Werte untereinander, bei dem die kleinste Spannung gleich 1 gesetzt wurde (T relativ), macht verständlich, daß die Capillaren aufgrund ihrer geringen Wandspannung sehr hohen Drücken widerstehen können, obwohl sie nur aus einer einzelnen Zellschicht bestehen. In kleinen Gefäßen lösen Abnahmen des Gefäßradius infolge von aktiven Kontraktionen der Gefäßmuskulatur bei gleichen Gefäßinnendrucken weitere Abnahmen der primär bereits niedrigen Spannungen bei gleichzeitiger Zunahme der Wandstärke aus. Daraus erklärt sich, daß Änderungen des Arteriolendurchmessers bei allen im Kreislauf vorkommenden Drücken ohne Schwierigkeiten möglich sind.

2.3. Dehnbarkeit der Gefäßwände

Elastische Eigenschaften. Die **Dehnbarkeit** der Gefäße wird sowohl von der Menge als auch vom Verhältnis zwischen elastischen und kollagenen Fasern bestimmt. So sind z.B. in vergleichbaren Abschnitten des Körpergefäßsystems die Arterien 6–10mal weniger dehnbar als die Venen. Im Lungengefäßsystem sind die Arterien dagegen nur etwa 2mal weniger dehnbar als die Venen, die ein

Tabelle 2. Transmurale Drücke P und tangentiale Wandspannungen T in verschiedenen Gefäßen*

Gefäße	Radius des Lumens (cm)	Wandstärke (cm)	P $(N \cdot m^{-2})$	T $(N \cdot m^{-1})$	T relat.
Aorta	1,3	0,2	1,3330	170,000	10800,0
Arterien	0,4	0,1	1,2000	48,000	3000,0
Arteriolen	$4,0 \times 10^{-3}$	$3,0 \times 10^{-3}$	0,8000	0,320	20,0
A-V-Anastomosen	$1,0 \times 10^{-3}$	$5,0 \times 10^{-3}$	0,6665	0,067	4,0
Capillaren	$4,0 \times 10^{-4}$	$1,0 \times 10^{-4}$	0,4000	0,016	1,0
Venolen	$1,0 \times 10^{-3}$	$2,0 \times 10^{-4}$	0,2660	0,027	1,7
Venen	0,5	$5,0 \times 10^{-2}$	0,2000	1,000	63,0
Vena cava	1,6	0,15	0,1333	21,000	1300,0

* Nach Daten von BURTON

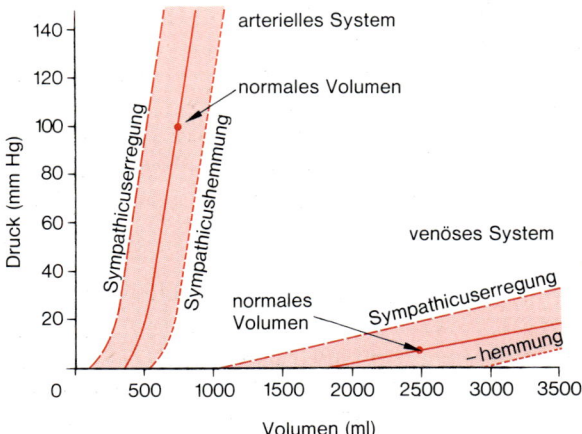

Abb. 8. Druck-Volumen-Diagramme der arteriellen und venösen Abschnitte des Körpergefäßsystems unter normalen Bedingungen sowie bei Erregung bzw. Hemmung des sympathischen Systems. (Nach GUYTON)

weitgehend ähnliches Verhalten wie die Venen im Körpergefäßsystem aufweisen.

Die Beziehungen zwischen Druck und Volumen lassen sich sowohl für einzelne Gefäße bzw. Gefäßabschnitte als auch für das Gesamtsystem in Form von **Druck-Volumen-Diagrammen** darstellen. In Abb. 8 sind Kurven für die arteriellen und venösen Abschnitte des Körpergefäßsystems wiedergegeben. Sie lassen erkennen, daß im *arteriellen System bereits geringe Volumenänderungen erhebliche Druckänderungen auslösen*, während im *venösen System selbst größere Volumenänderungen nur relativ kleine Druckänderungen verursachen.*

Das **elastische Verhalten** eines Hohlkörpers (bzw. isolierten Gefäßabschnittes) kann durch den **Volumenelastizitätskoeffizienten E′**, d.h. das Verhältnis einer Druckänderung (ΔP) zu einer Volumenänderung (ΔV), ausgedrückt werden:

$$E' = \frac{\Delta P}{\Delta V} \quad Pa \cdot ml^{-1} \text{ bzw. } dyn\, cm^{-5}. \qquad (20)$$

Bei großer elastischer Dehnbarkeit ist E′ klein und umgekehrt. E′ stellt somit den reziproken Wert der elastischen Dehnbarkeit dar, d.h. die Weitbarkeit eines Gefäßes kann als 1/E′, ebenso aber auch als

$$\text{Compliance} = \frac{\Delta V}{\Delta P} \qquad (21)$$

angegeben werden. Bei miteinander verbundenen elastischen Hohlkörpern ergibt sich die Gesamtweitbarkeit aus der Summe der Einzelwerte.

Das elastische Verhalten einer *Volumeneinheit*, d.h. das Verhältnis einer Druckänderung zu einer relativen Volumenänderung, wird durch den **Volumenelastizitätsmodul** κ beschrieben:

$$\kappa = \frac{\Delta P}{\Delta V} \cdot V = E' \cdot V \quad Pa \cdot ml^{-1} \text{ bzw. } dyn\, cm^{-2}. \qquad (22)$$

Der Volumenelastizitätsmodul κ steht mit der Massendichte der Flüssigkeit ρ in einfacher Beziehung zur *Fortpflanzungsgeschwindigkeit c der Pulswelle* (cm/s):

$$\kappa = \rho \cdot c^2 \quad \text{bzw.} \quad c = \sqrt{\frac{\kappa}{\rho}} \qquad (23)$$

Aufgrund dieser Zusammenhänge können durch Messung der Pulswellengeschwindigkeit (s.S. 404) relativ leicht Einblicke in das elastische Verhalten des Arteriensystems gewonnen werden.

Viscös-elastische und plastische Eigenschaften. Im Gegensatz zum Verhalten von „perfekt" elastischer Materie ist die Dehnung der Gefäßwände abhängig von der Anstiegssteilheit und der Dauer der einwirkenden Drücke. Im Anschluß an die verschieden steile initiale Phase tritt bei gleichbleibenden dehnenden Kräften eine *weitere Dehnung* der Gefäße („**delayed compliance**") auf, die auf einer inneren Reibung (Viscosität) der dehnbaren Elemente der Gefäßwand beruht. In vollständigen Dehnungs- und Entdehnungskurven eines PV-Diagrammes drücken sich diese Effekte in einer sog. **Hysteresisschleife** aus, die sich daraus ergibt, daß die Volumina bei gleichen Drücken bei der Entdehnung wegen eines Dehnungsrückstandes größer als während der Dehnung sind. Diese *viscös-elastischen Eigenschaften* sind auf eine besonders in der Gefäßmuskulatur ausgeprägte viscöse Komponente zurückzuführen. Darüber hinaus weist die Gefäßmuskulatur auch *plastische Eigenschaften* auf, die sich darin äußern, daß nach Beseitigung der dehnenden Kraft eine vollständige Entdehnung ausbleibt und die Ausgangslänge erst nach einer aktiven Kontraktion wieder erreicht wird.

2.4. Druck-Stromstärke-Beziehungen bei verschiedenen Gefäßtypen

Passive Dehnung. Aufgrund der Dehnbarkeit der Gefäße beeinflussen Druckänderungen die Stromstärke sowohl direkt als auch indirekt infolge von Änderungen des Gefäßdurchmessers. Die Stromstärke nimmt daher in bestimmten Gefäßen bei Drucksteigerungen sehr viel *stärker* zu, als es in starren Röhren nach dem Hagen-Poiseuilleschen Gesetz zu erwarten wäre. Die Druck-Stromstärke-Kurven verlaufen in diesen Fällen zunehmend steiler. Als *Prototyp* der auf Druckänderungen *passiv* mit Weitenänderungen reagierenden Gefäße sind die **Lungengefäße** anzusehen (Kurve L in Abb. 9).

Autoregulative Kontraktion. In anderen Gefäßen treten dagegen bei Drucksteigerungen *geringere Zunahmen der Stromstärke* auf, als es in starren Röhren nach dem Hagen-Poiseuilleschen Gesetz

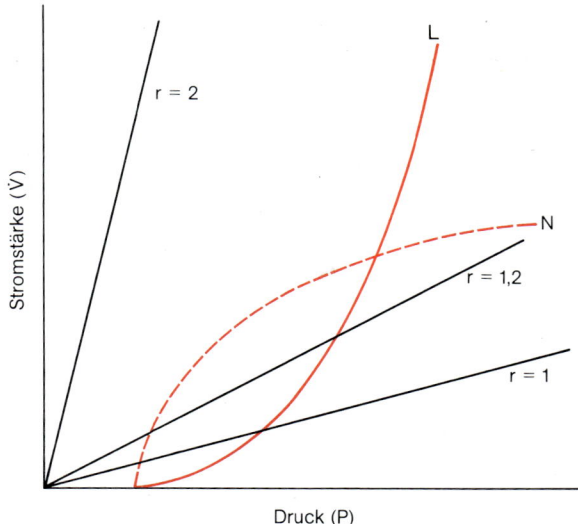

Abb. 9. Druck-Stromstärke-Beziehungen in starren Röhren mit verschiedenen Radien. Aufgrund der Abhängigkeit der Stromstärke von r^4 ist bei bestimmten Drücken eine Zunahme des Radius von 1 auf 1,2 und 2 mit einer 2- bzw. 16fachen Steigerung der Stromstärke verbunden. Bei der Durchströmung von Gefäßen treten Potenzfunktionen auf. Bei steigenden Drücken treten entweder passive Dehnungen (L=Lungengefäße) oder (autoregulative) reaktive Kontraktionen (N=Nierengefäße) auf. Die Stromstärke nimmt bei L stärker, bei N weniger zu, als bei starren Röhren nach dem Poiseuilleschen Gesetz zu erwarten wäre. In Blutgefäßen sistiert die Strömung unterhalb bestimmter Druckwerte=kritischer Verschlußdruck

zu erwarten wäre, d.h., die Druck-Stromstärke-Kurven verlaufen zunehmend flacher. Diese Effekte beruhen auf **autoregulativen** (mechanogenen) **Reaktionen** der glatten Muskulatur (*Bayliss-Effekt*), die auf die Fähigkeit der glatten Gefäßmuskulatur zurückzuführen sind, sich auf Dehnungsreize *überschießend* zu kontrahieren. Die autoregulativen Kontraktionen verstärken sich mit zunehmenden intravasalen Drücken. Sie lassen daher bei steigenden Drücken nur noch geringfügige oder gar keine Steigerungen der Stromstärke mehr zu und *stabilisieren auf diese Weise automatisch die Durchblutungsgröße.* In einzelnen Fällen bleibt die Stromstärke in einem Druckbereich von 120 bis über 200 mm Hg konstant. Als Prototyp dieses Verhaltens sind die **Nierengefäße** anzusehen (Kurve N in Abb. 9). Die autoregulativen Effekte der Gefäßmuskulatur sind von der autonomen Innervation *unabhängig* und bleiben daher auch nach Ausschaltung der vasomotorischen Nerven erhalten.

Die Beziehungen zwischen Druck und Stromstärke können *angenähert* durch Einbeziehung eines Exponenten n in das Hagen-Poiseuillesche Gesetz

$$\dot{V} = \frac{\pi \cdot r^4}{8 \cdot \eta \cdot l} \Delta P^n \qquad (24)$$

dargestellt werden. Der Exponent n liegt bei Gefäßen vom Typ L über 1 und bei Gefäßen vom Typ N unter 1. In starren Röhren ist n=1. Form und Lage der Kurven werden vom Kontraktionszustand der Gefäßmuskulatur in Abhängigkeit von nervösen oder metabolischen Faktoren, chemischer Zusammensetzung des Blutes usw. beeinflußt (s.S. 421ff.)

Kritischer Verschlußdruck. Die Druck-Stromstärke-Kurven verlaufen häufig nicht durch den Nullpunkt, sondern entspringen von einem positiven Druckwert, dem sog. **kritischen Verschlußdruck** (s. Abb. 9). Er beträgt bei Perfusion mit Blut *durchschnittlich 20 mm Hg*, kann aber bei stark erhöhtem Tonus der Gefäßmuskulatur bis auf 60 mm Hg ansteigen und bei aufgehobenem Tonus auf 1 mm Hg absinken.

Das Phänomen des kritischen Verschlußdrucks beruht auf einem *Kollaps* der Gefäße im Bereich der Arteriolen. Es soll dadurch verursacht werden, daß bei Drucksenkungen wegen der damit verbundenen Abnahmen des Gefäßradius nach dem Laplaceschen Gesetz die dehnenden Kräfte stärker als bei alleiniger Drucksenkung abnehmen. Darüber hinaus dürften an der Unterbrechung der Strömung auch Zunahmen der scheinbaren Viscosität bei niedrigen Strömungsgeschwindigkeiten beteiligt sein. Der kritische Verschlußdruck muß daher bei Ermittlung der effektiven arterio-venösen Druckdifferenz im Gefäßsystem von den gemessenen Werten subtrahiert werden. So kann bei hohen kritischen Verschlußdrücken die Blutströmung u.U. schon unterbrochen werden, wenn überhöhte Blutdruckwerte lediglich in den Normbereich zurückgeführt werden.

3. Funktionelle Organisation des Gefäßsystems

3.1. Funktionen der Gefäßabschnitte

Die in Serie geschalteten einzelnen Abschnitte des Gefäßsystems bilden das Gefäßbett für alle Gewebe.

Im Hinblick auf ihre **Funktionen** können die Gefäße eingeteilt werden in 1. *(elastische) Windkesselgefäße*, 2. *Widerstandsgefäße*, 3. *Sphinctergefäße*, 4. *Austauschgefäße*, 5. *Kapazitätsgefäße* sowie 6. *Nebenschluß(shunt)-Gefäße*.

Zu den *Arterien* vom *elastischen Typ* gehören wegen ihres relativ großen Anteils an elastischen Fasern die Aorta und A. pulmonalis sowie die anschließenden Teile der großen Arterien. Die große Elastizität ist vor allem in der **Aorta** für die sog. **Windkesselwirkung**, d.h. für die Umwandlung des phasischen systolischen Einstromes in eine ausgeglichenere Strömung in den peripheren Abschnitten verantwortlich (Einzelheiten s.S. 402).

Die **distalen Arterien** weisen demgegenüber einen zunehmenden Anteil an glatten Muskelfasern auf und stellen **Arterien** vom **muskulären Typ** dar. Der Übergang zwischen beiden Typen ist fließend. In den großen Arterien beeinflussen Änderungen des Kontraktionszustandes der glatten Muskulatur vor allem die elastischen Eigenschaften der Gefäßwand, während ihre Durchmesser und damit auch der Strömungswiderstand praktisch unverändert bleiben (s. auch Abb. 6).

Die **Terminalarterien** und **Arteriolen**, zu einem geringeren Teil auch die *Capillaren* und die *Venolen*, stellen **Widerstandsgefäße** dar. Der *stärkste Strömungswiderstand* liegt dabei im *präcapillären Bereich*, d.h. in den relativ kleinlumigen und zugleich relativ dickwandigen *Terminalarterien* und *Arteriolen*, die eine starke muskuläre Komponente aufweisen. In diesen Gefäßen lösen Veränderungen des Kontraktionszustandes der glatten Muskulatur deutliche Veränderungen des *Gefäßdurchmessers* aus, die vor allem im Bereich der zahlreichen Arteriolen *erhebliche Veränderungen des Gesamtquerschnitts* verursachen. Im Hinblick auf die Bedeutung des Querschnitts für den Strömungswiderstand wird verständlich, daß die Aktivität der glatten Gefäßmuskulatur in diesen Abschnitten der entscheidende Faktor für die *Regulation der Durchblutung (Stromstärke) innerhalb der einzelnen Gefäßgebiete*, ebenso aber auch für die *Verteilung des Herzzeitvolumens* (Stromstärke des Gesamtkreislaufs) *auf die einzelnen Organkreisläufe* ist. Der *postcapilläre Widerstand* wird dagegen durch die Venolen (und Venen) bestimmt. Das Verhältnis zwischen präcapillärem und postcapillärem Widerstand ist für die Größe des *hydrostatischen Drucks* in den Capillaren und damit auch für die *Filtrations- und Absorptionsbedingungen* bedeutungsvoll (s.S. 414).

Die **Sphinctergefäße**, d.h. die terminalen Segmente der präcapillären Arteriolen, beeinflussen durch Constriction oder Dilatation die *Zahl* der offenen Capillaren und damit die *Größe* der capillären Austauschfläche.

In den **Austauschgefäßen**, den **Capillaren**, finden die entscheidenden *Diffusions-* und *Filtrationsvorgänge* statt. Die Capillaren sind *nicht* kontraktil, Weitenänderungen erfolgen passiv im Zusammenhang mit Druckänderungen im Bereich der prä- und postcapillären Widerstands- sowie der Sphinctergefäße.

Nebenschlußgefäße finden sich in einigen Geweben in Form von **arteriovenösen Anastomosen**. Durch Öffnung dieser Gefäße wird die Durchblutung der Capillaren reduziert oder sogar ganz unterbrochen.

Als **Kapazitätsgefäße** sind im wesentlichen die **Venen** anzusehen, bei denen Querschnittsänderungen erhebliche *Blutvolumenverschiebungen* mit geringen Rückwirkungen auf den Strömungswiderstand verursachen und die damit die Funktion von **Blutdepots** wahrnehmen. Diese Effekte beruhen u.a. auf der starken Dehnbarkeit (s.S. 394) in Verbindung mit der beachtlichen Kapazität der Venen (s.S. 398), die sich sowohl aus der größeren Zahl als auch aus dem größeren Querschnitt im Vergleich zu den Arterien ergibt. Dementsprechend lösen bereits *kleine Veränderungen ihres Durchmessers relativ große Veränderungen der Kapazität* und Verschiebungen des darin enthaltenen Volumens aus, während der venöse Druck nur wenig beeinflußt wird. In dem geschlossenen Gefäßsystem sind *regionale Kapazitätsänderungen* zwangsläufig mit einer *Umverteilung des Blutvolumens* verbunden, so daß Veränderungen der von der glatten Gefäßmuskulatur kontrollierten Venenkapazität generalisierte Wirkungen auf die *Blutverteilung* auslösen und damit direkt oder indirekt die *gesamte Herz-Kreislauffunktion* beeinflussen. Ein weiterer Grund für die große Speicherfähigkeit liegt darin, daß die Venen *häufig abgeflachte (ovale) Querschnittsflächen* aufweisen, so daß bis zur Annäherung an einen kreisrunden Zustand ein bestimmtes Volumen ohne Inanspruchnahme der Dehnbarkeit aufgenommen werden kann.

In verschiedenen venösen Gebieten ist die Aufnahmefähigkeit der Kapazitätsgefäße aufgrund von anatomischen Eigenarten besonders groß, so daß diese Regionen *zusätzliche Speicherfunktionen* wahrnehmen können. Dabei handelt es sich vor allem 1. um die *venösen Gefäße der Leber*, 2. die *großen Venen im Splanchnicusgebiet* und 3. die *Venen des subpapillären Plexus der Haut*, die insgesamt etwa 1000 ml Blut abgeben oder aufnehmen können. Darüber hinaus nehmen auch die **Lungengefäße** Depotfunktionen wahr. In diesen im Hauptschluß liegenden Kreislaufabschnitten können bei Druckänderungen im linken Vorhof im Zusammenhang mit Veränderungen der Herzfrequenz und bzw. oder bei Veränderung der Kontraktionskraft des Herzens kurzfristig größere Blutmengen deponiert oder mobilisiert werden (s. auch S. 417).

Im Gegensatz zu anderen Species verfügt der Mensch über keine echten Blutspeicher, wie sie z.B. in der Milz beim Hund vorliegen, in denen Blut in speziellen Strukturen deponiert und bei Bedarf wieder in den Kreislauf abgegeben werden kann.

3.2. Widerstände im Gefäßsystem

Widerstände in den einzelnen Gefäßabschnitten.
Eine Übersicht über die Größe des Strömungswiderstandes geben die aus den Daten in Tabelle 1 nach dem Hagen-Poiseuilleschen Gesetz berechneten relativen Widerstände. Die Werte sind in Abb. 10 mit den dazugehörigen Volumenanteilen zusammengefaßt. Sie unterscheiden sich nicht wesentlich von den am Menschen gewonnenen Werten in Tabelle 3.

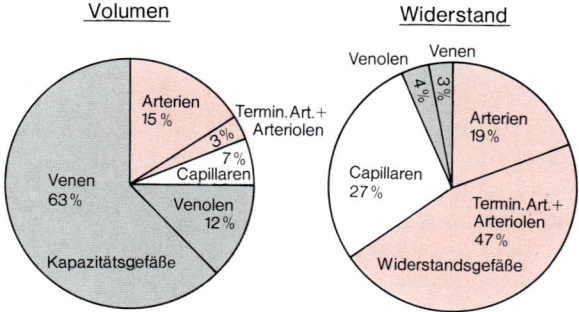

Abb. 10. Verteilung von Blutvolumen und Strömungswiderstand im Körpergefäßsystem. Auf die „Kapazitätsgefäße" mit einem Volumen von ca. 75% entfallen nur etwa 7% des Widerstandes, während die „Widerstandsgefäße" mit ca. 66% des Widerstandes nur etwa 18% des Volumens enthalten

Dabei zeigt sich, daß der **Strömungswiderstand** über die großen Distanzen in der *Aorta*, den *großen Arterien* und den *Arterienästen* mit 19% *relativ gering* ist. Auf die *terminalen Arterien* und die *Arteriolen*, d.h. auf die eigentlichen **Widerstandsgefäße**, entfällt dagegen über eine Distanz von wenigen Millimetern mit 47% fast die *Hälfte des Gesamtwiderstandes*. Die enorme Widerstandszunahme beruht auf den Abnahmen des Durchmessers der terminalen Arterien und Arteriolen, die von der zunehmenden Zahl der parallel geschalteten Gefäße nicht voll kompensiert wird. Die *Capillaren* weisen mit 27% ebenfalls einen *hohen Strömungswiderstand* auf. Im venösen Bereich zeigen die *Venolen* mit 4% den relativ höchsten Strömungswiderstand, während auf alle *übrigen Venenabschnitte* nur 3% entfallen.
Für die **Widerstandsgefäße** sind somit nicht nur *hohe Strömungswiderstände*, sondern auch ihre **kleine Kapazität** und für die **Kapazitätsgefäße** nicht nur die *große Kapazität*, sondern auch ihre **niedrigen Strömungswiderstände** als charakteristisch anzusehen. Eine Sonderstellung nehmen lediglich die arteriellen und venösen Gefäße mit 0,5–2,0 mm Durchmesser ein, in denen Weitenänderungen sowohl die Kapazität als auch den Widerstand stärker beeinflussen.

Tabelle 3. Verteilung der Blutvolumina auf die verschiedenen Kreislaufabschnitte eines (hypothetischen) Menschen*

Region	Volumen		
	ml	%	
Herz (Diastole)	360	7,2	7,2
Pulmonalkreislauf			
Arterien	130 ⎫	2,6 ⎫	
Capillaren	110 ⎬ 440	2,2 ⎬	8,8
Venen	200 ⎭	4,0 ⎭	
Körperkreislauf			
Aorta und große			
Arterien	300 ⎫	6,0 ⎫ 14	
kleine Arterien	400 ⎪	8,0 ⎭	
Capillaren	300 ⎬ 4200	6,0	84,0
kleine Venen	2 300 ⎪	46,0 ⎫ 64	
große Venen	900 ⎭	18,0 ⎭	
	5 000	100,0	

* 40 Jahre, Gewicht 75 kg, Körperoberfläche 1,85 m². (Nach MILNOR)

Tabelle 4. Strömungswiderstände R in den einzelnen Organkreisläufen des Menschen

	HZV (%)	$\dot{V}$ (ml·min⁻¹)	$\dot{V}$ (ml·s⁻¹)	R (Pa ·ml⁻¹·s)
Gehirn	13	750	13	1025
Coronargefäße	4	250	4	3 330
Muskeln	21	1 200	20	670
Splanchnicus-gebiet	24	1 400	23	580
Nieren	19	1 100	18	740
Haut	9	500	8	1 670
Übrige Organe	10	600	10	1 330
Körpergefäß-system insgesamt	100	~5 800	~96	~ 140
Lungengefäß-system	100	~5 800	~96	~ 11

Totaler peripherer Widerstand. Der *Gesamtwiderstand des Körpergefäßsystems* läßt sich nach Gleichung (6) berechnen. Er beträgt bei einer Druckdifferenz (ΔP) von ca. 100 mm Hg und einer Stromstärke $\dot{V}$ von ca. 95 ml/s rund 140 N·m⁻²·ml⁻¹·s (oder rund 1 400 dyn·s·cm⁻⁵) und wird als **totaler peripherer Widerstand (TPR)** bezeichnet. Auch die Widerstände der einzelnen parallel geschalteten Stromgebiete können auf diese Weise berechnet werden (Tabelle 4), wobei die Summe der Leitfähigkeiten nach dem Kirchhoffschen Gesetz ebenfalls den (reziproken) totalen peripheren Widerstand ergibt.
Die *Strömungswiderstände* in den *einzelnen Organkreisläufen* sind für die *Verteilung des Herzzeitvolumens* (HZV) verantwortlich, während der *totale*

periphere Widerstand in Verbindung mit dem jeweiligen HZV den *Blutdruck* bestimmt.

Im *Lungengefäßsystem* beträgt bei einem ΔP von ca. 8 mm Hg und einem $\dot{V}$ von 95 ml/s der Gesamtwiderstand etwa 11 N·m^{-2}·ml^{-1}·s (oder rund 110 dyn·s·cm^{-5}). Alle Werte können bereits unter physiologischen Bedingungen erheblich variieren.

3.3. Blutvolumina im Gefäßsystem

Gesamtblutvolumen. Für den *Füllungsdruck* des Herzens während der Diastole und damit für die gesamte Kreislauffunktion ist die Größe des intravasalen Blutvolumens in Relation zur Gefäßkapazität äußerst bedeutungsvoll.

Das **Blutvolumen** beträgt bei Männern 77 ml/ kg $\pm$ 10% und bei Frauen 65 ml/kg $\pm$ 10% Körpergewicht, wobei die Differenzen überwiegend auf den größeren Fettbestand des weiblichen Körpers zurückzuführen sind. Das **Gesamtvolumen** beträgt somit bei Männern im Mittel ca. 5,4 Liter und bei Frauen 4,5 Liter Blut.

In Abhängigkeit vom *Trainingszustand*, von *klimatischen* oder *hormonalen Faktoren* können *längerfristig* stärkere Abweichungen auftreten. Das Blutvolumen kann z.B. bei Leistungssportlern auf über 7000 ml ansteigen oder bei längerer Bettruhe unter die Norm absinken. Auch bei ausgeprägter Varicosis (Krampfadern) kann das Blutvolumen vergrößert sein. *Kurzfristige Veränderungen* treten bei Orthostase oder bei Muskelarbeit auf.

Verteilung des Blutvolumens. In den Gefäßen eines erwachsenen Menschen (Tabelle 3) finden sich rund 84% des Blutvolumens im *Körpergefäßsystem*, während von den verbleibenden 16% knapp 9% auf das *Lungengefäßsystem* und ca. 7% auf das *Herz* entfallen.

Die *Arterien* des menschlichen Körpergefäßsystems weisen einen Anteil von 14% auf, von denen auf die *Arteriolen* etwa 3% entfallen. Daraus wird verständlich, daß die effektiven Volumenverschiebungen bei maximalen constrictorischen oder dilatatorischen Reaktionen der Widerstandsgefäße das Blutvolumen in den anderen Gefäßabschnitten praktisch nicht beeinflussen.

Die *Capillaren* enthalten trotz der enormen Querschnittsvergrößerung wegen ihrer geringen durchschnittlichen Länge mit ca. 6% ebenfalls nur einen relativ kleinen Teil des Gesamtvolumens.

Die *Depotfunktionen des venösen Systems* werden durch ihren Anteil von 75% am *regionalen* Volumen bzw. von 64% am *Gesamtvolumen* unterstrichen.

Blutvolumen und mittlerer Füllungsdruck. Der **mittlere Füllungsdruck** bzw. **statische Blutdruck** ist ein Maß für den *Füllungszustand* des Gefäßsystems. Dabei handelt es sich um den Druck, der sich nach Ausschaltung der Herztätigkeit und Ausgleich der unterschiedlichen Drücke im gesamten kardiovasculären System einstellt. Er beträgt ca. **6 mm Hg** und kann sowohl durch Veränderungen des Blutvolumens als auch durch Veränderungen der Gefäßkapazität infolge von Veränderungen des Kontraktionszustandes der glatten Muskulatur beeinflußt werden. Der mittlere Füllungsdruck stellt einen wichtigen Faktor dar für den Einstrom von Blut aus dem venösen Gefäßsystem in den rechten Vorhof und bestimmt damit indirekt auch die Auswurfleistung des linken Herzens.

Unter normalen Kreislaufverhältnissen werden durch die Herztätigkeit Teile des Blutvolumens von der venösen auf die arterielle Seite transferiert, wobei aufgrund der unterschiedlichen Kapazität und Weitbarkeit der Gefäße der *venöse Druck minimal abnimmt* und der *arterielle Druck relativ stark ansteigt* (s. Abb. 11). Auf diese Weise entsteht ein *dynamisches Gleichgewicht*, bei dem die regionale Größe des Blutvolumens in den Gefäßen vom Verhältnis der intravasculären Drücke zur Weitbarkeit der jeweiligen Segmente abhängt.

4. Das arterielle Gefäßsystem

Auf der Grundlage der bisher dargestellten Eigenschaften der Gefäße sowie der Geometrie des Gefäßsystems zeigt die **Hämodynamik** in den einzelnen Abschnitten charakteristische Merkmale. In Abb. 11 sind die Veränderungen des Drucks und der mittleren Strömungsgeschwindigkeit sowie die ungefähre Größe des Gesamtquerschnittes der Gefäße im gesamten Kreislauf zusammengefaßt, die nachfolgend genauer beschrieben werden.

4.1. Rhythmische Änderungen von Blutstrom, Druck und Volumen im Arteriensystem

Strompuls. Der Übertritt von Blut in die Aorta ascendens erfolgt aufgrund der rhythmischen Herztätigkeit nur während der *Austreibungszeit* des linken Ventrikels. Die Strömung steigt bei diesem sog. *Strompuls* nach Öffnung der Aortenklappen steil an, erreicht etwa nach dem ersten Drittel der Austreibungszeit ein Maximum und fällt bis zum

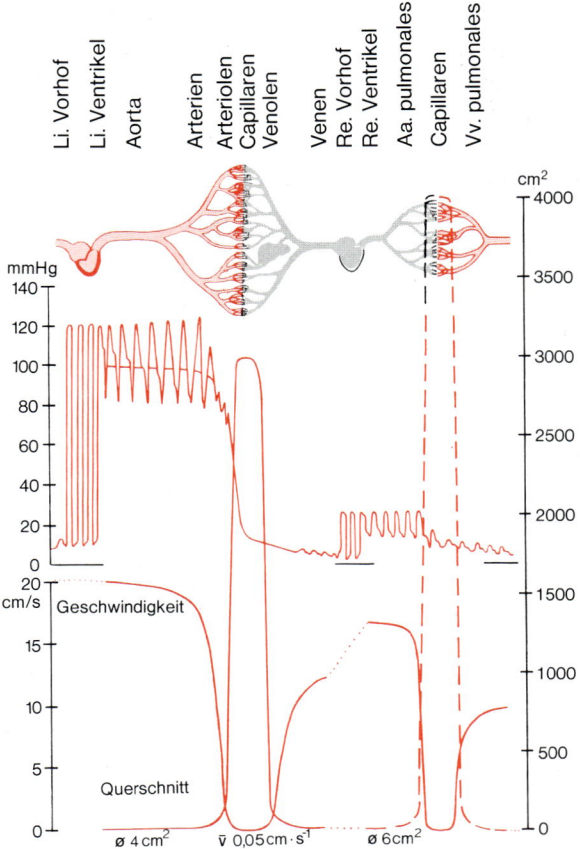

Abb. 11. Schematische Darstellung der Beziehungen zwischen Gesamtquerschnitt, Druck und mittlerer linearer Strömungsgeschwindigkeit im kardiovasculären System

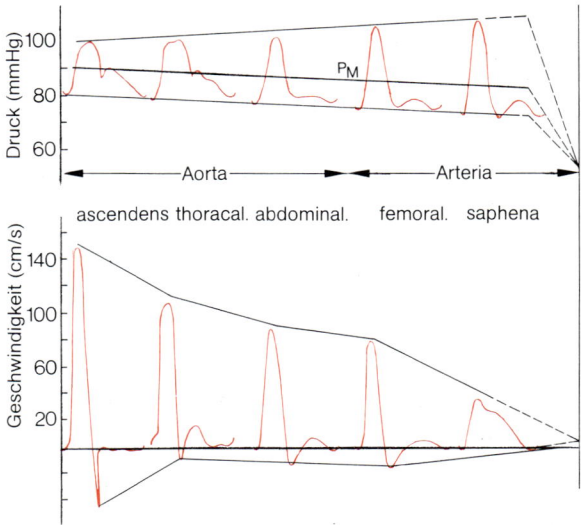

Abb. 12. Veränderungen von Druck- und Strompuls in Aorta und Beinarterien. Beachte die Ausbildung einer orthograden Strömungskomponente während der Diastole sowie die Zunahme der systolischen Druckgipfel und Abnahmen des mittleren Drucks (P$_M$) mit zunehmender Entfernung vom Herzen. (Nach McDonald)

Ende der Austreibungszeit wieder auf Null ab. Mit Beginn der *Entspannungszeit* tritt bis zum Schluß der Aortenklappen ein kurzdauernder Rückfluß in den Ventrikel auf. Im weiteren Verlauf der Diastole steht das Blut in der Aorta ascendens praktisch still bis zum Beginn der nächsten Austreibungszeit (Abb. 12).

In der Aorta des Menschen treten bei einer Austreibungszeit von 0,25 s für ein Schlagvolumen von 70–90 ml unter Ruhebedingungen *Spitzengeschwindigkeiten* von weit über 100 cm/s bei einer *durchschnittlichen Geschwindigkeit während der Austreibungszeit von ca. 70 cm/s* auf. In längeren Abschnitten der Austreibungszeit wird daher der kritische Wert der Reynoldschen Zahl überschritten, d.h. es liegt während dieser Zeit *turbulente Strömung* vor.

Druckpuls. Die Massenträgheit des Blutes verhindert, daß die gesamte in den Gefäßen befindliche Flüssigkeitssäule durch das während der Austreibungszeit in die Aorta gedrückte Schlagvolumen beschleunigt wird. Die Beschleunigung erstreckt sich vielmehr nur auf die Flüssigkeit im Anfangssegment der Aorta ascendens und löst dort eine *Drucksteigerung*, den sog. *Druckpuls*, aus. Der Druck steigt daher gleichzeitig mit der Strömung zunächst steil, im weiteren Verlauf jedoch flacher an, so daß das Maximum des Druckpulses später als das des Strompulses erreicht wird (Abb. 12). Danach sinkt der Druck bis zum Ende der Systole auf den *endsystolischen Druck* ab, der meist deutlich höher als der Druck zu Beginn der Austreibungszeit ist. Am Ende der Systole tritt ein kurzer, steiler Druckabfall, die sog. **Incisur**, auf, die durch die starke Drucksenkung und den Rückstrom von Blut bis zum plötzlichen Schluß der Aortenklappe infolge der Entspannung des Ventrikels entsteht. Im weiteren Verlauf der Diastole fällt der Druck im wesentlichen gleichförmig ab. Er sinkt allerdings aufgrund der *Gleichrichterwirkung der Aortenklappen*, der *elastischen Eigenschaften der Arterien* sowie des *peripheren Widerstandes* im Gegensatz zum Strompuls *nicht auf Null* ab, sondern weist vor Beginn der nächsten Systole noch ein relativ hohes Niveau auf (Abb. 12).

Volumenpuls. Im Zusammenhang mit dem systolischen Druckanstieg kommt es zu einer Dehnung der Gefäßwand, wobei die auftretenden Querschnittsveränderungen weitgehend dem Verlauf der Druckkurve entsprechen und als *Querschnitts-* bzw. *Volumenpuls* bezeichnet werden. Die Zunahme des Aortendurchmessers während der Ventrikelsystole beträgt unter normalen Bedingungen

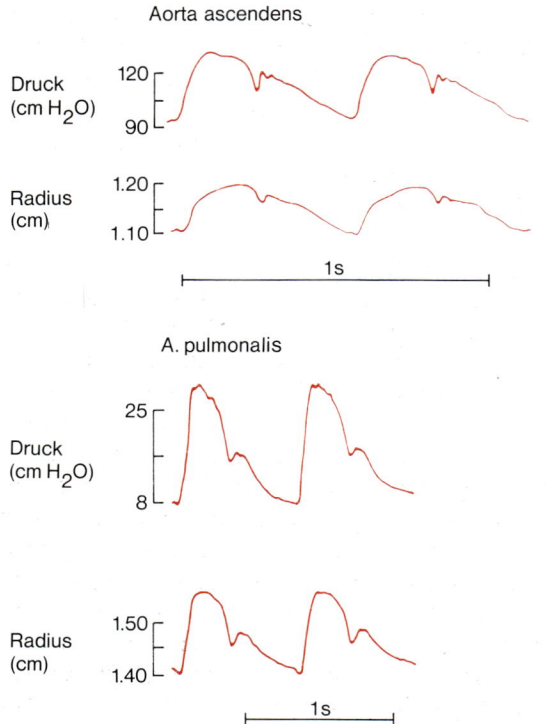

Abb. 13. Druck- und Volumenpuls in der Aorta ascendens und A. pulmonalis des Menschen. (Nach PATEL et al.)

in der *Aorta ascendens* ca. 6% und 2% in der *Aorta abdominalis*. Die *A. pulmonalis* ist stärker dehnbar und zeigt während der Systole Zunahmen des Durchmessers von ca. 10% (Abb. 13).

Bei der Dehnung der Gefäßwände wird *kinetische* in *potentielle (Deformations-)Energie* verwandelt und zugleich ein Teil des in die Aorta transportierten Schlagvolumens in den gedehnten Segmenten *gespeichert*. In der Phase des Druckabfalls zieht sich dagegen die gedehnte Wand elastisch zusammen und bewirkt eine *Entspeicherung*, wobei die potentielle in kinetische Energie zurückverwandelt und Blut in Richtung des geringsten Strömungswiderstandes gedrückt wird, d.h. in Richtung zu den Capillaren als den „Abflußkanälen" des arteriellen Systems. Unter normalen Bedingungen ist das Verhältnis zwischen systolischem Durchflußvolumen und Speichervolumen etwa 1:1 (s. auch S. 403).

4.2. Strömung im Arteriensystem

Strömung in den arteriellen Gefäßabschnitten. Mit zunehmender Entfernung vom Herzen nimmt die *Amplitude* des Strompulses in der Aorta und den großen Arterien (im Gegensatz zu der des Druckpulses) *kontinuierlich* ab. Außerdem bildet sich in der Aorta thoracalis und in den distalen Arterien

eine *diastolische* Strömungskomponente aus (Abb. 12). Der vorübergehende Rückfluß zu Beginn der Entspannungszeit ist unter Ruhebedingungen noch in der A. femoralis (bzw. A. brachialis) nachweisbar. Bei Steigerungen des Herzzeitvolumens wird jedoch das Geschwindigkeitsniveau insgesamt so weit angehoben, daß die Nullinie nicht mehr unterschritten wird.

Im Bereich der *terminalen Arterienäste* und *Arteriolen* wird die pulsierende Strömung fortschreitend in eine mehr *kontinuierliche* Strömung transformiert. Bei starker Vasodilatation können allerdings auch in den Capillaren und den nachfolgenden Venen kleine Strömungsschwankungen vorhanden sein.

Strömungsgeschwindigkeit und Querschnitt. Aufgrund der diskontinuierlichen Strömung liegt besonders in der Aorta und den großen Arterien die mittlere Strömungsgeschwindigkeit deutlich unter den während der Systole gemessenen Werten. Sie läßt sich nach $\bar{v} = \dot{V}/(\pi \cdot r^2)$ berechnen. Bei einem Aortenradius von 11–12 mm ergibt sich unter Ruhebedingungen bei einem Herzzeitvolumen von 5000 ml/min bzw. 83 ml/s in der Aorta eine **mittlere Strömungsgeschwindigkeit** von 18,4 bzw. 21,8 cm/s, d.h. von **rund 20 cm/s**. Die mittlere Strömungsgeschwindigkeit kann allerdings bei Steigerungen des Herzzeitvolumens bis auf über 100 cm/s ansteigen.

Aufgrund der reziprok proportionalen Abhängigkeit vom Gesamtquerschnitt nimmt die mittlere Strömungsgeschwindigkeit des Blutes in den *distalen Arterien*, vor allem aber im Bereich der *terminalen Arterien und Arteriolen* stark ab und weist in den *Capillaren mit ca. 0,03–0,05 cm/s* die niedrigsten Werte auf (s. auch Abb. 11). In Tabelle 5 sind

Tabelle 5. Mittlere Strömungsgeschwindigkeiten und mittlere Drücke im Körpergefäßsystem des Menschen

	Durchmesser (mm)	Mittl. Geschw. (cm·s^{-1})	Mittl. Druck (mm Hg)
Aorta	20–25	20	100
Kleine Arterien		10–5	95
Sehr kleine Arterien		2	80–70
Arteriolen		0,2–0,3	70–35
Capillaren			
arterielles Ende			35–30
Mitte	0,006	0,05–0,03	25–20
venöses Ende			20–15
Sehr kleine Venen		0,5–1,0	20–10
Kleine bis mittlere Venen		1–5	15 und
Große Venen	5–10	5–15	weniger
V. cavae	20–30	10–16	

die Werte für die mittlere Strömungsgeschwindigkeit in den verschiedenen Gefäßabschnitten zusammengefaßt.

4.3. Drücke im Arteriensystem

Systolischer, diastolischer und mittlerer (Blut-) Druck. Das *Maximum* der Druckpulskurve während der Systole wird als **systolischer (Blut-)Druck** (P_S) und das *Minimum* während der Diastole als **diastolischer (Blut-)Druck** (P_D) bezeichnet (Abb. 14). Die Differenz zwischen beiden Werten ist die **Blutdruckamplitude**. Der „mittlere Blutdruck" (P_M) bzw. der *arterielle Mitteldruck*, der der treibenden Kraft für die Blutströmung entspricht, ist definiert als der *zeitliche Mittelwert* der Druckwerte in einem Gefäßabschnitt und wird durch Integration der Druckpulskurven über die Zeit, in praxi durch Planimetrieren bestimmt. In *zentralen* Arterien kann der *mittlere Druck* ausreichend genau aus dem arithmetischen Mittel von $P_S + P_D$ bzw. dem diastolischen Druck plus der Hälfte der Blutdruckamplitude ($P_M = P_D + 1/2 (P_S - P_D)$), in *peripheren* Arterien aus dem diastolischen Druck plus einem Drittel der Blutdruckamplitude ($P_M = P_D + 1/3 (P_S - P_D)$) ermittelt werden.

Der „**Blutdruck**" ist eine für die Beurteilung der Herzkreislauffunktion wichtige Größe, die relativ leicht zu messen ist und damit Bestandteil jeder Untersuchung sein sollte. Die Größe des Blutdrucks reicht unter physiologischen Bedingungen beim gesunden Menschen zur Aufrechterhaltung einer ausreichenden Durchblutung der einzelnen Organkreisläufe aus. Der Blutdruck wird dabei von *zahlreichen* Faktoren beeinflußt und kann erheblich schwanken. Bei der Bewertung der Meßergebnisse müssen diese Vorgänge unbedingt berücksichtigt werden. Die Beschreibung der Meßverfahren erfolgt im Zusammenhang mit der Darstellung der den Blutdruck beeinflussenden Faktoren (s.S. 443).

Drücke in den arteriellen Gefäßabschnitten. In der *Aorta ascendens* des jugendlichen Erwachsenen liegt ein **systolischer Druck** von **ca. 120 mm Hg** und ein **diastolischer Druck** von **ca. 80 mm Hg** vor. Der **mittlere arterielle Druck** beträgt somit **ca. 100 mm Hg** und nimmt in den nachfolgenden Abschnitten ebenso wie in den großen Arterien nur geringfügig ab, so daß in *Arterien* mit einem *Durchmesser von 3 mm* noch ein mittlerer Druck von *95 mm Hg* vorliegt. Gleichzeitig treten jedoch auffällige *Veränderungen* der *Pulsform* und *-amplitude* auf. Mit wachsender Entfernung vom Herzen nimmt der *systolische Druck* in den Arterien fortlaufend zu und liegt in der A. femoralis 20 mm Hg und in der A. dorsalis pedis bis zu 40 mm Hg über dem systolischen Druck in der Aorta ascendens. Der *diastolische Druck* nimmt dagegen kontinuierlich ab, so daß es zu einer deutlichen *Vergößerung der Druckamplitude* kommt (Abb. 12). Bei den meist an peripheren Arterien durchgeführten Druckmessungen müssen diese Vorgänge zur Vermeidung von Fehlinterpretationen beachtet werden.

In den *terminalen Arterienästen* sowie in den *Arteriolen* fällt der Druck wegen des *hohen Strömungswiderstandes* auf einer Strecke von wenigen Millimetern steil ab und erreicht am *Ende der Arteriolen*

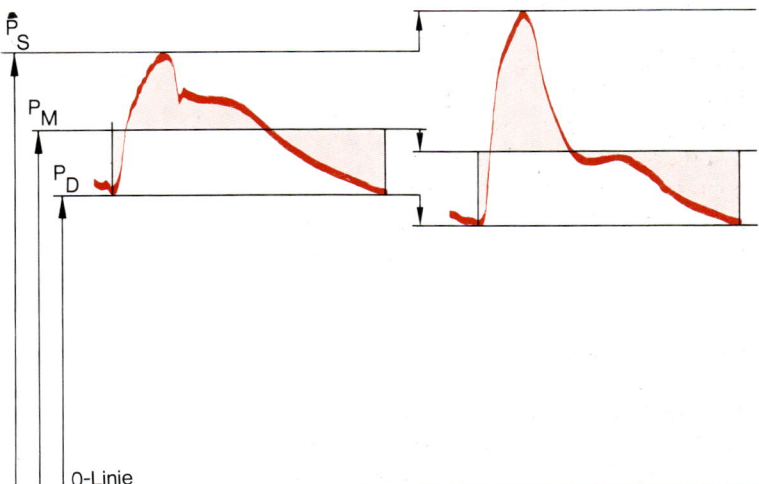

Abb. 14. Bestimmung des mittleren arteriellen Drucks in der Aorta (links) und einer peripheren Arterie (rechts). P_S = systolischer Druck, P_M = mittlerer Druck, P_D = diastolischer Druck. Die schraffierten Flächen oberhalb des Mitteldrucks sind gleich den Flächen unterhalb des Mitteldrucks. Weitere Einzelheiten s. Text

Werte von *30–35 mm Hg.* Gleichzeitig werden die pulsierenden Druckschwankungen stark gedämpft bzw. aufgehoben (s. Tabelle 5).

Mittlere Strömungsgeschwindigkeit und mittlerer Druck in den Arterien entsprechen weitgehend den nach physikalischen Gesetzen aufgrund der Geometrie des Gefäßsystems zu erwartenden Veränderungen. Die charakteristischen Veränderungen der Strom-, Druck- und Volumenpulse werden dagegen durch die unterschiedlichen elastischen Eigenschaften der einzelnen Arterienabschnitte ausgelöst, die noch genauer zu erläutern sind.

4.4. Auswirkungen der Gefäßelastizität

Windkesselfunktion. Die Umwandlung der diskontinuierlichen systolischen Strömung in der Aorta ascendens in eine *kontinuierliche,* wenn auch nicht gleichmäßige Strömung in den *peripheren Arterien* beruht überwiegend auf den von der Pulswelle ausgelösten *lokalen Speichereffekten* in der Aorta und den Arterien vom elastischen Typ. Aufgrund der ähnlichen Wirkungen eines in das Röhrensystem von Kolbenpumpen eingeschalteten luftgefüllten sog. *Windkessels* auf Strömung und Druck werden diese Gefäßabschnitte ebenfalls als Windkessel und ihre Funktion als *Windkesselfunktion* bezeichnet.

In einem *starren Röhrensystem* würde der Druck während der Systole sehr viel stärker ansteigen, während der Diastole dagegen auf Null abfallen und ein Strömungsstillstand eintreten. Das Herz müßte dabei mit jeder Systole nicht nur das jeweilige Schlagvolumen, sondern auch die gesamte Blutmenge im System aus dem Stillstand beschleunigen. Gleich große Stromstärken wären darüber hinaus nur durch höhere Strömungsgeschwindigkeiten in der Systole zu erzielen, die weitere Steigerungen des systolischen Drucks erforderten. Das Herz würde dabei sowohl durch eine Vergrößerung der zu beschleunigenden Massen als auch durch die Erhöhung der Strömungsgeschwindigkeit erheblich stärker belastet werden.

Druck-Volumen-Diagramm. Das elastische Verhalten des Windkessels von Menschen verschiedener Altersgruppen demonstrieren *Druck-Volumen-Diagramme,* die an isolierten Aorten aufgenommen wurden (Abb. 15). Aufgrund einer *abnehmenden Dehnbarkeit,* definiert durch 1/E', zeigen alle Kurven bei höheren Drücken einen zunehmend *steileren* Verlauf. Andererseits nimmt die Dehnbarkeit bis zum *Abschluß des Wachstums* infolge einer Volumenvergrößerung durch Zunahme der Länge und des Durchmessers der Aorta zu, d.h. der *Windkessel* wird aufgrund einer Vergrößerung der dehnbaren Oberfläche sowie der damit (nach dem Laplaceschen Gesetz) zusammenhängenden verbesserten Übersetzung von Druck in dehnende Kraft *wei-*

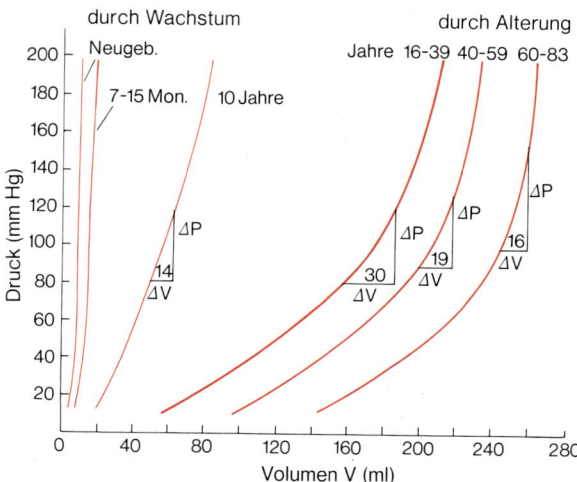

Abb. 15. Druck-Volumen-Diagramme von menschlichen Aorten. Durch das Wachstum nimmt das Aortenvolumen zu. Die Weitbarkeit (compliance) erreicht ein Maximum beim jugendlichen Erwachsenen (16–39 Jahre). Durch Alterungsprozesse tritt im weiteren Leben eine Ausweitung der Aorta bei abnehmender Dehnbarkeit auf. In einigen Diagrammen sind Volumenänderungen (ΔV) im Bereich der altersentsprechenden Druckamplituden (ΔP) eingezeichnet. Weitere Einzelheiten s. Text. (Nach SIMON und MEYER aus GAUER)

cher. Mit *zunehmendem Alter* steigt zwar das in der Aorta befindliche Volumen weiter an; die Dehnbarkeit und damit das Speichervolumen nehmen jedoch aus anatomischen Gründen ab, d.h. der *Windkessel* wird wieder *härter.* Diese Effekte werden durch eine Verschiebung der PV-Diagramme in den steileren Bereich infolge der altersbedingten Blutdrucksteigerungen verstärkt.

Die *altersabhängigen Veränderungen* der PV-Diagramme beruhen wahrscheinlich auf einer *passiven* Ausweitung durch den dauernd einwirkenden Blutdruck und einer Abnahme der Dehnbarkeit des alternden Gewebes; sie sind bei pathologisch erhöhten Blutdruckwerten stärker ausgeprägt.

In Abb. 15 sind die *Volumenänderungen* im Bereich der *Blutdruckamplitude* für verschiedene Altersgruppen eingezeichnet. Im „Normalfall", d.h. beim jugendlichen Erwachsenen, betragen sie 30 ml, so daß

$$E' = \frac{40 \text{ mm Hg}}{30 \text{ ml}} = 177 \text{ Pa} \cdot \text{ml}^{-1}$$

oder rund 1 770 dyn · cm⁻⁵ ist.

Mit der extrem vereinfachten Annahme, daß der Druck am Ende der Systole in allen Arterienabschnitten gleichmäßig 40 mm Hg über den enddiastolischen Werten läge, würde endsystolisch ein Volumen von 30 ml in der Aorta gespeichert. Die Dehnbarkeit der Aorta ist nach Schätzungen etwa 3mal so groß wie die aller übrigen Arterien, so daß bei einer Übertragung der o.e. Annahme auf diese Gefäße weitere 10 ml und damit *40 ml* am Ende der Systole im gesamten arteriellen System *gespeichert* wären. Bei einem Schlagvolumen von 80 ml würden daher in diesem Beispiel 50% des Volumens während der Systole, die restlichen 50% dagegen während der Diastole im Zusammenhang mit der Retraktion der gedehnten Gefäßwände und der gleichzeitigen Rückkehr des Blutdrucks auf die Ausgangswerte durch die peripheren Widerstandsgefäße in die Venen fließen.

Für den Gesamtwindkessel ergibt sich daraus, daß

$$E' = \frac{40\ mm\ Hg}{30 + 10\ ml} = 133\ Pa \cdot ml^{-1}$$

oder rund 1 330 dyn cm^{-5} ist, d.h. daß bei einer Volumenzunahme von 1 ml im gesamten arteriellen System der Druck um 1 mm Hg zunimmt und umgekehrt.

Wellenwiderstand und Reflexionen der Pulswelle. Die Formänderungen der Druckwellen einschließlich der Überhöhung der systolischen Gipfel in den peripheren Arterien beruhen auf verschiedenen Mechanismen, deren Bedeutung zum Teil noch umstritten ist. Als wichtigste Faktoren sind 1. *Wellenreflexionen*, 2. *Dämpfungsvorgänge* und 3. *unterschiedliche Ausbreitungsgeschwindigkeiten* der verschiedenen Frequenzen anzusehen.

In einem elastischen System werden die über die Gefäßwand laufenden Wellen an allen Stellen reflektiert, an denen der **Wellenwiderstand** (Z) zunimmt, der sich aus dem Verhältnis von *Wellendruck* ΔP zur *Wellenstromstärke* $\dot{V}$ einer Welle als

$$Z = \frac{\Delta P}{\dot{V}}\ Pa \cdot s \cdot ml^{-1} \qquad (25)$$

ergibt. Der Wellenwiderstand ist eine *Impedanz*, die sich in diesem Fall unter Vernachlässigung jeglicher Reibung aus dem Zusammenwirken der *Massenträgheit* der Flüssigkeit und der *Wandelastizität* ergibt und nicht mit einem Reibungswiderstand verwechselt werden darf.

Im arteriellen System treten durch Erhöhungen des Wellenwiderstandes, die an den Gefäßabgängen und durch Abnahmen der Elastizität in den distalen Gefäßabschnitten entstehen, bereits in der Aorta und in den großen Arterien **positive Reflexionen** auf. Die stärksten Reflexionen finden jedoch in den *präcapillären Widerstandsgefäßen* statt, die sich gegenüber der Pulswelle wie ein *geschlossenes Schlauchende* verhalten. Sie werden durch vasoconstrictorische Reaktionen verstärkt, durch vasodilatatorische Reaktionen dagegen abgeschwächt. Durch *Superposition* der reflektierten auf die rechtläufigen Wellen wird die *systolische Druckwelle* daher vor allem in den *peripheren Gefäßen überhöht*.

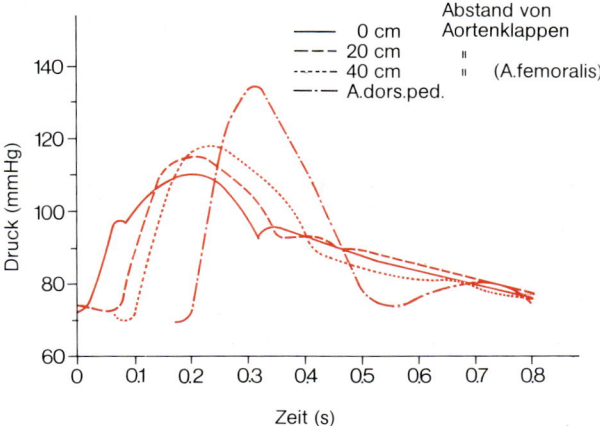

Abb. 16. Pulskurven in verschiedenen Abschnitten des menschlichen Arteriensystems. Die Erhöhung des systolischen Drucks sowie die dikrote Welle sind besonders deutlich in der A. dors. ped. ausgeprägt, zugleich ist die bei der Ausbreitung im Arteriensystem der Pulskurven auftretende zeitliche Verzögerung zu erkennen. (Nach REMINGTON und WOOD, modifiziert von GUYTON)

Die *reflektierten Wellen*, deren Amplitude allerdings aufgrund von Energieverlusten durch Reibung nur noch 30–40% der Größe der primären Wellen beträgt, werden an den Aortenklappen *erneut zurückgeworfen*, zugleich aber weiter gedämpft usw. In peripheren Gefäßen bildet sich dadurch eine deutliche *dikrote Erhebung* (**dikrote Welle**) im absteigenden Teil der Pulskurve aus (Abb. 16). Wegen der erheblichen Dämpfung ist es jedoch unwahrscheinlich, daß sich aus den reflektierten und re-reflektierten Wellen echte stehende Wellen im Arteriensystem ausbilden.

Die **Dämpfung** hängt u.a. vom Wandaufbau und der Geometrie des Gefäßsystems ab. Sie ist um so *größer*, je *dehnbarer* die Gefäßwände sind. Ebenso tritt eine *verstärkte Dämpfung* an Teilungsstellen und bei Abnahmen des Durchmessers der Arterien (besonders im Bereich der Widerstandsgefäße) auf. Höhere Frequenzen werden *stärker* als niedrigere gedämpft. Die bereits im unteren Ende der Aorta abdominalis erfolgte Aufhebung der Incisur (Abb. 12) stellt ein Beispiel dafür dar.

Die *Überhöhung* der *systolischen Gipfel* in peripheren Arterien wird außerdem noch dadurch unterstützt, daß sich infolge der geringeren Dehnbarkeit und der damit verbundenen größeren Pulswellengeschwindigkeit bei höheren Drücken (s.o.) der systolische Anteil schneller als der diastolische Teil der Pulswelle ausbreitet, so daß sowohl das Maximum höher als auch die Wellenfront steiler wird. Zwangsläufig wird dadurch auch die Form der übrigen Abschnitte der Welle verändert (s. Abb. 16).

Eine *quantitative* Beschreibung von nicht geometrischen Wellen wie den Strom- und Druckpulskurven ist durch die *harmonische (Fourier-) Analyse* möglich, bei der die Kurven als Summe von zahlreichen Sinusschwingungen betrachtet werden, deren Frequenzen in einem ganzzahligen Verhältnis zur Grundschwingung stehen. In Abhängigkeit von der Zahl der berechneten Fourierreihen nimmt die Übereinstimmung zwischen registrierten und berechneten Kurven zu und wird mit 6–10 Fourierkoeffizienten weitgehend erreicht. Auf diese Weise kann aus dem Verhältnis zwischen pulsierenden Druck- und Strömungsänderungen die **Impedanz des Gefäßsystems** (entsprechend der Bezeichnung bei Wechselströmen) für den gesamten Bereich der in Druck- und Stromkurven auftretenden Frequenzen ermittelt werden. Der übliche Begriff des *Strömungswiderstandes* (der nach dem Ohmschen Gesetz für Gleichströme als Quotient aus *mittlerer Druckdifferenz* und *mittlerer Strömung* definiert ist) erfaßt demgegenüber lediglich einen *Teilfaktor* der äußerst komplexen Impedanz und liefert daher nur relativ grobe Hinweise auf die tatsächlich vorliegenden Bedingungen.

4.5. Pulswelle

Ausbreitung der Druckpulswelle. Die für den Anfangsteil der Aorta beschriebenen Vorgänge einer Flüssigkeitsströmung (*Strompuls*), Druckänderung (*Druckpuls*) sowie Querschnittsänderung (*Volumenpuls*) breiten sich in gleicher Weise auf die folgenden Segmente als **Pulswelle** (analog zu einer Schlauchwelle) mit einer bestimmten Geschwindigkeit über das Gefäßsystem aus. Tatsächlich laufen die Phänomene nicht — wie vereinfacht dargestellt — in aufeinanderfolgenden Schritten, sondern *kontinuierlich* ab, d.h. Speicherung und Entspeicherung und damit die Weiterbewegung von Blut im einzelnen Segment finden gleichzeitig nebeneinander statt, wobei lokal gespeichertes und lokal weitertransportiertes Volumen jeweils gleich groß sind (Abb. 17).

Pulswellengeschwindigkeit. Die Ausbreitungsgeschwindigkeit der Pulswelle ist wegen der Impulsübertragung von Teilchen zu Teilchen wesentlich *größer* als die mittlere Strömungsgeschwindigkeit des Blutes. So erreicht die Pulswelle nach 0,2 s die Arteriolen des Fußes, während die Flüssigkeitsteilchen des Schlagvolumens, von denen die Pulswelle ausgelöst wurde, bei einer systolischen Strömungsgeschwindigkeit von ca. 70 cm/s in dieser Zeit gerade erst bis zur Aorta descendens vorgedrungen sind.

Die *Pulswellengeschwindigkeit (PWG)* hängt stark von der Dehnbarkeit sowie vom Verhältnis zwischen Wanddicke und Radius der Gefäße ab; sie ist *um so größer*, *je starrer* die Gefäßwand ist. In der *Aorta* beträgt die PWG 4–6 m/s, in den weniger dehnbaren *Arterien vom muskulären Typ*, wie z.B. der A. radialis, dagegen 8–12 m/s. In höherem Alter nimmt sie infolge des Elastizitätsverlustes der

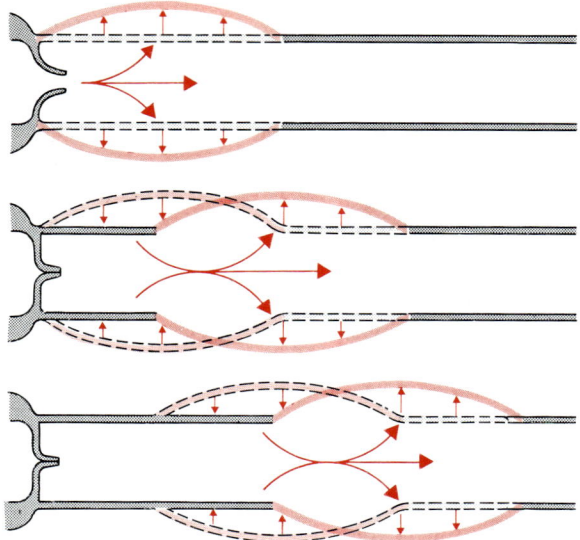

Abb. 17. Schematische Darstellung der Windkesselfunktion. Der initialen systolischen Dehnung der Aortenwand mit einer Speicherung von Blut (oben) folgt eine Entdehnung mit Entspeicherung und Wiederholung dieser Vorgänge im nächsten distalen Segment (Mitte), die sich kontinuierlich über die elastischen Arterien ausbreiten (unten)

Gefäße zu. Bei erhöhtem Blutdruck nimmt die PWG aufgrund einer eingeschränkten Dehnbarkeit infolge der stärkeren passiven Dehnung ebenfalls zu (s.o.). In den stärker dehnbaren *Venen* ist die PWG dagegen sehr viel *niedriger* und liegt in der *V. cava* bei ca. 1 m/s und in großen Armvenen bei ca. 2 m/s. Aus der Pulswellengeschwindigkeit können daher Rückschlüsse auf den elastischen Zustand des Gefäßsystems gezogen werden.

Messung der Pulswellengeschwindigkeit. Die Pulswellengeschwindigkeit (c) wird durch *gleichzeitige* Registrierung der Pulswellen an 2 verschieden weit vom Herzen entfernten Punkten des Arteriensystems gemessen (Abb. 18). Bei einem Abstand L zwischen beiden Meßstellen und der Zeitdifferenz Δt zwischen den Fußpunkten beider Kurven ergibt sich

$$c = L : \Delta t \, (cm \cdot s^{-1}). \qquad (26)$$

Pulsqualitäten. Durch einfache *Palpation der Pulswelle* in oberflächlich liegenden Arterien, z.B. der A. radialis etwas oberhalb des Handgelenkes, können bereits erste wichtige Informationen über den Funktionszustand des kardiovasculären Systems aus den sog. **Pulsqualitäten** gewonnen werden, die nach folgenden Kennzeichen unterteilt werden:

1. Frequenz (Pulsus frequens, Pulsus rarus). Bei der Beurteilung der Frequenz ist zu beachten, daß die Ruhewerte bei *Kindern höher* als bei Erwachsenen liegen. *Trainierte Menschen* weisen *niedrigere* Frequenzen als untrainierte Menschen auf. *Psychische*

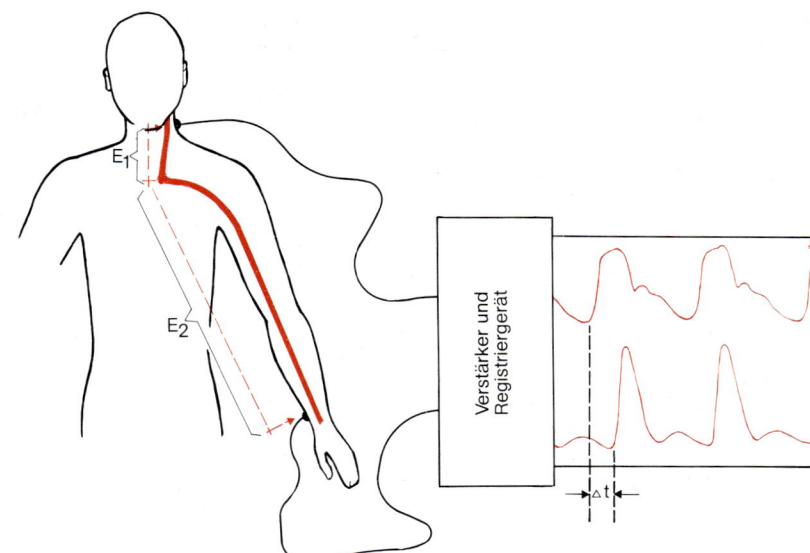

Abb. 18. Messung der Pulswellengeschwindigkeit durch synchrone Registrierung der Pulswellen der A. carotis und A. radialis. Aus der zeitlichen Differenz zwischen beiden Pulswellen (Δt) und der in dieser Zeit von der Pulswelle zurückgelegten Strecke, die sich nach Ausmessung der Strecken aus E_2-E_1 ergibt, kann die Pulswellengeschwindigkeit in den Armarterien aus L:Δt berechnet werden

Alterationen und *körperliche Arbeit erhöhen* die Frequenz, die beim jugendlichen Erwachsenen während maximaler Belastung auf 200/min und darüber ansteigen kann.

2. Rhythmus (Pulsus regularis, Pulsus irregularis). Der Rhythmus kann *atemabhängige Schwankungen* aufweisen, wobei die Frequenz während der Inspiration zu- und während der Exspiration abnimmt. Diese „respiratorische Arrhythmie" ist physiologisch und wird bei vertiefter Atmung deutlicher; sie findet sich häufiger bei jüngeren oder „vegetativ labilen" Menschen. Die *exakte* Analyse anderer Arrhythmieformen (Extrasystolen, absolute Arrhythmie) ist allerdings nur aus dem EKG möglich.

3. Größe (Pulsus magnus, Pulsus parvus). Die *Größe* des Pulses, d.h. die *Amplitude*, hängt im wesentlichen von der Größe des Schlagvolumens und der während der Diastole abfließenden Blutmenge ab. Sie wird ferner von der Elastizität des Windkessels beeinflußt; bei gleichem Schlagvolumen ist die Amplitude bei großer Dehnbarkeit klein und umgekehrt.

4. Steilheit (Pulsus celer, Pulsus tardus). Die Steilheit ergibt sich aus der Geschwindigkeit der Druckänderungen. Bei gleicher Herzfrequenz ist ein großer Puls zwangsläufig mit steileren (schnellenden) Druckänderungen, ein kleiner Puls dagegen mit flacheren (trägen) Druckänderungen verbunden.

5. Spannung (Pulsus durus, Pulsus mollis). Die Spannung (oder Härte) des Pulses wird im wesentlichen von der Höhe des mittleren arteriellen Drucks bestimmt. Je nach Höhe des Blutdrucks ist ein verschieden starker Druck auf das Gefäß erforderlich, um die Pulswelle in den distalen Gefäßabschnitten zu unterdrücken, und somit eine grobe Beurteilung des systolischen Drucks möglich.

Eine genauere Analyse der Pulskurven ist mit relativ einfach anzuwendenden Verfahren möglich. In der Praxis werden heute überwiegend auf die Haut aufzusetzende elektromechanische Wandler benützt, von denen entweder die *Druckänderungen* als **Sphygmogramm** oder die *Volumenänderungen* als **Plethysmogramm** erfaßt werden.

Aus der Form der Pulskurven lassen sich diagnostisch verwertbare Schlüsse auf die von der *Größe des Schlagvolumens*, der *Elastizität der Gefäße* und der *Größe des peripheren Widerstandes* abhängige *Hämodynamik* im arteriellen System ziehen. Einige Beispiele von Pulskurven der A. subclavia und der A. radialis sind in Abb. 19 zusammengefaßt. Unter *normalen Bedingungen* steigen die Pulskurven fast während der gesamten Systole (bis zur Incisur) an. Ähnliche Kurvenformen finden sich auch bei ·rhöhtem peripherem Widerstand. Bei *niedrigem peripherem Widerstand* tritt dagegen eine initiale Spitze mit einem anschließenden niedrigeren systolischen Gipfel auf, dem nach steilem Abfall ein flach verlaufender diastolischer Teil folgt. Bei *kleinem Schlagvolumen* (z.B. nach Blutverlusten) ist der systolische Anstieg klein, der Gipfel abgerundet und der diastolische Abfall flach. *Reduzierte Dehnbarkeit* der Aorta (z.B. bei Arteriosklerose) führt zu einem schnellen und anhaltenden Anstieg mit hochliegender Incisur und langsam fortschreitendem diastolischen Abfall. Analog zu den hämodynamischen Veränderungen findet sich bei *Aortenstenosen* ein träger und flacher systolischer An-

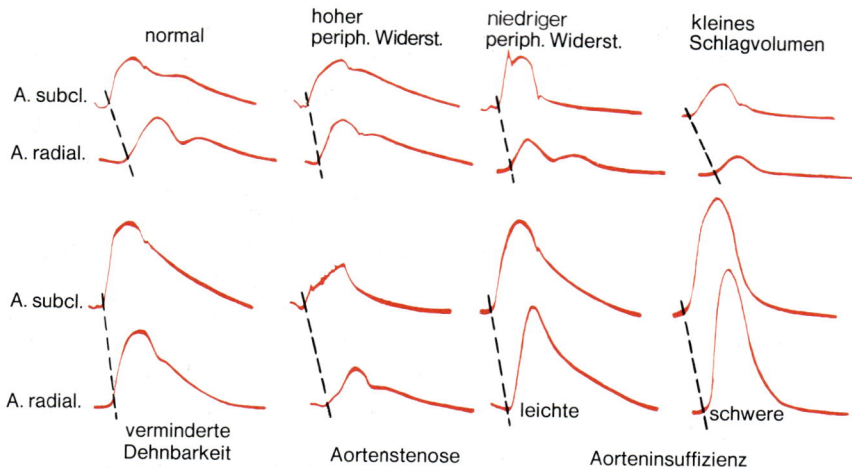

Abb. 19. Beispiele für Veränderungen der Pulswellenform und -amplitude in der A. subclavia und A. radialis bei kardiovasculären Störungen. Einzelheiten s. Text. (Nach WIGGERS)

stieg, bei *Aorteninsuffizienzen* ein steiler und hoher Anstieg und bei schweren Formen ein Verlust der Incisur. Aus der *zeitlichen* Verzögerung der synchron registrierten Pulskurven, die sich aus der Steilheit der durch die Fußpunkte gezogenen Linien erkennen läßt, ergeben sich Hinweise auf die Größe der *Pulswellengeschwindigkeit*. Sie ist um so größer, je geringer die Verzögerungen, d.h. je steiler die Linien, und umgekehrt.

5. Das venöse Gefäßsystem

5.1. Strömung und Drücke im Venensystem

Strömungsgeschwindigkeit im Venensystem. In den *Venolen* und *terminalen Venen* liegt unter normalen Bedingungen eine *kontinuierliche Strömung* vor, da sich die arteriellen Pulsationen nur bei starker Dilatation der Widerstandsgefäße bis auf die venöse Seite fortpflanzen. In den *Hauptvenenästen* sind jedoch wieder kleine *pulsierende* Strömungs- und Druckschwankungen vorhanden, die durch eine Übertragung der Pulsationen von parallel verlaufenden Arterien verursacht werden. In den *großen Venen* treten mit geringer werdender Entfernung zum re. Vorhof zunehmende *Schwankungen* der Strömungsgeschwindigkeit im Zusammenhang mit der *Atmungs-* und der *Herztätigkeit* auf (s.S. 409 ff.)

Die *mittlere Strömungsgeschwindigkeit* steigt in den Venolen und Venenästen aufgrund des abnehmenden Gesamtquerschnitts wieder an, erreicht jedoch wegen des relativ größeren Gesamtquerschnitts der Venen nicht die Werte der entsprechenden Arterienabschnitte. Unter Ruhebedingungen liegt die *mittlere Strömungsgeschwindigkeit in der V. cava zwischen 8–16 cm/s* und kann maximal bis auf ca. 50 cm/s ansteigen (s. Tabelle 5).

Drücke im Venensystem. Der *Druck* fällt in den *Venolen* von ca. 15–20 mm Hg am Ende der Capillaren noch relativ stark ab, so daß in den *kleinen Venen* Drücke von annähernd 12–15 mm Hg vorliegen. In den *großen extrathorakalen Venen* beträgt der Druck 5–6 mm Hg und sinkt bis zur Einmündung der Venen in den rechten Vorhof weiter ab (s. Abb. 11 und Tabelle 5).

In der *V. cava inf.* liegen insofern *besondere* Bedingungen vor, als der Strömungswiderstand beim Durchtritt durch das Zwerchfell erhöht ist, so daß der Druck caudal vom Zwerchfell noch ca. 10 mm Hg beträgt und beim Durchtritt der V. cava inf. durch das Zwerchfell *stufenförmig* auf etwa 4–5 mm Hg abfällt.

Der *Druck im rechten Vorhof* ist identisch mit dem **zentralen Venendruck**. Er liegt etwa bei **2–4 mm Hg** und zeigt unter normalen Bedingungen größere *atem- und pulssynchrone* Schwankungen (s.S. 409 ff.). Aufgrund des subatmosphärischen Drucks im Thorax von −4,0 bis −7,0 cm H_2O bleibt jedoch der *transmurale (effektive venöse) Füllungsdruck* auch dann noch *positiv*, wenn der intravasale Druck leicht negativ wird.

In *einzelnen* Venenabschnitten besteht als Ausdruck eines *höheren* Strömungswiderstandes ein etwas *größeres Druckgefälle* als in vergleichbaren Arterienabschnitten, für das verschiedene Faktoren verantwortlich zu machen sind. So weist ein Teil der Venen unter normalen Bedingungen keinen kreisrunden Durchmesser, sondern wegen „unzureichender" Füllung einen mehr oder weniger *elliptischen Querschnitt* mit einem entsprechend größeren Strömungswiderstand auf. Ebenso können die Venen durch von *außen* wirkende Drücke an einzelnen Punkten (z.B. beim Verlauf der Armvenen über die erste Rippe) bzw. über verschieden lange Abschnitte *komprimiert* werden (z.B. durch Abdominalorgane oder den intraabdominalen Druck).

Messung der venösen Drücke. Der *Druck in peripheren Venen* kann leicht durch *Punktion* einer Vene mit einer Kanüle gemessen werden, die über einen Dreiwegehahn mit einem Wassermanometer verbunden ist. Die Messung muß am *liegenden Menschen* vorgenommen werden, da bei über Herzniveau liegenden Venen die Gefahr einer *funktionellen* Trennung der Meßstelle durch einen Kollaps der Gefäße besteht. In der Klinik wird der periphere Venendruck meist in einer *Armvene* gemessen, wobei die Vene *exakt* in Höhe des rechten Vorhofs liegen soll. Als Anhaltspunkt für die Schätzung der Lage des Vorhofs im Thorax können 10 cm bzw. die Hälfte des sagittalen Thoraxdurchmessers über Rückenniveau angenommen werden. Bei Beachtung dieser Voraussetzungen werden für den *peripheren Venendruck* Werte zwischen *3,0 und 15,0 cm H_2O* gemessen. Bei Lagerung in Seitenlage mit herabhängendem Arm wird eine funktionelle Trennung der Meßstelle vom übrigen Venensystem aufgrund der hydrostatisch bedingten Venenerweiterung ausgeschlossen, so daß nach Korrektur der niveauabhängigen Druckdifferenzen auch Aussagen über den *zentralen Venendruck* möglich sind. Die gemessenen Werte liegen dabei (wegen des Strömungswiderstandes bis zum Herzen) ca. 4,0 cm H_2O *über* dem Druck im rechten Vorhof. Exakte Messungen des zentralen Venendrucks setzen die Einführung eines Katheters in den rechten Vorhof mit intravasalen Miniaturmanometern oder extern angebrachten Elektromanometern voraus.

Eine grobe Schätzung des Venendrucks kann durch Beobachtung des Füllungszustandes der Halsvenen vorgenommen werden. In sitzender Position sind die Halsvenen bei *normalem Venendruck nicht* gefüllt. Bei Drücken über 15,0 cm H_2O treten die Venen im unteren Halsbereich deutlich hervor, bei Drücken über 20,0 cm H_2O sind sie im gesamten Halsbereich prall gefüllt. Der Venendruck kann außerdem in der Weise geschätzt werden, daß der Wechsel vom Kollaps- zum Füllungsstand der Venen an der Hand oder am Arm bei Heben oder Senken des Armes in Relation zur Herzebene beobachtet wird.

5.2. Einflüsse der Schwerkraft auf die Drücke im Gefäßsystem

In dem *dreidimensional* angeordneten Gefäßsystem entstehen im *Gravitationsfeld* der Erde **hydrostatische Drücke**, durch die die vom Herzen erzeugten Drücke proportional zum Abstand in den unter Herzniveau liegenden Gefäßen erhöht und in den über Herzniveau liegenden Gefäßen gesenkt werden.
Beim *liegenden Menschen* sind die hydrostatischen Effekte wegen der relativ *geringen* vertikalen Differenzen im Gefäßsystem relativ *klein* und können praktisch vernachlässigt werden.

Drücke bei Orthostase. Beim *stehenden Menschen*, d.h. bei **Orthostase**, beträgt der hydrostatische Druck in den Gefäßen des Fußes rund 90 mm Hg (125 cm unter Herzniveau), so daß bei einem mittleren arteriellen Druck von 100 mm Hg in den *Fußarterien* ein Druck von rund 190 mm Hg vorliegt. In einer *Kopfarterie* (ca. 40 cm über Herzniveau) wird der arterielle Druck dagegen um rund 30 mm Hg auf 70 mm Hg reduziert (Abb. 20). In den Venen treten *entsprechende* hydrostatisch bedingte Druckänderungen auf.

Dadurch bleibt einerseits der *Druckgradient* als *treibende Kraft* für die Blutströmung zwischen Arterien und Venen *unverändert*, andererseits treten jedoch erhebliche *Steigerungen* des *transmuralen Drucks* auf, die sich vor allem auf den *Dehnungszustand* und damit auf die *Kapazität* der relativ dünnwandigen Venen auswirken. Dementsprechend beträgt beim Übergang vom Liegen zum Stehen das in den Beinen „versackende" Blutvolumen 400–600 ml, die aus anderen Gefäßgebieten entnommen werden, d.h. es treten *erhebliche Verlagerungen des Blutvolumens* mit deutlichen Rückwirkungen auf die allgemeine Kreislauffunktion auf (s.S. 446ff.)

Hydrostatischer Indifferenzpunkt. Die unterschiedliche Größe der hydrostatischen Drücke sowie die unterschiedlichen elastischen Eigenschaften der Gefäße erfordern allerdings eine *Einschränkung* der o.a. Darstellung, nach der das Herz als Bezugspunkt für die Beurteilung der Druckänderungen im Gefäßsystem bei Lagewechsel anzusehen ist und generell lineare Beziehungen zwischen hydrostatischen Drücken und arteriellen bzw. venösen Drücken bestehen.

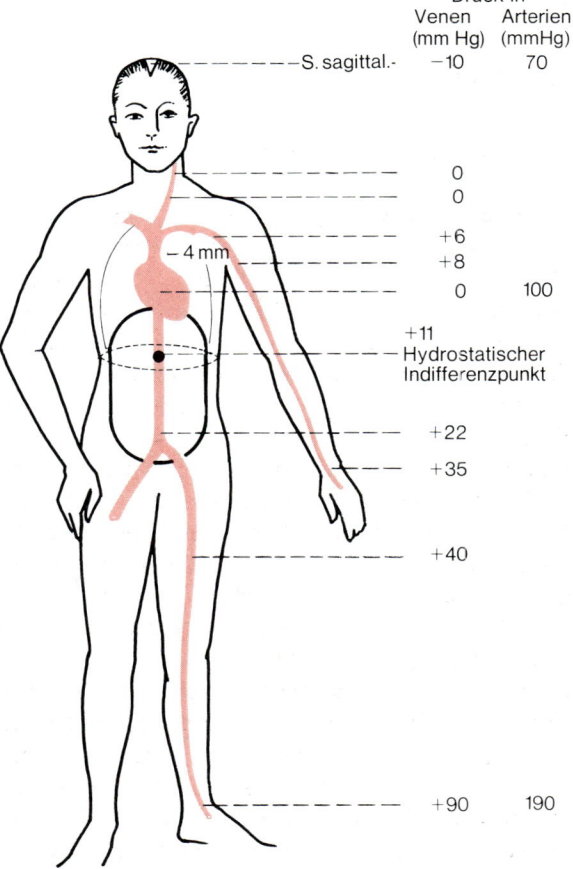

Abb. 20. Einfluß des hydrostatischen Drucks auf die arteriellen und venösen Drücke bei ruhigem Stehen. (Modifiziert nach GUYTON)

Druckmessungen im Hauptvenenstamm des Menschen zeigen vielmehr, daß sich der **hydrostatische Indifferenzpunkt**, d.h. *der Punkt, bzw. die Ebene im Gefäßsystem, in der sich der Druck* (und damit auch der Gefäßquerschnitt) *bei Lagewechsel nicht ändert*, etwa 5–10 cm unterhalb des Zwerchfells befindet. Im Thoraxraum, und damit auch im rechten Vorhof, sowie den übrigen oberhalb dieses Punktes liegenden Gefäßen ist der Druck im Stehen niedriger als im Liegen, in den Venen unterhalb dieses Punktes dagegen höher. In Höhe des Vorhofs ist der Venendruck im Stehen etwa Null gegen Atmosphäre, wobei der subatmosphärische intrathorakale Druck dem theoretisch zu erwartenden Venenkollaps entgegenwirkt, so daß die V. cava sup. bis etwas unterhalb des Schlüsselbeins offen bleibt. In den darüber liegenden Abschnitten, vor allem im Hals- und Gesichtsbereich, sind die Venen jedoch kollabiert, der Druck bleibt dabei im gesamten Verlauf Null. Gleiches gilt bei erhobenem Arm auch für die Drücke in den Armvenen.

Im knöchernen Schädel kollabieren dagegen die Venen aufgrund ihrer Fixierung im Gewebe nicht. Dementsprechend entstehen in den venösen Sinus des Gehirns *negative* Drücke, die im Sinus sagittalis aufgrund der hydrostatischen Druckdifferenz zwischen Scheitel und Schädelbasis ca. − 10 mm Hg betragen.

Bei Orthostase sind daher alle Vorgänge, die die Kapazität der Venen in der unteren Körperhälfte reduzieren und den venösen Rückfluß fördern, besonders bedeutungsvoll. Folgende Mechanismen sind daran beteiligt:

5.3. Venöser Rückstrom zum Herzen

Zentraler Venendruck und venöser Rückstrom. Der *zentrale Venendruck* bestimmt zusammen mit dem *mittleren Füllungsdruck* (s.S. 398) und dem *Strömungswiderstand* in den Gefäßen die **Größe des venösen Rückstromes** zum Herzen, der seinerseits unter normalen Bedingungen für die *Größe des Herzschlagvolumens* von entscheidender Bedeutung ist.

Die Druckdifferenz zwischen *mittlerem Füllungsdruck* und *zentralem Venendruck* stellt als sog. **Druckgradient für den venösen Rückfluß** die *treibende Kraft* für die Blutbewegung aus den Venen des Körpers zum rechten Herzen dar. Das **venöse Angebot** wird dabei um so *kleiner*, je *geringer* dieser Druckgradient ist und umgekehrt.

Über die Abhängigkeit von mittlerem Füllungsdruck und zentralem Venendruck hinaus beeinflussen auch Veränderungen des *Strömungswiderstandes*, speziell im Bereich der Venen, die Größe des

venösen Rückstromes, wobei Zunahmen mit einem verminderten und Abnahmen mit einem erhöhten Rückfluß einhergehen. Der venöse Rückstrom wird außerdem durch die Wirkungen der *Muskelpumpe*, der *Atmung* und der *Herztätigkeit* (s.S. 409 ff.) gefördert.

Bei Differenzen zwischen venösem Rückfluß und Herzzeitvolumen setzt *automatisch* ein gegenseitiger Ausgleich beider Größen ein. So wird bei plötzlichen Senkungen des zentralen Venendrucks der Druckgradient für den venösen Rückfluß steiler und dementsprechend der venöse Rückfluß größer, während gleichzeitig das Herzschlagvolumen aufgrund der geringeren enddiastolischen Füllung des Herzens abnimmt. Durch den verstärkten venösen Einstrom bei reduziertem arteriellen Auswurf steigen anschließend Druck und Volumen im rechten Vorhof mit dem Ergebnis an, daß der venöse Rückfluß wieder abnimmt und das Schlagvolumen ansteigt. Bei plötzlichen Steigerungen des zentralen Venendrucks treten dagegen umgekehrte Effekte auf. Auf diese Weise wird das Gleichgewicht zwischen venösem Rückfluß und Herzzeitvolumen im Verlauf von 4–6 Herzschlägen wieder hergestellt.

Unter *pathologischen Bedingungen*, wie z.B. bei einem *Herzversagen* unter Beteiligung des rechten Herzens, kann der zentrale Venendruck bis auf 30 mm Hg ansteigen und damit Werte errei-

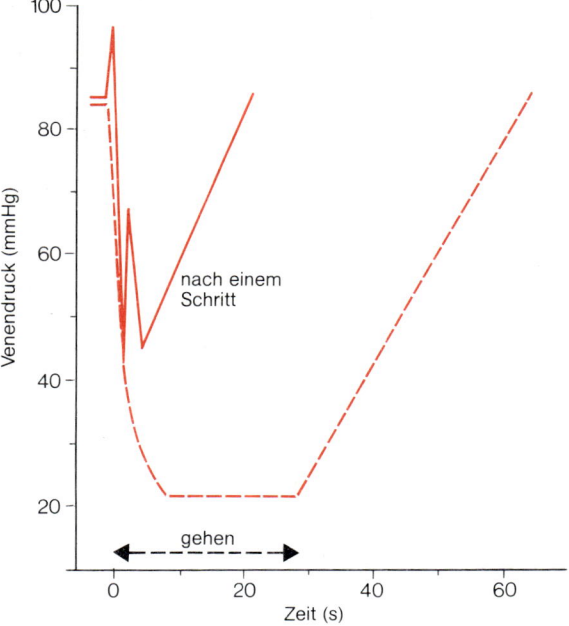

Abb. 21. Verhalten des Drucks in Venen des Fußrückens während des Gehens. Die ausgezogene Linie zeigt die Veränderungen des Venendrucks nach einem Schritt, die gestrichelte Linie die Veränderungen beim Gehen. Durch die Wirkungen der Muskelpumpe sinkt der Venendruck nach einigen Schritten auf ein Minimum, das für die Dauer des Gehens erhalten bleibt. Aber auch ein einzelner Schritt führt bereits zu einer vorübergehenden Venendruckabnahme. (Nach POLLACK und WOOD)

chen, die unter normalen Bedingungen in den Capillaren vorliegen. Das für die Blutströmung erforderliche Druckgefälle wird in diesen Fällen dadurch erhalten, daß der Druck in den peripheren Venen und Capillaren entsprechend ansteigt. Die *Größe* des *zentralen Venendrucks* wird somit nicht nur vom *venösen Angebot*, sondern auch wesentlich von der *Funktion des rechten Herzens* mitbestimmt.

Muskelpumpe. Die Funktion der *Muskelpumpe* beruht darauf, daß die Venen durch Kontraktionen der umgebenden Skeletmuskulatur *komprimiert* werden, wobei das darin befindliche Blutvolumen nur *orthograd* in Richtung zum Herzen bewegt wird, da die Venenklappen eine retrograde Blutbewegung verhindern. Auf diese Weise erfolgt bei jeder Muskelkontraktion eine *kräftige Auspressung* von Blut, durch die die normale *Strömung* wirkungsvoll *unterstützt* und die *Blutfüllung* der Venen in der arbeitenden Muskulatur *reduziert* wird.

Diese Effekte sind in den verstärkt gefüllten Beinvenen bei aufrechter Körperhaltung besonders deutlich. Dabei treten zu Beginn jeder Muskelkontraktion *momentane Beschleunigungen* der infolge der Querschnittsvergrößerung verlangsamten Strömungsgeschwindigkeit auf. Der *Druck* in den Fußvenen sinkt von einem beim ruhigen Stehen der vollen Höhe des hydrostatischen Drucks entsprechenden Wert (ca. 90 mm Hg) in den durch die Muskelkontraktionen entleerten Venen *beim Gehen* auf 20–30 mm Hg ab (Abb. 21). Der nachfol-

gende Wiederanstieg des Drucks beruht bei intakten Venenklappen nicht auf einem Reflux, sondern hängt von der Geschwindigkeit ab, mit der Blut von den Arterien in die Venen einströmt. Außerdem nimmt die beim ruhigen Stehen auf ein höheres Niveau verschobene, sonst aber unveränderte *arteriovenöse Druckdifferenz* aufgrund der Abnahmen des Venendrucks erheblich mit dem Ergebnis zu, daß die Durchblutung ansteigt. Durch die Abnahme des Venendrucks wird der *capilläre Filtrationsdruck* reduziert und die *Gefahr einer Ödembildung* vermindert (s.S. 414).

Einfluß der Atmung. Der intrathorakale Druck zeigt *atmungsabhängige Schwankungen* zwischen inspiratorisch ca. -7 cm H_2O und exspiratorisch ca. -4 cm H_2O, so daß die den Dehnungszustand der Gefäße bestimmenden transmuralen Drücke bei einem zentralen Venendruck von rund 5 cm (2–4 mm Hg) zwischen 12 cm H_2O und 8 cm H_2O liegen. Durch die *inspiratorisch* stärkeren Dehnungen der intrathorakalen Gefäße werden *Abnahmen des Strömungswiderstandes* und zugleich *Saugwirkungen* auf das Blut in den angrenzenden Gefäßen ausgelöst, wobei allerdings der Einstrom von Blut nicht schlagartig erfolgt, so daß der zentrale Venendruck abnimmt (Abb. 22).

Die *inspiratorische Förderung* des venösen Rückflusses findet vor allem im Bereich der *V. cava su-*

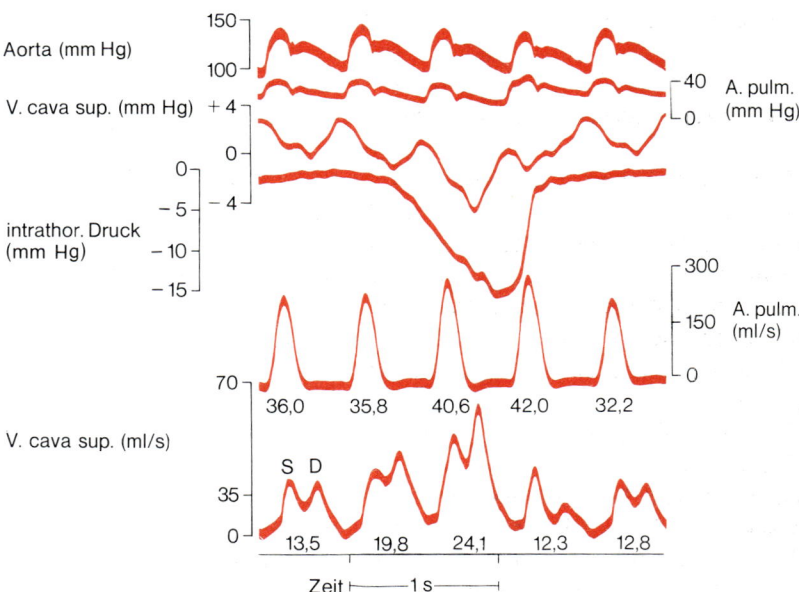

Abb. 22. Gleichzeitige Registrierung des Drucks in der Aorta, A. pulmonalis, V. cava sup. und des intrathorakalen Drucks sowie der Stromstärke in der A. pulmonalis und der V. cava sup. (von oben nach unten) am Hund mit geschlossenem Thorax. Bei einer spontanen tiefen Inspiration nimmt der Druck in der V. cava sup. ab und die Stromstärke in der V. cava

sup. sowie in der A. pulmonalis vorübergehend zu. Außerdem sind in der V. cava sup. Strömungsgipfel infolge der systolischen Verschiebung der Ventilebene des Herzens (S) und während der anfangsdiastolischen Ventrikelfüllung (D) zu erkennen. (Nach BRECHER)

perior statt. Gleichzeitig wird der *intraabdominelle Druck* durch die Senkung des Zwerchfelles während der Inspiration mit dem Ergebnis erhöht, daß die transmuralen Drücke und damit der Querschnitt der Abdominalgefäße abnehmen. Durch die Erhöhung des Druckgefälles zwischen intraabdominellen und intrathorakalen Venen wird der venöse Einstrom in den Thorax *erleichtert*, ein retrograder Fluß in die unteren Extremitäten dagegen durch die Venenklappen verhindert. Während der Exspiration wird demgegenüber die venöse Strömung aus dem Abdomen in den Thorax durch die Abnahme des Druckgefälles reduziert.

Die atmungsbedingten *intrathorakalen* und *intraabdominellen Druckänderungen* sind in ihren Effekten mit einer **Druck-Saugpumpe** vergleichbar, die vor allem bei gesteigerter Atmung, wie z.B. bei Muskelarbeit, die venöse Blutströmung in Richtung zum rechten Herzen wesentlich fördert. Als Folge der stärkeren Füllung des rechten Vorhofs während der Inspiration steigt das Schlagvolumen des *rechten* Ventrikels (aufgrund des Frank-Starling-Mechanismus) an. Gleichzeitig nimmt jedoch infolge der Dehnung der Lungen die Kapazität der Lungengefäße mit dem Ergebnis zu, daß der *venöse Rückfluß* zum linken Herzen und damit das Schlagvolumen des *linken* Ventrikels absinken. Während der Exspiration nimmt dagegen das Schlagvolumen des *rechten* Ventrikels infolge der geringeren Füllung des *rechten* Vorhofs ab, das Schlagvolumen des *linken* Ventrikels wegen der verstärkten Füllung aufgrund des erhöhten Einstromes aus den Lungengefäßen jedoch zu. Die *Atemexkursionen* verursachen somit durch *entgegengesetzte Effekte auf die Ventrikelfüllung phasenverschobene Änderungen der Schlagvolumina* des rechten und linken Ventrikels.

Bei *Überdruckatmung* werden die intrathorakalen Gefäßabschnitte komprimiert und dadurch der *venöse Rückfluß* zum Herzen *gehemmt*. Beim sog. *Valsalva-Versuch*, der in dieser Hinsicht extreme Bedingungen schafft, spannt die Versuchsperson nach tiefer Inspiration bei geschlossenen Atemwegen die Exspirations- sowie die Bauchmuskeln stark an. Die dadurch ausgelösten intrathorakalen und intraabdominellen Drucksteigerungen heben den venösen Rückstrom weitgehend auf, das Schlagvolumen des rechten Ventrikels nimmt ab und der Druck in den peripheren Venen steigt an. Durch die Auspressung der Lungengefäße steigen andererseits das Schlagvolumen des linken Ventrikels und der arterielle Blutdruck vorübergehend stark an, sinken jedoch im weiteren Verlauf wegen des unzureichenden venösen Rückflusses deutlich ab.

Einfluß der Herztätigkeit. In den herznahen Venen treten außerdem Veränderungen der *Strömungsgeschwindigkeit* im Zusammenhang mit der *Herztätigkeit* auf. Ein *erstes Strömungsmaximum* entsteht durch den Druckabfall im rechten Vorhof und den angrenzenden Teilen der Hohlvenen infolge der Verschiebung der *Ventilebene* während der Austreibungszeit (S in Abb. 22). Ein *weiteres Strömungsmaximum* tritt auf, wenn das im Vorhof und den Hohlvenen gesammelte Blut *nach Öffnung der Atrioventricularklappe* in den entspannten Ventrikel strömt (D in Abb. 22). Die beiden Strömungsgipfel S und D entsprechen den x- bzw. y-Senkungen im Venenpuls (s. dazu auch Abb. 23).

Venenpuls. Der Venenpuls entsteht in den herznahen Venen in Form von *Druck-* und *Volumenschwankungen* durch *retrograd* übertragene Druckänderungen, die in wesentlichen Punkten ein Abbild des Druckverlaufs im rechten Vorhof darstellen.

Der *Venenpuls* wird routinemäßig am liegenden Menschen unblutig mit photoelektrischen Verfahren oder mit empfindlichen Druckaufnehmern registriert. Die Kurven zeigen folgende charakteristische Merkmale: Eine *erste positive Welle*, die **a-Welle**, wird durch die *Vorhofkontraktion* ausgelöst (Abb. 23). In relativ kurzem Abstand folgt eine *zweite positive Welle*, die **c-Welle**, die überwiegend durch die *Vorwölbung der Atrioventricularklappe* in den rechten Vorhof während der Anspannungszeit des Ventrikels entsteht. Die anschließende *starke Senkung* (x) entsteht durch die *Verschiebung der Ventilebene* des Herzens in Richtung zur Spitze während der Austreibungszeit, durch die ein Sog auf das Blut in den großen Venen ausgeübt und der venöse Rückfluß zum Herzen gefördert wird. Während der Entspannung des Ventrikels steigt wegen der zunächst noch geschlossenen Atrioven-

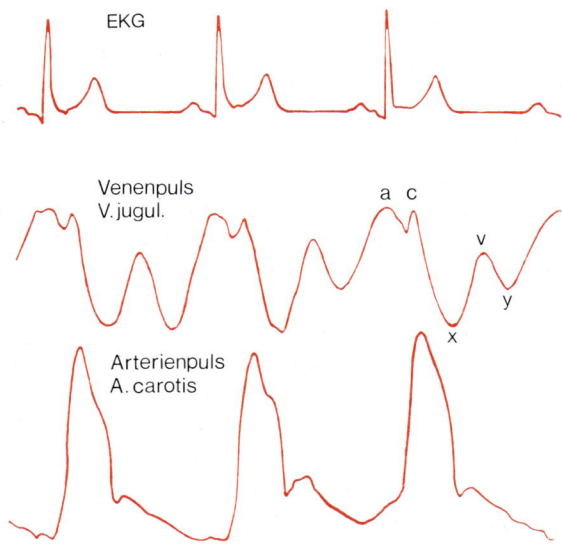

Abb. 23. Simultane Registrierung von Venenpuls in der V. jugul. (Mitte), EKG und Arterienpuls in der A. carotis. Einzelheiten s. Text. (Nach WOOD)

tricularklappen der Druck zunächst relativ steil an, fällt aber nach Öffnung dieser Klappen infolge des damit verbundenen Bluteinstroms in den Ventrikel vorübergehend wieder ab, so daß eine *weitere positive Welle*, die **v-Welle**, mit nachfolgender *Senkung* (y) entsteht. Im weiteren Verlauf der Ventrikelfüllung steigt der Druck bis zur nächsten a-Welle an.

Veränderungen der Venenpulskurven können bei *bestimmten Herzerkrankungen*, z.B. bei Tricuspidalisinsuffizienz, wertvolle diagnostische Hinweise geben.

6. Mikrozirkulation und Lymphsystem

6.1. Die terminale Strombahn

In den Capillaren finden die *Austauschvorgänge* zwischen dem Blut und der *interstitiellen Flüssigkeit* statt. Sie stellen den funktionell *wichtigsten* Teil des Kreislaufs dar. Daneben nehmen auch die *Venolen* an Austauschvorgängen teil. Für die Regulation der lokalen Durchblutung und der Filtrationsdrucke sind sowohl die vorgeschalteten Arteriolen und Metarteriolen als auch die Venolen sehr wichtig, so daß das Gefäßnetz zwischen Arteriolen und Venolen, die sog. **terminale Strombahn** oder die **Mikrozirkulation**, als funktionelle Einheit angesehen werden muß.

Die Voraussetzungen für die verschiedenen Diffusions- und Filtrationsvorgänge werden durch die Aufteilung der Arteriolen in äußerst zahlreiche Capillaren geschaffen. Die damit verbundene Querschnitts- und Oberflächenvergrößerung führt zu einer Abnahme der Strömungsgeschwindigkeit auf durchschnittlich 0,3 mm/s, so daß in den Capillaren relativ lange Kontaktzeiten mit einer stark vergrößerten Oberfläche entstehen (s. auch Tabelle 1).

Größe der capillären Austauschfläche. Grobe Anhaltspunkte über die Größe des Querschnittes und der Oberfläche der Capillaren geben folgende Überschlagsrechnungen. Bei einem mittleren durchschnittlichen Radius von *3 μm* und einer mittleren durchschnittlichen Länge von 750 μm beträgt die *Oberfläche* ($\pi \cdot 2 r \cdot l$) rund *14000 μm²* und der *Querschnitt* ($\pi \cdot r^2$) rund *30 μm²*. Unter Einbeziehung der an den Austauschvorgängen beteiligten Oberfläche der Venolen kann eine **effektive Austauschfläche** von **ca. 25000 μm²** angenommen werden.

Bei einer mittleren Strömungsgeschwindigkeit von ca. 21 cm/s in der Aorta ($\dot{V} = 85$ ml/s, Querschnitt

4 cm²) und von ca. 0,3 mm/s in den Capillaren besteht bei gleicher Stromstärke nach dem Kontinuitätsgesetz ein Verhältnis von 210/0,3, d.h. der *Capillarquerschnitt* beträgt damit 2800 oder rund 3000 cm². Da unter Ruhebedingungen etwa 25–30% der vorhandenen Capillaren durchblutet werden, kann ein **Gesamtquerschnitt** *aller Capillaren im Körpergefäßsystem* von rund **11000 cm²** angenommen werden.

Zahl der Capillaren. Nach diesen Berechnungen würde die *Zahl aller Capillaren* beim Menschen etwa **40000 Millionen** ($2{,}8 \times 10^3 \cdot 4 \times 10^9 : 30$) und die gesamte für Austauschvorgänge verfügbare **Oberfläche** etwa **1000 m²** ($4 \times 10^{10} \cdot 2{,}5 \times 10^4$ μm²) betragen. Bei einer gleichmäßigen Verteilung der Capillaren im gesamten Körper würden somit auf *1 mm³ Gewebe 600 Capillaren* bzw. *1,5 m² Oberfläche pro 100 g Gewebe* entfallen.

Die Zahl der Capillaren in den einzelnen Organkreisläufen ist jedoch recht *unterschiedlich* und beträgt z.B. in Myokard, Gehirn, Leber, Nieren und anderen Organen 2500–3000/mm³, im Skelettmuskel dagegen 300–400/mm³. Ebenso weist das Verhältnis zwischen *durchbluteten und nichtdurchbluteten Capillaren* unter Ruhebedingungen *erhebliche* Differenzen auf. So steigt in der Skelettmuskulatur die Zahl der durchströmten Capillaren bei Arbeit um das 10–20fache und darüber hinaus an, während in der Haut, dem Darm oder den Nieren die Variationen wesentlich geringer sind. Die Zunahme der „aktiven" durchströmten Capillaren ist insofern wichtig, als dadurch die *Diffusionsstrecke zu den Zellen verkürzt* und damit die Versorgung der Gewebe verbessert wird.

In Abb. 24 sind die sich daraus ergebenden Werte für die Capillaroberfläche in einzelnen Organen

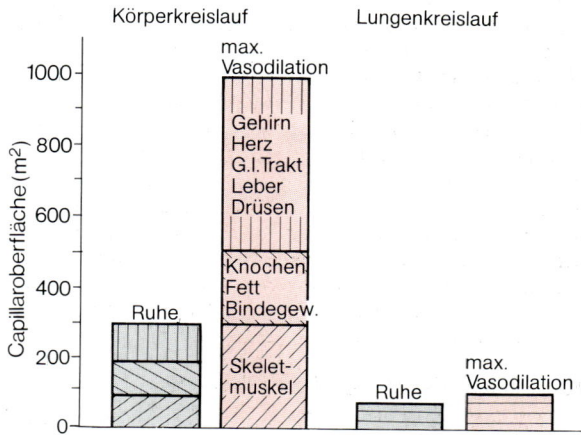

Abb. 24. Größe der Capillaroberfläche im Körper- und Lungenkreislauf unter Ruhebedingungen sowie bei maximaler Vasodilatation. (Nach FOLKOW und NEIL)

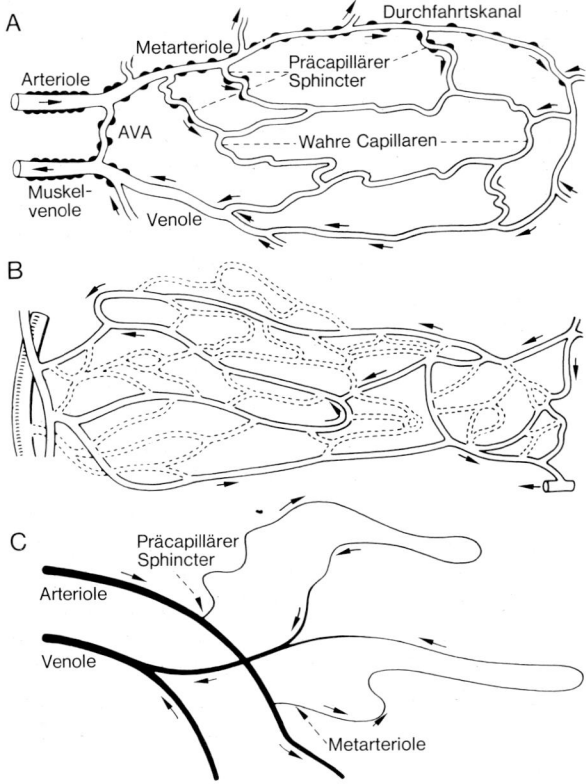

A

Durchfahrtskanal

Metarteriole

Präcapillärer Sphincter

Arteriole

AVA

Wahre Capillaren

Muskel-venole

Venole

B

C

Präcapillärer Sphincter

Arteriole

Venole

Metarteriole

Abb. 25. Aufbau der terminalen Strombahn im Skeletmuskel (A), im Mesenterium (B) und im menschlichen Nagelbett (C). (Nach ZWEIFACH, umgezeichnet von BURTON)

unter Ruhebedingungen sowie die möglichen Veränderungen bei maximaler Vasodilatation zusammengefaßt.

Aufbau der terminalen Strombahn. In den meisten Fällen stellen die „echten" Capillaren keine direkten Verbindungen zwischen Arteriolen und Venolen her (Abb. 25). Sie entspringen vielmehr rechtwinklig aus den *Metarteriolen,* die als sog. *Durchfahrtskanäle* (preferential channels) von proximal nach distal abnehmend glatte Muskelfasern aufweisen und in die nicht kontraktilen Venolen übergehen. Am *Abgang der Capillaren* aus den Metarteriolen befinden sich glatte Muskelfasern in Form des sog. **präcapillären Sphincters**; darüber hinaus besitzen die Capillaren *keine kontraktilen Elemente.* Der Kontraktionszustand der *präcapillären Sphinctere* bestimmt den Anteil des *Blutstromes* durch die *echten Capillaren,* während die *Gesamtstromstärke* in Metarteriolen und Capillaren durch den Kontraktionszustand der glatten Muskelfasern der *Arteriolen* eingestellt wird.

Das Verhältnis zwischen *Metarteriolen und echten Capillaren* variiert in den verschiedenen Organen, es beträgt im Skeletmuskel mit seinen stark wechselnden Stoffwechselansprüchen 1:8 bis 1:10 und im Mesenterialtrakt bei geringeren Stoffwechselän-

derungen etwa 1:2 bis 1:3. Im Nagelbett des Menschen sind die Capillaren dagegen direkte Ausläufer der Metarteriolen, so daß sich ein Verhältnis 1:1 ergibt (Abb. 25).

Eine Besonderheit stellen die **arteriovenösen Anastomosen (avA)** dar, die neben den Metarteriolen *direkte* Verbindungen zwischen kleinen Arterien und kleinen Venen bzw. Arteriolen und Venolen herstellen. Ihre Wände weisen zahlreiche Muskelfasern auf. Arteriovenöse Anastomosen finden sich in vielen Geweben; sie kommen besonders häufig im Bereich der acralen Hautgebiete (Finger, Zehen, Ohrläppchen) vor, in denen sie thermoregulatorische Funktionen erfüllen (s.S. 439).

Regulation der regionalen Durchblutung. Die *Arteriolen, Metarteriolen* und *präcapillären Sphinctere* weisen *rhythmische Änderungen* ihres Kontraktionszustandes auf, die aufgrund der Änderungen des Strömungswiderstandes intermittierende Änderungen der Stromstärke in einzelnen Capillaren oder größeren Gefäßabschnitten auslösen. Diese von der *autonomen Innervation unabhängigen Vorgänge* treten mit unterschiedlicher Stärke und Frequenz auf, sie werden als **Vasomotion** bezeichnet.

Der Kontraktionszustand der Metarteriolen und präcapillären Sphinctere wird stark von der O_2-Konzentration im Blut und im umgebenden Gewebe beeinflußt. Bei niedrigem P_{O_2} ist der Kontraktionszustand niedrig, die Stromstärke entsprechend hoch und umgekehrt. Diese Abhängigkeit erlaubt zumindest theoretisch die Möglichkeit einer *Autoregulation* der Capillardurchblutung durch den O_2-*Partialdruck.* Darüber hinaus sprechen die *Metarteriolen* und *präcapillären Sphinctere* ebenso wie *alle übrigen Abschnitte* der Mikrozirkulation mit Ausnahme der Capillarwände auf *humorale* und *metabolische Reize* an (s. auch XXII).
Die glatte Muskulatur der *Arteriolen,* der *av-Anastomosen* und in *geringerem Ausmaß* auch die der *Metarteriolen* unterliegt einer *neurogenen Steuerung* durch *sympathische Fasern.* Die außerordentlich wichtige *Regulation der regionalen Durchblutung* erfolgt daher sowohl durch **metabolische** als auch durch **neurale Mechanismen** im Bereich der *terminalen Arterien,* der *Arteriolen* und *präcapillären Sphinctere.*

6.2. Austausch von Stoffen und Flüssigkeit

Ultrastruktur der Capillarwände. Nach der Ultrastruktur lassen sich 3 Capillartypen unterscheiden: 1. Capillaren mit *durchgehender Membran,* 2. Capillaren mit *fenestrierter* und 3. Capillaren mit *diskontinuierlicher Membran.*

Beim *Typ 1* besteht die Membran aus einer kontinuierlichen Schicht von Endothelzellen, die von zahlreichen 4–5 nm weiten Poren durchbrochen ist. Diese Form ist weit verbreitet und findet sich in der quergestreiften und glatten Muskulatur, im Fett- und Bindegewebe sowie im Lungenkreislauf. Beim *Typ 2* weisen die Capillaren bis zu 0,1 μm weite intracelluläre Fenestrationen auf, die häufig durch eine sehr dünne Membran verschlossen sind. Sie finden sich in den Glomeruli der Nieren und in der Darmschleimhaut. Beim *Typ 3* ist die Wand durch relativ große intercelluläre Zwischenräume unterbrochen, durch die Flüssigkeit und Blutzellen hindurchtreten können. Diese Form findet sich im Knochenmark, in den Sinusoiden der Leber sowie in der Milz.

Stoffaustausch durch Diffusion.

Beim *Austausch* von *Flüssigkeit und Substanzen* zwischen Blut und interstitiellem Raum spielen **Diffusionsvorgänge** in beiden Richtungen bei weitem die größte Rolle. Die *Diffusionsgeschwindigkeit* ist dabei so groß, daß während einer Capillarpassage das Wasser im Plasma 40mal mit dem Wasser im Interstitium ausgetauscht wird, so daß eine kontinuierliche Mischung zwischen Plasmawasser und interstitieller Flüssigkeit erfolgt. Die Zahl der auswärts und einwärts diffundierenden Moleküle ist dabei weitgehend gleich, so daß das Plasmavolumen in der Capillare praktisch konstant bleibt. Für die gesamte Capillaroberfläche des Körpers liegt die *Diffusionsquote* bei etwa *60 l/min* bzw. *rund 80 000 l/24 Std.*

Wasserlösliche Substanzen, wie Na^+, Cl^-, Glucose u.a., diffundieren ausschließlich durch die *wassergefüllten Poren*. Die Permeabilität der einzelnen Moleküle hängt vom Verhältnis zwischen Poren- und Molekülgröße ab, d.h. kleine Moleküle wie H_2O oder NaCl diffundieren leichter als große Moleküle wie Glucose oder Albumine. Die relative Permeabilität im Verhältnis zum Wasser = 1,0 beträgt für Glucose 0,6 und für Albuminmoleküle < 0,0001. Die weitgehende Impermeabilität der Capillarmembran für Albumin bewirkt einen deutlichen und funktionell wichtigen Konzentrationsunterschied zwischen Plasma und interstitieller Flüssigkeit (s.S. 414).
Große Moleküle, die durch den „Siebeffekt" der Poren zurückgehalten werden, können die Capillarwand durch *Pinocytose* passieren, d.h. durch Invagination der Zellmembran mit Vacuolenbildung und „umgekehrter Pinocytose" (Emeiocytose) auf der anderen Seite der Zellmembran.
Lipidlösliche Substanzen, wie O_2, CO_2, Alkohol u.a. können dagegen *frei diffundieren*. Da die Diffusion im Bereich der gesamten Capillarmembran stattfindet, sind die *Transportraten* für lipidlösliche Substanzen *sehr viel größer* als für wasserlösliche Substanzen.

Austausch durch Filtration.

Ein weiterer Mechanismus des Austausches zwischen intravasculärem und interstitiellem Raum besteht darin, daß im Bereich der terminalen Strombahn **Filtrations- und Reabsorptionsvorgänge** stattfinden. Unter normalen Bedingungen besteht nach der klassischen **Theorie von Starling** weitgehend ein *Fließgleichgewicht* zwischen den Flüssigkeitsmengen, die in den arteriellen Abschnitten der Capillaren *filtriert* und in den *venösen Abschnitten reabsorbiert* sowie über die *Lymphgefäße abtransportiert* werden.

Andererseits treten bei Veränderungen dieses Gleichgewichtes (relativ schnelle) *Volumenverschiebungen zwischen intravasculärem und interstitiellem Raum* auf, die u.a. für die Aufrechterhaltung eines ausreichenden intravasalen Flüssigkeitsvolumens als Voraussetzung für die normale Kreislauffunktion bedeutungsvoll sind.

Filtration und Reabsorption in den Capillaren werden im wesentlichen vom **hydrostatischen Druck** in den **Capillaren** (P_C) und in der **interstitiellen Flüssigkeit** (P_{IF}), dem **kolloidosmotischen Druck** im **Plasma** (π_C) und in der **interstitiellen Flüssigkeit** (π_{IF}) sowie einem **Filtrationskoeffizienten** (K) bestimmt. P_C und π_{IF} bewirken dabei *aus den Capillaren* in den interstitiellen Raum *gerichtete*, π_C und P_{IF} dagegen *entgegengesetzte* Flüssigkeitsbewegungen. Unter Einbeziehung des Filtrationskoeffizienten K, der die Permeabilität der Capillarwand für isotone Flüssigkeit in ml Flüssigkeit pro mm Hg Druck in 100 g Gewebe bei 37° C pro Minute angibt, läßt sich das filtrierte Volumen ($\dot{V}$) pro Minute aus

$$\dot{V} = (P_C + \pi_{IF} - P_{IF} - \pi_C) \cdot K \qquad (26a)$$

berechnen. $\dot{V}$ ist bei *Auswärtsfiltration positiv*, bei *Reabsorption* dagegen *negativ*.

Unter physiologischen Bedingungen ist es schwierig, den *Druck* in den *Capillaren* zu messen. Die durch Punktion der Capillaren gemessenen Drücke (30–35 mm Hg am arteriellen, 20–15 mm Hg am venösen Ende und damit ein mittlerer Druck von *etwa 25 mm Hg*) gelten für *durchströmte* einzelne Capillaren. In einem größeren Capillargebiet ist der *funktionelle* mittlere Capillardruck wegen der rhythmischen Änderungen des Strömungswiderstandes in den präcapillären Gefäßen aufgrund der Vasomotion wahrscheinlich etwas *niedriger*.
Im Nieren- und Pfortaderkreislauf, in denen sich 2 in Reihe geschaltete Capillargebiete befinden, liegen abweichende Capillardrücke vor. In den glomerulären Capillaren der Niere beträgt der Druck etwa 50 mm Hg, in den tubulären Capillaren ca. 15 mm Hg.
Direkte Messungen des *interstitiellen Flüssigkeitsdrucks* sind *unmöglich*, da die interstitiellen Spalten maximal nur 1 μm weit sind. Die methodisch unbefriedigenden *indirekten Bestimmungen* des interstitiellen Drucks ergaben Werte zwischen + 10 mm Hg und − 9 mm Hg, wobei *leicht positive mittlere Werte* bisher meist als normal angesehen werden.
Dabei ist bemerkenswert, daß sich unabhängig von der umstrittenen Frage des Absolutwerts das interstitielle Flüssigkeitsvolumen bei Druckänderungen im Bereich *normaler Drücke* nur wenig ändert, oder anders ausgedrückt, *die Weitbarkeit des interstitiellen Raumes* ($\Delta V / \Delta P$) *gering ist*. Bei zunehmenden interstitiellen Drücken wird jedoch relativ abrupt ein Wert überschritten, von dem ab die Weitbarkeit deutlich größer wird, so daß das interstitielle Flüssigkeitsvolumen stark zunimmt und eine *Ödembildung*, d.h. eine abnorme Vermehrung der interstitiellen Flüssigkeit einsetzt. Ödeme sind gewöhnlich erst zu be-

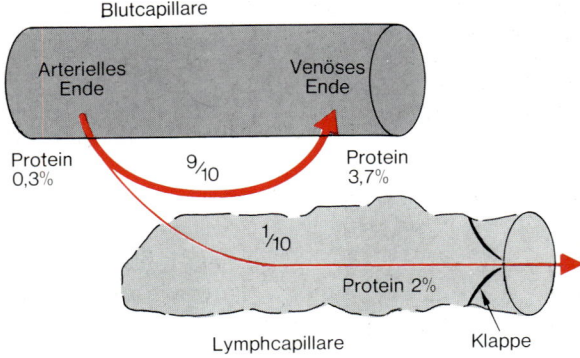

Abb. 26. Flüssigkeitsbewegungen zwischen Blutcapillaren, interstitiellem Raum und Lymphcapillaren. (Nach GUYTON)

merken, wenn das interstitielle Volumen den Normalwert um etwa 30% überschritten hat.

Der *kolloidosmotische Druck des Plasmas* beträgt etwa *25 mm Hg* und wird durch einen Plasmaproteingehalt von ca. 7,3 g-% hervorgerufen. Die Capillarwände sind im Gegensatz zu älteren Vorstellungen nicht völlig undurchlässig für Eiweiß. Je nach Ultrastruktur der Capillaren (s.S. 412) treten vielmehr in den einzelnen Organkreisläufen wechselnde Eiweißmengen in die interstitielle Flüssigkeit über, die über die Lymphgefäße abtransportiert werden. Die *Eiweißkonzentration* stellt dabei einen *Indikator* für die unterschiedliche *Capillarpermeabilität* dar; sie beträgt in der Lymphflüssigkeit der Leber 6 g-%, des Herzens 3 g-%, der Haut 1 g-% und der Muskulatur 2 g-%.

In der einzelnen Capillare steigt die *Eiweißpermeabilität* vom *arteriellen* zum *venösen Ende* an, da sowohl die Oberfläche als auch die Zahl der großen Poren in den venösen Abschnitten zunehmen. Dementsprechend steigt die geschätzte Eiweißkonzentration in der interstitiellen Flüssigkeit von etwa *0,3 g-%* im *arteriellen Teil* auf knapp *4,0 g-%* im *venösen Teil* der Capillaren an. Als mittlere Eiweißkonzentration in der *interstitiellen Flüssigkeit* finden sich 1,8–2,0 g-% mit einem *kolloidosmotischen Druck* von etwa *4,5 mm Hg* (Abb. 26).

Flüssigkeitsgleichgewicht zwischen intra- und extravasalem Raum. Auf der Basis dieser Daten läßt sich für die *Flüssigkeitsbewegungen* zwischen *Capillaren* und *interstitiellem Raum* grob vereinfacht folgende *Bilanz* aufstellen. Am *arteriellen Capillarende* beträgt der nach *außen* gerichtete Druck *37 mm Hg* ($P_C = 32,5$ mm Hg $+ \pi_{IF} = 4,5$ mm Hg), dem ein nach *innen* gerichteter Druck von *28 mm Hg* ($\pi_C = 25$ mm Hg $+ P_{IF} = 3$ mm Hg) gegenübersteht, so daß ein **effektiver Filtrationsdruck** von **9 mm Hg** entsteht. In den *arteriellen Abschnitten* erfolgt daher eine *Filtration von Flüssigkeit* in den *interstitiellen Raum* (Abb. 27).

Am *venösen Capillarende* herrscht dagegen ein nach *außen* gerichteter Druck von *22 mm Hg*, der sich aus der Abnahme von P_C auf 17,5 mm Hg ergibt, und ein unveränderter nach *innen* gerichteter Druck von *28 mm Hg*, so daß ein **effektiver Reabsorptionsdruck** von **6 mm Hg** entsteht. Dementsprechend findet in den *venösen* Abschnitten

eine *Reabsorption von Flüssigkeit* aus dem *interstitiellen Raum* statt (Abb. 27).

Unter der vereinfachten Voraussetzung eines *linearen* Druckabfalls in der Capillare und einer Konstanz der übrigen Faktoren beträgt in diesem Beispiel der mittlere nach *außen* gerichtete Filtrationsdruck *29,5 mm Hg* ($P_C = 25$ mm Hg $+ \pi_{IF} = 4,5$ mm Hg) und der mittlere nach *innen* gerichtete *Reabsorptionsdruck 28 mm Hg* ($\pi_C = 25$ mm Hg $+ P_{IF} = 3$ mm Hg), d.h. es besteht unter normalen Bedingungen eine *etwas stärkere Filtration als Reabsorption* (Abb. 27, Mitte).

Der **effektive Filtrationsdruck** bewirkt, daß in den *arteriellen Abschnitten* ca. **0,5%** des durch die Capillaren fließenden Plasmavolumens in den interstitiellen Raum filtriert werden, von denen jedoch wegen des etwas niedrigeren effektiven Reabsorptionsdrucks in den *venösen Abschnitten* nur ca. 90% reabsorbiert und die restlichen *10% über die Lymphgefäße* aus dem interstitiellen Raum abtransportiert werden (Abb. 26).

Die durchschnittliche **Filtrationsrate aller Capillaren** des Körpers beträgt somit etwa **14 ml/min** bzw. **20 l/24 Std**, die **Reabsorptionsrate** ca. **12,5 ml/min** bzw. **18 l/24 Std**, die restlichen 2 Liter werden über die Lymphgefäße abgeleitet.

Dieses relative Filtrations-Reabsorptionsgleichgewicht kann bereits durch Veränderungen eines der beteiligten Faktoren gestört werden. Eine *Sonderstellung* nimmt dabei der *hydrostatische Capillardruck* ein. Zunahmen des Capillardrucks lösen Verschiebungen des Filtrations-Reabsorptionsgleichgewichtes in Richtung auf eine verstärkte Filtration in den interstitiellen Raum, Abnahmen dagegen in Richtung auf eine vermehrte Reabsorption in die Capillaren aus. Unabhängig von den u.U. erheblichen Druckänderungen in den Gefäßen bei Lagewechsel (s.S. 407) wird der hydrostati-

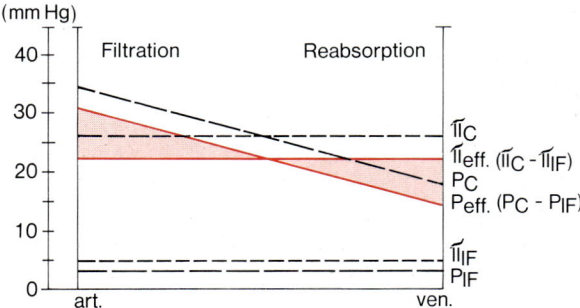

Abb. 27. Schematische Darstellung der Flüssigkeitsbewegungen zwischen Blutcapillare und interstitiellem Raum. P_C = capillärer Druck, P_{IF} = Druck im interstitiellen Raum, π_C = kolloidosmotischer Druck im Plasma, π_{IF} = kolloidosmotischer Druck im interstitiellen Raum, P_{eff} = effektiver transmuraler Filtrationsdruck, π_{eff} = effektiver kolloidosmotischer Druck. π_C und π_{IF} sind vereinfachend über die gesamte Capillarlänge als konstant angenommen

sche Druck in den Capillaren vom Verhältnis zwischen *prä- und postcapillärem Widerstand* bestimmt. Veränderungen des *präcapillären* Widerstandes sind insofern äußerst wirksam, als sie über die Filtrations-Reabsorptionsbedingungen in der einzelnen Capillare hinaus auch die Zahl der durchströmten Capillaren und damit die Größe der an den Austauschvorgängen beteiligten Capillaroberfläche beeinflussen. Aber auch Veränderungen des *postcapillären* Widerstandes, der unter Ruhebedingungen etwa 4mal kleiner als der präcapilläre Widerstand ist, können den Druck und dementsprechend das Filtrations-Reabsorptionsgleichgewicht in den Capillaren beeinflussen. Die Voraussetzungen für eine **vasomotorische Steuerung des Plasmavolumens** (s.S. 431) werden dadurch erfüllt, daß sowohl die prä- als auch die postcapillären Gefäße *neuralen* Einflüssen unterliegen, wobei allerdings die Effekte auf die präcapillären Abschnitte stärker ausgeprägt sind.

Unter diesen Gesichtspunkten wird verständlich, daß eine *verstärkte Filtration* in den interstitiellen Raum bei so unterschiedlichen Vorgängen wie *allgemeinen Blutdrucksteigerungen, Dilatation der Widerstandsgefäße bei Muskelarbeit, Orthostase, Erhöhungen des Blutvolumens durch Transfusion* oder *Drucksteigerungen auf der venösen Seite* (z.B. bei Herzinsuffizienz) und andererseits eine *verstärkte* Reabsorption von interstitieller Flüssigkeit in die Capillaren bei *allgemeinen Blutdrucksenkungen, Constriktion der Widerstandsgefäße, Blutverlusten* u.a. auftritt.
Ebenso führen *Abnahmen* des kolloidosmotischen Drucks im Plasma (z.B. bei Eiweißmangel) oder eine *Ansammlung* von osmotisch aktiven Substanzen in der interstitiellen Flüssigkeit zu Verschiebungen des Filtrations-Reabsorptionsgleichgewichtes in Richtung auf eine *vermehrte Filtration* in den interstitiellen Raum, während *Zunahmen* des kolloidosmotischen Drucks im Plasma *entgegengesetzte* Effekte auslösen.
Schließlich erfolgt ein vermehrter Flüssigkeitsübertritt in den interstitiellen Raum bei erhöhter Capillarpermeabilität (z.B. durch Histamin und verwandte Substanzen, Kinine u.a.m. im Zusammenhang mit allergischen Reaktionen, Entzündungen, Verbrennungen oder Verletzungen).

Nach diesen Vorstellungen wären unter verschiedenen physiologischen Bedingungen, in denen durch starke nach außen wirkende Kräfte eine Filtration über die gesamte Capillarlänge stattfindet, häufiger stärkere Flüssigkeitsansammlungen im interstitiellen Raum in Form von **Ödemen** zu erwarten, als sie tatsächlich auftreten. Die Gründe für dieses Verhalten liegen teilweise in der bereits erwähnten *geringen Weitbarkeit* des interstitiellen Raumes innerhalb eines relativ großen Druckbereichs.

Gleichzeitig findet dabei ein *verstärkter Abtransport* von interstitieller Flüssigkeit durch die Lymphgefäße statt. Die damit verbundene *vermehrte Eiweißausschwemmung* führt zu Abnahmen des kolloidosmotischen Drucks, die eine Flüssigkeitsansammlung im interstitiellen Raum erschweren.

6.3. Das Lymphsystem

Die *Lymphgefäße* stellen ein zusätzliches **Abflußsystem** dar, durch das interstitielle Flüssigkeit wieder in das Blut zurückgeleitet wird.

Aufbau des Lymphsystems. In Form eines sehr engmaschigen Netzes finden sich (mit Ausnahme der oberflächlichen Hautschichten, des ZNS und der Knochen) in allen Geweben außerordentlich zahlreiche *Lymphcapillaren*, die jedoch im Gegensatz zu den Blutcapillaren an einem Ende verschlossen sind. Die Lymphcapillaren vereinigen sich zu größer werdenden *Lymphgefäßen*, die hauptsächlich über den *Ductus thoracicus* und den *Ductus lymphaticus dexter*, zum Teil aber auch auf anderen Wegen in das Venensystem einmünden. Die Wände der Lymphcapillaren bestehen aus einschichtigem Endothel, sie sind für Elektrolytlösungen, Zucker, Fette und Eiweiße leicht zu passieren. Die Wände der *größeren Lymphgefäße* weisen *glatte Muskelfasern* und *Klappen* (ähnlich wie in den Venen) auf. In größeren Lymphgefäßen sind außerdem *Lymphknoten* zwischengeschaltet, die Filterfunktionen wahrnehmen und gröbere Bestandteile zurückhalten.

Lymphzusammensetzung und -menge. Die *Lymphe* besteht aus *interstitieller Flüssigkeit*. Der durchschnittliche *Eiweißgehalt* liegt bei 2 g-%, zeigt aber in Abhängigkeit von der unterschiedlichen Permeabilität der Blutcapillaren erhebliche regionale Unterschiede (Leber 6%, Intestinaltrakt 3–4%, s.S. 414). Die Lymphgefäße sind ferner einer der Hauptkanäle für den *Abtransport* von *absorbierten Stoffen* aus dem Magen-Darmkanal, insbesondere für den Transport von Fetten.
Die **Lymphmenge** beträgt unter normalen Bedingungen ca. *2 l/24 Std* und entspricht dem nicht reabsorbierten Anteil von $^1/_{10}$ des filtrierten Volumens aus den Blutcapillaren. Die *mittlere Strömungsgeschwindigkeit* in den Lymphgefäßen ist dementsprechend *sehr langsam*. In den Lymphgefäßen mit glatten Muskelfasern beruht der *Transport* auf *rhythmischen Kontraktionen der glatten Gefäßmuskulatur*. Ein Rückstrom von Lymphe wird durch die Klappen verhindert. Die Fortbewegung der Lymphe wird außerdem in den Lymphcapillaren und Lymphgefäßen der Skeletmuskulatur durch die sog. *Lymphpumpe* unterstützt, bei der die Lymphgefäße durch vorübergehende Drucksteigerungen in der Umgebung komprimiert und ausgepreßt werden (analog zur Wirkung der Muskelpumpe bei den Venen). Die Strömung kann auf diese Weise bei Muskelarbeit auf das 10–15fache der Ruhewerte gesteigert werden.

Das Lymphgefäßsystem bewirkt somit in erster Linie einen *Abtransport* von *Eiweißen* und *anderen Stoffen* aus dem interstitiellen Raum, die nicht durch Absorption in die Blutcapillaren aufgenommen werden können. Darüber hinaus erfüllen die Lymphcapillaren **Drainagefunktionen**, die bei vermehrter capillärer Filtration einer Flüssigkeitsansammlung im interstitiellen Raum entgegenwirken. Andererseits können bei Unterbrechung der Lymphgefäße (durch Operationen) oder Verschluß (durch entzündliche Veränderungen u.a. Ursachen) erhebliche *regionale Ödeme* (sog. *Lymphödeme*) in den distalen Abschnitten entstehen.

7. Das Lungengefäßsystem

7.1. Hämodynamik des Lungengefäßsystems

Im **Lungengefäßsystem** sind die *arteriellen* und *venösen Gefäßabschnitte* wesentlich *kürzer* und die Durchmesser im allgemeinen größer als in den entsprechenden Abschnitten des Körpergefäßsystems. Die großen Arterien sind relativ dünnwandig, während die kleinen Arterien starke muskuläre Wände aufweisen. Typische Arteriolen, d.h. typische Widerstandsgefäße, sind nicht vorhanden.

Die *Capillaren* haben einen Durchmesser von ca. 8 μm und bilden mit zahlreichen Anastomosen ein dichtes *Netz* um die Lungenalveolen. Ihre Länge kann nur als sog. *„funktionelle Länge"* aus der Topographie der Capillaren zu den Lungenalveolen bestimmt werden, sie liegt bei *ca. 350 μm* und die *Passagezeit* des Blutes bei etwa 1 s. Die Größe der *Capillaroberfläche* beträgt unter Ruhebedingungen ca. 60 m² und kann bei *schwerer Arbeit* auf ca. 90 m² ansteigen (Abb. 24).

Strömung in den Lungengefäßen. In den Lungenarterien liegen grundsätzlich gleiche hämodynamische Bedingungen wie in den Arterien des Körperkreislaufs vor. Durch den Lungenkreislauf fließt das *gesamte* vom rechten Ventrikel ausgeworfene Blutvolumen, zu dem in den Lungenvenen noch ein Teil des venösen Blutes aus dem Bronchialkreislauf (maximal 2% des Herzzeitvolumens des linken Ventrikels) hinzutritt (s. auch Abb. 1).

Der *Strompuls* in der A. pulmonalis zeigt im Vergleich zu dem in der Aorta einen flacheren Anstieg und Abfall. Das intermittierend aus dem rechten Ventrikel ausgeworfene Schlagvolumen wird durch die elastischen Eigenschaften der Lungenarterien

in eine auch während der Diastole anhaltende Strömung umgewandelt. Im Gegensatz zu den Veränderungen im Körpergefäßsystem bleibt in den *Capillaren* und *Venen* des Lungengefäßsystems eine *pulsierende* Strömung mit abnehmender Amplitude bis zum linken Vorhof bestehen.

Die *mittlere Strömungsgeschwindigkeit* in der A. pulmonalis liegt unter Ruhebedingungen bei ca. 18 cm/s. In den Capillaren des Lungengefäßgebietes sinkt sie auf Werte ab, die annähernd denen im Körpergefäßgebiet entsprechen, und steigt mit abnehmendem Gesamtquerschnitt in den Lungenvenen wieder an (Abb. 11).

Drücke in den Lungengefäßen. Die *Drücke* im Lungenkreislauf des gesunden Menschen sind *relativ niedrig;* sie betragen in der A. pulmonalis des Menschen *systolisch ca. 25 mm Hg* und *diastolisch 10 mm Hg* bei einem *mittleren Druck von ca. 15 mm Hg* (Abb. 11 und 13). Im Bereich der *Lungencapillaren* liegen Drücke von ca. 10 mm Hg und im *linken Vorhof* von annähernd 7 mm Hg vor. Unter normalen Bedingungen sind in den Lungencapillaren noch Druckschwankungen von 3–5 mm Hg vorhanden, die sich mit abnehmender Amplitude bis in die Lungenvenen fortsetzen. Die *Druckdifferenzen* zwischen Arterien und Capillaren sind mit 5 mm Hg und die zwischen Capillaren und rechtem Vorhof mit 3 mm Hg wesentlich kleiner als in den entsprechenden Abschnitten des Körpergefäßsystems.

Der *Widerstand* im Lungengefäßsystem ist dementsprechend *klein* und beträgt nur knapp $^1/_{10}$ des Gesamtwiderstandes des Körpergefäßsystems (s.S. 397).

Druckpuls- und *Volumenpulskurven* sind weitgehend deckungsgleich (Abb. 13). Die *Pulswellengeschwindigkeit* (s.S. 404) in den großen Lungenarterien beträgt wegen ihrer relativ großen elastischen Dehnbarkeit nur 1–2 m·s^{-1}.

7.2. Funktionelle Besonderheiten des Lungengefäßsystems

Lungenperfusion und transmurale Drücke. Aufgrund der relativ niedrigen intravasalen Drücke beeinflussen *hydrostatische* Effekte die Durchblutung der Lungen wesentlich *stärker* als die Durchblutung der Stromgebiete des Körperkreislaufs. So liegen beim erwachsenen Menschen im Stehen die apicalen Abschnitte ca. 15 cm oberhalb, die basalen Abschnitte ca. 15 cm unterhalb des Ursprungs der A. pulmonalis. In den Lungenspitzen sind dabei wegen der annähernd gleichen hydrostatischen und arteriellen Drücke die Capillaren gerade noch (oder nicht mehr) geöffnet, während die Gefäße an der Basis durch die Addition der Drücke stärker gedehnt sind. Aus diesen Gründen zeigt die Lungendurchblutung *stark lageabhängige Inhomogenitäten*, die sich auch in einer *regional unterschiedlichen O₂-Sättigung* des Blutes bemerkbar machen. Trotz dieser Differenzen beträgt die O₂-Sättigung im Mischblut der Lungenvenen 96–98% (einschließlich der durch die Beimengung des Blutes aus den Bronchialvenen bedingten Effekte, s. XX-4.4).

Die Drücke in den Pulmonalgefäßen werden auch vom *intrapleuralen Druck* und den *atemabhängigen* Schwankungen des *intraalveolären (intrapulmonalen) Drucks* (maximal $+3$ bis -3 mm Hg) beeinflußt. Stark positive Drucke, wie sie u. U. bei künstlicher Beatmung auftreten, lösen infolge der damit verbundenen Senkungen des transmuralen Drucks erhebliche Steigerungen des pulmonalen Strömungswiderstandes und Abnahmen des Blutvolumens in den Lungen aus.

Intrathorakale Gefäße als Kapazitätssystem. Die wesentlich größere Dehnbarkeit der Lungenarterien im Vergleich zur Aorta trägt in Verbindung mit der großen Dehnbarkeit der Venen dazu bei, daß von den Lungengefäßen des Menschen durch Veränderungen der Dehnbarkeit, besonders aber durch Veränderungen des transmuralen Drucks *bis zu 50%* des mittleren Gesamtvolumens von 450 ml (Tabelle 3) aufgenommen oder abgegeben werden können. Aufgrund dieser Eigenschaften erfüllen die Lungengefäße die Funktionen eines **schnell mobilisierbaren Blutdepots.** Diese Volumina bilden zusammen mit dem diastolischen Volumen des linken Herzens das sog. **zentrale Blutvolumen** (etwa 600–650 ml), aus dem als einem „Sofortdepot" bei akuten Steigerungen des Herzzeitvolumens durch den linken Ventrikel etwa die Hälfte zur Deckung des Mehrbedarfs entnommen werden kann, bevor sich das Schlagvolumen des rechten Ventrikels durch Steigerungen des venösen Rückstromes an die neue Situation angepaßt hat.

Die *intrathorakalen Gefäße*, d.h. die *Lungengefäße* und die *großen intrathorakalen Venen*, nehmen insofern noch eine Sonderstellung ein, als sie im elastischen Netz der Lungen liegen bzw. nicht fest in andere Organgewebe eingebettet sind. In Verbindung mit ihrer großen Dehnbarkeit und Kapazität sind sie daher besonders geeignet, die Funktionen eines *Druckausgleichsgefäßes* wahrzunehmen, das relativ große Volumina aufnehmen oder abgeben kann. So werden z.B. bei aktiver Constriction der peripheren Kapazitätsgefäße, bei Ab-

schwächung der hydrostatischen Druckwirkungen auf die Gefäße der unteren Körperabschnitte beim Übergang vom Stehen zum Liegen, bei Kompression der Gefäße von außen durch Immersion in ein Wasserbad mehrere hundert Milliliter Blut von den intrathorakalen Gefäßabschnitten aufgenommen. Bei dilatatorischen Reaktionen oder bei verstärkten hydrostatischen Druckwirkungen auf die Gefäße der unteren Körperabschnitte im Stehen werden dagegen entsprechende Mengen aus den intrathorakalen Gefäßen abgegeben.

Niederdrucksystem. Aufgrund der unterschiedlichen Druck- und Volumenverteilungen in den einzelnen Abschnitten wird das kardiovasculäre System teilweise nicht nach anatomischen, sondern nach *funktionellen Gesichtspunkten* in ein **Niederdruck-** und ein **arterielles (Hochdruck-)System** unterteilt. Dem *Niederdrucksystem* werden dabei die venösen Abschnitte des Körpergefäßsystems, das rechte Herz, das gesamte Lungengefäßsystem, linker Vorhof und linker Ventrikel während der Diastole, dem *arteriellen System* der linke Ventrikel während der Systole und die Arterien des Körpergefäßsystems zugeordnet.

Diese Unterteilung bezieht sich nicht nur auf die Druck- und Volumenverteilung (s. Abb. 10 und 11 sowie Tabelle 3 und 5), sondern vor allem auf die weitgehend *gleichen Druckvolumenbeziehungen* in den peripheren Venen und dem Pulmonalkreislauf, für die der rechte Ventrikel *keine* Schranke bildet. Der mittlere Druck in den *Lungenarterien* soll wegen der geringeren Tonusänderungen in den peripheren Lungengefäßen überwiegend vom *Zeitvolumen des rechten Ventrikels* abhängen, dessen Größe durch den Frank-Starling-Mechanismus vom zentralen Venendruck bestimmt wird.

Veränderungen des Blutvolumens lösen daher trotz unterschiedlicher Absolutwerte im rechten Vorhof, in der A. pulmonalis und im linken Vorhof Druckänderungen von annähernd *gleicher* Größe aus, so daß diese Abschnitte als *funktionelle Einheit* angesehen werden können. Die Kapazität des Gefäßsystems und der Kontraktionszustand der Gefäßmuskulatur sowie das Blutvolumen werden dabei als (relativ) *statische Größen* angesehen. Ein Ausgleich von Störungen im Verhältnis zwischen Gefäßkapazität und Blutvolumen soll in erster Linie durch *volumenregulatorische Vorgänge* über reflektorisch ausgelöste Änderungen der ADH-Sekretion erfolgen, die zwangsläufig relativ lange Zeit erfordern (s.S. 431). Die funktionelle Bedeutung von Kapazitätsänderungen, die einen kurzfristigen Ausgleich ermöglichen, ist dagegen bei dieser Theorie noch umstritten.

Der *linke Ventrikel* verbindet das Niederdruck- mit dem Hochdrucksystem. Er gehört *während der Diastole* zum *Niederdrucksystem*, wobei seine Füllung vom Druck in den Lungenvenen abhängt. Während der *Systole* gehört der linke Ventrikel funktionell dagegen zum *Hochdrucksystem*, in dem er die Voraussetzungen für die Blutströmung im arteriellen System schafft.

8. Efferente Gefäßinnervation und periphere Mechanismen der Durchblutungsregulation

8.1. Aufgaben der Kreislaufregulation

Die Aufgabe der Kreislaufregulation besteht darin, eine *ausreichende Blutversorgung des gesamten Organismus* sowohl in Ruhe als auch unter wechselnden Belastungsbedingungen sicherzustellen.

Einen Überblick über die Verteilung des Herzminutenvolumens auf die Organkreisläufe des Menschen unter Ruhebedingungen gibt Tabelle 6. Wegen der methodischen Schwierigkeiten der Durchblutungsmessung stellen die Angaben nur Annäherungswerte dar. Ein Vergleich zwischen Durchblutungsgröße und O_2-Aufnahme als Maß für die Intensität des Stoffwechsels zeigt, daß *Organe mit höherem Stoffwechsel* zwar eine höhere Durchblutung aufweisen, daß aber — wie sich aus den prozentualen Anteilen beider Größen entnehmen läßt — in den einzelnen Organkreisläufen *unterschiedliche Relationen* zwischen Durchblutung und O_2-Verbrauch bestehen.

Grundzüge der Regulation. Bei der *Anpassung des regionalen Angebotes* an die funktionellen Anforderungen dominieren *Durchblutungsänderungen*, die aufgrund der Abhängigkeit des *Strömungswider-*

standes von der 4. Potenz des Radius überwiegend auf Änderungen des Gefäßquerschnitts und zum weitaus kleineren Teil auf arteriellen Druckänderungen beruhen. Der Gefäßdurchmesser wird dabei im wesentlichen vom *augenblicklichen Kontraktionszustand* der glatten Gefäßmuskulatur bestimmt, der der Gefäßwand eine *aktive Spannung*, den sog. **Gefäßtonus** (s.S. 420) verleiht. *Zunahmen des Kontraktionszustandes verursachen Abnahmen des Gefäßdurchmessers (Vasoconstriction), Abnahmen des Kontraktionszustandes dagegen Zunahmen des Gefäßdurchmessers (Vasodilatation).*

Durch Veränderungen des relativen Widerstandes in den **Widerstandsgefäßen** wird — wie bereits erläutert — die *Verteilung des Herzzeitvolumens* auf die *einzelnen parallel geschalteten Organkreisläufe* und die *Stromstärke* innerhalb *einzelner Gefäßgebiete* gesteuert. Widerstandsabnahmen in einzelnen Stromgebieten können demnach lokale Durchblutungssteigerungen bei (theoretisch) unverändertem Herzzeitvolumen und gleichbleibendem Widerstand in den übrigen Gefäßgebieten auslösen, in denen allerdings die Stromstärke und außerdem auch der arterielle Druck wegen des reduzierten totalen peripheren Widerstandes abnehmen würden. Die Deckung eines erhöhten Bedarfs durch alleinige Vasodilatation wäre demnach nur relativ begrenzt möglich und schnell mit ungünstigen Rückwirkungen auf die übrigen Gefäßgebiete und die gesamte Kreislauffunktion verbunden. In den *meisten Fällen* treten allerdings *gleichzeitig* auch *Steigerungen des Herzzeitvolumens* auf, die die *Effekte von Widerstandsabnahmen ausgleichen* oder *sogar überkompensieren*.

In den *einzelnen Organkreisläufen* sind die durch vasodilatatorische Reaktionen möglichen *Durchblutungssteigerungen verschieden stark* ausgeprägt (Abb. 28). Dabei ist bemerkenswert, daß in den Gefäßgebieten mit *stark wechselnden funktionellen Anforderungen* (Skeletmuskulatur, Gastrointesti-

Tabelle 6. Durchblutung und O_2-Aufnahme verschiedener Organe des Menschen* unter Ruhebedingungen

Gefäßgebiet	Durchblutung		O_2-Aufnahme		Gewicht	
	ml/min	% ges.	ml/min	% ges.	g	% ges.
Splanchnicus	1400	24	58	25	2800	4,0
Nieren	1100	19	16	7	300	0,4
Gehirn	750	13	46	20	1500	2,0
Herz	250	4	27	11	300	0,4
Skeletmuskel	1200	21	70	30	30000	43,0
Haut	500	9	5	2	5000	7,0
Andere Organe	600	10	12	5	30100	43,2
	5800	100	234	100	70000	100,0

* Gewicht 70 kg, Körperoberfläche 1,7 m². (Nach WADE und BISHOP)

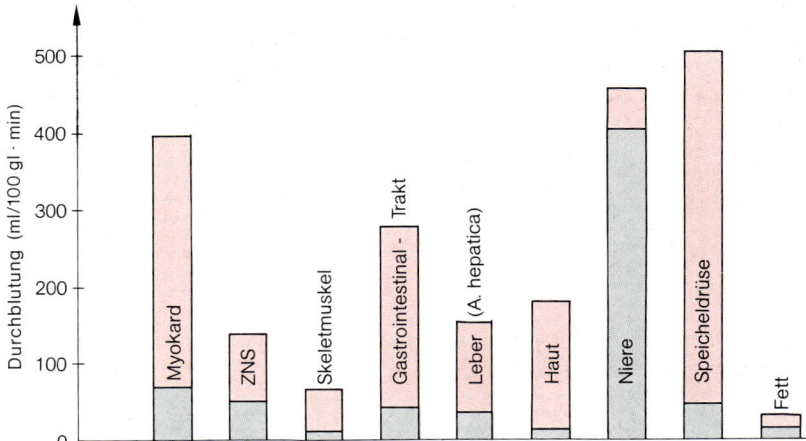

Abb. 28. Stromstärke in den Organkreisläufen unter Ruhebedingungen (grau) und bei maximaler Vasodilatation (rot). Die Werte wurden für einen normalen erwachsenen Menschen mit einem Körpergewicht von 70 kg berechnet. Die Angaben der Stromstärke pro 100 g Gewebe geben gleichzeitig Hinweise auf den relativen Strömungswiderstand der einzelnen Organsysteme. (Nach MELLANDER und JOHANSSON)

naltrakt, Leber und Haut) die *relativ größten Durchblutungsänderungen* auftreten können. Demgegenüber wird die lebenswichtige Durchblutung des *Gehirns* und der *Nieren* mit *ständig hohen*, aber *weniger stark wechselnden Anforderungen* durch spezielle Regulationsmechanismen weitgehend *konstant* gehalten und innerhalb bestimmter Grenzen sogar von starken Veränderungen des arteriellen Drucks und des Herzzeitvolumens nur wenig beeinflußt. Weitere Einzelheiten über die Durchblutung der Organkreisläufe sind auf S. 436 ff. beschrieben. Die bei gleichzeitiger Dilatation aller Organkreisläufe theoretisch möglichen Durchblutungssteigerungen wären so groß, daß sie die Leistungsfähigkeit des Herzens weit überfordern und einen Zusammenbruch der Kreislauffunktion verursachen würden. Bei der **Leistungsanpassung** hängt daher die Aufrechterhaltung der Kreislauffunktion wesentlich von einem *ausgeglichenen Verhältnis* zwischen **regionalen Steigerungen der Stromstärke** und möglichen **Herzzeitvolumensteigerungen** (als limitierendem Faktor) ab. Die Ausgleichsmöglichkeiten des Kreislaufs werden dabei *zusätzlich* durch *vasoconstrictorische Reaktionen* mit entsprechenden *Abnahmen der Stromstärke* in *nicht beteiligten Organkreisläufen* vergrößert.

Im Rahmen von Anpassungsvorgängen treten Querschnittsänderungen auch im Bereich der **Kapazitätsgefäße** auf, die sich vor allem auf die *Kapazität* und nur *geringfügig* auf die *Strömungswiderstände* in diesen Gefäßen auswirken. Durch die Möglichkeit einer Aufnahme oder Abgabe von mehreren hundert Millilitern Blut können daher von den Kapazitätsgefäßen erhebliche Rückwirkungen auf das Verhältnis zwischen *Gefäßkapazität* und *Blutvolumen* ausgehen. Aufgrund der damit verbundenen **Änderungen des mittleren Füllungsdrucks** beeinflussen Regulationsvorgänge im Bereich der Kapazitätsgefäße auch die Größe des Herzzeitvolumens und den arteriellen Druck.

Außerdem kann die *Kapazität der Capillaren stärkeren Schwankungen* unterliegen. So führen z.B. die dilatatorischen Reaktionen der Skeletmuskulatur bei schwerer Muskelarbeit dazu, daß nach Beendigung der Arbeit und Fortfall der Wirkungen der Muskelpumpe von den erweiterten Muskelcapillaren zusätzlich über 1000 ml Blut aufgenommen werden. Dadurch wird das Gleichgewicht zwischen Gefäßkapazität und Blutvolumen mit dem Ergebnis verschoben, daß der mittlere Füllungsdruck und dementsprechend auch der venöse Rückstrom abnehmen. Die Folge kann ein Kollaps sein (z.B. nach Langstreckenläufen).

Neben ihren *hämodynamischen Wirkungen* beeinflussen Querschnittsänderungen auch die *hydrostatischen Drücke* in den *Capillaren* und verändern damit die *Filtrations-Reabsorptionsbedingungen*, die ihrerseits Rückwirkungen auf das Verhältnis zwischen Gefäßkapazität und Blutvolumen ausüben. Diese engen Beziehungen zwischen der Stromstärke in den einzelnen Organkreisläufen bei Veränderungen des Strömungswiderstandes sowie die Rückwirkungen von Kapazitäts- oder Volumenänderungen machen es verständlich, daß praktisch unter allen Bedingungen das **gesamte kardiovasculäre System** direkt oder indirekt *an der Aufrechterhaltung ausgeglichener Kreislauffunktionen* beteiligt ist.

Die **Gefäßreaktionen** bei der *Leistungsanpassung* beruhen teilweise auf *nervösen Einflüssen* oder *hu-*

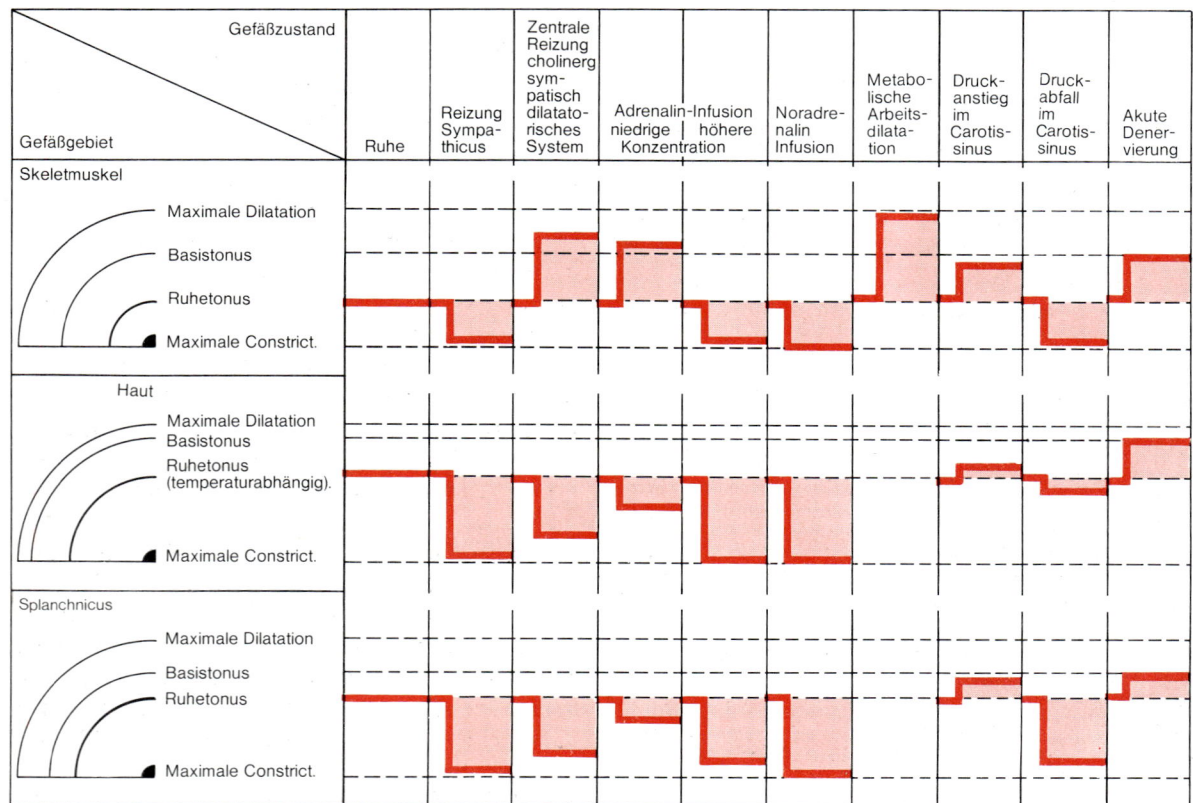

Abb. 29. Schematische Darstellung des Verhaltens des Gefäßtonus in funktionell wichtigen Gefäßgebieten bei verschiedenen physiologischen Situationen und experimentellen Bedingungen. Die einzelnen Komponenten des Gefäßtonus sind in den Organkreisläufen verschieden stark ausgeprägt, so daß gleiche Reize quantitativ unterschiedliche Reaktionen auslösen. (Modifiziert nach KOEPCHEN)

moralen Faktoren, teilweise jedoch auch auf *lokalen Mechanismen*. Die Wirkungen der einzelnen Komponenten auf die glatte Gefäßmuskulatur sind in den einzelnen Organkreisläufen verschieden stark ausgebildet. Häufig sind *mehrere Faktoren* gleichzeitig beteiligt und wirken *synergistisch*, gelegentlich aber auch *antagonistisch* auf den *Gefäßtonus* ein.

In Abb. 29 ist der Einfluß der wichtigsten und in den folgenden Abschnitten genauer beschriebenen gefäßwirksamen Vorgänge auf die funktionell wichtigen Skeletmuskel-, Haut- und Splanchnicusgefäße schematisch zusammengefaßt.

Gefäßtonus. In zahlreichen Gefäßen treten in einer begrenzten Zahl von glatten Muskelzellen *fortlaufend spontane Depolarisationen* auf, die als *„Schrittmacher"* wirken und Kontraktionen benachbarter Zellen auslösen (s. auch VII-1.3). Diese Aktivitäten sind *unabhängig von der Gefäßinnervation*, d.h. sie bleiben auch nach Denervierung eines Gefäßgebietes erhalten. Sie verleihen der Gefäßwand eine in den einzelnen Gefäßgebieten unter

schiedlich ausgeprägte Grundspannung, den sog. **Basistonus** oder **basalen Tonus** (Abb. 29).

Dieser Basistonus wird unter Ruhebedingungen in den meisten Gefäßen durch *zusätzliche Kontraktionen* der glatten Gefäßmuskulatur aufgrund von *vasoconstrictorischen Impulsen* verstärkt, die den Gefäßwänden eine größere aktive Spannung, den sog. **Ruhetonus**, verleihen (Abb. 29, vgl. VII-2.1). Dieser *aktiven* Spannung steht eine *passive* Spannung gegenüber, die sich aus der *Dehnung der elastischen Fasern* in den Wänden der Gefäße durch den transmuralen Druck ergibt und die bei der Beurteilung von vasomotorischen Reaktionen auf den Gefäßdurchmesser berücksichtigt werden muß. So können z.B. durch Steigerungen des transmuralen Drucks infolge von Zunahmen des arteriellen Drucks die constrictorischen Wirkungen der glatten Muskulatur nicht nur abgeschwächt, sondern sogar übertroffen werden. In diesem Fall würde trotz der erhöhten aktiven Wandspannung, d.h. trotz eines erhöhten Tonus und einer reduzierten Dehnbarkeit, der Durchmesser der Arterien zu- und der Strömungswiderstand abnehmen.

8.2. Neurale Faktoren

Die nervöse Beeinflussung der Blutgefäße, d.h. die **vasomotorische Steuerung**, erfolgt durch das *autonome Nervensystem*, überwiegend durch *sympathische* und nur teilweise auch durch *parasympathische Anteile*. Es werden mit Ausnahme der Capillaren *alle Blutgefäße innerviert;* Dichte und Funktion der Innervation variieren jedoch erheblich in den einzelnen Organen und den verschiedenen Gefäßabschnitten.

In den meisten *sympathischen Nerven* werden an den *postganglionären* Fasern ca. 80–90% Noradrenalin und 10–20% Adrenalin als neuromuskuläre Überträgersubstanz freigesetzt (*adrenerge Fasern*). (Sympathische cholinerge Fasern s.u. und VII-1.4.)
Die Endigungen der adrenergen vasomotorischen Nerven bilden einen dünnen Plexus, der *außerhalb* der medialen Schichten der Gefäßwand liegt. Lediglich in der Aorta und den großen Arterienästen sowie in der A. pulmonalis erstrecken sich die Endigungen bis in die äußere Hälfte der Media. Daraus ergibt sich, daß zwischen den Nervenendigungen und den meisten Muskelzellen *relativ große* Entfernungen bestehen, so daß *Diffusionsvorgänge* der Überträgersubstanzen über längere Strecken sowie eine von Zelle zu Zelle erfolgende Erregungsübertragung bei der Aktivierung der glatten Gefäßmuskelfasern eine besondere Rolle spielen.

Sympathische adrenerge vasoconstrictorische Fasern. Efferente Nerven, in denen Zunahmen der Impulsfrequenz die aktive Spannung der Gefäßmuskulatur erhöhen, werden als **vasoconstrictorische Nerven** bezeichnet. Sie gehören zum sympathischen Teil des autonomen Nervensystems. Einzelheiten über Ursprung und Verlauf dieser Fasern sind in VII beschrieben.
Die *kleinen Arterien* und *Arteriolen* der *Haut*, des *Skeletmuskels* und des *Splanchnicusgebietes* weisen gegenüber den übrigen Organkreisläufen eine zahlenmäßig *besonders starke*, die des *Gehirns* dagegen eine auffallend *schwache vasoconstrictorische Innervation* auf. Die *Venen* zeigen meist eine *entsprechende*, insgesamt jedoch *geringere Innervationsdichte*.
Die Intensität der Reaktionen der glatten Gefäßmuskulatur hängt direkt von der Frequenz der efferenten Impulse ab. Der *Ruhetonus* beruht auf einer ständigen (*tonischen*) Aktivität von 1–3 Imp/s (s. auch Abb. 30). *Maximale vasoconstrictorische Effekte* treten bereits bei ca. *10 Imp/s* auf. Zunahmen der Impulsfrequenz bewirken daher vasoconstrictorische und Abnahmen der Impulsfrequenz dilatatorische Reaktionen, die bei völliger Abwesenheit von vasoconstrictorischen Impulsen oder nach Denervierung durch den Basistonus begrenzt werden. Auf diese Weise können durch *Variation* des „*Vasomotorentonus*", d.h. des durch vasomoto-

rische Impulse ausgelösten Kontraktionszustandes der Gefäßmuskulatur, sowohl *constrictorische* als auch — ohne Beteiligung spezieller Fasern — *dilatatorische* Gefäßreaktionen ausgelöst werden (s. Abb. 29, vgl. auch VII-2.1).
Der *relative Strömungswiderstand* wird bei Abwesenheit von vasoconstrictorischen Impulsen in den einzelnen Gefäßgebieten vom verschieden stark ausgeprägten *Basistonus* bestimmt und ist z.B. in den Hautgefäßen mit niedrigerem Basistonus kleiner als in den Muskelgefäßen mit höherem Basistonus (Abb. 30). Bei Reizung der constrictorischen Nervenfasern reagieren beide Gefäßgebiete zwar grundsätzlich ähnlich; bei *gleicher Reizfrequenz* treten jedoch aufgrund des niedrigeren Basistonus in den *Hautgefäßen stärkere constrictorische Reaktionen als in den Muskelgefäßen* auf (Abb. 30). Dementsprechend kann der Strömungswiderstand in den Hautgefäßen in viel größerem Umfang als in den Muskelgefäßen durch Aktivitätsänderungen der vasoconstrictorischen Fasern variiert werden. Diese Einschränkung wird allerdings durch die Wirkungen von vasodilatatorischen Nerven an den Muskelgefäßen weitgehend kompensiert (Abb. 30).

Die Bedeutung der tonischen Aktivität der vasoconstrictorischen Nerven (Ruhetonus) für die Kreislauffunktion ergibt sich u.a. daraus, daß nach ihrer Ausschaltung durch *Spinalanaesthesie* oder nach Applikation von *ganglienblockierenden Pharmaka* aufgrund der Vasodilatation ein Abfall des mittleren Blutdrucks auf 40–60 mm Hg eintritt, bei dem eine ausreichende Durchblutung der Organe nicht mehr gewährleistet ist (*paralytischer Blutdruck*).
Auch nach operativer Durchtrennung der sympathischen Nerven (*Sympathektomie*) tritt in den denervierten Gebieten eine Vasodilatation auf, wobei die neue Gefäßweite nur noch vom *Basistonus* bestimmt wird (Abb. 29). Einige Tage nach der Sympathektomie beginnt jedoch der Tonus anzusteigen und kann nach einigen Wochen praktisch wieder die ursprünglichen Werte erreichen, obwohl eine Regeneration der Fasern noch nicht erfolgt ist. Die Zunahme des basalen Tonus beruht wahrscheinlich auf einer nach der Denervierung entstehenden Hypersensibilität der Gefäßmuskulatur gegenüber Catecholaminen und anderen vasoaktiven Stoffen mit entsprechenden Steigerungen der muskulären Spontanaktivität.

Sympathische cholinerge vasodilatatorische Fasern. Ein spezielles vom Cortex ausgehendes System (s.S. 435) verläuft ausschließlich zu den Gefäßen der *Skeletmuskulatur* und innerviert mit *cholinergen Fasern* lediglich die *präcapillären* Gefäße. Unter *Ruhebedingungen* zeigen diese Fasern *keine* Aktivität. Im Gegensatz zur metabolischen Dilatation (s.S. 424) erfolgt die Mehrdurchblutung der Muskelgefäße bei Erregung der cholinergen vasodilatatorischen Fasern *nicht* über die echten Capillaren, sondern über die *arteriovenösen Anastomosen* und *Metarteriolen*. Dieses System wird im Zusammenhang mit psychischen bzw. emotionalen

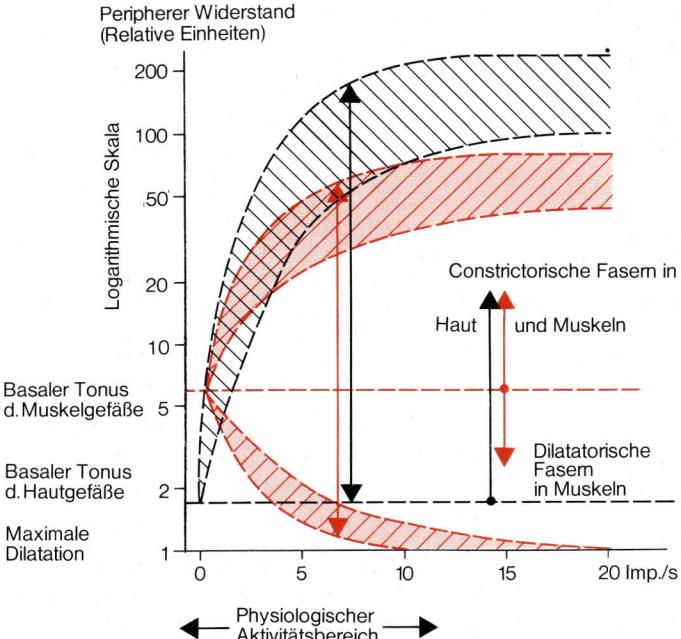

Abb. 30. Darstellung der vasomotorischen Effekte von afferenten Impulsen auf Muskelgefäße (rot) und auf Hautgefäße (schwarz) am Bein der Katze. Nach Durchschneidung des abdominalen sympathischen Grenzstranges löst elektrische Reizung des distalen Endes mit gleichen Reizfrequenzen in den Muskelgefäßen mit einem höheren basalen Tonus schwächere vasoconstrictorische Reaktionen als in den Hautgefäßen aus. Die vaso-motorisch gesteuerte Anpassung der Muskelgefäße wird jedoch durch die cholinergen sympathischen dilatatorischen Fasern erweitert. Durch pharmakologische Blockade der adrenergen Fasern mit Dihydroergotamin und der cholinergen Fasern mit Atropin wurden die vasomotorischen Effekte der beiden Fasertypen differenziert. (Nach CELANDER und FOLKOW)

Alarm-, Abwehr-, Angst- oder Wutreaktionen (s.S. 314) aktiviert. Im Fall von nachfolgenden muskulären Aktivitäten wird die cholinerge Vasodilatation in der arbeitenden Muskulatur von metabolisch bedingten dilatatorischen Effekten (s.S. 424) ergänzt bzw. abgelöst.

Parasympathische cholinerge vasodilatatorische Fasern. Parasympathische cholinerge vasodilatatorische Fasern innervieren die Gefäße der *äußeren Genitalorgane*. Eine Erregung bewirkt starke vasodilatatorische Reaktionen mit entsprechender Mehrdurchblutung der Genitalorgane bei sexueller Erregung. Cholinerge dilatatorische Fasern innervieren ferner die *kleinen Piaarterien des Gehirns*. Ihre funktionelle Bedeutung ist noch nicht geklärt.

Die Existenz von parasympathischen cholinergen vasodilatatorischen Fasern in anderen Gefäßgebieten ist umstritten. *Vasodilatatorische Reaktionen* von Drüsengefäßen im *Verdauungstrakt*, die bei Reizung der sekretorischen Nerven zu den Drüsen auftreten, beruhen überwiegend auf den Wirkungen von *Kininen*, die im Zusammenhang mit der Drüsentätigkeit gebildet werden (s.S. 424). Eine Beteiligung von spezifischen parasympathischen cholinergen dilatatorischen Fasern kann jedoch nicht endgültig ausgeschlossen werden.

Axonreflexe. Bei mechanischer oder chemischer Reizung der Haut können lokale vasodilatatorische Reaktionen auftreten, die auf sog. *Axonreflexe* zurückgeführt werden. Die Erregung soll sich dabei in *nociceptiven Fasern* nicht nur afferent (*orthodrom*) zum Rückenmark, sondern über abzweigende Collateralen *auch efferent* (*antidrom*) in der Umgebung des Reizursprungs ausbreiten und eine *Dilatation* der dort befindlichen Arteriolen auslösen.

Axonreflexe können auch durch elektrische Reizung der Hinterwurzeln ausgelöst werden. Aus den Ergebnissen antidromer Reizversuche wurde früher auf die Existenz einer über die Hinterwurzeln verlaufenden dilatatorischen Gefäßinnervation geschlossen. Nach Durchschneidung der vorderen und hinteren Rückenmarkswurzeln bleiben diese Reaktionen jedoch erhalten; sie schwinden erst bei Degeneration der peripheren sensiblen Fasern aufgrund einer Durchschneidung der Fasern *distal* vom Spinalganglion. Es handelt sich also um rein periphere neurophysiologisch noch nicht befriedigend zu erklärende Vorgänge, an denen nur afferentes Axon sowie Collateralen und im Gegensatz zum „klassischen" Reflex *keine Synapse* beteiligt wären. Die wahrscheinlich von den sensorischen Nervenendigungen freigesetzte vasodilatatorische Überträgersubstanz ist unbekannt, es gibt Hinweise auf eine Beteiligung von Adenosintriphosphat (ATP).

Bei *längerer starker Kälteeinwirkung* wird die Vasoconstriction an den Acren von *periodischen Dilatationen* unterbrochen. Diese sog. **Lewissche Reaktion** soll ebenfalls auf nociceptiven Axonreflexen beruhen. Durch die damit verbundene Erwärmung werden Gewebsschädigungen in den aus thermoregulatorischen Gründen eng gestellten Gefäßgebieten verhindert. Auch bei den durch andere Reize ausgelösten Axonreflexen dürfte ihre funktionelle Bedeutung in der *Abwehr örtlicher Schädigungen* liegen. Axonreflexe sollen auch an der sog. **triple response** beteiligt sein, die sich z.B. beim Bestreichen der Haut mit einem spitzen Gegenstand als 1. *Dermographismus* = lokale Rötung im Bereich der mechanischen Reizung (Capillarreaktion), 2. *flare* = eine nach ca. 30 s auftretende stärkere Rötung in der Umgebung (Axonreflex) und 3. *umschriebenes Ödem* (Capillarwandschädigung) einstellt.

8.3. Humoral-hormonale Effekte

Adrenalin und Noradrenalin. Die sekretorischen Zellen des Nebennierenmarks werden analog zu einem sympathischen Ganglion durch präganglionäre sympathische cholinerge Fasern innerviert, so daß die Abgabe der *Catecholamine* Adrenalin und Noradrenalin an das Blut prinzipiell gleichartig wie die Freisetzung an adrenergen Nervenendigungen durch das ZNS gesteuert wird. Die unter Ruhebedingungen geringe Catecholaminfreisetzung (mit einem Verhältnis Adrenalin zu Noradrenalin von etwa 5:1) kann unter extremen Bedingungen bis auf das 50fache zunehmen und ubiquitäre Wirkungen im Organismus entfalten.

Receptoren der Catecholamine. Bei den *Gefäßwirkungen* der vom Nebennierenmark sezernierten Catecholamine handelt es sich jedoch nicht um eine einfache humorale Verstärkung der Effekte der sympathischen noradrenergen vasoconstrictorischen Fasern, da die Gefäßmuskulatur 1. *verschieden stark* und 2. auf *Adrenalin* teils *constrictorisch*, teils *dilatatorisch* reagiert. Diese Differenzen können mit der Annahme von verschiedenen „adrenergen Receptoren", den *α- und β-Receptoren*, erklärt werden, bei denen es sich um *chemische* Strukturen an der Membran der Gefäßmuskulatur handelt. Durch Erregung der *α-Receptoren* wird eine *Kontraktion*, durch Erregung der *β-Receptoren* eine *Entspannung* der glatten Muskelfasern ausgelöst. *Noradrenalin* wirkt dabei *selektiv auf α-Receptoren*, *Adrenalin* dagegen sowohl auf *α-* als auch auf *β-Receptoren*. In den meisten (wenn nicht sogar allen) Blutgefäßen sind beide Receptorentypen vorhanden. Ihre Zahl und das Verhältnis untereinander weichen allerdings in den einzelnen Gefäßgebieten voneinander ab. Daraus ergibt sich, daß die Reaktionen auf Adrenalin u.a. von der Zahl der vorhandenen Receptoren abhängt und bei *Überwiegen der α-Receptoren vasoconstrictorische*, bei *Überwiegen der β-Receptoren vasodilatatorische* Reaktionen zu erwarten sind. Andererseits soll die *Erregungsschwelle der β-Receptoren niedriger* als die der α-Receptoren sein, während bei gleichzeitiger Erregung der α- und β-Receptoren durch *höhere Dosen* Adrenalin die Wirkungen der α-Receptoren dominieren. Damit erklärt sich, daß *Adrenalin* in *niedrigen* (physiologischen) *Konzentrationen vasodilatatorische* und in höheren Konzentrationen vasoconstrictorische Reaktionen auslöst. Eine weitgehend *selektive Erregung von β-Receptoren* ist durch das synthetische Noradrenalinderivat *Isopropyl-Noradrenalin* möglich, eine analoge körpereigene Substanz ist nicht bekannt.
Eine größere Zahl von pharmakologischen Substanzen, sog. *Sympathicolytica*, blockieren mehr oder weniger selektiv die α- oder β-Receptoren. Durch *Blockade der α-Receptoren* werden

die *vasoconstrictorischen Effekte aufgehoben*, so daß bei intravenöser Injektion von Adrenalin die ursprünglich ausgebildete, auf der Dominanz der α-Receptoren beruhende Blutdrucksteigerung aufgrund der unbeeinflußten dilatatorischen β-Receptoreneffekte in eine *Blutdrucksenkung* umgewandelt wird (sog. **Adrenalinumkehr**). Eine *Blockade der β-Receptoren* ist im Hinblick auf die Gefäßwirkungen weniger eindrucksvoll; sie wird therapeutisch überwiegend zur Beeinflussung von β-Receptoreneffekten auf die Herzfrequenz und die Kontraktilität des Myokards eingesetzt.
Diese weitgehend auf funktionellen Merkmalen beruhende Klassifizierung läßt Aussagen über die grundlegenden chemischen Mechanismen nicht zu und läßt auch im Hinblick auf die Wirkungen der adrenergen Receptoren am Herzen und an der glatten Muskulatur in anderen Organen viele Fragen offen. Mit der adrenergen Receptorentheorie ist es jedoch möglich, die unterschiedlichen Gefäßreaktionen in den verschiedenen Gefäßgebieten bei Freisetzung von Catecholaminen aus dem Nebennierenmark gegenüber ihren Wirkungen als neurale Übertragersubstanz befriedigend zu erklären.

Adrenalin-Wirkungen. Im Blut zirkulierendes **Adrenalin** bewirkt durch seine Wirkungen auf β-Receptoren im allgemeinen *Abnahmen* des *Gesamtwiderstandes*. Durch die unterschiedlichen, von dem Verhältnis von α- und β-Receptoren abhängigen Gefäßreaktionen (Abb. 29) kommt es zu einer *Umverteilung des Herzzeitvolumens* in den einzelnen Organkreisläufen. Zugleich nimmt das Herzzeitvolumen aufgrund von Steigerungen des Schlagvolumens und der Herzfrequenz zu, während der mittlere arterielle Druck wenig oder gar nicht ansteigt. Solche Effekte treten u.a. bei *Muskelarbeit* oder *psychischen Alterationen* auf. Unter extremen Bedingungen, wie z.B. bei *Blutverlust* und *stärksten psychischen Belastungen* (Angst, Schreck, Wut), können allerdings auch so hohe Adrenalinkonzentrationen im Blut erreicht werden, daß *constrictorische Reaktionen* durch eine Erregung der α-Receptoren in den Vordergrund treten (Abb. 29).

Noradrenalin-Wirkungen. Zirkulierendes **Noradrenalin** verursacht in überschwelligen Konzentrationen ausschließlich *Erhöhungen des Strömungswiderstandes* in den Gefäßen des Körperkreislaufs (Abb. 29). Der arterielle Druck steigt an, Herzfrequenz sowie Herzschlagvolumen und damit auch das Herzzeitvolumen sinken dagegen ab. Aufgrund des relativ kleinen Noradrenalinanteils dürften allerdings auch die bei maximalen Steigerungen der suprarenalen Catecholaminsekretion auftretenden Konzentrationen nicht ausreichen, um die gleichgerichteten neural ausgelösten Gefäßwirkungen wesentlich zu verstärken.

Acetylcholin löst bei i.v. Applikation als pharmakologischen Effekt maximale *dilatatorische* Gefäßreaktionen aus. Endogen freigesetztes Acetylcholin besitzt dagegen wegen seiner schnellen Inaktivierung durch Cholinesterasen keine generalisierten Gefäßwirkungen.

8.4. Lokale Durchblutungsregulation

Eine Reihe von Stoffen, die — wie O_2 — für den Stoffwechsel der Zellen erforderlich sind oder als Stoffwechselprodukte (Metabolite) entstehen, beeinflussen *direkt* den Kontraktionszustand der Gefäßmuskulatur.

O_2-Mangelwirkungen. *Abnahmen* des *O_2-Partialdrucks* im Blut lösen *vasodilatatorische Reaktionen* aus. Zugleich sollen auch die im Zusammenhang mit Veränderungen des lokalen (regionalen) Stoffwechsels auftretenden Durchblutungsänderungen in den dazugehörigen Gefäßgebieten darauf beruhen, daß der *arterioläre O_2-Druck bei Stoffwechselsteigerungen abnimmt und umgekehrt.* Diese Annahme setzt voraus, daß — wie auch experimentell nachgewiesen wurde — O_2 bereits in den Arteriolen abdiffundiert und die Reaktionen mit *Veränderungen des O_2-Gradienten* entlang der Arteriolen zusammenhängen. Diese sog. **O_2-Mangeltheorie** ist als Teil der **metabolischen Autoregulation der Durchblutung** anzusehen.

Metabolische Wirkungen. *Lokale Erhöhungen* des **CO_2-Partialdrucks** und/oder der *H^+-Konzentration* lösen ebenfalls *dilatatorische Reaktionen* aus. Von anderen **Metaboliten**, die vor allem bei *Muskelarbeit* vermehrt abgegeben werden, hat Milchsäure selbst keine Gefäßwirkungen, wirkt aber über die pH-Verschiebung dilatatorisch. Pyruvat zeigt leichte, ATP, ADP, AMP und Adenosin starke vasodilatatorische Effekte. Die *Gefäßwirkungen* dieser Stoffe reichen jedoch *nicht* aus, die bei *Muskelarbeit* mögliche *nahezu maximale Dilatation* zu erklären (s. Abb. 29). Wahrscheinlich sind daran noch *andere Stoffwechselprodukte* beteiligt, wobei u.a. auch Konzentrationszunahmen von osmotisch wirksamen Substanzen im extracellulären Raum, speziell die erhöhte Kaliumkonzentration durch den vermehrten Austritt aus der arbeitenden Muskulatur, als auslösender Teilfaktor diskutiert werden (s. auch XXII).

Bei dieser sog. **metabolischen Autoregulation** könnten die Veränderungen der Gefäßweite *direkt durch Diffusion* der Substanzen ausgelöst werden, da die Arteriolen innerhalb der tätigen Gewebe und damit in unmittelbarer Nachbarschaft zu den Capillaren liegen. Die Annahme „aufsteigender" Axonreflexe (s.S. 422) von den Capillaren, dem Ort des Übertritts der Substanzen, bis zu den Arteriolen ist dabei zur Erklärung nicht erforderlich.

Die *funktionelle Bedeutung* dieser *autoregulativen Reaktionen* liegt in der *lokalen Anpassung* der Stromstärke in einzelnen Gefäßgebieten an die *jeweiligen nutritiven Ansprüche* des Gewebes, wobei die *metabolischen Dilatationen die neural ausgelösten constrictorischen Effekte vollständig überlagern* können.

Im Anschluß an eine experimentelle Unterbrechung oder Drosselung der Muskeldurchblutung setzt mit der Freigabe eine Durchblutungssteigerung (**reaktive Hyperämie**) ein, deren *Ausmaß von der Größe des Stoffwechsels* und der *Dauer der Drosselung* abhängt. Die reaktive Hyperämie wird wahrscheinlich durch die gleichen Mechanismen wie die metabolische Dilatation ausgelöst. Bei experimenteller Übertragung von venösem Blut aus der arbeitenden oder ischämischen Muskulatur in ruhende Gefäßgebiete treten dilatatorische Reaktionen auf, so daß eine Auslösung durch humorale Faktoren als bewiesen gelten kann.

Myogene Effekte. Als Form einer **myogenen (mechanogenen) Autoregulation** sind die bereits erwähnten Eigenschaften vieler Gefäße anzusehen, auf Veränderungen des Perfusionsdrucks durch Widerstandsänderungen so zu reagieren, daß die Stromstärke über einen weiten Druckbereich relativ konstant bleibt (s.S. 395). Diese Fähigkeit ist besonders stark in den *Nierengefäßen*, ebenso aber auch in den *Gehirn-, Coronar-, Leber-, Mesenterial-* und *Skeletmuskelgefäßen* ausgebildet. Im Bereich der *Hautgefäße* treten myogene Reaktionen dagegen *nicht* auf.

Gefäßaktive Substanzen. Bei erhöhter Aktivität der *Drüsen des Verdauungstraktes* treten ebenso wie bei experimenteller Reizung der sekretorischen Nerven *starke Dilatationen der Drüsengefäße* auf. Diese Effekte beruhen überwiegend auf den Wirkungen von **Kininen**, die im Zusammenhang mit der Drüsentätigkeit gebildet werden. Die secernierenden Drüsenzellen geben dabei ein *Enzym* (*Kallikrein*) in den extracellulären Raum ab. Dieses Enzym spaltet von im Plasma zirkulierenden α_2-*Globulinen* (*Kininogenen*) ein *Polypeptid* (*Kallidin*) ab, das schnell in *Bradykinin* umgewandelt wird. **Kallidin** und **Bradykinin** wirken stark *vasodilatatorisch* und steigern die Permeabilität der Capillaren. Ihre Wirkungsdauer beträgt nur wenige Minuten. Sie werden durch *Gewebsenzyme* (*Kininasen*) abgebaut. Auf eine mögliche Beteiligung von parasympathischen cholinergen vasodilatatorischen Fasern wurde auf S. 422 verwiesen. Diese oder ähnliche Mechanismen dürften nicht nur an der Mehrdurchblutung des *Gastrointestinaltraktes* bei Tätigkeit der Verdauungsdrüsen, sondern auch an der Mehrdurchblutung der *Hautgefäße* bei Tätigkeit der Schweißdrüsen beteiligt sein.

Kinine scheinen auch bei *entzündlichen* sowie bei *allergischen Kreislaufreaktionen* eine Rolle zu spielen. Eine Freisetzung von Kininen bei Gewebsverletzungen könnte ferner an der Schmerzentstehung beteiligt sein, da subcutane und intraarterielle Injektionen starke Schmerzen verursachen.

Angiotensin II, ein *Polypeptid*, das nach Freisetzung von *Renin* aus den *juxtaglomerulären Zellen* der Nieren im Blut gebildet wird, ist die stärkste bisher bekannte *vasoconstrictorische Substanz*. Die Effekte sind an den Arterien stärker als an den Venen ausgeprägt. Angiotensin II spielt im Rahmen des *Renin-Angiotensin-Aldosteron-Systems* eine Rolle bei den übergeordneten Regulationen des Blutdrucks sowie des Elektrolyt- und Wasserhaushalts (s.S. 431).

Das **antidiuretische Hormon (ADH)**=Adiuretin bzw. Vasopressin zeigt in *physiologischen* Dosen *keine* Gefäßwirkungen, in hohen Dosen jedoch starke constrictorische Wirkungen an den Arteriolen und weniger starke an den Venen. Es beeinflußt bereits in *geringen* Konzentrationen die *Wasserrückresorption* in den Nieren und ist wesentlich an der Regulation des Flüssigkeitsvolumens beteiligt (s.S. 431).

Histamin wird vor allem bei *Schädigungen* der *Haut* und *Schleimhäute* sowie bei *Antigen-Antikörperreaktionen* freigesetzt, wobei der größte Teil offenbar aus basophilen Granulocyten und Mastzellen im geschädigten Gebiet stammt. Es löst lokale *Dilatationen* der Arteriolen und Venolen aus und erhöht die Capillarpermeabilität.

9. Afferente Innervation und zentrale Kontrolle des kardiovasculären Systems

Der Funktionszustand des Kreislaufs wird *kontinuierlich* durch *Receptoren* in den Gefäßen und im Herzen überwacht. Diese Receptoren sind Teile eines Systems, das sowohl unter Ruhebedingungen

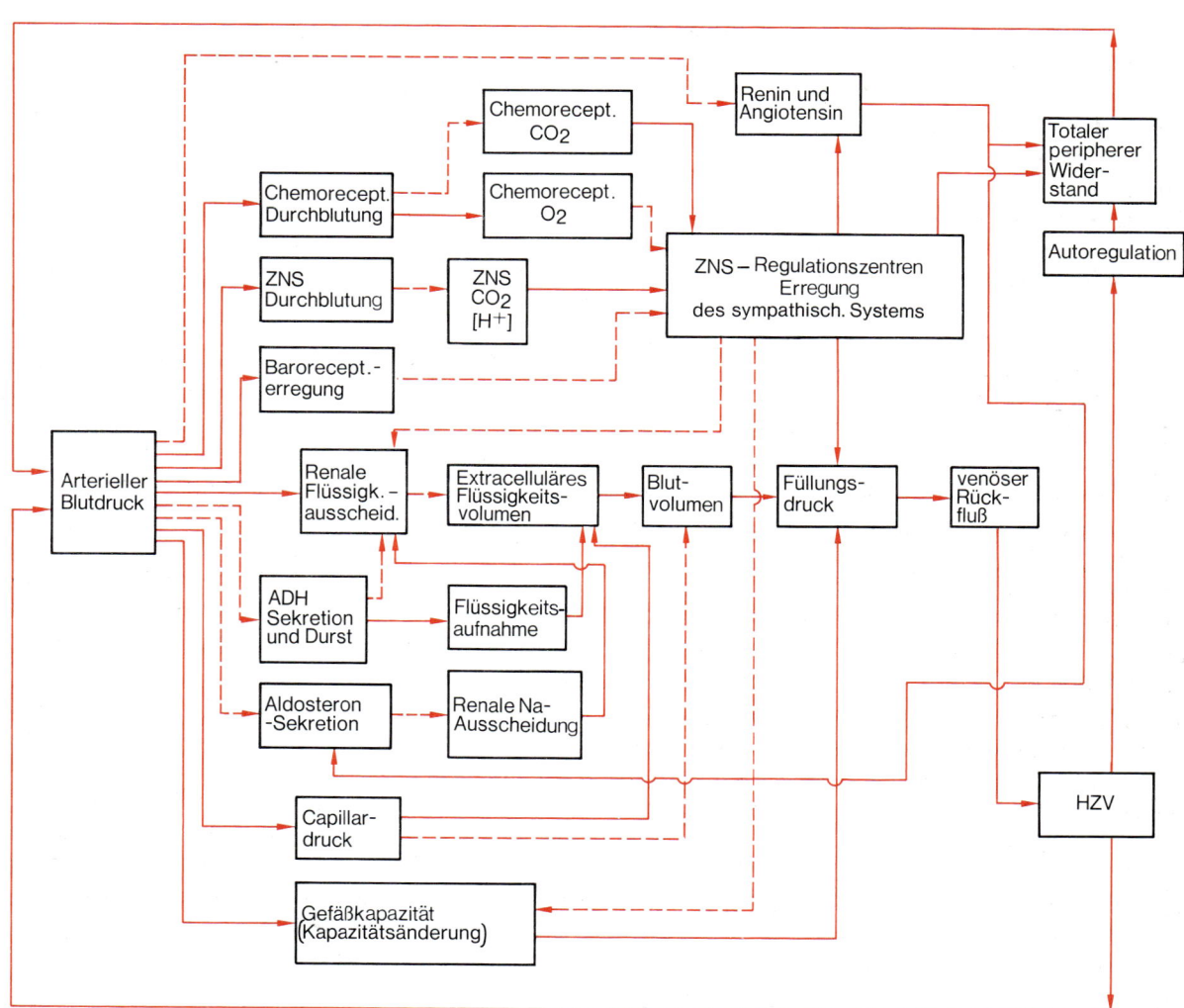

Abb. 31. Blockschema der wichtigsten Faktoren für die Regulation des arteriellen Drucks. Durchgezogene Linien geben fördernde, gestrichelte Linien hemmende Wirkungen wieder. (Leicht modifiziert nach GUYTON et al.)

als auch bei der Leistungsanpassung sehr wesentlich an der Sicherung der Voraussetzungen für eine normale Kreislauffunktion beteiligt ist, d.h. an der Aufrechterhaltung 1. eines *ausreichenden Druckgefälles* im Gefäßsystem (als treibende Kraft für die Strömung) und 2. eines *ausreichenden statischen Blutdrucks* (als wichtiger Faktor für den Füllungsdruck des Herzens). Diese Bedingungen werden einerseits durch eine gegenseitige *Abstimmung des totalen peripheren Widerstandes mit dem Herzzeitvolumen* und andererseits durch entsprechende *Abstimmungen der Gefäßkapazität mit dem Blutvolumen* erfüllt. Die *zentrale Verarbeitung* der *afferenten Impulse* der kardiovasculären Receptoren erfolgt *überwiegend in medullären Abschnitten* des ZNS, von denen *efferente Impulse* in motorischen Fasern des autonomen Nervensystems *zu den Effectoren* in den Gefäßen und im Herzen ausgehen.

Diese **Kreislaufeigenreflexe** üben ständig *stabilisierende Wirkungen* auf den arteriellen Blutdruck und das Verhältnis zwischen Gefäßkapazität und Blutvolumen aus. Die neural vermittelten, früher als „*reflektorische Selbststeuerung des Kreislaufs*" bezeichneten Vorgänge sind, als wichtiger Teil der Kreislaufregulation im engeren Sinne, wesentlich an der Aufrechterhaltung der **Homöostase** bei *akuten Veränderungen des Funktionszustandes* beteiligt. Darüber hinaus existieren *weitere homöostatische Regulationsmechanismen*, die teilweise über die gleichen Receptoren sehr viel langsamere Anpassungsvorgänge durch *neurohormonale* oder *humoral-hormonale Wirkungen* auslösen. Schließlich verlaufen auch afferente Impulse in *somatosensorischen* und *anderen Fasern* aus Regionen *außerhalb des Kreislaufs* zu den an der Kreislaufregulation beteiligten Strukturen des ZNS und können deren Funktion erheblich modifizieren. Die Kreislaufregulation beruht daher immer auf einer *Kombination* von zahlreichen reflektorischen Reaktionen, die teilweise noch nicht in allen Einzelheiten aufgeklärt sind. In Abb. 31 sind die wichtigsten an der Regulation des Blutdrucks beteiligten Vorgänge zusammengefaßt.

9.1. Spezifische (homöostatische) Kreislaufreflexe

Reflexe von arteriellen Pressoreceptoren. Lokalisation. In den Wänden der großen thorakalen und Halsarterien finden sich zahlreiche sog. **Presso- oder Barorecepteren**, die durch Dehnung der Gefäßwände in Abhängigkeit von der Größe des transmuralen Drucks erregt werden und damit *Dehnungsreceptoren* darstellen. Die funktionell

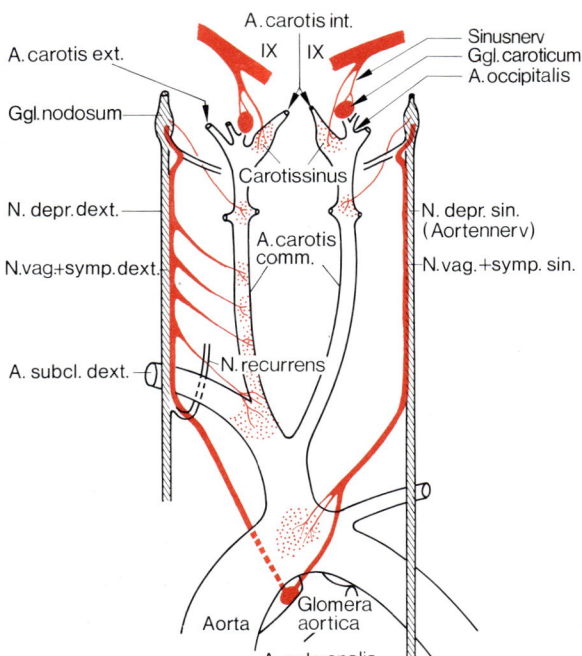

Abb. 32. Übersicht über die Lokalisation der Presso- und Chemoreceptoren im Bereich der Aorta und A. carotis (nach Untersuchungen an Hunden und Katzen). Die Pressoreceptorenfelder sind rot gepunktet, die afferenten Fasern rot gezeichnet. (Nach MILNOR)

wichtigsten Pressoreceptorenareale liegen im Aortenbogen und Carotissinus (Abb. 32).

Der Carotissinus stellt eine Erweiterung der A. carotis interna unmittelbar nach der Bifurkation dar, in dem die Gefäßwände dünner sind, weniger Muskel- und mehr elastische Fasern als die distalen Gefäßabschnitte aufweisen. Bei den Receptoren handelt es sich um ca. 4 μm lange ovoide lamellierte Strukturen in den äußeren Schichten der Media, die Ähnlichkeit mit Pacinischen Körpern zeigen. Die *sensorische Innervation* der *Pressoreceptoren im Carotissinus* erfolgt durch den *Carotissinusnerven*, einen Ast des *N. glossopharyngeus*. Die Pressoreceptoren im *Aortenbogen* werden durch den *linken Aortennerv* (N. depressor sin.), die am Abgang des *Truncus brachiocephalicus* durch den *rechten Aortennerv* (N. depressor dextra) innerviert. In beiden Carotissinus- und Aortennerven verlaufen außerdem Fasern von *Chemoreceptoren* aus dem Glomus caroticum in der Teilungsstelle der A. carotis sowie aus den Paraganglien des Aortenbogens.

Druck-Impuls-Charakteristik der Pressoreceptoren. Bei *stationären* Dehnungsdrücken reagieren die Pressoreceptoren mit *kontinuierlichen* Impulsaussendungen, deren Frequenz im Verhältnis zum Druck einen *S-förmigen Verlauf* mit steilsten, annähernd linearen Steigerungen bei Drücken zwischen 80 und 180 mm Hg zeigt. Bei pulsierenden Dehnungsdrücken, wie sie normalerweise in den Arterien vorliegen, treten *pulssynchrone Impulsmuster* auf, deren durchschnittliche Zahl über der bei stationären Dehnungsdrücken liegt. Die Impulsfre-

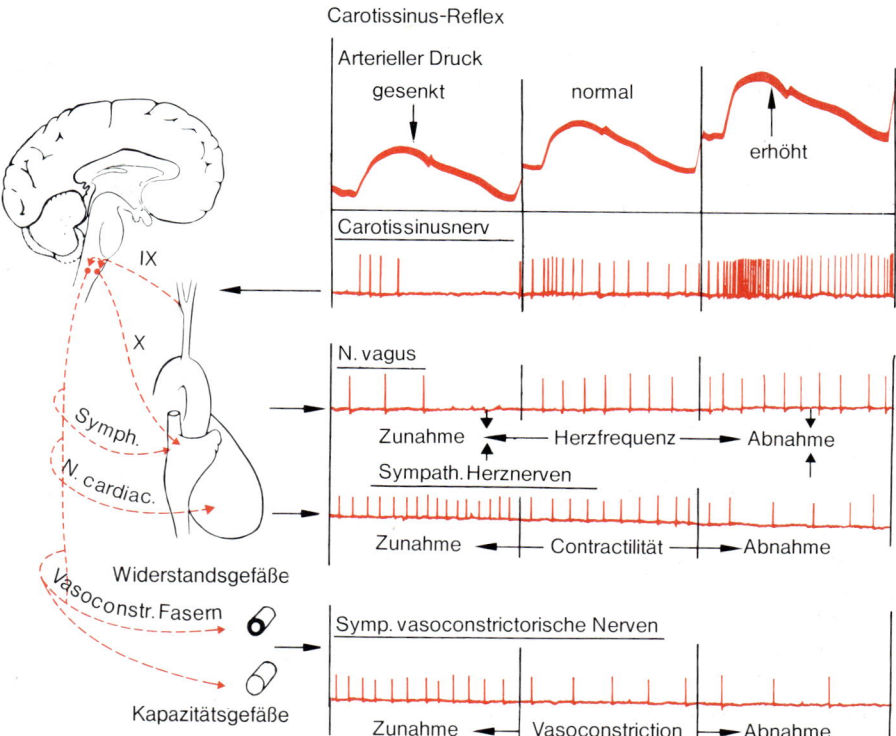

Abb. 33. Reflektorische Reaktionen bei veränderter Erregung der Pressoreceptoren im Carotissinus. Bei Senkung des arteriellen Drucks nimmt die Erregung der Pressoreceptoren ab. Die Aktivität der sympathischen vasoconstrictorischen und cardialen Fasern wird reflektorisch erhöht, dadurch werden Zunah-men des peripheren Widerstandes und der Herzfrequenz mit dem Ergebnis von Blutdrucksteigerungen ausgelöst. Bei erhöhtem arteriellem Druck treten entgegengesetzte Reaktionen auf. Weitere Einzelheiten s. Text. (Leicht modifiziert nach RUSHMER)

quenz ist dabei im ansteigenden Teil der Druckkurve wesentlich größer als im abfallenden Teil (Abb. 33). Diese „asymmetrische" Reaktion der Pressoreceptoren beruht darauf, daß die Pressoreceptoren *Proportional-Differential-(PD)-Eigenschaften* aufweisen. Stufenförmige Änderungen des transmuralen Drucks verursachen aufgrund der Differentialquotientenkomponente initial überschießende Zu- bzw. Abnahmen der Impulsfrequenz, die sich anschließend aufgrund der Proportionalkomponente auf ein neues konstant bleibendes Niveau einstellt. Bei sehr langsam erfolgenden Druckänderungen verändert sich die Impulsfrequenz nur proportional, wobei die Pressoreceptoren zur Gruppe der langsam adaptierenden Receptoren zu rechnen sind. Aufgrund dieser Eigenschaften liefern die Pressoreceptoren nicht nur Informationen über den *mittleren arteriellen Druck*, sondern auch über die *Größe der Druckamplitude*, die *Steilheit des Drucksanstiegs* und die *Herzfrequenz*.

Reflektorische Wirkungen. Einflüsse auf den Blutdruck und die Herzfunktion. Die afferenten Impulse der Pressoreceptoren verursachen eine *Hemmung* von *sympathischen* und eine *verstärkte Erregung*

von *parasympathischen* Strukturen in der *Medulla oblongata*, den sog. **medullären** bzw. **rhombencephalen Kreislaufzentren** (s.S. 433). Als Folge davon wird der tonische Einfluß der sympathischen vasoconstrictorischen Fasern reduziert, d.h. der *Vasomotorentonus* nimmt ab. Dementsprechend werden die *Widerstands-* und *Kapazitäsgefäße* im gesamten Gefäßsystem *dilatiert* (s. auch Abb. 33). Zugleich nehmen *Herzfrequenz* und *Kontraktionskraft des Myokards* ab. Als Ergebnis dieser Umstellungen tritt eine *Blutdrucksenkung* ein. Aufgrund der Aktivität der Pressoreceptoren innerhalb eines weiten Druckbereichs sind diese hemmenden Wirkungen bereits ständig bei „normalen" Blutdruckwerten wirksam. Sie üben damit Funktionen als **Blutdruckzügler** aus, die sich bei Blutdrucksteigerungen weiter verstärken. Bei *Blutdrucksenkungen* werden diese Effekte dagegen *abgeschwächt*, so daß *entgegengesetzte Reaktionen*, d.h. vasoconstrictorische Reaktionen der Widerstands- und Kapazitätsgefäße sowie Zunahmen der Herzfrequenz und der Kontraktilität des Myokards mit dem Ergebnis einer *Blutdrucksteigerung* auftreten (Abb. 33). Dieser **Selbststeuerungsmechanismus** des Kreislaufs bildet einen in sich geschlossenen *Funktions-(Regel)-*

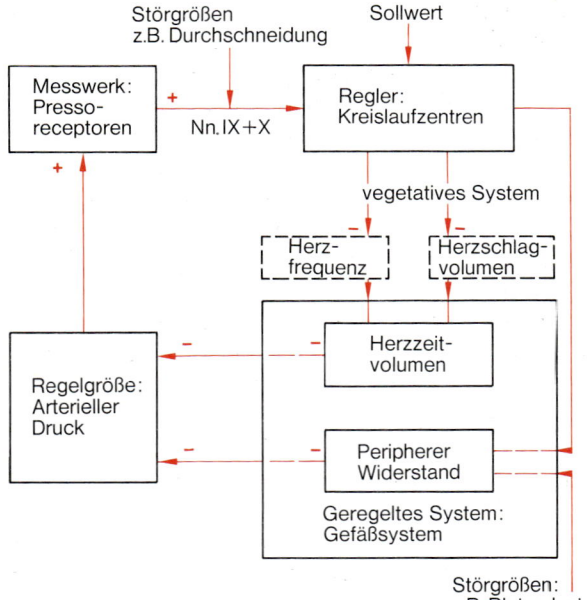

Abb. 34. Blockschema der Blutdruckregelung über die arteriellen Pressoreceptoren. Fördernde Wirkungen sind mit + und hemmende Wirkungen mit − angedeutet

kreis, indem die von den Pressoreceptoren reflektorisch ausgelösten Änderungen des Strömungswiderstandes und des Herzzeitvolumens bei akuten Abweichungen des arteriellen Drucks eine Wiederannäherung an die Ausgangswerte bewirken (Abb. 34).

Die *blutdruckzügelnde* Wirkung der Pressoreceptoren zeigt sich deutlich an den starken Steigerungen des Blutdrucks, die nach experimenteller Durchtrennung der Carotissinus- und Aortennerven (sog. *Entzügelungshochdruck*) entstehen und bei Arbeit oder Erregung 250–300 mm Hg betragen können. Ähnliche Effekte treten bei abgeschwächter Erregung der Pressoreceptoren nach Abklemmung der beiden Aa. carotes comm. auf.

Der oben beschriebene Einfluß der Pressoreceptoren auf den Blutdruck läßt sich an Tieren durch Druckänderungen in einem vom allgemeinen Kreislauf *isolierten Carotissinus mit intakter Nervenverbindung* demonstrieren, bei denen jedoch der contralaterale Sinusnerv sowie beide Aortennerven und Nn. vagi zur Ausschaltung von Gegenregulationen durchtrennt sind. Bei fortlaufenden Drucksteigerungen im isolierten Carotissinus bleibt der *arterielle Druck* bis zu einem bestimmten *Schwellenwert konstant*, fällt dann zunächst wenig, bei weiteren Drucksteigerungen im Carotissinus über einen größeren Druckbereich *annähernd linear ab* und stellt sich nach Überschreiten eines oberen Grenzwertes auf weitgehend konstant bleibende *niedrige Blutdruckwerte* ein. Der S-förmige Verlauf dieser sog. *,,Blutdruckcharakteristik''* unterscheidet

sich bei den verschiedenen *Species* in Lage und Form, wobei jedoch der *normale mittlere Blutdruck immer in der Mitte des steilen Kurventeils* liegt, d.h. im Bereich der größten Empfindlichkeit (Abb. 35).

Bei *chronisch erhöhtem arteriellem Druck* adaptiert sich diese homöostatische Regulation im Verlauf einiger Tage an das neue Druckniveau. Die Funktionen der Pressoreceptoren bleiben dabei *voll* erhalten. Sie wirken somit auch auf dem höheren Niveau Abnahmen des Blutdrucks entgegen, d.h. die stabilisierenden Effekte der Pressoreceptoren tragen unter diesen Bedingungen durch die Fixierung des erhöhten Blutdrucks (**Hypertonie**) zur Ausbildung eines pathologischen Zustandes bei.

In neuerer Zeit wird versucht, die reflektorisch ausgelösten Effekte auf den Blutdruck *therapeutisch* zu nutzen und bei Patienten mit medikamentös nicht zu beeinflussenden Hypertonieformen durch pulssynchrone bzw. Dauerreizung der Sinusnerven über implantierte Elektroden (*baropacing*) den Blutdruck zu senken.

Eine verstärkte Erregung der Pressoreceptoren durch *Druck* oder *Schlag* auf den Carotissinus löst Abnahmen des Blutdrucks und der Herzfrequenz aus. Bei älteren Menschen mit arteriosklerotischen Gefäßveränderungen kann dabei der Druck sehr stark absinken und sogar ein vorübergehender Herzstillstand mit einem Bewußtseinsverlust auftreten (*Carotissinus-Syndrom*). In den meisten Fällen setzt nach 4–6 s die Herztätigkeit wieder ein, wobei zunächst häufig ein AV-Rhythmus besteht, bis sich wieder ein normaler Sinusrhythmus einstellt. Gelegentlich tritt jedoch auch der Tod durch anhaltenden Herzstillstand ein. Bei anfallsweise auftretenden Herzfrequenzsteigerungen (*paroxysmale Tachykardie*) ist es andererseits möglich, durch ein- oder doppelseitigen Druck auf den Carotissinus u.U. die Herzfrequenz zu normalisieren.

Einflüsse auf die Gefäßkapazität. Die vaso-(veno-) motorischen Reaktionen im Bereich der *Kapazi-*

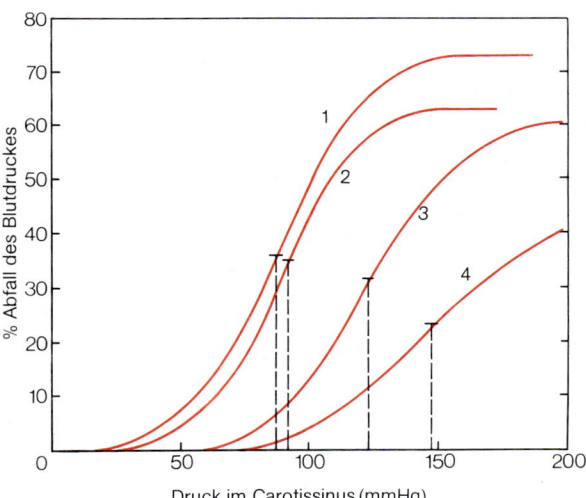

Abb. 35. Einfluß von Druckänderungen im isolierten Carotissinus auf den systolischen Druck von Esel (1), Kaninchen (2), Hund (3) und Katze (4). Der normale mittlere Blutdruck der Species liegt etwa in der Mitte des steilen Teiles der Kurven (gestrichelte Linien), d.h. im Bereich der größten Empfindlichkeit. Veränderungen des Drucks lösen daher im Normbereich die stärksten regulatorischen Umstellungen aus. (Nach KOCH)

tätsgefäße beeinflussen indirekt ebenfalls den arteriellen Druck. So lösen *dilatatorische Reaktionen* bei vermehrter Pressoreceptorenerregung (durch arterielle Drucksteigerungen) *Abnahmen des cardialen Füllungsdrucks* und konsekutive Abnahmen des Herzschlagvolumens mit dem Ergebnis von arteriellen Drucksenkungen aus. Constrictorische Reaktionen der Kapazitätsgefäße bewirken entgegengesetzte Umstellungen.

Einflüsse auf das Blutvolumen. Die reflektorisch von den Pressoreceptoren ausgelösten vasomotorischen Reaktionen sind über die Anpassung des Strömungswiderstandes und der Gefäßkapazität hinaus auch wesentlich an der **Regulation des Plasmavolumens** beteiligt. Bei *verstärkter* Pressoreceptorenerregung nimmt aufgrund der in den *prä-* und *postcapillären Abschnitten verschieden* stark ausgebildeten *dilatatorischen* Reaktionen das Verhältnis zwischen prä- und postcapillärem Widerstand mit dem Ergebnis ab, daß der *effektive Capillardruck ansteigt* und eine vermehrte Flüssigkeitsfiltration in den interstitiellen Raum stattfindet. Bei verminderter Pressoreceptorenerregung werden entgegengesetzte Umstellungen ausgelöst und dementsprechend die capilläre Reabsorption gesteigert (s.S. 414). Diese Effekte sind besonders stark in der *Skeletmuskulatur* ausgeprägt, die sowohl eine sehr große Capillaroberfläche als auch ein großes interstitielles Volumen aufweist. *Abnahmen des arteriellen Drucks* lösen daher aufgrund der reflektorischen Vasoconstriction einen *relativ schnellen Übertritt größerer Flüssigkeitsmengen* aus dem interstitiellen in den intravasalen Raum aus. Die Mobilisation von interstitieller Flüssigkeit scheint dabei bereits vor Zunahmen des totalen peripheren Widerstandes und Anpassungen der Gefäßkapazität einzusetzen. Bei erhöhter capillärer Filtration treten dagegen starke Flüssigkeitsverschiebungen in den interstitiellen Raum auf. So kann z.B. das Plasmavolumen bei dilatatorischen Reaktionen der präcapillären Gefäße bereits nach 15–20 min schwerer Muskelarbeit bis zu 15% abnehmen.

Die Pressoreceptoren beeinflussen reflektorisch auch die *renale Flüssigkeitsausscheidung*, die Wirkungen sind jedoch wesentlich schwächer als die von den Dehnungsreceptoren in den Vorhöfen ausgelösten Effekte (s.S. 430).

Einflüsse auf andere Funktionen. Von den afferenten Impulsen der Pressoreceptoren wird ferner die vom vegetativen Nervensystem gesteuerte *Freisetzung von antidiuretischen und Nebennierenmarkhormonen* modifiziert. Bei verstärkter Erregung wird die Ausschüttung von *Adiuretin (ADH)* aus der Hypophyse *gehemmt*, bei verminderter Erregung dagegen die *Catecholaminausschüttung* aus dem Nebennierenmark unter gleichzeitiger Erhöhung des Noradrenalinanteils *gesteigert*.

Als Folge einer verstärkten Erregung der Pressoreceptoren werden darüber hinaus auch *andere Funktionen des ZNS gehemmt*. So treten u.a. Dämpfungen der Atmung, Abnahmen des Muskeltonus und der efferenten γ-Innervation der Muskelspindeln, Abschwächungen der Eigenreflexe sowie eine Synchronisierung des EEG auf. An wachen Tieren läßt sich durch starke Dehnung der Carotissinusregion eine vollständige motorische Inaktivität und sogar Schlaf provozieren.

Reflexe von kardialen Dehnungsreceptoren. *Vorhofreceptoren.* In beiden Vorhöfen finden sich zwei funktionell wichtige Typen von **Dehnungsreceptoren**. Die sog. *A-Receptoren* werden während der *Vorhofkontraktion*, die sog. *B-Receptoren* dagegen während der *späten Ventrikelsystole* bzw. des Anstiegs des Vorhofdrucks zur v-Welle erregt (Abb. 36). Beide Receptorentypen werden durch Dehnung der Vorhöfe aktiviert, wobei die A-Receptoren auf Kontraktion der Vorhofmuskulatur, die B-Receptoren mehr auf passive Dehnung (erhöhter Vorhofdruck) reagieren. Die afferenten Impulse der Vorhofreceptoren verlaufen in sensorischen Fasern des *N. vagus* zu den *medullären Kreislaufzentren* und anderen Strukturen des ZNS.

Reflektorische Wirkungen. Bei isolierter Erregung der **B-Receptoren** treten *weitgehend ähnliche* re-

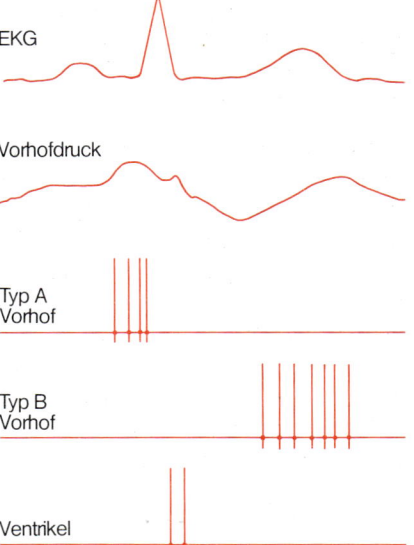

Abb. 36. Aktivität von Vorhofreceptoren vom Typ A und B sowie eines Ventrikelreceptors in Beziehung zum EKG und Druck im linken Vorhof. (Nach Daten von PAINTAL)

flektorische Effekte wie bei Erregung der arteriellen Pressoreceptoren auf, d.h. sie verursachen eine *Hemmung von sympathischen* und eine *Erregung von parasympathischen Strukturen* in den medullären Kreislaufzentren mit entsprechenden kardiovasculären Effekten (s.S. 427ff.).

Einflüsse auf das Blutvolumen. Die Dehnungsreceptoren in den Vorhöfen (und großen Venen) nehmen im Rahmen der **Volumenregulation** jedoch eine Sonderstellung ein. Ihre Lokalisation ist zur Kontrolle des Füllungszustandes des Gefäßsystems und der Dynamik der Ventrikelfüllung besonders günstig. Sie liefern außerdem differenziertere Informationen über den Füllungszustand, da sich bei mäßigen Änderungen des Blutvolumens die Impulsfrequenz der Vorhofreceptoren wesentlich stärker als die der arteriellen Pressoreceptoren verändert. Die reflektorisch ausgelösten vasomotorischen Reaktionen mit ihren Rückwirkungen auf die *Filtrations- und Reabsorptionsbedingungen* in den Capillaren entsprechen den im Zusammenhang mit den volumenregulatorischen Effekten der arteriellen Pressoreceptoren beschriebenen Vorgängen. Im Gegensatz zu deren vor allem an den Muskelgefäßen ausgeprägten Wirkungen sind die *vasomotorischen Effekte der Vorhofreceptoren besonders stark an den Nierengefäßen* ausgeprägt. *Steigerungen des Vorhofdrucks,* z.B. aufgrund von Zunahmen des Blutvolumens, werden daher mit *verstärkter renaler Flüssigkeitsausscheidung* beantwortet und umgekehrt.

Durch die afferenten Impulse der Vorhofreceptoren werden gleichzeitig auch *osmoregulatorische Strukturen im Hypothalamus* beeinflußt, von denen die **ADH-Sekretion** gesteuert wird. Bei *verstärkter* Erregung der Vorhofreceptoren wird daher die renale Flüssigkeitsausscheidung aufgrund einer *Hemmung* der ADH-Sekretion zusätzlich gesteigert. Bei *verminderter* Erregung der Vorhofreceptoren treten dagegen aufgrund einer *vermehrten* ADH-Sekretion Abnahmen der renalen Flüssigkeitsausscheidung auf (*Gauer-Henry-Reflex*). Wahrscheinlich sind die Vorhof-(sowie die arteriellen Presso-)receptoren auch an der Kontrolle der *renalen Natriumausscheidung* im Zusammenhang mit dem *Renin-Angiotensin-Aldosteron-System* (s.S. 431) beteiligt. Die Vorhofreceptoren sind somit sowohl an der Regulation des intravasalen (Plasma-)Volumens als auch wegen ihres Einflusses auf die renale Flüssigkeitsabgabe an der Steuerung des **Flüssigkeitsgleichgewichtes** des Körpers wesentlich beteiligt.

Im Gegensatz zur Wirkung der B-Receptoren wird die *Aktivität des sympathischen Systems* durch eine Erregung der **A-Receptoren** offenbar *erhöht.* Die Tachykardie, die experimentell häufig (jedoch nicht regelmäßig) durch extreme Steigerungen des Vorhofdrucks im Zusammenhang mit schnellen Infusionen großer Flüssigkeitsmengen auftritt, soll durch eine Erregung von A-Receptoren ausgelöst werden (*Bainbridge-Reflex*). Die Inkonstanz der Reaktionen könnte dabei mit einer unterschiedlichen Aktivierung von A- und B-Receptoren in Abhängigkeit von den Versuchsbedingungen erklärt werden. Die physiologische Bedeutung des Bainbridge-Reflexes ist zweifelhaft.

An der *Mündung der Hohlvenen* und im *Coronarsinus* finden sich weitere Receptoren mit gleichen Funktionen wie die Vorhofreceptoren.

Ventrikelreceptoren. In den Ventrikeln sind in geringer Zahl ebenfalls **Dehnungsreceptoren** vorhanden, deren afferente Fasern wie die der Vorhofreceptoren in *Vagusästen* verlaufen. Sie zeigen nur in der Phase der isovolumetrischen Kontraktion der Ventrikel (unmittelbar nach der R-Zacke im EKG) eine geringe Aktivität (Abb. 36). Diese Receptoren sollen unter Ruhebedingungen die negativ chronotopen vagalen Einflüsse auf die Herzfrequenz aufrechterhalten, sowie die reflektorische Bradykardie und Vasodilatation bei extremer Dilatation der Ventrikel auslösen. Die physiologische Bedeutung dieser Effekte ist jedoch noch nicht gesichert.

Nach intravenöser Injektion verschiedener *pharmakologischer Substanzen*, wie *Veratrinderivaten* (Alkaloide aus dem Germer), Nicotin, Serotonin u.a., treten *reflektorische Abnahmen der Herzfrequenz* und *vasodilatatorische Reaktionen* mit dem Ergebnis einer Blutdrucksenkung (*Bezold-Jarisch-Reflex*) sowie eine *Apnoe* auf. Die Herz- und Gefäßeffekte sind auch durch Injektion in die linke Coronararterie oder bei Applikation der Substanzen auf die Oberfläche des linken Ventrikels auszulösen (*coronarer Chemoreflex*). Die Apnoe beruht dagegen auf einer Erregung von pulmonalen Receptoren.

9.2. Weitere homöostatische Mechanismen

Die bisher beschriebenen Anpassungsvorgänge sind für die Langzeitregulation des Kreislaufs nur bedingt geeignet, da ihre Wirksamkeit wegen der Adaptation der Regulationssysteme an chronisch veränderte Bedingungen eingeschränkt bzw. aufgehoben wird. Mit großer Wahrscheinlichkeit existieren *weitere homöostatische Mechanismen*, deren funktionelle Bedeutung noch nicht in allen Punkten aufgeklärt ist. Langfristige Umstellungen der Kreislauffunktion dürften besonders von *humoral-hormonalen Einflüssen* auf den *Gefäßtonus* und das *intravasale Volumen* ausgehen (s. auch Abb. 31).

Renin-Angiotensin-Aldosteron-System. Das Enzym *Renin* wird in den granulierten Zellen des juxtaglomerulären Apparates gebildet und gespeichert. Nach Freisetzung wandelt Renin das in der Leber gebildete *Angiotensinogen* (α_2-Globulin) in *Angiotensin I* (Decapeptid) um. Durch ein im Plasma befindliches „*converting enzyme*" wird Angiotensin I vorwiegend im Lungenkreislauf in *Angiotensin II* (Octapeptid) überführt. Der Abbau von Angiotensin II in inaktive Peptide erfolgt durch *Angiotensinasen*.

Eine *vermehrte Reninbildung und -ausschüttung* tritt bei **renaler Minderdurchblutung** ein. Dabei ist es gleichgültig, ob die Minderdurchblutung durch allgemeine Blutdrucksenkungen, vasoconstrictorische Reaktionen oder pathologische Veränderungen der Nierengefäße ausgelöst wird. Ebenso dürfte die verminderte Erregung der Vorhof- und arteriellen Pressoreceptoren bei Abnahmen des intravasalen Volumens eine verstärkte Reninfreisetzung bewirken. Außerdem sollen Elektrolytveränderungen, insbesondere Hyponatriämie, die Reninfreisetzung stimulieren. Die Bedeutung der einzelnen Faktoren ist allerdings noch nicht vollständig aufgeklärt.

Angiotensin II weist sehr starke *vasoconstrictorische Wirkungen* auf und bewirkt zugleich eine *Aktivierung von zentralen und peripheren Strukturen des sympathischen Systems.* Eine vermehrte Angiotensinbildung löst daher Erhöhungen des peripheren Widerstandes und damit des Blutdrucks aus. Darüber hinaus ist Angiotensin II der *wichtigste Stimulator* für die Sekretion von *Aldosteron* aus der Nebennierenrinde. **Aldosteron** bewirkt eine *vermehrte tubuläre Reabsorption von Natrium und Wasser* bei gleichzeitig vermehrter Kaliumausscheidung und erhöht dadurch den Natrium- und extracellulären Flüssigkeitsbestand des Körpers. (Weitere Einzelheiten s. XXVIII.) Zugleich steigert Aldosteron die *Erregbarkeit der glatten Gefäßmuskulatur* gegenüber constrictorischen Reizen und unterstützt auf diese Weise die blutdrucksteigernden Wirkungen von Angiotensin II.

Die Wirkungen des *Renin-Angiotensin-Aldosteron-Systems* dürften vor allem bei **pathologisch erniedrigtem Blutdruck** und bzw. oder **reduziertem Blutvolumen** zur Normalisierung der Kreislauffunktion beitragen. Außerdem sind diese Mechanismen an der Entstehung der sog. *renalen Hypertonie* beteiligt, in deren Anfangsstadium die *Renin-* und *An-giotensinkonzentration* im Blut erhöht ist; für die weitere Aufrechterhaltung des chronischen Hochdrucks dürften jedoch andere Vorgänge verantwortlich sein. **Aldosteron** spielt wegen seiner Wirkungen auf den Natrium- und Wasserbestand der extracellulären Flüssigkeit (s.u.) eine wichtige Rolle bei der *Regulation des Plasmavolumens* und ist damit ein wichtiger Faktor für die Aufrechterhaltung normaler Kreislauffunktionen unter verschiedenen Bedingungen. Dieser Einfluß zeigt sich u.a. darin, daß der Blutdruck bei einer Überproduktion von Aldosteron (*Hyperaldosteronismus*) erhöht und bei Aldosteronmangel erniedrigt wird. Die Renin-Angiotensin-Konzentration im Blut scheint ferner an der Steuerung des *Durstmechanismus* beteiligt zu sein, wobei Zunahmen der Renin-Angiotensin-Konzentration das Durstgefühl steigern und umgekehrt. Der Durst nach größeren Blut- oder Flüssigkeitsverlusten weist auf diese Zusammenhänge hin.

Regulation des Blutvolumens. Eine *relative Konstanz* des Blutvolumens ist einerseits für die Aufrechterhaltung der Homöostase des Kreislaufs sehr wichtig, während andererseits Umstellungen der Kreislauffunktion selbst die Größe des intravasculären Volumens beeinflussen (s.S. 415). Unter physiologischen Bedingungen beruhen akute Veränderungen ebenso wie die Anpassungsvorgänge im wesentlichen auf Veränderungen des Plasmavolumens. Die wesentlich längere Zeit beanspruchenden Veränderungen der cellulären Bestandteile und die der Bluteiweiße sind dagegen für die aktuellen Anpassungsvorgänge weniger wichtig.

Als wichtigste an der Regulation des Plasmavolumens beteiligte Mechanismen sind 1. die *neural gesteuerten Flüssigkeitsverschiebungen zwischen Plasmavolumen und interstitieller Flüssigkeit* sowie 2. die *neural* und *neuro-hormonal* gesteuerten Änderungen der *renalen Flüssigkeits- und Natriumausscheidung* anzusehen. Bei den Flüssigkeitsverschiebungen zwischen Plasmavolumen und interstitieller Flüssigkeit bleibt das extracelluläre Gesamtvolumen unverändert. Die renale Komponente beeinflußt dagegen die Größe des Plasmavolumens aufgrund von Veränderungen des extracellulären Flüssigkeitsvolumens, das auf einem Fließgleichgewicht zwischen der Flüssigkeitsaufnahme durch den Darm und der Abgabe durch Nieren, Haut und Lungen beruht. An der Steuerung der renalen Flüssigkeitsausscheidung sind — wie oben beschrieben — *sympathische vasoconstrictorische Fasern* zu den Nieren (s.S. 430), das *Renin-Angiotensin-Aldosteron-System* und das antidiuretische Hormon *Adiuretin* beteiligt. Darüber hinaus wer-

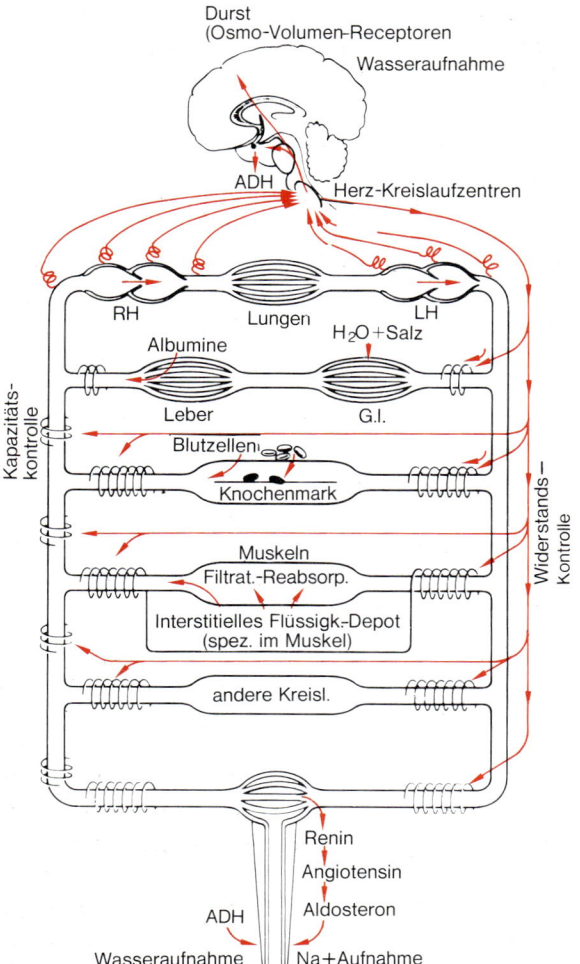

Abb. 37. Schematische Darstellung der Regulation des Blutvolumens. Für die Abstimmung des Verhältnisses zwischen intravasculärem Volumen und Gefäßkapazität existieren in zeitlicher Reihenfolge 3 „Verteidigungslinien": 1. reflektorische Anpassung der kardiovasculären Effectoren an das vorhandene Blutvolumen, 2. Verschiebungen der Relation zwischen intravasculärem und interstitiellem Volumen aufgrund von vasomotorischen Reaktionen und 3. reflektorische neurohormonale Anpassung der renalen Flüssigkeitsausscheidung, der Wasser- und Salzaufnahme sowie der Plasmaeiweiß- und Blutzellenproduktion. (Nach FOLKOW und NEIL)

9.3. Einflüsse von Chemoreceptoren und „unspezifischen" Afferenzen

Kreislaufwirkungen der Chemoreceptoren. Eine Erregung der *Chemoreceptoren* im Glomus caroticum bzw. aorticum durch *Hypoxie* oder *Hyperkapnie* verursacht (bei Unterdrückung der sonst dominierenden Atmungssteigerungen durch konstante Beatmung) *Abnahmen* der *Herzfrequenz* und *vasoconstrictorische Reaktionen* sowie eine *erhöhte Catecholaminausschüttung* aus dem Nebennierenmark, die durch **direkte Wirkungen der Chemoreceptoren** auf die kreislaufregulierenden Strukturen ausgelöst werden. Abnahmen des Herzzeitvolumens stehen dabei relativ stärkeren Zunahmen des peripheren Widerstandes gegenüber, so daß der *Blutdruck ansteigt*. Gleiche Effekte treten auch bei einer Minderdurchblutung der Glomera infolge von *arteriellen Drucksenkungen* auf und wirken somit — ebenso wie die reduzierte Erregung der Pressoreceptoren — einem weiteren Druckabfall entgegen (s. auch Abb. 29). Unter „normalen" Bedingungen werden die neural ausgelösten Herz- und Gefäßwirkungen allerdings sowohl durch direkte Gefäßwirkungen als auch durch Einflüsse der Atmung auf den Kreislauf modifiziert. So wird bei O_2-Mangel die reflektorische Vasoconstriction durch lokal ausgelöste vasodilatatorische Reaktionen (s.S. 424) überlagert; Herzfrequenz und Herzzeitvolumen steigen dabei an.

Kreislaufwirkungen der „unspezifischen" Afferenzen. In zahlreichen Situationen werden Änderungen der Kreislauffunktion von afferenten Impulsen ausgelöst, die von Receptoren *außerhalb* des kardiovasculären Systems stammen.
Im wesentlichen handelt es sich dabei um Reaktionen, die mit einer Erregung von *somatosensorischen Nerven*, *Kontraktionen der Skeletmuskulatur*, *Dehnung der Lungen* oder einer *Ischämie des Gehirns* zusammenhängen. Reizungen von *somatischen* oder *visceralen Nerven* lösen überwiegend eine *Aktivierung* von *sympathischen* Strukturen aus, so daß *Herzfrequenz* sowie peripherer Widerstand und damit auch der *Blutdruck* ansteigen (s. auch VII-2.2 und Abb. VII-9 bis 11). *Schmerz-* und *Kältereize* von der Haut sind in dieser Hinsicht besonders wirksam. An diesen Reaktionen sind wahrscheinlich dünne myelinisierte nociceptive δ-Fasern beteiligt. Intensive und anhaltende *Schmerzreize* von *inneren Organen*, besonders von der Pleura, des Perikards und des Peritoneums, bewirken andererseits oft *vasodilatatorische* Reaktionen mit *Blutdrucksenkungen* bis zum Kreislaufkollaps. Diese depressorischen Reaktionen werden wahrschein-

den weitere noch nicht genauer geklärte Mechanismen, wie z.B. der (humorale) *„third factor"* diskutiert.
In Abb. 37 sind die an der Volumenregulation beteiligten Vorgänge zusammengefaßt, wobei zu beachten ist, daß auch die vasomotorisch gesteuerte Anpassung der Gefäßkapazität an das *vorhandene* Blutvolumen ein wichtiger und schnell wirksam werdender Mechanismus zur Aufrechterhaltung eines ausgewogenen Verhältnisses zwischen Blutvolumen und Gefäßkapazität ist.

lich von C-Fasern oder durch niederfrequente Erregung von dünneren myelinisierten Fasern ausgelöst.

Ebenso treten bei Reizung von afferenten Nerven aus der *Skeletmuskulatur* je nach Art der betroffenen Fasern meist *vasoconstrictorische Reaktionen* und *Steigerungen der Herzfrequenz* sowie des *Blutdrucks* auf. Diese Effekte scheinen von Receptoren auszugehen, die vom Muskelstoffwechsel beeinflußt werden, so daß auf diese Weise Rückmeldungen von der arbeitenden Muskulatur zu den Kreislaufzentren gelangen.

Eine Erregung der *Dehnungsreceptoren* im *Lungenparenchym* bewirkt neben dem atemmechanisch wichtigen *Hering-Breuer-Reflex* bei Lungendehnung u.a. auch eine *Abnahme* des sympathischen *constrictorischen Tonus* in den *Muskelgefäßen*. Diese Gefäßreaktionen sind bei normaler Atmung schwach ausgeprägt, dürften jedoch im Zusammenhang mit der Hyperventilation bei Arbeit an der Mehrdurchblutung der Muskelgefäße beteiligt sein.

Bei einer *cerebralen Ischämie* werden anscheinend aufgrund der *lokalen Hypoxie* und *Hyperkapnie* generalisierte Steigerungen des peripheren Widerstandes sowie Erhöhungen der Herzfrequenz ausgelöst. Im Hinblick auf die stark ausgeprägten autoregulativen Fähigkeiten der Gehirngefäße treten diese Reaktionen nur bei extremen Blutdrucksenkungen oder Versagen der lokalen Regulationsmechanismen ein.

9.4. Zentrale Kontrolle des Kreislaufs

Das zentrale Nervensystem ist in allen Ebenen an der Regulation des kardiovasculären Systems beteiligt. Die Analyse der afferenten Projektionen und Differenzierung der efferenten Bahnen stützt sich auf Durchschneidungs-, Reiz- sowie Ableitversuche und ist wegen der komplizierten Funktionen des ZNS schwierig. Stark vereinfacht lassen sich die Funktionen der einzelnen Abschnitte in 4 Gruppen zusammenfassen.

Medulläre Zentren. In der *Formatio reticularis* der **Medulla oblongata** und den **bulbären Abschnitten der Pons** liegen anatomisch nicht genau abgrenzbare Strukturen, die zusammengefaßt als **medulläre bzw. rhombencephale Kreislaufzentren** bezeichnet werden. Unter *Ruhebedingungen* kann die *Homöostase des Kreislaufs allein von diesen Zentren aufrechterhalten werden*, wie Versuche an decerebrierten Tieren beweisen. Diese Fähigkeit beruht darauf, daß in bestimmten Gebieten, den sog. **Vaso-**

motorenzentren, die *tonische Aktivität der sympathischen vasoconstrictorischen Fasern* entsteht, die für den sog. **Ruhetonus** der Gefäße (s.S. 420) verantwortlich ist. Zugleich werden jedoch die tonischen Effekte ständig durch *afferente Impulse der kardiovasculären Receptoren* in der Weise beeinflußt, daß vermehrte afferente Impulse Abnahmen der tonischen Aktivität und damit dilatatorische Reaktionen, verminderte afferente Impulse dagegen Zunahmen der tonischen Aktivität und damit constrictorische Reaktionen auslösen. Darüber hinaus kann der Funktionszustand des Vasomotorenzentrums auch durch „unspezifische" afferente Impulse (s.o.) sowie durch Impulse aus den relativ eng benachbarten Strukturen des „Atemzentrums" und *höheren Abschnitten des ZNS* beeinflußt werden. Neben den vasculären Wirkungen gehen aus diesem Gebiet auch *fördernde sympathische* und *hemmende parasympathische* (vagale) Wirkungen auf das *Herz* aus (Abb. 38).

Bei elektrischer Reizung mit Mikroelektroden lassen sich Regionen mit „pressorischen" oder „depressorischen" Wirkungen abgrenzen, die sich jedoch teilweise überlagern. In den *lateralen* Abschnitten treten überwiegend *pressorische*, in den *mediocaudalen* Abschnitten des Hirnstammes dagegen überwiegend *depressorische* Reaktionen auf (Abb. 38). Eine *Erregung der pressorischen Areale steigert die Aktivität aller sympathischen adrenergen Effectoren*, d.h. Herzfrequenz sowie Kraft und Geschwindigkeit der Kontraktion des Myokards nehmen zu, der Tonus von Widerstands- und Kapazitätsgefäßen wird gesteigert und die Freisetzung von Nebennierenmarkhormonen erhöht, während eine *Erregung der depressorischen Areale die Aktivität des adrenergen sympathischen Systems hemmt*. Bei *Durchschneidung des Hirnstammes* etwa auf der Höhe des Nucl. cuneatus werden die *pressorischen Gebiete* abgetrennt, so daß die tonische efferente sympathische Innervation ausfällt und ein *starker Blutdruckabfall* auftritt. Die depressorischen Gebiete bleiben dabei zum großen Teil erhalten und unterdrücken die Aktivität der „spinalen" Zentren (s.S. 435), die sich erst nach Ausschaltung der depressorischen Strukturen bei Durchschneidung der Medulla oblongata caudal vom Obex ausbildet.

Die Erregung der medullären Zentren wird ferner von der *chemischen Zusammensetzung des Blutes* beeinflußt. *Zunahmen des CO_2-Partialdrucks* bzw. der *H^+-Konzentration* steigern die *vasoconstrictorische Aktivität*. Die auslösenden Mechanismen sind noch nicht endgültig geklärt. Es könnte sich dabei entweder um direkte Wirkungen auf die reticulären Ganglienzellen oder um Einwirkungen der ex-

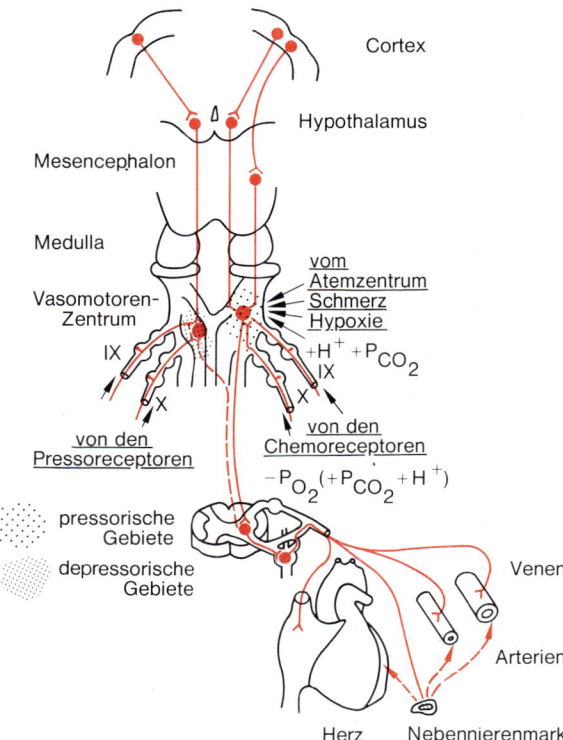

Abb. 38. Schematische Darstellung der wichtigsten die Funktion des medullären Kreislaufzentrums beeinflussenden Faktoren. Die erregenden efferenten Fasern verlaufen aus „pressorischen Gebieten" meist ipsilateral, die hemmenden Fasern aus „depressorischen Gebieten" kreuzen dagegen in der Medulla und gelangen auf der contralateralen Seite zu ventrolateralen Abschnitten des Rückenmarks. (Leicht modifiziert nach Uv-NÄS)

tracellulären [H^+] auf chemosensible Areale der Stammhirnoberfläche (wie bei der Atmungsregulation) handeln und nur zum kleineren Teil um reflektorische, von den arteriellen Chemoreceptoren ausgelöste Wirkungen (die weniger durch Zunahmen des CO_2-Partialdrucks als besonders durch Abnahmen des O_2-Partialdrucks erregt werden).

Auf die Beziehungen des medullären Kreislaufzentrums zu *anderen nervösen Funktionssystemen* und die Modifikation dieser Effekte durch die afferenten Impulse der kardiovasculären Receptoren wurde bereits verwiesen (s.S. 429).

Hypothalamische Zentren (s. auch VII-3.3). Bei Reizung der *Formatio reticularis* im **Mesencephalon** und **Diencephalon**, besonders im **Hypothalamus**, werden teilweise *fördernde* und teilweise *hemmende* kardiovasculäre Reaktionen ausgelöst, die über die *medullären Zentren* zu den peripheren Effectoren verlaufen (Abb. 38). Bei sorgfältiger Lokalisation und Reizanpassung lassen sich aus dem Hypothalamus *selektiv vasoconstrictorische Reaktionen* in

einzelnen Organkreisläufen wie Nieren-, Muskel- oder Splanchnicusgefäßen auslösen. Bereits *in Ruhe* scheint der Hypothalamus ständig die *tonische Aktivität* sowie die *reflektorischen Reaktionen der medullären Zentren* zu beeinflussen. Darüber hinaus ist der Hypothalamus besonders an bestimmten **Allgemeinreaktionen**, wie z.B. an der *Alarm- bzw. Verteidigungsreaktion*, ebenso wie an der **Temperaturregulation** beteiligt. So sind Reizungen der *hinteren Thalamusabschnitte* mit einer Aktivierung des sympathischen *cholinergen dilatatorischen* Systems zur Skeletmuskulatur und des sympathischen *adrenergen* Systems zu den übrigen Effectoren verbunden (sog. **„ergotrope" Zonen**). Blutdruck, Herzfrequenz sowie Herzzeitvolumen steigen dabei an. Die Muskeldurchblutung nimmt zu, die übrigen Gefäße zeigen deutliche vasoconstrictorische Reaktionen. Zugleich treten durch eine Einbeziehung anderer Abschnitte des ZNS einschließlich der Hirnrinde *weitere vegetative Reaktionen* sowie Zeichen einer *allgemeinen Erregung und gesteigerter Aufmerksamkeit* bis hin zu Anzeichen von Aggression, Wut oder Angst auf. Durch dieses Erregungsmuster wird ein **„Alarmzustand"** ausgelöst, bei dem die Organfunktionen zweckmäßig auf eventuell erforderliche Leistungen im Zusammenhang mit Angriffs-, Flucht- oder Verteidigungsreaktionen umgestellt werden. Andererseits gehen von *vorderen Thalamusabschnitten dämpfende Wirkungen* auf die *Herz-Kreislauffunktion* sowie *vegetative Umstellungen* aus, die der Erholung des Organismus dienen und im Zusammenhang mit der Nahrungsaufnahme und der Verdauung stehen (sog. **„trophotrope" Zonen**).

Bei **Erwärmung** des vorderen Hypothalamus treten *dilatatorische* und bei **Kühlung** *constrictorische Reaktionen* in den *Hautgefäßen* auf, durch die die Wärmeabgabe des Organismus im Dienste der **Thermoregulation** entsprechend angepaßt werden kann. Erwärmung des vorderen Hypothalamus ist außerdem mit constrictorischen Reaktionen in den visceralen Gefäßen, Kühlung dagegen mit Erhöhungen des Muskeltonus bzw. Muskelzittern verbunden.

Corticale Einflüsse. Auf der Hirnrinde finden sich zahlreiche Gebiete, von denen bei Reizung Herz- und Gefäßreaktionen ausgelöst werden. Eine Häufung von kreislaufwirksamen Punkten findet sich a) in **neocorticalen Arealen** an der äußeren Konvexität der Hemisphäre, vor allem im Bereich der motorischen und prämotorischen Felder, und b) in **paläocorticalen Arealen**, besonders an den medialen Flächen der Hemisphäre sowie an der basalen Oberfläche des Frontal- und Parietallappens.

In den *neocorticalen Arealen* treten bei Reizung überwiegend *pressorische Reaktionen* auf, die meist mit Zunahmen der Herzfrequenz kombiniert sind, während *depressorische Reaktionen* meist mit Abnahmen der Herzfrequenz einhergehen. Durch diese corticalen Effekte können die bei homöostatischen Reflexen auftretenden gegensinnigen Veränderungen von Blutdruck und Herzfrequenz *überlagert* werden.

Bei Reizungen der *motorischen Rindenfelder* können ebenfalls Reaktionen auftreten, die den *Alarmreaktionen* mit Ausnahme der affektiven Wirkungen weitgehend gleichen. Dabei ist bemerkenswert, daß *lokale Durchblutungssteigerungen* in der Skeletmuskulatur von Arealen ausgelöst werden können, deren Reizung *Kontraktionen der entsprechenden Muskeln* verursacht. Diese Befunde weisen darauf hin, daß die vegetativen Begleitreaktionen zusammen mit den motorischen Bewegungsmustern im Cortex in Form einer **zentralen Mitinnervation** entstehen.

Diese Umstellungen werden in ihrer Gesamtheit als **Erwartungs-** oder **Startreaktionen** bezeichnet und treten beim Menschen vor einer beabsichtigten Leistung auf. Sie sind als Ausdruck einer *Abstimmung zwischen vegetativ gesteuerter Kreislaufleistung und somatomotorischer Muskelleistung* zu werten, die unabhängig von der nachfolgenden tatsächlichen Leistung und den damit zusammenhängenden Anpassungsvorgängen eintritt. Die „centrogenen" sympathischen Impulse werden dabei zum Teil *im Hypothalamus* umgeschaltet, da die Blutdruck- und Herzfrequenzreaktionen nach selektiver Ausschaltung des Hypothalamus ausbleiben (s. Abb. 38). Teilweise dürfte eine Umschaltung auch im *Mesencephalon* erfolgen. Von diesen Gebieten werden die medullären Kreislaufzentren (Abb. 38) und andere Strukturen der Formatio reticularis erreicht, die an der Aktivierung des sympathischen Systems beteiligt sind. Andere vasoconstrictorische Fasern verlaufen in der Pyramidenbahn *direkt* in das Rückenmark. Die im Cortex entspringenden *sympathischen cholinergen dilatatorischen Fasern* werden im *Hypothalamus* und *Mesencephalon* umgeschaltet und erreichen unter Umgehung der medullären Kreislaufzentren *ohne* weitere Unterbrechung die Seitenhörner des Rückenmarks (Abb. 39).

In den *paläocorticalen Abschnitten* lösen Reizungen des vorderen Gyrus cinguli überwiegend *depressorische Kreislaufwirkungen* aus. Bei Reizungen von eng benachbarten Punkten auf der orbito-insulo-temporalen Rinde treten wechselnde, teils pressorische, teils depressorische Kreislaufreaktionen auf. Zugleich gehen von den kreislaufwirksamen paläo-

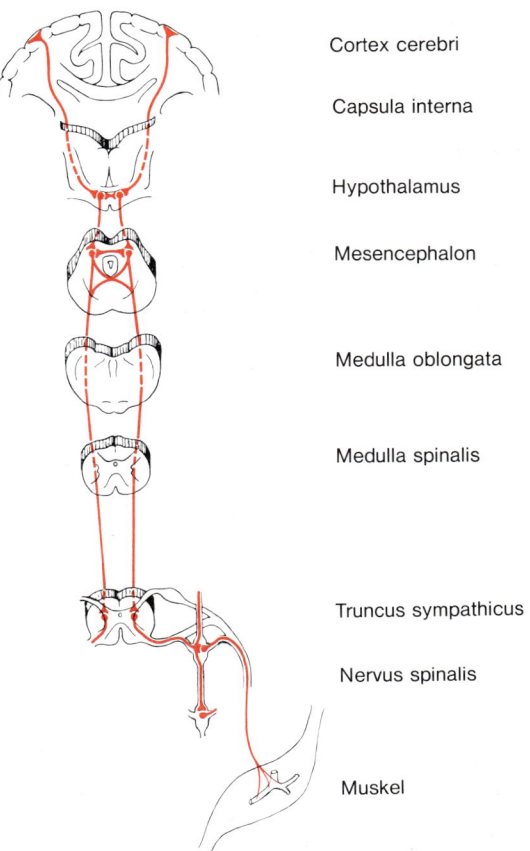

Cortex cerebri

Capsula interna

Hypothalamus

Mesencephalon

Medulla oblongata

Medulla spinalis

Truncus sympathicus

Nervus spinalis

Muskel

Abb. 39. Bahnen des cholinergen sympathischen vasodilatatorischen Systems. (Nach LINDGREN)

corticalen Zonen auch Wirkungen auf *andere autonom gesteuerte Funktionen* aus, wie z.B. auf die Atmung, die Magen-Darm-Motorik oder die Drüsentätigkeit.

Spinale Einflüsse. Nach *Durchschneidung* des Rückenmarks zwischen C_6 und Th_1 und damit unter Schonung der Funktion des N. phrenicus und der präganglionären sympathischen Fasern tritt zunächst ein tiefer *Abfall des arteriellen Drucks* auf. Die Tiere überleben jedoch und der Blutdruck erreicht nach ca. 1 Woche wieder normale Werte. Dabei können sogar mäßige Blutverluste (bis zu 25% des Blutvolumens) ebenso gut wie von normalen Tieren ausgeglichen werden. Die Reaktionen gehen von den *Ursprungszellen der sympathischen Fasern* in den grauen Seitenhörnern aus, die nach Durchschneidung des Rückenmarks eine gewisse *Selbständigkeit* als „spinale Zentren" erlangen. Dabei handelt es sich wohl weniger um echte Reflexe, als um eine hypoxische Erregung der Spinalzellen. Diese Mechanismen sind für die normale Kreislaufregulation wahrscheinlich bedeutungslos, könnten aber bei Anoxie wirksam werden.

10. Spezielle Kreislaufabschnitte und Regulation der Organdurchblutung

10.1. Coronarkreislauf

Coronardurchblutung. Unter *Ruhebedingungen* beträgt die Coronardurchblutung ca. *80 ml/ min · 100 g* und damit bei einem Herzgewicht von etwa 300 g insgesamt rund 250 ml/min oder 5% des Herzzeitvolumens (Tabelle 6). Der O_2-Verbrauch des Myokards liegt zwischen 8–10 ml/ min · 100 g und die avD_{O_2} bei ca. 12 Vol.-%. Bei *maximaler Belastung* kann die Coronardurchblutung auf das 4–6fache, d.h. bis auf *etwa 1500 ml/ min* ansteigen (Abb. 28). Die Größe der Coronardurchblutung wird durch Änderungen des *Aortendrucks*, der *Herzfrequenz*, durch *nervöse* und vor allem durch *metabolische Faktoren* beeinflußt. Die Coronargefäße weisen eine *starke Autoregulation* auf. Einzelheiten über die Regulation und weitere Besonderheiten der Coronardurchblutung s. XVIII.

10.2. Gehirnkreislauf

Gehirndurchblutung. Die Gehirndurchblutung beträgt *durchschnittlich 50 ml/min · 100 g*; bei einem Gehirngewicht des erwachsenen Menschen von rund 1500 g ergibt sich eine Gesamtdurchblutung von ca. 750 ml/min oder 15% des Herzzeitvolumens. Die Durchblutung ist in der zellreichen grauen Substanz wesentlich größer als in der weißen Substanz. Ähnliche Unterschiede bestehen auch in der Größe des O_2-Verbrauchs, der im Durchschnitt bei 3,5 ml/100 · min liegt und für das ganze Gehirn etwa 50 ml/min = 20% des gesamten O_2-Verbrauchs unter Ruhebedingungen ausmacht. Die avD_{O_2} beträgt ca. 6 Vol.-%.

Regulation der Durchblutung. Die Gefäßweite wird im wesentlichen durch *metabolische Faktoren*, speziell durch den *CO_2-Partialdruck* in den Capillaren und im Gewebe, weniger durch den O_2-Partialdruck gesteuert. Zunahmen des CO_2-Partialdrucks lösen starke *vasodilatatorische Reaktionen* aus, wobei eine Verdopplung des P_{CO_2} annähernd eine Verdopplung der Durchblutung bewirkt. Abnahmen des CO_2-Partialdrucks gehen mit vasoconstrictorischen Reaktionen einher. Die cerebralen Symptome bei der Hyperventilationstetanie (Schwindel, Bewußtseinstrübung, Muskelspasmen u.a.m.) stehen im Zusammenhang mit der hypokapnisch bedingten Einschränkung der Gehirndurchblu-

tung. In abgeschwächter Form lösen Abnahmen des O_2-Partialdrucks vasodilatatorische, Zunahmen des O_2-Partialdrucks geringe vasoconstrictorische Reaktionen aus. Die stark ausgeprägte *myogene Autoregulation* trägt dazu bei, daß die Gehirndurchblutung unabhängig von Änderungen des hydrostatischen Drucks bei Lagewechsel konstant bleibt. In Verbindung mit der metabolischen Komponente wird die Gehirndurchblutung *weitgehend von lokalen Mechanismen* gesteuert. Die autonome Innervation der Gehirngefäße spielt nur eine untergeordnete und noch nicht vollständig aufgeklärte Rolle.

10.3. Leber- und Pfortaderkreislauf

Durchblutung. Mesenterial-, Pankreas-, Milz- und Lebergefäße werden aufgrund ihrer Innervation durch die sympathischen Nn. splanchnici im Hinblick auf die Durchblutung häufig als *„Splanchnicusgebiet"* zusammengefaßt. Der Blutzufluß zur Leber stammt aus der A. hepatica und der V. portae, wobei das Blut der V. portae bereits das Capillargebiet der A. mesenterica superior bzw. der A. lienalis in Darm, Pankreas und Milz passiert hat. Die Aufzweigungen der A. hepatica und V. portae treten als Aa. bzw. Vv. interlobulares durch das Glissonsche Dreieck in die peripheren Abschnitte der Leberläppchen ein, in dem sie sich verzweigen und ein gemeinsames System weitlumiger, miteinander anastomosierender Capillaren, die Lebersinusoide, bilden, die sich in der Mitte des Läppchens zur V. centralis vereinigen. Die axialen Zentralvenen fließen zu Sammelvenen zusammen und vereinigen sich zu größeren Ästen der Vv. hepaticae.

Der mittlere Druck von 100 mm Hg in der A. hepatica fällt in den Lebergefäßen bis zur V. centralis auf etwa 5 mm Hg ab. Nach der Capillarpassage im Intestinal- und Milzbereich beträgt der Druck in der V. portae 10–12 mm Hg. Aufgrund des geringen Strömungswiderstandes in den Sinusoiden reicht die kleine Druckdifferenz (5–7 mm Hg) bis zur V. centralis für die Aufrechterhaltung der Blutströmung aus. In dem großen und sehr elastischen Gefäßgebiet verursachen schon relativ kleine Druckänderungen erhebliche Volumenänderungen. Solche Druckänderungen können sowohl bei Behinderung des Abflusses aus den Lebervenen als auch bei vermindertem Zufluß aus dem Darm auftreten.

Die Leberdurchblutung beträgt *unter Ruhebedingungen ca. 1500 ± 300 ml/min* oder rund 30% des Herzzeitvolumens. Der Anteil der A. hepatica am Gesamtstromvolumen liegt bei etwa 25% und kann bei hohem O_2-Verbrauch der Leber bis auf 50% ansteigen. In den Splanchnicusgefäßen befinden sich etwa 20% des gesamten Blutvolumens.

Der O_2-Verbrauch der Leber wird zu etwa 40% durch das voll oxigenisierte Blut der A. hepatica, der Rest durch den quantitativ weit überwiegenden, aufgrund der Capillarpassage in Darm, Pankreas und Milz aber verschieden stark desoxigenisierten Teil aus der V. portae gedeckt. Unter Ruhebedingungen beträgt der O_2-Verbrauch des Splanchnicusgebietes rund $2,0 \, ml/min \cdot 100 \, g$ Gewebe und insgesamt etwa 60 ml/min bei einer avD_{O_2} von 3–4 Vol.-%.

Regulation der Durchblutung. Die Gefäße des Splanchnicusgebietes werden von sympathischen *vasoconstrictorischen Nerven* innerviert. Durch constrictorische Reaktionen können große Teile des Blutvolumens in das übrige Gefäßsystem abgegeben werden, während andererseits durch dilatorische Reaktionen der totale periphere Widerstand stark reduziert und die Blutverteilung im Gefäßsystem erheblich gestört werden kann.

Die Widerstandsgefäße in der Leber zeigen starke *autoregulatorische Reaktionen*, durch die die vasoconstrictorischen Effekte bei Dauerreizung nach einiger Zeit aufgehoben werden. Auch die bei Drucksteigerungen in der Pfortader und in Lebervenen auftretenden constrictorischen Reaktionen der Leberarteriolen sind auf retrograd über die Capillaren ausgelöste myogene autoregulatorische Reaktionen zurückzuführen. Aufgrund der komplizierten Gefäßstrukturen sind viele hämodynamische Fragen noch nicht endgültig zu beantworten. Die *größte funktionelle Bedeutung* dürfte jedoch *vasomotorisch* ausgelösten *Kapazitätsänderungen* zukommen, wobei allein aus der Leber *kurzfristig bis zu 50%* des normalen Blutvolumens von etwa 700 ml abgegeben werden können.

10.4. Nierenkreislauf

Nierendurchblutung. Unter *Ruhebedingungen* liegt die Durchblutung der Nieren mit einem Gewicht von etwa 300 g bei ca. *1200 ml/min* oder rund 20% des Herzzeitvolumens. Mit einem Verhältnis von fast 400 ml/min für 100 g Nierengewebe gehören die Nieren zu den extrem stark durchbluteten Organen. Der O_2-Gesamt-Verbrauch beträgt etwa 20 ml/min, die avD_{O_2} ca. 1,5–2,0 Vol.-%.

Regulation der Nierendurchblutung. Die Nierengefäße weisen eine stark ausgeprägte *myogene Autoregulation* auf, durch die die Durchblutung und der Filtrationsdruck bei arteriellen Drucken zwischen 80 und 200 mm Hg weitgehend konstant gehalten werden. Auf die Gefäße im Nierenmark ent-

fallen ca. 7% der Gesamtdurchblutung, sie zeigen keine Autoregulation. Die Markgefäße werden daher mit steigendem Druck stärker durchblutet, wobei die Wasserrückresorption vermindert und die Urinausscheidung erhöht wird. Weitere Einzelheiten XXVIII.

Die Nierengefäße werden von sympathischen *constrictorischen Nerven* innerviert. In Ruhe zeigen die sympathischen Fasern keine oder nur geringe tonische Aktivität. Bei *Orthostase* oder *Blutverlusten* sind die Nierengefäße an den sympathischen vasoconstrictorischen Reaktionen zur Sicherung einer adäquaten Durchblutung des Myokards und des Gehirns beteiligt. Bei schweren Blutverlusten bzw. schweren Muskel- und Knochenverletzungen mit starken Blutungen in das Gewebe kann die Nierendurchblutung durch vasoconstrictorische Effekte sogar bei normalem Blutdruck weitgehend aufgehoben werden und zu einem Nierenversagen führen (*Crush-Syndrom*). Auch bei Muskelarbeit und Hitzeeinwirkungen treten Abnahmen der Nierendurchblutung auf, die zum Ausgleich der dilatatorischen Reaktionen im Bereich der Muskel- bzw. der Hautgefäße mit ihren Rückwirkungen auf den arteriellen Druck beitragen.

10.5. Skeletmuskelgefäße

Durchblutung der Skeletmuskulatur. Die *Ruhedurchblutung* liegt durchschnittlich bei *3–4 ml/ min · 100 g*. Für die Versorgung der gesamten Muskulatur von ca. 30 kg sind somit rund 900–1200 ml/min oder 15–20% des Herzzeitvolumens erforderlich. Der O_2-Verbrauch beträgt 0,15–0,25 ml/min · 100 g bzw. 45–75 ml/min für die gesamte Muskulatur, das sind 20–30% des Ruheumsatzes. Bei *maximaler Arbeit* kann die Durchblutung *20–22 l/min* bei einem Herzminutenvolumen von 25 l und bei trainierten Sportlern noch höhere Werte erreichen. Der O_2-Verbrauch steigt dabei auf 8–12 ml O_2/min · 100 g, d.h. um das 40–60fache, an und liegt damit im Bereich des O_2-Verbrauchs des ständig tätigen Herzmuskels. Zugleich nimmt die avD_{O_2} von 5–8% in Ruhe auf 12% bei Belastung zu.

Durchblutungsregulation bei Arbeit. Im Vordergrund der Durchblutungsregulation bei Muskelarbeit stehen *lokal-metabolische Mechanismen*. Bei affektiven Belastungen, so auch in der Erwartungsphase vor Muskelarbeit, werden die Muskelgefäße durch die sympathischen cholinergen Fasern und bzw. oder durch kleine Mengen Adrenalin dilatiert (s.S. 422).

Im *arbeitenden Muskel* werden die Gefäße andererseits durch die Kontraktionen *mechanisch komprimiert*. Bei Dauerkontraktionen von weniger als 50% der maximal möglichen Stärke nimmt jedoch die Durchblutung nach initialer Drosselung wieder zu und stellt sich auf ein über den Ausgangswerten

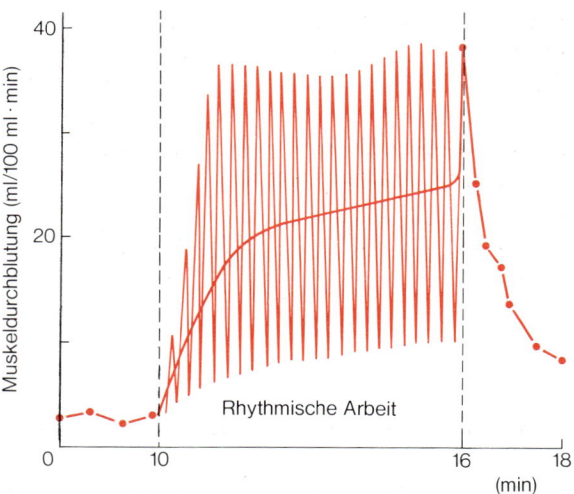

Abb. 40. Rhythmische Schwankungen der Durchblutung der Wadenmuskulatur des Menschen bei rhythmischer Arbeit. Die mittlere Durchblutung nimmt dabei deutlich zu. (Nach BARCROFT)

liegendes Niveau ein. In der *Erschlaffungsphase* tritt eine vorübergehende weitere Steigerung ein (*reaktive Hyperämie*), der eine Abnahme auf die Ruhewerte folgt. Bei stärkeren Kontraktionen sinkt die Durchblutung in Abhängigkeit von der Intensität unter die Ausgangswerte und kann bei starken Kontraktionen sogar sistieren. In diesen Fällen ist in der Erschlaffungsphase die reaktive Hyperämie entsprechend stärker ausgeprägt.

Bei *rhythmischer* Muskelarbeit treten analog dazu Abnahmen der Durchblutung während der Kontraktion und Zunahmen während der Erschlaffung auf, wobei die mittlere Durchblutung allerdings immer über den Ausgangswerten liegt (Abb. 40). Diese Unterschiede in der Muskeldurchblutung machen es verständlich, daß dynamische Muskelarbeit mit einem ständigen Wechsel von Kontraktion und Erschlaffung nicht so schnell wie statische Muskelarbeit zu einer Ermüdung des Muskels führt.

10.6. Hautgefäße

Hautdurchblutung. Die Durchblutung weist auch unter *thermoindifferenten* Ruhebedingungen *stärkere regionale Unterschiede* auf. Die Werte dürften zwischen *3,0 und 10,0 ml/min · 100 g* Gewebe und somit bei einer Gesamtmenge von 5000 g Haut zwischen 150 und 500 ml/min liegen. Der Sauerstoffverbrauch ist mit 0,1 ml/min · 100 g relativ gering. Die arteriovenöse O_2-Differenz schwankt je nach Durchblutungsgröße zwischen 1 und 2 Vol.-%.

Regulation der Hautdurchblutung. Die Regulation der Hautdurchblutung erfolgt durch zwei unterschiedliche Mechanismen, die regional verschieden stark ausgeprägt sind. In den distalen acralen Hautgebieten (Hand, Fuß, Ohr) finden sich zahlreiche sympathische *adrenerge vasoconstrictorische Fasern*, die unter thermoindifferenten Ruhebedingungen eine relativ starke tonische Aktivität entfalten. Dilatatorische Reaktionen gehen daher von einer zentralen Hemmung dieser Aktivität aus. Im Gegensatz dazu werden in den proximalen Abschnitten der Extremitäten und der Haut des Rumpfes dilatatorische Reaktionen überwiegend indirekt durch Freisetzung von *Bradykinin* im Zusammenhang mit einer Erregung von *cholinergen sudomotorischen* Fasern ausgelöst (s.S. 424). Constrictorische Reaktionen beruhen demgegenüber in allen Regionen auf einer Zunahme der Aktivität von sympathischen adrenergen Fasern.

Thermoregulatorische Einflüsse. Die Hautdurchblutung steht überwiegend im Dienst der *Thermoregulation*. Bei *Hitzebelastung* steigt die Gesamtdurchblutung auf 3 l/min, unter extremen Bedingungen auf noch höhere Werte an. In der Intensität der Durchblutungsänderungen bestehen jedoch erhebliche regionale Differenzen. Sie sind am stärksten im Bereich der *acralen Extremitätenabschnitte* ausgeprägt, wo beim Wechsel von Kälte zu Wärme am Finger Steigerungen von 1 auf 80–90 ml/min · 100 g Gewebe und teilweise noch größere Steigerungsraten gemessen wurden. Die Gefäße der proximalen Extremitätenabschnitte und des Rumpfes reagieren dagegen wesentlich schwächer auf Temperaturreize.

Die Durchblutungssteigerungen unter Wärmeeinflüssen beruhen teilweise auf einer Eröffnung der zahlreichen *arteriovenösen Anastomosen*, durch die der größere Anteil des Blutes unter Umgehung der Capillaren in die Venen zurückgeleitet wird. Aufgrund der großen Wärmeleitung des Gewebes reicht diese Form der Durchblutung zur Abgabe der anfallenden Wärme an die Haut aus. Gleichzeitig werden ungünstige Wirkungen einer nicht nutritiven Mehrdurchblutung auf das Gewebsmilieu (Abnahmen des P_{CO_2}) verhindert. Der geringere Strömungswiderstand der av-Anastomosen gegenüber dem der Capillaren bedeutet außerdem noch einen geringeren Verlust an Kreislaufenergie.

Hautdurchblutung bei Arbeit. Im Rahmen der Kreislaufregulation bei der Leistungsanpassung tragen Steigerungen des Strömungswiderstandes in den Hautgefäßen zur Aufrechterhaltung eines ausreichenden arteriellen Drucks bei. Aufgrund der großen *Kapazität des subpapillären Venenplexus* der Haut (ca. 1500 ml) können durch venomotorische Reaktionen größere Mengen Blut aufgenommen oder abgegeben werden, so daß die Hautgefäße wichtige Funktionen als **Blutdepot** wahrnehmen. Bei zusätzlichen thermischen Belastungen dominieren thermoregulatorische Umstellungen, so daß die verbleibende Anpassungsfähigkeit des Kreislaufs eingeschränkt wird. Als Beispiel dafür ist die labile Kreislauffunktion mit verstärkter Kollapsneigung bei Wärmebelastungen anzusehen.

10.7. Lungenkreislauf

Neurale Kontrolle der Lungendurchblutung. Die Lungengefäße werden von *sympathischen vasoconstrictorischen Fasern* innerviert. Zahlreiche tierexperimentelle Ergebnisse deuten darauf hin, daß die Lungengefäße wie die des Körpergefäßsystems einer ständigen autonomen Kontrolle unterliegen. So treten bei Erregung der Pressoreceptoren im Carotissinus Abnahmen des Widerstandes im Lungenkreislauf auf, während eine Erregung der Chemoreceptoren im Glomus caroticum durch Hypoxie vasoconstrictorische Reaktionen auslöst. Außerdem existieren *sympathische vasodilatatorische* und *parasympathische cholinerge* Fasern, deren funktionelle Bedeutung noch unklar ist.

Lokale Durchblutungsregulation im Lungenkreislauf. Bei niedrigen O_2- *bzw. hohen* CO_2-*Partialdrücken* treten *lokale* vasoconstrictorische Reaktionen in den Lungengefäßen auf, an denen offenbar sowohl die kleinen prä- als auch die postcapillären Gefäße beteiligt sind. Die lokale Durchblutung kann dadurch an die *regionale Ventilation* angepaßt werden, indem die Durchblutung in schlechter ventilierten Gebieten zugunsten von besser ventilierten Regionen gedrosselt wird. Beim Menschen setzen diese Effekte ein, wenn die arterielle O_2-Sättigung unter 80% absinkt.

Eine Reihe von Substanzen wie Adrenalin, Noradrenalin, Histamin u.a. wirken ebenfalls constrictorisch, wobei die Effekte jedoch häufig durch indirekt ausgelöste Veränderungen des transmuralen Drucks infolge der Wirkungen auf das Herz und die übrigen Gefäße überlagert werden.

Afferente Innervation und zentrale Kontrolle des Lungenkreislaufs. In den *Pulmonalarterien* finden sich vor allem im Bereich der Teilung des Truncus pulmonalis und im Anfangsteil der beiden Lungenarterien *(Dehnungs-)Pressoreceptoren*. Ihre Funktion und Reflexeffekte entsprechen im wesentlichen denen der Pressoreceptoren in den Arterien des Körpergefäßsystems, d.h. Drucksteigerungen in den Lungenarterien führen zu reflektorischen Drucksenkungen im Körpergefäßsystem und umgekehrt.

Die Lungengefäße unterliegen weitgehend ähnlichen autonomen Kontrollmechanismen wie die Gefäße des Körpergefäßsystems. Unter Ruhebedingungen sind die vasomotorischen Effekte jedoch gering und die Gefäße weitgehend dilatiert. Dabei ist allerdings zu berücksichtigen, daß schon geringe constrictorische Effekte relativ große Kapazitätsänderungen mit entsprechenden Einflüssen auf das Angebot an das linke Herz bei nur geringen Zunahmen des Strömungswiderstandes verursachen.

10.8. Uterus- und Fetalkreislauf

Uterusdurchblutung. Im nicht schwangeren Uterus weist die Durchblutung parallel verlaufende Änderungen zu der im Menstruationscyclus wechselnden Stoffwechselaktivität von Myo- und Endometrium auf.

Während einer *Schwangerschaft* nimmt die Durchblutung erheblich zu. Bei Tieren wurden 20–40fache Steigerungen beobachtet, die wahrscheinlich — ähnlich wie in anderen Geweben — auf einer Freisetzung von Metaboliten mit vasodilatatorischen Wirkungen beruhen. Aufgrund des hohen O_2-Verbrauchs und der etwa 100fachen Massenzunahme des Uterus beträgt die O_2-Sättigung des Blutes im intervillösen Raum trotzdem nur etwa 80%. Kurz vor der Geburt sinkt die Uterusdurchblutung aus bisher unbekannten Gründen steil ab.

Placentakreislauf. Für den **Fetus** übernimmt die Placenta die Funktion von Lungen, Darm und Niere. Das mütterliche Blut fließt frei durch die intervillösen Räume, das fetale Blut durch die Capillaren der Chorionzotten, die in die sinusartigen intervillösen Räume eintauchen. Das fetale Blut nimmt O_2 auf und gibt CO_2 ab. Durch die höhere O_2-Kapazität des fetalen Hämoglobins wird der O_2-Transport erleichtert; der O_2- und CO_2-Austausch erfolgt jedoch durch die dickere Zellschicht der Chorionzotten weniger leicht als in den Lungenalveolen. Wasser, Elektrolyte und Eiweißkörper mit niedrigem Molekulargewicht können die Placentaschranke in beiden Richtungen passieren.

Fetaler Kreislauf. Aus der *Placenta* fließt das unvollständig mit O_2 gesättigte fetale Blut durch die V. umbilicalis in der Nabelschnur zum *größten Teil* über den Ductus venosus Arantii in die V. cava inf. und vermischt sich mit dem reduzierten Blut aus der unteren Körperhälfte. Ein *geringerer Teil* gelangt über den linken Ast der Pfortader in die Leber und über die Vv. hepaticae in die V. cava

inf. Das Mischblut der V. cava inf. strömt mit
einem O$_2$-Gehalt von 60–65% zum rechten Vorhof
und wird durch die Valvula V. cavae inf. fast vollständig zum Foramen ovale und durch diese Öffnung in den linken Vorhof geleitet. Durch den
linken Ventrikel erfolgt der Weitertransport in die
Aorta und die Verteilung auf den Körperkreislauf
(Abb. 41).

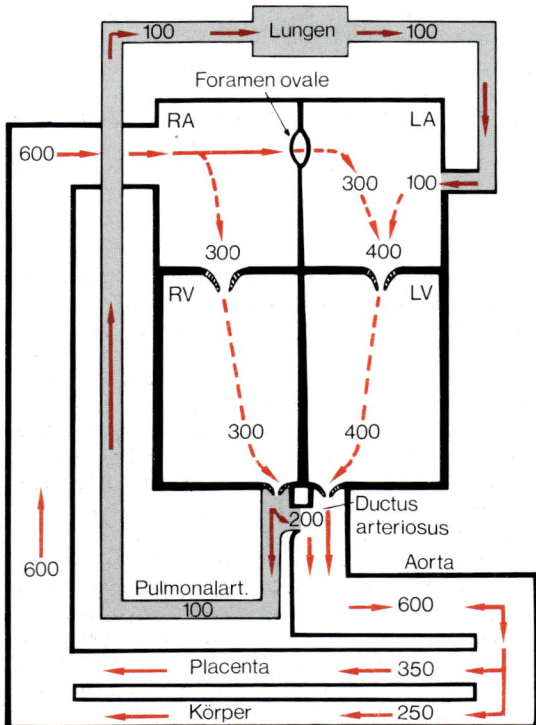

Abb. 41. Ungefähre Verteilung der Blutströmung im fetalen
Kreislauf des Lammes kurz vor der Geburt. RA und LA = rechter bzw. linker Vorhof, RV und LV = rechter bzw. linker Ventrikel. (Nach FOLKOW und NEIL)

Das Blut der V. cava sup. gelangt vorwiegend über
den rechten Vorhof und rechten Ventrikel in den
Truncus pulmonalis. Im Truncus pulmonalis ist
wegen des großen Strömungswiderstandes in der
kollabierten Lunge der Druck während der Systole
vorübergehend höher als in der Aorta, so daß das
Blut zum größten Teil durch den Ductus arteriosus
Botalli in die Aorta strömt und nur ein kleinerer
Teil durch das Capillargebiet der Lungen über die
Lungenvenen zum linken Vorhof zurückfließt.
Aufgrund der Einmündung des Ductus arteriosus
in die Aorta distal vom Abgang der Arterien für
den Kopf und die oberen Extremitäten werden
diese Abschnitte mit dem höher O$_2$-gesättigten
Blut aus dem linken Ventrikel versorgt. Aus den
beiden Aa. umbilicales, die aus den Aa. iliacae ab-
gehen, strömt ein Teil des Blutes über die Nabel-

schnur in die Placenta zurück, der andere Teil in
die unteren Körperregionen.

Durch die Verbindungen der *beiden Vorhöfe* über
das *Foramen ovale* und der *A. pulmonalis* mit der
Aorta über den *Ductus arteriosus* sind die beiden
Ventrikel *weitgehend parallel* geschaltet. Die Förderleistung des Doppelventrikels beträgt **ca. 200–
300 ml/kg·min,** von denen etwa 60% durch die
Placenta fließen. Der fetale arterielle Blutdruck
liegt am Ende der Gravidität bei 60–70 mm Hg,
die Herzfrequenz bei 140/min (120–160/min).

Umstellungen des fetalen Kreislaufs nach der Geburt. Bei der
Geburt wird der periphere Widerstand durch Verschluß der
Nabelarterien erhöht, so daß der Druck in der Aorta ansteigt.
Der CO$_2$-Partialdruck im fetalen Blut nimmt durch den Ausfall
der Placentafunktion zu und führt zu einer Erregung des Atem-
zentrums. Dadurch werden die ersten „Schnappatemzüge" aus-
gelöst, die zu einer Entfaltung der Lungen führen, wobei der
Strömungswiderstand im Lungenkreislauf ab- und die Stromstärke zunimmt. Durch den starken intrathorakalen Unterdruck werden außerdem mehr als 100 ml Blut aus der Placenta
in den kindlichen Kreislauf gesaugt (*Placenta-Transfusion*).
Drucksenkungen in der A. pulmonalis und Steigerungen in der
Aorta bewirken eine Strömungsumkehr im Ductus arteriosus.
Der Druck im rechten Vorhof nimmt durch den Fortfall des
Rückflusses aus der Placenta ab, der Druck im linken Vorhof
steigt dagegen durch den erhöhten Einstrom aus den Lungenvenen an. Dadurch kehrt sich das Druckgefälle zwischen rechtem
und linkem Vorhof um, so daß die Valvula foraminis ovalis
an die Vorhofwand gedrückt und das Foramen ovale funktionell geschlossen wird. Der Ductus arteriosus schließt sich
durch Kontraktion der sphincterartigen Muskeln langsam innerhalb der ersten Lebenstage, wobei die zunächst noch vorhandene Strömung aus der Aorta durch den Ductus arteriosus
in die A. pulmonalis für eine ausreichende Lungendurchblutung
wichtig ist. Etwa nach 1 Woche entspricht die Blutströmung
den Verhältnissen beim Erwachsenen.
Unter den *angeborenen* Herzfehlern haben persistierende fetale
Verbindungen in Form eines offenen *Ductus arteriosus Botalli*
oder eines offenen *Foramen ovale* einen Anteil von je 15–20%.
Die damit verbundene Beeinträchtigung der Kreislauffunktion
(beim offenen Ductus arteriosus gelangen u.U. mehr als 50%
des erhöhten Schlagvolumens des linken Ventrikels in den
Lungenkreislauf, während beim offenen Foramen ovale meist
erhöhte Volumenleistungen des rechten Ventrikels vorliegen)
macht operative Korrekturen der Defekte erforderlich.

11. Messung von Strömung, Volumen und Druck im Gefäßsystem

11.1. Strömungsmessung

Zahlreiche, auf sehr unterschiedlichen physikalischen Prinzipien beruhende Verfahren können zur
Messung der Stromstärke (Durchblutung) im Gefäßsystem verwendet werden. Bei den wichtigsten
heute gebräuchlichen Methoden werden die Messungen am uneröffneten Gefäß vorgenommen.

Elektromagnetische Flußmesser. Bei dieser Methode liegt das Gefäß mit seiner Längsachse zwischen den Polen eines elektromagnetischen Feldes, wobei die Passage der Elektrolytlösung Blut eine senkrecht zu den Kraftlinien und senkrecht zur Strömungsrichtung des Blutes liegende Spannung induziert, die durch entsprechend angeordnete Elektroden an der Außenseite des Gefäßes abgegriffen wird. Die Spannung ist dabei in jedem Augenblick proportional der *Stromstärke*, so daß pulsierende Strömungen exakt erfaßt werden können. Mit implantierten Meßköpfen sind Durchblutungsmessungen von Gefäßen mit 1 mm Querschnitt bis hin zur Aorta über lange Zeiträume möglich.

Ultraschallflußmesser. Dieses Verfahren beruht auf der Messung der Laufzeit von Ultraschallwellen. Das Gefäß wird dazu in 2 Halbrohre eingelegt, in denen sich an gegenüberliegenden Stellen schräg zur Längsachse des Gefäßes Kristalle befinden, die abwechselnd als Sender und Empfänger wirken. Aus den elektronisch gemessenen Differenzen der stromabwärts kürzeren und stromaufwärts längeren Laufzeiten des Ultraschalls ergibt sich die *Stromstärke* im Gefäß.

Mit einem anderen Ultraschall-Verfahren kann die *Strömungsgeschwindigkeit* in oberflächlichen Gefäßen auch transcutan, d.h. durch die intakte Haut gemessen werden. Die Ultraschallwellen werden dabei von einem Kristall schräg zur Längsachse in das Gefäß gesendet und die reflektierten Wellen von einem zweiten Kristall empfangen. Als Ergebnis des *Dopplereffektes* ist die Frequenz der reflektierten Wellen höher als die Sendefrequenz, wenn sich Blutkörperchen zum Meßkopf hin bewegen und umgekehrt, wobei die Differenz zwischen Sendefrequenz und reflektierter Frequenz proportional der Strömungsgeschwindigkeit der Blutkörperchen ist. Im Gegensatz zu den beiden vorgenannten Verfahren kann jedoch bei dieser Methode der Gefäßquerschnitt nicht bestimmt und somit die Stromstärke nicht berechnet werden.

Thermoelektrische Methoden. Fortlaufende relative Messungen der **lokalen Durchblutung** sind mit Verfahren möglich, die auf Änderungen der durchblutungsabhängigen *Wärmeleitfähigkeit des Gewebes* beruhen. Das Meßsystem besteht aus zwei Thermoelementen, die in Differenzschaltung angeordnet sind und von denen eines durch elektrische Heizung eine konstante geringe Übertemperatur aufweist. Aus den Temperaturdifferenzen zwischen geheiztem und nicht geheiztem Element (= Gewebetemperatur), die bei zunehmender Durchblutung durch den vermehrten Abtransport von Wärme im Bereich des geheizten Elements abnehmen und umgekehrt, lassen sich die auftretenden Durchblutungsänderungen berechnen. Mit diesem Verfahren sind Messungen der Haut- sowie der Muskeldurchblutung (mit der sog. *„Thermosonde"*) beim Menschen möglich. Im Tierversuch werden sie auch zur Messung der Myokard-, Leber- und Gehirndurchblutung angewendet.

Venenverschlußplethysmographie. Bei diesem Verfahren werden die bei Unterbrechung des venösen Abflusses auftretenden **Volumenzunahmen** einer Extremität bzw. einzelner Abschnitte zur Ermittlung der arteriellen Stromstärke benutzt. Die Extremitätenteile werden dazu in einen starrwandigen, am Eingang abgedichteten Behälter gebracht. Mit Hilfe einer proximal davon angebrachten aufblasbaren Manschette wird der venöse Abstrom vorübergehend durch subdiastolische Drücke ohne Beeinträchtigung des arteriellen Einstromes unterbrochen und die damit verbundene Volumenzunahme durch geeignete Volumenschreiber registriert. Aus der Geschwindigkeit der Volumensteigerung in der Anfangsphase läßt sich der *arterielle Einstrom* berechnen. Mit zunehmender Venenfüllung steigt der Venendruck an und erreicht schließlich Werte, bei denen der Manschettendruck überwunden wird und ein venöser Abstrom

wieder einsetzt. Auf diese Weise entsteht ein neues *Volumengleichgewicht*, aus dem sich bei gleichzeitiger Messung des Venendrucks Aussagen über die **Weitbarkeit** (Compliance) $\Delta V/\Delta P$ des Gefäßbettes machen lassen. Durch die Entwicklung von *Dehnungsmeßstreifen*, die zirkulär um die Extremitäten gelegt werden, ist es in letzter Zeit möglich geworden, die Umfangsänderungen (= Volumenänderungen) relativ einfach elektrisch zu messen.

Messung des Herzzeitvolumens beim Menschen. Beim Menschen kann das Herzzeitvolumen mit *indirekten Methoden* bestimmt werden, die keine größeren operativen Eingriffe erfordern. Es handelt sich dabei um Verfahren, die entweder direkt auf dem *Fickschen Prinzip* oder den damit verwandten *Indikatorverdünnungsmethoden* beruhen.

Nach dem **Fickschen Prinzip** ist die O_2-Aufnahme in der Lunge ($\dot{V}_{O_2}$) mit der arteriovenösen O_2-Differenz (avD_{O_2}) und der Stromstärke der Lungendurchblutung ($\dot{Q}_L$) folgendermaßen verbunden:

$$\dot{V}_{O_2} = \dot{Q}_L \cdot avD_{O_2} \quad \text{bzw.} \quad \dot{Q}_L = \frac{\dot{V}_{O_2}}{avD_{O_2}}. \tag{27}$$

In Abb. 42 A ist als Beispiel eine Berechnung mit Werten durchgeführt, wie sie etwa unter Ruhebedingungen vorliegen.

Beim Menschen sind unter normalen Bedingungen die Stromstärken im Lungen- und Körperkreislauf praktisch gleich groß, so daß die auf diese Weise gewonnenen Werte dem *Zeitvolumen* des *linken Ventrikels* entsprechen. Wegen des unterschiedlichen O_2-Gehaltes im Venenblut der verschiedenen Organkreisläufe muß das venöse Blut allerdings mit Hilfe von Kathetern aus der A. pulmonalis entnommen werden, in der eine weitgehende Mischung erfolgt ist. In ähnlicher Form können Herzzeitvolumenbestimmungen auch mit CO_2 oder *Fremdgasen* wie Acetylen oder Stickoxydul als Indikator vorgenommen werden.

Bei den sog. **Indikatorverdünnungsverfahren** werden dem Kreislauf im Gegensatz zum kontinuierlich aufgenommenen O_2 möglichst schlagartig Indikatoren in Form von *Farbstoffen, Kälte, radioaktiven Substanzen* u.a. zugeführt. Aus der Indikatorenkonzentration in „stromabwärts" gelegenen Abschnitten läßt sich das Blutvolumen bestimmen, von dem die Indikatormenge aufgenommen und zu dieser Stelle transportiert wurde. Die Konzentration des Indikators an der Meßstelle wird dabei entweder blutig in Durchflußküvetten oder durch schnell aufeinanderfolgende „punktförmige" Blutabnahmen analysiert bzw. unblutig fortlaufend photoelektrisch registriert. Die dabei entstehenden Verdünnungskurven zeigen folgende charakteristische Merkmale (Abb. 42 B). Nach der Injektion (*Injektionszeit = IZ*) setzt bestimmte Zeit später mit der *Erscheinungszeit (EZ)* ein Konzentrationsanstieg des Indikators (*Konzentrationszeit = KZ*) an der Meßstelle bis zu einem Gipfel (Zeit bis zur *1. Maximalkonzentration = EZ + KZ*) ein. Der anschließende *Konzentrationsabfall* folgt zunächst einer Exponentialfunktion, bis die *Recirculation* des Indikators aus den einzelnen Organkreisläufen einsetzt und weitere Konzentrationsmaxima entstehen. Die Zeit zwischen 1. und 2. Konzentrationsmaximum wird als *Recirculationszeit (RZ)* bezeichnet. Zur Berechnung des Herzzeitvolumens müssen die Recirculationseffekte durch Extrapolation des abfallenden Verdünnungsschenkels eliminiert werden. In der Praxis erfolgt dies einfach graphisch durch Darstellung des Konzentrationsabfalls in logarithmischem Maßstab. Durch Verlängerung der dabei entstehenden Geraden ergibt sich die sog. **Primärkurve**, d.h. die Kurve, die ohne Recirculationseffekte entstehen würde. Der Abstand zwischen der 1. Maximalkonzentration und dem Schnittpunkt der Geraden mit der Nullinie entspricht der *Verdünnungszeit (VZ)*. Die Summe aus *KZ plus VZ* stellt die *Passagezeit (PZ)* dar.

Die *mittlere Circulationszeit (MZZ)*, d.h. die durchschnittliche Zeit für den Transport aller Farbstoffpartikel von der Injek-

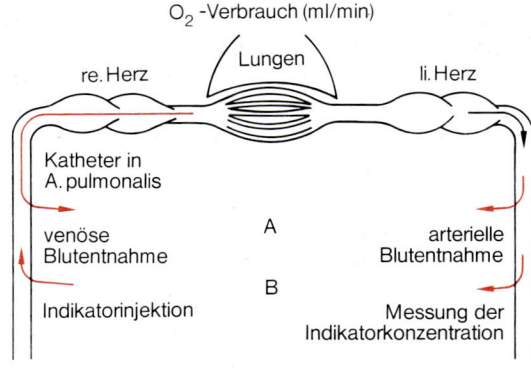

A

O_2-Aufnahme $240\,ml \cdot min^{-1}$
O_2-Gehalt arterielles Blut $20\,ml \cdot 100\,ml^{-1}$
O_2-Gehalt venöses Blut $16\,ml \cdot 100\,ml^{-1}$

$$HZV = \frac{240 \cdot 100}{20-16} \approx 6000\,ml \cdot min^{-1}$$

B

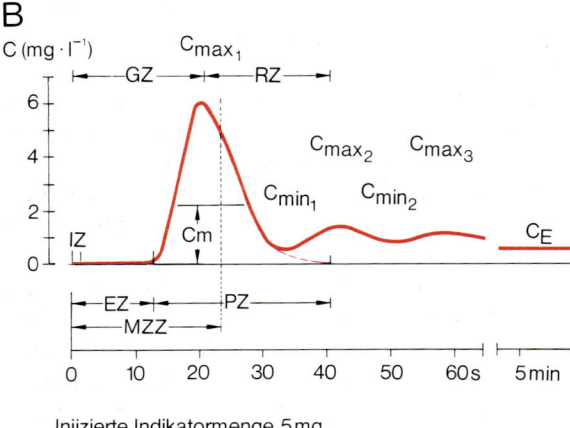

Injizierte Indikatormenge 5 mg
mittlere arterielle Konzentration $2,4\,mg \cdot l^{-1}$
Passagezeit 38 s

$$PZV = \frac{5 \cdot 60}{2,4 \cdot 38} \approx 3,29\,l \cdot min^{-1}$$

Abb. 42A u. B. Schematische Darstellung der Herzzeitvolumenbestimmung nach dem Fickschen Prinzip (A) und mit der Farbstoffverdünnungsmethode (B). In B ist die Berechnung des Plasmazeitvolumens (PLV) vorgenommen worden. Bei einem Plasmavolumen von ca. 55% ergibt sich ein HZV von ca. 6000 ml

tions- bis zur Meßstelle, wird durch Mittelwertbildung über die integrierte Fläche unter der Primärkurve in bezug auf die Zeit, die *mittlere Konzentration (C_m)* dagegen durch Mittelwertbildung über die integrierte Fläche in bezug auf die Konzentration ermittelt.
Die Berechnung des unbekannten Volumens (V_c), von dem die bekannte Indikatormenge (I) vom Injektionsort zur Meßstelle transportiert wurde, erfolgt nach

$$V_c = \frac{I}{\int_0^\infty C \cdot dt}, \tag{28}$$

wobei der Nenner des Quotienten das Integral der *Konzentrationszeitkurve* ist, die der Fläche unter der **Primärkurve** entspricht. In der Praxis wird diese Fläche durch Planimetrieren

oder durch Summation von zahlreichen kleinen Rechtecken mit gleicher Grundlinie Δt ermittelt.
In diesem Fall gilt

$$V_c = \frac{I}{\sum C \cdot \Delta t}. \tag{29}$$

Diese auf die Größe des Plasmavolumens bezogenen Werte müssen unter Berücksichtigung des *Hämatokrits* auf das totale Blutvolumen umgerechnet werden.
Das **Herzzeitvolumen** läßt sich dann bei intravenöser Injektion des Indikators und Messung seiner mittleren Konzentration im arteriellen Blut nach

$$\dot{V}\,(ml/min) = \frac{I \cdot 60}{C_m \cdot PZ} \tag{30}$$

berechnen (s. auch Abb. 42 B). Als Indikator wird neben *Evansblau* häufig *Cardiogreen* verwendet, das bereits bei einem Durchgang durch die Leber ausgeschieden wird und dadurch wiederholte Messungen in kürzeren Zeitabständen ermöglicht. Durch elektronische Rechner kann das Herzzeitvolumen in neuerer Zeit auch direkt aus den Indikatorverdünnungskurven bestimmt werden.
Eine Modifikation der Farbstoffverdünnungsmethoden stellt die *Thermodilutionsmethode* dar, bei der eine kleine Menge Plasma oder Kochsalzlösung mit Zimmertemperatur injiziert und die Temperaturänderung an der Meßstelle als „Konzentrationsänderung" registriert wird. Die Bestimmungen können schnell wiederholt werden, da eine Recirculation nicht stattfindet.

Messung der Kreislaufzeit. Die Erscheinungs- (EZ) und mittlere Circulationszeit (MZZ) der Indikatorverdünnungskurven gestattet eine relativ genaue Bestimmung der *Strömungsgeschwindigkeit* zwischen 2 Punkten des Gefäßsystems. Mit Hilfe von Kathetern ist es möglich, nahezu in allen Gefäßabschnitten **partielle Kreislaufzeiten** zu messen. Beim gesunden Erwachsenen gelten als *Normalwerte* für die EZ Arm-Ohr 8–12 s, Lungen-Ohr 3–5 s, Arm-Lungen-EZ 5–7 s und für die MZZ Arm-Ohr 14–26 s. Als **totale Kreislaufzeit** wird die Zeit bis zur Rückkehr des Indikators zum Injektionsort bezeichnet.
In zentralen Kreislaufabschnitten lassen sich aus der Kreislaufzeit Hinweise auf die Größe des Herzvolumens entnehmen, d.h. große Strömungsgeschwindigkeiten deuten auf große Zeitvolumina hin und umgekehrt. In peripheren Kreislaufabschnitten sind diese Beziehungen wegen der möglichen stärkeren Änderungen des Gefäßquerschnitts weniger eindeutig.
In der Klinik werden häufig *partielle Kreislaufzeiten* durch i.v. Applikation von Substanzen ermittelt, die *Geruchs-* oder *Geschmackssensationen* auslösen. So kann z.B. die Kreislaufzeit Armvenen-Lungencapillaren bei i.v. Injektion von Äther durch die geruchliche Wahrnehmung in der Exspirationsluft und die Kreislaufzeit Armvenen-Zunge bei i.v. Injektion von Decholin oder Saccharin durch den bitteren bzw. süßen Geschmack (etwa 10–15 s) grob erfaßt werden. Diese Art der Bestimmung der Kreislaufzeiten ist allerdings insofern problematisch, als die Feststellung der Ankunft des Äthers in den Lungen vom Atemcyclus beeinflußt wird und bei beiden Verfahren von der ungenauen schwellenabhängigen subjektiven Wahrnehmung der Indikatoren abhängt.

11.2. Bestimmung des Blutvolumens

Mit Hilfe von Indikatoren kann auch die Größe des Blutvolumens bestimmt werden. Dazu wird die gelöste oder suspendierte Indikatormenge I mit einem Volumen V_1 in das Gefäßsystem eingebracht und nach gleichmäßiger Verteilung im Blut seine **Endkonzentration** C_E gemessen (s. Abb. 42 B). Unter Vernachlässigung des (meist) geringen V_I ergibt sich das **Plasmavolumen** aus

$$V = \frac{I}{C_E} \qquad \left(\text{sonst } V + V_I = \frac{I}{C_E} \right). \qquad (31)$$

Die Bestimmungen setzen eine ausreichend lange Verweildauer der Indikatoren im Gefäßsystem und die Berücksichtigung seiner Elimination voraus. Genaue Bestimmungen des *totalen Blutvolumens*, d.h. des Zell- und Plasmavolumens, erfordern die gleichzeitige Verwendung eines Erythrocyten- und Plasmaindikators. Die Berechnung des totalen Blutvolumens mit Hilfe von Plasmavolumenbestimmungen unter Berücksichtigung des Hämatokrits ist dagegen weniger genau. Für die Bestimmung des Plasmavolumens werden u.a. Evansblau (=T 1824) bzw. radioaktive Serumalbumine, für die des Erythrocytenvolumens ^{59}Fe-, ^{32}P- oder ^{51}Cr-markierte rote Blutkörperchen verwendet. Normalwerte des Blutvolumens s.S. 398.

11.3. Druckmessung

Direkte Methoden. Direkte (intravasale) Messungen des Drucks erfordern eine Einbringung von Kanülen oder Kathetern in die Gefäße. Sie wurden in der Vergangenheit überwiegend mit einfachen **Flüssigkeitsmanometern** vorgenommen, in denen z.B. Quecksilber (zur Messung des Arteriendrucks) oder Wasser (zur Messung des Venendrucks) als manometrische Flüssigkeiten verwendet wurden. Die Massenträgheit dieser Manometer bewirkt jedoch erhebliche Dämpfungen schneller Druckänderungen, so daß sie nur zur Messung *mittlerer Drücke* geeignet sind.

Membranmanometer sind dagegen auch zur Messung von schnelleren Druckänderungen geeignet. Sie bestehen im Prinzip aus einer starrwandigen Meßkammer, in der eine Wand als dünne elastische Membran ausgebildet ist. Der Druck aus dem Gefäß wird durch eine nicht dehnbare Verbindung zwischen Kammer und Kanüle übertragen und die druckproportionale Auslenkung der Membran entweder *mechanisch* (durch Hebel), *optisch* (durch Spiegel) oder *elektrisch* (durch Druckwandler) gemessen. Moderne Membranmanometer können wegen der geringen Masse und der minimalen Auslenkung ihrer sehr harten Membranen Druckänderungen bis zu 1000 Hz und mehr exakt erfassen. Die **Druckwandler** (*transducer*) bestehen dabei aus Drähten oder Halbleiterkristallen, die ihren Widerstand in einer *Wheatstoneschen Brücke* bei Dehnung (durch Deformation der Membran) verändern (sog. *Straingauge-Manometer*). Bei anderen Verfahren ist die Membran als Platte eines *Kondensators* ausgebildet, dessen Kapazität durch die druckabhängigen Änderungen des Plattenabstandes beeinflußt wird. Eine weitere Möglichkeit besteht darin, daß durch Verschiebungen eines auf der Membran befestigten Eisenkerns die *induzierten Spannungen* in einem Spulensystem verändert werden.

Für eine *amplituden-* und *phasengetreue Wiedergabe* von schnellen Druckänderungen sollte die *Eigenfrequenz* der Manometer *10mal größer* als die zu registrierende Frequenz sein. Unter der Voraussetzung, daß Meßkammer sowie Verbindungssystem vollständig mit geeigneten Flüssigkeiten gefüllt sind und keine (kompressiblen) Gasblasen enthalten, werden in diesen Fällen die Messungen nicht durch die Trägheit der sog. wirksamen Masse und die Flüssigkeitsreibung im System beeinflußt. Nach elektronischer Verstärkung der primär kleinen elektrischen Signale können die Druckkurven mit schnell schwingenden Spiegelgalvanometern oder Kathodenstrahlröhren kontinuierlich aufgezeichnet werden.

Indirekte Methoden. In Praxis und Klinik wird der arterielle Druck routinemäßig *sphygmomanometrisch* mit der **indirekten Methode** nach **Riva-Rocci** gemessen. Die Messung erfolgt im allgemeinen am Oberarm des liegenden oder sitzenden Patienten. Das Meßgerät besteht aus einer aufblasbaren Gummimanschette mit einer undehnbaren Stoffauflage an ihrer Außenseite. Mit Hilfe eines Gummiballons als Pumpe und einem Nadelventil können Druckänderungen in der Manschette vorgenommen und an einem seitenständig angeschlossenen Quecksilber- oder Membranmanometer abgelesen werden.

Bei der **auskultatorischen Methode** (nach KOROTKOW) werden systolischer und diastolischer Druck durch charakteristische Geräuschphänomene bestimmt, die mit einem Stethoskop über der A. brachialis distal von der Manschette in der Ellenbeuge abgehört werden. Zur Messung des Blutdrucks wird der Manschettendruck zunächst schnell auf Werte gebracht, die über dem erwarteten systolischen Druck liegen. Die A. brachialis wird dadurch vollständig komprimiert und die Blutströmung unterbrochen. Anschließend wird der Druck durch Öffnen des Ventils *langsam* reduziert. In dem Augenblick, in dem der *systolische Druck* unterschritten wird, tritt bei jedem Puls ein kurzes scharfes *Geräusch* (*Korotkow-Geräusch*) auf, das durch den Einstrom von Blut bei vorübergehender Aufhebung der Gefäßkompression während des Druckgipfels verursacht wird (Abb. 43). Bei abnehmendem Manschettendruck werden die Geräusche zunächst lauter und bleiben dann entweder auf einem konstanten Niveau (Abb. 43a) oder werden wieder etwas leiser (b). In einigen Fällen tritt nach initialer Zunahme der Lautstärke eine vorübergehende Abnahme, die sog *auskultatorische Lücke* (c), mit anschließender erneuter Zunahme auf. Der *diastolische Druck* wird erreicht, wenn bei weiterer Abnahme des Manschettendrucks die *Geräusche plötzlich dumpfer* und schnell leiser werden.

Spätestens mit dem endgültigen Verschwinden, wahrscheinlich jedoch schon beim Übergang zu gedämpften Geräuschen, ist der diastolische Druck unterschritten. Die Druckdifferenz zwischen beiden Phänomenen beträgt wenige mm Hg, so daß es praktisch bedeutungslos ist, welches Ereignis zur Bestimmung des diastolischen Drucks verwendet wird. Die Korotkow-Geräusche dürften auf einer *turbulenten Strömung* infolge der erhöhten Strömungsgeschwindigkeit beruhen, die durch die Einengung der A. brachialis im Manschettenbereich entsteht. Bei Manschettendrücken etwas unterhalb des systolischen Wertes liegt nur im Maximum der Systole eine kurze turbulente Strömung vor, die

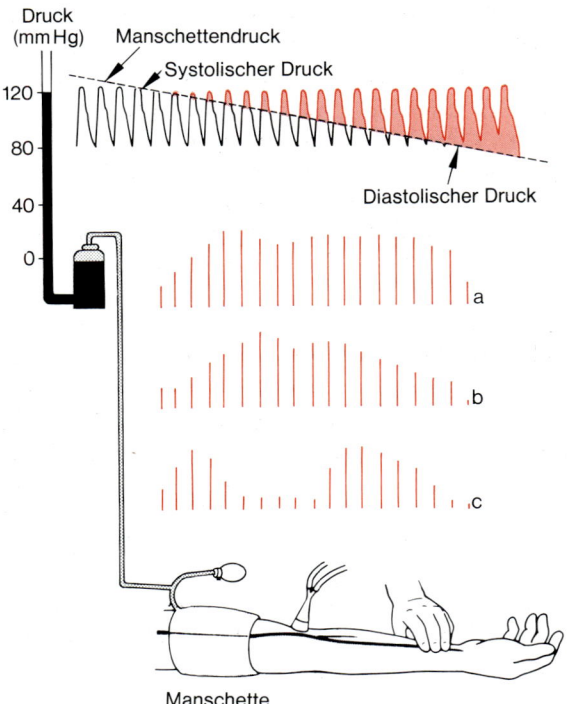

Abb. 43. Messung des Blutdrucks am Menschen nach dem Prinzip von RIVA-ROCCI. Schematische Darstellung der häufigsten akustischen Phänomene (Korotkow-Geräusche) bei der auskultatorischen Methode. Einzelheiten s. Text

sich mit abnehmenden Manschettendrücken über die Dauer der Systole verlängert. Etwas unterhalb des diastolischen Wertes entwickelt sich dagegen durch die noch vorhandene geringe Einengung der Arterie eine kontinuierlich turbulente Strömung, die bei weiterer Abnahmen des Manschettendrucks wieder in die normale laminare Strömung übergeht.

Bei *erhöhter Aktivität des Kreislaufs,* z.B. bei schwerer Muskelarbeit, Überfunktion der Schilddrüse oder Aortenklappeninsuffizienz, bleiben häufig nach Übergang zum dumpf-leisen Geräuschcharakter fortlaufend leiser werdende Geräusche (u.U. bis zum Manschettendruck Null) bestehen. In diesen Fällen wird zusätzlich zu den Werten für den systolischen und diastolischen Druck noch der Wert angegeben, an dem kein Geräusch mehr hörbar ist.

Mit der *palpatorischen* Methode kann dagegen nur der systolische Druck bestimmt werden. Dazu wird mit dem gleichen Gerät durch Palpation der A. radialis der Druck festgestellt, bei dem der Puls bei zunehmendem Manschettendruck gerade schwindet und bei abnehmendem Manschettendruck wieder auftritt.

Einwandfreie Ergebnisse der Blutdruckmessung nach RIVA-ROCCI und KOROTKOW setzen voraus, daß die Manschette in Herzhöhe liegt, um eine Beeinflussung der gemessenen Werte durch hydrostatische Effekte auszuschließen. Die Breite der

Manschette soll etwa die Hälfte des Armumfangs betragen, die Standardbreite für den Erwachsenen beträgt 12 cm. Bei großem Armumfang oder bei Messungen am Oberschenkel sind breitere, bei Kindern schmalere Manschetten erforderlich. Relativ zu schmale Manschetten erfordern zur Kompression der Arterie höhere Drücke und ergeben daher zu hohe, relativ zu breite Manschetten dagegen zu niedrige Meßwerte.

Bei Verwendung von *elastischen Manometern* kann der Blutdruck auch aus den von der Arterie auf die Manschette übertragenen pulsierenden Druckschwankungen ermittelt werden (*Oscillometrische Methode*). Bei suprasystolischen Manschettendrücken bestehen nur kleine Druckschwankungen, die durch das Anschlagen des Pulses an den komprimierten Arterienabschnitt verursacht werden. In dem Augenblick, in dem der systolische Druck unterschritten wird und eine kurze systolische Eröffnung der Arterien eintritt, nehmen die Oscillationen zu und erreichen ein Maximum im Bereich des diastolischen Drucks, wenn das Gefäß während der gesamten Systole eröffnet, während der Diastole aber noch geschlossen ist. Bei weiter abnehmenden Manschettendrücken und dementsprechend dauernd durchgängigen Gefäßen sinken die Pulsationen schnell auf konstant bleibende kleine Werte ab.

Sphygmomanometrische Methoden erlauben *keine* fortlaufende Messung des Blutdrucks. Bei Automatisierung der Meßvorgänge und Abnahme der akustischen Phänomene durch Mikrophone bzw. der Strömungsvorgänge durch Ultraschalldetektoren ist es jedoch möglich, die punktförmigen Messungen in beliebigen Abständen (minimal etwa alle 30 s) zu wiederholen, so daß auch mit diesen einfachen Verfahren über längere Zeiträume Einblicke in das Blutdruckverhalten gewonnen werden können.

12. Anpassung des Kreislaufs an physiologische und pathophysiologische Bedingungen

12.1. Der Blutdruck des Menschen

Die Höhe des individuellen Blutdrucks hängt von Vererbungsfaktoren, vom Alter, vom Geschlecht und weiteren, teilweise noch unbekannten Faktoren ab. Sie wird darüber hinaus vorübergehend oder ständig von zahlreichen anderen Vorgängen beeinflußt. Zur Vermeidung von Fehlinterpretationen des diagnostisch wichtigen **Ruheblutdrucks = basalen Blutdrucks** müssen diese Einflüsse berücksichtigt bzw. so weit wie möglich eliminiert werden.

Normalwerte, Altersabhängigkeit. Untersuchungen über die Blutdruckwerte in repräsentativen Bevölkerungsgruppen unter angenäherten Ruhebedingungen zeigen deutliche Unterschiede mit einer Häufung um mittlere Werte und Abweichungen nach oben und unten in Form einer *Gaussschen Verteilungskurve.* Bei gesunden jugendlichen Erwachsenen liegt der Häufigkeitsgipfel für den *systolischen Druck bei 120 mm Hg,* für den *diastolischen Druck bei 80 mm Hg.* Die weitaus überwiegende Zahl aller Werte liegt zwischen 150 und

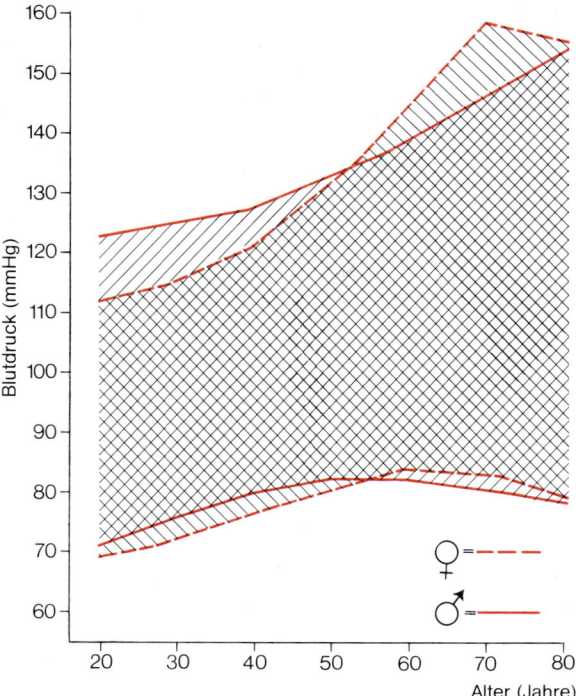

Abb. 44. Altersveränderungen des durchschnittlichen systolischen (oben) und diastolischen (unten) Drucks. Die Werte beruhen auf Messungen, die 1961–62 an der weißen Bevölkerung der USA durchgeführt wurden. (National Health Survey, zit. aus GAUER)

100 mm Hg für die systolischen und zwischen 90 und 60 mm Hg für die diastolischen Drücke. Mit zunehmendem Alter treten relativ stärkere Steigerungen des systolischen als des diastolischen Drucks auf (Abb. 44). Diese Effekte beruhen im wesentlichen auf *Elastizitätsverlusten* der Gefäße (s.S. 402). Frauen zeigen im Alter bis 50 durchschnittlich niedrigere, im Alter über 50 dagegen etwas höhere Blutdruckwerte als Männer der gleichen Altersstufen.

Akute Änderungen. *Psychische Alterationen*, wie sie z.B. bei der ersten ärztlichen Untersuchung, in Examenssituationen oder vor Wettkämpfen vorliegen, bewirken akute Steigerungen des Blutdrucks (und weitere Kreislaufumstellungen im Sinne von Alarmreaktionen, s.S. 434). Der Blutdruck kann dabei Werte erreichen, die denen bei mittelschwerer Arbeit entsprechen. Im *ruhigen Schlaf* sinken systolischer und diastolischer Druck bis um 20 mm Hg ab, während bei intensiven Träumen erhebliche Steigerungen auftreten können.

Bei *Muskelarbeit* steigen in Abhängigkeit von der Belastungsintensität und vom individuellen Trainingszustand die systolischen, in geringerem Ausmaß die diastolischen Drücke und damit auch die mittleren Drücke an (s. auch S. 447).

Bei *Orthostase* bleibt der systolische Druck nach vorübergehenden Abnahmen beim Übergang vom Liegen zum Stehen häufig unverändert oder nimmt leicht zu. Der diastolische Druck steigt meist etwas an, so daß der Mitteldruck leicht erhöht wird. In anderen Fällen treten unterschiedliche Abnahmen des systolischen und diastolischen Drucks auf, die u.U. zu Kreislauffunktionsstörungen führen können (orthostatische Regulationsstörungen s.S. 446).

Nach *Nahrungsaufnahme* steigt der systolische Druck mäßig an, während der diastolische Druck häufig leicht abfällt.

Bei *warmen Umgebungstemperaturen* sind Tendenzen zu Zunahmen des systolischen und Abnahmen des diastolischen Drucks vorhanden. In heißer und gleichzeitig sehr feuchter Luft kann der diastolische Druck jedoch bis zu 40 mm Hg abfallen. *Kühle Umgebungstemperaturen* beeinflussen den Blutdruck relativ gering. Starke *Kaltreize* (auch lokale) lösen jedoch deutliche Blutdrucksteigerungen aus.

Schmerz führt ebenfalls meist zu Blutdrucksteigerungen, bei langdauernden Schmerzen können jedoch auch Blutdruckabnahmen auftreten (s.S. 432). Die Blutdruckreaktionen auf *viscerale Reize* sind unterschiedlich, teilweise werden reflektorische Abnahmen (z.B. bei mechanischer Reizung der Pleura), teilweise aber auch Zunahmen beobachtet.

Schwankungen höherer Ordnung. Bei fortlaufender Messung des Blutdrucks sind außer den *Pulswellen*, die als *Blutdruckschwankungen* bzw. *-wellen I. Ordnung* bezeichnet werden, langsamere rhythmische Schwankungen nachweisbar. Die Blutdruckschwankungen *II. Ordnung* stehen im Zusammenhang mit der *Atmung*. Bei normaler Atemfrequenz (12–16/min) fällt die Inspiration mit der abfallenden Phase und dem „Wellental", die Exspiration mit der ansteigenden Phase und dem „Wellenberg" zusammen. Diese Wellen werden teilweise durch eine zentrale Kopplung von Atmung und Kreislauf über das autonome Nervensystem, teilweise jedoch auch mechanisch durch die atmungsbedingten Kapazitätsschwankungen der Lungengefäße mit ihren Einflüssen auf den Abstrom aus dem linken Herzen (s.S. 410) ausgelöst. Die Blutdruckschwankungen *III. Ordnung*, die sog. *Mayer-Wellen*, haben dagegen eine Periodendauer von 6–20 s und länger mit einer häufigsten mittleren Dauer von 10 s; sie werden wahrscheinlich durch Schwankungen des peripheren Gefäßtonus ausgelöst. Darüber hinaus weist der Blutdruck — ähnlich wie die Herzfrequenz und andere Größen — Schwankungen in einem 24-Stunden-Rhythmus auf, die auf einem endogenen Spontanrhythmus (circadiane Periodik, s. VIII-2.1) beruhen sollen. Der Blutdruck zeigt dabei die höchsten Werte im Verlauf des Tages und die niedrigsten Werte während der Nacht. Die Schwankungen sind von äußeren Zeitgebern weitgehend unabhängig und bleiben z.B. auch bei Raumflügen mit einer Tag-Nacht-Dauer von 180 min erhalten.

Pathophysiologie des Blutdrucks. Blutdruckwerte oberhalb des Normbereichs werden als **Hypertonie** und unterhalb des Normbereichs als **Hypotonie** bezeichnet. Die Grenzen zwischen normalen und pathologischen Blutdruckwerten sind wegen der altersabhängigen Veränderungen nicht starr zu ziehen. Nach Empfehlungen der Weltgesundheitsorganisation sind Werte von systolisch über 160 mm Hg und diastolisch über 95 mm Hg als Hypertonie anzusehen. Eine Hypotonie liegt vor, wenn der systolische Druck weniger als 100 mm Hg beträgt.
Die meisten Fälle von Hypertonie (ca. 70%) haben *keine* erkennbare Ursache (sog. **primäre essentielle Hypertonie**) und könnten als Variante eines nach der Häufigkeit in einer Verteilungskurve eingeordneten Merkmals angesehen werden. Es finden sich Hinweise, daß die essentielle Hypertonie genetisch bedingt und dementsprechend vererbbar ist. Eine weitere Möglichkeit der Entstehung liegt darin, daß bei einer Übererregbarkeit des ZNS durch psychische Faktoren das Vasomotorenzentrum (s.S. 433) verstärkt erregt und der arterielle Druck ständig erhöht wird. Zugleich führen häufige Blutdrucksteigerungen — unabhängig von der auslösenden Ursache — zu einer Hypertrophie der glatten Muskulatur der Widerstandsgefäße, die zur Aufrechterhaltung der Hypertonie beiträgt.
Bei den übrigen 30% der Fälle handelt es sich um sog. **sekundäre symptomatische Hypertonien.** Sie beruhen überwiegend auf **Erkrankungen des Nierenparenchyms** oder der **-gefäße** (*renale Hypertonien*, rund 25%), etwa 3% auf **endokrinen Störungen** (*Phäochromocytom, Cushing-Syndrom, Hyperthyreose* u.a.) und der Rest bis auf wenige Ausnahmen auf **kardiovasculären Erkrankungen** (*Arteriosklerose der großen Gefäße, Aortenklappeninsuffizienz, Aortenisthmusstenose* u.a.).
Als Folge einer Hypertonie können Gefäßrupturen im Gehirn (Schlaganfall), in den Nieren oder anderen lebenswichtigen Organen auftreten. Außerdem ist ein ständig erhöhter Kraftaufwand des Herzens erforderlich, der bei Überschreiten der Leistungsfähigkeit zu einem Herzversagen (*Herzinsuffizienz*) führen kann.
Einer **Hypotonie** kommt nur im Falle einer darauf beruhenden unzureichenden Organdurchblutung [z.B. bei Orthostase (s.u.) oder beim Schock (s.S. 450)] klinische Bedeutung zu.

12.2. Orthostase

Volumenverschiebungen bei Lagewechsel. Beim Übergang vom Liegen zum Stehen werden die Drücke und die Blutverteilung durch die auf das Gefäßsystem einwirkenden Gravitationskräfte erheblich verändert (s.S. 407). Im Vordergrund steht dabei die Dilatation der Kapazitätsgefäße in den unteren Körperabschnitten, durch die z.B. im Bereich der Beine kurzfristig 400–600 ml Blut „versacken". Als Folge davon nehmen *venöser Rück-*

strom, Herzschlagvolumen und *systolischer Blutdruck* vorübergehend ab.
Zugleich mit diesen Veränderungen setzen jedoch *Anpassungsvorgänge* ein, die über die Pressoreceptoren im arteriellen System und über die Dehnungsreceptoren in den intrathorakalen Gefäßabschnitten ausgelöst werden. Für die Kreislaufregulation bei Lagewechsel ist die Lokalisation der Pressoreceptoren im Aortenbogen und Carotissinus insofern bedeutungsvoll, als ihre Erregung im Stehen aufgrund der hydrostatisch bedingten Druckabnahme zusätzlich reduziert wird, so daß allein dadurch bereits reflektorische Gegenregulationen eingeleitet werden. Aufgrund der reduzierten Erregung der Receptoren werden a) *vasoconstrictorische Reaktionen* der *Widerstands-* und *Kapazitätsgefäße*, b) *Steigerungen* der *Herzfrequenz* sowie c) eine *vermehrte Catecholaminausschüttung* aus dem Nebennierenmark und d) eine *Aktivierung* des *Renin-Angiotensin-Aldosteron-Systems* und e) eine *vermehrte ADH-Ausschüttung* ausgelöst.

Vasomotorische und kardiale Reaktionen. An den vasoconstrictorischen Reaktionen bei Orthostase sind die *Widerstandsgefäße* der Skeletmuskulatur, der Haut, der Nieren sowie des Splanchnicusgebietes beteiligt, so daß die Durchblutung in diesen Stromgebieten abnimmt und der totale periphere Widerstand ansteigt (Abb. 45). Abgesehen von der praktisch fehlenden vasomotorischen Innervation der Gehirngefäße werden die aus physikalischen Gründen zu erwartenden Abnahmen der Durchblutung durch myogen und metabolisch ausgelöste autoregulative vasodilatatorische Reaktionen weitgehend kompensiert. Die Gehirndurchblutung sinkt daher nur wenig ab und weist erst bei mittleren arteriellen Drücken von weniger als 60 mm Hg (in den Gehirngefäßen) kritische Abnahmen mit Zeichen einer cerebralen Ischämie auf. Im Bereich der *Kapazitätsgefäße* treten vor allem in den Abschnitten mit *Depotfunktionen*, d.h. in den Venen der Haut und des Splanchnicusgebietes constrictorische Reaktionen auf.
Als Ergebnis der Zunahmen des totalen peripheren Widerstandes kehrt der systolische Druck wieder in den Bereich der Ausgangswerte zurück. Die kompensatorischen Abnahmen der Gefäßkapazität tragen dazu bei, daß der zentrale Venendruck nur wenig absinkt. Die erhöhte Herzfrequenz bewirkt, daß die Abnahmen des Herzzeitvolumens relativ geringer als die des Herzschlagvolumens sind (Abb. 45).

Hormonale Einflüsse. Aufgrund der reduzierten Nierendurchblutung wird ferner die *Reninfreisetzung* mit entsprechenden Rückwirkungen auf die

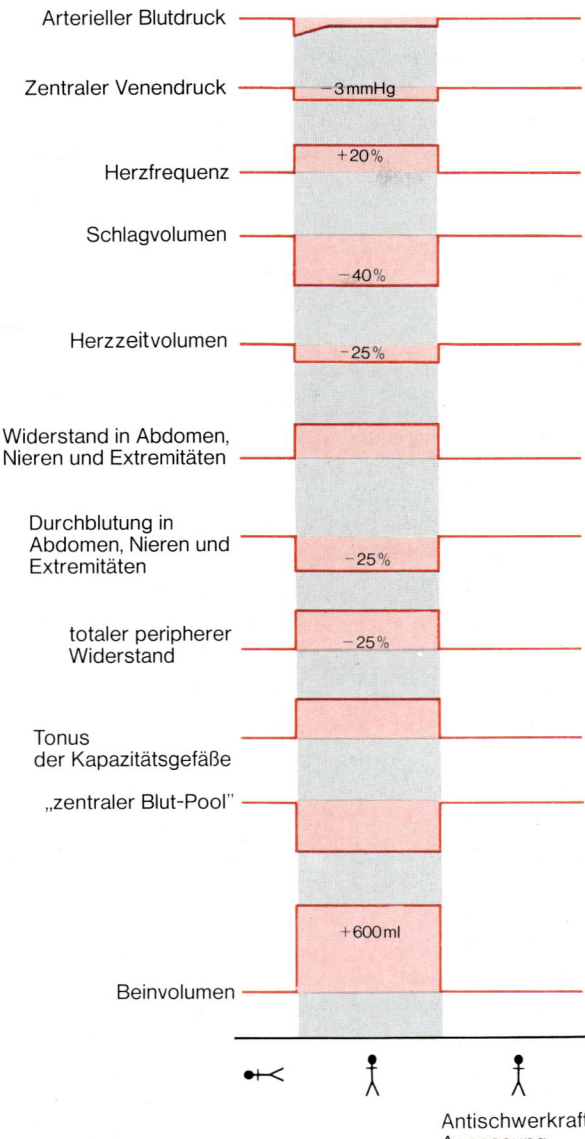

Arterieller Blutdruck

Zentraler Venendruck — −3 mmHg

Herzfrequenz — +20%

Schlagvolumen — −40%

Herzzeitvolumen — −25%

Widerstand in Abdomen, Nieren und Extremitäten

Durchblutung in Abdomen, Nieren und Extremitäten — −25%

totaler peripherer Widerstand — −25%

Tonus der Kapazitätsgefäße

„zentraler Blut-Pool"

Beinvolumen — +600 ml

Antischwerkraft Anpassung

Abb. 45. Veränderungen verschiedener kardiovasculärer Parameter beim Übergang vom Liegen zum Stehen. Die Zahlenangaben stellen Durchschnittswerte dar, die erhebliche individuelle Abweichungen aufweisen können. Nach Ausschaltung der Gravitationseffekte bleiben Kreislaufreaktionen bei Lagewechsel dagegen aus. (Modifiziert nach DETTWEILER in BEST und TAYLOR)

Bildung von *Angiotensin* und die *Aldosteronsekretion* gesteigert (s.S. 431). Die vermehrte Ausschüttung von *ADH* führt über eine Beeinflussung der renalen Flüssigkeitsausscheidung zu Zunahmen des Plasmavolumens, die allerdings im Gegensatz zu den vasomotorischen Reaktionen erst nach längerer Latenz wirksam werden können.

Durch die Funktion der *Muskelpumpe* werden die hydrostatischen Effekte auf die Gefäße im Bereich der unteren Extremitäten teilweise abgeschwächt. Neben einer Förderung des venösen Rückstromes

werden Abnahmen des capillären Filtrationsdrucks ausgelöst. Trotzdem überwiegt die Auswärtsfiltration, so daß bei längerem Stehen das Plasmavolumen ab- und das interstitielle Flüssigkeitsvolumen in den Beinen zunimmt. Beim Gehen oder Laufen sind die Wirkungen der Muskelpumpe auf den venösen Rückstrom und das Filtrations-Reabsorptionsgleichgewicht durch die ständige Funktion stärker ausgeprägt.

Orthostatischer Kollaps. Bei manchen Menschen reichen jedoch diese komplexen Anpassungsvorgänge nicht zur Aufrechterhaltung einer ausreichenden Kreislauffunktion aus, so daß der Blutdruck stärker absinkt und als Folge einer cerebralen Minderdurchblutung subjektive Symptome wie Schwindel, Sehstörungen u.a. bis hin zum Bewußtseinsverlust auftreten (*orthostatische Regulationsstörungen* bzw. *Kollaps*). Diese Erscheinungen können auch bei organisch gesunden Menschen auftreten. Dabei ist zu beachten, daß die Orthostasetoleranz in warmer Umgebung durch den Konflikt zwischen kreislaufregulatorisch notwendigen vasoconstrictorischen und thermoregulatorisch dominierenden vasodilatatorischen Reaktionen eingeschränkt wird.

Nach Ausschaltung der sympathischen vasoconstrictorischen Fasern durch *sympathicolytische Pharmaka* bzw. durch Operation (*Sympathektomie*) oder bei bestimmten Erkrankungen des sympathischen Systems kann die Orthostasetoleranz sogar vollständig aufgehoben sein. Andererseits bleiben die kardiovasculären Reaktionen bei Lagewechsel aus, wenn Volumenverschiebungen vermieden werden, wie es mit Hilfe von sog. G-Anzügen möglich ist (Abb. 45). Dabei handelt es sich um doppelwandige Druckanzüge, in denen Abdomen und Beine proportional zu den einwirkenden Gravitationskräften komprimiert werden. Auf diese Weise werden z.B. auch die während Beschleunigung oder Verzögerung von Raumfahrzeugen auftretenden verstärkten Schwerkraftwirkungen auf den Kreislauf kompensiert.

Orthostatische Belastungsprüfung. Die Kreislaufregulation bei Lagewechsel wird routinemäßig durch Verfahren überprüft, bei denen Herzfrequenz und Blutdruck in bestimmten Zeitabständen im Liegen und im Stehen gemessen werden. Bei **orthostatischer Stabilität** steigt die Herzfrequenz nach 1 min Stehen nicht mehr als 20% und der diastolische Blutdruck um etwa 5 mm Hg an. Der systolische Blutdruck zeigt Abweichungen von weniger als ±5 mm Hg, und die Blutdruckamplitude wird nicht kleiner als 30–40 mm Hg. Bei **orthostatischer Labilität** treten stärkere Steigerungen der Herzfrequenz und individuell unterschiedliche Blutdruckreaktionen auf, die in der Klinik unter verschiedenen funktionellen Gesichtspunkten zu Gruppen zusammengefaßt werden.

12.3. Muskelarbeit

Beim gesunden jugendlichen Menschen überschreiten — von Ausnahmen bei Hochleistungssportlern abgesehen — die auf individuell verschiedenen Steigerungen der Herzfrequenz und des Schlagvolumens beruhenden Zunahmen des Herzzeitvolumens während Muskelarbeit nur selten 25 l/min. Zugleich wird der Anteil der Skeletmuskulatur am HZV *überproportional* zu Lasten der meisten anderen Organkreisläufe erhöht. In Tabelle 7 sind die Werte für die einzelnen Stromgebiete des Menschen bei verschiedener Arbeitsintensität zusammengefaßt.

Veränderungen der Durchblutung. Die **Mehrdurchblutung** der arbeitenden Muskulatur wird überwiegend durch **lokal-metabolische Mechanismen** ausgelöst, die die in der Erwartungsphase von *cholinergen vasodilatatorischen* Fasern verursachten Durchblutungssteigerungen ablösen (s.S. 435). Die lokal-metabolischen Regulationsvorgänge überspielen die Wirkungen der adrenergen constrictorischen Fasern auf die Muskelgefäße, die im Zusammenhang mit der allgemeinen Aktivierung des sympathischen Systems stehen und die Durchblutung besonders in den Splanchnicus- und Nierengefäßen drosseln (Abb. 46). Ebenso nehmen die Gefäße in ruhenden Muskelgebieten mit an den constrictorischen Reaktionen teil. Die Abnahmen des Strömungswiderstandes in den Gefäßen der arbeitenden Muskulatur werden allerdings trotz dieser **collateralen Vasoconstriction** nicht voll kompensiert, so daß der totale periphere Widerstand abnimmt. Das Blutvolumen in den Muskelgefäßen nimmt dabei trotz der enorm vergrößerten Zahl von durchströmten Capillaren nicht nur nicht zu, sondern wegen der durch die Muskelkontraktionen bewirkten Gefäßkompressionen eher ab. Bei leichter bis submaximaler Arbeit wird die *Hautdurchblutung* nach initialen Abnahmen im Dienste der Thermoregulation gesteigert. Bei maximaler Arbeit können diese Effekte jedoch vorübergehend unterdrückt werden, so daß constrictorische Reaktionen überwiegen (s.Tabelle 7). Die *Coronardurchblutung* steigt in Abhängigkeit von der zu leistenden Herzarbeit an, während die *Gehirndurchblutung* bei allen Belastungsstufen konstant bleibt.

Constrictorische Reaktionen in den *Kapazitätsgefäßen* der Haut führen in Verbindung mit einer Mobilisation von Blut aus den Splanchnicus- und Lebergefäßen zu einem *größeren Angebot* an die arbeitende Muskulatur. Bemerkenswert ist, daß bei längerdauernder Arbeit der Tonus der Kapazitätsgefäße der Haut trotz des Wiederanstiegs der Hautdurchblutung erhöht bleibt. Dieses Verhalten deutet darauf hin, daß die Widerstandsgefäße der Haut in dieser Phase thermoregulatorische Funktionen übernehmen, während die Kapazitätsgefäße weiterhin kreislaufregulatorische Aufgaben erfüllen. Der venöse Rückstrom aus der arbeitenden Muskulatur wird durch die Funktionen der Muskelpumpe und die verstärkten Druck-Saugpum-

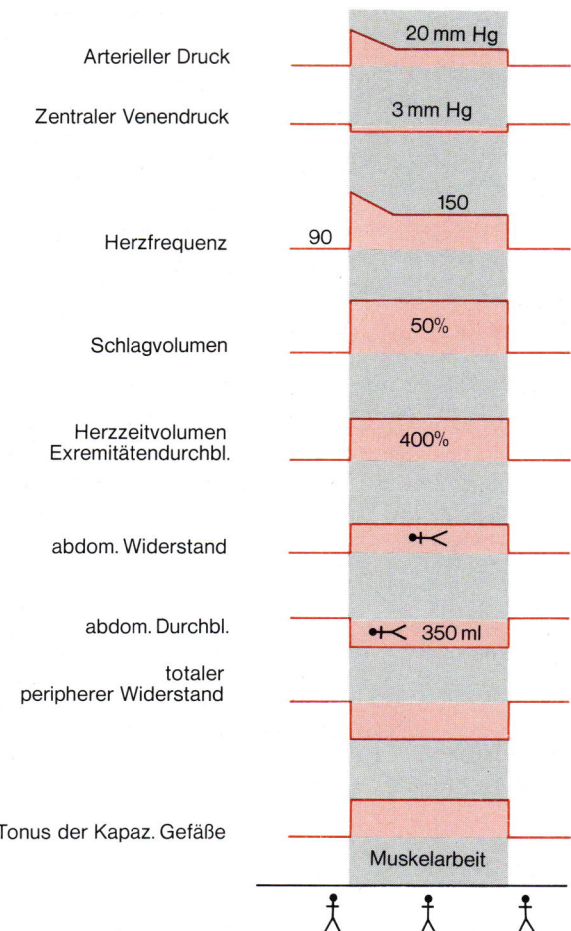

Abb. 46. Veränderungen verschiedener kardiovasculärer Parameter beim arbeitenden Menschen in stehender bzw. sitzender Position. Die Zahlenangaben stellen Durchschnittswerte dar, die erhebliche individuelle Abweichungen aufweisen können. Für den Widerstand und die Durchblutung der Abdominalgefäße wurden im Liegen gemessene Werte herangezogen. (Modifiziert nach DETTWEILER in BEST und TAYLOR)

peneffekte der Atmung (s.S. 440) aufgrund der Hyperventilation zusätzlich gefördert.

Tabelle 7. Organdurchblutungen und Herzzeitvolumina in körperlicher Ruhe und bei verschiedenen Arbeitsintensitäten. (Nach WADE und BISHOP)

Gefäßgebiet	Durchblutung (ml/min)			
	Ruhe	leichte Arbeit	schwere Arbeit	maximale Arbeit
Splanchnicus	1 400	1 100	600	300
Nieren	1 100	900	600	250
Gehirn	750	750	750	750
Herz	250	350	750	1 000
Skeletmuskel	1 200	4 500	12 500	22 000
Haut	500	1 500	1 900	600
Andere Organe	600	400	400	100
Herzzeit-volumen	5 800	9 500	17 500	25 000

Verhalten des arteriellen Drucks und des Herzzeitvolumens. Der *mittlere arterielle Druck* steigt trotz der Abnahmen des totalen peripheren Widerstandes aufgrund der relativ stärkeren Steigerungen des Herzzeitvolumens leicht an. Die *Blutdruckamplitude* wird deutlich größer, da der systolische Druck stärker als der diastolische Druck ansteigt.

Nach *Beendigung der Arbeit* sinkt der Blutdruck relativ schnell ab, da einerseits eine allmählich abnehmende Vasodilatation bis zum vollständigen Abtransport der Metaboliten bzw. bis zur *Beseitigung der O_2-Schuld* bestehen bleibt, andererseits aber die rückflußfördernden Wirkungen der Muskelpumpe (und der Atmung) entfallen. Herzminutenvolumen, Herzfrequenz, O_2-Aufnahme und arteriovenöse O_2-Differenz kehren um so langsamer auf die Ausgangswerte zurück, je stärker die erbrachte Arbeit war (weitere Einzelheiten s. XXV).

Trainingseinfluß. Bei trainierten Menschen ist die *Herzfrequenz* in Ruhe niedriger (bis 40/min), das *Herzschlagvolumen* dagegen größer als bei nichttrainierten Menschen. Trainierte erreichten daher ein bestimmtes Herzminutenvolumen mit einer geringeren Frequenz als Nichttrainierte. Das *Blutvolumen* ist leicht vergrößert. Maximal mögliches Herzminutenvolumen, O_2-Aufnahmefähigkeit und O_2-Ausschöpfung sind ebenfalls erhöht (weitere Einzelheiten s. XXV).

12.4. Thermische Belastungen

Unter den Kreislaufreaktionen bei *thermisch-differenten* Umgebungstemperaturen spielen Veränderungen der *Hautdurchblutung* eine dominierende Rolle (s. auch XXIV).

Wärmebelastung. In *warmer* Umgebung steigt die *Hautdurchblutung* an; sie wird bei einem Temperaturanstieg von 35° auf 45° C bei mittlerer Luftfeuchtigkeit annähernd verdoppelt. Der Tonus der *Kapazitätsgefäße* der Haut wird reduziert. *Herzfrequenz* und *Herzminutenvolumen* steigen an. Der *systolische Druck* zeigt relativ geringe uneinheitliche Veränderungen, der *diastolische Druck* nimmt ab. Die Intensität aller Reaktionen zeigt große individuelle Unterschiede. So können bei Umgebungstemperaturen um 44° C und hoher Luftfeuchte (über 85%) Steigerungen des Herzzeitvolumens bis 20 l/min und Abnahmen des diastolischen Drucks von mehr als 40 mm Hg auftreten, die immer mit orthostatischen Regulationsstörungen verbunden sind (s.S. 446).

Kältebelastung. In *kalter* Umgebung treten *entgegengesetzte Reaktionen* auf, d.h. Constrictionen der Widerstands- und Kapazitätsgefäße der Haut, Abnahmen von Herzfrequenz und Herzzeitvolumen.

Der Blutdruck weist Tendenzen zu Steigerungen auf, wobei starke Kaltreize überschießende Blutdruckreaktionen auslösen. Dieses Verhalten wird diagnostisch als *„cold pressure test"* (Eintauchen einer Hand in Eiswasser und Messung des Blutdrucks) zur Prüfung der Reagibilität der sympathischen Gefäßinnervation verwendet; die Aussagekraft ist allerdings nicht sehr groß.

Bei häufig wiederkehrenden thermischen Reizen tritt eine Abschwächung der Kreislaufreaktionen in Form einer *Adaptation*, bei ständigem Aufenthalt in entsprechenden Klimaten eine *Akklimatisation* auf, deren Mechanismus allerdings noch nicht genauer bekannt ist.

12.5. Blutverlust

Vasomotorische und kardiale Reaktionen. Bei Abnahmen des Blutvolumens durch Blutverluste wird durch das Mißverhältnis zwischen intravasalem Volumen und Gefäßkapazität der **Füllungsdruck** des Gefäßsystems reduziert (s.S. 398). Die Folgen sind *Abnahmen des venösen Rückstroms* und des *Herzschlagvolumens*. Der *mittlere arterielle Druck* ändert sich bei Blutverlusten bis etwa 15 ml/kg Körpergewicht kaum, fällt aber bei größeren Blutverlusten stärker ab. Ausgleichsvorgänge werden durch die verminderte Erregung der Pressoreceptoren in den intrathorakalen Gefäßen und Vorhöfen sowie im arteriellen Stromgebiet eingeleitet, deren hemmender Einfluß auf das Vasomotoren- und Herzhemmungszentrum abnimmt, so daß reflektorisch vasoconstrictorische Reaktionen und Zunahmen der Herzfrequenz ausgelöst werden. An der Vasoconstriction sind vor allem die *Widerstandsgefäße* im Bereich der Haut, der Eingeweide und der Nieren beteiligt. Ausnahmen bilden die Coronar- und Gehirngefäße. Außerdem wird durch vasoconstrictorische Reaktionen der *Kapazitätsgefäße* im Bereich der Haut und Eingeweide die Kapazität dieser Abschnitte reduziert und dadurch der Füllungsdruck des Kreislaufs verbessert. Die Nebennierenmarkhormonsekretion nimmt zu und kann zur Verstärkung der vasoconstrictorischen Reaktionen beitragen (s.S. 423).

Flüssigkeitsersatz. Im Zusammenhang mit der Constriction der Widerstandsgefäße und den Abnahmen des venösen Drucks sinkt der Capillardruck ab, so daß vermehrt Flüssigkeit aus dem interstitiellen Raum in die Capillaren übertritt (s.S. 414). Dadurch wird das *intravasale Volumen* wieder vergrößert, während das *interstitielle* und *intracelluläre Flüssigkeitsvolumen* abnehmen. Nach

Blutverlusten von 500 ml sind beim Menschen bereits 15–30 min später 80–100% der Plasmaverluste durch interstitielle Flüssigkeit ersetzt. Nach größeren Blutverlusten erfolgt die Normalisierung des Plasmavolumens in 12–72 Std, in denen die durch den initialen Einstrom von Albumin aus extracellulären Gebieten nicht gedeckten Proteinverluste durch vermehrte Synthese wieder ausgeglichen werden.

Aufgrund der eingeschränkten Nierendurchblutung sinkt die *Urinproduktion* ab, es werden vermehrt Na^+ und stickstoffhaltige Metaboliten im Blut zurückgehalten. Zugleich wird das *Renin-Angiotensin-Aldosteron-System* mit dem Ergebnis aktiviert, daß die vermehrte Angiotensinbildung zur Stabilisierung des Blutdrucks und die verstärkte Aldosteronsekretion zu einer weiteren Salz- und Wasserretention beitragen (s.S. 431). Auf die Zusammenhänge zwischen dem charakteristischen Durstgefühl nach Blutverlusten und dem Renin-Angiotensin-Aldosteron-System wurde bereits verwiesen.

Unabhängig davon setzt als Folge der verminderten Erregung der Vorhofreceptoren eine vermehrte *ADH-Sekretion* ein, die ebenfalls zu einer Salz- und Wasserretention und damit auch zu einer schnelleren Wiederherstellung des Volumengleichgewichtes beiträgt.

Folgen größerer Blutverluste. Bei größeren Blutverlusten und entsprechenden Blutdrucksenkungen nimmt infolge der ungenügenden Durchblutung der Gewebe die *anaerobe Glykolyse* zu. Die Milchsäurekonzentration im Blut steigt dabei von normal 1 mmol/l bis auf 10 mmol/l an; als Folge dieser Acidose wird die Reaktionsfähigkeit der Gefäße auf zirkulierende Catecholamine abgeschwächt und das Myokard geschädigt. Auf Grund der Acidose sowie der verminderten O_2-Transportfähigkeit und reduzierten lokalen Durchblutung tritt eine verstärkte Erregung der Chemoreceptoren im Bereich der Aorta und A. carotis sowie der zentralen chemosensiblen Strukturen ein, durch die reflektorisch die *Atmung* gesteigert wird. Lange anhaltende Blutdrucksenkungen verursachen Schäden am tubulären Apparat der Nieren, die zu einem *irreversiblen Nierenversagen* führen können. Möglicherweise beruht die starke Unruhe und Angst mancher Patienten nach schweren Blutverlusten auf einer Erregung der Formatio reticularis durch Adrenalin aus dem Nebennierenmark.

Formen des Schocks. Die *unzureichende Perfusion der Gewebe* stellt das *entscheidende Symptom* aller Schockformen dar, die nicht nur durch die am Beispiel des Blutverlustes dargestellte Form des hypovolämischen Schocks, sondern durch zahlreiche andere Ursachen ausgelöst werden können. Nach der Pathogenese lassen sich folgende Hauptgruppen unterscheiden:
1. *Hypovolämischer Schock* (Blut- und bzw. oder Plasmaverluste nach außen oder in Körperhöhlen bzw. in das Gewebe durch Verletzungen, Operationen, Verbrennungen u.a.),
2. *Widerstandsverlust-Schock* (massive Vasodilatation durch Toxine, allergische Reaktionen, starke Emotionen u.a.),
3. *Kardiogener Schock* (vermindertes Herzminutenvolumen durch Erkrankungen des Herzens bei normalem Blutvolumen).

Diese Einteilung gibt jedoch nur eine grobe Übersicht, da häufig mehrere Faktoren und andere, hier nicht erwähnte Mechanismen an der Entstehung eines Schocks beteiligt sein können. Die Therapie der verschiedenen Schockformen ist dementsprechend vielschichtig und kompliziert.

13. Literatur

1. ALEXANDER, R.W.: The effects of blood flow and anoxia on spinal cardiovascular centers. Amer. J. Physiol. **143**, 698 (1945).
2. ALEXANDER, R.S.: Tonic and reflex functions of medullary sympathetic cardiovascular centers. J. Neurophysiol. **9**, 205 (1946).
3. ALEXANDER, R.S.: The peripheral venous system. In: Handbook of Physiology, Sect. 2: Circulation, Vol. II, p. 1075. Washington: American Physiological Society 1963.
4. ALLEN, L.: Lymphatics and lymphoid tissues. Ann. Rev. Physiol. **29**, 197 (1967).
5. AVIADO, D.M., SCHMIDT, C.F.: Reflexes from stretch receptors in blood vessels, heart and lungs. Physiol. Rev. **35**, 247 (1955).
6. BARCROFT, H.: Sympathetic control of vessels in the hand and forearm skin. Physiol. Rev. **40**, Suppl. 4, 81 (1960).
7. BARCROFT, H.: Circulation in skeletal muscle. In: Handbook of Physiology, Sect. 2: Circulation, Vol. II, p. 1353. Washington: American Physiological Society 1963.
8. BARCROFT, H., DORNHORST, A.C.: Blood flow through the human calf during rhythmic exercise. J. Physiol. (Lond.) **109**, 402 (1949).
9. BARCROFT, H., SWAN, H.J.C.: Sympathetic control of human blood vessels. London: Arnold 1953.
10. Best & Taylor's Physiological Basis of Medical Practice (J.R. BROBECK, Ed.). Baltimore: Williams & Wilkins 1973.
11. BLAINE, E.H., DAVIS, J.O.: Evidence of a renal vascular mechanism in renin release: new observations with graded stimulation by aortic constriction. Circulat. Res. **28**, suppl. 2, 118 (1971).
12. BLAIR, D.A., GLOVER, W.E., GREENFIELD, A.D.M., RODDIE, I.C.: Excitation of cholinergic vasodilator nerves to human skeletal muscles during emotional stress. J. Physiol. (Lond.) **148**, 633 (1959.
13. BOCK, K.D. (Ed.): Shock: Pathogenesis and therapy. Berlin-Göttingen-Heidelberg: Springer 1962.
14. BRAUNWALD, E., et al.: Reflex control of the systemic venous bed. Circulat. Res. **12**, 534 (1963).
15. BRECHER, G.A., HUBAY, C.A.: Pulmonary blood flow and venous return during spontaneous respiration. Circulat. Res. **3**, 210 (1955).
16. BRECHER, G.A.: Venous return. London: Grune and Stratton 1956.
17. BROWSE, N.L., DONALD, D.E., SHEPHERD, J.T.: Role of veins in the carotid sinus reflex. Amer. J. Physiol. **210**, 1424 (1966).
18. BURTON, A.C.: Physical principles of circulatory phenomena: the physical equilibria of the heart and blood vessels. In: Handbook of Physiology, Sect. 2: Circulation, Vol. I, p. 85. Washington: American Physiological Society 1963.
19. BURTON, A.C.: Physiologie und Biophysik des Kreislaufs. Stuttgart, New York: Schattauer 1969.
20. COLERIDGE, J.C.G., KIDD, C.: Reflex effects of stimulating baroreceptors in the pulmonary artery. J. Physiol. (Lond.) **166**, 197 (1963).
21. COMROE, J.H., Jr.: The peripheral chemoreceptors. In: Handbook of Physiology, Sect. 3: Respiration, Vol. 1, p. 557. Washington: American Physiological Society, 1964.
22. DALY, M. DEB., SCOTT, M.J.: The cardiovascular responses to stimulation of the carotid body chemoreceptors in the dog. J. Physiol. (Lond.) **165**, 179 (1963).
23. DONALD, K.W., BISHOP, J.M., CUMMINGS, G., WADE, O.L.: The effect of exercise on the cardiac output and circulatory dynamics of normal subjects. Clin. Sci. **14**, 37 (1955).
24. FISHMAN, A.P.: Dynamics of the pulmonary circulation. In: Handbook of Physiology, Sect. 2: Circulation, Vol. II, p. 1667. Washington: American Physiological Society 1963.
25. FOLKOW, B.: Nervous control of the blood vessels. Physiol. Rev. **35**, 629 (1955).
26. FOLKOW, B.: Description of the myogenic hypothesis. Circulat. Res. XIV, XV, Suppl. I, 279 (1964).

27. FOLKOW, B., HEYMANS, C., NEIL, E.: Integrated aspects of cardiovascular regulation. In: Handbook of Physiology, Sect. 2: Circulation Vol. III, p. 1787. Washington: American Physiological Society 1963.

28. FOLKOW, B., NEIL, E.: Circulation. London, Toronto, Oxford: University Press 1971.

29. GAUER, O.H.: Kreislauf des Blutes. In: Gauer/Kramer/Jung: Physiologie des Menschen, Bd. 3: Herz und Kreislauf. München, Berlin, Wien: Urban & Schwarzenberg 1972.

30. GAUER, O.H., HENRY, J.P.: Circulatory Basis of fluid volume control. Physiol. Rev. 43, 423 (1961).

31. GAUER, O.H., HENRY, J.P., BEHN, C.: The regulation of extracellular fluid volume. Ann. Rev. Physiol. 32, 572 (1970).

32. GREEN, H.D., KEPCHARD, J.H.: Control of peripheral resistance in major systemic vascular beds. Physiol. Rev. 39, 617 (1959).

33. GREEN, H.D., LEWIS, R.N., NICKERSON, N.D., HELLER, A.L.: Blood flow, peripheral resistance and vascular tonus, with observations on the relationship between blood flow and cutaneous temperature. Amer. J. Physiol. 141, 518 (1944).

34. GUYTON, A.: A concept of negative interstitial pressure based on pressures in implanted perforated capsules. Circulat. Res. 12, 399 (1963).

35. GUYTON, A.C.: Venous return. In: Handbook of Physiology, Sect. 2: Circulation, Vol. II, p. 1099. Washington: American Physiological Society 1963.

36. GUYTON, A.C.: Textbook of Medical Physiology, 3. Ed. Philadelphia and London: Saunders 1966.

37. GUYTON, A.C., COLEMAN, T.G., COWLEY, A.W., Jr., MANNING, R.D., Jr., NORMAN, R.A., Jr., FERGUSON, J.D.: A Systems Analysis Approach to Understanding Long-Range Arterial Blood Pressure Control and Hypertension. Circulat. Res. 35, 159 (1974).

38. HADJIMINAS, J. ÖBERG, B.: Effects of carotid baroreceptor reflexes on venous tone in skeletal muscle and intestine of the cat. Acta physiol. scand. 72, 518 (1968).

39. HADDY, F.J.: Vasomotion in systemic arteries, small vessels, and veins determined by direct resistance measurements. Minn. Med. 41, 162 (1958).

40. HAKUMAKI, M.O.K.: Funktion of the left atrial receptors. Acta physiol. scand. suppl. 344, 1 (1970).

41. HENRY, J.P., PEARCE, J.W.: The possible role of cardiac atrial stretch receptors in the induction of changes in urine flow. J. Physiol. (Lond.) 131, 572 (1956).

42. HEYMANS, C., NEIL, E.: Reflexogenic Areas of the Cardiovascular System. London: Churchill 1958.

43. HILTON, S.M.: Local mechanisms regulating peripheral blood flow. Physiol. Rev. 42, Suppl. 5, 265 (1962).

44. HILTON, S.M., LEWIS, G.P.: The relationship between glandular activity, bradykinin formation and functional vasodilatation in the submandibular salivary gland. J. Physiol. (Lond.) 134, 471 (1956).

45. HILTON, S.M., LEWIS, G.: Vasodilatation in the tongue and its relation to plasma kinin formation. J. Physiol. (Lond.) 144, 532 (1958).

46. JOHANNSON, B.: Circulatory responses to stimulation of somatic afferents. Acta physiol. scand. 57, Suppl. 198, 1 (1962).

47. JOHNSON, P.C. (Ed.): Autoregulation of blood flow. Circulat. Res. 15, suppl. 1 (1964).

48. KEZDI, P. (Ed.): Baroreceptors and hypertension. Proc. Int. Symp., Dayton, Ohio 1965, p. 460. New York: Pergamon Press 1967.

49. KOCH, E.: Die reflektorische Selbststeuerung des Kreislaufes. Berlin: Springer 1931.

50. KOEPCHEN, H.-P.: Kreislaufregulation. In: GAUER/KRAMER/JUNG: Physiologie des Menschen, Bd. 3: Herz und Kreislauf. München-Berlin-Wien: Urban & Schwarzenberg 1972.

51. KORNER, P.I., UTHER, J.B., WHITE, S.W.: Central nervous integration of the circulatory and respiratory responses to arterial hypoxia in the rabbit. Circulat. Res. 24, 757 (1969).

52. LANDIS, E.M., PAPPENHEIMER, J.R.: Exchange of substances through the capillary walls. In: Handbook of Physiology, Sect. 2: Circulation (W.F. HAMILTON, PHILIP DOW, Eds.), Vol. II, p. 961. Washington: American Physiological Society 1963.

53. LINDGREN, P.: The Mesencephalon and the Vasomotor System. Acta physiol. scand. 35, Suppl. 121 (1955).

54. McDONALD, D.A.: Blood flow in arteries. London: Arnold 1960.

55. McDONALD, D.A.: Hemodynamics. Ann. Rev. Physiol. 30, 535 (1968).

56. MASTER, A.M., GARFIELD, C.I., WALTERS, M.B.: Normal blood pressure and hypertension. Philadelphia: Lea & Febiger 1952.

57. MELLANDER, S.: Comparative studies on the adrenergic neurohormonal control of resistance and capacitance blood vessels in the cat. Acta physiol. scand. 50, Suppl. 176, 1 (1960)

58. MELLANDER, S., JOHANSSON, B.: Control of resistance, exchange, and capacitance functions in the peripheral circulation. Pharmacol. Rev. 20, 117 (1968).

59. MILNOR, W.R., in: MOUNTCASTLE, V.B.: Medical Physiology, 13. Ed. Saint Louis: Mosby 1974.

60. ÖBERG, B.: Effects of cardiovascular reflexes on net capillary fluid transfer. Acta physiol. scand. 62, Suppl. 229 (1964).

61. PAGE, I.H., McCUBBIN, J.W.: The physiology of arterial hypertension. In: Handbook of Physiology, Sect. 2: Circulation, Vol. III, p. 2163. Washington: American Physiological Society 1963.

62. PAGE, I.H., McCUBBIN, J.W.: Renal hypertension. Chicago: Year Book Med. Publ. 1968.

63. PAINTAL, A.S.: Vagal afferent fibres. Ergebn. Physiol. 52, 75 (1963).

64. PATEL, D.J., GREENFIELD, J.C., Jr., FRY, D.L.: In vivo pressure-length-radius relationship of certain blood vessels in man and dog. In: ATTINGER, E.O. (Ed.): Pulsatile blood flow. New York: McGraw-Hill 1964.

65. PICKERING, G.: High blood pressure. London: Churchill 1968.

66. POLLACK, A.A., WOOD, E.H.: Venous pressure in the saphenous vein at the ankle in man during exercise and changes in posture. J. appl. Physiol. 1, 649 (1949).

67. POMERANZ, B.H., BIRTCH, A.G., BARGER, A.C.: Neural control of intrarenal blood flow. Amer. J. Physiol. 215, 1067 (1968).

68. REIN, H.: Vasomotorische Regulationen. Ergebn. Physiol. 32, 28 (1931).

69. RUCH, T.C., PATTON, H.D.: Physiology and Biophysics. Philadelphia and London: Saunders 1965.

70. RUSHMER, R.F.: Cardiovascular Dynamics. Philadelphia and London: Saunders 1961.

71. SCOTT, J.B., RUDKO, M., RADAWSKI, D., HADDY, F.J.: Role of osmolarity, K^+, H^+, Mg^{++}, and O_2 in local blood flow regulation. Amer. J. Physiol. 218, 338 (1970).

72. SHEPHERD, J.T.: Physiology of the circulation in human limbs in health and disease. Philadelphia and London: Saunders 1963.

73. STARLING, E.H., EVANS, L.: Principles of Human Physiology, 14th Ed. (HUGH DAVSON, M. GRACE EGGLETON, Eds.). London: Churchill 1968.

74. TORRANCE, R.W. (Ed.): Arterial chemoreceptors. Oxford: Blackwell 1968.

75. UVNÄS, B.: Central cardiovascular control. In: Handbook of Physiology I, Neurophysiology II, p. 1131. Washington: American Physiological Society 1960.

76. UVNÄS, B.: Sympathetic vasodilator system and blood flow. Physiol. Rev. 40, Suppl. 4, 68 (1960).

77. WADE, O.L., BISHOP, J.M.: Cardiac output and regional blood flow. Oxford: Blackwell 1962.

78. WHITTERIDGE, D.: Cardiovascular reflexes initiated from afferent sites other than the cardiovascular system itself. Physiol. Rev. 40, Suppl. 4, 198 (1960).

79. WIGGERS, C.J.: Physiology in Health and Disease. Philadelphia: Lea & Febiger 1949.

80. WITZLEB, E.: Venous Tone and Regulation of the Circulation, in: Les concepts de Claude Bernard sur le milieu intérieur. Paris: Masson 1967.

81. WITZLEB, E.: Venentonusreaktionen in kapazitiven Hautgefäßen bei Orthostase. Pflüg. Arch. ges. Physiol. 302, 315 (1968).

82. WITZLEB, E., DRAPPATZ, B.: Unterschiedliche Reaktionen von Widerstands- und Kapazitätsgefäßen der Haut an den Armen bei Beinmuskelarbeit bis zur Erschöpfung. Int. Z. angew. Physiol. 28, 321 (1970).

83. WOMERSLEY, J.R.: An elastic tube theory of pulse transmission and oscillatory flow in mammalian arteries. Wright Air Development Center Technical Report TR 56, 614 (1957).

84. WOOD, P.: Diseases of the heart and circulation, 3. Ed. London: Eyre and Spleswode 1968.

85. YOSHIMURA, H.: Acclimatization to heat and cold. In: YOSHIMURA, H., OGATA, K., ITOH, S. (Eds.): Essential problems in climatic physiology. Kyoto: Nakoda Publ. 1960.

86. ZWEIFACH, B.W.: Basic mechanisms in peripheral vascular homeostasis. In: Third Conference on Factors Regulating Blood Pressure. Josial Macy Foundation 1950.

87. ZWEIFACH, B.W.: Functional behaviour of the microcirculation. Springfield/Ill.: Ch. C. Thomas 1961.

XX. Lungenatmung (G. Thews)

Die Teilprozesse des Atemgastransportes. Die tierische Zelle gewinnt ihre Energie in der Regel durch den oxidativen Abbau der Nährstoffe. Sie ist also auf eine ständige Sauerstoffzufuhr angewiesen. Ebenso wichtig für ihre Funktionsfähigkeit ist der laufende Abtransport der Stoffwechselendprodukte, zu denen in erster Linie das Kohlendioxid gehört. Dieser Gaswechsel zwischen den Zellen und der Umgebung wird ganz allgemein als **Atmung** bezeichnet.

Einen zentralen Vorgang beim Gasaustausch im tierischen Organismus stellt die **Diffusion** dar. Hierbei handelt es sich um einen Transportprozeß, bei dem die Moleküle von einem Ort mit höherer Teilchenkonzentration zu einem Ort mit niederer Konzentration bewegt werden. Die Transportarbeit entstammt dabei der *Bewegungsenergie der Moleküle.* Der Vorteil dieses passiven Austausches besteht darin, daß für den Transport keine Energie aus dem Zellstoffwechsel benötigt wird. Allerdings ist damit auch der Nachteil verbunden, daß unter den gegebenen Verhältnissen nur verhältnismäßig kurze Strecken (von weniger als 1 mm Länge) durch Diffusion überwunden werden können.

Die Überbrückung der größeren Distanzen im menschlichen Organismus erfolgt durch **konvektive Transportprozesse.** Dabei handelt es sich um Massentransporte unter Einwirkung organspezifischer Kräfte. So werden innerhalb der Lunge die Gasmoleküle im Zuge der *Ventilation* (Lungenbelüftung) konvektiv durch die zuleitenden Atemwege transportiert. Einen weiteren konvektiven Prozeß stellt der Atemgastransport durch den *Blutkreislauf* dar.

In Abb. 1 sind die vier hintereinandergeschalteten Teilprozesse des Atemgastransportes am Beispiel des Sauerstoffes schematisch dargestellt. Am Transport des Sauerstoffes von der Außenluft zu den Orten seiner chemischen Umsetzung im Zellstoffwechsel sind nacheinander beteiligt:

1. *der konvektive Transport zu den Lungenalveolen durch die Ventilation,*
2. *die Diffusion von den Alveolen in das Lungencapillarblut,*
3. *der konvektive Transport zu den Gewebecapillaren durch den Blutkreislauf,*

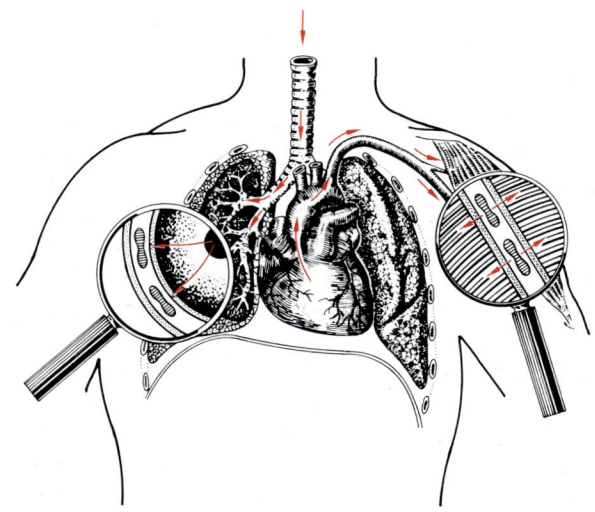

Abb. 1. Übersicht über den Transportweg des Sauerstoffes beim Menschen. Die Orte des Diffusionstransportes in den Lungenalveolen und im Muskelgewebe sind stark vergrößert hervorgehoben. Rote Pfeile = Transportrichtung. Nach [33]

4. *die Diffusion von den Gewebecapillaren in die umgebenden Zellen.*

Der Abtransport des Kohlendioxids, das als gasförmiges Endprodukt des oxidativen Stoffwechsels in den Zellen gebildet wird, setzt sich in analoger Weise aus vier Teilprozessen zusammen. In diesem Fall sind sie jedoch in umgekehrter Reihenfolge hintereinandergeschaltet.

Die Teilprozesse 1 und 2 werden unter der Bezeichnung **Lungenatmung** *(äußere Atmung)* zusammengefaßt. Teilprozeß 3 charakterisiert man als den **Atemgastransport des Blutes** und Teilprozeß 4 als **Gewebsatmung** *(innere Atmung).*

1. Die Atmungsbewegungen

1.1. Atmungsexkursionen des Thorax

Die für den Gasaustausch notwendige Belüftung der Alveolen wird durch einen rhythmischen Wechsel von **Inspiration** (Einatmung) und **Exspiration**

(Ausatmung) bewirkt. Mit der Inspiration gelangt sauerstoffreiche Frischluft in den Alveolarraum, während in der Exspiration sauerstoffarme, mit Kohlendioxid angereicherte Luft an die Umgebung abgegeben wird. Die Luftbewegungen bei der Inspiration und Exspiration kommen durch den rhythmischen Wechsel einer *Brustraumerweiterung* und *-verengung* zustande.

Für die Erweiterung des Brustraumes sind zwei Faktoren maßgebend: 1. die **Hebung der Rippenbögen** und 2. die **Abflachung des Zwerchfells** (Abb. 2).

Rippenbewegungen. Die Rippen sind mit dem *Wirbelkörper* und dem *Processus transversalis* gelenkig verbunden. Um die Verbindungsgerade zwischen den beiden Gelenken, die man als **Rippenhalsachse** bezeichnet, können die Rippen eine Drehbewegung ausführen. Bedingt durch die Lage der Drehachse, werden unter den Einwirkungen der Inspirationsmuskeln die Rippenbögen angehoben, wodurch sich Tiefen- und Querdurchmesser des Thorax erweitern.

Die Rippenhalsachse weist im oberen und unteren Bereich des Thoraxskelets eine unterschiedliche Orientierung auf [20]. Bei den oberen Rippen ist sie mehr *transversal*, bei den unteren mehr *sagittal* ausgerichtet (Abb. 3). Dies hat zur Folge, daß bei der Inspiration die Thoraxerweiterung im oberen Bereich überwiegend nach vorn (*„Vorstoß"*) und im unteren Bereich mehr in seitlicher Richtung (*„Seitenstoß"*) erfolgt. Außerdem hat eine Hebung der unteren Rippen einen größeren Effekt im Hinblick auf die Erweiterung des Brustraumes. Daher werden die unteren Lungenpartien wesentlich besser belüftet als die Lungenspitzen.

Zur **Prüfung der Erweiterungsfähigkeit** des Thorax bedient man sich eines einfachen Untersuchungsverfahrens: Es besteht in der *Messung des Brustumfanges in maximaler In- und Exspirationsstellung des Thorax*. Das Bandmaß soll dabei dicht unterhalb der Mamillen angelegt werden, während der Proband die Arme seitlich gestreckt hält. Die Differenz der beiden inspiratorisch und exspiratorisch gemessenen Umfangswerte sollte bei einem jüngeren arbeitsfähigen Mann mindestens 7–10 cm, bei der Frau etwa 5–8 cm betragen.

Zwerchfellbewegung. Das Zwerchfell schließt den Brustraum nach unten hin ab. Es besteht aus einer Zentralsehne und den nach allen Seiten ausstrahlenden Muskelfasern, die an der unteren Thoraxapertur befestigt sind. Normalerweise wölbt sich das Zwerchfell kuppelförmig in den Thoraxraum hinein. In der Exspirationsstellung liegt es in einer Ausdehnung von etwa drei Rippen der inneren Thoraxwand an (Abb. 2).

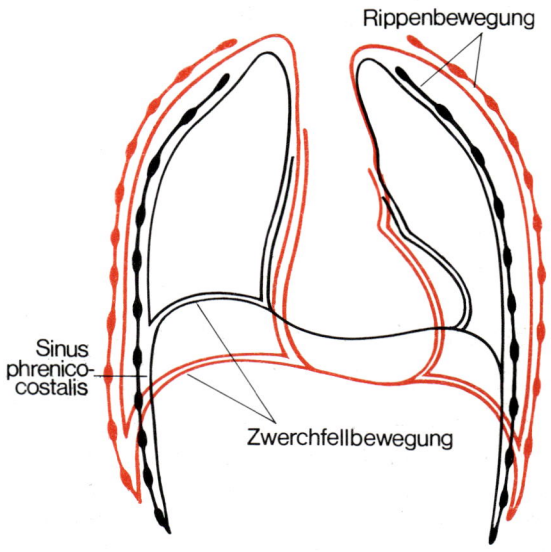

Abb. 2. Formänderungen des Thoraxraumes beim Übergang von der Exspirationsstellung (schwarz) zur Inspirationsstellung (rot)

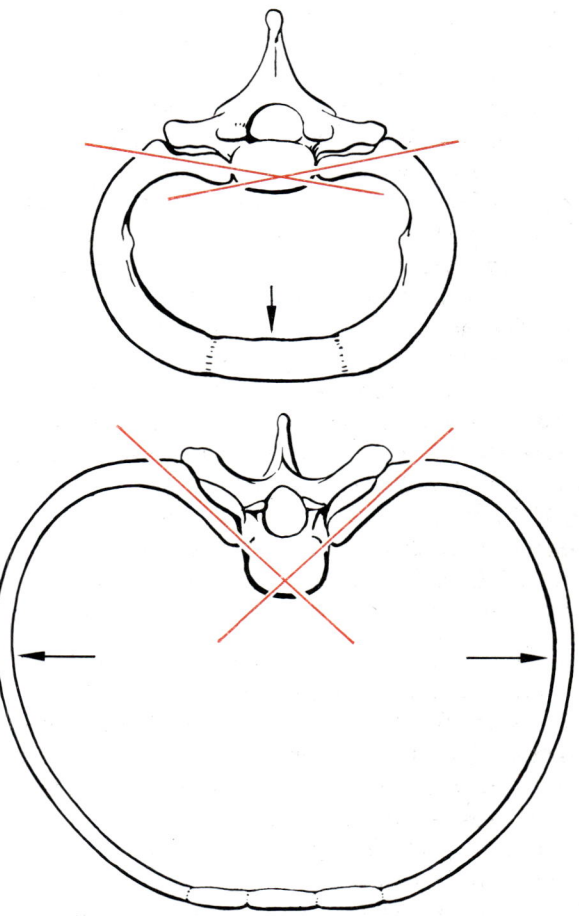

Abb. 3. Lage der Rippenhalsachse (rot) bei der 1. und 6. Rippe. Die Pfeile geben die Hauptrichtungen für die inspiratorischen Erweiterungen der Thoraxquerschnitte an. Nach [20]

Bei der Inspiration kontrahieren sich die Muskelzüge des Zwerchfells. Es kommt zu einer *Abflachung*, wobei sich die Muskelplatte von der inneren Thoraxwand entfernt und die *Sinus phrenicocostales* eröffnet werden. Die hier lokalisierten Lungenpartien weisen eine besonders gute Belüftung auf.

Die Verschiebung der unteren Lungenbegrenzung läßt sich durch Beklopfen **(Perkussion)** der äußeren Brustwand nachweisen. An der Lungengrenze wandelt sich der dumpfe Klopfschall über den schalldämpfenden Eingeweiden in den (sonoren) Klopfschall über dem lufthaltigen Lungengewebe. Auf diese Weise prüft man die *Lage der Lungengrenzen bei maximaler Inspiration und maximaler Exspiration.* Für den jüngeren arbeitsfähigen Mann soll sich die dabei festgestellte Verschiebung mindestens über drei Intercostalräume erstrecken.

Atmungstypen. Je nachdem, ob die Erweiterung des Brustraumes bei normaler Atmung überwiegend durch Hebung der Rippen oder mehr durch Senkung des Zwerchfells zustande kommt, unterscheidet man einen **costalen Atmungstyp** *(Brustatmung)* von einem **abdominalen Atmungstyp** *(Bauchatmung)*. Bei der Brustatmung wird die Atmungsarbeit hauptsächlich von der Intercostalmuskulatur geleistet, während das Zwerchfell mehr passiv den Druckänderungen im Thorax folgt. Bei der Bauchatmung bewirkt die stärkere Kontraktion der Zwerchfellmuskulatur eine größere Verlagerung der Baucheingeweide, so daß die Bauchwand inspiratorisch vorgewölbt wird.

Früher glaubte man, daß Frauen für den costalen Atmungstyp und Männer für den abdominalen Atmungstyp prädestiniert seien. Es hat sich jedoch gezeigt, daß die Ausbildung eines bestimmten Atmungstyps eher vom *Alter* abhängig ist (Abnahme der Thoraxbeweglichkeit mit zunehmendem Alter) und durch *Bekleidungsmoden* (Einschnüren der Taille) sowie durch bestimmte Formen der *Berufstätigkeit* (abdominale Atmung der Schwerarbeiter) geprägt wird. In den letzten Monaten der *Schwangerschaft* ist naturgemäß die abdominale zugunsten der costalen Atmung eingeschränkt. Aus atmungs- und kreislaufmechanischen Gründen kann man die Bauchatmung als effektiver bezeichnen, weil sie eine tiefere Lungenbelüftung ermöglicht und den Rückstrom des venösen Blutes aus dem Bauchraum zum Herzen unterstützt. Sie ist daher auch vorzugsweise bei Schwerarbeitern, Bergsteigern und Sängern anzutreffen.

1.2. Funktion der Atmungsmuskeln

Reguläre Atmungsmuskeln. Bei ruhiger Atmung werden die Formänderungen des Brustraumes durch die Intercostalmuskulatur und das Zwerchfell bewirkt [8, 10]. Als **Inspirationsmuskeln** dienen die *Mm. intercostales externi* sowie die *Pars intercartilaginei der Mm. intercostales interni* (also die vorderen, zwischen den Rippenknorpeln ausgespannten Anteile der Interni). Ihre Faserzüge verlaufen so (Abb. 4), daß der Ansatzpunkt jeweils an

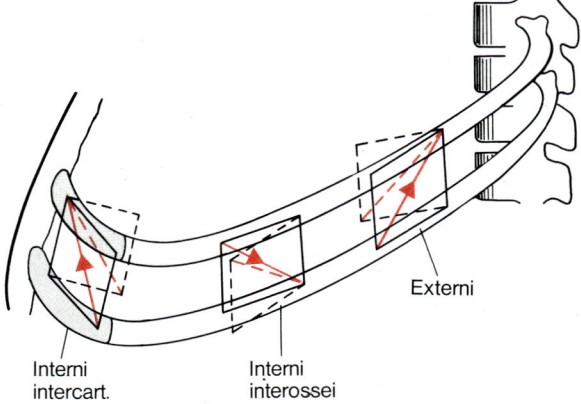

Externi

Interni intercart.

Interni interossei

Abb. 4. Faserverlauf der Intercostalmuskulatur in schematischer Darstellung (rot) zur Erläuterung der Zugwirkungen bei Inspiration und Exspiration. Externi = Mm. intercostales externi; Interni intercart. = Mm. intercostales interni intercartilaginei; Interni interossei = Mm. intercostales interni interossei

der unteren Rippe weiter vom Gelenkdrehpunkt entfernt ist als der an der oberen Rippe. Bei der Kontraktion wird also auf die jeweils untere Rippe ein *größeres Drehmoment* ausgeübt, so daß eine Anhebung gegen die nächsthöhere Rippe resultiert. Auf diese Weise tragen alle Inspirationsmuskeln zusammen zur Thoraxhebung bei.

Der wirkungsvollste ständig tätige Inspirationsmuskel ist jedoch das *Diaphragma*, das über den N. phrenicus (aus C_3-C_5) innerviert wird. Während der Exspiration nimmt die Kontraktionsspannung des Zwerchfells ab, aber auch in dieser Phase bleibt noch ein gewisser Muskeltonus erhalten. Erst eine Durchtrennung des N. phrenicus hebt diesen Tonus auf, so daß auf der betreffenden Seite unter dem Druck der Baucheingeweide und dem Zug der Lunge das Zwerchfell weit in den Brustraum vorgewölbt wird. Ein solcher einseitiger Zwerchfellhochstand führt zu einer weitgehenden Stillegung der unteren Lungenpartien.

Als **Exspirationsmuskeln** wirken normalerweise nur die *Mm. intercostales interni interossei*. Wenn sie sich kontrahieren, wird auf Grund ihres Faserverlaufes die jeweils obere Rippe der darunterliegenden genähert und damit der Thorax gesenkt (Abb. 4). Die Tatsache, daß die Exspirationsmuskulatur im Vergleich zur Inspirationsmuskulatur in geringerem Maße ausgebildet ist, erklärt sich daraus, daß zusätzliche Kräfte die Ausatmung unterstützen (S. 455, 463).

Auxiliäre Atmungsmuskeln. Bei erhöhten Anforderungen an die Atmungsarbeit, insbesondere bei behinderter Atmung mit dem subjektiven Gefühl der Atemnot *(Dyspnoe)*, können Hilfsmuskeln die reguläre Atmungsmuskulatur unterstützen.

Als **Hilfseinatmer** wirken alle Muskeln, die am Schultergürtel, am Kopf oder an der Wirbelsäule ansetzen und in der Lage sind,

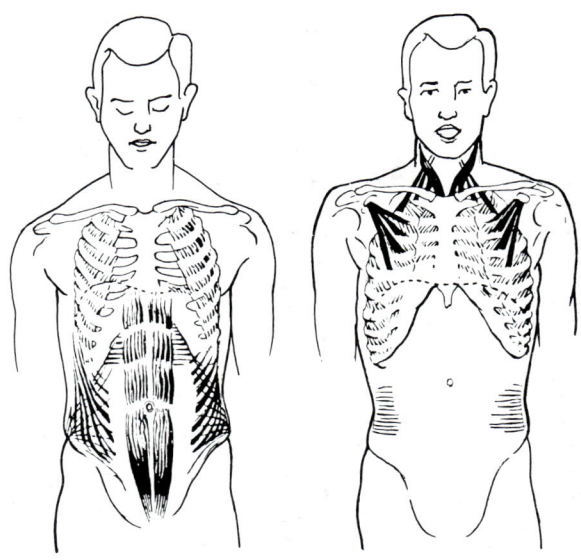

Abb. 5. Auxiliäre Atmungsmuskulatur. Links: Hilfsmuskeln für die Exspiration; rechts: wichtige Hilfsmuskeln für die Inspiration. Nach [8]

die Rippen zu heben [8]. Hierzu zählen in erster Linie der *Pectoralis major* und *minor*, die *Scaleni*, der *Sternocleidomastoideus* sowie Teile der *Serrati* (Abb. 5). Voraussetzung für ihren Einsatz als Atmungsmuskeln ist die Fixierung ihres Ansatzpunktes durch andere Muskeln oder durch zusätzliche Abstützung. Typisch hierfür ist das Verhalten eines Menschen in Atemnot (etwa bei einem asthmatischen Anfall), der sich auf einen festen Gegenstand aufstützt, um bei festgestelltem Schultergürtel die betreffenden Hilfseinatmer einsetzen zu können. Zusätzlich wird oft der Kopf nach hinten gebeugt, so daß auch die Scaleni und der Sternocleidomastoideus besser als Rippenheber wirksam werden können.

Als **Hilfsausatmer** dienen vor allem die *Bauchmuskeln*, die die Rippen herabziehen und als Bauchpresse die Baucheingeweide mit dem Zwerchfell nach oben drängen.

1.3. Übertragung der Thoraxbewegungen auf die Lunge

Intrapleuraler Druck. Die Lungenoberfläche, die der inneren Thoraxwand überall dicht anliegt, folgt den Atmungsexkursionen des Thorax, obwohl zwischen beiden keine feste Verbindung besteht. Dies ist dadurch möglich, daß *der capilläre Spalt zwischen Pleura visceralis und Pleura parietalis mit Flüssigkeit gefüllt ist*, die nicht ausgedehnt werden kann. Auf diese Weise bleiben die beiden Pleurablätter dicht zusammen, sind aber gleichwohl in seitlicher Richtung gegeneinander verschieblich. Eine solche Gleitfähigkeit ist notwendig, damit die komplizierten Formänderungen des Brustraumes, etwa beim Eröffnen der Sinus phrenicocostales, ohne Zerrungen auf die Lunge übertragen werden können. Kommt es nach einer *Pleuritis* (Brustfellentzündung) zu Verwachsungen der Pleurablätter, so ist die Atmung in diesem Bereich erheblich behindert.

Die Lungenoberfläche steht infolge der Dehnung der elastischen Parenchymelemente und der Oberflächenspannung der Alveolen (S. 463) unter einer gewissen **Zugspannung** (Abb. 6). Die gedehnte Lunge hat also das Bestreben, ihr Volumen zu verkleinern. Dies läßt sich nachweisen, wenn man eine flüssigkeitsgefüllte Kanüle so in die Brustwand einsticht, daß die Spitze im Interpleuralspalt liegt, und diese Kanüle mit einem Manometer verbindet. Das Manometer zeigt dann einen Druck an, der am Ende der Exspiration 3–5 cm H_2O und am Ende der Inspiration 6–8 cm H_2O unter dem Atmosphärendruck liegt (1 cm H_2O = 98 Pa). Die *Druckdifferenz zwischen Interpleuralspalt und Außenraum* wird in der Regel verkürzt als *intrapleuraler Druck* be-

Abb. 6. Erläuterung zum intrapleuralen Druck. Der elastische Zug der Lunge (Zugrichtung: rote Pfeile) bewirkt im Interpleuralspalt einen „negativen" Druck gegenüber dem Außenraum, der durch ein angeschlossenes Manometer nachgewiesen werden kann

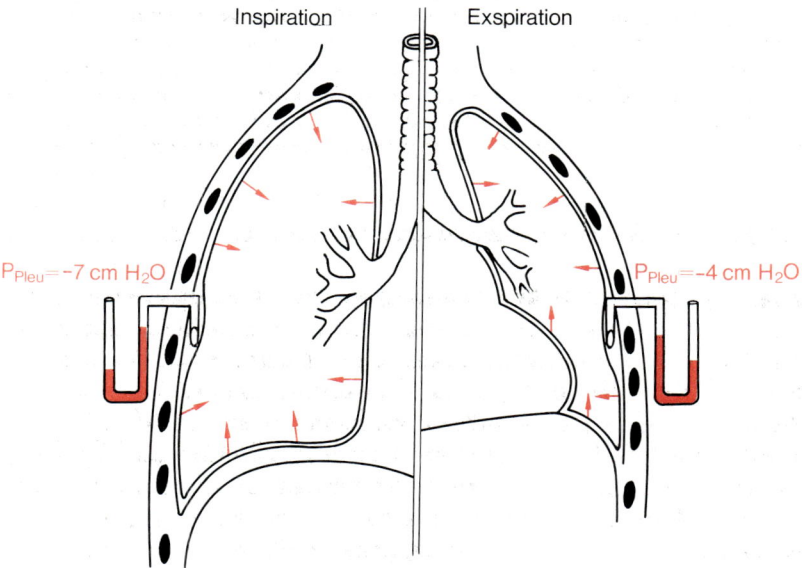

zeichnet. Nur die Tatsache, daß eigentlich eine Druckdifferenz gemeint ist, macht es verständlich, daß man den intrapleuralen Druck als „negativ" kennzeichnet.

Messung des intrapleuralen Druckes. Da bei der direkten Messung des intrapleuralen Druckes (Abb. 6) die Gefahr besteht, die Lunge zu verletzen, wendet man beim Menschen in der Regel ein weniger riskantes, indirektes Meßverfahren an. Man bestimmt an Stelle des Druckes im Interpleuralspalt den **Oesophagusdruck.** Beide Werte stimmen annähernd überein, weil 1. der Oesophagus außerhalb der Lunge, aber innerhalb des Thorax liegt und 2. durch die schlaffe Oesophaguswand eine unbehinderte Druckübertragung möglich ist. Praktisch geht man so vor, daß man dem Probanden einen dünnen Katheter, an dessen Ende ein Ballon von 10 cm Länge befestigt ist, in die Speiseröhre einführt. Wenn der Ballon im thorakalen Bereich des Oesophagus liegt, zeigt ein angeschlossenes Manometer annähernd den intrapleuralen Druck an.

Pneumothorax. Der enge Kontakt zwischen Lungenoberfläche und innerer Thoraxwand ist nur solange gewährleistet, als der Interpleuralspalt geschlossen bleibt. Wenn jedoch infolge einer Verletzung der Brustwand oder der Lungenoberfläche Luft in den Spalt eindringen kann, *kollabiert* die Lunge, d.h. sie zieht sich, ihrer inneren Zugspannung folgend, auf den Hilus hin zusammen. *Eine solche Luftfüllung des Raumes zwischen den Pleuralblättern bezeichnet man als Pneumothorax.* Die kollabierte Lunge, die den Kontakt zur Thoraxwand verloren hat, kann den Atmungsbewegungen nur noch unvollständig oder gar nicht mehr folgen, so daß ein effektiver Gasaustausch unmöglich wird. Ist der Pneumothorax auf eine Seite beschränkt, dann bleibt eine ausreichende Arterialisierung des Blutes durch die Funktion des anderen Lungenflügels gesichert, sofern keine größeren körperlichen Belastungen gefordert werden. Die in den Pleuraspalt eingedrungene Luft wird in einer gewissen Zeit wieder vollständig resorbiert, wobei die Lunge ihr Volumen vergrößert, bis sie den Brustraum voll ausfüllt. Ein doppelseitiger Pneumothorax ist dagegen ohne Hilfsmaßnahmen tödlich.

Ein einseitiger Pneumothorax wird manchmal aus *therapeutischen* Gründen angelegt, um durch Ruhigstellung eines Lungenflügels bessere Bedingungen für die Ausheilung einer Tuberkulose zu schaffen. Da der Heilungsprozeß meist eine längere Zeit benötigt, muß der künstliche Pneumothorax von Zeit zu Zeit „nachgefüllt" werden, um die resorbierte Luft wieder zu ersetzen.

Das mit der Thoraxöffnung verbundene Kollabieren der Lunge machte es lange Zeit unmöglich, **Operationen an der Lunge** oder am Herzen durchzuführen. Bei den heute angewandten Beatmungsverfahren kann das Kollabieren leicht verhindert werden. Die Atemwege des Patienten werden dabei über einen luftdicht abschließenden *Trachealtubus* mit einer *Beatmungsmaschine* verbunden. Die von der Maschine erzeugten rhythmischen Druckänderungen können so gesteuert werden, daß sich die Lunge in der Inspirationsphase voll entfaltet [31].

Lunge des Neugeborenen. Die Lunge des Feten und ebenso die des Neugeborenen vor dem ersten Atemzug sind vollständig luftfrei. Diese Tatsache ermöglicht in der gerichtsmedizinischen Praxis die Feststellung, ob der Tod eines Neugeborenen vor oder nach dem ersten Atemzug eingetreten ist. Hierzu führt man die sogenannte **Schwimmprobe** durch. Die herausgenommene Lunge sinkt im Wasser unter, sofern noch keine Atmung stattgefunden hat. Ist jedoch Atemluft in die Alveolen gelangt, so wird die Lunge dadurch schwimmfähig.

Die **intrapleuralen Druckverhältnisse** unterscheiden sich beim Neugeborenen von denen des Erwachsenen. Einige Minuten

nach dem ersten Atemzug wird am Ende der Inspiration ein intrapleuraler Druck von -10 cm H_2O gemessen [7]. Am Ende der Exspiration ist jedoch die Druckdifferenz zwischen dem Interpleuralspalt und dem Außenraum gleich Null, so daß bei Eröffnung des Thorax die Lunge nicht kollabiert. Erst allmählich bildet sich ein stärkerer Dehnungszustand der Lunge in der endexspiratorischen Phase aus.

2. Die Ventilation

2.1. Lungen- und Atemvolumina

Die Lungenbelüftung **(Ventilation)** ist von der Tiefe des einzelnen Atemzuges **(Atemzugvolumen)** und von der Zahl der Atemzüge in der Zeiteinheit **(Atmungsfrequenz)** abhängig. Beide Größen können nach Maßgabe der jeweiligen Erfordernisse in weiten Grenzen variieren.

Volumeneinteilung. Das Volumen des einzelnen Atemzuges ist bei der Ruheatmung verhältnismäßig klein, verglichen mit dem in der gesamten Lunge enthaltenen Gasvolumen. Über das normale Atemzugvolumen hinaus können also sowohl bei der Inspiration als auch bei der Exspiration erhebliche Zusatzvolumina aufgenommen bzw. abgegeben werden. Aber auch bei tiefster Ausatmung ist es nicht möglich, alle Luft aus der Lunge zu entfernen; ein bestimmtes Restvolumen bleibt immer in den Alveolen und den zuleitenden Luftwegen zurück. Für die quantitative Erfassung dieser Verhältnisse hat man die folgende Volumeneinteilung vorgenommen [11, 12], wobei zusammengesetzte Volumina als *Kapazitäten* gekennzeichnet werden (Abb. 7):

1. *Atemzugvolumen:* normales In- bzw. Exspirationsvolumen;
2. *Inspiratorisches Reservevolumen:* Volumen, das nach normaler Inspiration noch zusätzlich eingeatmet werden kann;
3. *Exspiratorisches Reservevolumen:* Volumen, das nach normaler Exspiration noch zusätzlich ausgeatmet werden kann;
4. *Residualvolumen:* Volumen, das nach maximaler Exspiration noch in der Lunge zurückbleibt.
5. *Vitalkapazität:* Volumen, das nach maximaler Inspiration maximal ausgeatmet werden kann = Summe aus 1, 2 und 3;
6. *Inspirationskapazität:* Volumen, das nach normaler Exspiration maximal eingeatmet werden kann = Summe aus 1 und 2;
7. *Funktionelle Residualkapazität:* Volumen, das nach normaler Exspiration noch in der Lunge enthalten ist = Summe aus 3 und 4;

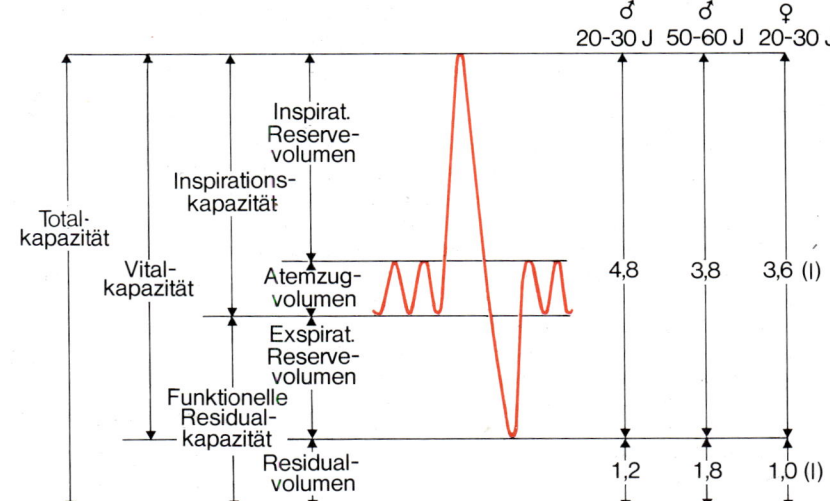

Abb. 7. Lungenvolumina und -kapazitäten. Die angegebenen Werte für die Vitalkapazität und das Residualvolumen (rechts) sollen die Abhängigkeit der Größen vom Alter und Geschlecht verdeutlichen

8. *Totalkapazität:* Volumen, das nach maximaler Inspiration in der Lunge enthalten ist = Summe aus 4 und 5.

Von diesen Größen kommt neben dem *Atemzugvolumen* nur der *Vitalkapazität* und der *funktionellen Residualkapazität* eine größere Bedeutung zu.

Vitalkapazität. *Die Vitalkapazität (VK) stellt ein Maß für die Ausdehnungsfähigkeit von Lunge und Thorax dar.* Es handelt sich keineswegs, wie man etwa der Bezeichnung entnehmen könnte, um eine „vitale" Größe, denn selbst bei extremen Anforderungen an die Atmung wird die mögliche Atemtiefe niemals voll ausgenutzt.

Die Angabe eines „Normalwertes" für die Vitalkapazität ist kaum möglich, da sie von verschiedenen Parametern, von *Alter, Geschlecht, Körpergröße, Körperposition* und *Trainingszustand* abhängig ist.

Wie Abb. 8 zeigt, nimmt die Vitalkapazität mit dem Alter, insbesondere nach dem 40. Lebensjahr, ab [15]. Dies ist auf den Elastizitätsverlust der Lunge und die zunehmende Einschränkung der Thoraxbeweglichkeit zurückzuführen. Die Abhängigkeit vom Geschlecht kommt darin zum Ausdruck, daß die VK-Werte für Frauen um etwa 25 % kleiner sind als für Männer. Der Einfluß der Körpergröße ist evident, wenn man die unterschiedlichen Thoraxgrößen berücksichtigt. Als empirische Regel gilt für den jüngeren Mann [5]:

$$VK (l) = 2,5 \times \text{Körpergröße (m).} \tag{1}$$

Für einen 180 cm großen Mann ergibt sich somit eine Vitalkapazität von 4,5 Liter. Die Körperposition hat insofern eine Bedeutung, als die Vitalkapazität bei stehenden Personen etwas größer ist als bei liegenden, weil in der aufrechten Position die Blutfülle der Lunge geringer ist. Die VK-Angaben beziehen sich meist auf den liegenden Probanden. Schließlich hängt die Vitalkapazität vom Trainingszustand ab. Ausdauertrainierte Sportler haben eine erheblich größere Vitalkapazität als untrainierte Personen. Besonders große VK-Werte (bis zu 8 Liter) findet man bei Schwimmern und Ruderern, bei denen die auxiliären Atmungsmuskeln (Mm. pectoralis major und minor) besonders stark ausgebildet sind. Die Bedeutung der Vitalkapazität liegt vor allem auf diagnostischem Gebiet (S. 468).

Funktionelle Residualkapazität. *Die physiologische Bedeutung der funktionellen Residualkapazität (FRC) besteht in einem Ausgleich der inspiratorischen und der exspiratorischen O_2- und CO_2-Konzentrationen im Alveolarraum.* Würde die Frischluft ohne die Mischung mit der in der Lunge enthaltenen Luft direkt in die Alveolen gelangen, so müßten dort die Atemgaskonzentrationen je nach der Atemphase abwechselnd zu- oder abnehmen. Mit der funktionellen Residualkapazität, deren Volumen mehrfach größer ist als das der eingeatmeten Frischluft, treten jedoch infolge des Mischeffektes nur noch geringe zeitliche Schwankungen in der Zusammensetzung der Alveolarluft auf.

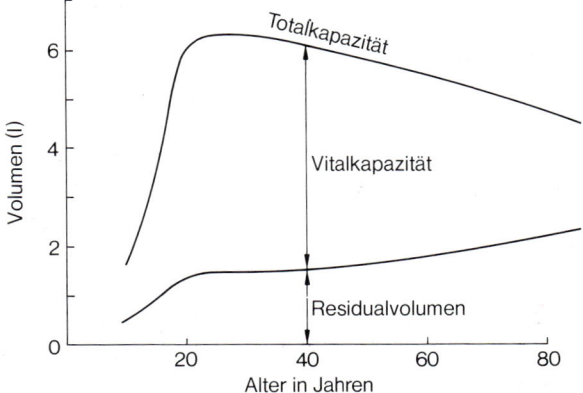

Abb. 8. Altersabhängigkeit der Totalkapazität, der Vitalkapazität und des Residualvolumens bei Probanden durchschnittlicher Größe. Nach [15]

Die funktionelle Residualkapazität (FRC), die Summe aus Residualvolumen und exspiratorischem Reservevolumen, ist in ihrer Größe von verschiedenen Parametern abhängig. Im Mittel findet man bei jüngeren Männern einen FRC-Wert von 2,4 Liter, bei älteren Männern von 3,4 Liter [12]. Bei Frauen ist die funktionelle Residualkapazität etwa um 25% kleiner anzusetzen als bei Männern.

2.2. Messung der Lungen- und Atemvolumina

Die ein- oder ausgeatmeten Volumina können mit Hilfe eines **Spirometers** oder eines **Pneumotachographen** direkt registriert werden. Dagegen lassen sich das Residualvolumen und die funktionelle Residualkapazität nur durch indirekte Messung erfassen.

Spirometrie. Spirometer sind Geräte, die variierende Gasvolumina bei konstantem Druck aufnehmen können (Abb. 10). Sie sind meist als *Glockengasometer* ausgebildet. Eine zylindrische Glocke taucht in einen Wasserbehälter ein, der den Innenraum des Spirometers gegen den Außenraum luftdicht abschließt. Das Gewicht der Glocke ist durch ein Gegengewicht austariert. Ein weitlumiger Schlauch verbindet das Mundstück des Probanden mit dem Spirometer. Die Volumenänderungen bei der Ein- oder Ausatmung, die zu einer entsprechenden Glockenbewegung führen, können an einer geeichten Skala abgelesen oder mit Hilfe eines Schreibhebels auf der Trommel eines Kymographions aufgezeichnet werden **(Spirogramm)**.

Pneumotachographie. Wenn die Atmung über eine längere Zeit registriert werden soll, bietet ein sogenanntes *offenes spirometrisches System* erhebliche Vorteile. Anstelle der Atemvolumina werden dabei zunächst die *Volumengeschwindigkeiten (Atemstromstärken, Stromzeitvolumina)* gemessen (Abb. 9). Dies geschieht mit Hilfe eines *Pneumotachographen*, dessen Meßkopf im wesentlichen aus einem weitlumigen Rohr mit einem eingebauten kleinen Strömungswiderstand besteht. Wenn die Atem-

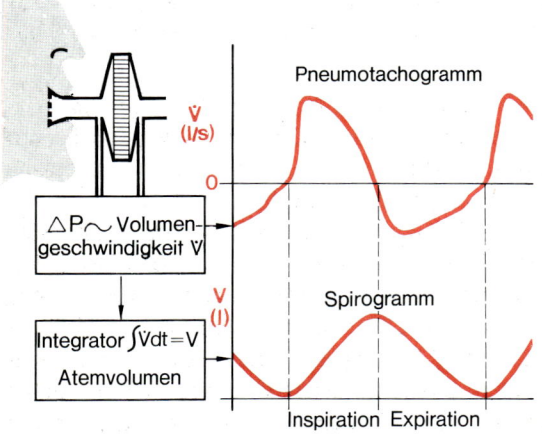

Abb. 9. Meßprinzip des Pneumotachographen. Die Druckdifferenz an einer Widerstandsstrecke des Atemmundstückes ist der Volumengeschwindigkeit V̇ proportional (Pneumotachogramm). Die zeitliche Integration von V̇ liefert die ventilierten Volumina (Spirogramm)

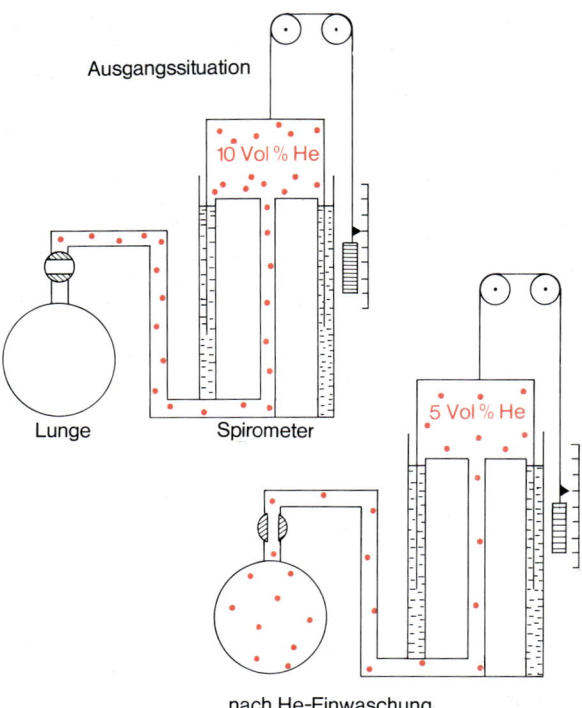

Abb. 10. Prinzip der Bestimmung der funktionellen Residualkapazität mit der He-Einwaschmethode. Ausgangssituation oben: Helium (rote Punkte) befindet sich in einer Konzentration von 10 Vol.-% nur im Spirometersystem. Endsituation nach der He-Einwaschung unten: Helium hat sich gleichmäßig auf den Lungenraum (Residualkapazität) und auf den Spirometerraum verteilt, wodurch die He-Konzentration auf 5 Vol.-% abgesunken ist

luft durch das Rohr strömt, entsteht zwischen dem Anfang und dem Ende eine kleine Druckdifferenz, die mit Hilfe von zwei Druckaufnehmern gemessen wird. *Die Druckdifferenz ist direkt proportional der Volumengeschwindigkeit*, d.h. dem Volumen, das pro Zeiteinheit den Querschnitt passiert. Die zeitliche Registrierung der Volumengeschwindigkeiten nennt man **Pneumotachogramm**. Aus einer solchen Kurve der Volumengeschwindigkeit $\frac{dV}{dt}$ kann man die geförderten Volumina V durch Integration ermitteln, weil zwischen den beiden Größen die Beziehung $V = \int \frac{dV}{dt} dt$ besteht. In den meisten Pneumotachographen wird diese Integration bereits elektronisch durchgeführt, so daß neben dem Pneumotachogramm auch die Kurve der Atemvolumina (Spirogramm) direkt aufgezeichnet werden kann.

Messung der funktionellen Residualkapazität (FRC). Da die FRC dasjenige Volumen darstellt, das jeweils am Ende der Exspiration in der Lunge zurückbleibt, kann diese Größe nur auf indirekte Weise ermittelt werden. Im Prinzip geht man dabei so vor, daß man ein Fremdgas (Helium) in den Lungenraum einmischt *(Einwaschmethode)* oder den in der Lunge enthaltenen Stickstoff durch Sauerstoffatmung austreibt *(Auswaschmethode)*. Das gesuchte Volumen ergibt sich dann aus einer Massenbilanz [12].

Die **Helium-Einwaschmethode** erläutert Abb. 10. Ein geschlossenes Spirometersystem sei mit 3 Liter eines Gasgemisches gefüllt, das 2,7 Liter O_2 und 0,3 Liter He enthält. Die anfängliche

He-Konzentration beträgt also $F_{He} = 0,1$ ml He/ml Gemisch (F abgeleitet von engl. fraction). Am Ende einer normalen Exspiration wird der Proband an das System angeschlossen, so daß sich die He-Moleküle während der Rückatmung gleichmäßig auf den Lungenraum V_{FRC} und den Spirometerraum V_{Sp} verteilen. (He als schlecht diffusibles Gas kann praktisch nicht durch die Alveolarwände in das Blut übertreten.) Nach dem vollständigen Ausgleich, der in wenigen Minuten eingetreten ist, bestimmt man mit einem hierfür geeigneten Meßgerät die He-Endkonzentration, die für unser Beispiel $F_{He} = 0,05$ ml He/ml Gemisch betragen möge. Die Berechnungsgrundlage für die gesuchte funktionelle Residualkapazität ergibt sich aus der Überlegung, daß die He-Mengen am Anfang und nach der Einmischung einander gleich sein müssen (*Massenbilanz*). Die Mengen ergeben sich jeweils als Produkt aus dem Volumen V und der Konzentration F:

$$V_{Sp} F_{He_a} = (V_{SP} + V_{FRC}) F_{He_e}. \tag{2}$$

Löst man die Gleichung nach V_{FRC} auf, so findet man mit den angegebenen Daten:

$$V_{FRC} = \frac{V_{Sp}(F_{He_a} - F_{He_e})}{F_{He_e}} = \frac{3(0,1 - 0,05)}{0,05} = 3 \text{ Liter}. \tag{3}$$

Bei der **Stickstoff-Auswaschmethode** atmet der Proband nach einer normalen Exspiration einige Minuten lang reinen Sauerstoff ein. Die Exspirationsluft wird in einem Spirometer gesammelt. Alle Stickstoffmoleküle, die sich zuvor in der Lunge befanden, gelangen dabei in den Spirometerraum. Aus dem Exspirationsvolumen, der anfänglichen N_2-Konzentration in der Lunge und der N_2-Konzentration im Spirometer am Ende der Untersuchung läßt sich wieder V_{FRC} über eine Massenbilanz ermitteln.

Beide Methoden erfordern bei der praktischen Anwendung die Berücksichtigung von Korrekturfaktoren [12]. Außerdem haben sie den Nachteil, daß bei Patienten mit ungleichmäßig belüfteten Lungenregionen die Ein- bzw. Auswaschung eine sehr lange Zeit benötigt. Aus diesem Grunde wird heute vielfach die funktionelle Residualkapazität mit Hilfe des **Körperplethysmographen** (S. 466) bestimmt.

2.3. Anatomischer und funktioneller Totraum

Anatomischer Totraum. Als anatomische Trräume werden die Volumina der zuleitenden Luftwege bezeichnet. Zu ihnen gehören also die Räume der *Trachea*, der *Bronchien* und der *Bronchiolen* bis zur Grenze ihres Überganges in die Alveolen. Die Bezeichnung „*Totraum*" bezieht sich allein auf die fehlende Möglichkeit für einen Austausch der Atemgase. In anderer Hinsicht erfüllen die Trräume wichtige Hilfsfunktionen für die Atmung. Sie dienen der Ventilationsförderung sowie der Reinigung, Befeuchtung und Erwärmung der Inspirationsluft [30].

Ventilationsförderung. Bei jedem Atemzug kommt es zu einer *inspiratorischen Erweiterung der Stimmritze und der Bronchien*. In der Stimmritze, an der der Atemstrom seine größte Geschwindigkeit erreicht, bedeutet eine inspiratorische Erweiterung eine sehr wirksame Herabsetzung des Strömungswiderstandes. Sind die Erweiterer der Stimmritze (*Mm. cricoary-*

taenoidei posteriores) gelähmt, so tritt als Folge hiervon Atemnot auf. Ebenso kann eine Anschwellung der Schleimhaut in diesem Bereich (*Glottisödem*) zu schwerer Atemnot oder unter Umständen zur Erstickung führen.

Die inspiratorische Erweiterung der Bronchien wird durch die Erschlaffung der glatten Bronchialmuskulatur bewirkt. Dies geschieht unter dem Einfluß des **Sympathicus.** Die Erweiterung der Bronchien führt zu einer Herabsetzung des Strömungswiderstandes und hat damit eine inspirationsfördernde Wirkung. In der Exspirationsphase dagegen verengen sich die Bronchien, nachdem das Gasvolumen aus den nachgeschalteten Räumen den jeweiligen Bronchialabschnitt bereits zum größten Teil passiert hat. Auf diese Weise wird durch die zusätzliche „Schubwirkung" die Exspiration unterstützt. Die Verengung der Bronchien, die durch die Kontraktion der glatten Muskulatur bewirkt wird, erfolgt unter dem Einfluß des **Parasympathicus.** Durch eine Fehlregulation im vegetativen Nervensystem, die eine zu frühe oder zu starke Kontraktion der glatten Bronchialmuskeln zur Folge hat, kann die Ausatmung erheblich behindert werden. Eine solche Erhöhung der exspiratorischen Strömungswiderstände verursacht beispielsweise die Atemnot im Anfallstadium des *Asthma bronchiale.*

Reinigung. Die Reinigung der Inspirationsluft erfolgt teilweise bereits in der Nase, wo kleine Partikel, Staub und Bakterien an den Schleimhäuten abgefangen werden. Deshalb besteht bei chronischer Mundatmung eine erhöhte Anfälligkeit für Erkrankungen der Atmungsorgane. In besonderer Weise sind die zuleitenden Luftwege durch ihr Respirationsepithel zur Reinigung befähigt. Schleim und kleine abgefangene Partikel werden durch die *rhythmische Bewegung der Flimmerhaare* in Richtung auf den Rachen abtransportiert. Größere in die Atemwege eingedrungene Teile lösen durch Wandberührung *Husten* aus und gelangen mit einem forcierten exspiratorischen Luftstrom nach außen.

Befeuchtung. Das ausgeatmete Gasgemisch ist zu *100% mit Wasserdampf gesättigt.* Die Befeuchtung findet bereits bei der Inspiration zum überwiegenden Teil im Nasen-Rachenraum statt. Die restliche Wasserdampfsättigung erfolgt dann in den tieferen Atemwegen.

Erwärmung. Eine weitere Funktion des Nasen-Rachenraumes und der zuleitenden Luftwege besteht in der Erwärmung der eingeatmeten Luft. Die Zeitdauer der Inspiration reicht dabei für einen weitgehenden Angleich an die Körpertemperatur aus. In der Regel weist also das ausgeatmete Gasgemisch eine *Temperatur von 37° C* auf.

Funktioneller Totraum. Unter dem *funktionellen Totraum* versteht man alle diejenigen Anteile des Atmungstraktes, in denen kein Gasaustausch stattfindet. Vom anatomischen unterscheidet sich der funktionelle Totraum dadurch, daß ihm außer den zuleitenden Atemwegen auch noch diejenigen Alveolarräume zugerechnet werden, die zwar belüftet, aber nicht durchblutet sind. Solche Alveolen, in denen trotz Belüftung ein Gasaustausch nicht möglich ist, existieren beim Lungengesunden nur in geringer Zahl. Für den Gesunden stimmen daher die Volumina des anatomischen und des funktionellen Totraumes praktisch überein. Anders liegen die Verhältnisse bei bestimmten *Lungenfunktionsstörungen*, bei denen neben der Ventilation auch die

Durchblutung sehr ungleichmäßig über die Lunge verteilt ist. In diesen Fällen kann der funktionelle Totraum erheblich größer sein als der anatomische Totraum.

Messung des funktionellen Totraumvolumens. Das *exspiratorische Atemzugvolumen* (V_E) setzt sich aus zwei Volumenanteilen zusammen: Der eine Teil des ausgeatmeten Volumens entstammt dem *funktionellen Totraum* (V_D), der andere dem *Alveolarraum* (V_{EA}):

$$V_E = V_D + V_{EA}. \tag{4}$$

Für die Funktionsprüfung ist es wichtig, diese beiden Teilvolumina getrennt zu erfassen. Ähnlich wie bei der Bestimmung der funktionellen Residualkapazität wendet man hierbei ein indirektes Meßverfahren an. Man geht dabei von der Überlegung aus, daß sich bei jeder Exspiration auch die Mengen der ausgeatmeten Gase (O_2 oder CO_2) aus zwei Anteilen zusammensetzen, sofern V_D und V_{EA} in Serie geschaltet sind: Der erste Teil kommt aus dem Totraum, in dem von der vorhergehenden Inspiration her die Gaskonzentrationen der Frischluft (F_I) herrschen. Der zweite Teil wird aus dem Alveolarraum mit den dort herrschenden Gaskonzentrationen (F_A) abgegeben. Berücksichtigt man ferner, daß eine Gasmenge als Produkt aus Volumen V und Konzentration F dargestellt werden kann, dann gilt für jedes Atemgas:

Exspirationsmenge = Totraummenge + Alveolarmenge

$$V_E \cdot F_E \quad = \quad V_D \cdot F_I \quad + \quad V_{EA} \cdot F_A \tag{5}$$

(V_E = Exspirationsvolumen, V_D = Totraumvolumen, V_{EA} = alveolärer Anteil des exspirierten Volumens, Gaskonzentrationen: F_E = exspiratorisch, F_A = alveolär).

V_{EA} läßt sich nach Gl. (4) durch $V_E - V_D$ ersetzen:

$$V_E \cdot F_E = V_D \cdot F_I + (V_E - V_D) \cdot F_A. \tag{6}$$

Nach Umformung gewinnt man hieraus:

$$\frac{V_D}{V_E} = \frac{F_E - F_A}{F_I - F_A}. \tag{7}$$

Diese sogenannte **Bohrsche Formel** gilt für alle Atemgase. Sie läßt sich jedoch für CO_2 noch weiter vereinfachen, da in diesem Fall die inspiratorische Konzentration $F_{I_{CO_2}} = 0$ gesetzt werden kann:

$$\frac{V_D}{V_E} = \frac{F_{A_{CO_2}} - F_{E_{CO_2}}}{F_{A_{CO_2}}}. \tag{8}$$

Nach Gl. (7) bzw. nach Gl. (8) läßt sich der Totraumanteil des Exspirationsvolumens (V_D/V_E) ermitteln, weil alle Konzentrationen der rechten Seite durch Gasanalyse bestimmt werden können. (Hinsichtlich der Schwierigkeiten, die sich bei der Messung der alveolären Konzentrationen ergeben, vgl. S. 471.) Anwendungsbeispiel: Die Messung habe ergeben für $F_{A_{CO_2}} = 0,056$ und für $F_{E_{CO_2}} = 0,04$ ml CO_2/ml Gemisch. Daraus folgt: $V_D/V_E = 0,3$, d.h. der Totraumanteil des Exspirationsvolumens beträgt 30%.

2.4. Alveoläre Ventilation

Atemzeitvolumen. Das *Atemzeitvolumen*, d.h. das in der Zeiteinheit eingeatmete oder ausgeatmete Gasvolumen, ergibt sich definitionsgemäß als Produkt aus **Atemzugvolumen** und **Atmungsfrequenz.** In der Regel ist das Ausatmungsvolumen etwas kleiner als das Einatmungsvolumen, weil weniger CO_2 abgegeben als O_2 aufgenommen wird (*Respiratorischer Quotient* < 1, vgl. S. 471). Daher ist genaugenommen zwischen dem inspiratorischen und dem exspiratorischen Atemzeitvolumen zu unterscheiden. Man hat vereinbart, die Ventilationsgrößen in der Regel auf die Ausatmungsphase zu beziehen und dies durch den Index E zu kennzeichnen. Für das (exspiratorische) Atemzeitvolumen V_E gilt also die Beziehung:

$$\dot{V}_E = V_E \cdot f. \tag{9}$$

(Der Punkt über einer Größenbezeichnung bedeutet „Größe pro Zeiteinheit"; V_E ist das exspiratorische Atemzugvolumen, f die Atmungsfrequenz.)

Die Atmungsfrequenz des Erwachsenen liegt unter Ruhebedingungen im Mittel bei 14 Atemzügen/min, wobei allerdings größere individuelle Variationen (10–18/min) zu beobachten sind. Höhere Atmungsfrequenzen findet man bei Kindern (20–30/min), Kleinkindern (30–40/min) und Neugeborenen (40–50/min) [7, 11].

Für den Erwachsenen in Ruhe ergibt sich also nach Formel (9) ein *Atemzeitvolumen von 7 Liter/min,* wenn man ein Atemzugvolumen von 0,5 Liter und eine Atmungsfrequenz von 14/min zugrundelegt. Unter den Bedingungen der körperlichen Arbeit steigt das Atemzeitvolumen mit dem erhöhten O_2-Bedarf an, um bei extremer Belastung Werte von 120 Liter/min zu erreichen. Obwohl dem Atemzeitvolumen als Maß für die Ventilation eine gewisse Bedeutung zukommt, ist es keineswegs eine für den Atmungseffekt maßgebende Größe. Entscheidend ist vielmehr der Anteil des Atemzeitvolumens, der in die Alveolen gelangt und dort am Gasaustausch teilnehmen kann.

Alveoläre Ventilation und Totraumventilation. Derjenige Teil des Atemzeitvolumens $\dot{V}_E$, der der Belüftung der Alveolen zugute kommt, wird als *alveoläre Ventilation* $\dot{V}_A$ bezeichnet. Der restliche Anteil heißt *Totraumventilation* ($\dot{V}_D$):

$$\dot{V}_E = \dot{V}_A + \dot{V}_D. \qquad (10)$$

Die drei Ventilationsgrößen ergeben sich jeweils als Produkt aus dem entsprechenden Volumen und der Atmungsfrequenz ($\dot{V} = V \cdot f$). Bei der Ruheatmung des gesunden Erwachsenen ist der Ventilationsraum folgendermaßen aufgeteilt: Das Atemzugvolumen V_E setzt sich aus einem alveolären Anteil V_{EA} von 70% und einem Totraumanteil V_D von 30% zusammen. Bei $V_E = 500$ ml ergibt sich somit $V_{EA} = 350$ ml und $V_D = 150$ ml. Setzt man für die Atmungsfrequenz $f = 14/min$ an, so entfallen von der *Gesamtventilation* 7 Liter/min auf die *alveoläre Ventilation 5 Liter/min* und auf die *Totraumventilation 2 Liter/min*.

Die alveoläre Ventilation stellt die für den Ventilationseffekt maßgebende Größe dar. Sie entscheidet vorrangig darüber, welche Atemgaskonzentrationen im Alveolarraum aufrechterhalten werden können. Dagegen sagt das Atemzeitvolumen sehr wenig über die Effektivität der Ventilation aus. Nehmen wir beispielsweise an, daß ein normales $\dot{V}_E$ von 7 Liter/min durch eine flache und rasche Atmung ($V_E = 0,2$ Liter und $f = 35/min$) zustande käme, so würde fast ausschließlich der vorgeschaltete Totraum belüftet, während der nachgeschaltete Alveolarraum von der Frischluft kaum erreicht würde. Eine solche Atmungsform, wie sie manchmal beim *Kreislaufkollaps* beobachtet wird, stellt also einen akuten Gefahrenzustand dar. Da das Totraumvolumen in seiner absoluten Größe festliegt, führt jede Vertiefung der Atmung zu einer Steigerung der alveolären Ventilation.

2.5. Künstliche Beatmung

Atmungsstillstand. Jede Unterbrechung der Atmungsfunktion stellt eine lebensbedrohliche Situation dar. Den Zeitpunkt, zu dem Atmungs- und Kreislaufstillstand festgestellt werden, bezeichnet man als den Eintritt des **klinischen Todes.** Von diesem Augenblick an dauert es in der Regel 4–6 min, bis infolge von O_2-Mangel und CO_2-Anhäufung die Zellen in lebenswichtigen Organen irreparabel geschädigt sind, bis also der **biologische Tod** eintritt. In dieser kurzen Zeitspanne besteht die Möglichkeit, durch Anwendung lebensrettender Sofortmaßnahmen eine Wiederbelebung zu erreichen [1, 27].

Eine Störung der Atmungsfunktion kann aus mannigfachen Ursachen eintreten, u.a. bei Verlegungen der Atemwege, Thoraxverletzungen, schweren Störungen des Gasaustausches sowie bei Schädigungen der Atmungszentren infolge von Vergiftungen und Hirnverletzungen. Nach einem plötzlichen Atmungsstillstand bleibt die Kreislauffunktion noch eine gewisse Zeit erhalten. Der Puls ist an der A. carotis noch 3–5 min nachweisbar. Tritt jedoch primär ein Herzstillstand ein, so sistiert die Atmung bereits nach 30–60 s [1].

Sofortmaßnahmen zur Normalisierung der Atmungsfunktion. Jede plötzlich auftretende Einschränkung oder Unterbrechung der Atmungstätigkeit erfordert die Einleitung von Wiederbelebungsmaßnahmen. Unter dem Begriff **Wiederbelebung** faßt man alle Maßnahmen zusammen, die bei drohendem oder eingetretenem klinischen Tod die Atmungs- und Kreislauffunktionen wiederherstellen können. Die Wiederbelebung der Atmungsfunktion erfolgt durch Freimachen und Freihaltung der Atemwege sowie durch künstliche Beatmung.

Freihaltung der Atemwege. Bei einem Bewußtlosen fehlen die Schutzreflexe, die normalerweise zur Freihaltung der Atemwege dienen (S. 459). Kommt es in dieser Situation zum Erbrechen oder zur Blutung in den Nasen-Rachenraum, so können die zuleitenden Luftwege (Trachea und Bronchien) verlegt werden. Aber auch ohne diese Komplikationen ist bei einem Bewußtlosen in Rückenlage ein Verschluß der Atemwege dadurch möglich, daß der Unterkiefer mit der Zunge nach hinten sinkt.

Die erste Wiederbelebungsmaßnahme muß also in einer schnellen *Säuberung des Mund- und Rachenraumes* bestehen. Noch wichtiger ist es jedoch, den Verschluß der Atemwege durch die zurückfallende Zunge zu beseitigen. Dies geschieht durch *Überstrecken des Kopfes in den Nacken* und gleichzeitiges *Anheben des Unterkiefers.*

Atemspende. Für die künstliche Beatmung ohne Hilfsmittel hat man früher verschiedene Verfahren empfohlen, bei denen der Thoraxraum manuell erweitert und verkleinert wird. Alle diese manuellen Verfahren sind der sehr alten, in neuerer Zeit wiederentdeckten Methode der **Atemspende** weit unterlegen [27]. Diese kann als Mund-zu-Nase-Beatmung und als Mund-zu-Mund-Beatmung zur Anwendung kommen (Abb. 11).

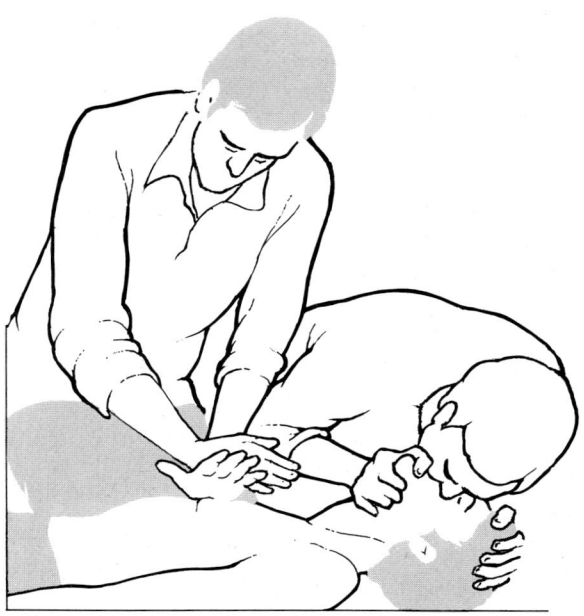

Abb. 11. Atemspende und extrathorakale Herzmassage. Nach [1]

Bei der **Mund-zu-Nase-Beatmung** wird der Kopf des Patienten mit einer Hand, die an der Stirn-Haargrenze liegt, nach hinten überstreckt. Mit der zweiten Hand wird der Unterkiefer angehoben und gleichzeitig der Mundverschluß durch den über die Lippen gelegten Daumen abgesichert. Der Beatmende setzt nach einer tiefen Inspiration seinen geöffneten Mund über die Nase des Patienten fest auf. Während der nachfolgenden *Insufflation* (Lufteinblasung) muß die Hebung des Thorax beobachtet werden. Danach entfernt der Beatmende seinen Mund vom Gesicht des Patienten, worauf die Luft infolge der Thorax- und Lungenelastizität passiv entweicht. Die Senkung des Thorax ist ebenfalls zu kontrollieren.

Bei der **Mund-zu-Mund-Beatmung** liegen in gleicher Ausgangsstellung die Finger an der Stirn-Haargrenze bzw. unter dem Kinn des Patienten. Der Beatmende setzt seinen Mund über dem Mund des Patienten fest auf und verschließt mit seiner Wange die Nasenöffnung. Er kann auch die Nasenflügel mit Daumen und Zeigefinger der über der Stirn liegenden Hand zusammendrücken. Bei der Insufflation und dem nachfolgenden Entweichen der Luft sind wiederum die Thoraxbewegungen zu kontrollieren.

Die Beatmung beginnt bei beiden Verfahren mit *5–10 schnell hintereinander durchgeführten Insufflationen*, um das entstandene O_2-Defizit und die CO_2-Ansammlung im Gewebe möglichst schnell zu beseitigen. Anschließend wird die Atemspende *im zeitlichen Abstand von etwa 5 s* weitergeführt. Bei

diesem Vorgehen liegt der O_2-Sättigungswert (vgl. S. 492) im arteriellen Blut des Patienten praktisch immer über 90% [27].

Ein wesentlicher Vorteil der Atemspende besteht unter anderem darin, daß sich die Beatmung mit einer **extrathorakalen Herzmassage** kombinieren läßt (Abb. 11). Atmungs- und Kreislaufstillstand können gleichzeitig behandelt werden. Die Herzmassage, die nur bei gesichertem Herzstillstand durchgeführt werden darf, besteht in einer rhythmischen Kompression des Thorax, wodurch das Blut des Herzens in den kleinen bzw. großen Kreislauf ausgetrieben wird. Hierzu muß man *70–90mal pro Minute* mit dem Handballen einen so starken Druck auf das Sternum des Patienten ausüben, daß das Brustbein um etwa 4–5 cm in Richtung auf die Wirbelsäule bewegt wird.

Künstliche Beatmung mit Hilfsmitteln. Zur Wiederbelebung der Atmung können auch, sofern schnell verfügbar, einfache Beatmungsgeräte verwendet werden. Sie bestehen aus einer **Atemmaske,** die auf das Gesicht des Patienten luftdicht aufgesetzt wird, einem *Atemventil* und einem angeschlossenen *Beutel,* der von Hand rhythmisch zusammengepreßt und entlastet wird. Wenn eine O_2-Flasche vorhanden ist, kann diese an das Gerät angeschlossen und damit der O_2-Anteil in der Beatmungsluft erhöht werden.

Bei den heute üblichen Gasnarkose-Verfahren wird eine **Beatmungsmaschine** über einen *Trachealtubus* (S. 456) angeschlossen. Die Beatmungsmaschine kann so gesteuert sein, daß sich durch eine Druckerhöhung die Lunge inspiratorisch entfaltet und die anschließende Exspiration passiv erfolgt *(Überdruckbeatmung).* Es besteht aber auch die Möglichkeit, die Beatmung durch einen rhythmischen Wechsel von Überdruck und Unterdruck so zu steuern, daß der mittlere Beatmungsdruck dem Atmosphärendruck entspricht *(Wechseldruckbeatmung).* Da ein intrathorakaler Unterdruck den venösen Zustrom zum Herzen fördert (S. 409), stellt die Wechseldruckbeatmung im Hinblick auf die Kreislaufverhältnisse das günstigere Verfahren dar [31].

Die Anwendung der Beatmungspumpen oder von manuell ausdrückbaren Atmungsbeuteln ist stets erforderlich, wenn zur Ausschaltung der reflektorischen Muskelspannung während einer Operation *Muskelrelaxantien* (s. III-1.4) verabfolgt werden. In diesem Fall stellt auch die Atmungsmuskulatur ihre Tätigkeit ein, so daß eine Lungenbelüftung ohne künstliche Beatmung nicht mehr möglich wäre.

Bei Patienten mit einer längerdauernden Atmungslähmung (z.B. bei spinaler Kinderlähmung) kann die Ventilation mit Hilfe eines **Tankrespirators** *("Eiserne Lunge")* aufrechterhalten werden. Der Körper des liegenden Patienten ist dabei mit Ausnahme des Kopfes in eine Kammer eingeschlossen, in der während der Inspirationsphase ein Unterdruck erzeugt wird. Inspiratorisch ist also der intrathorakale Druck größer als der Umgebungsdruck in der Kammer. Es handelt sich daher auch im Hinblick auf die Kreislaufverhältnisse um ein *Überdruckverfahren* [31].

3. Die Atmungsmechanik

Der Begriff „*Atmungsmechanik*" wird gewöhnlich in einem sehr speziellen Sinne verwendet. Man versteht darunter *die Analyse und die Darstellung der* **Druck-Volumen-Beziehungen,** die sich bei den Atmungsexkursionen ergeben. Diese Beziehungen zwischen den wirksamen Atmungsdrucken und den geförderten Volumina hängen in hohem Maße von den **Atmungswiderständen** ab. Eine Druck-Volumen-Analyse gibt also zugleich Auskunft über die Widerstandsverhältnisse und deren Veränderungen unter pathologischen Bedingungen. Aus diesem Grund sind atmungsmechanische Aspekte auch für die Lungenfunktionsdiagnostik von Bedeutung.

3.1. Elastische Atmungswiderstände

Die Kontraktionskraft der Inspirationsmuskulatur hat bestimmte elastische und viscöse Widerstände zu überwinden. Elastische Widerstände treten auf

1. *bei Dehnung von Lunge und Thorax,*
2. *bei der Vergrößerung der Alveolen gegen ihre Oberflächenspannung.*

Elastizität von Lunge und Thorax. *Bei der Inspiration werden die elastischen Fasern des Lungenparenchyms gedehnt.* Die dabei auftretenden Längenänderungen sind der jeweils einwirkenden Kraft weitgehend proportional, sie folgen dem **Hookeschen Gesetz.** Die elastischen Fasern verhalten sich also wie eine mäßig angespannte Feder. Wenn eine solche Feder jedoch stärker gedehnt wird, setzt sie schließlich einer weiteren Längenänderung einen größeren Widerstand entgegen. Dieser Bereich abnehmender Dehnbarkeit wird bei den regulären Atmungskursionen allerdings noch nicht erreicht. Wir können also feststellen, daß die elastischen Fasern des Lungengewebes der Inspirationsbewegung einen *konstanten elastischen Widerstand* entgegensetzen.

Die *Verformung des Thorax,* insbesondere des Bandapparates, hat ebenfalls eine elastische Komponente. Bei der Inspiration tritt jedoch eine Entlastung des vorher angespannten Bandapparates ein. Die Zugwirkung der elastischen Elemente des Thorax ist also der des Lungengewebes entgegengerichtet. Das heißt: *Im Bereich der normalen Atmungskursionen fördert die elastische Thoraxspannung die Inspirationsbewegung.*

Oberflächenspannung. Die *Retraktion* der Lunge, d.h. ihr Verkleinerungsbestreben im gedehnten Zustand, kommt nicht allein durch den Zug der elastischen Fasern zustande. Eine gleichgroße Bedeutung für die Retraktion hat die *Oberflächenspannung der Alveolen.*

Bekanntlich werden an jeder Grenzfläche zwischen Luft und Flüssigkeit intermolekulare Anziehungskräfte wirksam, die die Tendenz haben, *die Oberfläche zu verkleinern.* Diese Oberflächenspannung gibt man bisher noch in den Einheiten dyn/cm an. Jede der vielen Alveolen hat infolge ihrer Oberflächenspannung das Bestreben sich zu verkleinern und trägt auf diese Weise zum Retraktionsbestreben der gesamten Lunge bei.

Bei genauerer Betrachtung erweist sich dieses Konzept jedoch als ergänzungsbedürftig. Das zeigt ein Vergleich der Oberflächenspannung, die man einmal unter der Annahme einer wäßrigen Grenzschicht für die Alveolen berechnet und zum anderen tatsächlich gemessen hat. Der Vergleich liefert ein zunächst überraschendes Ergebnis: *Die Oberflächenspannung der Lungenalveolen ist etwa 10mal kleiner, als dies für eine wäßrige Grenzschicht theoretisch zu erwarten wäre* [11]. Daraus ergibt sich der Schluß, daß die Flüssigkeitsschicht auf der Alveolarwand Substanzen enthalten muß, die die Oberflächenspannung herabsetzen. Substanzen mit dieser Eigenschaft sind aus anderen Bereichen bekannt (z.B. Detergentien). Sie bestehen aus Molekülen, deren Anziehungskraft untereinander stark, auf andere Moleküle der Flüssigkeit schwach ist. Daher reichern sie sich an der Oberfläche an und setzen dadurch die Oberflächenspannung herab. Man bezeichnet sie deshalb auch als **oberflächenaktive Substanzen** oder als **Surfactants.**

Die alveoläre Flüssigkeitsschicht, die offenbar solche oberflächenaktiven Substanzen enthält, zeigt nun noch eine Besonderheit. In gedehnten Alveolen ist die Oberflächenspannung groß (40–50 dyn/cm), in kleineren Alveolen wird sie erheblich reduziert (2–5 dyn/cm). Eine Erklärung findet dieses Verhalten dadurch, daß bei einer Verkleinerung der Alveolen die oberflächenaktiven Substanzen dichter zusammenrücken und daher ihre Menge pro Flächeneinheit zunimmt. Ohne diesen Effekt müßten die kleineren Alveolen unter der Einwirkung der Oberflächenkräfte in sich zusammenfallen (kollabieren) [11].

Durch Auswaschen des Lungengewebes ist es gelungen, die oberflächenaktiven Substanzen zu gewinnen und chemisch zu identifizieren: Der alveoläre Flüssigkeitsfilm enthält ein Gemisch aus *Proteinen* und *Lipoiden,* wobei wahrscheinlich **Lecithin-Derivate** die spezifische Oberflächenaktivität bestimmen. Gebildet werden sie in den Alveolarepithelien.

Ist die Bildung oder die Wirksamkeit der oberflächenaktiven Substanzen gestört, so kollabieren viele Alveolen. Daher ist es möglich, daß ganze Lungenabschnitte in sich zusammenfallen. Ein solcher Zustand wird als **Atelektase** bezeichnet. Beim *Neugeborenen* sind die oberflächenaktiven Substanzen für die Entfaltung der Lunge notwendig. Unter pathologischen Bedingungen kann diese Wirkung dadurch eingeschränkt sein, daß die Alveolaroberfläche der Neugeborenenlunge mit *Fibrinniederschlägen (hyalinen Membranen)* bedeckt ist. Dann entfaltet sich die Lunge nur unvollständig, so daß eine schwere Störung des Atemgaswechsels die Folge ist [7].

Zusammenfassend ist festzustellen:

1. Die elastische Retraktion der Lunge kommt teilweise durch die Oberflächenspannung der Alveolen zustande.
2. Oberflächenaktive Substanzen (Surfactants) im Flüssigkeitsfilm der Alveolarwand vermindern die

Oberflächenspannung, so daß für die inspiratorische Dehnung der Lunge nur geringe Kräfte aufzuwenden sind.

3. Gegen ein Kollabieren sind die Alveolen geschützt, weil bei Verkleinerung ihrer Oberfläche die oberflächenaktiven Substanzen dichter zusammenrücken und damit die Oberflächenspannung abnimmt.

Compliance. Bei einer Reihe von Erkrankungen ist die Dehnbarkeit der Lunge eingeschränkt. In der Lungenfunktionsdiagnostik benötigt man daher eine meßbare Größe, die alle elastischen Eigenschaften (elastischer Faserzug, alveoläre Oberflächenspannung) durch einen Zahlenwert zu erfassen erlaubt. Eine solche Größe stellt die *Compliance der Lunge* C_L dar. Sie ist definiert als die Änderung des Lungenvolumens ΔV, die bei einer Änderung des für die Dehnung maßgebenden Druckes auftritt. In Atemruhe und bei geöffneter Glottis herrscht in der Lunge der Atmosphärendruck. In diesem Fall ist der für die Lungendehnung maßgebende Druck der **intrapleurale Druck** P_{Pleu}, der auch manchmal als **intrathorakaler Druck** bezeichnet wird. Damit lautet die Definitionsgleichung für die Compliance der Lunge:

$$C_L = -\frac{\Delta V}{\Delta P_{Pleu}}. \qquad (11)$$

(Das negative Vorzeichen besagt, daß die Zunahme des Lungenvolumens einer Abnahme des intrapleuralen Druckes entspricht.) Die Einheit, in der C_L gemessen wird, ist Liter/cm H_2O. Je stärker das Lungenvolumen bei einer bestimmten Druckänderung zunimmt, um so größer ist der Zahlenwert von C_L. *Die Compliance C_L stellt also ein Maß für die elastische Dehnbarkeit der Lunge dar.*

Man kann die Compliance C_L beim Menschen bestimmen, wenn man die Volumenänderung spirometrisch und die intrapleurale Druckänderung mit einer Oesophagussonde (S. 456) erfaßt. Man mißt den Oesophagusdruck zunächst in Exspirationsstellung und dann nach Inspiration eines bestimmten Volumens. Die entsprechenden Differenzen ergeben, in Gl. (11) eingesetzt, den Zahlenwert von C_L. Dabei ist es wichtig, daß die Druckmessung jedesmal in Atemruhe erfolgt, denn *die Compliance ist eine statische Größe.* Der Normwert für den gesunden Erwachsenen liegt bei $C_L = 0,15 - 0,25$ Liter/cm H_2O (1,5 – 2,5 Liter/kPa). *Die Compliance des gesamten Atmungsapparates* (also für Thorax und Lunge zusammen) hat einen kleineren Wert: $C_{L-Th} = 0,1$ Liter/cm H_2O [11, 29].

3.2. Viscöse Atmungswiderstände

Die *nichtelastischen (viscösen) Widerstände,* die sowohl bei der Inspiration als auch bei der Exspiration zu überwinden sind, setzen sich aus folgenden Anteilen zusammen: 1. *den Strömungswiderständen in den zuleitenden Atemwegen,* 2. *den nichtelastischen Gewebswiderständen,* 3. *den Trägheitswiderständen,* die so klein sind, daß sie vernachlässigt werden dürfen.

Strömungswiderstände. Die Strömung der Inspirations- und Exspirationsgase durch die zuleitenden Atemwege wird durch die jeweilige Druckdifferenz zwischen dem Mund und den Alveolen bewirkt. Die *Differenz zwischen dem Munddruck und dem intraalveolären Druck* stellt also die „treibende Kraft" für die Bewegung der Atemgase dar. Die Strömung in den Atemwegen ist teilweise *laminar.* Vor allem an den Verzweigungsstellen der Bronchien und an pathologisch verengten Stellen treten jedoch Wirbelbildungen (*Turbulenzen*) auf. Für die laminare Luftströmung gilt, ebenso wie für die laminare Flüssigkeitsströmung, das **Hagen-Poiseuillesche Gesetz.** Danach ist das Stromzeitvolumen $\dot{V}$ der treibenden Druckdifferenz ΔP proportional. Für die Strömung in den Atemwegen gilt also:

$$\dot{V} = \frac{\Delta P}{R}. \qquad (12)$$

R bezeichnet den *Strömungswiderstand,* der von Querschnitt und der Länge des Rohres sowie von der Viscosität abhängig ist. Obwohl für die turbulenten Anteile der Gesamtströmung andere Gesetzmäßigkeiten gelten, benutzt man Gl. (12), um den Gesamtströmungswiderstand bei der Atmung zu bestimmen:

$$R = \frac{\Delta P}{\dot{V}}. \qquad (13)$$

R wird gewöhnlich als **Atemwegswiderstand** oder als **Resistance** bezeichnet. Um seine Größe zu ermitteln, müssen also die Druckdifferenz zwischen Mund und Alveolen (in cm H_2O) und gleichzeitig das Stromzeitvolumen (in Liter/s) gemessen werden (S. 466). Bei ruhiger Mundatmung findet man normalerweise Resistance-Werte, die im Bereich $R = 1 - 2$ cm $H_2O \cdot s$/Liter $(0,1 - 0,2$ kPa $\cdot s \cdot l^{-1})$ liegen [11, 40].

Gewebswiderstand. Neben dem Atemwegswiderstand ist bei der Inspiration und der Exspiration noch ein zweiter viscöser Widerstand zu überwinden, der durch die Gewebereibung und die nichtelastische Deformation der Gewebe im Brust- und Bauchraum entsteht:

**Atembewegungswiderstand
= Atemwegswiderstand + Gewebswiderstand.**

Der letztgenannte Widerstand ist jedoch verhältnismäßig klein. 80–90 % des Atembewegungswiderstandes werden normalerweise durch die Strömung in den Atemwegen und nur 10–20 % durch die Gewebereibung hervorgerufen.

3.3. Druck-Volumen-Beziehungen

Intrapleurale und intrapulmonale Drucke. Die Drucke im Interpleuralspalt und im Alveolarraum weichen nur sehr wenig vom äußeren atmosphärischen Druck ab. Deshalb ist es zweckmäßig, beide Druckwerte nicht in absoluten Größen, sondern in ihrer Abweichung vom Außendruck anzugeben. Der *intrapleurale (intrathorakale) Druck* P_{Pleu} wird also durch die Differenz zwischen den Drucken im Interpleuralspalt und im Außenraum charakterisiert (S. 455). In analoger Weise gibt man den *intrapulmonalen (intraalveolären) Druck* P_{Pul} als Differenz zwischen den Drucken im Alveolarraum und im Außenraum an. Beispielsweise besagt die Feststellung, der intrapulmonale Druck betrage -1 cm H_2O, daß in den Alveolen ein Druck herrscht, der um 1 cm H_2O unter dem Außendruck (Munddruck) liegt.

Die **Beziehungen zwischen den intrapleuralen und den intrapulmonalen Drucken** ergeben sich aus folgenden Überlegungen: Befindet sich der Thorax kurzzeitig *in Ruhe*, etwa bei Übergang von der Inspiration zur Exspiration, dann wirkt auf den Pleuralspalt nur die elastische Retraktion der Lunge und erzeugt hier einen „negativen" Druck. Dieser während der Atemruhe bestehende negative intrapleurale Druck sei $P_{Pleu(stat)}$. Der intrapulmonale Druck $P_{Pul(stat)}$ ist jedoch bei ruhendem Thorax gleich Null, weil zwischen Mund und Alveolen eine Verbindung besteht, über die ein Druckausgleich möglich ist. Angenähert gelten diese Aussagen auch für sehr langsame Thoraxbewegungen.

Die komplexeren Verhältnisse bei *regulären Atmungsbewegungen* erläutert Abb. 12. In der schematischen Darstellung ist der Alveolarraum durch eine große Blase ersetzt. Die schwarzen Pfeile geben die Bewegungsrichtungen, die roten Pfeile die Richtung der auftretenden Zugspannungen an. Bei der Inspiration (links) bewirkt der Strömungswiderstand R, daß die Luft nicht schnell genug in den vergrößerten Alveolarraum einströmen kann.

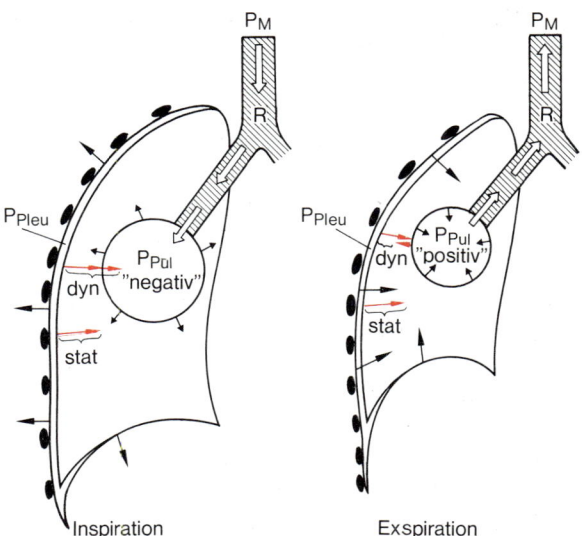

Abb. 12. Schema zur Erläuterung der intrapleuralen (P_{Pleu}) und der intrapulmonalen (P_{Pul}) Druckverhältnisse bei Inspiration (links) und Exspiration (rechts). P_M Munddruck; R Atemwegswiderstand; schwarze Pfeile Bewegungsrichtung; rote Pfeile Zugspannungen in Atemruhe (stat) und bei der Bewegung (dyn)

Daher muß der Druck in den Alveolen abnehmen, d.h. negativ werden gegenüber dem Außendruck. Diese Abnahme des intrapulmonalen Druckes wirkt sich auch auf den Pleuralspalt aus und führt hier zu einer zusätzlichen „Negativierung" des intrapleuralen Druckes. Der bewegungsabhängige intrapleurale Druck $P_{Pleu(dyn)}$ setzt sich also aus dem statischen intrapleuralen Druck $P_{Pleu(stat)}$ und dem jeweiligen intrapulmonalen Druck P_{Pul} additiv zusammen:

$$P_{Pleu(dyn)} = P_{Pleu(stat)} + P_{Pul}. \tag{14}$$

Bei Exspiration (Abb. 12, rechts) kehren sich die Verhältnisse um. P_{Pul} wird positiv und vermindert die Negativität von $P_{Pleu(stat)}$.

Die resultierenden **Druckveränderungen während eines Atemcyclus** sind in Abb. 13 dargestellt, wobei zur Vereinfachung für die Inspiration und die Exspiration jeweils die gleiche Zeitdauer angesetzt ist. Wären bei der Atmung nur die elastischen Widerstände der Lunge zu überwinden, dann bliebe der intrapulmonale Druck P_{Pul} über die gesamte Zeit gleich 0 und der intrapleurale Druck würde der gestrichelten Geraden $P_{Pleu(stat)}$ folgen. Infolge der zusätzlichen wirksamen viscösen Widerstände wird jedoch P_{Pul} in der Inspirationsphase negativ und in der Exspirationsphase positiv. Addiert man diese Werte zu den jeweiligen $P_{Pleu(stat)}$, so erhält man die resultierenden dynamischen intrapleuralen Drucke $P_{Pleu(dyn)}$. Es zeigt sich also, daß zur Überwindung der viscösen Widerstände $P_{Pleu(dyn)}$ inspira-

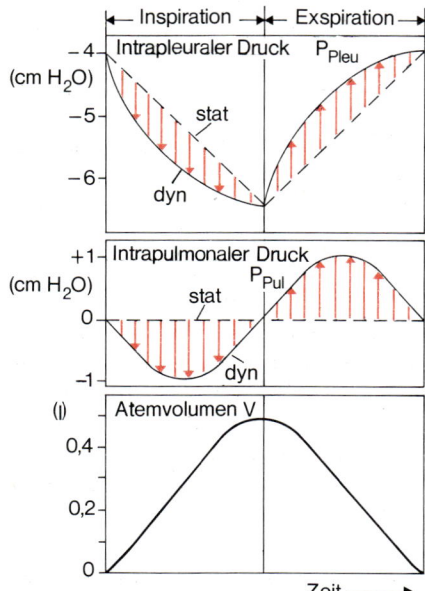

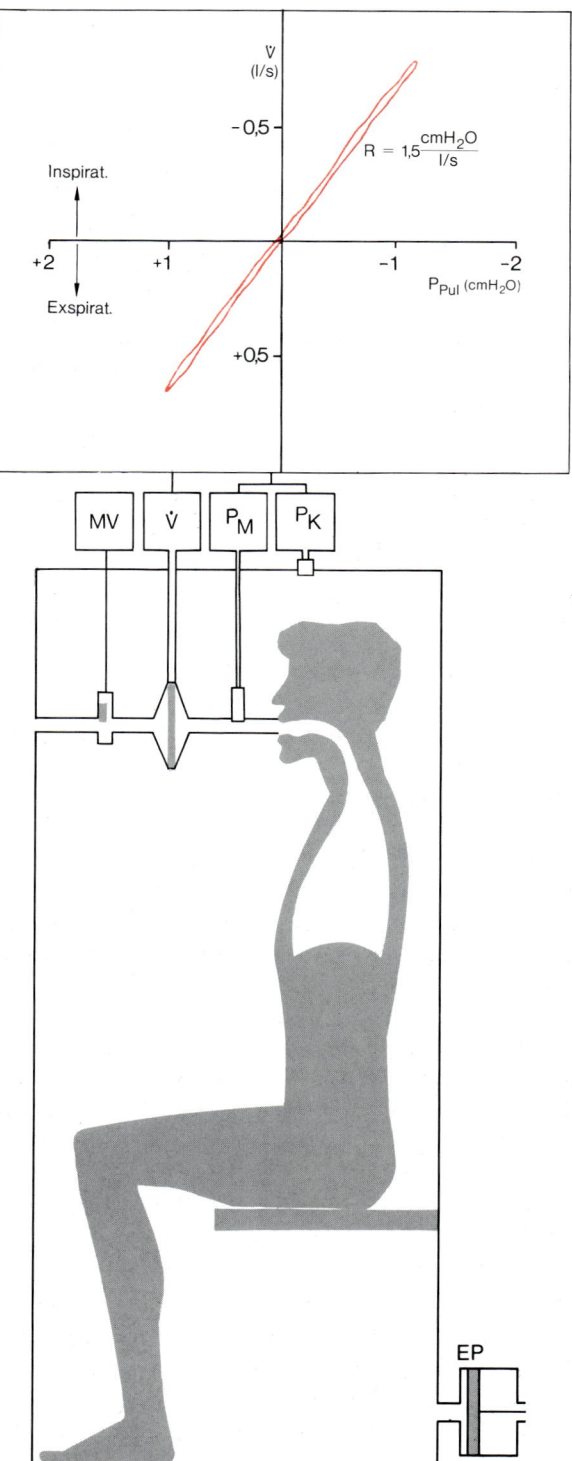

Abb. 13. Zeitliche Änderung des intrapleuralen Druckes P_{Pleu}, des intrapulmonalen Druckes P_{Pul} und des Atemvolumens V während eines Atmungscyclus. Die gestrichelten Druckverläufe würden gelten, wenn nur elastische Atmungswiderstände zu überwinden wären. Infolge der zusätzlich vorhandenen viscösen Widerstände kommt es inspiratorisch zu einer Negativierung und exspiratorisch zu einer Positivierung von P_{Pleu} und P_{Pul} (dargestellt durch rote Pfeile). Modifiziert nach [11]

torisch immer etwas kleiner und exspiratorisch immer etwas größer sein muß als $P_{Pleu(stat)}$.

Messung der Drucke. Wenn man die *Compliance* und die *Resistance* ermitteln will, so müssen hierfür jeweils verschiedene Drucke gemessen werden. *Für die Bestimmung der Lungen-Compliance benötigt man den intrapleuralen (intrathorakalen) Druck*, der über den Oesophagusdruck gewonnen werden kann. *Die Feststellung der Resistance dagegen erfordert die Messung des intrapulmonalen (intraalveolären) Druckes.* Da dieser Druck nicht direkt meßbar ist, wendet man ein indirektes Meßverfahren mit Hilfe des Körperplethysmographen an.

Der **Körperplethysmograph** (s. Abb. 14) besteht im wesentlichen aus einer luftdicht abgeschlossenen Kammer, ähnlich einer Telephonzelle, die für einen sitzenden Probanden bequem Platz bietet. Wenn es infolge der Atmungsbewegungen des Probanden zu einer Druckänderung in der Lunge kommt, so muß sich der Druck in der abgeschlossenen Kammer proportional dazu in entgegengesetzter Richtung ändern. Nach einer Eichung, mit der man den Proportionalitätsfaktor bestimmt, ist man also in der Lage, die Änderung des intrapulmonalen Druckes auf dem Umweg über die Änderung des Kammerdruckes zu messen. Gleichzeitig kann man das Stromzeitvolumen V̇ mit Hilfe eines Pneumotachographen (S. 458) registrieren. Der Quotient aus beiden Größen, der zweckmäßigerweise mit einem Zwei-koordinatenschreiber fortlaufend aufgezeichnet wird, liefert dann nach Gl. (13) den gesuchten *Resistance*-Wert [12, 29, 40].

Der Körperplethysmograph kann außerdem zur Bestimmung der *funktionellen Residualkapazität* V_{FRC} (S. 457f.) verwendet werden. In diesem Fall verschließt man kurzzeitig das Atem-mundstück, so daß der Pulmonalraum vom Außenraum ge-trennt ist. Bei einer inspiratorischen Anstrengung des Proban-

Abb. 14. Körperplethysmograph (vereinfacht dargestellt). V̇ Pneumotachographische Messung der Volumengeschwindig-keit; P_K Kammerdruckmessung; P_M Munddruckmessung; MV Mundverschlußventil; EP Eichpumpe

den wird dann gleichzeitig die Änderung des Munddruckes und des Kammerdruckes gemessen, woraus sich V_{FRC} unter Anwendung des *Boyle-Mariotteschen Gesetzes* berechnen läßt [29].

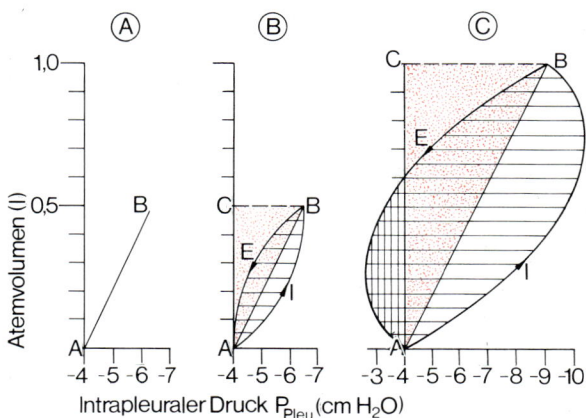

Abb. 15A–C. Atmungscyclus im Druck-Volumen-Diagramm. (A) Fiktive Atmung gegen rein elastische Widerstände. (B) Normale Ruheatmung. (C) Vertiefte und beschleunigte Atmung. I Inspiration; E Exspiration. Die Anteile der Atmungsarbeit werden durch folgende Flächen dargestellt: rot punktiert: inspiratorische Arbeit gegen die elastischen Widerstände; waagerecht schraffiert: inspiratorische und exspiratorische Arbeit gegen die viscösen Widerstände; senkrecht schraffiert: Anteil der Exspirationsarbeit, der durch die Exspirationsmuskeln aufgebracht werden muß. Modifiziert nach [29]

Druck-Volumen-Diagramm. *Eine Aufzeichnung der geförderten Atemvolumina in Abhängigkeit von den jeweiligen intrapleuralen (intrathorakalen) Drucken wird vereinfacht als Druck-Volumen-Diagramm der Lunge bezeichnet.* Alle hierfür maßgebenden Faktoren sind bereits in den vorhergehenden Abschnitten erläutert worden, so daß sie an Hand des Druck-Volumen-Diagramms noch einmal kurz wiederholt werden können.

Wären bei der Inspiration allein *elastische Widerstände* zu überwinden, so müßte nach dem *Hookeschen Gesetz* jede Volumenveränderung in der Lunge der jeweiligen Änderung des intrapleuralen Druckes direkt proportional sein. Im Druck-Volumen-Diagramm würde die Abhängigkeit der beiden Größen durch eine Gerade dargestellt (Abb. 15A). Bei der Exspiration müßte dieselbe Gerade in umgekehrter Richtung durchlaufen werden.

Wegen der zusätzlich zu überwindenden *viscösen Atmungswiderstände* ist jedoch die während der Inspiration aufgenommene Kurve nach unten durchgebogen (Abb. 15B). Für die Förderung eines bestimmten Volumens ist also eine stärkere Abnahme des intrapleuralen Druckes notwendig, als dies nach Maßgabe der Proportionalitätsgeraden der Fall wäre. Erst am Ende der Einatmung (im Punkt B) erreicht die Inspirationskurve die Gerade, weil jetzt keine Bewegung mehr stattfindet und nur noch die elastischen Zugspannungen wirksam sind. Die Exspirationskurve ist infolge der viscösen Widerstände in umgekehrter Richtung durchgebogen und erreicht am Ende dieser Atmungsphase

wieder den Ausgangspunkt A. Der geschilderte Kurvenverlauf des dynamischen Druck-Volumen-Diagramms wird manchmal auch als **Atemschleife** bezeichnet.

Während in Abb. 15B die Atemschleife für die *Ruheatmung* dargestellt ist, gibt Abb. 15C die entsprechende Kurve *bei vertiefter und beschleunigter Atmung* wieder. Die Vertiefung kommt in einem verdoppelten Atemzugvolumen, die Beschleunigung in einer stärkeren Durchbiegung der Inspirations- und Exspirationskurve zum Ausdruck. Die stärkere Durchbiegung erklärt sich daraus, daß bei raschen alveolären Druckänderungen die Strömung nicht schnell genug beschleunigt werden kann. *Bei hoher Atmungsfrequenz wirken sich also die viscösen Atemwegswiderstände stärker aus als bei Ruheatmung.*

Beim *Lungengesunden* kann man aus der Atemschleife den Wert für die *Compliance* entnehmen. Da in den Umkehrpunkten A und B keine Bewegung stattfindet, sind diese beiden Punkte repräsentativ für die statische Retraktion der Lunge. Die Verbindungsgerade zwischen A und B gibt also durch ihre Neigung $-V/\Delta P$ direkt die Größe der Compliance C_L an. Im Beispiel der Abb. 15 ist $C_L = 0,2$ Liter/cm H_2O. Diese Überlegung gilt aber nicht für die erkrankte Lunge, bei der die Atemwiderstände oft erhöht sind. In der zur Verfügung stehenden Zeit können sich daher nur alle Alveolen gleichmäßig mit Luft füllen. Bei A und B liegen also noch keine statischen Bedingungen vor. Bei Lungenkranken darf aus diesem Grund die Compliance nur, wie auf S. 464 ausgeführt, statisch, d.h. bei angehaltener Atmung bestimmt werden.

Aufnahme des Druck-Volumen-Diagramms. Die Meßanordnung für die Aufnahme des Druck-Volumen-Diagramms ergibt sich aus den beiden Größen, die miteinander in Beziehung gesetzt werden (Abb. 16). Als Abscissenwerte benötigt man die **intrapleuralen Drucke,** die als Differenzen zwischen dem Munddruck

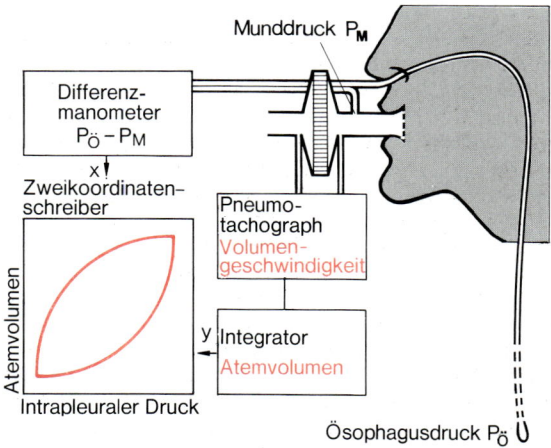

Abb. 16. Prinzipielle Meßanordnung für die Aufnahme der Atemschleife. Die Druckdifferenz zwischen Munddruck und Oesophagusdruck (intrapleuraler Druck) wird der x-Koordinate eines Zweikoordinatenschreibers zugeleitet. Das gleichzeitig mit einem integrierenden Pneumotachographen (S. 458) gemessene Atemvolumen bewegt die Registriereinrichtung in y-Richtung

und dem Oesophagusdruck gemessen werden können. Ordinatenwerte sind die **Atemvolumina,** deren Messung spirometrisch oder mit Hilfe des integrierenden Pneumotachographen erfolgt (S. 458). Zweckmäßigerweise werden beide Meßgrößen einem Zweikoordinatenschreiber zugeführt, der dann die Atemschleife direkt aufzeichnet.

Die Darstellungsform für die Atemschleife ist bisher nicht ganz einheitlich. Manchmal werden Ordinate und Abscisse vertauscht oder die Abscissenwerte spiegelbildlich aufgetragen. Bei ausreichender Kennzeichnung ist jedoch die spezielle Form der Darstellung für die diagnostische Auswertung unerheblich.

Atmungsarbeit. Die physikalische Arbeit, die bei der Überwindung der elastischen und viscösen Widerstände geleistet wird, ergibt sich aus dem **Produkt Druck × Volumen,** das die gleiche Dimension wie das Produkt Kraft × Weg hat. Ändert sich der Druck während der Arbeit, so tritt anstelle des Produktes das **Integral $\int P\,dV$.** Der Vorteil des Druck-Volumen-Diagramms besteht vor allem darin, daß in ihm die Integralwerte für die Arbeit als Flächen veranschaulicht werden können.

Die Flächen, die die *Arbeit gegen die elastischen Widerstände* repräsentieren, sind in Abb. 15 rot punktiert wiedergegeben. Unter dynamischen Bedingungen kommt sowohl bei der Inspiration als auch bei der Exspiration noch ein *Arbeitsanteil* hinzu, der *zur Überwindung der viscösen (Strömungs-) Widerstände* benötigt wird. Die entsprechenden Flächen sind in Abb. 15 waagerecht schraffiert dargestellt. Der viscöse Exspirationsanteil ABEA ist bei ruhiger Atmung (Abb. 15B) kleiner als die zuvor elastisch gespeicherte Energie ABCA. Daher kann die Ausatmung rein *passiv,* d.h. ohne Mitwirkung der Exspirationsmuskeln erfolgen. Dies gilt jedoch nicht mehr für die beschleunigte Atmung, bei der die exspiratorische Reibungsarbeit größer sein kann als die inspiratorisch gespeicherte Energie (Abb. 15C). In diesem Fall muß der Arbeitsanteil, der der senkrecht schraffierten Fläche entspricht, von der *Exspirationsmuskulatur* aufgebracht werden.

Insgesamt werden bei ruhiger Atmung etwa 2% des aufgenommenen Sauerstoffes für die Kontraktionsarbeit der Atmungsmuskeln benötigt. Bei körperlicher Arbeit steigt allerdings der Energiebedarf der Atmungsmuskulatur überproportional an, verglichen mit der erzielten Zunahme des Atemzeitvolumens und der O_2-Aufnahme in der Lunge. So ist es zu verstehen, daß bei schwerer körperlicher Belastung bis zu 20% des aufgenommenen Sauerstoffs für die Atmungsarbeit zur Verfügung gestellt werden muß [28].

3.4. Funktionsprüfungen der Atmungsmechanik

Störungen der Atmungsmechanik. Krankhafte Veränderungen im Bereich des Atmungsapparates führen in vielen Fällen zu Störungen der Lungenbelüftung. Aus diagnostischen Gründen ist es

zweckmäßig, diese Störungen in zwei Gruppen zu unterteilen: in die *restriktiven* und die *obstruktiven* Funktionsstörungen [3, 6, 9, 12, 36, 40].

Als **restriktive Funktionsstörungen** werden alle die Zustände bezeichnet, bei denen die *Ausdehnungsfähigkeit der Lunge eingeschränkt* ist. Dies ist beispielsweise bei pathologischen Veränderungen des Lungenparenchyms (z.B. bei *Lungenfibrose*) oder bei Verwachsungen der Pleurablätter der Fall.

Obstruktive Funktionsstörungen sind dadurch charakterisiert, daß die *zuleitenden Atemwege eingeengt* und damit die *Strömungswiderstände* erhöht sind. Solche Obstruktionen liegen etwa vor bei einer Fehlsteuerung der Bronchialmuskulatur *(Asthma bronchiale)* oder bei Verengung der Bronchien *(Spastische Bronchitis).* Da die Ausatmung ständig gegen einen erhöhten Widerstand erfolgen muß, tritt vielfach im fortgeschrittenen Stadium eine Überblähung der Lunge mit einer vergrößerten Residualkapazität auf. Ein pathologischer Zustand, bei dem neben einer Überblähung auch noch strukturelle Veränderungen der Lunge vorliegen (Verlust der elastischen Fasern, Schwund der Alveolarsepten, Reduktion des Capillarbettes), wird als *Lungenemphysem* bezeichnet.

Differenzierung der Funktionsstörungen. Die Verfahren, die zum Nachweis der restriktiven bzw. obstruktiven Funktionsstörungen geeignet sind, ergeben sich unmittelbar aus den Charakteristika dieser Störungen. Eine Einschränkung der Ausdehnungsfähigkeit der Lunge bei einer *restriktiven Störung* läßt sich durch die **Abnahme der Compliance** nachweisen (S. 464). Die Zunahme der Atemwegswiderstände bei einer *obstruktiven Störung* erkennt man an einer **Zunahme der Resistance** (S. 464). Die Verfahren zur Bestimmung der Compliance- und Resistance-Werte erfordern einen größeren apparativen Aufwand. Es gelingt jedoch, eine grobe Differenzierung der Funktionsstörungen auch auf einfache Weise vorzunehmen.

Vitalkapazität. *Eine Abnahme der Vitalkapazität kann als Zeichen für das Vorliegen einer restriktiven Störung gewertet werden.* Während jedoch mit der Compliance D_L allein die Ausdehnungsfähigkeit der Lunge erfaßt wird, ist die Vitalkapazität noch zusätzlich von der maximalen Erweiterungsfähigkeit des Thorax abhängig. Eine Einschränkung der Vitalkapazität kann also durch eine *pulmonale* oder durch eine *extrapulmonale Restriktion* bedingt sein.

Sekundenkapazität. *Eine obstruktive Funktionsstörung läßt sich auf einfache Weise durch die Sekundenkapazität (1-Sekunden-Ausatmungskapazität ESK,*

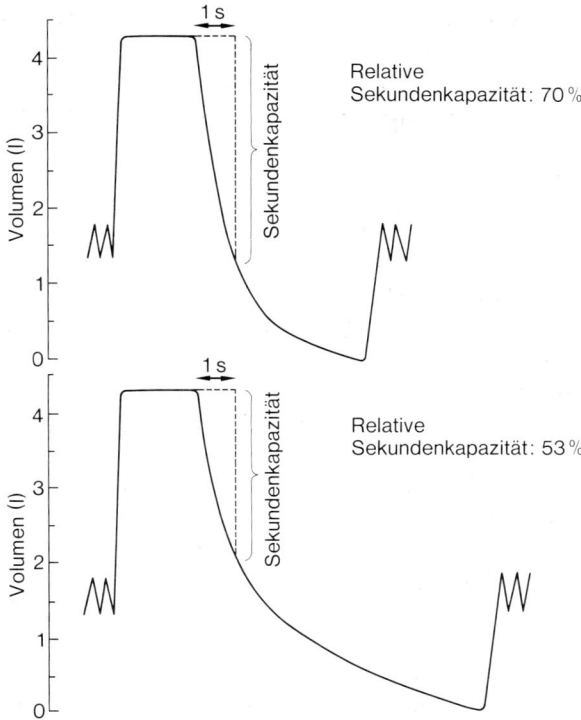

Abb. 17. Bestimmung der relativen Sekundenkapazität. Nach tiefer Inspiration und kurzzeitigem Atemanhalten atmet der Proband so schnell wie möglich aus. Das in 1 s exspirierte Volumen wird als prozentualer Anteil der Vitalkapazität VK angegeben. Oben: Messung bei einem Lungengesunden, unten: bei einem Patienten mit einer obstruktiven Funktionsstörung

Tiffeneau-Test) erfassen. Darunter versteht man dasjenige Volumen, das innerhalb 1 s forciert ausgeatmet werden kann (s. Abb. 17). Der Proband, der an ein geschlossenes oder offenes spirometrisches System (S. 458) angeschlossen ist, atmet nach maximaler Inspiration und kurzem Luftanhalten so schnell und so tief wie möglich aus. Aus der registrierten Exspirationskurve läßt sich dann das innerhalb 1 s ausgeatmete Volumen bestimmen. Die Sekundenkapazität wird meist relativ, d.h. bezogen auf die Vitalkapazität, angegeben (Beispiel: absolute Sekundenkapazität = 3 Liter, Vitalkapazität = 4 Liter, daraus folgt: relative Sekundenkapazität = 75%). Für den Lungengesunden beträgt die relative Sekundenkapazität bis zu einem Alter von 50 Jahren 70–80%, im höheren Alter 65–70%. Bei einer obstruktiven Störung ist infolge der erhöhten Strömungswiderstände die Ausatmung verzögert und damit die relative Sekundenkapazität unter die genannten Werte gesenkt.

Atemstoß (maximale exspiratorische Atemstromstärke). *Eine weitere Möglichkeit zum Nachweis von Obstruktionen bietet die Messung der maximalen Atemstromstärke (Volumengeschwindigkeit).* Wie bei der Bestimmung der Sekundenkapazität fordert man den Probanden auf, nach einer maximalen Inspiration forciert auszuatmen. Die Messung der Atemstromstärke erfolgt dabei mit Hilfe eines Pneumotachographen (S. 458). (Weniger genau läßt sich die Atemstromstärke auch aus der Exspirationskurve nach Abb. 17 als Verhältnis der Volumenänderung zur zugehörigen Zeitdifferenz ermitteln.) Der Maximalwert der so aufgenommenen exspiratorischen Atemstromstärke soll beim Lungengesunden etwa 10 Liter/s betragen. Beim Vorliegen erhöhter Atemwegswiderstände wird dieser Wert wesentlich unterschritten.

Die exspiratorische Atemstromstärke kann über einen Grenzwert hinaus nicht gesteigert werden, auch wenn die exspiratorische Anstrengung noch weiter verstärkt wird. Der Grund hierfür ist in der *Wandstruktur der Bronchioli respiratorii* zu suchen, die keine knorpeligen Stützelemente besitzen. Solche weichwandigen Rohre werden komprimiert, wenn der von außen einwirkende (intrapulmonale) Druck größer ist als der Druck in ihrem Lumen [11]. *Bei sehr starkem Exspirationsdruck wird also der Strömungswiderstand in den Bronchiolen erhöht.* Dieser Effekt tritt besonders stark hervor, wenn der Zug der elastischen Fasern, der normalerweise die Lumina der Bronchiolen weit hält, vermindert ist. In einem solchen Fall, der z.B. beim *Lungenemphysem* (S. 468) vorliegt, können die Bronchiolen bei starker exspiratorischer Anstrengung kollabieren.

Atemgrenzwert. *Das Atemzeitvolumen bei maximal forcierter, willkürlicher Hyperventilation wird als Atemgrenzwert bezeichnet.* Diese Größe ist deshalb von diagnostischem Interesse, weil die Inanspruchnahme der Atmungsreserven gut geeignet ist, Funktionsstörungen aufzudecken. Die spirometrische Messung erfolgt, während der Proband mit einer Atmungsfrequenz von 40–60/min forciert hyperventiliert. Der Test soll nur für die Dauer von etwa 10 s durchgeführt werden, um die nachteiligen Folgen der Hyperventilation (Alkalose, s. S. 503) zu vermeiden. Das Ergebnis der Untersuchung wird jedoch auf die Zeit von 1 min bezogen. Der Sollwert für den Atemgrenzwert (AGW) hängt vom Alter, vom Geschlecht sowie von den Körpermaßen ab und liegt für den jungen Mann etwa zwischen *120* und *170 Liter/min.* Eine Abnahme des Atemgrenzwertes findet man sowohl bei *restriktiven* als auch bei *obstruktiven Funktionsstörungen.* Eine über den Atemgrenzwert festgestellte Störung erfordert also zur weiteren Differenzierung die zusätzliche Bestimmung der Vitalkapazität und der Sekundenkapazität.

4. Der Austausch der Atemgase

4.1. Alveoläre Atemgaskonzentrationen

Berechnung der alveolären Atemgaskonzentrationen. Das Gasgemisch in den Alveolen, die am Gasaustausch beteiligt sind, wird meist als *Alveolarluft* bezeichnet. Neuerdings bildet sich jedoch ein allgemeiner Konsensus dahingehend heraus, daß die Bezeichnung „Luft" allein einem Gasgemisch mit atmosphärischer Zusammensetzung vorbehalten sein sollte. Da in den Alveolen eine andere Zusammensetzung (weniger O_2, mehr CO_2) vorliegt, müssen wir also konsequenterweise von einem *alveolären Gasgemisch* sprechen.

Die für den Gasaustausch wichtigen O_2- und CO_2-Konzentrationen im alveolären Gasgemisch werden hauptsächlich von der alveolären Ventilation und den ausgetauschten Gasmengen bestimmt. Zur Berechnung der Konzentrationen im Alveolarraum ist die folgende Beziehung anzusetzen:

ausgetauschte Gasmenge
= inspiratorsich zugeführte Gasmenge
− exspiratorisch abgeführte Gasmenge.

Wendet man diese Massenbilanz auf den **Sauerstoff** an, so ergibt sich:

$$\dot{V}_{O_2} = F_{I_{O_2}} \cdot \dot{V}_A - F_{A_{O_2}} \cdot \dot{V}_A \tag{15}$$

($\dot{V}_{O_2} = O_2$-Aufnahme, $F_{I_{O_2}} =$ inspiratorische O_2-Konzentration, $F_{A_{O_2}} =$ alveoläre O_2-Konzentration, $\dot{V}_A =$ alveoläre Ventilation.)

Bei Anwendung auf **Kohlendioxid** ist zu berücksichtigen, daß die inspiratorische CO_2-Konzentration gleich Null gesetzt werden kann ($F_{I_{CO_2}} \approx 0$) und die entgegengesetzte Austauschrichtung mit negativem Vorzeichen zu kennzeichnen ist:

$$\dot{V}_{CO_2} = F_{A_{CO_2}} \cdot \dot{V}_A \tag{16}$$

($\dot{V}_{CO_2} = CO_2$-Abgabe, $F_{A_{CO_2}} =$ alveoläre CO_2-Konzentration.)

Aus Gl. (15) und Gl. (16) ergeben sich die Beziehungen für die alveolären Konzentrationen:

$$F_{A_{O_2}} = F_{I_{O_2}} - \frac{\dot{V}_{O_2}}{\dot{V}_A}, \qquad F_{A_{CO_2}} = \frac{\dot{V}_{CO_2}}{\dot{V}_A}. \tag{17}$$

Diese Gleichungen gelten allerdings nur, wenn alle Volumina der rechten Seite unter gleichen Bedingungen gemessen werden. *Gewöhnlich bezieht man jedoch die O_2-Aufnahme und die CO_2-Abgabe auf die physikalischen Standardbedingungen, während man Atemvolumina und Ventilationsgrößen für die im Körper vorliegenden Bedingungen angibt.*

Standardbedingungen und Körperbedingungen. Die Atemvolumina sind von dem jeweils herrschenden **Barometerdruck** P_B, der **Temperatur** T und dem **Wasserdampfdruck** P_{H_2O} abhängig. Aus diesem Grund ist es notwendig anzugeben, unter welchen speziellen Bedingungen ein Volumen gemessen worden ist. Hierbei unterscheidet man insbesondere die folgenden Bedingungen:

1. **STPD-Bedingungen** (engl. Abkürzung für **S**tandard **T**emperature, **P**ressure, **D**ry): Es sind dies die physikalischen Standardbedingungen, bei denen die Volumenangaben auf $P_B = 760$ mm Hg, $T = 273$ K und $P_{H_2O} = 0$ mm Hg (Trockenheit) bezogen werden (s. S. 526).

2. **BTPS-Bedingungen** (engl. Abkürzung für **B**ody **T**emperature, **P**ressure, **S**aturated): Hierbei handelt es sich um die in der Lunge herrschenden Bedingungen, d.h. $T = 273 + 37 = 310$ K, P_B variierend nach Maßgabe des jeweiligen Barometerdruckes und $P_{H_2O} = 47$ mm Hg (Wasserdampfsättigung bei $37°$ C).

Die Umrechnung der Volumina bei Änderung der Volumen-Meßbedingungen erfolgt mit Hilfe der **allgemeinen Gasgleichung**

$$V \cdot P = n \cdot R \cdot T \tag{18}$$

($n =$ Anzahl der Mole, $R =$ allgemeine Gaskonstante, $T =$ absolute Temperatur). Wendet man diese Gleichung einmal auf STPD-Bedingungen, zum anderen auf BTPS-Bedingungen an, so gilt:

$$V_{STPD} \cdot 760 = n \cdot R \cdot 273;$$
$$V_{BTPS} \cdot (P_B - 47) = n \cdot R \cdot 310 \tag{19}$$

und damit für das Volumenverhältnis:

$$\frac{V_{STPD}}{V_{BTPS}} = \frac{273}{310} \cdot \frac{P_B - 47}{760} = \frac{P_B - 47}{863}. \tag{20}$$

Diese Umrechnungsbeziehung ist zu berücksichtigen, wenn die alveolären Konzentrationen nach den Gleichungen (17) ermittelt werden sollen:

$$F_{A_{O_2}} = F_{I_{O_2}} - \frac{\dot{V}_{O_2(STPD)}}{\dot{V}_{A(BTPS)}} \frac{863}{P_B - 47};$$
$$F_{A_{CO_2}} = \frac{\dot{V}_{CO_2(STPD)}}{\dot{V}_{A(BTPS)}} \frac{863}{P_B - 47}. \tag{21}$$

Bei Körperruhe beträgt die O_2-Aufnahme unter Standardbedingungen etwa $\dot{V}_{O_2(STPD)} = 280$ ml/min (Variationsbereich: 250–300 ml/min) und die CO_2-Abgabe $\dot{V}_{CO_2(STPD)} = 230$ ml/min (Variationsbereich:

200–250 ml/min). Das Verhältnis CO_2-Abgabe : O_2-Aufnahme, das als *Respiratorischer Quotient* bezeichnet wird, beträgt damit 230 : 280 = 0,82. Für den Barometerdruck $P_B = 760$ mm Hg ergeben sich unter Berücksichtigung von $F_{I_{O_2}} = 0,209$ ml O_2/ml Gemisch (= 20,9 Vol.-%) und $\dot{V}_{A(BTPS)} = 5000$ ml/min aus den Gln. (21) die gesuchten Werte:

alveoläre O_2-Konzentration
$F_{A_{O_2}} = 0,14$ *ml O_2/ml Gemisch = 14 Vol.-% (ml/dl).*

alveoläre CO_2-Konzentration
$F_{A_{CO_2}} = 0,056$ *ml CO_2/ml Gemisch = 5,6 Vol.-% (ml/dl).*

Der Rest des alveolären Gasgemisches besteht aus Stickstoff und einem sehr kleinen Anteil an Edelgasen.

Analyse des alveolären Gasgemisches. Die Messung der alveolären Gaskonzentrationen stößt schon deswegen auf Schwierigkeiten, weil es nicht einfach ist, Proben des alveolären Gasgemisches zu gewinnen. Bei der Exspiration wird zuerst das Gasvolumen aus den Toträumen abgegeben, dann erst folgt das Volumen aus den Alveolarräumen. Aber auch in dieser späten Phase der Exspiration ändert sich die Zusammensetzung des Gasgemisches laufend ein wenig, weil der alveoläre Gasaustausch weitergeht. Man hat daher Apparaturen entwickelt, die mit Hilfe einer mechanischen oder elektronischen Steuerung den jeweils letzten Teil des Exspirationsvolumens sammeln [6].

Die Messung der Konzentrationen in dem so gewonnenen alveolären Gasgemisch kann dann mit einem geeigneten Analysegerät erfolgen. Nach dem **Verfahren von Scholander** werden die Atemgase O_2 und CO_2 nacheinander chemisch absorbiert und die jeweiligen Volumenabnahmen direkt gemessen. Die verschwundenen Volumina entsprechen den Anteilen der jeweils absorbierten Gase [6].

Mit schnell anzeigenden Meßgeräten können darüber hinaus die Atemgaskonzentrationen in der Exspirationsluft fortlaufend verfolgt werden. Meßgeräte für CO_2 nutzen die spezielle *Ultrarotabsorption* dieses Gases, Meßgeräte für O_2 dessen besondere *paramagnetischen Eigenschaften* aus. Auch *Massenspektrometer* werden für O_2- und CO_2-Analysen eingesetzt. Der Vorteil aller dieser Verfahren besteht darin, daß bei einer fortlaufenden Registrierung der Atemgaskonzentrationen die alveolären Konzentrationsbereiche im Kurvenverlauf zu erkennen sind. Eine Sammlung von Gasproben ist also nicht notwendig. Abb. 19 zeigt als Beispiel die von einem Ultrarotschreiber aufgezeichnete CO_2-Konzentration während zweier Atmungscyclen. Der als „Alveolarplateau" gekennzeichnete Kurventeil rührt vom alveolären Anteil des Exspirationsvolumens her.

4.2. Alveoläre Partialdrucke der Atemgase

Partialdrucke in der atmosphärischen Luft. *Nach dem Daltonschen Gesetz übt jedes Gas in einem Gemisch einen Partialdruck (Teildruck) P_{Gas} aus, der seinen Anteil am Gesamtvolumen, d.h. seiner Konzentration F_{Gas} entspricht.* Bei der Anwendung dieses Gesetzes auf die Atemgase ist zu berücksichtigen, daß sowohl die atmosphärische Luft als auch das alveoläre Gasgemisch neben O_2, CO_2, N_2 und Edelgasen auch noch Wasserdampf enthalten, der einen bestimmten Partialdruck P_{H_2O} ausübt. Da die Gaskonzentrationen für das „trockene" Gasgemisch angegeben werden, ist bei der Formulierung des Daltonschen Gesetzes der Gesamtdruck (Barometerdruck P_B) um den **Wasserdampfdruck P_{H_2O}** zu reduzieren:

$$P_{Gas} = F_{Gas} \cdot (P_B - P_{H_2O}) \tag{22}$$

(Drucke in mm Hg, F in ml Gas/ml Gemisch). Trockene atmosphärische Luft enthält 20,9 Vol.-% Sauerstoff ($F_{O_2} = 0,209$), 0,03 Vol.-% Kohlendioxid ($F_{CO_2} = 0,0003$) und 79,1 Vol.-% Stickstoff, einschließlich eines kleinen Edelgasanteils ($F_{N_2} = 0,791$). Mit Hilfe der Beziehung (22) kann man aus diesen Werten die zugehörigen Partialdrucke berechnen. Für mittlere Luftdrucke und Wasserdampfdrucke liegt der O_2-Partialdruck im Bereich von $P_{O_2} = 150$ mm Hg; der CO_2-Partialdruck ist mit $P_{CO_2} = 0,2$ mm Hg praktisch zu vernachlässigen.

Partialdrucke im alveolären Gasgemisch. Bei der Anwendung der Beziehung (22) auf das alveoläre Gasgemisch ist zu berücksichtigen, daß hier ein Wasserdampfdruck von 47 mm Hg vorliegt, entsprechend einer 100%igen Wasserdampfsättigung bei 37° C. Daher gelten die Beziehungen:

$$P_{A_{O_2}} = F_{A_{O_2}} \cdot (P_B - 47);$$
$$P_{A_{CO_2}} = F_{A_{CO_2}} \cdot (P_B - 47). \tag{23}$$

Setzt man (23) in die Gln. (21) ein, so erhält man:

$$P_{A_{O_2}} = P_{I_{O_2}} - \frac{\dot{V}_{O_2(STPD)}}{\dot{V}_{A(BTPS)}} \cdot 863 \, [\text{mm Hg}];$$
$$P_{A_{CO_2}} = \frac{\dot{V}_{CO_2(STPD)}}{\dot{V}_{A(BTPS)}} \cdot 863 \, [\text{mm Hg}]. \tag{24}$$

Diese Formeln erlauben die Berechnung des alveolären O_2-Partialdruckes $P_{A_{O_2}}$ und des alveolären CO_2-Partialdruckes $P_{A_{CO_2}}$ aus den Größen der rechten Seite. Für die Ruheatmung ($\dot{V}_{O_2(STPD)} = 280$ ml/min, $\dot{V}_{CO_2(STPD)} = 230$ mm Hg, $\dot{V}_{A(BTPS)} = 5000$ ml/min) ergeben sich bei einem inspiratorischen O_2-Partialdruck von $P_{I_{O_2}} = 150$ mm Hg die alveolären Werte:

$$\mathbf{P_{A_{O_2}} = 100 \text{ mm Hg};} \qquad \mathbf{P_{A_{CO_2}} = 40 \text{ mm Hg.}}$$
(1 mm Hg = 133 Pa, s.S. 683)

Diese Daten gelten als Normwerte für den gesunden Erwachsenen. Dabei ist jedoch die Einschränkung zu machen, daß es sich allenfalls um zeitliche und

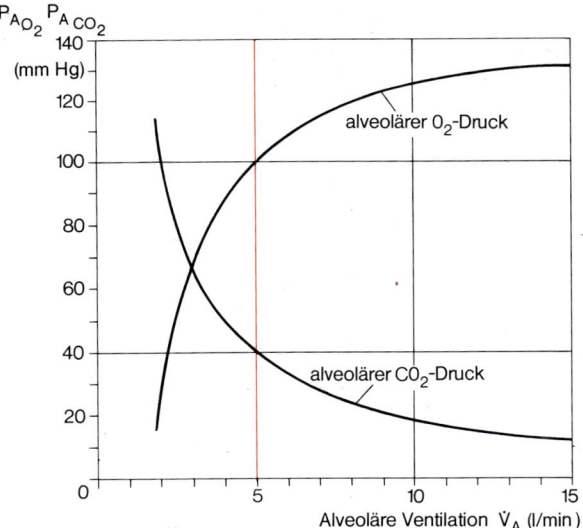

Abb. 18. Abhängigkeit der alveolären Atemgasdrucke ($P_{A_{O_2}}$ und $P_{A_{CO_2}}$) von der alveolären Ventilation ($\dot{V}_A$) bei konstanter Stoffwechselrate in körperlicher Ruhe (O_2-Aufnahme: 280 ml/min, CO_2-Abgabe: 230 ml/min). Die rote Gerade gibt die Werte für $P_{A_{O_2}}$ und $P_{A_{CO_2}}$ unter normalen Ventilationsbedingungen an

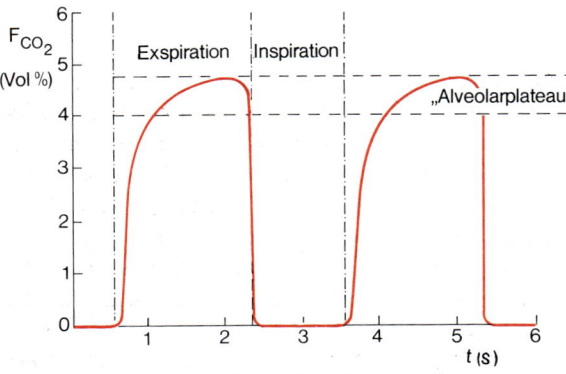

Abb. 19. CO_2-Konzentration während der Exspiration und der Inspiration am Mund des Probanden mittels eines Ultrarotabsorptionsschreibers registriert. Alveolarplateau: Bereich, in dem der alveoläre Anteil des Exspirationsvolumens den Meßort passiert

örtliche Mittelwerte handelt. Geringe zeitliche Schwankungen der alveolären Partialdrucke treten auf, weil die Frischluft diskontinuierlich in den Alveolarraum einströmt. Kleine örtliche Variationen entstehen durch die nicht ganz gleichmäßige Belüftung und Durchblutung der verschiedenen Lungenabschnitte (S. 475).

Bei vorgegebenen Austauschraten für O_2 und CO_2 ($\dot{V}_{O_2}$ und $\dot{V}_{CO_2}$) sind nach Gl. (24) die alveolären Partialdrucke vor allem von der alveolären *Ventilation $\dot{V}_A$ abhängig*. Eine Zunahme der alveolären Ventilation *(Hyperventilation)* hat einen $P_{A_{O_2}}$-Anstieg und einen $P_{A_{CO_2}}$-Abfall zur Folge, eine Abnahme *(Hypoventilation)* ergibt den umgekehrten Effekt. Diese Abhängigkeit der alveolären

Partialdrucke von der alveolären Ventilation ist in Abb. 18 quantitativ dargestellt.

Einfluß des Ventilations-Perfusions-Verhältnisses. Die im Alveolarraum ausgetauschten Atemgase müssen mit dem Blutstrom an- bzw. abtransportiert werden. Aus diesem Grunde sind die O_2-Aufnahme $\dot{V}_{O_2}$ und die CO_2-Abgabe $\dot{V}_{CO_2}$ mit der Lungendurchblutung gekoppelt. Sofern die venösen und arteriellen Blutgaswerte als konstant angesehen werden dürfen, ist die **Lungendurchblutung** *(Lungenperfusion)* $\dot{Q}$ den beiden Größen $\dot{V}_{O_2}$ und $\dot{V}_{CO_2}$ proportional. Daher lassen sich die Gln. (24) auch folgendermaßen interpretieren: *Die alveolären O_2- und CO_2-Partialdrucke sind vom Verhältnis der alveolären Ventilation zur Lungenperfusion $\dot{V}_A/\dot{Q}$ abhängig.* Für den Lungengesunden in körperlicher Ruhe hat das Verhältnis $\dot{V}_A/\dot{Q}$ den Wert 0,9–1,0. Auch bei körperlicher Arbeit sind die Regulationen von Atmung und Kreislauf so aufeinander abgestimmt, daß sich der $\dot{V}_A/\dot{Q}$-Wert nicht wesentlich ändert. Unter pathologischen Bedingungen dagegen können Veränderungen des Ventilations-Perfusions-Verhältnisses vorkommen, die die alveolären Partialdrucke beeinflussen: Bei einer $\dot{V}_A/\dot{Q}$-Zunahme steigt der alveoläre O_2-Partialdruck an, während der alveoläre CO_2-Partialdruck abfällt. Umgekehrt verhalten sich die alveolären O_2- und CO_2-Partialdrucke bei einer $\dot{V}_A/\dot{Q}$-Abnahme.

Alveolarformel. Der $P_{A_{CO_2}}$-Beziehung in Gl. (24) kommt insofern noch eine besondere Bedeutung zu, als mit ihrer Hilfe der Wert für die alveoläre Ventilation bestimmt werden kann:

$$\dot{V}_{A(BTPS)} = \frac{\dot{V}_{CO_2(STPD)}}{P_{A_{CO_2}}} \cdot 863 \ [ml/min] . \qquad (25)$$

Die beiden Größen der rechten Seite, die CO_2-Abgabe und der alveoläre CO_2-Partialdruck, sind der Messung zugänglich, so daß auf diese Weise der Wert für $\dot{V}_A$ recht genau ermittelt werden kann. Meist ist es vorteilhaft, anstelle des *alveolären CO_2-Partialdruckes* $P_{A_{CO_2}}$ den *arteriellen CO_2-Partialdruck* $P_{a_{CO_2}}$ zu messen (S. 476). Dies ist möglich, weil infolge der günstigen Austauschbedingungen für CO_2 die beiden Werte praktisch übereinstimmen. Die Beziehung (25) wird häufig als *Alveolarformel* bezeichnet.

Kennzeichnung veränderter Ventilationszustände. Eine Veränderung der Ventilationsgröße kann sehr verschiedenartige Ursachen haben. Eine verstärkte Atmung läßt sich willkürlich hervorrufen; sie wird aber auch bei Arbeit als Anpassung an die Stoffwechselbedürfnisse des Organismus sowie unter pathologischen Bedingungen beobachtet. Eine verminderte Atmung kann willkürlich erzeugt werden oder regulatorisch sowie pathologisch bedingt sein. Für solche Veränderungen wurde in der Vergangenheit eine Reihe von Fachausdrücken geprägt, ohne daß diese jedoch eindeutig gegeneinander abgegrenzt wurden. Neuerdings versucht man die Begriffe etwas genauer zu fassen, wobei die alveolären Gaspartialdrucke als Maßstab herangezogen werden. Diese Definitionen sind im Folgenden zusammengestellt:

1. *Normoventilation:* Normale Ventilation, bei der in den Alveolen etwa die Partialdrucke $P_{A_{O_2}} = 100$ mm Hg und $P_{A_{CO_2}} = 40$ mm Hg aufrechterhalten werden.

2. *Hyperventilation:* Steigerung der alveolären Ventilation, die über die jeweiligen Stoffwechselbedürfnisse hinausgeht ($P_{A_{O_2}} > 100$ mm Hg, $P_{A_{CO_2}} < 40$ mm Hg).

3. *Hypoventilation:* Minderung der alveolären Ventilation unter den Wert, der den Stoffwechselbedürfnissen entspricht ($P_{A_{O_2}} < 100$ mm Hg, $P_{A_{CO_2}} > 40$ mm Hg).

4. *Mehrventilation:* Atmungssteigerung über den Ruhewert hinaus (etwa bei körperlicher Arbeit), unabhängig von der Höhe der alveolären Partialdrucke.

5. *Eupnoe:* Normale Ruheatmung.

6. *Hyperpnoe:* Vertiefte Atmung mit oder ohne Zunahme der Atmungsfrequenz.

7. *Tachypnoe:* Zunahme der Atmungsfrequenz.

8. *Bradypnoe:* Abnahme der Atmungsfrequenz.

9. *Apnoe:* Atmungsstillstand, hauptsächlich bedingt durch das Fehlen des physiologischen Atmungsreizes (Abnahme des arteriellen CO_2-Partialdruckes, s. S. 481).

10. *Dyspnoe:* Erschwerte Atmung, verbunden mit dem subjektiven Gefühl der Atemnot.

11. *Orthopnoe:* Starke Dyspnoe bei Stauung des Blutes in den Lungencapillaren infolge einer Herzinsuffizienz (insbesondere im Liegen).

12. *Asphyxie:* Atmungsstillstand oder Minderatmung bei Lähmung der Atmungszentren.

4.3. Diffusion der Atemgase

Gesetzmäßigkeiten der Diffusion. In den Lungenalveolen wird ein hoher O_2-Partialdruck (100 mm Hg) aufrechterhalten, während das venöse Blut mit einem niedrigeren O_2-Partialdruck (40 mm Hg) in die Lungencapillaren eintritt. Für CO_2 besteht eine Partialdruckdifferenz in entgegengesetzter Richtung (46 mm Hg am Anfang der Lungencapillaren, 40 mm Hg in den Alveolen). Diese Partialdruckdifferenzen stellen die „treibenden Kräfte" für die O_2- und CO_2-Diffusion und damit für den pulmonalen Gasaustausch dar.

Die grundlegende quantitative Aussage über den Diffusionsvorgang ist im **1. Fickschen Diffusions-**

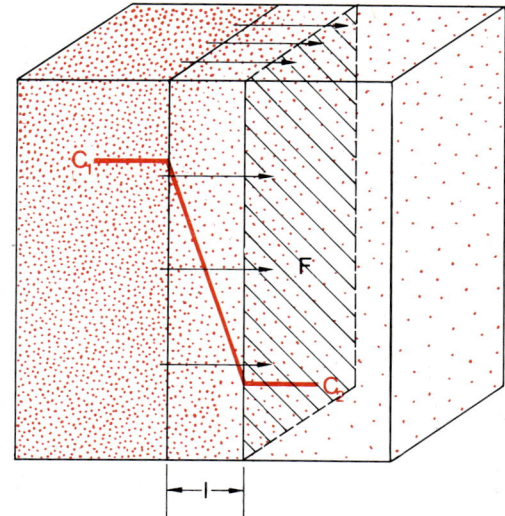

Abb. 20. Schema zur Erläuterung der den Diffusionsprozeß bestimmenden Größen. Zwei Räume sind durch eine ebene Schicht der Dicke l und der Fläche F voneinander getrennt. C_1 hohe Teilchenkonzentration im linken Raum; C_2 niedrige Teilchenkonzentration im rechten Raum; roter Kurvenzug Konzentrationsabfall in der Diffusionsschicht. Berechnung des Diffusionsstromes nach Gl. (26)

gesetz enthalten. Sein Inhalt soll anhand der Abb. 20 erläutert werden. Durch ein ebenes Diffusionsmedium mit der Fläche F und der Schichtdicke l diffundiere eine Substanz, deren Konzentration auf der einen Seite hoch (C_1) und auf der anderen Seite niedrig (C_2) sei. Die Teilchen wandern also in Pfeilrichtung durch die Schicht. Das 1. Ficksche Diffusionsgesetz besagt nun, daß *der Diffusionsstrom* $\dot{m}$, d.h. die durch F in der Zeiteinheit hindurchtretende Substanzmenge, *der Konzentrationsdifferenz* $(C_1 - C_2)$ *direkt proportional ist:*

$$\dot{m} = D\frac{F}{l}(C_1 - C_2) = D\frac{F}{l}\Delta C. \qquad (26)$$

Wie man aus Gl. (26) weiter erkennt, werden um so mehr Teilchen durch die Schicht transportiert, je größer die *Fläche* F und je kleiner die *Schichtdicke* l ist. Der Proportionalitätsfaktor D ist eine vom Diffusionsmedium und von der Art der diffundierenden Teilchen abhängige Konstante, die als **Diffusionskoeffizient** bezeichnet wird.

Wenn ein gelöstes Gas durch eine Flüssigkeitsschicht diffundiert, dann können die Konzentrationen C auch durch die entsprechenden Partialdrucke P ersetzt werden, weil beide Größen einander proportional sind (S. 491):

$$\dot{m} = K\frac{F}{l}(P_1 - P_2) = K\frac{F}{l}\Delta P. \qquad (27)$$

K, das einen anderen Zahlenwert und eine andere Dimension als D besitzt, wird zur besseren Unterscheidung als **Kroghscher Diffusionskoeffizient** oder als **Diffusionsleitfähigkeit** bezeichnet [34]. Für CO_2 hat K einen 20–25mal größeren Wert als für O_2, d.h. unter sonst gleichen Bedingungen diffundiert 20–25mal mehr CO_2 als O_2 durch eine vorgegebene Schicht. Das ist auch der Grund dafür, daß beim Gasaustausch in der Lunge trotz kleiner CO_2-Partialdruckdifferenzen stets eine ausreichende CO_2-Diffusion sichergestellt ist.

Diffusionswege in der Lunge. Nach Gl. (27) erfordert ein effektiver Diffusionsaustausch eine große Austauschfläche F und einen kleinen Diffusionsweg l. Beide Voraussetzungen sind in der Lunge in idealer Weise erfüllt. Die *Oberfläche der Alveolen* wird insgesamt auf 50–80 m^2 geschätzt [38]. Auch im Hinblick auf die *Diffusionswege* liegen in der Lunge äußerst günstige Bedingungen vor, weil das Lungencapillarblut nur durch eine dünne Gewebeschicht von den Alveolarräumen getrennt ist. Im elektronenoptischen Bild wird dies besonders deutlich (Abb. 21): In der Transportrichtung des Sauerstoffes sind nacheinander folgende Medien durch Diffusion zu überwinden: das Alveolarepithel, das Interstitium zwischen den Basalmembranen, das Capillarendothel, das Blutplasma, die Erythrocytenmembran und der Erythrocyteninnenraum. Insgesamt hat der Diffusionsweg nur eine Länge von größenordnungsmäßig 1 μm.

Wie man aus Abb. 21 erkennt, ist der größte Diffusionsweg und damit auch der größte Diffusionswiderstand im Inneren des Erythrocyten zu überwinden. Hier wird jedoch die O_2-Diffusion durch zusätzliche Transportprozesse unterstützt. Die O_2-Moleküle werden, sobald sie in den Erythrocyten eingedrungen sind, an das Hämoglobin Hb angelagert, das dabei in das Oxyhämoglobin HbO_2 übergeht (S. 491). Die HbO_2-Moleküle haben nun ebenfalls die Möglichkeit, in Richtung auf das Zentrum des Erythrocyten zu diffundieren. Außerdem wird

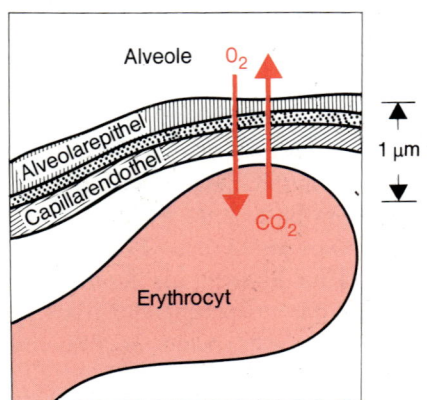

Abb. 21. Diffusionswege für O_2 und CO_2 beim Gasaustausch in der Lunge

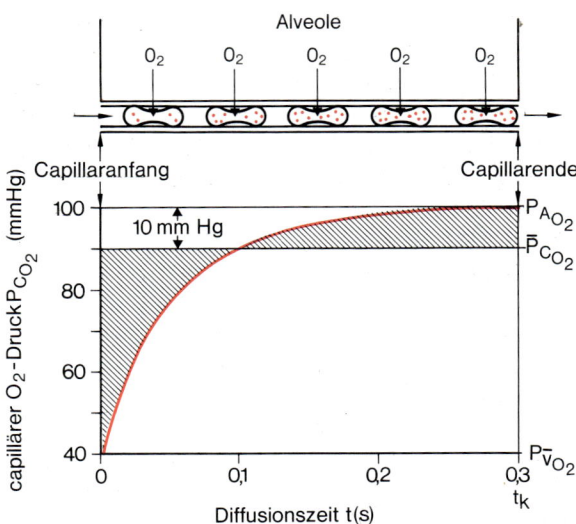

Abb. 22. Zunahme des O_2-Partialdruckes im Erythrocyten während der Passage durch die Lungencapillare. Oben: O_2-Aufnahme der Erythrocyten (angedeutet durch rote Punktierung). Unten: Zugehörige Kurve des capillären O_2-Partialdruckes P_{CO_2} in Abhängigkeit von der Diffusionszeit t. $P_{A_{O_2}}$ alveolärer O_2-Partialdruck; $P_{v_{O_2}}$ venöser O_2-Partialdruck; $\bar{P}_{CO_2}$ O_2-Partialdruck, gemittelt über die gesamte Zeit des Diffusionskontaktes; t_k Kontaktzeit

vermutet, daß bei Formänderungen des Erythrocyten, wie sie in der Lungencapillare vorkommen, ein zusätzlicher O_2-Transport durch Konvektion des Erythrocyteninhalts zustande kommt.

Die CO_2-Moleküle haben den entgegengesetzten Diffusionsweg vom Erythrocyten in den Alveolarraum zurückzulegen. Dies ist allerdings erst möglich, nachdem sie aus ihren chemischen Bindungen freigesetzt worden sind (S. 496).

Diffusionskapazität der Lunge. Während seiner Passage durch die Lungencapillare steht der einzelne Erythrocyt nur für eine verhältnismäßig kurze Zeit von etwa 0,3 s mit dem Alveolarraum in Diffusionskontakt [34]. Diese **Kontaktzeit** reicht jedoch aus, um die Gaspartialdrucke im Blut denen des Alveolarraumes praktisch vollständig anzugleichen. (Zur Definition der Atemgas-Partialdrucke im Blut vgl. S. 491.) Abb. 22 zeigt, wie sich der O_2-Partialdruck im Capillarblut dem alveolären O_2-Partialdruck zunächst schnell, dann immer langsamer nähert. Dieser Modus des O_2-Partialdruckanstieges ist eine Folge des Fickschen Diffusionsgesetzes: Die anfangs große alveolo-capilläre O_2-Partialdruckdifferenz wird im Laufe der Passagezeit immer kleiner, so daß die Diffusionsrate ständig abnehmen muß. Das Blut, das mit einem O_2-Partialdruck von 40 mm Hg in die Capillare eintritt, verläßt diese mit einem O_2-Partialdruck von 100 mm Hg. Ebenso erfolgt innerhalb der Kontaktzeit ein Angleich des CO_2-Partialdruckes an den alveolären Wert. Der CO_2-Partialdruck, der am venösen Capillarende 46 mm Hg beträgt, fällt mit der Abdiffusion des CO_2 auf 40 mm Hg ab. Wir können also feststellen: *In der Lunge des Gesunden gleichen sich die Partialdrucke im Blut den alveolären Werten praktisch vollständig an.*

Ein Maß für die „Diffusionsfähigkeit" der gesamten menschlichen Lunge kann man aus dem Fickschen Diffusionsgesetz (Gl. 27) gewinnen. Hierzu geht man von der Überlegung aus, daß die in der gesamten Lunge diffundierende O_2-Menge mit der O_2-Aufnahme $\dot{V}_{O_2}$ identisch ist. Ferner faßt man die im Einzelfall nicht bestimmbaren Faktoren K, F und l zu einer neuen Konstanten $D_L = K \cdot F/l$ zusammen. Dann ergibt sich:

$$\dot{V}_{O_2} = D_L\,\overline{\Delta P}_{O_2}; \quad D_L = \frac{\dot{V}_{O_2}}{\overline{\Delta P}_{O_2}}. \tag{28}$$

Die Größe D_L wird als **O_2-Diffusionskapazität** der Lunge bezeichnet. $\overline{\Delta P}_{O_2}$ stellt in diesem Fall die mittlere O_2-Partialdruckdifferenz zwischen dem Alveolarraum und dem Lungencapillarblut dar. Da die O_2-Partialdrucke vom venösen zum arteriellen Capillarende ansteigen, muß sich die Mittelbildung über die ganze Capillarlänge erstrecken (Abb. 22).

Wenn man die O_2-Diffusionskapazität bestimmen will, muß man also nach Gl. (28) die Sauerstoffaufnahme $\dot{V}_{O_2}$ und die mittlere diffusionswirksame O_2-Partialdruckdifferenz $\overline{\Delta P}_{O_2}$ messen. Während die Messung von $\dot{V}_{O_2}$ mit dem offenen oder dem geschlossenen spirometrischen System keine Schwierigkeiten bereitet, erfordert die Bestimmung von $\overline{\Delta P}_{O_2}$ einen erheblichen meßtechnischen Aufwand [6, 18, 34].

Für einen gesunden Erwachsenen in körperlicher Ruhe findet man eine Sauerstoffaufnahme von $\dot{V}_{O_2} = 250 - 300$ ml/min und eine mittlere O_2-Partialdruckdifferenz von etwa $\overline{\Delta P}_{O_2} = 10$ mm Hg. Nach Gl. (28) beträgt also der Wert für die *normale O_2-Diffusionskapazität $D_L = 25$–30 ml O_2/min·mm Hg.* Unter pathologischen Bedingungen ergeben sich manchmal erheblich kleinere D_L-Werte. Dies ist ein Zeichen für einen erhöhten Diffusionswiderstand in der Lunge, der durch eine Reduktion der Austauschfläche F oder eine Zunahme des Diffusionsweges l bedingt sein kann. Für sich allein stellt D_L allerdings noch kein Maß für die erreichte O_2-Partialdruckangleichung an den alveolären Wert dar. Ähnlich wie die alveoläre Ventilation muß die Diffusionskapazität auf die Lungendurchblutung $\dot{Q}$ bezogen werden. *Das Verhältnis $D_L/\dot{Q}$ ist also die entscheidende Größe für die Effektivität des alveolären Gasaustausches.* Eine Abnahme von $D_L/\dot{Q}$ wird als **Diffusionsstörung** gekennzeichnet.

4.4. Arterialisierung des Blutes

Maßgebende Faktoren für den Arterialisierungseffekt. Unter der Arterialisierung des Blutes versteht man die Änderung der Atemgaspartialdrucke, durch die der venöse Zustand in den arteriellen übergeführt wird. Als Faktoren, die den Grad der Arterialisierung beeinflussen, haben wir bereits kennengelernt: 1. die **alveoläre Ventilation** $\dot{V}_A$, 2. die **Perfusion** *(Lungendurchblutung)* $\dot{Q}$, 3. die **Diffusionskapazität** D_L. Wir haben auch gesehen, daß diese Größen nicht unabhängig voneinander den Effekt der Atmung bestimmen, sondern vielmehr ihr Verhältnis zueinander maßgebend ist. Entscheidend sind die Quotienten $\dot{V}_A/\dot{Q}$ und $D_L/\dot{Q}$ [35].

Zusätzlich ist nun noch ein weiterer Faktor zu beachten: Schon beim Gesunden, in besonderem Maße aber beim Lungenkranken findet man, daß Ventilation, Perfusion und Diffusion nicht gleichmäßig über die verschiedenen Lungenabschnitte verteilt sind [12, 35, 37]. Diese ungleichmäßige Verteilung oder **Distribution** mindert den Arterialisierungseffekt; d.h., sie führt zu einer Herabsetzung des arteriellen O_2-Partialdruckes und in geringerem Maße zu einem Anstieg des arteriellen CO_2-Partialdruckes. Den Vorgang erläutert Abb. 23, in der die Lunge schematisch in zwei Gebiete unterteilt ist. Die beiden Teilgebiete seien unterschiedlich ventiliert, was durch die Größe der entsprechenden Pfeile angedeutet ist. Dem gut arterialisierten Blut aus dem stark ventilierten Teilgebiet wird dann ständig mäßig arterialisiertes Blut aus dem schwach

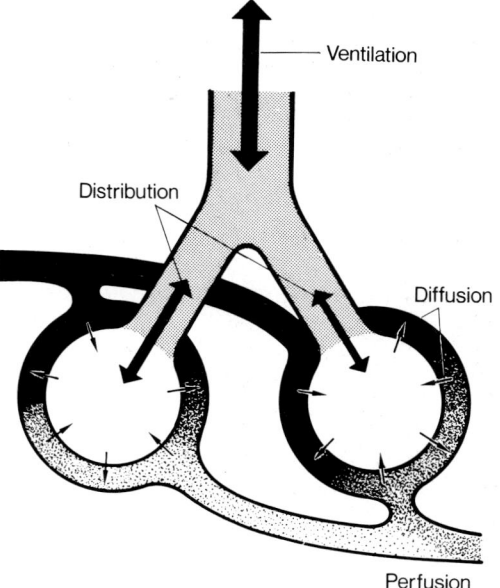

Abb. 23. Schematische Darstellung der für den Arterialisierungseffekt in der Lunge maßgebenden Faktoren. Nach [12]

ventilierten Gebiet zugemischt. Bei der Mischung stellen sich ein etwas kleinerer O_2-Partialdruck und ein größerer CO_2-Partialdruck ein, als dies in einer homogen belüfteten Lunge der Fall wäre. Zusammenfassend lassen sich die Arterialisierungsparameter einprägsam in folgender Weise kennzeichnen: *Der Effekt der Atmung wird durch die Faktoren Ventilation, Perfusion, Diffusion und Distribution bestimmt.*

Bei **Lungenerkrankungen** kann jeder der genannten Faktoren von einer Störung betroffen sein. Meist überwiegt jedoch die Veränderung eines Faktors, der dann diagnostisch besonders gekennzeichnet wird. Danach unterscheidet man folgende Lungenfunktionsstörungen [6, 9, 12, 35, 36]:
1. *Alveoläre Hypoventilation:* Abnahme von $\dot{V}_A/\dot{Q}$.
2. *Diffusionsstörung:* Abnahme von $D_L/\dot{Q}$.
3. *$\dot{V}_A/\dot{Q}$-Verteilungsstörung:* Inhomogene Verteilung von $\dot{V}_A/\dot{Q}$.
4. *$D_L/\dot{Q}$-Verteilungsstörung:* Inhomogene Verteilung von $D_L/\dot{Q}$.

Hierzu kommt noch eine 5. Funktionsstörung, die ebenfalls die Arterialisierung des Blutes mindert, deren Ursache aber auch außerhalb der Lunge liegen kann. Bereits beim Gesunden nimmt ein kleiner Teil des zirkulierenden Blutvolumens nicht am Gasaustausch teil. Dieses Blut, das in venöser Form direkt dem arterialisierten Blut zugemischt wird, bezeichnet man als *Kurzschlußblut.* Normalerweise bestehen *anatomische Kurzschlüsse* über die *Vv. bronchiales* und die in den linken Ventrikel mündenden kleinen Herzvenen *(Vv. cordis minimae = Vv. Thebesii).* Hierzu kommen noch *funktionelle Kurzschlüsse* über die durchbluteten, aber nicht belüfteten Alveolen. In allen diesen Fällen gelangt das venöse Blut unter Umgehung der Gasaustauschgebiete direkt in das arterielle System. Obwohl beim Gesunden der Kurzschlußblutanteil nur etwa 2% des gesamten Herzzeitvolumens ausmacht, wird dadurch doch der arterielle O_2-Partialdruck um 5–10 mm Hg gegenüber dem O_2-Partialdruck am Ende der Lungencapillaren gesenkt. Bei angeborenen Herzfehlern (z.B. *Ventrikelseptumdefekt*) oder bei Gefäßmißbildungen (z.B. *offener Ductus Botalli*) können wesentlich größere Anteile des venösen Blutes in die arterielle Strombahn gelangen und dort zu einer *Hypoxie* (Senkung des O_2-Partialdruckes) sowie zu einer *Hyperkapnie* (Erhöhung des CO_2-Partialdruckes) führen. In der Systematik der Funktionsstörungen müssen wir also hinzufügen:
5. *Erhöhung des Kurzschlußblutanteils.*

Arterielle Blutgaswerte.

Der Gesamteffekt der Atmung kommt in der jeweiligen Höhe der arteriellen O_2- und CO_2-Partialdrucke zum Ausdruck. Die beiden Werte liefern also einen globalen Maßstab für die Beurteilung der Lungenfunktion. Daher ist es notwendig, ihre „Normalwerte" zu kennen. Wie sehr viele biologische Größen weisen auch die arteriellen Blutgaswerte nicht unbeträchtliche Variationen auf. Daneben findet sich eine *systematische Abhängigkeit vom Lebensalter.* Während der arterielle O_2-Partialdruck bei gesunden Jugendlichen im Mittel etwa 95 mm Hg beträgt, findet man bei 40-jährigen Werte um 80 mm Hg und bei 70jährigen um 70 mm Hg [25]. Diese Abnahme des arteriellen O_2-Partialdruckes ist wahrscheinlich auf die mit dem Alter zunehmenden Verteilungsungleichmäßig-

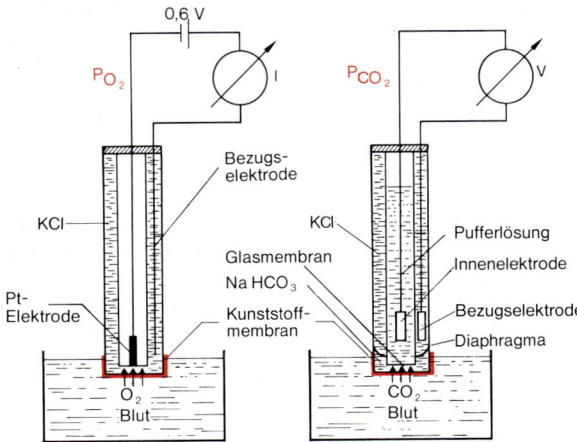

Abb. 24. Meßanordnungen für P_{O_2} und P_{CO_2} im Blut (vereinfachte Darstellung). P_{O_2} *(links):* In einem geschlossenen Stromkreis liegt zwischen einer Platin-Elektrode (Pt) und einer Bezugselektrode eine Spannung von 0,6 V. Die gesamte Anordnung ist vom Blut durch eine gasdurchlässige Kunststoffmembran (rot) getrennt. O_2-Moleküle, die durch die Membran diffundieren, werden an der Pt-Oberfläche reduziert. Der damit verbundene Strom I ist dem herrschenden O_2-Partialdruck proportional. P_{CO_2} *(rechts):* An einer für H^+ durchlässigen Glasmembran bildet sich eine pH-abhängige Spannung aus, die über eine Innen- und eine Bezugselektrode dem Meßinstrument V zugeleitet wird. Diese Anordnung ist durch eine gasdurchlässige Kunststoffmembran (rot) vom Blut getrennt. CO_2-Moleküle, die durch die Kunststoffmembran diffundieren, verändern den pH-Wert unter der Glaselektrode. Der registrierte Meßwert ist also vom jeweiligen P_{CO_2} im Blut abhängig

keiten in der Lunge zurückzuführen. Der arterielle CO_2-Partialdruck, der beim Jugendlichen etwa 40 mm Hg beträgt, verändert sich dagegen mit dem Alter nur wenig.

Messung der arteriellen Blutgaswerte. Zur Bestimmung des arteriellen **O_2-Partialdruckes** wendet man heute hauptsächlich das *polarographische Verfahren* (Abb. 24 links) an [19, 32]. Eine Meßelektrode (Platin oder Gold) und eine Bezugselektrode, die beide in einen Elektrolyten eintauchen, sind mit einer Spannungsquelle (Polarisationsspannung) verbunden. Gelangen O_2-Moleküle an die Oberfläche des Edelmetalls, so werden sie dort reduziert. Die damit verbundene Ladungsverschiebung in dem geschlossenen Stromkreis kann mit einem Amperemeter gemessen werden. Die Stromstärke ist unmittelbar abhängig von der Zahl der O_2-Moleküle, die durch Diffusion an die Elektrodenoberfläche gelangen und damit direkt proportional dem O_2-Partialdruck in der Lösung. In der üblichen Meßanordnung sind die Elektroden mit dem Elektrolyten von der zu analysierenden Blutprobe durch eine gasdurchlässige Kunststoffmembran getrennt. Die gesamte Elektrodenanordnung läßt sich so klein ausbilden, daß für die O_2-Partialdruckmessung nur einige Tropfen arteriellen Blutes benötigt werden. Diese gewinnt man in der Regel aus dem gut durchbluteten Ohrläppchen, wobei darauf zu achten ist, daß das Blut unter Luftabschluß in die Meßkammer überführt wird [32].

Die Messung des arteriellen **CO_2-Partialdruckes** kann ebenfalls in sehr kleinen Blutproben erfolgen (s. Abb. 24 rechts). Hierzu benutzt man eine Elektrodenanordnung, wie sie auch für die *pH-Messung* Verwendung findet (S. 499), die allerdings zusätzlich von der Blutprobe durch eine gasdurchlässige Kunststoffmembran getrennt ist. Da die Membran für Ionen undurchlässig ist, kann der pH-Wert eines Elektrolyten (NaHCO₃) nur durch Änderungen des CO_2-Partialdruckes im Blut beeinflußt werden. Die elektrometrische Anzeige gibt daher nach entsprechender Eichung direkt den CO_2-Partialdruck des Blutes an. Eine weitere Möglichkeit zur Bestimmung des CO_2-Partialdruckes in kleinen Blutproben ist durch das *Astrup-Verfahren* gegeben (S. 505).

Benötigt man nicht die Partialdrucke, sondern die **Konzentrationen der Atemgase** im Blut, so wendet man Analyseverfahren an, bei denen die Gase zunächst aus dem Blut ausgetrieben und ihre Anteile dann manometrisch oder volumetrisch bestimmt werden. Am häufigsten wird die Blutgasanalyse mit Hilfe des *manometrischen Verfahrens nach Van Slyke* durchgeführt [2, 6]. In der ursprünglich angegebenen Form werden hierfür größere Blutproben von 0,5–2 ml benötigt, deren Gewinnung nur durch eine Arterienpunktion möglich ist. Modifikationen dieses Verfahrens erlauben jedoch auch die Bestimmung der O_2- und CO_2-Konzentrationen in kleineren Blutproben.

5. Die Atmungsregulation

Die komplexen Mechanismen, die an der Regulation der Atmung beteiligt sind, lassen sich am besten verständlich machen, wenn man von dem Ziel ausgeht, dem alle diese Prozesse dienen. Unter der Atmungsregulation, so könnte man ganz allgemein definieren, verstehen wir die Einstellung der äußeren Atmung auf die Bedürfnisse des Gesamtorganismus. Diese Feststellung führt uns jedoch kaum weiter. Es ist vielmehr notwendig, genauer zu erklären, worin die Bedürfnisse des Organismus im Hinblick auf die Atmung bestehen.

In erster Linie ist die Atmungsfunktion an die jeweilige *Stoffwechselsituation des Organismus* anzupassen. Bei körperlicher Arbeit kann beispielsweise die Notwendigkeit bestehen, die O_2-Aufnahme und die CO_2-Abgabe um ein Mehrfaches gegenüber den Austauschraten in Ruhe zu steigern. Diesem gesteigerten Bedarf muß durch eine entsprechende Mehrventilation Rechnung getragen werden. Weiterhin ist unter allen Umständen der *arterielle O_2-*

Partialdruck auf einem hohen Wert zu halten, weil nur so eine ausreichende O_2-Versorgung der Gewebe durch Diffusion sichergestellt werden kann (s. XXII). Gleichzeitig muß der *arterielle CO_2-Partialdruck* so eingestellt werden, wie es die Regulation des Säure-Basen-Status erfordert (s. XXI).

Eine Steigerung des Atemzeitvolumens, die etwa bei einer körperlichen Arbeit eintritt, kann durch eine Zunahme der *Atemtiefe* oder der *Atmungsfrequenz* erfolgen. Die Atmungsregulation hat also weiterhin dafür zu sorgen, daß beide Größen ökonomisch aufeinander abgestimmt werden. Schließlich ist zu berücksichtigen, daß bei einigen reflektorischen Vorgängen (Schlucken, Husten, Niesen) und bei bestimmten spezifisch menschlichen Leistungen (Sprechen, Singen) die *Atmungsform* modifiziert werden muß. Auch in diesen Fällen darf das chemische Milieu des arteriellen Blutes keine größeren Veränderungen erfahren. Diese vielfachen, oft gleichzeitig zu erfüllenden Forderungen machen es verständlich, daß für die optimale Anpassung der Atmung ein komplexer und mehrfach kontrollierter **Regelmechanismus** notwendig ist.

5.1. Atmungszentren

Lokalisation der Zentren. Seit altersher galt die *Medulla oblongata* als der Sitz des Atmungszentrums. Als man vor mehr als 100 Jahren begann, die Lokalisation und die Funktionsweise genauer zu untersuchen, ging man zunächst davon aus, daß die Automatie der Atmungsbewegungen in einem eng umschriebenen Kerngebiet („noeud vital") ihren Ursprung haben müßte. In der Folge zeigte sich dann, daß die rhythmische Folge von Inspiration und Exspiration durch das Zusammenspiel verschiedener Zellgruppen zustande kommt. Wichtige Aufschlüsse hierfür gaben Tierversuche (Hund, Katze, Kaninchen), in denen *Durchschneidungs- und Ausschaltungsexperimente, Reizexperimente* sowie *Ableitungsexperimente* durchgeführt wurden [11, 14, 23, 39].

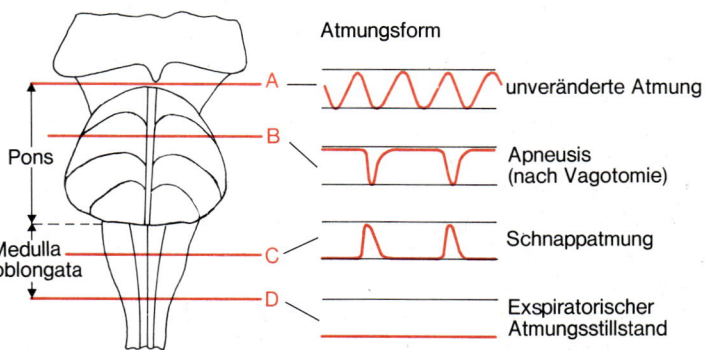

Abb. 25. Wirkungen von Durchschneidungsexperimenten am Hirnstamm (in ventraler Sicht) bei Schnittführungen in verschiedenen Höhen

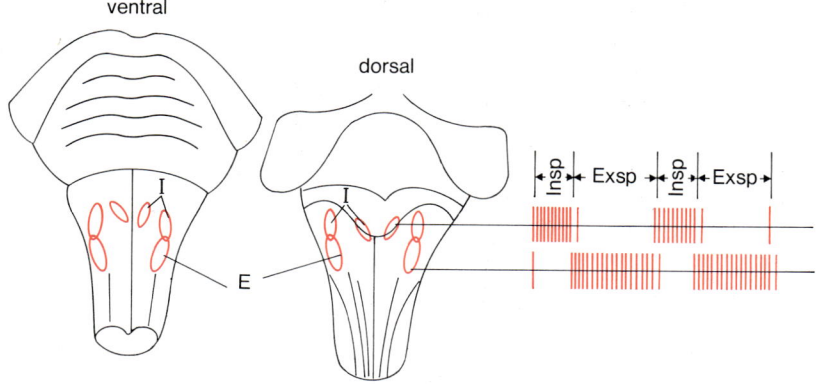

Abb. 26. Lage der Inspirationszentren (I) und der Exspirationszentren (E) in der Medulla oblongata mit den Entladungsmustern der respiratorischen Neurone während der Atmungsphasen. Modifiziert nach [23]

Durchschneidungs- und Ausschaltexperimente. Diese klassischen Untersuchungen, bei denen der Hirnstamm in verschiedenen Höhen durchschnitten wurde, lieferten erste, wenn auch nur grobe Hinweise auf die Lokalisation des „Atmungszentrums". Danach stellt sich die Situation folgendermaßen dar (Abb. 26):

1. Bei einer *Schnittführung oberhalb der Brücke* (A) bleibt die Atmung unverändert bestehen. Ein Schnitt, der *die Medulla oblongata vom Rückenmark trennt* (D), führt dagegen zum vollständigen Atmungsstillstand. Die koordinierte Folge von Inspiration und Exspiration wird also durch ein „Zentrum" im unteren Hirnstamm aufrechterhalten. Die Fähigkeit zur rhythmischen Aktivierung der Atmungsmuskulatur bleibt auch bestehen, wenn alle bekannten afferenten Einflüsse auf diese „Zentren" ausgeschaltet werden.

2. Wenn man durch einen Schnitt *das obere Drittel der Brücke abtrennt* (B) und gleichzeitig die beiden *Vagi ausschaltet*, beobachtet man eine Dauerinspiration, die durch vereinzelte Exspirationsbewegungen unterbrochen ist. Diese Atmungsform wird als **Apneusis** bezeichnet. Offenbar werden bei dieser Schnittführung die hemmenden Einflüsse ausgeschaltet, die normalerweise von der oberen Brücke her auf die inspirationsfördernden Zellen einwirken.

3. *Durchschneidet man den Hirnstamm unterhalb der Brücke* (C), so bleibt oft eine rhythmische, aber wenig gleichmäßige Atmung erhalten. Manchmal geht sie in eine **Schnappatmung** über, eine Atmungsform, bei der lange exspiratorische Pausen durch kurze Inspirationen unterbrochen werden.

Es zeigt sich also, *daß allein von der Medulla oblongata her eine rhythmische Atmung unterhalten werden kann*. Für die Stabilisierung und Koordination ist jedoch zusätzlich die Mitwirkung von Strukturen notwendig, die im oberen und mittleren Brückenbereich lokalisiert sind. Früher nahm man an, daß für diese Aufgabe ein „pneumotaktisches" und ein „apneustisches" Zentrum zuständig wären. Eine solche Vorstellung ist aber heute nicht mehr aufrechtzuerhalten. Die irreführenden Bezeichnungen sollten daher endgültig aufgegeben werden.

Reizexperimente. Mit Hilfe der elektrischen Reizung im Bereich des Stammhirns hat man versucht, weitere Aufschlüsse über die Lokalisation von „Inspirations- und Exspirationszentren" zu erhalten. Die Ergebnisse dieser Untersuchungen sind aber aus verschiedenen Gründen nicht einfach zu deuten. Ein Einwand gegen solche Experimente besteht darin, daß man bei einem durch Reizung erzielten Atmungseffekt nicht sicher sein kann, die maßgeblichen Zentren selbst gereizt zu haben. Der Effekt könnte auch durch Reizung der afferenten oder efferenten Leitungsbahnen zustande gekommen sein.

Ableitexperimente. Zur Klärung der Frage nach der zentralen Atmungssteuerung haben in neuerer Zeit vor allem Ableitexperimente beigetragen. Mit Hilfe intra- oder extracellulär gelegener **Mikroelektroden** werden die Entladungen einzelner Neurone im Stammhirn registriert und zu den Phasen der gleichzeitig verfolgten Atmung in Beziehung gesetzt. Auf diese Weise gelingt es, bei systematischer Durchmusterung der fraglichen Gebiete diejenigen Zellgruppen zu lokalisieren, die vorwiegend inspiratorisch oder exspiratorisch tätig sind.

Diese Untersuchungen haben, vereinfacht dargestellt, zu folgenden Ergebnissen geführt [23]:

1. **Inspiratorische Neurone,** die kurz vor Beginn und während der Inspirationsphase entladen, findet man beiderseits in zwei geschlossenen Gebieten der Medulla oblongata (Abb. 26). Das eine lateral gelegene Gebiet begleitet den *rostralen Teil des Nucl. ambiguus*. Das zweite mediale Gebiet ist kleiner und liegt in unmittelbarer Nähe des *Tractus solitarius*. Diese Gebiete, in denen die inspiratorischen Neurone konzentriert sind, kann man verkürzt als die Orte des „Inspirationszentrums" bezeichnen.

2. **Exspiratorische Neurone,** die während der Exspirationsphase und in der exspiratorischen Pause entladen, liegen in einem Gebiet, das *caudal von der Inspirationszone den Nucl. ambiguus begleitet*. Hier kann man — wiederum vereinfachend — das „Exspirationszentrum" lokalisieren.

3. Im medialen Inspirationsgebiet (am Tractus solitarius) hat man neben den inspiratorisch tätigen sogenannten R_α-Neuronen noch eine zweite Zellgruppe gefunden. Diese R_β-Neurone werden zusammen mit den R_α-Neuronen, aber auch während deren Hemmung aktiviert. Besonders aktiv sind sie bei einer starken Lungendehnung. Man nimmt daher an, daß die R_β-Neurone die Aufgabe haben, die R_α-Neurone zu hemmen.

Entstehung des zentralen Atmungsrhythmus. Wie die geschilderten experimentellen Ergebnisse zeigen,

*wird die rhythmische Folge von Inspiration und Ex-
spiration durch die abwechselnde salvenartige Entladung der inspiratorischen und exspiratorischen
Neurone bewirkt* (Abb. 26). In der Phase, in der die
inspiratorischen Zellen aktiviert sind, findet keine
Entladung der exspiratorischen Zellen statt und
umgekehrt. Man darf also annehmen, daß die beiden Zellgruppen sich abwechselnd gegenseitig
hemmen. Diese Feststellung reicht aber nicht aus,
um die Entstehung eines rhythmischen Wechsels
von Inspiration und Exspiration zu erklären. Sie
muß ergänzt werden durch eine Vorstellung über
die zeitliche Erregungsbegrenzung, d.h. über die
Beendigung der einzelnen Entladungssalven. Erst
dadurch läßt sich der Aktivitätsbeginn der jeweils
anderen, zuvor gehemmten Zellgruppe verstehen.
Zum *Mechanismus der Erregungsbegrenzung* wurden mehrere Theorien entwickelt, die teils celluläre
Eigenschaften, teils den hemmenden Einfluß anderer Zellen hierfür verantwortlich machen. Eine
dieser Theorien geht davon aus, daß bei der Entladung der inspiratorischen R_α-Zellen über Collateralen auch die R_β-Zellen aktiviert werden. Wenn
diese R_β-Zellen über hemmende Synapsen auf die
R_α-Zellen zurückwirken, so könnten sie durch zeitliche Summation den Abbruch der R_α-Entladungen
bewirken. Danach würde der Wechsel von Inspiration und Exspiration durch eine zentrale Rück-
kopplungshemmung zustande kommen. Eine Übersicht über die Schaltverbindungen, die auf Grund
dieser Vorstellungen anzunehmen sind, gibt Abb.27.

5.2. Mechanisch-reflektorische Kontrolle der Atmung

Hering-Breuer-Reflex. Der zentral gesteuerte Atmungsrhythmus kann durch periphere Einflüsse
modifiziert werden. Dies zeigen die folgenden Beobachtungen. Bei einer *Aufblähung der Lungen*
wird die *Inspiration reflektorisch gehemmt* und damit
die Exspiration eingeleitet. Umgekehrt kommt es
bei einer größeren *Volumenabnahme ("Kollaps") der
Lunge* zur Einleitung einer *verstärkten Inspiration*.
Offenbar wird der jeweilige Dehnungszustand der
Lunge an die Atmungszentren gemeldet und von
diesen eine entsprechende Gegenbewegung ausgelöst. Dieser reflektorische Ablauf wird nach seinen
Entdeckern als *Hering-Breuer-Reflex* bezeichnet.

Die Reflexbahn nimmt von **Dehnungsreceptoren des
Lungenparenchyms** ihren Ausgang. Solche Receptoren finden sich in der *Trachea*, den *Bronchien* und
den *Bronchiolen*. Ein Teil von ihnen antwortet auf
eine Dehnung der Lunge durch eine Folge von
Aktionspotentialen mit nur geringer Adaptation.

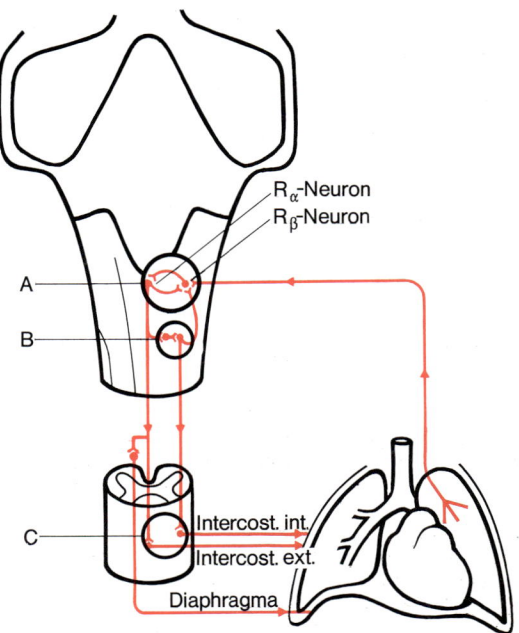

Abb. 27. Schaltverbindungen der inspiratorischen und exspiratorischen Neurone mit dem Rückmeldekreis des Lungendehnungsreflexes. A Inspirationszentrum mit fördernden R_α-
Neuronen und hemmenden R_β-Neuronen; B Exspirationszentrum; C Motoneurone der Atmungsmuskulatur

Andere werden bei Dehnungszunahme oder -ab-
nahme erregt. Auf diese Weise können sowohl der
Dehnungszustand der Lunge als auch seine Ände-
rungen fortlaufend erfaßt werden. *Die afferenten
Bahnen des Lungendehnungsreflexes verlaufen im
N. vagus.* Eine beiderseitige Durchschneidung des
Vagus hat daher die Aufhebung des Hering-Breuer-
Reflexes zu Folge. Nach einer solchen *Vagotomie*
beobachtet man eine verlangsamte und vertiefte
Atmung. Im Zentrum läßt sich eine Hemmung
der inspiratorischen Neurone bei einer Lungendehnung nachweisen. Dabei wird angenommen, daß
die Hemmung über die zwischengeschalteten R_β-
Neurone erfolgt (Abb. 27). Bei einer Entdehnung
findet man den entgegengesetzten zentralen Effekt,
nämlich eine Hemmung der exspiratorischen Neurone. Die *efferenten Reflexbahnen* verlaufen über
die entsprechenden motorischen Nerven für die
Atmungsmuskulatur.

Die *physiologische Bedeutung des Hering-Breuer-
Reflexes* besteht darin, die Amplitude der Atmungskursionen zu begrenzen. Damit trägt er dazu bei,
die Atemtiefe den jeweiligen Bedingungen so anzupassen, daß die Atmungsarbeit ökonomisch gestaltet wird. Außerdem verhindert der Hering-Breuer-
Reflex im Extremfall eine Überdehnung der Lunge.

Reflexe der Intercostalmuskulatur. An der Selbststeuerung der
Atmungsbewegungen sind außerdem die spinalen Eigenreflexe
der Atmungsmuskeln beteiligt. Wie die anderen quergestreiften

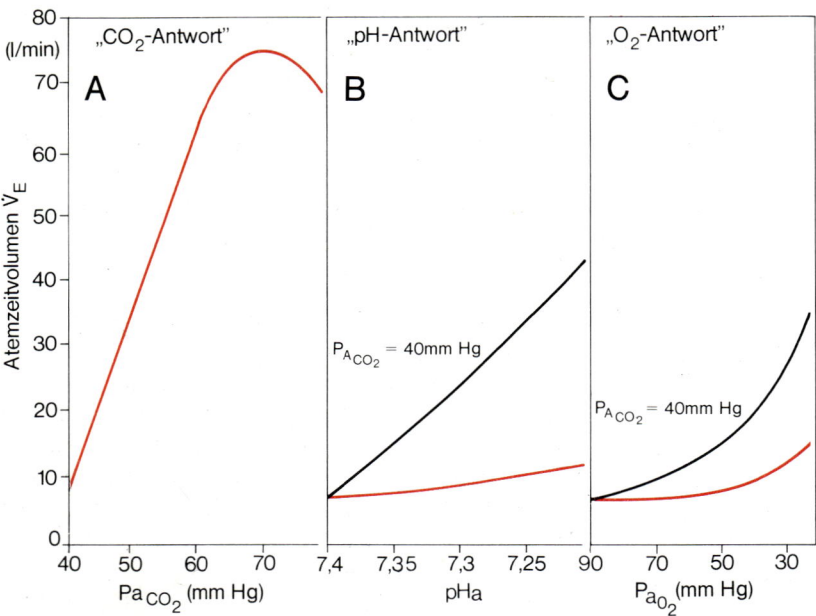

Abb. 28. Atemzeitvolumen ($\dot{V}_E$) als Funktion des CO_2-Druckes ($P_{a_{CO_2}}$), des pH-Wertes (pH_a) und des O_2-Druckes ($P_{a_{O_2}}$) im arteriellen Blut. Rote Kurven: reguläre Ventilationsantwort; schwarze Kurven: Ventilationsantwort bei konstantem arteriellem CO_2-Partialdruck ($P_{a_{CO_2}} = 40$ mm Hg). Nach Daten aus [23]

Muskeln enthält auch die Atmungsmuskulatur *Muskelspindeln,* die als *Dehnungsreceptoren* fungieren. Bei einer exspiratorischen oder inspiratorischen Atmungsbehinderung werden die entsprechenden Muskelspindeln der Exspirations- oder Inspirationsmuskeln gereizt, wodurch über den *Eigenreflexbogen* eine verstärkte Muskelkontraktion ausgelöst wird. Dieser Eigenreflex der Intercostalmuskulatur dient also der Anpassung der Atmungsmechanik an die vorgegebenen Widerstandsverhältnisse in der Lunge. Außerdem ist es sehr wahrscheinlich, daß die afferenten Impulse von den Muskelspindeln auch zu den Atmungszentren geleitet werden. Über diesen längeren Reflexweg kann dann ebenfalls die Aktivität der Atmungsmuskulatur modifiziert werden.

5.3. Chemische Kontrolle der Atmung

Die arteriellen Werte des *CO$_2$-Partialdruckes*, des *O$_2$-Partialdruckes* und der *H$^+$-Konzentration* werden durch die Atmungsfunktion maßgeblich bestimmt. Alle drei Größen können jedoch ihrerseits die Lungenventilation beeinflussen. Es handelt sich dabei um einen **Regelkreis**, der die Aufgabe hat, die drei Regelgrößen CO$_2$-Partialdruck, O$_2$-Partialdruck und pH-Wert auf vorgegebenen Werten weitgehend konstant zu halten. *Die chemische Atmungsregulation steht damit im Dienste der Homöostase und sichert die Anpassung der Atmung an die Stoffwechselbedürfnisse des Organismus.*

CO$_2$-Wirkung auf die Atmung. *Eine Erhöhung des arteriellen CO$_2$-Partialdruckes (Hyperkapnie) führt zu einer Steigerung des Atemzeitvolumens.* Dabei wird in der Regel sowohl das Atemzugvolumen als auch die Atmungsfrequenz vergrößert.

Die quantitative Beziehung zwischen dem arteriellen CO$_2$-Partialdruck $P_{a_{CO_2}}$ und dem zugehörigen Atemzeitvolumen $\dot{V}_E$ wird als **CO$_2$-Antwortkurve** bezeichnet. Aus dieser in Abb. 28A dargestellten Kurve erkennt man, in welch starkem Maße die Ventilationsgröße vom CO$_2$-Partialdruck abhängig ist. Bei einer $P_{a_{CO_2}}$-Zunahme von 40 auf 60 mm Hg steigt $\dot{V}_E$ von 7 auf etwa 65 Liter/min an. Eine solche $P_{a_{CO_2}}$-Zunahme tritt beispielsweise bei der Atmung eines stark CO$_2$-haltigen Gasgemisches auf und ist mit dem Gefühl der Atemnot *(Dyspnoe)* verbunden. Wie Abb. 28A weiterhin zeigt, ist die Möglichkeit zur Ventilationssteigerung begrenzt. Infolge einer CO$_2$-Anreicherung im arteriellen Blut kann das Atemzeitvolumen höchstens auf 75 Liter/min ansteigen, aber niemals Werte erreichen, wie sie etwa bei schwerster körperlicher Arbeit (120 Liter/min) oder maximaler willkürlicher Hyperventilation (Atemgrenzwert: 170 Liter/min) vorkommen können. Wächst der arterielle CO$_2$-Partialdruck über 70 mm Hg an, so fällt die Ventilationsgröße wieder ab, weil CO$_2$ in so hoher Konzentration lähmend auf die Atmungszentren wirkt. Ein Atmungsstillstand oder eine Minderatmung infolge einer solchen Lähmung des zentralen Atmungsantriebes wird als *Asphyxie* bezeichnet.

Nach einer längeren, intensiven Atmungssteigerung *(Hyperventilation)* beobachtet man bei einigen Probanden einen kurzzeitigen Atmungsstillstand. Da bei der Hyperventilation in verstärktem Maße CO_2 abgeraucht wird und dementsprechend der arterielle CO_2-Partialdruck absinkt, wird meist das Fehlen des physiologischen „CO_2-Atmungsreizes" für die nachfolgende Atmungspause verantwortlich gemacht. Einen solchen Atmungsstillstand pflegt man als *Apnoe* zu bezeichnen. Bei vielen Probanden zeigt sich jedoch im Anschluß an eine Hyperventilation keine vollständige Apnoe, sondern lediglich eine verminderte Atmung. Aus dieser Beobachtung ergibt sich der Schluß, daß ein Grundatmungsantrieb von den Zentren auch ohne den „CO_2-Atmungsreiz" aufrechterhalten werden kann [23].

Zusammenfassend ist festzustellen: CO_2, als Endprodukt des oxidativen Stoffwechsels, beeinflußt über den arteriellen CO_2-Partialdruck das Atemzeitvolumen. Auf diese Weise wird die Atmungsgröße der jeweiligen Stoffwechselgröße optimal angepaßt. Störungen im Gleichgewicht zwischen Atmung und Stoffwechsel werden über den CO_2-Regelkreis laufend kompensiert. Die CO_2-Wirkung allein erklärt jedoch nicht die beobachteten Ventilationssteigerungen bei Muskelarbeit.

H^+-Wirkungen auf die Atmung. *Sinkt der arterielle pH unter den Normwert von 7,4 ab, so kommt es zu einer Atmungssteigerung.* Ein pH-Anstieg über den Normwert führt dagegen zu einer geringergradigen Abnahme der Atmungsgröße. Da der pH-Wert und der CO_2-Partialdruck miteinander gekoppelt sind (CO_2-Äquilibrierungskurve, S. 501), stellt sich hier die Frage, ob evtl. pH und P_{CO_2} im arteriellen Blut identische „*Atmungsantriebe*" darstellen. Diese Frage kann eindeutig verneint werden. Eine CO_2-bedingte arterielle pH-Abnahme hat nämlich einen wesentlich größeren Atmungseffekt als die gleiche durch nichtflüchtige Säuren hervorgerufene Senkung des arteriellen pH-Wertes. Quantitative Untersuchungen haben gezeigt, daß etwa 60% der ventilatorischen CO_2-Antwort auf den CO_2-Anteil und etwa 40% auf den pH-Anteil zurückzuführen sind [23].
Die *Abhängigkeit des Atemzeitvolumens $\dot{V}_E$ vom arteriellen pH-Wert (pH_a)* ist in Abb. 28B dargestellt. Die rote Kurve gibt die ventilatorische **pH-Antwort** für den Fall wieder, daß die pH-Änderung durch die Zunahme nichtflüchtiger Säuren im Blut hervorgerufen wird (metabolische Acidose, s.S. 503). Ein pH-Abfall um 0,1 Einheiten führt danach zu einer Ventilationssteigerung um etwa 2 Liter/min. Dieser nicht sehr große Effekt erklärt sich aus der *Wechselwirkung der beiden „Atmungsantriebe" pH-Wert und CO_2-Partialdruck.* Eine alleinige pH-Änderung hätte einen weit größeren Ventilationseffekt zur Folge, wie die schwarze Kurve zeigt, bei deren Aufnahme der CO_2-Partialdruck experimentell konstant gehalten wurde ($P_{aCO_2}=40$ mm Hg).

Normalerweise führt jedoch die pH-bedingte Ventilationssteigerung zu einer verstärkten CO_2-Abgabe durch die Lunge und damit zu einer P_{CO_2}-Abnahme im arteriellen Blut. Aus diesem Grunde vermindert sich beim Absinken des pH-Wertes der CO_2-Atmungsantrieb. Die pH-Antwortkurve ist also eine Resultante aus dem (von links nach rechts) zunehmenden pH-Antrieb und dem gleichzeitig abnehmenden CO_2-Antrieb.

Wirkung des O_2-Mangels auf die Atmung. *Bei der Abnahme des O_2-Partialdruckes (Hypoxie) im arteriellen Blut beobachtet man eine Steigerung der Ventilation.* Die arterielle Hypoxie kann auftreten bei einem Aufenthalt in großen Höhen, wo infolge des erniedrigten Luftdruckes auch der inspiratorische O_2-Partialdruck herabgesetzt ist. Sie kann aber auch die Folge einer Lungenfunktionsstörung (z.B. Diffusionsstörung) sein.
Abb. 28C gibt die *Abhängigkeit des Atemzeitvolumens $\dot{V}_E$ vom jeweiligen arteriellen O_2-Partialdruck P_{aO_2}* wieder. Die schwarze Kurve gilt für den Fall, daß der CO_2-Partialdruck konstant gehalten wird ($P_{aCO_2}=40$ mm Hg) und stellt somit die Antwort auf den isolierten O_2-Atmungsantrieb dar. Tatsächlich kommt es jedoch zu einer *Wechselwirkung mit dem CO_2-Antrieb.* Eine O_2-bedingte Hyperventilation führt zum Abfall des arteriellen CO_2-Partialdruckes, so daß dessen Antriebsfunktion gemindert ist. Daher zeigt sich bei der resultierenden **O_2-Antwort** (rote Kurve) nur eine geringe Ventilationssteigerung mit der Abnahme des O_2-Partialdruckes. Praktisch wird dieser Effekt nur wirksam, wenn der arterielle O_2-Partialdruck den Wert von 50–60 mm Hg unterschreitet, wenn also bereits eine erhebliche Hypoxie besteht.
Der normalerweise geringe Einfluß des arteriellen O_2-Partialdruckes auf die Atmung kann unter **pathologischen Bedingungen** eine erhebliche Bedeutung erlangen. Dies gilt insbesondere dann, wenn die CO_2-Empfindlichkeit der Regulation durch *Pharmaka* herabgesetzt bzw. wie im Falle einer *Barbituratvergiftung* vollständig aufgehoben ist. Ebenso kommt es bei einer *chronischen Hyperkapnie* zu einer Abnahme der Empfindlichkeit gegenüber dem P_{CO_2}- bzw. [H^+]-Atmungsreiz. Dies ist auch der Grund dafür, daß bei Patienten mit einer schweren *Lungenfunktionsstörung* die Atmung im wesentlichen durch die arterielle **Hypoxie,** nicht aber durch die gleichzeitig bestehende **Hyperkapnie** stimuliert wird. In allen diesen Fällen ist eine Beatmung mit reinem Sauerstoff nicht angezeigt; sie kann sogar zu einer *lebensgefährlichen Apnoe* führen, weil der unter diesen Umständen wirksamste Atmungsantrieb ausgeschaltet wird.

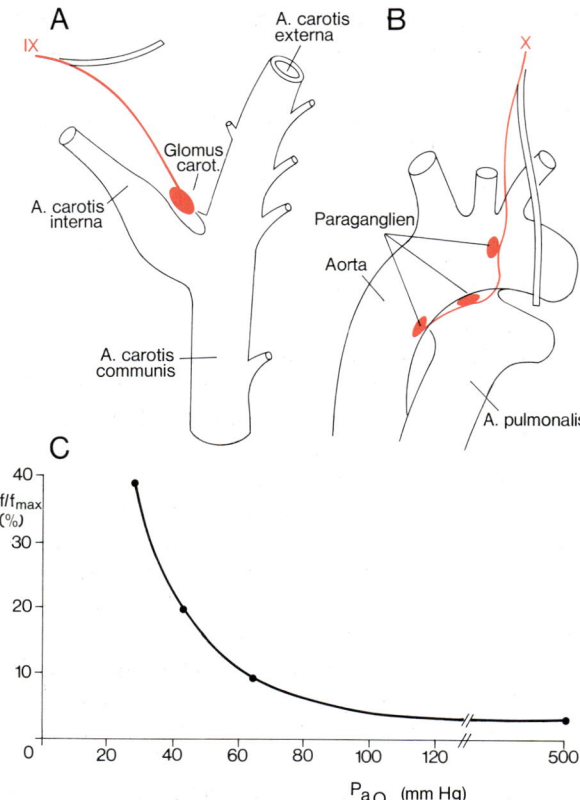

Abb. 29. Glomus caroticum (A) und Paraganglien des Aortenbogens (B) mit den zugehörigen afferenten Bahnen. (C): Abhängigkeit der Frequenz chemoreceptorischer Impulse vom arteriellen O_2-Partialdruck. Bei isolierter Durchströmung des Carotissinus der Katze mit Blut verschiedener O_2-Partialdrucke P_{aO_2}
und konstanten P_{aCO_2}- und pH-Werten ($P_{aCO_2} = 35$ mm Hg,
pH = 7,33) werden jeweils die Afferenzen am Sinusnerven abgeleitet. (Ordinate: Summenaktivität in % der maximalen Aktivität: f/f_{max}.) Nach Ergebnissen aus [21]

Periphere Chemoreceptoren. Wie wir gesehen haben,
ist eine chemische Beeinflussung der Atmung über
den P_{CO_2}, den pH und den P_{O_2} im arteriellen Blut
möglich. Die Blutgase und die H^+-Ionen können
zum Teil direkt auf das Zentralnervensystem einwirken oder aber in peripheren Receptoren Nervenimpulse auslösen, die dann zu den Atmungszentren
geleitet werden. Derartige Receptoren, die chemische Reize in eine Folge von Aktionspotentialen
umsetzen und daher *Chemoreceptoren* genannt werden, finden sich in den Paraganglien des Carotissinus und des Aortenbogens.
Das Paraganglion an der Teilungsstelle der A. carotis communis in die Aa. carotis externa und interna
wird als **Glomus caroticum** bezeichnet (Abb. 29 A).
Es wird aus kleinen Arterien mit Blut versorgt und
vom Sinusnerven, einem Ast des *N. glossopharyngeus*, innerviert. Die **Paraganglien des Aortenbogens,**
manchmal auch als *Glomera aortica* bezeichnet,
erhalten ihre Blutzufuhr ebenfalls über kleine Sei-

tenarterien. Die Nervenimpulse von diesen Paraganglien gelangen über die afferenten Fasern des
N. vagus zu den Atmungszentren (Abb. 29B).

Die Chemoreceptoren in den genannten Paraganglien antworten mit einer *Aktivitätszunahme*, d.h.
mit einer Zunahme der Impulsfrequenz, wenn der
O_2-Partialdruck abnimmt, der CO_2-Partialdruck
zunimmt oder die H^+-Konzentration ansteigt.
Dies läßt sich nachweisen, wenn man im Tierexperiment die Aktionspotentiale der afferenten Bahnen
unter verschiedenen blutmechanischen Bedingungen ableitet (Abb. 29 C). Dabei ist es zweckmäßig,
die arteriellen Versorgungsgefäße der Paraganglien
isoliert mit Blut, in dem definierte P_{O_2}-, P_{CO_2}- und
pH-Werte eingestellt sind, zu durchströmen. Außerdem können die Chemoreceptoren denerviert oder
durch Kälteblockade ausgeschaltet werden, um
festzustellen, wie groß ihr Anteil an der gesamten
chemischen Kontrolle der Atmung ist.
Diese Experimente zeigen, daß die O_2-*Wirkungen*
ausschließlich über die Chemoreceptoren vermittelt
werden. Die bei normalen arteriellen O_2-Partial-
drucken bereits bestehende Aktivität der Chemoreceptoren wird bei einem P_{O_2}-Abfall gesteigert und
bei einem P_{O_2}-Anstieg vermindert. Denervierung
der chemoreceptorischen Paraganglien führt zu
einer Ausschaltung der O_2-Wirkungen auf die
Atmung. Dagegen haben die CO_2- *und pH-Wirkun-
gen hauptsächlich zentrale Angriffspunkte.* Man beobachtet zwar ebenfalls Aktivitätsänderungen der
Chemoreceptoren in Abhängigkeit von den arteriellen P_{CO_2}- bzw. pH-Werten, ihr Einfluß auf die
Atmungszentren ist jedoch von geringer Bedeutung.

Zentrale Chemosensibilität. Der überwiegende Teil
des CO_2- und pH-Einflusses auf die Atmung wird
dadurch ausgeübt, daß CO_2 bzw. H^+ auf *chemosensible Strukturen im Hirnstamm* einwirken. Dabei
besteht ein gradueller Unterschied zwischen den
Ventilationseffekten, die durch Änderungen des arteriellen P_{CO_2} und des arteriellen pH erzielt werden
(Abb. 28). Diese Feststellung besagt jedoch nicht,
daß im Hirnstamm zwei verschiedene Arten von
spezifischen Receptoren für CO_2 und H^+ vorhanden sein müßten. Es könnte auch eine einheitliche
Chemosensibilität allein für H^+-Ionen bestehen,
wenn CO_2 über die Bildung von H^+-Ionen seine
Wirkung ausübt. Der graduell differierende Einfluß
der arteriellen P_{CO_2}- und pH-Werte wäre dann als
Folge der *unterschiedlichen Transportwiderstände
für CO_2 und H^+* zu deuten. Tatsächlich diffundiert
CO_2 sehr schnell aus dem Blut in das Gehirngewebe,
während für H^+-Ionen die biologischen Membranen ein erhebliches Hindernis darstellen. Viele Ex-

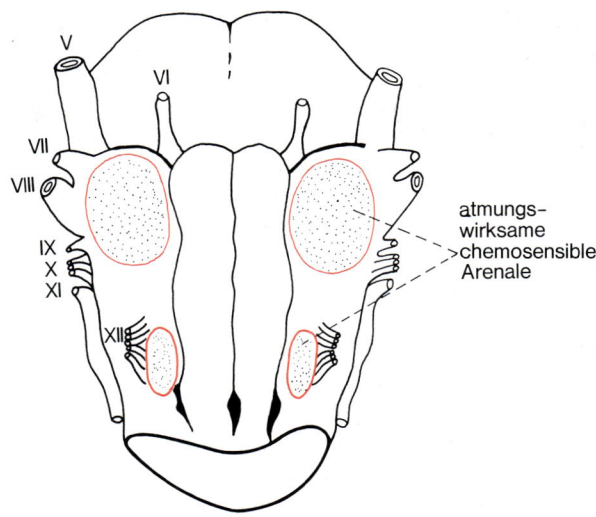

atmungs-
wirksame
>chemosensible
Arenale

Abb. 30. Ventralansicht der Medulla oblongata (Katze) mit eingezeichneten atmungswirksamen chemosensiblen Arealen. Nach [24]

des Hirnstamms genauer lokalisieren [24]. Wie Abb. 30 zeigt, handelt es sich um *zwei Felder an der ventralen Oberfläche der Medulla oblongata* (in der Nähe der Wurzeln des N. vagus und des N. hypoglossus), von denen aus bei Säureapplikation eine Atmungssteigerung ausgelöst werden kann.

5.4. Weitere Atmungsantriebe

Atmungsantriebe bei Muskelarbeit. Bei körperlicher Arbeit besteht ein erhöhter Sauerstoffbedarf der Muskulatur, der durch verstärkte Transportleistungen von Atmung und Kreislauf gedeckt werden muß. Die O_2-Aufnahme kann dabei von rund 300 ml/min in Ruhe nach Maßgabe der Arbeitsintensität bis auf etwa 4 Liter/min anwachsen. Hierzu ist eine erhebliche Ventilationssteigerung notwendig. In dem Bereich, der für eine Dauerarbeitsleistung in Frage kommt, *steigt die Ventilation nahezu linear mit der O_2-Aufnahme an* (Abb. 31). Erst bei höchsten Belastungsstufen zeigt sich ein überproportionaler Anstieg der Ventilationsgröße. Es stellt sich hier die Frage, welche Mechanismen für die sehr genaue Anpassung der Atmung an den wechselnden O_2-Bedarf und eine entsprechende CO_2-Abgabe bei der Arbeit sorgen.

Am Beginn einer körperlichen Arbeit kommt es zu einem P_{CO_2}-Anstieg und einem pH-Abfall im Blut. Die Veränderung der blutchemischen Werte erfolgt aber zu langsam und hat ein zu geringes Ausmaß, als daß hierdurch allein die eintretende Ventilationssteigerung erklärt werden könnte. Es müssen daher bei Muskelarbeit zusätzliche Einflüsse nervaler Faktoren angenommen werden.

perimente sprechen für die Theorie einer einheitlichen H⁺-Sensibilität der zentralen Hirnstrukturen [24].

Man nimmt heute an, daß die **H⁺-Konzentration der Extracellulärflüssigkeit** im Hirnstamm den bestimmenden Faktor für den zentral ausgelösten Atmungsantrieb darstellt. Diese Flüssigkeit dürfte ähnlich zusammengesetzt sein wie der *Liquor cerebrospinalis.* Es müßte daher die Atmung auch über den Liquor beeinflußt werden. Bei der Perfusion der Hirnventrikel mit Liquor unterschiedlicher Zusammensetzung konnte tatsächlich nachgewiesen werden, daß sich die Atmung in Abhängigkeit vom Liquor-pH verändert. Darüber hinaus ließen sich H⁺-empfindliche Felder auf der Oberfläche

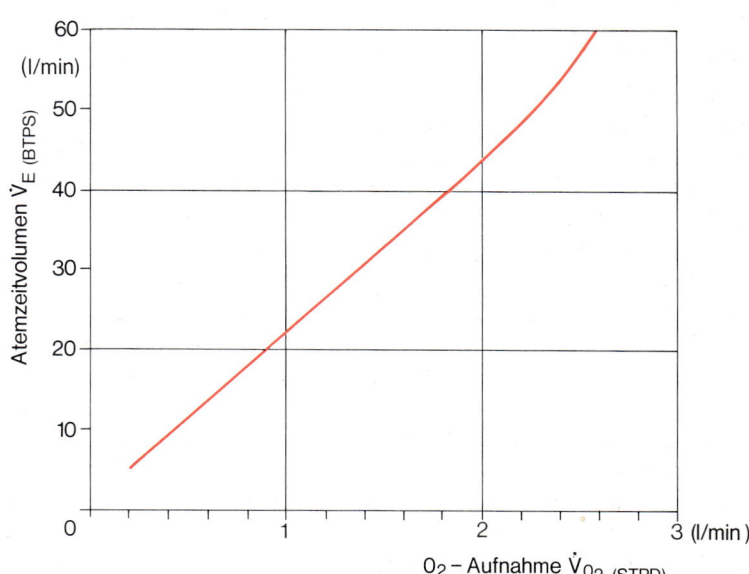

Abb. 31. Atemzeitvolumen $\dot{V}_{E(BTPS)}$ als Funktion der O_2-Aufnahme $\dot{V}_{O_2(STPD)}$ in Ruhe und bei körperlicher Arbeit

Vieles spricht dafür, daß insbesondere in der *Startphase* eine **zentrale Mitinnervation** der Atmungszentren stattfindet. Impulse von den motorischen Zentren werden danach nicht nur der Arbeitsmuskulatur, sondern auch den Atmungszentren zugeleitet und aktivieren die respiratorischen Neurone. Im nachfolgenden *stationären Zustand*, in dem Atmung und Kreislauf der Arbeitsintensität angepaßt sind, dürften mehrere Faktoren die Ventilationsgröße bestimmen. Neben der zentralen Mitinnervation und den blutchemischen Atmungsantrieben kann zusätzlich noch eine **nervale Rückmeldung** von Mechano- und Chemoreceptoren in der arbeitenden Muskulatur atmungswirksam sein. In der *Erholungsphase* schließlich sind vor allem die **blutchemischen Faktoren** maßgebend für den zeitlichen Verlauf der Ventilationsabnahme [23].

Unspezifische Atmungsantriebe. Diejenigen Einflüsse, die nicht primär der Kontrolle der Atmung dienen, die aber doch Ventilationsänderungen auslösen können, werden gewöhnlich als *unspezifische Atmungsantriebe* bezeichnet. Hierzu gehören die Antriebe, die durch Temperaturänderungen bedingt sind. Intensive **Warm- und Kaltreize** an der Haut können fördernd auf die Atmungszentren einwirken (Wechselbäder zur Aktivierung der Atmung von Neugeborenen). Darüber hinaus zeigt sich, daß Änderungen der **Körpertemperatur** die Atmung beeinflussen. Sowohl bei einem Anstieg der Körpertemperatur *(Fieber)* als auch bei deren Absinken *(geringgradige Hypothermie)* tritt eine Ventilationssteigerung ein. In *tiefer Hypothermie* (extreme Unterkühlung) wird allerdings die Atmung zentral gehemmt. Einen weiteren unspezifi-

schen Atmungsantrieb stellt der **Schmerz** dar (Schmerzreize zur Anregung der Atmung von Neugeborenen). Ferner beeinflussen die Afferenzen von den **Pressoreceptoren** des Kreislaufes (S. 426) die Atmungszentren. Eine Druckerhöhung im arteriellen System führt auf diese Weise zu einer Hemmung der inspiratorischen und exspiratorischen Neurone, so daß die Atemtiefe und die Atmungsfrequenz vermindert werden. Auch verschiedene **Hormone** können als Atmungsantrieb wirksam sein. So beobachtet man Ventilationssteigerungen u.a. bei der Ausschüttung von *Adrenalin* (Arbeit, psychische Erregung) und bei Erhöhung des *Progesteronspiegels* (Schwangerschaft).

Die verschiedenen spezifischen und unspezifischen Atmungsantriebe sind in Abb. 32 schematisch zusammengefaßt.

Pathologische Atmungsformen. Bereits beim Gesunden beobachtet man während des Schlafes im Hochgebirge eine *periodische Atmungsform*, die man als **Cheyne-Stokes-Atmung** bezeichnet (Abb. 33). Nach wenigen tiefen Atemzügen tritt eine Atmungspause *(Apnoe)* ein, die wieder von *tiefen Atemzügen* gefolgt ist. Die Ursache hierfür ist in der höhenbedingten Abnahme der inspiratorischen O_2-Konzentration in Verbindung mit einer Dämpfung der zentralen Atmungsantriebe im Schlaf zu suchen. Bei inspiratorischem O_2-Mangel hat die CO_2-Antwortkurve einen anderen Verlauf als in Abb. 28A dargestellt. Bei sehr kleinen CO_2-Drucken verläuft sie ganz flach, um bei etwas höheren CO_2-Partialdrucken plötzlich in einen sehr steilen Verlauf überzugehen. Mit den tiefen Atemzügen der Cheyne-Stokes-Atmung wird so viel CO_2 abgeraucht, daß der P_{CO_2} bis in den flachen Teil der CO_2-Antwortkurve absinkt und der CO_2-Antrieb praktisch wegfällt. Eine Apnoe ist die Folge. In dieser Zeit des Atmungsstillstands sammelt sich wieder CO_2 im Blut an, bis der P_{CO_2} den steilen Teil der CO_2-Antwortkurve erreicht, wodurch wieder eine Hyperventilation ausgelöst wird.

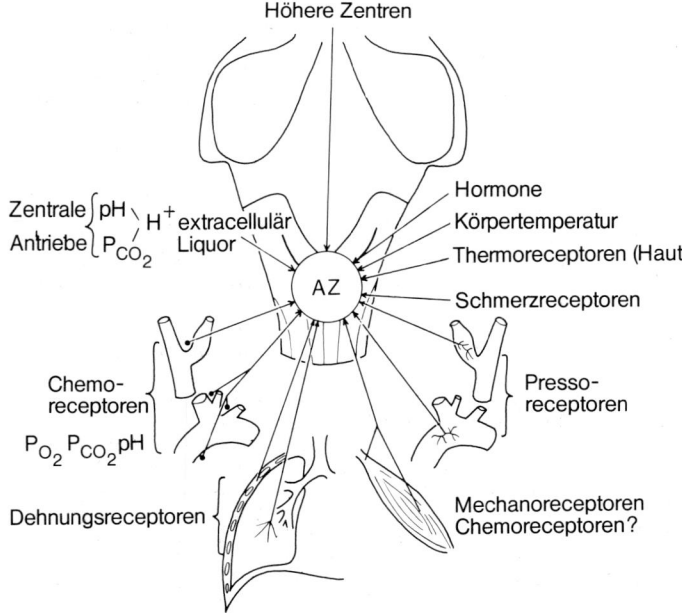

Abb. 32. Übersicht über die zentralen Atmungsantriebe und die peripheren Receptoren, von denen aus die Atmung beeinflußt werden kann

Tabelle. Zusammenstellung wichtiger Funktionsdaten für den gesunden jungen Mann (Körperoberfläche 1,7 m²) in körperlicher Ruhe. Auf Variationsmöglichkeiten und Einflußgrößen wird im Text hingewiesen

Lungenvolumina		**Funktionsprüfungen**		
Totalkapazität	6 Liter	Relative Sekundenkapazität	75 %	
Vitalkapazität	4,5 Liter	Maximale exspiratorische Atemstromstärke	10 Liter/s	
Funkt. Residualkapazität	2,4 Liter	Atemgrenzwert	150 Liter/min	
Residualvolumen	1,2 Liter			
		Alveoläres Ventilations-Perfusions-Verhältnis	0,9	
Ventilation		**Gasaustausch**		
Atemzugvolumen	0,5 Liter	O_2-Aufnahme	280 ml/min	
Totraumvolumen	0,15 Liter	CO_2-Abgabe	230 ml/min	
Atmungsfrequenz	14/min	Respiratorischer Quotient	0,82	
Atemzeitvolumen	7 Liter/min	O_2-Diffusionskapazität	25 ml/min mm Hg	
Alveoläre Ventilation	5 Liter/min	Kontaktzeit	0,3 s	
Totraumventilation	2 Liter/min			
Atmungsmechanik		**Konzentrationen und Partialdrucke**	O_2	CO_2
Intrapleurale Drucke am		Inspiratorische Konzentrationen	20,9	0,03 Vol.-%
Ende der Exspiration	−4 cm H_2O	Alveoläre Konzentrationen	14,0	5,6 Vol.-%
Ende der Inspiration	−6,5 cm H_2O	Inspiratorische Partialdrucke	150	0,2 mm Hg
Compliance der Lunge	0,2 Liter/cm H_2O	Alveoläre Partialdrucke	100	40 mm Hg
Compliance von Lunge und Thorax	0,1 Liter/cm H_2O	Arterielle Partialdrucke	95	40 mm Hg
Resistance	1,5 cm H_2O · s/Liter			

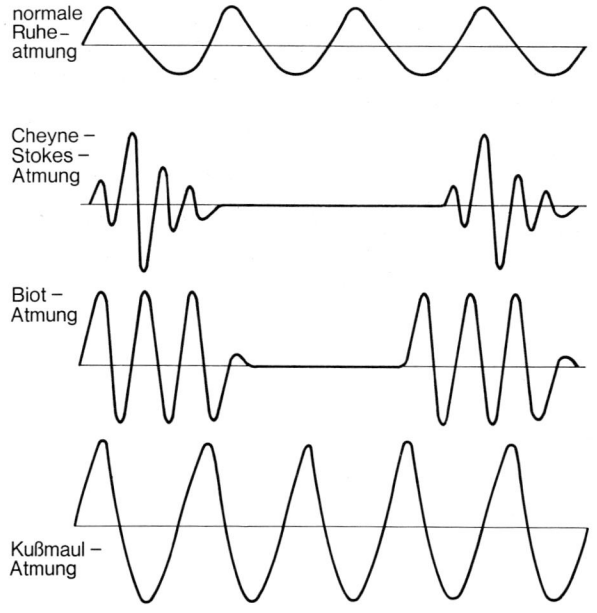

Abb. 33. Pathologische Atmungsformen in schematischer Darstellung

Unter pathologischen Bedingungen kann die Cheyne-Stokes-Atmung bei *Vergiftungen* auftreten, z.B. bei Vergiftung mit harnpflichtigen Substanzen infolge Nierenversagens *(Urämie)*.

Eine ähnliche periodische Atmungsform stellt die **Biot-Atmung** dar (Abb. 33). Sie ist u.a. bei *Hirnverletzungen* und bei *erhöhtem Liquordruck* zu beobachten. Wahrscheinlich handelt es sich hierbei um eine Schädigung der Atmungszentren. Unter diesen Bedingungen kann auch eine **Schnappatmung** (S. 478) auftreten,

die man ebenfalls bei *Frühgeborenen* beobachtet. Wenn durch fixe Säuren der pH-Wert des Blutes gesenkt ist *(metabolische Acidose)*, wie etwa bei *Diabetes mellitus*, dann kommt es zu einer Atmungsform, die durch besonders tiefe Atemzüge charakterisiert ist. Durch diese sogenannte **große Kussmaulsche Atmung**, eine Sonderform der Hyperventilation, kann die metabolische Acidose zumindest teilweise respiratorisch kompensiert werden (vgl. S. 504).

6. Literatur

1. AHNFELD, F. W.: Sekunden entscheiden — Lebensrettende Sofortmaßnahmen. Berlin-Heidelberg-New York: Springer 1967.
2. ALBERS, C.: Analyse von Gasen in Flüssigkeiten, In: König, W. (Hrsg.): Klinisch-physiologische Untersuchungsmethoden. Stuttgart: Thieme 1972.
3. ANTHONY, A. J., VENRATH, H.: Funktionsprüfungen der Atmung. Leipzig: J. A. Barth 1962.
4. BACHOFEN, H.: Die mechanischen Eigenschaften der Lunge. Bern: Huber 1969.
5. DE BALDWIN, E. F., COURNAND, A., RICHARDS, D. W., JR.: Pulmonary insufficiency. I. Physiological classification, clinical methods of analysis, standard values in normal subjects. Medicine (Baltimore) **27**, 243 (1948).
6. BARTELS, H., BÜCHERL, E., HERTZ, C. W., RODEWALD, G., SCHWAB, M.: Lungenfunktionsprüfungen. Berlin-Göttingen-Heidelberg: Springer 1959.
7. BARTELS, H., RIEGEL, K., WENNER, J., WULF, H.: Perinatale Atmung. Berlin-Heidelberg-New York: Springer 1972.
8. BENNINGHOFF, A., GOERTTLER, K.: Lehrbuch der Anatomie des Menschen. München-Berlin-Wien: Urban u. Schwarzenberg 1968.
9. BÜHLMANN, A., ROSSIER, P. H.: Klinische Pathophysiologie der Atmung. Berlin-Heidelberg-New York: Springer 1970.
10. CAMPBELL, E. J. M.: The respiratory muscles and the mechanics of breathing. Chicago: Year Book Publishers 1959.
11. COMROE, J. H.: Physiologie der Atmung. Stuttgart-New York: Schattauer 1968.

12. COMROE, J. H., FORSTER, R. E., DUBOIS, A. B., BRISCOE, W. A., CARL-SEN, E.: Die Lunge. Klinische Physiologie und Lungenfunktions-prüfungen. Stuttgart: Schattauer 1964.
13. COTES, J. E.: Lung function. Oxford: Blackwell 1965.
14. CUNNINGHAM, D. I. C., LLOYD, B. B. (Hrsg.): The regulation of human respiration. Philadelphia: Davis 1963.
15. DEJOURS, P.: Respiration. New York: Oxford Univ. Press 1966.
16. DITTMER, D. S., GREBE, R. M. (Hrsg.): Handbook of respiration. Philadelphia: Saunders 1958.
17. FENN, W. O., RAHN, H. (Hrsg.): Handbook of Physiology. Sect. 3: Respiration Vol. I, II. Washington: Amer. Physiol. Soc. 1964.
18. FORSTER, R. E.: Exchange of gases between alveolar air and pulmonary capillary blood: pulmonary diffusing capacity. Physiol. Rev. 37, 391 (1957).
19. GLEICHMANN, U., LÜBBERS, D. W.: Die Messung des Sauerstoffdruckes in Gasen und Flüssigkeiten mit der Pt-Elektrode unter besonderer Berücksichtigung der Messung im Blut. Pflügers Arch. ges. Physiol. 271, 431 (1960).
20. v. HAYEK, H.: Die menschliche Lunge. Berlin-Heidelberg-New York: Springer 1970.
21. HORNBEIN, T. F.: The relation between stimulus of chemoreceptors and their response. In: Torrance, R. W. (Hrsg.): Arterial Chemo-receptors. Oxford: Oxford University Press 1968.
22. KAO, F. F.: An introduction to respiratory physiology. Amsterdam: Excerpta Medica 1972.
23. KOEPCHEN, H. P.: Atmungsregulation. In: GAUER, O. H., KRAMER, K., JUNG, R. (Hrsg.): Physiologie des Menschen. Bd. 6: Atmung. München-Berlin-Wien: Urban u. Schwarzenberg 1972.
24. LOESCHCKE, H. H.: Respiratory chemosensitivity in the medulla oblongata. Acta neurobiol. exp. 33, 97–112 (1973).
25. LOEW, P. G., THEWS, G.: Die Altersabhängigkeit des arteriellen Sauer-stoffdruckes bei der berufstätigen Bevölkerung. Klin. Wschr. 40, 1093 (1962).
26. NUNN, J. F.: Applied respiratory physiology, with special reference to anaesthesia. London: Butterworth 1969.
27. NOLTE, H.: Die Wiederbelebung der Atmung. Anaesthesiologie und Wiederbelebung, Bd. 28. Berlin-Heidelberg-New York: Springer 1968.
28. OTIS, A. B.: The work of breathing. In: FENN, W. O., RAHN, H. (Hrsg.): Handbook of Physiology, Sect. 3: Respiration, Vol. I. Washington: Amer. Physiol. Soc. 1964.
29. PIIPER, J.: Physiologie der Atmung. In: GAUER, O. H., KRAMER, K., JUNG, R. (Hrsg.): Physiologie des Menschen, Bd. 6: Atmung. München-Berlin-Wien: Urban u. Schwarzenberg 1972.
30. PROCTOR, D. F.: Physiology of the upper airway. In: FENN, W. O., RAHN, H. (Hrsg.): Handbook of Physiology, Sect. 3: Respiration, Vol. I. Washington: Amer. Physiol. Soc. 1964.
31. STOFFREGEN, J.: Atmung und Beatmung. In: FREY, R., HÜGLIN, W., MAYRHOFER, O. (Hrsg.): Lehrbuch der Anaesthesiologie und Wieder-belebung. Berlin-Heidelberg-New York: Springer 1971.
32. THEWS, G.: Ein Mikroanalyse-Verfahren zur Bestimmung der Sauer-stoffdrucke in kleinen Blutproben. Pflügers Arch. ges. Physiol. 276, 89 (1962).
33. THEWS, G.: Der Transport der Atemgase. Klin. Wschr. 41, 120 (1963).
34. THEWS, G.: Die theoretischen Grundlagen der Sauerstoffaufnahme in der Lunge. Ergebn. Physiol. 53, 42 (1963).
35. THEWS, G.: Der respiratorische Gaswechsel und seine Teilfunktionen. In: BOPP, K. PH., HERTLE, F. H. (Hrsg.): Chronische Bronchitis. Stutt-gart-New York: Schattauer 1968.
36. ULMER, W. T., REICHEL, G., NOLTE, D.: Die Lungenfunktion. Phy-siologie und Pathophysiologie. Stuttgart: Thieme 1970.
37. WEST, J. B.: Ventilation, blood flow and gas exchange. Oxford: Black-well 1966.
38. WEIBEL, E. R.: Morphometry of the human lung. Berlin-Göttingen-Heidelberg: Springer 1963.
39. WYSS, O. A. M.: Die nervöse Steuerung der Atmung. Ergebn. Physiol. 54, 1–479 (1964).
40. ZIMMERMANN, W. E., MAURATH, J.: Die Lungenfunktionsdiagnostik. In: FREY, R., HÜGIN, W., MAYRHOFER, O. (Hrsg.): Lehrbuch der Anaesthesiologie und Wiederbelebung. Berlin-Heidelberg-New York: Springer 1971.

XXI. Atemgastransport und Säure-Basen-Status des Blutes (G. Thews)

1. Der Aufbau und die Eigenschaften des Hämoglobins

1.1. Aufbau des Hämoglobinmoleküls

Eine der wichtigsten Aufgaben des Blutes besteht darin, den in der Lunge aufgenommenen Sauerstoff zu den Organen und Geweben zu transportieren sowie das hier gebildete Kohlendioxid der Lunge zuzuführen. Diese Funktion des Blutes wird im wesentlichen von den Erythrocyten erfüllt. Der in ihnen enthaltene rote Blutfarbstoff *Hämoglobin* besitzt die Fähigkeit, den Sauerstoff in den Lungencapillaren anzulagern und in den Gewebecapillaren wieder abzugeben. Daneben ist das Hämoglobin in der Lage, einen Teil des im Zellstoffwechsel entstandenen Kohlendioxids zu binden und in der Lunge wieder freizusetzen. Aus diesen Gründen nimmt das Hämoglobin eine zentrale Stellung in der Transportkette für die Atemgase ein. Viele seiner Eigenschaften werden durch seinen chemischen Aufbau verständlich, der daher an dieser Stelle in den Grundzügen dargestellt werden soll.

Hämoglobin ist ein Chromoproteid; d.h., es besteht aus Farbstoff- und Eiweißkomponenten. Vier Polypeptidketten mit je einer Farbstoffgruppe (Häm) sind zu einem Molekülaggregat zusammengeschlossen. Das **Molekulargewicht** des Hämoglobins beträgt etwa 64 500, so daß jeder der vier Grundeinheiten ein Molekulargewicht von 16 000 zukommt [5].

Farbstoffkomponente. Die vier gleichartigen Farbstoffkomponenten eines Hämoglobinmoleküls können als *Protoporphyrine mit zentralen zweiwertigen Eisenatomen* gekennzeichnet werden. Jedes Protoporphyringerüst besteht aus vier *Pyrrolringen,* die über *Methinbrücken* miteinander verbunden sind und charakteristische Seitenketten tragen (Abb. 1). Entscheidend für die Funktion ist das zentral angeordnete Eisenatom, durch dessen Einbau mit je zwei Haupt- und Nebenvalenzen das Protoporphyrin zum **Häm** wird. Die gesamte Hämstruktur hat man sich in einer Ebene liegend vorzustellen. Senk-

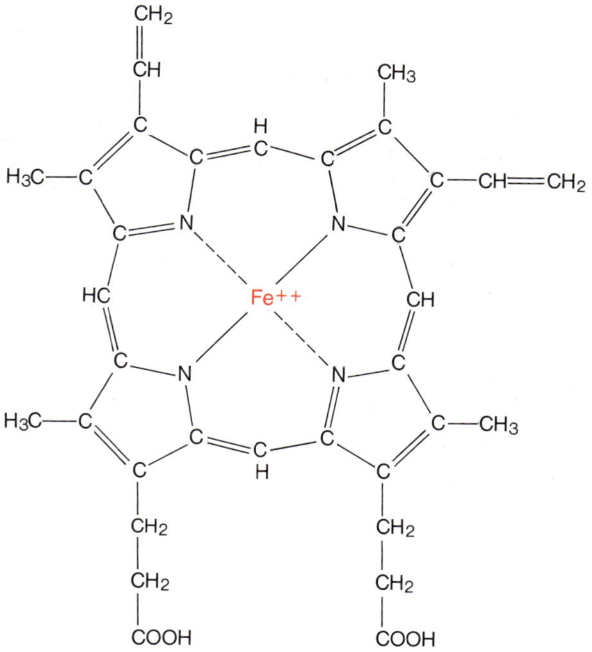

Abb. 1. Chemische Struktur des Häm

recht dazu wird die Verbindung zur Proteinkomponente hergestellt.

Beim Sauerstofftransport wird O_2 ohne Wertigkeitsänderung des Eisenatoms in reversibler Bindung an das Häm angelagert. Das **Hämoglobin** (Hb) geht in **Oxyhämoglobin** (HbO_2) über. Um anzudeuten, daß die O_2-Anlagerung ohne Wertigkeitsänderung stattfindet, bezeichnet man diese Reaktion als *Oxygenation.* Entsprechend ist die O_2-Abspaltung eine *Desoxygenation.* Will man besonders betonen, daß nach der O_2-Abgabe eine sauerstofffreie Verbindung vorliegt, dann spricht man von *desoxygeniertem Hämoglobin.* Ähnlich wie der molekulare Sauerstoff kann Kohlenmonoxid (CO) ebenfalls reversibel und ohne Wertigkeitsänderung an das Häm angelagert werden. Man nennt das Reaktionsprodukt **Kohlenoxidhämoglobin** (HbCO).

Außer der Oxygenation an der Hämgruppe kann hier auch eine echte Oxidation stattfinden, wobei das zweiwertige in dreiwertiges Eisen übergeht (Abb. 2). Dann bezeichnet man die Farbstoffkomponente als Oxihämin und das gesamte Molekül als **Hämiglobin** oder im klinischen Sprachgebrauch als **Methämoglobin.** Normalerweise enthält das menschliche Blut nur einen sehr kleinen Anteil Hämiglobin, der jedoch bei der Einwirkung gewisser Gifte und bei bestimmten Erkrankungen anwachsen kann. Ein solcher Zustand ist deshalb gefährlich, weil das Hämoglobin in diesem Fall nicht mehr für den O_2-Transport zum Gewebe zur Verfügung steht.

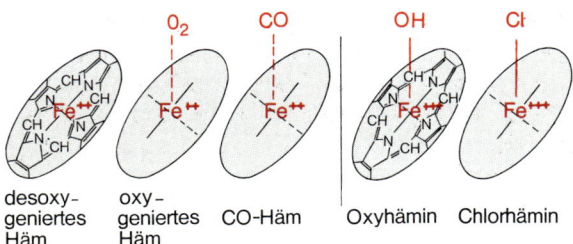

desoxy-   oxy-
geniertes   geniertes   CO-Häm   Oxyhämin   Chlorhämin
Häm   Häm

Abb. 2. Charakteristische Verbindungen des Häm (mit zweiwertigem Eisen) und des Hämin (mit dreiwertigem Eisen)

Eiweißkomponente. Der Hauptanteil der etwa 10000 Atome eines Hämoglobinmoleküls entfällt auf dessen Eiweißkomponente. Diese besteht aus *vier* einzelnen *Polypeptidketten* mit jeweils mehr als 140 Aminosäureresten. Neben der Sequenz, d.h. der Reihenfolge der Aminosäuren, die der chemischen Analyse zugänglich ist, konnte in den letzten Jahren auch die räumliche Anordnung der Ketten innerhalb des Moleküls durch dreidimensionale Röntgenbeugungsanalyse weitgehend aufgeklärt werden [19].

Abb. 3. zeigt das Modell eines Hämoglobin-Moleküls, wie es sich auf Grund dieser Untersuchungen

|—— 1nm ——|

Abb. 3. Modell für den Molekülaufbau des Hämoglobins. Nach PERUTZ [19]

darstellt. Zwei symmetrisch angeordnete „weiße" Ketten sind auf zwei weitere, ebenfalls symmetrische „schwarze" Ketten aufgesetzt. Zwei der vier Hämgruppen erkennt man als rote Scheiben, die in oberflächlichen Nischen des insgesamt kugelförmigen Moleküls angeordnet sind. Beim Hämoglobin des Erwachsenen **(Hb A)** werden die weißen Untereinheiten als α-*Ketten* (mit je 141 Aminosäuren) und die schwarzen als β-*Ketten* (mit je 146 Aminosäuren) bezeichnet. Das Hämoglobin des menschlichen Feten **(Hb F)** unterscheidet sich hiervon dadurch, daß an Stelle der β-Ketten Polypeptide mit einer anderen Aminosäure-Anordnung, sogenannte γ-Ketten, eingebaut sind. Bald nach der Geburt wird das Hb F (F von fetal) durch das Hb A (A von adult) ersetzt [2, 12].

1.2. Lichtabsorption des Hämoglobins

Lichtabsorption und Farbe. Die Farbe eines gelösten Stoffes, der selbst keine Lichtstrahlen aussendet, hängt von seiner Fähigkeit zur spezifischen Absorption des durchfallenden Lichts ab. Diese Lichtabsorption findet in der Regel in ganz bestimmten, für den Stoff charakteristischen Wellenlängenbereichen statt, während Licht anderer Wellenlängen fast ungehindert hindurchgelassen wird. Die anteilmäßige Mischung des austretenden Lichtes aus den verschiedenen Wellenlängenbereichen bestimmt dann die Farbe des gelösten Stoffes.

Die rote Farbe einer Hämoglobinlösung und damit auch die rote Farbe des Blutes ist darauf zurückzuführen, daß in diesem Fall kurzwelliges Licht, d.h. der Blauanteil des Spektrums, relativ stark absorbiert wird. Für das langwellige rote Licht besteht dagegen eine sehr hohe Durchlässigkeit.

Untersucht man das von einer *oxygenierten* Hämoglobinlösung hindurchgelassene Licht mit Hilfe eines Spektroskops, so findet man neben einer Schwächung des Blauanteils zwei charakteristische dunkle Streifen im gelben bzw. gelbgrünen Bereich des Spektrums. Solche Spektralgebiete hoher Lichtabsorption werden als **Absorptionsbanden** bezeichnet. Das Oxyhämoglobin ist also durch zwei Absorptionsbanden charakterisiert, deren Maxima bei den Wellenlängen $\lambda = 577$ nm und $\lambda = 541$ nm liegen (1 nm $= 10^{-9}$ m) [27].

Das *desoxygenierte* Hämoglobin absorbiert das Licht im langwelligen Spektralgebiet etwas stärker und im kurzwelligen Gebiet etwas schwächer als das Oxyhämoglobin. Daher erscheint das venöse Blut dunkler und bläulich-rot gefärbt. Bei der Untersuchung mit dem Spektroskop beobachtet man außerdem eine einzige breitere Absorptionsbande im gelbgrünen Gebiet, deren Maximum bei der Wellenlänge $\lambda = 555$ nm liegt.

Spektralphotometrie. Für die quantitative Aufnahme des Absorptionsverhaltens von Farblösungen verwendet man Spektralphotometer. Aus einem Prismen- oder Gitterspektrum wird Licht eines sehr engen Wellenbereiches ausgeblendet. Dieses sogenannte *monochromatische Licht* erfährt beim Durchgang durch die zu untersuchende Lösung eine mehr oder weniger starke Intensitätsabschwächung. Mit Hilfe einer Photozelle kann das Verhältnis der Intensität des eintretenden Lichts I_0 zu der des austretenden Lichtes I gemessen werden. Der Quotient I/I_0 wird als **Durchlässigkeit**, der Quotient $(I_0-I)/I_0$ als **Absorption** bezeichnet. Führt man diese Messung nacheinander mit monochromatischem Licht der verschiedenen Wellenlängen durch, so erhält man ein vollständiges *Absorptionsspektrum* der Lösung.

Absorptionsspektren. Abb. 4 zeigt die Absorptionsspektren des Oxyhämoglobins und des desoxygenierten Hämoglobins. Wellenlängenbereiche, in denen man bei der Beobachtung mit dem Spektroskop dunkle Absorptionsbanden findet, stellen sich im Absorptionsspektrum als Hügel dar. Man erkennt, daß das Spektrum des Oxyhämoglobins durch zwei Absorptionsmaxima und das des Hämoglobins durch ein dazwischenliegendes Maximum ausgezeichnet sind. Die Wellenlängen, die zu den Absorptionsmaxima gehören, sind oben angegeben und können an Hand der Abbildung verifiziert werden.

Die Schnittpunkte der Absorptionskurven, die sogenannten *isosbestischen Punkte*, sind dadurch ausgezeichnet, daß bei den zugehörigen Wellenlängen gleichkonzentrierte Lösungen die gleiche Lichtabsorption aufweisen. Die Absorption des Hämoglobins ist bei diesen Wellenlängen unabhängig von seiner O_2-Beladung. Wenn man die *Konzentration* des Hämoglobins bestimmen will, ohne dieses zuvor chemisch zu verändern (s. unten), kann dies nur mit monochromatischem Licht geschehen, dessen Wellenlänge einem isosbestischen Punkt entspricht. Will man dagegen photometrisch die O_2-Sättigung des Hämoglobins ermitteln, dann wird man hierzu einen Wellenlängenbereich auswählen, bei

dem sich die Absorptionen von oxygeniertem und desoxygeniertem Hämoglobin besonders stark unterscheiden. Nach Abb. 4 kämen hierfür etwa die Wellenlängen 600, 577 oder 470 nm in Frage.

Lambert-Beersches Gesetz. Als Maß für die Absorption verwendet man vielfach auch die Größe

$$E = \log \frac{I_0}{I}, \tag{1}$$

die als **Extinktion** bezeichnet wird (s. Abb. 4, rechte Ordinate). Hierin ist I_0 wieder die Intensität des in die Farblösung eintretenden und I die des austretenden Lichtes. Die Einführung dieser Größe ist deswegen vorteilhaft, weil die Extinktion E der Konzentration c eines gelösten Farbstoffes direkt proportional ist:

$$E = \log \frac{I_0}{I} = \varepsilon \, c \, d. \tag{2}$$

d bezeichnet hier die Dicke der durchstrahlten Schicht; ε ist eine Stoffkonstante und wird als *Extinktionskoeffizient* bezeichnet. Diese lineare Abhängigkeit der Extinktion von der Konzentration und der Schichtdicke ist der Inhalt des *Lambert-Beerschen Gesetzes*. Es gilt nur, wenn für die Durchstrahlung monochromatisches Licht verwendet wird [13].

1.3. Hämoglobinkonzentration im Blut und Färbekoeffizient

Normwerte. *Die mittlere Hämoglobinkonzentration im menschlichen Blut beträgt beim Mann 15,5 g-%, bei der Frau 14 g-%.* Das heißt: In 100 ml Blut sind 15,5 bzw. 14 g Hämoglobin enthalten. Wie fast alle biologischen Größen sind diese Werte nicht genau fixiert, sondern können auch beim Gesunden begrenzten Schwankungen unterliegen. Eine Festlegung des Normbereiches ist daher erst möglich, wenn die **Häufigkeitsverteilung** der an einer größeren Personenzahl gemessenen Werte bekannt ist (Abb. 5).

Die Hämoglobinkonzentration verändert sich mit dem Lebensalter in gesetzmäßiger Weise. Im Blut des *Neugeborenen* findet man im Mittel einen Wert von 19 g-%, wobei im Einzelfall erhebliche Abweichungen hiervon vorkommen können (Abb. 5). Im Laufe des *1. Lebensjahres* fällt dann die Hämoglobinkonzentration auf etwa 11 g-% ab, um von da an langsam auf den Wert des Erwachsenen anzusteigen.

Ebenso wie beim *Feten* findet man eine relativ hohe Hämoglobinkonzentration im Blut von Personen, die sich längere Zeit *in großen Höhen* aufhalten

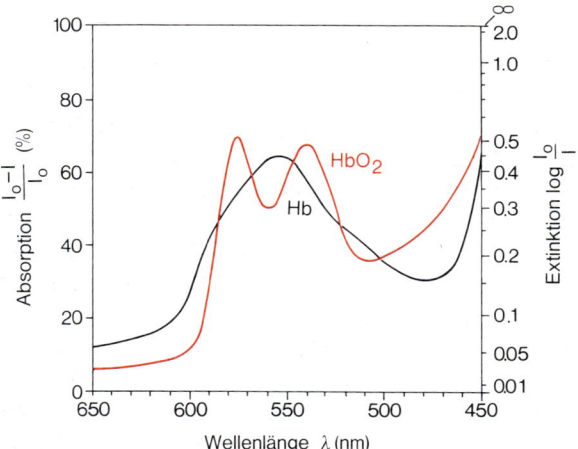

Abb. 4. Absorptionsspektren des Oxyhämoglobins (HbO_2) und des desoxygenierten Hämoglobins (Hb). Linke Ordinate: Absorption; rechte Ordinate: Extinktion

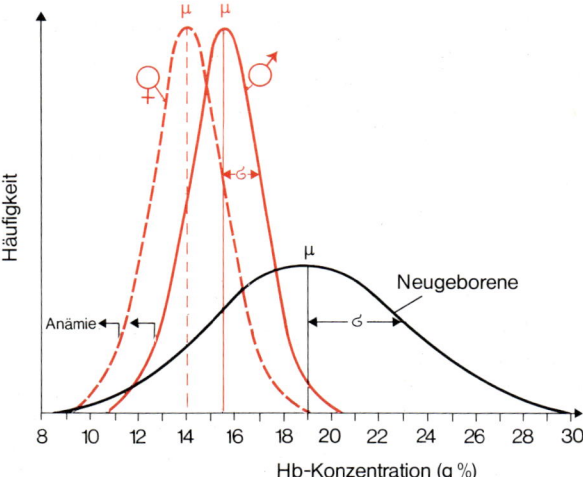

Abb. 5. Häufigkeitsverteilungen der Hämoglobinkonzentrationen für verschiedene Populationen: Männliche Erwachsene (♂), weibliche Erwachsene (♀) und Neugeborene. Ordinate: Relative Häufigkeit; Abscisse: Hämoglobinkonzentration, μ Mittelwerte; σ Standardabweichung (σ ist durch den Abstand des Mittelwertes vom Wendepunkt der Verteilungskurve festgelegt und stellt ein Maß für die Variationsbreite dar)

(S. 566). In beiden Fällen handelt es sich um eine Anpassung, durch die trotz eines erniedrigten O_2-Partialdruckes eine ausreichende Sauerstoffversorgung der Organe sichergestellt wird.

Ein Absinken der Hämoglobinkonzentration im Blut unter den Normbereich wird als **Anämie** bezeichnet. In der Regel spricht man von einer Anämie, wenn die Hämoglobinkonzentration beim Mann unter 12,5 und bei der Frau unter 11 g-% liegt.

Bestimmung der Hämoglobinkonzentration. Die Hämoglobinkonzentration kann prinzipiell auf verschiedenen Wegen ermittelt werden: 1. über die *Analyse der gebundenen O_2-Menge* (1 g Hb bindet maximal 1,34 ml O_2), 2. über die *Bestimmung des Eisengehaltes* (Hb enthält 0,34% Eisen), 3. durch *Farbvergleich* (*Colorimetrie*), 4. durch *Extinktionsmessung* (*Spektralphotometrie*). Die beiden erstgenannten Verfahren erfordern einen erheblichen analytischen Aufwand, die Colorimetrie besitzt nur eine begrenzte Genauigkeit, so daß für die routinemäßige Hb-Bestimmung hauptsächlich das spektralphotometrische Verfahren in Frage kommt [4].

Spektralphotometrisches Verfahren. Das Prinzip des Verfahrens besteht darin, daß die Hb-Konzentration über die Extinktionsmessung mit monochromatischem Licht bestimmt wird. Da jedoch verdünntes Hb wenig beständig ist und zudem seine Extinktion mit der O_2-Beladung ändert, ist zuvor die *Umwandlung in eine farbstabile Verbindung* notwendig.

Das in eine Capillarpipette aufgenommene Blut wird mit einer Lösung verdünnt, die Kaliumferricyanid $K_3[Fe(CN)_6]$, Kaliumcyanid KCN und Natriumbicarbonat $NaHCO_3$ enthält. Dabei findet eine Hämolyse und eine Umwandlung des Hämoglobins in das wochenlang stabile **Cyanhämiglobin** HbCN (mit dreiwertigem Eisen) statt. In einem Photometer wird die Lösung mit monochromatischem Licht der Wellenlänge 546 nm durchstrahlt und die *Extinktion E* gemessen. Aus *E* könnte dann nach dem *Lambert-Beerschen Gesetz* (Gl. 2) die Konzentration c direkt ermittelt werden, wenn der Extinktionskoeffizient ε und die Schichtdicke d bekannt sind. Zweckmäßiger ist jedoch die Eichung der Extinktionsskala mit einer Standardlösung. Die Cyanhämiglobin-Methode gilt als das exakteste Verfahren zur routinemäßigen Hb-Bestimmung [4].

Färbekoeffizient. Für die Beurteilung der Blutbildung und die Differenzierung der Anämieformen stellt die **Hämoglobinbeladung des einzelnen Erythrocyten** eine wichtige diagnostische Größe dar. *Der mittlere absolute Hämoglobingehalt des einzelnen Erythrocyten wird als Färbekoeffizient bezeichnet.* Man ermittelt ihn, indem man den Hämoglobingehalt in 100 ml Blut durch die Erythrocytenzahl im gleichen Blutvolumen dividiert.

Legt man beispielsweise die Normwerte des gesunden Mannes zugrunde, so hat man, bezogen auf 100 ml Blut, 15,5 g Hb durch 5,1 Millionen $\times 10^5$ Erythrocyten zu teilen (100 ml $= 10^5$ μl). Daraus ergibt sich ein Färbekoeffizient Hb_E von $30 \cdot 10^{-12}$ g pro Erythrocyt. Als Berechnungsregel gilt: Hämoglobinkonzentration (in g-%) mal 10, dividiert durch Erythrocytenzahl (in Mio/μl) = Färbekoeffizient (in pg $= 10^{-12}$ g). Unter Normbedingungen findet man also:

$$\text{♂} \quad Hb_E = \frac{15,5(\text{g-}\%) \times 10}{5,1(\text{Mio/μl})} = 30(10^{-12}\,\text{g}) = 30\,\text{pg},$$

$$\text{♀} \quad Hb_E = \frac{14(\text{g-}\%) \times 10}{4,6(\text{Mio/μl})} = 30(10^{-12}\,\text{g}) = 30\,\text{pg}.$$

Erythrocyten, bei denen die Hämoglobinbeladung im Normbereich (26–34 pg) liegt, werden als **normochrom** bezeichnet. Bei einer Erniedrigung des Färbekoeffizienten spricht man von **hypochromen**, bei der Erhöhung von **hyperchromen** Erythrocyten. Diese Kennzeichnung hat eine besondere Bedeutung bei der Differenzierung der verschiedenen Anämieformen [7]. Beispielsweise kann infolge *Eisenmangels* die Hämoglobinbildung reduziert sein, so daß der Hämoglobingehalt des einzelnen Erythrocyten herabgesetzt ist und somit eine *hypochrome Anämie* vorliegt. Bei anderen Anämieformen handelt es sich um eine Störung der Erythrocytenbildung im Knochenmark. In einem solchen Fall, etwa bei der *perniziösen Anämie,* sind die in ihrer Form veränderten Erythrocyten stark mit Hämoglobin beladen; man findet also eine *hyperchrome Anämie.* Bei größeren *Blutverlusten* ist der Färbekoeffizient anfänglich noch unverändert (normochrome Anämie), erst in den folgenden Tagen kommt es zur überstürzten Bildung von Erythrocyten mit geringem Hämoglobingehalt (hypochrome Anämie).

2. Die O$_2$-Transportfunktion des Blutes

2.1. Physikalische Löslichkeit der Gase

Gaspartialdrucke in Flüssigkeiten. Gase können in fast allen Flüssigkeiten bis zu einem gewissen Grade aufgenommen oder, wie man auch sagt, *physikalisch gelöst* werden. Die gelöste Gasmenge ist dabei vom jeweiligen Partialdruck des Gases abhängig. Äquilibriert man die Flüssigkeit mit einem Gas, d.h., bringt man die beiden Medien mit möglichst großer Oberfläche so lange in Berührung, bis ein thermodynamisches Gleichgewicht eingetreten ist, so kann man dem Gas in der Flüssigkeit den gleichen Partialdruck zuordnen, wie er in der Gasphase vorliegt. In diesem Sinne spricht man vereinfachend vom Gaspartialdruck in einer Flüssigkeit.

Konzentrationen gelöster Gase. Der Gaspartialdruck P$_{Gas}$ ist einer der Faktoren, von dem die Konzentration eines gelösten Gases in der Flüssigkeit abhängt. Zweitens wird die Gasaufnahme von den jeweiligen speziellen Löslichkeitseigenschaften bestimmt, die durch den sogenannten *Bunsenschen Löslichkeitskoeffizienten* α charakterisiert werden. Dieser Koeffizient gibt an, wieviel ml eines Gases pro ml Flüssigkeit bei einem Partialdruck von 1 atm (1 atm = 760 mm Hg) physikalisch gelöst sind. Die beiden genannten löslichkeitsbestimmenden Faktoren faßt das **Henry-Daltonsche Gesetz** zusammen, wonach die Konzentration des gelösten Gases durch

$$[Gas] = \frac{\alpha}{760} P_{Gas} \qquad (3)$$

gegeben ist. Der Faktor 760 ist in den Nenner eingesetzt, weil α auf den Druck von 1 atm bezogen, der Partialdruck P$_{Gas}$ aber gewöhnlich in mm Hg angegeben wird.

Die Größe des *Bunsenschen Löslichkeitskoeffizienten* α hängt zunächst von der Art des gelösten Gases, dann aber auch von der Beschaffenheit des Lösungsmittels und schließlich von der Temperatur ab. In Tabelle 1 sind einige charakteristische α-Werte für die Löslichkeit der atmosphärischen Gase in Wasser und Blut zusammengestellt. Mit Hilfe dieser Werte lassen sich die Konzentrationen der physikalisch gelösten Gase nach dem *Henry-Dal-*

Tabelle 1. Bunsensche Löslichkeitskoeffizienten α (ml Gas/ml Lösungsmittel · atm) für O$_2$, CO$_2$ und N$_2$ in Wasser und Blut

	α_{O_2}	α_{CO_2}	α_{N_2}
Wasser 20° C	0,031	0,88	0,016
Wasser 37° C	0,024	0,57	0,012
Blut 37° C	0,024	0,49	0,012

tonschen Gesetz (Gl. 3) für vorgegebene Partialdrucke berechnen. Beispielsweise findet man für das arterielle Blut (P$_{O_2}$ = 95 mm Hg, P$_{CO_2}$ = 40 mm Hg) eine O$_2$-Konzentration von 0,003 ml O$_2$/ml Blut = 0,3 Vol-% und eine CO$_2$-Konzentration von 0,026 ml CO$_2$/ml Blut = 2,6 Vol-%. Infolge des 20mal größeren Löslichkeitskoeffizienten ist also trotz des geringeren CO$_2$-Partialdruckes im arteriellen Blut 9mal mehr CO$_2$ als O$_2$ physikalisch gelöst enthalten.

Obwohl insgesamt nur verhältnismäßig kleine O$_2$- und CO$_2$-Volumina im Blut in Lösung gehen, kommt dieser Zustandsform doch eine große biologische Bedeutung zu. Bevor nämlich die Atemgasmoleküle chemische Bindungen eingehen können, müssen sie in gelöster Form zu ihren Reaktionspartnern wandern. Das heißt: *Jedes O$_2$- bzw. CO$_2$-Molekül, das in der Lunge oder den Geweben ausgetauscht wird, durchläuft den Zustand der physikalischen Lösung.*

2.2. Hämoglobin-Sauerstoff-Bindung

O$_2$-Bindungskapazität des Blutes. Der überwiegende Teil des mit dem Blut transportierten Sauerstoffes ist *chemisch an das Hämoglobin gebunden*. Wenn wir nach dem **maximalen O$_2$-Bindungsvermögen** des Hb fragen, so müssen wir nach Kenntnis des tetrameren Molekülaufbaus (s. Abb. 3) von der Reaktionsgleichung

$$Hb + 4O_2 \rightleftharpoons Hb(O_2)_4 \qquad (4)$$

ausgehen. 1 mol Hämoglobin ist also in der Lage, maximal 4 mol O$_2$ zu binden. Unter Berücksichtigung des Molvolumens für ideale Gase (22,4 Liter) würde dies bedeuten: 64 500 g Hb binden 4 × 22,4 Liter O$_2$ oder 1 g Hb bindet 1,39 ml O$_2$. Bei der Blutgasanalyse [1] findet man einen etwas kleineren Wert (1,34–1,36 ml O$_2$/g Hb), und man führt diese Abweichung darauf zurück, daß ein geringer Teil des Hämoglobins in „bindungsinaktiver Form" vorliegt [17]. Für praktische Zwecke wird in der Regel angenommen, daß *1 g Hb in vivo 1,34 ml O$_2$ bindet* (**Hüfnersche Zahl**).

Mit Hilfe der Hüfnerschen Zahl und der Hb-Konzentration läßt sich die maximale *O$_2$-Bindungskapazität* des Blutes berechnen: [O$_2$]$_{max}$ = 1,34 (ml O$_2$/g Hb) × 15 (g Hb/100 ml Blut) = 20 (ml O$_2$/100 ml Blut) = 20 Vol-%. Diese O$_2$-Konzentration ergibt sich allerdings nur, wenn das Blut mit einem sauerstoffreichen Gasgemisch (P$_{O_2}$ > 300 mm Hg) äquilibriert wird, wenn also das Reaktionsgleichgewicht der Gl. (4) ganz auf die rechte Seite verlagert ist. Bei den kleineren O$_2$-Partialdrucken, die in vivo maßgebend sind, wird das Hämoglobin nur zum Teil in Oxyhämoglobin überführt.

O$_2$-Bindungskurve. Die Reaktion des Sauerstoffes mit dem Hämoglobin (Gl. 4) folgt dem Massenwirkungsgesetz. Das heißt: Die Konzentration des physikalisch gelösten O$_2$, die nach dem Henry-Daltonschen Gesetz dem O$_2$-Partialdruck proportional ist, bestimmt, welcher Anteil des Hämoglobins in Oxyhämoglobin übergeführt wird. Wir bezeichnen den Konzentrationsanteil des Oxyhämoglobins an der insgesamt vorliegenden Hämoglobinkonzentration als **O$_2$-Sättigung** (S$_{O_2}$) des roten Blutfarbstoffes. Wenn wir für Oxyhämoglobin wieder die vereinfachte Schreibweise HbO$_2$ verwenden, dann gilt nach dieser Definition

$$S_{O_2} = \frac{[HbO_2]}{[Hb] + [HbO_2]}. \tag{5}$$

S$_{O_2}$ wird gewöhnlich in % angegeben. Liegt nur desoxygenisiertes Hämoglobin vor, beträgt die O$_2$-Sättigung 0%; ist das gesamte Hämoglobin in Oxyhämoglobin übergegangen, so besteht eine 100%ige O$_2$-Sättigung.

Nach dem Massenwirkungsgesetz hängt die O$_2$-Sättigung des Hämoglobins von dem jeweils gegebenen O$_2$-Partialdruck ab. Graphisch wird dieser Zusammenhang durch die *O$_2$-Bindungskurve* dargestellt. Wie Abb. 6 zeigt, besitzt die O$_2$-Bindungskurve des Hämoglobins einen charakteristischen *S-förmigen Verlauf.* Ihre Steilheit, die von verschiedenen Parametern abhängt (s. unten), kann am einfachsten durch den sogenannten **O$_2$-Halbsättigungsdruck** gekennzeichnet werden. Das ist derjenige O$_2$-Partialdruck, bei dem die O$_2$-Sättigung 50% beträgt, bei dem also 50% des gesamten Hämoglobins als Oxyhämoglobin vorliegen. Für die Bedingungen des arteriellen Blutes (pH = 7,4; Temperatur = 37° C) beträgt der Halbsättigungsdruck etwa 26 mm Hg [23, 25].

Deutung des O$_2$-Bindungskurvenverlaufes. Die Frage nach der Ursache des S-förmigen Bindungskurvenverlaufes kann heute noch nicht abschließend beantwortet werden. Würde nur *ein* O$_2$-Molekül mit einem Farbstoffmolekül reagieren, dann wäre aus Gründen der Reaktionskinetik eine *hyperbelförmige O$_2$-Bindungskurve* zu erwarten [27]. Diese Voraussetzung ist z.B. bei der vergleichbaren Reaktion des Sauerstoffes mit dem *roten Muskelfarbstoff* **Myoglobin** (Mb) gegeben [21]. Myoglobin ist ähnlich wie eine der vier Grundeinheiten des Hämoglobins aufgebaut. Sein Molekulargewicht steht also zu dem des Hämoglobins im Verhältnis 1:4. Myoglobin besitzt nur eine Farbstoffkomponente und kann dementsprechend nur ein O$_2$-Molekül anlagern:

$$Mb + O_2 \rightleftharpoons MbO_2. \tag{6}$$

Abb. 6 zeigt die hieraus resultierende hyperbelförmige O$_2$-Bindungskurve.
Der naheliegende Gedanke, daß der S-förmige O$_2$-Bindungskurvenverlauf des Hämoglobins durch die *vierfache* O$_2$-Anlagerung zustande käme, führte zur Formulierung der *Zwischenbindungs-*

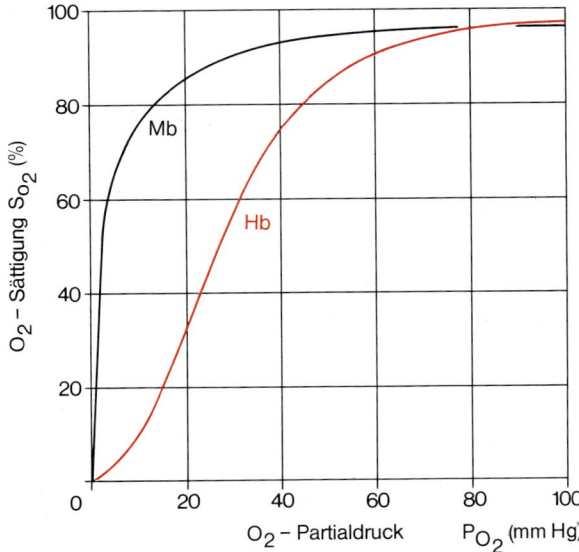

Abb. 6. O$_2$-Bindungskurven des Hämoglobins Hb (pH = 7,4; T = 37° C) und des Myoglobins Mb

hypothese (ADAIR). Danach sollte die Anlagerung der vier O$_2$-Moleküle stufenweise erfolgen und jede Teilreaktion das Reaktionsgleichgewicht der nächstfolgenden Stufe beeinflussen [21, 22]. Obwohl sich damit der S-förmige O$_2$-Bindungskurvenverlauf formal erklären läßt, gibt man heute einer anderen Deutungsmöglichkeit den Vorzug: Die spezielle Form der O$_2$-Bindungskurve wäre auch verständlich, wenn das *Hämoglobin in zwei Zustandsformen* vorläge, die entweder durch intramolekulare Umlagerung oder durch Anlagerung bzw. Abspaltung einer kleinmolekularen Substanz ineinander übergehen können. Beide Zustandsformen müßten dann unterschiedliche Reaktionsgleichgewichte für die O$_2$-Bindung besitzen, womit wieder der spezielle Kurvenverlauf theoretisch erklärt werden könnte [3, 27].

Biologische Bedeutung des O$_2$-Bindungskurvenverlaufes. Der spezielle Verlauf der O$_2$-Bindungskurve des Hämoglobins stellt eine wesentliche Voraussetzung für die O$_2$-Transportfunktion des Blutes dar. Bei der **Sauerstoffaufnahme** in der Lunge gleicht sich der O$_2$-Partialdruck des Blutes P$_{O_2}$ weitgehend dem alveolären O$_2$-Partialdruck an (s. XX). Im arteriellen Blut des Jugendlichen beträgt der P$_{O_2}$ im Mittel 95 mm Hg. Wie aus Abb. 6 hervorgeht, ist nach der Arterialisierung das Hämoglobin zu etwa 97% mit Sauerstoff gesättigt. Im Alter und insbesondere bei Lungenfunktionsstörungen kann der arterielle O$_2$-Partialdruck erheblich absinken. Der flache Verlauf der O$_2$-Bindungskurve im Endteil verhindert jedoch in diesen Fällen einen stärkeren Abfall der O$_2$-Sättigung. Beträgt beispielsweise der P$_{O_2}$ nur 60 mm Hg, dann wird immer noch eine arterielle O$_2$-Sättigung von 90% erreicht. *Der flache Verlauf der O$_2$-Bindungskurve im höheren Druckbereich stellt also eine wirkungsvolle Sicherung gegen eine Untersättigung des arteriellen Blutes dar.*

Tabelle 2. Blutgasdaten und pH-Werte im arteriellen und venösen Blut für den gesunden Jugendlichen in körperlicher Ruhe (1 mm Hg = 133 Pa, Vol.-% = ml/dl)

	P_{O_2} (mm Hg)	S_{O_2} (%)	$[O_2]$ (Vol.-%)	P_{CO_2} (mm Hg)	$[CO_2]$ (Vol-%)	pH
Arterielles Blut	95	97	20	40	50	7,40
Venöses Blut	40	73	15	46	54	7,37
Arterio-venöse Differenz			5		4	

Für die **Sauerstoffabgabe** im Gewebe erweist sich dagegen der steile Verlauf im Mittelteil der Bindungskurve als außerordentlich günstig. In den Geweben kommt es darauf an, ohne größere Schwankungen des O_2-Partialdruckes die Sauerstoffabgabe dem Bedarf anzupassen. In körperlicher Ruhe liegt am venösen Capillarende im Mittel ein P_{O_2} von 40 mm Hg und damit eine O_2-Sättigung von etwa 73% vor. Sinkt der venöse O_2-Partialdruck infolge eines erhöhten Verbrauchs nur um 5 mm Hg ab, dann kann, wie aus dem Bindungskurvenverlauf hervorgeht, sofort die O_2-Sättigung um 7% herabgesetzt und die entsprechende Sauerstoffmenge zusätzlich zur Verfügung gestellt werden.

Arterio-venöse O_2-Differenz. Der Gehalt des Blutes an chemisch gebundenem Sauerstoff hängt von der jeweils vorliegenden O_2-Sättigung S_{O_2} ab. Unter Berücksichtigung der Hüfnerschen Zahl errechnet sich die O_2-Konzentration aus

$$[O_2] = 1{,}34 \cdot \frac{[Hb]}{100} \cdot \frac{S_{O_2}}{100}, \qquad (7)$$

sofern S_{O_2} in % und [Hb] in g-% angegeben werden. Mit den oben festgelegten Werten für die arterielle O_2-Sättigung ($S_{O_2}=97\%$) und die venöse O_2-Sättigung ($S_{O_2}=73\%$) findet man danach den Gehalt an chemisch gebundenem Sauerstoff im arteriellen und venösen Blut zu etwa 20 Vol.-% bzw. 15 Vol.-%. Die *arterio-venöse Differenz der O_2-Konzentration avD_{O_2}* beträgt also 5 Vol.-% (s. Tabelle 2). Hieraus geht hervor, daß normalerweise nur 25% der gesamten O_2-Bindungskapazität des Blutes bei der Passage durch die Gewebecapillaren ausgeschöpft wird. Allerdings findet in den einzelnen Organen eine sehr unterschiedliche Entsättigung des Blutes statt (s. XXII–Abb. 1), so daß die venösen Werte der Tabelle 2 nur als Mittelwerte aufzufassen sind. Bei schwerer körperlicher Arbeit beträgt die arteriovenöse O_2-Konzentrationsdifferenz bis zu 10 Vol.-%.

2.3. Faktoren, die die O_2-Bindung beeinflussen

Der Verlauf der O_2-Bindungskurve hängt zwar vorwiegend von der Reaktionsweise des Hämoglobins ab, spezielle Faktoren können jedoch das O_2-Bindungsverhalten des Blutes modifizierend beeinflussen [3]. Dabei handelt es sich in der Regel um Verlagerungen der O_2-Bindungskurve unter Zunahme oder Abnahme der Steilheit, ohne daß der charakteristische S-förmige Verlauf davon betroffen würde. Folgende Faktoren üben in diesem Sinne einen Einfluß aus: die Temperatur, der pH-Wert bzw. der CO_2-Partialdruck sowie einige unter pathophysiologischen Bedingungen relevante Parameter.

Temperatureinfluß. Wie bei den meisten chemischen Prozessen beeinflußt die Temperatur auch das Gleichgewicht der Sauerstoff-Hämoglobin-Reaktion. Dies wirkt sich auf die O_2-Bindungskurve so aus, daß bei niedrigen Temperaturen die Kurve einen steilen, bei hohen Temperaturen einen flachen Verlauf annimmt (Abb. 7A). Eine biologische Bedeutung kommt diesem Effekt beim Warmblüter kaum zu, da die geringen örtlichen und zeitlichen Variationen der Temperatur praktisch nicht ins Gewicht fallen.

pH- und P_{CO_2}-Einfluß. Einen erheblichen Einfluß auf den Verlauf der O_2-Bindungskurve hat die H^+-Ionenkonzentration im Blut. Diese Abhängigkeit gibt Abb. 7B wieder, wobei als Maß für die H^+-Ionenkonzentration der pH-Wert angegeben ist. *Mit abnehmendem pH-Wert, d.h. mit zunehmender Acidität des Blutes, sinkt die Affinität des Sauerstoffes zum Hämoglobin;* die O_2-Bindungskurve nimmt einen flacheren Verlauf an. Die pH-Angaben in Abb. 7B beziehen sich alle auf das Blutplasma. Zweifellos wäre es im Hinblick auf den ursächlichen Zusammenhang richtiger, die Abhängigkeit der O_2-Bindungskurve vom intraerythrocytären pH anzugeben. Da dieser jedoch schwer zu bestimmen ist, wählt man im allgemeinen den Plasma-pH als Parameter. Die in Abb. 7B wiedergegebene pH-Abhängigkeit des O_2-Bindungskurvenverlaufes wird als **Bohr-Effekt** bezeichnet.

Der pH-Wert steht in enger Beziehung zum jeweils vorliegenden CO_2-Partialdruck (P_{CO_2}). Eine Zunahme des CO_2-Partialdruckes geht mit einer Abnahme des pH-Wertes einher. Daher kann man an Stelle des pH auch P_{CO_2} als Parameter wählen und

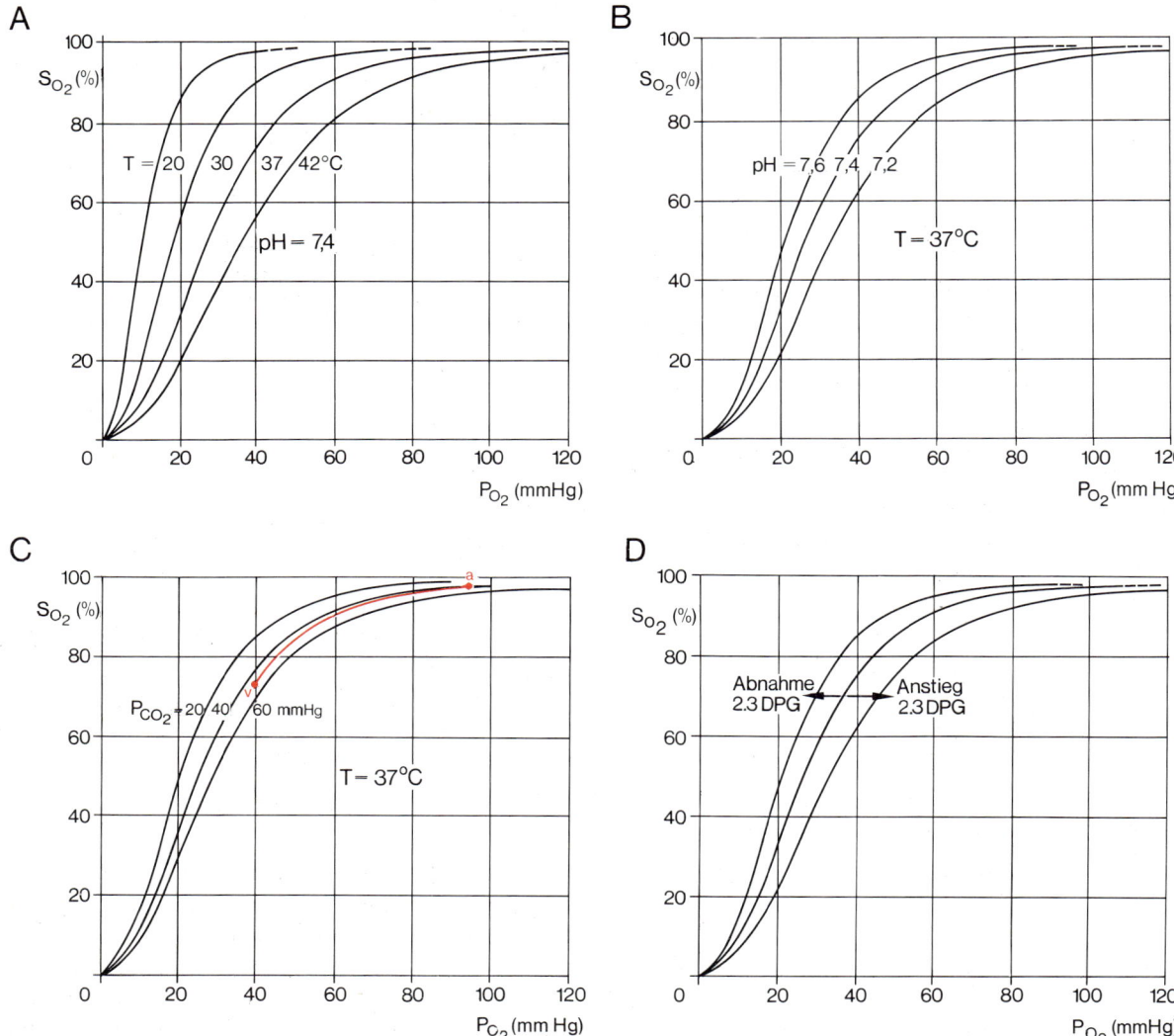

Abb. 7A–D. Abhängigkeit der O_2-Bindungskurve des Blutes von verschiedenen Parametern [10, 23]. (A) Temperaturabhängigkeit, (B) pH-Abhängigkeit (Bohr-Effekt), (C) Abhängigkeit vom CO_2-Partialdruck, (D) Abhängigkeit von der intraerythro-cytären Konzentration des 2,3-Diphosphoglycerat (2,3-DPG). Die rote „effektive O_2-Bindungskurve" zwischen den Punkten a (arterielles Blut) und v (venöses Blut) ist für den Gasaustausch unter Ruhebedingungen maßgebend

erhält dann die in Abb. 7C wiedergegebene Bindungskurvenschar. *Mit einer Zunahme des CO_2-Partialdruckes sinkt die Affinität des Sauerstoffes zum Hämoglobin;* die O_2-Bindungskurve nimmt einen flacheren Verlauf an. Diese Abhängigkeit der O_2-Bindungskurve vom CO_2-Partialdruck wird ebenfalls als *Bohr-Effekt* bezeichnet. Die genaue quantitative Untersuchung zeigt, daß der CO_2-Einfluß auf die O_2-Bindungskurve nicht allein auf die entsprechende pH-Änderung zurückgeführt werden kann, sondern daß daneben noch eine „spezifische CO_2-Wirkung" angenommen werden muß [3].

Bedeutung des Bohr-Effektes. Der Bohr-Effekt hat sowohl bei der *O_2-Aufnahme in der Lunge* als auch bei der *O_2-Abgabe in den Geweben* eine gewisse physiologische Wirkung, die jedoch in ihrem Ausmaß nicht überschätzt werden darf. Betrachten wir zunächst

die Verhältnisse in der Lunge. Hier ist die O_2-Aufnahme mit der CO_2-Abgabe gekoppelt, so daß gleichzeitig mit der Zunahme der O_2-Sättigung des Hämoglobins eine Verlagerung der O_2-Bindungskurve nach links stattfindet. Diese gleichzeitigen Veränderungen werden durch die rote Kurve in Abb. 7C wiedergegeben, die manchmal auch als die „*effektive O_2-Bindungskurve*" bezeichnet wird. Vom Punkt des venösen Blutes v (P_{O_2}= 40 mm Hg, P_{CO_2}=46 mm Hg) führt die Aufsättigung zum Punkt des arterialisierten Blutes a (P_{O_2}=95 mm Hg, P_{CO_2}=40 mm Hg), wobei die O_2-Affinität des Hämoglobins ständig zunimmt. Der O_2-Transport erfolgt zwar durch Diffusion (S. 473f.); die Affinitätszunahme bewirkt jedoch, daß die Diffusionsrate geringfügig erhöht wird. Der Bohr-Effekt erleichtert also die Sauerstoffaufnahme in der Lunge.

Für die O_2-Abgabe aus dem Capillarblut in das Gewebe hat der Bohr-Effekt eine etwas größere Bedeutung. Durch die gleichzeitig stattfindende CO_2-Aufnahme des Blutes erfolgt hier eine Verlagerung der O_2-Bindungskurve nach rechts. Diese rote „effektive O_2-Bindungskurve" in Abb. 7C wird jetzt von a nach v durchlaufen. Mit der Abnahme der O₂-Affinität kommt es zu einer zusätzlichen Desoxygenierung des Hämoglobins und damit zu einer O₂-Abdiffusion in das Gewebe bei einem erhöhten capillären O₂-Partialdruck. *Wieder unterstützt der Bohr-Effekt den Austausch des Sauerstoffes.*

Pathophysiologische Faktoren. Unter gewissen pathologischen Umständen können die O₂-Transportbedingungen im Blut verändert sein. So beobachtet man bei einer Reihe von Erkrankungen, insbesondere bei bestimmten Anämieformen, nach rechts und seltener nach links verlagerte O₂-Bindungskurven. Die Ursachen hierfür sind noch nicht vollständig geklärt. Man weiß jedoch, daß gewisse organische Phosphatverbindungen, deren intraerythrocytäre Konzentrationen unter pathologischen Bedingungen verändert sein können, den O₂-Bindungskurvenverlauf erheblich beeinflussen. Zu ihnen gehört in erster Linie das **2,3-Diphosphoglycerat (2,3-DPG)** (s. Abb. 7D). Außerdem kann die Konzentration der Kationen im Erythrocyten das O₂-Bindungsverhalten des Hämoglobins beeinflussen. Ferner muß die Auswirkung pathologischer pH-Werte beachtet werden. Große pH-Werte (*Alkalose*) führen über den Bohr-Effekt zu leichterer O₂-Aufnahme in der Lunge und zu ungünstigeren O₂-Abgabebedingungen im Gewebe, während kleine pH-Werte (*Acidose*) den umgekehrten Effekt haben. Besonders starke Linksverlagerungen der O₂-Bindungskurve findet man schließlich als Folge von *CO-Vergiftungen* (s. 2.4).

Fetale O₂-Bindungskurve. In der Placenta erfolgt der Gasaustausch, wie überall im Organismus, durch Diffusion. Hierbei ist das unterschiedliche O₂-Bindungsverhalten des mütterlichen und fetalen Blutes besonders zu beachten. Die *O₂-Bindungskurve des fetalen Blutes* verläuft zwar etwas *steiler* als die des mütterlichen Blutes, wenn man die beiden Kurven *unter gleichen Bedingungen* untersucht. Diese Linksverlagerung wird jedoch in vivo dadurch nahezu rückgängig gemacht, daß das Blut des Feten einen *kleineren pH-Wert* aufweist (Bohr-Effekt). Aus den O₂-Affinitäten des fetalen und mütterlichen Blutes ergibt sich daher kaum eine unterstützende Wirkung auf den placentaren Gasaustausch. Die günstigen Voraussetzungen werden erst deutlich, wenn man die unterschiedlichen *Hämoglobinkonzentrationen* des mütterlichen und fetalen Blutes mit berücksichtigt [2, 9].
In Abb. 8 sind die O₂-Bindungskurven des mütterlichen und fetalen Blutes zum Zeitpunkt der Geburt bei den mittleren pH-Werten in der Placenta angegeben. Um die verschiedenen Hämoglobinkonzentrationen von Mutter und Fetus (12 g-% bzw. 18 g-%) berücksichtigen zu können, ist auf die Ordinate

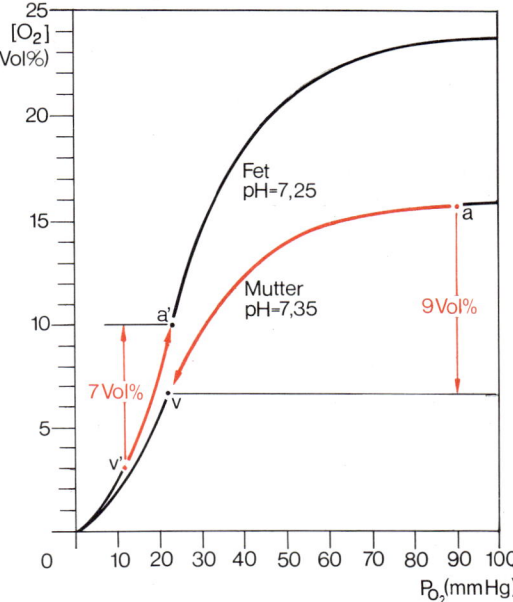

Abb. 8. O₂-Konzentrationen [O₂] in Abhängigkeit vom O₂-Partialdruck P_O₂ für das mütterliche und fetale Blut zum Zeitpunkt der Geburt. Beim Gasaustausch in der Placenta sinkt die O₂-Konzentration im mütterlichen Blut von a (arterielles Blut) bis v (venöses Blut) ab, während sie im fetalen Blut von v′ (venosiertes Blut in der A. umbilicalis) bis a′ (arterialisiertes Blut in der V. umbilicalis) ansteigt

nicht die O₂-Sättigung, sondern die O₂-Konzentration aufgetragen. Die Bindungskurven werden bei der Entsättigung des mütterlichen Blutes und bei der Aufsättigung des fetalen Blutes jeweils zwischen den Punkten a und v bzw. v′ und a′ in Pfeilrichtung durchlaufen. Man erkennt, daß bei gleichem O₂-Partialdruck das fetale Blut wesentlich mehr Sauerstoff binden kann als das der Mutter. Beispielsweise beträgt bei P_O₂ = 25 mm Hg die Konzentration 8 Vol.-% für das mütterliche Blut und 11 Vol.-% für das fetale Blut.
Eine besondere Bedeutung kommt beim placentaren Gasaustausch dem Bohr-Effekt zu. Während des Diffusionskontaktes nimmt infolge des CO₂-Austausches die O₂-Affinität des mütterlichen Blutes ab, während gleichzeitig das O₂-Bindungsbestreben des fetalen Blutes anwächst. Dieser *doppelte Einfluß des Bohr-Effektes,* der in Abb. 8 nicht dargestellt ist, bewirkt einen Anstieg der O₂-Austauschrate.

2.4. Hämoglobin-Kohlenmonoxid-Bindung

Bedeutend größer als die Affinität des Sauerstoffes zum Hämoglobin ist das Bestreben des Kohlenmonoxids CO, sich dem roten Blutfarbstoff anzulagern. Das CO-Gas ist bereits bei kleinsten Partialdrucken in der Lage, das vorliegende Hämoglobin in CO-Hämoglobin umzuwandeln:

$$Hb + CO \rightleftharpoons HbCO. \tag{8}$$

Das Reaktionsgleichgewicht ist stark auf die rechte Seite der Gleichung verlagert, was in einem sehr steilen Verlauf der *CO-Bindungskurve* des Hämoglobins zum Ausdruck kommt. Hierfür könnten grundsätzlich zwei Ursachen verantwortlich sein: Einmal könnte die Assoziationskonstante einen sehr großen Wert besitzen. Zum anderen würde ein sehr kleiner Wert der Dissoziationskonstanten, d.h. eine sehr langsame Rückreaktion, den gleichen Effekt haben. Wie wir heute wissen, ist im wesentlichen die letztere Möglichkeit als Ursache für den steilen CO-Bindungskurvenverlauf anzusehen. *CO wird etwa 200mal langsamer als O_2 aus der Hb-Bindung freigegeben* [21].

Die große Affinität des Kohlenmonoxids zum Hämoglobin ist die Ursache für die *Giftigkeit* dieses farblosen und geruchlosen Gases, das bei der unvollständigen Verbrennung entsteht, teilweise noch im Stadtgas enthalten ist und auch in den Abgasen von Verbrennungsmaschinen vorkommt. Kohlenmonoxid ist bereits in geringen Konzentrationen in der Lage, Sauerstoff aus der Hämoglobinverbindung zu verdrängen und auf diese Weise den Blutfarbstoff für den O_2-Transport zu blockieren. 0,5 Vol.-% CO-Gas in der Einatmungsluft können bereits 90% des Hämoglobins blockieren. Normalerweise liegt 1% des Hämoglobins im Blut als CO-Hämoglobin vor; bei Rauchern findet man 3% und nach einem tiefen Lungenzug sogar bis zu 10% CO-Hämoglobin. Bei Taxifahrern hat man bis zu 20% CO-Hämoglobin im Blut gemessen. Wie stark die CO-Belastung im Straßenverkehr sein kann, ist daran zu erkennen, daß an manchen verkehrsintensiven Kreuzungen 0,03 Vol-% CO-Gas in der Einatmungsluft festgestellt wurde. Das ist diejenige Konzentration, bei der der Bergmann unter Tage sein Atemgerät anlegen soll.

Für die Giftigkeit des CO-Gases ist neben der Blockierung des Hämoglobins noch ein weiterer Faktor maßgebend: Wenn ein Teil des Hb in HbCO umgewandelt ist, dann weist das noch unblockierte Hämoglobin eine *nach links verlagerte O_2-Bindungskurve* auf [20]. Dadurch sinken die O_2-Partialdrucke in den Gewebecapillaren noch stärker ab.

Bei einer starken CO-Vergiftung, die man an der kirschroten Farbe des Blutes erkennt, kann eine sofort durchgeführte künstliche Beatmung, wenn möglich mit reinem Sauerstoff, lebensrettend sein. Auf diese Weise erhöht man den O_2-Partialdruck im Blut, wodurch CO aus der Hb-Verbindung verdrängt wird. Unterstützend wirkt eine große Bluttransfusion, mit der unblockiertes und damit für den O_2-Transport freies Hämoglobin dem Patienten zugeführt wird.

3. Die CO_2-Transportfunktion des Blutes

3.1. Formen des CO_2-Transportes

Kohlendioxid (CO_2), das als Endprodukt des oxidativen Stoffwechsels in den Körperzellen gebildet wird, gelangt auf dem Blutweg in die Lunge, um dort an die Umgebung abgegeben zu werden. Ähnlich wie der Sauerstoff kann Kohlendioxid in *physikalisch gelöster* und *chemisch gebundener Form* im Blut transportiert werden. Allerdings ist der Vorgang der chemischen Bindung für CO_2 etwas komplexer angelegt als für O_2. Neben dem *CO_2-Transport* muß nämlich durch denselben Prozeß auch das *Säure-Basen-Gleichgewicht* im Blut und damit im Gesamtorganismus aufrechterhalten werden.

CO_2-Bindung. Das arterielle Blut tritt mit einem CO_2-Partialdruck von 40 mm Hg in die Gewebecapillaren ein. In den Zellen der Capillarumgebung liegt infolge der ständigen CO_2-Produktion ein höherer Partialdruck vor, so daß die physikalisch gelösten CO_2-Moleküle, dem Druckgradienten folgend, in die Capillare diffundieren. Im Capillarblut bleibt ein geringer Teil physikalisch gelöst; der überwiegende Anteil jedoch unterliegt einer weiteren chemischen Umsetzung (Abb. 9). Der erste Schritt ist die **Hydratation** zu Kohlensäure:

$$CO_2 + H_2O \rightleftharpoons H_2CO_3. \tag{9}$$

Diese Reaktion läuft im Plasma nur langsam, im Erythrocyten dagegen mit einer etwa 10 000mal größeren Geschwindigkeit ab. Die Ursache hierfür ist die Anwesenheit des reaktionsbeschleunigenden Enzyms **Carboanhydrase** im Erythrocyten [21]. Aus diesem Grunde müssen praktisch alle an der chemi-

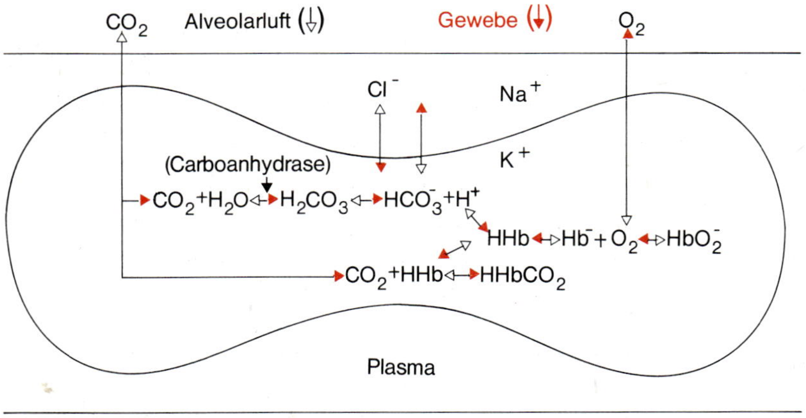

Abb. 9. Chemische Reaktionen im Blutplasma und im Erythrocyten beim Gasaustausch im Gewebe (Richtung der roten Pfeile) und in der Lunge (Richtung der schwarzen Pfeile). Vereinfachte (nicht stöchiometrische) Darstellungen des Oxyhämoglobins (HbO$_2$), der H$^+$-Bindung des desoxygenierten Hämoglobins (HHb) und des Carbamino-Hämoglobins (HHbCO$_2$)

schen Umsetzung beteiligten CO$_2$-Moleküle den Weg über den Erythrocyten nehmen.

Der nächste Schritt ist die **Dissoziation** der schwachen Säure H$_2$CO$_3$ in Bicarbonat- und Wasserstoffionen:

$$H_2CO_3 \rightleftharpoons HCO_3^- + H^+. \tag{10}$$

Die fortschreitende Erhöhung der HCO$_3^-$-Konzentration im Inneren des Erythrocyten schafft ein Diffusionsgefälle in Richtung auf den umgebenden Plasmaraum. Die HCO$_3^-$-Ionen können aber diesem Gefälle nur folgen, wenn dadurch das elektrische Ladungsgleichgewicht nicht wesentlich gestört wird. Es müßte also jeweils ein Kation zusammen mit einem HCO$_3^-$-Ion den Erythrocyten verlassen oder aber ein Anion im Austausch gegen HCO$_3^-$ eintreten. Die erstgenannte Möglichkeit kann nicht realisiert werden, weil die Erythrocytenmembran für Kationen praktisch undurchlässig ist. Dagegen kann die Membran von kleinen Anionen relativ gut passiert werden. HCO$_3^-$-Ionen verlassen daher im Austausch gegen Cl$^-$-Ionen den Erythrocyten. Dieser Austausch wird als *Hamburger-Effekt* bzw. als **Chlorionen-Shift** bezeichnet.

Neben den HCO$_3^-$-Ionen entstehen bei der CO$_2$-Aufnahme des Erythrocyten laufend H$^+$-Ionen. Eine starke pH-Änderung wird jedoch vor allem durch das Hämoglobin weitgehend verhindert. Einmal besitzt der rote Blutfarbstoff wegen seines Ampholytcharakters eine große *Pufferkapazität,* zum anderen bewirkt die gleichzeitig stattfindende O$_2$-Abgabe eine *Abnahme der Acidität* des Hämoglobins, so daß zusätzlich H$^+$-Ionen aufgenommen werden können (s. 4.2):

$$HbO_2^- \rightarrow \overset{\uparrow}{O}_2 + Hb^- \rightarrow HHB \leftarrow H^+. \tag{11}$$

Eine weitere Möglichkeit der CO$_2$-Bindung besteht in der direkten Anlagerung an die Eiweißkomponente des Hämoglobins. Die Reaktion findet an den Aminogruppen statt, die mit dem CO$_2$ eine *Carbaminoverbindung* bilden:

$$Hb\,NH_2 + CO_2 \rightleftharpoons HbNHCOO^- + H^+. \tag{12}$$

Das Reaktionsprodukt wird als **Carbamino-Hämoglobin** oder auch abgekürzt als *Carbhämoglobin* bezeichnet.

Die beschriebenen chemischen Reaktionen sind, in ihrer gegenseitigen Abhängigkeit zusammengefaßt, in Abb. 9 dargestellt. Die roten Pfeile geben die Richtung des Reaktionsablaufes bei der CO$_2$-Aufnahme in den Gewebecapillaren an. Die schwarzen Pfeile kennzeichnen den Vorgang bei der CO$_2$-Abgabe in der Lunge, die in allen Teilprozessen in der umgekehrten Richtung abläuft.

Anteile der Bindungsformen beim CO$_2$-Austausch. Das Blut gelangt mit einem CO$_2$-Partialdruck von 40 mm Hg in die Gewebecapillaren und verläßt diese nach der CO$_2$-Aufnahme mit einem durchschnittlichen CO$_2$-Partialdruck von 46 mm Hg. Dabei werden von 100 ml Blut etwa 4 ml CO$_2$ aufgenommen. *Die arterio-venöse Differenz der CO$_2$-Konzentrationen beträgt also 4 Vol.-%.* Von der aus den Geweben aufgenommenen CO$_2$-Menge gehen etwa 10% in physikalische Lösung, 10% bilden eine Carbaminoverbindung, 35% bleiben als Bicarbonat im Erythrocyten, während der überwiegende HCO$_3^-$-Anteil von 45% in das Plasma aufgenommen wird. Bei der CO$_2$-Abgabe in der Lunge werden die gleichen Anteile wieder aus den vier Transportformen freigesetzt. In Abb. 10 ist diese Verteilung schematisch dargestellt. Daneben sind die CO$_2$-Gehalte für die einzelnen Transportformen im arteriellen Blut (links) und im venösen Blut (rechts) angegeben, wobei alle mäq-Werte auf 1 Liter Blut mit 55 Vol.-% Plasma und 45 Vol.-% Erythrocyten bezogen sind. Beispielsweise ergibt sich hieraus die HCO$_3^-$-Konzentration im Plasma des arteriellen Blutes zu 13,2 mäq/0,55 Liter = 24 mäq/Liter.

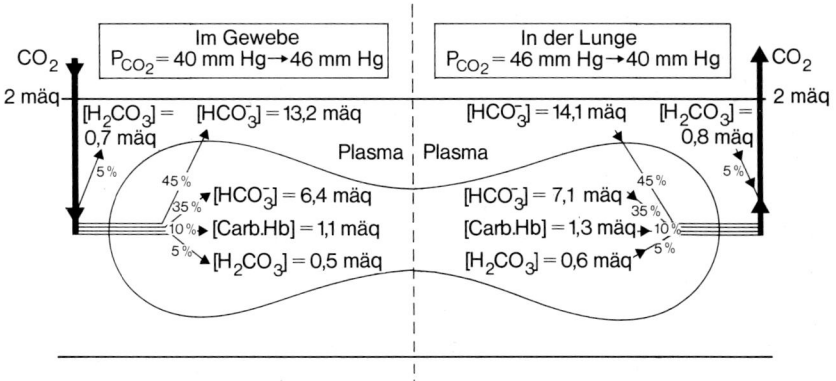

Abb. 10. Konzentrationen des gebundenen CO$_2$ in den verschiedenen Transportformen für das arterielle Blut (links) und das venöse Blut (rechts). Die mäq-Angaben beziehen sich auf 0,55 Liter Plasma bzw. auf 0,45 Liter Erythrocyten. Die Prozentzahlen an den Pfeilen geben an, welche Anteile des im Gewebe aufgenommenen bzw. des in der Lunge abgegebenen CO$_2$ auf die einzelnen Transportformen entfallen

3.2. CO₂-Bindungskurven des Blutes

CO₂-Druckabhängigkeit der CO₂-Konzentration.
Der Gehalt des Blutes an chemisch gebundenem
Kohlendioxid hängt entscheidend vom jeweiligen
CO_2-Partialdruck ab, der von der CO_2-Produktion
des Gewebes und der CO_2-Abgabe durch die Lunge
bestimmt wird. Diese Abhängigkeit der CO_2-Kon-
zentration vom CO_2-Partialdruck P_{CO_2} läßt sich
ganz analog der O_2-Bindungskurve graphisch darstellen. Abb. 11 zeigt die **CO₂-Bindungskurven** für
oxygeniertes und desoxygeniertes Blut. Die unterschiedliche Bindung des Kohlendioxids in diesen
beiden Fällen kommt dadurch zustande, daß Oxyhämoglobin gegenüber dem desoxygenierten Hämoglobin stärker sauer reagiert. Dementsprechend
wird die für die CO_2-Aufnahme notwendige Dissoziation der Kohlensäure um so mehr gefördert, je
weniger das Hämoglobin mit Sauerstoff beladen ist.
Außerdem ist desoxygeniertes Hämoglobin in stärkerem Maße als Oxyhämoglobin in der Lage, CO_2
in der Carbaminoform zu binden [21]. Die Abhängigkeit der CO_2-Bindung vom Oxygenierungsgrad
des Hämoglobins wird als **Christiansen-Douglas-
Haldane-Effekt** oder manchmal auch kurz als *Haldane-Effekt* bezeichnet.
Der Verlauf der CO_2-Bindungskurve weicht in
einem entscheidenden Punkt von dem der O_2-Bin-
dungskurve ab. Während sich die O_2-Bindungskur-
ve asymptotisch einem Maximalwert nähert, zeigt
die CO_2-Bindung *keine Sättigungscharakteristik*.
Mit steigendem CO_2-Partialdruck nimmt die
Menge des gebundenen CO_2 immer weiter zu, weil
die Bildung von Bicarbonat praktisch unbeschränkt

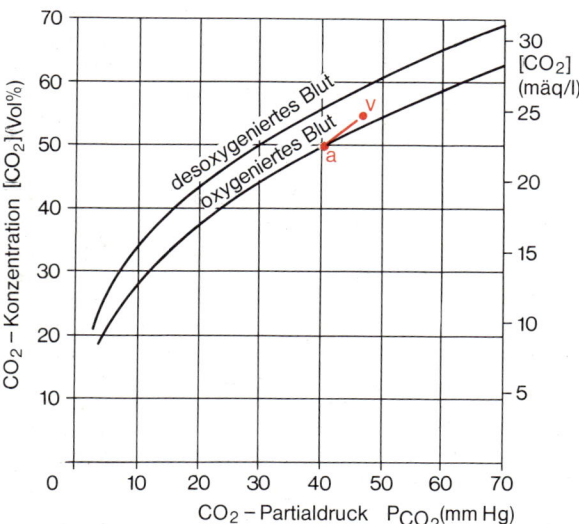

Abb. 11. CO₂-Bindungskurven für das oxygenierte und desoxygenierte Blut. Beim Gasaustausch ist die rote "effektive CO₂-
Bindungskurve" zwischen den Punkten a (arterielles Blut) und v
(venöses Blut) maßgebend

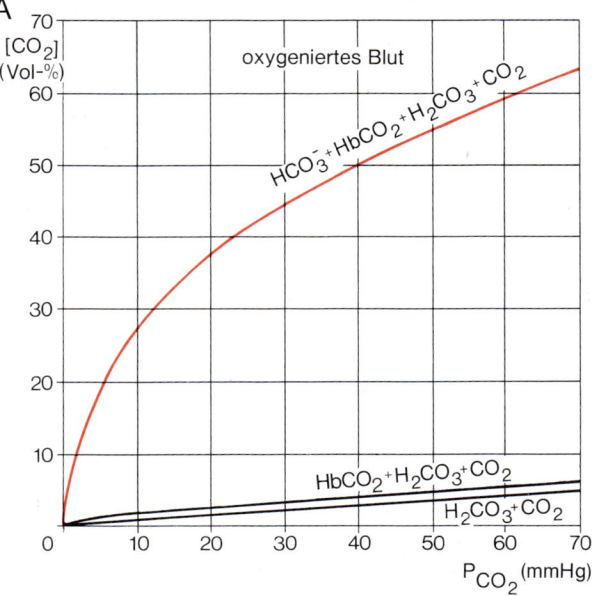

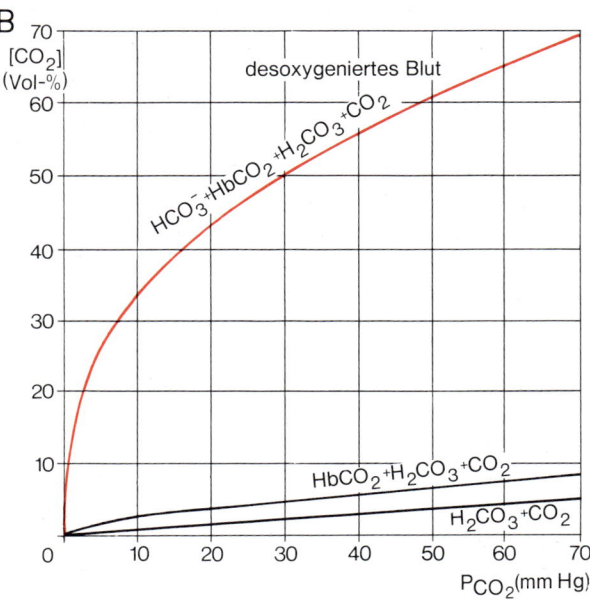

Abb. 12A u. B. CO₂-Bindungskurven für das oxygenierte Blut
(A) und das desoxygenierte Blut (B) mit den jeweiligen Anteilen
der einzelnen Bindungsformen

fortschreiten kann. Aus diesem Grund darf auch die
Ordinate der CO_2-Bindungskurve nicht in Sätti-
gungseinheiten, sondern nur in Konzentrationseinheiten angegeben werden.
Wir fragen nun, in welchem Maße die einzelnen
Bindungsmechanismen an der CO_2-Gesamtbin-
dung beteiligt sind. Hierüber gibt Abb. 12 Auskunft. Darin sind die CO_2-Bindungskurven zusammen mit ihren Teilkomponenten eingezeichnet. Die
unterste Gerade gibt jeweils die Teilkonzentration
an physikalisch gelöstem CO_2 und undissoziierter

H_2CO_3 in Abhängigkeit vom CO_2-Partialdruck an. Die darüberliegende mittlere Kurve ergibt sich, wenn man die Konzentration des in der Carbaminoform gebundenen CO_2 addiert. Wird hierzu noch die als Bicarbonat gebundene CO_2-Konzentration hinzugefügt, so entsteht die rote Gesamtbindungskurve. Ein Vergleich der Abb. 12 (A) und (B) zeigt, daß *der Christiansen-Douglas-Haldane-Effekt zum Teil auf die unterschiedliche Carbaminobindung des oxygenierten und des desoxygenierten Hämoglobins zurückzuführen ist.*

Physiologische Bedeutung des Christiansen-Douglas-Haldane-Effektes. Bei der CO_2-Abgabe in der Lunge und der CO_2-Aufnahme in den Geweben haben wir zu berücksichtigen, daß diese Vorgänge gleichzeitig mit dem O_2-Austausch stattfinden. Die hierdurch bedingte Änderung der O_2-Sättigung des Hämoglobins beeinflußt die CO_2-Bindung des Blutes und hat damit Rückwirkungen auf den CO_2-Austausch.

Das arterielle Blut tritt praktisch vollständig oxygeniert in die Gewebecapillaren ein (Punkt a in Abb. 11). Wird nun bei der Capillarpassage O_2 an das Gewebe abgegeben, so nimmt die CO_2-Bindungsfähigkeit des Blutes zu. Die CO_2-Aufnahme in den Gewebecapillaren wird also durch den Christiansen-Douglas-Haldane-Effekt gefördert.

In der Lunge spielt sich der umgekehrte Austauschprozeß ab. Wegen der hier stattfindenden O_2-Aufnahme wird die CO_2-Bindungsfähigkeit des Blutes herabgesezt und damit die diffusionsbedingte CO_2-Abgabe gefördert. Beim Austausch in den Lungencapillaren wird die rote Kurve in Abb. 11 in der Richtung von v nach a durchlaufen. Diese Kurve, die für den CO_2-Austausch sowohl in der Lunge als auch in den Geweben maßgebend ist, kann als *effektive CO_2-Bindungskurve* gekennzeichnet werden. Für beide Vorgänge, CO_2-Aufnahme in den Geweben und CO_2-Abgabe in der Lunge, gilt also gleichermaßen die Feststellung: *Der durch Diffusion erfolgende CO_2-Austausch wird durch den Christiansen-Douglas-Haldane-Effekt unterstützt.*

4. Der Säure-Basen-Status des Blutes

4.1. pH-Wert des Blutes

Säuren und Basen. Nach der Definition von Brønstedt sind *Säuren* solche Substanzen, die in Lösung Wasserstoffionen abgeben **(Protonen-Donatoren)**, und *Basen* Substanzen, die Wasserstoffionen binden **(Protonen-Acceptoren)**. Diese Defini-

tion ist speziell für den biologischen Bereich besonders zweckmäßig. Danach ist in der *Dissoziationsreaktion*

$$HA \rightleftharpoons H^+ + A^- \qquad (13)$$

HA eine *Säure* (Reaktionsablauf von links nach rechts). Unter geeigneten Bedingungen kann aber auch das Anion A^- Wasserstoffionen binden, d.h., die Reaktion in entgegengesetzter Richtung ablaufen. In diesem Fall wäre A^- definitionsgemäß eine *Base*. Sie wird als *korrespondierende Base* bezeichnet. Zwischen Dissoziation und Assoziation besteht ein Gleichgewicht, das dem *Massenwirkungsgesetz* folgt. Bei einer starken Säure, beispielsweise HCl, ist dieses Gleichgewicht sehr stark auf die rechte Seite der Gl. (13) verlagert. Handelt es sich dagegen bei HA um eine schwache Säure, so kann nach Maßgabe der Konstanten für die Hin- und Rückreaktion eine unvollständige Dissoziation vorliegen (Abb. 13).

pH-Wert. Die saure oder alkalische Reaktion einer Flüssigkeit hängt von den Konzentrationen der jeweils vorliegenden freien Wasserstoffionen ab, die durch den pH-Wert charakterisiert wird. *Der pH-Wert ist definiert als der negative Logarithmus der molaren H^+-Ionenkonzentration zur Basis 10:*

$$pH = -\log[H^+]. \qquad (14)$$

Einem pH-Wert von 7, der eine neutrale Reaktion kennzeichnet, entspricht somit eine H^+-Ionenkonzentration von $[H^+] = 10^{-7}$ mol/l. Mit abnehmendem pH wächst die Acidität, d.h. der Säuregrad, der Lösung.

Die zunächst nur formale und aus meßtechnischen Gründen eingeführte Definition des pH-Wertes hat im biologischen Bereich noch eine besondere Bedeutung: Das *elektrochemische Potential* von Ionen ist nämlich nicht ihrer Konzentration, sondern dem Logarithmus der Konzentration proportional. Aus diesem Grunde ist anzunehmen, daß die Meßfühler oder Receptoren im menschlichen und tierischen Organismus, die im Dienst der Regelung des Säure-Basen-Gleichgewichtes stehen, nicht konzentrations-, sondern pH-abhängig reagieren [14].

pH-Messung. Der pH-Wert einer Lösung kann mit Hilfe von *Indikatoren* oder *elektrometrisch* bestimmt werden. Bei den pH-Indikatoren handelt es sich meist um sehr schwache Säuren oder Basen, die bei einem charakteristischen pH-Wert dissoziieren und bei diesem Vorgang ihre Farbe ändern. Für die stufenlose und genaue pH-Messung verwendet man vor allem das elektrometrische Verfahren mit Hilfe der *Glaselektrode*. Das meist kugelförmig aufgeblasene Ende einer solchen Elektrode besteht aus einem Spezialglas, durch dessen Oberfläche H^+-Ionen hindurchtreten können. Ist der Innenraum der Kugelmembran mit einer Pufferlösung gefüllt, dann bildet sich beim Eintauchen in die Meßlösung nach der Nernstschen Gleichung (S. 9) eine Potentialdifferenz zwischen den beiden Lösungen, die vom äußeren pH-Wert abhängig ist. Die Ableitung der Potentialdifferenz erfolgt durch unpolarisierbare Elektroden. Heute verwendet man vielfach die leicht zu handhabende *Einstabmeßkette,* bei der Meßelektrode und Bezugselektrode in einem Mantelgefäß untergebracht sind. Nach der Spannungsverstärkung wird der Meßwert durch ein Zeigerinstrument oder auf einem Schreiber zur Anzeige gebracht. Vor der Messung ist eine Eichung mit Hilfe von *Standard-Pufferlösungen* erforderlich.

Der pH-Wert des arteriellen menschlichen Blutes (37° C) liegt im Bereich zwischen 7,37 und 7,43 mit einem Mittelwert bei 7,40. Diese Angaben beziehen sich genaugenommen auf das *Blutplasma*. Bei einer pH-Messung im Blut besteht lediglich ein Kontakt zwischen der Glaselektrode und dem Plasma, während der intraerythrocytäre pH nicht miterfaßt wird. Der schwer meßbare pH-Wert des Erythrocyten weicht von dem des Plasmas ab und beträgt etwa 7,28–7,29 [6]. In der Regel ist mit dem Terminus Blut-pH stets der pH-Wert des Plasmas gemeint.

Das menschliche Blut weist also eine schwach alkalische Reaktion auf. Trotz der ständig schwankenden Abgabe saurer Stoffwechselprodukte an das Blut wird dessen absolute Reaktion *sehr genau konstant gehalten.* Diese Konstanz ist eine wichtige Voraussetzung für die Aufrechterhaltung eines geregelten Stoffwechselablaufes in den Körperzellen. Alle am Stoffwechsel beteiligten Enzyme hängen nämlich in ihrer Aktivität vom pH-Wert ab. Durch pH-Veränderungen unter pathologischen Bedingungen werden die einzelnen Enzyme in wechselndem Maße betroffen, so daß Störungen im Ablauf der Stoffwechselvorgänge die Folge sein können. An der Regelung des Säure-Basen-Status, d.h. an der Konstanthaltung des Blut-pH, sind mehrere Faktoren beteiligt. Es sind dies die *Puffereigenschaften des Blutes,* der *Gasaustausch in der Lunge* und die *Ausscheidungsmechanismen der Niere.*

4.2. Puffereigenschaften des Blutes

Dissoziation und Pufferung. Wir gehen davon aus, daß die Dissoziation einer schwachen Säure HA in Wasserstoffion H^+ und korrespondierende Base A^- dem **Massenwirkungsgesetz** folgt. Bezeichnet man die molaren Konzentrationen der Reaktionspartner mit eckigen Klammersymbolen, so gilt:

$$\frac{[H^+][A^-]}{[HA]} = K. \qquad (15)$$

Die *Dissoziationskonstante K* ist durch das Verhältnis der *Geschwindigkeitskonstanten von Hinreaktion und Rückreaktion,* d.h. in diesem Fall von Dissoziation und Assoziation, festgelegt. Erhöht man nun die Konzentration der H^+-Ionen, dann muß gleichzeitig die Konzentration der undissoziierten Säure ansteigen, damit die Gleichgewichtsbedingung des Massenwirkungsgesetzes erfüllt bleibt. Mit anderen Worten: Die Dissoziation wird zurückgedrängt, die

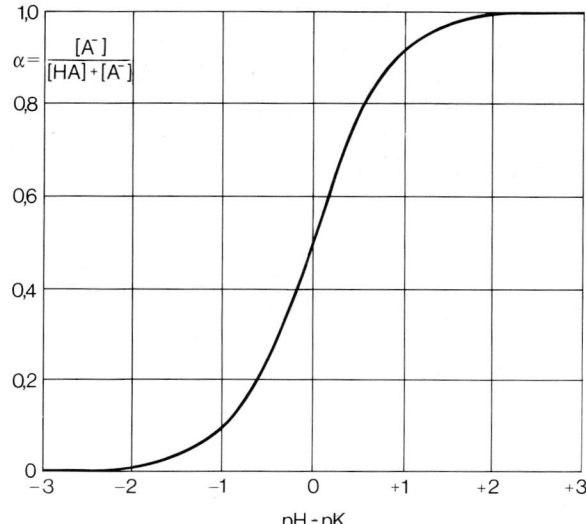

Abb. 13. Abhängigkeit des Dissoziationsgrades α einer schwachen Säure vom pH-Wert. Die Pufferfunktion des Systems ist auf den pH-Bereich zwischen pK − 2 und pK + 2 beschränkt

zugesetzten freien H^+-Ionen werden teilweise wieder eliminiert. Die pH-Änderung ist also geringer, als dem H^+-Ionenzusatz entspricht. Umgekehrt wirkt sich eine Senkung der H^+-Ionenkonzentration so aus, daß HA stärker dissoziiert. Die dabei freiwerdenden H^+-Ionen mindern den Effekt der ursprünglichen H^+-Ionenentnahme. Wieder ist die pH-Änderung gering. *Eine solche Abschwächung des Effektes einer H^+-Ionenänderung wird als Pufferung bezeichnet.*

Es zeigt sich nun, daß die Pufferwirkung eines Systems, bestehend aus einer Säure und ihrer korrespondierenden Base, auf einen bestimmten pH-Bereich beschränkt ist [18]. Durch Logarithmieren kann man aus Gl. (15) die Beziehung

$$pH = pK - \log\left(\frac{1}{\alpha} - 1\right) \quad \text{mit} \quad \alpha = \frac{[A^-]}{[HA]+[A^-]} \qquad (16)$$

ableiten. Darin bedeutet **pK** den negativen Logarithmus der Gleichgewichtskonstanten K; pK ist also ebenso wie K eine für die Reaktion charakteristische Konstante. α wird als **Dissoziationsgrad** bezeichnet. Gl. (16) stellt eine Beziehung zwischen dem pH-Wert und dem Dissoziationsgrad her, die in Abb. 13 graphisch dargestellt ist. Man erkennt, daß eine Änderung der Dissoziation nur in einem beschränkten pH-Bereich möglich ist, der sich etwa von pK − 2 bis pK + 2 erstreckt. Nur in diesem Bereich besitzt das System eine Pufferfunktion. Die **Pufferkapazität** ist am größten im steilsten Bereich der Dissoziationskurve, also bei pH = pK. Außerdem ist sie von den Konzentrationen des Pufferpaares abhängig.

Kohlensäure/Bicarbonat-Puffer. Das Blut besitzt unter allen Körperflüssigkeiten die wirksamsten Puffersysteme. An erster Stelle ist hier das *Kohlensäure/Bicarbonat-System* zu nennen. Kohlensäure H_2CO_3 ist eine verhältnismäßig schwache Säure, die nach der Beziehung

$$H_2CO_3 \rightleftharpoons H^+ + HCO_3^- \tag{17}$$

dissoziiert. *Bicarbonat (HCO_3^-) kann also als korrespondierende Base der Säure H_2CO_3 aufgefaßt werden.* Für diese Dissoziation läßt sich analog zu Gl. (15) das Massenwirkungsgesetz formulieren

$$\frac{[H^+][HCO_3^-]}{[H_2CO_3]} = K \tag{18}$$

und daraus durch Logarithmieren die sogenannte **Henderson-Hasselbalch-Gleichung** ableiten:

$$pH = pK + \log \frac{[HCO_3^-]}{[H_2CO_3]}. \tag{19}$$

pK ist hier der negative Logarithmus der Gleichgewichtskonstanten K. An Stelle der Konzentration der undissoziierten Kohlensäure H_2CO_3 läßt sich im Nenner der CO_2-Partialdruck (P_{CO_2}) einführen:

$$pH = pK' + \log \frac{[HCO_3^-]}{0,03 \cdot P_{CO_2}}. \tag{20}$$

Der Faktor 0,03 gilt immer dann, wenn [HCO_3^-] in mäq/l und P_{CO_2} in mm Hg angegeben werden.

Der pK'-Wert der Gl. (20) liegt bei 6,1. Es hat also zunächst den Anschein, als ob die Pufferwirkung des Systems nicht sehr groß sein könnte, da pK' verhältnismäßig stark vom pH-Wert des Blutes (7,4) abweicht. Je näher die beiden Werte zusammenliegen, um so wirksamer ist, wie Abb. 13 zeigt, das Puffersystem. Trotzdem kommt dem H_2CO_3/HCO_3^--System eine große Bedeutung zu, da die Wechselwirkung mit der Atmung seine Effektivität erheblich erhöht. Allein dadurch, daß im arteriellen Blut ein CO_2-Partialdruck von 40 mm Hg aufrechterhalten wird, liegt im Plasma eine hohe HCO_3^--Konzentration von 24 mäq/l vor. Der durch die Atmung geregelte CO_2-Partialdruck sorgt also für *hohe Konzentrationen der puffernden Reaktionspartner.* Dazu kommt noch ein weiterer günstiger Umstand. Bei Säurezusatz kann in verstärktem Maße CO_2 durch die Atmung abgegeben und bei Basenzusatz im Blut zurückgehalten werden. Dadurch wird zusätzlich der pH-Wert stabilisiert, so daß man von einer *Verstärkung der Puffereigenschaften des H_2CO_3/HCO_3^--Systems durch die Wechselwirkung mit der Atmung* sprechen kann.

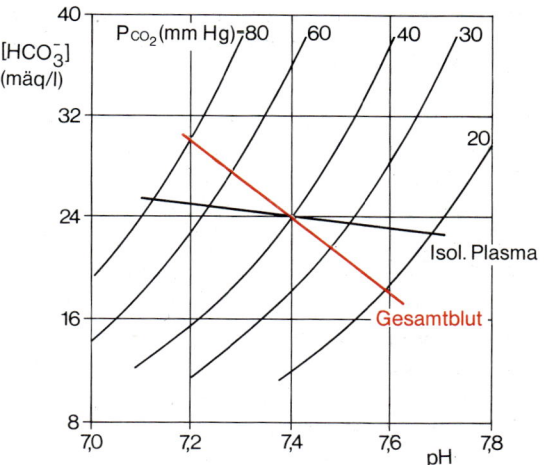

Abb. 14. CO_2-Äquilibrierungskurven für isoliertes Plasma und Gesamtblut. Ordinate: Bicarbonat-Konzentration des Plasmas, Abscisse: pH-Wert, Parameter der Kurvenschar: CO_2-Partialdruck. Infolge des Ionenaustausches mit den Erythrocyten kann im Gesamtblut die Pufferfunktion des Hämoglobins zusätzlich wirksam werden, was in einem steileren Verlauf der CO_2-Äquilibrierungskurve zum Ausdruck kommt

Phosphat-Puffer. Ein weiteres Puffersystem des Blutes bilden die anorganischen Phosphate, wobei das *primäre Phosphat ($H_2PO_4^-$) als Säure und das sekundäre Phosphat (HPO_4^{--}) als korrespondierende Base* wirksam sind. Der pK-Wert dieses $H_2PO_4^-$/HPO_4^{--}-Systems liegt mit pK = 6,8 verhältnismäßig günstig. Die Konzentrationen sind jedoch im Blut so gering, daß der Puffereffekt klein bleibt.

Proteinat-Puffer. Da die Eiweißkörper als *Ampholyte* je nach der absoluten Reaktion H^+-Ionen aufnehmen oder abgeben können, besitzen sie eine erhebliche Pufferfunktion. In dieser Funktion wirken einmal die **Plasmaproteine** und zum anderen das **Hämoglobin** der Erythrocyten. Infolge seiner höheren Konzentration kommt jedoch dem Hämoglobin als Puffersystem eine weitaus größere Bedeutung zu.

Dies wird besonders deutlich, wenn man die pH-Änderung bei einer bestimmten CO_2-Druckänderung für das Plasma und das gesamte Blut miteinander vergleicht. Zweckmäßigerweise stellt man das Ergebnis eines solchen Vergleiches in einem *HCO_3^--pH-Diagramm* dar, in dem die Kurven konstanten CO_2-Partialdruckes nach Maßgabe der Henderson-Hasselbalch-Gleichung (20) eingetragen sind. Prüft man die gegenseitige Abhängigkeit der drei charakteristischen Größen HCO_3^-, pH, und P_{CO_2} bei Variation des CO_2-Partialdruckes im **isolierten Plasma** und im **Gesamtblut**, in dem das Plasma im Ionenaustausch mit den Erythrocyten steht, so erhält man die beiden in Abb. 14 entsprechend gekennzeichneten *CO_2-Äquilibrierungsgeraden.* Man erkennt an dem steileren Verlauf der Geraden für das Gesamtblut den großen Einfluß des Hämoglobins auf die Pufferfähigkeit des Blutes. Je steiler nämlich der Verlauf der CO_2-Äquilibrierungskurve, um so kleiner ist die pH-Änderung bei einer bestimmten Zu- oder Abnahme des CO_2-Partialdruckes.

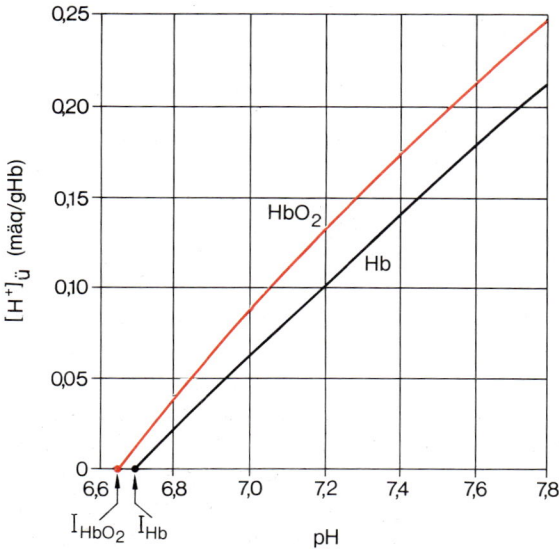

Abb. 15. Konzentrationen der H^+-Ionen, die im Überschuß über die OH^--Ionen abdissoziiert werden $[H^+]_{ü}$, in Abhängigkeit vom pH-Wert für Oxyhämoglobin HbO_2 und desoxygeniertes Hämoglobin Hb nach [6]. I_{HbO_2} und I_{Hb} Isoelektrische Punkte

Es ist nun ferner zu beachten, daß *das Oxyhämoglobin eine* **stärkere Säure** *ist als das desoxygenierte Hämoglobin*. Man erkennt dies daran, daß HbO_2 bei einem vorgegebenen pH-Wert mehr H^+-Ionen abdissoziiert als das desoxygenierte Hb (Abb. 15). Bei der Sauerstoffabgabe in den Geweben werden also H^+-Ionen vom Hämoglobin aufgenommen. Dadurch kann die pH-Änderung, die durch die gleichzeitig anfallende Kohlensäure bedingt ist, zusätzlich abgepuffert werden. Ein gleicher Puffereffekt in umgekehrter Richtung findet bei der Sauerstoffaufnahme in der Lunge statt. Wir können also sagen, daß *der Sauerstoffaustausch die Puffereigenschaften des Hämoglobins verstärkt*.

Pufferbasen. In Abb. 16 sind die arteriellen Ionenkonzentrationen für das Blutplasma, die Erythrocyten und das Gesamtblut des Menschen zusammengestellt. Die Höhe der einzelnen Säulen entsprechen der jeweiligen Konzentration. Die Anionen sind dabei so angeordnet, daß oberhalb des roten Trennungsstriches die pufferwirksamen Basen stehen. Diese werden allgemein als *Pufferbasen* bezeichnet [24]. Unterhalb des Trennungsstriches finden sich die Anionen der starken Säuren, die keine Puffereigenschaft besitzen, wobei unter X^- alle restlichen, in geringer Konzentration vorkommenden Anionen, wie SO_4^{--} und organische Anionen, zusammengefaßt sind. Die Zusammenstellung zeigt, daß innerhalb der Pufferbasen im Plasma die HCO_3^--Ionen, im Erythrocyten dagegen die Proteinat-Ionen überwiegen. Im Gesamtblut stehen mehr als $^1/_3$ aller Anionen für die Pufferung zur Verfügung.

Die **Konzentration der Pufferbasen** kann sich mit der Zunahme oder Abnahme der *nichtflüchtigen Säuren* im Blut verändern. Aus diesem Grund stellt der Pufferbasenwert eine wichtige diagnostische Größe dar. Äquilibriert man das Blut des gesunden Menschen mit einem CO_2-Partialdruck von 40 mm Hg, dann findet man im Mittel eine Konzentration der Pufferbasen von 48 mäq/l. Abweichungen von diesem Wert der *Normalpufferbasen* werden als **Basenüberschuß BE** (*Base Excess*) bezeichnet. Nach dieser Definition ist also dem arteriellen Blut des Gesunden ein BE-Wert von Null zuzuordnen. Ein pathologischer Anstieg der Pufferbasen-Konzentration wird durch einen positiven BE-Wert, ihre Abnahme durch einen negativen BE-Wert charakterisiert. Im letztgenannten Fall ist an Stelle der widersprüchlichen Aussage „negativer Basenüberschuß" die Bezeichnung **Basendefizit** vorzuziehen.

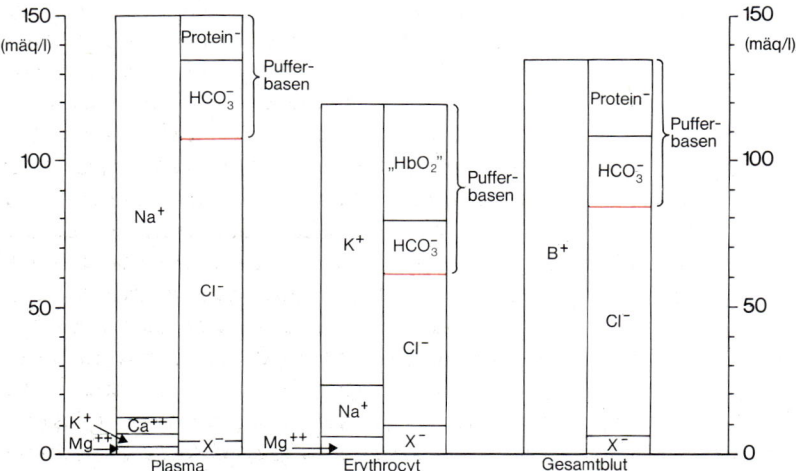

Abb. 16. Ionenkonzentrationen im Plasma, im Erythrocyten und im Gesamtblut. Pufferbasen = Anionen der Puffersysteme (oberhalb des roten Trennungsstriches, Phosphationen wegen der geringen Konzentration nicht eingezeichnet), X^- Anionen aller nichtpuffernden starken Säuren außer Cl^-, B^+ Summe aller Kationen im Gesamtblut

4.3. pH-regulierende Mechanismen

Mitwirkung der Atmung. Trotz der großen Pufferkapazität des Blutes sind die oben geschilderten Pufferreaktionen allein nicht in der Lage, den pH-Wert konstant zu halten. Wie wir bereits gesehen haben, ist die Mitwirkung der Atmung dabei unbedingt notwendig. Wenn es im Blut zur Anhäufung von Säuren kommt, reagiert die Atmung sofort durch Verstärkung der Ventilation (*Hyperventilation*). CO_2-Moleküle, die aus der Reaktion $HCO_3^- + H^+ \rightarrow H_2CO_3 \rightarrow H_2O + CO_2$ stammen, werden in erhöhtem Maße abgeraucht, und der pH-Wert kehrt wieder zur Norm zurück. Bei einer Basenzunahme wird die Ventilation eingeschränkt (*Hypoventilation*), der CO_2-Partialdruck und damit auch die Konzentration der H^+-Ionen steigen an, so daß der ursprüngliche pH-Anstieg zumindest teilweise wieder rückgängig gemacht ist.

Mitwirkung der Niere. Wenn auch die Atmung in der Lage ist, den pH-Wert zu stabilisieren, so kann auf die Dauer das Säure-Basen-Gleichgewicht nur unter Mitwirkung der Niere aufrechterhalten werden. Die Säurebildung im Organismus übersteigt nämlich erheblich die Basenaufnahme. Der Niere fällt daher die wichtige Aufgabe zu, *die überzähligen H^+-Ionen auszuscheiden*. Sie kann damit unmittelbar in die pH-Regulation eingreifen und — wenn notwendig — metabolische oder respiratorische Störungen des Säure-Basen-Gleichgewichtes kompensieren.

Die H^+-Ionenausscheidung findet im Tubulusapparat der Niere statt, wobei Tubulusfiltrat, Tubuluszelle und Capillarblut miteinander in Wechselwirkung stehen. Die Bindung der H^+-Ionen erfolgt dabei letzten Endes im Tubulusharn durch Reaktion mit HCO_3^-, HPO_4^{--} und NH_3. Nur ein geringer Teil der H^+-Ionen wird in freier Form mit dem Harn ausgeschieden. Auf der anderen Seite werden infolge der chemischen Umsetzungen und Austauschprozesse Na^+- und HCO_3^--Ionen dem Blut wieder zugeführt [16]. Aus diesem Grunde bezeichnet man die beteiligten chemischen Vorgänge auch als **Basensparmechanismen** der Niere (vgl. hierzu XXVIII).

Acidosen und Alkalosen. Wenn es unter pathologischen Bedingungen zu einer starken Anhäufung von Säuren oder Basen im Blut kommt, sind die geschilderten Regelsysteme, nämlich Pufferung im Blut, Atmung und Nierenfunktion, nicht mehr in der Lage, den pH-Wert des Blutes konstant zu halten. Je nach Richtung der pH-Verlagerung unterscheidet man in diesem Fall zwei Störungen des Säure-Basen-Gleichgewichts: Bei einer Senkung des Blut-pH (pH < 7,37), d.h. einer Zunahme der sauren Valenzen, spricht man von einer **Acidose.** Eine Erhöhung des pH-Wertes (pH > 7,43) wird als **Alkalose**

bezeichnet. Bei jeder dieser Störung hat man außerdem nach der Genese der pH-Änderung zwei Formen zu unterscheiden: Eine Lungenfunktionsstörung kann zu einem Anstieg des CO_2-Partialdruckes im Blut, eine Hyperventilation zu einer Senkung des CO_2-Partialdruckes führen. In diesen Fällen ist also die gestörte Atmung die Ursache für die pH-Änderung im Blut. Man spricht daher von einer **respiratorischen Acidose** bzw. **Alkalose.** Andererseits können sich die nichtflüchtigen Säuren bei Stoffwechselstörungen (z.B. Diabetes mellitus) im Blut anhäufen bzw. bei Basenzufuhr oder HCl-Verlust (Erbrechen) verringern. Diese Zustände kennzeichnet man als *metabolische Acidose* bzw. *Alkalose*. Da auch Nierenfunktionsstörungen zu pH-Veränderungen führen können, faßt man die renal und metabolisch bedingten Störungen unter der Bezeichnung **nichtrespiratorische Acidose** bzw. **Alkalose** zusammen.

Eine Differenzierung zwischen respiratorischen und nichtrespiratorischen Störungen des Säure-Basen-Gleichgewichtes ist über den CO_2-Partialdruck (P_{CO_2}) und den Basenüberschuß (BE) möglich. Kennzeichen einer respiratorischen Störung ist ein erhöhter oder erniedrigter P_{CO_2} bei einer primär unveränderten Pufferbasen-Konzentration (BE = 0). Die nichtrespiratorische Störung ist dadurch ausgezeichnet, daß zunächst ein normaler P_{CO_2} vorliegt, während der BE-Wert von der Norm abweicht. Bei einer Zunahme der nichtflüchtigen Säuren im Blut (metabolische Acidose) werden nämlich in verstärktem Maße die Pufferbasen beansprucht (BE = negativ). Umgekehrt führt eine Verminderung der nichtflüchtigen Säuren (metabolische Alkalose) zu einem Anstieg der Pufferbasenkonzentration (BE = positiv).

Schematisch sind die Unterscheidungsmerkmale in Abb. 17 dargestellt. In dieses Diagramm mit dem Basenüberschuß auf der Ordinate und dem pH-Wert auf der Abscisse sind die Kurven gleichen CO_2-Partialdruckes eingetragen. Ferner sind die Normbereiche für den pH-Wert, den Basenüberschuß BE und den CO_2-Partialdruck P_{CO_2} durch rote Linien eingegrenzt. In dieser Darstellung würden also alle Punkte, die links von dem senkrechten roten Band liegen, eine *Acidose* kennzeichnen, und die Punkte rechts davon eine *Alkalose* charakterisieren. Innerhalb der rotbegrenzten BE- und P_{CO_2}-Bänder sind die Bezeichnungen für die oben definierten Säure-Basen-Störungen angegeben. Meßwertepaare, die zu einem Punkt in diesen vier Bereichen gehören, führen also zu einer Diagnose, aus der die Richtung und die Entstehung der Störung hervorgeht. Hat man beispielsweise im arteriellen Blut BE = 0 mäq/l und P_{CO_2} = 60 mm Hg gemessen,

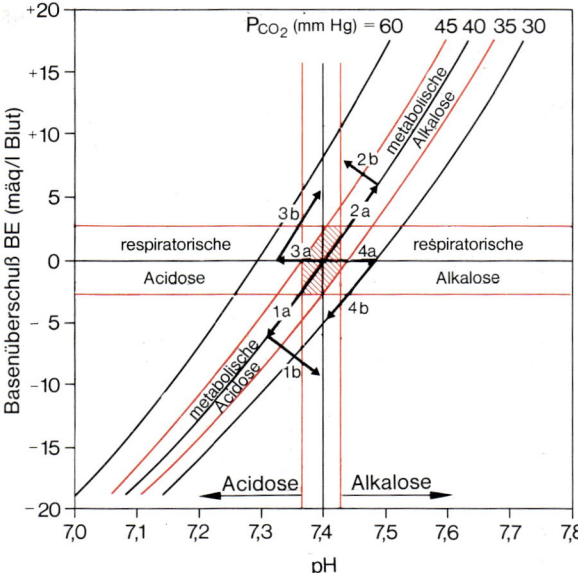

Abb. 17. Definitionen der primären Säure-Basen-Störungen und die Möglichkeiten ihrer Kompensation. Die Normbereiche für den Basenüberschuß BE, den pH-Wert und den CO_2-Partialdruck P_{CO_2} sind durch rote Linien abgegrenzt. Rot schraffiertes Feld = Bereich des physiologischen Säure-Basen-Status, Pfeilbezeichnungen a = primäre Säure-Basen-Störungen, Pfeilbezeichnungen b = sekundäre Kompensationen

so handelt es sich um eine respiratorische Acidose, während BE = −15 mäq/l und P_{CO_2} = 40 mm Hg auf eine metabolische oder besser nichtrespiratorische Acidose schließen läßt.

Kompensation primärer Säure-Basen-Störungen.
Die bisher betrachteten Störungen des Säure-Basen-Gleichgewichtes stellen in der Regel lediglich primäre Veränderungen dar, die entweder sofort oder mit einer gewissen Verzögerung kompensiert werden können. Das heißt: Der primär zur sauren oder alkalischen Seite verlagerte pH-Wert wird durch das Eingreifen von Kompensationsmechanismen wieder in den Normbereich zurückgeführt oder zumindest diesem angenähert. Die in diesem Sinne wirkenden Mechanismen haben wir bereits diskutiert. *Eine primär nichtrespiratorische Störung kann durch eine entsprechende Veränderung der Lungenventilation kompensiert werden. Liegt dagegen eine primär respiratorische Störung vor, dann kann die Niere durch eine Veränderung der HCO_3^--Retention bzw. H^+-Ausscheidung kompensierend eingreifen.*
Diese Möglichkeiten lassen sich am besten wieder in dem Diagramm der Abb. 17 deutlich machen. Betrachten wir hier zunächst eine *primär nichtrespiratorische Acidose* (Pfeil 1a). Durch die Anhäufung fixer Säuren im Blut ist die Pufferbasen-Konzentration herabgesetzt und der pH-Wert zunächst ge-

senkt. Die pH-Senkung wirkt ihrerseits als Atmungsantrieb, so daß infolge der Hyperventilation der CO_2-Partialdruck abfällt. In der graphischen Darstellung wandern wir in Richtung 1b. Sofern diese Verlagerung bis in den pH-Normbereich hineinführt, kann man von einer *vollständig kompensierten,* primär nichtrespiratorischen Acidose sprechen. Reicht die P_{CO_2}-Abnahme nicht aus, um den normalen pH-Wert einzustellen, dann wird der Säure-Basen-Status als *teilweise* oder *unvollständig kompensierte,* nichtrespiratorische Acidose gekennzeichnet. Bei einer *primär nichtrespiratorischen Alkalose* (Pfeil 2a) wird die Pufferbasen-Zunahme durch einen P_{CO_2}-Anstieg infolge Hypoventilation kompensiert. Da jedoch die Atmungsgröße wegen der notwendigen Sauerstoffaufnahme nur begrenzt herabgesetzt werden kann, ist diese Kompensation meist unvollständig. Bei einer *primär respiratorischen Acidose* (Pfeil 3a), beispielsweise als Folge einer Lungenfunktionsstörung, ist der CO_2-Partialdruck erhöht. Hier greifen nun mit einer gewissen Latenz die Basensparmechanismen der Niere kompensierend ein. Die Pufferbasen-Konzentration des Blutes steigt an, und der pH-Wert wird in den Normbereich zurückgeführt (Pfeil 3b). Ganz entsprechend nimmt bei einer *primär respiratorischen Alkalose* (Pfeil 4a), die durch einen niedrigen CO_2-Partialdruck gekennzeichnet ist, die Pufferbasen-Konzentration ab (Pfeil 4b). Der pH-Wert wird dabei wieder in Richtung auf den Normalbereich verlagert.

Festlegung des Säure-Basen-Status. Ein Problem von erheblicher klinischer Bedeutung ist die Analyse und Beurteilung des im Blut vorliegenden Säure-Basen-Status. Notwendig ist hierfür die Bestimmung derjenigen Größen, die die Entscheidungen **Acidose — Alkalose** sowie **respiratorisch — nichtrespiratorisch** und damit die quantitative Lenkung der Therapie solcher Störungen ermöglichen [24]. Folgende *im arteriellen Blut* bestimmten Daten sind hierzu erforderlich:
1. pH: Der pH-Wert zeigt an, ob die H^+-Konzentration des Blutes im Normbereich (pH = 7,37–7,43) liegt oder nach der sauren bzw. alkalischen Seite verschoben ist. Ein normaler pH-Wert besagt jedoch nicht unbedingt, daß überhaupt keine Störung im Säure-Basen-Haushalt vorläge. Es könnte sich auch um den Zustand nach vollständiger Kompensation einer primären Acidose oder Alkalose handeln.
2. P_{CO_2}: Ein erhöhter oder erniedrigter CO_2-Partialdruck ermöglicht die Entscheidung, ob eine Störung primär respiratorisch bedingt ist (Normbereich: P_{CO_2} = 35–45 mm Hg).

3. Basenüberschuß: Der Wert für den Basenüberschuß (BE) läßt erkennen, ob eine primär nichtrespiratorische Störung des Säure-Basen-Gleichgewichtes vorliegt. Die Anhäufung oder die Abnahme nichtflüchtiger Säuren im Blut wirken sich unmittelbar auf den BE-Wert aus (Normbereich: BE = −2,5 bis +2,5 mäq/l).

4. Standard-Bicarbonat: Als weitere Größe für die Kennzeichnung einer nichtrespiratorischen Störung wird manchmal auch der Standard-Bicarbonat-Wert verwendet. Unter Standard-Bicarbonat versteht man die Bicarbonat-Konzentration des Blutplasmas, wenn zuvor im Blut durch Äquilibrieren bei 37° C ein CO_2-Partialdruck von 40 mm Hg eingestellt und das Hämoglobin vollständig mit Sauerstoff gesättigt worden ist. Der Normwert liegt bei 24 mäq/l.

Analyse des Säure-Basen-Status. Für die Analyse des Säure-Basen-Status hat sich das **Verfahren nach Astrup** bewährt, bei dem CO_2-Partialdruck und Säure-Basen-Status in einem Arbeitsgang bestimmt werden [24]. Hierbei *äquilibriert* man zunächst das zu untersuchende Blut *mit zwei Gasgemischen* bekannter Zusammensetzung, die unterschiedliche CO_2-Partialdrucke aufweisen, und bestimmt jedes-

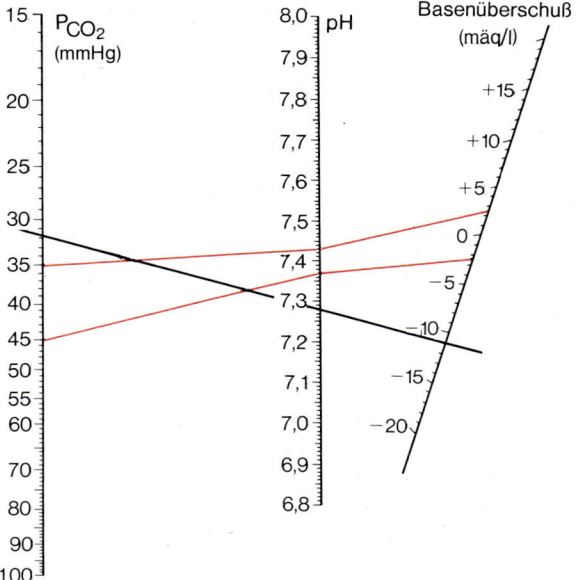

Abb. 19. Leiternomogramm zur Bestimmung des Basenüberschusses BE aus den Meßwerten für den CO_2-Partialdruck P_{CO_2} und den pH-Wert. Die Verbindungsgerade der Meßwerte für P_{CO_2} und pH schneidet die rechte Leiter im gesuchten BE-Wert. Rote Linien: Begrenzung des Normbereiches für den Säure-Basen-Status. Schwarze Gerade: Aus den Meßwerten P_{CO_2} = 32 mm Hg, pH = 7,28 folgt BE = −11 mäq/l; Diagnose: teilweise kompensierte nichtrespiratorische Acidose. Nach [25, 26]

mal den zugehörigen pH-Wert. Man erhält also zwei pH-P_{CO_2}-Wertepaare, die in ein Diagramm — wie in Abb. 18 dargestellt — eingetragen werden. Die Verbindungsgerade zwischen den beiden Punkten (A und B) gibt den Säure-Basen-Status der Blutprobe wieder. Mißt man nun den im arteriellen Blut vorliegenden aktuellen pH-Wert, dann ist durch die Gerade diesem pH ein ganz bestimmter *aktueller CO_2-Partialdruck* zugeordnet (Punkt C). An den Schnittpunkten der Geraden mit den entsprechend bezeichneten Skalen kann man außerdem die Werte für die *Pufferbasen* und den *Basenüberschuß* ablesen. Beispielsweise kennzeichnen die Werte der roten Gerade in Abb. 18 einen normalen Säure-Basen-Status, während die schwarze Gerade auf eine nichtrespiratorische Acidose schließen läßt (BE = −11 mäq/l), die durch Senkung des CO_2-Partialdruckes (P_{CO_2} = 32 mm Hg, schwarzer Punkt C) teilweise kompensiert ist.

Da es neuerdings möglich ist, den CO_2-Partialdruck in kleinen Blutproben mit *P_{CO_2}-Elektroden* direkt zu messen (S. 476), läßt sich der Säure-Basen-Status auch ohne Äquilibriermaßnahmen ermitteln [25]. Durch die aktuell gemessenen Werte für P_{CO_2} und *pH* ist nämlich der Basenüberschuß *BE,* die dritte für die Diagnose benötigte Größe, ebenfalls festgelegt. Zweckmäßigerweise bestimmt man den BE-Wert mit Hilfe eines **Leiternomogramms** (Abb. 19).

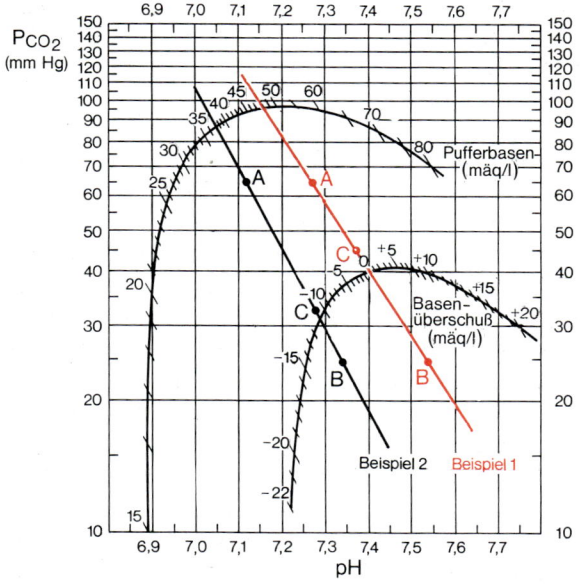

Abb. 18. Diagramm zur Ermittlung des CO_2-Partialdruckes und des Säure-Basen-Status im Blut nach dem Astrup-Verfahren. A und B Punkte, die durch Äquilibrierung mit Gasgemischen von bekanntem P_{CO_2} und anschließender pH-Messung gewonnen werden; C Ablesung des unbekannten aktuellen P_{CO_2} auf der Verbindungsgeraden nach pH-Messung. Beispiel 1: rote Gerade: P_{CO_2} = 44 mm Hg, pH = 7,37, Basenüberschuß = 0 mäq/l, Diagnose: normaler Säure-Basen-Status. Beispiel 2: schwarze Gerade: P_{CO_2} = 32 mm Hg, pH = 7,28, Basenüberschuß = −11 mäq/l, Diagnose: teilweise kompensierte nichtrespiratorische Acidose. Nach [24]

Verbindet man die in die P_{CO_2}- und pH-Leitern eingetragenen Meßwerte durch eine Gerade, so schneidet diese die BE-Leiter in dem gesuchten Wert für den Basenüberschuß. Für das Beispiel der Abb. 19 folgt aus den Meßwerten $P_{CO_2} = 32$ mm Hg und pH = 7,28 unmittelbar BE = -11 mm Hg. Die Diagnose würde also (wie im Beispiel der Abb. 18) lauten: teilweise kompensierte nichtrespiratorische Acidose.

5. Literatur

1. ALBERS, C.: Analyse von Gasen in Flüssigkeiten. In: KOENIG, W. (Hrsg.): Klinisch-physiologische Untersuchungsmethoden. Stuttgart: Thieme 1972.
2. BARTELS, H., RIEGEL, K., WENNER, J., WULF, H.: Perinatale Atmung. Berlin-Heidelberg-New York: Springer 1972.
3. BAUER, C.: On the respiratory function of haemoglobin. Rev. Physiol. Biochem. Pharmacol. 70, 1 (1974).
4. BOROVICZENY, K.G. v.: Erythrocytenmorphologische Untersuchungen. In: HEILMEYER, L. (Hrsg): Hdb. inn. Med, Bd. II: Blut und Blutkrankheiten, Teil 1. Berlin-Heidelberg-New York: Springer 1968.
5. BRAUNITZER, G.: The molecular weight of human haemoglobin. Bibl. haemat. (Basel) 18, 59 (1964).
6. BRODDA, K.: Zur Theorie des Säure-Basen-Haushaltes von menschlichem Blut. Mainz: Akadem. Wiss. Lit. 1975.
7. BÜHLMANN, A.A., FROESCH, E.R.: Pathophysiologie. Berlin-Heidelberg-New York: Springer 1972.
8. DAVENPORT, H.W.: The ABC of the acid-base chemistry. Chicago: University of Chicago Press 1958
9. FISCHER, W.M., VOGEL, H.R., THEWS, G.: O₂ und CO₂ exchange in the human placenta. In: LÜBBERS, D.-W., LUFT, U.C., THEWS, G., WITZLEB, E.: Oxygen transport in blood and tissue. Stuttgart: Thieme 1968.
10. GROTE, J.: Atemgas-pH-Nomogramme für das normale und menschliche Blut bei verschiedenen Temperaturen. In: THEWS, G. (Hrsg.): Nomogramme zum Säure-Basen-Status und zum Atemgastransport. Berlin-Heidelberg-New York: Springer 1971.
11. HESS, B., STAUDINGER, HJ.: Biochemie des Sauerstoffes. Berlin-Heidelberg-New York: Springer 1968.
12. KABOTH, W., BEGEMANN, H.: Blut. In: GAUER, KRAMER, JUNG: Physiologie des Menschen, Bd. 5. München: Urban und Schwarzenberg 1971.
13. KOBLET, H., RIVA, G.: Physikalische Begriffe der klinischen Biochemie. Stuttgart: Thieme 1964.
14. LANGENDORF, H.: Theoretische Grundlagen des Säure-Basen-Haushaltes. In: LANG, K., FREY, R., HALMÁGYI, M. (Hrsg.): Berlin-Heidelberg-New York: Springer 1966.
15. MARTI, H.R.: Normale und anormale menschliche Hämoglobine. Berlin-Göttingen-Heidelberg: Springer 1963.
16. MASORO, E.J., SIEGEL, P.D.: Acid-base regulation. Its physiology and pathophysiology. Philadelphia-London-Toronto: Saunders 1971.
17. MERLET-BÉNICHOU, E., SINET, M., BLAYO, M.C., GAUDEBOUT, C.: Oxygen-combining capacity in dog. In vitro and in vivo determination. Respir. Physiol. 21, 87 (1974).
18. NETTER, H.: Theoretische Biochemie. Berlin-Göttingen-Heidelberg: Springer 1953.
19. PERUTZ, M.F.: Röntgenanalyse des Hämoglobins. Angew. Chemie 75, 589 (1963).
20. ROOT, W.S.: Carbon monoxide. In: Handbook of Physiology: Respiration II, S. 1087. Washington: Amer. Physiol. Soc. 1965.
21. ROUGHTON, F.J.W.: Transport of oxygen and carbon dioxide. In: Handbook of Physiology, Respiration I, S. 767. Washington: Amer. Physiol. Soc. 1965.
22. ROUGHTON, F.J.W., KENDREW, J.C.: Haemoglobin. London-New York, 1949.
23. SEVERINGHAUS, J.W.: Blood gas concentrations. In: Handbook of Physiology, Respiration II, S. 1475. Washington: Amer. Physiol. Soc. 1965.
24. SIGGAARD-ANDERSEN, O.: The acid-base status of the blood. Kopenhagen: Munksgaard 1964.
25. THEWS, G. (Hrsg.): Nomogramme zum Säure-Basen-Status des Blutes und zum Atemgastransport. Berlin-Heidelberg-New York: Springer 1971.
26. THEWS, G.: Ein Nomogramm für die O₂-Abhängigkeit des Säure-Basen-Status im menschlichen Blut. Pflügers Arch. ges. Physiol. 266, 212 (1967).
27. WEISSBLUTH, M.: Hemoglobin. Cooperativity and electronic properties. Berlin-Heidelberg-New York: Springer 1974.

XXII. Gewebsatmung (J. Grote)

1. Gewebsstoffwechsel und Sauerstoffbedarf

1.1. Stoffwechsel und Energieumsatz der Zellen

Unter der Gewebsatmung versteht man den Atemgaswechsel innerhalb eines Zellverbandes bei der biologischen Oxidation der Nährstoffe. Der **Sauerstoff** wird von den Zellen aus dem Capillarblut aufgenommen und im oxidativen Stoffwechsel verbraucht, während gleichzeitig das als Stoffwechselendprodukt freigesetzte **Kohlendioxid** an das Capillarblut abgegeben wird. Der Begriff Gewebsatmung wird hier weiter gefaßt als in vielen Lehrbüchern der Biochemie, in denen die Gewebsatmung als oxidativer Abbau der Nährstoffe unter Beteiligung von molekularem Sauerstoff definiert ist. Da ein O_2-Mangel in den Geweben in stärkerem Maße als ein unzureichender CO_2-Abtransport den oxidativen Zellstoffwechsel begrenzt, sollen die Fragen der O_2-Versorgung der Gewebe bei der Darstellung der Gewebsatmung in den Vordergrund gestellt werden.

Aerobe und anaerobe Energiegewinnung. Die einzelne lebende Körperzelle benötigt für die Aufrechterhaltung ihrer Struktur, für die Funktionsbereitschaft und für die Durchführung ihrer Funktionen eine bestimmte Energiemenge, die sie unter Normalbedingungen vorrangig durch den **oxidativen Abbau der Nährstoffe** gewinnt. Voraussetzung für die Energiegewinnung durch den aeroben Stoffwechsel ist die Anwesenheit von *Substrat* — Kohlenhydraten, Eiweißen und Fetten — und *molekularem Sauerstoff* in ausreichenden Konzentrationen innerhalb der Zelle.
Unter anaeroben Bedingungen kann die in den Geweben benötigte Energie lediglich durch die **Glykolyse** gewonnen werden. Dieser Stoffwechselweg ist jedoch gegenüber dem oxidativen Glucoseabbau weniger ökonomisch, da das Endprodukt Lactat noch einen hohen Energiegehalt besitzt. Zur Gewinnung gleicher Energiemengen muß die einzelne Zelle bei anaerobem Stoffwechsel ca. 15mal mehr Glucose umsetzen als unter aeroben Bedingungen.

Nach BURTON und KREBS [5] führt der *oxidative Abbau* von 1 Mol Glucose unter Bedingungen, die denen innerhalb der Zellen nahe kommen (T = 25° C, pH = 7,0, P_{O_2} = ca. 150 mm Hg = ca. 20 kPa, P_{CO_2} = ca. 40 mm Hg = ca. 5,3 kPa), zu einem Gewinn an freier Energie von ca. 689 kcal = 2883 kJ. Der entsprechende Wert für den *anaeroben Glucoseabbau* durch Glykolyse beträgt lediglich 50 kcal = 208 kJ. Trotz der vergleichsweise geringen Energieausbeute spielt der anaerobe Glucoseabbau in zahlreichen Geweben, wie z.B. im Nierenmark, im Knorpelgewebe, in den Zellen der Retina, in den Erythrocyten und im arbeitenden Muskelgewebe, eine wichtige Rolle.

Folgen mangelhafter O_2-Versorgung. Unter pathophysiologischen Bedingungen, die zu einer Einschränkung der O_2-Versorgung führen, kann der Energiebedarf der Gewebe nur zum Teil und nur für kurze Zeit durch die Glykolyse gedeckt werden. Die zwei wesentlichen Gründe dafür sind 1., daß der unter diesen Voraussetzungen erhöhte *Glucosebedarf* der Zellen lediglich in seltenen Fällen über einen größeren Zeitraum voll gedeckt werden kann und 2., daß das in größeren Mengen gebildete *Lactat* nur verzögert aus den Zellen abtransportiert und z.B. in der Leber, in der Niere und im Myokard abgebaut oder zur Bildung von Glykogen verwertet werden kann. Als Folge der steigenden Lactatkonzentrationen im Gewebe und im Blut entsteht bei ausgeprägtem O_2-Mangel eine **nichtrespiratorische Acidose,** die starke Veränderungen des Zellstoffwechsels auslöst, sobald der intracelluläre pH-Wert den optimalen Bereich für die Funktion der Enzymsysteme unterschreitet.

1.2. Sauerstoffbedarf der Gewebe

O_2-Verbrauch unter Ruhebedingungen. *Die Größe des O_2-Bedarfs eines Gewebes wird vom Funktionszustand der einzelnen Zellen bestimmt.* Bei körperlicher Ruhe und normaler Körpertemperatur werden für den O_2-Verbrauch der verschiedenen Or-

Tabelle 1. Mittelwerte für die Durchblutung (Q̇), die arterio-venöse Differenz der O_2-Konzentration im Blut (avD_{O_2}) und den O_2-Verbrauch ($\dot{V}_{O_2}$) verschiedener Organe des Menschen bei 37° C

Organ	Durchblutung Q̇ (ml/100 g·min)	art.-ven. Differenz avD_{O_2} (Vol.-%)	O_2-Verbrauch $\dot{V}_{O_2}$ (ml/100 g·min)	Literatur
Blut	–	–	0,008–0,01	[19]
Skeletmuskel				
in Ruhe	2–4	10–15	0,25–0,5	[8, 17]
bei starker Arbeit	bis ca. 50		bis ca. 10	
Milz	100	1,0	1,0	[23, 28]
Gehirn	50–60	6–7	3,5	[10, 13, 18]
Rinde	80–110	10	8–10	
Mark	15–25	4–6	1	
Leber	100 (25% A. hepatica)	4–5 (V. portae — V. hepatica) 8–10 (A. hepatica — V. hepatica)	5–6	[9, 23, 24]
Niere	400	1,5–2,0	5,5–6,5	[7, 14, 27]
Rinde	400–500	2–2,5	9–10	
äußeres Mark	120	5	6–6,5	
inneres Mark	25	1–2	0,3–0,5	
Herz				
bei körperlicher Ruhe	80–90	10–15	8–10	[3, 4, 11, 12, 21]
bei starker körperlicher Belastung	bis ca. 400	bis ca. 17	bis ca. 40	

gane oder für Teilbereiche einzelner Organe die in Tabelle 1 zusammengestellten Werte gemessen. Die Größe des O_2-Verbrauches ($\dot{V}_{O_2}$) eines Organs, die normalerweise in ml pro 1 g oder 100 g Feuchtgewicht und pro Minute angegeben wird, ergibt sich nach dem **Fickschen Prinzip** aus der **Durchblutungsgröße (Q̇)** und der **Differenz der O_2-Konzentrationen** im zufließenden arteriellen und abfließenden venösen Blut (avD_{O_2}), entsprechend der Gleichung:

$$\dot{V}_{O_2} = avD_{O_2} \cdot \dot{Q} \qquad (1)$$

Unter den Bedingungen körperlicher Ruhe besteht ein großer O_2-Verbrauch im Herzmuskelgewebe, in der grauen Substanz des Gehirns (z.B. *Großhirnrinde) in der Leber und in der Nierenrinde,* während niedrige O_2-Verbrauchswerte im Skeletmuskelgewebe, in der Milz und in der weißen Substanz des Gehirns nachgewiesen werden (Tabelle 1).

Regionale Unterschiede des O_2-Verbrauchs in Organen. Innerhalb eines Organes können erhebliche regionale Unterschiede des O_2-Verbrauches bestehen. Es ist sogar zu erwarten, daß der O_2-Bedarf der einzelnen Zellen eines Gewebeareals unterschiedlich groß ist. Bislang war es jedoch nur an wenigen Organen möglich, die regionalen O_2-Verbrauchswerte zu bestimmen (Tabelle 1). Bei Untersuchungen der O_2-Versorgungsbedingungen im Gehirngewebe verschiedener Säugetiere wurden in einzelnen Ab-

schnitten der *Großhirnrinde* O_2-Verbrauchswerte zwischen 7 und 10 ml/100 g·min gemessen. Aus den direkt bestimmten Daten für das gesamte Gehirn und für die Großhirnrinde konnte für die *weiße Substanz des Gehirns* ein mittlerer O_2-Verbrauch von ca. 1 ml/100 g·min ermittelt werden. Vergleichbare Unterschiede des O_2-Bedarfs einzelner Organbezirke finden sich in der Niere. Der mittlere O_2-Verbrauch der *Nierenrinde* ist ca. 20mal größer als der *des inneren Nierenmarks.* Da der O_2-Bedarf des Nierengewebes vorrangig von der Größe des aktiven Na^+-Rücktransportes aus dem Tubuluslumen in das Gewebe bestimmt wird, sind die großen Unterschiede der regionalen O_2-Verbrauchswerte besonders auf die unterschiedliche Resorptionsleistung der Nierenrinde und des Nierenmarks zurückzuführen [27].

O_2-Verbrauch bei gesteigerter Organfunktion. Jede Steigerung der Funktionsleistung eines Organs führt zu einer Zunahme des Energieumsatzes und zu einer Erhöhung des O_2-Bedarfs seiner Zellen. Unter den Bedingungen körperlicher Belastungen nimmt der O_2-Verbrauch des *Herzmuskelgewebes* gegenüber dem Vergleichswert unter Ruhebedingungen bis um das 3–4fache zu, während der O_2-Verbrauch arbeitender *Skeletmuskelgruppen* auf mehr als das 20–50fache des Ruhewertes anwachsen kann. Der O_2-Bedarf des *Nierengewebes* steigt bei erhöhter Na^+-Rückresorption.

In der überwiegenden Zahl der Organe ist bei ausreichender O_2-Versorgung die *O_2-Aufnahmerate des Gewebes unabhängig von der Durchblutungsgröße.* Eine Ausnahme bildet die Niere. Oberhalb des kritischen Durchblutungswertes, bei dessen Überschreiten die Bildung des Ultrafiltrates einsetzt, nimmt der O_2-Verbrauch des Nierengewebes mit steigender Durchblutung zu. Die Sonderstellung des Nierengewebes ist darauf zurückzuführen, daß als Folge der Durchblutungsänderung eine gleichsinnige Veränderung der glomerulären Filtration und damit der Na^+-Rückresorption einsetzt.

Temperatureinfluß auf den O_2-Verbrauch. Der O_2-Verbrauch der Gewebe ist in starkem Maße temperaturabhängig. Die Erniedrigung der Körpertemperatur führt zu einer Abnahme des O_2-Bedarfs der Organe als Folge des eingeschränkten Energieumsatzes. Ausgenommen sind bei erhaltener Temperaturregulation alle Organe, deren Tätigkeitsumsatz im Rahmen der Regulationsmaßnahmen des Organismus gesteigert ist. Zu ihnen zählt z.B. die Skeletmuskulatur (Kältezittern, s.S. 532). Die Erhöhung der Körpertemperatur ruft einen allgemeinen O_2-Mehrbedarf in den Geweben hervor.

Im Bereich zwischen 20 und 40° C hat jede Änderung der Körpertemperatur um 10° C, entsprechend der RGT-Regel, eine gleichgerichtete Veränderung des O_2-Verbrauchs der Gewebe um den Faktor $Q_{10} = 2-3$ zur Folge. Operationen, bei denen der Blutkreislauf und damit die O_2- und Nährstoff-Nachlieferung zu den Organen für eine bestimmte Zeit unterbrochen werden muß, führt man aus diesem Grund sehr häufig unter den Bedingungen herabgesetzter Körpertemperatur **(Hypothermie)** durch. Um in allen Organen eine Verminderung des O_2-Bedarfs zu erreichen, muß gleichzeitig durch eine tiefe Narkose die Temperaturregulation des Organismus eingeschränkt oder ausgeschaltet werden.

2. Sauerstoffversorgung der Gewebe

2.1. Sauerstoffvorräte der Gewebe

Die den Zellen für die Gewebsatmung zur Verfügung stehende O_2-Menge wird von der Größe des *konvektiven O_2-Transportes* im Blut und dem Ausmaß der *O_2-Diffusion* zwischen dem Capillarblut und den zu versorgenden Geweben bestimmt. Da die Mehrzahl der Gewebe neben dem physikalisch gelösten Sauerstoff keine weiteren O_2-Vorräte besitzt, führt jede Einschränkung der O_2-Nachlieferung zum O_2-Mangel und zu einer Verminderung des oxidativen Zellstoffwechsels, sobald das O_2-Angebot den O_2-Bedarf nicht voll decken kann.

O_2-Speicherfunktion des Myoglobins. Eine Ausnahme bilden die *Muskelgewebe,* deren Farbstoff *Myoglobin (Mb)* Sauerstoff reversibel bindet und damit als O_2-Speicher dienen kann. Da die Myoglobinkonzentrationen der Muskelgewebe des Menschen jedoch gering sind, ist die gespeicherte O_2-Menge nicht groß genug, um ausgeprägte O_2-Mangelzustände für längere Zeit zu überbrücken.

Diese Tatsache läßt sich besonders eindrucksvoll für die O_2-Versorgungsbedingungen des Herzmuskelgewebes darstellen. Der mittlere Myoglobingehalt des Myokards beträgt 0,4 g/100 g Gewebe. Da 1 g Myoglobin maximal ca. 1,34 ml Sauerstoff bindet, sind unter physiologischen Bedingungen in 100 g Herzmuskelgewebe etwa 0,5 ml Sauerstoff gespeichert. Nach vollständiger Unterbrechung der O_2-Nachlieferung zum Myokard kann mit Hilfe dieser O_2-Menge der normale oxidative Zellstoffwechsel nur für ca. 3–4 s aufrechterhalten werden.

Bedeutung des Myoglobins für die O_2-Versorgung der Muskelgewebe. Die Funktion des Myoglobins ist die eines **Kurzzeit-O_2-Speichers.** Im **Myokard** stellt der an den Muskelfarbstoff gebundene Sauerstoff die O_2-Versorgung von Herzmuskelbezirken sicher, deren Durchblutung während der Systole für kurze Zeit eingeschränkt oder möglicherweise vollständig unterbrochen ist. Sobald der O_2-Partialdruck in den Muskelzellen unter ca. 10 bis 15 mm Hg absinkt, gibt das Myoglobin entsprechend dem Verlauf seiner O_2-Bindungskurve (s. Abb. XXI-6) Sauerstoff ab[11].

In der **Skeletmuskulatur** kann die O_2-Abgabe des Myoglobins am Beginn schwerer Muskelarbeit einen Teil des gesteigerten O_2-Bedarfs decken, bevor durch die Anpassung der Durchblutungsgröße erneut ein ausreichendes O_2-Angebot zur Verfügung steht. Der aus dem Myoglobin freigesetzte Sauerstoff bildet einen Teil der **O_2-Schuld,** den jede Skeletmuskelfaser eingehen kann.

2.2. O_2-Angebot und O_2-Utilisation

O_2-Angebot in den Organen. Die Größe der O_2-Menge, die pro Zeiteinheit mit dem Blutstrom zu den einzelnen Organen gelangt, ergibt sich aus dem Produkt von **arterieller O_2-Konzentration** und **Durchblutungsgröße:**

$$O_2\text{-Angebot} = Ca_{O_2} \cdot \dot{Q}. \tag{2}$$

Wie aus dieser Beziehung abzuleiten, sind Unterschiede des O_2-Angebotes in den verschiedenen Organen ausschließlich auf die unterschiedliche Größe der Durchblutung zurückzuführen. Jede Veränderung der Durchblutungsgröße als Folge von Änderungen des peripheren Gefäßwiderstandes oder des arteriellen Mitteldrucks führt unmittelbar zu einer Veränderung des O_2-Angebotes in einem Gewebe.

Das mittlere O_2-Angebot der einzelnen Organe kann für physiologische Bedingungen direkt aus der O_2-Konzentration des arteriellen Blutes (S. 493) und den in der Tabelle zusammengestellten Durchblutungswerten ermittelt werden. Besonders große Werte ergeben sich dabei für die Nierenrinde, die Milz und die graue Substanz des Gehirns, kleine Werte für die ruhende Skeletmuskulatur, das Nierenmark und die weiße Substanz des Gehirns.

O_2-Utilisation in verschiedenen Organen. Unter der O_2-Utilisation eines Organes versteht man das **Verhältnis seines O_2-Verbrauches zum O_2-Angebot.** Wie aus den Gl. (1) und (2) abzuleiten, ergibt sich damit:

$$O_2\text{-Utilisation} =$$
$$(avD_{O_2} \cdot \dot{Q})/(Ca_{O_2} \cdot \dot{Q}) = avD_{O_2}/Ca_{O_2}. \qquad (3)$$

In Abhängigkeit von der O_2-Verbrauchsrate wird das O_2-Angebot in den einzelnen Organen unterschiedlich genutzt. Unter Normalbedingungen beträgt der O_2-Verbrauch der Großhirnrinde, des Myokards und der ruhenden Skeletmuskulatur ca. 40–60% der in der gleichen Zeit angebotenen O_2-Menge. Die O_2-Utilisation kann bei gesteigerter Organfunktion erheblich zunehmen. Höchstwerte, die im Extremfall ca. 90% erreichen, beobachtet man unter den Bedingungen schwerer körperlicher Belastungen in der arbeitenden Skeletmuskulatur und im Myokard sowie bei herabgesetzter Durchblutung der Leber. Besonders gering ist die Ausnutzung des O_2-Angebotes in der Niere und in der Milz. Auf Grund der organspezifisch hohen Durchblutung, die eine wesentliche Voraussetzung für die normale Funktion beider Organe ist, steht in der Niere wie in der Milz ein sehr großes O_2-Angebot einem mittleren bzw. kleinen O_2-Bedarf gegenüber.

2.3. Austausch der Atemgase im Gewebe

Freie und erleichterte Diffusion. Der Austausch der Atemgase zwischen dem Capillarblut und den Zellen eines Gewebes erfolgt in gleicher Weise wie der Atemgaswechsel in der Lunge durch **Diffusion** (s. XX). Die mit dem Blutstrom herantransportierten **O_2-Moleküle** wandern dem O_2-Partialdruckgefälle folgend aus den Erythrocyten und dem Plasma in das umgebende Gewebe. Gleichzeitig diffundiert das beim oxidativen Stoffwechsel gebildete Kohlendioxid aus den Zellen in das Blut. Die für die Diffusion der Atemgase zur Verfügung stehende Energie ist die kinetische Energie der einzelnen Moleküle. Von besonderer Bedeutung für den Atemgaswechsel ist damit die Höhe des **O_2-** und des **CO_2-Partialdruckes im Blut.** Unter den Bedingungen körperlicher Ruhe stellen sich in den verschiedenen Kreislaufabschnitten des Menschen die in Abb. 1 schematisch dargestellten mittleren Atemgaspartialdrucke ein.

Die O_2-Abgabe vom Blut an das Gewebe kann außerdem beeinflußt werden durch die *Diffusion des oxigenierten Hämoglobins* innerhalb der Erythrocyten, die den Transport der O_2-Moleküle zur Erythrocytenoberfläche beschleunigt [15]. Man spricht in diesem Fall von **erleichterter O_2-Diffusion** (*facilitated diffusion*). In Muskelgeweben übt die *Diffusion des oxigenierten Myoglobins* einen vergleichbaren Einfluß auf den O_2-Transport aus.

Möglicherweise wird die Geschwindigkeit des Atemgastransports zusätzlich erhöht durch eine *Konvektion* innerhalb der Erythrocyten sowie die

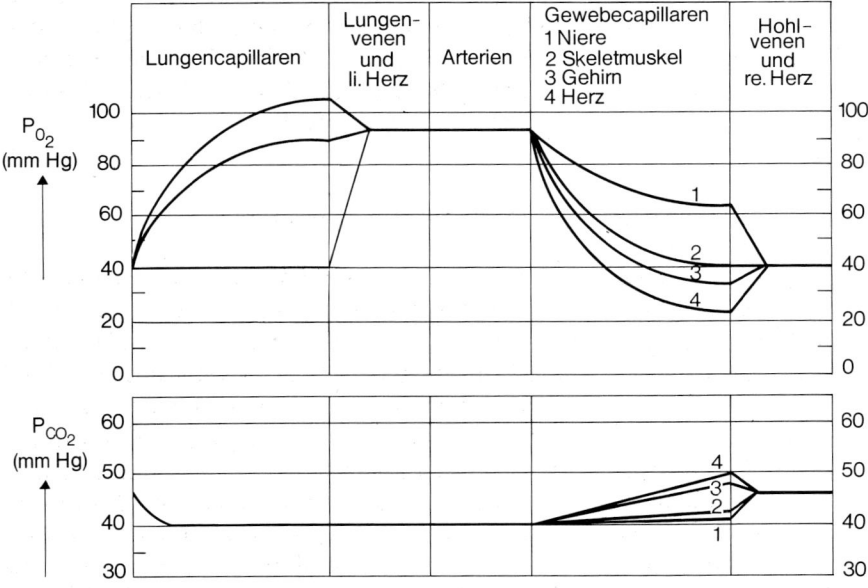

Abb. 1. O_2-Partialdrucke (P_{O_2}) und CO_2-Partialdrucke (P_{CO_2}) des Blutes in den verschiedenen Abschnitten des Kreislaufsystems unter Ruhebedingungen. Modifiziert nach [26], (1 mm Hg = 133,3 Pa)

Konvektion des Blutplasmas, der Extracellulärflüssigkeit und des Cytoplasmas.

Bestimmend für die O_2-Abgabe vom Blut an das Gewebe wie für den entgegengerichteten Transport des Kohlendioxids ist neben dem *Partialdruckgefälle* zwischen dem Capillarblut und den einzelnen Zellen die Größe der *Austauschfläche,* die Länge der *Diffusionsstrecke* und die Größe des *Diffusionswiderstandes* der einzelnen zu durchwandernden Strukturen. Für die Bedingungen bei konstantem Partialdruck- oder Konzentrationsgefälle wird die Abhängigkeit der pro Zeiteinheit ausgetauschten Gasmenge von den verschiedenen Einflußgrößen durch das **1. Ficksche Diffusionsgesetz** beschrieben (s. XX-4.3).

Modelle für den Atemgasaustausch im Gewebe. Mit Hilfe der Diffusionsgesetze ist es möglich, den Atemgaswechsel in einem Gewebe zu untersuchen und die O_2- und CO_2-Partialdrucke der Zellen zu berechnen. Voraussetzung für eine derartige theoretische Analyse der O_2- und CO_2-Diffusion in einem Gewebe ist die Zusammenfassung der verschiedenen diffusionsbestimmenden Parameter zu einer Modellvorstellung vom Atemgasaustausch im Versorgungsbereich einer einzelnen Capillare oder eines Capillarnetzes. Ein derartiges Model muß die funktionellen und morphologischen Bedingungen für den Atemgaswechsel in vereinfachter Weise darstellen, damit eine mathematische Beschreibung der Zusammenhänge möglich wird.

Unter den verschiedenen Strukturmodellen, mit deren Hilfe versucht wurde, die Bedingungen für den Atemgasaustausch in den Geweben zu beschreiben, ist das bekannteste und am häufigsten angewandte der **Kroghsche Gewebszylinder.** Bereits 1918 beschrieb KROGH [16] den Versorgungsbereich der einzelnen Capillare als einen Zylinder, dessen Achse das versorgende Gefäß bildet. Er legte diese Vorstellung Untersuchungen der O_2-Diffusion im Skeletmuskelgewebe zugrunde.

Obgleich die Kroghsche Modellvorstellung lediglich die Bedingungen für den Atemgaswechsel in einem Gewebeareal genau zu beschreiben vermag, in dem benachbarte Capillaren parallel verlaufen, in gleichen Ebenen beginnen und enden und in gleicher Richtung durchströmt werden, erwies sich der Gewebszylinder als ein sehr gutes Denkmodell für das Studium des Atemgaswechsels und des Stoffaustausches in den Geweben. In der Zwischenzeit wurden zahlreiche weitere Modellvorstellungen entwickelt. Dem Gewebszylinder gegenübergestellt wurde das sogenannte *Kegelmodell,* bei dem man von der Annahme ausgeht, daß der Blutstrom in benachbarten Capillaren gegensinnig verläuft. Weitere Modelle zur Analyse des Atemgaswechsels berücksichtigen die Bedingungen in einer *kubischen Gewebesäule,* die von vier parallel verlaufenden Capillaren mit unterschiedlich gerichteter Durchströmung begrenzt wird, oder sie beschreiben die Austauschbedingungen in einem Gewebeareal mit einem *Netzwerk* quadratischer Capillarmaschen.

Bedeutung der Capillarisierung und der Mikrozirkulation. Neben der Höhe des Partialdruckgefälles zwischen dem Capillarblut und den Zellen wird der Atemgaswechsel innerhalb eines Gewebes vom Ausmaß der *Capillarisierung und der Mikrozirkulation innerhalb der terminalen Strombahn* bestimmt. Sowohl die **Austauschfläche** für die Diffusion der Atemgase zwischen dem Blut und dem Gewebe als auch die **Diffusionsstrecken** innerhalb des Gewebes sind unmittelbar abhängig von der Zahl der Capillaren, ihrer Länge und ihrem Abstand.

Die Capillarisierung der Gewebe ist von Organ zu Organ und in vielen Fällen auch innerhalb eines einzelnen Organes unterschiedlich. Ein besonders enges Capillarnetz und damit günstige Bedingungen für den Atemgaswechsel findet man in den Geweben mit hohem Energieumsatz.

Im *Myokard* z.B. entfällt auf jede Muskelfaser eine Capillare, der mittlere Abstand benachbarter Capillaren beträgt ca. 25 µm. Für den mittleren Capillarabstand in der *Hirnrinde* wurden ca. 40 µm, in der *Skeletmuskulatur* ca. 80 µm bestimmt. Durch die Erhöhung oder Herabsetzung des Tonus der glatten Gefäßmuskulatur in den vorgeschalteten Strombahnabschnitten kann darüber hinaus die Zahl der gleichzeitig in einem Gewebe perfundierten Capillaren variiert und dadurch nicht nur das O_2-Angebot, sondern gleichzeitig auch die Bedingungen für den O_2-Austausch durch die Vergrößerung oder Verkleinerung der Diffusionsfläche und der Diffusionsstrecken verändert werden.

2.4. O_2-Partialdrucke im Gewebe

Kritischer O_2-Partialdruck der Mitochondrien. Die O_2-Partialdrucke in den Zellen eines Gewebes stellen sich zwischen dem Wert des arteriellen Blutes und einem Minimalwert, der bereits unter physiologischen Bedingungen in einzelnen Organen oder Organbezirken nur etwa 1 mm Hg (133,3 Pa) betragen kann, ein. Voraussetzung für den normalen oxidativen Stoffwechsel einer Zelle ist ein *Mindest-O_2-Partialdruck von ca. 0,1 – 1 mm Hg im Bereich der Mitochondrien,* der **kritische O_2-Partialdruck der Mitochondrien** [6, 25]. Sinkt der O_2-Partialdruck in unmittelbarer Nähe der Mitochondrien unter diesen Wert, so kann die reduzierte *Cytochromoxid-ase* nicht mehr vollständig oxidiert werden, der Wasserstoff- und Elektronentransport in der *At-mungskette* nimmt ab, und die Einschränkung des Energiestoffwechsels ist die Folge. *Wichtigstes Kri-terium für die Beurteilung der O_2-Versorgung eines Organes ist damit der celluläre O_2-Partialdruck.*

Nach dem *polarographischen Verfahren* (S. 476) sind heute direkte Messungen des O_2-Partialdruckes in den einzelnen Zellen eines Gewebes mit Mikroelek-troden, deren Spitzendurchmesser ca. 0,5–3 µm be-trägt, möglich (Abb. 2 (B)). Die Untersuchungen müssen aber weitgehend auf das Tierexperiment be-schränkt bleiben. Um beim Menschen einen Ein-blick in die O_2-Versorgungsbedingungen eines Or-ganes gewinnen zu können, ist man darauf angewie-sen, die wichtigsten Einflußgrößen wie die Durch-blutung, die Atemgaspartialdrucke oder Atemgas-konzentrationen und den pH-Wert des arteriellen Blutes direkt zu bestimmen und anschließend unter Berücksichtigung der Meßergebnisse eine theoreti-sche Analyse des Atemgaswechsels innerhalb der untersuchten Gewebe durchzuführen.

O_2-Partialdruckverteilung im Gehirngewebe.
Von besonderem Interesse ist die Kenntnis der O_2-Par-tialdruckverteilung im Gehirn- und Herzmuskelge-

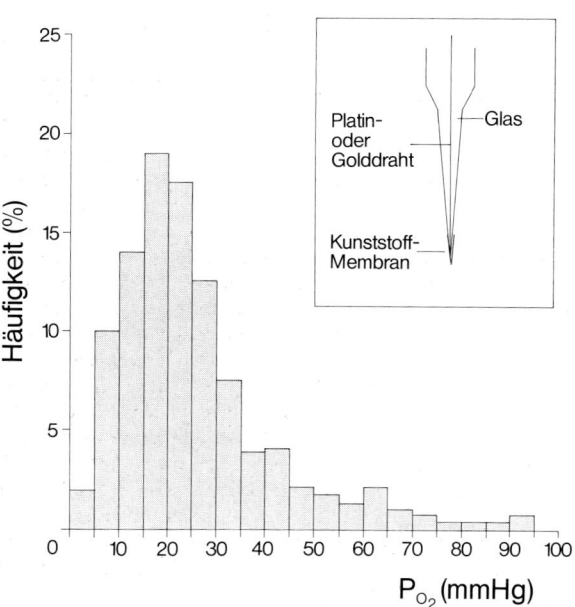

Abb. 2 A u. B. O_2-Partialdrucke in der grauen Substanz des Ge-hirns. (A) Häufigkeitsverteilung der lokalen O_2-Partialdrucke in der Hirnrinde von Meerschweinchen bei Normoventilation. Die Maximalwerte (P_{O_2} = 90–95 mm Hg) entsprechen dem O_2-Par-tialdruck des arteriellen Blutes. Die Minimalwerte in den un-günstigsten mit Sauerstoff versorgten Zellen betragen 0,5– 1 mm Hg, sie liegen um ca. 25 mm Hg unter dem mittleren O_2-Partialdruck des venösen Blutes der Hirnrinde (nach [22]). (B) Aufbau einer Mikroelektrode·zur polarographischen Messung des O_2-Partialdruckes in Geweben

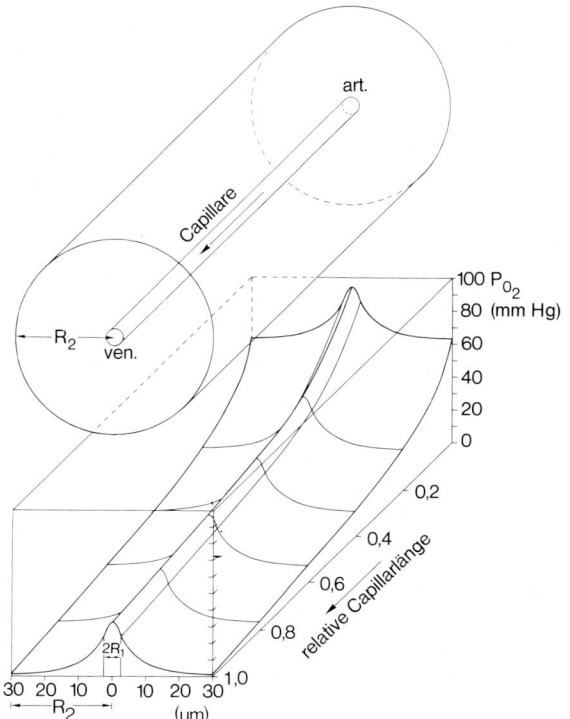

Abb. 3. Schematische Darstellung der O_2-Partialdruckverteilung im Kroghschen Versorgungszylinder einer Capillare in der Groß-hirnrinde des Menschen (O_2-Verbrauch = 9 ml/100 g·min, Durchblutung = 80 ml/100 g·min). Der mittlere O_2-Partial-druck des Blutes fällt in den Capillaren der Großhirnrinde unter Normbedingungen von 90 mm Hg auf ca. 28 mm Hg ab. Inner-halb des Querschnittes des Versorgungszylinders beträgt der mittlere O_2-Partialdruckabfall von der Capillare zum Zylinder-mantel ca. 26 mm Hg

webe, da eine mangelhafte O_2-Versorgung beider Organe unmittelbar zum Tode führen kann. Inner-halb des cylinderförmigen Versorgungsbereiches ei-ner Capillare der *Großhirnrinde* ergibt sich bei einem O_2-Verbrauch des Gewebes von 9 ml O_2/100 g·min und einer Durchblutung von 80 ml Blut/100 g·min die in Abb. 3 dargestellte mittlere O_2-Partialdruck-verteilung. *Während der Capillarpassage sinkt der O_2-Partialdruck im Blut von 90 mm Hg auf ca. 28 mm Hg ab.* Die O_2-Partialdruckveränderungen innerhalb des Capillarblutes folgen dem Verlauf der *effektiven O_2-Bindungskurve* (S. 494). Gleichzeitig stellt sich zwischen dem Blut und den Randbezirken des Versorgungszylinders eine O_2-Partialdruckdif-ferenz von ca. 26 mm Hg ein. In den am schlech-testen mit Sauerstoff versorgten Zellen im Versor-gungsbereich des venösen Capillarendes sind O_2-Partialdrucke zwischen 1 und 2 mm Hg zu erwar-ten.

Die berechneten O_2-Partialdrucke, die sehr gut mit Werten übereinstimmen, die bei vergleichbaren Be-dingungen im Tierexperiment direkt gemessen wurden (Abb. 2 (A)), zeigen, daß das Gehirngewebe durchaus nicht so gut mit Sauerstoff versorgt wird, wie man früher annahm. Sie erklären, warum eine Verschlechterung der cerebralen O_2-Versorgungsbedingungen sehr leicht in den ungünstig versorgten Gewebeabschnitten zu einem O_2-Mangel der Zellen führen kann. Die unmittelbare Folge ist eine Funktionseinschränkung der Neurone, die in vielen Fällen eine Bewußtseinstrübung oder eine Bewußtlosigkeit nach sich zieht.

O_2-Partialdruckverteilung im Myokard. Das Herzmuskelgewebe zeichnet sich gegenüber der Mehrzahl der Organe durch **nichtstationäre O_2-Versorgungsbedingungen** aus. Sowohl die *Durchblutung* als auch der *Energiebedarf* des Myokards verändern sich im Verlauf des einzelnen Herzcyclus. Während der Systole nimmt im Versorgungsbereich der A. coron. sin. als Folge der Drucksteigerung im Gewebe die Durchblutung ab; in dem Herzmuskelinnenschichten des linken Ventrikels kann sie kurzzeitig vollständig unterbrochen sein (S. 383). Den resultierenden Schwankungen des O_2-Angebotes im *Myokard*, das ein *Minimum in der Systole* und ein *Maximum in der Diastole* erreicht, stehen entgegengerichtete Änderungen des Energiebedarfs der einzelnen Herzmuskelzellen gegenüber. Der *größte Energiebedarf* besteht während der *Kontraktionsphase*, der *geringste* in der *Ruhephase*. Trotz der Einschränkung des O_2-Angebotes während der Systole kann der gleichzeitig erhöhte Energiebedarf des Myokards unter Normalbedingungen voll gedeckt werden, da 1. durch die *Funktion des Myoglobins als Kurzzeit-O_2-Speicher* (S. 509) die Voraussetzungen für eine ausreichende Gewebeatmung gegeben sind und 2. der Energiebedarf außerdem aus den *Energiereserven* der Herzmuskelzellen (ATP, Kreatinphosphat) gedeckt werden kann. Während der Diastole führt die hohe Durchblutung zu einem gesteigerten O_2-Angebot und ermöglicht damit die vollständige Wiederaufsättigung des Myoglobins mit Sauerstoff und die Wiederauffüllung der cellulären Energiespeicher [11]. Die Veränderungen des O_2-Angebotes im Verlauf von Systole und Diastole führen zu *periodischen Veränderungen des O_2-Partialdruckes in den Myokardzellen*. Wie Berechnungen des mittleren O_2-Partialdruckes in Herzmuskelbezirken des linken Ventrikels zeigen, sind die O_2-Partialdruckschwankungen besonders ausgeprägt in der Nähe des arteriellen Capillarendes (Abb. 4 und 5). Im Versorgungsbereich des venösen Capillarendes treten geringere O_2-Partialdruckveränderungen auf, da bei den in diesen Gewebebezirken herrschenden O_2-Partialdrucken das Myoglobin während der Kon-

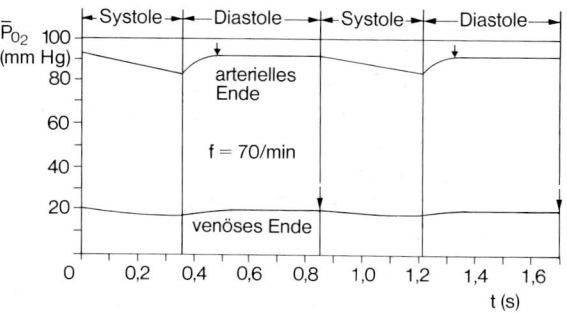

Abb. 4. Berechnete mittlere O_2-Partialdrucke im Versorgungsbereich des arteriellen und des venösen Endes einer Capillare der Innenschichten des linken Ventrikels beim Menschen unter Ruhebedingungen. Im Verlauf der Systole sinken die mittleren O_2-Partialdrucke des Gewebes in allen Abschnitten des Versorgungszylinders infolge der unterbrochenen Capillarperfusion ab, während der Diastole kehren sie zu ihren Ausgangswerten zurück (nach [12])

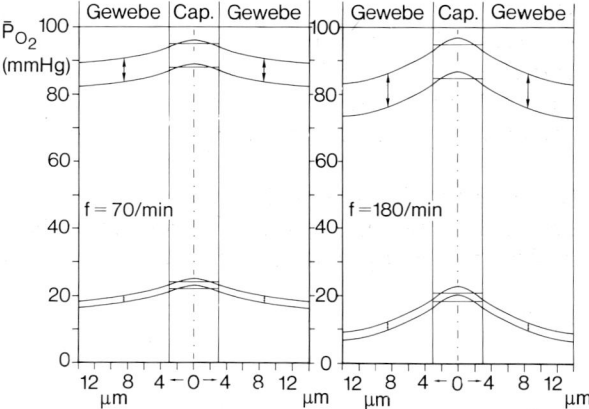

Abb. 5. O_2-Partialdruckabfall am arteriellen (obere Kurvenpaare) und venösen Ende (untere Kurvenpaare) des Versorgungsbereiches einer Capillare der Innenschichten des linken Ventrikels beim Menschen. Durch Pfeile ist der Bereich angegeben, in dem sich die mittleren O_2-Partialdruckprofile als Folge der Durchblutungsänderungen im Verlauf der Herzaktion einstellen. Der linke Teil der Abbildung stellt die O_2-Partialdruckprofile im Querschnitt des Versorgungszylinders unter Ruhebedingungen (Frequenz = 70 min^{-1}, O_2-Verbrauch = 10 ml/100 g·min) dar, der rechte Abbildungsteil gibt die entsprechenden Profile für Belastungsbedingungen (Frequenz = 180 min^{-1}, O_2-Verbrauch = 21 ml/100 g·min) wieder. Infolge der systolischen Unterbrechung der Durchblutung nehmen die O_2-Partialdrucke im Blut und Gewebe während der Kontraktionsphase ab. In den Außenzonen des venösen Versorgungsbereiches ist unter den genannten Belastungsbedingungen ein mittlerer O_2-Partialdruck von 7 mm Hg zu erwarten. Die O_2-Partialdrucke in den am ungünstigsten mit Sauerstoff versorgten Myokardbezirken liegen noch unter diesem Wert (nach [12])

traktionsphase einen Teil des gebundenen Sauerstoffs abgibt und damit eine puffernde Wirkung ausübt. Im Verlauf der Diastole kehrt anschließend der celluläre O_2-Partialdruck in allen Abschnitten des Herzmuskelgewebes zu seinem Ausgangswert zurück [12].

Unter den Bedingungen körperlicher Belastungen ist die O_2-Versorgung des Herzmuskelgewebes erschwert. Die Funktionssteigerung führt zu einer Erhöhung des O_2-Verbrauchs im Myokard. Da gleichzeitig die Herzfrequenz ansteigt und damit die Diastolendauer erheblich verkürzt wird, ist eine Anpassung der O_2-Nachlieferung an den gesteigerten O_2-Bedarf nur begrenzt möglich. Die Grenzbedingungen für sehr starke körperliche Belastungen werden etwa bei Herzfrequenzen um 200 min^{-1} erreicht. Wie aus Abb. 5 zu erkennen, sind die Veränderungen des O_2-Partialdruckes in den Herzmuskelzellen der Innenwand des linken Ventrikels bei schwerer körperlicher Arbeit und einer Herzfrequenz von 180 min^{-1} bedeutend ausgeprägter als unter Normalbedingungen. In den am schlechtesten mit Sauerstoff versorgten Herzmuskelbezirken im Versorgungsbereich des venösen Capillarendes ist unter diesen Voraussetzungen mit O_2-Partialdrucken um 1 mm Hg zu rechnen. Im EKG kann man unter den geschilderten Bedingungen in vielen Fällen die typischen Zeichen einer mangelhaften O_2-Versorgung des Herzmuskelgewebes (Senkung von S-T, Abflachung oder Umkehr von T) beobachten (s. XVIII-3.4).

3. Regulation des O_2-Angebotes und O_2-Mangelwirkungen

3.1. Anpassung des O_2-Angebotes an den O_2-Bedarf

Die mit jeder Funktionssteigerung eines Organs einhergehende Erhöhung des *O_2-Bedarfs* muß durch die Vergrößerung des *O_2-Angebotes* und seine vermehrte Ausschöpfung ausgeglichen werden. Wie aus Gl. (2) hervorgeht, kann das O_2-Angebot in einem Gewebe durch die Zunahme der Durchblutungsgröße und die Erhöhung der O_2-Konzentration des arteriellen Blutes gesteigert werden. Da jedoch unter physiologischen Bedingungen die O_2-Sättigung des Hämoglobins im arteriellen Blut bereits ca. 97% beträgt, ist eine weitere Zunahme der arteriellen O_2-Konzentration kurzfristig durch Hyperventilation kaum möglich. Die Anpassung des O_2-Angebotes in einem Gewebe an eine momentane Steigerung des O_2-Bedarfs muß somit vorrangig durch die *Zunahme der Durchblutungsgröße* erfolgen.

Regulation der Organdurchblutung. Die Durchblutungsgröße in einem Organ wird in erster Linie von der Größe des *Herzzeitvolumens* und der Höhe des *Gefäßmuskeltonus in den der terminalen Strombahn vorgeschalteten Gefäßabschnitten* bestimmt. Die nervösen und humoralen Einflüsse sowie die lokal chemischen Mechanismen, die die Organdurchblutung einstellen, sind ausführlich in XIX–10 dargestellt. Es wird aus diesem Grunde hier nur auf einige Besonderheiten der Regulation des O_2-Angebotes

im Gehirngewebe, im Myokard und in der Skeletmuskulatur hingewiesen.

Im **Gehirngewebe** wird die Steigerung des O_2-Angebotes bei erhöhtem O_2-Bedarf vorrangig durch die Herabsetzung des Tonus der Gefäßmuskulatur nach *Erniedrigung des O_2-Partialdruckes* (*Hypoxie*) und die *Erhöhung des CO_2-Partialdruckes* (*Hyperkapnie*) im Intra- und Extracellulärraum sowie den *Anstieg der H^+-Konzentration* im Perivasculärraum hervorgerufen. Zu einer vergleichbaren Tonusänderung in der glatten Muskulatur der Gehirngefäße führt weiterhin die mäßige Erhöhung der extracellulären K^+-Konzentration. Da die Ca-Ionen eine zentrale Rolle bei der Einstellung des Gefäßmuskeltonus spielen, sind die geschilderten Reaktionen jedoch abgeschwächt oder bleiben vollständig aus, wenn die Ca^{++}-Konzentration im Perivasculärraum gegenüber Normalbedingungen verändert ist. Jede Steigerung der extracellulären Ca^{++}-Konzentration löst unmittelbar eine Vasokonstriktion aus, jede Herabsetzung eine Vasodilatation [1, 2, 13]. Es ist bislang nicht geklärt, ob zusätzliche Einflüsse von seiten der Chemoreceptoren in der arteriellen Strombahn den Muskeltonus der Gehirngefäße direkt beeinflussen können.

Für die Mehrdurchblutung des **Myokards** unter Belastungsbedingungen werden vorrangig lokal-chemische Prozesse, unter denen die *Erniedrigung des O_2-Partialdruckes* (*Hypoxie*) des Gewebes eine besondere Rolle spielt, verantwortlich gemacht. Da das Herzmuskelgewebe sich im Bereich der Coronargefäße durch eine große Zahl von *sympathischen β-Receptoren* auszeichnet, kann die Durchblutungssteigerung bei Belastung außerdem durch vermehrte Aktivierung dieser Receptoren erklärt werden. Die *Erhöhung des Sympathicustonus* führt damit nicht nur zu einer Zunahme des Herzzeitvolumens und des arteriellen Mitteldruckes, sondern löst gleichzeitig eine *Vasodilatation im Coronarsystem* aus [21].

Die Gründe für die Durchblutungssteigerung in der **Skeletmuskulatur** bei Belastungen sind noch weitgehend unbekannt. Neben adrenergen sympathischen Nervenfasern, deren Aktivierungsgrad wie in zahlreichen anderen Organen besonders die Höhe des Tonus der glatten Gefäßmuskulatur bestimmt, lassen sich im Skeletmuskelgewebe cholinerge sympathische Fasern mit vasodilatatorischer Wirkung nachweisen. Der *Aktivierung dieser cholinergen Sympathicusfasern* schreibt man die initiale Durchblutungssteigerung am Beginn einer Muskeltätigkeit zu. Im weiteren Verlauf der Muskelarbeit wird die Mehrdurchblutung vermutlich durch eine Reihe lokal-chemischer Mechanismen aufrechterhalten, die den Basistonus der Gefäßmuskulatur, der nicht durch direkte nervöse Einflüsse bestimmt wird, herabsetzen. Eine wesentliche Bedeutung mißt man dem *Anstieg der K^+-Konzentration* und der *Erhöhung der Osmolarität* im Extracellulärraum bei. Hinzu kommt die Wirkung der *Hypoxie* im Muskelgewebe. Die Veränderungen des CO_2-Partialdrukkes und der H^+-Konzentration spielen für die Durchblutungssteigerung in der Skeletmuskulatur unter Belastungsbedingungen nur eine untergeordnete Rolle [8].

Folgen langdauernden oder wiederholt auftretenden O_2-Mehrbedarfs. Wiederholte starke Belastungen des Herzens bei der Kreislaufanpassung an einen O_2-Mehrbedarf der Organe führen zu *strukturellen Veränderungen im Myokard* und zu einer *Vergrößerung des Herzgewichtes*. Bei physiologischer Anpassung, wie man sie z.B. bei Hochleistungssportlern findet, kann das Herzgewicht von seinem Normalwert von ca. 200–300 g bis zu einem *Grenzgewicht von ca. 500 g* anwachsen. Im Vordergrund steht das Wachstum der einzelnen Myokardfaser **(Hypertrophie)**. Als auslösender Reiz wird kurzzeitiger *O_2-Mangel im Herzmuskelgewebe* angesehen. Die kritische Grenze für die Myokardhypertrophie wird in erster Linie durch die Beeinträchtigung der O_2-Versorgungsbedingungen bestimmt. Da im Verlauf der Anpassungsvorgänge der Versorgungsbereich der einzelnen Capillare und die Zahl der Capillaren im Herzmuskelgewebe anwachsen, die vorgeschalteten Strombahnabschnitte aber weitgehend unverändert bleiben, kann eine ausreichende O_2-Versorgung der einzelnen Myokardfasern nur bis zum Grenzgewicht von etwa 500 g sichergestellt werden [20]. Der mittlere Radius einer Herzmuskelfaser beträgt unter Normalbedingungen ca. 8 µm und beim kritischen Herzgewicht ca. 13,5 µm.

Unter **pathophysiologischen Bedingungen** tritt nach Überschreiten des kritischen Herzgewichtes in zahlreichen Herzmuskelbezirken eine mangelhafte O_2-Versogung auf, die zum Untergang einzelner Herzmuskelfasern und zur Zerstörung des normalen Strukturgefüges im Myokard führt (*exzentrische Hypertrophie* und *Gefügedilatation*).

Neben den Anpassungserscheinungen im Herzen kann unter den geschilderten Bedingungen eine **Erhöhung der O_2-Kapazität des Blutes** auftreten. Bei häufig wiederholter Steigerung des O_2-Bedarfs der Organe beobachtet man wie unter den Bedingungen des O_2-Mangels beim Aufenthalt in großen Höhen (s. XXV-8) und bei Störungen des Atemgaswechsels in der Lunge eine *verstärkte Erythrocytenbildung und Hämoglobinsynthese*. Ausgelöst durch eine gesteigerte *Erythropoetin-Bildung* vorrangig in der Niere kommt es zur vermehrten Bildung oder Ausreifung von *Proerythroblasten*. Als Folge der Erhöhung der Erythrocytenzahl **(Erythrocytose)** und des Hämoglobingehaltes im Blut tritt eine Zunahme der O_2-Kapazität und damit bei unverändertem O_2-Partialdruck im arteriellen Blut ein Anstieg der arteriellen O_2-Konzentration auf. Da gleichzeitig jedoch die *Viscosität* des Blutes zunimmt und damit die Belastung des Herzens erhöht wird, sind der Anpassung durch die Erythrocytenvermehrung enge Grenzen gesetzt.

3.2. Ursachen mangelhafter O_2-Versorgung

Störungen des Atemgaswechsels in der Lunge oder Störungen des Atemgastransportes im Blut führen zu einer mangelhaften O_2-Versorgung der Organe und zur **Gewebe-Hypoxie** (P_{O_2} < normal) oder **Ge**webe-Anoxie (P_{O_2} = 0 mm Hg), sobald der O_2-Bedarf nicht mehr durch ein entsprechendes O_2-Angebot gedeckt werden kann. Unter den möglichen Ursachen einer O_2-Mangelversorgung stehen drei im Vordergrund: 1. die Erniedrigung des O_2-Partialdruckes im arteriellen Blut (*arterielle Hypoxie*), 2. die Herabsetzung der O_2-Kapazität des Blutes (*Anämie*) und 3. die Einschränkung der Organdurchblutung (*Ischämie*).

Arterielle Hypoxie. Veränderungen der alveolären Ventilation, der Diffusion zwischen der Alveolarluft und dem Lungencapillarblut und der Perfusion der Lunge können zu einer *Senkung des O_2-Partialdruckes* **(Hypoxie)** und der *O_2-Konzentration* **(Hypoxämie)** im *arteriellen Blut* führen. Infolge der gleichzeitigen *Erhöhung des arteriellen CO_2-Partialdruckes* **(Hyperkapnie)** tritt zusätzlich eine *respiratorische Acidose* auf. Vergleichbare Erniedrigungen des arteriellen O_2-Partialdruckes und der arteriellen O_2-Konzentration, die jedoch mit einer *Herabsetzung des CO_2-Partialdruckes* im arteriellen Blut **(Hypokapnie)** und einer *respiratorischen Alkalose* einhergehen, beobachtet man bei O_2-Mangel in der Inspirationsluft (Aufenthalt in großen Höhen, s. XXV-8).

Bei ausgeprägter arterieller Hypoxie ist die O_2-Versorgung der Gewebe eingeschränkt, körperliche Belastungen sind nur begrenzt möglich. Insbesondere in Organen mit hohem O_2-Bedarf kann unter diesen Voraussetzungen der O_2-Partialdruck des Capillarblutes auf sehr niedrige Werte absinken (Abb. 6 und

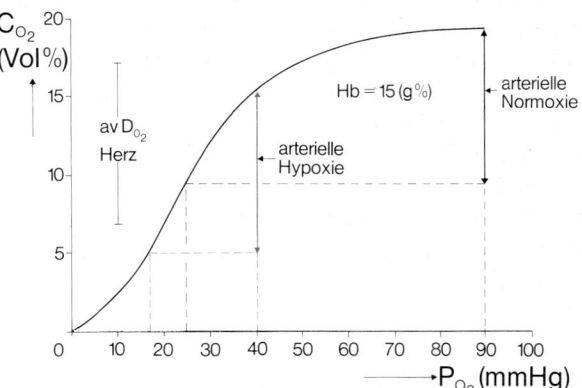

Abb. 6. Einfluß einer arteriellen Hypoxie (Pa_{O_2} = 40 mm Hg) auf den Abfall des O_2-Partialdruckes im Blut während der Capillarpassage, dargestellt für die Bedingungen im Myokard bei körperlicher Ruhe. Die O_2-Partialdruckänderungen im Capillarblut werden bei stark erniedrigtem arteriellem O_2-Partialdruck vorrangig vom steilen Mittelabschnitt der O_2-Bindungskurve bestimmt. Die Folge ist ein gegenüber der Normoxie verringerter O_2-Partialdruckabfall, der z.T. die ungünstigen Ausgangsbedingungen für die O_2-Versorgung der Gewebe auszugleichen vermag (Ordinate: O_2-Konzentration C_{O_2}; Abscisse: O_2-Partialdruck P_{O_2})

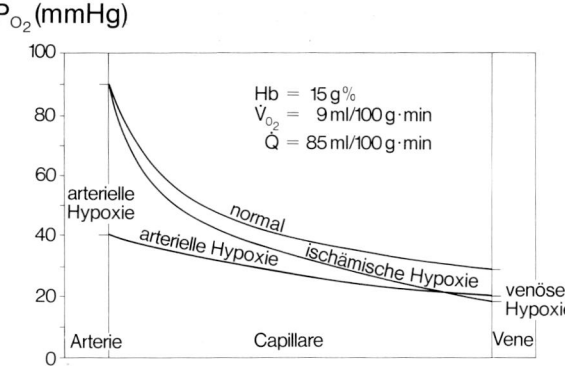

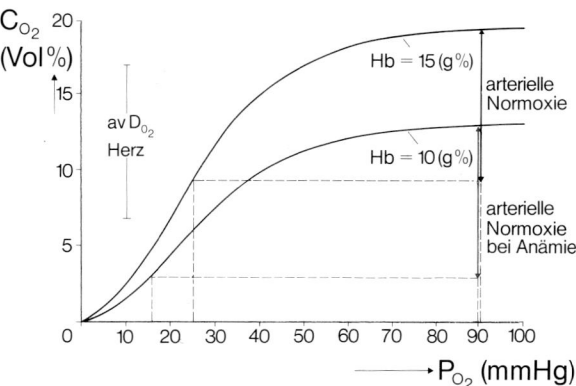

Abb. 7. Mittlerer O_2-Partialdruckabfall in den Capillaren der Großhirnrinde des Menschen unter Normalbedingungen, bei ischämischer Hypoxie (Reduktion der Durchblutungsgröße um $^1/_3$) und bei starker arterieller Hypoxie

Abb. 8. Einfluß einer Anämie (Hb = 10 g-%) auf die O_2-Partialdruckänderungen im Capillarblut, dargestellt für die Bedingungen im Myokard bei körperlicher Ruhe (Ordinate: O_2-Konzentration C_{O_2}; Abscisse: O_2-Partialdruck P_{O_2})

7), so daß eine **venöse Hypoxie** auftritt. Wie aus Abb. 6 zu entnehmen ist, werden die unter den Bedingungen einer ausgeprägten arteriellen Hypoxie beim Atemgaswechsel im Capillarblut der Organe auftretenden O_2-Partialdruckveränderungen vorrangig durch den Mittelabschnitt der effektiven O_2-Bindungskurve bestimmt, der die größte Steilheit aufweist. Da in diesem Kurvenbereich im Vergleich zum Ende der O_2-Bindungskurve gleichen O_2-Konzentrationsänderungen geringere O_2-Partialdruckänderungen zuzuordnen sind, stellt sich innerhalb der Capillaren bei gegenüber Normalbedingungen unveränderter arterio-venöser O_2-Konzentrationsdifferenz ein sehr flaches O_2-Partialdruckprofil ein, durch welches die ungünstigen Ausgangsbedingungen für die O_2-Versorgung der Gewebe z.T. ausgeglichen werden können. Für die Großhirnrinde ergeben sich bei einem arteriellen O_2-Partialdruck von 40 mm Hg die in Abb. 7 wiedergegebenen mittleren O_2-Partialdruckänderungen des Capillarblutes. Sobald das O_2-Partialdruckgefälle zwischen dem Blut und dem Gewebe nicht mehr ausreicht, um eine genügende O_2-Abgabe zu ermöglichen, fällt der O_2-Partialdruck in den vom venösen Capillarende versorgten Zellen unter den kritischen Wert für die Mitochondrien, und eine Einschränkung des Energieumsatzes ist die Folge.

Anämische Hypoxie. Jede Herabsetzung der O_2-Kapazität des Blutes als Folge eines *Blutverlustes* oder einer *mangelhaften Hämoglobinsynthese* (**Anämie**) sowie einer *Methämoglobinbildung* oder einer *CO-Vergiftung* (**funktionelle Anämie**) führt zu einer Abnahme der O_2-Konzentration im arteriellen Blut. Wie in Abb. 8 am Beispiel des Herzmuskelgewebes wiedergegeben, stellen sich unter diesen Bedingungen bei unveränderter O_2-Entnahme durch die Gewebe sehr niedrige O_2-Konzentrationen während der Capillarpassage im Blut ein. Der zugehörige O_2-

Partialdruck kann insbesondere am venösen Capillarende Werte erreichen (*venöse Hypoxie*), die eine ausreichende O_2-Diffusion zu den Orten des O_2-Verbrauches unmöglich machen.

Ischämische Hypoxie. Die *Einschränkung der Organdurchblutung* führt im Vergleich zu den Normalbedingungen zu einer stärkeren O_2-Ausschöpfung des Blutes während des Capillardurchflusses und zu einer *Vergrößerung der arterio-venösen Differenz der O_2-Konzentration*. Die direkte Folge ist ein im Vergleich zu Normalbedingungen besonders ausgeprägter O_2-Partialdruckabfall im Capillarblut, der durch die gleichzeitige Erniedrigung des O_2-Partialdruckgefälles zum Gewebe Ursache für eine mangelhafte O_2-Versorgung der Zellen werden kann (Abb. 7).

3.3. O_2-Therapie — O_2-Vergiftung

Eine O_2-Therapie kann bei Bestehen der geschilderten O_2-Mangelzustände in vielen Fällen zu einer Verbesserung der O_2-Versorgungsbedingungen in den Geweben führen. Ziel der O_2-Therapie ist es, durch die *Erhöhung des O_2-Partialdruckes* in der *Inspirationsluft* den O_2-Partialdruck im arteriellen Blut zu steigern. Man läßt die Patienten Gasgemische mit hohem O_2-Anteil bzw. reinen Sauerstoff atmen (**isobare O_2-Therapie**) oder behandelt sie in Druckkammern unter Überdruckbedingungen (**hyperbare O_2-Therapie**). Der Erfolg einer O_2-Therapie bei ischämischer und anämischer Hypoxie ist eingeschränkt, da unter diesen Bedingungen die arterielle O_2-Konzentration nur geringfügig durch die Erhöhung der physikalisch gelösten O_2-Menge gesteigert werden kann.
Eine *O_2-Therapie* kann nur zeitlich befristet durchgeführt werden, da sie anderenfalls eine **O_2-Vergiftung** zur Folge hat. Die Behandlung mit reinem Sauerstoff muß z.B. unter normalen Druckbedingungen auf etwa 4 Std begrenzt werden. Die starke *Erhöhung des O_2-Partialdruckes* in den Zellen (*Hyperoxie*) führt zu einer Beeinflussung zahlreicher Enzyme der Gewebeatmung. Beispielsweise wird die Oxidation von Glucose, Fructose und Brenztraubensäure bei Hyperoxie gehemmt. Als typische Zeichen einer

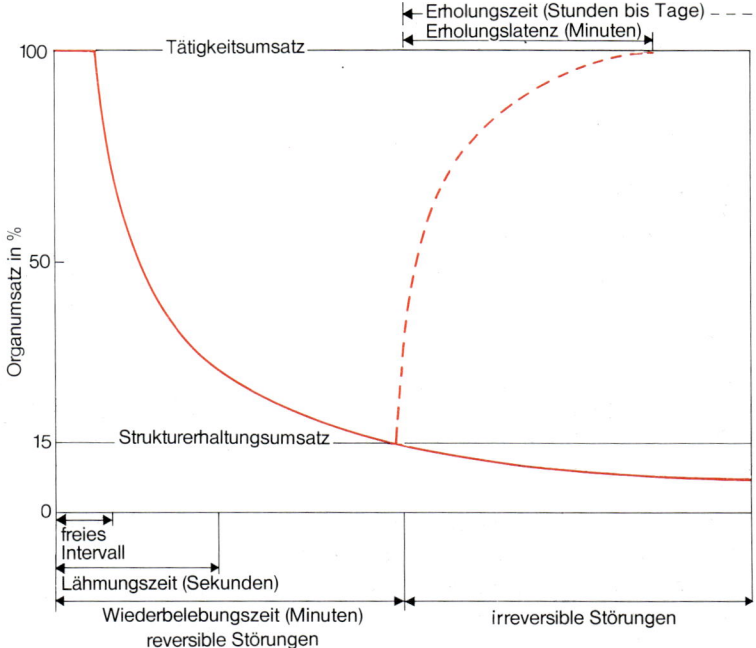

Abb. 9. Verhalten des Zellumsatzes nach akuter ischämischer Anoxie in schematischer Darstellung. Unten: Charakteristische Zeitintervalle, in denen nach Einsetzen der Gewebe-Anoxie reversible und irreversible Störungen auftreten. Gestrichelte Kur-ve: Veränderungen des Zellumsatzes nach rechtzeitiger Wiederherstellung einer Normoxie. Oben: Charakteristische Zeitintervalle der Erholung

O_2-Vergiftung treten *Schwindel* und *Krämpfe* auf. Das *Herzzeitvolumen* ist infolge eines erhöhten Vagustonus *erniedrigt*, die *Gehirn-* und *Nierendurchblutung* sind *eingeschränkt*. In der Lunge lassen sich Veränderungen der Alveolarmembran nachweisen, die Ursache für *Diffusionsstörungen* und die Flüssigkeitsansammlung in den Alveolen (*Lungenödem*) werden können. Bei Neugeborenen, die über Stunden und Tage mit reinem Sauerstoff behandelt worden waren, trat nach *Veränderungen der Retina* eine Einschränkung des Sehvermögens oder eine vollständige *Erblindung* auf.

Um eine O_2-Vergiftung auszuschließen, wendet man bei länger dauernder isobarer O_2-Therapie bei Erwachsenen Atemgasgemische mit einer O_2-Konzentration < 60 vol.-% und einem O_2-Partialdruck < 450 mm Hg an. Bei der Behandlung von Neugeborenen und Säuglingen werden Atemgasgemische benutzt, deren O_2-Anteil nicht größer als 40 Vol.-% und deren O_2-Partialdruck nicht größer als 300 mm Hg sein darf.

3.4. Reversible und irreversible Störung bei akuter Gewebe-Anoxie

Jede akute Gewebe-Anoxie, hervorgerufen durch die plötzliche Unterbrechung der O_2-Nachlieferung nach einem *Gefäßverschluß* oder durch eine starke arterielle *Hypoxie*, ruft nach einem kurzen **freien Intervall**, in dem die *Zellfunktion noch voll erhalten* ist, eine Einschränkung des Zellstoffwechsels und damit der Zellfunktion hervor. Sobald mit abnehmendem Energievorrat auch ein verminderter Tätigkeitsumsatz der Zelle nicht mehr möglich ist, tritt die vollständige *Lähmung der Zellfunktion* ein. Wie aus

Abb. 9 zu entnehmen, kann die Zellstruktur mit Hilfe der noch vorhandenen Energiereserven je nach Höhe des Energiebedarfs noch für Minuten bis Stunden aufrechterhalten werden, so daß die *Störungen zunächst reversibel* bleiben und eine erfolgreiche Wiederbelebung möglich ist. *Irreversible Zellschäden* und schließlich der *Zelltod* setzen ein, wenn der Strukturerhaltungsumsatz nicht mehr gewährleistet ist. Bei hochdifferenzierten Zellen wie z.B. Neuronen treten irreparable Schäden bei Normothermie nach etwa 10 min dauernder Anoxie auf. In der Skeletmuskulatur können unter vergleichbaren Bedingungen und bei normalem Energievorrat in der einzelnen Zelle die irreversiblen Zellstörungen erst nach einer Anoxiedauer von mehreren Stunden festgestellt werden.

Lähmungszeit — Wiederbelebungszeit. Unter der **Lähmungszeit** versteht man die Zeitspanne vom *Einsetzen der Gewebe-Anoxie bis zum vollständigen Erlöschen der Organfunktion*. Die **Wiederbelebungszeit** (*Strukturerhaltungszeit*) ist der Zeitraum, in dem *nach Gewebe-Anoxie eine vollständige Wiederbelebung des gesamten Organes möglich* ist.

Das **Gehirn** zeichnet sich durch eine besonders kurze Lähmungs- und Wiederbelebungszeit aus. Die vollständige Unterbrechung der Gehirndurchblutung führt nach kurzem freiem Intervall von ca. 4 s zu einer deutlichen Funktionseinschränkung und

nach 8–12 s zur vollständigen Lähmung der Organfunktion und zum Bewußtseinsverlust (*Lähmungszeit, Überlebenszeit der Organfunktion*). Gleichzeitig treten erste Veränderungen im EEG nach ca. 4–
6 s auf, nach 20–30 s erlischt die elektrische Spontanaktivität des Gehirngewebes (Nullinien-EEG,
s. VIII–1.3).

Eine erfolgreiche Wiederbelebung des Gehirns ist
nach plötzlicher Gewebe-Anoxie bei 37° C etwa bis
zur 8.–10. Minute möglich (*Wiederbelebungszeit des
Gehirns*). Bei kurzer Dauer der Anoxie-Phase kehrt
die Organfunktion nach 1 min dauernder Latenz
(**Erholungslatenz**) zurück. Bei einer ca. 4 min andauernden Hirnischämie beobachtet man eine Erholungslatenz von ca. 10 min. Die vollständige Erholung der Organfunktion ist jedoch häufig erst
nach Stunden oder Tagen möglich (**Erholungszeit**).
Nach einer Hirnischämie von 1 min Dauer beträgt
die Erholungszeit bereits 15 min. Für die **Niere** und
die **Leber** wurden Wiederbelebungszeiten von 3–
4 Std und Erholungszeiten von mehreren Tagen ermittelt. Die Wiederbelebungszeit des ruhenden
Herzens beträgt Stunden. Das tätige Herz jedoch ist
bereits nach 3–4 min langer Unterbrechung der Coronardurchblutung nicht mehr in der Lage, die normale Kreislauffunktion wieder aufzunehmen. Eine
akute Kreislaufunterbrechung nach einem Herzstillstand kann daher häufig trotz erfolgreicher
Wiederbelebung des Herzens nach wenigen Minuten zu irreversiblen Störungen des Gehirns und zum
Tode des Patienten führen, da das geschädigte Herz
in den nachfolgenden 4–5 min nicht den für eine
normale Gehirndurchblutung nötigen arteriellen
Mitteldruck entwickeln kann. Für die **Wiederbelebungszeit des gesamten Organismus** ergibt sich damit nur eine Zeitspanne von ca. 4 min. Sie ist erheblich kürzer als die Wiederbelebungszeiten aller lebenswichtigen Organe.

4. Literatur

1. BETZ, E.: Cerebral blood flow: its measurement and regulation. Physiol. Rev. **52**, 595 (1972).
2. BETZ, E.: Physiologie der Hirndurchblutung. In: Handbuch der Rönt-
   genheilkunde. Berlin-Heidelberg-New York: Springer (im Druck).
3. BRETSCHNEIDER, H.J.: Sauerstoffbedarf und -versorgung des Herzmuskels. Verh. dtsch. Ges. Kreisl.-Forsch. **27**, 32 (1961).
4. BRETSCHNEIDER, H.J.: Die hämodynamischen Determinanten des
   myokardialen Sauerstoffverbrauchs. In: Die therapeutische Anwendung β-sympathikolytischer Stoffe (Hrsg. DENGLER, H.J.), S. 45.
   Stuttgart, New York: Schattauer 1972.
5. BURTON, R., KREBS, H.A.: The free-energy changes associated with
   the individual steps of the tricarboxylic acid cycle, glycolysis and alco-

6. hol fermentation and with hydrolysis of the pyrophosphate groups of
   adenosintriphosphate. Biochem. J. **54**, 94 (1953).
6. CHANCE, B., SCHOENER, B., SCHINDLER, F.: The intracellular oxidation-
   reduction state. In: Oxygen in the Animal Organism (Hrsg. DICKENS,
   F., NEIL, E.), S. 367. Oxford: Pergamon Press 1964.
7. DEETJEN, P.: Normal and critical oxygen supply of the kidney. In:
   Oxygen Transport in Blood and Tissue (Hrsg. LÜBBERS, D.W., LUFT,
   C., THEWS, G., WITZLEB, E.), S. 212. Stuttgart: Thieme 1968.
8. GOLENHOFEN, K.: Skeletmuskel. In: Lehrbuch der Physiologie in Ein-
   zeldarstellungen, Physiologie des Kreislaufs, Bd. 1, S. 385. Berlin-Heidelberg-New York: Springer 1971.
9. GREENWAY, C.V., STARK, R.D.: Hepatic vascular bed. Physiol. Rev.
   51, 23, (1971).
10. GROTE, J.: Die Sauerstoffspannung im Gehirngewebe. In: Hydrody-
    namik, Elektrolyt- und Säure-Basen-Haushalt im Liquor und Nerven-
    system (Hrsg. KIENLE, G.), S. 41. Stuttgart: Thieme 1967.
11. GROTE, J., THEWS, G.: Die Bedingungen für die Sauerstoffversorgung
    des Herzmuskelgewebes. Pflügers Arch. ges. Physiol. **276**, 142 (1962).
12. GROTE, J., THEWS, G.: Respiratory gas transport in heart. In: Oxygen
    Transport to Tissue, Instrumentation, Methods, and Physiology
    (Hrsg. BICHER, H.I., BRULEY, D.F.), S. 525. New York: Plenum Press
    1973.
13. HIRSCH, H.: Gehirn. In: Lehrbuch der Physiologie in Einzeldarstel-
    lungen, Physiologie des Kreislaufs, Bd. 1, S. 145. Berlin-Heidelberg-
    New York: Springer 1971.
14. KRAMER, K., THURAU, K., DEETJEN, P.: Hämodynamik des Nieren-
    marks. 1. Mitteilung: Capilläre Passagezeit, Blutvolumen, Durchblu-
    tung, Gewebshämatokrit und O_2-Verbrauch des Nierenmarks in situ.
    Pflügers Arch. ges. Physiol. **270**, 251 (1960).
15. KREUZER, F.: Facilitated diffusion of oxygen and its possible signifi-
    cance; a review. Respir. Physiol. **9**, 1 (1970).
16. KROGH, A.: The number and distribution of capillaries in muscles with
    calculations of the oxygen pressure head necessary for supplying the
    tissue. J. Physiol. (Lond.) **52**, 409 (1918/19).
17. KUNZE, K.: Das Sauerstoffdruckfeld im normalen und pathologisch
    veränderten Muskel. In: Schriftenreihe Neurologie, Bd. 3. Berlin-Hei-
    delberg-New York: Springer 1969.
18. LASSEN, N.A.: Cerebral blood flow and oxygen consumption in man.
    Physiol. Rev. **39**, 183 (1959).
19. LENFANT, C., AUCUTT, C.: Oxygen uptake and change in carbon di-
    oxide tension in human blood stored at 37° C. J. appl. Physiol. **20**, 503
    (1965).
20. LINZBACH, A.J.: Pathologische Anatomie der Herzinsuffizienz. In:
    Handbuch d. inn. Med., 4. Aufl., Bd. 9, S. 706. Berlin-Göttingen-Hei-
    delberg: Springer 1960.
21. LOCHNER, W.: Herz. In: Lehrbuch der Physiologie in Einzeldarstel-
    lungen, Physiologie des Kreislaufs, Bd. 1, S. 185. Berlin-Heidelberg-
    New York: Springer 1971.
22. LÜBBERS, D.W.: Local tissue P_{O_2}: its measurement and meaning. In:
    Oxygen Supply, Theoretical and Practical Aspects of Oxygen Supply
    and Microcirculation of Tissue (Hrsg. KESSLER, M., BRULEY, D.F.,
    CLARK, L.C., LÜBBERS, D.W., SILVER, I.A., STRAUSS, J.), S. 151. Mün-
    chen, Berlin, Wien: Urban u. Schwarzenberg 1973.
23. LUTZ, J., BAUEREISEN, E.: Abdominalorgane. In: Lehrbuch der Phy-
    siologie in Einzeldarstellungen, Physiologie des Kreislaufs, Bd. 1, S.
    229. Berlin-Heidelberg-New York: Springer 1971.
24. Lutz, J., Hennich, H., Bauereisen, E.: Oxygen supply and uptake
    in the liver and the intestine. Pflügers Arch. **360**, 7 (1975)
25. STARLINGER, H., LÜBBERS, D.W.: Polarographic measurements of the
    oxygen pressure performed simultaneously with optical measure-
    ments of the redox state of the respiratory chain in suspensions of mi-
    tochondria under steady-state conditions at low oxygen tension. Pflü-
    gers Arch. ges. Physiol. **341**, 15 (1973).
26. THEWS, G.: Der Transport der Atemgase. Klin. Wschr. **41**, 120 (1963).
27. THURAU, K.: Niere. In: Lehrbuch der Physiologie in Einzeldarstel-
    lungen, Physiologie des Kreislaufs, Bd. 1, S. 293. Berlin-Heidelberg-
    New York: Springer 1971.
28. Vaupel, P., Wendling, P., Thomé, H., Fischer, J.: Atemgaswechsel
    und Glucoseaufnahme der menschlichen Milz in situ. Klin. Wschr.
    55, 239 (1977)

Vierter Teil

Energiewechsel
Stoffaufnahme
und -ausscheidung
Endokrine Regulation

XXIII. Energiehaushalt (H.-V. Ulmer)

1. Energieumsatz

Der **Energieumsatz** ist Kennzeichen einer jeden lebenden Zelle; energiereiche Nährstoffe werden aufgenommen, umgesetzt und schließlich energieärmere Stoffwechselendprodukte ausgeschieden (S. 507). Die dabei freiwerdende Energie steht den Zellen für verschiedene Aufgaben zur Verfügung, u.a. für die *Aufrechterhaltung von Struktur und Arbeitsbereitschaft* sowie für *spezifische Zelleistungen* (z.B. Kontraktion von Muskelzellen).

Unter **Anabolismus** versteht man dabei den Aufbau spezifischer, körpereigener Substanzen aus den aufgenommenen Nährstoffen, unter **Katabolismus** den Abbau von körpereigenen Substanzen oder von aufgenommenen Nährstoffen im Rahmen des Intermediärstoffwechsels. Fette und Kohlenhydrate werden überwiegend zum **Betriebsstoffwechsel** benötigt, während die Eiweiße überwiegend dem **Baustoffwechsel** dienen.

Dimensionen. Der Energieumsatz wurde üblicherweise in Kilocalorien (kcal) pro Zeiteinheit angegeben. Nach neuen internationalen Richtlinien soll als einheitliches Energiemaß die Grundeinheit Joule (J) eingeführt werden. Dabei gilt (s. Anhang):
1 Joule = 1 Wattsekunde = $2,39 \cdot 10^{-4}$ kcal,
1 kcal = 4187 Joule = 4,187 kJ.

Wirkungsgrad. Wird von einer Zelle äußere Arbeit verrichtet, entsteht entsprechend dem 2. Hauptsatz der Thermodynamik bei der Energieumsetzung zwangsläufig *Wärme*. Ähnlich wie bei Kraftmaschinen kann somit ein *Wirkungsgrad (η) oder Nutzeffekt* berechnet werden, der immer kleiner als 100% sein muß. Dabei gilt:

$$\eta\,(\%) = \frac{\text{äußere Arbeit}}{\text{umgesetzte Energie}} \cdot 100.$$

Der Wirkungsgrad beträgt beim *isolierten Muskel* günstigstenfalls *35%;* beim *Gesamtorganismus* erreicht er *während Muskelarbeit* selten Werte über *25%.*

Gesamtumsatz. Der Gesamtumsatz ergibt sich als Summe aus abgegebener Energie (äußere Arbeit, Wärme) und gespeicherter Energie (Nährstoffdepots, Baustoffwechsel). Somit gilt: *Der Gesamtumsatz ist die Summe aus äußerer Arbeit, abgegebener Wärme und gespeicherter Energie.*

2. Umsatzgrößen

2.1. Umsatzgrößen der Zelle

Für die lebende Zelle werden schematisch 3 wichtige Umsatzgrößen unterschieden:

Der **Tätigkeitsumsatz** entspricht dem Energieumsatz einer *aktiven Zelle;* sein Ausmaß richtet sich nach deren jeweiligem Aktivitätsgrad.

Der **Bereitschaftsumsatz** entspricht dem Energieumsatz, den eine Zelle zur Aufrechterhaltung ihrer *sofortigen, uneingeschränkten Funktionsbereitschaft* benötigt. Hierzu gehört beispielsweise die Aufrechterhaltung bestimmter Konzentrationsdifferenzen für Na^+- und K^+-Ionen.

Der **Erhaltungsumsatz** entspricht dem minimalen Energieumsatz, der für die *Erhaltung der Zellstruktur* unbedingt notwendig ist. Wird er unterschritten, treten irreversible Zellschäden auf; die Zelle stirbt ab.

Die Unterteilung in die drei genannten Umsatzgrößen ist wichtig, wenn man die *Auswirkungen von Störungen des Energieumsatzes* auf die einzelne Zelle oder auf ein isoliertes Organ beurteilen will. Störungen entstehen beispielsweise durch Drosselung der Sauerstoffzufuhr bzw. der Durchblutung und durch Vergiftungen.

Abb. 1 zeigt schematisch das Verhältnis der drei Umsatzgrößen zueinander. Dabei wird der Energieumsatz einer Gehirnzelle bei geistiger und körperlicher Ruhe mit 100% angesetzt.

Für den **Gesamtorganismus** gelten andere Bedingungen als für ein isoliertes Organ. Wird beispielsweise der Energieumsatz der Atmungsmuskulatur oder des Herzmuskels auf den Bereitschaftsumsatz

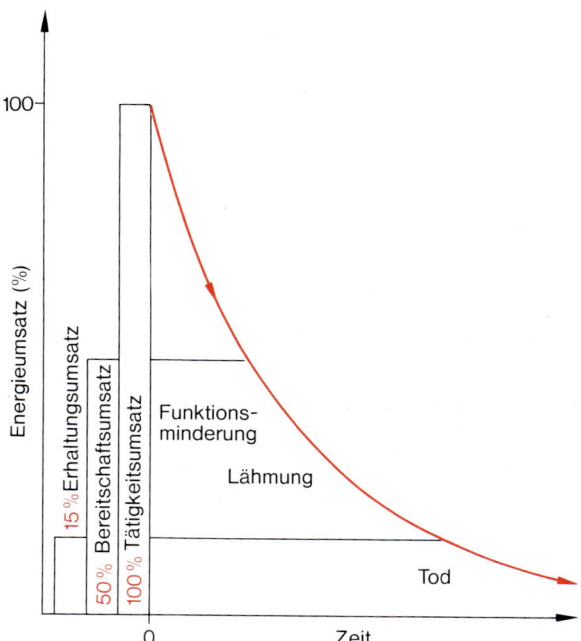

Abb. 1. Schematische Darstellung zur Bedeutung von Erhaltungsumsatz, Bereitschaftsumsatz und Tätigkeitsumsatz. Die Prozentangaben sind ungefähre Anhaltspunkte. In Anlehnung an [13]

reduziert, so erlischt deren Aktivität. Damit sterben alle Zellen ab, weil ein Überleben des Gesamtorganismus ohne Atem- und Herztätigkeit nicht möglich ist.

Bei **Störungen der Energiezufuhr** wird die Zelltätigkeit nicht sofort beeinträchtigt, da die Zelle über Energiereserven verfügt (S. 547). Die Zeitspanne bis zum Eintreten von Funktionsausfällen hängt allerdings sehr von der Art des Organs ab. Ist das *Gehirn* betroffen, stellen sich *infolge kompletter Ischämie* (S. 153) *nach ca. 10 s Bewußtlosigkeit* und *nach 3–8 min irreversible Schäden* ein; ist der *ruhende Skeletmuskel* betroffen, wird bei Ischämie der Erhaltungsumsatz erst nach *1–2 h* unterschritten.

2.2. Umsatzgrößen des Gesamtorganismus

Ruheumsatz. Der Energieumsatz eines ruhenden Organismus kann nicht identisch mit der Summe der Bereitschaftsumsätze aller Zellen sein, da sich einige Organe *stets in Tätigkeit* befinden, wie *Gehirn, Herz, Atemmuskulatur, Leber* und *Nieren*.

Der Ruheumsatz bei geistiger und körperlicher Ruhe stellt keine genau definierte Größe dar, da er von verschiedenen Einflußgrößen abhängt. Um eine Vergleichbarkeit zu ermöglichen, hat man daher die Bedingungen für einen Standard-Umsatz festgelegt und die unter diesen Bedingungen gemessene Größe Grundumsatz genannt.

Grundumsatz. Als Grundumsatz bezeichnet man denjenigen Energieumsatz, der unter folgenden vier Bedingungen gemessen wird: 1. morgens, 2. in Ruhe (liegend), 3. nüchtern, 4. bei Indifferenztemperatur.

Dieser *morgendliche Ruhe-Nüchternumsatz bei Indifferenztemperatur* hat früher in der klinischen Diagnostik von Schilddrüsenerkrankungen eine große Rolle gespielt (S. 668). Heute gibt es andere Methoden zur Prüfung der Schilddrüsenfunktion, wie z.B. Untersuchungen mit radioaktiv markiertem Jod oder Bestimmungen der Schilddrüsenhormone im Blut, so daß der Grundumsatz nur noch verhältnismäßig selten zur Diagnostik herangezogen wird.

Eine Betrachtung der vier Grundumsatzbedingungen zeigt anschaulich die möglichen *Einflußgrößen auf den Energieumsatz* eines Menschen:

1. Der Energieumsatz unterliegt auch bei Einhaltung der anderen Grundumsatzbedingungen **tagescyclischen Schwankungen** mit einem Anstieg am Vormittag und einem Abfall während der Nacht.

2. Bei *körperlicher* und *geistiger* **Arbeit** steigt der Energieumsatz an, da die Zahl derjenigen Zellen zunimmt, deren Umsatz über dem Bereitschaftsumsatz liegt. In beiden Fällen handelt es sich im wesentlichen um Änderungen des Energieumsatzes der Muskulatur (s. Arbeitsumsatz und Abb. 2).

3. Durch **Nahrungsaufnahme** und die sich daran anschließenden Stoffwechselprozesse steigt der Energieumsatz an, insbesondere nach Eiweißaufnahme. Man bezeichnet diesen Effekt als „*spezifisch-dynamische Wirkung*" (S. 568). Die Umsatzsteigerung

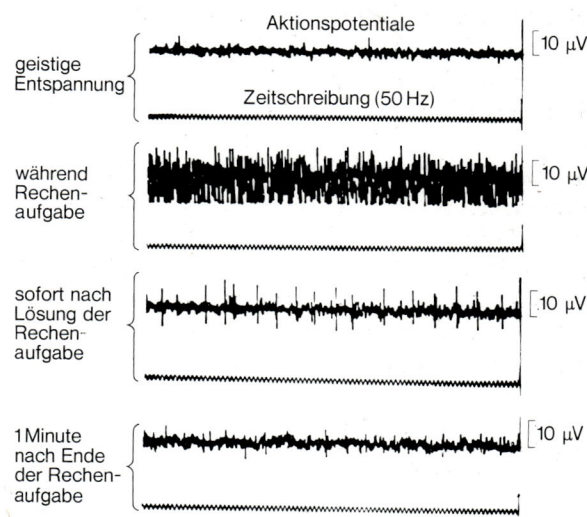

Abb. 2. Reflektorische Erhöhung des Muskeltonus bei geistiger Arbeit. Anhand der vom Unterarm abgeleiteten Muskel-Aktionspotentiale (EMG) erkennt man deutlich die erhöhte Muskelaktivität während geistiger Arbeit. In Anlehnung an [6]

nach Nahrungsaufnahme kann bis zu 12 h anhalten, nach Aufnahme größerer Eiweißmengen bis zu 18 h.

4. Bei Abweichungen der **Umgebungstemperatur** vom *Indifferenzbereich* (S. 533) ändert sich der Energieumsatz; Abweichungen der Temperatur nach oben, besonders aber nach unten, führen zu Umsatzsteigerungen.

Leber und ruhende Skeletmuskulatur sind zur Hälfte am Grundumsatz beteiligt (Tabelle 1). Deshalb kann der Energieumsatz des Menschen im Schlaf oder in Narkose unter den Grundumsatz sinken (Abnahme des Muskeltonus). Auch im Hungerzustand ist dies der Fall (Abnahme des Leberumsatzes).

Tabelle 1. Anteil verschiedener Organsysteme am Grundumsatz des Menschen. Aus [16]

Organ	Anteil am Grundumsatz	
Leber	26%	} 52%
Skeletmuskel	26%	
Gehirn	18%	
Herz	9%	
Nieren	7%	
	86%	
Rest (übrige Gewebe)	14%	

Grundumsatz-Sollwerte. Bei strenger Einhaltung der Grundumsatzbedingungen kann man bei Gesunden Unterschiede des Grundumsatzes finden, die von 4 Faktoren abhängen: *Alter, Geschlecht, Körperlänge* und *-gewicht* (Abb. 3). Unter Berücksichtigung dieser Faktoren wurden **Sollwert-Tabellen** er-

stellt, die sich auf Reihenuntersuchungen stützen, u.a. von BOOTHBY und DuBOIS [16], FLEISCH [16], HARRIS und BENEDICT [7] (ausführliche Fassung in [2], Kurzfassung in [14]), sowie KESTNER und KNIPPING [8].

Geringe Unterschiede der Sollwert-Angaben verschiedener Tabellen beruhen u.a. darauf, daß sie sich auf Nordamerikaner, Schweizer oder Deutsche beziehen. Durchschnittswerte und „Normalwerte" (S. 561) hängen stets von dem jeweils zugrunde gelegten Probandenkollektiv ab. — In der Regel kann der Grundumsatz des Erwachsenen grob mit *1 kcal/ kg·h* (4,2 kJ/kg·h) angesetzt werden; das sind bei einem 70 kg schweren Menschen etwa 1700 kcal/ Tag.

Arbeitsumsatz. Bei *körperlicher Arbeit* steigt der Energieumsatz an, wobei man in Abhängigkeit von der Umsatzhöhe eine graduelle *Einteilung der Arbeitsschwere* vornimmt. Als Ausgangswert dient dabei der **Freizeitumsatz** (Energiebedarf eines nicht körperlich arbeitenden Menschen). Er beträgt für Männer rund **2300 kcal pro Tag** und entspricht dem täglichen *Gesamtumsatz weiter Bevölkerungsschichten,* die als „Schreibtisch-Arbeiter" keinen wesentlichen körperlichen Belastungen unterliegen.

Den darüber hinausgehenden Energieumsatz bezeichnet man als **Arbeitsumsatz** *im engeren Sinne* oder als **Leistungszuschlag.** Um das Ausmaß einer Beanspruchung des Organismus durch körperliche Arbeit abschätzen zu können, unterteilt man in Bereiche von je 500 kcal. Bei *leichter* körperlicher Arbeit steigt der Energieumsatz um 1 × 500 kcal pro Tag, bei *mäßiger* Arbeit um 2 × 500, bei *mittelschwerer* Arbeit um 3 × 500, bei *schwerer* Arbeit um 4 × 500 und bei *Schwerstarbeit* um 5 × 500 kcal pro Tag an. Bei körperlicher **Schwerstarbeit** finden wir demnach durchschnittliche Energieumsatzwerte bis zu **4800 kcal pro Tag;** das entspricht etwa dem *Dreifachen des Grundumsatzes. Bei Frauen* wurde aufgrund des geringeren mittleren Körpergewichts ein Höchstwert von *3700 kcal pro Tag* ermittelt (Tabelle 2). Beide Werte stellen eine Grenze dar, die bei beruflicher Arbeit über Jahre hinaus selten ohne gesundheitliches Risiko überschritten werden kann.

Bei *geistiger Arbeit* beobachtet man ebenfalls eine Zunahme des Energieumsatzes, woran aber das Gehirn kaum beteiligt ist. Im Gehirn findet lediglich eine Verlagerung der Aktivität innerhalb verschiedener Abschnitte statt; selbst im *Schlaf* lassen sich keine wesentlichen Änderungen des Energieumsatzes im Gehirn nachweisen. Ursache der Umsatzerhöhung bei geistiger Arbeit ist eine reflektorisch bedingte *Zunahme des Muskeltonus* (Abb. 2).

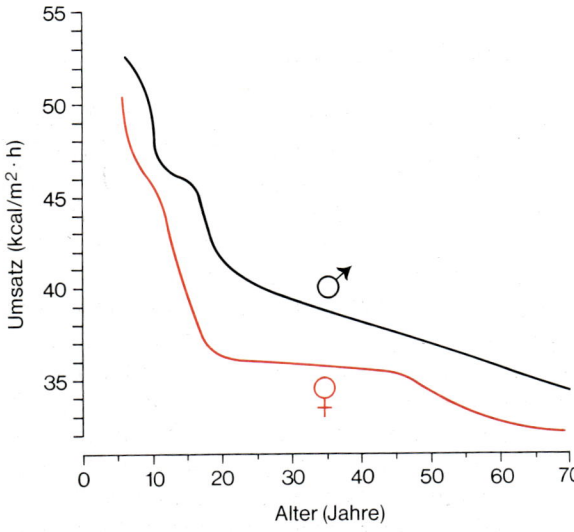

Abb. 3. Abhängigkeit des relativen Grundumsatzes (in kcal/ m²·h) vom Lebensalter und Geschlecht. Die Körperoberfläche (m²) hängt von Körperlänge und -gewicht ab (S. 581). Nach [3]

Tabelle 2. Zusammenstellung verschiedener Energieumsätze unter typischen Bedingungen (angegeben in kcal und in kJ, gerundete Werte) sowie der entsprechenden Werte für die Sauerstoffaufnahme (s. 3.2)

Umsatzbedingung	Energieumsatz		Sauerstoffaufnahme (ml/min)
Grundumsatz eines 70 kg schweren Menschen	♀ 1 500 kcal/Tag	6 300 kJ/Tag	215
	♂ 1 700 kcal/Tag	7 100 kJ/Tag	245
Grundumsatz plus Freizeitbedarf	♀ 2 000 kcal/Tag	8 400 kJ/Tag	290
	♂ 2 300 kcal/Tag	9 600 kJ/Tag	330
Gesamtumsatz bei Schwerstarbeit (zulässige Grenze für jahrelange Arbeit)	♀ 3 700 kcal/Tag	15 500 kJ/Tag	535
	♂ 4 800 kcal/Tag	20 100 kJ/Tag	690
Grundumsatz pro kg Körpergewicht	1 kcal/Std	4,2 kJ/Std	3,5
Gesamtumsatz bei sportlichen Ausdauerleistungen (überdurchschnittliche Leistungsfähigkeit)	1 000 kcal/Std	4 200 kJ/Std	3 500

3. Meßmethoden

Die Methoden zur Bestimmung des Energieumsatzes lassen sich nach mehreren Gesichtspunkten unterteilen. Es gibt Verfahren, bei denen *direkt* die Wärmeabgabe oder *indirekt* die Wärmeproduktion gemessen wird, wobei man sich *offener* oder *geschlossener* Systeme bedient, die *transportabel* oder nur *ortsfest* eingesetzt werden können und die eine *kontinuierliche* oder *diskontinuierliche* Bestimmung des Energieumsatzes gestatten.

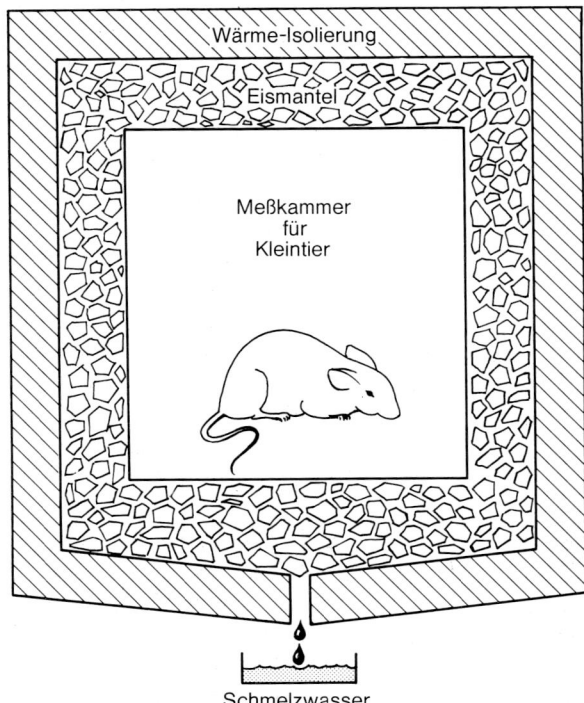

Abb. 4. Prinzip des direkten Calorimeters für Kleintiere nach LAVOISIER [9]. Das abfließende Schmelzwasser stellt ein direktes Maß für die abgegebene Wärmemenge dar

3.1. Direkte Calorimetrie

Diese Methode beruht auf der direkten Messung der vom Organismus *abgegebenen Wärmemenge*. Schon LAVOISIER beschäftigte sich um 1780 mit der Messung der Wärmeabgabe lebender Organismen. Sein Calorimeter (Abb. 4) erfaßte direkt und fortlaufend die abgegebene Wärmemenge, allerdings nicht unter Grundumsatzbedingungen. Geräte für die Messung der direkten Wärmeabgabe des Menschen sind ausgesprochen aufwendig und besitzen heute fast nur noch historischen Wert. Beim Vergleich von Nährstoffbilanzen mit Ergebnissen der direkten Calorimetrie konnte allerdings der Beweis dafür angetreten werden, daß das *Gesetz von der Erhaltung der Energie auch für Lebewesen gilt*; außerdem konnte die Gültigkeit der indirekten Verfahren mit derartigen Calorimetern bewiesen werden.

3.2. Indirekte Calorimetrie

Die indirekte Calorimetrie beruht auf der Messung der vom Organismus aufgenommenen **Sauerstoffmenge**. Da bei jeder biologischen Oxidation Sauerstoff verbraucht wird, ist mit diesem Verfahren eine Bestimmung des Energieumsatzes möglich. Man hat auch versucht, die CO_2-*Abgabe* als Maß für die produzierte Wärmemenge einzusetzen. Wegen der großen CO_2-Speicherfähigkeit des Organismus ist jedoch nicht genügend gewährleistet, daß die abgegebene CO_2-Menge der augenblicklich produzierten CO_2-Menge entspricht. Da hingegen die O_2-*Speicherkapazität des Organismus nur gering* ist, läßt sich anhand der über die Lunge in den Organismus aufgenommenen Sauerstoffmenge die von den Geweben utilisierte Sauerstoffmenge ermitteln und daraus der Energieumsatz berechnen.

Berechnungsgrundlagen. Für die Ermittlung des Energieumsatzes aus Werten für die Sauerstoffaufnahme wird von folgenden Grundlagen ausgegangen:

Für die **Glucose-Verbrennung** gilt:

$$C_6H_{12}O_6 + 6\,O_2 \rightarrow 6\,CO_2 + 6\,H_2O + 675 \text{ kcal.} \qquad (1)$$

Der Betrag von 675 kcal pro Mol Glucose entspricht der insgesamt freiwerdenden Energie (*Enthalpie*), von der nur ein Teil für die Zellfunktionen nutzbar gemacht werden kann (*freie Enthalpie* [11]).

Brennwert. Da 1 Mol Glucose einer Menge von 180 g und 6 Mol Sauerstoff einem Volumen von $6 \times 22{,}4$ Liter = 134,4 Liter entsprechen, gilt: Bei Verbrennung von 1 g Glucose werden 675:180 = 3,75 kcal frei (**Brennwert** der Glucose: 3,75 **kcal/g**, S. 568).

Calorisches Äquivalent. Bezieht man die freiwerdende Energie auf den verbrauchten Sauerstoff, entstehen 675 kcal : 134,4 Liter = 5,02 **kcal pro Liter** O_2. Dieser Wert wird als **calorisches Äquivalent** bezeichnet; es entspricht der pro Liter Sauerstoff freiwerdenden Energie. Da das üblicherweise in der Nahrung vorkommende Kohlenhydrat-Gemisch einen etwas höheren Brennwert als die Glucose aufweist, beträgt das calorische Äquivalent bei Kohlenhydratverbrennung 5,05 kcal pro Liter O_2 (Tabelle 3).

Respiratorischer Quotient. Bei der Glucoseverbrennung wird genauso viel Kohlendioxid abgegeben, wie an Sauerstoff aufgenommen wird; der **Respiratorische Quotient** als

$$RQ = \frac{\dot{V}_{CO_2}}{\dot{V}_{O_2}} \left(\frac{CO_2\text{-Abgabe}}{O_2\text{-Aufnahme}} \right)$$

ist gleich 1. Der *RQ von 1,0* stellt somit ein *wichtiges Kennzeichen der Kohlenhydrat-Verbrennung* dar.

Tabelle 3. Gegenüberstellung von Respiratorischem Quotienten (RQ) und calorischem Äquivalent (kcal/l O_2) der Nährstoffe

	RQ	kcal/l O_2	kJ/l O_2
Kohlenhydrate	1,00	5,05	21,1
Fette	0,70	4,69	19,6
Eiweiße	0,81	4,48	18,8

Berechnungsbeispiel. Unter Ruhebedingungen wurde eine Sauerstoffaufnahme von 280 ml/min (Normvolumen, STPD, S. 526) und, was selten der Fall ist, ein RQ von 1,00 ermittelt. Der Energieumsatz beträgt dann $0{,}280 \cdot 5{,}05 = 1{,}414$ kcal/min = 2036 kcal/Tag, bzw. 5,92 kJ/min = 8525 kJ/Tag.

Für die **Fett-Verbrennung** gelten ähnliche Beziehungen. Da die Fettsäuren pro Atom Kohlenstoff weniger Sauerstoff enthalten als die Kohlenhydrate, ergibt sich ein deutlich erniedrigter RQ-Wert (0,7). Bei alleiniger Verbrennung von **Nahrungseiweißen** findet man einen RQ von 0,81 (Tabelle 3).

Endprodukte des Katabolismus. Dazu gehören u.a. Wasser (ca. 350 ml pro Tag), Kohlendioxid (ca. 230 ml pro min), Kohlenmonoxid (ca. 0,007 ml pro min), ferner Harnstoff (ca. 30 g pro Tag), weitere N-haltige Substanzen (ca. 6 g pro Tag) sowie andere harnpflichtige Stoffe.

Harnstoff ist das typische Endprodukt des *Eiweißabbaus*, so daß bei gemischter Kost anhand der ausgeschiedenen Mengen an Harnstoff und anderer N-haltiger Substanzen der Eiweißumsatz ermittelt werden kann. Da Eiweiße einen durchschnittlichen Stickstoffgehalt von 16% aufweisen, muß man die im Urin gefundene Stickstoffmenge mit 6,25 multiplizieren, um diejenige Eiweißmenge zu erhalten, die am Energieumsatz beteiligt war. Der *Eiweißumsatz,* der im wesentlichen dem *Baustoffwechsel* dient, bleibt jedoch weitgehend *konstant*, da eine ausgewogene, mitteleuropäische Kost rund 15% der Gesamtcalorien in Form von Eiweißen enthält. Die Fett- und Kohlenhydrat-Anteile hingegen unterliegen erheblichen Schwankungen, so daß Änderungen des RQ im wesentlichen hierdurch bedingt sind. Daher kann man aus dem *RQ* das *Verhältnis von Fett- zu Kohlenhydratabbau* berechnen und angeben, wieviel Kilocalorien umgesetzt werden, wenn 1 Liter Sauerstoff aufgenommen wird (Tabelle 4). Bei Änderungen des RQ um 0,1 Einheiten ändert sich das calorische Äquivalent um 0,12 kcal bzw. 0,5 kJ pro Liter O_2. Auf der Basis von Tabelle 4 ist mit dem Verfahren der indirekten Calorimetrie eine genaue Ermittlung des Energieumsatzes möglich.

Berechnungsbeispiel. Wie beim vorherigen Beispiel wurde eine Sauerstoffaufnahme von 280 ml/min ermittelt, jedoch ein RQ von 0,82 (Durchschnittswert; cal. Äquivalent: 4,83 kcal/l O_2). Der Energieumsatz beträgt dann: $0{,}280 \cdot 4{,}83 = 1{,}352$ kcal/min = 1947 kcal/Tag. Der Unterschied zum vorherigen Rechenbeispiel beträgt 89 kcal/Tag oder 4%.

Tabelle 4. Abhängigkeit des calorischen Äquivalents vom RQ ohne Berücksichtigung des Eiweißanteils von 15% am Gesamtumsatz. Durchschnittlicher respiratorischer Quotient: 0,82.

RQ	kcal/l O_2	kJ/l O_2
1,0	5,05	21,1
0,9	4,93	20,6
0,82	**4,83**	**20,2**
0,8	4,81	20,1
0,7	4,69	19,6

Abhängigkeit des RQ. Der Quotient aus Kohlendioxidabgabe und Sauerstoffaufnahme hängt von 3 Einflußgrößen ab.

1. Nährstoff-Abbau. Wie beschrieben, beträgt der RQ bei Kohlenhydratverbrennung 1,0, bei Fettverbrennung 0,7 und bei Eiweißverbrennung 0,81 (Tabelle 3).

2. Nährstoff-Umbau. Bei überwiegender Kohlenhydratzufuhr werden Kohlenhydrate zu Fetten umgebaut (*Kohlenhydrat-Mast*). Da Fette weniger Sauerstoff als Kohlenhydrate enthalten, wird zusätzlicher Sauerstoff frei, entsprechend sinkt die über die Lunge aufgenommene Sauerstoff-Menge und der *RQ wird größer*. In Extremfällen wurde bei der Gänsemast ein RQ von 1,38 und bei der Schweinemast ein RQ von 1,58 gemessen. Beim *Hungern* und bei *Diabetikern* beobachtet man bis auf *0,6 erniedrigte* RQ-Werte. Dies beruht auf vermehrtem Fett- und Eiweißumbau bei vermindertem Glucose-Stoffwechsel (Verbrauch der Glykogenreserven bzw. Verwertungsstörung).

3. Hyperventilation (S. 472). Beim Hyperventilieren wird vermehrt CO_2 abgeatmet, das aus den großen CO_2-Speichern in Gewebe und Blut stammt und nicht aus dem Stoffwechsel. Die Sauerstoffaufnahme bleibt jedoch unverändert, da Blut und Gewebe keine zusätzlichen Sauerstoffmengen speichern können. In der *Übergangsphase* bis zum Erreichen eines neuen, erniedrigten CO_2-Partialdrucks in Blut und Gewebe findet man daher einen deutlich *erhöhten RQ*, z.T. bis 1,4. *Ursachen* einer Hyperventilation sind u.a.: Willkürinnervation (z.B. Aufblasen einer Luftmatratze), nichtrespiratorische Acidose (S. 503, z.B. während und nach erschöpfender Arbeit, S. 550, RQ bis 1,4), psychische und emotionelle Belastungen (z.B. Aufregungs-Hyperventilation) sowie künstliche Beatmung mit Vorgabe eines zu großen Atemzeitvolumens.

Solange man bei der indirekten Calorimetrie nicht sicher ist, ob ein gemessener **„respiratorischer RQ"** den katabolen Stoffwechselbedingungen entspricht (**„metabolischer RQ"**), sollte man einen Durchschnittswert für das calorische Äquivalent von 4,83 kcal/l O_2 (20,2 kJ/l O_2) annehmen (entsprechend einem metabolischen RQ von 0,82). Wie Tabelle 4 zeigt, sind die Schwankungen des calorischen Äquivalents in Abhängigkeit vom RQ nicht besonders groß, so daß der Fehler, der durch Einsatz des mittleren calorischen Äquivalents auftritt, höchstens $\pm 4\%$ beträgt.

3.3. Bestimmung des Energieumsatzes einzelner Organe

Die Sauerstoffaufnahme und damit der Energieumsatz einzelner Organe lassen sich, entsprechend dem Fickschen Prinzip (S. 441), aus der Organdurchblutung $\dot{Q}$ und den arterio-venösen Konzentrationsdifferenzen für O_2 und CO_2 (in Vol.-% bzw. ml/dl) berechnen:

$$\dot{V}_{O_2}(\text{ml/min}) = \dot{Q}(\text{ml/min}) \cdot (C_{a_{O_2}} - C_{v_{O_2}}) : 100, \quad (2)$$

$$\dot{V}_{CO_2}(\text{ml/min}) = \dot{Q}(\text{ml/min}) \cdot (C_{v_{CO_2}} - C_{a_{CO_2}}) : 100. \quad (3)$$

Da das Gehirn im wesentlichen Kohlenhydrate utilisiert, findet man dort RQ-Werte im Bereich von 1,0, während beispielsweise der RQ des Skelet- und Herzmuskels je nach Stoffwechsellage erhebliche Schwankungen aufweist.

4. Verfahren zur Bestimmung der Sauerstoffaufnahme des Gesamtorganismus

Bei dem Prinzip der indirekten Calorimetrie ist es notwendig, die Sauerstoffaufnahme des Probanden in der Zeiteinheit zu bestimmen. Zu diesem Zweck werden „geschlossene" und „offene" Respirationssysteme eingesetzt.

4.1. Geschlossene Systeme

Aus einem mit *Sauerstoff gefüllten* **Spirometer** (S. 458) entnimmt der Proband Einatemluft (Abb. 5). Die Ausatemluft wird nach *Absorption des Kohlendioxids* in einem geschlossenen Kreislauf zum Spirometer zurückgeleitet. Das registrierte *Spirogramm* zeigt einen steigenden Verlauf (Abb. 5).

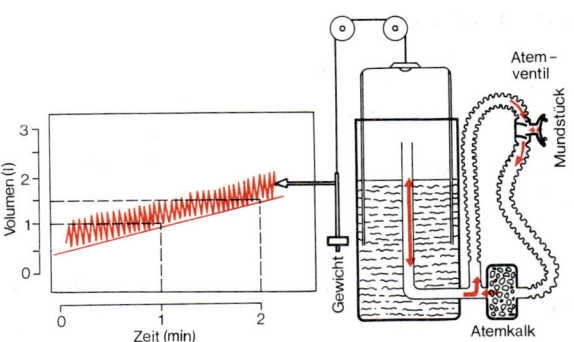

Abb. 5. Prinzip des geschlossenen Systems zur Bestimmung der Sauerstoffaufnahme. Über einen Atemschlauch mit Ventil und Mundstück atmet eine Versuchsperson aus einem Tauchglockengasometer (S. 458) Sauerstoff ein. Die Ausatemluft wird durch einen mit Atemkalk gefüllten Behälter (CO_2-Absorption) in die Spirometerglocke zurückgeleitet, wobei die Nase während des Versuchs mit einer Nasenklemme verschlossen ist. Die atemcyclischen Bewegungen der Glocke werden über ein Schreibsystem (Rollen, Schreibhebel, Gewicht) auf einem gleichmäßig bewegten Registrierpapier aufgezeichnet. Auf diese Weise erhält man ein Spirogramm. Legt man an die unteren Umkehrpunkte des Spirogramms eine Tangente, ist deren Steilheit (Anstieg in Liter pro Zeit) ein direktes Maß für die Sauerstoffaufnahme, im Beispiel 0,5 l/min

Je steiler der Anstieg pro Zeit, desto mehr Sauerstoff wurde in der Zeiteinheit dem System entnommen.

Geschlossene Systeme müssen mit Sauerstoff gefüllt werden. Bei Füllung mit Luft sinkt die inspiratorische Sauerstoffkonzentration wegen des Verbrauchs von Sauerstoff schnell unter 8,5% (kritische Schwelle, S. 564), ohne daß die CO_2-Konzentration ansteigt. Ein derartiger, isolierter Sauerstoffmangel führt oft zu einer plötzlichen, kaum vorhersehbaren Bewußtlosigkeit, da die Atmung nur gering stimuliert wird (S. 481) und weitere Warnsymptome zumeist verkannt werden (S. 563).

Normvolumen. Die unter aktuellen Bedingungen gemessene Sauerstoffaufnahme muß auf *Standardbedingungen* umgerechnet werden, damit die Meßergebnisse, unabhängig von Temperatur und Luftdruck, vergleichbar werden. Als **Normbedingungen** gelten die sog. **STPD**-Bedingungen (Standard for Temperature, Pressure, Dry; d.h. 760 mm Hg, 0° C und Trockenheit). Den Umrechnungsfaktor entnimmt man zumeist Tabellen, denen die allgemeine Gasgleichung zugrunde liegt:

$$V_0 = V \cdot \frac{P_B - P_{H_2O}}{760} \cdot \frac{273}{273 + t}. \qquad (4)$$

V_0 = auf Standard-Bedingungen (STPD) reduziertes Volumen; V = gemessenes Volumen; P_B = Barometerdruck; P_{H_2O} = Wasserdampfdruck im Spirometer; t = Temperatur des gemessenen Gasvolumens in °C (S. 470f.).

4.2. Offene Systeme

Bei den **offenen Respirationssystemen** sind Einatemweg und Ausatemweg getrennt. Inspiratorisch wird zumeist Frischluft zugeführt; auf der Exspirationsseite bestimmt man das *Volumen der Ausatemluft* sowie deren O_2- und CO_2-*Teilkonzentrationen*. Aus diesen Meßgrößen werden dann unter Berücksichtigung der Frischluftkonzentrationen Sauerstoffaufnahme und Kohlendioxidabgabe berechnet.

Douglassack. Das Douglassack-Verfahren gehört zu den klassischen Methoden für die Messung der Sauerstoffaufnahme. Es stellt ein *diskontinuierlich* messendes System dar, das nicht nur ortsfest, sondern auch *tragbar* am sich frei bewegenden Probanden eingesetzt werden kann. Bei arbeitsphysiologischen Untersuchungen wird der Sack wie ein Rucksack getragen. Der Proband atmet über ein *Ventil* mit *Mundstück* Frischluft ein; die Nase ist durch eine *Nasenklemme* verschlossen. Die gesamte Ausatemluft wird über das Atemventil, Atemschläuche und einen Dreiwegehahn in den *luftdichten Sack* geleitet und während genau zu messender Zeiträume gesammelt. Nach Abschluß der Meßperiode wird der Sack durchgewalkt, um die verschiedenen Anteile der Ausatemluft zu durchmischen, und eine Probe für die Sauerstoff- und Kohlendioxid-

Analyse entnommen. Die ausgeatmete Luftmenge wird bestimmt, indem man den Sack über eine Gasuhr leert.

Berechnungen beim Douglassack-Verfahren. Kohlendioxidabgabe und Sauerstoffaufnahme des Organismus ergeben sich als Differenzen der jeweils inspirierten und exspirierten Teilmengen.
Bei der Berechnung der **Kohlendioxidabgabe** vernachlässigt man die inspirierte CO_2-Menge, da die inspiratorische CO_2-Konzentration lediglich 0,03 Vol.-% beträgt. Daher können die Kohlendioxidabgabe und die exspirierte CO_2-Menge gleichgesetzt werden:

$$\dot{V}_{CO_2} = \dot{V}_E \cdot F_{E_{CO_2}}. \qquad (5)$$

Dabei bedeuten: $\dot{V}_{CO_2}$ die Kohlendioxidabgabe pro Zeiteinheit, $\dot{V}_E$ das exspiratorische Atemzeitvolumen und $F_{E_{CO_2}}$ die CO_2-Fraktion in der gemischten Ausatemluft (z.B. 0,04 = 4 Vol.-% bzw. ml/dl).
Bei einer genauen Berechnung der **Sauerstoffaufnahme** müssen die inspirierten und exspirierten Sauerstoffmengen berücksichtigt werden. Es gilt:

$$\Delta\dot{V}_{O_2} = \dot{V}_I \cdot F_{I_{O_2}} - \dot{V}_E \cdot F_{E_{O_2}}. \qquad (6)$$

Die ausgeatmete Sauerstoffmenge befindet sich im Douglassack; sie läßt sich entsprechend der ausgeatmeten CO_2-Menge berechnen. Die O_2-Fraktion der inspirierten Luft ist bei Frischluftatmung bekannt ($F_{I_{O_2}} = 0,2095 = 20,95$ Vol.-%), nicht jedoch $\dot{V}_I$.
Nur bei einem RQ von 1,0 kann man davon ausgehen, daß (auf Standardbedingungen reduziert) eingeatmete und ausgeatmete Atemzeitvolumina gleich sind. Bei einem RQ unter 1,0 ist die ausgeatmete Luftmenge kleiner als die eingeatmete; andererseits können bei bekanntem RQ beide Atemzeitvolumina wechselseitig berechnet werden. Die Gleichung zur Berechnung der Sauerstoffaufnahme beim Douglassack-Verfahren führt schließlich zu der hier nicht hergeleiteten Beziehung:

$$\Delta\dot{V}_{O_2} = \dot{V}_E \, (1,265 \cdot \Delta F_{O_2} - 0,265 \cdot F_{E_{CO_2}}). \qquad (7)$$

$\dot{V}_E$ läßt sich aus der pro Zeiteinheit im Douglassack gesammelten Ausatemluft bestimmen, $F_{E_{CO_2}}$ entspricht der CO_2-Fraktion der im Douglassack gesammelten gemischten Ausatemluft und ΔF_{O_2} der Differenz der O_2-Fraktionen von Einatemluft und gemischter Ausatemluft. Abschließend muß eine Umrechnung auf STPD-Bedingungen vorgenommen werden.

Weitere Verfahren. Statt eines Douglassacks kann man auch eine Gasuhr auf dem Rücken tragen und durch eine Spezialvorrichtung gleichzeitig eine Probe der gemischten Ausatemluft in einer kleinen Fußballblase sammeln. Man muß nur dafür sorgen, daß diese kleine Gasprobe *repräsentativ* für alle Anteile der Ausatemluft ist (*aliquoter Anteil*). Dies ist nur durch ein zum Atemstrom proportionales Sammeln der Gasprobe möglich (Abb. 6), wobei von den verschiedenen Anteilen der Ausatemluft ein fester Prozentsatz abgezweigt wird (z.B. 1%).
Will man die Sauerstoffaufnahme *fortlaufend* bestimmen, müssen größere, ortsfeste Anlagen eingesetzt werden. Das Atemzeitvolumen wird dann zumeist mit einem *Pneumotachographen* (S. 458) fortlaufend registriert; die Gaskonzentrationen werden

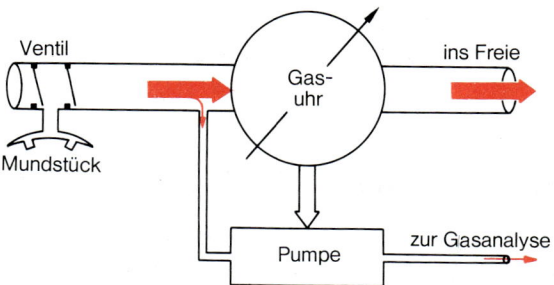

Abb. 6. Prinzip der Sammlung eines aliquoten Anteils der Ausatemluft bei offenen Respirationssystemen. Der Proband atmet
über ein Zweiwege-Ventil mit Mundstück Frischluft ein; die
Nase ist verschlossen (Nasenklemme). Die ausgeatmete Luftmenge wird mit einer Gasuhr (oder mit einem Pneumotachographen) gemessen. Von der Gasuhr wird eine Absaugpumpe derart
gesteuert, daß eine der Atemströmung proportionale kleine Gasprobe für die Gasanalyse abgesaugt und gesammelt wird. Durch
diese spezielle Steuerung wird eine repräsentative Gasprobe gewonnen, die alle Anteile der Ausatemluft im richtigen Verhältnis
zueinander enthält („aliquoter Anteil")

nicht mit diskontinuierlichen chemischen Absorp-
tionsverfahren (S. 471) ermittelt, sondern mit *kontinuierlich messenden Gasanalysatoren,* deren Meß-
prinzipien bestimmte physikalische Eigenschaften
des Sauerstoffs und des Kohlendioxids zugrunde
liegen (S. 471). Eine korrekte Berechnung der
Atemgrößen muß dann analog zum Douglassack-
Verfahren durchgeführt werden.

5. Diagnostische Bedeutung des Energieumsatzes

Arbeitsphysiologie — Arbeitsmedizin. Zunahmen
und Minderungen der **körperlichen Leistungsfähigkeit** gehen mit Änderungen des maximal möglichen
Energieumsatzes einher. Die *maximale Sauerstoffaufnahme* am Ende einer erschöpfenden Arbeit stellt
daher ein bewährtes Kriterium zur Prüfung der körperlichen Leistungsfähigkeit dar (S. 562). Will man
andererseits das Ausmaß körperlicher *Beanspruchung* eines Menschen durch Beruf oder Sport beurteilen, so mißt man den Energieumsatz im Verlauf
der Tätigkeit. Für verschiedene Berufsgruppen wurden Mittelwerte bestimmt (Übersicht in [10] und
[14]), wodurch eine *Zuordnung* entsprechend den
auf S. 522 genannten *Schweregraden* vorgenommen
werden kann.

Klinische Diagnostik. **Im Schock** (kritischer Blutdruckabfall, z.B. nach größeren Blutverlusten) fällt
der Energieumsatz auf Werte unterhalb des Grundumsatzes ab, da periphere Gebiete mangelhaft
durchblutet werden (*Zentralisation,* S. 449). Daher

wird eine *Sauerstoffschuld* eingegangen (S. 549); der
Energieumsatz vieler Zellen sinkt unter den Bereitschaftsumsatz. Steigt mit dem Abklingen des
Schockzustands die periphere Durchblutung wieder
an, nimmt auch der Energieumsatz wieder zu, so
daß mit dessen Messung *Verlaufskontrollen* beim
Schock möglich sind.

Im Zusammenhang mit **Schilddrüsenerkrankungen**
findet man bei Überfunktion (*Hyperthyreose*) eine
Zunahme und bei Unterfunktion (*Hypothyreose*)
eine Abnahme des Grundumsatzes (klinisches Bild
S. 667). Dabei ändert sich der Grundumsatz in extremen Fällen um mehr als +100% bzw. −40%
vom Sollwert. Zur Diagnostik und Verlaufskontrolle von Schilddrüsenerkrankungen wird die
Grundumsatzbestimmung jedoch kaum noch herangezogen, da heute einfachere und genauere Verfahren zur Verfügung stehen (S. 668).

6. Literatur

1. ASCHOFF, J., KRAMER, K.: Energiestoffwechsel. In: GAUER, O.H.,
   KRAMER, K., JUNG, R. (Eds.): Physiologie des Menschen, Bd. 2: Energiehaushalt und Temperaturregulation, p. 1. München-Berlin-Wien:
   Urban & Schwarzenberg 1971.
2. BENEDICT, F.G.: Methoden zur Bestimmung des Gaswechsels bei Tieren und Menschen. In: ABDERHALDEN, G. (Ed.): Handbuch der biologischen Arbeitsmethoden, Abtlg. IV, Teil 10: Gasstoffwechsel und
   Calorimetrie, p. 415. Berlin-Wien: Urban & Schwarzenberg 1926.
3. BOOTHBY, W.M., BERKSON, J., DUNN, W.L.: Studies of the energy
   of metabolism of normal individuals: A standard for basal metabolism, with a nomogram for clinical application. Amer. J. Physiol.
   116, 468 (1936).
4. DOUGLAS, C.G.: A method for determining the total respiratory exchange in man. J. Physiol. (London) **42**, 17 (1911).
5. GÖPFERT, H.: Energiebedarf. In: LANDOIS, L., ROSEMANN, R. (ROSE-
   MANN, H.-U., Ed.): Lehrbuch der Physiologie des Menschen, Bd. 1,
   p. 260. München-Berlin: Urban & Schwarzenberg 1960.
6. GÖPFERT, H., BERNSMEIER, A., STUFLER, R.: Über die Steigerung des
   Energiestoffwechsels und der Muskelinnervation bei geistiger Arbeit.
   Pflügers Arch. **256**, 304 (1953).
7. HARRIS, J.A., BENEDICT, F.G.: A biometry study of basal metabolism
   in man. Publ. Nr. 279, Carneg. Inst., Washington 1919, zit. nach
   STEGEMANN, Leistungsphysiologie. Stuttgart: Thieme 1971.
8. KESTNER, O., KNIPPING, H.W.: Die Ernährung des Menschen. Berlin:
   Springer 1924.
9. LAVOISIER, A.L., LAPLACE, P.S.: Abhandlung über die Wärme (Erst-
   veröffentlichung 1780). In: ROSENTHAL, J. (Ed.): Zwei Abhandlungen
   über die Wärme, p. 3. Leipzig: Wilhelm Engelmann 1892.
10. LEHMANN, G.: Energetik des arbeitenden Menschen. In: LEHMANN, G.
    (Ed.): Handbuch der gesamten Arbeitsmedizin, Bd. 1: Arbeitsphysio-
    logie, p. 66. Berlin-München-Wien: Urban & Schwarzenberg 1961.
11. OPITZ, E., LÜBBERS, D.: Allgemeine Physiologie der Zell- und Gewebs-
    atmung. In: BÜCHNER, F., LETTERER, E., ROULET, F. (Eds.): Hand-
    buch der allgemeinen Pathologie, Bd. 4, Teil II: Der Stoffwechsel,
    p. 395. Berlin-Göttingen-Heidelberg: Springer 1957.
12. PICHOTKA, J.: Der Stoffwechsel der Organismen. In: KEIDEL, W.D.
    (Ed.): Kurzgefaßtes Lehrbuch der Physiologie, p. 136. Stuttgart:
    Thieme 1967.
13. SCHNEIDER, M.: Einführung in die Physiologie des Menschen, 16. Aufl.
    Berlin-Heidelberg-New York: Springer 1971.
14. STEGEMANN, J.: Leistungsphysiologie — Physiologische Grundlagen
    der Arbeit und des Sports. Stuttgart: Thieme 1971.
15. RUBNER, M.: Die Quelle der thierischen Wärme. Z. Biol. **30**, 73 (1894).
16. WISSENSCHAFTLICHE TABELLEN — Documenta GEIGY, 7. Aufl. (Ed.
    J.R. GEIGY A.G., Pharma, Basel). Basel: J.R. GEIGY S.A. 1969.

1. Wärmebildung, Körpertemperatur und Körpergröße

Homoiothermie, Poikilothermie. Der im vorausgegangenen Kapitel beschriebene *Energieumsatz* geht nach den Gesetzen der Thermodynamik mit *Wärmebildung* einher. Während bei der Behandlung des Energieumsatzes diese Wärme als Nebenprodukt angesehen wird, rückt sie in den Mittelpunkt der Betrachtung, wenn man das unterschiedliche Verhalten der Körpertemperatur im Tierreich untersucht. Bei einer Gruppe von Lebewesen, zu der auch der Mensch gehört, wird die Körpertemperatur infolge hoher Wärmebildung und zusätzlicher Regelungsmechanismen (s.S. 536) auf einem Wert, der erheblich über der Umgebungstemperatur liegt, konstant gehalten (*homoiotherme Lebewesen*). Bei einer zweiten Gruppe, zu der z.B. Fische und Reptilien gehören, ist die Wärmebildung weit geringer; die Körpertemperatur liegt demgemäß nur wenig über der Umgebungstemperatur und folgt deren Schwankungen (*poikilotherme* Lebewesen).

Da die homoiothermen Lebewesen unabhängig von der Außentemperatur eine gleichförmige Körpertemperatur und damit eine gleichförmige Aktivität aufrechterhalten können, besitzen sie einen weit höheren Freiheitsgrad als Poikilotherme. Das poikilotherme Verhalten kann andererseits da Vorteile bringen, wo die Verfügbarkeit von Nahrung jahreszeitlich schwankt. So vertragen z.B. kühl gehaltene Frösche monatelange Nahrungskarenz ohne Schaden.

Wärmebildung und Körpertemperatur. Alle chemischen Reaktionen und damit auch die Stoffwechselvorgänge im Organismus sind temperaturabhängig. Bei poikilothermen Lebewesen steigt — ganz wie bei chemischen Prozessen in der unbelebten Natur — der Energieumsatz pro Zeiteinheit gemäß der RGT-Regel (Reaktions-Geschwindigkeits-Temperatur-Regel = van't Hoffsche Regel) mit zunehmender Temperatur an. Bei den homoiothermen Lebewesen gilt die RGT-Regel in gleicher Weise, doch läßt sich diese Gesetzmäßigkeit nicht ohne

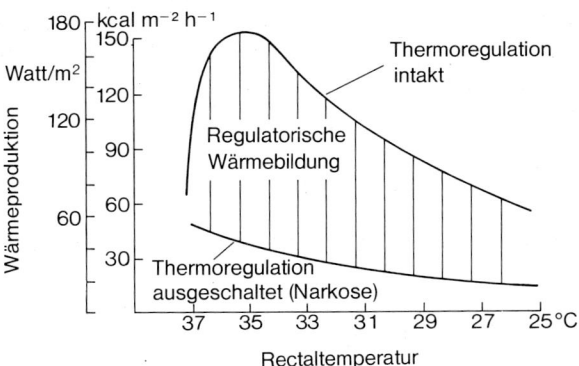

Abb. 1. Beziehung zwischen Körpertemperatur und Stoffwechselrate homoiothermer Organismen (Versuche am Hund). Obere Kurve: Thermoregulation funktionsfähig: Stoffwechselrate steigt bei Temperatursenkung zunächst bis zu einem Maximum an und fällt bei weiter sinkender Körpertemperatur gemäß der RGT-Regel ab. Untere Kurve: Nach Ausschaltung der Thermoregulation durch tiefe Narkose: Stoffwechselrate folgt von Beginn der Abkühlung an der RGT-Regel. Der Differenzbetrag der beiden Kurven entspricht der regulatorischen Wärmebildung. Weitere Erklärung s. Text. Nach [3]

weiteres erkennen. Bei intakten Organismen steigt vielmehr bei Abkühlung (ausgehend von einer behaglichen Umgebungstemperatur = Neutraltemperatur; s.S. 532) der Energieumsatz an, wodurch ein Abfall der Körpertemperatur verhindert wird. Durch pharmakologische Eingriffe (z.B. Narkose) oder gezielte experimentelle Läsionen im ZNS läßt sich jedoch der Verlauf der Temperatur-Stoffwechselbeziehung derjenigen der poikilothermen Lebewesen angleichen (Abb. 1). Der blockierbare Anteil der Wärmebildung wird als *regulatorische Wärmebildung* bezeichnet.

Quantitativ besteht allerdings auch nach Blockade des regulatorischen Anteils ein erheblicher Unterschied zwischen Stoffwechselverhalten bei homoiothermen und poikilothermen Lebewesen: Bei gleicher Körpertemperatur ist die Energieumsatzrate — bezogen auf die Körpergewichtseinheit — bei Homoiothermen mindestens dreimal so groß wie bei Poikilothermen.
Der Quotient aus den bei 10° C Temperaturunterschied gemessenen Reaktionsgeschwindigkeiten wird mit Q_{10} bezeichnet. Eine quantitative Betrachtung der abfallenden Kurvenabschnitte der Abb. 1 zeigt, *daß der Q_{10} der Stoffwechselrate zwischen 2 und 3 liegt*. Durch Narkose und gleichzeitige Senkung der Körpertemperatur kann somit eine nicht unerhebliche *Verminderung des O_2-Bedarfes* und damit eine entsprechende *Erhöhung der Strukturerhaltungszeit* (s.S. 517) erreicht werden. In der Herz-

und Kreislaufchirurgie sowie bei Transplantationen wird von dieser Möglichkeit Gebrauch gemacht, wenn vorübergehend die Blutzirkulation unterbrochen werden muß („induzierte Hypothermie" [Lit. 29]; populär: künstlicher Winterschlaf). Auch bei der Organkonservierung ist die RGT-Regel zu beachten.

Wärmebildung und Körpergröße. Die Körpertemperatur der meisten homoiothermen Säuger liegt in einem Bereich zwischen 36° C und 39° C ganz unabhängig von den erheblichen Unterschieden der Körpergröße, wie sie zwischen der Maus als eine der kleinsten und Elefant und Wal als den größten homoiothermen Species bestehen. *Der Energieumsatz* (MR = Metabolic Rate) hingegen ist eine Potenzfunktion des Körpergewichtes (W):

$$MR = k \cdot W^n; \tag{1}$$

in doppelt-logarithmischer Darstellung erhält man eine lineare Funktion

$$\log MR = k' + n \cdot \log W. \tag{2}$$

Nach empirischen Untersuchungen hat n einen Wert von etwa 0,75 (vgl. Abb. 2); d.h., bezogen auf $W^{0,75}$ ist der Energieumsatz der Maus gleich dem des Elefanten; bezogen auf die Gewichtseinheit (n = 1) ist der Energieumsatz der Maus erheblich größer als der des Elefanten. Man spricht daher von einem *Gesetz der Stoffwechselreduktion* [24]. Hierdurch ist die Wärmebildung bis zu einem gewissen Grad auf den Wärmeabstrom an die Umgebung abgestimmt. Bei gegebener Temperaturdifferenz zwischen Körperinnerem und Umgebung ist der Wärmeabstrom/Gewichtseinheit um so größer, je

größer das *Oberflächen-Volumen-Verhältnis* ist; dieses nimmt mit zunehmender Körpergröße ab; außerdem ist die Dicke der wärmeisolierenden Körperschale (s.S. 541) bei kleinen Organismen vermindert.

2. Die Körpertemperatur des Menschen

2.1. Örtliche Temperaturunterschiede (Temperaturfeld)

Die im Organismus produzierte Wärme strömt normalerweise (d.h. bei ausgeglichener Wärmebilanz) über die Körperoberfläche zur Umgebung hin ab. Nach den physikalischen Gesetzen der Wärmeströmung müssen somit die oberflächennahen Teile des Körpers eine niedrigere Temperatur haben als die zentralen; in den Extremitäten bildet sich ein *Temperaturgefälle in der Längsrichtung* (*axial*) aus; daneben besteht ein *radiales Temperaturgefälle* (senkrecht zur Oberfläche). Infolge der unregelmäßigen geometrischen Gestaltung des Körpers ergibt sich ein kompliziertes *Temperaturfeld*. So mißt man bei leicht bekleideten Erwachsenen in einer Umgebungstemperatur von 20° C in der Tiefe der Oberschenkelmuskulatur 35° C, in tieferen Schichten der Wade 33° C und im Zentrum des Fußes gar nur 27 bis 28° C, während die Rectaltemperatur unter den gleichen Bedingungen in der Nähe von 37° C liegt [Lit. 18]. Die durch äußere Temperaturänderungen hervorgerufenen Schwankungen der Körpertemperatur sind demgemäß besonders groß nahe der Körperoberfläche und an den Enden (Akren) der Extremitäten. In einer etwas vereinfachenden Betrachtungsweise kann man eine „*poikilotherme Körperschale*" von einem „*homoiothermen Körperkern*" unterscheiden. Abb. 3 zeigt das Temperaturfeld des Körpers bei kalter und warmer Umgebung. Die 37° C-Isotherme ist bei kühler Umgebung in die Tiefe des Körpers zurückverlagert [4].

Körperkerntemperaturen. Bei genauerer Betrachtung zeigt sich, daß auch die Temperatur des Körperkerns weder zeitlich noch räumlich konstant ist. So findet man Temperaturunterschiede im Körperkern in der Größenordnung von 0,2–1,2° C; selbst das Gehirn weist ein radiales Temperaturgefälle zur Hirnrinde auf, das mehr als 1° beträgt. Die höchsten Temperaturen werden in der Regel im Rectum gefunden, nicht in der Leber, wie lange Zeit vielfach behauptet wurde [Lit. 18]. Es ist angesichts dieser Befunde nicht möglich, die Körpertemperatur

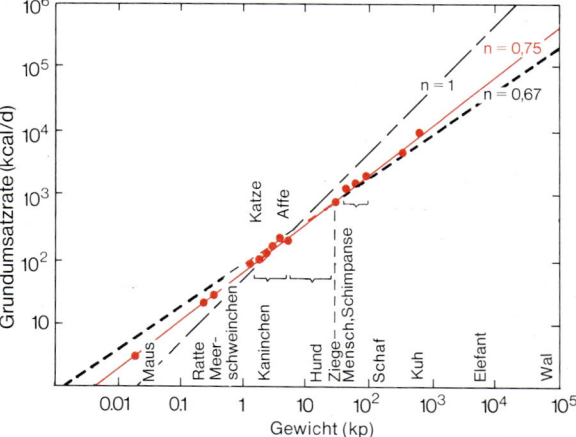

Abb. 2. Beziehung zwischen Energieumsatz und Körpergewicht in doppelt-logarithmischem Maßstab. Die Gerade mit der Steigung von 0,75 wird den experimentell gefundenen Werten am besten gerecht. Bei Proportionalität zwischen Energieumsatz und Körpergewicht würde die Gerade mit der Steigung 1 gelten, bei Proportionalität zwischen Energieumsatz und Oberfläche die mit der Steigung 0,67. Nach [24]

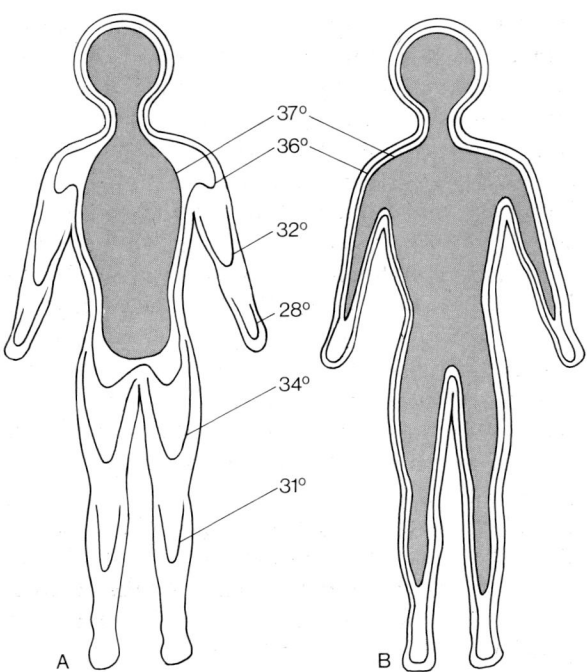

Abb. 3. Temperaturfeld des menschlichen Körpers in kalter (A) und warmer (B) Umgebung. Nach [2]

durch eine einzige Zahl auszudrücken. Für praktische Zwecke reicht es allerdings aus, eine *an einem bestimmten Ort gemessene Temperatur als repräsentativ für die Körperkerntemperatur* zu erklären, da es hierbei im wesentlichen um die Erfassung zeitlicher Temperaturänderungen geht. Bei der klinischen Temperaturmessung kommt es vor allem darauf an, einen Ort zu wählen, der leicht zugänglich ist und an dem innerhalb eines gewissen Bereiches eine räumlich konstante Temperatur besteht, so daß geringe Lageänderungen des Meßinstrumentes die Festlegung eines Standardmeßwertes nicht erschweren.

Rectaltemperatur. Eine bevorzugte Temperaturmeßstelle ist das Rectum, wenngleich sie obigen Forderungen nicht in vollem Maße entspricht; man findet vielmehr räumliche Temperaturgradienten in der Größenordnung bis zu 1°, wenn man mit einem Meßinstrument vom Anus aus bis in eine Tiefe von 10–15 cm vordringt. Der recht unregelmäßige Temperaturverlauf im Rectum beruht zum Teil darauf, daß Venenplexus des Rectums mit venösen Hautplexus der Analgegend kommunizieren [Lit. 18]. Bei Vergleichsmessungen ist es also wichtig, eine Standardmeßtiefe einzuhalten.

Oraltemperatur. Die Mundhöhlentemperatur (sublinguale Lage des Meßinstrumentes) liegt meist 0,2–0,5° tiefer als die Rectaltemperatur. Auch im Bereich der Mundhöhle bestehen Temperaturgradienten; die Oraltemperatur wird durch die eingeatmete Luft sowie durch die Temperatur von Essen und Getränken beeinflußt.

Axillartemperatur. Durch festes Anlegen des Oberarmes an den Thorax wird das Temperaturfeld (Abb. 3) derart verändert, daß sich der Körperkern gewissermaßen bis zur Axilla vorschiebt. Es kann daher durch Einlegen eines Thermometers in die Axilla eine Kerntemperaturmessung vorgenommen werden. Es muß dabei allerdings berücksichtigt werden, daß die Zeit bis zur Einstellung der Endtemperatur wesentlich länger ist als im Rectum, da die zur Messung aufeinander gelegten Teile der Körperschale eine beträchtliche Wärmemenge bis zur Erreichung des Endtemperaturwertes aufnehmen müssen. Mit Einstellzeiten in der Größenordnung von $^1/_2$ Std ist zu rechnen, wenn infolge niedriger Umgebungstemperatur und Vasoconstriction die Körperschale zuvor stärker ausgekühlt war, was gerade beim Fieberanstieg der Fall sein kann.

Hauttemperatur. Zur Kennzeichnung des Temperaturzustandes der Körperschale mißt man meist die leicht zugängliche Hauttemperatur. Noch viel weniger als bei der Kerntemperatur reicht hier ein Einzelwert zur Charakterisierung des Temperaturzustandes aus; man muß vielmehr die Temperaturen mehrerer Hautstellen messen und einen Mittelwert bilden. Zur Bildung der mittleren Hauttemperatur wird vielfach die Temperatur von Stirn, Brust, Bauch, Oberarm, Unterarm, Handrücken, Oberschenkel, Unterschenkel, Fußrücken gemessen und bei der Mittelwertbildung eine Gewichtung vorgenommen gemäß der Größe des Körperoberflächenanteils, der durch die einzelnen Hauttemperaturen repräsentiert wird. Bei behaglicher Umgebungstemperatur beträgt die so bestimmte *mittlere Hauttemperatur* beim unbekleideten Menschen circa 32–33° C. Aus mittlerer Hauttemperatur und Kerntemperatur wird die „*mittlere Körpertemperatur*" bestimmt.

2.2. Tageszeitliche Schwankungen der Körperkerntemperatur

Die Körperkerntemperatur weist tagesrhythmische Schwankungen auf. Beim Menschen wird gegen Morgen ein Temperaturminimum gemessen, im Verlaufe des Tages ein (häufig doppelgipfliges) Maximum (Abb. 4). Die Amplitude der tagesrhythmischen Schwankungen beträgt im Mittel ca. 1° C. Bei nachtaktiven Tieren findet sich das Temperaturmaximum während der Nacht. Die naheliegende Folgerung, daß das Temperaturmaximum einfach die Folge der erhöhten körperlichen Aktivität darstelle, hat sich als nicht zutreffend erwiesen [1].

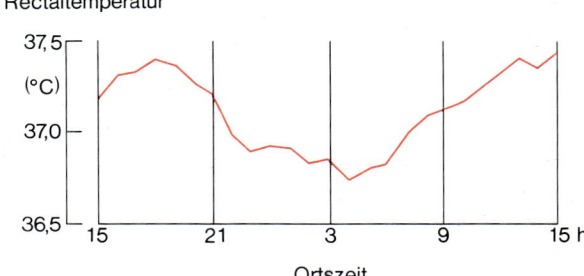

Abb. 4. Tagesrhythmus der Körpertemperatur (Rectaltemperatur) des Menschen. Nach [20]

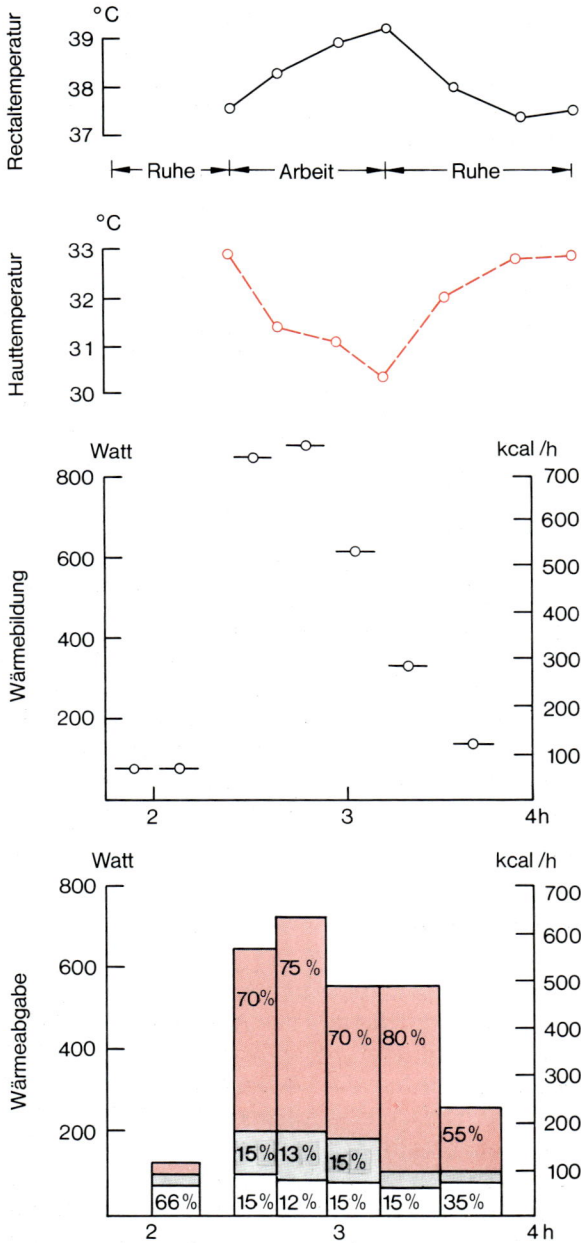

Abb. 5. Körpertemperatur, Wärmebildung und Wärmeabgabe in Ruhe und bei Arbeit. Weißer Teil der Säulen: Wärmeabgabe durch Strahlung; grau: Wärmeabgabe durch Konvektion; rot: evaporative Wärmeabgabe. Nach [13]

Es handelt sich bei den tagesrhythmischen Schwankungen der Körpertemperatur um einen von vielen *tagesperiodischen Vorgängen*. Auch bei Wegfall aller äußeren Zeitgeber (Licht, Temperatur, Fütterungszeit) bleibt die tagesperiodische Schwankung der Körpertemperatur bestehen; die Periodendauer beträgt dann allerdings nicht mehr genau 24 Std, sondern liegt bei Werten zwischen 24 und 25 Std. Die Tagesperiodik der Körpertemperatur beruht also auf einem endogenen Rhythmus („biologische Uhr"), der mit äußeren Zeitgebern, insbesondere mit der Erdumdrehungszeit synchronisiert wird [1]. Bei transmeridianen Reisen tritt eine Anpassung des Temperaturrhythmus an die neue Lebensweise bzw. an die neue Ortszeit erst im Verlauf von 1– 2 Wochen ein [Lit. 18].
Neben dem Tagesgang der Körpertemperatur finden sich Temperaturschwankungen längerer Periodendauer. Am bekanntesten und auffallendsten ist die mit dem Menstruationscyclus ablaufende Temperaturschwankung (s. XXX-3.3).

2.3. Körpertemperatur bei körperlicher Arbeit

Bei der Beurteilung der Körpertemperatur ist zu berücksichtigen, daß körperliche Betätigung eine Änderung des Temperaturfeldes bewirkt. Die Kerntemperatur steigt in Abhängigkeit von der Schwere der Arbeit, jedoch innerhalb eines gewissen Bereiches unabhängig von der Umgebungstemperatur, bis zu 2° C an. Die mittlere Hauttemperatur dagegen fällt ab, da bei Arbeit Schwitzen einsetzt, wodurch die Haut gekühlt wird (Abb. 5; über die regeltheoretische Deutung des Temperaturverhaltens bei Arbeit s. S. 540).

3. Wärmebildung und Wärmeabstrom als Stellvorgänge bei der Thermoregulation

Homoiothermie heißt, daß die Körperkerntemperatur auch bei sich ändernder Umgebungstemperatur nicht oder nur in engen Grenzen von den im vorausgegangenen Abschnitt erörterten Werten abweicht. Einer drohenden Abweichung der Körpertemperatur von dem Normalwert („*Sollwert*" s.u.) kann der Organismus durch verschiedene Reaktionen begegnen: a) Die **Wärmebildung** kann durch Erhöhung des Energieumsatzes gesteigert werden, der **Wärmeabstrom** an die Umgebung kann b) mittels Durchblutungsänderung und c) durch Schweißsekretion variiert werden.

Die Vorgänge a) bis c) werden als **autonome thermo-regulatorische Reaktionen** den **thermoregulatorischen Verhaltensweisen** gegenübergestellt, unter denen man Vorgänge wie Aufsuchen eines schattigen Platzes, eines geheizten Raumes, Zusammenkauern (Verminderung der wirksamen Körperoberfläche), Bedeckung der Körperoberfläche durch Kleidung und viele andere zweckmäßige Reaktionen versteht.

Alle die genannten Vorgänge werden in biokybernetischer Terminologie als *Stellvorgänge*, die entsprechenden Funktionssysteme als *Stellglieder* (s. Abb. 8, 10) eines thermoregulatorischen Systems bezeichnet. Im folgenden soll die Funktionsweise der Stellglieder betrachtet werden.

3.1. Thermoregulatorische Wärmebildung

Zusätzliche Wärme zur Konstanthaltung der Körpertemperatur kann auf folgende Weise gebildet werden:

a) Durch aktive Betätigung des Bewegungsapparates.

b) Durch unwillkürliche tonische oder rhythmische Muskelaktivität; letztere entspricht dem bekannten *Kältezittern*. (Die tonische Muskelaktivität läßt sich durch Elektromyographie (s. S. 74) erfassen.)

c) Durch Steigerung von Stoffwechselvorgängen, die nicht an Muskelkontraktionen gebunden sind; diese Wärmebildung wird als *zitterfreie Wärmebildung* bezeichnet.

Beim erwachsenen Menschen ist *Kältezittern* der bedeutendste unwillkürliche Mechanismus der Wärmebildung. *Zitterfreie Wärmebildung* kommt bei Neugeborenen, so auch bei menschlichen Neugeborenen, sowie bei kleinen kälteadaptierten Tieren vor. Das sog. braune Fettgewebe, das durch Mitochondrienreichtum und multiloculäre Fettverteilung gekennzeichnet ist, stellt eine wesentliche Quelle der zitterfreien Wärmebildung dar. Dieses Gewebe kommt im Bereich zwischen den Scapulae, in der Axilla und an einigen anderen Stellen vor [7, 10].

Die thermoregulatorische Funktion des interscapularen braunen Fettgewebes läßt sich leicht durch lokale Temperaturmessung demonstrieren (Abb. 6): Während die Subcutantemperatur am Rücken bei einer Kältebelastung abfällt, steigt die Temperatur im braunen Fettgewebe an. Aus anderen Untersuchungen ist bekannt, daß die *Durchblutung* des Fettgewebes unter Kältebelastung ansteigt. Man kann somit aus der lokalen Temperatursteigerung bei Kältebelastung auf eine Wärmebildung im Fettgewebe schließen [7].

Die thermoregulatorische Wärmebildung wird ausgelöst, sobald die Umgebungstemperatur einen be-

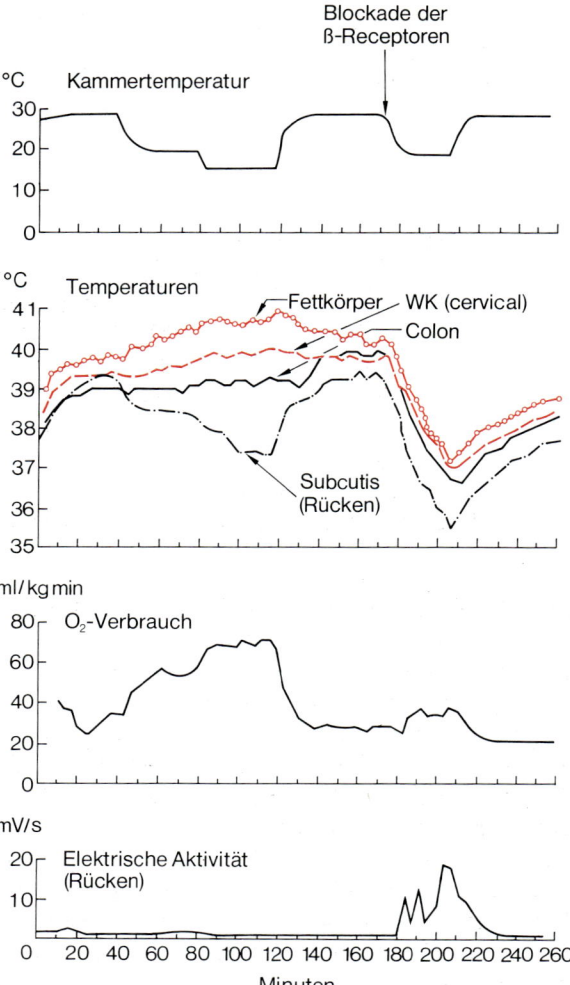

Abb. 6. Zitterfreie Wärmebildung beim neugeborenen Meerschweinchen, erkenntlich an Steigerung der O_2-Aufnahme ohne elektrische Muskelaktivität. Im zweiten Teil des Versuches wurde die zitterfreie Wärmebildung durch einen β-Receptorenblocker blockiert; danach trat Kältezittern, erkenntlich an der Zunahme der elektrischen Aktivität der Muskulatur auf. (Die Schwelle für Kältezittern liegt bei tieferen Körpertemperaturen als die für zitterfreie Wärmebildung.) Man beachte den Temperaturanstieg in dem interscapularen Fettkörper und im Wirbelkanal (WK) *vor* und den parallelen Abfall aller Temperaturen *nach* Blockade. Nach [10]

stimmten Wert unterschreitet, nämlich die untere Grenze der sog. thermischen **Neutral-** oder **Indifferenzzone** (t_3 in Abb. 7), in der die Wärmebildung ein Minimum hat. Die Wärmebildung steigt mit sinkender Umgebungstemperatur annähernd linear an, bis unterhalb t_2 ein Maximum erreicht wird; t_2 kennzeichnet die untere Grenze des Temperaturbereiches, innerhalb dessen eine wirksame Regelung möglich ist. Bei weiterer Abkühlung kommt es zu einem Abfall der Körpertemperatur, wodurch infolge des Q_{10}-*Effektes* der Stoffwechsel reduziert wird. Dies hat eine weitere und raschere Senkung

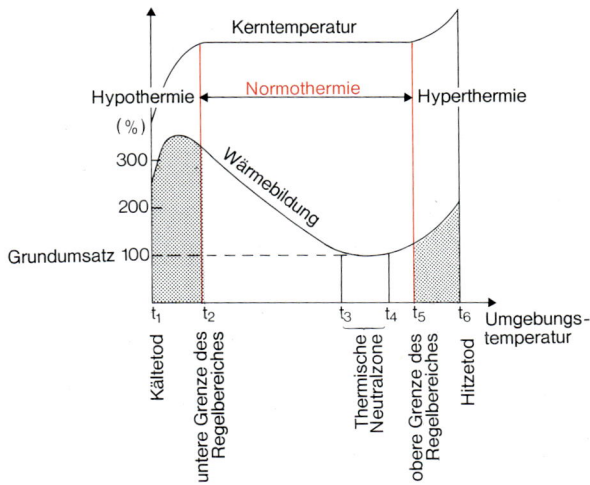

Abb. 7. Schematische Darstellung von Körpertemperatur und Wärmebildung in Abhängigkeit von der Umgebungstemperatur. Nach [18]

der Körpertemperatur zur Folge (vgl. „induzierte Hypothermie", S. 529 und 543).
Die Steigerung der thermoregulatorischen Wärmebildung kann beim Menschen bis auf das Drei- bis Fünffache des Grundumsatzes gehen. Im Vergleich dazu kann bei willkürlicher maximaler Arbeit die Wärmebildung auf das Zehnfache des Grundumsatzes und mehr ansteigen.
Die *untere Grenze der thermischen Neutralzone* liegt beim ruhenden unbekleideten Erwachsenen bei ca. 28° C (relative Feuchte 50%, Windstille). Die *obere Grenze der thermischen Neutralzone* (t_4 in Abb. 7) liegt bei etwa 30–32° C (50% rel. Feuchte, Windstille).
Die wirksamste regulatorische Maßnahme gegen Überwärmung bei Überschreitung einer Umgebungstemperatur von t_4 wäre in einer Senkung des Energieumsatzes unter den Grundumsatzwert zu sehen. Eine solche Reaktion ist vielfach diskutiert, jedoch bisher nie nachgewiesen worden. Ein Ausgleich der Wärmebilanz ist bei Umgebungstemperaturen von t_4 an demnach nur durch massive Aktivierung von Wärmeabgabemechanismen möglich, die im folgenden besprochen werden sollen.
Bei t_5 (Abb. 7) werden die Wärmeabwehrreaktionen ineffektiv, die Körpertemperatur steigt auf hypertherme Werte an. Gemäß der RGT-Regel muß dies einen Anstieg der Wärmebildung zur Folge haben (ca. 13% des Grundumsatzes/° C).

3.2. Variation der Wärmeabgabe

Unter stationären Ruhebedingungen, gekennzeichnet durch eine konstante mittlere Körpertemperatur, muß die *Wärmebildung* (MR) gleich sein dem Wärmetransport vom Körperinneren zur Körperoberfläche (*innerer Wärmestrom* H_{int}) und ebenso dem Wärmetransport von der Körperoberfläche zur Umgebung (*äußerer Wärmestrom* H_{ext}):

$$MR = H_{int} = H_{ext}. \tag{3}$$

Der *innere Wärmeabstrom,* H_{int}, folgt der Gl. (4)

$$H_{int} = A \cdot C(T_{re} - \overline{T}_s) \text{ [kcal h}^{-1}\text{] oder [W]}, \\ W = \text{Watt}, \tag{4}$$

der *äußere Wärmeabstrom* der Gl. (5)

$$H_{ext} = A \cdot [h(\overline{T}_s - T_a) + E] \text{ [kcal h}^{-1}\text{] oder [W]}, \tag{5}$$

wobei A die Körperoberfläche darstellt, C die Wärmetransportzahl, T_{re} die Rectaltemperatur, $\overline{T}_s$ die mittlere Hauttemperatur, T_a die Umgebungstemperatur, h die Wärmeübergangszahl (kombiniert für Konvektion, Leitung und Strahlung, s.u.), E den evaporativen (durch Schweißverdunstung bedingten) Anteil der Wärmeabgabe.

Der innere Wärmestrom gemäß (4) kann durch Veränderung der peripheren Durchblutung variiert werden. *Die Wärmetransportzahl C kann hierdurch beim erwachsenen Menschen je nach Dicke der isolierenden Körperschale und der Dicke des subcutanen Fettpolsters im Verhältnis 1:4 bis 1:7 geändert werden.* Ein besonders bedeutender Faktor in der Variabilität der Wärmetransportzahl ist durch das sog. *Gegenstromprinzip* der Extremitätendurchblutung gegeben. Infolge der parallelen Anordnung der großen Extremitätengefäße geht auf langer Strecke Wärme von den Arterien auf die Venae comitantes über. Dieser *Wärmekurzschluß* ist um so größer, je mehr die axiale Extremitätendurchblutung durch Vasoconstriction eingeschränkt wird und je kühler die distalen Extremitätenteile sind. In warmer Umgebung eröffnen sich oberflächliche Venen [31], durch die dann ein größerer Teil des rückströmenden Blutes fließt. Hierdurch wird der Kurzschlußeffekt zusätzlich vermindert.

Der äußere Wärmestrom gemäß (5) ist eine komplexe Größe und bedarf zur quantitativen Erfassung einer Aufgliederung in Teilströme: H_k = Wärmeabstrom durch Leitung (Konduktion), H_c = Wärmeabstrom durch Konvektion, H_r = Wärmeabstrom durch Strahlung, H_e = Wärmeabstrom durch Evaporation. Der Gesamtwärmestrom ist die Summe dieser Teilströme:

$$H_{ext} = H_k + H_c + H_r + H_e. \tag{6}$$

Eine prozentuale Aufgliederung der Teilwärmeströme bei Ruhe und Arbeit findet sich in Abb. 5.

Wärmeabstrom durch Konduktion und Konvektion. Konduktiver Wärmeabstrom findet sich da, wo der Körper auf einer festen Unterlage steht, sitzt oder liegt, und ferner innerhalb einer auf dem Körper aufliegenden Luftgrenzschicht. Außerhalb dieser *Grenzschicht* findet Wärmebewegung durch Luftmassentransport, d.h. *durch Konvektion,* statt.

Die beiden Anteile des Wärmestromes sind praktisch schwer zu trennen, da die Dicke der Grenzschicht von der Krümmung der Körperteile, der Oberflächenbeschaffenheit und der Windgeschwindigkeit abhängt. Beide Teile faßt man deshalb häufig zusammen:

$$H_{c,k} = h_{c,k} \cdot (\overline{T}_s - T_a) \; [\text{kcal m}^{-2} \text{h}^{-1}] \text{ oder } [\text{W m}^{-2}], \tag{7}$$

wobei $h_{c,k}$ die *kombinierte Wärmeübergangszahl* darstellt, deren Größe abhängig ist von der Windgeschwindigkeit.

Bei Tieren kann der konduktiv-konvektive *Wärmeabstrom physiologisch beeinflußt werden,* indem die Luftgrenzschicht und damit die Größe $h_{c,k}$ durch Aufrichten von Haaren und Federn verändert wird. Beim Menschen ist eine Änderung von $h_{c,k}$ nur durch Anlegen von Kleidung, also durch eine *Verhaltensreaktion* möglich.

Die bei Windstille bestehende Luftgrenzschicht stellt einen nicht unbeträchtlichen Wärmeleitwiderstand (Kehrwert der Wärmeübergangszahl h_k) dar, d.h. die Temperatur fällt in der Grenzschicht steil ab. Durch Wind wird die Luftgrenzschicht weitgehend abgebaut, durch Wasser, dessen Wärmeleitfähigkeit größer als die von Luft ist, verdrängt. Wasser, selbst wenn es die gleiche Temperatur wie die Luft hat, wird also als kälter empfunden und entzieht dem Körper wesentlich mehr Wärme. Bekannte verhaltensregulatorische Eingriffe bei Hitzebelastung, wie Fächeln oder Eintauchen von Gliedmaßen ins Wasser (für den Fall Wassertemperatur = Lufttemperatur) beruhen auf einer Veränderung der Größe von h_c bzw. h_k.

Wärmeabstrom durch Strahlung. Der Wärmeabstrom durch Strahlung wird durch die Stefan-Boltzmannsche Gleichung beschrieben

$$H_r = \sigma \varepsilon_s (\overline{T}_s{}^4 - T_r{}^4) \; [\text{kcal m}^{-2} \text{h}^{-1}]$$
$$\text{oder } [\text{W m}^{-2}], \tag{8}$$

in der σ eine Strahlungskonstante, ε_s den Emissionskoeffizienten der Haut, $\overline{T}_s$ die mittlere Hauttemperatur und T_r die Strahlungstemperatur der Umgebung bedeuten. Bei der langwelligen Infrarotstrahlung, die von der Haut abgestrahlt wird, ist ε_s annähernd gleich dem Emissionskoeffizienten eines perfekten schwarzen Körpers, d.h. er liegt nahe 1.

Für den kleinen Temperaturbereich, der in der menschlichen Physiologie eine Rolle spielt, kann die Gleichung linearisiert werden und lautet dann

$$H_r = h_r (\overline{T}_s - T_r) \; [\text{kcal m}^{-2} \text{h}^{-1}] \text{ oder } [\text{W m}^{-2}]. \tag{9}$$

wobei h_r den Wärmeübergangskoeffizienten für Strahlung darstellt.

Als *Strahlungstemperatur* ist nicht die umgebende Lufttemperatur, sondern die Temperatur der Strahlungsmedien, also z.B. die *Temperatur der umgebenden Wände* einzusetzen.

Räume, in denen die Luft, etwa durch eine Warmluftheizung, bereits auf einen angenehmen Wert aufgeheizt wurde, werden noch als kalt („wandkalt") empfunden, wenn die Wandtemperatur noch nicht den Temperaturwert der Luft erreicht hat. Umgekehrt können Räume mit Wärmestrahlern an den Wänden trotz der niedrigeren Lufttemperatur als angenehm warm empfunden werden, da nunmehr die Strahlungstemperatur T_r hoch ist.

Sofern Luft- und Wandtemperatur gleich sind, kann man den Wärmeabstrom durch Strahlung und Leitung und Konvektion zusammenfassen, indem man einen neuen *kombinierten Wärmeübergangskoeffizienten* einführt

$$H_{r,c,k} = h_{r,c,k} (\overline{T}_s - T_a) \; [\text{kcal m}^2 \text{h}^{-1}] \text{ oder } [\text{W m}^{-2}]. \tag{10}$$

Dieser Koeffizient ist in Gl. (5) der Kürze halber mit „h" bezeichnet.

Gemäß Gl. (5) bzw. (10) kann *der Wärmeabstrom durch Veränderung von* $\overline{T}_s$ *beeinflußt werden;* die mittlere Hauttemperatur $\overline{T}_s$ ist ihrerseits abhängig von der Hautdurchblutung.

Evaporativer Wärmeabstrom. Beim Menschen wird unter Neutraltemperaturbedingungen (s. Abb. 5) ungefähr 20% der Wärme durch Verdunstung von Wasser abgegeben, das durch Diffusion an die Hautoberfläche bzw. an die Schleimhautoberfläche des Respirationstraktes gelangt.

Der evaporative Wärmeabstrom der Haut wird durch folgende Gleichung beschrieben:

$$H_e = h_e (\overline{P}_s - P_a) \; [\text{kcal m}^{-2} \text{h}^{-1}]$$
$$\text{oder } [\text{W m}^{-2}], \tag{11}$$

wobei $\overline{P}_s$ und P_a die Dampfdrucke auf der Haut (Mittelwert) und in der umgebenden Luft darstellen und h_e den *evaporativen Wärmeabstromkoeffizienten.* Die Größe von h_e ist abhängig von der Krümmung der Hautoberfläche, vom Luftdruck und der Windgeschwindigkeit.

Die wichtigste Folgerung aus der obigen Gleichung ist, daß eine evaporative Wärmeabgabe auch noch in einer Umgebung mit einer relativen Feuchte von 100% stattfindet; entscheidend ist allein, daß P_s größer als P_a ist, was zutrifft, solange die Hauttemperatur höher als die Umgebungstemperatur ist und genügend Wasser zur Hautoberfläche gelangt.

Die Wasserabgabe, die auf einer Wasserdiffusion durch die Haut und die Schleimhaut beruht, wird als *Perspiratio insensibilis* oder *extraglanduläre Wasserabgabe* bezeichnet. Ihr wird die *Wasserabgabe durch die Schweißdrüsen* (glanduläre Wasserabgabe) gegenübergestellt. Steuerbar ist nur die

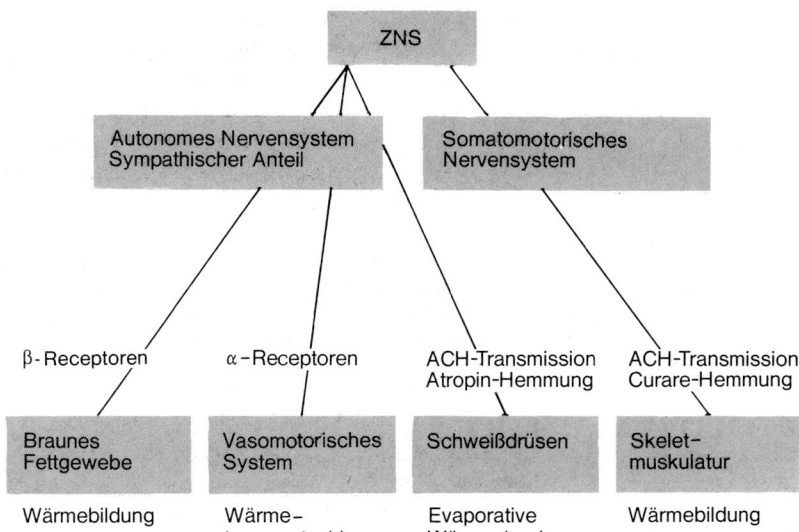

Abb. 8. Schematische Darstellung der nervalen Steuerung der thermoregulatorischen Stellvorgänge

glanduläre Wasserabgabe, durch die der gesamte Wärmeabstrom in erheblichem Ausmaß beeinflußt wird. Bei Umgebungstemperaturen oberhalb der Körpertemperatur kann Wärme nur noch auf evaporativem Wege abgegeben werden. Die Effektivität des Stellgliedes Schweißsekretion ergibt sich aus der hohen Verdunstungswärme des Wassers, die ca. 580 kcal pro Liter beträgt; durch die Verdunstung von 1 Liter Wasser kann also beim Menschen ein Drittel der Ruhewärmeproduktion des ganzen Tages abgegeben werden (vgl. Wasserbilanz, S. 637). Nach dem Vorausgegangenen kann die *thermische Umgebung eines Organismus* nicht einfach durch einen einzigen gemessenen Temperaturwert beschrieben werden. Es bedarf vielmehr *der Angabe der Luft- und Wandtemperatur, der rel. Feuchtigkeit und der Windgeschwindigkeit.*

Man hat in der Klimaphysiologie *Klima-Summenmaße* entwikkelt, die bezüglich *thermischer Behaglichkeit* und thermoregulatorischer Reaktionen äquivalente thermische Umgebungsbedingungen durch eine einzige Zahl kennzeichnen (z.B. „Effektivtemperatur" = Summenmaß unter Berücksichtigung von rel. Feuchte und Temperatur).

3.3. Nervale Steuerung der Stellvorgänge

Die Steuerung der verschiedenen Stellvorgänge, Wärmeproduktion, periphere Durchblutung, Schweißsekretion und Verhalten erfolgt im wesentlichen auf *nervalem Wege. Hormonale Vorgänge* spielen nur bei langfristigen Anpassungsvorgängen eine Rolle. Zwei Nervensysteme sind für die Steuerungsvorgänge zuständig: 1) *das spinale* und *supraspinale motorische System,* 2) *das sympathische Nervensystem* (Abb. 8).

Steuerung der Wärmebildung. Das **Kältezittern** (vgl. S. 532) wird ausgelöst und unterhalten über das motorische Nervensystem, dessen spinale und supraspinale Anteile (Tr. cerebrospinalis und Tr. reticulospinalis) in VI dargestellt sind. Die sog. zentrale Zitterbahn, die vom hinteren Hypothalamus aus caudalwärts zieht [Lit. 18], verbindet die zentralen Schaltstellen der Thermoregulation mit den mesencephalen und rhombencephalen Kerngebieten des motorischen Systems. Eine pharmakologische Beeinflussung des Kältezitterns ist durch Einwirkung von Curare und andere Muskelrelaxantien an der Muskelendplatte (s.S. 41) möglich.

Die zitterfreie Wärmebildung wird über das sympathische Nervensystem gesteuert. Pharmakologische Blockade des Sympathicus durch Ganglienblocker oder — spezifischer — durch Blocker der adrenergen β-Receptoren (s. Abb. 6) führt zur Aufhebung der zitterfreien Wärmebildung. Das an den Nervenendigungen freigesetzte Noradrenalin stimuliert die Freisetzung von freien Fettsäuren aus den von Mitochondrien umgebenen Fetttröpfchen. Durch Einwirkung der freien Fettsäuren auf die Mitochondrien kommt es zu einer Entkopplung der oxidativen Phosphorylierung und damit zu der gesteigerten Wärmebildung [Lit. 25].

Steuerung der Wärmeabgabe. Die **thermoregulatorische Beeinflussung** der **Durchblutung** weist regionale Unterschiede auf. Man kann zumindest drei funktionell verschiedenartige Regionen unterscheiden (s.a. Abb. 9): a) Akren (Finger, Hand, Ohren, Lippen, Nase), b) Rumpf und proximale Extremitäten, c) Kopf und Stirn [Lit. 14].

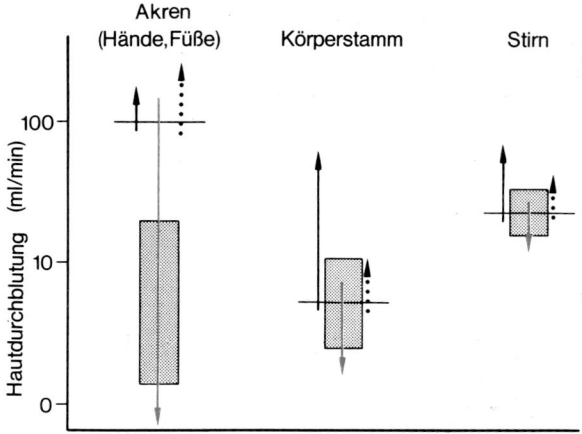

Abb. 9. Hautdurchblutung als Stellglied der Thermoregulation. Schematische Darstellung der die Hautdurchblutung beeinflussenden Faktoren und regionaler Differenzen (Durchblutung jeweils bezogen auf 100 ml Gewebe). Horizontale Linien kennzeichnen Durchblutungsgröße nach Denervation. Rote Pfeile: Einfluß noradrenerger *constrictorischer* Nerven. Aufwärts gerichtete Pfeile: Einfluß dilatatorischer Nerven (Vermittlung über Bradykinin). Punktierte Pfeile: Örtlicher (direkter) Temperatureinfluß auf die Gefäße. Punktiertes Feld: Bereich der Ruhedurchblutung. Nach [14]

Die *Steuerung der Akrendurchblutung* erfolgt über *noradrenerge sympathische Nerven,* wobei eine Zunahme des sympathischen Tonus mit einer Vasoconstriction einhergeht, während eine Abnahme des Tonus zur Vasodilatation führt. Auch die Weite der in den distalen Extremitäten vorkommenden arterio-venösen Anastomosen wird durch den Sympathicus in gleicher Richtung wie die der Arteriolen beeinflußt. Durch die Eröffnung der arterio-venösen Anastomosen wird die Durchblutung der Extremitäten und damit der konvektive Wärmetransport ganz erheblich gesteigert. Ausschaltung des Sympathicus führt an den Akren zu einer nahezu maximalen Dilatation. Am Rumpf und an den proximalen Extremitäten ist die bei Hitzebelastung auftretende maximale Durchblutungssteigerung weit größer als nach Nervenausschaltung. Die hiernach vermutete Existenz spezifischer vasodilatatorischer Nerven konnte jedoch bisher nicht bestätigt werden. Das Phänomen ist vielmehr darauf zurückzuführen, daß mit dem Schweiß ein Gewebshormon, *Bradykinin,* abgesondert wird, das vasodilatatorische Wirkung hat. An der Stirn ist der Einfluß vasomotorischer Nerven nur gering, d.h. es tritt bei Kältebelastung keine Vasoconstriction auf. Bei Hitzebelastung kommt es jedoch zugleich mit der Schweißsekretion zur Vasodilatation.

Die **Sekretion der Schweißdrüsen** wird beim Menschen ausschließlich durch cholinerge sympathische Nervenfasern gesteuert; die Schweißsekretion ist demgemäß durch Atropin hemmbar. Durch Acetyl-

cholin, Pilocarpin und andere Parasympathomimetica wird Schweißsekretion ausgelöst. Unter bestimmten Umständen — z.B. bei starker psychischer Anspannung — kann eine cutane Vasoconstriction im Bereich der Hände und Füße mit Schweißsekretion an den Palmar- und Plantarflächen von Händen und Füßen verbunden sein. In Hinsicht auf die Thermoregulation ist dies eine paradoxe Reaktion. Man spricht in diesem Fall von *emotionalem* im Gegensatz zum *thermischen Schwitzen.*

Direkte Temperaturwirkungen auf Stellvorgänge. Blutgefäße reagieren unmittelbar, d.h. unabhängig von der nervalen Kontrolle auf Temperaturänderung, wie Untersuchungen an isolierten Segmenten von Gefäßen gezeigt haben (s. Andeutung dieses Effekts in Abb. 9). Eine eigentümliche Reaktion, die sog. **Kältevasodilatation (Lewissche Reaktion)** scheint weitgehend auf dieser lokalen Temperaturempfindlichkeit der Gefäßmuskulatur zu beruhen. Bei der Kältedilatation handelt es sich um folgendes Phänomen, das schon jeder an sich beobachtet hat: Bei starker Kälteeinwirkung kommt es zunächst zu einer maximalen Vasoconstriction, kenntlich an Blässe, Kälte der Akren, oft verbunden mit Schmerzen; nach einiger Zeit schießt plötzlich Blut in die Akren, erkennbar an einer Rötung und Erwärmung. Bei fortbestehender Kälteeinwirkung wiederholt sich dieser Vorgang periodisch.

Man hat die *Kältevasodilatation* als eine *Schutzfunktion* angesehen, die die schädlichen Folgen einer anhaltenden mangelhaften Gewebsdurchblutung, Frostbeulen und Gewebsnekrosen, verhindert. Doch lehrt die Praxis, daß trotz Kältevasodilatation bei entsprechender Kältebelastung schwere lokale Frostschäden auftreten; die Schutzfunktion der Kältevasodilatation kommt erst bei kälteadaptierten Menschen zum Tragen (s.S. 542). Die Kältevasodilatation kann andererseits zu einer verhängnisvollen Beschleunigung der allgemeinen Auskühlung führen, wenn sie nämlich bei Schiffbrüchigen, die längere Zeit im kalten Wasser schwimmen, auftritt [22].

4. Die Regelung der Körpertemperatur

Wenn die Temperatur eines Systems automatisch auf einem festgelegten Wert gehalten werden soll — dies würde in der Terminologie der Kybernetik einer *Regelung* entsprechen —, so sind *Meßelemente* erforderlich, die fortlaufend den Temperaturzustand des geregelten Systems messen und dieses Meßergebnis einem *zentralen Regler* zuführen; dieser Vorgang wird als *negative Rückkopplung* bezeichnet. Es sind ferner *integrative Systeme* erfor-

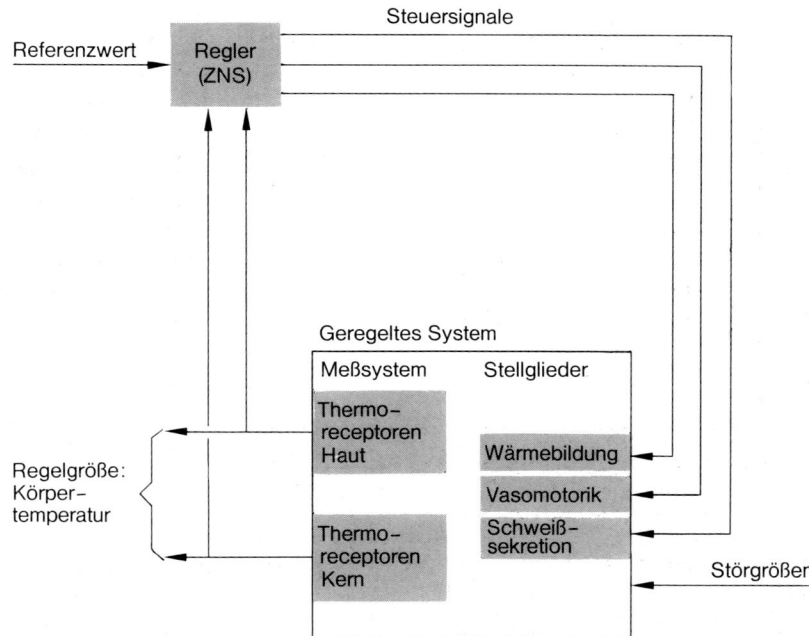

Abb. 10. Blockschaltbild der Thermoregulation. Das System hat zwei Gruppen von Meßfühlern, denen im Organismus die cutanen und die inneren Thermoreceptoren entsprechen

derlich, die die thermischen Informationen verarbeiten und eine Aktivierung von Stellvorgängen (vgl. 3 und Abb. 10) bewirken.

4.1. Thermoreception

Die **cutanen Kalt- und Warmreceptoren,** die zugleich die *Temperaturempfindung* vermitteln (vgl. Hautsinne), stellen *eine* Gruppe von Receptoren dar, die die Funktion von Meßelementen im Temperaturregelkreis haben (Abb. 10). Neben diesen cutanen Thermoreceptoren hat man seit langem **innere Thermoreceptoren** postuliert und zahlreiche experimentelle Indizien für ihre Existenz gewonnen. So konnte man durch lokale Erwärmung oder Kühlung eines eng umschriebenen Bezirks im Bereich des vorderen Hypothalamus sowohl Wärmeabgabevorgänge wie auch Steigerung der Wärmebildung auslösen [Lit. 5, 18]. Eine Identifizierung dieser thermosensitiven Strukturen mit morphologischer Methodik ist bisher nicht möglich gewesen. Elektrophysiologisch konnten mittels der Methode der Einzelfaserableitung jedoch „Wärmeneurone" identifiziert werden, d.h. Nervenzellen, deren Aktivität bei lokaler Erwärmung zunimmt, wie die Abb. 11 zeigt; es ist dort ferner zu sehen, daß im Gefolge der Aktivierung der Wärmeneurone ein Entwärmungsmechanismus (über die Steigerung der Atemfrequenz) angeregt wird [27]. In den letzten Jahren konnte eine ähnliche Thermosensitivität

auch an einigen anderen Stellen des zentralen Nervensystems aufgezeigt werden. So löst Erwärmung des *Rückenmarks* beim Hund Hecheln [21], Vasodilatation und Hemmung der Wärmebildung, Abkühlung Kältezittern und Vasoconstriction aus [28a, 30]. Beim Meerschweinchen genügt eine lokale Temperaturänderung im Bereich des Cervicalmarks zur Auslösung thermoregulatorischer Reaktionen. Die thermosensitiven Strukturen des Rückenmarks sind über ascendierende Bahnen, die im Bereich des Tr. spinothalamicus verlaufen, mit dem hinteren Hypothalamus verbunden [33]. Weiterhin sind Thermoreceptoren im Bereich der Muskulatur, neuerdings auch im Abdominalbereich postuliert worden [Lit. 18, 28a].

Die Ausbreitung von thermoreceptiven Strukturen über das ganze Körpergebiet kann als Pendant zu dem komplizierten Temperaturfeld (s. 2.1) des Körpers angesehen werden. Es wären damit die neurophysiologischen Voraussetzungen gegeben für ein sehr aufwendiges Regelsystem, das den thermischen Gesamtzustand des Organismus berücksichtigt (*Multiple Input System*). Primitive Regelsysteme, wie sie etwa in einfachen Hausklimaanlagen Verwendung finden, haben meist nur *einen* Temperaturfühler, der an einer Stelle des Systems angebracht wird. Nur die Temperatur in unmittelbarer Umgebung dieses Fühlers wird einigermaßen genau geregelt.

Die wichtigste Besonderheit der biologischen Temperaturregelung im Vergleich mit bekannten einfachen technischen Systemen ist darin zu sehen, daß *zwei Arten von Receptoren, Kalt- und Warmreceptoren,* die an verschiedenen Orten lokalisiert sind (vgl.

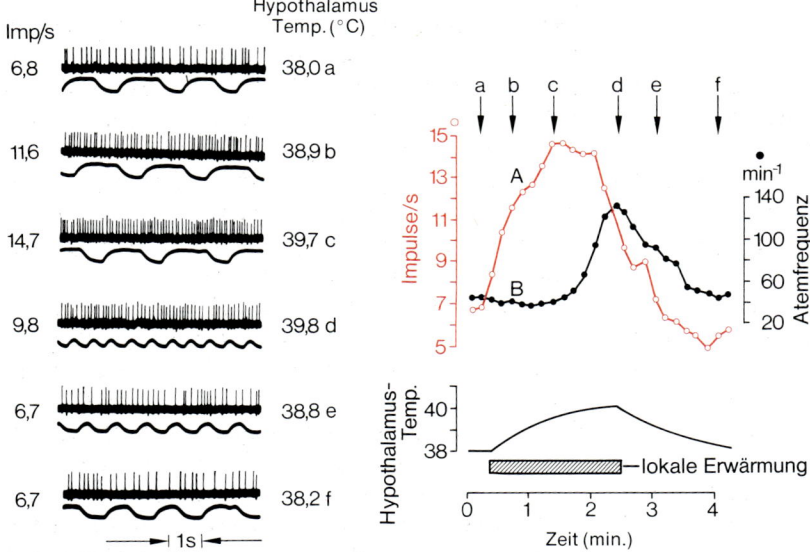

Abb. 11. Mikroelektrodenableitung der Impulsfrequenz eines einzelnen Wärmeneurons in der Regio praeoptica und gleichzeitige Registrierung der Atemfrequenz bei lokaler Erwärmung des Hypothalamus. Das linke Diagramm zeigt untereinander Registrierabschnitte bei verschiedenen Temperaturen des Hypothalamus. Die jeweils obere Kurve stellt die Aktionspotentiale, die untere die Atemfrequenz dar. Im rechten Diagramm sind synchron und kontinuierlich die Impulsfrequenz des Wärmeneurons (A), die Atemfrequenz (B) und die Hypothalamustemperatur (untere Kurve) dargestellt. Die mit kleinen Buchstaben bezeichneten Pfeile (rechtes Diagramm oben) markieren den Zeitpunkt, dem die Registrierstücke mit gestreckter Zeitskala (linkes Diagramm) entsprechen. Nach [27]

Abb. 10), antagonistisch zusammenwirken: Die *Kältereceptoren der Haut,* die zahlreicher und gleichmäßiger über die Haut verteilt sind als Warmreceptoren, lösen bei ihrer Aktivierung, d.h. bei Temperatursenkung unterhalb die untere Grenze der Neutralzone (Unterschreitung von t_3 in Abb. 7) *Abwehrvorgänge* („Stellvorgänge", s. Abb. 10) *gegen Kälte,* nämlich Vasoconstriction und thermoregulatorische Steigerung der Wärmebildung, aus. Dieser Reaktion wird bei einer Steigerung der Körpertemperatur, die als Folge überschießender Abwehrreaktionen oder nach körperlicher Arbeit auftreten kann, *entgegengewirkt durch wärmeaktivierbare innere Thermoreceptoren.* Dank dieses Schaltungsprinzips ist es möglich, daß bei äußerer Abkühlung sehr rasch — noch lange bevor eine Kerntemperatursenkung eingesetzt hat — Kälteabwehrvorgänge ausgelöst werden. Diese werden aber nur solange aufrechterhalten, wie die Innentemperatur unterhalb eines bestimmten Referenzwertes („Kernreferenzwert" in Abb. 12) bleibt.
Bei *Wärmebelastung,* wie sie bei körperlicher Arbeit durch Steigerung der Wärmebildung gegeben ist, werden die *inneren Wärmereceptoren* erregt und lösen *Entwärmungsvorgänge* (Vasodilatation, Schwitzen) aus. Dem wird durch Kälteaktivierung der cutanen Kaltreceptoren entgegengewirkt. Ein wesentlicher Antrieb der Entwärmungsvorgänge von Warmreceptoren der Haut kann bei körperlicher

Arbeit nicht erwartet werden, da infolge der einsetzenden Schweißsekretion und -verdunstung die Hauttemperatur unter den Wert bei Neutraltemperatur absinkt (vgl. Abb. 5). Bei äußerer Erwärmung dagegen erfolgt der Antrieb der Schweißsekretion durch Zusammenwirken cutaner und innerer Warmreceptoren (Abb. 13).

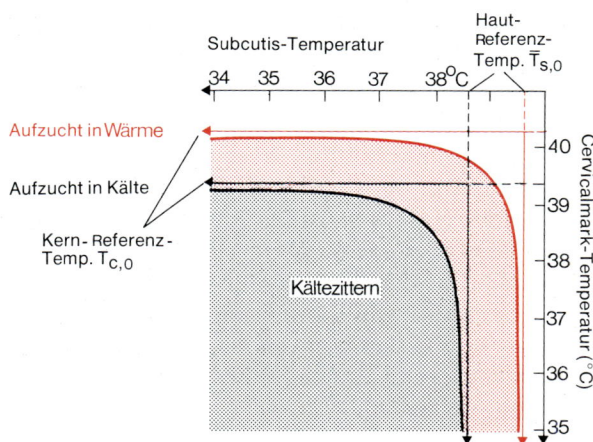

Abb. 12. Zitterschwellenkurven für zwei Gruppen von Meerschweinchen, von denen eine in kalter, die andere in warmer Umgebung aufgezüchtet wurde. Die Werte wurden erhalten, indem die Temperatur der Körperoberfläche und des cervicalen Vertebralkanals unabhängig voneinander variiert wurden. Die Asymptoten entsprechen den „Referenztemperaturen", $\overline{T}_{s,o}$ und $T_{c,o}$, gemäß Gl. (12). Nach [10]

4.2. Integrative Prozesse und zentralnervöse Strukturen der Thermoregulation

Die biokybernetischen Grundvorstellungen, auf denen unsere Beschreibung der Thermoregulation aufgebaut ist, fordern weiter die Aufzeigung von Strukturen, die die „Verrechnung" der aus den Receptoren einlaufenden Temperaturinformationen und die Transformation dieser „Eingangsgrößen" in „Stellgrößen" bewerkstelligen (s. auch Abb. 10). Aufgrund zahlreicher experimenteller Indizien wird der Hypothalamus, insbesondere die Area hypothalamica posterior, seit eh und je als ein solches Integrationszentrum angesehen. Es gelang neuerdings, im Bereich des hinteren Hypothalamus Neurone aufzuzeigen, deren Aktivität (Impulsfrequenz) durch lokale thermische Reizung sowohl der Regio praeoptica als auch des cervicothorakalen Anteils des Rückenmarks beeinflußt wird [35].

Informationsverarbeitung im Hypothalamus. Die sinnfälligste Demonstration der Bedeutung des Hypothalamusgebietes für die Thermoregulation ergibt sich aus klassischen Ausschaltungsversuchen: Die Durchtrennung des Hirnstammes unmittelbar rostral des Hypothalamus läßt bei Katzen die Thermoregulation vollkommen intakt. Nach Durchtrennung des Hirnstammes rostral des Mesencephalon dagegen verhalten sich die Tiere wie Poikilotherme. Bei geschickter Operationstechnik und geeigneter Umgebungstemperatur können solche poikilotherm gemachten Tiere Wochen und Monate weiterleben [Lit. 18, 30]. Wie weit diese Befunde auf den Menschen übertragbar sind, läßt sich gegenwärtig nicht sagen. Bei der höheren Entwicklung des menschlichen Gehirns wäre es denkbar, daß sich Läsionen auch rostral des Hypothalamus stärker als beim Tier auf die Funktion der Thermoregulation auswirken.

In gegenwärtigen Untersuchungen wird durch Anwendung subtilerer Untersuchungsmethoden (umschriebene Elektrokoagulation, thermische und elektrische Reizung sowie Mikroinjektion von Pharmaka) versucht, die den genannten integrativen Funktionen des Hypothalamus zugrundeliegenden neuronalen Prozesse zu analysieren und zu lokalisieren. Danach spielen sich integrative Prozesse offenbar im vorderen und hinteren Hypothalamus ab, während die thermoreceptiven Strukturen vorwiegend in der Regio praeoptica lokalisiert sind [34], wie bisher schon angenommen wurde.

Sollwert. Ein neurophysiologisches Korrelat wäre schließlich zu suchen für die Einstellung eines bestimmten „Sollwertes" der Körpertemperatur, da ja vielfach von „Sollwertverstellungen" des Temperaturregelungssystems gesprochen wird; so werden z.B. die tagesrhythmischen Schwankungen der Kör-

pertemperatur (s.S. 530) als Ausdruck einer Sollwertverstellung [1] aufgefaßt, ebenso auch das Fieber (s.S. 542). Der Begriff „Sollwert" ist allerdings problematisch, da hier die Grenze des Vergleichs von biologischen und technischen Systemen offenbar wird. Vom Techniker her gesehen ist „Sollwert" ein eindeutiger Begriff: Er drückt präzise aus, welchen Wert die Regelgröße nach den Vorstellungen des Konstrukteurs möglichst ohne Schwankung einhalten *soll*, und zwar so lange, bis er den Sollwert auf einen anderen Betrag einstellt, also eine „Sollwertverstellung" vornimmt. Da bei biologischen Systemen ein „Konstrukteur" nicht befragt werden kann, bedarf hier der „Sollwert" (wenn man diesen Begriff nicht als systeminadäquat ablehnt) einer indirekten Bestimmung. So läßt sich feststellen, bei welcher Temperaturkonstellation die einzelnen Stellvorgänge (regulative Steigerung der Wärmebildung, Schweißsekretion usw.) einsetzen. Man erhält dann z.B. eine der *Schwellenkurven für Kältezittern*, wie sie in Abb. 12 dargestellt ist. In entsprechender Weise kann man die Temperaturschwellenbedingungen für die Auslösung von Entwärmungsvorgängen ermitteln (Abb. 13). *Der „Sollwert" des Systems könnte dann als die im stationären Zustand eingestellte integrierte Körpertemperatur aufgefaßt werden, bei der weder Entwärmungs- noch Kälteabwehrvorgänge in Tätigkeit sind. Mit anderen Worten: Der „Sollwert" ist eine Funktion der Schwellentemperaturen für die verschiedenen Stellvorgänge.*

Man kann nunmehr nach dem neurophysiologischen Korrelat für die Einstellung einer Schwellenkurve auf ein bestimmtes Niveau fragen. Eine Möglichkeit wäre es anzunehmen, daß die bestimmte Form der Schwellenkurven einfach Ausdruck der Funktionscharakteristik der beteiligten Kalt- und Warmrecepto-

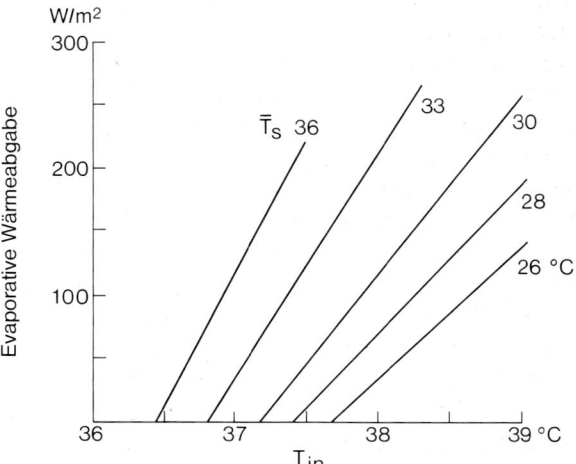

Abb. 13. Evaporative Wärmeabgabe des Menschen (in W/m²) als Funktion der Körperinnentemperatur T_{in} (gemessen im Oesophagus) und der mittleren Hauttemperatur, $\bar{T}_s$. Ein Teil der Daten wurde bei körperlicher Arbeit, die anderen bei Ruhebedingungen gewonnen. Nach [26]

ren ist. Bei „normaler" Temperatur würden beide Receptorenarten gleichmäßig feuern; ihre Aktivität würde sich gegenseitig aufheben. Bei einer Regelabweichung nach oben oder unten würden durch das Überwiegen von Warm- bzw. Kaltsignalen die entsprechenden Stellvorgänge eingeleitet. Eine „Sollwertverstellung" wäre dann auf eine Änderung der Funktionscharakteristik der Thermoreceptoren zurückzuführen. Da bei langfristiger Kältebelastung Verschiebungen der Schwellenkurven nachweisbar sind (s. Abb. 12), die cutanen Thermoreceptoren unter solchen Umständen aber keine Änderung ihrer Funktion zeigen [Lit. 18], ist man auf andere Erklärungen angewiesen. Folgende Vorstellung hat gegenwärtig größere Verbreitung gefunden [5, 16–18]: Im Hypothalamus findet man neben den thermosensitiven Neuronen auch solche, deren Entladungsaktivität weitgehend unabhängig von der Temperatur ist [27]. Der Hypothese folgend wirken solche thermoinsensitiven Neurone zusammen mit thermosensitiven Neuronen auf die verschiedenen effectorischen, die thermoregulatorischen Stellvorgänge steuernden Neurone *inhibitorisch* ein. Die Schwellenbedingung ist dann erfüllt, wenn inhibitorische und stimulatorische Wirkung gleich groß sind. Eine Schwellenverschiebung wäre dann auf eine Änderung der Spontanaktivität der thermoinsensitiven Neurone zurückführbar. Es wird weiterhin vermutet, daß letztere inhibitorische Afferenzen aus dem monoaminergen ascendierenden System der Formatio reticularis erhalten [vgl. 16]. Die nach intrahypothalamischer Noradrenalinapplikation beobachteten Schwellenverschiebungen für Kältezittern und zitterfreie Wärmebildung [36] könnten auf dieser Basis erklärt werden. In der Sprache der Kybernetiker würden die thermoinsensitiven Neurone einen oder einen von mehreren „Referenzwerten" für das Regelungssystem liefern (vgl. Abb. 10).

„Verrechnung" der thermischen Informationen. Der hyperbelförmige Verlauf der Zitterschwellenkurve in Abb. 12, der auch für das Kältezittern des Menschen [4] und für die zitterfreie Wärmebildung [9] gilt, weist auf eine multiplikative „Verrechnung" der thermischen Signale aus Haut und Kern hin. Aufgrund tierexperimenteller Ergebnisse [9, 10] gilt approximativ (und innerhalb eines physiologischen Grenzbereiches) folgende Gleichung:

$$\Delta H = k(T_{c,o} - T_c) \cdot (\overline{T}_{s,o} - \overline{T}_s) - a \qquad (12)$$

wobei ΔH die thermoregulatorische Steigerung der Wärmebildung, T_c und $\overline{T}_s$ die Kern- bzw. mittlere Hauttemperatur, $T_{c,o}$ und $\overline{T}_{s,o}$ die Kern- bzw. Hautreferenztemperatur (Asymptoten der Schwellenhyperbel in Abb. 12), k und a für Species und Wärmebildungsmechanismus typische Konstanten bedeuten. Aufgrund dieser Gleichung läßt sich leicht z.B. folgende Beobachtung [28] interpretieren: Beim Baden in der Nordsee sinkt die Körperkerntemperatur insbesondere bei mageren Leuten (vgl. Wärmetransportzahl S. 533) trotz heftiger Kälteabwehrreaktionen infolge des starken Wärmeverlustes schon im Verlauf einer halben Stunde auf 35° C oder gar weniger ab. Nach Beendigung des Bades hört Kältezittern sehr rasch auf, wenn die Badenden sich der starken Sonnenstrahlung in der Düne aussetzen, wobei die Hauttemperatur rasch ansteigt,

während die Innentemperatur Stunden bis zur Erreichung des normalen Ausgangswertes benötigt.

Wie die Gl. (12) besagt, muß die thermoregulatorische Wärmebildung sistieren, wenn einer der beiden Klammerausdrücke Null wird; bei Aufenthalt in der Düne erreicht $\overline{T}_s$ nach kurzer Zeit den Wert $\overline{T}_{s,o}$, der beim Menschen 33–34° C beträgt; Kältezittern hört damit auf, selbst wenn die Kerntemperatur T_c weit unter $T_{c,o}$ liegt. Ähnliche Verrechnungsprinzipien liegen der Steuerung der Schweißsekretion [26] und der Hautdurchblutung [Lit. 18] zugrunde.

Die Erhöhung der Kerntemperatur bei körperlicher Arbeit (s.S. 531 und Abb. 5) ist in dem hier geschilderten Regelungssystem (Proportionalregler mit multiplen Temperatureingangssignalen) zu erwarten, da die mittlere Hauttemperatur infolge der evaporativen Wärmeabgabe sinkt. In älteren Theorien mußte die Erhöhung der Rectaltemperatur bei Arbeit entweder als Folge einer insuffizienten Wärmeabgabe oder als Sollwertverstellung der Körpertemperatur (in Analogie zum Fieber, s.S. 542) gedeutet werden. Für beide Deutungen ergab sich jedoch experimentell kein Anhalt [23].

5. Ontogenetische und adaptative Veränderungen der Thermoregulation

5.1. Die Temperaturregelung beim Neugeborenen

Die Neugeborenen verschiedener Säugerspecies (Erdhörnchen, Hamster) zeigen unmittelbar nach der Geburt noch keine thermoregulatorische Steigerung der Wärmebildung; ihre Stoffwechsel-Temperatur-Beziehung verläuft analog der von poikilothermen Organismen (s. Abb. 1). Erst im Verlauf einiger Wochen bildet sich das Reaktionsvermögen der Stellglieder auf eine thermische Reizung hin aus. Bei anderen Species (vgl. Abb. 6) und so auch *beim menschlichen Neugeborenen* (Abb. 14) *sind dagegen alle thermoregulatorischen Reaktionen* (Stoffwechselsteigerung, vasomotorische Reaktionen, Schweißsekretion, Verhaltensweisen) *unmittelbar nach der Geburt auslösbar*, selbst bei Frühgeborenen mit Geburtsgewichten um 1000 g [6]. Die vielfach vertretene Auffassung, das Neugeborene oder Frühgeborene sei poikilotherm, und bestimmte, für die Thermoregulation verantwortliche Hirnstrukturen seien noch nicht völlig entwickelt, konnte aufkommen, da das Neugeborene zur Regulation in der Regel kein Kältezittern, sondern zitterfreie Wärmebildung (s.S. 532) einsetzt, die ohne beson-

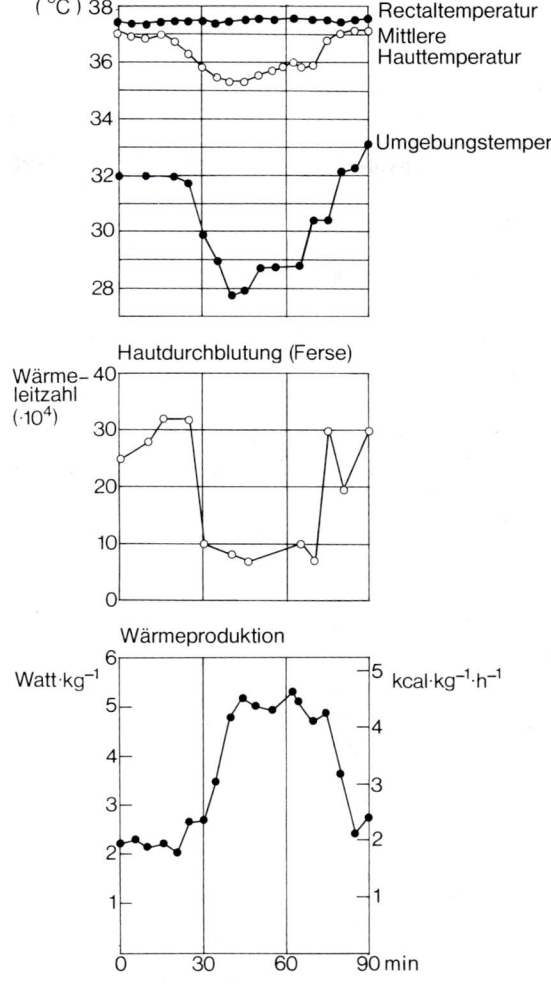

Abb. 14. Thermoregulatorische Reaktion der Hautdurchblutung und des Stoffwechsels bei Kältebelastung eines menschlichen Neugeborenen. Man sieht, daß die thermoregulatorischen Reaktionen auftreten, sobald die mittlere Hauttemperatur absinkt. Die Körperinnentemperatur bleibt konstant. Die Reaktionen spielen sich in einem Umgebungstemperaturbereich ab, der oberhalb der Neutralzone des Erwachsenen liegt (vgl. Abb. 15). Die Hautdurchblutung an der Ferse wurde durch Messung der Wärmeleitzahl [cal (cm · s · °C)$^{-1}$] erfaßt. Nach [6]

dere Meßvorrichtungen nicht erkennbar ist. Die Wärmebildung kann auf zitterfreiem Wege um das Ein- bis Zweifache des Grundumsatzes gesteigert werden (Abb. 6). Erst bei sehr extremer Kältebelastung tritt auch Kältezittern hinzu.

Von Nachteil bei der Thermoregulation des Neugeborenen ist seine kleine Gestalt. Der *Oberflächen-Volumen-Quotient bei einem reifen Neugeborenen* ist etwa dreimal so groß wie beim Erwachsenen. Dazu kommt noch die geringe Dicke der Körperschale und das dünne Fettpolster. Selbst bei maximaler Vasoconstriction ist deshalb eine Einschränkung des Wärmetransportes nicht in dem Maße gegeben wie beim Erwachsenen. Die gestaltliche Besonderheit müßte kompensiert werden durch eine — bezo-

gen auf die Gewichtseinheit — 4–5mal so große Wärmebildung beim reifen Neugeborenen (Abb. 15) und eine bis zu zehnmal so große bei 1 000–1 500 g schweren Frühgeborenen. Tatsächlich liegt der minimale Energieumsatz unmittelbar nach der Geburt mit 1,5 kcal·kg^{-1} h^{-1} unterhalb der in der Abb. 2 dargestellten Exponentialkurve mit n = 0,75 und steigt im Verlauf der ersten Lebenstage und -wochen auf einen Wert von ca. 2,3 kcal kg^{-1} h^{-1} an, der nunmehr deutlich oberhalb der Exponentialkurve mit n = 0,75 liegt.

Ein Ausgleich der Wärmebilanz auf dem Niveau des Minimalumsatzes erfordert beim Neugeborenen somit eine höhere Umgebungstemperatur, nämlich 32–34° C (Abb. 15). Unterhalb dieser Umgebungstemperatur ist zum Ausgleich der Wärmebilanz eine thermoregulatorische Steigerung der Wärmebildung erforderlich und tritt tatsächlich auch ein, d.h. *die untere Grenze der Neutralzone (t_2 in Abb. 15) ist zu einer höheren Umgebungstemperatur verschoben.* Zu höheren Temperaturen verschoben ist auch die *untere Grenze des Regelbereichs* (t_1 in Abb. 15); sie liegt beim reifen Neugeborenen bei ca. 23° C, beim unbekleideten Erwachsenen um 0° C. Innerhalb seines *eingeengten Regelbereiches* vermag das Neugeborene jedoch seine Körpertemperatur ebenso präzise zu regeln wie der Erwachsene (Abb. 14). Bei Frühgeborenen rücken mit abnehmender Körpergröße t_1 und t_2 (Abb. 15) zu höheren Temperaturen und beide Werte nähern sich. Bei sehr kleinen Frühgeborenen wird die Thermoregulation somit sehr ineffektiv.

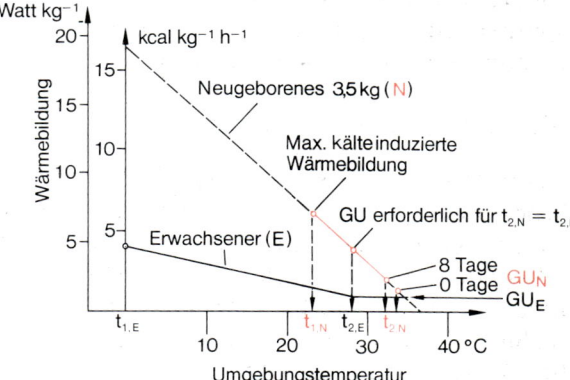

Abb. 15. Wärmebildung in Abhängigkeit von der Umgebungstemperatur bei Neugeborenen und Erwachsenen. Der Knickpunkt der Kurve E markiert die untere Grenze der Neutralzone (t_2), die beim Neugeborenen wegen des relativ niedrigen Minimalumsatzes zu einer höheren Temperatur hin verschoben ist. Durch den Anstieg des Minimalstoffwechsels in der ersten Lebenswoche wird $t_{2,N}$ nach links verschoben. Die maximale Wärmebildung bestimmt die untere Grenze des Regelbereiches (t_1), der beim Neugeborenen ($t_{1,N}$) weit kleiner ist als beim Erwachsenen. Die Darstellung beruht auf Daten über die maximale Isolation der Wärmeschale bei Neugeborenen. GU Grundumsatz. Nach [6] und [19]

5.2. Langfristige Anpassungsvorgänge an die Umgebungsbedingungen

Von den *regulatorischen Mechanismen*, Steigerung der Wärmebildung, vasomotorische Reaktionen, Schweißsekretion, die stets einsatzbereit sind und bei Einwirkung einer thermischen Belastung innerhalb von Sekunden oder Minuten ausgelöst werden, sind *langfristige Anpassungsvorgänge* an sich ändernde klimatische Lebensbedingungen zu unterscheiden.

Diesen Anpassungsvorgängen, die auch als **physiologische Adaptation** oder als **Akklimatisation** bezeichnet werden, liegen Modifikationen von Organen und Funktionssystemen zugrunde, zu deren Ausbildung eine über Tage, Wochen oder Monate anhaltende oder wiederholt einwirkende thermische Belastung erforderlich ist.

Hitzeadaptation. Die Hitzeadaptation des Menschen ist von Bedeutung für das Leben in den Tropen oder im Wüstenklima, aber auch für starke körperliche Leistung bei mäßig warmer Umgebung. Die wesentlichste Modifikation, die sich im Verlauf einer Hitzeadaptation einstellt, ist die um einen Faktor 3 zunehmende Schweißsekretionsrate, die am Ende über 1 Liter pro Stunde betragen kann. Diese Schweißsekretion beginnt überdies bei einer niedrigeren mittleren Haut- und Kerntemperatur, d.h. die Schwelle für die Auslösung des Regelmechanismus wird zu tieferen Werten verschoben. Infolge dieser Modifikationen stellt sich die mittlere Körpertemperatur bei der gegebenen Hitze- oder Arbeitsbelastung auf niedrigere Werte ein, wodurch der Organismus vor *kritischen Anstiegen der Herzfrequenz und der peripheren Durchblutung* bewahrt wird, die in den *Hitzekollaps* münden würden. Ferner nimmt im Verlauf der Adaptation der *Elektrolytgehalt des Schweißes* erheblich ab. Dadurch wird die Gefahr eines durch *Elektrolytverlust bedingten Kollapses* verringert [Lit. 18].

Eine wesentliche Modifikation besteht — ganz entgegen der Volksmeinung — darin, daß der Hitzeadaptierte im Verlauf der Hitzeadaptation bei gleich großem Schweißverlust durstiger wird, was zum Teil über den verminderten Elektrolytgehalt des Schweißes zu erklären ist (s. Osmoregulation, S. 637), und damit erst fähig wird, seine Wasserbilanz voll auszugleichen. Wird ausreichende Wasserzufuhr verhindert, so kommt es zu bedrohlicher Hyperthermie.

Kälteadaptation. Sehr eindrucksvolle kälteadaptative Modifikationen findet man bei zahlreichen Tierspecies in Form einer Zunahme der Wärmeisolation durch Pelzwachstum. Eine weitere wesentliche kälteadaptative Modifikation kleiner Tiere stellt die

Entwicklung von zitterfreier Thermogenese und braunem Fettgewebe dar (s.S. 532). Die zitterfreie Thermogenese kann als ein ökonomischerer Mechanismus der Wärmebildung angesehen werden, da beim Kältezittern durch die rhythmischen Bewegungen der Wärmeabstrom durch erhöhte Konvektion gesteigert wird (Verminderung der Luftgrenzschicht; s.S. 534). Dem erwachsenen Menschen wächst weder ein Pelz, noch bildet er in nennenswertem Maß zitterfreie Wärmebildung aus, wenn er langfristig stärkerer Kältebelastung ausgesetzt wird. Es ist deshalb vielfach die Meinung vertreten worden, daß der erwachsene Mensch überhaupt keine physiologische Kälteadaptation erwerben könne, daß er vielmehr ganz auf „Verhaltensanpassung" (Kleidung, Behausung, Heizung) angewiesen sei. In den letzten Jahren haben sich jedoch einige neue Aspekte ergeben [15]: Zentralaustralische Eingeborene, die gewöhnt waren, bei Lufttemperaturen um 0° C fast unbekleidet neben einem kümmerlichen Feuer zu übernachten, zeigten folgendes Verhalten: mittlere Hauttemperatur und mittlere Körpertemperatur fielen im Verlauf der Nachtstunden erheblich stärker ab als bei europäischen Versuchspersonen, es trat jedoch kein Kältezittern auf („*Hypotherme Adaptation*"). Die Europäer dagegen konnten vor Kältezittern nicht schlafen. Bei den Amas, den koreanischen Perltaucherinnen, die bis tief in den Herbst hinein sich täglich viele Stunden in Wasser (Temperatur um 10° C) aufhalten [Lit. 18], zeigte sich ebenfalls eine zu *tieferen Temperaturen hin verschobene Zitterschwelle*. Auch im Tierversuch ließen sich solche Verschiebungen der Zitterschwelle hervorrufen (Abb. 12). In den Tierversuchen konnte ferner gezeigt werden, daß bei intermittierender Kälteexposition die Schwellen für die Entwärmungsvorgänge unverändert bleiben. Es kann somit in warmer Umgebung Wärme gespeichert werden, die bei intermittierender Kältebelastung abgegeben werden kann, so daß Steigerungen der Wärmebildung zunächst nicht erforderlich sind. Die Schwellenverschiebung trägt also zu einer Ökonomisierung der Thermoregulation bei, allerdings auf Kosten der Präzision. Bei Dauerkältebelastung erscheint diese Form der Adaptation ungeeignet. In der Tat fand man bei den Alacaluf-Indianern (westpatagonische Inseln), die ständig kalter Luft, Regen und Schnee ausgesetzt sind, ein anderes Verhalten; ihr Grundumsatz wurde wie auch bei den Eskimos um 25–50% erhöht gefunden („*Metabolische Adaptation*").

Lokale Adaptation. Nach wiederholter Kälteexposition der Hände bei im übrigen durch Kleidung gut warm gehaltenem Körper vermindert sich der lokale Kälteschmerz. Dies beruht zu einem Teil auf einer erhöhten Durchblutung, die ihrerseits dadurch bedingt ist, daß Kältevasodilatation (s.S. 536) bei höherer Hauttemperatur auftritt. Zusätzlich treten aber auch bisher nicht geklärte Veränderungen auf, die eine Abschwächung des Kälteschmerzes bedingen.

6. Pathophysiologie der Thermoregulation

6.1. Fieber

Das Fieber wird als eine „*Sollwertverstellung*" der Körpertemperatur aufgefaßt. Dem *Fieberanstieg* liegt eine Steigerung der Wärmebildung durch Kältezittern (Schüttelfrost) und eine maximale Vasoconstriction der peripheren Gefäße zugrunde. Der Organismus verhält sich also so, als wenn beim Gesunden durch Auftreten einer äußeren Kältebelastung eine Abweichung der Isttemperatur von der normalen Solltemperatur entsteht. Umgekehrt tritt beim *Fieberabfall* Schweißsekretion und Vasodilatation auf, genau so, als wenn beim Gesunden eine Überhöhung der Körpertemperatur aufgetreten wäre. Während des anhaltenden Fiebers werden äußere thermische Störungen durch entsprechende Stellvorgänge kompensiert; die Stellvorgänge der Thermoregulation sind also intakt. Die Temperatur wird lediglich auf ein erhöhtes Niveau eingeregelt.

Zur **Pathogenese des Fiebers** bestehen im übrigen folgende Vorstellungen [32]: Die fiebererzeugenden Stoffe (*Pyrogene*), zu denen insbesondere Lipopolysaccharide von Bakterienmembranen gehören, stimulieren die Leukocyten zur Produktion eines fiebererzeugenden Stoffes, *Leukocyten-Pyrogen* genannt, das aus dem Serum fiebernder Tiere gewonnen werden kann. Injiziert man dieses Leukocyten-Pyrogen in den Hypothalamus von Kaninchen, so tritt unmittelbar Fieber auf, nicht jedoch, wenn die gleiche Menge des Pyrogens in andere Hirnbezirke injiziert wird [12]. Es ist noch unentschieden, ob das Pyrogen an integrativen Einheiten des Hypothalamus (s.S. 539) angreift, oder die Empfindlichkeit der zentralen Thermoreceptoren verändert.

6.2. Überschreitung der Toleranzgrenzen des Regelsystems

Hyperthermie. Extreme Hitzebelastung, die die Kapazität der Wärmeabgabemechanismen übersteigt, führt durch Wärmestauung zur **Hyperthermie.** Subjektiv wird eine Steigerung der Körpertemperatur um einen bestimmten Betrag bei Wärmestauung weit unangenehmer empfunden als bei Fieber. In der Hyperthermie sind alle Stellvorgänge aufs äußerste angespannt, im Fieber nicht. *Als obere, mit dem Leben noch zu vereinbarende Körpertemperatur wird sowohl für Hyperthermie als für Fieber ein Wert von 42° C angesehen.* Kurzfristig sind auch höhere Temperaturen bis 43° C überlebt worden.

Bei anhaltender Hyperthermie mit Temperaturen über 40–41° C treten schwerste, meist rasch zum Tode führende Schädigungen des Gehirns mit Gehirnödem und Zerstörung von Neuronen auf, die von Desorientiertheit, Delirium, Krämpfen, begleitet sind. Das Erscheinungsbild wird je nach Verursachung umgangssprachlich als **Sonnenstich** oder **Hitzschlag** bezeichnet. Die Gehirnschädigung bewirkt eine Störung der zentralen Mechanismen der Thermoregulation, insbesondere versiegt die Schweißsekretion, wodurch der fatale Verlauf noch beschleunigt wird.

Von diesen schweren Störungen ist der **Hitzekollaps** zu unterscheiden, der schon bei relativ geringfügiger Hitzebelastung auftreten kann und durch längeres Stehen begünstigt wird. Dieser Hitzekollaps, zu dem Menschen mit orthostatischer Dysregulation besonders neigen, ist durch eine extreme Vasodilatation mit Blutdrucksturz gekennzeichnet und eher als Kreislaufstörung denn als Temperaturregelungsstörung aufzufassen (Beispiel für Vermaschung von Regelkreisen).

Hypothermie. Bei Überbeanspruchung der Kälteabwehrvorgänge, d.h. bei länger anhaltender Exposition an Temperaturen unterhalb t_2 (Abb. 7), kommt es zur Hypothermie. Die Kälteabwehrvorgänge sind zunächst voll angespannt. In der Phase der starken Kälteabwehr, insbesondere bei Körpertemperaturen um 26–28° C, kann der Tod durch Herzflimmern eintreten. Zur Einleitung einer „induzierten Hypothermie" zu therapeutischen Zwecken (vgl. S. 528) müssen die Gegenregulationen durch Narkose (vgl. Abb. 1) oder durch spezifische Hemmung der thermoregulatorischen Reaktionen unterbunden werden [29].

Von dieser Form der Hypothermie ist eine Reaktionsform zu unterscheiden, die bei älteren Menschen gefunden wird: Sie stellen Körperkerntemperaturen um 35° C oder sogar darunter ein, ohne daß Kältezittern auftritt. Die Regelungsvorgänge laufen jedoch auf diesem erniedrigten Niveau normal ab. Es handelt sich hier gewissermaßen um ein Gegenstück zum Fieber [11].

7. Literatur

1. ASCHOFF, J.: Circadian rhythm of activity and of body temperature. In: Physiological and behavioral temperature regulation (HARDY, J.D., GAGGE, A.P., STOLWIJK, J.A.J., Eds.). Springfield/Ill.: Ch.C. Thomas 1970.
2. ASCHOFF, J., WEVER, R.: Kern und Schale im Wärmehaushalt des Menschen. Naturwissenschaften **45**, 477 (1958).
3. BEHMANN, F.W., BONTKE, E.: Die Regelung der Wärmebildung bei künstlicher Hypothermie. I. Experimentelle Untersuchungen über den Einfluß der Narkosetiefe. Pflügers Arch. ges. Physiol. **266**, 408 (1958).
4. BENZINGER, T.H.: Heat regulation: Homeostasis of central temperature in man. Physiol. Rev. **49**, 671 (1969).
5. BLIGH, J.: Temperature regulation in mammals and other vertebrates. Amsterdam-London: North Holland Publ.; New York: Elsevier Publ. 1973.
6. BRÜCK, K.: Temperature regulation in the newborn infant. Biol. Neonat. (Basel) **3**, 65 (1961).
7. BRÜCK, K.: Non-shivering thermogenesis and brown adipose tissue in relation to age and their integration in the thermoregulatory system.

In: Brown Adipose Tissue (O. LINDBERG, Ed.), p. 117. New York: Amer. Elsevier Publ. 1970.

8. BRÜCK, K.: Heat Production and temperature regulation. In: Physiology of the perinatal period, Vol. I (U. STAVE, Ed.), p. 493. New York: Appleton-Century-Crofts 1970.

9. BRÜCK, K., SCHWENNICKE, H.P.: Interaction of superficial and hypothalamic thermosensitive structures in the control of non-shivering thermogenesis. Int. J. Biometeorol. 15, 156 (1971).

10. BRÜCK, K., WÜNNENBERG, W.: Meshed control of two effector systems: Non-shivering and shivering thermogenesis. In: Physiological and behavioral temperature regulation (J.D. HARDY, A.P. GAGGE, J.A.J. STOLWIJK, Eds.), p. 562. Springfield/Ill.: Ch.C. Thomas 1970.

11. COOPER, K.E.: Studies of the human central warm receptor. In: Physiological and behavioral temperature regulation (J.D. HARDY, A.P. GAGGE, J.A.J. STOLWIJK, Eds.), p. 224. Springfield/Ill.: Ch.C. Thomas 1970.

12. COOPER, K.E., CRANSTON, W.I., HONOUR, A.J.: Observations on the site and mode of action of pyrogens in the rabbit brain. J. Physiol. (Lond.) 191, 325 (1967).

13. DUBOIS, E.F.: The mechanism of heat loss and temperature regulation. Stanford/Calif.: Stanford Univ. Press 1937.

14. GOLENHOFEN, K.: Haut. In: Lehrbuch der Physiologie, Physiologie des Kreislaufs I (E. SCHÜTZ, Hrsg., redigiert von E. BAUEREISEN). Berlin-Heidelberg-New York: Springer 1971.

15. HAMMEL, H.T.: Terrestrial animals in cold: recent studies of primitive man. In: Handbook of Physiology, Sect. 4: Adaptation to the environment, p. 413. Washington: Amer. Physiol. Soc. 1964.

16. HAMMEL, H.T.: Neurons and temperature regulation. In: Physiological controls and regulations, Chapt. 5 (W.S. YAMAMOTO, J.R. BROBECK, Eds.), p. 71. Philadelphia-London: Saunders 1965.

17. HAMMEL, H.T.: The set-point in temperature regulation: Analogy or Reality. In: Essays on Temperature Regulation (J. BLIGH, R. MOORE, Eds.), p. 121. Amsterdam: North Holland Publ. 1972.

18. HENSEL, H., BRÜCK, K., RATHS, P.: Homeothermic Organisms. In: Temperature and Life (H. PRECHT, J. CHRISTOPHERSEN, H. HENSEL, W. LARCHER, Eds.). Berlin-Heidelberg-New York: Springer 1973.

19. HEY, E.N., KATZ, G., O'CONNELL, B.: The total thermal insulation of the new-born baby. J. Physiol. (Lond.) 207, 683 (1970).

20. HILDEBRANDT, G., ENGELBERTZ, P.: Bedeutung der Tagesrhythmik für die physikalische Therapie. Arch. phys. Ther. (Lpz.) 5, 160 (1953).

21. JESSEN, C.: Auslösung von Hecheln durch isolierte Wärmung des Rückenmarks am wachen Hund. Pflügers Arch. ges. Physiol. 297, 53 (1967).

22. KEATINGE, W.R.: Survival in cold water. Oxford-Edinburgh: Blackwell 1969.

23. KITZING, J., KUTTA, D., BLEICHERT, A.: Temperaturregulation bei langdauernder schwerer körperlicher Arbeit. Pflügers Arch. ges. Physiol. 301, 241 (1968).

24. KLEIBER, M.: The fire of life. New York-London: John Wiley & Sons 1961. Deutsche Übersetzung (M. Kleiber, J.O. Gütte): Der Energiehaushalt von Mensch und Tier. Hamburg-Berlin: Paul Parey 1967.

25. LINDBERG, O. (Ed.): Brown adipose Tissue. New York: Amer. Elsevier Publ. 1970.

26. NADEL, E.R., BULLARD, R.W., STOLWIJK, J.A.J.: Importance of skin temperature in the regulation of sweating. J. appl. Physiol. 31, 80 (1971).

27. NAKAYAMA, T., HAMMEL, H.T., HARDY, J.D., EISENMAN, J.S.: Thermal stimulation of electrical activity of single units of the preoptic region. Amer. J. Physiol. 204, 1122 (1963).

28. PIRLET, K.: Die Verstellung des Kerntemperatur-Sollwertes bei Kältebelastung. Pflügers Arch. ges. Physiol. 275, 71 (1962).

28a. SIMON, E.: Temperature regulation: The spinal cord as a site of extrahypothalamic thermoregulatory functions. Rev. Physiol. Biochem. Pharmacol. 71, 1 (1974).

29. THAUER, R., BRENDEL, W.: Hypothermie. Progr. Surg. (Basel) 2, 73 (1962).

30. THAUER, R., SIMON, E.: Spinal cord and temperature regulation. In: Advances in climatic physiology (S. ITOH, K. OGATA, H. YOSHIMURA, Eds.). Igaku Shoin Ltd. Tokyo. Berlin-Heidelberg-New York: Springer 1972.

31. WEBB-PEPLOE, M.M., SHEPHERD, J.T.: Response of dogs' cutaneous veins to local and central temperature changes. Circulat. Res. 23, 693 (1968).

32. WOLSTENHOLME, G.E.W., BIRCH, J. (Eds.): Pyrogenes and Fever. Edinburgh, London: Churchill Livingstone 1971.

33. WÜNNENBERG, W., BRÜCK, K.: Studies on the ascending pathways from the thermosensitive region of the spinal cord. Pflügers Arch. ges. Physiol. 321, 233 (1970).

34. WÜNNENBERG, W.: Thermo-integrative function of the hypothalamus. Int. Symposium on Depressed Metabolism and Cold Thermogenesis, Prag 1974. Springfield/Ill. (USA): Ch. C. Thomas Publ. 1976.

35. WÜNNENBERG, W., HARDY, J.D.: Response of single units of the posterior hypothalamus to thermal stimulation. J. appl. Physiol. 33, 547 (1972).

36. ZEISBERGER, E., BRÜCK, K.: Effects of intrahypothalamically injected noradrenergic and cholinergic agents on thermoregulatory responses. In: The Pharmacology of Thermoregulation. Symp. 5th Congress on Pharmacology, San Francisco 1972 (E. SCHÖNBAUM, P. LOMAX, Eds.), p. 232. Basel: Karger 1973.

1. Grundlagen der Arbeitsphysiologie

Die Arbeitsphysiologie ist ein Teilbereich der *angewandten Physiologie,* wobei enge Beziehungen zur *Umweltphysiologie* bestehen. Umweltbelastungen sind in den letzten Jahren vielfältiger und Arbeiten unter erschwerten Umweltbedingungen häufiger geworden. Man denke dabei an Arbeit in extremen Klimazonen, in der Höhe (z.B. Luft- und Raumfahrt) oder in der Tiefe (Bergwerke oder Aufenthalt unter Wasser).

Der Arbeitsphysiologe kann sich nicht allein auf die Untersuchung der körperlichen Belastungen bei beruflicher oder sportlicher Tätigkeit beschränken. In der heutigen Arbeitswelt überwiegen gegenüber der früher weit verbreiteten körperlichen Schwerarbeit andere Anforderungen, wie *Mustererkennung, rasche Informationsaufnahme* und *-verarbeitung* sowie *Planungs- und Entscheidungsfähigkeit* (z.B. am Fließband, auf Prüf- und Überwachungsständen). Daher muß der Arbeitsphysiologe in zunehmendem Umfang psychologische Gesichtspunkte berücksichtigen. Dies gilt auch für den Bereich des Sports, obwohl hier körperliche Schwer- und Schwerstarbeit meistens im Vordergrund stehen.

Übergroße Belastungen eines Menschen führen unabhängig von der Art der Belastung zur Überbeanspruchung und damit zur Beeinträchtigung der Gesundheit, die von der Weltgesundheitsorganisation (WHO) wie folgt definiert wird: *„Gesundheit ist ein Zustand des vollständigen körperlichen, geistig-seelischen und sozialen Wohlbefindens, der nicht lediglich durch Abwesenheit von Krankheit und Schwäche zu erreichen ist."*

Die Schaffung einer humanen Arbeitswelt ist ohne arbeitsphysiologisches Grundlagenwissen nicht möglich. Der Arbeitsphysiologe bemüht sich deshalb, die *Wechselwirkungen zwischen Mensch und Arbeitsplatz* (einschließlich Sportplatz) zu ermitteln, wobei fast alle Bereiche der Physiologie berücksichtigt werden müssen. Erst dann lassen sich Richtlinien für die *Anpassung des Arbeitsplatzes* bzw. der Maschine an den Menschen sowie umgekehrt für die *Anpassung des Menschen* an den Ar-

beitsplatz (Eignungstests, Einschulung, Training) erstellen. Insofern ist die Arbeitsphysiologie eine Optimierungswissenschaft, wobei die Optimierung wesentlich auf das Wohlbefinden des Menschen ausgerichtet ist.

1.1. Belastung und Beanspruchung

Definitionen. Unter **Belastung** versteht man eine *vorgegebene Anforderung,* die von äußeren Bedingungen, nicht aber vom belasteten Individuum abhängt. **Beanspruchung** ist die *Reaktion des Organismus* auf vorgegebene Belastungen; das Ausmaß der Beanspruchung hängt von individuell unterschiedlichen Faktoren ab. Eine körperliche Belastung von 100 Watt kann einen Kranken bis zur Erschöpfung beanspruchen, während die gleiche Belastung bei einem Sportler nicht einmal Zeichen der Ermüdung auslöst.

Maßgebende Faktoren für die Beanspruchung. Folgende individuell unterschiedliche Faktoren beeinflussen das Ausmaß der Beanspruchung:
Wirkungsgrad (η). Er ist definiert als Quotient aus äußerer (physikalischer) Arbeit und Gesamtumsatz (S. 520). Je geringer der erzielte Wirkungsgrad bzw. die Effektivität, desto größer wird bei gleicher Belastung die Beanspruchung.
Leistungsfähigkeit: Darunter wird die Fähigkeit zur Erfüllung einer Aufgabe verstanden. Sie hängt ab von *Gesundheitszustand, Trainingszustand* und *Begabung.* Die realisierbare Leistungsfähigkeit wird außerdem von Umwelteinflüssen (z.B. Klima, Tageszeit) sowie psychischen Faktoren bestimmt.

Unter **Training** versteht man das *Wiederholen gleichartiger physischer oder psychischer Tätigkeiten.* Dies kann entweder systematisch geschehen oder spontan im Rahmen der alltäglichen Belastungen. Dabei werden Anpassungsvorgänge im Organismus ausgelöst. Je nach Ausmaß dieser Anpassungsvorgänge wird ein individuell unterschiedlicher **Trainingszustand** erreicht. **Talent** bzw. **Begabung** sind leistungsbestimmende Fähigkeiten, die *nicht durch Training beeinflußt* werden können, jedoch das Ausmaß einer Beanspruchung wesentlich bestimmen. Dabei kann es sich um angeborene oder im Verlauf der frühkindlichen Entwicklung fixierte Faktoren handeln.

1.2. Belastungsarten

Die meisten Belastungen bestehen aus einer *Kombination verschiedener Belastungsarten*. Man unterscheidet zwischen *physischen, mentalen* und *emotionalen* Komponenten. Eine scharfe Trennung ist oft nur schwer möglich und das Ausmaß einer Belastung nicht immer einer genauen Messung zugänglich. Physische Belastungen lassen sich mit physikalischen Meßverfahren bestimmen und in physikalischen Dimensionen ausdrücken. Eine Messung mentaler und emotionaler Belastungen ist schwierig oder gar nicht möglich, wie z.B. bei kreativer Tätigkeit in der Forschung oder im musischen Bereich.

Physische Belastungen. Man unterscheidet zwei Formen, dynamische Arbeit und statische Arbeit.

Dynamische Arbeit. Werden *isotone* oder *auxotone* Muskelkontraktionen durchgeführt (S. 75ff.), wird physikalische Arbeit entlang eines Weges gegen vorgegebene Widerstände verrichtet. Daher lassen sich sowohl die vorgegebene Belastung als auch die erbrachte Leistung in physikalischen Einheiten (Watt, mkp/s oder Joule pro Sekunde, S. 520) angeben, z.B. beim Radfahren, Treppensteigen oder Bergaufgehen. Dabei gilt: 1 Watt $\sim$ 1 Joule/s $\sim$ 0,102 mkp/s, also rund 0,1 mkp/s (S. 683). Man unterscheidet *positiv dynamische* Arbeit (Muskel als „Motor") und *negativ dynamische* Arbeit (Muskel als „Bremse", z.B. beim Bergabgehen).

Statische Arbeit (Haltearbeit). Sie liegt bei *isometrischen* Muskelkontraktionen vor. Da kein Weg zurückgelegt wird, handelt es sich im physikalischen Sinn nicht um Arbeit, jedoch um eine Beanspruchung des Organismus. Als Maß der Belastung gilt das *Produkt aus Kraft mal Zeit*.

Mentale Belastungen. Der Einsatz *intellektueller Fähigkeiten* steht im Vordergrund; man spricht daher auch von *psychischer* Belastung. Ausgesprochen mentale Belastungen findet man bei der Signalwahrnehmung und Signalverarbeitung, z.B. im Zusammenhang mit Überwachungsaufgaben bei Fahrzeugführern, im Fluglotsen- und Stellwerkdienst oder auf Prüfständen.

Emotionale Belastungen. Diese beeinflussen bevorzugt die Stimmungslage und gehen mit erheblichen Reaktionen des *vegetativen Nervensystems* einher. Typische Ursachen sind z.B. Streit am Arbeitsplatz, Termindruck, Akkord- oder Schichtarbeit, Lärmbelästigungen.

Kombinierte Belastungen. Typische Beispiele sind:
Sensomotorische Belastungen: Sie erfordern eine besondere Geschicklichkeit, ohne daß größere muskuläre Belastungen auftre-

ten, z.B. bei Fließbandmontage (Kombination von physischen und mentalen Belastungskomponenten).
Umweltbelastungen: Sie wirken sich erschwerend bei vielen Tätigkeiten aus: **Lärm und Vibration** bei Arbeiten in der Schwerindustrie, bei Fahrzeugführern und Flughafenpersonal sowie beim Arbeiten mit Preßluftgeräten, **Hitze und Kälte** (thermische Belastungen) beim Arbeiten an Hochöfen, im Bergbau oder in extremen Klimazonen; **Über- und Unterdruck** bei Tauchern (erhöhter Umgebungsdruck) sowie in der Luft- und Raumfahrt (erniedrigter Umgebungsdruck); **Beschleunigung** in der Luft- und Raumfahrt infolge wechselnder Erdbeschleunigungen beim Kurven- oder Parabelflug (sog. „g-Belastungen") oder wechselnde Linearbeschleunigung, z.B. bei Start und Landung.

1.3. Ergometrie

Die Ergometrie ist ein Verfahren zur *Bestimmung der körperlichen Leistungsfähigkeit*. Es wird eine definierte Belastung (ausgedrückt in Watt, mkp/s oder Joule pro Sekunde) vorgegeben und die erbrachte Leistung gemessen. Außerdem lassen sich die Reaktionen des Organismus auf die Belastung bestimmen. Im einfachsten Fall wird das Körpergewicht durch **Kniebeugen** oder **Stufensteigen** gehoben und somit *dynamische* Arbeit verrichtet, deren Ausmaß von Hubhöhe und Körpergewicht abhängt. Da der Wirkungsgrad je nach Bewegungsablauf stark variiert, ist die Vergleichbarkeit der Belastungsreaktionen sehr erschwert. Mit **Ergometern** kann eine Belastung bei weitgehend konstantem Wirkungsgrad vorgegeben werden. Man unterscheidet zwei Ausführungen [30]:

Fahrradergometer. An einem Standfahrrad wird die Schwungmasse derart gebremst, daß die Bremsleistung gemessen werden kann. Die Bremsung erfolgt mit einem Schleifriemen, einer Wirbelstrombremse oder einem Dynamo. Je schneller die Tretgeschwindigkeit (U/min) und je größer die Bremskraft (k), desto größer ist die abgegebene Bremsleistung. Für die Leistung (L)

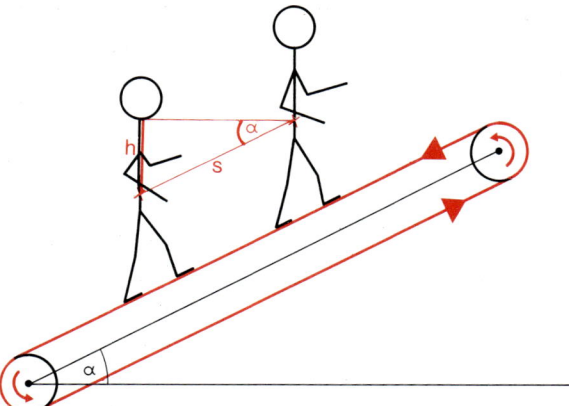

Abb. 1. Laufbandergometer. In Abhängigkeit von der Bandgeschwindigkeit wird der Körperschwerpunkt entlang des Weges s in der Zeiteinheit t um den Betrag h gesenkt. Will ein Proband die gleiche Höhe h halten, muß er so schnell „auf der Stelle" laufen, daß das Körpergewicht k um den Betrag $s \cdot \sin \alpha$ gehoben wird. Für die Leistung L gilt dann: $L \sim k \cdot s \cdot \sin \alpha \cdot t^{-1}$

gilt danach: $L \sim U/\text{min} \cdot k$. Bei vielen Ergometern wird die Leistung automatisch angezeigt. Die Richtigkeit dieser Anzeige sollte in Jahresabständen überprüft werden.

Laufbandergometer. Beim Gehen auf einem geneigten Laufband wird der Körperschwerpunkt stets um den Betrag gehoben, um den er durch Geschwindigkeit und Neigung des Laufbands gesenkt wird (Abb. 1). Der Läufer erbringt dabei entsprechend der Tretbahnneigung und Bandgeschwindigkeit die gleiche Leistung wie beim Bergaufgehen. Der Wirkungsgrad beträgt ebenso wie bei Fahrradergometer-Arbeit 20–25%.

2. Reaktionen des Organismus auf physische Belastungen

Körperliche Belastungen lösen in verschiedenen Organsystemen Anpassungsvorgänge aus, z.B. in der Muskulatur, im Herz/Kreislauf- und im Atmungssystem. Der Organismus wird belastet und zeigt Beanspruchungsreaktionen; dies läßt sich anhand von Änderungen physiologischer Parameter nachweisen. Das Ausmaß der Änderungen gilt in vielen Fällen als direktes Maß für die Beanspruchung.

Intraindividuelle und interindividuelle Unterschiede. Bei gleicher Belastung kann bei einem Individuum der Umfang der Reaktionen Unterschiede aufweisen, z.B. in Abhängigkeit von der Tageszeit. Man spricht dann von *intra*individuellen Unterschieden im Gegensatz zu den *inter*individuellen Unterschieden, die sich beim Vergleich verschiedener Individuen ergeben.

2.1. Funktionelle Veränderungen in der dynamisch arbeitenden Muskulatur

Muskeldurchblutung. In Abhängigkeit von der Stoffwechselintensität steigt die Durchblutung des tätigen Muskels an, im schwer arbeitenden Muskel um mehr als das *Zwanzigfache*. Die höhere Durchblutung stellt sich nicht sofort mit Beginn der Arbeit ein. Es bedarf vielmehr einer *Anlaufzeit* von mindestens 20–30 s. Nach Abschluß der Anlaufphase ist bei *leichter* dynamischer Arbeit die Durchblutung dem Bedarf angepaßt. Bei *schwerer* dynamischer Arbeit wird der Bedarf nicht gedeckt; die ungenügende Durchblutung führt zu einer Umstellung des Muskelstoffwechsels.

Muskelstoffwechsel. Bei *leichter* körperlicher Arbeit findet nach einer kurzen Anlaufzeit mit größtenteils anaerober Energiebereitstellung eine ausschließlich *aerobe* Energiegewinnung statt (Abb. 2), wobei der Muskel sowohl Glucose als auch Fettsäuren und Glycerin utilisiert. Hingegen wird bei *schwerer* Arbeit ständig ein Teil der Energie *anaerob* gewonnen; es entsteht **Milchsäure** (S. 507), die sich im Muskel anhäuft [22]. Das Einsetzen der Milchsäurebildung hängt ab von einer ungenügenden Durchblutung des Muskels, einer verminderten O_2-Sättigung des Blutes oder von Engpässen im aeroben Stoffwechsel (z.B. auf der Stufe der Pyruvat-Dehydrogenase). Mit Einsetzen der anaeroben Milchsäurebildung überschreitet der Muskel eine Schwelle; es kommt zur muskulären *Ermüdung* (S. 81 f., S. 555).

Zu Beginn einer Arbeit benötigt der Muskel für die Steigerung der aeroben Energiegewinnung eine Anlaufzeit, die mit kurzzeitig verfügbaren **anaeroben Energiereserven** überbrückt wird (Abb. 2). Dazu zählen das ATP und das Kreatinphosphat. Die Menge gespeicherter energiereicher Phosphate ist verglichen mit den Glykogenreserven nur gering (Tabelle 1). Trotzdem sind diese Phosphate für den Überbrückungseffekt und für kurzzeitige Höchstleistungen unentbehrlich (z.B. 100-m-Lauf) [22].

Tabelle 1. Energiereserven des Froschmuskels in cal/g. Nach [34]

ATP	0,09	Glykogen, anaerob	1,2
CP	0,23	Glykogen, aerob	30–60

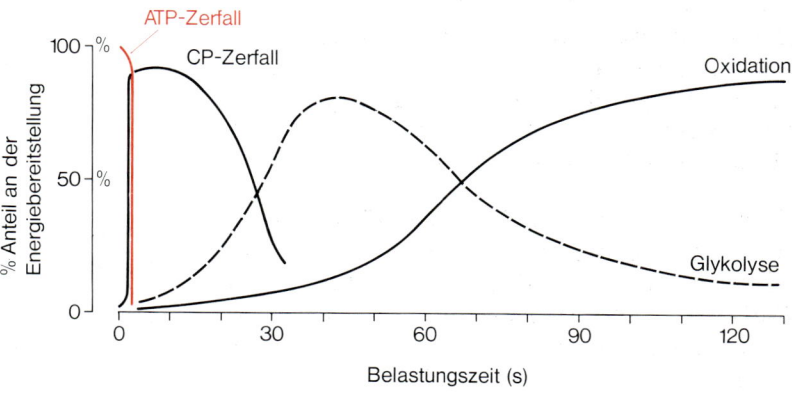

Abb. 2. Anteil verschiedener energieliefernder Substrate an der Energiebereitstellung im Muskel zu Beginn einer leichten Arbeit. Energielieferant in den ersten Sekunden ist fast ausschließlich Adenosintriphosphat (ATP), anschließend Kreatinphosphat (CP). Während die Glykolyse ihr Maximum nach rund 45 s erreicht, kann oxidativ der Hauptteil der benötigten Energie erst nach rund 2 min zur Verfügung gestellt werden. Nach [21]

2.2. Kreislaufgrößen bei dynamischer Arbeit

Im Verlauf dynamischer Arbeit kommt es zu erheblichen Umstellungen im Kreislaufsystem (s. S. 447f.). Das Herzzeitvolumen steigt an, die Durchblutung der arbeitenden Muskulatur und der Haut nimmt zu. Damit wird dem *erhöhten Bedarf* des arbeitenden Muskels Rechnung getragen und die im Muskel entstehende *Wärme* zum Ort der Abgabe transportiert.

Pulsfrequenz. Bei *konstanter Belastung* zeigt sie ein typisches Verhalten (Abb. 3): Während *leichter Arbeit* steigt die Pulsfrequenz innerhalb von 5–10 min auf einen Plateau-Wert an; es wird ein Gleichgewichtszustand erreicht (sog. *steady state*), der bis zum Arbeitsende beibehalten wird, auch über mehrere Stunden. Je größer die Beanspruchung, desto höher liegt das Plateau. Während *schwerer Arbeit* mit konstanter Belastung zeigt die Pulsfrequenz kein steady state-Verhalten, sondern einen *Ermüdungsanstieg;* sie steigt bis zu einem individuellen Höchstwert an. Dieses bei leichter und schwerer Arbeit unterschiedliche Verhalten der Pulsfrequenz wurde in Versuchen mit einer Dauer bis zu 8 Std nachgewiesen [33]. Demnach lassen sich in Abhängigkeit vom Verhalten der Pulsfrequenz zwei Formen der Arbeit unterscheiden:
1. Leichte, nicht ermüdende Arbeit — steady state.
2. Schwere, ermüdende Arbeit — Ermüdungsanstieg.

Nach Arbeit zeigt die Pulsfrequenz in Abhängigkeit von der Beanspruchung ebenfalls ein unterschiedliches Verhalten [33]. Nach *leichter* Arbeit kehrt sie innerhalb von 3–5 min auf den Ausgangswert zurück. Nach *schwerer* Arbeit ist die **Erholungszeit** (Zeit bis zum Erreichen des Ausgangswertes) erheblich *verlängert,* nach erschöpfender Arbeit bis zu mehreren Stunden. Die Anzahl der Pulse, die in der Erholungsphase über dem Ausgangswert liegen, wird als **Erholungspulssumme** bezeichnet. Wie Abb. 3 zeigt, hängt auch diese Größe von der Beanspruchung ab.

Schlagvolumen. Das Schlagvolumen des Herzens steigt zu Beginn einer Arbeit um 20–30% an und bleibt dann während der Belastung weitgehend *konstant.* Nur bei maximaler Beanspruchung sinkt das Schlagvolumen geringfügig ab, weil dabei so hohe Herzfrequenzen auftreten, daß die Füllzeit des Herzens verkürzt und damit das Füllvolumen vermindert wird. Beim Gesunden verhalten sich wegen der weitgehenden Konstanz des Schlagvolumens während Arbeit das Herzzeitvolumen und die Herzfrequenz fast proportional zueinander.

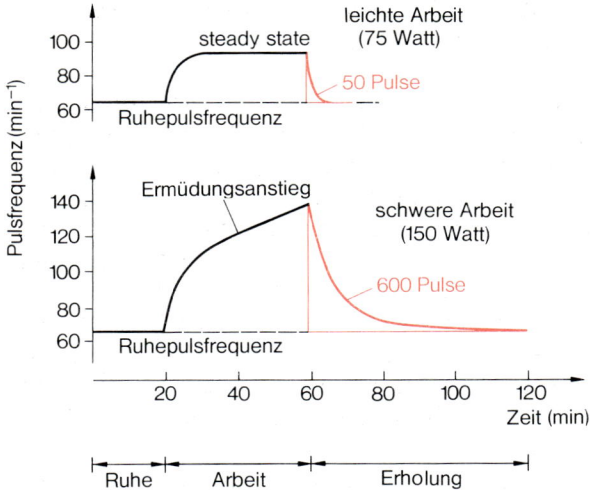

Abb. 3. Verhalten der Pulsfrequenz bei *Untrainierten* während leichter und schwerer dynamischer Arbeit mit konstanter Belastung. Rot: Erholungspulssumme. In Anlehnung an [33]

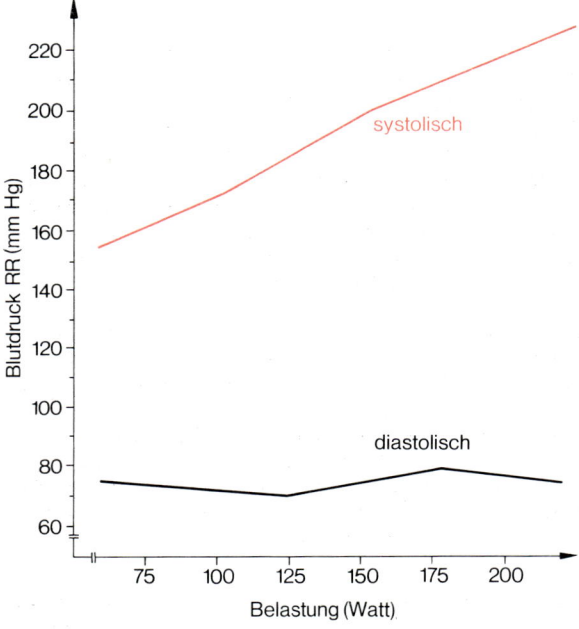

Abb. 4. Verhalten von systolischem und diastolischem Blutdruck in Abhängigkeit von der Belastung. Nach [16]

Blutdruck. Der **arterielle Blutdruck** ändert sich bei dynamischer Arbeit in Abhängigkeit von der geforderten Leistung (Abb. 4). Der *systolische* Blutdruck nimmt fast proportional zur Leistung zu; bei 200 Watt wird ein Wert von 220 mm Hg (29,3 k Pa) erreicht. Der *diastolische* Blutdruck ändert sich nur geringfügig, oft fällt er ab. Der arterielle **Mitteldruck** steigt daher immer an. — Im *Niederdrucksystem* (S. 417f.) erhöht sich beim Gesunden der Blutdruck nur wenig, z.B. im rechten Vorhof. Nimmt er bei Arbeit deutlich zu, ist dies Symptom einer Herzinsuffizienz.

2.3. Sauerstoffaufnahme und Atemgastransport bei dynamischer Arbeit

Sauerstoffaufnahme bei leichter und schwerer Arbeit.
Die Sauerstoffaufnahme des Organismus steigt in Abhängigkeit von der Beanspruchung an, also je nach Belastungsintensität und Wirkungsgrad. Bei *leichter* Arbeit wird ein Gleichgewichtszustand (*steady state*) zwischen Sauerstoffaufnahme und Sauerstoffbedarf erreicht (Abb. 5), allerdings erst nach 3–5 min, da Durchblutung und Muskelstoffwechsel nicht sofort dem neuen Bedarf angepaßt sind. Bis zum Erreichen des Gleichgewichts steht dem Muskel eine *geringe Sauerstoffreserve* in Form des Myoglobin-O_2 (S. 509) und der verstärkten Ausnutzung der O_2-Kapazität des Blutes zur Verfügung. Bei *schwerer* Muskelarbeit stellt sich auch bei konstanter Belastung *kein Gleichgewicht* ein; die Sauerstoffaufnahme steigt ähnlich der Pulsfrequenz (Abb. 3) fortlaufend an.

Sauerstoffdefizit und Sauerstoffschuld. Zu Beginn einer Arbeit kann die Sauerstoffaufnahme den Bedarf nicht decken; es tritt ein Sauerstoffdefizit ein (Abb. 5). Dies hängt mit dem *trägen Einstellverhalten* von Durchblutung und aerobem Muskelstoffwechsel zusammen. Während *leichter* Arbeit bleibt das Sauerstoffdefizit nach Erreichen des Gleichgewichts konstant, während *schwerer* Arbeit nimmt es über die gesamte Belastungszeit zu. Nach Beendigung einer Arbeit läßt sich, vor allem in den ersten Minuten, eine über dem Ruhewert liegende Sauerstoffaufnahme nachweisen. Man spricht vom Abtragen der *Sauerstoffschuld*. Die Interpretation der Sauerstoffschuld ist *problematisch*. Die *vermehrte Sauerstoffaufnahme nach Arbeit* (Sauerstoffschuld) hängt nämlich nicht nur von Restitutionsvorgängen im Muskel ab, sondern auch von Faktoren wie erhöhte Körpertemperatur, vermehrte Atemarbeit, Tonusänderungen der Muskulatur und Auffüllen der Sauerstoffspeicher des Organismus [21]. Daher ist die Sauerstoffschuld größer als das vorhergehende Sauerstoffdefizit. Nach *leichter* Arbeit im steady state beträgt die Sauerstoffschuld bis zu *4 l*, nach *schwerer* Arbeit mit unzureichend gedecktem Sauerstoffbedarf bis zu *20 l*.

Beziehung zwischen Sauerstoffaufnahme und Pulsfrequenz. Während dynamischer Arbeit mit konstantem Wirkungsgrad verhält sich die Pulsfrequenz sowohl zur Sauerstoffaufnahme als auch zur Leistung proportional. Bei wechselnden Wirkungsgraden bleibt die Proportionalität zwischen Pulsfrequenz und Sauerstoffaufnahme bestehen, während sie zwischen Pulsfrequenz und Leistung verloren geht [11]. Diese Proportionalität läßt sich als Gerade darstellen (Abb. 6), deren Steilheit deutliche interindividuelle Unterschiede aufweist, besonders in Abhängigkeit von Lebensalter und Geschlecht. Bei gleichmäßig ansteigender Sauerstoffaufnahme zeigt sich bei *Kindern ein steilerer Anstieg der Pulsfrequenz als bei Erwachsenen und bei Frauen ein steilerer Anstieg als bei Männern* [33, 38].

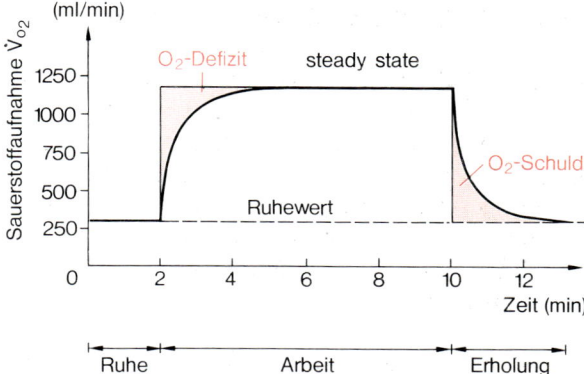

Abb. 5. Schematische Darstellung zum Verhalten der Sauerstoffaufnahme bei leichter dynamischer Arbeit mit konstanter Belastung. Nach [21]

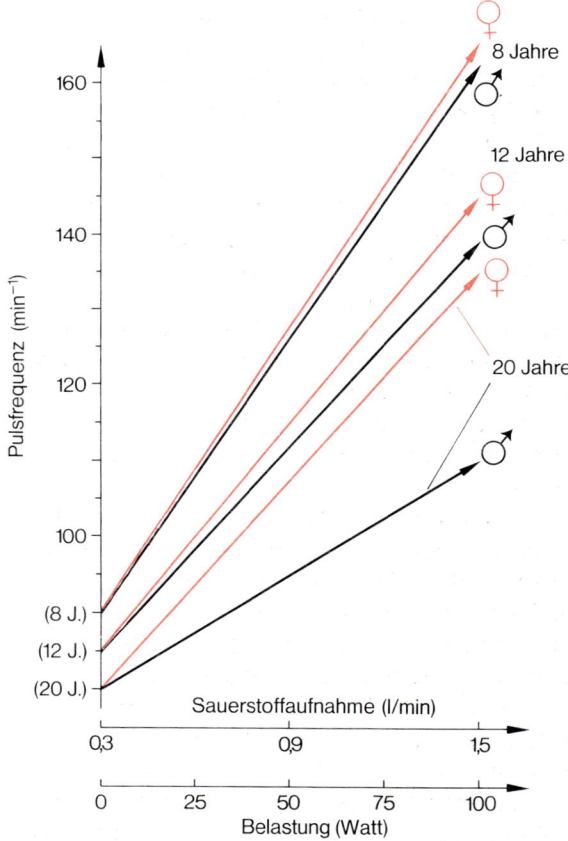

Abb. 6. Einfluß von Alter und Geschlecht auf die Abhängigkeit der Pulsfrequenz von der Sauerstoffaufnahme bzw. Belastung bei dynamischer Arbeit. Die Leistungsskala gilt nur für Ergometer-Arbeit bei einer konstanten Tretgeschwindigkeit von 60 U/min. Nach Durchschnittswerten von [38]

Zur Klärung der physiologischen Mechanismen für die Proportionalität zwischen Sauerstoffaufnahme und Pulsfrequenz wird folgende Hypothese herangezogen [42, 43]: *Muskelreceptoren,* die nicht mit den Muskelspindeln identisch sind, informieren das Kreislaufzentrum über die jeweilige *Stoffwechselaktivität* in der arbeitenden Muskulatur. Dadurch kann in einem weiten Bereich nicht nur die lokale Muskeldurchblutung an den jeweiligen *Bedarf angepaßt* werden, sondern auch das Herzzeitvolumen, wobei eine weitgehende Proportionalität zwischen Herzzeitvolumen und Pulsfrequenz besteht. Obwohl die postulierten Muskelreceptoren bis heute morphologisch nicht nachgewiesen sind, gibt es zahlreiche indirekte Hinweise für deren Existenz.

Sauerstoffaufnahme und Pulsfrequenz bei ansteigender Belastung. Bei dynamischer Arbeit steigen Sauerstoffaufnahme und Pulsfrequenz an. Je stärker die Beanspruchung, desto größer wird die Zunahme gegenüber den Ausgangswerten. Sauerstoffaufnahme und Pulsfrequenz sind also ein *Maß für die Beanspruchung.* Große Beanspruchungen kommen sowohl durch große Belastungen bei günstigstem Wirkungsgrad (ca. 25%), als auch durch geringe Belastungen bei ungünstigem Wirkungsgrad zustande.

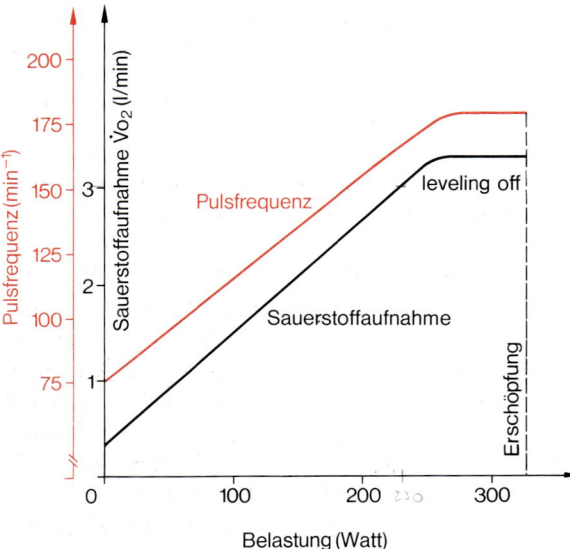

Abb. 7. Schematische Darstellung zum Verhalten von Sauerstoffaufnahme und Pulsfrequenz bei innerhalb von 10 bis 30 min kontinuierlich ansteigender Belastung

Bei gleichbleibender *Bewegungsgeschwindigkeit* bleibt der *Wirkungsgrad* unabhängig von der Belastung weitgehend konstant. Daher steigt bei linear zunehmender Belastung und konstanter Bewegungsgeschwindigkeit die *Sauerstoffaufnahme* linear bis zu einem Maximum an. Nach Erreichen des Maximums verläuft sie in Form eines Plateaus („*leveling off*", Abb. 7). In diesem Stadium nimmt die Differenz zwischen Sauerstoffbedarf und Sauerstoffaufnahme so schnell zu, daß *Erschöpfung* eintritt. Ein entsprechendes Verhalten zeigt die Pulsfrequenz. Wird die maximale Pulsfrequenz innerhalb von 10–30 min erreicht, läßt sich der zusätzliche Ermüdungsanstieg kaum erkennen (Abb. 7). Das Erreichen der maximalen Pulsfrequenz ist ebenfalls Zeichen einer maximalen Beanspruchung.

Ventilation. Während leichter Arbeit steigt das Atemzeitvolumen ähnlich dem Herzzeitvolumen proportional zur Sauerstoffaufnahme an. Die Zunahme beruht auf Steigerungen von Atemzugvolu-

men und Atemfrequenz, bei jüngeren Menschen bevorzugt auf einer Zunahme des Atemzugvolumens (S. 477).

Die *Proportionalität zwischen Sauerstoffaufnahme und Atemzeitvolumen* bei *leichter* Arbeit wird auf die Steuerung durch stoffwechselabhängige *Muskelreceptoren* zurückgeführt, ähnlich wie bei der Einstellung der Pulsfrequenz. Bei schwerer dynamischer Arbeit steigt das Atemzeitvolumen deutlich *überproportional* zur Sauerstoffaufnahme an, da es zur Bildung von Milchsäure im Muskel kommt. Die dadurch bedingte *metabolische Acidose* im Blut wirkt zusätzlich als Atmungsantrieb (S. 481).

Blutgaswerte. Während *leichter* körperlicher Arbeit ändern sich beim Gesunden die arteriellen CO_2- und O_2-Partialdrücke nur geringfügig. Während *schwerer* Arbeit fällt der P_{CO_2} deutlich ab, während sich der P_{O_2} nicht wesentlich ändert. Dies ist Ausdruck einer *überschießenden Mehrventilation,* die durch die Lactat-bedingte *Acidose* in Blut und Muskel zustande kommt. Im venösen *Mischblut* des Herzens ändern sich dagegen die Gaspartialdrücke nur wenig, da global gesehen mit zunehmendem Energieumsatz auch das Herzzeitvolumen steigt.

Für den arbeitenden Muskel nimmt zwar der *venöse* P_{O_2} ab und die AVD_{O_2} bis zum Dreifachen zu, jedoch steigt infolge der *Thermoregulation* die Hautdurchblutung an. Da die *vermehrte Hautdurchblutung* nicht der Nutrition, sondern der Thermoregulation dient, kehrt noch fast *arterielles, gekühltes* Blut zum Herzen zurück und mischt sich dort mit dem venösen Blut aus der Muskulatur. Das entstehende *Mischblut* weist daher immer noch eine Sauerstoffsättigung von etwa 60% bei Schwerarbeit und von etwa 50% bei Schwerstarbeit auf.

Säure-Basen-Status des Blutes. *Leichte* körperliche Arbeit beeinflußt den Säure-Basen-Haushalt im Blut nicht. Das anfallende *Kohlendioxid* wird vollständig über die Lunge abgegeben. Während *schwerer* körperlicher Arbeit tritt entsprechend der Lactatproduktion eine metabolische *Acidose* auf [10], die teilweise durch den Abfall des arteriellen P_{CO_2} kompensiert wird (respiratorische Kompensation einer metabolischen Acidose, S. 504).

2.4. Veränderungen der Blutparameter bei dynamischer Arbeit

Während und nach körperlicher Arbeit ändert sich die Konzentration zahlreicher Bestandteile des Blutes; vor Blutabnahmen für diagnostische Zwecke sollte man daher physische und psychische Belastungen vermeiden bzw. deren Einfluß bei der Interpretation der Befunde berücksichtigen.

Blutzellen. Im Verlauf körperlicher Arbeit steigt der *Hämatokritwert* (S. 318) an. Dies wird *erstens* durch eine Abnahme des Plasmavolumens infolge vermehrter Filtration durch die Capillarwand hindurch verursacht (S. 413). *Zweitens* erfolgt eine *Freisetzung von Erythrocyten* aus den Blutbildungsstätten, gekennzeichnet durch das Auftreten jugendlicher Formen im peripheren Blut. Auch ein Anstieg der Leukocytenzahl wurde beobachtet (*Arbeitsleukocytose*). Schließlich steigt die Anzahl der *Thrombocyten* in Abhängigkeit von der Belastungsintensität. Bei Blutabnahmen zur Bestimmung der Zellzahlen muß daher darauf geachtet werden, daß die Patienten wenigstens eine Stunde vor der Blutabnahme körperlich nicht tätig waren.

Nährstoffe. Beim Gesunden treten während Arbeit nur geringe Änderungen des arteriellen **Glucosespiegels** auf. Nur bei langdauernder Schwerstarbeit sinkt als Zeichen der nahenden *Erschöpfung* die arterielle Glucosekonzentration [22]. Die **Lactatkonzentration** im Blut ist sehr unterschiedlich. Sie hängt je nach Beanspruchung vom Ausmaß der Produktion im anaerob arbeitenden Muskel und von der Eliminationsrate ab. Das Lactat wird entweder im nicht arbeitenden Skeletmuskel und im Herzmuskel oxidativ abgebaut, in der Leber zu Glykogen umgebaut oder mit dem Schweiß ausgeschieden. Die *Lactatkonzentration* im arteriellen Blut beträgt unter

Ruhebedingungen ca. *1 μmol/ml; Höchstwerte* von über *15 μmol/ml* wurden bei schwerer, rund halbstündiger Arbeit oder erschöpfender Intervallarbeit mit Pausen von einer Minute erreicht. Bei langdauernder Schwerarbeit kann man beobachten, daß nach einem anfänglichen Anstieg die Lactatkonzentration wieder absinkt (Abb. 8).

Die arteriellen Konzentrationen von **freien Fettsäuren** und **Glycerin** steigen bei Durchschnittskost-Ernährung im Verlauf körperlicher Schwerstarbeit um mehr als das Vierfache an (Abb. 8). Bei kohlenhydratreicher Ernährung hingegen ändern sich diese Konzentrationen nur wenig. Dies beruht darauf, daß nach Kohlenhydrataufnahme die Lipolyse durch eine vermehrte Insulinausschüttung gehemmt wird [22].

Weitere transportierte Substanzen. Während körperlicher Arbeit steigen im Blut die Konzentrationen verschiedener *Elektrolyte* (z.B. Kalium) und einiger *organischer Substanzen* (z.B. Transaminasen) an. Diese Änderungen werden mit einem „Undichtwerden" der Muskelmembran erklärt, wobei intracelluläre Bestandteile ins Blut gelangen. Die Rückkehr zu den Ausgangskonzentrationen zieht sich teilweise über mehrere Tage hin.

2.5. Thermoregulation und hormonale Regulationen bei dynamischer Arbeit

Thermoregulation. Das Schwitzen wird allgemein als Zeichen schwerer Arbeit angesehen. Das Einsetzen des sichtbaren Schwitzens (*Perspiratio sensibilis*) hängt jedoch nicht nur von der Arbeitsintensität, sondern auch von den Umgebungsbedingungen ab. Die Schweißsekretion setzt ein, wenn die **Indifferenztemperatur** (s. S. 532) überschritten wird, z.B. durch *vermehrte Wärmeproduktion* bei körperlicher Arbeit oder *ungenügende Wärmeabgabe* bei zu hoher Umgebungstemperatur, zu hoher Luftfeuchtigkeit, unzweckmäßiger Bekleidung, fehlendem Luftzug (Konvektion) oder zu starker Wärmeeinstrahlung (z.B. Gießereiarbeit) [49].

Mit steigender Belastung nehmen unter sonst gleichen Bedingungen Schweißabgabe und *Rectaltemperatur* annähernd proportional zu. Wegen des kühlenden Effekts der Verdunstung ist die *Hauttemperatur* bei der Perspiratio sensibilis niedriger als bei der Perspiratio insensibilis (S. 531, S. 534). Nach längerer schwerer Hitzebelastung zeigen die *Schweißdrüsen* einen *Ermüdungseffekt;* ihre Sekretion läßt nach. Die durchschnittliche *Schweißabgabe* bei schwerer körperlicher Arbeit oder anstrengender sportlicher Tätigkeit beträgt unter normalen klimatischen Bedingungen rund *1 l/h.* Bei schwerer Arbeit wird neben den Elektrolyten auch *Milchsäure* (bis zu *2 g/l*) mit dem Schweiß ausgeschieden. Diese geringe Menge sollte man in bezug auf die Regulation des Säure-Basen-Haushalts nicht überbewerten.

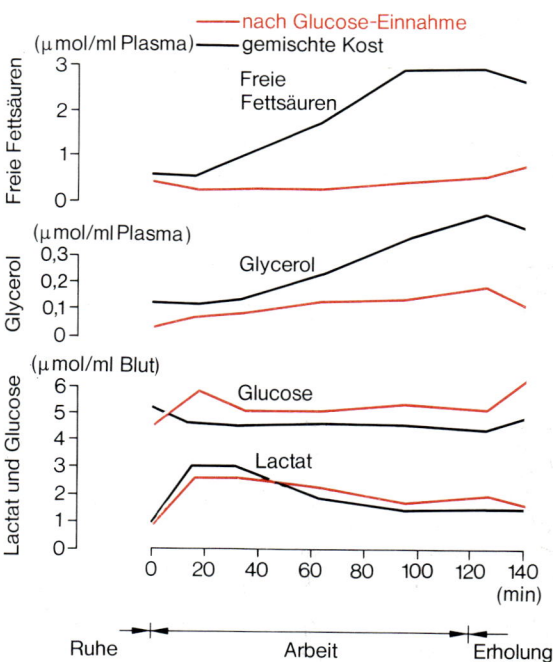

Abb. 8. Konzentrationsänderungen von Lactat, Glucose, Glycerol und freien Fettsäuren im arteriellen Blut während 2stündiger Ergometer-Arbeit. Durchschnittliche Pulsfrequenz 150 min⁻¹. Schwarze Linien = Konzentrationen nach Einnahme von gemischter Kost; rote Linien = Konzentrationen nach Einnahme von 200 g Glucose unmittelbar vor Arbeitsbeginn. Man erkennt deutlich die Hemmung der Lipolyse nach Kohlenhydrataufnahme. In Anlehnung an [22]

Hormonale Regulationen. Zwei Hormonsysteme sind im Zusammenhang mit den Umstellungen bei Arbeit besonders zu beachten [48]. **1. Sympathico-adrenerges System** (S. 673 ff.): Bei körperlicher Arbeit kommt es zu einer vermehrten Ausschüttung von *Adrenalin* ins Blut, vor allem aus dem Nebennierenmark; *Noradrenalin* wird nur in geringem Umfang freigesetzt. Das Adrenalin mobilisiert unter anderem die Glykogen- und Fettdepots, regt die vermehrte Bildung von cyclischem AMP an und stimuliert die Herztätigkeit sowie die Bewußtseinshelligkeit. Häufig setzt die Adrenalin-Sekretion schon vor Beginn einer Belastung ein (**Vorstartzustand**), spätestens aber mit Beginn der Arbeit. Die vermehrte Adrenalin-Ausschüttung läßt sich anhand einer erhöhten Ausscheidung von *Vanillin-Mandelsäure* (*VMS*, Abbauprodukt des Adrenalins und Noradrenalins) im Urin nachweisen. **2. Hypophysen-Nebennierenrinden-System:** Nach Arbeitsbeginn wird mit einer Latenz von rund 2 min vermehrt *ACTH* aus dem Hypophysenvorderlappen ausgeschüttet und damit die Abgabe der Corticosteroide aus der Nebennieren*rinde* angeregt (S. 660 ff.). Die Bedeutung der *Corticosteroide* im Zusammenhang mit körperlicher Arbeit ist weitgehend unklar; bekannt ist ihr fördernder Einfluß auf die Glykogenmobilisierung.

2.6. Funktionelle Veränderungen bei statischer Arbeit

Muskeldurchblutung. Bei *statischer* Arbeit wird die Muskeldurchblutung ungenügend, wenn die Kontraktionskraft eines Muskels den Wert von *15% seiner Maximalkraft* übersteigt [27, 35]. Eine der wesentlichen Ursachen für die verminderte Durchblutung ist der erhöhte intramuskuläre Druck, der bei kräftigen *isometrischen* Kontraktionen höher als der Capillardruck wird. Dies führt zu ungenügender Durchblutung und damit zu anaerober Energiegewinnung mit intramuskulärer Lactatbildung. Deswegen löst Haltearbeit mit größeren Kräften *schnell Ermüdung* aus.

Die Lactat-bedingte Acidose führt zu einem starken zusätzlichen *Atmungsantrieb,* der noch zunimmt, wenn bei Haltearbeit reflektorisch die *Bauchpresse* aktiviert und damit die Atmung behindert wird. Während Haltearbeit mit angespannter Bauchmuskulatur wird Blut aus dem *intra*thorakalen in das *extra*thorakale Niederdrucksystem verschoben, erkennbar z.B. am Vortreten der Halsvenen. Durch diese Verschiebung wird der *venöse Rückstrom zum Herzen gedrosselt;* deshalb sollten *Kranke und Rekonvaleszente Arbeiten mit großem statischen Anteil vermeiden* (z.B. Heben und Tragen schwerer Lasten).

Kreislaufreaktionen. Die Pulsfrequenz steigt bei Haltearbeit an; dies wird ebenso wie bei dynami-

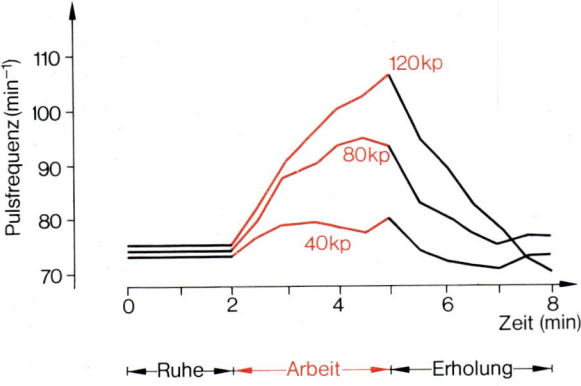

Abb. 9. Verhalten der Pulsfrequenz bei statischer Arbeit verschiedener Intensität (Tragen einer Last). Nach [27]

scher Arbeit mit der Wirkung von *Muskelreceptoren* erklärt (S. 549), die bei anaerober Energiegewinnung einen stark stimulierenden Effekt auf das Kreislaufzentrum ausüben sollen.

3. Reaktionen des Organismus auf nichtphysische Belastungen

3.1. Reaktionen auf psychische Belastungen

Auch bei **psychischen Belastungen** steigt der Energieumsatz des Organismus an, verursacht durch einen erhöhten Muskeltonus, *nicht* durch einen erhöhten Energieumsatz des Gehirns (S. 521). In vielen Fällen zeigen sich bei psychischer Belastung ähnliche *vegetative Reaktionen* wie bei physischer Belastung: Anstieg von Pulsfrequenz und Atemzeitvolumen, Zunahme der Durchblutung und Abnahme des elektrischen Widerstandes der Haut, vermehrtes Schwitzen sowie eine vermehrte Adrenalinausschüttung ins Blut mit entsprechend höherer Ausscheidung von Vanillin-Mandelsäure (*VMS*) im Urin.

Bei der heute häufigen *Kombination von psychischen und physischen Belastungen* versucht man ebenfalls anhand physiologischer Reaktionen den Grad der Beanspruchung zu erfassen. Allerdings lassen die Veränderungen bei psycho-physischen Belastungen keineswegs derart zuverlässige Rückschlüsse auf das Ausmaß der Beanspruchung zu, wie dies bei physischen Belastungen möglich ist.

3.2. Reaktionen auf emotionale Belastungen

Als Folge **emotionaler Belastungen** treten ähnliche Reaktionen wie bei psychischen Belastungen auf,

z.B. Tachykardie, Hyperventilation und Schweißausbruch (u.a. bei Angst oder Aufregung). Die Stimulierung des sympathico-adrenergen Systems ist
besonders ausgeprägt [23], wobei das Verhältnis
zwischen ausgeschüttetem Adrenalin und Noradrenalin erheblich variiert. Lebensbedrohliche Belastungen lösen nicht nur innerhalb weniger Sekunden eine starke *ergotrope Reaktion* aus (*Sofortreak-
tion*), die nach CANNON als *Notfallreaktion* [4] bezeichnet wird, sondern oft auch eine Stimulierung
des parasympathischen Nervensystems. Dies kann
bei extremen Angst- oder Schreckzuständen zu un-
willkürlicher Defäkation und Harninkontinenz
oder auch zum Herzstillstand führen.

4. Grenzen der Leistungsfähigkeit

Bei physischen Belastungen kann man anhand des
Ausmaßes physiologischer Reaktionen zwischen
leichter, also nicht ermüdender, und *schwerer,* also
ermüdender und damit zeitlich begrenzter Arbeit
unterscheiden. Wird dem Organismus nach ermü-
denden Belastungen eine genügende Erholung verwehrt, treten Funktionsstörungen und Erkrankungen auf, die unter dem Begriff ,,*Überlastungssyndrom*" zusammengefaßt werden (S. 556).

4.1. Leistungsbestimmende Faktoren

Die physische Belastbarkeit und damit die körperliche Leistungsfähigkeit wird im wesentlichen durch
drei Faktoren begrenzt: *1.* durch die Energiegewinnung des Muskels, *2.* durch die Sauerstoffversorgung der Muskulatur und *3.* durch die Wärmeabgabe.

Energiebereitstellung im Muskel. Bei *schwerer, ermüdender* Arbeit wird je nach Intensität und Dauer
die Leistungsfähigkeit durch die verschiedenen
Möglichkeiten der Energiebereitstellung im Muskel
limitiert. Daher gilt als Grundregel: *Je kürzer die
Belastungszeit, desto größere Leistungen* sind möglich (Abb. 10) und desto geringer ist der Anteil der
aeroben Energiegewinnung. Unter dem Aspekt der
Energiebereitstellung (S. 547) lassen sich *drei* Leistungsbereiche mit fließenden Übergängen unterscheiden:

1. Kurzleistungen (bis ca. 20 s Dauer). Hierbei sind im wesentlichen die intracellulären Vorräte an *ATP* und *Kreatinphosphat*
entscheidend; diese genügen bei maximalem Leistungseinsatz
für die Energiebereitstellung in den ersten *15–20 s* einer Arbeit.

2. Mittelleistungen. Bei **kurzen** Mittelleistungen (bis ca. *1 min*)
wird nach Anlaufen der Glykolyse der Hauptteil der Kontrak-

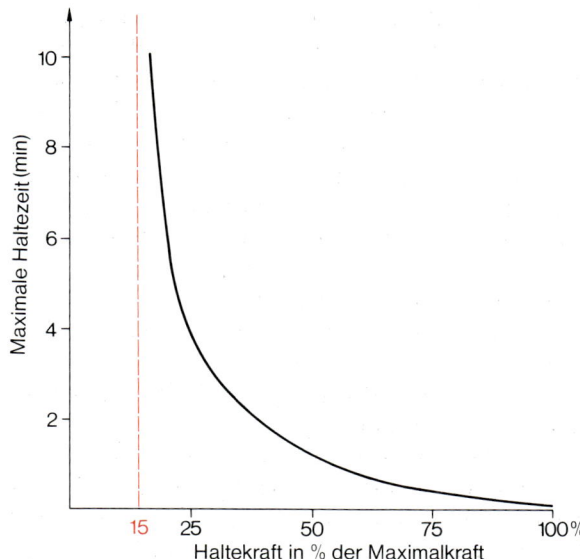

Abb. 10. Abhängigkeit der maximalen Leistung (Höchstleistungsgrenze) von der Belastungszeit am Beispiel statischer Arbeit. Nach [35]

tionsenergie *anaerob glykolytisch* bereitgestellt. Somit limitiert
die glykolytische Stoffwechselkapazität des Muskels und die lac-
tatbedingte Acidose die Leistungsfähigkeit. — Bei **langen** Mittelleistungen (bis zu 6 min) gewinnt die *aerobe Energiebereitstellung*
zunehmend an Bedeutung, so daß die Leistungsfähigkeit von
anaerober *und* aerober Stoffwechselkapazität begrenzt wird.

3. Dauerleistungen (ab ca. *6 min*). Bei Dauerleistungen steht die
aerobe Energiebereitstellung im Vordergrund; somit ist die Leistungsfähigkeit begrenzt durch die aerobe Stoffwechselkapazität
der Muskelzelle, die Glykogendepots im Muskel sowie die Sauer-
stoff- und Substratversorgung des Muskels. Für Dauerleistungen
ist also die *Muskeldurchblutung* entscheidend. Lediglich bei stun-
denlanger Arbeit mittlerer Intensität wird die Arbeitszeit durch
Erschöpfung der *Glykogenreserven* begrenzt.

Sauerstoffversorgung der Muskulatur. Die Versorgung des Muskels mit Sauerstoff hängt wesentlich
von seiner Capillarisierung ab. Je mehr Capillaren
ein Muskel enthält, desto größer wird die maximal
mögliche Durchblutung und damit das Sauerstoffangebot.
Bei **dynamischer Arbeit** mit Einsatz großer Muskelgruppen wird die Leistungsfähigkeit nicht nur
durch die *Capillarisierung,* sondern auch durch das
maximal mögliche *Herzzeitvolumen* begrenzt. Wird
weniger als $1/7$ der gesamten Muskulatur eingesetzt,
wirkt sich lediglich die maximal mögliche, *lokale*
Durchblutung limitierend aus [33]. — Bei **statischer
Arbeit** wird die lokale Muskeldurchblutung unzureichend, wenn rund *15% der Maximalkraft* der
arbeitenden Muskulatur überschritten werden. —
Weiterhin beeinträchtigen inspiratorischer Sauerstoffmangel, Störungen des Gasaustausches und
verminderte Hämoglobin-Konzentration die
Sauerstoffversorgung der Muskulatur.

Bei normaler inspiratorischer Sauerstoffkonzentration (20,9 Vol.-% bzw. ml/dl) wird beim Gesunden die Sauerstoffaufnahme *nicht durch die Atmung begrenzt* [17]. Selbst bei erschöpfender Arbeit erreicht das Atemzeitvolumen keine Maximalwerte, sondern nur rund 80% des *Atemgrenzwertes* (S. 469). Insofern hängt die Leistungsfähigkeit des Gesunden weder von der als Meßgröße beliebten „*Vitalkapazität*" noch von anderen Atmungsgrößen ab.

Wärmeabgabe. Bei Schwerarbeit entstehen im Muskel erhebliche Wärmemengen, die über die *Hautoberfläche* an die Umgebung abgegeben werden. Daher dient bei Arbeit ein beträchtlicher Teil des gesteigerten Herzzeitvolumens dem *Wärmetransport* vom Muskel zur Haut. Unter zusätzlichen thermischen Belastungen besitzt der Wärmetransport zur Haut Priorität gegenüber dem nutritiven Bedarf der Muskulatur; dem Muskel steht für diesen Fall nur ein verminderter Anteil am Herzzeitvolumen zur Verfügung.

4.2. Leistungsgrenzen

Definition von Dauer- und Höchstleistungsfähigkeit. Bisher wurde mehrfach zwischen *leichter,* nicht ermüdender und *schwerer,* ermüdender Arbeit unterschieden. Diese Betrachtung geht von einem Konzept aus, wonach man *zwei Bereiche* der Leistungsfähigkeit unterscheidet, die durch die **Dauerleistungsgrenze** getrennt sind [17, 33]. Arbeit unterhalb der Dauerleistungsgrenze liegt dann vor, wenn sie über *mindestens 8 h ohne Ermüdung* durchgeführt werden kann (leichte, nicht ermüdende Arbeit im Bereich der **Dauerleistungsfähigkeit**); Muskelstoffwechsel und -durchblutung befinden sich im Gleichgewicht. Eine solche Arbeit verrichten zum Beispiel Herz- und Atemmuskulatur. — Oberhalb der Dauerleistungsgrenze liegt der Bereich der **Höchstleistungsfähigkeit.** Die Belastbarkeit ist *zeitlich limitiert,* da sich Muskelstoffwechsel und -durchblutung nicht im Gleichgewicht befinden: *Je länger die Belastungszeit, desto niedriger liegt die Höchstleistungsgrenze* und umgekehrt (Abb. 10).

Die Dauerleistungsgrenze ist eine *inter*individuell unterschiedliche Größe. Daher ist für die Frage, ob eine leichte oder schwere Arbeit vorliegt, nicht allein der Absolutwert einer vorgegebenen Belastung, sondern auch die aktuelle Leistungsfähigkeit eines Menschen entscheidend. Bei Arbeit oberhalb der Dauerleistungsgrenze hängt das Ausmaß der Ermüdung von der momentanen individuellen Höchstleistungsfähigkeit ab. — Dauerleistungsfä-

higkeit und Höchstleistungsfähigkeit sind durch Training beeinflußbar (S. 557).

Dauerleistungsgrenze bei dynamischer Arbeit. Arbeit unterhalb der Dauerleistungsgrenze ist wie folgt *charakterisiert* [33]: **Pulsfrequenz:** Konstante Arbeitspulsfrequenz ohne Ermüdungsanstieg (unterhalb von 130 min^{-1} bei untrainierten 20–30jährigen), Erholungspulssumme unter 100 Pulsen sowie Erholungszeit unter 5 min. **Weitere Kennzeichen:** Konstante Sauerstoffaufnahme (steady state), Sauerstoffschuld unter rund 4 Liter, kein wesentlicher Anstieg des Blutlactatspiegels (Grenzwert: 2,2 µmol/ml). Bei untrainierten Männern zwischen 20 und 30 Jahren liegt die Dauerleistungsgrenze für Fahrradergometer-Arbeit bei etwa 100 Watt, entsprechend einer Sauerstoffaufnahme von 1,5 l/min. Oberhalb der Dauerleistungsgrenze wird eine Arbeit durch die beschriebenen leistungsbestimmenden Faktoren limitiert (S. 553).

5. Ermüdung

5.1. Ermüdung und Erholung

Ermüdung ist ein Vorgang, der durch Beanspruchung des Organismus ausgelöst wird und der mit einer *Minderung der Leistungsfähigkeit* einhergeht. Man unterscheidet zwischen **physischer** (muskulärer) und **psychischer** (zentraler) **Ermüdung** [8, 33, 39]. Beide Formen werden bei physischen und mentalen Belastungen meist kombiniert, jedoch in unterschiedlichem Verhältnis zueinander ausgelöst; eine scharfe Trennung ist kaum möglich. Nach Beendigung der die Ermüdung auslösenden Beanspruchung tritt **Erholung** ein: Die Leistungsfähigkeit nimmt wieder zu. Mit Erreichen der Ausgangssituation ist der Erholungsvorgang abgeschlossen.

Nach schwerer körperlicher Arbeit überwiegen die Ermüdungserscheinungen im Muskel, nach geistiger Arbeit diejenigen im Zentralnervensystem. Ermüdung führt zu Erholungsbedürftigkeit; die Belastung muß aufgehoben, reduziert oder geändert werden, um die Leistungsfähigkeit wieder herzustellen. Von der Ermüdung ist das Bedürfnis nach Schlaf (**Müdigkeit**) scharf zu trennen [39].

Maximale Ermüdung („volles Faß", Abb. 11). Werden ausgeprägte Ermüdungszustände kurzfristig (im Zeitraum von Minuten bis zu wenigen Tagen) erreicht, spricht man von **Erschöpfung.** Wird langfristig das notwendige Gleichgewicht zwischen Ermüdung und Erholung nicht hergestellt, tritt **Überlastung** des Organismus auf [47].

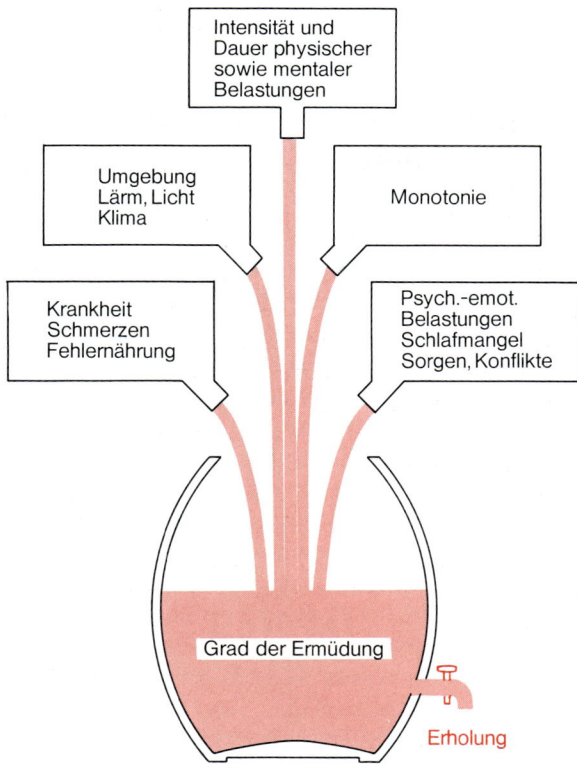

Abb. 11. „Faß der Ermüdung". Läuft das Faß über, tritt Erschöpfung oder ein Überlastungssyndrom auf. Nach [8]

5.2. Physische Ermüdung

Die physische Ermüdung beruht auf Veränderungen im Skeletmuskel: *Leerung der Energiespeicher und Anhäufung von Milchsäure („Ermüdungsstoff")*. Beides führt zur Minderung der Leistungsfähigkeit. In einer sich anschließenden Erholungsphase werden die Energiespeicher wieder aufgefüllt und die Milchsäure eliminiert.

Ermüdung bei dynamischer Arbeit. *Unterhalb der Dauerleistungsgrenze* reicht die durch den Bewegungsablauf vorgegebene Erschlaffungszeit aus, um die während der Muskelkontraktion verbrauchten, energiereichen Phosphate wieder zu regenerieren und die Stoffwechselendprodukte abzutransportieren [42]. Die Erschlaffungszeit entspricht der notwendigen Erholungszeit. Da ein Rückstand an Ermüdung nicht bestehen bleibt, spricht man von *„nicht ermüdender Arbeit"*. Bei dynamischer Arbeit *oberhalb der Dauerleistungsgrenze* wird ein Gleichgewicht zwischen Ermüdung und Erholung nicht erreicht. Die Erschlaffungszeit genügt nicht dem Bedarf an Erholungszeit. Die Energiespeicher werden nicht mehr vollständig aufgefüllt, die Milchsäure wird nicht vollständig eliminiert; ein *Ermüdungsrückstand* bleibt bestehen [33]. Der Muskel verarmt an energiereichen Substraten und häuft Stoffwechselendprodukte an; die Ermüdung nimmt zu. Das Ausmaß der muskulären Ermüdung bei dynamischer Arbeit oberhalb der Dauerleistungsgrenze kann mit physiologischen Parametern erfaßt werden (u.a. Erholungszeit, Erholungspulssumme; S. 548).

Ermüdung bei statischer Arbeit. Hierbei ist die muskuläre Ermüdung im wesentlichen durch eine ungenügende Durchblutung bedingt. Überschreitet die Kontraktionskraft eines Muskels 15% seiner Maximalkraft, besteht kein Gleichgewicht mehr zwischen Sauerstoffbedarf und Sauerstoffangebot; es tritt zunehmend muskuläre Ermüdung ein.

Pausengestaltung und Erholung. Wird die individuelle Dauerleistungsgrenze überschritten, müssen Erholungspausen eingelegt werden. Da die *Restitution zu Beginn der Erholung besonders rasch* verläuft, wie z.B. das Verhalten der Pulsfrequenz zeigt (Abb. 3), gilt für die Gestaltung organisierter Pausen folgende Regel: *Viele kurze Pausen sind besser als wenige lange Pausen* [33]. Nach schwerer körperlicher Arbeit ist Erholung nicht nur in Pausen, sondern teilweise auch bei Arbeit unterhalb der Dauerleistungsgrenze möglich.

5.3. Psychische Ermüdung

Die **psychische** (zentrale) Ermüdung bewirkt Leistungsminderungen infolge *gestörter zentralnervöser Steuerungen* [8, 9]. Zu den typischen Symptomen zählen: Verlangsamung der Informationsübermittlung, Behinderung des Denkens und Entscheidens sowie Beeinträchtigung von Sinneswahrnehmung und sensomotorischen Funktionen. Neben dem ermüdungsbedingten Unlustgefühl und der Leistungsschwäche treten gelegentlich Erscheinungen wie Reizbarkeit oder Neigung zu Depressionen und unmotivierter Angst sowie Antriebsschwäche oder emotive Labilität auf.
Ursachen psychischer Ermüdung sind [8]: *1.* langdauernde psychische Arbeit mit hohen Anforderungen an die Konzentration, die geistige Regsamkeit oder die Geschicklichkeit, *2.* schwere körperliche Arbeit, *3.* gleichförmige Arbeiten unter monotonen Bedingungen, *4.* Lärm, schlechte Beleuchtung und thermische Belastungen (Klima), *5.* Konflikte, Sorgen oder Interesselosigkeit, *6.* Krankheiten, Schmerzen und Fehlernährung (Abb. 11).
Die *zentrale Ermüdung* kann entgegen der muskulären Ermüdung *schlagartig aufgehoben* werden, beispielsweise dann, wenn *1.* die ermüdende Tätigkeit durch eine neue, andere ersetzt, *2.* die Umgebung geändert, *3.* der Organismus bei drohender Gefahr oder Angst in einen Alarmzustand versetzt, *4.* das Interesse durch eine neue Information neu geweckt oder *5.* eine affektive Umstimmung ausgelöst wird. Die Möglichkeit eines schlagartigen Verschwindens der psychischen Ermüdung zeigt, daß eine Anhäufung von Ermüdungsstoffen und ein Verbrauch von Energiereserven keine wesentliche Rolle spielen. Die psychische Ermüdung wird vielmehr im Zusammen-

hang mit der Formatio reticularis gesehen (s. ARAS, S. 159), deren Aktivität nicht nur durch intensive geistige Tätigkeit, sondern auch durch Monotonie beeinflußt wird. Eine Monotonie-bedingte Ermüdung kann durch Änderungen des Informationszuflusses vermindert werden, allerdings ohne diese auf Dauer zu verhindern. Zum Beispiel wirken bei langen Autobahnfahrten Radiosendungen der psychischen Ermüdung entgegen.

Das Entstehen psychischer Ermüdung bei körperlicher Arbeit könnte mit Afferenzen aus der arbeitenden Muskulatur zusammenhängen, die einerseits im Großhirn zum Bewußtwerden der Muskelermüdung (bis zum Schmerz) führen, andererseits zu einer Dämpfung corticaler Funktionen und damit zur psychischen Ermüdung [41]. Es wäre denkbar, daß diese hypothetischen Receptoren mit den sogenannten *Muskelreceptoren* (S. 549) identisch sind.

5.4. Überlastungssyndrom

Bei einem über längere Zeit *ungenügenden Ausgleich zwischen Ermüdung und Erholung* oder bei häufigem *Überschreiten der Höchstleistungsgrenze* treten Funktionsstörungen auf, die zu einem Symptom-Komplex, dem **Überlastungssyndrom,** führen. Typische Ursachen für das Überlastungssyndrom sind beispielsweise das Überschreiten der Grenzen mechanischer Belastbarkeit des Stütz- und Bewegungsapparates oder eine falsche Einteilung des Leistungseinsatzes unter Einwirkung von Stimulantien (Doping, S. 560).

Stütz- und Bewegungsapparat. In bestimmten Berufen führen mechanische Überlastungen des Stütz- und Bewegungsapparates zu typischen Störungen und Veränderungen, z.B. Wirbelsäulenschäden bei LKW-Fahrern und Traktoristen oder Meniscusschäden bei Bergleuten mit kniender Tätigkeit. Auch bei Sportlern treten eine Vielzahl von *Schäden an Gelenken, Bändern und Sehnen* auf, wenn Training und Wettkampf intensiv betrieben werden. Daher wird in vielen Fällen die Trainingsintensität im Leistungssport von der Belastbarkeit des Stütz- und Bewegungsapparates begrenzt.

Herz/Kreislaufsystem. Entgegen früheren Auffassungen weiß man heute, daß *beim Gesunden physische Höchstbelastungen keine wesentlichen Störungen am Herz/Kreislaufsystem auslösen.* Bei körperlicher Schwerstarbeit ermüdet der Skelettmuskel früher als der Herzmuskel; das Sportherz (S. 558) ist ein angepaßtes und kein krankes Herz. Liegen jedoch Herzerkrankungen vor, z.B. Verkalkungen der Coronargefäße, besteht bei Höchstbelastung des Organismus auch für das Herz die Gefahr der Schädigung; entsprechendes gilt beim Doping (S. 560).

Vegetatives Nervensystem und endokrines System. Beide Systeme reagieren auf Belastungen verschiedenster Art in stereotyper Weise: Zuerst werden Adrenalin und Noradrenalin ausgeschüttet; anschließend wird über eine vermehrte ACTH-Aus-

schüttung die Sekretion der Glucocorticoide stimuliert. Bei einer besonders stark ausgeprägten Reaktion spricht man von **Notfallreaktion** (CANNON, [4]): Der Organismus befindet sich im **Streß**(-Zustand) [40]. Die diesen Zustand auslösenden Reize bezeichnet man als **Stressoren** (S. 663). Dazu zählen *alle starken physischen, psychischen und emotionalen Belastungen,* u.a. körperliche Schwerstarbeit, Kälte und Hitze, inspiratorischer Sauerstoffmangel, Hypoglykämie, Krankheiten, Operationen, Verletzungen, Lärm, Schreck, Angst, Schmerz und Wut. Langdauerndes oder häufiges Einwirken von Stressoren führt zu einem **Adaptationssyndrom** (nach SELYE, [40]) mit Hypertrophie der Nebennierenrinde. — Im Streß-Zustand können aufgrund der Adrenalin-Ausschüttung (S. 675) *autonom geschützte Leistungsreserven* [7] mobilisiert werden (S. 559). Es kommt zu einer *scheinbaren* Steigerung der Leistungsfähigkeit, welche mit einem erheblichen gesundheitlichen Risiko einhergeht (s. auch Doping, S. 560). — Besonders psychische und emotionale Stressoren führen bei ungenügender Erholung zu funktionellen Störungen, die unter dem Begriff der „vegetativen Dystonie" zusammengefaßt werden [47]. Typische Symptome sind z.B. Schlafstörungen, Störungen der Kreislaufregulation, plötzlicher Schweißausbruch, chronische Müdigkeit sowie allgemeine Leistungsminderungen.

5.5. Leistungsrückmeldung

Besonders im Sport wird deutlich, daß es dem Menschen möglich ist, seine Leistungsgrenzen und Leistungsreserven in Abhängigkeit von der jeweiligen Beanspruchung zu erfassen und den *Leistungseinsatz* zur Erfüllung der geforderten Aufgabe entsprechend *einzuteilen*: Erschöpfung tritt meist erst mit Erreichen des Ziels ein. Ähnliches gilt für Saisonarbeit (z.B. Ernteeinsatz) oder andere termingebundene Arbeiten. — Bei vielen beruflichen Tätigkeiten findet ein Wechsel zwischen schwerer und leichter Arbeit statt, wobei der Leistungseinsatz meist so eingeteilt wird, daß man nur selten Erschöpfungszustände beobachten kann. Im Normalfall gelingt es also dem Menschen, *vorzeitige Erschöpfung oder Ermüdung zu vermeiden* und somit die Leistungsreserven optimal zu nutzen. Betrachtungen dieser Art haben zu der *Hypothese* geführt, daß der Mensch über einen *Regelmechanismus* zur *Einteilung des Leistungseinsatzes* verfügt [46]. Erschöpfung und Überlastungssyndrom wären demnach Zeichen einer Dekompensation dieses Regelmechanismus. Sie erzwingen Erholung und können so als „Notbremse" einen völligen Zusammenbruch verhindern. Dekompensationen dieser Art werden ausgelöst, wenn das *Wechselspiel zwischen Beanspruchung und Erholung* durch äußere Vorgaben beeinträchtigt wird, z.B. durch bestimmte Formen der Fließbandarbeit, besondere Motivationen (Prämien) oder Störungen der Leistungsrückmeldung (Doping, S. 560). Wie das hypothetisch angenommene Regelsystem für Leistungsrückmeldung und Leistungseinsatz funktionieren könnte, ist weitgehend unklar.

6. Training und Anpassung

Bei häufigem Wiederholen eines Bewegungsablaufs passen sich verschiedene Funktionssysteme des Organismus entsprechend dem Ausmaß der Beanspruchung an [19, 26, 31]. Diese Anpassung führt zu einer *echten Zunahme der Leistungsfähigkeit*. Es handelt sich hierbei um **Training** bzw. **Übung**, wobei gelegentlich nach willkürlichen Kriterien zwischen beiden Begriffen unterschieden wird (z.B. [42]). Im folgenden soll einheitlich von Training gesprochen werden.

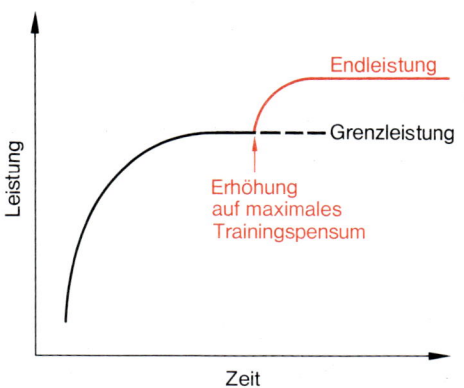

Abb. 12. Schematische Darstellung zur Definition von Grenzleistung und Endleistung

Die durch Training erzielbare Leistungssteigerung hängt vom *Trainingspensum* ab, also von *Trainingsintensität* und *Trainingsdauer*. Wie Abb. 12 schematisch zeigt, nimmt bei konstantem täglichen Trainingspensum die Leistung zu Beginn einer Trainingsperiode erheblich zu. Je länger die Trainingsperiode dauert, desto geringer wird der Leistungszuwachs, bis schließlich ein *Leistungs-Plateau* erreicht wird (**Grenzleistung**). Eine weitere Steigerung der Leistungsfähigkeit ist dann nur noch durch Ausweitung des täglichen Trainingspensums möglich. Wird das größtmögliche Pensum eingesetzt, entspricht das erreichte Leistungs-Plateau der **Endleistung**; fortgesetztes Training erbringt keine weitere Steigerung der Leistungsfähigkeit. — Dieser zeitliche Ablauf gilt im Prinzip für alle Formen des Trainings; das *Ausmaß der Anpassung* wird als **Trainingszustand** bezeichnet. Nach Beendigung eines Trainings sind die durch Anpassung innerhalb der Funktionssysteme erzielten Änderungen reversibel: Dabei gilt für die Anpassungsvorgänge im Herz/Kreislauf- und Muskelsystem, daß ein *schnell erworbener Trainingszustand auch schnell wieder verloren geht*. Dies trifft nicht für den Bereich der zentralnervösen Koordination zu. Einmal *erlernte Bewegungsmuster* (z.B.

Schreiben, Klavierspielen) *gehen nur sehr langsam verloren,* auch dann, wenn sie jahrelang nicht trainiert werden.

Bewegungsspezifisches Training. Primär gilt: Man soll denjenigen Bewegungsablauf trainieren, für den man eine Zunahme der Leistungsfähigkeit erreichen will. Nur mit einem bewegungsspezifischen Training kann eine *optimale Anpassung aller Komponenten,* die zu einer bestimmten Leistung beitragen, erreicht werden. Wer seine Geschicklichkeit beim Operieren verbessern will, muß operieren; wer seine Leistungsfähigkeit im Rudern verbessern will, muß rudern. Andere Trainingsformen können lediglich ein bewegungsspezifisches Training unterstützen.

6.1. Spezielle Trainingsarten

Spezielle Trainingsmaßnahmen ergeben einen Leistungsgewinn nur für den jeweils trainierten Bereich der Leistungsfähigkeit. Ein auf Kraft trainierter Muskel gewinnt an Kraft, jedoch nicht an Dauerleistungsfähigkeit und umgekehrt. Jede Trainingsart hat daher einen spezifischen Anwendungsbereich. — Die Trainingslehre kennt eine Vielzahl spezieller Trainingsarten [31, 42], von denen folgende als Beispiele besprochen werden sollen:

Ausdauer-Training. Es ist durch cyclisch wiederkehrende, ohne maximalen Kraftaufwand durchgeführte Bewegungsabläufe gekennzeichnet. Somit ist es die typische Trainingsform für Ausdauer-Sportarten wie Langlauf, Rudern, Schwimmen und Radfahren. Es erstreckt sich über mindestens 1 Std, in einigen Sportarten über mehr als 5 Std pro Tag.
Jeder Mensch erreicht bereits durch seine *täglichen Bewegungen* einen bestimmten, *inter*individuell unterschiedlichen *Trainingszustand.* Um die Leistungsfähigkeit darüber hinaus zu steigern, muß ein zusätzliches Ausdauer-Training täglich mindestens 10 min dauern. Die **Trainingsintensität** sollte dabei so gewählt werden, daß durch die Beanspruchung eine Pulsfrequenz (min^{-1}) von 170 minus Lebensalter überschritten wird. Geringere Trainingsreize haben keinen Ausdauer-Effekt.
Durch Ausdauer-Training nehmen die aerobe Kapazität und die Capillarisierung des Muskels zu (S. 553); ferner wird die O_2-Transportkapazität des Herz/Kreislaufsystems erhöht, im wesentlichen durch die Vermehrung des Schlagvolumens und damit des maximalen Herzzeitvolumens, nur in geringem Umfang durch Zunahme des Blutvolumens. Weiterhin wird ein Absinken der Ruhepulsfrequenz beobachtet.
Intervalltraining. Dynamische Muskelarbeit wird mit weitgehend maximaler Beanspruchung in Intervallen von $^1/_2$–2 min durchgeführt. Sobald die Pulsfrequenz in der Erholungsphase den Grenzwert von 130 min^{-1} unterschreitet, wird die nächste Belastungsphase angeschlossen. Durch Intervalltraining wird besonders die anaerobe Kapazität des Muskels erhöht. Daneben zeigen sich ähnliche Effekte wie beim Ausdauer-Training.

Krafttraining. Der Muskel wird unter erheblichem Kraftaufwand trainiert, indem relativ kurze Maximalbelastungen mit einem großen Anteil an *statischer Haltearbeit* vorgenommen werden. Die dabei erreichbaren Trainingszeiten sind wesentlich kürzer als beim Ausdauer-Training. — Beim Krafttraining wird das Muskelwachstum angeregt; die einzelne Muskelfaser wird dicker (*Hypertrophie*). Eine Vermehrung der Anzahl der Muskelfasern (*Hyperplasie*) findet *nicht* statt.

Isometrisches Training. Bei dieser Trainingsart werden immer nur einzelne Muskelgruppen maximal beansprucht [12]. Wenige, mit maximalem Einsatz durchgeführte, isometrische Muskelkontraktionen täglich genügen, um einen optimalen Effekt zu erreichen (Tabelle 2). Wollte man alle an einem Bewegungsablauf beteiligten Muskelgruppen isometrisch trainieren, ergäbe sich ein sehr kompliziertes Trainingsprogramm, und es müßte stets damit gerechnet werden, daß irgendeine am komplexen Bewegungsablauf beteiligte Muskelgruppe vergessen wurde. Insofern kann das isometrische Training nur als Ergänzung anderer Trainingsarten gelten. Sein besonderer Wert zeigt sich in der Rehabilitation, da schwache Muskelgruppen gezielt gekräftigt werden können.

Tabelle 2. Notwendige Kombinationen von Kraftaufwand und Kontraktionsdauer für das Erreichen eines optimalen Effekts bei isometrischem Training. Erforderliche Anzahl: 3–5 isometrische Kontraktionen pro Tag. Nach [12]

Kraftaufwand in % der Maximalkraft	Kontraktionsdauer (s)
40–50	15–20
60–70	6–10
80–90	4–6
100	2–3

6.2. Ausmaß der Anpassung

Will man das Ausmaß einer durch planmäßiges Training erworbenen Anpassung beurteilen, muß zunächst die *Ausgangslage* betrachtet werden. Jeder gesunde Mensch unterliegt im Rahmen seiner *Alltagsbeschäftigungen* einer *Vielzahl von Trainingsreizen,* die zwar nur gering sind, deren Bedeutung jedoch nicht unterschätzt werden sollte. Dies wird deutlich, wenn man die Folgen einer *Immobilisierung* betrachtet, z.B. durch Bettlägerigkeit oder Gipsverbände: Es kommt zu einer *Inaktivitätsatrophie* der Muskulatur. Man kann davon ausgehen, daß jede Verminderung von Aktivität zu einem Verlust an Trainingszustand und damit an Leistungsfähigkeit führt und umgekehrt. Daher findet sich in Abhängigkeit von den unterschiedlichen täglichen Aktivitäten nicht nur ein *inter*individuell, sondern auch *intra*individuell wechselnder Anpassungszustand an körperliche Belastungen.

Ausdauer-Training. Es führt zu einer Vielzahl von Anpassungsvorgängen: Die **Capillardichte** im Skeletmuskel nimmt erheblich zu. Das **Herz** unterliegt typischen Anpassungsvorgängen; es wird größer (*Sportherz,* S. 380). Diese Größenzunahme durch Ausdauer-Training wurde früher *fälschlicherweise* als Zeichen einer *Herzinsuffizienz* gedeutet. Daher stand das Sportherz jahrzehntelang im Blickfeld der Sportmedizin. Es konnte jedoch nachgewiesen werden, daß sowohl die Zunahme des Herzvolumens (*Dilatation*) als auch die Zunahme der Muskelfaserdicke (*Hypertrophie*) *physiologische Anpassungsvorgänge* sind und keine pathologischen Reaktionen. Auch im Bereich der **Atmung** erfolgt eine Anpassung, da sich ein Ausdauer-Training wie eine Art Atemgymnastik auswirkt. Es nehmen sowohl die *Vitalkapazität*

als auch der *Atemgrenzwert* zu. Bei hochtrainierten Ausdauer-Sportlern wurden unter erschöpfender Belastung Atemzeitvolumina von über 200 l/min gemessen (s. auch S. 483). Auch die intracellulären Enzymsysteme zeigen Anpassungsvorgänge. Tabelle 3 gibt einen Überblick über typische Anpassungserscheinungen bei intensivem Ausdauer-Training.

Tabelle 3. Gegenüberstellung verschiedener Meßgrößen eines 25jährigen, 70 kg schweren Mannes vor und nach einem speziellen Ausdauer-Training

Meßgröße	vor Training	nach Training
Pulsfrequenz in Ruhe, liegend (min^{-1})	80	40
Pulsfrequenz, maximal (min^{-1})	180	180
Schlagvolumen in Ruhe (ml)	70	140
Schlagvolumen, maximal (ml)	100	190
Herzzeitvolumen in Ruhe (l/min)	5,6	5,6
Herzzeitvolumen, maximal (l/min)	18	35
Herzvolumen (ml)	700	1 400
Herzgewicht (g)	300	500
Atemzeitvolumen, maximal (l/min)	100	200
Sauerstoffaufnahme, maximal (l/min)	2,8	5,2
Blutvolumen (l)	5,6	5,9

Krafttraining. Der *Durchmesser der Muskelfaser* und damit der Kraftgewinn kann rund um das Doppelte zunehmen; limitierend wirken sich schließlich die immer länger werdenden Diffusionsstrecken zwischen den Capillaren und dem Muskelinneren aus.

Trainierbarkeit und Lebensalter. Beim Erwachsenen nimmt mit zunehmendem Lebensalter die Trainierbarkeit ab, z.B. die Trainierbarkeit der Muskelkraft (Abb. 13). Da die Trainierbarkeit jedoch nicht nur vom Lebensalter, sondern auch von individuellen Gegebenheiten abhängt, finden sich in jeder Altersklasse Menschen, die auf Trainingsreize mehr oder weniger gut ansprechen. — Durch regelmäßiges Training kann die üblicherweise mit zunehmendem Alter auftretende Minderung der Leistungsfähigkeit deutlich verringert und verzögert werden; auch ein erst im Alter einsetzendes Training kann die Leistungsfähigkeit noch steigern [26].

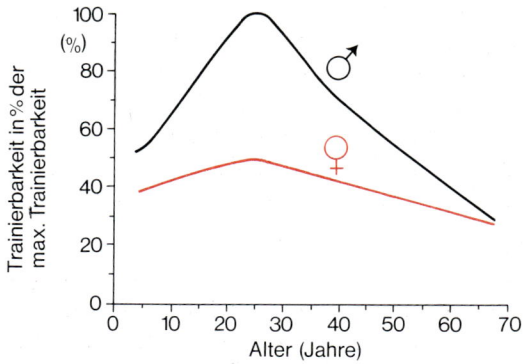

Abb. 13. Trainierbarkeit der Muskulatur in Abhängigkeit von Alter und Geschlecht. Maximale Trainierbarkeit der Muskulatur 25jähriger Männer = 100%. Nach [12]

6.3. Variabilität der Leistungsfähigkeit

Bereiche der Leistungsfähigkeit. Eine schematische Einteilung der Leistungsfähigkeit in 4 Bereiche zeigt Abb. 14A (nach [7]). Der untere Bereich umfaßt die **automatisierten Leistungen**, also eingeübte Arbeitsabläufe, die lediglich bei Start und Stop den Einsatz des Willens erfordern. Darüber liegt der Bereich der sogenannten **physiologischen Leistungsbereitschaft**; hier bedarf es des ständigen bewußten Handelns und Willenseinsatzes, ohne daß die Arbeit so intensiv wird, um als anstrengend oder ermüdend empfunden zu werden. Die darüber liegenden **gewöhnlichen Leistungsreserven** sind nur unter stärkerem Willenseinsatz zugänglich; ihr Einsatz führt zu Ermüdung. Der vierte Bereich umfaßt die **autonom geschützten Reserven**, die auch mit größter Willensanstrengung nicht mobilisiert werden können. Diese Reserven stehen dem Organismus nur im *Notfall* zur Verfügung (S. 556). — Die Einteilung kann nur als grobes Schema gelten. Die Übergänge sind fließend und die Prozentangaben höchstens Richtwerte. Jedoch darf das Schema als allgemeingültig für die verschiedenen Arten der Belastung angesehen werden.

Rhythmische Schwankungen der Leistungsfähigkeit. — Tagesrhythmus. Körperliche und geistige Leistungsfähigkeit unterliegen tagesrhythmischen Schwankungen (S. 154 f.), deren Zeitgang trotz deutlicher *inter*individueller Unterschiede (z. B. „Frühaufsteher", „Spätaufsteher") in typischer Weise abläuft [5, 7]. Betrachtet man die *Durchschnittswerte* der tagesrhythmischen Schwankungen innerhalb einer größeren Gruppe, zeigt sich ein *Maximum der Leistungsfähigkeit in den Vormittagsstunden* gegen 9 Uhr. Am frühen Nachmittag findet sich gegen 14 Uhr eine Senke, anschließend ein deutlicher Nachmittagsanstieg, der jedoch die Höhe des Vormittagsgipfels nicht erreicht. Ab 19 Uhr fällt die durchschnittliche Leistungsfähigkeit gleichmäßig ab, um *nachts gegen 3 Uhr ein ausgeprägtes Minimum* zu erreichen. Anschließend folgt innerhalb von 6 Std eine steile Zunahme bis zum Vormittagsgipfel (Abb. 14 B). Dieser Kurvenverlauf läßt sich bei verschiedensten Arbeitsformen nachweisen; er wird besonders deutlich bei Fließband- und Überwachungsarbeit. Zur Problematik der Schichtarbeit s. S. 155.

Menstruationscyclus. Entgegen landläufigen Meinungen besteht keine systematische Abhängigkeit der Leistungsfähigkeit vom Menstruationscyclus. Im Sport hat sich gezeigt, daß zwar im Einzelfall Abhängigkeiten der Leistungsfähigkeit vom Menstruationscyclus bestehen können, jedoch lassen sich beim *inter*individuellen Vergleich die Änderungen

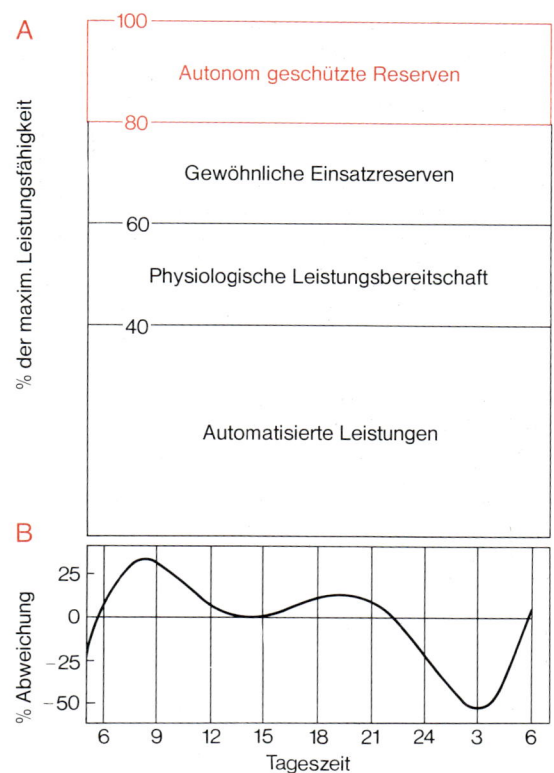

Abb. 14. (A) Schematische Darstellung der 4 Leistungsbereiche nach GRAF [7]. (B) Schematische Darstellung zur Abhängigkeit der mittleren physiologischen Leistungsbereitschaft von der Tageszeit. Ordinate: Prozent der Abweichung vom Tagesdurchschnitt. Nach [7]

der Leistungsfähigkeit keinen bestimmten Cyclusphasen zuordnen. Sportliche Höchstleistungen hat es während jeder Cyclusphase gegeben. Eine *Cyclusverschiebung* wegen bevorstehender, schwerer körperlicher Anforderungen ist daher nur in wenigen Fällen sinnvoll.

Erhaltung der Leistungsfähigkeit. Zur Erhaltung der körperlichen Leistungsfähigkeit tragen mehrere Faktoren bei, u.a. eine richtige Einteilung des *Leistungseinsatzes* und der *Pausen*, eine optimale *Ernährung* (XXVI) sowie qualitativ und quantitativ ausreichender *Schlaf* [6] (S. 155 f.). Fehlernährung und Schlafstörungen beeinträchtigen in den hochindustrialisierten Ländern häufig Wohlbefinden und Leistungsfähigkeit. Auch insofern dient eine Überwachung des Gesundheitszustandes am Arbeitsplatz der Erhaltung der Leistungsfähigkeit (*Werkarzt* [3], *Sportarzt*). Zur Erhaltung der Leistungsfähigkeit gehört auch das **Freizeit- und Urlaubsverhalten**. Angesichts des zunehmenden Zeitraums, der durch die Arbeitszeitverkürzung großen Bevölkerungskreisen für nichtberufliche Tätigkeiten zur Verfügung steht, wird der Gestaltung von Urlaub und Freizeit in Zukunft eine besondere Bedeutung zukommen. Wegen der Vielschichtigkeit dieser Thematik und ihrer interdisziplinären Verknüpfungen kann hier nicht näher darauf eingegangen werden.

Steigerung der Leistungsfähigkeit. Eine *echte* Steigerung der Leistungsfähigkeit ist *nur durch Training* möglich; stimulierende Faktoren führen nur zu einer scheinbaren Steigerung der Leistungsfähigkeit, da lediglich die autonom geschützten Reserven mobilisiert werden, z.B. durch eine spezielle Motivation, im Notfall oder durch Pharmaka.

Doping. Darunter versteht man den Versuch, die Leistungsfähigkeit durch Pharmaka zu steigern. Mit bestimmten Substanzen ist es möglich, die *autonom geschützten Leistungsreserven zu mobilisieren, z.B.* mit Präparaten, die den Adrenalin-Effekt nachahmen (künstliche Notfallreaktion) oder durch Stoffe, die einen *hemmenden Einfluß auf die Leistungsrückmeldung* und damit auf die Rückmeldung der Erschöpfungssymptome ausüben. Deswegen ist das Doping mit erheblichen **gesundheitlichen Risiken** verbunden [17]. Nach Einnahme entsprechender Substanzen beobachtete man schwere funktionelle Störungen und bleibende Gesundheitsschäden sowie Zusammenbrüche mit tödlichem Ausgang.

Einen Sonderfall stellen die sogenannten **Anabolica** dar, mit denen der anabole Effekt männlicher Sexualhormone simuliert wird. Es kommt zu einem vermehrten und beschleunigten Eiweißansatz in der Muskulatur. Das gesundheitliche Risiko beruht auf Nebenwirkungen bezüglich des Hormonhaushalts sowie auf dem Eintreten von Überlastungsschäden an Sehnen, Bändern und Gelenken.

6.4. Schichtarbeit

Die geläufigste Form der Schichtarbeit ist das 3-Schichten(Wechselschicht)-System. Es folgen 3 *8stündige* Arbeitsschichten aufeinander, die meist um 6 Uhr, 14 Uhr und 22 Uhr beginnen [24, 32]. Dadurch tritt eine *Desynchronisation der äußeren Zeitgeber* (S. 155) auf. Die *terrestischen* Zeitgeber bleiben konstant, während ein Teil der *sozialen* Zeitgeber je nach Arbeitsschicht variiert. Anpassungsschwierigkeiten treten besonders am ersten Tag nach einem Schichtwechsel auf. Sie werden im Laufe der folgenden Tage geringer, da eine *Gewöhnung* an den neuen Rhythmus eintritt. *Eine echte Umstellung aller Rhythmen wird jedoch nicht erreicht,* selbst bei dauernder Nachtschicht-Arbeit nicht, da neben den terrestischen Zeitgebern viele soziale Zeitgeber, wie der Tagesablauf in der Familie, das Fernsehprogramm, das kulturelle Leben und der Straßenlärm Ortszeit-gebunden bleiben (S. 155).

Die Gewöhnung an dauernde Nachtarbeit und Schichtarbeit fällt *inter*individuell verschieden aus. Insofern kann es kein ideales Schichtwechselschema geben [32]. Während es einerseits Menschen gibt, die dauernde Nachtarbeit ohne größere Beschwerden ertragen (z.B. im Gaststätten- und Zeitungsgewerbe, Dauernachtwachen im Krankenhaus), gelingt dies anderen nicht (S. 155). Somit ist es notwendig, die individuellen Reaktionen zu überprüfen und dem Betreffenden gegebenenfalls einen anderen, angemessenen Arbeitsplatz anzubieten.

Eine ungenügende Umgewöhnung äußert sich z.B. darin, daß der **Tagschlaf von Nachtarbeitern** zeitlich ungenügend und in bezug auf die durchlaufenen Schlafstadien (S. 156) qualitativ minderwertig ist; als besonderer Störfaktor erweist sich der *tageszeit-*liche *Lärmpegel.* Daher entsteht bei Nachtarbeitern oft ein *Schlafdefizit.* Schlafdefizit und eine ungenügende Anpassung an die nicht synchron laufenden äußeren Zeitgeber bringen *gesundheitliche Risiken* mit sich. Es werden nicht nur das persönliche Wohlbefinden und das Familienleben beeinträchtigt, sondern es erhöhen sich auch die Anfälligkeiten gegenüber funktionellen Erkrankungen und die Unfallgefahr. — Schichtarbeit ist häufig unvermeidbar, nicht nur in der industriellen Produktion, sondern auch im ständig wachsenden Dienstleistungsbereich (z.B. Krankenhäuser). In den betroffenen Bereichen sollte man bei Arbeitszeitgestaltung und Lebensführung die *erhöhte Erholungsbedürftigkeit* des Schicht- und Nachtarbeiters berücksichtigen.

6.5. Bewegungsmangel und Bewegungstherapie

Bewegungsmangel führt zu einem Verlust an körperlicher Leistungsfähigkeit, z.B. Inaktivitätsatrophie der Muskulatur oder Abnahme des Ausdauer-Trainingszustands. Eine verminderte Leistungsfähigkeit darf jedoch *nicht mit „krank" gleichgesetzt* werden, ebenso wie man bei gesteigerter Leistungsfähigkeit nicht von „besonders gesund" sprechen kann. Excessive körperliche Tätigkeit steigert nicht nur die Leistungsfähigkeit; sie kann auch zu gesundheitlichen Schäden führen (*Berufskrankheiten, Sportschäden*). Ärztliche Überwachung ist daher bei fortgesetzter schwerer Arbeit erforderlich (Werkarzt, Sportarzt).

Bewegungsmangel wird häufig als bedeutender epidemiologischer *Risikofaktor* dargestellt. Im Gegensatz zu den als wesentlich erkannten Risikofaktoren Übergewicht, Rauchen, Bluthochdruck, Diabetes mellitus und Fettstoffwechselstörungen, die auch schon bei *alleinigem* Vorkommen die statistische Lebenserwartung deutlich senken, ist der *Bewegungsmangel als Risikofaktor umstritten* [13, 14]. Möglich wäre, daß körperliche Aktivität beim Vorliegen eines Risikofaktors prophylaktischen Wert aufweist, z.B. bei einigen Formen des Bluthochdrucks und bei Stoffwechselstörungen. Neben diesem *prophylaktischen* kann körperliche Arbeit auch ...en *therapeutischen Wert* aufweisen, z.B. Ausdauer-Training bei Erkrankungen des Herz/Kreislaufsystems oder Gymnastik bei Erkrankungen im Bereich des Bewegungsapparates. Bei der Anwendung von Bewegung als Therapie darf nicht vergessen werden, daß es sich um Kranke handelt; Bewegungstherapie sollte nicht ohne ärztliche Verordnung und nur unter fachlicher Aufsicht durchgeführt werden. — Körperliche Bewegung trägt auch zum allgemeinen Wohlbefinden bei.

7. Leistungs- und Eignungstests

Tests sind Meß- oder Prüfinstrumente, mit denen bestimmte Persönlichkeits- oder Verhaltensmerkmale erfaßt werden können [25]. Sie haben ihre Bedeutung in der Arbeits- und Sportphysiologie ebenso wie in der klinischen Diagnostik oder bei Examina. Es gibt „gute" und „schlechte" Tests; die Brauchbarkeit eines Tests hängt von den sogenannten **Gütekriterien** ab. Man unterscheidet zwischen *Hauptgütekriterien* (Objektivität, Reliabilität, Validität) und *Nebengütekriterien* (Normiertheit, Vergleichbarkeit, Ökonomie, Nützlichkeit) [25].

7.1. Hauptgütekriterien

Objektivität. Unter Objektivität versteht man den Grad, mit welchem Testergebnisse unabhängig vom jeweiligen Untersucher sind. Viele Testverfahren lassen eine vollständige Objektivität nicht zu; dies gilt sowohl für die Bestimmung des Testergebnisses als auch für dessen Interpretation.

Reliabilität (*Meßgenauigkeit, Zuverlässigkeit*). Unter Reliabilität versteht man den Grad der Genauigkeit, mit dem ein Persönlichkeits- oder Verhaltensmerkmal erfaßt wird. Die Reliabilität hat mehrere Aspekte, die unter anderem von der Art des Tests und vom Prüfer abhängen.
Geht man von einem in bezug auf den Test eingeübten Prüfer aus und kann ein Lerneffekt beim Probanden ausgeschlossen werden, läßt sich anhand der Ergebnisse aus Mehrfachbestimmungen ermitteln, mit welcher Genauigkeit ein Testergebnis reproduzierbar ist (Ermittlung der **Reproduzierbarkeit** mit dem Retest-Verfahren). Muß man hingegen beim Probanden mit einem Lerneffekt rechnen und damit im Retest ein anderes Ergebnis erwarten (z.B. Bestimmung des Intelligenzquotienten, IQ), kann die Genauigkeit nur mit Hilfe eines Paralleltests oder anderer Verfahren überprüft werden [25].

Validität (*Gültigkeit, Aussagefähigkeit*). Die Validität gibt den Grad der Genauigkeit an, mit dem ein Test dasjenige Persönlichkeits- oder Verhaltensmerkmal, das er messen soll oder zu messen vorgibt, tatsächlich mißt. Auch die Validität hat mehrere Aspekte.

So muß zum Beispiel bei Leistungstests oder klinisch-diagnostischen Tests geprüft werden, ob tatsächlich die Leistungsfähigkeit bzw. ein bestimmter Krankheitszustand erfaßt wird. Daher soll ein kritischer Vergleich des erhaltenen Ergebnisses mit einem bei einem anderen Verfahren gewonnenen Ergebnis (*Außenkriterium*) vorgenommen werden, d.h. einem Ergebnis, das unabhängig von dem zu prüfenden Test gewonnen wurde und dessen Aussagefähigkeit gesichert ist. — Bei der Entwicklung neuer Testverfahren ist die *Validität meist das schwierigste Problem*. Ein Bezug auf die Plausibilität eines Tests genügt nicht; dies führt immer wieder zu Fehlinterpretationen und bleibt daher unbefriedigend.
Bei guter Reliabilität und genügend gesicherter Validität besitzt ein Test eine mindestens befriedigende **Trennschärfe**. Unter Trennschärfe versteht man nicht nur den Grad der Genauigkeit, mit dem ein bestimmtes Merkmal erfaßt wird, sondern auch den Grad, mit welchem zwischen unterschiedlichen Ausprägungen eines Merkmals getrennt werden kann. Ein Test, der mit

großer Sicherheit zwischen *krank* und *gesund* zu unterscheiden erlaubt, wäre ebenso als trennscharf zu bezeichnen wie ein Test, der es gestattete, Diabetiker nach dem Schweregrad ihrer Erkrankung zu differenzieren. Die Trennschärfe muß also immer in bezug zur Fragestellung gesehen werden.
Betrachten wir als *Beispiel* die Bestimmung der *Vitalkapazität*, die sich mit Spirometern objektiv messen läßt und bei wiederholten Messungen gut übereinstimmende Ergebnisse zeigt; Bedingung ist, daß die Testperson kooperiert. Da viele ausdauertrainierte Sportler eine erhöhte Vitalkapazität aufweisen, mag plausibel klingen, wenn man in bezug auf die Validität dieses Tests folgende Aussage festlegt: „Die Bestimmung der Vitalkapazität gibt Auskunft darüber, wie Ausdauer-leistungsfähig ein Mensch ist." — Auch Opernsänger und Blasmusiker besitzen eine erhöhte Vitalkapazität, ohne daß im sportphysiologischen Sinn eine erhöhte Dauerleistungsfähigkeit vorliegt. Die Vitalkapazität läßt sich nämlich allein durch gezielte Atemgymnastik erhöhen, wobei aber nicht erwartet werden darf, daß deswegen die Dauerleistungsfähigkeit eines Gesunden steigt (S. 554). Die Überprüfung der Testgröße „Vitalkapazität" am Außenkriterium der 5000 m-Laufzeit (typische Ausdauerleistung) würde zeigen, daß weder ein Opernsänger noch ein Blasmusiker gute Leistungen bringt. Die Aussage muß also wie folgt formuliert werden: „Die Testgröße „Vitalkapazität" gibt an, welches Volumen aufgrund der atemmechanischen Gegebenheiten bei einem Atemzug maximal ventiliert werden kann." Der Test prüft also einen Aspekt der Atemmechanik und nicht die Ausdauerleistungsfähigkeit (S. 457).

7.2. Normwertproblem

Eine diagnostische Aussage ist oft nur möglich, wenn ein *repräsentativer Bezugswert* vorhanden ist. Das Ermitteln und Festlegen von Normwerten gestaltet sich in der Praxis viel schwieriger, als es primär den Anschein hat (s. *Durchschnittsgewicht*, S. 581). Es genügt *nicht*, irgendwelche *„gesunden" Versuchspersonen* herauszugreifen und den *Mittelwert* aus den von ihnen gewonnenen Meßergebnissen zu bestimmen, und zwar aus folgenden Gründen: *Erstens* ist die Definition des Begriffs „gesund" nicht exakt (S. 545). *Zweitens* ist die spontane Variabilität auch beim Gesunden erheblich, z.B. in Abhängigkeit von biologischen Rhythmen, Alter oder Geschlecht. *Drittens* sind nach körperlicher Aktivität oder bei ausgeprägtem Trainingszustand erhebliche Abweichungen von der „Norm" möglich, ohne daß ein krankhafter Zustand vorliegen muß. *Zudem* brauchen Abweichungen von einem Normbereich deswegen nicht mit einem krankhaften Zustand identisch zu sein, weil zwischen normal — gesund und anormal — krank oft ein weiter Bereich von anormal — gesund mit fließenden Übergängen in beiden Richtungen liegt.

7.3. Leistungstests

Leistungstests sind diagnostische Verfahren, die wie jede Diagnostik ein Risiko einschließen. Während bei „vita maxima-Tests", die bis zur physischen Erschöpfung führen, das Risiko für Gesunde nur gering ist, gilt dies nicht für die Ergometrie an Patienten; in diesen Fällen sollten ärztliche Indikationsstellung und Aufsicht gewährleistet sein. — Es gibt eine Vielzahl von Leistungstests (s. [45]), auf die hier nicht im einzelnen eingegangen werden kann.

Es sollen nur 3 Tests herausgestellt werden, die häufig zur Prüfung der Ausdauerleistungsfähigkeit zum Einsatz kommen, da ihre Gütekriterien weitgehend überprüft sind.

Maximale Sauerstoffaufnahme. Die maximale Sauerstoffaufnahme ist ein Maß für die *aerobe Leistungskapazität* des Organismus. Man mißt sie bei *kontinuierlich oder stufenweise ansteigender Ergometerbelastung* des Probanden. Im Bereich der Erschöpfung zeigt sich ein *Abflachen der Sauerstoffaufnahme* (S. 550); der Wert für die Sauerstoffaufnahme im Plateaubereich ist ein Maß für die Ausdauerleistungsfähigkeit (l/min, besser ml/min · kg Körpergewicht). Der Durchschnittswert für einen 70 kg schweren, erwachsenen Mann liegt bei rund *2,8 l/min* bzw. *40 ml/min · kg*. Durch intensives Ausdauertraining kann die maximale Sauerstoffaufnahme auf rund das Doppelte gesteigert werden.

Arbeitskapazität — „working capacity" — W_{170} oder PWC_{170}. Man bestimmt, ebenfalls bei kontinuierlich oder stufenweise ansteigender Belastung auf einem Ergometer, diejenige Leistung, bei der die *Pulsfrequenz den Wert von 170 min^{-1}* erreicht. Da ältere Menschen eine niedrigere maximale Pulsfrequenz haben, wird entweder auf den Wert von 170 min^{-1} extrapoliert oder man legt eine andere Bezugspulsfrequenz, z.B. 130 min^{-1} fest und spricht dann von W_{130}. Das Testergebnis wird in mkp/s oder in Watt angegeben. Die Validität entspricht derjenigen bei der maximalen Sauerstoffaufnahme. Obwohl dieser Test nicht ganz so genau wie die Bestimmung der maximalen Sauerstoffaufnahme ist, eignet er sich wegen der guten Ökonomie in bezug auf Zeit und Kostenaufwand besonders für *Reihenuntersuchungen*. Ein 70 kg schwerer, 20–30jähriger Nichtsportler erreicht Werte von rund 200 Watt, nach gründlichem Ausdauertraining das Doppelte.

Herzvolumen. Das Herzvolumen in Ruhe (*Sportherz,* S. 380) kann *röntgenologisch* bestimmt werden. Es ist kein direktes Maß für die Leistungsfähigkeit, sondern ein Maß für die trainingsbedingte, auch in Ruhe nachweisbare Anpassung des Herzens an körperliche Dauerbelastungen (Ausdauertrainingszustand). Das Testergebnis läßt sich sehr gut reproduzieren; jedoch sollte die zwangsläufige Strahlenbelastung bei wiederholten Messungen bedacht werden. Bei einem gesunden, 70 kg schweren Nichtsportler beträgt das Herzvolumen etwa *700–800 ml*. Bei intensivem Ausdauertraining kann es auf rund das Doppelte zunehmen.

7.4. Interpretation von Leistungstests

Nur wenn für einen Test Reliabilität und Validität geprüft und bekannt sind, kann man anhand der Ergebnisse zu präzisen Schlußfolgerungen und Interpretationen kommen, die sich allerdings nur auf den *Leistungsstand zum Zeitpunkt der Untersuchung* beziehen. In vielen Fällen interessiert jedoch nicht die aktuelle, sondern die *zukünftige Leistungsfähigkeit,* z.B. bei der Suche nach **Talenten** für bestimmte berufliche Aufgaben oder Sportdisziplinen. Dazu benötigt man Tests, die eine prognostische Aussage gestatten. Aussagen über eine zukünftig mögliche Steigerung der Leistungsfähigkeit sind aber nur mit *Eignungstests* und *nicht* mit einmalig durchgeführten Leistungstests möglich; letztere erbringen lediglich

einen Nachweis über das momentan vorhandene Leistungsniveau. Die Frage, ob Steigerungen aufgrund vorhandener Eignungen möglich sind, kann damit nicht beantwortet werden.

Eignungsprüfungen. Eine Eignungsprüfung für eine bestimmte Tätigkeit kann auf verschiedene Weise erfolgen:
Spezielle Eignungstests. Diese sollen einen bestimmten Talentfaktor (S. 545) erfassen, wobei das Testergebnis unabhängig oder zumindest weitgehend unabhängig vom Trainingszustand sein muß. Die Ergebnisse solcher Tests bieten die Möglichkeit prognostischer Aussagen; spezielle Eignungstests sind jedoch ausgesprochen selten (z.B. Prüfung bestimmter Körperbaumerkmale [1, 29]).
Testbatterie. Darunter versteht man die Zusammenstellung mehrerer Einzeltests. Sind die Tests so zusammengestellt, daß mit einem Teil von ihnen der jeweilige Leistungsstand, mit einem anderen Teil der Trainingszustand geprüft wird, so ergibt sich für die Prognose: Erbringt ein Proband bei überdurchschnittlichem Trainingsaufwand und damit in gutem Trainingszustand Leistungen unter dem Durchschnitt, sind kaum noch Steigerungen zu erwarten, während umgekehrt bei überdurchschnittlichen Leistungen und wenig ausgeprägtem Trainingszustand noch Steigerungen erwartet werden können.
Längsschnittuntersuchung. Kann man im Verlauf eines Trainingsprozesses mehrfach Testergebnisse erhalten, läßt sich entsprechend Abb. 12 eine Trainingskurve skizzieren. Plateau-Werte zeigen an, welches Leistungsniveau ein Proband unter den gegebenen Trainingsbedingungen erreicht hat. *Inter*individuell unterschiedlichen Plateau-Werten kommt bei gleichem Trainingsprogramm eine prognostische Bedeutung zu. Diese Art der Talentsuche ist nicht neu; sie entspricht dem alten Prinzip der Suche nach Geeigneten aufgrund von *Bewährung,* eine Art der Auslese, die sich immer auf einen längeren Zeitraum bezieht.

Sicherheit der Prognose. Prognostische Aussagen über eine zukünftige Leistungsfähigkeit dürfen *nicht zu formalistisch* gesehen werden. Ob eine Eignungsprüfung wirklich alle leistungsbestimmenden Faktoren erfaßt, bleibt meistens offen, da Leistung immer *multifaktoriell* bedingt ist. Auch macht die Natur Sprünge, und mancher ist schon „über sich selbst hinausgewachsen". Man sollte daher an eine Prognose über zukünftige Leistungssteigerungen keine zu hohe Erwartung stellen, ähnlich wie bei der Wetterprognose, obgleich man bei letzterer auf jahrzehntelange Erfahrungen zurückblicken kann.

Angesichts der heute in Industrie und Sport unter aufwendigem Einsatz von Testbatterien und Großcomputern betriebenen Talentsuche soll abschließend darauf hingewiesen werden, daß das Problem prognostischer Aussagen bei der *Validität der Tests* sowie bei der Interpretation der Ergebnisse liegt und *nicht beim Testaufwand*.

8. Höhenphysiologie

Beim Aufenthalt in der Höhe wirken sich im wesentlichen 3 Faktoren belastend auf den Organismus aus: *1.* verminderter O_2-Partialdruck, *2.* vermehrte Strahlenbelastung und *3.* thermische Belastungen. Die wichtigste belastende Einflußgröße ist der verminderte O_2-Partialdruck.

8.1. Sauerstoffmangel

Akute und chronische Hypoxie. Mit zunehmender Höhe nimmt der Luftdruck ab, während die O_2-Konzentration bis in große Höhen konstant bleibt. Der O_2-Partialdruck sinkt proportional zum Luftdruckabfall (Tabelle 4). Die **Reaktionen** des Organismus auf **Sauerstoffmangel** hängen nicht nur vom Ausmaß des Mangels, sondern auch von der Zeitspanne ab, in welcher der verminderte P_{O_2} erreicht wird [37]. Je nach Größe der Zeitspanne unterscheidet man eine **akute Hypoxie** (u.a. durch plötzlichen Druckabfall im Flugzeug oder durch Ausfall eines Sauerstoffgeräts in großen Höhen), eine **schnell einsetzende Hypoxie** (u.a. beim Aufstieg mit einem Flugzeug) und eine **chronische Hypoxie** (u.a. bei längerem Aufenthalt in der Höhe). Die Auswirkung des Zeitfaktors wird zum Beispiel darin deutlich, daß ein schneller Höhenaufstieg schlechter als ein langsamer vertragen wird. Die Verträglichkeit größerer Höhen hängt weiterhin von der **Art des Aufstiegs** ab: Der Aufenthalt in großen Höhen wird nach aktivem Aufstieg (Bergwandern) besser vertragen als nach passivem Transport (Bergbahn, Flugzeug).

Höhenkrankheit. Unter dem Begriff Höhenkrankheit faßt man die vielfältigen Störungen zusammen, die durch Sauerstoffmangel ausgelöst werden. Allgemein beobachtet man eine Minderung der körperlichen und geistigen Leistungsfähigkeit sowie schnelle Ermüdung und Unbehagen.
Spezielle Kennzeichen des Sauerstoffmangels in großen Höhen sind Willensschwäche, Schlafbedürfnis und Apathie, aber auch Euphorie (Höhenrausch) sowie Atemnot, Tachykardie, Appetitlosigkeit, Schwindel, Erbrechen und Kopfschmerzen. Diese Symptome können je nach *Disposition* und *Situation* isoliert oder in verschiedenen Kombinationen auftreten; ihre Bedeutung als *Warnsymptome* wird oft verkannt und unterschätzt. *Gefährlich ist ein sich langsam einschleichender Sauerstoffmangel,* besonders in körperlicher Ruhe, da hierbei Bewußtlosigkeit ohne vorherige Warnsymptome eintreten kann.

Tabelle 4. Luftdruck, inspiratorischer O_2-Partialdruck in der angefeuchteten Einatemluft und alveolärer O_2-Partialdruck in Abhängigkeit von der Höhe ü.M. Mit den in Spalte 3 angegebenen O_2-Konzentrationen läßt sich der mit der Höhe abnehmende P_{O_2} in Meereshöhe simulieren (100 mm Hg ≈ 13,3 kPa).

1 Höhe ü.M. (m)	2 Luftdruck (mm Hg)	3 O_2-Gehalt entspr. Meereshöhe (Vol.-% O_2)	4 insp. O_2-Partialdruck feucht (mm Hg)	5 alveolärer O_2-Partialdruck (mm Hg)
0	760	20,95	149	105
2 000	596	16,4	115	76
3 000	526	14,5	100	61
4 000	462	12,7	87	50
5 000	405	11,2	75	42
6 000	354	9,8	64	38
7 000	308	8,5	55	35
8 000	267	7,4	46	32
10 000	199	5,5	32	
14 000	106	2,9	12	
19 000	49	1,4	0,4	

Wirkungsschwellen. Schematisch unterscheidet man aufgrund der Auswirkungen des Sauerstoffmangels **4 Zonen,** die durch **Wirkungsschwellen** [37] getrennt sind (Abb. 15). Allerdings darf das Schema wegen fließender Übergänge nicht zu starr ausgelegt werden; außerdem verschieben sich die Schwellenwerte je nach *Akklimatisation* (S. 565) und *Disposition.*
Indifferenzzone: Bis zu einer Höhe von 2 000 m werden die Funktionen des Organismus gar nicht oder wenig beeinträchtigt. Zum Beispiel ist die Höchstleistungsfähigkeit bei dynamischer Arbeit nur gering vermindert.

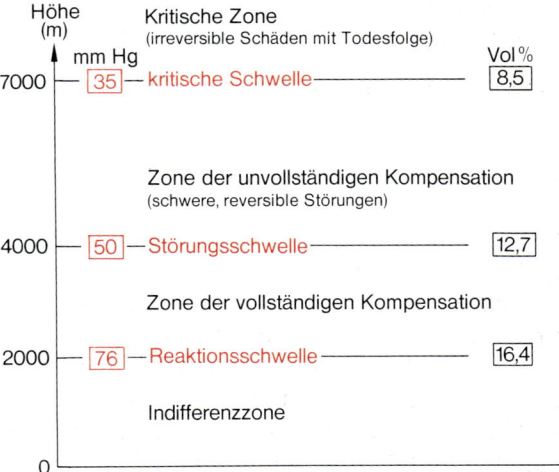

Abb. 15. Wirkungsschwellen des höhenbedingten Sauerstoffmangels. Die rot umrandeten Zahlen geben den der angegebenen Höhe entsprechenden alveolären O_2-Partialdruck an, die schwarz umrandeten Ziffern den Sauerstoffgehalt von in Meereshöhe entsprechend wirkenden Mangelgemischen (s. Tabelle 4). Die Angaben gelten nur als Richtwerte für nicht Akklimatisierte (100 mm Hg ≈ 13,3 kPa). Nach [37]

Zone der vollständigen Kompensation: In Höhen zwischen 2000 m und 4000 m reagiert der Organismus bereits in Ruhe auf das verminderte Sauerstoffangebot mit einem geringen Anstieg der Pulsfrequenz, des Herzzeitvolumens und des Atemzeitvolumens; entsprechend steigen diese Größen bei Arbeit stärker an als in Meereshöhe. Physische und psychische Leistungsfähigkeit sind somit deutlich vermindert.

Zone der unvollständigen Kompensation (Gefahrenzone): In Höhen zwischen 4000 m und 7000 m treten bei fehlender Höhenakklimatisation zunehmend Funktionsausfälle auf. Die *Störungsschwelle* bei 4000 m wird daher auch als **Sicherheitsgrenze** bezeichnet. Beim Überschreiten dieser Grenze werden die physische Leistungsfähigkeit, das Reaktionsvermögen und die Entscheidungsfähigkeit erheblich beeinträchtigt. Es treten Muskelzuckungen, Blutdruckabfall und schließlich Bewußtseinstrübung auf. Diese Veränderungen sind reversibel.

Kritische Zone: Ab 7000 m Höhe unterschreitet der O_2-Partialdruck in der Alveolarluft die **kritische Schwelle** von *30–35 mm Hg*; es treten lebensbedrohliche zentralnervöse Störungen mit Bewußtlosigkeit und Krämpfen auf, die nach schneller Erhöhung des inspiratorischen P_{O_2} noch reversibel sind, allerdings nur innerhalb einer kurzen Zeitspanne. Die *Dauer des Sauerstoffmangels spielt in der kritischen Zone die entscheidende Rolle.* Bei zu lang dauernder Hypoxie tritt der **Höhentod** infolge des Zusammenbruchs der zentralnervösen Steuerungen ein.

Höhenrausch. Je nach Disposition kann dieser Zustand unabhängig von den bisher beschriebenen Reaktionen in Höhen *ab 3000 m* auftreten [28, 37]. Typische Kennzeichen sind Euphorie, Verkennen von Gefahren und eklatante Fehlentscheidungen, ähnlich wie im Alkoholrausch.

Zeitreserve. Darunter versteht man die kurze Zeitspanne hinreichender Aktionsfähigkeit bei *plötzlichem* Sauerstoffmangel in Höhen über 7000 m (Tabelle 5), z.B. bei plötzlichem Druckabfall im Flugzeug. Nach Ablauf der Zeitreserve kommt es zu Bewußtseinstrübung und nachfolgend zu irreversiblen Schäden mit Todesfolge.

Tabelle 5. Zeitreserve (Zeitspanne hinreichender Aktionsfähigkeit) in Abhängigkeit von Höhen über 7000 m. Nach [37]

Höhe (m)	Zeitreserve
7000	5 min
8000	3 min
9000	1,5 min
10000	1 min
11000	40 s
12000	30 s
15000	10 s

Atmung von reinem Sauerstoff in der Höhe. Dadurch können die Wirkungsschwellen verschoben, jedoch nicht aufgehoben werden. In 14000 m Höhe beträgt der inspiratorische P_{O_2} bei Atmung reinen Sauerstoffs 106 mm Hg. Durch Anfeuchtung im Totraum entfallen bei 37° C auf den P_{H_2O} 47 mm Hg (S. 470); es verbleiben rund 60 mm Hg für den inspiratorischen P_{O_2}. Da

sich im Alveolarraum jedoch noch Kohlendioxid mit einem Partialdruck von ca. 30 mm Hg (je nach Ausmaß der Hyperventilation variabel, S. 472) befindet, vermindert sich der P_{O_2} nochmals; es bleibt ein Rest von 30 mm Hg. Die **kritische Schwelle,** der Übergang zur kritischen Zone, ist unterschritten. Sie wird bei reiner Sauerstoff-Atmung zwischen 13000 m und 14000 m Höhe erreicht. Größere Höhen können demnach nur unter Verwendung von *Druckanzügen* oder *Druckkabinen* erreicht werden. Außerdem würden von dieser Höhe an die *Hilfsmittel* in Höhen von mehr als 19000 m die *Körperflüssigkeiten kochen,* da von dieser Höhe an der Umgebungsdruck den *Sättigungsdruck* des Wassers bei 37° C unterschreitet.

8.2. Höhenumstellung

Höhenbelastungen (oder Hypoxien anderer Genese, z.B. Herzfehler) lösen kurz-, mittel- oder langfristig Anpassungsreaktionen aus. Innerhalb weniger Stunden ablaufende Anpassungsvorgänge bezeichnet man als **Höhenumstellung.** Bei Anpassungsvorgängen, die mehrere Tage bis Monate dauern, spricht man von **Höhenakklimatisation** (S. 565).

Kreislauf bei Höhenumstellung. Ab 2000 m Höhe steigt die **Pulsfrequenz** in Ruhe an; in 6000 m Höhe erreicht sie Werte von etwa 120 min^{-1}. Bei körperlicher Arbeit nimmt sie im Vergleich zu Werten in Meereshöhe erheblich zu. Das **Schlagvolumen** zeigt nur geringfügige Änderungen; sowohl Zunahmen als auch Abnahmen wurden beobachtet. Das **Herzzeitvolumen** ist somit in Ruhe gering, bei Arbeit deutlich erhöht. Der **arterielle Blutdruck** zeigt bei Arbeit in verschiedenen Höhen keine wesentlichen Änderungen. Hingegen kann es in der **A. pulmonalis,** besonders in Ruhe, zu Drucksteigerungen mit anschließendem Lungenödem kommen (Vasoconstriction bei Hypoxie in der Lungenstrombahn; S. 439).

Atmung bei Höhenumstellung. Die arterielle Hypoxie löst zunächst nur einen geringen Atmungsantrieb aus (S. 481). In 5000 m Höhe liegt das Ruhe-Atemzeitvolumen nur um 10%, in 6500 m Höhe schon um 100% über Vergleichswerten in Meereshöhe. Während körperlicher Arbeit nimmt es jedoch sofort erheblich zu. Die **Hyperventilation** führt zu einem Anstieg des Respiratorischen Quotienten bis auf Werte über 1,0 (S. 525). Trotz der Hyperventilation wird die eingeatmete Sauerstoffmenge als $\dot{V}_{O_2 STPD}$ geringer, da die Zunahme des Atemzeitvolumens nicht proportional zur Abnahme des P_{O_2} erfolgt.

Sauerstofftransport bei Höhenumstellung. Aufgrund des geringeren *alveolären* P_{O_2} (Tabelle 4) nimmt der *arterielle* P_{O_2} ab. Beispielsweise ist in 2000 m Höhe der alveoläre P_{O_2} auf *76 mm Hg* und der arterielle P_{O_2} in Ruhe auf *73 mm Hg* gesunken; die arterielle *Sauerstoffsättigung* des Hämoglobins beträgt trotzdem noch *93%*. — Der Sauerstofftransport wird zusätzlich durch 2 Faktoren erschwert: *Erstens* führt die Hyperventilation zu einer *respiratorischen Alkalose*, die eine Linksverschiebung der Sauerstoffbindungskurve (S. 493 f.) auslöst, wodurch zwar die Sauerstoffbindung in der Lunge begünstigt, die Sauerstoffabgabe im Gewebe jedoch erschwert wird. *Zweitens* wird bei Arbeit die alveolär-arterielle O_2-Partialdruckdifferenz AaD_{O_2} (S. 475) in der Lunge mit zunehmender Sauerstoffaufnahme größer. Während sie in Ruhe ca. *3–8 mm Hg* beträgt, kann sie bei erschöpfender Arbeit bis auf *12 mm Hg* ansteigen. Geht man zum Beispiel in 7000 m Höhe von einem alveolären P_{O_2} von 76 mm Hg aus, so bedeutet jede Zunahme der AaD_{O_2}, daß entsprechend dem steileren Abschnitt der Sauerstoffbindungskurve (S. 492) die Sauerstoffsättigung in der Lunge spürbar abnimmt. Die Sauerstoffsättigung des Blutes sinkt bei erschöpfender Arbeit in 2000 m Höhe auf unter 90% und der arterielle P_{O_2} auf 65 mm Hg, wodurch sich die Höchstleistungsfähigkeit in 2000 m Höhe um fast 10% vermindert (in 3500 m Höhe um ca. 20%).

Säure-Basen-Haushalt bei Höhenumstellung. Die Hyperventilation während der Höhenumstellung bewirkt eine vermehrte Abgabe des Kohlendioxids. Die Folge ist ein verminderter CO_2-Partialdruck und damit eine **Alkalose** im Blut (*respiratorische Alkalose*, S. 503). In 4000 m Höhe beträgt der arterielle P_{CO_2} rund *30 mm Hg*, in 6500 m Höhe nur noch *20 mm Hg*. Der arterielle *pH-Wert* steigt in 6500 m Höhe auf über *7,5* an; der *Basenüberschuß* (*BE*) ändert sich bei akuter Höhenbelastung nicht.

8.3. Höhenakklimatisation

Ein langer Höhenaufenthalt führt mittel- und langfristig zu besonderen Anpassungsvorgängen. Sie betreffen die Kreislauf- und Atmungsregulation sowie das Blut und die Muskulatur. Diese Reaktionen sind im wesentlichen eine *Antwort auf die arterielle Hypoxie und auf die respiratorische Alkalose.* Zeitgang und Ausmaß der Anpassungen zeigen erhebliche *inter*individuelle Unterschiede, wobei im Verlauf der Anpassung überschießende Reaktionen auftreten können (z.B. bei der Erythropoese). Die Zeitspanne bis zu einer vollständigen Höhenanpassung umfaßt viele Monate, wenn nicht Jahre. Expeditionen haben jedoch gezeigt, daß schon nach einigen Wochen ein beachtliches Ausmaß der Höhenakklimatisation erreicht werden kann und damit die Höhenverträglichkeit erheblich zunimmt.

Die am *höchsten gelegenen Siedlungen* des Menschen findet man in den Anden; sie liegen etwa 5300 m hoch. Diese Höhe stellt wahrscheinlich die Grenze der Höhenverträglichkeit auf Dauer für den Menschen dar. Die am höchsten gelegenen, regelmäßig besuchten Arbeitsplätze liegen in Höhen bis zu 6200 m (Bergwerke). Offensichtlich ist das regelmäßige Arbeiten in größeren Höhen eher möglich als das ständige Wohnen. Dies hängt vermutlich damit zusammen, daß die Atmungsregulation bei Arbeit (Muskelreceptoren, S. 484, 549), im Gegensatz zur Regulation in Ruhe, in größeren Höhen noch erträgliche Bedingungen schafft [42]. — Die Einwohner hoch gelegener Siedlungen haben eine Jahrhunderte dauernde *Auslese* durchlaufen; die bei ihnen nachweisbare Akklimatisation darf vermutlich als Höchstmaß der Anpassung aufgefaßt werden. Um Aufschluß über die Veränderungen physiologischer Größen bei Höhenakklimatisation zu erhalten, wurden die Einwohner der in den Anden 4540 m hoch gelegenen Stadt Morococha untersucht [18]. Den Ergebnissen dieser Untersuchung sind in Tabelle 6 Werte von Flachlandbewohnern (Lima, Meereshöhe) gegenübergestellt. Allgemein ergeben sich während Akklimatisation folgende Veränderungen:

Tabelle 6. Verschiedene Blut-, Atmungs- und Kreislaufparameter von Höhenbewohnern (Einwohner der Stadt Morococha) im Vergleich zu entsprechenden Werten von Tieflandbewohnern (Lima). 100 mm Hg $\approx$ 13,3 k Pa [18]

	Morococha (4540 m ü.M.)	Lima (Meereshöhe)
Blut:		
Erythrocyten (Mill./mm³)	6,44	5,11
Reticulocyten (Tausend/mm³)	46	18
Thrombocyten (Tausend/mm³)	419	401
Leukocyten (Tausend/mm³)	7,0	6,7
Hämatokrit (%)	60	47
Hämoglobingehalt (g/100 ml)	20,1	15,6
Blutvolumen (ml/kg)	101	80
Plasmavolumen (ml/kg)	39	42
pH-Wert, arterielles Blut	7,39	7,41
Pufferbasen (mMol/l)	45,6	49,2
Atemzeitvolumen (l/min · kg; BTPS)	0,19	0,13
P_{O_2}, alveolär (mm Hg)	51	104
P_{CO_2}, alveolär (mm Hg)	29,1	38,6
art. O_2-Sättigung in Ruhe (%)	81	98
Pulsfrequenz in Ruhe (min⁻¹)	72	72
Blutdruck in Ruhe (mm Hg)	93/63	116/79

Kreislauf bei Höhenakklimatisation. Die Ruhepulsfrequenz steigt während der Akklimatisation zuerst an, sinkt dann wieder ab und kann in Höhen bis zu 5000 m den Ausgangswert sogar unterschreiten. Das Schlagvolumen ändert sich nicht wesentlich, das Herzzeitvolumen ist in Ruhe erhöht, das maximale Herzzeitvolumen vermindert.

Atmung bei Höhenakklimatisation. Im Verlauf der Akklimatisation beobachtet man über Wochen eine zunehmende *Empfindlichkeit der Atmungsregulation* gegenüber einem arteriellen Sauerstoffmangel und einen Anstieg des P_{CO_2}. Dies zeigt sich in einer Linksverschiebung sowie einem Steilerwerden der *CO_2-Atemantwortkurve* (S. 480) sowie in einer verkürzten *Atemanhaltezeit*. Daher nimmt im Vergleich zu Werten vor der Akklimatisation das Atemzeitvolumen sowohl in Ruhe als auch bei Arbeit zu. Bei Bewohnern großer Höhen besteht allerdings eine geringere Reaktion der Atmung auf inspiratorischen Sauerstoffmangel als bei Personen mit mittelfristiger Adaptation.

Sauerstofftransport bei Höhenakklimatisation. Zu Beginn eines Höhenaufenthalts beobachtet man im Blut gelegentlich eine Abnahme der Erythrocytenzahl als Ausdruck vermehrter Blutmauserung (S. 327). Nach wenigen Tagen finden sich jedoch alle Zeichen einer *gesteigerten Erythropoese:* vermehrtes Auftreten von *Reticulocyten,* Zunahme der Erythrocytenzahl und des Hämoglobingehalts mit einem geringen Absinken des Färbe-Koeffizienten unter den Normwert von *30 pg*/Erythrocyt (S. 490). Je größer die Höhe, desto stärker wird die Erythropoese stimuliert. Dies betrifft nur die Erythrocyten; eine vermehrte Bildung anderer Blutzellen wird nicht angeregt. In Versuchen mit 2tägigem Aufenthalt in 4 500 m Höhe stiegen Erythrocytenzahl und *Hämoglobinkonzentration* um mehr als 10% an. Nach rund 10 Tagen Höhenaufenthalt ist die *schnelle Phase* des Hämoglobinanstiegs abgeschlossen; ihr folgt ein weiterer langsamer Anstieg über Wochen. Nach einigen Monaten wird ein Maximum erreicht; anschließend fällt der Hämoglobingehalt wieder auf rund 20 g/dl Blut (Tabelle 6). Entsprechend ändern sich *Hämatokrit* und *Blutvolumen,* während das *Plasmavolumen* gleich bleibt. Als Höchstwerte wurden ein Hämoglobingehalt von *27 g/dl* Blut und ein Hämatokrit von *70%* gefunden. — Außerdem steigt innerhalb von 2 Tagen der Gehalt der Erythrocyten an *2,3-Diphosphorglycerat* (DPG, S. 495) von ca. 85 µg/ml Blut auf 140 µg/ml Blut an, wodurch die O_2-Bindungskurve nach *rechts* verschoben wird.

Der vermehrte Hämoglobingehalt des Blutes bewirkt, daß trotz geringerer Sauerstoffsättigung die *Transportkapazität* des Blutes für Sauerstoff bis in Höhen von 5000 m etwa gleich bleibt: 100 ml Blut enthalten bei einer Sättigung von 97% und einem Hämoglobingehalt von 15,3 g eine Sauerstoffmenge von 20 ml; einen gleichen Sauerstoffgehalt weisen 100 ml Blut auf, wenn bei einem Hämoglobingehalt von 20 g die Sättigung nur noch 75% beträgt (etwa in 5000 m Höhe). Der erhöhte Hämatokrit beeinträchtigt jedoch infolge der erheblich gesteigerten Viskosität des Blutes die Mikrocirculation in den Capillaren (S. 319,

411 f.); unter anderem wird dadurch bei mittelfristiger Anpassung das maximale Herzzeitvolumen verringert. Daher wird bei erschöpfender Arbeit die maximal transportierte Sauerstoffmenge nicht größer, auch dann nicht, wenn man sich nach einer Höhenakklimatisation auf Meereshöhe begibt. Ein wesentlicher Vorteil für Ausdauer-Höchstleistungen in Meereshöhe kann somit durch vorherige Höhenakklimatisation *nicht* erwartet werden. — Die als Folge der respiratorischen Alkalose auftretende *Links*verschiebung der O_2-Bindungskurve wird zunächst durch die Erhöhung des 2,3-Diphosphorglycerats kompensiert; nach längerer Anpassung führt Überkompensation zu einer *Rechts*verschiebung der O_2-Bindungskurve, wodurch die Sauerstoffabgabe im Gewebe begünstigt wird.

Säure-Basen-Haushalt bei Höhenakklimatisation. Im Verlauf der Akklimatisation wird durch die Niere vermehrt Bicarbonat ausgeschieden. Diese *renale Kompensation* der respiratorischen Alkalose bewirkt, daß sich der *pH-Wert* im Blut wieder normalisiert. Weiterhin wirkt sich aus, daß mit dem Hämoglobinanstieg die Pufferkapazität des Blutes zunimmt. Die Pufferkapazität des Gewebes nimmt jedoch ab; dem Bicarbonatverlust schließen sich *Elektrolytverschiebungen* zwischen den *intra-* und *extra*cellulären Räumen an [2].

Muskulatur bei Höhenakklimatisation. Im Verlauf der Akklimatisation nimmt die *Capillardichte* im Muskel zu; die Diffusionsstrecken zwischen Capillaren und Muskelinnerem werden kürzer. Innerhalb der Muskelzelle passen sich verschiedene *Enzymsysteme,* besonders diejenigen der Mitochondrien, dem Sauerstoffmangel an, wodurch der aerobe Stoffwechsel trotz des erniedrigten P_{O_2} begünstigt wird.

Insgesamt führt die **Akklimatisation** dazu, daß der Mensch ohne Hilfsmittel befristet Höhen erreichen kann, die beim Nichtakklimatisierten den Tod zur Folge hätten. Akklimatisierte Bergsteiger können über einen begrenzten Zeitraum in Höhen von über 8 000 m ohne Sauerstoffgerät arbeiten, in Einzelfällen bis in Höhen von 8 600 m. Über 8 600 m ist ein Sauerstoffgerät unumgänglich. — Die Höhengrenzen für einen Daueraufenthalt liegen erheblich darunter (S. 565).

9. Literatur

1. AMTMANN, E., BREUL, R.: Multivariate morphometrische Untersuchungen zum Problem der Erkennung sportlicher Eignung. Gegenbaurs morph. Jb. (Leipzig) **119**, 458 (1973).
2. BÖNING, D.: Wirkungen des akuten Sauerstoffmangels auf die Blutelektrolytkonzentration bei höhenangepaßten und nicht höhenangepaßten Menschen. Pflügers Arch. ges. Physiol. **314**, 217 (1970).
3. BORNEFF, J. (Ed.): Arbeitsmedizin in Vorlesungen. Stuttgart-New York: Schattauer 1973.

4. Cannon, W.B.: Die Notfallsreaktionen des sympathico-adrenalen Systems. Erg. Physiol. **27**, 380 (1928).

5. Ehrenstein, W.: Die Einwirkung biologischer Rhythmen auf die Leistungsfähigkeit. Dtsch. Ärztebl. **67**, 2211 (1970).

6. Ehrenstein, W.: Die Bedeutung des Schlafes für den Leistungssportler. Sportarzt und Sportmedizin **23**, 153 (1972).

7. Graf, O.: Arbeitsablauf und Arbeitsrhythmus. In: Lehmann, G. (Ed.): Handbuch der gesamten Arbeitsmedizin, Bd. 1: Arbeitsphysiologie, S. 789. Berlin-München-Wien: Urban & Schwarzenberg 1961.

8. Grandjean, E.: Die zentrale Ermüdung. In: Lehmann, G. (Ed.): Handbuch der gesamten Arbeitsmedizin, Bd. 1: Arbeitsphysiologie, S. 462. Berlin-München-Wien: Urban & Schwarzenberg 1961.

9. Haider, M.: Ermüdung, Beanspruchung und Leistung. Wien: Deuticke 1962.

10. Harnoncourt, K.: Das Verhalten der Belastungsacidose bei sportlichen Leistungen. In: Hansen, G., Mellerowicz, H. (Eds.): 3. Internationales Seminar für Ergometrie, Berlin 1972, S. 186. Berlin: Ergon-Verlag 1973.

11. Heinrich, K.W., Stegemann, J., Ulmer, H.-V.: Sauerstoffaufnahme, Pulsfrequenz und Ventilation bei Variation von Tretgeschwindigkeit und Tretkraft bei aerober Ergometerarbeit. Pflügers Arch. ges. Physiol. **298**, 191 (1968).

12. Hettinger, T.: Isometrisches Muskeltraining. Stuttgart: Thieme 1964.

13. Heyden, S.: Epidemiologie. In: Hort, W. (Ed.): Herzinfarkt — Grundlagen und Probleme. Berlin-Heidelberg-New York: Springer 1969.

14. Heyden, S.: Pro und kontra körperliches Training. In: Schettler, G. (Ed.): Fettstoffwechselstörungen. Stuttgart: Thieme 1971.

15. Hildebrandt, G.: Störungen biologischer Rhythmik. Umweltmedizin **7**, 152 (1973).

16. Hollmann, W.: Höchst- und Dauerleistungsfähigkeit des Sportlers. München: Barth 1963.

17. Hollmann, W. (Ed.): Zentrale Themen der Sportmedizin. Berlin-Heidelberg-New York: Springer 1972.

18. Hurtado, A.: Animals in high altitudes: resident man. In: Dill, D.B. (Ed.): Handbook of Physiology, Sect. 4: Adaptation on the environment. Washington: Amer. Physiol. Soc. 1964.

19. Israel, S.: Sport, Herzgröße und Herz-Kreislauf-Dynamik. Leipzig: Barth 1968.

20. Jansen, G.: Lärmbedingte Schlafstörungen. Umweltmedizin **7**, 160 (1973).

21. Keul, J., Doll, E., Keppler, D.: Muskelstoffwechsel. München: Barth 1969.

22. Keul, J., Haralambie, G.: Energiestoffwechsel und körperliche Leistung. In: Hollmann, W. (Ed.): Zentrale Themen der Sportmedizin, S. 80. Berlin-Heidelberg-New York: Springer 1972.

23. Klimmer, F., Aulmann, H.M., Rutenfranz, J.: Katecholaminausscheidung im Urin bei emotional und mental belastenden Tätigkeiten im Flugverkehrskontrolldienst. Int. Arch. Arbeitsmed. **30**, 65 (1972).

24. Lehmann, G. (Ed.): Handbuch der gesamten Arbeitsmedizin, Bd. 1: Arbeitsphysiologie. Berlin-München-Wien: Urban & Schwarzenberg 1961.

25. Lienert, G.A.: Testaufbau und Testanalyse. Weinheim/Bergstraße: Beltz 1961.

26. Liesen, H., Heikinnen, E., Suominen, H., Michel, D.: Der Effekt eines zwölfwöchigen Ausdauertrainings auf die Leistungsfähigkeit und den Muskelstoffwechsel bei untrainierten Männern des 6. und 7. Lebensjahrzehnts. Sportarzt und Sportmedizin **26**, 26 (1975).

27. Lind, A.R., McNicol, G.W.: Cardiovascular responses to holding and carrying weights by hand and by shoulder harness. J. appl. Physiol. **25**, 261 (1968).

28. Loewy, A.: Physiologie des Höhenklimas. Berlin: Springer 1932.

29. Maas, G.D.: The physique of athletes. Leiden: University Press 1974.

30. Mellerowicz, H. (Ed.): Ergometrie. München-Berlin-Wien: Urban & Schwarzenberg 1975.

31. Mellerowicz, H., Meller, W.: Training. Berlin-Heidelberg-New York: Springer 1972.

32. Menzel, W.: Menschliche Tag-Nacht-Rhythmik und Schichtarbeit. Basel-Stuttgart: Schwabe 1962.

33. Müller, E.A.: Die physische Ermüdung. In: Lehmann, G. (Ed.): Handbuch der gesamten Arbeitsmedizin, Bd. 1: Arbeitsphysiologie, S. 405. Berlin-München-Wien: Urban & Schwarzenberg 1961.

34. Rapoport, S.M.: Medizinische Biochemie. Berlin: Volk und Gesundheit 1969.

35. Rohmert, W.: Beurteilung statischer Kraftübungen. Zbl. Arbeitswiss. **15**, 1 (1960).

36. Rohmert, W., Rutenfranz, J., Ulich, E.: Das Anlernen sensumotorischer Fertigkeiten. Frankfurt/Main: Europäische Verlagsanstalt 1971.

37. Ruff, S., Strughold, H.: Grundriß der Luftfahrtmedizin. München: Barth 1957.

38. Rutenfranz, J.: Entwicklung und Beurteilung der körperlichen Leistungsfähigkeit bei Kindern und Jugendlichen. Basel-New York: Karger 1964.

39. Schmidtke, H.: Die Ermüdung — Symptome, Theorien, Meßversuche. Bern-Stuttgart: Huber 1965.

40. Selye, H.: Stress beherrscht unser Leben. Düsseldorf: Econ 1957.

41. Seyffarth, H.: The behaviour of motor units in healthy and paretic muscles in man. Acta psych. neurol. (Kbh.) **16**, 261 (1941).

42. Stegemann, J.: Leistungsphysiologie. Stuttgart: Thieme 1971.

43. Stegemann, J., Kenner, T.: A theory on heart rate control by muscular metabolic receptors. Arch. Kreisl.-Forsch. **64**, 185 (1971).

44. Ulmer, H.-V.: Physiologische Grundlagen zur Beurteilung der Arbeitsbeanspruchung mit Hilfe von Pulsfrequenzmessungen. In: Dupuis, H., Hammer, W. (Eds.): Pulsfrequenz und Arbeitsuntersuchungen, S. 41. Berlin-Köln-Frankfurt: Beuth 1973.

45. Ulmer, H.-V.: Zur Methodik, Standardisierung und Auswertung von Tests für die Prüfung der körperlichen Leistungsfähigkeit. Lövenich: Deutscher Ärzteverlag 1975.

46. Ulmer, H.-V.: Konzept einer programmierten Leistungseinstellung beim Menschen unter Einschluß der Leistungsrückmeldung. Jahrestagung der Deutschen Gesellschaft für Arbeitsmedizin, München vom 24.–26. 4. 1975.

47. Valentin, H., Essing, H.-G.: Gesundheitsschäden durch Überlastung. Ärztl. Praxis **26**, 1307 (1974).

48. Wachholder, K.: Das vegetative System. In: Lehmann, G. (Ed.): Handbuch der gesamten Arbeitsmedizin, Bd. 1: Arbeitsphysiologie, S. 262. Berlin-München-Wien: Urban & Schwarzenberg 1961.

49. Wenzel, H.G.: Die Wirkung des Klimas auf den arbeitenden Menschen. In: Lehmann, G. (Ed.): Handbuch der gesamten Arbeitsmedizin, Bd. 1: Arbeitsphysiologie, S. 554. Berlin-München-Wien: Urban & Schwarzenberg 1961.

50. Wissenschaftliche Tabellen — Documenta Geigy (Ed. J.R. Geigy AG Pharma, Basel), 7. Aufl. Basel.

XXVI. Ernährung (H.-V. Ulmer)

Die Ernährungsphysiologie ist für die Präventivmedizin von großer Bedeutung. Während man sich früher hauptsächlich mit ernährungsbedingten *Mangelerscheinungen* befaßte, müssen heute auch die Folgen von *Überernährung* beachtet werden. *Übergewichtigkeit* geht häufig mit den sogenannten *Zivilisationskrankheiten* und einer verkürzten statistischen Lebenserwartung einher. Deshalb zählt das Übergewicht in den hochindustrialisierten Ländern zu den vorrangigen epidemiologischen Risikofaktoren.

Fragen der Ernährung werden nicht immer rational entschieden. So sind Erwerb und Verzehr von Nahrung seit alters her mit Kult und Ritus verbunden. Dieser sozio-kulturelle Aspekt zeigt sich beim religiösen Abendmahl oder in Fastenregeln, ferner bei Festessen zu besonderen Anlässen oder in der Tatsache, daß der „Wohlstandsspeck" lange Zeit als Statussymbol galt. Insofern ist es nicht verwunderlich, daß sich einer Diätetik auf ernährungsphysiologischer Basis „Lehren" von Sektierern, Fanatikern und Geschäftemachern in den Weg stellen.

1. Nahrungsmittel — Bestandteile und Funktionen

Nahrungsmittel bestehen aus Nährstoffen, Vitaminen, Salzen, Spurenelementen, Geschmacks- und Ballaststoffen sowie Wasser. Die Regulation der Nahrungsaufnahme erfolgt hauptsächlich durch die Allgemeingefühle *Hunger* und *Durst* (s. S. 296ff.).

1.1. Nährstoffe

Als Nährstoffe bezeichnet man die in der Nahrung vorkommenden energiereichen Stoffgruppen der **Eiweiße, Fette** und **Kohlenhydrate**. Sie werden im Stoffwechsel des Organismus zu energieärmeren Substanzen abgebaut und dienen somit als *Energiespender*. Die freiwerdende Energie bezeichnet man als **biologischen Brennwert** (S. 524); er ist bei Fetten

mehr als doppelt so groß wie bei Eiweißen und Kohlenhydraten (Tabelle 1).

Tabelle 1. Biologischer Brennwert der Nährstoffe. Die Angaben für Fette, Eiweiße und Kohlenhydrate entsprechen Durchschnittswerten in der gemischten mitteleuropäischen Kost (1 kJ ~ 0,24 kcal)

Fette	9,3 kcal/g	40 kJ/g
Eiweiße	4,1 kcal/g	17 kJ/g
Kohlenhydrate	4,1 kcal/g	17 kJ/g
Glucose	3,75 kcal/g	16 kJ/g
Äthylalkohol	7,1 kcal/g	30 kJ/g

Isodynamie. Darunter versteht man die *gegenseitige Austauschbarkeit* der Nährstoffe entsprechend ihrem Brennwert. Diese Austauschbarkeit wird jedoch dadurch eingeschränkt, daß Nährstoffe nicht nur für den *Betriebsstoffwechsel,* sondern auch für den *Baustoffwechsel* (Aufbau körpereigener Substanzen) benötigt werden und damit Mindestmengen aller drei Nährstoffgruppen zugeführt werden müssen.

Spezifisch-dynamische Wirkung. *Nach Nahrungsaufnahme tritt eine Steigerung des Energieumsatzes ein.* Dies wird auf eine besondere Wirkung der Nährstoffe zurückgeführt und als spezifisch-dynamische Wirkung der Nährstoffe bezeichnet. Die Steigerung des Energieumsatzes beträgt nach Aufnahme gemischter Kost *rund 6%.* Sie ist nach *Eiweißzufuhr* viel ausgeprägter als nach Aufnahme von Kohlenhydraten oder Fetten. Ursache dafür ist im wesentlichen, daß zur Resynthese von 1 Mol ATP beim Abbau der Nährstoffe mehr Eiweiß- als Fett- oder Kohlenhydratcalorien benötigt werden [14]. Daher müssen zur Aufrechterhaltung des Betriebsstoffwechsels, z.B. bei einseitiger Eiweißernährung, mehr Calorien verbrannt werden als bei einseitiger Fett- oder Kohlenhydraternährung.

Die Verteilung der Nährstoffe in den verschiedenen Nahrungsmitteln muß Tabellen entnommen werden; einen Überblick über die Zusammensetzung einiger Nahrungsmittel gibt Tabelle 2. Da sich än-

Tabelle 2. Wasser- und Nährstoffgehalt einiger Nahrungsmittel (in Gewichtsprozenten). Die Zusammensetzung von Fleisch und Wurst (*) ist sehr variabel, je nach Anteil an verborgenem Fett; (1 kcal ≈ 4,2 kJ). Nach [26]

Nahrungsmittel	kcal/ 100 g	Wasser (%)	Eiweiße (%)	Fette (%)	Kohlenhydrate (%)
Obst und Früchte	60	80	0,7	0,3	15
Gemüse und Hülsenfrüchte	40	85	2,5	0,3	8
Kartoffeln	70	80	2,1	0,1	18
Kartoffel-Chips	570	1,8	5,3	40	50
Nüsse	630	4,5	15	60	18
Fleisch*	180	70	18	10	0,1
Brot	250	35	8	1	50
Butter	720	17	0,6	81	0,7
Käse	330	45	23	27	3
Wurst*	270	60	12	25	0
Milch (3,5% Fett)	64	89	3,2	3,5	4,6
Fruchtsäfte	40	85	0,3	0,1	12
Bier (3,6% Alkohol)	47	90	0,5	0	4,8

dernde Mast- und Anbaumethoden einen wesentlichen Einfluß auf die Zusammensetzung der Nahrungsmittel ausüben, sollte man sich möglichst neuer Tabellen bedienen. Auf den *Wassergehalt* der Nahrungsmittel soll ausdrücklich hingewiesen werden, da er häufig bei überschlägiger Calorienberechnung nicht berücksichtigt wird.

Eiweiße. Sie bestehen aus *Aminosäuren* und werden zum *Aufbau körpereigener Substanzen* benötigt. Unbedingt müssen mit den Nahrungseiweißen die **essentiellen Aminosäuren** zugeführt werden, Aminosäuren, die der Körper *nicht oder nicht in ausreichender Menge synthetisieren* kann. Das aufgenommene Eiweiß dient größtenteils dem Baustoffwechsel des Organismus, z.B. dem Aufbau und Umbau von Muskulatur, Enzymen oder Plasmaeiweißen, und ist somit nicht durch Fette oder Kohlenhydrate zu ersetzen.

Je nach dem Vorkommen unterscheidet man **tierisches** und **pflanzliches** Eiweiß. Tierisches Eiweiß findet sich hauptsächlich in *Fleisch, Fisch, Milch* und *Milchprodukten* sowie *Eiern*. Pflanzliches Eiweiß wird in nennenswerten Mengen mit *Brot* und *Kartoffeln* aufgenommen, geringe Mengen mit fast allen Obst- und Gemüsesorten (s. Tabelle 2).

Fette. Fette bestehen hauptsächlich aus einem Gemisch verschiedener *Triglyceride,* also Triestern aus Glycerin und Fettsäuren. Man unterscheidet zwischen *gesättigten* und *ungesättigten Fettsäuren.* Bestimmte lebensnotwendige ungesättigte Fettsäuren können vom Organismus nicht synthetisiert werden (*essentielle Fettsäuren*).

Die mit der Nahrung aufgenommenen Fette werden entweder verbrannt (*Betriebsstoffwechsel*) oder in Form von Depotfett im Gewebe gespeichert (*Energiespeicher*). Im Gegensatz zum Fett kann der Organismus Eiweiße und Kohlenhydrate nur in geringem Umfang speichern; was nicht dem Bau- oder Betriebsstoffwechsel dient, wird ausgeschieden oder zu Fett umgebaut und gespeichert. — Die essentiellen Fettsäuren werden unter anderem zur Synthese von *Phospholipiden* benötigt, so zum Aufbau von Zellstrukturen, besonders der Mitochondrien. Die für den Organismus wichtigste essentielle Fettsäure ist die **Linolsäure.**

Fette kommen als unvermeidliche *Begleitsubstanzen in fast allen Nahrungsmitteln tierischer Herkunft* vor, somit in den wichtigen Eiweißquellen Fleisch, Fisch, Milch und Milchprodukten sowie Eiern. Sie finden sich ferner in Pflanzensamen, z.B. in Nüssen. Die pflanzlichen sind im Gegensatz zu den meisten tierischen Fetten reich an ungesättigten Fettsäuren, die jedoch in hydrierten, d.h. künstlich gehärteten Fetten fehlen.

Fett wird mit der Nahrung einmal als **sichtbares Fett** (Reinfette wie Öle, Streich- und Speisefette, Speck), zum anderen als **verborgenes Fett** aufgenommen. Unter verborgenem Fett versteht man eine feintropfige, mit bloßem Auge nicht sichtbare Fettverteilung, besonders in Fleisch und Wurst. Die modernen Mastmethoden begünstigen den Ansatz verborgenen Fettes, wodurch der Fettanteil in der mitteleuropäischen Durchschnittskost zunimmt. Eine calorienbezogene Ernährung ist daher für den Konsumenten oft schwierig.

Nahrungsfette und Cholesterin. Ein erhöhter Cholesterinspiegel im Blut (*Hypercholesterinämie*; Cholesterin-Sollwert: bis 220 mg/dl Serum) zählt neben dem Übergewicht zu den wesentlichen ernährungsbedingten *Risikofaktoren*. Statistisch läßt sich bei Hypercholesterinämie ein gehäuftes Auftreten von Arteriosklerose, Herzinfarkt und Schlaganfall nachweisen, wodurch die Lebenserwartung verkürzt wird. — Cholesterin kommt nur im Tierreich vor. Die durchschnittlich pro Tag mit der Nahrung (Eier, Milchfett, fettes Fleisch) aufgenommene Cholesterinmenge beträgt 750 mg. Da beim Menschen die Resorptionskapazität im Darm begrenzt ist und die Cholesterinproduktion der Leber (ca. 1 g/Tag) in Abhängigkeit von der aufgenommenen Cholesterinmenge schwanken kann, ergeben sich komplizierte Zusammenhänge zwischen Cholesterinzufuhr und -blutkonzentration [12, 21]. Selbst bei vollständig cholesterinfreier Ernährung sinkt der Cholesterinspiegel nur um 20%; reduziert man die durchschnittliche Cholesterinzufuhr von 750 mg/Tag auf die Hälfte, sinkt der Blutspiegel um 7 mg/dl Serum, verdoppelt man das Angebot, steigt er um 10 mg/dl Serum. Ohne daß man den genauen Zusammenhang kennt, beeinflussen auch die Nahrungsfette den Cholesterinspiegel im Blut: Gesättigte Fettsäuren, besonders diejenigen mit einer Kettenlänge zwischen 12 und 18 C-Atomen, erhöhen ihn, mehrfach ungesättigte Fettsäuren senken ihn.

Kohlenhydrate. Man unterscheidet zwischen *Monosacchariden* (einfachen Zuckern), *Di-, Oligo-* sowie *Polysacchariden,* d.h. Zuckern, die aus 2 oder mehr Monosacchariden bestehen. Kohlenhydrate nimmt der Organismus zum größten Teil in Form *pflanzlicher Stärke* auf (Polysaccharid). Gespeichert werden Kohlenhydrate im Organismus als *Glykogen* (tierische Stärke), besonders in der Muskulatur und in der Leber.

Kohlenhydrate sind die wichtigsten *Energielieferanten* für die Zellen. Das Gehirn deckt seinen Energiebedarf fast ausschließlich über Glucose, während die quergestreifte Muskulatur bei Kohlenhydratmangel auf Fettsäureverbrennung ausweichen kann. Glucose ist aber nicht nur Brennstoff im Organismus, sondern auch Baustein für viele wichtige Verbindungen, wie z.B. für die RNA und DNA.

Die für den menschlichen Organismus wichtigen Kohlenhydrate sind fast ausschließlich *pflanzlicher Herkunft.* Obst, Gemüse, Kartoffeln, Getreide und Hülsenfrüchte enthalten jedoch neben verdaulichen auch unverdauliche Kohlenhydrate wie *Cellulose-Faserstoffe.*

1.2. Vitamine

Als **Vitamine** bezeichnet man in der Nahrung vorkommende, *lebenswichtige organische Substanzen, die der Organismus nicht oder nicht in genügender Menge synthetisieren kann* und die *calorisch keine Bedeutung* haben. — Unter **Antivitaminen** versteht man Stoffe, die antagonistisch gegenüber bestimmten Vitaminen wirken, indem sie deren Resorption oder Metabolismus beeinträchtigen.

Die chemische Struktur der Vitamine ist sehr uneinheitlich (s. Lehrbücher der Biochemie). Man unterscheidet **fettlösliche und wasserlösliche Vitamine.** Eine weitere Unterscheidung erfolgt historisch bedingt nach Buchstaben und bei den in neuerer Zeit entdeckten Vitaminen nach der chemischen Bezeichnung. — Vitamine erfüllen sehr *spezifische Funktionen im Zellstoffwechsel.* Sie sind häufig Bestandteile von Fermentsystemen oder können eine komplexe Wirkung auf ein System entfalten, z.B. das Vitamin C auf das Bindegewebe (weiteres s. Tabellen 3 und 4).

Vitamine kommen sowohl in Nahrungsmitteln *pflanzlicher als auch tierischer Herkunft* vor. Der Vitamingehalt der Nahrungsmittel ist je nach Produktionsbedingungen, Lagerung und Zubereitung sehr variabel, da bestimmte Vitamine gegenüber Licht, Hitze oder pH-Änderungen empfindlich sind, wie z.B. die Vitamine A und C. Einige Nah-

Tabelle 3. *Fettlösliche Vitamine.* Systematik, typisches Vorkommen und biologische Funktionen (Bedarf und Mangelerscheinungen s. Tabelle 7, S. 574)

Bezeichnung und Synonyma	Typisches Vorkommen	Typische biologische Funktionen
Vitamin A Retinol Axerophthol	Leber und Lebertran, Milch und Milchprodukte,	Wesentlich für alle Epithelzellen und das Skeletwachstum;
Provitamin: Carotinoide	β-Carotin in Karotten	Vitamin A-Aldehyd (Retinin) ist Bestandteil des Rhodopsins (Sehpurpur)
Vitamin D-Gruppe (antirachitische Vitamine) Vitamin D_2 = Calciferol Provitamin: Ergosterin Vitamin D_3 = Cholecalciferol Provitamin: 7-Dehydrocholesterin Vitamin D_4 = Dihydrocalciferol Provitamin: 22-Dihydroergosterin	Leber und Lebertran tierische Fette und Öle	Ca^{++}-Resorption und Ca^{++}-Stoffwechsel, Wechselwirkungen mit dem Parathormon, Knochenverkalkung
Vitamin E Tocopherol	pflanzliche Öle, Weizenkeimlinge, Getreide, Eier	Antioxidans, z.B. beim Stoffwechsel der ungesättigten Fettsäuren
Vitamin K (antihämorrhagisches Vitamin) Vitamin K_1 = Phyllochinon Vitamin K_2 = Menachinon β-Phyllochinon	Darmbakterien, ansonsten grüne Pflanzen	Bedeutung als „Wasserstoffüberträger"; wesentlich für normale Blutgerinnung, insbesondere für die Prothrombinsynthese

rungsmittel sind besonders reich an bestimmten Vitaminen (Tabelle 3 und 4). Jedoch muß nicht jedes Vitamin mit der Nahrung zugeführt werden. Vitamin K wird z.B. von der normalen Darmflora hergestellt; andere Vitamine werden im Organismus aus Vorstufen, den **Provitaminen,** oder aus bestimmten Aminosäuren synthetisiert, jedoch nicht immer in genügender Menge.

Fettlösliche Vitamine (Übersicht Tabelle 3). Die **Vitamine A, D, E und K** sind fettlöslich. Vitamin A kann im Organismus aus mit der Nahrung aufgenommenen Provitaminen, den Carotinoiden, gebildet werden; das wirksame Vitamin D_3 entsteht

Tabelle 4. *Wasserlösliche Vitamine.* Systematik, typisches Vorkommen und biologische Funktionen (Bedarf und Mangelerscheinungen s. Tabelle 8, S. 575)

Bezeichnung und Synonyma	Typisches Vorkommen	Typische biologische Funktionen
Vitamin B₁ Aneurin Thiamin	Getreide-Kleie, Hefe	Bestandteil der Pyruvat-Cocarboxylase
Vitamin B₂ Lactoflavin Riboflavin	Getreide, Milch, Leber, Hefe	Bestandteil der Flavinenzyme (gelbe Atmungsfermente)
Vitamin B₆-Gruppe (Pyridoxin-Gruppe) Adermin (Pyridoxol, Pyridoxal, Pyridoxamin)	Getreide, Fleisch, Leber Hefe	Coenzym verschiedener Enzymsysteme (z.B. Aminosäuren-Decarboxylase, Transaminasen, Dehydratasen, Desulfhydrasen)
Vitamin B₁₂ Cyanocobalamin	Leber, Mikroorganismen	Bestandteil von Enzymen (Methylierung, Nucleinsäure-Stoffwechsel)

Weitere Vitamine der B-Gruppe

Biotin (Vitamin H)	Darmbakterien (ansonsten Milch, Eigelb, Leber, Hefe)	Bestandteil von Enzymen (Carboxylasen, Carboxyltransferasen, Desaminierung)
Folsäuregruppe Folsäure = Pteroyl-Glutaminsäure, Tetrahydrofolsäure	grünes Blattgemüse, Mikroorganismen, Leber, Milch, Hefe	Umsetzung der Einkohlenstoff-Fragmente, Purin- und Methionin-Synthese
Niacin = Nicotinsäure, Nicotinsäureamid	Getreide, Hülsenfrüchte, Fleisch, Leber, Hefe	Coenzym vieler Dehydrogenasen, z.B. NADH
Pantothensäure	in fast allen tierischen und pflanzlichen Nahrungsmitteln	Bestandteil des Coenzym A

Vitamin C Ascorbinsäure	frisches Obst und Gemüse, besonders Citrusfrüchte, Hagebutten, schwarze Johannisbeeren, Paprika	wichtig bei der Bildung von Intercellularsubstanzen, Mitwirkung bei Hydroxylierungen, Einbau von Eisen in Ferritin

Vitaminoide

Cholin	in fast allen tierischen und pflanzlichen Nahrungsmitteln	Fettsäuretransport
Myo-Inosit *Meso-Inosit*	in fast allen tierischen und pflanzlichen Nahrungsmitteln	Bausteine der Inosit-Phosphatide, Stoffwechsel der Mitochondrien, Kationentransport

unter dem Einfluß von UV-Licht durch eine photochemische Reaktion in der Haut aus Provitamin D_4. — Wegen ihres vitaminähnlichen Charakters werden die essentiellen Fettsäuren gelegentlich zu den Vitaminen gezählt (Vitamin „F").

Wasserlösliche Vitamine (Übersicht Tabelle 4). Die **Vitamine der B-Gruppe (B_1, B_2, B_6, B_{12}), Biotin, Folsäuregruppe, Nicotinsäure** und **Nicotinsäureamid** sowie **Pantothensäure** und **Vitamin C** sind wasserlöslich. — **Cholin** und **Myo-Inosit** werden als essentielle Nahrungsbestandteile auch zu den Vitaminen gerechnet, obwohl sie als Baustoffe von Körpersubstanzen und nicht als Wirkstoffe benötigt werden; man bezeichnet sie deshalb auch als **Vitaminoide.**

Antivitamine. Sie finden sich in verschiedenen Nahrungsmitteln, z.B. das Biotin bindende Avidin im Eiklar oder eine Thiamin spaltende Thiaminase in vielen rohen Fischen. — *Künstliche Antivitamine* werden zur therapeutischen Beeinflussung biologischer Prozesse eingesetzt. So kann mit Cumarin-Derivaten (Antivitamin K) die Gerinnungsfähigkeit des Blutes herabgesetzt werden. Isonicotinsäurehydrazid (INH) hemmt als Antagonist des Pyridoxalphosphats (wirksames Derivat des Vitamin B_6) das Wachstum des Tuberkulose-Erregers. Sulfonamide wirken antagonistisch zur p-Aminobenzoesäure, einem essentiellen Bakterienwuchsstoff, und können somit das Wachstum von Bakterien hemmen.

1.3. Wasser, Salze, Spurenelemente

Wasser. Die meisten Lebensmittel enthalten mehr als 50% Wasser (Tabelle 2). Weniger als 50% Wasser enthalten von den üblichen Nahrungsmitteln unter anderem Brot, Butter und Käse. Bei genau geführten Flüssigkeitsbilanzen muß jedoch nicht nur das mit der Nahrung zugeführte, sondern auch das während der biologischen Verbrennung erzeugte Wasser berücksichtigt werden. Unter Ruhebedingungen werden im Organismus ca. 350 ml Wasser pro Tag erzeugt.

Salze. Die Salze dienen dem Organismus, ebenso wie das Wasser, zur Aufrechterhaltung des inneren Milieus (S. 320). Die Konstanthaltung der ionalen Zusammensetzung (Isoionie) und des pH-Wertes der Körperflüssigkeiten gehört zu den wesentlichen Voraussetzungen einer ungestörten Zelltätigkeit. Von besonderer Bedeutung sind die Kationen Natrium, Kalium, Calcium und Magnesium sowie als Anionen Chlorid und Phosphat (S. 321).

Spurenelemente. Man versteht darunter Elemente, die nur in äußerst geringen Mengen in der Nahrung und im Organismus vorkommen. Es werden 3 Gruppen unterschieden:

1. Elemente, deren physiologische Funktion bekannt ist oder vermutet wird. Hierzu gehören unter anderem **Eisen** (Baustein des Häm), Fluor sowie Jod (Baustein der Schilddrüsenhormone), ferner Kupfer, Mangan, Molybdän und Zink als Bausteine intracellulärer Enzymsysteme.
2. Elemente, deren toxische Wirkung bewiesen ist. Dazu gehören Antimon, Arsen, Blei, Cadmium, Quecksilber und Thallium. Die meisten dieser Elemente haben ihre besondere Bedeutung in der Gewerbetoxikologie.
3. Elemente, deren Entbehrlichkeit bewiesen ist, wie z.B. Aluminium, Bor, Silber und Tellur.

1.4. Gewürz- und Ballaststoffe

Zu den Gewürzstoffen gehören die verschiedenen Duft- und Aromasubstanzen, die für Geruch und Geschmack der Nahrungsmittel maßgeblich sind. Diese Stoffe sind nicht lebensnotwendig; jedoch sollte ihre Bedeutung für das allgemeine *Wohlbefinden* sowie für die *Sekretion der Verdauungssäfte* (S. 585f.) nicht unterschätzt werden.

Als Ballaststoffe bezeichnet man die unverdaulichen Bestandteile der Nahrung. Dazu zählen vor allem Polysaccharide wie Cellulose, die hauptsächlich in den Zellwänden der Pflanzen vorkommen und im Verdauungstrakt des Menschen chemisch nicht abgebaut werden können (S. 597). Zur Bedeutung der Ballaststoffe s. S. 580.

1.5. Rückstände

Unter Rückständen versteht man Stoffe, die im Verlauf der Produktion absichtlich oder unabsichtlich in die Nahrungsmittel gelangen, für die jedoch beim Menschen kein direkter Bedarf vorliegt und die bei vermehrtem Vorkommen eine toxische Wirkung entfalten können.

Arzneimittel. Die Produktion tierischer Nahrungsmittel geht heute oft mit einer medikamentösen Behandlung der Tiere einher, einmal aus hygienischen Gründen, zum anderen zur Beschleunigung der Mast. Da Medikamente in der Leber und im Muskel gespeichert werden können, sind Auswirkungen auf den Menschen möglich; so können z.B. Allergien, Antibiotica-Resistenz oder hormonelle Störungen auftreten.

Metalle. Dazu gehören neben den toxischen Spurenelementen Radionuklide wie z.B. Caesium[137] und Strontium[90].

Nahrungsmittel-Additive. Hierbei handelt es sich in der Hauptsache um *Geschmacks-* und *Farbstoffe* sowie *Konservierungsmittel,* die während der Produktion von Nahrungsmitteln zugefügt werden. Auch diese Stoffe sollte man nicht vorbehaltlos einsetzen. So wurde die cancerogene Wirkung von „Buttergelb" erst nachgewiesen, nachdem es bereits Jahrzehnte zum Anfärben von Lebensmitteln Verwendung gefunden hatte. — Die Zahl der Geschmacks- und Farbstoff-Additive ist sehr groß; im Jahr 1973 wurden in den USA 2764 Stoffe dieser Art gezählt. Einen pharmakologischen Effekt dürften die meisten dieser Substanzen nicht haben; jedoch können bei Disposition Allergien ausgelöst werden.

Pesticide. Sie gehören zu den Pflanzen- und Vorratsschutzmitteln. Man unterscheidet 4 Gruppen: *Insecticide* (gegen Insekten), *Herbicide* (gegen Unkräuter), *Akaricide* (gegen Milben) und *Fungicide* (gegen Pilze). Die für den Menschen zum Teil nachgewiesene Schädlichkeit der Pesticide hat dazu geführt, daß für Lebensmittel zulässige Höchstmengen festgelegt wurden. Einige Pesticide, besonders die fettlöslichen, können im Fett des tierischen Organismus gespeichert werden; sie verlassen den Organismus nur langsam und können daher eine Langzeitwirkung entfalten. Hauptquelle für die Pesticid-Belastung des Menschen sind bei pflanzlichen Produkten Obst, Gemüse und Mehlerzeugnisse, bei tierischen Produkten vor allem das Milchfett.

2. Bedarf an Nahrungsmitteln; Mangel- und Überdosierungserscheinungen

Der Bedarf an verschiedenen Nahrungsbestandteilen muß als variable Größe gesehen werden. Die notwendige Zufuhr hängt von Faktoren ab wie Alter, Geschlecht, Körperbau, körperliche Belastungen, Streß oder Schwangerschaft. Bedarfsangaben sind daher immer nur *Richtwerte*.

Mangelsituationen entstehen entweder infolge unzureichender *Zufuhr* oder durch *erhöhten Bedarf*. Mangelzustände treten meist als Kombination von Nährstoff- (Eiweiße, Fette, Kohlenhydrate) und Wirkstoffmangel (Vitamine, Salze, Spurenelemente) auf, z.B. beim *Hungern* oder bei *Resorptionsstörungen*. Typische *Mangelkrankheiten* (Tabellen 7 und 8) treten beim überwiegenden Fehlen nur einer Substanz auf. — Während sich die Ernährungslehre früher hauptsächlich mit den Erscheinungsbildern verschiedener Mangelsituationen beschäftigte, muß sie heute auch Überdosierungsprobleme in Betracht ziehen. Die Folgen von Überdosierung zeigen sich im wesentlichen als **Übergewicht, Hypervitaminosen** sowie **Wasser- und Elektrolytintoxikationen.**

2.1. Nährstoffe

Der Nährstoffbedarf richtet sich einmal nach dem Calorienbedarf des Organismus. Zum anderen werden *Mindestmengen* an Eiweißen, Fetten und Koh-

Tabelle 5. *Nährstoffe*. Bedarf des Erwachsenen sowie Mangel- und Überdosierungserscheinungen

	Täglicher Mindestbedarf	Erhöhter Bedarf	Depots	Mangel-erscheinungen	Überdosierungs-erscheinungen
Eiweiße	1 g/kg Körpergewicht (bei genügendem Gehalt an essentiellen Aminosäuren, d.h. mindestens $^1/_3$ tierisches Eiweiß)	im Alter und bei Kindern 1,2–1,5 g/kg; bei Schwerarbeit, Muskelaufbau-Training, Schwangerschaft und schweren Krankheiten bis zu 2 g/kg Körpergewicht	verfügbarer Pool: 45 g (Muskel 40 g, Blut und Leber 5 g)	Hungerödeme, Resistenzminderung, Apathie, Muskelatrophie, bei Kindern Entwicklungsstörungen	Überwiegen der Fäulnis im Darm, bei Disposition: Gicht
Kohlenhydrate	mindestens 100–150 g (für das Gehirn) alternativ: 200 g Eiweiß (Gluconeogenese)	bei körperlicher Arbeit	300–400 g Glykogen	Untergewicht, verminderte Leistungsfähigkeit, Stoffwechselstörungen, Ketose	Überwiegen der Gärung im Darm, Kohlenhydratmast durch Umwandlung in Fett
Fette a) gesättigte Fettsäuren		bei körperlicher Arbeit	sehr variabel	Untergewicht, verminderte Leistungsfähigkeit, Mangelerscheinung durch fehlende Resorption fettlöslicher Vitamine	Hypercholesterinämie mit nachfolgender Sklerose, Übergewicht
b) essentielle Fettsäuren	2,5 g/1000 kcal Nahrungsaufnahme	bei körperlicher Arbeit	sehr variabel	Hautveränderungen, Hämaturie, schwere Stoffwechselstörungen, Störungen der Mitochondrienstruktur	erhöhter Tocopherolbedarf (Vit. E)

lenhydraten benötigt (Tabelle 5), wodurch die Austauschbarkeit der Nährstoffe (Isodynamie; S. 568) eingeschränkt ist. Schwere Störungen treten besonders bei Eiweißmangel auf.

Mindestmengen. Im Rahmen des *Baustoffwechsels* werden fast alle Gewebe ständig erneuert. Die beim Abbau und Umbau abgestorbener oder funktionsuntüchtiger Zellen freiwerdenden Baustoffmengen reichen für den vollständigen Ersatz nicht aus. Dies liegt unter anderem an einem Verlust nach außen, z.B. durch abschilfernde Epithelzellen (Darm, Haut); besonders wird dadurch die Eiweißbilanz betroffen.

Eiweißbilanz. Bei eiweißfreier, aber calorisch ausreichender Ernährung verliert der menschliche Organismus pro Tag 13–17 g Eiweiß. Führt man diese Eiweißmenge (**absolutes Eiweißminimum**) zu, tritt aus zwei Gründen trotzdem kein Gleichgewicht zwischen Eiweißzufuhr und -verlust ein: 1. Nach Eiweißzufuhr steigt die Stickstoffausscheidung (ein Maß für den Eiweißverlust) an; die Ursache ist nicht genau geklärt. 2. Je nach Aminosäuren-Zusammensetzung des Nahrungseiweißes kann nur ein mehr oder weniger großer Teil des aufgenommenen Eiweißes in Körpereiweiß umgebaut werden; je nach Gehalt an den einzelnen essentiellen Aminosäuren haben die Eiweiße eine unterschiedliche Wertigkeit für den Menschen. Als **Wertigkeit** bezeichnet man diejenige Menge an menschlichem Körpereiweiß, die durch 100 g Nahrungseiweiß ersetzt werden kann. Bei tierischen Eiweißen beträgt die Wertigkeit 80–100 g, d.h. aus 100 g aufgenommenen tierischen Eiweißen können 80–100 g Körpereiweiße gebildet werden. Bei pflanzlichen Eiweißen beträgt die Wertigkeit durchschnittlich nur 60–70 g, da die für den Menschen essentiellen Aminosäuren nicht im richtigen Mengenverhältnis zugeführt werden. Um eine ausgeglichene Eiweißbilanz zu erreichen, müssen bei gemischter Kost täglich 30–40 g Eiweiß zugeführt werden (**Bilanzminimum**). Die ausgeglichene Eiweißbilanz zeigt sich in einem Gleichgewicht zwischen aufgenommener und ausgeschiedener Stickstoffmenge (N_2-Gehalt des Eiweiß: ca. 16% des Eiweißgewichts). Es hat sich gezeigt, daß mit dem Bilanzminimum zwar ein Überleben möglich ist, jedoch eine normale körperliche Leistungsfähigkeit nicht gewährleistet wird. Die *optimale Versorgung des Organismus* wird erst bei einer Zufuhr von *70 g Eiweiß pro Tag* bzw. *1 g Eiweiß pro kg Körpergewicht* täglich erreicht (**funktionelles Eiweißminimum**), wobei mindestens $^1/_3$ des Eiweißes tierischen Ursprungs sein muß. Bei körperlicher Arbeit, in der Schwangerschaft und bei schweren Erkrankungen besteht ein erhöhter täglicher Bedarf bis zu 2 g/kg Körpergewicht, bei Kindern und im Alter von 1,2–1,5 g/kg Körpergewicht.

Mindestbedarf an Fetten und Kohlenhydraten. Der Mindestbedarf an Fetten beruht auf dem Bedarf an essentiellen Fettsäuren und auf der Tatsache, daß fettlösliche Vitamine nur bei Anwesenheit von Fetten resorbiert werden können. Der Mindestbedarf an Kohlenhydraten ist im wesentlichen durch den Gehirnstoffwechsel bedingt, der fast ausschließlich auf Glucose (100–150 g/Tag) angewiesen ist.

Nährstoffbedarf (Tabelle 5). Der Nährstoffbedarf richtet sich nach dem jeweiligen Energieumsatz (S. 522 f.). Ein erhöhter Bedarf besteht bei vermehrter körperlicher Arbeit, in der Schwangerschaft und bei verschiedenen Krankheiten. Bei einer generalisierten Erhöhung des Muskeltonus oder bei Krämpfen findet man einen erheblich gesteigerten Bedarf. Beispielsweise benötigen Schädel-Hirnverletzte bis zu 4000 kcal pro Tag; dies entspricht dem Energieumsatz von Schwerarbeitern (S. 522) und muß bei der künstlichen Ernährung solcher Patienten berücksichtigt werden. Bezogen auf das Körpergewicht liegt auch bei Kindern ein erhöhter relativer Bedarf vor, bedingt durch das vermehrte Wachstum.

Speicherung. Kohlenhydrate und Eiweiße können nur in geringem Umfang reversibel gespeichert werden. Die kurzfristig verfügbaren Eiweißreserven betragen rund 45 g, die Glykogenreserven 300–400 g. Lediglich in Form der Fettdepots verfügt der Mensch über größere Energiespeicher (Tabelle 5).

Mangelerscheinungen. Zu den typischen Mangelerscheinungen gehören: verminderte körperliche und geistige Leistungsfähigkeit, Anfälligkeit gegenüber verschiedenen Krankheiten und Untergewicht. Eiweißmangel führt unter anderem zu Ödemen und bei Kindern zu Entwicklungsstörungen (Tabelle 5).

Überdosierungserscheinungen. Die Folgen einer über dem calorischen Bedarf liegenden Aufnahme von Nährstoffen sind Übergewicht, Fettsucht, verminderte körperliche Leistungsfähigkeit und eine geringere Lebenserwartung (Tabelle 5).
Bei **Calorienbilanzen** muß man berücksichtigen, daß die Nährstoffe nicht immer vollständig resorbiert werden. Bei gemischter mitteleuropäischer Kost entsteht dadurch ein Calorienverlust von rund 6%. Weiterhin darf beim Aufstellen von Calorienbilanzen die spezifisch dynamische Wirkung (S. 568) der Nährstoffe nicht außer acht gelassen werden (Tabelle 6).

Tabelle 6. Calorienbilanz am Beispiel eines mittelschwer arbeitenden Mannes (1 kcal ≈ 4,2 kJ). Aus [7]

Mittelschwer arbeitender Mann (Werkzeugmacher)

Alter: 56 Jahre	
Körpergewicht: 77 kg	
Körperlänge: 172 cm	
Grundumsatz	1 610 kcal
Zuschläge für	
a) Bewegungen in der Freizeit	400 kcal
b) Arbeitskalorien	900 kcal
c) unvollständige Resorption (6% der gesamten Calorien)	195 kcal
d) spezifisch-dynamische Wirkung (6% der gesamten Calorien)	195 kcal
Insgesamt	3 300 kcal

2.2. Vitamine

Der tägliche Bedarf des Menschen an den verschiedenen Vitaminen ist in den Tabellen 7 und 8 zusammengestellt. *Erhöht ist der Bedarf* während und nach körperlicher *Arbeit* sowie bei vielen *Erkrankungen*. Da der Calorienbedarf durch körperliche Arbeit im Verhältnis zum Vitaminbedarf größer ist, wird meistens mit der vermehrten Nahrungsaufnahme eine genügende Vitaminzufuhr erreicht. — Gehen Krankheiten mit Appetitlosigkeit und gleichzeitig gesteigertem Vitaminbedarf einher, können Vitaminmangelerscheinungen auftreten; *prophylaktische*, d.h. vorbeugende Vitamingaben sind in solchen Fällen angezeigt.
Bei einer calorisch ausreichenden Ernährung treten **Vitaminmangelzustände** auf, wenn die *Kost einseitig* zusammengestellt wird; z.B. ist bei strengen *Vegetariern* ein Vitamin B_{12}-Mangel bekannt. Weiterhin können in Abhängigkeit von der *Zubereitung* der Nahrungsmittel Vitaminmangelzustände auftreten. Durch Lagerung, Konservierung und Kochen verlieren einige Vitamine an Wirksamkeit; lagerungs-

Tabelle 7. *Fettlösliche Vitamine.* Mangelerscheinungen, Depots und Bedarf

Gruppenbezeichnung	Mangelerscheinungen beim Menschen	Depots	Täglicher Bedarf (IE = Internationale Einheiten)
A	Nachtblindheit, atypische Epithelverhornung und Schuppung, Wachstumsstörungen	große Mengen in der Leber	0,75 mg Vitamin A_1, 1,5 mg β-Carotin (2 500 IE)
D	gestörtes Knochenwachstum, Entkalkung, Rachitis	geringe Mengen in Leber, Nieren, Darm, Knochen, Nebenniere	Erwachsene Ø; Kinder und Schwangere 0,01 mg (400 IE)
E	keine typischen Mangelsymptome bekannt	mehrere Gramm in Leber, Fettgewebe, Uterus, Testikel, Hypophyse, Nebenniere	10–30 mg (9–27 IE) Tocopherol; zusätzlich pro Gramm ungesättigte Fettsäuren 0,6 mg
K	verzögerte Blutgerinnung, Spontanblutungen	sehr geringe Mengen in Leber und Milz	bei intakter Darmflora Ø, sonst ca. 1 mg; zur Prophylaxe bei Frühgeborenen einmalig ca. 1 mg

Tabelle 8. *Wasserlösliche Vitamine.* Mangelerscheinungen, Depotmenge, Depots und Bedarf

Gruppenbezeichnung	Mangelerscheinungen beim Menschen	Depotmengen und Depots	täglicher Bedarf
B_1	Beri-Beri-Polyneuritis, Lähmung, Muskelatrophie, Herzinsuffizienz, ZNS-Störungen	ca. 10 mg; Leber, Herzmuskel, Gehirn	1,7 mg (abhängig von der Kohlenhydrat-Zufuhr, 0,8 mg/ 1000 kcal, bei Alkoholikern erhöht)
B_2	Wachstumsstillstand, Hauterkrankungen	ca. 10 mg; Leber, Skeletmuskel	1,5–1,8 mg bzw. 0,6 mg/ 1000 kcal
B_6	Wachstumsstillstand, Hauterkrankungen, ZNS-Störungen, Blutbildungsstörungen	ca. 100 mg; Muskel, Leber, Gehirn	2 mg
B_{12}	perniziöse Anämie, funiculäre Myelose	1,5–3 mg; besonders in der Leber	2–5 µg!
Biotin	Dermatitis	ca. 0,4 mg; Leber, Nieren	bei intakter Darmflora Ø, sonst ca. 0,3 mg
Folsäure	perniziöse Anämie	12–15 mg; Leber	ca. 0,05 mg
Nicotinsäure	Pellagra, Photodermatitis, Paraesthesien	ca. 150 mg; Leber, Fleisch, Kleie	12–18 mg (bzw. 7 mg/ 1000 kcal), ersatzweise 420 mg Tryptophan
Pantothensäure	nicht bekannt (wegen des Vorkommens in fast allen Nahrungsmitteln)	ca. 50 mg; Leber, Nebenniere, Nieren, Gehirn, Herz	ca. 10 mg
C	Scorbut, Bindegewebsstörungen, Zahnfleischblutungen, Infektanfälligkeit	3,5 g; Gehirn, Nieren, Nebenniere, Pankreas, Leber, Herzmuskel	75 mg
Vitaminoide			
Cholin	Leber- und Nierenschäden	in jeder Zelle	0,5–1 g
Myo-Inosit	nicht bekannt	in jeder Zelle	ca. 1 g

und jahreszeitbedingte Abnahmen des Vitamingehalts verschiedener Nahrungsmittel sollen zur *Frühjahrsmüdigkeit* führen.

Auf folgende Besonderheiten einiger Vitamine sei hingewiesen: Zwischen *Nicotinsäure* und der essentiellen Aminosäure *Tryptophan* bestehen Wechselwirkungen; ein mangelndes Angebot an Nicotinsäure führt dann nicht zu Mangelerscheinungen, wenn die Nahrung genügend Tryptophan enthält. — Der *Tocopherol-*Bedarf (Vitamin E) steigt mit vermehrter Zufuhr von essentiellen Fettsäuren. — *Vitamin K-* und *Biotin-*Mangelzustände können bei gestörter Darmflora auftreten, z.B. nach Antibiotica-Therapie. — Der *Thiamin-*Bedarf (Vitamin B_1) wird größtenteils über Getreideprodukte gedeckt. Da deren Konsum abgenommen hat und die ausgemahlenen Mehle außerdem nur wenig Thiamin enthalten, ist man teilweise zur Vitaminierung des Mehls mit Vitamin B_1 sowie mit anderen B-Vitaminen übergegangen.

Speicherung. Fettlösliche Vitamine können in Mengen gespeichert werden, die zum Teil den Bedarf von Monaten decken (z.B. Vitamin D, Tabelle 7). Gleiches gilt für die wasserlöslichen Vitamine B_{12} und Folsäure (Tabelle 8). Alle übrigen Vitamine werden nur in begrenzten Mengen gespeichert; regelmäßige Substitution ist daher notwendig.

Mangelerscheinungen. Die klassischen **Vitamin-Mangelkrankheiten** treten in Europa nur noch selten in ausgeprägter Form auf. Mangelzustände (Übersicht Tabellen 7 und 8) sind einmal die Folge von *Fehlernährungen, einseitigen Kostformen* oder *calorienarmen Diäten* (z.B. bei strengem Fasten), zum anderen die Folge von *Resorptionsstörungen.* Die Rachitis als Vitamin D-Mangelkrankheit findet man auch heute noch als Folge einer unzureichend durchgeführten Vitamin *D-Prophylaxe bei Säuglingen und Kleinkindern.*

Da die meisten wasserlöslichen Vitamine nur in geringem Umfang gespeichert werden können, treten *Hypovitaminosen* infolge Fehlernährung oder Fehlresorption oft mit Symptomen eines *kombinierten* Mangels an mehreren Vitaminen auf. Hypovitaminosen führen fast immer zu einer *Minderung* der körperlichen und geistigen *Leistungsfähigkeit,* wobei durch Vitamingaben wieder eine Steigerung der Leistungsfähigkeit zu erreichen ist. Jedoch gibt es *keine Hinweise darauf, daß zusätzliche Vitamingaben beim richtig ernährten Menschen die Leistungsfähigkeit steigern.*

Überdosierungserscheinungen. Unter der Annahme, daß Vitamine nicht schaden können, werden sie oft kritiklos in größeren Mengen eingenommen. Dabei wird übersehen, daß es auch **Hypervitaminosen** gibt; allerdings liegen die bisher für einige Vitamine bekannten toxischen Dosen recht hoch. Weiterhin wurden nach intravenöser Injektion einiger Vitamine Zwischenfälle beschrieben (z.B. Kreislaufkollaps; s. Tabelle 9). — Für *Vitamin D* besteht nur während der Schwangerschaft und bei Heranwachsenden ein täglicher Bedarf von maximal 400 IE (Internationale Einheiten). Da heute viele Nahrungsmittel, wie Nährpräparate, Margarine und Milch, mit Vitamin D angereichert werden, erhält der Erwachsene meist Mengen, die selbst über den Bedarf des Heranwachsenden weit hinausgehen.

Tabelle 9. Vitamine mit bekannten Überdosierungserscheinungen; toxische Dosis und Symptome der Überdosierung (IE = Internationale Einheit)

Vitamin	Täglicher Bedarf	Toxische Dosis (täglich)	Symptome bei Überdosierung
A₁	2 500 IE (0,75 mg Vitamin A₁, bzw. 1,5 mg β-Carotin)	ca. 100 000 IE	Haut-, Schleimhaut- und Knochenveränderungen, Kopfschmerz, Euphorie, Anämie
D	0–400 IE (0–0,01 mg)	ca. 50 000– 150 000 IE	Ca⁺⁺-Mobilisierung in Knochen und Ablagerung in „weichen Geweben", ZNS-Störungen, Nierenstörungen
K	0–1 mg	?	Anämien bei Frühgeborenen, gegebenenfalls Kollaps bei i.v.-Injektion
B₁	ca. 1,7 mg	?	gegebenenfalls Kollaps bei i.v.-Injektion
Nicotinsäure	ca. 150 mg	(3–4 g?)	Magen-Darmstörungen, Hautveränderungen, Sehstörungen (therapeutisch: bei 2 g/Tag Absinken erhöhter Blutfett-Konzentrationen)

2.3. Wasser, Salze, Spurenelemente

Wasser. Der Wasserbedarf des Menschen ist sehr variabel. Schweißtreibende Belastungen (Hitze, Schwerarbeit) oder übermäßige Salzaufnahme beeinflussen ihn wesentlich. Für den Erwachsenen wird je nach Belastung ein täglicher Bedarf von 21–43 ml/kg Körpergewicht angegeben. Bezüglich der **Wasserbilanz** werden folgende *Durchschnittswerte* angegeben [26]: Ein 70 kg schwerer Mensch benötigt etwa eine Mindestmenge von 1 750 ml Wasser pro Tag, die sich aus einer *Trinkmenge* von ca. 650 ml, aus einem *Wasseranteil in der festen Nahrung* von ca. 750 ml und aus ca. 350 ml *Oxidationswasser* zusammensetzt. Darüber hinausgehende Mengen werden beim Gesunden über die Nieren ausgeschieden; bei Herz- und Nierenerkrankungen kommt es dagegen zur Retention (Ödeme; S. 415, 631).

Mangelerscheinungen. Wasserverluste in Höhe von 5% des Körpergewichts führen zu einer deutlichen *Minderung der Leistungsfähigkeit*. Eine Abnahme von 10% bedeutet bereits eine *schwere Dehydration* und bei Abnahmen von etwa 20% tritt der *Tod* ein. Da der mittlere Wassergehalt des Organismus mit 60% angesetzt werden kann, tritt der Tod dann ein, wenn rund $^1/_3$ des Wasserbestands verlorengegangen ist.

Überdosierungserscheinungen. Bei stoßweiser Zufuhr hypotoner Lösungen oder größeren Salzverlusten kann es zu vorübergehendem Einstrom von Wasser in den *intracellulären Raum* kommen (S. 638). Dadurch entsteht das Bild der *Wasserintoxikation*; sie geht mit Leistungsminderungen einher sowie mit Kopfschmerzen, Übelkeit oder Krämpfen (Symptome des *Hirnödems*).

Salze. Der Tagesbedarf an einigen wichtigen Elektrolyten ist in Tabelle 10 zusammengestellt. Ursachen und Symptome von Störungen des Salz-Wasserhaushalts sind auf S. 638 und S. 640f. beschrieben.

Der *Calcium-Bedarf* ist bei gesteigertem *Knochenwachstum* erhöht, so bei Schwangeren und Säuglingen. — *Calcium-Mangelzustände* können besonders dann auftreten, wenn Nahrungsmittel mit einem hohen Gehalt an *Oxalsäure* (z.B. Kakao, Spinat, Rhabarber) zugeführt werden, da ein erheblicher Teil des Nahrungs-Calciums als *unlösliches Calciumoxalat* gebunden wird und somit nicht resorbiert werden kann. Zu den hinsichtlich des Calciumgehalts besonders wertvollen Nahrungsmitteln zählen Milch und Milchprodukte.

Tabelle 10. Wichtige Elektrolyte und durchschnittlicher Tagesbedarf. Nach [26]

Elektrolyte	mval	mval/kg Körpergewicht
Na⁺	20	0,3
K⁺	20–33	0,3–0,5
Ca⁺⁺	15	0,2
Mg⁺⁺	16–25	0,2–0,4
Cl⁻	20	0,3
HPO₄⁻⁻	15	0,2

Der Mindestbedarf an **Kochsalz** liegt bei rund 1,2 g pro Tag. Der Mitteleuropäer nimmt im Durchschnitt etwa die zehnfache Menge auf. Aus statistischer Sicht geht eine übermäßige Kochsalzaufnahme mit einem *Bluthochdruck* einher.

Spurenelemente. Von den Spurenelementen mit bekannter physiologischer Funktion sollen nur *Eisen, Fluor, Jod und Kupfer* genannt werden. Tabelle 11 gibt eine Übersicht zu Bedarf, Depotmenge und Mangelerscheinungen. Der Bedarf für Eisen und Jod ist während der Schwangerschaft und bei Kindern erhöht. Überdosierungen führen bei fast allen Spurenelementen zu Störungen im Organismus. Bei Fluor liegt die toxische Grenze sogar nur wenig über dem Bedarf (Tabelle 11).

Jodmangel führte in bestimmten Regionen zu einem gehäuften Auftreten einer vergrößerten Schilddrüse (endemische Struma), gelegentlich auch mit gleichzeitiger Unterfunktion. Diese **Kropf**-Erkrankung ließ sich durch systematische Jod-Zufuhr zurückdrängen.

Chronischer Eisenmangel ist Ursache für die *einzige in Mitteleuropa häufig vorkommende Mangelkrankheit.* Symptome sind unter anderem Müdigkeit, Kopfschmerzen, verminderte Leistungsfähigkeit sowie Wachstumsstörungen an Haut und -anhangsgebilden (Nägel, Haare). Bei stärkerem Mangel tritt die typische *Eisenmangel-Anämie* auf. Bei chronischen *Blutverlusten* jeglicher Art (z.B. Menstruation, Magen-Darmblutungen, häufiges Blutspenden) ist der Eisenverlust so groß, daß das Eisenangebot der mitteleuropäischen Durchschnittskost nicht ausreicht, um den Verlust zu ersetzen. Daher besitzen rund 40% aller menstruierenden Frauen keine mobilisierbaren Eisenreserven. Schon geringe zusätzliche Blutverluste, z.B. bei einer Operation, oder erhöhter Bedarf während einer Schwangerschaft führen dann zu einer Eisenmangel-Anämie. In verschiedenen europäischen Ländern wurde bei 10–30% aller menstruierenden Frauen eine solche Anämie festgestellt.

3. Ausnutzung der Nahrungsmittel und Kostformen

3.1. Ausnutzung

Unter Ausnutzung versteht man denjenigen Prozentsatz an Nähr- und Wirkstoffen, der aus der aufgenommenen Nahrung *resorbiert* wird. Zum größten Teil müssen die in unserer Nahrung enthaltenen Stoffe erst durch die *Verdauung* aufgeschlossen werden, bevor eine Resorption möglich ist. Aber auch bei regelrechter Verdauung werden nicht alle Stoffe bzw. deren Abbauprodukte resorbiert. *Von einer mitteleuropäischen gemischten Kost werden im Durchschnitt nur 90–95% der aufgenommenen Calorien genutzt,* da unter anderem *Cellulose,* ein typisches pflanzliches Kohlenhydrat, im oberen Verdauungstrakt nicht abgebaut werden kann. Wenn die Cellulosewand nicht durch die *Aufbereitung* der Speisen, z.B. durch Kochen und Kauen, zerstört wird, kann auch der Zellinhalt nicht resorbiert werden. Auch bei Darmerkrankungen wie Ruhr und Cholera oder nach Darmresektionen verringert sich die Ausnutzung, während begrenzte Transportkapazitäten des resorbierenden Epithels nur selten zu einer verminderten Ausnutzung führen.

Wertigkeit. Der resorbierte Anteil der Nährstoffe weist je nach Herkunft eine unterschiedliche Wertigkeit für den Organismus auf (S. 573). Dies gilt wegen des unterschiedlichen Gehalts an essentiellen Aminosäuren besonders für die Eiweiße: *Pflanzliche Eiweiße besitzen eine geringere Wertigkeit als tierische* (S. 573).

3.2. Ausgewogene Kost

Die ausgewogene Kost ist ein ebenso aktuelles wie umstrittenes Ernährungsproblem; damit zusammenhängende Fragen werden heftig diskutiert. Die

Tabelle 11. Spurenelemente mit bekannter physiologischer Funktion. — Mangelerscheinungen, Depotmenge und Bedarf

Spuren-elemente	Mangel-erscheinungen	Depot-menge	Täglicher Bedarf (Erwachsene)
Eisen	Eisenmangel-anämie	4–5 g, davon mobili-sierbar 800 mg	menstruierende Frauen ca. 2 mg, sonst ca. 1 mg; Zufuhr 10mal so hoch, da nur ca. 10%ige Resorption
Fluor	gehäuftes Vorkommen der Caries	?	1,4–1,8 mg; 20 mg sicher toxisch!! (Osteosklerose)
Jod	Struma (Kropf), Hypothyreose	10 mg	60–160 mg
Kupfer	Eisenresorptionsstörungen, Anämie, Pigmentstörungen	100–150 mg	1,5–2 mg

Zusammensetzung einer ausgewogenen Kost muß von folgenden 4 *physiologischen* Gesichtspunkten ausgehen:

1. Der **Brennwert** muß dem calorischen Bedarf entsprechen.
2. Die **Mindestmengen** an Eiweißen, Fetten und Kohlenhydraten müssen enthalten sein (Tabelle 5).
3. Die **Mindestmengen** an Vitaminen, Salzen und Spurenelementen müssen enthalten sein (Tabellen 7, 8, 10 und 11).
4. Die **toxischen Grenzen** verschiedener Vitamine, Salze und Spurenelemente dürfen nicht überschritten werden.

Ein Mißverhältnis zwischen Calorienbedarf und -angebot führt zu Über- oder Untergewicht. Ernährungsbedingte Störungen können weiterhin durch eine ungünstige Nährstoffrelation hervorgerufen werden. — Mit dem sogenannten **Kostmaß** beschreibt man Ernährungsformen hinsichtlich des *Caloriengehalts und der Nährstoffrelationen.* Im Jahr 1875 ermittelte v. Voit als Mittelwert „aus einer größeren Anzahl von Beobachtungen für einen mittleren Arbeiter" folgendes Kostmaß: 118 g Eiweiße, 56 g Fette, 500 g Kohlenhydrate (in Gewichtsprozenten 18:8:74); dieses **Voitsche Kostmaß** enthält 3055 kcal/Tag. — Zu Beginn dieses Jahrhunderts wurde bei einer groß angelegten Untersuchung folgendes Kostmaß gefunden: 84 g Eiweiße, 65 g Fette, 453 g Kohlenhydrate (in Gewichtsprozenten 14:11:75), entsprechend 2800 kcal/Tag.

Tabelle 12. Eiweiß-Fett-Kohlenhydrat-Relation in einer ausgewogenen Kost mit einem Gesamtbrennwert von 2400 kcal/ Tag. Bei gesteigertem Calorienbedarf (Schwerarbeit) wird ein höherer Fettanteil, bei niedrigerem Calorienbedarf (höheres Lebensalter) ein größerer Eiweißanteil benötigt

	Verhältnis (bezogen auf Gewichtsanteile)	Verhältnis (bezogen auf Calorienanteile)
Eiweiße	17%	15%
Fette	17%	30%
Kohlenhydrate	66%	55%

Die Erfahrungen aus den Zeiten der Mangel- und Fehlernährung während und nach den Weltkriegen haben die Nährstoffrelationen der Tabelle 12 (*1:1:4 Gew.-Ant.*) als für europäische Verhältnisse weitgehend sinnvoll bestätigt; sie können als optimal gelten. Der durchschnittliche *Calorienbedarf* der deutschen Bevölkerung muß jedoch aufgrund körperlich leichterer Arbeitsbedingungen geringer als früher angesetzt werden und zwar mit

rund 2660 kcal/Tag bzw. **11150 kJ/Tag.** Betrachtet man das *tatsächliche Kostmaß* der deutschen Bevölkerung in den Jahren 1969/70, zeigt sich das für die hochindustrialisierte Gesellschaft typische Bild: Die durchschnittliche Kost ist *hypercalorisch*, wobei *zu viele Fette und zu wenig Kohlenhydrate* aufgenommen werden (Tabelle 13).

Tabelle 13. Mittleres Kostmaß der deutschen Bevölkerung in den Jahren 1969/70 (Durchschnittswerte für die Bevölkerung der Bundesrepublik). Nach [8]

	Soll	Ist	Gewichtsanteile	
			Soll	Ist
kcal/Tag	2660	3020		
kJ/Tag	11150	12650		
Eiweiß	77 g	92 g	17%	17%
Fett	80 g	132 g	17%	23%
Kohlenhydrate	395 g	340 g	66%	60%

Geringe **Abweichungen vom empfohlenen Kostmaß** führen zu keinen wesentlichen Störungen. Fette und Kohlenhydrate sind in bezug auf den Caloriengehalt weitgehend austauschbar (Isodynamie; S. 568). Weiterhin kann bei **Kohlenhydratmangel** Glucose aus *glucoplastischen Aminosäuren* gebildet werden (*Gluconeogenese*), sofern diese im Überschuß vorhanden sind. — Ein Absinken des Blutzuckerspiegels (*Hypoglykämie*) führt zunächst zu dem Gefühl des Heißhungers sowie zu Minderungen der physischen und psychischen Leistungsfähigkeit. Wird schließlich der Mindestbedarf des Gehirns an Glucose nicht mehr gedeckt, treten als schwere Störungen Bewußtlosigkeit und Krämpfe auf (*Hypoglykämischer Schock*). — Eine vermehrte Kohlenhydrataufnahme führt dagegen zu einer **Kohlenhydratmast**, da überschüssige Kohlenhydrate in Fette umgewandelt und gespeichert werden. Außerdem kann bei Kohlenhydratüberschuß durch Überwiegen von Gärungsvorgängen im Dickdarm eine Verdauungsstörung auftreten (S. 597).

Bei starker **Verminderung des Fettanteils** in der Nahrung wird die Resorption fettlöslicher Vitamine gestört; entsprechende Symptome sind die Folge. Mangelerscheinungen anderer Art treten auf, wenn die Mindestmengen an essentiellen Fettsäuren (S. 569) fehlen. — Die **Zunahme des Fettanteils** in der Nahrung führt zu einer fettbedingten Mast, die vermehrte Aufnahme gesättigter Fettsäuren zu einer Hypercholesterinämie (S. 569); die Hypercholesterinämie zählt zu den wesentlichen epidemiologischen Risikofaktoren (S. 580). Hingegen bewirkt eine vermehrte Aufnahme ungesättigter Fettsäuren ein Absinken des Cholesterinspiegels im Blut (S. 569).

Bei **Abnahme des Eiweißanteils** in der Nahrung treten Minderungen der körperlichen und geistigen Leistungsfähigkeit auf; schließlich kommt es zu Hungerödemen und zum Muskelschwund. Die Anfälligkeit gegenüber Infektionen nimmt infolge verminderter Abwehrbereitschaft zu. — Bei reichlicher Eiweißaufnahme tritt eine Stoffwechselsteigerung ein (spezifisch dynamische Wirkung; S. 568), die wegen der dabei vermehrten Wärmeproduktion in kalten Klimazonen durchaus erwünscht sein kann. Andererseits werden bei eiweißreicher Kost infolge Überwiegens von Fäulnisvorgängen im Dickdarm Verdauungsstörungen beobachtet. Bei entsprechender Disposition treten gehäuft Gichtanfälle auf, da eiweißreiche Kost größere Mengen der sog. Purinkörper enthält.

Die **Herkunft der Nahrungsmittel** ist für eine ausgewogene Kost von besonderer Bedeutung. Während der Bedarf an essentiellen Aminosäuren hauptsächlich nur über *tierische Produkte* gedeckt werden kann, erweist sich *Pflanzenkost* für den Bedarf an wasserlöslichen Vitaminen, Salzen und Spurenelementen als unerläßlich. — Eine streng vegetarische Diät führt immer zu Eiweißmangel-Erscheinungen, bedingt durch das Fehlen essentieller Aminosäuren. — Weiterhin beeinflussen tierische und pflanzliche Nahrungsmittel den Säure-Basen-Haushalt (S. 499) auf unterschiedliche Weise: Tierische Produkte wirken als schwache Säuren (H^+-Donatoren), pflanzliche als schwache Basen (H^+-Acceptoren). Die dadurch bedingten Einflüsse auf den Säure-Basen-Haushalt werden in der Regel durch die Nieren kompensiert.

Schließlich hängt eine ausgewogene Kost von der Art der **Zubereitung** ab. Einmal kann durch die Zubereitung der Wirkstoffgehalt abnehmen (z.B. Hitzeempfindlichkeit von Vitaminen, S. 574), zum anderen kann die Art des Anrichtens und Würzens durchaus physiologische Effekte erzielen, indem sie über die *cephalische Phase der Magensaftsekretion* (S. 590) die weitere Verdauung der aufgenommenen Nahrung beeinflußt. Gewürze und Getränke (Alkohol) können als „*Saftlocker*" bei entsprechender Disposition sogar zu einer Übersäuerung des Mageninhalts führen.

In der deutschen Bevölkerung nehmen die über 15jährigen im Durchschnitt etwa 8% des Calorienbedarfs in Form von *Alkohol-Calorien* auf. Dies entspricht der Gesamtcalorienzufuhr eines Monats pro Jahr bzw. täglich 240 kcal = 34 g Alkohol. Der Alkoholkonsum muß aber nicht nur in bezug auf eine calorisch ausgewogene Kost, sondern auch in bezug auf seine *toxische Wirkung* beachtet werden. Bei einer länger anhaltenden Alkoholaufnahme von mehr als 80 g (~570 kcal) pro Tag treten Leberschäden auf; toxische Wirkungen werden ab etwa 160 g pro Tag beobachtet.

3.3. Spezielle Kostformen

Bei der Diätgestaltung müssen neben dem *therapeutischen Zweck* auch *berufliche Tätigkeit* und *Lebensalter* berücksichtigt werden. Mit zunehmendem Alter nimmt beispielsweise der Calorienbedarf ab, während der relative Bedarf an essentiellen Aminosäuren ansteigt.

Hypocalorische Diäten. Die **Fettsucht** hat heute in Europa fast epidemische Ausmaße angenommen; daher sollen einige Aspekte hypocalorischer Diäten besprochen werden. Ebenso wie beim strengen Fasten, das nur unter ärztlicher Aufsicht durchgeführt werden sollte, muß auch bei hypocalorischen Diä-

ten dafür gesorgt werden, daß auf Dauer der Mindestbedarf an allen Nahrungsbestandteilen gedeckt wird. Innerhalb dieses Rahmens kann eine hypocalorische Diät relativ eiweißreich, fettreich oder kohlenhydratreich gestaltet werden, wobei verschiedene Vor- und Nachteile gegeneinander abzuwägen sind.

Eine **eiweißreiche, calorienarme Kost** weist als Vorteil auf, daß der Appetit ausreichend gedämpft wird und die spezifisch dynamische Wirkung der Eiweiße (S. 568) zu einer Stoffwechselsteigerung führt. Von Nachteil ist, daß eiweißreiche Nahrungsmittel zu den teuersten zählen und meist viel Fett enthalten. — Eine **fettreiche, calorienarme Kost** stillt zwar anhaltend den Hunger, kann aber durch den meist hohen Gehalt an gesättigten Fettsäuren zu einer Hypercholesterinämie führen. Außerdem ist die Verträglichkeit einer fettreichen Kost unterschiedlich. — Eine **kohlenhydratreiche, calorienarme Kost** hat den Vorteil einer reichlichen Magenfüllung; jedoch hält die Sättigung nur kurz an. Ferner kommt es besonders nach Aufnahme niedermolekularer Kohlenhydrate zu kurz nach dem Essen auftretenden hypoglykämischen Nachschwankungen und damit erneut zu einem Hungergefühl.

Neuerdings versucht man gezielt, **calorienarme Lebensmittel** herzustellen; ihr Brennwert sollte bei unverändertem Volumen um 40–50% vermindert sein. Eine solche Minderung des Brennwertes kann erreicht werden durch Entfernen des Fetts, durch Austausch des Zuckers gegen calorienarme Süßstoffe sowie durch Anreicherung mit Wasser und cellulosehaltigen Produkten. Inwieweit sich diese Verfahren bewähren werden, bleibt abzuwarten.

Ernährung des alten Menschen. Von folgenden Richtlinien sollte ausgegangen werden:
1. Der **Calorienbedarf** ist vermindert.
2. Der tägliche **Eiweißbedarf** ist auf 1,2–1,5 g/kg Körpergewicht erhöht.
3. **Fette** mit ungesättigten Fettsäuren sollten bevorzugt werden.
4. Der **Kohlenhydratanteil** an der täglichen Gesamtcalorienzufuhr sollte von 66 Gew.-% (Tabelle 12) auf 40 Gew.-% vermindert werden, wobei Mono- und Disaccharide zu vermeiden sind.
5. Eine ausreichende **Ca^{++}-Zufuhr** muß wegen der altersbedingten Neigung zur Osteoporose (Knochenerweichung) gesichert sein. Zu den an Calcium reichen Nahrungsmitteln gehören vor allem Milch und Milchprodukte.
6. Der absolute **Vitaminbedarf** ist im Alter unverändert. Da jedoch der Calorienbedarf vermindert ist und somit weniger Nährstoffe aufgenommen werden sollten, kann im Alter ein Vitaminmangel auftreten. Die bei alten Menschen oft einseitige Ernährung mit leicht verdaulichen Nah-

rungsmitteln wie Kartoffelbrei und Weißbrot kann ebenfalls zu Vitaminmangel führen.

Ballaststoffe. Die Bedeutung der Ballaststoffe ist umstritten. Als Vorteile ballaststoffreicher Diäten werden die Anregung der Peristaltik und damit eine raschere Darmpassage (S. 592 f.) sowie die weiche Konsistenz des Kots angeführt, also Faktoren, die einer Obstipation (S. 597) und ihren Folgen entgegenwirken können. Andererseits hat sich gezeigt, daß mit einer vollsynthetischen Diät ohne Ballaststoffe („bilanzierte, synthetische Diät; **BSD**", sog. *Astronautenkost*) auf lange Zeit ein gesundes Leben möglich ist. Offensichtlich bringt weder eine an Ballaststoffen reiche noch eine von Ballaststoffen freie Kost für die Magen-Darmpassage Nachteile. Hingegen dürfte durch eine an Ballaststoffen arme Diät eine Obstipation begünstigt werden.

4. Beurteilung von Körpergewicht und Körperoberfläche

4.1. Risikofaktor Übergewicht

Als epidemiologische **Risikofaktoren** bezeichnet man bestimmte Faktoren, die aus statistischer Sicht mit einer verkürzten *Lebenserwartung* einhergehen und die in engem Zusammenhang mit den sog. *Zivilisationskrankheiten* stehen (z.B. Herzinfarkt, Herz-Kreislaufversagen, Schlaganfall). Zu den wesentlichen Risikofaktoren zählt das Übergewicht (Abb. 1). Auf die komplexen Zusammenhänge zwischen Übergewicht und verkürzter Lebenserwartung kann hier nicht näher eingegangen werden.

Sollgewicht. Das Sollgewicht gibt an, wie schwer ein Mensch sein soll. Überschreitet das Ist-Gewicht das Sollgewicht um 10 bis 20%, spricht man von

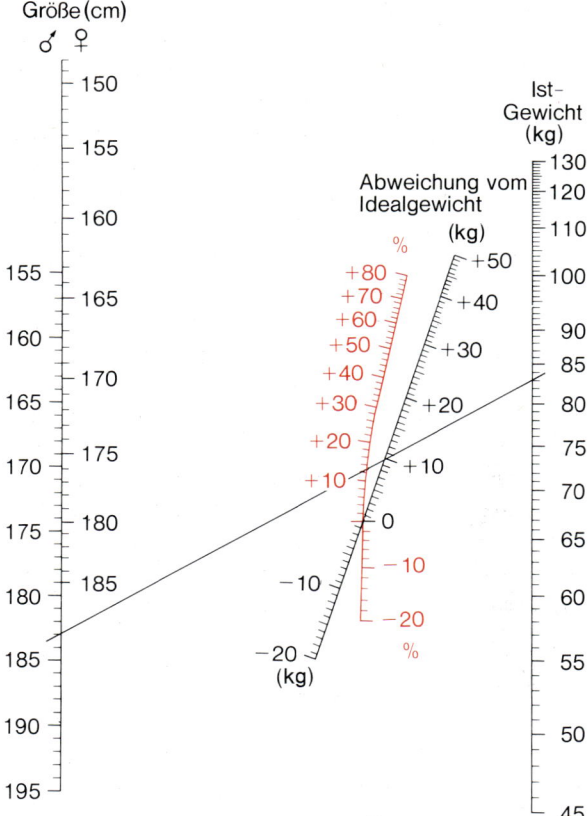

Abb. 2. Nomogramm zur Ermittlung von Über- und Untergewicht bei Erwachsenen (nach THEWS). Bezug: MLIC-Idealgewicht für mittelschweren Knochenbau [26], Normspanne: ±5% Abweichung vom Idealgewicht. Beispiel: 183 cm, ♂, 83 kg Istgewicht. — Ergebnis: 10 kg Übergewicht, entsprechend ca. 13% Abweichung vom Idealgewicht

Übergewicht, bei einem Überschreiten von mehr als 20% von *Adipositas* (Fettsucht). Für das Sollgewicht sind folgende Bezugsgrößen gebräuchlich:

Idealgewicht. Es ist das Körpergewicht mit der *höchsten statistischen Lebenserwartung*. Die sog. MLIC-Normen (Idealgewichtsnormen) beruhen auf Untersuchungen von Lebensversicherungsgesellschaften an über 5 Millionen Nordamerikanern. Das Idealgewicht ist abhängig von Körpergröße, Geschlecht und Konstitution; die entsprechenden Werte können Tabellen (z.B. in [26]) oder dem Nomogramm der Abb. 2 entnommen werden.

Broca-Index. Das Broca-Sollgewicht (in kg) ist definiert als *Körperlänge* (in cm) *minus 100*. Da die Berechnung sehr einfach ist und lediglich die Körperlänge berücksichtigt werden muß, ist das Verfahren nach BROCA zwar sehr beliebt, aber ungenau. Das Broca-Sollgewicht liegt im Vergleich mit den Idealgewichten zu hoch. Eine Korrektur durch Abzug von 10% des Index-Ge-

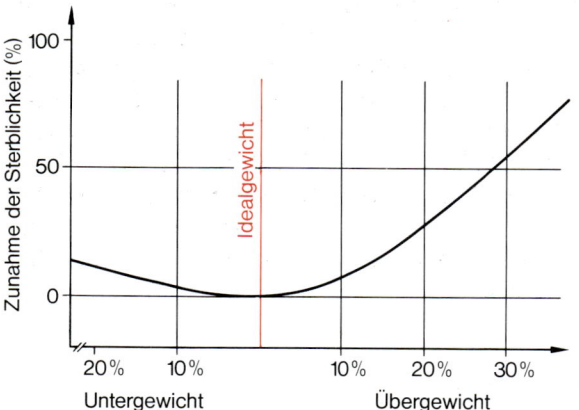

Abb. 1. Zunahme der Sterblichkeit in bezug zur Abweichung vom Idealgewicht. Unter Sterblichkeit versteht man das Verhältnis der in einem bestimmten Zeitraum Gestorbenen zur Gesamtzahl des erfaßten Personenkreises. Die mittlere Sterbeziffer pro Jahr beträgt in Europa ca. 10 Sterbefälle auf 1000 Einwohner. In Anlehnung an [11]

wichts gilt nur für Männer im mittleren Körperlängen-Bereich. Man kann davon ausgehen, daß ein Überschreiten des Broca-Sollgewichts ein deutliches Zeichen von Übergewicht ist.

Durchschnittsgewicht. Darunter versteht man das durchschnittliche Körpergewicht einer Bevölkerung. Gruppiert man die Ergebnisse von Körpergewichtsbestimmungen nach Geschlecht und Körperlänge und bestimmt für die entsprechenden Untergruppen das Durchschnittsgewicht, zeigt sich innerhalb der untersuchten Bevölkerung eine gute Abhängigkeit des Gewichts von Körperlänge und Geschlecht. Solche *Durchschnittsgewichte* sind jedoch je nach Ernährungssituation der untersuchten Bevölkerung sehr *variabel.* Besonders ausgeprägte Abweichungen vom Idealgewicht findet man in Hungerszeiten und in Zeiten der Überernährung. Am Durchschnittsgewicht kann das mit dem Körpergewicht in Zusammenhang stehende individuelle Gesundheitsrisiko *nicht* abgeschätzt werden.

4.2. Zusammensetzung des Organismus

Das Gewicht eines Menschen wird in der Hauptsache von 3 Anteilen bestimmt, der *Wassermenge,* dem *Fettgehalt* und der *Muskelmasse.* Auf das Körpergewicht bezogen beträgt der mittlere extracelluläre Wassergehalt rund 15%, der mittlere Fettgehalt 16% und die mittlere Muskelmasse 43%. Änderungen des Körpergewichts gehen mit Änderungen dieser 3 Anteile einher, entweder isoliert oder kombiniert. Individuelle Werte können deshalb, besonders beim Fettanteil, erheblich von den Durchschnittswerten abweichen.

Nimmt der **Wassergehalt** im Organismus zu, spricht man von einem Ödem oder Hydrops, wobei sich das Wasser auf verschiedene Räume verteilen (S. 639). Methoden zur Bestimmung von Änderungen im Wassergehalt des Organismus s. S. 639 f. — Der **Fettgehalt** des menschlichen Organismus kann zwischen 8 und 50% schwanken, wobei Frauen einen höheren durchschnittlichen Fettanteil aufweisen als Männer (Tabelle 14). Weiterhin nimmt mit steigendem Lebensalter der mittlere Fettanteil zu. Für die Bestimmung des Fettanteils wird entweder die Faltendicke repräsentativer Hautareale mit einem *Kalipermeter* (Meßzange, „Speckmesser") gemessen oder die Dicke subcutaner Fettpolster an bestimmten Meßpunkten mit Ultraschallverfahren ermittelt; der Gesamt-Fettanteil kann über Formeln abgeschätzt werden. Außerdem kann das Gesamt-Körperfett über das spezifische Gewicht des Organismus berechnet werden, da dieses wesentlich vom Fettanteil abhängt. — Die **Muskelmasse** des Organismus nimmt im Hungerzustand ab; sie steigt bei ausgeprägtem Muskeltraining (isometrisches Training, S. 558; „Body building"). Eine Bestimmung der Muskelmasse ist erstens über die Kreatinin-Ausscheidung möglich, zweitens radiologisch mit Hilfe von injiziertem radioaktivem Kalium, das sich bevorzugt in die Muskelzellen verteilt; die Bestimmung des radioaktiven Kaliums erfolgt mit einem Ganzkörper-Zähler (*Body Counter*).

Tabelle 14. Anteil des Körperfetts am Gesamtgewicht in Abhängigkeit von Alter und Geschlecht (Durchschnittswerte gesunder Personen, USA). Nach [19]

Alter (Jahre)	Männer	Frauen
25	13%	26%
35	18%	31%
45	22%	35%
55	26%	39%

4.3. Körperoberfläche

Die direkte Messung der Körperoberfläche ist sehr schwierig. Mit Hilfe der Näherungsformel von DuBois und DuBois kann sie jedoch abgeschätzt werden: $O = 71,84 \cdot G^{0,425} \cdot L^{0,725}$ (nach [26]; O Körperoberfläche in cm², G Körpergewicht in kg, L Körperlänge in cm). — Vereinfacht wird die Bestimmung der Körperoberfläche durch Nomogramme; jedoch lassen sich auch ihnen nur Näherungswerte entnehmen.

Neunerregel nach WALLACE. Dieses Verfahren wird eingesetzt, um bei Verbrennungen die betroffene Körperoberfläche grob abzuschätzen. Danach sind beim Erwachsenen für jeden Arm 9%, für jedes Bein 18%, für den Rumpf 36% sowie für Kopf und Hals 9% der Körperoberfläche zu veranschlagen.

Körperoberfläche als Bezugsgröße. Viele biologische Meßgrößen sind von der Körpergestalt abhängig, wie z.B. Grundumsatz, Herzzeitvolumen in Ruhe, Gesamt-Blutvolumen und Herzvolumen. Man bezieht daher diese Größen häufig auf die Körperoberfläche oder auf das Körpergewicht und spricht von *Relativwerten* (z.B. relatives Herzvolumen). Aufgrund theoretischer Überlegungen ist ein Bezug auf die Körperoberfläche richtiger als ein Bezug auf das Körpergewicht. In der Praxis wird jedoch meistens auf das Körpergewicht bezogen, da es mit einfachen und direkten Verfahren weitaus genauer als die Körperoberfläche bestimmt werden kann und da es bei der rechnerischen Ermittlung der Körperoberfläche als wesentliche Meßgröße mit eingeht.

5. Literatur

1. BÄSSLER, K.H.: Die Bedeutung der Brennstoffzufuhr für die Körperfunktionen. Z. Ernährungswiss. **11**, 200 (1972).
2. BÄSSLER, K.H., FEKL, W., LANG, K.: Grundbegriffe der Ernährungslehre. Heidelberger Taschenbuch, Nr. 119, Basistext Medizin. Berlin-Heidelberg-New York: Springer 1973.

3. BETHE, A., v. BERGMANN, G., EMBDEN, G., ELLINGER, A. (Eds.): Handbuch der normalen und pathologischen Physiologie, Bd. 5: Stoffwechsel und Energiewechsel. Berlin: Springer 1928.

4. BROŽEK, J.: Changes of body composition in man during maturity and their nutritional implication. Fed. Proc. **11**, 784 (1952).

5. BROŽEK, J., KEYS, A.: The evaluation of leanness-fatness in man: norms and interrelationships. Brit. J. Nutr. **5**, 194 (1951).

6. CREMER, H.D. (Ed.): Grundfragen der Ernährungswissenschaft. Rombach Hochschul-Paperback Nr. 28. Freiburg: Rombach 1971.

7. Deutsche Gesellschaft für Ernährung e.V.: Die wünschenswerte Höhe der Nahrungszufuhr, 12. Ausgabe. Schriftenreihe der „Ernährungsumschau". Frankfurt: Umschau-Verlag 1966.

8. Deutsche Gesellschaft für Ernährung e.V.: Ernährungsbericht 1972. Frankfurt-Schwanheim: F.J. Henrich KG 1973.

9. DITSCHUNEIT, H.: Allgemeine Diätetik für den alten Menschen. Z. Allgemeinmed. **49**, 586 (1973).

10. GLATZEL, H.: Die Ernährung des Menschen in der technischen Welt. Stuttgart: Hippokrates 1970.

11. HOLTMEIER, H.J.: Volksseuche Fettsucht. Dtsch. Ärztebl. **70**, 2512 (1973).

12. HORT, W. (Ed.): Herzinfarkt — Grundlagen und Probleme. Heidelberger Taschenbuch, Nr. 61. Berlin-Heidelberg-New York: Springer 1969.

13. KNUSSMANN, R., TOELLER, M., HOLLER, H.D.: Zur Beurteilung des Körpergewichts. Med. Welt (Stuttg.) **23**, 529 (1972).

14. KREBS, H.A.: The metabolic rate of amino acids. In: MUNRO, H.N., ALLISON, J.B. (Eds.): Mammalian protein metabolism, Vol. I, p. 125. New York-London: Academic Press 1964.

15. LANG, K.: Die Biochemie der Ernährung. Darmstadt: Steinkopff 1970.

16. LIEBERMEISTER, H.: Prognose der Fettsucht. Lebensversicher.-Med. **25**, 80 (1973).

17. NIEDERMEIER, B., BOCK, W.J.: Langzeit-Ernährung bei schwerkranken und bewußtlosen Patienten. Dtsch. Ärztebl. **70**, 2447 (1973).

18. OHRENBERGER, F.X.: Ernährungsprobleme im fortgeschrittenen Lebensalter. Ärztl. Praxis **25**, 1616 (1973).

19. OTT, H.: Normalgewicht und Optimalgewicht. Ernährungsumschau **10**, 49 (1963).

20. RUBNER, M.: Physiologische Verbrennungswerte, Ausnutzung, Isodynamie, Calorienbedarf, Kostmaße. In: BETHE, A., v. BERGMANN, G., EMBDEN, G., ELLINGER, A. (Eds.): Handbuch der normalen und pathologischen Physiologie, Bd. 5. Stoffwechsel und Energiebedarf, S. 134. Berlin: Springer 1928.

21. SCHETTLER, G. (Ed.): Fettstoffwechselstörungen — Ihre Erkennung und Behandlung. Stuttgart: Thieme 1971.

22. SCHLAYER, C.R., PRÜFER, J. (PRÜFER, J., Ed.): Lehrbuch der Krankenernährung, II. Teil: Rezeptsammlung und Diätformen, 6. Aufl. München-Berlin-Wien: Urban & Schwarzenberg 1971.

23. TERPLAN, G., ZAADHOFF, K.-J.: Antibiotika, Hormone und Thyreostatika in Lebensmitteln tierischer Herkunft sowie ihre Auswirkungen auf die menschliche Gesundheit. Dtsch. Ärztebl. **72**, 344 (1975).

24. v. VOIT, C.: Physiologie des allgemeinen Stoffwechsels und der Ernährung. In: HERMANN, L. (Ed.): Handbuch der Physiologie, Bd. 6, Teil II. Leipzig: F.C.W. Vogel 1881.

25. WIRTHS, W.: Energie- und Nährstoffzufuhr von Hochleistungssportlern. Sportarzt und Sportmedizin **23**, 253 (1972).

26. Wissenschaftliche Tabellen — Documenta Geigy (Ed. J.R. Geigy AG Pharma, Basel), 7. Aufl. Basel.

Hauptaufgabe des Gastrointestinaltraktes ist die Überführung der aufgenommenen Nahrung in resorbierbare Bestandteile und deren Aufnahme in das Körperinnere. Diese Vorgänge werden durch *mechanische Prozesse* (Zerkleinerung, Durchmischung, Transport) und die *Sekretion von Verdauungssäften* eingeleitet. Durch die Einwirkung zahlreicher in den Verdauungssäften enthaltener und auf den Darmepithelzellen lokalisierter *Enzyme* werden Eiweiße, Fette und Kohlenhydrate hydrolytisch gespalten und in resorbierbare Bruchstücke zerlegt (**Verdauung**). Die Endprodukte der Verdauung sowie Wasser, Mineralstoffe und Vitamine werden sodann aus dem Darmlumen durch die Darmschleimhaut hindurch in das Blut und die Lymphe aufgenommen (**Resorption**).

1. Gastrointestinale Motilität und Sekretion

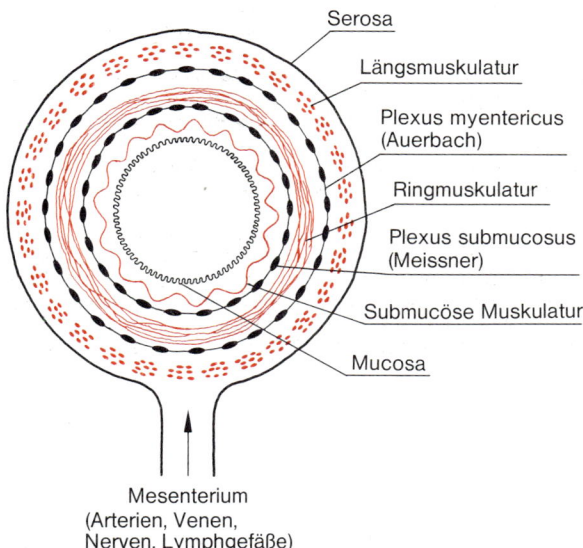

Abb. 1. Schematische Darstellung der Wandschichten des Magen-Darm-Kanals

Grundlagen der Motilität. Die Bewegungen im Magen-Darm-Kanal werden außer an der Ein- und Austrittspforte (Mundhöhle, Rachen, oberer Oesophagus und Sphincter externus am After) durch glatte Muskulatur bewerkstelligt. Der *Wandaufbau* des unteren Oesophagus, Magens, Dünndarms und Dickdarms ist prinzipiell sehr ähnlich und weist, von lokalen Besonderheiten abgesehen, drei Schichten glatter Muskulatur auf. Neben der äußeren Längs- und mittleren Ringmuskelschicht findet man Längsmuskelfasern in der Submucosa (Abb. 1). Das Innere des Magen-Darm-Kanals ist durch Schleimhaut ausgekleidet, die in den verschiedenen Abschnitten erhebliche Besonderheiten aufweist. Die äußerste Schicht des Gastrointestinaltraktes wird von der Serosa gebildet, die auf das Mesenterium übergeht. Im Mesenterium verlaufen die Nerven, Blut- und Lymphgefäße, die den Verdauungstrakt versorgen.
Zwischen den beiden äußeren Muskelschichten liegt der Plexus myentericus (Auerbach) und zwischen den inneren Muskelschichten der Plexus submucosus (Meissner). Plexus myentericus und Plexus submucosus stellen Anhäufungen von Ganglienzellen dar, die im wesentlichen durch den N.vagus versorgt werden und dessen 2. Neuron bilden. Die aus den Coeliacalganglien in die Darmwand eintretenden postganglionären Sympathicusfasern enden hauptsächlich an den Muskelfasern und Gefäßen. Eine eindeutige Funktionsanalyse beider Plexus ist bislang nicht gelungen [11, 12]; das angeborene Fehlen der intramuralen Nervengeflechte führt im betroffenen Abschnitt zu einer Verengerung und oberhalb davon zu einer starken Erweiterung des Dickdarmes (Megacolon congenitum). Die Funktionsfähigkeit beider Plexus, nicht jedoch die Versorgung durch Sympathicus und Parasympathicus, ist eine Voraussetzung für die Transport- und Mischvorgänge.
Der oral-aborale **Transport** geschieht durch die *Peristaltik*. Dabei handelt es sich um eine Kontraktion der Ringmuskulatur, die wellenförmig über das Darmrohr fortschreitet und der zumeist eine Erschlaffungswelle vorausläuft. Die **Durchmischung** des Speisebreies mit Verdauungssäften geschieht durch *nichtpropulsive Peristaltik*, die sich nur über

Tabelle 1. Gastrointestinale Hormone (A), gastrointestinale Peptide bekannter Struktur (B) und vermutete gastrointestinale Hormone (C). Weitere Einzelheiten s. Text

	Substanz	Zusammensetzung	Hauptsächlicher Bildungsort	Hauptsächliche Wirkungen
A.	Gastrin I bzw. II	Protein 17 Aminosäuren MG 2117	Magenantrum und Duodenum	Steigert Magensekretion, insbesondere HCl. Fördert Antrummotorik, verzögert Magenentleerung
	Secretin	Protein 27 Aminosäuren MG 3056	Duodenum	Erhöht Sekretion und Bicarbonatkonzentration des Pankreassaftes und der Galle. Antagonisiert Gastrinwirkung
	Cholecystokinin-Pankreozymin (CCK-PKZ)	Protein 33 Aminoäuren MG 3919	Duodenum	Regt Sekretion eines enzymreichen Pankreassaftes an. Entleert Gallenblase
B.	Motilin	Protein 22 Aminosäuren MG 2700	Duodenum	Steigert Magenmotilität
	Gastric Inhibitory Peptide (GIP)	Protein 43 Aminosäuren MG 5105	Duodenum	Hemmt Sekretion und Motilität des Magens
	Vaso Intestinal Peptide (VIP)	Protein 28 Aminosäuren MG 3328	Duodenum	Erhöht Durchblutung des Magen-Darm-Kanals
C.	Bulbogastron	nicht bekannt	Bulbus duodeni	Hypothetischer Gastrinantagonist
	Enterogastron	nicht bekannt	Duodenum	Hemmt Sekretion und Motilität des Magens
	Villikinin	Protein	Duodenum und Ileum	Regt Zotten zu rhythmischer Kontraktion an

kurze Strecken fortpflanzt, sowie durch *Segmentations-* und *Pendelbewegungen.* Die Segmentation besteht in der gleichzeitigen Kontraktion der Ringmuskulatur eng benachbarter und wechselnder Bereiche, was im Röntgenbild das Bild einer Perlschnur ergibt. Pendelbewegungen kommen durch streckenweise Kontraktion der Längsmuskulatur zustande, wodurch sich die Schleimhaut über dem Darminhalt verschiebt.

Grundlagen der Sekretion. Die Bildung der Verdauungssäfte erfolgt durch aktive Syntheseleistung der sekretorischen Zellen in den Speicheldrüsen des Mundes, den Magen- und Darmdrüsen, dem exkretorischen Anteil des Pankreas und den Leberzellen. Dabei werden Enzyme und andere Substanzen gemeinsam mit einer elektrolythaltigen Lösung als Primärsekret secerniert. Das Primärsekret kann auf dem Wege durch die nachgeschalteten Drüsengänge besonders hinsichtlich seiner Elektrolytkonzentration noch deutlich verändert werden. Die Verdauungsdrüsen werden hauptsächlich durch den Parasympathicus (N. vagus), in geringerem Umfang durch den Sympathicus innerviert. Außerdem unterliegen sie der Beeinflussung durch gastrointe-

stinale Hormone. Hierdurch können Menge und Zusammensetzung der einzelnen Verdauungssäfte in beträchtlichem Umfang variiert werden. Die Verdauungsdrüsen liefern täglich insgesamt ca. 6–8 Liter Verdauungssäfte, die im Darm praktisch vollständig wieder resorbiert werden [18, 21].

Gastrointestinale Hormone. Die bislang in ihrer Struktur aufgeklärten gastrointestinalen Hormone sind Peptide mit jeweils recht breitem Wirkungsspektrum auf Motilität und Sekretion des Magen-Darm-Kanals [3, 10, 20, 22, 26, 37]. Dabei handelt es sich um *Gastrin, Secretin* und *Cholecystokinin-Pankreozymin* (Tabelle 1(A)). Darüber hinaus wurden mehrere Peptide aus der Magen- bzw. Darmschleimhaut isoliert, die zwar starke Effekte auf den Gastro-Intestinaltrakt haben, deren physiologische Bedeutung jedoch noch nicht gesichert ist (Tabelle 1 (B)). Schließlich werden aufgrund physiologischer Beobachtungen weitere, noch nicht identifizierte gastrointestinale Hormone vermutet (Tabelle 1 (C)). Die gastrointestinalen Hormone werden in 9 bislang als verschieden erkannten endokrinen Zelltypen gebildet, die verstreut in der Schleimhaut von Magen, Dünndarm und zum Teil im Pankreas liegen. Die Gesamtmasse dieser aus dem Neuralrohr stammenden Zellen übersteigt nach neueren Untersuchungen die Masse der Hypophyse [20, 30]. Die Freisetzung der gastrointestinalen Hormone wird überwiegend durch Verdauungsprodukte ausgelöst, die in Magen und Dünndarm entstehen, und teilweise durch den N. vagus vermittelt.

1.1. Mund und Speiseröhre

Die in den Mund eingeführte oder durch Saugen aufgenommene Nahrung wird entweder unmittelbar oder nach dem Kauen und Einspeicheln in den Rachen transportiert und geschluckt.

Kauvorgang. Am Kauvorgang sind die Zähne von Unter- und Oberkiefer, die Kaumuskulatur, Zunge und Wangen sowie Mundboden und Gaumen in koordinierter Weise beteiligt. Der Kauvorgang läuft normalerweise reflektorisch ab. Die Speise wird ohne willkürlichen Beitrag durch Aktionen von Zunge und Wangen mehrfach zwischen die Zähne geschoben, die aufgrund der besonderen Anordnung der Unterkiefergelenke Schneide- und Mahlaktionen durchführen. Beim Kauen werden normalerweise Kräfte von 1,5–3 kp entwickelt. Die maximale Kaukraft beträgt 60 kp, wodurch auch sehr feste Cellulose- und Bindegewebsmembranen zerkleinert werden können. Während der Zerkleinerung werden die Speisen gleichzeitig intensiv mit Speichel vermischt. Anschließend erfolgt die Bildung eines Bissens, der durch Andrücken der Zunge an den harten Gaumen in den Pharynx transportiert wird.

Speichelsekretion. Der Mundspeichel wird hauptsächlich von 3 großen, paarig angelegten Drüsen gebildet, der Glandula parotis (serös), der Gl. submandibularis (serös-mucös) und der Gl. sublingualis (mucös). Während die Gl. sublingualis sowie zahlreiche kleine, in der Mundschleimhaut befindliche Speicheldrüsen fortlaufend ein dünnflüssiges Sekret abgeben, secernieren Gl. parotis und Gl. submandibularis nur nach Reizung. Der Speichel, dessen Tagesmenge 0,5–2,0 Liter beträgt, ist stets hypoton. Als wichtigsten organischen Bestandteil enthält der Speichel eine kohlenhydratspaltende *α-Amylase* (Ptyalin). Außerdem enthält er Mucopolysaccharide und Glykoproteide (Schleim, Spuren von Blutgruppensubstanzen), Eiweißkörper (Immunglobulin A, Spuren von Plasmaproteinen) sowie Elektrolyte (Na^+, K^+, Ca^{++}, J^+, Cl^-, HCO_3^-, $H_2PO_4^-$, Fl^-, SCN^-) [16].

Die **Hauptfunktionen** des Speichels können bereits aus seiner Zusammensetzung entnommen werden: Die großen Wassermengen verdünnen die Speisen und stellen einen *Lösungsraum* für die Nahrungsbestandteile dar. Hierdurch werden z.B. Geschmacksreize wirksam, was die Diffusion wassergelöster Substanzen an die Geschmacksknospen voraussetzt. Durch die α-Amylase wird die *Kohlenhydratverdauung* bereits im Mund eingeleitet und im Magen fortgesetzt. Durch den Schleimgehalt des Speichels wird der Speisebrei schlüpfrig und kann besser geschluckt werden. Darüber hinaus hält der Speichel die Mundhöhle feucht, hat durch seine *Spülfunktion* eine reinigende und durch die enthaltenen Rhodanid-Ionen eine desinfizierende Wirkung. Der pH-Wert und die Elektrolytkonzentrationen im Speichel hängen stark von der jeweiligen Sekretionsrate ab. Bei geringer Sekretion ist der Speichel schwach sauer und bei hoher Sekretion schwach alkalisch (pH 5,8–7,8). Die Abhängigkeit der Elektrolytkonzentrationen im Parotisspeichel von der Sekretionsrate ist in Abb. 2 wiedergegeben. Der Konzentrationsunterschied gegenüber den entsprechenden Werten im Blutplasma weist auf eine aktive Leistung der Drüse hin. Aus Tierversuchen ist bekannt, daß das in den Acini gebildete Primärsekret auf seinem Weg durch das anschließende Schaltstück, den Streifenkörper und Ductus intralobularis bis zum Hauptausführungsgang durch aktive Sekretions- und Reabsorptionsprozesse verändert wird.

Regulation der Speichelsekretion. Beim Menschen findet im Wachzustand eine Speichelsekretion statt, die während des Schlafes stark vermindert ist. Die Sekretionssteigerung bei Nahrungsaufnahme wird

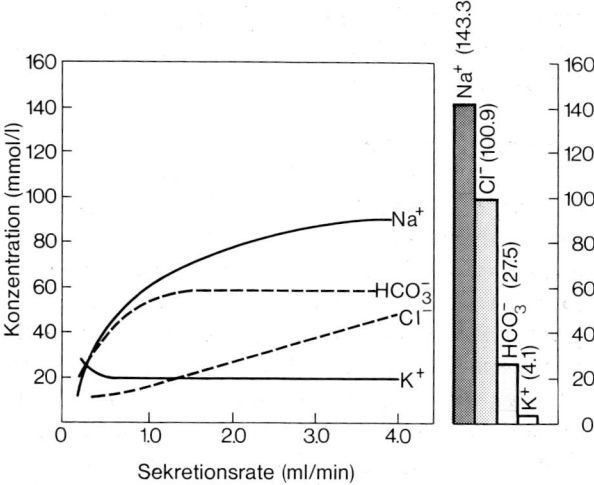

Abb. 2. Elektrolytkonzentrationen im Parotisspeichel in Abhängigkeit von der Sekretionsrate. Zum Vergleich wurden die entsprechenden Werte des Blutplasmas als Säulen angegeben. Nach [5]

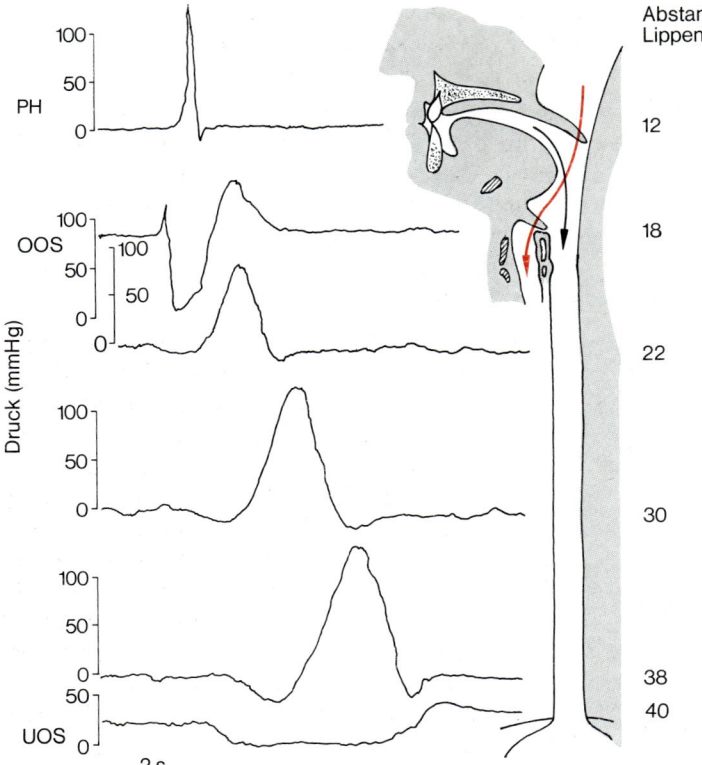

Abstand von den
Lippen (cm)

Abb. 3. Druckänderungen beim Schlucken im Pharynx (PH), oberem Oesophagussphincter (OOS), Corpus oesophagi und unterem Oesophagussphincter (UOS). Nach [33]

durch *bedingte Reflexe* (s.S. 64) sowie *unmittelbar reflektorisch* ausgelöst. Anblick, Geruch und sogar die Vorstellung von Speisen lassen das „Wasser im Munde zusammenlaufen". Die reflektorische Speichelsekretion wird durch Erregung der Geruchs-, Geschmacks- und Berührungsreceptoren ausgelöst.

An der komplizierten Innervation der Speicheldrüsen sind Parasympathicus und Sympathicus beteiligt (Einzelheiten s. Lehrbücher der Anatomie). Die Aktivierung von Parasympathicus oder Sympathicus führen zu einer Sekretionssteigerung der Speicheldrüsen, wobei die erstere wesentlich wirksamer ist. Nach elektrischer Reizung der Chorda tympani oder nach Gabe von Parasympathomimetica (z.B. Pilocarpin) wird ein dünnflüssiger Speichel mit geringerem Gehalt an organischen Bestandteilen produziert. Eine Reizung des Sympathicus führt hingegen nur in der Glandula submaxillaris zu einer geringeren Steigerung der Sekretionsrate unter Erhöhung des Anteils organischer Bestandteile [16]. Die *Durchblutung* der Speicheldrüsen nimmt nach tierexperimentellen Ergebnissen von Ruhewerten um 20–40 ml/100 g·min bei einer Sekretionssteigerung bis auf das 5fache zu. Dabei zeigte sich, daß der O$_2$-Verbrauch mit Erhöhung der Sekretionsrate linear zunimmt.

Schluckvorgang. Der Schluckvorgang wird durch Bissenbildung und Bissentransport vorbereitet. Durch die Berührung der Gaumenbögen, des Zungengrundes oder der Rachenhinterwand wird der in seinem Ablauf zentral programmierte Schluckreflex ausgelöst. Das Reflexzentrum in der Medulla oblongata wird afferent über den N. glossopharyngeus erregt und gibt Efferenzen über den Hypoglossus, Trigeminus, Glossopharyngeus und Vagus zu den Muskeln der Mundhöhle, des Rachens, des Kehlkopfes und der Speiseröhre. Durch koordinierte Aktivität dieser Muskeln wird der Bissen in den unteren Pharynx und nachfolgend in den Oesophagus befördert (buccopharyngeale Phase). Da der Bissen hierbei den Atemweg kreuzt (Abb. 3), wird der Nasen-Rachen-Raum durch Anheben des Gaumensegels und der Eingang der Luftröhre durch Anheben und Vorschieben des Kehlkopfes sowie Darüberlegen des Kehldeckels verschlossen. Ein Zurückgleiten der Speise in die Mundhöhle wird durch die hochgedrückte Zunge verhindert. Mit diesen Vorgängen öffnet sich der obere Oesophagussphincter (Bereich des M. cricopharyngeus und oberer Anteil des Oesophagus) und der Bissen gelangt in den cranialen Anteil der Speiseröhre. Sodann setzt die oesophageale Phase mit einer Kontraktion der Ringmuskulatur ein, die magenwärts fortschreitet, und der eine Erschlaffungswelle vorausläuft (*primäre Peristaltik*).

Die beim **Schluckvorgang** manometrisch erfaßbaren Vorgänge sind in Abb. 3 wiedergegeben. Die Erschlaffung des *oberen Oesophagussphincters* setzt bereits vor dem Druckanstieg im Pharynx ein. Dabei sinkt der intraluminale Ruhedruck von ca. 80 mm Hg auf 0, um nach der Bissenpassage bei kurzfristigem Überschwingen wieder seinen Ausgangswert anzunehmen. Die Peristaltik im tubulären Oesophagus umfaßt jeweils einen Bereich von 2–4 cm Länge und schreitet mit einer Geschwindigkeit von 2–4 cm/s fort. Dabei treten Drucke von 80–160 mm Hg auf. Noch bevor die Kontraktionswelle den *unteren Oesophagussphincter* erreicht, fällt dessen intraluminaler Druck von normalerweise 20 mm Hg auf 0 ab, um nach der Bissenpassage in den Magen rasch wieder den Ausgangsdruck zu erreichen [7, 35].

Durch die Oesophagus-Peristaltik ist ein Nahrungstransport in den Magen auch möglich, wenn der Kopf tiefer als der Magen liegt. Bei aufrechter Körperhaltung erleichtert die Gravitation den Oesophagustransport erheblich. Die Oesophagusmotilität beim Schlucken wird durch den Vagus kontrolliert, nach dessen cervicaler Durchschneidung keine primäre Peristaltik mehr möglich ist. Demgegenüber ist selbst dann eine peristaltische Kontraktionsfolge noch erkennbar, wenn der Oesophagus bei erhaltenem Vagus auf verschiedenen Höhen quer durchschnitten wird.

Bleibt ein Bissen im Oesophagus stecken oder fließt Magen-Inhalt in die Speiseröhre zurück, so tritt proximal davon eine als *sekundäre Peristaltik* bezeichnete Kontraktionsfolge auf; sie entspricht in ihrem Mechanismus und Ablauf der primären Peristaltik.

Störungen des Schluckvorganges in Pharynx und Oesophagus (Dysphagie) können psychisch, durch gestörte Innervation, Spasmen oder besondere Krankheiten bedingt sein. Ein verminderter Tonus im unteren Oesophagussphincter kann zu Sodbrennen und entzündlichen Veränderungen (Refluxoesophagitis) führen, während bei erhöhtem Tonus mit unzureichender Sphinctererschlaffung (Achalasie) ein Stau von Speisebrei im Oesophagus auftritt [35].

1.2. Magen

Der Magen hat die Funktion eines Reservoirs, das die geschluckte Speise aufnimmt, mit Magensaft vermischt und zur weiteren Verdauung und Resorption portionsweise in das Duodenum entläßt.

Magenmotorik. Die motorischen Vorgänge im Magen betreffen die Füllung, die Durchmischung und den Weitertransport. Der Magen kann ohne wesentliche Drucksteigerung erhebliche Volumina aufnehmen, d.h. seine Ruhe-Dehnungskurve verläuft sehr flach. Dies beruht einmal auf der grundsätzlichen Eigenschaft der Plastizität der glatten Muskulatur (s. S. 77); zum anderen trägt hierzu auch eine Veränderung des Magenwandgefüges bei. Zusätzlich wird bei der Nahrungsaufnahme eine durch den Vagus vermittelte Erschlaffung (receptive Relaxation) angenommen.

Die **Durchmischung** des Speisebreies mit Magensaft erfolgt durch *peristaltische Kontraktionen*. Diese starten zumeist nahe der großen Curvatur im oberen Corpusbereich („Schrittmacher"). Sie laufen als ringförmige Kontraktionen alle 20 s mit einer Geschwindigkeit von 10–40 cm/s in Richtung Pylorus. Dabei wird ein Teil des wandnahen Speisebreies aboralwärts verschoben. Die hierdurch bewirkte Durchmischung des Speisebreies mit Magensaft ergibt den *Chymus*. Sie verläuft bei üblicher Kost so langsam, daß die inneren Schichten erst nach 1–2 h einen pH < 5 aufweisen. Während dieser Zeit kann die Kohlenhydratverdauung durch die Speichelamylase im Magen weiter fortschreiten. Die meisten peristaltischen Wellen kommen im Antrum zum Stillstand. Durchlaufende Wellen nehmen in ihrem Verlauf an Stärke zu und weisen im Antrum besonders tiefe Einschnürungen auf. Ist der Pyloruskanal bei derart starken peristaltischen Antrumkontraktionen geschlossen, so beobachtet man im Röntgenbild ein „Zurückschleudern" von Speisebrei, d.h. es findet eine sehr *intensive Mischung* statt. Zahlreiche Autoren deuten diese Motilitätsphänomene als „Reibe- bzw. Mahleffekte".

Die **portionsweise Entleerung** von Mageninhalt in den Bulbus duodeni geschieht während intensiver Antrumperistaltik. Hierbei wird das Antrum vom Corpus nahezu abgeschlossen, und es kommt nachfolgend zu einer Längsverkürzung des Pyloruskanals (antrale „Systole"). Der zeitliche Verlauf der Magenentleerung nach gemischter Kost erfolgt weitgehend exponentiell, d.h. die Magenentleerung ist unmittelbar nach der Mahlzeit am größten und wird im weiteren Zeitverlauf zunehmend geringer. Die Magenentleerung ist von zahlreichen Faktoren, wie *Gesamtmenge*, *Zusammensetzung* und *Partikelgröße* der Nahrung abhängig. So ist die Verweildauer schlecht gekauter Nahrung gegenüber breiförmig-flüssiger Kost deutlich verlängert. Nach fettreicher Kost kann die Entleerungszeit 4 Std und mehr betragen, während Eiweiße rascher und Kohlenhydrate am schnellsten weiterbefördert werden [4, 11].

Neben diesen nach Füllung des Magens auftretenden Bewegungserscheinungen beobachtet man am leeren Magen zeitweise Kontraktionen, die ebenfalls zumeist alle 20 s auftreten und als Nüchternkontraktionen (früher „Hungerkontraktionen") bezeichnet werden.

Regulation der Magenmotorik. An der Regulation der Magenmotorik sind die intramuralen Plexus, der N. vagus und gastrointestinale Hormone beteiligt. Der adäquate Reiz für die Motorik ist eine Dehnung der Magenwand, die wahrscheinlich durch bipolare Ganglienzellen des Plexus submucosus percipiert und vermittelt wird. Von übergeordnetem Einfluß ist der N. vagus. Eine magennahe Reizung des durchschnittenen Vagus führt zu kräftigen Antrumkontraktionen. Nach totaler Vagotomie kommt es zu einer 2–4 Wochen anhaltenden Tonusverminderung und weitgehendem Verlust der Peristaltik, was nachhaltige Entleerungsstörungen zur Folge hat. Sinngemäß kann eine Hemmung von Tonus und Peristaltik auch durch Gabe von Parasympatholytica wie Atropin ausgelöst werden. Von den gastrointestinalen Hormonen führt die i.v. Injektion von Gastrin zu einer Steigerung der Antrummotilität, während Secretin einen antagonistischen Effekt hat (vgl. Tabelle 1 (A)).

Die **Regulation der Magenentleerung** erfolgt neben den oben genannten Faktoren überwiegend durch Einflüsse von seiten des Duodenum. In Tierversuchen wurde ein durch den Vagus vermittelter enterogastrischer Reflex festgestellt. Hierdurch wird die Magenentleerung nach Füllung des Bulbus duodeni gehemmt und nach Entleerung desselben erneut in Gang gesetzt. Für den Menschen ist dieser Reflex jedoch nicht gesichert. Daneben ist lange bekannt, daß der Übertritt von Fett und Salzsäure in das Duodenum eine Hemmung der Magenentleerung bewirkt. Dies wurde auf die Wirkung einer hypothetischen, im Duodenum gebildeten Substanz zurückgeführt (Enterogastron, Tabelle 1(C)). In neuerer Zeit konnte jedoch gezeigt werden, daß unter diesen Umständen im Duodenum Secretin, Gastric inhibitory peptide (GIP) und Cholecystokinin-Pankreozymin (CCK-PKZ) freigesetzt werden (Tabelle 1). Diese Substanzen haben eine hemmende Wirkung auf die Magenmotilität und besitzen vermutlich die Funktion des früher postulierten Enterogastron. Daneben hat sich gezeigt, daß Gastrin einerseits die Motilität im Magenantrum steigert, andererseits die Magenentleerung verzögert.

Beim **Erbrechen** wird der Magen via Oesophagus und Mund entleert. Nach vorausgehender Übelkeit, starker Speichelsekretion, Verlangsamung und Vertiefung der Atmung sowie Transpiration bei Constriction der Hautgefäße setzt der eigentliche **Brechreflex** ein. Dabei wird nach tiefer Inspiration die Glottis geschlossen und der Inhalt des atonischen Magens durch kräftige Kontraktionen von Zwerchfell und Bauchmuskulatur durch den Oesophagus in den Mund ausgetrieben. In dieser Phase sind der Oesophagus und dessen Sphincteren erschlafft.

Magensaftsekretion. Der Magensaft wird in den Zellen der **Magendrüsen** in einer Menge von 2–3 Litern pro Tag gebildet. Die Magendrüsen weisen in den verschiedenen Abschnitten des Magens ein unterschiedliches histologisches Bild auf. Der eigentliche Verdauungssaft des Magens wird von den Drüsen des Fundus- und Corpusbereichs secerniert (Abb. 4). Diese enthalten als wichtigste Elemente die **Hauptzellen**, welche **Pepsinogen**, und die **Belegzellen**, die **Salzsäure** produzieren. Im Kardia-, und Pylorusbereich wird exokrin nur Schleim gebildet. Der durch Absaugen gewonnene Magensaft stellt ein Gemisch dieser verschiedenen Sekrete dar. Außerdem enthält er zumeist verschluckten Speichel und gelegentlich Duodenal-Inhalt.

Im nüchternen Zustand secerniert der Magen nur eine geringe Saftmenge (5–15 ml/h), die einen neutralen bis alkalischen pH aufweist und neben dem Hauptbestandteil Wasser lediglich Schleim und Elektrolyte enthält. Vor, während und nach einer Nahrungsaufnahme werden jeweils ca. 600–1 200 ml wasserhellen, leicht opalescierenden Saftes gebildet. Dieser Magensaft weist aufgrund seiner hohen Konzentration an Salzsäure eine *stark saure Reaktion* auf (pH 0,8–1,5) und ist nahezu blutisoton. An organischen Bestandteilen enthält er das eiweißspaltende Fermentgemisch *Pepsin* (Endopeptidasen), eine Lipase von untergeordneter Bedeutung, *Mucin* (Magenschleim) und den für die Resorption von Vitamin B_{12} notwendigen *Intrinsic-Factor*. Weiterhin enthält der Magensaft die Kationen Na^+, K^+ und Mg^{++} sowie die Anionen HPO_4^{--} und SO_4^{--}.

Funktion der Salzsäure. Die Salzsäure im Magensaft leitet die Überführung des als inaktive Vorstufe secernierten Pepsinogens in Pepsin ein, die dann autokatalytisch fortschreitet. Gleichzeitig schafft HCl einen optimalen pH-Wert für die Pepsinwirkung. Salzsäure denaturiert außerdem Eiweißkörper, wodurch u.a. Bakterien getötet werden.

Bildung der Salzsäure. Der Bildungsort für die Salzsäure sind die Belegzellen, deren intracelluläre Kanälchen (*Canaliculi*) in die Magendrüsen einmünden (Abb. 4). Aus Tierversuchen ist bekannt, daß die *maximale HCl-Sekretion* der *Anzahl der Belegzellen direkt proportional* ist. Die Anfärbung der Belegzellen mit Indikator-Farbstoffen hat in den Canaliculi eine stark saure Reaktion gezeigt (∼pH 1), während im Zellinneren ein pH wie in den Zellen anderer Gewebe festgestellt wurde (pH

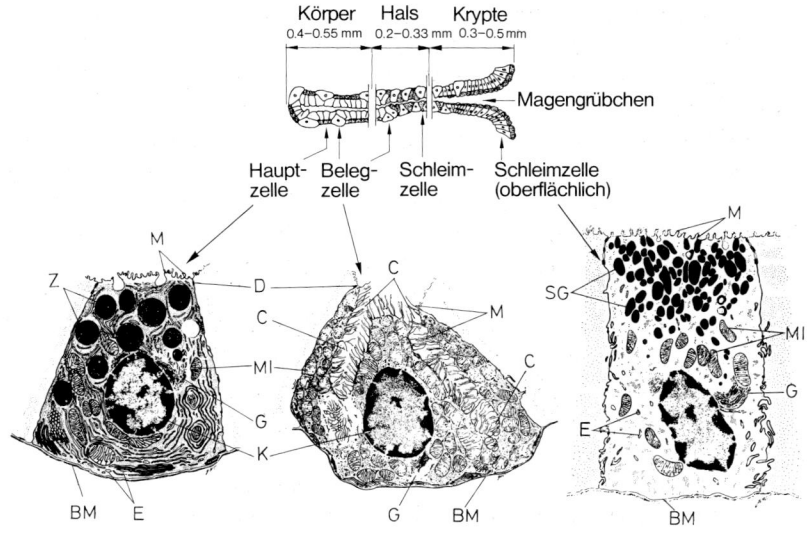

Abb. 4. Schematische Darstellung einer Magendrüse aus dem Corpusbereich mit elektronen-mikroskopischer Wiedergabe von Haupt-, Beleg- und Schleimzelle [nach 25], gezeichnet). (M = Microvilli, MI = Mitochondrien, BM = Basalmembran, G = Golgi-Apparat, C = Canaliculus, Z = Zymogengranula, SG = Schleimgranula, E = Endoplasmatisches Retikulum, D = Desmosom, K = Zellkern)

7,2). Ein Vergleich der Konzentrationen von H^+ und Cl^- im Magensaft (jeweils 150 mmol/l) mit den entsprechenden Konzentrationen im Blutplasma (0,00004 mmol/l für H^+; 105 mmol/l für Cl^-) ergibt, daß die Belegzellen für H^+ einen *Konzentrationsgradienten von ca. 1:1 000 000* aufbauen.

Zur Deutung dieser Zusammenhänge wurden zahlreiche Theorien entwickelt, von denen bislang keine befriedigt. Aus diesem Grund erscheint die Trennung *experimentell gesicherter Fakten* von daraus gezogenen *Schlußfolgerungen* besonders wichtig. So steht fest: 1) Für 1 H^+ im Magensaft erscheint 1 HCO_3^- im Blutplasma. Während der Hauptphase der HCl-Bildung beobachtet man im Plasma eine Basenflut, und der Harn kann sogar alkalisch werden. 2) Die Bildung von H^+ und HCO_3^- kommt unter Beteiligung der Carboanhydrase zustande; die Hemmung dieses Enzyms unterbindet die HCl-Sekretion. 3) Der Aufbau des hohen Konzentrationsgradienten für H^+ ist ein aktiver Transportprozeß, der Energie benötigt, die aus dem intermediären Stoffwechsel stammt. Eine mangelhafte Versorgung mit O_2 oder Glucose sowie eine Hemmung der oxidativen Phosphorylierung durch Dinitrophenol unterbrechen die HCl-Sekretion. Für die Bildung von 2 Mol H^+ ist ca. 1 Mol O_2 erforderlich. 4) Für Cl^- besteht sowohl ein Konzentrationsgradient zwischen Plasma und Magensaft als auch ein

elektrischer Gradient in der Magenschleimhaut (das Magenlumen ist gegenüber der Serosaseite um ca. 40 mV negativ). Aus diesen Gründen muß ein aktiver, energieverbrauchender Transport für Cl^- angenommen werden.

Aus diesen Befunden und weiteren Überlegungen wird einheitlich geschlossen, daß eine *Redox-Theorie* zur Deutung der in der Belegzelle ablaufenden Vorgänge nicht ausreicht. Bei dieser Theorie wird angenommen, daß die H^+ des Magensaftes aus der durch Carboanhydrase katalysierten Reaktion $H_2O + CO_2 \rightleftharpoons H_2CO_3 \rightleftharpoons H^+ + HCO_3^-$ stammen. Der intracelluläre Transport von H^+ könnte durch eisenhaltige Atmungsfermente unter Überführung in den nicht-ionisierten Zustand durch Aufnahme eines Elektrons geschehen. An der Canaliculus-Membran müßte das Elektron wieder abgegeben werden und H^+ wird vermutlich gemeinsam mit Cl^- secerniert. Andere Überlegungen gehen davon aus, daß im Zellstoffwechsel entstehender atomarer Wasserstoff (H^o) von Wasserstoffacceptoren wie z.B. NAD^+ aufgenommen wird. An der Zellmembran könnte dann durch Aufnahme eines Elektrons aus einem Metallenzym H^+ freigesetzt werden ($2 H^o + NAD^+ \rightarrow NADH^+ + H^+$).

Bildung und Funktion von Makromolekülen. Pepsin wird in den Hauptzellen der Magendrüsen in einer inaktiven Vorstufe als **Pepsinogen** gebildet und in Form von Zymogengranula gespeichert (Abb. 4). Die Bläschen entleeren ihren Inhalt bei Bedarf an der Zelloberfläche. Nach Ausschüttung der gespeicherten Menge und Fortbestehen eines Sekretionsreizes wird neues Material synthetisiert. Dieses wird ebenfalls in Form von intracellulären Bläschen zur äußeren Zellmembran transportiert und dort freigesetzt. Pepsinogen wird im Magenlumen durch Abspaltung eines Inhibitors (Eiweißkomplex, MG ca. 3 200) aktiviert und in Pepsin überführt. Dieser Vorgang wird durch HCl eingeleitet und geht sodann durch freigesetztes Pepsin mit zunehmender Geschwindigkeit weiter (*Autokatalyse*). Pepsinogen stellt nach neueren elektrophoretischen bzw. säulenchromatographischen Untersuchungen ein Gemisch von wenigstens 7 Proteasen dar [32]. Fünf Pepsinogene (Gruppe I) werden im Magenfundus gebildet, haben ein pH-Optimum zwischen pH 1,8 und 2,2 und werden bei pH 7,2 zerstört. Die Pepsinogene der Gruppe II werden in Fundus, Antrum und Duodenum gebildet, haben ihr pH-Optimum bei pH 3,5 und werden durch ein pH von 7,2 nicht zerstört. Die Gruppe II entspricht dem früheren Kathepsin. Während der Magensaftsekretion treten geringe Pepsinogenmengen in das Blut über und erscheinen als Uropepsinogen im Urin. Dabei beträgt die Blutkonzentration normalerweise ca. 100 ng/ml [33].

Die Synthese des **Magenschleims** (Mucin) erfolgt in den Schleimzellen der Magendrüsen und der Mucosa-Oberfläche. Die Ausschüttung des Schleims geschieht durch Entleerung präformierter Bläschen an der apicalen Zellmembran (Abb. 4) und durch Abschilferung oberflächlicher Schleimzellen. Der Magenschleim bildet auf der Mucosa eine fest haftende Schicht, von der sich oberflächliche Bereiche ablösen und den sogenannten „löslichen Schleim" bilden, den man bei der Entnahme von Magensaft gewinnen kann. Chemisch handelt es sich beim Schleim vorwiegend um *Glykoproteide,* die ca. 80% Kohlenhydrate enthalten und durch ihren Gehalt an Aminozuckern, Hexosen und Sialinsäure charakterisiert sind. Die vielfach behauptete Schutzwirkung von Mucin für die Magenschleimhaut ist nach wie vor umstritten.

Der einzige lebenswichtige Bestandteil des Magensaftes ist der **Intrinsic-Factor**. Das Vorhandensein dieses Glykoproteids ist für die Resorption von Vitamin B_{12} (Cyanocobalamin) unbedingt erforderlich. Fehlt der Intrinsic-Factor, so entsteht die sogenannte perniziöse Anämie, zu deren Therapie Vitamin B_{12} durch Injektion verabreicht wird (s. S. 575).

Regulation der Magensaftsekretion. Die Regulation der Magensaftsekretion verläuft unmittelbar vor, während und nach einer Nahrungsaufnahme in einer *cephalischen, gastralen* und *intestinalen* Phase, die sich zeitlich überschneiden.

Die **cephalische Sekretionsphase** wird durch *bedingte Reflexe* eingeleitet, d.h. bei der Vorstellung oder dem Anblick von Speisen „läuft" nicht nur das Wasser im Munde, sondern auch im Magen „zusammen". Bei der Nahrungsaufnahme in den Mund kommt es durch Erregung der Geschmacks- und Geruchsreceptoren zu einer *reflektorischen Sekretion*. Die efferenten Erregungen nehmen vom Diencephalon, limbischen Cortex und Hypothalamus ihren Ausgang und laufen über die Nn. vagi zum Magen.

Diese Zusammenhänge wurden von PAWLOW (1889) eingehend untersucht. PAWLOW stellte an einem Hund sowohl eine Oesophagusfistel als auch im Corpus-Fundusbereich einen Magenblindsack her (Abb. 5). Bei dem nach PAWLOW benannten Nebenmagen wird innerhalb des Hauptmagens eine von diesem abgeschlossene Schleimhauttasche gebildet, die einen Abfluß nach außen hat und deren Versorgung durch den N. vagus und die Blutgefäße erhalten bleibt. Vielfältige Versuche an solchen Tieren ergaben: 1) Eine Fütterung, bei der die Speisen aus der Oesophagusfistel herausfallen (Scheinfütterung), hat eine starke Saftsekretion aus dem Pawlowschen Nebenmagen zur Folge (*cephalische Phase, reflektorischer Anteil*). 2) Wurde zur Fütterung der Tiere regelmäßig eine Glocke angeschlagen, so führte nach einigen Tagen bereits das alleinige Erklingen der Glocke zu einer gesteigerten Sekretion von Speichel und Magensaft, die aus den jeweiligen Fisteln heraustropften (*cephalische Phase, bedingter Reflex*). Von diesen Experimenten nahm die Untersuchung der bedingten Reflexe ihren Ausgang.

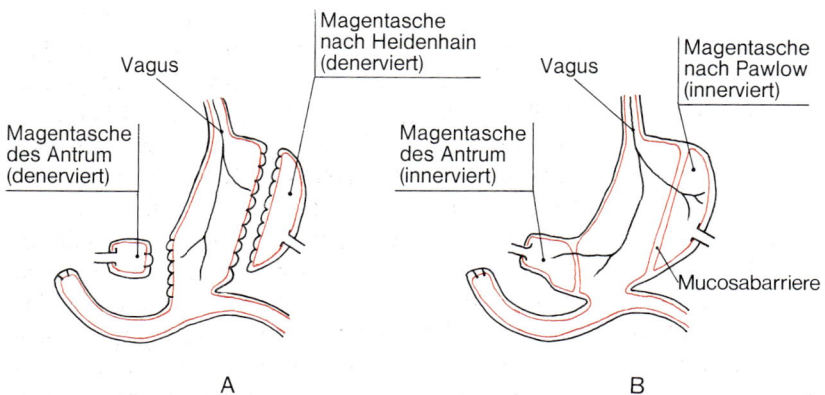

Abb. 5. Verschiedene innervierte und denervierte Magentaschen mit Fisteln

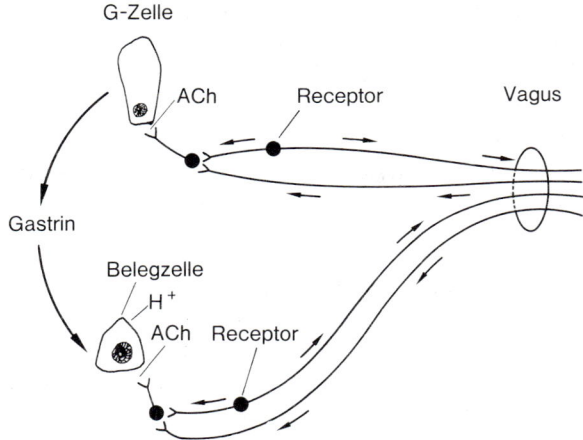

Abb. 6. Schematische Darstellung zur Innervation der Magenschleimhaut; nach [21]. Gastrin erreicht die Belegzelle auf dem Blutweg; G-Zelle, Belegzelle, die Receptoren und dargestellten Synapsen liegen in der Magenschleimhaut

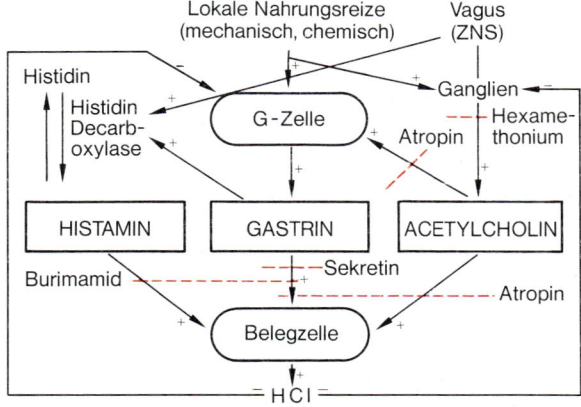

Abb. 7. Schematische Darstellung zur Beeinflussung der Belegzellsekretion. Die Wirkung einer Vaguserregung kann entweder durch Ganglienblockade (Hexamethonium) oder peripher an der G-Zelle sowie an der Belegzelle durch Atropin gehemmt werden. Während die Histaminwirkung auf die Belegzelle nur durch einen spezifischen Histamin-2-Receptorenblocker (Burimamid) aufgehoben wird, wird die Gastrinwirkung auf die Belegzelle durch Secretin, Burimamid und Atropin antagonisiert

Die Erregung des N. vagus führt nach Umschaltung in der Magenwand zu einer Freisetzung von **Acetylcholin**, das die Belegzellen und Hauptzellen unmittelbar stimuliert. Außerdem bewirkt Acetylcholin eine Freisetzung von **Gastrin** aus den G-Zellen des Antrums. Gastrin erreicht die Belegzellen auf dem Blutweg (Abb. 6) und ist der stärkste bekannte Stimulus der HCl-Sekretion [19, 20, 22, 26, 37]. Entsprechend dem in Abb. 7 gegebenen Schema fördert eine Vaguserregung auch die Aktivität der Histidindecarboxylase, wodurch erhöhte Mengen an **Histamin** gebildet werden. Histamin führt ebenfalls zu einer Steigerung der HCl-Sekretion. Die starke Stei-

gerung der HCl-Sekretion nach Injektion von Histamin hat u.a. immer wieder zu Diskussionen darüber Anlaß gegeben, ob Acetylcholin, Gastrin oder Histamin der letzte, gemeinsame Vermittler für die Auslösung der HCl-Sekretion durch die Belegzellen ist.

Eine Abnahme der Glucose-Konzentration im Blut (Hypoglykämie) endogener Ursache oder nach Injektion von Insulin führt über eine Vaguserregung zu einer Steigerung der Magensekretion und Motilität. Entsprechend der Darstellung in Abb. 7 kann die durch den Vagus vermittelte HCl-Sekretion sowohl durch Ganglienblockade (Hexamethonium) als auch durch Parasympatholytica (Atropin) gehemmt werden. Die durch Gastrin ausgelöste HCl-Sekretion wird durch Secretin, Atropin und Burimamid gehemmt. Die Histaminwirkung auf die Belegzelle wird lediglich durch Burimamid, einen Hemmer spezifischer Histaminreceptoren (H2-Receptoren), antagonisiert [1].

Das humane Gastrin besteht aus einer Sequenz von 17 Aminosäuren (Heptadecapeptid), die entweder unverestert *als Gastrin I* oder am Tyrosin sulfatiert als *Gastrin II* vorliegt [19, 20]. Beide Substanzen sind gleich wirksam. Die Gastrinkonzentration im Blutplasma kann in vitro durch Verdrängung radioaktiv markierten Gastrins von einem spezifischen Gastrinantikörper durch das Gastrin der Plasmaprobe gemessen werden (*Radio-Immuno-Assay*); sie liegt am nüchternen Probanden bei 20–50 pg/ml und steigt während der Verdauung auf ca. 150 pg/ml Plasma an [26, 27, 37]. In den letzten Jahren wurden außerdem Gastrine mit größerem sowie solche mit kleinerem Molekulargewicht als das Heptadecapeptid gefunden. Die *höhermolekularen Gastrine* haben eine längere Halbwertszeit bei relativ schwacher, aber lang anhaltender Wirkung, während die *kleinmolekularen* kurzfristig und stark wirken. Außerdem konnte gezeigt werden, daß bereits das synthetische Tri-, Tetra- oder Pentapeptid des C-terminalen Endes von Gastrin I dessen gesamtes Wirkungsspektrum aufweisen. Aus diesem Grund wird das C-terminale Pentapeptid klinisch-diagnostisch zur Anregung der HCl-Sekretion benutzt [10, 19, 20, 22, 26].

An der **gastralen Phase der Magensekretion**, die über Stunden aufrechterhalten wird, sind neben der Kontrolle durch den Vagus lokale cholinerge Reflexe in der Magenwand sowie eine durch Verdauungsprodukte ausgelöste Gastrinfreisetzung beteiligt. Eine mäßige Dehnung des Antrums sowie die Anwesenheit von Aminosäuren, Dipeptiden oder Alkohol führen zu einer Freisetzung von Gastrin. Dies geschieht nach der Annahme einiger Autoren [31] durch Erregung in der Schleimhaut befindlicher Receptoren, die nach einer Umschaltung an den G-Zellen wirksam werden soll (Abb. 8). Eine lokale Applikation von Acetylcholin auf die Antrumschleimhaut führt ebenfalls zu einer Freisetzung von Gastrin. Andererseits kann die Gastrinfreisetzung gehemmt werden, wenn durch Ansäuern des Antrums ein pH < 3 erzeugt wird. Alle diese

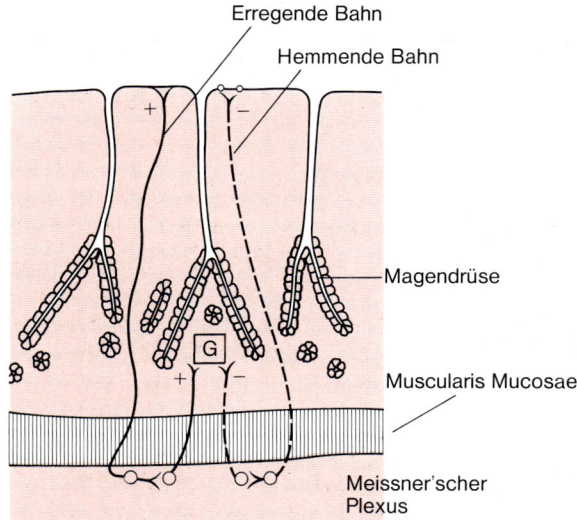

Abb. 8. Schematische Darstellung in der Mucosa des Magenantrums vermuteter Neurone; nach [31]. Von Receptoren der Schleimhautoberfläche sollen nach Umschaltung im Meissnerschen Plexus hemmende (−) und fördernde (+) Einflüsse auf die G-Zellen ausgehen

Ergebnisse wurden in Versuchen mit operativ geschaffenen Magentaschen an Hunden erarbeitet [21, 31].

Trennt man entsprechend Abb. 5 einen Anteil des Corpus-Fundusbereiches entlang der großen Curvatur vom Magen völlig ab (Magentasche nach Heidenhain) und perfundiert das Antrum oder eine gleichfalls völlig vom Magen abgetrennte Antrumtasche mit Fleischextrakt, so zeigt die Heidenhain-Tasche eine starke Sekretion. Da unter diesen Umständen zwischen beiden Magentaschen keine nervale Verbindung besteht, muß die Sekretion durch ein humorales Agens vermittelt worden sein. Mit dem Radio-Immuno-Assay konnte nachgewiesen werden, daß diese Sekretionssteigerung mit einer Erhöhung des Gastrinspiegels im Blut einhergeht.

Während der **intestinalen Phase** kommt es anfänglich zu einer Steigerung und später zu einer Verminderung der Magensekretion. Die *Sekretionssteigerung* wird durch den Übertritt frisch aufgenommener, nicht saurer Nahrung ausgelöst. Sie beruht vermutlich auf einer Freisetzung von Gastrin aus den G-Zellen des Duodenum. Tritt später saurer Chymus in das Duodenum über, so wird bei intraduodenalem pH < 4 die Magensaftsekretion gehemmt. Das beruht auf der Freisetzung von Secretin aus der Duodenalschleimhaut. Secretin weist gegenüber Gastrin einen Antagonismus auf, führt auffallenderweise jedoch zu einer Steigerung der Pepsinogensekretion. Die ausgeprägte *Hemmung der Magensaftsekretion* nach dem Übertritt von fetthaltigem Chymus in das Duodenum kann nicht ohne weiteres durch den Secretinmechanismus gedeutet werden. Während früher eine hypothetische Substanz hier-

für verantwortlich gemacht wurde (Enterogastron), ist heute eher anzunehmen, daß andere Peptide aus der Duodenalschleimhaut (Gastric Inhibitory Peptide, Cholecystokinin-Pankreozymin) die Magensaftsekretion hemmen.

Weitere Faktoren, welche die Magensaftsekretion beeinflussen, sind vor allem *emotionale Erregungen*. Während es bei Streß, Ärger und Zorn zu einer Hypersekretion mit gesteigerter Motilität kommt, führen Angst oder Traurigkeit zur Hemmung von Sekretion und Motilität.

Die *Magendurchblutung* wurde bislang nur in Tierversuchen exakt gemessen. An ca. 15 kg schweren Hunden beträgt die Gesamtdurchblutung des Organs ca. 50 ml/min. Während der Verdauung kann sie auf ca. 80 ml/min ansteigen, wobei vor allem die Mucosadurchblutung zunimmt.

Geschwüre in Magen und Duodenum (Ulcus) gehören zu den häufigsten und wegen der Blutungsgefahr gefährlichsten Erkrankungen des Gastrointestinaltraktes. Bezüglich der Geschwürsgenese werden aggressive Faktoren (HCl, Pepsin und Rückfluß von Verdauungsferment aus dem Duodenum) den protektiven Faktoren (Erneuerung des Schleimhautepithels, gute Durchblutung, evtl. Schleim) gegenübergestellt. Für die Ursache des Duodenalgeschwürs spielt eine übermäßige HCl-Sekretion die entscheidende Rolle [2, 3, 36]. Demgegenüber wird beim Magengeschwür zumeist eine verminderte Säuresekretion mit Atrophie der Schleimhaut beobachtet. Die Bedeutung der aggressiven Faktoren wird insbesondere beim *Zollinger-Ellison-Syndrom* deutlich. Es handelt sich dabei um eine übermäßige Gastrinbildung in tumorartigen Vermehrungen von G-Zellen, die zu Magen- und/oder Duodenalgeschwüren führen kann [3, 22, 36].

1.3. Dünndarm

Im Dünndarm findet die Durchmischung des sauren Chymus mit den alkalischen Sekreten des Pankreas, der Leber und der Darmdrüsen statt. Durch die Enzyme des Pankreassaftes und der Darmepithelzellen wird unter Mitwirkung der Galle der Hauptteil der Verdauung bewerkstelligt. Mit dem Fortschreiten der Verdauung setzt gleichzeitig die Resorption ein, die nahezu vollständig im Dünndarm abläuft.

Dünndarmmotorik. Die Motilität im Dünndarm führt zunächst zu einer innigen Durchmischung des Chymus mit dem Pankreassaft, der Galle und den Sekreten der Darmdrüsen. Die **Mischbewegungen** bewirken einen häufig wechselnden Kontakt zwischen Schleimhaut und Chymus. Dies wird durch nicht-propulsive Peristaltik, rhythmische Segmentationen, Pendelbewegungen sowie Zottenkontraktionen erreicht. Die *nicht-propulsive Peristaltik* wird im Duodenum und oberen Jejunum am häufigsten beobachtet. Sie verläuft stets in aboraler Richtung und erstreckt sich zumeist nur über kurze Strecken, wobei der Kontraktionswelle, die über die Ringmuskulatur abläuft, im allgemeinen keine Erschlaffungswelle vorausläuft. Bei der *rhythmischen Segmentation* handelt es sich ebenfalls um eine Kontraktion der Ringmuskulatur (Abb. 9). Sie betrifft jeweils 1–2 cm breite Abschnitte im Abstand von ca. 15–20 cm und führt zu tiefgreifenden Einschnürungen des Darms. Nach Erschlaffung zunächst kontrahierter Bereiche kommt es anschließend zu Kontraktionen der dazwischenliegenden Abschnitte. Die Segmentationsbewegungen können bis zu 8–10mal pro min ablaufen und mehrere Stunden anhalten. Bei den *Pendelbewegungen* handelt es sich um abschnittsweise Kontraktionen der Längsmuskulatur, die hauptsächlich zu einer Verschiebung des Darmrohres gegenüber dem Darminhalt führen. Rhythmische Segmentation und Pendeln wechseln sich ab, so daß eine sehr effektive Durchmischung erreicht wird. Die **Darmzotten** unterliegen während der gesamten Verdauungsphase einem beständigen Wechsel zwischen Kontraktion und Erschlaffung. Hierdurch tauchen sie immer wieder in neuen Chymus ein. Gleichzeitig wird durch die rhythmische Kontraktion der Abtransport der Lymphe aus dem zentralen Chylusgefäß begünstigt (Abb. 10) [11, 12, 13, 29]. Die **propulsive Peristaltik** des Dünndarms, der zumeist eine Erschlaffungswelle vorausläuft, zeigt Einschnürungen unterschiedlicher Tiefe, die über verschieden weite Strecken des Dünndarms hinweglaufen können. Sind die Einschnürungen nur oberflächlich, so werden durch die Peristaltik nur wandnahe Anteile des Chymus weiter transportiert. Demgegenüber beobachtet man vor allem am Ende einer Verdauungsphase sehr kräftige, tief einschnürende Kontraktionen der Ringmuskulatur, die über den gesamten Dünndarm bis zur Ileocoekalklappe ablaufen und einen eindeutig propulsiven Charakter haben. In neuerer Zeit konnte gezeigt werden, daß eine *Serie solcher*, aufeinanderfolgender *peristaltischer Kontraktionen* den Dünndarm gewissermaßen leerfegt [12]. Die Entleerung einer Probemahlzeit aus dem Dünndarm in den Dickdarm beginnt frühestens nach 4 h und ist 8–10 h nach der Nahrungsaufnahme abgeschlossen.

Regulation der Dünndarmmotorik. Die Regulation der motorischen Vorgänge geschieht in erster Linie durch den *Plexus myentericus.* Die äußere Innervation durch Parasympathicus und Sympathicus ist offensichtlich von untergeordneter Bedeutung, da z.B. eine Durchschneidung des Vagus (Vagotomie) ohne erkennbare Folgen bleibt. Der diese Darmbewegungen auslösende und unterhaltende Reiz besteht in der Dehnung der Darmwand. Inwieweit

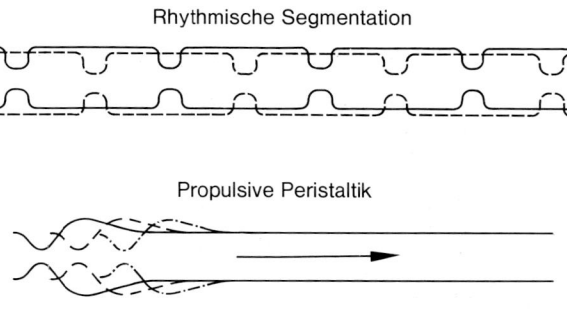

Rhythmische Segmentation

Propulsive Peristaltik

Abb. 9. Schematische Darstellung der Kontraktionsfolge bei rhythmischer Segmentation und propulsiver Peristaltik

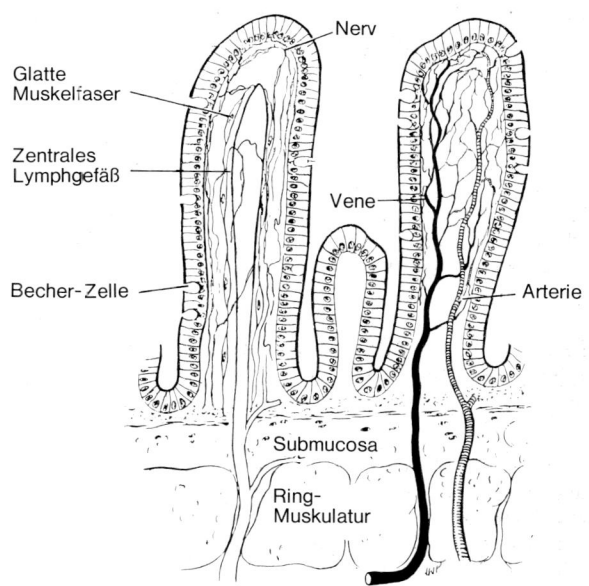

Nerv

Glatte Muskelfaser

Zentrales Lymphgefäß

Becher-Zelle

Vene

Arterie

Submucosa

Ring-Muskulatur

Abb. 10. Halbschematische Darstellung des Aufbaus der Darmzotten

der Plexus submucosus an der Peristaltik beteiligt ist, läßt sich nicht entscheiden. Der Plexus submucosus enthält jedoch bipolare Ganglienzellen, die je einen Fortsatz in die Mucosa und einen in den Plexus myentericus entsenden. Möglicherweise vermitteln diese Zellen eine Dehnung der Mucosa zum Plexus myentericus. Die *Peristaltik im Dünndarm ist eindeutig polarisiert,* d.h. sie läuft stets in oral-aboraler Richtung ab (Cannonsches Gesetz). Wird ein Dünndarmstück herausgeschnitten und umgekehrt wieder eingenäht, so bleibt die „Polarisation" dieses Abschnittes erhalten, und man beobachtet einen Stau von Chymus oberhalb des Operationsbereiches.

Die Zottenbewegungen werden durch den Plexus submucosus kontrolliert. Außerdem wurde nachgewiesen, daß nach dem Übertritt von saurem Chymus in das Duodenum ein aus Darmschleimhaut extrahierbarer Faktor entsteht, der *Zottenkontraktionen* auslöst und unterhält [28]. Diese als *Villikinin* bezeichnete Substanz hat keinen Einfluß auf die übrige Darmmuskulatur. Durch eine Reizung des Vagus werden die Zottenkontraktionen verstärkt, während sie nach Sympathicus-Reizung aufhören.

Pankreassekretion. Der Pankreassaft (Bauchspeichel) wird vom exokrinen Anteil dieses Organs in einer Menge von 1,5–2,0 Liter pro Tag gebildet. Der während der Verdauung gebildete Bauchspeichel ist dem Blutplasma isoton und weist einen pH von 8–8,5 auf. Dieser pH-Wert ist durch die hohe Konzentration an *Bicarbonat* bedingt, die beim Menschen bei maximaler Sekretion 125 mmol/l beträgt. Daneben enthält der Pankreassaft die Kationen Na^+, K^+, Ca^{++}, Mg^{++} und die Anionen Cl^-, SO_3^{--}, HPO_4^{--}. Durch den Bicarbonatgehalt des Pankreassaftes, der Galle und des Darmsaftes wird der pH-Wert des sauren Chymus im Dünndarm in Richtung Neutralpunkt bzw. in den schwach alkalischen Bereich verschoben. Hierdurch wird ein günstiges Milieu für die Pankreas-Enzyme geschaffen, deren Wirkungsoptimum bei pH 7–8 liegt.

Die **Enzyme des Pankreassaftes** sind für die Verdauung von **Eiweiß, Fett** und **Kohlenhydraten** von größter Bedeutung (vgl. Tabelle 3 und 4). Sie werden in inaktiven Vorstufen secerniert und normalerweise erst im Darmlumen aktiviert. Die wichtigsten eiweißspaltenden Proenzyme sind *Trypsinogen, Chymotrypsinogen, Procarboxypeptidase* A und B sowie *Elastase*. Die Aktivierung von Trypsinogen wird durch Abspaltung eines Hexapeptids am C-Terminus durch Enterokinase im Darm eingeleitet und sodann autokatalytisch durch entstandenes Trypsin fortgesetzt. Chymotrypsinogen und die Procarboxypeptidasen werden durch Trypsin aktiviert. Der Pankreassaft enthält außerdem Enzyme für den Abbau von **Fetten** (*Pankreaslipase, Phospholipase A, Lecithinase*), **Kohlenhydraten** (*Pankreas-α-Amylase*) und **Nucleinsäuren** (*Nucleasen*). Ob oder in welcher Weise diese Enzyme aktiviert werden müssen, ist noch nicht geklärt.

Bildung des Pankreassaftes. Die Proenzyme werden von den Ribosomen der Acinuszellen gebildet und in Form von Zymogengranula gespeichert. Bei der Enzymsekretion, die vor allem durch **Cholecystokinin-Pankreozymin** (CCK-PKZ) ausgelöst wird, entleeren die Bläschen ihren Inhalt an der Zelloberfläche in die Acini, und es setzt gleichzeitig eine starke Neusynthese ein. In die Acini wird mit den Proenzymen eine Elektrolytlösung ausgeschieden. Dieses *Primärsekret* unterliegt hinsichtlich seiner Elektrolytzusammensetzung vorwiegend im Bereich der Ductus intralobulares nachhaltigen Ver-

änderungen. So konnte durch Mikropunktionsversuche am Kaninchenpankreas gezeigt werden, daß im Ductus intralobularis Cl^- gegen HCO_3^- ausgetauscht wird. Dies geschieht durch einen aktiven, energieverbrauchenden Prozeß, an welchem die Carboanhydrase beteiligt ist, und der durch **Secretin** stark gefördert wird [34].

Regulation der Pankreassekretion. Die Pankreassekretion wird während der cephalischen Phase reflektorisch über die Nn. vagi eingeleitet. Der Hauptteil der Sekretion erfolgt jedoch nach dem Übertritt von Chymus in das Duodenum durch die Freisetzung der gastrointestinalen Hormone Secretin und Cholecystokinin-Pankreozymin. **Secretin** führt zur Ausscheidung eines großen Saftvolumens mit hohem Bicarbonatgehalt bei geringer Enzymkonzentration. Der hauptsächliche Ansatzpunkt von Secretin dürften die Epithelzellen der intralobulären Kanälchen sein. Neben der Wirkung auf das Pankreas erhöht Secretin auch Volumen und Bicarbonatgehalt der Galle. **Cholecystokinin-Pankreozymin** (CCK-PKZ) löst die Sekretion eines stark enzymhaltigen Pankreassaftes aus und bewirkt in höheren Konzentrationen außerdem eine Entleerung der Gallenblase. Nach dem Eintritt von Galle in das Duodenum soll die weitere Freisetzung von CCK-PKZ gehemmt werden. Während man früher angenommen hat, daß die sekretorische und motorische Wirkung durch zwei verschiedene Moleküle zustande kommt, konnte in den letzten Jahren durch Isolierung, Reindarstellung, Strukturaufklärung, Totalsynthese und entsprechende biologische Versuche gezeigt werden, daß diese Effekte von einem einzigen Molekül ausgeübt werden. Die Benutzung des Doppelnamens soll dies zum Ausdruck bringen [26, 37].

Zur Bildung eines fermentreichen Bauchspeichels ist das Zusammenwirken von Secretin, CCK-PKZ und Vagus erforderlich. So kann eine maximale Wirkung von CCK-PKZ nur bei gleichzeitiger Secretingabe und intaktem Vagus erreicht werden. Die Gabe parasympatholytischer Substanzen, wie Atropin, führt neben einer Hemmung der Enzymsekretion auch zu einer Hemmung der Secretinfreisetzung sowie einer Blockierung der Secretinwirkung. Der Einfluß des Sympathicus auf das Pankreas dürfte sich im wesentlichen auf die Durchblutung erstrecken.

Die schwerwiegendste Erkrankung des Pankreas ist die akute bzw. chronische Pankreatitis. Dabei kommt es durch vorzeitige Aktivierung der Pankreasenzyme (insbesondere Trypsin, Phospholipase A und Elastase) zu einer Selbstverdauung des Organs. Eine totale Herausnahme des Pankreas ist mit dem Leben vereinbar, sofern bezüglich der inkretorischen und exkretorischen Funktionen entsprechende Substitutionen durchgeführt werden.

Leber und Gallensystem. Die Leber ist das wichtigste Stoffwechselorgan des Organismus. Sie hat vielfältige Funktionen im Stoffwechsel der Eiweiße, Fette, Kohlenhydrate, Hormone, Vitamine und exogen zugeführten Substanzen. Diese Zusammenhänge werden in Spezialkapiteln dieses Lehrbuches bzw. in Lehrbüchern der Physiologischen Chemie abgehandelt. Im Hinblick auf die Verdauung soll hier die gleichzeitig exkretorische und sekretorische Funktion der Leber betrachtet werden.

Gallensekretion. Die Galle wird von den *Leberzellen* in die Gallencapillaren (Canaliculi) secerniert, welche durch Aussparungen aneinanderliegender Leberzellen bzw. Leberzellbälkchen gebildet werden. Aus den Canaliculi fließt sie über intra- oder extralobuläre Cholangiolen in größere Gefäße der periportalen Felder, die sich über immer größere Gänge im Bereich der Leberpforte zum Ductus hepaticus vereinigen. Von diesem fließt die Lebergalle entweder über den Ductus cysticus in die *Gallenblase* oder unmittelbar in den Ductus choledochus. Dieser vereinigt sich in der Regel mit dem *Ductus pancreaticus* und beide münden durch die den *Sphincter Oddi* umgebende *Papilla duodeni* in das Duodenum ein. Die **Sekretion der Lebergalle** läuft kontinuierlich während des ganzen Tages ab, wobei insgesamt ein Volumen von 0,5–1,0 Liter pro Tag gebildet wird. Sie hat eine goldgelbe Farbe, einen pH von 7,8–8,6 und ist nahezu blutisoton. Die außerhalb der Verdauungsphasen gebildete Lebergalle fließt bei Verschluß des Sphincter Oddi beständig in die Gallenblase, in der sie konzentriert wird; zur Verdauung strömt sie als **Blasengalle** in das Duodenum. Die Zusammensetzung von Leber- und Blasengalle ist in Tabelle 2 wiedergegeben. An organischen Substanzen enthält sie Gallensalze, Bilirubin, Cholesterin, Fettsäuren und Lecithin. Aus den Konzentrationsangaben der Tabelle 2 ist zu entnehmen, daß einige Substanzen in der Gallenblase auf das 5–

10fache konzentriert werden können. Durch diese Konzentrierung ist die Gallenblase des Menschen in der Lage, bei einem Fassungsvermögen von nur 50–80 ml die in 12 Std secernierte Lebergalle aufzunehmen.

Der **Sekretionsmechanismus** der Leberzellen ist am ehesten zu verstehen, wenn man annimmt, daß die organischen Anionen, insbesondere Gallensäuren und Gallenfarbstoffe, aktiv in die Canaliculi secerniert werden und Wasser entsprechend dem osmotischen Gradienten nachfolgt. Auch wirken alle anderen Substanzen, die den Gallenfluß steigern (Choleretica), dadurch, daß sie selbst von den Leberzellen secerniert werden und ein entsprechendes Volumen an Wasser mitnehmen. Na^+, K^+ und Cl^- werden zwischen Plasma und Galle offenbar frei ausgetauscht. Für HCO_3^- gelten möglicherweise ähnliche Verhältnisse wie für das Pankreas, zumal die Freisetzung von Secretin die Bicarbonatkonzentration in der Galle erhöht.

Obgleich die Galle keine Verdauungsenzyme enthält, ist ihr Gehalt an **Gallensäuren** für die Verdauung von Fetten sowie für die Resorption der Fette und fettlöslicher Substanzen von großer Bedeutung. Aus der Galle des Menschen wurden Natrium- bzw. Kaliumsalze von 4 Gallensäuren isoliert. In der Leber werden aus Cholesterin die primären Gallensäuren *Cholsäure* und *Chenodesoxycholsäure* gebildet. Die Gallensäuren werden nach Konjugation mit Glycin oder Taurin in der Leber als Glyko- und Taurocholsäure in der Lebergalle im Verhältnis von ca. 3:1 ausgeschieden. In der alkalischen Galle liegen sie als Natrium- bzw. Kaliumsalze vor. Im Darm entstehen durch bakterielle Hydroxylierung *Desoxycholsäure* bzw. *Lithocholsäure* (sekundäre Gallensäuren). Etwa 90% der in das Duodenum ausgeschiedenen Gallensäuren werden im Dünndarm wieder resorbiert und gelangen erneut in die Galle. Die in diesem *enterohepatischen Kreislauf* zirkulierende Menge an Gallensäuren beträgt beim Menschen ca. 4 g [23].

Von den **Gallenfarbstoffen** ist das *Bilirubin* neben *Biliverdin* und geringen Mengen an *Urobilinogen* der Hauptbestandteil. Die Gallenfarbstoffe entstehen als Abbauprodukte des Hämoglobin. Das wasserunlösliche Bilirubin wird im Blut an Albumin gebunden transportiert. In der Leberzelle wird es überwiegend mit *Glucuronsäure* und zu einem geringen Teil mit *Sulfat konjugiert*. Diese wasserlöslichen Konjugate werden dann von den Leberzellen in die Canaliculi secerniert. Von dem täglich mit der Galle in das Duodenum ausgeschiedenen Bilirubin (ca. 200–300 mg) werden ca. 10–20% als Urobilinogen wieder resorbiert und unterliegen somit ebenfalls einem enterohepatischen Kreislauf. Zahlreiche Arz-

Tabelle 2. Zusammensetzung der Leber- und Blasengalle

	Lebergalle	Blasengalle
Wasser	95–98 g/dl	92 g/dl
Gallensalze	1,1 g/dl	3–10 g/dl
Bilirubin	0,2 g/dl	0,5–2 g/dl
Cholesterin	0,1 g/dl	0,3–0,9 g/dl
Fettsäuren	0,1 g/dl	0,3–1,2 g/dl
Lecithin	0,04 g/dl	0,1–0,4 g/dl
Na^+	145 mmol/l	130 mmol/l
K^+	5 mmol/l	9 mmol/l
Ca^{++}	2,5 mmol/l	6 mmol/l
Cl^-	100 mmol/l	75 mmol/l
HCO_3^-	28 mmol/l	10 mmol/l

neistoffe werden in entsprechender Weise wie Bilirubin konjugiert und ausgeschieden.

Regulation der Sekretion und Ausschüttung der Galle. Die außerhalb der Verdauungsphasen kontinuierliche Sekretion nimmt während der Verdauung bis auf das Doppelte zu. Diese Sekretionssteigerung, die mit einer Erhöhung der Bicarbonatkonzentration einhergeht, wird hauptsächlich durch Secretin vermittelt. Die während der interdigestiven Phase gespeicherte und konzentrierte Galle wird nach Freisetzung von Cholecystokinin-Pankreozymin ausgeschüttet. Dabei führt CCK-PKZ zu einer *Kontraktion der Gallenblase* bei gleichzeitiger *Erschlaffung des Sphincter Oddi*, wodurch die Blasengalle in das Duodenum gelangt. Eine durch dieses gastrointestinale Hormon vermittelte Entleerung der Gallenblase kann auch durch die Verabreichung von Öl, Eidotter oder Magnesiumsulfat in das Duodenum ausgelöst werden. Diese Tatsache wird klinisch zur Untersuchung der Kontraktilität der Gallenblase benutzt. Zur *röntgenologischen Darstellung* der Gallenblase wird bei solchen Tests eine strahlendichte Substanz, die in die Galle secerniert wird, verabreicht (Kontrastmittel z.B. Tetrajodphenolphthalein).

Gallensteine. Die häufigsten Erkrankungen der Gallenwege beruhen auf der Entstehung von Gallensteinen. In ca. 90% bestehen die Gallensteine überwiegend aus Cholesterin; die restlichen 10% enthalten hauptsächlich Calciumbilirubinat. Die Blasengalle ist eine übersättigte Lösung, die zur Bildung von Niederschlägen (Präcipitationen) neigt. Normalerweise liegt das Cholesterin aufgrund der Konzentrationsverhältnisse zwischen Gallensalzen, Lecithin und Cholesterin als micelläre Lösung vor (Abb. 11). Bei einer Verminderung der Gallensäuren im enterohepatischen Kreislauf werden sie in geringerer Konzentration in die Galle secerniert. Dies führt gleichzeitig zu einer herabgesetzten Sekretion von Lecithin. Durch die Konzentrationsverminderung dieser Substanzen entsteht während der Eindickung in der Gallenblase eine mit Cholesterin übersättigte Lösung und Cholesterin fällt in Form von Kristallen aus. Diese Aussage wird durch Befunde gestützt, nach denen die Einnahme von Chenodesoxycholsäure zu einer solchen Verschiebung der Konzentrationsverhältnisse in der Blasengalle führt, daß die Bildung von Cholesterinsteinen verhindert und bereits vorhandene Steine nach längerer Einnahme aufgelöst werden können [23, 24]. Calciumbilirubinat enthaltende Konkremente bilden sich, wenn aus dem wasserlöslichen Bilirubinglucuronid unlösliches Ca-Bilirubinat freigesetzt wird, was z.B. durch eine bakterielle β-Glucuronidase geschehen kann.

Darmsekretion. Das Sekret der im Duodenum lokalisierten *Brunnerschen Drüsen* ist durch seinen Mucingehalt hoch viscös und weist aufgrund seiner Bicarbonatkonzentration einen pH von 8,3–9,3 auf. Der Gehalt an Na^+ und Cl^- entspricht nahezu demjenigen des Blutplasma. Die in früheren Untersuchungen im Darmsaft gefundenen Enzyme stammen aus dem Bürstensaum untergegangener Darm-

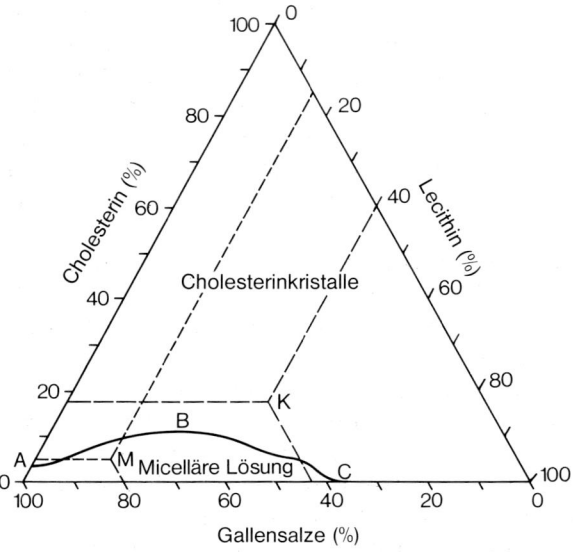

Abb. 11. Löslichkeit von Cholesterin in der Galle in Abhängigkeit des Verhältnisses der Konzentration an Gallensalzen, Lecithin und Cholesterin. Unterhalb des Bereichs der Kurve A B C liegt Cholesterin in micellärer Lösung vor (Punkt M). Bei Abnahme der Konzentration an Gallensalzen und Lecithin (oberhalb der Kurve A B C) fällt Cholesterin in Kristallform aus (Punkt K). Nach [23]

epithelzellen. Die im reinen Sekret der Brunnerschen Drüsen möglicherweise enthaltenen Enzyme (Pepsinogen, Mucinase) sind für die Verdauung ohne praktische Bedeutung. Über die Regulation der Darmsekretion ist nichts Sicheres bekannt.

1.4. Dickdarm und Rectum

Bildung der Faeces. Der vom Dünndarm über die Ileocoecalklappe in das Coecum weitergegebene Inhalt (ca. 200–500 ml pro Tag) wird im Colon durch die *Resorption von Wasser* eingeengt. Gleichzeitig werden *Elektrolyte* und *wasserlösliche Vitamine* resorbiert. Die insgesamt im Dickdarm resorbierten Mengen an Wasser, Elektrolyten und Vitaminen sind im Vergleich zum Dünndarm recht gering. Gelangen Fette in den Dickdarm, so werden sie mit dem Stuhl ausgeschieden (Steatorrhoe).

Während das Duodenum beim Gesunden fast immer steril ist, findet man im Jejunum meist wenig, im Ileum deutlich mehr und im Colon stets Bakterien (Escherichia coli, Aerobacter aerogenes, mehrere Arten nichtpathogener Kokken). Das beim Neugeborenen sterile Colon wird in den ersten Lebensmonaten von einer solchen **Darmflora** besiedelt. *Kohlenhydrate* werden durch bakterielle *Gärung* und *Eiweiße* durch *Fäulniserreger* weiter abgebaut. Bei der Vergärung der Kohlenhydrate entstehen saure Endprodukte (Milchsäure, Essigsäure) sowie Alkohol, CO_2 und H_2O. Bei der Fäulnis von Eiweiß werden giftige Amine (Indol, Scatol), biologisch stark wirksame Amine (Histamin, Tyramin) sowie Wasserstoff, Schwefelwasserstoff und Methan gebildet. Zwischen Gärung und Fäulnis besteht bei ausgewogener Kost ein Gleichgewicht, da z.B. der bei der Gärung entstehende saure pH die Fäulnis hemmt. Wird dieses Gleichgewicht gestört, kommt es zur Ausscheidung typisch gärender oder fauliger Stühle (Gärungs- bzw. Fäulnisdyspepsie). Die Darmbakterien bauen außerdem die Gallenfarbstoffe weiter ab.

Die Farbe der Faeces wird durch abgebaute Gallenpigmente, der pH von 5–7 durch die Gärungsprodukte und der Geruch durch H_2S, organische Säuren sowie Indol und Scatol bestimmt. Die bei ausgewogener Kost täglich ausgeschiedenen 100–200 g Faeces bestehen zu ca. 75–80% aus Wasser und 20–25% aus festen Bestandteilen. Die festen Bestandteile enthalten variable Mengen an Cellulose und weiteren unverdaulichen Bestandteilen, ca. 10–30% Bakterien, ca. 10–15% anorganisches Material (unlösliche Calcium- und Eisensalze) sowie ca. 5% Fett aus Enterocyten und geringe Mengen abgeschilferter Epithelien und Schleim.

Dickdarmmotorik. Eine morphologische Besonderheit des Colons ist die Anordnung der äußeren Längsmuskulatur in Form oberflächlich liegender Streifen (Taenien). Durch den Tonus der Taenien und lokale Kontraktionen der Ringmuskulatur entstehen die Einschnürungen (Plicae) und Ausbuchtungen des Colons (Haustrae). Im Röntgenbild oder bei geöffnetem Abdomen ist am Colon ein langsames „Wandern" der Ringmuskelkontraktionen zu beobachten, wobei sich zuvor erschlaffte Bereiche kontrahieren und zunächst kontrahierte Bezirke erschlaffen. Dieses „Haustrenfließen" entspricht einer langsamen peristaltischen Welle und verläuft über kurze Strecken sowohl in orale als auch in aborale Richtung. In seiner Wirkung führt diese Kontraktionsform zu einer Mischung bzw. einem Durchkneten des Dickdarminhaltes. Als propulsive Peristaltik beobachtet man im Dickdarm zwei- bis dreimal pro Tag sogenannte große Colonbewegungen. Diese peristaltischen Kontraktionen gehen vom Coecumbereich aus, laufen über das gesamte Colon bis zum Sigmoid und verschieben den Dickdarminhalt in das Sigmoid bzw. Rectum. Da diese Bewegungsform häufig nach Nahrungsaufnahme auftritt, spricht man von einem gastrocolischen Reflex. Außer durch Nahrungsaufnahme können große Colonbewegungen auch durch lokale Dehnung ausgelöst werden. Die Verweildauer im Dickdarm muß im allgemeinen mit wenigstens 12 Std angenommen werden. Die im Sigma enthaltenen Reste einer Mahlzeit werden zum Teil erst nach 3 Tagen in das Rectum transportiert.

Die Mischbewegungen sowie die propulsive Peristaltik des Dickdarms werden durch Plexus myentericus und Plexus submucosus reguliert. Obgleich der parasympathischen Innervation fördernde und der sympathischen Innervation hemmende Einflüsse zuzuschreiben sind, führt eine Durchschneidung dieser Nerven nicht zu Funktionsstörungen [11, 12, 13, 29].

Stuhlentleerung. Die Füllung des Rectums durch die großen Colonbewegungen führt zu Stuhlentleerung (Defäkation). Der Stuhldrang wird durch die Erregung von Dehnungsreceptoren im Rectum vermittelt, deren Impulse über den N. pudendus und Fasern des N. pelvicus ein Reflexzentrum im Sacralmark (Centrum anospinale) erreichen. Dieses steht etwa ab dem 2. Lebensjahr unter der Kontrolle des Großhirns. Die efferenten Impulse gelangen über den Parasympathicus zum inneren glatten Schließmuskel, der für die Kontinenz verantwortlich ist, und vermindern dessen Tonus. Bei der Darmentleerung wird dann auch der äußere quergestreifte Schließmuskel willkürlich entspannt und die Bauchmuskulatur zur Unterstützung der Defäkation kontrahiert (Bauchpresse). Der Defäkationsreflex kann in gewissem Umfang willkürlich unterdrückt werden, wobei die Kontraktion des quergestreiften Sphincter ani externus unterstützend mitwirkt. Geschieht dies häufig, so wird die Schwelle für den Reflex erhöht und zu seiner Auslösung ist eine stärkere Füllung des Rectum erforderlich. Auf dieser Grundlage kann sich ein träger Stuhlgang (Obstipation) entwickeln.

2. Verdauung und Resorption

Verdauung. Die makromolekularen Bestandteile der Nahrung werden durch die Enzyme der Verdauungssäfte sowie der Epithelzellen des Dünndarms hydrolytisch gespalten und somit in resorbierbare Bestandteile zerlegt. Dabei entstehen aus den Eiweißen Aminosäuren, aus Kohlenhydraten Monosaccharide und aus Fetten hauptsächlich Glycerin und Fettsäuren. Durch die nachfolgende Resorption dieser Abbauprodukte wird der Organismus in die Lage versetzt, die jeweils benötigten körpereigenen Substanzen aufzubauen bzw. seine energieliefernden Prozesse zu unterhalten. Beim Abbau der Nahrungsstoffe gehen gleichzeitig die Charakteristika der Ausgangssubstanzen verloren.

Das bedeutet u.a., daß der Organismus durch die Verdauung gegenüber artfremdem Eiweiß geschützt wird.

Enzyme der Darmepithelzellen. Neben den im Magensaft und Bauchspeichel enthaltenen Enzymen sind auf der Oberfläche der Epithelzellen des Dünndarms (Enterocyten) Enzyme lokalisiert, die für den Abbau von Oligosacchariden und Oligopeptiden besondere Bedeutung haben. Wie Abb. 12(A) zeigt, ist die zum Darmlumen gerichtete Oberfläche der Enterocyten durch fingerförmige Fortsätze (Mikrovilli) stark vergrößert. Die **Mikrovilli** bilden in ihrer Gesamtheit den **Bürstensaum.** Elektronenmikroskopische Untersuchungen dieses Bereichs ergaben den in Abb. 12(B) schematisch wiedergegebenen Aufbau der Mikrovilli, die insbesondere von einer filamentösen Schicht (**Glycocalyx**) überzogen sind. Die Abtrennung des Bürstensaums von den Enterocyten durch Ultrazentrifugation hat die chemische Analyse dieses Bereiches ermöglicht. Hiernach besteht die Glycocalyx aus Mucopolysacchariden, in welche die in Tabelle 3 und 4 zusammengestellten *Enzyme der Darmepithelzellen* eingelagert sind [6, 9, 39].
Den Aufbau dieser Membranoberfläche stellt man sich wie in Abb. 13 schematisch dargestellt vor. Hiernach können die *Enzyme des Pankreassaftes adsorptiv an* die *Glycocalyx gebunden* und in diese eingelagert werden. Außerdem enthält die Glycocalyx vorwiegend an ihrer Basis **membranständige En-**

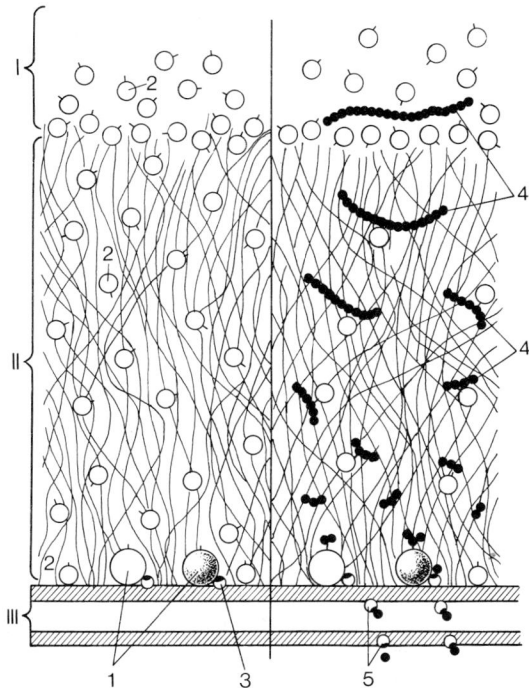

Abb. 13. Räumliche Verteilung der membranständigen Enzyme (1), der Enzyme der Verdauungssäfte (2), der hypothetischen Carrier (3) und deren Wechselbeziehungen zu verschieden großen Substratmolekülen (4) sowie des transmembranären Transports (5) im Bereich des Bürstensaums. I = Lumen, II = Glycocalyx, III = 3-schichtige Membran. Nach [39]

zyme, die nur bei Zerstörung der Membran freigesetzt werden. Nach dem Konzept der **Membran-Verdauung** führt die Hydrolyse durch die adsorptiv angelagerten Enzyme zur Bildung von Oligomeren und die Hydrolyse durch die membrangebundenen Enzyme zu Monomeren. In unmittelbarer Nachbarschaft der membrangebundenen Enzyme werden innerhalb der 3schichtigen Zellmembran *aktive Transportsysteme* (**Carrier**) für die Substanzresorption vermutet. Aus diesen Gründen spricht man auch von einer *digestiv-resorbierenden Oberfläche der Enterocyten.* Die Darmepithelzellen haben eine hohe Umsatzrate. Von den Krypten der Darmschleimhaut wandern sie in ca. 24–36 Std auf die Spitze der Zotten, wo sie nach 3–6 Tagen in das Darmlumen abgeschilfert werden. Pro Tag werden ca. 250 g an Enterocyten entsprechend ca. 25 g Protein in das Darmlumen abgegeben. Das Protein der Enterocyten und die täglich mit den Verdauungssäften secernierten Proteine (ca. 150 g) werden abgebaut und zum größten Teil wieder resorbiert.

Resorption. Bei der Resorption werden Substanzen von der Körperoberfläche (Lumen des Gastrointestinaltraktes) in das Körperinnere (Darmepithel-

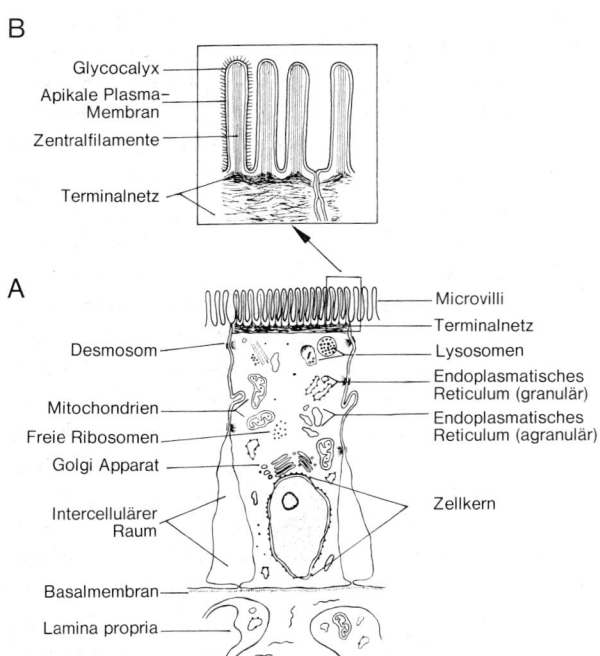

Abb. 12A u. B. Schematische Darstellung einer Darmepithelzelle (A) und eines Ausschnittes der apikalen Cytoplasmamembran (B). Nach [38]

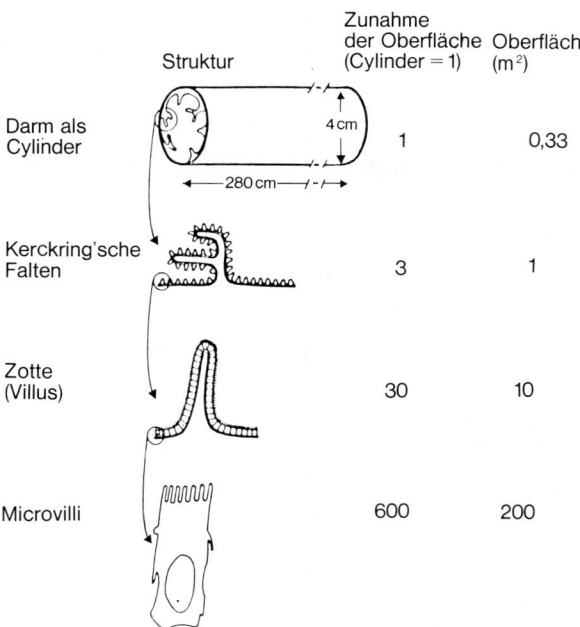

Struktur	Zunahme der Oberfläche (Cylinder = 1)	Oberfläche (m²)
Darm als Cylinder	1	0,33
Kerckring'sche Falten	3	1
Zotte (Villus)	30	10
Microvilli	600	200

Abb. 14. Schematische Darstellung zur Größe der Dünndarm-oberfläche. Nach [40]

zelle, Interstitium, Lymphe und Blut) aufgenommen. Der *Hauptanteil der Resorption* findet *im Dünndarm* statt, der dafür in besonderer Weise eingerichtet ist. Seine Länge beträgt am Menschen in vivo ca. 2,5 m, wobei ca. 25 cm auf das Duodenum, 125 cm auf das Jejunum und 100 cm auf das Ileum entfallen. Die *Dünndarmoberfläche* des Menschen beläuft sich auf ca. 200 m², was insbesondere durch die Kerckringschen Falten, die Zotten und die Mikrovilli erreicht wird (Abb. 14). Durch die rhythmischen *Zottenkontraktionen* wird der Kontakt mit dem Chymus begünstigt und das blindsackartig beginnende Lymphgefäß ausgepreßt (Abb. 10).

Das Ausmaß der Darmdurchblutung und hier vor allem die *Durchblutung der Darmschleimhaut* ist von besonderer Bedeutung für die Resorption. Die mesenteriale Durchblutung beträgt am Menschen während der Nahrungsaufnahme ca. 400 ml/min und in der eigentlichen Verdauungsphase ca. 750 ml/min. Nach Untersuchungen an Hunden hat die Mucosa in Ruhe einen Anteil von ca. 50–60% und während der Verdauung von 60–80% an der Mesenterialdurchblutung.

Resorptionsmechanismen. Bei der oben gegebenen Definiton für die Resorption wird lediglich der besonders interessierende *Nettotransport* von der Lumen- zur Blutseite betrachtet. Tatsächlich findet in vielen Fällen jedoch sowohl an der Lumen- als auch an der Blutseite der Darmepithelzelle ein Transfer in beiden Richtungen statt. Unter Netto-

transport versteht man daher die Differenz zwischen dem unidirektionalen Fluß durch die Zelle in Richtung Serosa und dem entgegengesetzten Fluß in das Darmlumen. Überwiegt der erstere, so spricht man von Resorption, überwiegt der letztere, so handelt es sich um eine Ausscheidung (für Wasser: *Insorption* bzw. *Exsorption*). Die Analyse solcher Zusammenhänge wird u.a. noch dadurch kompliziert, daß in die Enterocyten aufgenommene Substanzen auf der Serosaseite in veränderter Form erscheinen können, wie z.B. Fettsäuren und Glycerin als Triglyceride. Zusätzlich sei festgehalten, daß sich eine *quantitative Analyse der Transportvorgänge* im Darm keinesfalls mit Konzentrationsmessungen begnügen darf, sondern stets die auf beiden Seiten bewegten Mengen erfassen sollte [6, 15, 40].

So ist die alleinige Feststellung einer Konzentrationsabnahme im Darmlumen nur bei gleichzeitiger Bestimmung der Flüssigkeitsbewegungen zu verwerten. Bei Resorptionsstudien wird eine Wasserbewegung durch gleichzeitige Zugabe einer nichtresorbierbaren Markiersubstanz zur Substanzlösung bestimmt. Zur *Resorptionsuntersuchung am Menschen* führt man eine doppelläufige Sonde über Oesophagus und Magen in den Dünndarm ein und infundiert eine Lösung, die das interessierende Substrat sowie eine nichtresorbierbare Markiersubstanz enthält. Über den zweiten Kanal der Sonde, dessen Öffnung z.B. 40 cm tiefer liegt, werden Proben entnommen und die Konzentration an Substrat und Markiersubstanz bestimmt. Aus diesen Daten wird unter Berücksichtigung der Infusionsgeschwindigkeit schließlich die pro Zeiteinheit und Darmlänge resorbierte Substratmenge berechnet.

Transportvorgänge. Die Analyse der Transportvorgänge im Darmepithel wurde durch die Anwendung der Gesetzmäßigkeiten der Thermodynamik außerordentlich befruchtet. Hierdurch können zahlreiche, in der Darmwand ablaufende Mechanismen qualitativ und zum Teil sogar quantitativ beschrieben werden. Grundsätzlich spielen bei der Resorption neben **passiven Prozessen** (*Diffusion, Osmose*) auch zahlreiche **aktive, energieverbrauchende Transportvorgänge** eine Rolle. Die Grundlagen von Diffusion und Osmose werden an anderer Stelle erörtert (s. S. 642f.). Hinsichtlich des Substrattransfers im Gastrointestinaltrakt durch Diffusion und Osmose sei lediglich festgestellt, daß die große Darmoberfläche und die fortwährende Beeinflussung des Konzentrationsgradienten zwischen Lumen- und Blutseite durch die hohe Schleimhautdurchblutung besonders wichtig sind. In dieser Weise werden vor allem Wasser, Cl^- und Substanzen wie Ascorbinsäure, Pyridoxin und Riboflavin durch die Darmschleimhaut ausgetauscht. Aufgrund des hohen Lipidgehaltes der Zellmembranen ist für eine Diffusion von chemischen Substanzen gleichzeitig eine gewisse *Fettlöslichkeit* erforderlich. Eine solche Diffusion betrifft hauptsächlich Salze schwacher Säuren oder schwacher Basen im nichtdissoziierten Zustand (Theorie der **Nicht-Ionendiffusion**). Dies spielt für Pharmaka eine wichtige Rolle, die zum größten Teil durch Diffusion resorbiert werden. Es ist einleuchtend, daß hierbei der pH im Darmlumen und der pK der jeweiligen Substanz von besonderer Bedeutung sind [6, 40].

Für den **aktiven Transport** in der Darmschleimhaut gibt es keine voll befriedigende Definition. Er zeigt jedoch die Charakteristika, daß der Substanztransfer 1) Energie benötigt (wird durch O_2-Mangel, Temperaturverminderung und Stoffwechselhemmer inhibiert), 2) „bergauf" oder gegen einen elektro-chemischen Gradienten ablaufen kann, 3) eine relativ hohe Transportrate hat, 4) über einen Sättigungswert hinaus nicht steigerungsfähig ist und 5) durch konkurrierende Substanzen gehemmt werden kann (kompetitive Hemmung). Die meisten Nahrungsbestandteile werden durch aktive Transportmechanismen resorbiert (Aminosäuren, Monosaccharide, Vitamin B_{12}, Calcium). Dies könnte im einfachsten Fall durch in der äußeren Zellmembran lokalisierte, **hypothetische Trägersysteme (Carrier)** geschehen. Vermutlich sind dabei Enzyme beteiligt, an die das Substrat angelagert und in Art eines Carrier-Substratkomplexes in die Zelle transportiert wird. An der Gegenseite der Membran wird das Substrat freigesetzt, und der entladene Carrier kann zurückdiffundieren. Eine andere Form des aktiven Transports ist der *Bläschentransport*. Dabei werden kleine Partikel an der Zelloberfläche durch Membraneinfaltungen aufgenommen, nachfolgend abgeschnürt und als Membranbläschen intracellulär transportiert (*Pinocytose*).

Als Sonderfälle seien Solvent Drag und erleichterte Diffusion genannt. Beim *Solvent Drag* handelt es sich um die „Mitnahme" von gelösten Substanzen beim Transport des Lösungsmittels. Die *erleichterte Diffusion* ist ein Transportmechanismus, bei dem ein rascher Substanztransfer erfolgt, der gesättigt und kompetitiv gehemmt werden kann, jedoch ohne Energieverbrauch und nicht gegen einen Konzentrationsgradienten abläuft (s.auch S. 648).

Der **Abtransport** der resorbierten Substanzen erfolgt über die Blut- und Lymphgefäße. Aus Magen, Dünndarm und Dickdarm auf dem Blutweg abtransportierte Substanzen gelangen über die Pfortader in die Leber, bevor sie den allgemeinen Kreislauf erreichen. Stoffe, die von der Mundschleimhaut und dem Rectum in das Blut aufgenommen werden, kommen direkt in den allgemeinen Kreislauf. Die intestinale Lymphe strömt aus den Intestinalgefäßen in die Cysterna chyli und gelangt schließlich über den Ductus thoracicus in die obere Hohlvene.

2.1. Verdauung und Resorption von Eiweiß

Verdauung. Entsprechend der Zusammenstellung in Tabelle 3 werden Proteine und Polypeptide durch Pepsine, Trypsin und Chymotrypsin in verschieden große Bruchstücke (Poly-, Oligopeptide) zerlegt. Diese Enzyme sind *Endopeptidasen,* d.h. sie hydrolysieren Peptidbindungen vorzugsweise innerhalb der Moleküle, während *Exopeptidasen* am N- oder C-terminalen Ende einzelne Aminosäuren abspalten. Die Carboxypeptidasen des Pankreassaftes und die Peptidasen des Bürstensaumes setzen den Abbau der Poly- und Oligopeptide bis zu den Aminosäuren fort (Tabelle 3) [6, 39, 40].

Resorption. Während oral verabreichte Proteine aus dem Darm des Erwachsenen nur in Spuren intakt resorbiert werden, findet im Darm des Neugeborenen innerhalb der ersten Lebenstage eine Resorption der in der Muttermilch enthaltenen γ-Globuline statt. Aus dem Darm des Erwachsenen werden nach bisheriger Auffassung auch keine nennenswerten Mengen an Oligopeptiden aufgenommen. Nach neueren Ergebnissen wird die Resorption von Oligopeptiden und Dipeptiden jedoch höher eingeschätzt [6, 39].

Zur Resorption der meisten L-Aminosäuren (natürliche Aminosäuren) sind **stereospezifische Transportsysteme** nachgewiesen. So ist der Transfer der L-Aminosäuren durch die Darmschleimhaut besonders rasch, erfolgt auch gegen einen Konzentrationsgradienten, kann durch Stoffwechselgifte gehemmt werden, zeigt eine Sättigungskinetik und kompetitive Hemmung für verschiedene L-Aminosäuren untereinander. Da auch eine kompetitive Hemmung von L-Aminosäuren durch D-Aminosäuren beobachtet wurde, könnte man schließen, daß auch die D-Aminosäuren aktiv, wenngleich langsamer resorbiert werden und lediglich eine geringere Affinität zum Carrier aufweisen. Von den D-Aminosäuren ist bisher jedoch nur für D-Methionin ein aktiver Transport gesichert. Hinsichtlich der stereochemischen Voraussetzungen für den aktiven Transport der L-Aminosäuren wurden bisher 4 Transportsysteme nachgewiesen: 1) Ein *System für „neutrale" Aminosäuren,* wobei das Vorhandensein einer Carboxylgruppe, einer L-α-Aminogruppe, einem α-Wasserstoff sowie einer ungeladenen Seitenkette vorausgesetzt werden muß (Valin, Phenylalanin, Alanin), 2) ein *System für basische Aminosäuren* (Arginin, Cystein, Lysin, Ornithin), 3) ein *System für Iminosäuren* (Betain, L-Hydroxyprolin, Dimethylglycin, Sarcosin und Prolin), 4) ein *System für Amino-Dicarbonsäuren*. Glutaminsäure und Asparaginsäure werden in den Enterocy-

Tabelle 3. Die hauptsächlichen Vorgänge bei der Eiweißverdauung

Bildungsort	Enzym (Proenzym)	Wirkungsmechanismus	Substrate	Endprodukte
Magendrüsen, Hauptzellen	Pepsin (Pepsinogen)	Endopeptidasen; spalten bevorzugt Peptidbindungen zwischen NH_2-Gruppen von Tyrosin bzw. Phenylalanin und COOH-Gruppen anderer Aminosäuren; pH-Optimum 1,5–3,5	Proteine	Polypeptide
Exokrines Pankreas	Trypsin (Trypsinogen)	Endopeptidase; spaltet bevorzugt zwischen COOH-Gruppe von Lysin oder Arginin und NH_2-Gruppe anderer Aminosäuren; pH-Optimum 7,5–8,5	Proteine,	Polypeptide,
	Chymotrypsin (Chymotrypsinogen)	Endopeptidase; spaltet bevorzugt zwischen COOH-Gruppe aromatischer Aminosäuren und NH_2-Gruppen anderer Aminosäuren außer Glutamin- und Asparaginsäure; pH-Optimum 7,5–8,5	Proteine, Polypeptide	Polypeptide, Oligopeptide
	Carboxypeptidase A, B (Procarboxypeptidase)	Exopeptidasen; Typ A spaltet aromatische, nicht polare Aminosäuren am C-terminalen Ende ab; Typ B spaltet entsprechend basische Aminosäuren ab	Polypeptide, Oligopeptide	C-terminale Aminosäure und Peptidrest
Duodenalschleimhaut (?)	Enterokinase	Endopeptidase; spaltet zwischen Isoleucin (Pos. 7) und Lysin (Pos. 6)	Trypsinogen	Trypsin und Hexapeptid
Bürstensaum der Enterocyten (membrangebunden)	Tripeptidase	Exopeptidase; spaltet N-terminale oder C-terminale Aminosäuren ab	Proteine, Poly-, Oligopeptide	N- oder C-terminale Aminoäure und Poly- bzw. Oligopeptide
	Aminopolypetidase	Exopeptidase	Tri-, Dipeptide	Aminosäuren
	Aminopeptidase	Exopeptidase; spaltet Amidbindungen	Tri-, Dipeptide	Aminosäuren
	zahlreiche, teils spezifische Dipeptidasen		Dipeptide	Aminosäuren

ten jedoch transaminiert und offenbar nicht aktiv transportiert [6, 39].

Die Resorption der Aminosäuren findet zu ca. 80% in den ersten 100 cm des Jejunum statt, während die restlichen ca. 20% im unteren Jejunum und Ileum aufgenommen werden. Der Abtransport der Aminosäuren erfolgt auf dem Blutweg über die Pfortader in die Leber.

2.2. Verdauung und Resorption der Kohlenhydrate

Verdauung. In Tabelle 4 sind die wichtigsten Vorgänge der Kohlenhydratverdauung zusammengefaßt. In der Nahrungsstärke ist die Glucose hauptsächlich in langen 1,4-α-glykosidisch verknüpften Ketten enthalten (Amylose), neben denen 1,6-verknüpfte Zweigketten (Amylopectin) vorliegen. Der Amyloseanteil wird durch die α-Amylase aus Speichel und Pankreassaft hauptsächlich in Hexasaccharide sowie Tri- bzw. Disaccharide und Glucose

gespalten. Der in der 1,6-Bindung an der Verzweigung von Amylopectin sowie am Glykogen befindliche Glukoserest wird durch die Oligo-1,6-α-Glucosidase des Bürstensaums abgespalten, und der Abbau des verbleibenden Amyloserestes erfolgt wie oben beschrieben. Der Abbau der Disaccharide findet im Bürstensaum durch die dort lokalisierten, recht spezifischen Disaccharidasen statt. Dabei werden z.B. Rohrzucker, Maltose und Milchzucker in Monosaccharide zerlegt.

Resorption. Polysaccharide und Disaccharide werden praktisch nicht resorbiert. Nach Verabreichung größerer Stärkemengen wurden bei gezielten Untersuchungen in Einzelfällen Stärkekörnchen innerhalb und jenseits der Darmschleimhaut gefunden, die vermutlich durch die Darmbewegungen „einmassiert" wurden (Persorption). Die Resorption der Monosaccharide Galaktose und Glucose erfolgt durch aktiven Transport an der digestiv-resorbierenden Oberfläche der Enterocyten. Diese

Tabelle 4. Die wichtigsten Vorgänge bei der Kohlenhydratverdauung

Bildungsort	Enzym (Proenzym)	Wirkungsmechanismus	Substrate	Endprodukte
Speicheldrüsen	α-Amylase (Ptyalin)	Endoenzym, α-Amylase; spaltet 1,4-α-Bindungen (Amyloseanteil der Stärke); pH-Optimum 6,7	Stärke	Oligosaccharide und Amylopectin (1,6-verknüpfte Ketten)
Exokrines Pankreas	Pankreasamylase	Endoenzym, α-Amylase; vgl. Ptyalin; pH-Optimum 7,1	Stärke	Oligosaccharide
Bürstensaum der Enterocyten (membrangebunden)	Amylase	Glucoamylase	Stärke, Oligosaccharide	Maltose und Glucose
	Oligo-1,6-α-Glucosidase	spaltet 1,6-α-Bindungen (Amylopectinanteil der Stärke)	Glykogen, Amylopektin	Oligosaccharide, Maltose und Glucose
	Zahlreiche, teils spezifische Disaccharasen			
	Sucrase	β-Fructosidase	Rohrzucker (Saccharose, Sucrose)	Fructose und Glucose
	Maltase	α-Glucosidase; spaltet 1,4-α-Bindungen	Maltose	Glucose
	Isomaltase	entspricht Oligo-1,6-α-Glucosidase		
	Lactase	β-Galaktosidase	Milchzucker (Lactose)	Galaktose und Glucose

am schnellsten transportierten Zucker scheinen einem gemeinsamen, aktiven Transportmechanismus zu unterliegen. Demgegenüber wird Fructose durch erleichterte Diffusion und Mannose sowie Pentosen durch Diffusion resorbiert. Für die *aktive Resorption* dürfte die enge Nachbarschaft zwischen den Disaccharidasen und den *Transportsystemen im Bürstensaum* von besonderem Vorteil sein. Dabei ist entscheidend, daß sowohl die Aktivität der Disaccharidasen als auch die des Transportsystems für Glucose durch Na^+ stark erhöht wird. Der Glucosetransport durch die Zellmembran ist am ehesten durch die Annahme eines spezifischen Carriers zu verstehen. Der Carrier muß zusätzlich durch Na^+ aktiviert werden, und es findet gleichzeitig ein

Natriumtransport statt (Abb. 15). Umgekehrt gilt, daß auch der Na^+-Transport durch Glucose gefördert wird [6, 8, 15, 40].
Als Ort der Zuckerresorption ist neben dem Duodenum (ca. 10–20%) vor allem das Jejunum anzusehen. Im Ileum, d.h. in den letzten 100 cm des Dünndarms, findet normalerweise keine Zuckerresorption mehr statt. Der Abtransport der Monosaccharide erfolgt über die Portalvene.

2.3. Verdauung und Resorption der Fette

Verdauung. Die Fette werden durch das Zusammenwirken der Galle und Pankreaslipase abgebaut. Durch die Anwesenheit der Gallensäuren wird das pH-Optimum der Pankreaslipase von 8 auf 6 verschoben. Die im Chymus enthaltenen Fette werden im Duodenum zunächst durch die *Oberflächenaktivität der Gallensäuren* emulgiert. An der Grenze der Öl-Wasser-Phase werden sie von der Pankreaslipase vorwiegend an den C_1- und C_3-Esterbindungen gespalten. Dabei werden Triglyceride zu ca. 40–50% in *Fettsäuren und Glycerin*, zu ca. 20% in *Monoglyceride* und zu ca. 15% in *Diglyceride* abgebaut. Der Rest an *Triglyceriden* (ca. 25%) wird vermutlich nicht hydrolysiert. Die entstehenden

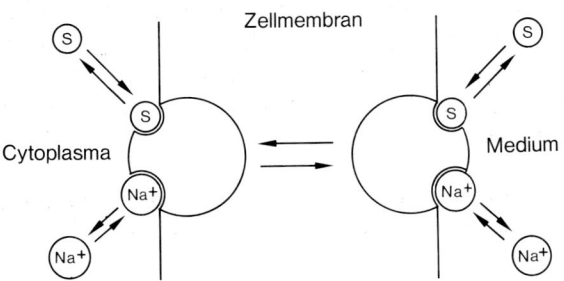

Abb. 15. Modell eines beweglichen Carriers mit je einem spezifischen Receptor für das Substrat Glucose sowie für Na^+. Nach [8]

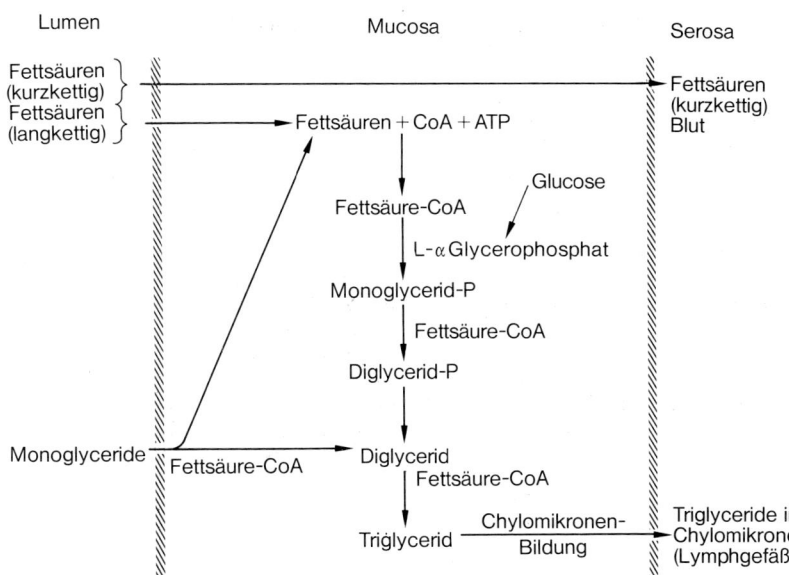

Abb. 16. Die wichtigsten Vorgänge im Enterocyten während der Fettresorption

Monoglyceride haben selbst eine stark emulgierende Wirkung und unterstützen den Ablauf dieser Vorgänge. Da die Gallensäuren polare und apolare Gruppen an entgegengesetzten Enden ihrer planaren Moleküle enthalten, bilden sie gemeinsam mit Monoglyceriden und Fettsäuren *geladene Molekülaggregate* (**Micellen**), die gleichzeitig geringe Mengen an Cholesterin, Phosphatiden sowie Di- und Triglyceriden enthalten. Durch Verschiebung des pH zu größeren Werten wird der Übergang aus der Emulsions- in die Micellphase begünstigt. Der Durchmesser der gemischten Micellen ist mit 4–5 nm ca. 10000fach geringer als derjenige der Emulsionströpfchen. Hierdurch ist es auch möglich, daß die Micellen in die Zwischenräume der Microvilli (50–100 nm) eintreten.

Resorption. Aus dem Gemisch von Micellen, emulgierten Tröpfchen und freigesetzten Lipidbestandteilen werden Fettsäuren, Mono-, Di- und Triglyceride in die Enterocyten aufgenommen. Diese Aufnahme geschieht überwiegend durch Diffusion, wobei die Fettlöslichkeit der Substanzen von Bedeutung ist. Für die Triglyceride wurde zusätzlich eine Aufnahme durch Pinocytose vermutet, deren quantitative Bedeutung jedoch nicht abgeschätzt werden kann. In die Zelle aufgenommene *mittel-* und *kurzkettige Fettsäuren* (< 10–12 C-Atome) werden zum größten Teil auf dem Blutweg als freie Fettsäuren zur Leber transportiert. *Langkettige Fettsäuren* und Monoglyceride werden in den Enterocyten wieder zu Triglyceriden verestert (Abb. 16). Das für diese Synthese erforderliche α-Glycerophosphat wird über die Zwischenstufen Dihydroxyacetonphosphat und Phosphoglyceraldehyd aus

Glucose gebildet und dient als Acceptor für die aktivierten Fettsäuren. Anschließend werden die Triglyceride im endoplasmatischen Reticulum in Tröpfchen von 0,2–1,0 μm Durchmesser überführt und unter Beteiligung von β-Lipoprotein mit einer Hülle versehen (Chylomikronen).

Die **Chylomikronen** verlassen die Zellen durch die basale und laterale Zellmembran und gelangen nach Durchdringen der Basalmembran in die Chylusgefäße der Darmzotten. Von hier werden sie über größere Lymphgefäße abtransportiert. Die Chylomikronen enthalten ca. 85–90% Triglyceride, 6–8% Phospholipide, 2–4% freies bzw. verestertes Cholesterin und 2% Protein. Die Chylomikronen sind nach einer fettreichen Mahlzeit in solchen Mengen im Blutplasma enthalten, daß sie makroskopisch an einer milchigen Trübung zu erkennen sind (*Verdauungshyperlipämie*). Im Verlauf der Fettresorption können die verschiedensten fettlöslichen Substanzen über die Chylomikronen in den Organismus eingeschleust werden; dies ist für die Resorption fettlöslicher Vitamine und Arzneimittel von Bedeutung [6, 15, 40].

Die Fettresorption beginnt im Duodenum, verläuft hauptsächlich im Jejunum und erstreckt sich bei größerem Angebot bis in das Ileum. Der Inhalt des Coecum enthält normalerweise kein Nahrungsfett.

2.4. Verdauung und Resorption von Cholesterin, Gallensäuren, Phosphatiden, Nucleinsäuren

Cholesterin. Mit der Nahrung zugeführte Cholesterinester werden durch die Cholesterinesterase des Pankreassaftes, die ihrerseits durch Gallensäuren aktiviert wird, gespalten. Das entstehende Cholesterin wird sodann in die aus Lipiden und Gallensäuren gebildeten Micellen integriert und gelangt auf unbekannte Weise in die Enterocyten. In den Epithelzellen wird Cholesterin wieder verestert, nahezu vollständig in Chylomikronen eingebaut und mit diesen über den Lymphweg abtransportiert. Durch pflanzliche Sterine kann die Cholesterinresorption kompetitiv gehemmt werden. Hauptort der Cholesterinresorption ist der distale Dünndarm.

Gallensäuren. Die mit der Galle ausgeschiedenen Gallensäuren werden zu ca. 90% durch ein spezifisches Transportsystem im Ileum resorbiert. Im Blut werden sie an Plasma-Eiweiße gekoppelt, in die Leber transportiert und von dieser wieder in die Galle secerniert (enterohepatischer Kreislauf).

Phosphatide. Den im Chymus enthaltenen Phosphatiden wird durch die Phosphatidase A und B des Pankreassaftes zuerst die C_2-ständige und anschließend die C_1-ständige Fettsäure abgespalten. Die Phosphodiesterasen des Bürstensaumes setzen aus der entstandenen Phosphatidsäure die Base und Glycerinphosphat frei. Unspezifische Phosphatasen der Mucosazellen hydrolysieren anschließend das Glycerinphosphat zu Glycerin und Phosphorsäure.

Nucleinsäuren. Die als Endonucleasen im Pankreassaft enthaltenen Desoxy- und Ribonucleasen bilden aus den in der Nahrung enthaltenen Nucleotiden jeweils Oligonucleotide. Der weitere Abbau erfolgt durch Phosphodiesterasen (Exonucleasen) und Phosphatasen des Bürstensaums über die Bildung von Mononucleotiden zu organischem Phosphat und Nucleosiden. Die Nucleoside werden nach Aufnahme in die Enterocyten zu freien Basen und Pentosephosphat abgebaut.

2.5. Resorption von Vitaminen, Wasser und Mineralstoffen

Vitamine. Die Resorption der fettlöslichen Vitamine (A, D, E und K) ist an die Fettresorption gebunden und bei einer Störung derselben gehemmt. So konnte z.B. für Vitamin A gezeigt werden, daß es mit Fettsäuren verestert wird und mit den Chylomikronen in der Lymphe erscheint. Von den wasserlöslichen Vitaminen werden die Vitamine C und Riboflavin durch Diffusion aufgenommen. Folsäure wird in vermutlich konjugierter Form im Jejunum resorbiert. Vitamin B_{12} (Cyanocobalamin) wird als Komplex mit dem Intrinsic

Faktor des Magensaftes durch vermutlich aktiven Transport im Ileum resorbiert.

Wasser und Natrium. Wasser und Elektrolytverschiebungen finden im Dünndarm, Dickdarm und geringerem Ausmaß im Magen in beiden Richtungen statt. Hierdurch ist es möglich, die stets angestrebte *Plasma-Isotonie des Darminhalts* einzustellen. Beim raschen Übertritt von Chymus in das Duodenum kann der Duodenalinhalt vorübergehend hyperton werden. Unter solchen Umständen strömt Wasser in den Darm ein. Sinngemäß Entsprechendes gilt, wenn die im Rahmen der Verdauung entstandenen osmotisch wirksamen Teilchen resorbiert werden. Auch hier folgt das Wasser dem osmotischen Gradienten. Als *Hauptort* der Wasser- und Salzresorption ist das *Ileum* anzusehen. Hier wird der größte Teil des von außen aufgenommenen und mit den Verdauungssäften secernierten Wassers (ca. 8–10 l/24 Std) resorbiert, und nur ca. 200–500 ml erreichen pro Tag den Dickdarm. Die Natriumkonzentration im Duodenum und Jejunum entspricht mit 150 mmol/l dem Plasma. Im Ileum nimmt sie jedoch auf 100–120 mmol/l ab, was einen aktiven Transport anzeigt (Abb. 17). Durch den Austausch äquimolarer Mengen an Kalium bleibt die Plasma-Isotonie des Dünndarm-Inhalts gewahrt. Gleichzeitig steht die

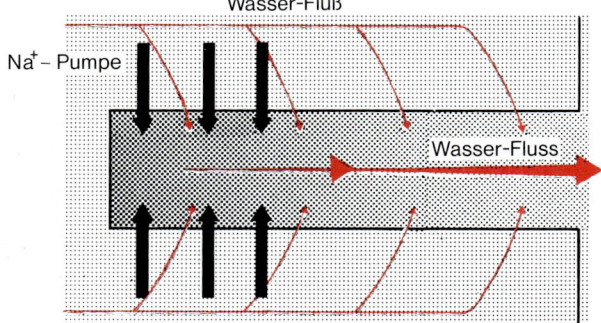

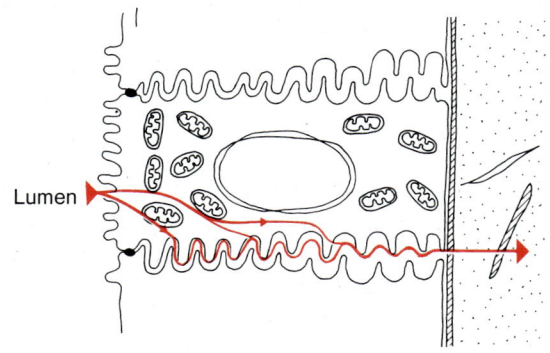

Abb. 17. Schematische Darstellung zum Mechanismus der Na^+- und Wasserresorption. Die Pfeile bezeichnen den Nettotransport. Nach [14]

Wasser- und Elektrolytresorption in sehr engem Zusammenhang mit der Resorption von HCO_3^-, Zuckern und Aminosäuren. Im Dickdarm sinkt die Natriumkonzentration weiter ab; aufgrund der geringen Flüssigkeitsmengen wird jedoch nur noch eine geringe Menge an Na^+ resorbiert, mit den Faeces werden pro Tag nur ca. 5–6 mmol NaCl ausgeschieden [6, 29, 40].

Calcium. Mit der Nahrung aufgenommenes Calcium wird in geringem Umfang passiv, hauptsächlich aber durch einen *aktiven Mechanismus* im Duodenum und Ileum resorbiert. Die aufgenommene Menge wird durch den jeweiligen Bedarf des Organismus unter Mitwirkung von *Vitamin D, Parathormon* und *Calcitonin* reguliert. Eine normale Calciumresorption setzt die Anwesenheit von Vitamin D, einem Ca-bindenden Protein, und von Aminosäuren (Lysin und L-Arginin) voraus. Eine Verminderung der Calciumresorption tritt nach Überführung des Ca^{++} in unlösliche Salze (Oxalat, Phosphat) sowie bei Mangel an Vitamin D und Eiweiß auf [16].

Magnesium. Für die Resorption von Magnesium gelten ähnliche Verhältnisse wie für Calcium. Eine beobachtete kompetitive Hemmung der Calciumresorption durch Magnesium könnte auf die Benutzung eines gemeinsamen Transportsystems hinweisen.

Eisen. Das mit der Nahrung aufgenommene Eisen wird ausschließlich in der 2-wertigen Form resorbiert. 3-wertiges Eisen kann durch reduzierende Nahrungsbestandteile in die 2-wertige Form überführt werden. Die Eisenresorption erfolgt im oberen Dünndarm und angrenzenden Jejunum durch *aktiven Transport*. In den Enterocyten bildet Eisen mit dem Protein *Apoferritin* das *Ferritin,* in dem es wieder 3-wertig vorliegt. Dieser Proteinkomplex mit eingelagertem Eisen stellt die hauptsächliche *Speicherform* für Eisen dar. Aus dem Ferritin freigesetztes Eisen kann durch Transferrin auf dem Blutweg transportiert und in Zellen der Leber, der Milz und des Knochenmarks wiederum als Ferritin abgelagert werden. In Abhängigkeit vom jeweiligen Bedarf steht es dann z.B. zur Synthese eisenhaltiger Fermente oder von Hämoglobin zur Verfügung. Im Zusammenspiel dieser und weiterer Faktoren wird das Eisengleichgewicht im Organismus äußerst fein geregelt und die Resorption den jeweiligen Bedürfnissen angepaßt.

3. Literatur

1. BLACK, J.W., DUNCAN, W.A.M., DURANT, C.J., GANELLIN, C.R., PARSONS, E.M.: Definition and Antagonism of Histamine H_2-Receptors. Nature **236**, 385 (1972).
2. BLUM, A.L.: Neue Wege in der Ulcusbehandlung. Schweiz. med. Wschr. **103**, 179 (1973).
3. BONFILS, S.: Clinics in Gastroenterology, Vol. 3. Endocrine Secreting Tumours of the G.I. Tract. London-Philadelphia-Toronto: Saunders 1974.
4. BROOKS, F.P.: Control of Gastrointestinal Function. London: Macmillan 1970.
5. BRO-RASMUSSEN, F., KILLMAN, S., THAYSEN, J.H.: The composition of pancreatic juice as compared to sweat, parotid saliva and tears. Acta physiol. scand. **37**, 97 (1956).
6. BURLAND, W.L., SAMUEL, P.D. (Hrsg.): Transport across the Intestine. A Glaxo Symposium. Edinburgh-London: Churchill Livingstone 1972.
7. CODE, CH.F., SCHLEGEL, J.F.: Motor action of the esophageas and it sphincters. In: CODE, CH.F. (Hrsg.): Handbook of Physiology, Section 6. Alimentary Canal, Vol. IV. Motility, Chapter 90. American Physiological Society. Baltimore: Williams and Wilkins 1968.
8. CRANE, R.K.: Na^+-dependent transport in the intestine and other animal tissues. Fed. Proc. **24**, 1000 (1965).
9. CRANE, R.K.: Structural and functional organization of an epithelial cell brush border. In: Danielli, J.F. (Hrsg.): Symp. Intern. Soc. Cell Biol., V. Intracellular Transport, p. 71. New York: Academic Press 1967.
10. CREUTZFELDT, W. (Hrsg.): Origin, Chemistry, Physiology and Pathophysiology of the Gastrointestinal Hormones. International Symposium Wiesbaden Oct. 1969. Stuttgart: Schattauer 1970.
11. DANIEL, E.E.: Digestion: Motor Function. Ann. Rev. Physiol. **31**, 203 (1969).
12. DANIEL, E.E. (Hrsg.): Proceedings Fourth International Symposium on Gastrointestinal Motility, Banff/Alberta, Sept. 1973. Vancouver: Mitchell Press 1974.
13. DEMLING, L., OTTENJANN, R. (Hrsg.): Gastrointestinal Motility. International Symposion on Motility of the G.I. Tract, Erlangen, July 1969. Stuttgart: Thieme 1971.
14. DIAMOND, J.M.: The mechanism of water transport by the gall bladder. J. Physiol. (Lond.) **161**, 503 (1962).
15. ELLIOTT, K., O'CONNOR, M.: Peptide Transport in Bacteria and Mammalian Gut. A Ciba Foundation Symposium, Elsevier, Excerpta Medica, North Holland. Amsterdam-London-New York: Associated Scientific Publishers 1972.
16. EMMELIN, N., ZOTTERMAN, B.: Oral Physiology. New York: Pergamon Press 1973.
17. EWE, K.: Die intestinale Calcium-Resorption und ihre Störungen. I. Teil. Physiologie der intestinalen Calcium-Resorption. II. Teil. Klinische Manifestationen gestörter Calcium-Resorption. Klin. Wschr. **52**, 57 (1974).
18. GREGORY, R.A.: Secretory Mechanisms of the Gastro-Intestinal Glands. London: Arnold 1961.
19. GREGORY, R.A., TRACY, H.J.: The constitution and properties of two gastrins extracted from hog antral mucosa, Part I: The isolation of two gastrins from hog antral mucosa, Part II: The properties of two gastrins isolated from hog antral mucosa. Gut **5**, 103 (1964).
20. GREGORY, R.A.: Recent advances in the physiology of gastrin. Proc. roy. Soc. B **170**, 81 (1968).
21. GROSSMAN, M.I.: Integration of neural and hormonal control of gastric secretion. Physiologist **6**, 349 (1963).
22. GROSSMAN, M.I. (Hrsg.): Gastrin. Proceedings of a Conference, Sept. 1964, UCLA Forum in Medical Sciences. Berkeley: University of California Press 1966.
23. HEATON, K.W.: Bile Salts in Health and Disease. Edinburgh-London: Churchill Livingstone 1972.
24. HOFMANN, A.F., PAUMGARTNER, G. (Hrsg.): Chenodesoxycholic Acid Therapy of Gallstones. Workshop held in Freiburg Okt. 1973. Stuttgart-New York: Schattauer 1974.
25. ITO, S., WINCHESTER, R.J.: The fine structure of the gastric mucosa of the bat. J. cell. Biol. **16**, 541 (1963).
26. JORPES, J.E., MUTT, V.: Secretin, Cholecystokinin, Pancreozymin und Gastrin. Handbuch der experimentellen Pharmakologie, Bd. XXXIV. Berlin-Heidelberg-New York: Springer 1973.

27. KIRKHAM, K.E., HUNTER, W.M.: Radioimmunoassay Methods. European Workshop, Edinburgh, Sept. 1970. Edinburgh-London: Churchill and Livingstone 1971.
28. KOKAS, E., JOHNSTON, C.L.: Influence of refined villikinin on motility of intestinal villi. Amer. J. Physiol. **208**, 1196 (1965).
29. KRAMER, K.: Physiologie der Verdauung. In: GAUER, O.H., KRAMER, K., JUNG, R. (Hrsg.): Physiologie des Menschen, Bd. 8: Ernährung, Verdauung, Intermediär-Stoffwechsel. München-Berlin-Wien: Urban und Schwarzenberg 1972.
30. PEARSE, A.G.E.: Cell migration and the alimentary system: Endocrine contributions of the neural crest to the gut and its derivatives. Digestion **8**, 372 (1973).
31. REDFORD, M., SCHOFIELD, B.: The effect of local anaesthesia of the pyloric antral mucosa on acid inhibition of gastrin-mediated acid secretion. J. Physiol. (Lond.) **180**, 304 (1965).
32. SAMLOFF, J.M., TOWNES, P.L.: Electrophoretic heterogeneity and relationships of pepsinogens in human urine, serum and gastric mucosa. Gastroenterology **58**, 462 (1970).
33. SAMLOFF, J.M., LIEBMANN, W.A.: Radioimmunoassay of group I pepsinogens in serum. Gastroenterology **66**, 494 (1970).
34. SCHULZ, I.: Pancreatic Bicarbonate Transport. In: SACHS, G., HEINZ, E., ULLRICH, K.J. (Hrsg.): Gastric Secretion, p. 363. New York-London: Academic Press 1974.
35. SIEWERT, R., BLUM, A., WALDECK, F. (Hrsg.): Funktionelle Erkrankungen der Speiseröhre. Berlin-Heidelberg-New York: Springer 1976.
36. SLEISENGER, M.H., FORDTRAN, J.S.: Gastrointestinal Disease. Pathophysiology, Diagnosis, Management. Philadelphia-London-Toronto: Saunders 1973.
37. THOMPSON, J.C.: Chemical Structure and Biological Actions of Gastrin, Cholecystokinin and Related Compounds. In: International Encyclopedia of Pharmacology and Therapeutics. Pharmacology of Gastrointestinal Motility and Secretion, Section 39 (a), Vol. II, p. 261. Oxford-New York-Toronto-Sydney-Braunschweig: Pergamon Press 1973.
38. TRIER, J.S., RUBIN, F.: Electron microscopy of the small intestine: A review. Gastroenterology **49**, 574 (1965).
39. UGOLEV, A.M.: Membrane digestion and peptide Transport. In: ELLIOTT, K., O'CONNOR, M. (Hrsg.): Peptide Transport in Bacteria and Mammalian Gut. Ciba Foundation Symposium. Amsterdam-London-New York: Associated Scientific Publishers 1972.
40. WISEMANN, G.: Absorption from the Intestine. London-New York: Academic Press 1964.

XXVIII. Nierenfunktion (O. Harth)

1. Allgemeine Grundlagen der Nierenphysiologie

1.1. Physiologische Bedeutung der Nierenfunktion

Aufgabe der Nieren. Die Konstanz der chemischen Zusammensetzung der extracellulären Flüssigkeit ist Voraussetzung für die ungestörte Funktion der Körperzellen. Zu ihrer Aufrechterhaltung sind die Nieren als *Ausscheidungsorgan* unentbehrlich: Sie eliminieren fortwährend aus dem Blutplasma nicht mehr verwertbare **Endprodukte des Zellstoffwechsels** wie Harnstoff, Harnsäure oder Creatinin und scheiden sie in den Harn aus. Bei diesen Stoffen handelt es sich um *„harnpflichtige Substanzen"*, deren Verbleiben im Organismus zur Selbstvergiftung führen würde. Dasselbe gilt auch für viele *aufgenommene Fremdstoffe* (z.B. Medikamente), die oft nicht abgebaut und nur durch die Nieren wieder aus dem Organismus entfernt werden können. Die Nieren scheiden aber auch eine Reihe von **physiologischen Bedarfsstoffen** aus, wie Kochsalz, anorganisches Phosphat oder Wasser. Die Ausscheidung dieser Stoffe steht unter *hormonaler Kontrolle* und richtet sich nach den physiologischen Bedürfnissen. Im Überschuß vorhanden werden sie vermehrt ausgeschieden, bei Mangel weitgehend vor Ausscheidung bewahrt. Die Nieren üben demnach eine *differenzierte* **Klärfunktion** auf das zur extracellulären Flüssigkeit gehörende Blutplasma aus. Durch kontrollierte Ausscheidung von Ionen und Wasser bewirken sie eine *Konstanz der ionalen Zusammensetzung* (**Isoionie**), der *osmotischen Konzentration* (**Isotonie**) und des *pH-Wertes* (**Isohydrie**) der extracellulären Flüssigkeit. Diese **regulatorischen Funktionen** betreffen demnach den *Elektrolyt-* und *Wasserhaushalt* und das *Säuren-Basen-Gleichgewicht* in den Körperflüssigkeiten. Die Nieren sind Bildungsstätte von **Renin**. Durch die intrarenalen Mechanismen zur Freisetzung dieses Stoffes in das Blut sind die Nieren zusätzlich an der *Kontrolle des extracellulären Flüssigkeitsvolumens* und des *arteriellen Blutdruckes* beteiligt.

Leben ohne Nieren. Die Nieren sind lebenswichtig. Werden sie beide experimentell entfernt (*Nephrektomie*) oder versagen sie funktionell (*akutes Nierenversagen*), so tritt der Tod innerhalb von ein bis zwei Wochen ein. Die fehlende renale Ausscheidung führt zu fortschreitenden Veränderungen in der extracellulären Flüssigkeit: Anstieg der Konzentration an harnpflichtigen Substanzen (**Urämie**), an Natrium-, Kalium-, Sulfat- und Phosphationen bei gleichzeitiger *Zunahme des extracellulären Flüssigkeitsvolumens*. Außerdem besteht eine fortschreitende *urämische Acidose*. Der Tod tritt gewöhnlich ein, wenn der Blut-pH etwa 7,0 erreicht. Als Ersatz für die mangelnde Klärfunktion können heute entweder eine **Nierentransplantation** oder aber **extracorporale Hämodialysen** mit einer *„künstlichen Niere"* durchgeführt werden [28]. Bei der künstlichen Niere wird ein „extracorporaler Kreislauf" zwischen der A. radialis und einer V. cubitalis angelegt und das Blut über ein System von Membranen geleitet, die durchlässig für kleinmolekular gelöste Stoffe sind (Dialysiermembran). Durch *Dialyse* (Stoffaustausch durch eine Membran aufgrund bestehender Konzentrationsgradienten) zwischen Blut und einer isotonischen Salzlösung können die Konzentrationen der harnpflichtigen Substanzen und der Ionen im Blutplasma normalisiert und damit die fehlende Klärfunktion der Nieren ersetzt werden.

1.2. Grundzüge der Nierenanatomie

Morphologische Einteilung. Die Nieren weisen eine *Rinden-* und eine *Markregion* auf. Sie bestehen beim Menschen aus jeweils 8–10 pyramidenförmigen Lappen, deren Spitzen als Markpapillen ins Nierenbecken gerichtet sind. Blutgefäße und Harnkanälchen verlaufen in den Rindengebieten und den verschiedenen Markzonen in charakteristischer Weise, entsprechend der schematischen Darstellung in Abb. 1. Die einzelnen, an der Harnbildung unmittelbar beteiligten Gebilde sind recht gleichförmig aufgebaut. Sie bilden jeweils die *morphologische und funktionelle Einheit* der Nieren, das **Nephron**. Eine menschliche Niere von 150 g Gewicht enthält 1 bis 1,2 Millionen Nephrone.

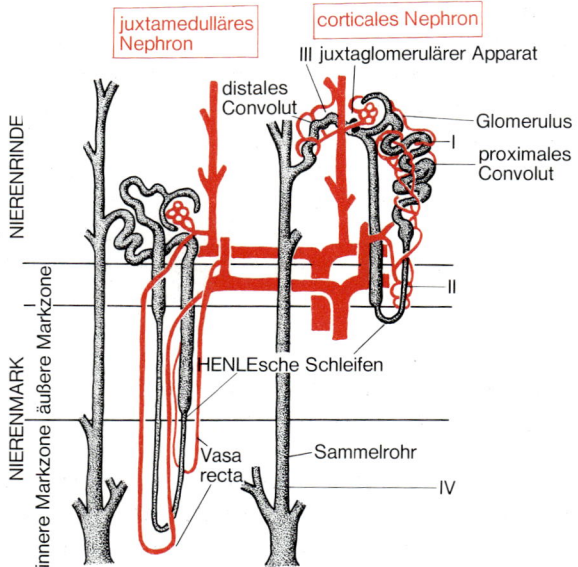

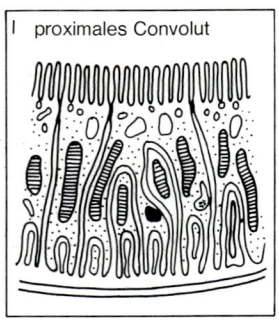

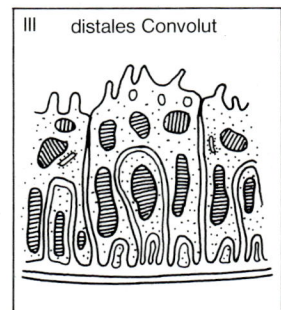

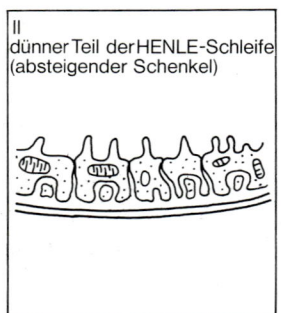

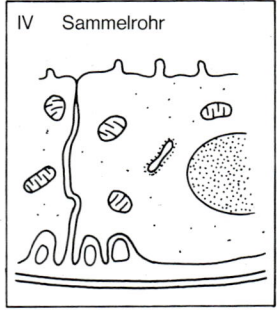

Abb. 1. Schematische Darstellung zweier Nephrone und die Differenzierung des Kanälchenepithels in verschiedenen Abschnitten des Nephrons. Modifiziert nach [34, 35]

Bau des Nephrons. Das Nephron besteht aus dem **Glomerulus** (Nierenkörperchen) und dem **Tubulus** (Nierenkanälchen). Mehrere Tubuli münden in der Nierenrinde in ein **Sammelrohr** ein. Trotz eines unterschiedlichen embryologischen Ursprungs rechnet man in der Physiologie das Sammelrohr anteilmäßig noch zum Nephron, da es nicht nur Sammelfunktion ausübt, sondern eine wichtige Rolle bei der Bereitung des Urins (*Endharn*) spielt.

Der **Glomerulus** wird aus **Capillarschlingen,** die aus der afferenten Arteriole, dem *Vas afferens,* hervorgehen und in das *Vas efferens* einmünden, sowie aus der doppelblättrigen **Bowmanschen Kapsel** des Tubulusepithels gebildet. Alle Glomeruli liegen in Rindengebieten entweder als *corticale Glomeruli* in der Außenrinde (Cortex corticis) oder als *juxtamedulläre Glomeruli* in den Columnae renales. Entsprechend unterscheidet man auch *corticale* und *juxtamedulläre Nephrone* (Abb. 1).

Der **Tubulus** beginnt mit der stark verknäuelten *Pars convoluta,* gefolgt von einer gestreckt verlaufenden *Pars recta,* die in die äußere Markzone absteigt. Beide zusammen bilden den **proximalen Tubulus.** An ihn schließt sich der enge haarnadelförmig gebogene *dünne Teil* der **Henleschen Schleife** an, deren aufsteigender Schenkel an der Grenze von innerer und äußerer Markzone in den *aufsteigenden dicken Schenkel* (Pars recta des distalen Tubulus) übergeht. Auf ihn folgt die relativ kurze *Pars convoluta* des **distalen Tubulus.** Das proximale und das distale Convolut liegen stets in der Nierenrinde. Bemerkenswerterweise berührt das distale Convolut die afferente Arteriole seines zugehörigen Glomerulus und bildet mit ihr den **juxtaglomerulären Apparat** (s. S. 629). Die Gesamtlänge des Nierentubulus beträgt beim Menschen 20–24 mm.

Mehrere Sammelrohre vereinigen sich in der Rinde und der inneren Markzone und münden an der Papillenspitze in die Kelche des Nierenbeckens. Die durchschnittliche Länge der Sammelrohre beträgt 22 mm.

Die **Blutversorgung** der *Tubuli* und der *Sammelrohre* ist im wesentlichen portal, d.h. die peritubulären Capillaren entspringen fast alle den Vasa efferentia der Glomeruli. In der Nierenrinde und auch noch in der äußeren Markzone besteht ein dichtes Capillarnetz, dagegen anastomosieren die langen, schleifenförmigen Capillaren in der inneren Markzone relativ spärlich.

1.3. Grundzüge der Nierenfunktion

Elementarprozesse der Harnbildung [28]. An der Harnbildung wirken alle Teile des Nephrons mit. Sie beginnt im Glomerulus, wo der **Primärharn** durch den **glomerulären Filtrationsprozeß** aus dem durchfließenden Blutplasma abgetrennt und in das Harnkanälchen geleitet wird. Während der Passage durch den Tubulus und das Sammelrohr wird dann die Zusammensetzung des Primärharns bzw. der Kanälchenflüssigkeit durch **transtubuläre Stofftransporte** erheblich verändert. Dabei unterscheidet man nach der Transportrichtung zwischen *tubulärer Resorption* und *tubulärer Sekretion.*

Durch **tubuläre Resorption** wird der größte Teil der filtrierten Stoffmengen (vor allem Wasser und die meisten Bedarfsstoffe) der Tubulusflüssigkeit entzogen und dem Blut in den peritubulären Capillaren wieder zugeführt (s. Tabelle 3). Aus diesem Grund spricht man auch von *tubulärer „Rückresorption"*. Durch **tubuläre Sekretion** gelangt eine Reihe von Stoffen aus dem peritubulären Capillarblut (z.B. bestimmte organische Säuren) oder aus den Tubuluszellen, wo sie produziert werden (z.B. Wasserstoffionen und Ammoniak), in die Tubulusflüssigkeit.

Die *Ausscheidung von Stoffen im* **Endharn** ($=$ Urin) wird demzufolge von den drei genannten Prozessen (glomerulärer Filtration, tubulärer Resorption und tubulärer Sekretion) bestimmt. Allgemein gilt, daß *zur Ausscheidung im Endharn alle Stoffe gelangen, die glomerulär filtriert und die tubulär secerniert werden, vermindert um die Mengen, die tubulär resorbiert werden.*

Bei einigen Stoffen können alle drei Prozesse der Harnbildung an der Ausscheidung beteiligt sein (z.B. Kaliumionen). Wenige Stoffe werden ausschließlich durch Filtration ausgeschieden, viele werden filtriert und zusätzlich entweder resorbiert oder secerniert. Hinweise über den *Ausscheidungsmodus* eines bestimmten Stoffes können an der Gesamtniere durch das *quantitative Clearance-Verfahren* gewonnen werden (s. S. 610).

Den drei Prozessen der Harnbildung liegen unterschiedliche **Mechanismen** zugrunde. Die *glomeruläre Filtration* beruht auf *physikalischen Kräften* (Filtrationsdruck, s. S. 614) und die Filtrierbarkeit der Stoffe (s. S. 616) auf *allgemeinen physikalischen Eigenschaften der Moleküle*, besonders der Molekülgröße. Der Übertritt von Stoffen aus dem Blutplasma in den Primärharn ist deshalb nicht stoffselektiv. *Tubuläre Stofftransporte* der Resorption und Sekretion hängen zwar auch von allgemeinen Moleküleigenschaften ab (z.B. Diffusion von Harnstoff, s. S. 625, oder non-ionic diffusion von schwachen organischen Säuren und Basen, s. S. 625), für eine Reihe von Stoffen existieren aber in den Membranen der Tubuluszellen besondere Einrichtungen (**Transportsysteme**), für den *unidirektionalen, stoffspezifischen Transport*. Diesen Transportsystemen ist es zuzuschreiben, daß die filtrierten Bedarfsstoffe wie Natriumionen, Glucose oder Aminosäuren fast vollständig „rückresorbiert" und vor Ausscheidung bewahrt werden können. Diese Transporte erfolgen *gegen* ein *transtubuläres Konzentrationsgefälle* und benötigen deshalb *Energie* aus dem Stoffwechsel der Tubuluszellen (**aktiver Resorptionsmechanismus**). Dagegen beruht u.a. die Harnstoffresorption auf *Diffusion* und erfolgt deshalb **passiv**. Einige

Stoffe können auch **aktiv secerniert** werden (z.B. p-Aminohippursäure, s. S. 624), jedoch fallen gegenüber den resorbierten die insgesamt secernierten Stoffmengen nicht ins Gewicht. Da die Energie für die glomeruläre Filtratbildung (treibende Kräfte: transcapilläre Druckdifferenzen, s. S. 614) aus der Herzarbeit resultiert, ist es zu verstehen, daß die von den Tubuluszellen umgesetzte Energie vornehmlich zur Resorption der Bedarfsstoffe verbraucht wird (s. S. 612).

1.4. Funktionsprüfung der Gesamtniere mit dem Clearance-Verfahren

Definition der renalen Clearance eines Stoffes. Die **Klärfunktion** der Nieren für einen Stoff im Blutplasma wird durch die *renale Clearance* dieses Stoffes quantifiziert. *Der Clearance-Wert gibt den Teil des renalen Plasmaflusses an, der pro Minute von dem betreffenden Stoff völlig befreit wird* (s.u.).

Die Clearance C stellt somit eine **„Volumen-Klärrate"** (ml/min) dar. Zu ihrer Bestimmung benötigt man die Ausscheidungsrate des Stoffes S (mg/min) in den Harn und seine Konzentration im arteriellen Plasma P_S. Die Ausscheidungsrate in den Harn ergibt sich aus dem Produkt der Stoffkonzentration im Urin U_S und dem Harnzeitvolumen $\dot{V}$:

$$C_S = \frac{U_S \cdot \dot{V}}{P_S} \ \text{(ml/min)}. \tag{1}$$

Die einfache Umschreibung von Gl. (1):

$$C_S \cdot P_S = U_S \cdot \dot{V} \ \text{(Menge/Zeit)} \tag{2}$$

zeigt, daß der Clearance-Formel eine Bilanzbetrachtung zugrunde liegt: Die pro Zeiteinheit aus dem Plasma abgetrennte Menge ($C_S \cdot P_S$) ist gleich der pro Zeiteinheit ausgeschiedenen Menge ($U_S \cdot \dot{V}$).

Die Clearance einer Substanz stellt in der Regel einen *fiktiven Teil des renalen Plasmaflusses* dar, weil nicht ein bestimmter Teilstrom des Plasmas vollständig, sondern vielmehr der Gesamtstrom teilweise von der Substanz befreit wird. Eine Ausnahme ist die Inulin-Clearance (s. S. 615), die der glomerulären Filtrationsrate, also dem abgetrennten Teil des Plasmaflusses entspricht. Dieser Anteil wird tatsächlich vollständig von diesem Stoff befreit. Es ist einleuchtend, daß die Clearance einer Substanz höchstens den Wert des gesamten renalen Plasmaflusses erreichen kann. In diesem Fall müßte das durchfließende Plasma während einer Nierenpassage völlig von der Clearance-Substanz befreit werden. Annähernd erfüllen einige Substanzen diese Bedingung (s. S. 610). Ihre Clearance entspricht deshalb annähernd dem „wahren" Nierenplasmafluß.

Clearance-Funktionsteste. Zur Beurteilung der Nierenfunktion haben die Clearance-Werte von Stoffen, die physiologischerweise im Blutplasma und Urin enthalten sind, meist nur spezielle Bedeutung. Grundlegender ist die Kenntnis des *Nierenplasmaflusses* und der *glomerulären Filtrationsrate*. Die erfolgreiche Suche nach Stoffen, deren Clearance einem der beiden „Flüsse" bzw. „Volumenraten" entspricht, hat die Physiologie und Pathophysiologie der Nieren entscheidend gefördert.

Der **Nierenplasmafluß** stimmt mit der **PAH-Clearance** (PAH = p-Aminohippursäure) bis auf etwa 8–10% überein. Dieser Stoff wird also während einer Nierenpassage fast vollständig aus dem Blutplasma eliminiert (s. unten und S. 624).

Der **glomerulären Filtrationsrate** entspricht die **Inulin-Clearance** (s. S. 615). Die Brauchbarkeit dieses Stoffes zur Bestimmung der Filtrationsrate ist an die Prämisse gebunden, daß Inulin frei filtriert, nur durch Filtration ausgeschieden und tubulär weder resorbiert noch secerniert wird.

Hinweise auf den renalen Ausscheidungsmodus einer Substanz. Glomeruläre Filtration und tubuläre Sekretion sind Prozesse, die eine Stoffausscheidung in den Harn bewirken. Dagegen führt die tubuläre Resorption eines filtrierten oder auch eines secernierten Stoffes zu einer Verminderung der Ausscheidung. Unter der vereinfachten Annahme, die für eine Anzahl von kleinmolekularen Substanzen auch zutrifft, daß sie uneingeschränkt filtriert werden und tubulär entweder nur einer Resorption oder nur einer Sekretion oder keinem der beiden Prozesse unterliegen, läßt die Clearance einer Substanz (C_S) erkennen, welche Teilprozesse mitgewirkt haben. Der Vergleich mit der Inulin-Clearance (C_{Inulin}) ermöglicht dann folgende Feststellung:

1. $C_S < C_{Inulin}$: Stoffausscheidung beruht auf **Filtration** und **Resorption**
2. $C_S = C_{Inulin}$: Stoffausscheidung ausschließlich durch **Filtration**
3. $C_S > C_{Inulin}$: Stoffausscheidung durch **Filtration** und **Sekretion**

Diese Feststellungen stehen und fallen mit der Gültigkeit der oben gemachten Annahmen. Diese müssen deshalb zunächst geprüft werden, was umfangreiche Zusatzuntersuchungen notwendig macht (z.B. über Molekulargewicht und Adsorption an Plasmaproteine, Ausscheidungsraten und tubuläre Transportraten in Abhängigkeit von der Stoffkonzentration im Plasma usw., s. S. 606). Eine sichere Aussage kann man bei einem völlig unbekannten exogenen Stoff auf Anhieb nur im Fall 3 ($C_S > C_{Inulin}$) treffen: Der Stoff muß tubulär secerniert werden.

2. Der Nierenkreislauf

2.1. Nierendurchblutung

Gesamtdurchblutung der Nieren [7, 28]. Die Durchblutung beider Nieren beträgt beim Erwachsenen (70 kg Körpergewicht) etwa **1 300 ml/min**. Dies entspricht etwa *25% des Herzzeitvolumens* in Ruhe.

Bei einem Gesamtnierengewicht von 300 g ergibt dies eine spezifische Durchblutung von über 400 ml/min · 100 g Nierengewebe. Dieser Wert liegt beträchtlich über dem der anderen größeren Organe wie Gehirn, Leber, Herzmuskel usw. (s. XXII-Tabelle 1).

Die *hohe Durchblutung der Niere* ist erforderlich, damit *viel Primärharn pro Zeiteinheit (= glomeruläre Filtrationsrate)* gebildet werden kann (s. S. 615, 634). Nur eine gut durchblutete Niere mit hoher Filtrationsrate arbeitet funktionsgerecht. Zur Bestimmung der Nierendurchblutung beim Menschen bedient man sich des Clearance-Verfahrens.

Bestimmung des renalen Plasmaflusses (RPF) und der Nierendurchblutung (RBF). Zur Bestimmung der Nierendurchblutung bzw. des Nierenplasmaflusses mit dem Clearance-Verfahren benötigt man eine Substanz, die während der Passage des Blutes durch die Nieren vollständig aus dem Blutplasma in den Harn eliminiert wird (s. oben). In diesem Fall muß das Nierenvenenblut frei von der ausgeschiedenen Substanz sein, d.h. die renale Extraktion dieser Substanz (E_S) hat den Wert 1,0 (s. Gl. 4).

Es gibt keinen Stoff, der exakt die renale Extraktion von 1,0 erreicht. Die höchsten renalen Extraktionswerte weisen auf: **p-Aminohippursäure = PAH** (0,92), **jodhaltige Röntgenkontrastmittel** wie *Perabrodil* oder *Diodrast* (0,90) und einige **Penicilline** (0,92). Die Clearance-Werte dieser Stoffe kommen bis auf etwa 8% an den wahren Wert des RPF heran. Man bezeichnet den mit der Clearance von PAH (C_{PAH}) ermittelten Nierenplasmafluß als **effektiven Nierenplasmafluß (ERPF)**:

$$C_{PAH} = ERPF \ (ml/min). \tag{3}$$

Da der renale Extraktionswert von PAH unter vielen Bedingungen konstant bei 0,92 liegt, ist die C_{PAH} ein verläßliches Maß zur Beurteilung des RPF. In Zweifelsfällen oder wenn es auf die Kenntnis des *wahren* RPF ankommt, ist es erforderlich, die renale Extraktion von PAH (E_{PAH}) zu berücksichtigen, wozu aber auch Blut aus der Nierenvene benötigt wird.

Die Extraktion errechnet sich aus der Konzentration der betreffenden Substanz, hier PAH, im Arterienblut (P_{PAH}) und im Nierenvenenblut (P_{vPAH}):

$$E_{PAH} = \frac{P_{PAH} - P_{vPAH}}{P_{PAH}}. \tag{4}$$

Unter Berücksichtigung der gemessenen E_{PAH} erhält man den *wahren RPF*:

$$RPF = \frac{C_{PAH}}{E_{PAH}} \ (ml/min). \tag{5}$$

Gl. (5) entspricht der **Durchblutungsformel nach Fick** (s. S. 441). Dies ist ersichtlich, wenn man jeweils die rechte Seite der Gln.

(1) und (4) in Gl. (5) verwendet:

$$RPF = \frac{U_{PAH} \cdot \dot{V} \cdot P_{PAH}}{P_{PAH}(P_{PAH} - P_{vPAH})} = \frac{U_{PAH} \cdot \dot{V}}{P_{PAH} - P_{vPAH}}$$

$$= \frac{\text{pro Zeiteinheit ausgeschiedene Menge}}{\text{arteriovenöse Konzentrationsdifferenz}} (\text{ml/min}). \quad (6)$$

Normwerte des $ERPF = C_{PAH}$ für den Menschen, bezogen auf eine mittlere Körperoberfläche (1,73 m²), liegen bei 650 ml/min (Mann) bzw. 600 ml/min (Frau).

Die **Nierendurchblutung** (RBF) kann bei Kenntnis von ERPF oder RPF mit Hilfe des *Hämatokritwertes* (HKT) des Blutes errechnet werden:

$$RBF = \frac{RPF \cdot 100}{100 - HKT} (\text{ml/min}). \quad (7)$$

Regionale Durchblutung von Nierenrinde und -mark [7]. Die intrarenale Durchblutung verteilt sich nicht gleichmäßig auf das Rinden- und Markgewebe. Die **spezifische Durchblutung** nimmt in der Reihenfolge Rinde — äußere Markzone — innere Markzone im Verhältnis von etwa 1:0,25:0,06 ab (s. Tabelle 1). Die Ursache für die *niedrige Durchblutung der inneren Markzone* ist in den langen, schleifenförmigen Capillaren (= *Vasa recta*, Abb. 1) zu suchen, in denen ein hoher Strömungswiderstand herrscht. Dieser Strömungswiderstand ist bei einer Niere, die einen konzentrierten Urin bildet, deutlich größer als unter der Bedingung eines starken Harnflusses [37]. Dies steht in Zusammenhang mit der hohen osmotischen Konzentration im Interstitium des Nierenmarkes und der Diffusion im Gegenstrom (s. S. 627): Dem Blut der absteigenden Schenkel der Vasa recta wird osmotisch Wasser entzogen, das mit dem Gegenstrom in den aufsteigenden Schenkel abgeführt wird. In den tieferen Schichten des Nierenmarks steigt die Blutviscosität durch den Wasserentzug erheblich an, was den Strömungswiderstand beträchtlich erhöht.

Autoregulation der Nierendurchblutung [7, 28]. An den allgemeinen Kreislaufregulationen, die haupt-

Tabelle 1. Regionale Durchblutung des Nierengewebes beim Hund. Nach [7]

	Anteil am Gewicht der Gesamtniere	Durchblutung in ml/100 g·min	Anteil an Gesamtdurchblutung
Rinde	70%	450	92,5%
Äußere Markzone	20%	110	6,5%
Innere Markzone	10%	30	1%

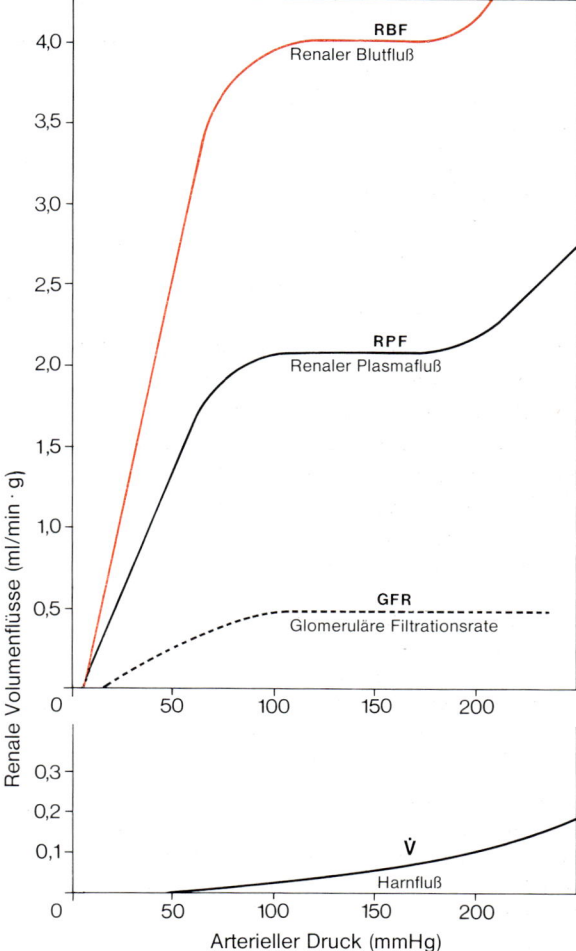

Abb. 2. Autoregulation der Nierendurchblutung und der glomerulären Filtrationsrate. Modifiziert nach [32]. Einfluß des arteriellen Blutdruckes auf die Nierendurchblutung (RBF), den renalen Plasmafluß (RPF), die glomeruläre Filtrationsrate (GFR) und den Harnfluß (V̇)

sächlich über den Sympathicus gesteuert werden, nimmt der Nierenkreislauf kaum teil, wenn man von extremen Kreislaufsituationen absieht. Steigt der mittlere arterielle Blutdruck z.B. von 100 auf 150 mm Hg (bzw. 13,3 auf 20 k Pa), so bleibt die Nierendurchblutung meist konstant. Die Druck-Durchfluß-Beziehung (Abb. 2) zeigt, daß die Nierendurchblutung im niedrigen Druckbereich linear mit dem Perfusionsdruck zunimmt. Im Bereich zwischen 80 und 180 mm Hg ändert sie sich dagegen kaum, um erst bei Drucken oberhalb 200 mm Hg wieder anzusteigen.

Eine solche Druck-Durchfluß-Charakteristik mit dem *typischen* „Plateau" ist unter verschiedenen experimentellen Bedingungen festzustellen: an der Niere in situ, der denervierten Niere, der isoliert perfundierten und der transplantierten Niere. Sie besteht an der isoliert perfundierten Niere (zumindest für eine gewisse Zeit) auch bei Verwendung unphysiologischer Perfusate wie zellfreien Blutersatzlösungen oder sogar Mineralölen.

Die Konstanz der Nierendurchblutung im Druckbereich von 80 bis 180 mm Hg läßt sich nur durch
eine abgestufte Einstellung des Strömungswiderstandes in den renalen Widerstandsgefäßen deuten.
Da dies offensichtlich nicht über vasomotorische
Nerven erfolgt, muß dieser Effekt durch eine **direkte
Reaktion der glatten Muskulatur der renalen Widerstandsgefäße** zustande kommen. In erster Linie sind
es die **Vasa afferentia,** die auf Blutdruckerhöhung
mit einer Vasoconstriction reagieren (s. Abb. 5).
Diese myogene Antwort auf Änderung des transmuralen Druckgradienten (Druckbelastung der Gefäßwand) wird auch als *Bayliss-Effekt* bezeichnet
(s. S. 395). Er bewirkt die „Selbststeuerung des Nie-
renkreislaufs" im Druckbereich zwischen 80 und
180 mm Hg, in dem sich die Nierendurchblutung
praktisch als konstant erweist (**Autoregulation der
Nierendurchblutung**).

Funktionell wichtiger als die Konstanz der Nierendurchblutung durch Autoregulation ist sicherlich
die *Konstanz der glomerulären Filtration.* Da die
druckbedingte Widerstandsanpassung in den prä-
glomerulären Gefäßen erfolgt, bleibt im autoregulierten Druckbereich auch der glomeruläre Capillardruck konstant. Damit ist die wesentliche Voraussetzung für die Konstanthaltung der glomerulären Filtrationsrate (s. S. 615) gegeben. Tatsächlich
besteht neben der Autoregulation der Durchblutung eine **Autoregulation der glomerulären Filtrationsrate** (Abb. 2).

Bei Untersuchungen der Regionaldurchblutung
wurde festgestellt, daß bei Änderungen des arteriellen Blutdruckes im autoregulierten Druckbereich
lediglich die Durchblutungsgröße der Nierenrinde
konstant bleibt, während die Durchblutung des
Nierenmarks den Druckänderungen folgt. Demnach ist die Durchblutung des Markgewebes nicht
autoreguliert.

Die Zunahme der Markdurchblutung bei ansteigendem System-
druck fällt bei der Untersuchung der Druck-Durchfluß-Beziehung an der ganzen Niere nicht ins Gewicht, weil auf die Markdurchblutung höchstens 10% der Gesamtdurchblutung entfallen
(s. Tabelle 1). Die druckbedingte Zunahme der Markdurchblutung bewirkt aber eine sog. **Druckdiurese,** da der wasserkonser-
vierende Harnkonzentrierungsmechanismus im Nierenmark (s.
S. 627) beeinträchtigt wird. Bei der Druckdiurese sind Na^+-
und Wasser-Ausscheidung erhöht. Eine entsprechend *vermehrte
Harnausscheidung* und eine *geringe Konzentrierungsleistung* der
Niere findet man demgemäß bei *Patienten mit Bluthochdruck.*

2.2. Sauerstoffverbrauch und Stoffwechsel
der Nieren

O_2-Verbrauch [7, 34]. Der renale O_2-Verbrauch ist
mit ca. 5,5 ml O_2/min · 100 g Nierengewebe im Vergleich zu dem anderer Organe recht groß, die renale

arteriovenöse O_2-Konzentrationsdifferenz (avD$_{O_2}$)
dagegen auffallend niedrig (1,5 Vol.-% gegenüber
4–5 Vol.-% im Gesamtkreislauf). Wenn trotz des
hohen Verbrauchs die avD$_{O_2}$ niedrig ist, so liegt
das an der hohen Nierendurchblutung. Diese ist
nicht eingestellt auf die Sauerstoffversorgung des
Organs, sondern auf den Perfusionsdruck zur Filtratbildung (s.o.). Es hat sich gezeigt, daß der O_2-
Verbrauch der Niere abnimmt, wenn die Durchblutung experimentell durch Einengung der Nierenarterie gedrosselt wird und zunimmt, wenn sie über
das autoregulierte Niveau ansteigt (bei Lähmung
der Gefäßmuskulatur, z.B. mit *Papaverin*) [8]. Beide
Maßnahmen wirken sich auch auf die glomeruläre
Filtrationsrate aus. Eine Abhängigkeit zwischen
dem O_2-Verbrauch und der glomerulären Filtrationsrate ist nicht gegeben, auch wenn er aus derartigen Versuchen hervorzugehen scheint, weil der
glomeruläre Filtrationsprozeß energetisch aus der
Herzarbeit bestritten wird (s. S. 609, 614). Dagegen
besteht wohl ein kausaler Zusammenhang zwischen
dem **O_2-Verbrauch** der Niere und der **Na^+-Resorp-
tionsrate** (Abb. 3). Die scheinbare Beziehung zur
Filtrationsrate ergibt sich nur deshalb, weil die dem
Tubulusapparat zur Resorption angebotene Na^+-
Menge („tubular load") von der Filtrationsrate abhängt.

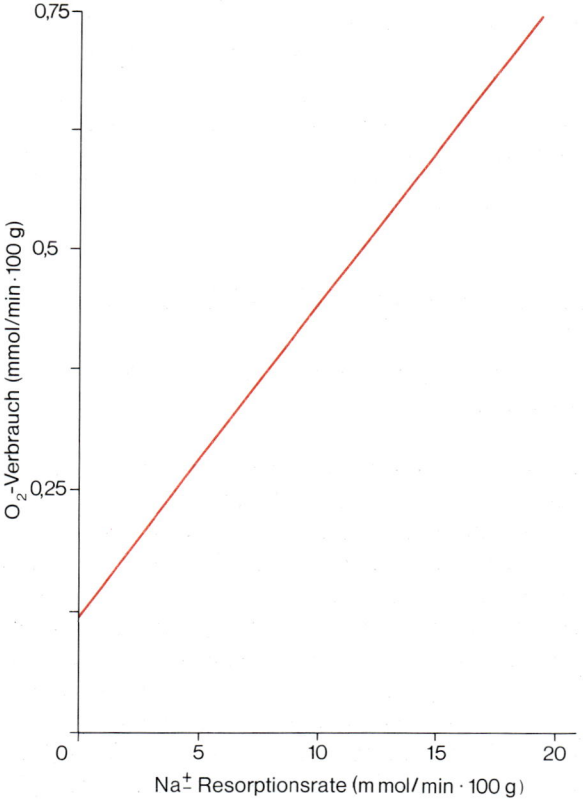

Abb. 3. O_2-Verbrauch und Na^+-Resorption der Niere. Nach
[8]

O2-Partialdrucke im Nierenmark. Im Nierenmark fällt der O$_2$-Partialdruck zur Papillenspitze hin stark ab. Dieser Abfall ergibt sich nicht allein aufgrund des O$_2$-Verbrauches der Zellen der inneren Markzone, sondern ist Folge eines diffusiven **Abtransportes des Sauerstoffs** zur Außenzone hin. Hierbei handelt es sich um einen Effekt des **Gegenstromsystems im Nierenmark** (s. S. 627): Aus den absteigenden Schenkeln von Capillarschlingen (und auch Henleschen Schleifen) erfolgt eine O$_2$-Diffusion in die aufsteigenden Schenkel, verbunden mit einem konvektiven Transport nach außen [20].

Substrate des Zellstoffwechsels [3]. Der Zellstoffwechsel in Rinde und Mark weist beträchtliche quantitative und qualitative Unterschiede auf. In den reich capillarisierten und durchbluteten Gebieten der **Rinde** erfolgt die *Energiegewinnung* für die tubulären Zelleistungen ganz überwiegend oxidativ. Als Substrate dienen vornehmlich *freie Fettsäuren,* daneben aber auch *Lactat, Pyruvat* und Ketonkörper sowie *Intermediate* des *Citronensäurecyclus.* Die Zellen der **inneren Markzone** decken dagegen ihren Energiebedarf hauptsächlich durch **anaerobe Glykolyse.**

Der Glucoseverbrauch des Nierenmarks ist mit Hilfe einer Bilanzbetrachtung (Nierendurchblutung × avD$_{Glucose}$) nicht feststellbar. Das abfließende Nierenvenenblut enthält mehr Glucose als das zufließende arterielle Blut. Dies bedeutet, daß in der Niere (Nierenrinde) eine **Gluconeogenese** stattfindet, und zwar aus glucoplastischen Aminosäuren wie Glutamat und Aspartat, aber auch aus Lactat und Intermediaten des Citronensäurecyclus. Die Gluconeogenese dient wohl einerseits der Versorgung des Markgewebes, andererseits aber auch der Beseitigung von Lactat aus der Glykolyse und der Beseitigung von α-Ketoglutarat aus der Ammoniak-Synthese.

3. Der glomeruläre Filtrationsprozeß

3.1. Morphologische und biophysikalische Grundlagen

Anatomie des glomerulären Filters. Das glomeruläre Filter wird von 20 bis 40 Capillarschlingen und dem sie umkleidenden inneren Blatt der Bowmanschen Kapsel gebildet. Diese **Glomerulusmembran** besteht insgesamt aus drei Schichten: der **capillären Endothelschicht,** der **Basalmembran** und dem **inneren Blatt der Bowmanschen Kapsel.** Das elektronenmikroskopische Bild (Abb. 4) zeigt ein gefenstertes Capillarendothel (Lamina fenestrata) mit weiten Poren, die sehr *dichte Basalmembran* (Lamina densa) und die Podocyten (spezialisierte Epithelzellen des inneren Kapselblattes), die mit breiten Schlitzen der Basalmembran aufsitzen.

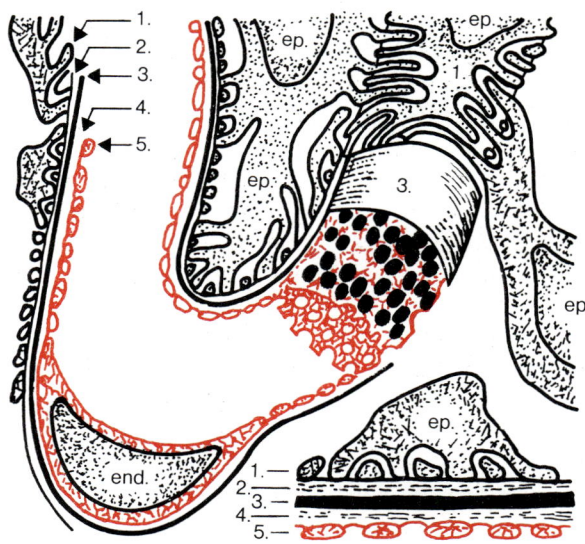

Abb. 4. Darstellung der Glomerulusmembran nach elektronenmikroskopischen Untersuchungen [27]. Die Zahlen kennzeichnen die Zuordnungen der Strukturen in den beiden Schnittdarstellungen

Aufgrund dieser Darstellung ergibt sich, daß nur die mittlere Schicht, die **Basalmembran,** die **Moleküldurchlässigkeit der Glomerulusmembran** bestimmen kann. Die Basalmembran weist eine Netzstruktur auf, die von feinen (wahrscheinlich) kollagenen Filamenten gebildet wird. Der Abstand dieser Filamente untereinander beträgt etwa 3–7,5 nm. Die Maschen des Netzwerkes könnten die Poren des Filters repräsentieren.

Molekulare Durchlässigkeit der Glomerulusmembran [26, 28]. Gestützt auf die Ausscheidung bestimmter Stoffe unterschiedlichen Molekulargewichts kann man Rückschlüsse auf deren glomeruläre Filtrierbarkeit ziehen und die Porenweite in der Glomerulusmembran näherungsweise berechnen. Freie oder **uneingeschränkte Filtrierbarkeit** besteht für *kleinmolekulare Stoffe* bis etwa zur Größe des Inulinmoleküls (Molekulargewicht 5 500). Mit größer werdendem Molekulargewicht wird der Porendurchtritt der gelösten Teilchen mehr und mehr behindert (Tabelle 2). Hierbei spricht man auch von **molekularer Siebung.** Für Hämoglobin-Moleküle (MG = 64 500) beträgt die Filtrierbarkeit nur noch 3% und für Plasmaalbumine (MG = 69 000) liegt sie weit unter 1%. Die *absolute Grenze* für den Teilchendurchtritt durch die Filterporen dürfte bei einem Molekulargewicht von etwa 80 000 liegen. Größere Proteine (Plasmaglobuline) werden glomerulär nicht mehr filtriert. Die glomeruläre Filtration ist demnach eine **Ultrafiltration,** bei der das Filtrat nahezu frei von kolloidalen Makromolekülen ist.

Tabelle 2. Beziehungen zwischen Molekulargewicht, Molekülabmessungen und glomerulärer Filtrierbarkeit. Nach [28]

Substanz	Molekular-gewicht	Molekülabmessungen		Filtrierbarkeit
		Radius ermittelt aus den Diffusions-koeffizienten (nm)	Durchmesser ermittelt aus Röntgenstrahl-beugung (nm)	Konzentrations-verhältnis: Filtrat/Plasma
Wasser	18	0,10		1,0
Harnstoff	60	0,16		1,0
Glucose	180	0,36		1,0
Rohrzucker	342	0,44		1,0
Inulin	5 500	1,48		0,98
Myoglobin	16 000	1,95	5,4 / 0,8	0,75
Eieralbumin	43 500	2,85	8,8 / 2,2	0,22
Hämoglobin	64 500	3,25	5,4 / 3,2	0,03
Serumalbumin	69 000	3,55	15,0 / 3,6	<0,01

Nach den angestellten Berechnungen beträgt der mittlere Porenradius des glomerulären Filters 3,5–4 nm. Dieses Ergebnis deckt sich gut mit elektronenmikroskopischen Befunden an der Basalmembran.

Die molekulare Durchlässigkeit der Glomerulusmembran ist nicht nur von theoretischem Interesse. Sie ist zu berücksichtigen bei Zusätzen von kolloidosmotisch wirksamen Stoffen zu physiologischen Salzlösungen, die als **Blutersatzmittel** (sog. *Plasmaexpander*) Verwendung finden. Diese Zusatzstoffe müssen über eine ausreichend lange Zeit in der Blutbahn bleiben, sollen jedoch andererseits — am besten renal — eliminiert werden können. Falls diese Stoffe im Organismus nicht abgebaut werden können, darf ihr Molekulargewicht nicht wesentlich über 70 000 liegen.

Effektiver Filtrationsdruck. Als effektiven Filtrationsdruck bezeichnet man den Nettobetrag der **treibenden Kraft für die glomeruläre Filtration.** Er resultiert aus der hydrostatischen Druckdifferenz zwischen Capillarlumen und Bowmanschen Kapsel ($D_{Cap} - D_{Bow}$), vermindert um den mittleren kolloidosmotischen Druck des glomerulären Capillarblutes (D_{KOD}):

$$FD_{eff} = D_{Cap} - D_{Bow} - D_{KOD}. \qquad (8)$$

Das Konzept des effektiven Filtrationsdruckes basiert auf der Modellvorstellung von STARLING über den Flüssigkeitsaustausch im Bereich der Blutcapillaren in den Geweben (s. S. 413). Dabei entspricht die Glomeruluscapillare weitgehend dem arteriellen Schenkel einer gewöhnlichen Capillare, wo ebenfalls ein eiweiß-

armes Filtrat aus dem Blutplasma in das Interstitium abgepreßt wird.

Filtration setzt voraus, daß D_{Cap} größer ist als die Summe von D_{Bow} und D_{KOD}. In Abb. 5 sind die hydrostatischen Drucke in den Blutgefäßen der Niere dargestellt. Man erkennt, daß der glomeruläre Capillardruck (D_{Cap}) bei arteriellen Drucken im

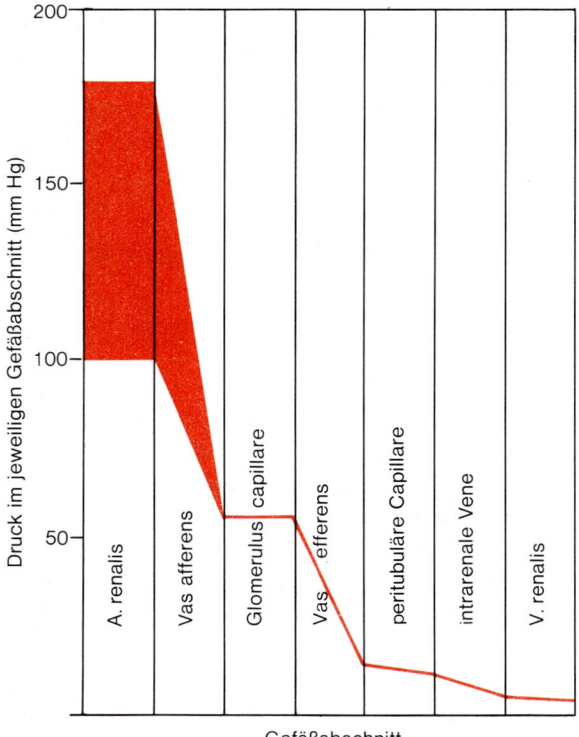

Abb. 5. Druckabfall von der Nierenarterie bis zur Nierenvene bei arteriellen Drucken von 100 bis 180 mm Hg [39]

gesamten autoregulierten Druckbereich (80–180 mm Hg) konstant ca. 60 mm Hg beträgt. Der Grund hierfür ist die präglomeruläre Widerstandsanpassung in den Vasa afferentia (s.S. 612).

Bei ausreichend hohem Druck im arteriellen System und bei konstanter Durchblutung der Glomeruli, die normalerweise durch die Autoregulation der Nierendurchblutung gewährleistet ist, beträgt der Druck in der Bowmanschen Kapsel etwa 15 mm Hg. Der kolloidosmotische Druck des Blutplasmas steigt in den Glomeruluscapillaren durch den Entzug von eiweißarmem Filtrat von 22 mm Hg auf etwa 30 mm Hg (Mittelwert 26 mm Hg) an. So errechnet sich nach Gl. (8) ein effektiver Filtrationsdruck von:

$$FD_{eff} = 60 - 15 - 26 \approx 20 \text{ (mm Hg)}. \tag{9}$$

Dieser Druck steht demnach als treibende Kraft für den Filtrationsprozeß zur Verfügung. Er bestimmt die Größe der glomerulären Filtrationsrate.
Bis vor kurzem war es nicht möglich, die drei Drucke (D_{Cap}, D_{Bow} und D_{KOD}) am Ort der Filtration in der Säugerniere direkt zu messen. In jüngster Zeit sind jedoch derartige Untersuchungen gelungen. Sie erlauben den Schluß, daß der glomeruläre Capillardruck an der normalen Niere u.U. weniger als 60 mm Hg beträgt. Außerdem haben diese Untersuchungen gezeigt, daß die glomeruläre Filtrationsrate auch vom glomerulären Plasmafluß abhängt. Dies geht aus dem einfachen Konzept des effektiven Filtrationsdruckes nach STARLING nicht hervor. Nur bei sehr hohen Werten des glomerulären Plasmaflusses wird die glomeruläre Filtrationsrate ausschließlich von der Höhe des effektiven Filtrationsdruckes bestimmt (s. S. 617).

3.2. Glomeruläre Filtration und Glomerulusfiltrat

Glomeruläre Filtrationsrate und Filtrationsfraktion [28, 34]. Unter glomerulärer Filtrationsrate versteht man das pro Zeiteinheit von den Nieren gebildete Filtratvolumen. Sie beträgt beim *Mann* ca. **125 ml/ min** und bei der *Frau* **110 ml/min**, bezogen auf 1,73 m² Körperoberfläche. Auf den Tag umgerechnet entspricht dies etwa **180 l/d**. Dies bedeutet, daß das gesamte Plasmavolumen von etwa 3 l innerhalb von 25 min filtriert bzw. 60mal am Tag renal „geklärt" wird. Entsprechend wird demnach die gesamte extracelluläre Flüssigkeit (14 l) täglich etwa 12mal der renalen Kontrolle unterzogen.
Die glomeruläre Filtrationsrate (GFR) bleibt bei Änderungen des Druckes im arteriellen System recht konstant (**Autoregulation der GFR**). Dies ist Folge der *myogenen Reaktion der Gefäßmuskulatur* in den Vasa afferentia, die auch die *Autoregulation der Nierendurchblutung und die Konstanz des glomerulären Capillardruckes* bzw. des *effektiven Filtrationsdruckes* (s.o.) bewirkt. Da hier derselbe Mechanismus für die Konstanz von renalem Plasmafluß und glomerulärer Filtrationsrate verantwortlich ist, resultiert zugleich auch die **Konstanz der Filtrationsfraktion (FF)**. Hierunter versteht man den Anteil des renalen Plasmaflusses, der zum Filtrat wird (FF = GFR/RPF). Die Filtrationsfraktion beträgt

beim Menschen nahezu 0,2, d.h. ein Fünftel des die Nieren durchfließenden Plasmas wird zu Filtrat.

Trotz der Autoregulation gibt es aber Bedingungen, unter denen die GFR variiert. So weist sie z.B. einen *Tag-Nacht-Rhythmus* auf (nachts ca. 25% kleiner), ohne daß dies auf Blutdruckänderungen zurückgeführt werden kann. Unter bestimmten Bedingungen (z.B. während einer psychischen Erregung oder nach intravenöser Gabe kleiner Dosen an Adrenalin, Noradrenalin oder Angiotensin) findet man eine Abnahme des RPF bei unveränderter GFR. Hierbei ist demnach die Filtrationsfraktion erhöht. Ein solcher Befund kann durch die Motorik des Vas afferens allein nicht erklärt werden. Hierbei muß auch eine *Constriction der Vasa efferentia* stattgefunden haben. Eine Widerstandserhöhung in den Vasa efferentia erhöht den Druck in den Glomeruluscapillaren und damit den effektiven Filtrationsdruck. Auf diese Weise kann der gesamte Strömungswiderstand in der Niere erhöht sein, was zu einer Abnahme der Durchblutung (bzw. des RPF) führt. Dabei können aber der effektive Filtrationsdruck und die glomeruläre Filtrationsrate konstant bleiben. Bei höherer Dosierung der genannten vasoconstrictorischen Stoffe überwiegt die Widerstandserhöhung in den Vasa afferentia, und RPF und GFR nehmen in annähernd gleichem Verhältnis ab.

Bestimmung der glomerulären Filtrationsrate mit der Inulin-Clearance. Eine direkte Messung der GFR ist nicht möglich. Dagegen läßt sie sich durch die Clearance einer Substanz ermitteln, die **ausschließlich durch glomeruläre Filtration** in den Harn gelangt und **tubulär weder resorbiert noch secerniert noch metabolisiert** wird. Außerdem muß die Substanz noch folgende Bedingungen erfüllen: Sie muß *uneingeschränkt filtriert* werden und darf *nicht an Proteine adsorbiert* sein. Diese zusätzlichen Bedingungen sind erforderlich, damit die Konzentration der Testsubstanz im Filtrat gleichgesetzt werden kann mit ihrer Konzentration im Plasma.
All diese Bedingungen werden am sichersten von den Fructosepolysacchariden **Inulin** und *Polyfructosan S* erfüllt. Für jede dieser Substanzen trifft demnach zu, daß die pro Zeiteinheit filtrierte Stoffmenge gleich ist der im Urin ausgeschiedenen (s. Gl. 2, S. 609):

$$C_{Inulin} = GFR = \frac{U_{Inulin} \cdot \dot{V}}{P_{Inulin}} \text{ (ml/min)} \tag{10}$$

(U = Konzentration im Harn, P = Konzentration im Plasma, $\dot{V}$ = Harnzeitvolumen).

Bei Kenntnis der Inulin- und der PAH-Clearance (s. S. 610) kann man die Filtrationsfraktion (FF) berechnen:

$$FF = \frac{C_{Inulin}}{C_{PAH}}. \tag{11}$$

Filtratzusammensetzung. In erster Linie hängt die Zusammensetzung des Filtrates von der Moleküldurchlässigkeit der Glomerulusmembran ab: Das Filtrat enthält die im Blutplasma gelösten Bestand-

Tabelle 3. Überblick über die Filtrations- und Resorptionsleistungen der Nieren für einige im Blutplasma enthaltene Stoffe

	Konzentrationen in				Harn-fluß (V̇)	Renale Clearance[b] $\left(C = \dfrac{U \cdot \dot V}{P}\right)$	Filtrierte Menge[c] (F · GFR)	Ausge-schiedene Menge (U · V̇)	Resorbierter Anteil[d] $\dfrac{(F \cdot GFR - U \cdot \dot V) \cdot 100}{F \cdot GFR}$
	Blut-plasma (P)	Plasma-wasser[a] (W)	Glome-rulus filtrat (F)	End-harn (U)					
	mmol/l	mmol/l	mmol/l	mmol/l	ml/min	ml/min	mmol/min	mmol/min	%
Na$^+$	142	150,5	143[e]	140	1	1	17,875	0,14	99,2
K$^+$	5	5,3	5[e]	60	1	12	0,625	0,06	90,4
Cl$^-$	103	109	115[e]	150	1	1,5	14,375	0,15	98,9
HCO$_3^-$	25	26,5	28[e]	1,4	1	0,05	3,5	0,0014	99,96
	mg/100 ml	mg/100 ml	mg/100 ml	mg/100 ml	ml/min	ml/min	mg/min	mg/min	%
Harnstoff	25	26,5	26,5	1700	1	68	33,125	17	48,7
Glucose	90	95,4	95,4	Spuren	1	0	119,25	—	100
Proteine	7000	7400	ca. 7	Spuren	1	0	8,75	—	100

[a] Plasmaproteine beanspruchen pro Gramm etwa 0,75 ml Lösungsraum. Bei 7 g Protein enthalten daher 100 ml Plasma 94,25 ml Plasmawasser. Der Korrekturfaktor für die Konzentration der im Wasser gelösten Stoffe beträgt dann 1,06.

[b] s. S. 622, Gl. 12.

[c] Den Berechnungen liegt eine glomeruläre Filtrationsrate GFR von 125 ml/min zugrunde.

[d] s. S. 645.

[e] Die Konzentrationsdifferenz zwischen W und F ergibt sich als Folge der Donnan-Verteilung (XXIX).

teile nach Maßgabe ihrer Filtrierbarkeit (s. Tabelle 2). In erster Annäherung gilt deshalb, daß die Konzentration von kleinmolekularen Bestandteilen in Plasma und Filtrat übereinstimmen. Von den Plasmaalbuminen findet man nur noch Spurenkonzentrationen (zwischen 1 und 10 mg/100 ml) im Filtrat.

Zur genaueren Beschreibung der Filtratzusammensetzung muß man jedoch folgendes berücksichtigen: Bei *Adsorption an Plasmaproteine* gelangen uneingeschränkt filtrierbare Stoffe nur in der Konzentration in das Filtrat, die ihr *frei diffusibler Anteil* im sog. **Plasmawasser** aufweist. An Plasmaproteine adsorbiert sind viele organische Stoffe, aber auch komplexbildende anorganische Ionen wie Ca^{++} oder Mg^{++}. Eine weitere Korrektur ist wegen der Anwesenheit von impermeablen Anionen (Proteinate) im Blutplasma für permeable Ionen notwendig. Als Folge des *Donnan-Gleichgewichtes* (s. Kap. XXIX, S. 645) sind deshalb im Filtrat die Konzentrationen der einwertigen Anionen um etwa 5% höher als im Plasmawasser und die von einwertigen Kationen um 5% niedriger (s. Tabelle 3).

Filtrationsrate, Filtrationsfraktion und Plasmafluß am Einzelglomerulus [6]. In jüngster Zeit fand man mutierte Zuchtratten mit oberflächlich gelegenen Glomeruli. Damit war es möglich, an einer filtrierenden Säugerniere die hydrostatischen Drucke in

den Glomerulusgefäßen und der Bowmanschen Kapsel sowie den kolloidosmotischen Druck des Blutes in den beiden Arteriolen zu messen. Der wichtigste Befund dieser Messung ist, daß der kolloidosmotische Druck des Plasmas im Vas efferens genauso groß ist wie die hydrostatische Druckdifferenz (ΔD) zwischen Capillare und Bowmanscher Kapsel. Dies bedeutet, das **Filtration nur im ersten Abschnitt der Glomeruluscapillare** stattfindet (s. Abb. 6). Im letzten Capillarabschnitt erfolgt keine Filtration mehr, weil dort der effektive Filtrationsdruck den Wert 0 erreicht hat.

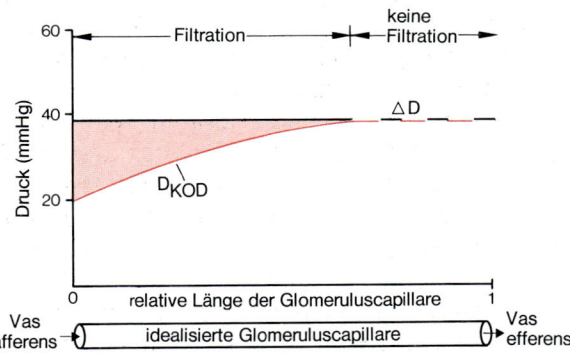

Abb. 6. Verlauf des Filtrationsdruckes (= hydrostatische Druckdifferenz ΔD) und des kolloidosmotischen Druckes im Blut (D$_{KOD}$) entlang einer idealisierten Glomeruluscapillare

Es spricht vieles dafür, daß die Funktion der oberflächlichen Glomeruli sich nicht völlig von den normal gelegenen unterscheidet. So liefern diese Untersuchungen ein neues **Modell über die Zusammenhänge zwischen Filtrationsrate, Filtrationsfraktion und Plasmafluß:** Bei konstanter hydrostatischer Druckdifferenz (ΔD) steigt der kolloidosmotische Druck des Blutplasmas in der Glomeruluscapillare an und erreicht an einer bestimmten Stelle der Glomeruluscapillare den Wert von ΔD. Die Lage dieser Stelle ist abhängig vom Plasmafluß. Sie verschiebt sich um so weiter gegen das Ende der Capillare, je größer der Plasmafluß ist. Dabei erhöht sich jedoch die Filtrationsrate, während die Filtrationsfraktion konstant bleibt. Ist bei sehr hohem Plasmafluß der kolloidosmotische Druck am Ende der Capillare noch nicht auf den Wert ΔD angestiegen, so liegt die Filtrationsrate nahe bei einem Maximalwert, die Filtrationsfraktion ist dann niedriger.

Nach dem neuen „dynamischen" Modell wird die **Filtrationsrate** (bei gegebenem kolloidosmotischen Anfangsdruck) von zwei Faktoren bestimmt: von der **hydrostatischen Druckdifferenz** ΔD und dem **glomerulären** (renalen) **Plasmafluß.** In diesem Modell ist das weniger präzisierte Konzept vom allein bestimmenden effektiven Filtrationsdruck (s. S. 614) als der zuletzt erwähnte Spezialfall enthalten, bei dem die Filtration erst mit dem Eintritt des Blutes in das Vas efferens abgeschlossen wird. Dabei braucht eine Abhängigkeit der Filtrationsrate vom Plasmafluß nicht angenommen zu werden. Unter dieser Bedingung ist dann die Filtrationsrate nur abhängig vom effektiven Filtrationsdruck.

4. Tubuläre Transportprozesse

4.1. Lokalisation der Stofftransporte im Nephron

Die Definition des Nephrons als morphologischer und funktioneller Einheit der Nieren darf nicht zu dem Fehlschluß führen, daß die tubulären Transportprozesse und -leistungen einheitlich und gleichartig auf der ganzen Länge des Nephrons ablaufen. Tatsächlich sind die Transporte einzelner Stoffe auf bestimmte Abschnitte begrenzt, oder sie unterscheiden sich in quantitativer Hinsicht in den verschiedenen Abschnitten des Nephrons ganz entscheidend. Zur Beurteilung solcher Unterschiede in den Transportleistungen einzelner Abschnitte des Nephrons genügt das Auflösungsvermögen von Untersuchungen an der Gesamtniere wie z.B. Clearance-Untersuchungen nicht. Hierzu bedarf es der Anwendung von Mikromethoden.

Eine Übersicht über die Lokalisation der tubulären Transporte gibt Abb. 7 für die wichtigsten Stoffe wieder. Sie zeigt, daß die Resorptions- und Sekretionsleistungen des proximalen Tubulusepithels wesentlich umfangreicher sind als die der distalen Abschnitte.

Im proximalen Tubulus werden, abgesehen von der Ionen- und Wasserresorption, die im nächsten Abschnitt genauer behandelt werden, *Glucose, Aminosäuren* und *filtriertes Protein* nahezu vollständig resorbiert. Ebenso findet hier die Resorption von *Sul-*

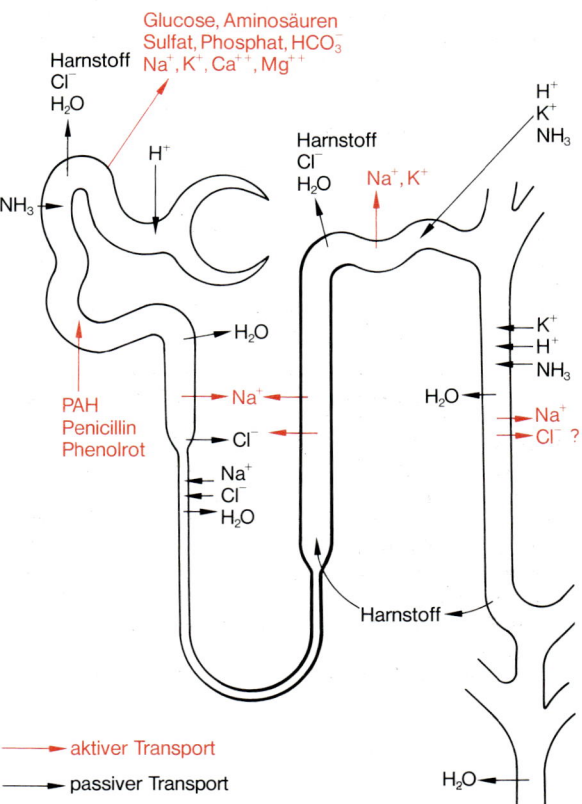

Abb. 7. Lokalisation der wichtigsten Transportprozesse im Nephron

fat- und *Phosphationen* statt. Secerniert werden hier einige organische Säuren wie *p-Aminohippursäure* und *Penicillin.* Alle genannten Stofftransporte zeichnen sich durch ein tubuläres Transportmaximum aus, d.h., daß von diesen Stoffen in der Zeiteinheit jeweils nur eine definierte Maximalmenge von den Nieren resorbiert oder secerniert werden kann. Die Transportmechanismen der anderen Stoffe wie Ammoniak, Wasserstoffionen usw. zeigen eine andere Charakteristik.

Im **distalen Nephron** laufen außer den Transporten der starken Elektrolyte und des Wassers noch die Sekretionsprozesse von *Ammoniak* und *Wasserstoffionen* und auch passive Stofftransporte wie die *Harnstoffresorption* ab.

4.2. Resorption von Ionen und Wasser

Lokalisation der Wasserresorption und intratubulärer Harnstrom [7]. Während der Passage durch das Nephron werden normalerweise mehr als 99% des glomerulär filtrierten Flüssigkeitsvolumens resorbiert, und entsprechend nimmt der Harnstrom in den Tubuli ab (Abb. 8). Das einfachste Verfahren zur Messung der Flüssigkeitsresorption in den ein-

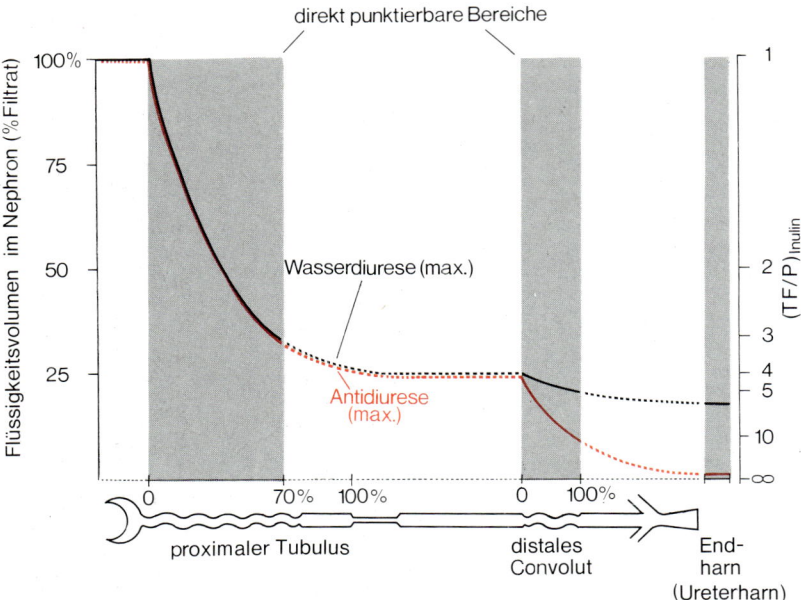

Abb. 8. Schematisierte Darstellung des intratubulären Harnstromes bzw. des relativen Flüssigkeitsvolumens, das durch die einzelnen Tubulusquerschnitte fließt, errechnet aus den gemessenen $(TF/P)_{Inulin}$-Werten. Modifiziert nach [7]

zelnen Nephronabschnitten beruht auf der gezielten **Mikropunktion des Tubuluslumens.** Man entnimmt an bestimmten Stellen der oberflächlich zugänglichen Tubuli (proximales und distales Convolut) eine Probe der dabei unbehindert weiter fließenden Tubulusflüssigkeit und ermittelt in ihr die Inulin-Konzentration (TF). Außerdem bestimmt man die Konzentration von Inulin im Plasma (P) und im Endharn (U). Inulin, das durch konstante Dauerinfusion zugeführt wird, weist im Glomerulusfiltrat die gleiche Konzentration auf wie im Plasma. Da es tubulär weder resorbiert noch secerniert wird, zeigt die Konzentrierung von Inulin in der Tubulusflüssigkeit (**$(TF/P)_{Inulin}$**) an, auf welchen *Teil des Filtratvolumens* die Tubulusflüssigkeit bis zur Punktionsstelle reduziert wurde. So bedeutet ein $(TF/P)_{Inulin}$-Wert von 3 oder 20, daß am Ort der Punktion nur noch $^1/_3$ bzw. $^1/_{20}$ des filtrierten Wassers bzw. des Filtratvolumens vorhanden resp. daß $^2/_3$ bzw. $^{19}/_{20}$ resorbiert sind. Entsprechend kann man auch (TF/P)-Werte von anderen Substanzen (z.B. Na^+) oder Meßgrößen (z.B. osmotische Konzentration) ermitteln und zusammen mit den $(TF/P)_{Inulin}$-Werten zur Beurteilung der Stofftransporte verwenden. Im **proximalen Convolut** steigt bei der Ratte $(TF/P)_{Inulin}$ von 1 auf 3 an, d.h., daß hier $^2/_3$ *des Filtrates* resorbiert werden. Dabei spielt es keine Rolle, ob die Nieren Wasser stärker konservieren und wenig Endharn bilden (*Zustand der Antidiurese*) oder ob sie viel Wasser ausscheiden (*Zustand einer Wasserdiurese*). Hieraus geht hervor, daß normalerweise die *proximale*

Wasserresorption konstant und unabhängig von der Harnausscheidungsrate (= Diurese) ist. Beim Menschen beträgt die proximale Wasserresorption (einschließlich der Pars recta) wahrscheinlich etwa 80% der glomerulären Filtrationsrate.

Im **distalen Convolut** steigt $(TF/P)_{Inulin}$ bei *Antidiurese* auf Werte von 6 bis 18, und während der Sammelrohrpassage entsteht durch weitere Wasserresorption schließlich ein $(U/P)_{Inulin}$-Wert von 100 bis 200, d.h., daß die Gesamtresorption von Wasser 99–99,5% der Filtrationsrate beträgt. Bei starker *Wasserdiurese* steigt der (TF/P)-Wert im distalen Nephron nur noch wenig an. Entsprechend gering ist dann auch hier die Abnahme des intratubulären Harnstroms. Hieraus geht hervor, daß im Gegensatz zur proximalen die *distale Wasserresorptionsrate variabel ist und die Harnausscheidungsrate bestimmt.* Die Einstellung der Harnausscheidungsrate (Diurese) erfolgt über die Veränderung der distalen Wasserpermeabilität durch das *antidiuretische Hormon* (ADH) (s.S. 622).

Ein wichtiger Unterschied, der für die differierenden Mechanismen der Wasserresorption im proximalen Tubulus und im distalen Nephron von Bedeutung ist (s. S. 622), ergibt sich aus dem Verhältnis der osmotischen Konzentration zwischen Tubulusflüssigkeit und Plasma $((TF/P)_{osmol}$, Abb. 9). Im proximalen Convolut bestehen keine transtubulären osmotischen Konzentrationsgradienten $((TF/P)_{osmol}=1)$. Im *distalen Convolut* ist der Tubulusharn anfangs stark hypotonisch $((TF/P)_{osmol}<1)$, d.h. hier besteht eine beträchtliche *osmotische Druckdifferenz,* die bei Antidiurese zur Wasserresorption führt $((TF/P)_{osmol}\rightarrow 1)$. Die im Sammelrohr beobachtete osmotische Konzentrierung ist auf weitere, osmotisch bedingte Wasserresorption zurückzuführen

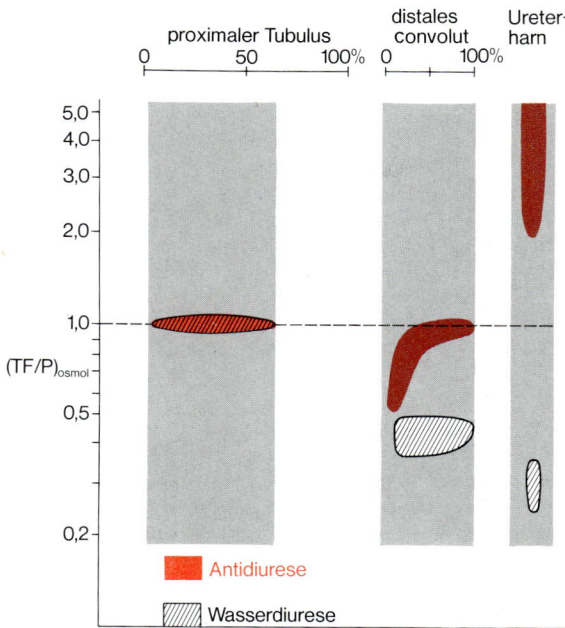

Abb. 9. Osmotische Konzentrationsverhältnisse zwischen Tubulusflüssigkeit und Blutplasma ($(TF/P)_{osmol}$). Nach [14, 46]

(s. S. 627, Abb. 16). Bei Wasserdiurese wird trotz bestehender osmotischer Druckdifferenz die Wasserresorption verhindert, da hierbei das Epithel des gesamten distalen Nephrons praktisch wasserundurchlässig ist (s. S. 622).

Aus diesen Untersuchungen geht hervor: die *proximale Wasserresorption erfolgt stets isotonisch. Die distale Wasserresorption findet nur bei Antidiurese (in Gegenwart von ADH) statt und ist osmotisch bedingt.*

Proximale und distale Ionentransporte ((TF/P)-Werte). Mit dem Endharn werden nur Bruchteile der filtrierten Mengen an Na^+, K^+, Ca^{++}, Mg^{++}, Cl^- und HCO_3^- ausgeschieden (Tabelle 3, S. 616). Der überwiegende Teil wird resorbiert. Dabei gilt wie für die Wasserresorption auch für die Elektrolytresorption, daß bereits im proximalen Convolut die Hauptmengen resorbiert werden.

In Abb. 10 sind die (TF/P)-Werte von Na^+, K^+ und Cl^- für die leicht zugänglichen Abschnitte des Nephrons und den Endharn dargestellt. Sie verdeutlichen die Unterschiede der Elektrolyttransporte im proximalen und im distalen Convolut. Bei der Interpretation der Darstellung muß man die zugehörigen $(TF/P)_{Inulin}$-Werte bzw. die bereits eingetretene Volumenreduktion der Tubulusflüssigkeit durch Wasserresorption mit berücksichtigen.

Im ganzen proximalen Convolut findet man für Na^+ einen (TF/P)-Wert von 1. Na^+ wird also zusammen mit Wasser in derjenigen Konzentration resorbiert, wie sie im Filtrat vorliegt. Da $2/3$ des Filtratvolumens dort resorbiert werden (s. Abb. 8), bedeutet dies, daß auch $2/3$ der filtrierten Na^+-Menge im proximalen Convolut resorbiert werden. Für die K^+-Resorption trifft

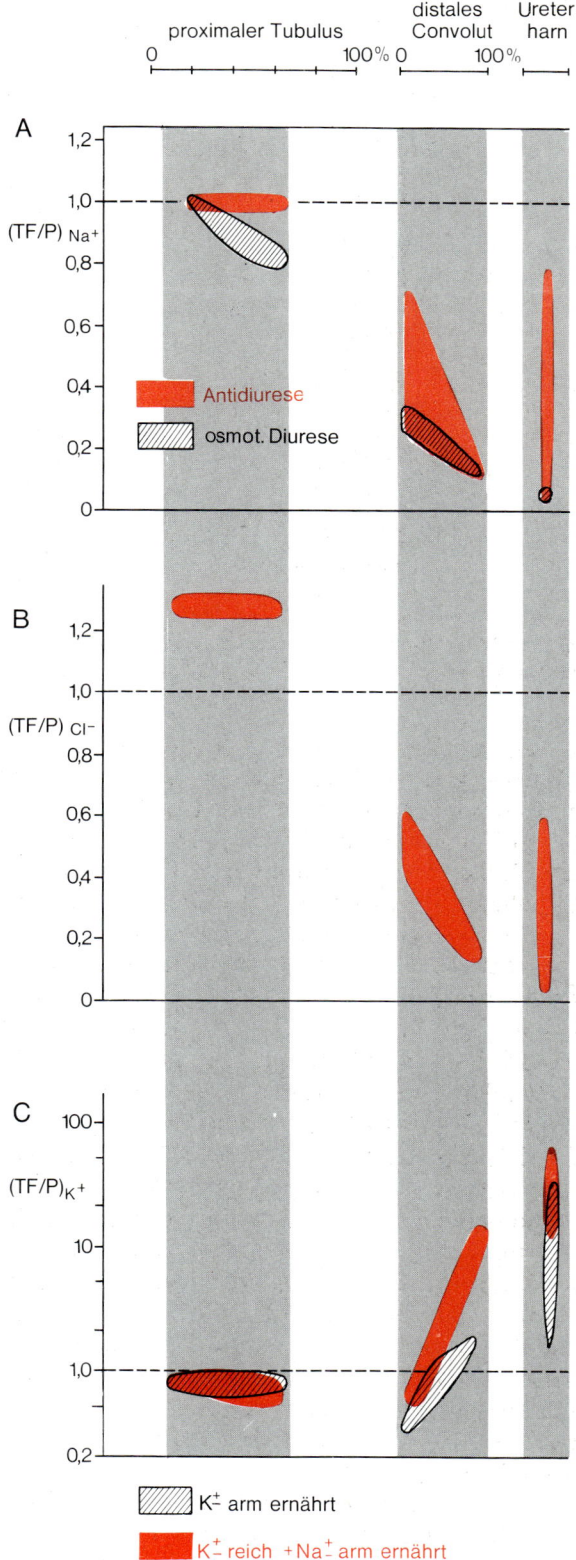

Abb. 10A–C. (TF/P)-Konzentrationsverhältnisse. (A) Von Na^+-Ionen. Modifiziert nach [13, 24]. (B) Von Cl^--Ionen. Modifiziert nach [23]. (C) Von K^+-Ionen. Modifiziert nach [13, 25, 44]. (Erläuterungen s. Text)

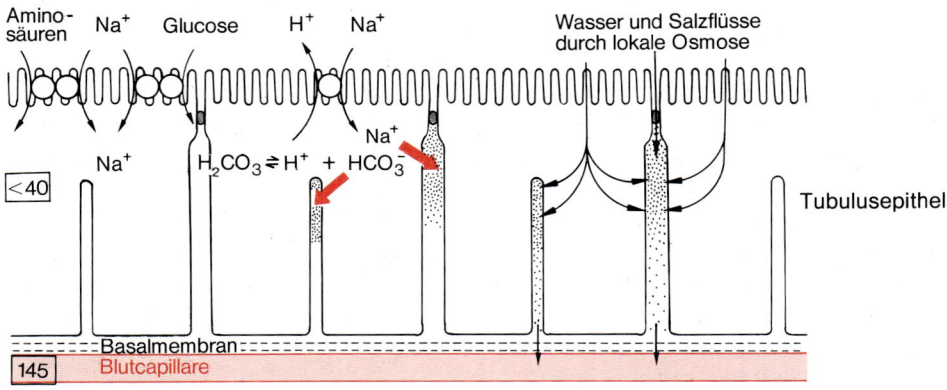

Abb. 11. Modell der isotonischen Flüssigkeitsresorption im proximalen Tubulus. Nach [4, 9]. An der luminalen Membran des Bürstensaumes erfolgt der Na$^+$-Transport passiv, teils gekoppelt mit dem Transport von Glucose oder Aminosäuren, teils im Austausch mit H$^+$. Der aktive Transport von Natriumbicarbonat erfolgt in die Spalträume des basalen Labyrinths. Lokale Osmose bewirkt die Resorption von Tubulusflüssigkeit. Die Zahlen geben die Na$^+$-Konzentrationen in mmol/Liter an

hier praktisch das gleiche zu, (TF/P)$_{K^+}$ liegt geringgradig unter 1, d.h. K$^+$ wird bei der Resorption gegenüber Na$^+$ etwas bevorzugt.

Der (TF/P)$_{Cl^-}$-Wert liegt im Bereich des proximalen Convolutes bei etwa 1,2. Anteilmäßig wird demnach weniger Cl$^-$ resorbiert. Der Grund besteht in der Bevorzugung von HCO$_3^-$ bei der proximalen Resorption (s. Abb. 11).

Im **distalen Convolut** und während der **Sammelrohrpassage** liegen die (TF/P)-Werte von Na$^+$ und Cl$^-$ deutlich unter 1 (s. Abb. 10). Sie können auf extrem niedrige Werte abfallen. Am Anfang des distalen Convolutes liegt auch (TF/P)$_{K^+}$ deutlich unter 1, steigt aber im weiteren Verlauf über 1 und kann bei K$^+$-Überschuß Werte über 10 erreichen. Dies kann nur auf K$^+$-Sekretion im distalen Nephron zurückzuführen sein. K$^+$ wird demnach distal sowohl resorbiert als auch bei Überschuß secerniert.

Der Ca^{++}-Transport entspricht weitgehend dem von Na$^+$. Mg^{++} wird ähnlich wie K$^+$ transportiert.

4.3. Mechanismen des Elektrolyttransportes und der Wasserresorption

Proximaler Tubulus. Im proximalen Tubulus wird der überwiegende Teil des Filtratvolumens unter Wahrung der Isotonie resorbiert (s. Abb. 9). Sind im Filtrat schwer oder nicht resorbierbare Stoffe vermehrt vorhanden (z.B. bei einer osmotischen Mannit-Diurese, s. S. 622), so bleibt die Tubulusflüssigkeit isotonisch, allerdings fällt hierbei ihre Na$^+$-Konzentration ab ((TF/P)$_{Na^+}$ < 1). Mit der *Methode des gespaltenen Öltropfens* [33] kann man nun zeigen, daß die Wasserresorption von der Na$^+$-Nettotransportrate bestimmt wird.

Hierzu bringt man mit einer ins Lumen eingeführten doppelläufigen Mikrokanüle eine kleine Ölsäule in den proximalen Tubulus ein. Das am Ort gehaltene Öl wird durch Injektion einer isotonischen Lösung von Mannit und Kochsalz durch den zweiten Lauf der Kanüle in zwei Teile gespalten. Enthält die Lösung mehr als 110 mmol/l Na$^+$, so wird ein Teil von ihr resorbiert (die beiden Öltropfen nähern sich), enthält sie weniger Kochsalz (und entsprechend mehr Mannit), so vergrößert sich das Volumen der Lösung zwischen den Öltropfen. Am Ende beträgt die Na$^+$-Konzentration in der Lösung stets 110 mmol/l. Eine transtubuläre elektrische Potentialdifferenz ist dabei nicht meßbar und kann deshalb als mögliche zusätzliche treibende Kraft außer acht gelassen werden.

Dieser Versuch zeigt: **1.** Der **Na$^+$-Resorption** im proximalen Tubulus liegt ein **aktiver Transport** zugrunde (Na$^+$ wird, falls es die Bedingung erfordert, gegen eine chemische Potentialdifferenz bzw. Konzentrationsdifferenz transportiert). **2.** Die **Na$^+$-Resorptionsrate** ist die **Resultierende aus Na$^+$-Auswärtstransport und Na$^+$-Einstrom. 3.** Die **Wasserresorption** ist **passiv und Folge der Na$^+$-Resorption.**

Modell der isosmotischen Resorption. Das Modell (Abb. 11) fordert 1. einen *aktiven Stofftransport* und 2. *ein zusätzliches Compartiment* innerhalb des Epithels, das eine direkte Verbindung zu dem Flüssigkeitsraum aufweist, in den das isotonische Resorbat transportiert wird. Es basiert auf **lokaler Osmose** und kann auch auf die isotonische Resorption in anderen Organen (z.B. Gallenblase) übertragen werden.

Der **aktive Na$^+$-Transport** im proximalen Tubulus erfolgt hauptsächlich zusammen mit HCO$_3^-$ durch die **Membranen der intercellulären Spalträume und der basalen Einbuchtungen** (sog. *basales Labyrinth*). In diesen Spalten, die das geforderte Compartiment darstellen, befindet sich extracelluläre Flüssigkeit. Durch den Salztransport wird diese Flüssigkeit hypertonisch, was einen osmotisch bedingten Wassereinstrom „auf dem kürzesten Weg" bewirkt (*lokale Osmose*). Das aus der Zelle und durch die Schlußleisten einströmende Wasser führt im „*solvent drag*" (s. Kap. XXIX) gelöste Teilchen der Tubulusflüssigkeit (insbesondere Na$^+$, Cl$^-$, aber auch Harnstoff) mit. Die Flüssigkeit in den Spalträumen fließt in isotonischer Konzentration ins Interstitium und wird vom Blut der peritubulären Capillaren aufgenommen. Berechnungen haben ergeben, daß nur etwa *50% der proximalen Na⁺-Resorptionsrate auf aktivem Transport* beruhen, während die andere Hälfte passiv mit der Strömung zur Resorption gelangt. Cl⁻ wird als Begleitanion von Na⁺ ausschließlich passiv resorbiert. Der Na⁺-Transport durch die luminale Zellmembran erfolgt passiv aufgrund der niedrigen intracellulären Na⁺-Konzentration. Dagegen ist der K⁺-Transport hier wahrscheinlich aktiv. Der **passive Na⁺-Transport** durch die *luminale Zellmembran* erfolgt z.T. im Austausch mit H⁺ (s. S. 632), z.T. auch im Cotransport mit Glucose und Aminosäuren (s. Abb. 11).

Henlesche Schleife. Im absteigenden dünnen Schleifenschenkel findet offensichtlich keine aktive Elektrolytresorption statt, allerdings wird der Schleifenflüssigkeit osmotisch Wasser entzogen (osmotische Konzentration im Nierenmark, s. S. 627). Im Gegensatz hierzu ist der *aufsteigende Schleifenschenkel nahezu völlig wasserundurchlässig, aber zum aktiven Salztransport befähigt.* Neuere Untersuchungen sprechen dafür, daß hier ein aktiver Cl⁻-Transport vorliegt. Gegenüber dem Interstitium liegt die osmotische Konzentration im aufsteigenden Schleifenharn um 100 bis 200 mosmol/l niedriger [19] (s. Einzeleffekt, S. 627, Abb. 16).

Distales Convolut und Sammelrohr. Diese beiden Abschnitte weisen ähnliche Transporteigenschaften auf. Die „passive" Permeabilität der Epithelien des distalen Nephrons für Na⁺ und Cl⁻ ist bedeutend niedriger als die des proximalen Convolutes. Hier können **Na⁺-Ionen durch aktiven Transport** *gegen ein hohes Konzentrationsgefälle* resorbiert werden (s. Abb. 10A, S. 619). Dabei entsteht allerdings eine *transtubuläre elektrische Potentialdifferenz* (Tubuluslumen negativ), das eine wirksame treibende Kraft für den Einstrom von Kationen in die Tubulusflüssigkeit darstellt. Die distale **K⁺-Sekretion** (s. Abb. 10C) kann auf diese Weise als ein **passiver Transport** gedeutet werden [13]. Da die *transtubuläre elektrische Potentialdifferenz mit der Na⁺-Resorptionsrate korreliert,* ist zu verstehen, daß die *K⁺-Sekretionsrate mit steigender distaler Na⁺-Resorptionsrate zunimmt* (z.B. unter der Wirkung von Aldosteron, s. S. 630).

Im *distalen Nephron steht die Wasserresorption unter der Kontrolle des* **antidiuretischen Hormons ADH.** Bei Antidiurese stellt sich transtubulär das osmotische Gleichgewicht ein (s. Abb. 9, S. 619 und 622). Bei Wasserdiurese, bei der das Hormon fehlt, ist die Wasserpermeabilität niedrig und der Tubulusharn bleibt hypotonisch (s. Abb. 9).

Durch den Einfluß der Hormone auf das distale Nephron wird hier die Koppelung von Ionentransport und Wasserresorption, so wie sie für den proximalen Tubulus gefunden wurde, durchbrochen. Die distalen Prozesse sind demnach wesentlich variabler als die der proximalen Resorption. Hier erfolgt unter hormonaler Steuerung die **Feineinstellung der Ausscheidung** von Wasser, Na⁺- und K⁺-Ionen.

Glomerulo-tubuläre Balance [12]. Es wurde beobachtet, daß am Ende des proximalen Convolutes auch dann ²/₃ des Filtratvolumens resorbiert sind, wenn die glomeruläre Filtrationsrate erheblich von der Norm abweicht. Demnach paßt sich die Flüssigkeitsresorptionsrate der glomerulären Filtrationsrate an, d.h. daß die **relative Flüssigkeitsresorptionsrate** konstant ist. Diese *glomerulotubuläre Balance* bewirkt, daß die Flüssigkeit aus dem proximalen Tubulus in angenähert gleicher ionaler Zusammensetzung in die nachgeschalteten Abschnitte des Nephrons übertritt.

Die *glomerulo-tubuläre Balance* wurde u.a. auch beobachtet bei hypertrophierten Nephronen (nach contralateraler Nephrektomie) und bei adrenalektomierten Tieren, bei denen die Na⁺-Resorption gestört ist (s. unten). Für das Zustandekommen der glomerulo-tubulären Balance scheint zwei Faktoren eine besondere Bedeutung zuzukommen [10, 28]: 1. Die lichte Weite der proximalen Tubuli steigt mit der Filtrationsrate an. Die Resorption könnte dann deshalb gesteigert sein, weil sich dabei die resorbierende Oberfläche vergrößert, die Verweildauer der Tubulusflüssigkeit aber annähernd konstant bleibt. 2. Der erhöhte kolloidosmotische Druck im peritubulären Capillarblut (infolge erhöhter Filtrationsfraktion, s. S. 615) könnte bei Zunahme der glomerulären Filtrationsrate den Abtransport der resorbierten Flüssigkeit aus dem Interstitium ins Blut beschleunigen und damit die „Rückdiffusion" von Stoffen verringern.

4.4. Hormonelle Einflüsse auf den Ionentransport und die Wasserresorption

Aldosteron-Wirkungen. *Aldosteron* (s. S. 678), das wirksamste *Mineralocorticoid* der Nebennierenrinde, *erhöht die tubuläre Na⁺-Resorption sowie die K⁺- und H⁺-Sekretion.* Nach einmaliger Injektion setzt eine beobachtbare Wirkung erst nach 30–60 min ein (Wirkung erfolgt über Enzyminduktion, s. S. 653). Wiederholte Injektionen verlieren schnell an Wirksamkeit (Escape-Phänomen): Trotz weiter erfolgenden Injektionen gleichen sich die Bilanzen von Na⁺ und Wasser bald wieder aus. Die anfänglich bewirkte geringgradige Retention bleibt jedoch bestehen.

Bei **Ausfall der Nebennierenrinden** (s. S. 661) ist die Ausscheidung von Natrium gesteigert, die von Kalium relativ erniedrigt. Der Organismus verliert dabei einen erheblichen Teil seines Natriumbestandes. Die Konzentration von Natrium im Blutplasma fällt auf Werte bis 120 mmol/l ab, die von Kalium steigt bis zu Werten von mehr als 8 mmol/l an. Außerdem findet man die glomeruläre Filtrationsrate stark herabgesetzt, jedoch ist dieser Effekt vornehmlich auf das Fehlen der Glucocorticoide zurückzuführen. Gaben von Aldosteron normalisieren die Elektrolytstörungen wieder. Zur Wiederherstellung der normalen glomerulären Filtrationsrate müssen die fehlenden Glucocorticoide ersetzt werden. Auf das Fehlen von Glucocorticoiden ist auch die verzögerte Wasserausscheidung bei Nebennierenrindeninsuffizienz zurückzuführen (s. S. 661).

Nach Adrenalektomie zeigt sich, daß die Na^+-Resorption einer Lösung im gespaltenen Öltropfen sowohl im proximalen als auch im distalen Tubulus nur mit halber Geschwindigkeit abläuft [18]. Wegen der herabgesetzten glomerulären Filtrationsrate und der glomerulo-tubulären Balance fallen die proximalen Resorptionsstörungen aber nicht so sehr ins Gewicht. Entscheidend sind die zu niedrigen distalen Resorptionsraten von Na^+.

Wirkungen des antidiuretischen Hormons (ADH).
ADH erhöht die Wasserpermeabilität im distalen Convolut und Sammelrohr [46]. Dieser Effekt wird über das *cyclische AMP* vermittelt. Der Angriff von ADH erfolgt an der *Adenylcyclase.* Dieses Enzym steuert die Bildung von cyclischem AMP aus ATP (s. S. 653).

In *Gegenwart von ADH* kann im distalen Convolut Wasser aus dem hypotonischen frühdistalen Tubulusharn resorbiert werden (s. S. 618). Im Sammelrohr erfolgt dann die definitive Wasserresorption ins Nierenmarkgewebe und Blut der Vasa recta (s. S. 618 und S. 627). Der Urinfluß beträgt dabei etwa 1–1,5 ml/min oder weniger (**Antidiurese**); der Urin ist **hypertonisch.**

Fehlt ADH, dann ist das distale Nephron kaum wasserdurchlässig und die osmotisch bedingte distale Wasserresorption unterbleibt bis auf eine vernachlässigbar kleine Fraktion (s. Abb. 8). Die Diurese ist gesteigert (**Wasserdiurese**); der Urin ist **hypotonisch.** Die maximale Harnausscheidungsrate beträgt dann etwa 15% der glomerulären Filtrationsrate, d.h. 25 l/d oder 18 ml/min (gegenüber ca. 0,4 l/d oder 0,28 ml/min bei maximaler Antidiurese).

Demnach stehen 15% der Wasserresorption unter der hormonalen Kontrolle (*fakultative Wasserresorption*), während 85% des filtrierten Wassers auch ohne ADH resorbiert werden (*obligatorische Wasserresorption*). Bei der *ADH-Mangelkrankheit* (Diabetes insipidus) besteht permanent eine Wasserdiurese, die durch parenterale Gaben von ADH behoben werden kann.

Osmotische Diurese. Eine dritte Diureseform ist die *osmotische Diurese.* Sie kommt zustande, wenn *im Filtrat schwer resorbierbare Substanzen* vermehrt enthalten sind. In diesem Fall bleibt die proximale Tubulusflüssigkeit zwar isotonisch, jedoch hält die osmotisch wirksame Substanz eine entsprechende Menge an Wasser zurück.

Die Wasserresorption im proximalen Tubulus folgt auch bei osmotischer Diurese der Na^+-Resorption. Na^+ kann aber nicht in dem Maße vermehrt resorbiert werden, wie die Konzentration des osmotisch wirksamen Stoffes zunimmt (s. Abb. 10). Sobald die Gleichgewichtskonzentration von Na^+ (ca. 110 mmol/l) erreicht ist, sistiert die Resorption von Na^+ und mit ihr die Wasserresorption. Aus diesem Grund ist bei osmotischer Diurese die proximale Flüssigkeitsresorption erniedrigt.

Der stärkere Flüssigkeitsstrom in den nachfolgenden Segmenten des Nephrons reduziert dann auch noch die distale Wasserresorption, trotz Gegenwart von ADH. Mit zunehmender Diurese nähert sich deshalb die Harnkonzentration blutisotonischen Werten. Bei einer maximalen osmotischen Diurese kann die Harnausscheidung 40% der glomerulären Filtrationsrate erreichen. Dabei verliert der Organismus u.U. große Mengen an Salzen und Wasser. Starke osmotische Diuresen sind deshalb nicht ungefährlich. Eine schwache osmotische Diurese besteht beim Zuckerkranken als Folge der nicht resorbierten Glucose.

Bei *Kreislaufversagen* kommt es nicht selten zum Versiegen der Harnausscheidung (**Anurie**). Als Folge des arteriellen Blutdruckabfalls ist dabei die glomeruläre Filtrationsrate so stark erniedrigt, daß in den Tubuli alles resorbiert wird. In solchen Fällen kann sich ein dauernder Nierenschaden ausbilden. Um dies zu vermeiden, muß ggf. eine mäßig starke osmotische Diurese (z.B. durch Infusion einer Mannitlösung) erzeugt werden.

4.5. Aktive Resorptions- und Sekretionsprozesse

Bestimmung von tubulären Transportraten. Unter der tubulären Transportrate versteht man die in der Zeiteinheit durch die Wand des Tubulusapparates transportierte Stoffmenge. Sie ergibt sich für uneingeschränkt filtrierte Substanzen aus der Differenz zwischen der in der Zeiteinheit filtrierten und ausgeschiedenen Stoffmenge. Für Stoffe, die filtriert und resorbiert werden, berechnet sich die Transportrate für die resorbierte Fraktion (T_{Res}) aus:

$$T_{Res} = GFR \cdot P_S - U_S \cdot \dot{V} \quad (mg/min) \qquad (12)$$
$$resp.\ (mmol/min)$$

(GFR = glomeruläre Filtrationsrate, P_S = Stoffkonzentration im Plasma, U_S = Stoffkonzentration im Urin, $\dot{V}$ = Harnzeitvolumen).

Für Stoffe, die filtriert und secerniert werden, beträgt die Transportrate für die secernierte Fraktion (T_{Sekr}):

$$T_{Sekr} = U_S \cdot \dot{V} - GFR \cdot P_S \quad (mg/min) \qquad (13)$$
$$resp.\ (mmol/min).$$

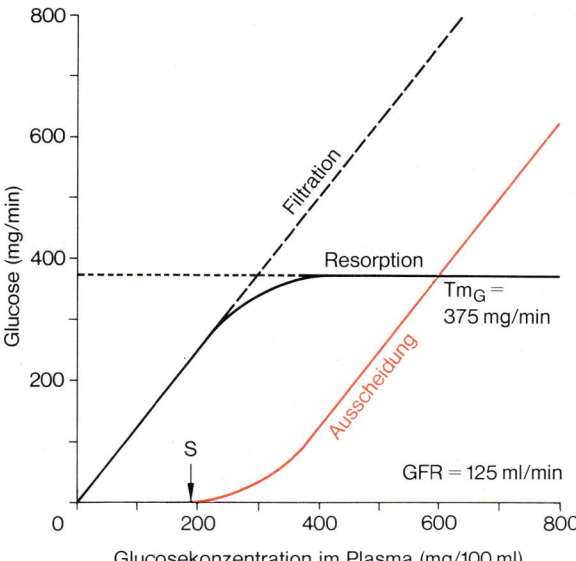

Abb. 12. Resorption und Ausscheidung von Glucose in Abhängigkeit von ihrer Konzentration im Plasma [28]. Die Ausscheidung von Glucose beginnt bei einer Schwellenkonzentration (S). Die Glucose-Resorptionsrate wird durch ein tubuläres Transportmaximum (Tm_G) begrenzt. Die Mengen an filtrierter Glucose, die den Tm_G-Wert überschreiten, werden vollständig in den Urin ausgeschieden

Für GFR wird der Wert der Inulin-Clearance verwendet.

Auf dem gleichen Prinzip beruht die Bestimmung der **„tubulären Transportmaxima"**, beispielsweise der Glucose (Tm_G). Hierunter versteht man den Maximalwert von T_{Res} für Glucose, der erreicht ist, wenn durch Erhöhung der Glucosemenge im Ultrafiltrat T_{Res} nicht weiter gesteigert werden kann. Hierzu muß man die Glucosekonzentration im Blut mit Hilfe einer intravenösen Glucose-Dauerinfusion erheblich steigern (s. Abb. 12).

Resorption von Glucose [7, 28]. Normalerweise ist der Urin bis auf geringe Spuren glucosefrei, obwohl Glucose glomerulär uneingeschränkt filtriert wird.

Demnach wird Glucose tubulär vollständig resorbiert. Glucose erscheint erst im Harn (**Glucosurie**), wenn im Plasma die *Schwellenkonzentration* von etwa 180 mg/100 ml (= 10 mmol/l) überschritten wird. Bei höheren Konzentrationen (> 350 mg/100 ml) besteht zwischen der Glucosekonzentration im Plasma und der Glucoseausscheidungsrate im Urin eine lineare Beziehung (Abb. 12). Die Ausscheidungscharakteristik läßt erkennen, daß bei hohen Glucosekonzentrationen im Filtrat das Transportsystem der Glucose eine **maximale Transportrate** (Tm_G) erreicht. Beim Mann beträgt das tubuläre Transportmaximum im Mittel 375 mg/min, bei der Frau 300 mg/min.

Steigert man aber das tubuläre Glucose-Angebot („tubular load") nicht über die Plasmakonzentration bei konstanter Filtrationsrate (GFR), sondern über die GFR bei konstanter Glucosekonzentration, so nimmt die maximale Transportrate zu [43]. Unter dieser Bedingung bewirkt die *glomerulo-tubuläre Balance* (s. S. 621) auch eine vermehrte Na^+-Resorption im proximalen Tubulus. Eine plausible Erklärung für diesen Befund ist die Kopplung des Glucosetransportes durch die luminale Zellmembran mit dem Na^+-Einstrom (s. Abb. 11).

Lokalisation des Glucosetransportes [7]. Glucose wird hauptsächlich im *frühen proximalen Convolut* resorbiert. Am Ende der ersten Hälfte des Convolutes sind bereits 98% der filtrierten Glucosemenge resorbiert. Die spätproximalen Tubulusabschnitte (Pars recta) verfügen über eine wesentlich geringere Resorptionsfähigkeit als die Anfangsabschnitte. Die distalen Abschnitte sind wahrscheinlich nicht mehr zur Resorption befähigt.

Glucosurie bei Zuckerkranken. *Glucosurie* zählt zu den Leitsymptomen der Zuckerkrankheit (*Diabetes mellitus*). Sie ist Folge der erhöhten, die Nierenschwelle übersteigenden Glucosekonzentration im Plasma der Patienten (*Hyperglykämie*). Bei unkompliziertem Diabetes mellitus sind Nierenschwelle und Tm_G im Bereich der Norm. Die Glucosurie ist also nicht auf eine abnorme Nierenfunktion zurückzuführen. Ein weiteres Leitsymptom bei dieser Krankheit ist das starke Durstgefühl der Patienten (*Polydipsie*). Der Durst entsteht durch die ständig erhöhte Harnausscheidungsrate (*Polyurie*). Diese wird durch die nicht resorbierte Glucose hervorgerufen und stellt eine *osmotische Diurese* dar.

Eine seltenere, auf einem *genetischen Defekt* beruhende Glucosurie besteht beim sog. *Diabetes mellitus renalis*. Dabei ist das Glucosetransportsystem im proximalen Tubulus gestört. Die Glucosurie besteht deshalb bei normaler Glucosekonzentration im Plasma. — Einen experimentell hervorgerufenen renalen Diabetes kann man mit *Phlorizin*, einem Wirkstoff aus Apfelbaumwurzeln, erzeugen. Dabei wird der aktive Glucosetransport in der Niere gehemmt. Die genaue Wirkung dieser Substanz ist noch nicht bekannt.

Resorption von Aminosäuren [28]. Die Resorption von Aminosäuren im proximalen Tubulus beruht ebenfalls auf einem Na^+-Cotransport [31]. Allerdings gibt es für verschiedene Gruppen von Aminosäuren unterschiedliche Transportsysteme, wie sich aus ihrer gegenseitigen Transporthemmung (kompetitive Hemmung) bei gleichzeitiger Anwesenheit mehrerer Aminosäuren ergibt. So unterscheidet man jeweils ein Transportsystem für die basischen Aminosäuren (Arginin, Lysin, Ornithin), die sauren (Glutamin- und Asparaginsäure), die neutralen (Glycin, Prolin und Hydroxyprolin) und für die übrigen. Allerdings werden zwischen den verschiedenen Aminosäuren-Gruppen auch Überschneidungen der gegenseitigen Hemmung beobachtet.

Aminoacidurien können durch Defekte der Transportsysteme eintreten. Die häufigste genetisch bedingte Störung dieser Art ist die *Cystinurie*. Wegen der geringen Löslichkeit von Cystin treten bei dem Betroffenen Nierensteine schon in früher Jugend auf.

Resorption von anorganischem Phosphat [28]. Die Resorption von Phosphat im proximalen Tubulus ähnelt der von Glucose, jedoch liegt die Nierenschwelle im unteren Bereich der physiologischen Konzentration im Blutplasma und das tubuläre Transportmaximum im oberen Bereich der normalerweise filtrierten Phosphatmengen. Die Nieren sind deshalb an der Einstellung der Phosphatkonzentration im Blutplasma beteiligt. Die Phosphatausscheidung steht unter hormonaler Kontrolle. **Parathormon** hemmt die Resorption von Phosphat und erniedrigt die Ca^{++}-Ausscheidung. Es hemmt ferner die proximale Resorption von Na^+ und HCO_3^- und die H^+-Sekretion. **Calcitonin** hemmt ebenfalls die Phosphatresorption, erhöht aber die Ca^{++}-Ausscheidung [1]. Erhöhte Phosphat-Ausscheidung (Hyperphosphaturie) führt nicht selten zur Bildung von Phosphatsteinen (besonders bei alkalischem Urin und Hyperparathyreoidismus).

Resorption von Proteinen (Proteinurie) [5, 28]. Die Glomerulusmembran läßt einen kleinen Teil der Plasmaalbumine in das Filtrat übertreten (s. S. 616). Dabei handelt es sich normalerweise um Mengen von etwa 1 bis 10 mg pro 100 ml Filtrat. Der Endharn ist praktisch proteinfrei. Nach ihrer intravenösen Injektion findet man markiertes *Albumin* oder *Hämoglobin* im histologischen Präparat in den *Zellen des proximalen Tubulus*. Sie sind durch **Pinocytose** aufgenommen worden. Nach **lysosomalem Abbau** verschwinden ihre Spuren im Präparat.

Man schätzt, daß auf diese Weise etwa 30 mg/min Proteine maximal resorbiert werden können. Steigt bei *glomerulären Defekten* die filtrierte Proteinmenge über diesen Betrag, so kommt es zur **Proteinurie.**

Aktive Sekretion von organischen Säuren und Basen [28, 34]. Bisher kennen wir drei Transportsysteme, die im proximalen Tubulus lokalisiert sind und vorwiegend Fremdstoffe aktiv secernieren. Das eine Transportsystem secerniert vorwiegend *organische Säuren* (**p-Aminohippursäure (PAH), jodhaltige Röntgenkontrastmittel** wie Diodrast, **Penicillin, Phenolrot** u.a.m.), das zweite secerniert stärkere organische Basen (Tetraäthylammonium, N'-Methylnicotinamid u.a.) und das dritte System Äthylendiamintetraessigsäure (EDTA).

Der Stofftransport der drei Systeme erfolgt unabhängig voneinander: Eine kompetitive Hemmung tritt nur zwischen

Stoffen ein, die dem gleichen System zugeordnet sind. Da die Ausscheidungscharakteristika für Stoffe aller drei Systeme lediglich quantitative Unterschiede aufweisen, genügt die Besprechung der PAH-Sekretionscharakteristik.

Der PAH-Transport zeigt ein gut definiertes *tubuläres Transportmaximum* (Tm_{PAH}), wie aus Abb. 13 hervorgeht. Bei niedrigen Konzentrationen im Plasma erreicht die Sekretionsrate von PAH fast ihren theoretischen Höchstwert: Ihre *renale Extraktion* beträgt 92%, ihre Clearance entspricht dem *effektiven renalen Plasmafluß* (s. S. 610).

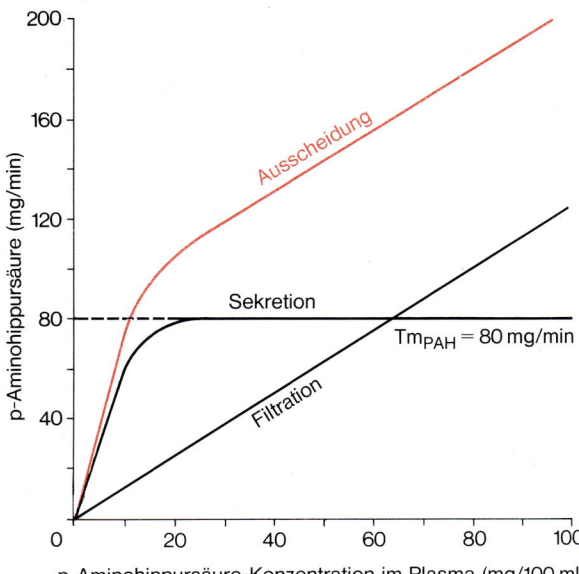

Abb. 13. Sekretion und Ausscheidung von p-Aminohippursäure (PAH) in Abhängigkeit von ihrer Konzentration im Plasmawasser [28]. Die Ausscheidungsrate von PAH setzt sich zusammen aus dem filtrierten und secernierten Anteil. Die Sekretionsrate von PAH wird durch ein tubuläres Transportmaximum (Tm_{PAH}) begrenzt

Substanzen mit einer derartig hohen renalen Extraktion erreichen im Sammelrohrharn eine 500- bis 1000fach höhere Konzentration als im Plasma. Es ist deshalb unwahrscheinlich, daß solche Substanzen distal resorbiert werden. Diese Stoffe mit hoher Extraktion sind polar und kaum fettlöslich (s. S. 625).

4.6. Passive Resorptions- und Sekretionsprozesse

Resorption von Harnstoff [7, 28]. Harnstoff ist eine unpolare Substanz von sehr niedrigem Molekulargewicht und kann deshalb relativ gut durch Zellmembranen permeieren. Er wird glomerulär uneingeschränkt filtriert und infolge der Resorption von Wasser in der proximalen Tubulusflüssigkeit konzentriert. Das so entstehende transtubuläre Konzentrationsgefälle bewirkt eine **Harnstoff-Diffusion** ins Blut. Die Harnstoffresorption erfolgt demnach durch *passiven Transport*.

Die Harnstoff-Diffusion geschieht aber nicht so schnell, daß sich die Harnstoffkonzentration in der strömenden Tubulusflüssigkeit und im Blutplasma ausgleichen. Je schneller die Geschwindigkeit des intratubulären Harnstroms ist, um so weniger Zeit steht zur Diffusion zur Verfügung. Hierdurch verringert sich die Resorptionsrate und entsprechend mehr wird von der filtrierten Harnstoffmenge ausgeschieden, d.h. die **Harnstoff-Clearance** ist **diureseabhängig** (Abb. 14). Bei der normalerweise beste-

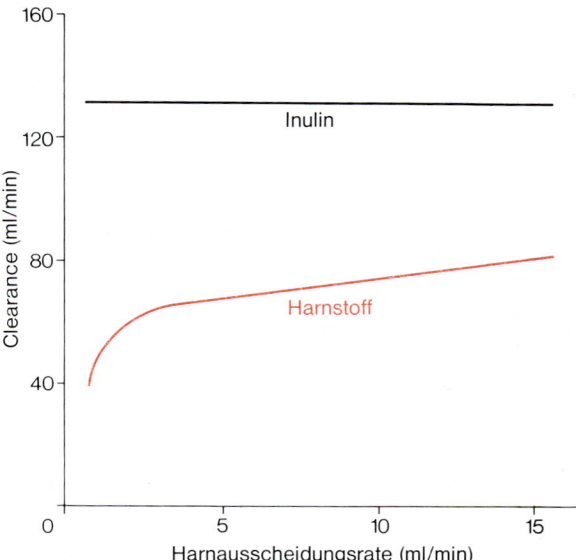

Abb. 14. Abhängigkeit der Harnstoff-Clearance von der Diurese im Vergleich zur diureseunabhängigen Inulin-Clearance. Nach [2]

henden Antidiurese beträgt die Harnstoff-Clearance beim Menschen etwa 50% der Inulin-Clearance.

Die höchste Harnstoff-Konzentration herrscht im Sammelrohrharn. Durch Diffusion ins Interstitium des Nierenmarks wird hier eine Harnstoff-Konzentration aufrechterhalten, die höher als in der Schleifenflüssigkeit ist. Harnstoff diffundiert deshalb in den Schleifharn, mit dem er erneut in das distale Convolut und Sammelrohr eintritt (*intrarenaler Kreislauf des Harnstoffs*) [41]. Durch Diffusion im Gegenstrom wird in diesem Fall bewirkt, daß die betroffene Substanz im System zurückgehalten wird (s. S. 627).

Resorption und Sekretion von schwachen organischen Säuren und Basen [28, 45]. Eine ganze Reihe schwacher organischer Säuren und Basen, die renal ausge-

schieden werden, zeigen oft große Schwankungen ihrer Ausscheidungsraten bzw. ihrer Clearance-Werte. Bei manchen Substanzen fand man unter bestimmten Umständen sogar so hohe Konzentrationen im Urin, daß man eine aktive Sekretion annehmen konnte. Heute wissen wir, daß die inkonstanten Ausscheidungsphänomene derartiger Stoffe durch *non-ionic diffusion* bei unterschiedlichem Harn-pH zustande kommen.

Non-ionic diffusion [28]. Die non-ionic diffusion stellt eine Sonderform eines passiven tubulären Transportmechanismus für eine Anzahl schwacher organischer Säuren und Basen dar. Dabei handelt es sich um Verbindungen, die im nichtdissoziierten Zustand eine relativ hohe **Fettlöslichkeit** aufweisen. In diesem nichtionisierten Zustand können solche Moleküle durch die Lipidphase der Tubuluszellmembranen dringen. Für die dissoziierte Form dieser Stoffe sind die Tubuluszellen weniger permeabel. Zur „nichtionischen" *Diffusion* bedarf es eines *transtubulären Konzentrationsgefälles der undissoziierten Moleküle*. Ein solches Konzentrationsgefälle entsteht durch die *tubuläre Flüssigkeitsresorption*, die ja eine Konzentrierung der filtrierten (und secernierten) Stoffe in der verbleibenden Tubulusflüssigkeit zur Folge hat. Das Konzentrationsgefälle ist nach außen gerichtet und bewirkt *Resorption*.

Ein transtubuläres Konzentrationsgefälle der neutralen Moleküle kann aber auch durch *pH-Änderung in der Tubulusflüssigkeit* erzeugt werden. Dabei ändert sich der *Dissoziationsgrad* der schwachen Säuren und Basen. Bei niedrigerem Harn-pH liegt eine schwache Säure vorwiegend undissoziiert vor, während die Konzentration an undissoziierten Basen niedrig ist. *Demgemäß wird bei saurem Harn die Resorptionsrate schwacher Säuren erhöht und ihre Ausscheidungsrate verringert und im Gegensatz hierzu die Resorptionsrate schwacher Basen erniedrigt und ihre Ausscheidungsrate erhöht; bei alkalischem Urin gilt entsprechend das umgekehrte.*

Bei bestimmten Vergiftungen kann der Mechanismus der nonionic diffusion therapeutisch genutzt werden, indem man durch entsprechende Beeinflussung des Harn-pH die renale Ausscheidung des Giftstoffes beschleunigt. Bei Phenobarbitalsäure- und Salicylsäure-Vergiftung gelingt dies durch Alkalisierung (Infusion von $NaHCO_3^-$-Lösung); besteht bereits eine Anurie infolge Kreislaufversagens, muß man zusätzlich eine osmotische Diurese erzeugen (s. S. 622). Bei Amphetamin-Vergiftung (Doping-Mittel) wird die Ausscheidung des basischen Wirkstoffes durch Ansäuerung des Harns (Infusion einer Argininhydrochlorid-Lösung) beschleunigt.

5. Harnkonzentrierung im Gegenstromsystem des Nierenmarks

Nach einer Theorie von KUHN beruht der Konzentrierungsmechanismus in der Niere auf der Existenz eines *Gegenstromsystems,* dessen Kernstück aus den Henleschen Schleifen besteht. In einem solchen System führt ein *kleiner Konzentrierungseffekt* (Einzeleffekt), der in einer bestimmten Schleifenregion auftritt, in Verbindung mit der **Strömung** zu einem Konzentrationsanstieg entlang der Schleife. Gegenüber dem Einzeleffekt (ohne Gegenstrom) beträgt die dabei erzielte *Konzentrierung* ein Vielfaches (**Gegenstrom-Multiplikation**). Diese Vorgänge sollen zuerst anhand eines überschaubaren Modells behandelt werden.

Konzentrierung im Gegenstrommodell [21, 47]. Das Modell (Abb. 15) besteht aus einem Rohr, das durch eine **semipermeable Membran** in zwei gleich große Schenkel SI und SII geteilt wird. SI und SII sind über die enge Capillare (C) verbunden. Das ganze System ist mit einer Lösung von bestimmter osmotischer Konzentration gefüllt.

Zunächst wird die Capillare geschlossen. Wird jetzt die Lösung in SI unter einen erhöhten **hydrostatischen Druck** gesetzt, so wird durch die Membran Wasser nach SII übertreten. Die Lösung in SI wird konzentrierter, die in SII wird verdünnt. Im Gleichgewicht entspricht die *osmotische Druckdifferenz dem Einzeleffekt.* Sie ist gleich der hydrostatischen Druckdifferenz.

Öffnet man jetzt die Capillare, so kommt ein langsamer **Gegenstrom** in SI und SII in Gang; dabei soll sich die hydrostatische Druckdifferenz nicht ändern. Mit der Strömung gelangt die etwas konzentriertere Lösung aus SI auf die Gegenseite. In den Raumsegmenten nahe der Verbindungscapillare stehen sich dann gleich konzentrierte Lösungen gegenüber. Hier kann jetzt unter der treibenden Kraft der hydrostatischen Druckdifferenz wieder Wasser aus SI nach SII übertreten, d.h. hier kommt es zum zweitenmal zum Einzeleffekt. Im Raumsegment am Zu- und Ablaufstutzen wird die nachlaufende Flüssigkeit wieder um den Einzeleffekt konzentrierter eingestellt. — Im folgenden Zeitabschnitt wiederholt sich in Capillarnähe der Vorgang (3. Einzeleffekt), der sich auch auf die anderen Raumsegmente ausdehnt. Allmählich stellt sich ein Gleichgewichtszustand ein, der gekennzeichnet ist durch einen **osmotischen Längsgradienten** mit einem **Konzentrierungsmaximum** im Bereich der Verbindungscapillare (bzw. Schleifenspitze). Dabei fließt aus dem Gegenstromsystem eine Lösung ab von der gleichen osmotischen Konzentration wie die der zufließenden Lö-

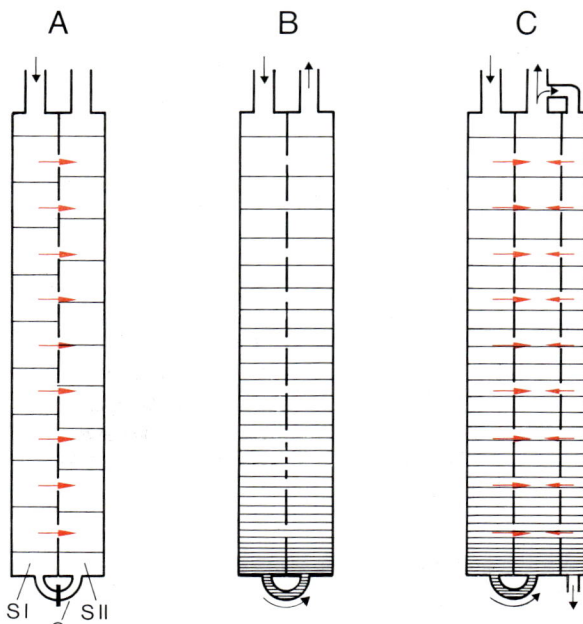

Abb. 15A–C. Gegenstrom-Konzentrierung in einem Zweischenkel- und einem Dreischenkelmodell. Die Flüssigkeitsräume in den einzelnen Schenkeln sind jeweils durch eine semipermeable Membran getrennt. Treibende Kraft für den konzentrierenden Einzeleffekt ist die hydrostatische Druckdifferenz zwischen SI und SII. (A) Einzeleffekt ohne Strömung; (B) ausgebildeter osmotischer Längsgradient bei Strömung; (C) Gewinnung einer konzentrierten Lösung aus dem dritten Schenkel

sung. Hier kann demnach die Konzentrierung des Systems nicht ausgenutzt werden.

Dies gelingt im erweiterten Dreischenkelsystem (Abb. 15(C)), mit einer zweiten semipermeablen Membran zwischen SII und dem dritten Schenkel. Die Stromstärke im dritten Schenkel soll nur einen Bruchteil von der in SII betragen. Hierdurch ändert sich am konzentrierenden System SI–SII nichts wesentliches. Die durch den dritten Schenkel fließende Lösung stellt sich von Querschnitt zu Querschnitt durch osmotisch bedingte Wasserverschiebung (nach SII) auf die Konzentration der Lösung in SII ein und erfährt so eine allmähliche Konzentrierung. Die abfließende Lösung aus dem dritten Schenkel hat die maximale Konzentration, wie sie an der „Schleifenspitze" herrscht. (Die aus SII abfließende ist etwas verdünnt gegenüber der zufließenden, da sie zusätzlich das aus dem dritten Schenkel nach SII verschobene Wasser enthält.)

Zusammenfassend ist festzustellen: Konzentrierung im Gegenstromsystem erfolgt durch **Kombination von Einzeleffekt und Strömung.** Der erzielte Konzentrierungsfaktor wächst in einem Gegenstromsystem mit vorgegebenem Einzeleffekt exponentiell mit der Länge des Systems und der Kon-

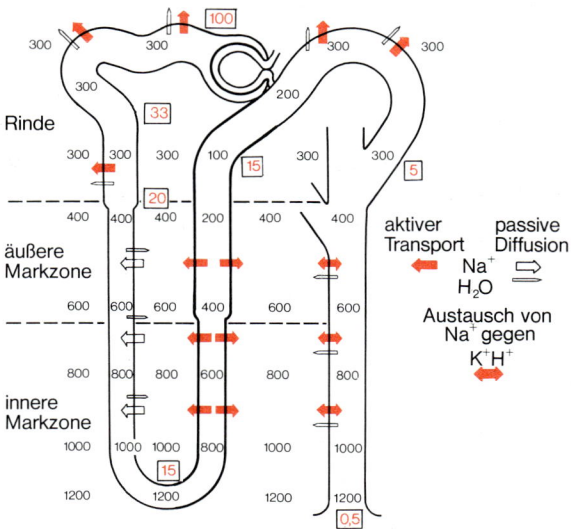

Abb. 16. Gegenstromsystem des Nierenmarks bei Antidiurese. Nach [28]. Die schwarzen Zahlen geben die osmotische Konzentration des Tubulusharns oder der peritubulären Flüssigkeit an, die eingerahmten roten Zahlen kennzeichnen den Anteil des Glomerulusfiltrates (in%), der an der betreffenden Stelle noch vorhanden ist

taktzeit in einem Segment (**Gegenstrommultiplikation**). Zunehmende Strömungsgeschwindigkeit verringert ihn demgemäß.

Das Gegenstromsystem im Nierenmark [41, 47]. Das konzentrierende Gegenstromsystem der Niere besteht aus den Henleschen Schleifen und den Sammelrohren. Die Analogie zum beschriebenen Modell ist offensichtlich. Das Interstitium zwischen den harnführenden Kanälchen stellt keine wesentliche Abweichung vom Modell dar, da die interstitielle Flüssigkeit passiv in die Konzentrierung mit einbezogen wird.

Der *wichtigste Einzeleffekt* im medullären Gegenstromsystem ist der *aktive Kochsalz-Transport aus dem aufsteigenden Schenkel in das Interstitium*. Dabei ist es von besonderer Bedeutung, daß auf seiner ganzen Länge der *aufsteigende Schenkel* nahezu *undurchlässig für Wasser* ist. Durch Auswärtstransport von Kochsalz wird der *aufsteigende Schleifenharn hypotonisch* und die *interstitielle Flüssigkeit hypertonisch* (Abb. 16).

Die Hypertonie im Interstitium bewirkt einen osmotisch bedingten Wasserfluß aus der absteigenden Schleifenflüssigkeit und auch aus dem Blut in den Vasa recta. Entlang der Konzentrierungsstrecke vollzieht sich dieser Prozeß graduell als *Kombination von Einzeleffekt und Strömung*. So bildet sich ein osmotischer Längsgradient im Nierenmark aus mit der höchsten osmotischen Konzentration im Bereich der Papillenspitze. Die endgültige **Einstellung der osmotischen Konzentration des Endharns** erfolgt während der **Sammelrohrpassage.** Bei der

konzentrierenden Niere tritt in das Sammelrohr eine isotonische Flüssigkeit aus dem distalen Convolut ein, deren Volumenrate durch osmotisch bedingten Wasserentzug im distalen Convolut stark reduziert wurde (s. S. 616, Abb. 8). Hierdurch liegt im Sammelrohr eine langsame Strömung vor. Der Sammelrohrharn kann sich so osmotisch ins Gleichgewicht mit der hypertonischen interstitiellen Flüssigkeit setzen. *Im Nierenmark herrscht auf gleicher Höhe in den verschiedenen Flüssigkeitsräumen die gleiche osmotische Konzentration* [48]. *Nur im aufsteigenden Schenkel der Henleschen Schleife ist die Flüssigkeit osmotisch weniger konzentriert* [19, 46]. Der Endharn weist eine osmotische Konzentration auf, wie sie an der Papillenspitze herrscht. Dem Sammelrohrharn wird aber nicht nur Wasser entzogen. Hier werden auch aktiv Salze (s. S. 621) und passiv Harnstoff (s. S. 625) resorbiert. Kochsalz und Harnstoff bedingen hauptsächlich die hypertonische Konzentration im Interstitium.

Die **Vasa recta** bilden ein **zweites Gegenstromsystem** im Nierenmark, dem jedoch ein aktiver konzentrierender Einzeleffekt fehlt. Das Blut in den absteigenden Markcapillaren stellt sich passiv auf die papillenwärts ansteigende osmotische Konzentration des Markgewebes ein, d.h. es nimmt Kochsalz und Harnstoff auf und gibt Wasser an das Markgewebe ab. Die Folge ist eine beträchtliche Zunahme der Viscosität und des Strömungswiderstandes des Blutes (s. S. 611). Das im Gegenschenkel der Vasa recta aufsteigende Blut gelangt in Zonen abnehmender osmotischer Konzentration: Es gibt Kochsalz und Harnstoff an das Interstitium ab und nimmt Wasser auf. Der Gegenstrom in den Vasa recta bewirkt demnach für Wasser eine funktionelle „Querverbindung". Er schafft für die Diffusion gelöster Stoffe spezielle Bedingungen. **Diffusion im Gegenstrom** wirkt sich demnach besonders auf die *Verweildauer der diffundierenden Stoffe* im System aus. Stoffe, die dem Nierenmark mit dem Blutstrom zugeführt und die verbraucht werden, wie O_2, gelangen kaum in die Tiefe, da sie in das abführende Blut diffundieren und wieder abtransportiert werden (s. S. 613). Stoffe, die im System anfallen (z.B. CO_2, Milchsäure) oder konzentriert werden (NaCl und Harnstoff), diffundieren zwischen den Schenkeln hin und her und werden deshalb bei relativ hoher Konzentration längere Zeit im System zurückgehalten [40].

Je schneller aber die Blutströmung wird, desto mehr dominiert der konvektive Transport über die Diffusion: Der Abtransport der Stoffe wird beschleunigt und der osmotische Längsgradient wird kleiner [37]. *Jede Veränderung aber, die einen Abbau des bestehenden osmotischen Längsgradienten bewirkt, führt zu einer geringeren Konzentrierung des Endharns und zu einer Zunahme der Diurese* (z.B. Druckdiurese, s. S. 612, osmotische Diurese, s. S. 622).

Gegenstromkonzentrierung bei Wasserdiurese. Bei Wasserdiurese sind das distale Convolut und das Sammelrohr für Wasser kaum durchlässig (s. S. 622). Die Hypotonie des aufsteigenden Schleifenharns wird im Convolut nicht ausgeglichen und während der Sammelrohrpassage kann sich ein osmotisches Gleichgewicht zum Interstitium nicht einstellen. Der Konzentrierungsmechanismus in der Henleschen Schleife geht weiter, jedoch wird das Interstitium nur auf etwa 500–600 mosmol/l (gegenüber 1200–1400 mosmol/l bei Antidiurese) konzentriert.

6. Regulatorische Funktionen der Nieren

6.1. Regulation der osmotischen Konzentration der extracellulären Flüssigkeit

Die Konstanz der Osmolarität und des Volumens der extracellulären Flüssigkeit (ECF) basieren auf einer ausgeglichenen Bilanz im Wasser- und Elektrolythaushalt. Zwar sind osmotische Konzentration und Volumen nicht völlig unabhängig voneinander, dennoch kann man in erster Näherung Abweichungen der Osmolarität auf Änderungen des Wassergehaltes zurückführen und Abweichungen des extracellulären Flüssigkeitsvolumens auf Änderungen des Na^+-Bestandes.

Regulation der Osmolarität. Ein Anstieg der osmotischen Konzentration in der extracellulären Flüssigkeit tritt normalerweise als Folge der sensiblen und insensiblen Wasserverluste auf (s. S. 637) und zeigt einen bestehenden **Wassermangel** an. Dabei erfolgt über Osmoreceptoren im Hypothalamus eine vermehrte *Freisetzung von ADH* aus der Neurohypophyse (s. S. 655f.). Die Nieren können den Wassermangel zwar nicht ausgleichen, sie können aber unter Wirkung von ADH durch **Antidiurese** den Wasserverlust so klein wie möglich halten. Zur Beseitigung des Wasserdefizites muß Wasser aufgenommen werden. Hierzu motiviert der dabei gleichzeitig auftretende Durst. Eine *Abnahme der osmotischen Konzentration* in der extracellulären Flüssigkeit, die auf **Wasserüberschuß** beruht (z.B. nach exzessivem Trinken „über den Durst"), bewirkt zuerst die *Hemmung der ADH-Freisetzung* und nach Abbau des noch circulierenden ADH durch die Leber eine **Wasserdiurese.** Hierdurch wird der Wasserüberschuß schnell beseitigt (Abb. 17). Daß es bei

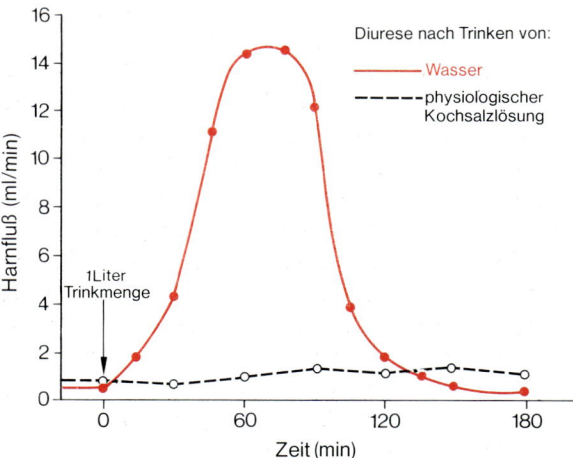

Abb. 17. Wassertrinkversuch. Nach [34]. Übermäßiges Trinken von Wasser bewirkt eine Wasserdiurese, durch die innerhalb von 2–3 Std der Wasserüberschuß ausgeschieden wird. Die gleiche Trinkmenge an physiologischer Kochsalzlösung ruft nur eine geringgradige Zunahme des Harnflusses hervor

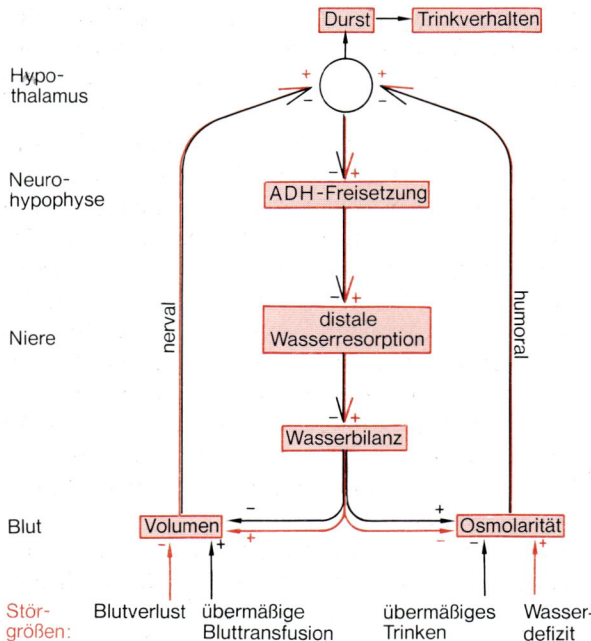

Abb. 18. Schematische Darstellung zur Auslösung des ADH-Durstmechanismus

diesem Mechanismus auf *Wasserüberschuß mit Hypotonie* ankommt, zeigt der Trinkversuch mit einer gleichen Menge an physiologischer Kochsalzlösung. Ihre Ausscheidung nimmt wesentlich längere Zeit in Anspruch. Sie ist Folge volumenregulatorischer Wirkungen.

Das *Kontrollsystem des Hypothalamus,* das die *Freisetzung von ADH* steuert, spricht nicht nur auf Änderung der Osmolarität der extracellulären Flüssigkeit an. Es ist auch *mitbeteiligt an der Volumenregulation* [11], speziell des Blutvolumens (Abb. 18). An dieser Regulation sind nervale Mechanismen beteiligt. Die sog. **Volumenreceptoren** im *Niederdrucksystem* vermitteln bei akuter Blutfülle (z.B. bei Unterdruckatmung oder nach einer übermäßigen Bluttransfusion) eine Hemmung der ADH-Freisetzung und bewirken so eine volumenreduzierende Wasserdiurese (*Gauer-Henry-Diuresereflex*). Andererseits steigert eine akute Reduktion des zentralen Blutvolumens die ADH-Freisetzung und löst außerdem Durst aus (z.B. nach einem Blutverlust oder durch Überdruckatmung). Verlagert sich das intrathorakale Blutvolumen beim Aufrichten aus liegender Position in die untere Körperpartie, so tritt neben der orthostatischen Blutdruckregulation (s. S. 447) auch eine ADH-Freisetzung auf.

6.2. Regulation des extracellulären Flüssigkeitsvolumens

Extracelluläres Flüssigkeitsvolumen und Natriumbilanz. Das Volumen der extracellulären Flüssigkeit wird in erster Linie von ihrem **Natriumgehalt** bestimmt. Erhöht man z.B. die tägliche Kochsalzaufnahme, so nimmt der Natriumbestand des Körpers zu. Gleichzeitig steigt die Trinkmenge merklich an. In dem Maße, wie sich der Natriumbestand des Organismus erhöht, wird Wasser retiniert. Die Folge ist eine Zunahme des extracellulären Flüssigkeitsvolumens unter Wahrung der Isotonie. Andererseits verringern sich bei *kochsalzarmer Diät* Natriumbestand und extracelluläres Flüssigkeitsvolumen. In beiden Fällen stellt sich aber im Verlauf von einer bis zwei Wochen ein Bilanzgleichgewicht im Natrium- und Wasserhaushalt ein, allerdings bleibt meist das Volumen der extracellulären Flüssigkeit verändert.

Ähnliche Veränderungen im Natrium- und Wasserhaushalt können auch durch eine primäre Mehrproduktion (bzw. Minderproduktion) von Aldosteron bei normaler Diät hervorgerufen werden.

Die beschriebenen Verlagerungen der Bilanzgleichgewichte sind in erster Linie auf die veränderte Ausscheidungsfunktion der Nieren unter der Wirkung von *Aldosteron* und *antidiuretischem Hormon* zurückzuführen.

Extracelluläres Flüssigkeitsvolumen und Blutkreislauf [11]. Die extracelluläre Flüssigkeit besteht aus der interstitiellen Flüssigkeit und dem Blutplasma. Änderungen ihres Volumens können deshalb zu Veränderungen des Blutvolumens und damit zur Umstellung der Kreislaufregulation führen. Bei vermehrtem Blutvolumen (**Hypervolämie**) ist in der Regel als Folge des vermehrten venösen Blutange-

botes das Herzzeitvolumen erhöht (s. S. 430). Bleibt dabei der periphere Gefäßwiderstand konstant, so steigt der arterielle Blutdruck an und die *Harnausscheidung* nimmt zu (s. Druckabhängigkeit der Diurese, S. 612 und Abb. 2, S. 611). Ein Überschuß an extracellulärer Flüssigkeit kann auf diese Weise durch die Nieren eliminiert werden. In anderen Fällen, bei denen der arterielle Blutdruck nicht erhöht ist, kann eine Wasserdiurese über die Volumenreceptoren ausgelöst werden (s. oben). Schließlich gibt es noch einen weiteren, im einzelnen noch ungeklärten Mechanismus, der bei erhöhtem extracellulären Flüssigkeitsvolumen von Zeit zu Zeit eine vermehrte renale Ausscheidung von Kochsalz und Wasser (Natriurese) bewirkt.

Bei **Hypovolämie** ist der venöse Rückfluß des Blutes erniedrigt. Die Folge ist ein Absinken des Herzzeitvolumens und des arteriellen Blutdruckes. Die Regulationsmechanismen, die dann einsetzen, bleiben nicht auf den Kreislauf beschränkt. Zusätzlich erfolgt auch eine Aktivierung der Effectoren (Gefäßmuskulatur und Nieren) auf humoralem Weg: Es kommt zur Freisetzung von *antidiuretischem Hormon* (s. S. 655f.) und zur Aktivierung des *juxtaglomerulären Apparates* bzw. des *Renin-Angiotensin-Aldosteron-Mechanismus*. Diese humoralen Mechanismen wirken dem Blutdruckabfall entgegen und erhöhen das Volumen der extracellulären Flüssigkeit.

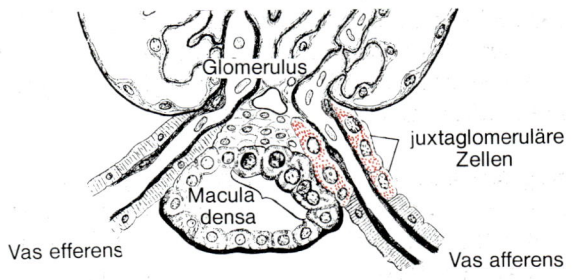

Abb. 19. Halbschematische Darstellung des juxtaglomerulären Apparates. Nach [17]

Renin-Angiotensin-Aldosteron-System [16]. **Renin** wird in den Epitheloidzellen des *juxtaglomerulären Apparates* (Abb. 19) gebildet und hauptsächlich in das Blut des Vas afferens, aber auch in die Lymphwege abgegeben. Es ist eine Protease, die aus dem *Angiotensinogen* der α_2-Globulinfraktion *Angiotensin I* bildet. Ein konvertierendes Enzym (Blut, Lunge) wandelt Angiotensin I in das vasoconstrictorisch wirksame *Angiotensin II*, das eigentlich wirksame **Angiotensin** um. Die Inaktivierung von Angiotensin II geschieht durch die sog. *Angiotensinasen*.

Angiotensin zählt zu den am *stärksten wirksamen vasoconstrictorischen Substanzen,* die wir kennen.

Es ruft eine ausgeprägte und langanhaltende Erhöhung des peripheren Widerstandes und damit einen starken **Anstieg des arteriellen Blutdruckes** hervor. Außerdem bewirkt es eine erhebliche **Freisetzung von Aldosteron** in der Nebennierenrinde. Aldosteron verursacht eine *vermehrte tubuläre Na$^+$-Resorption* bzw. *Natrium-Retention.*

Aktivierung des Renin-Angiotensin-Aldosteron-Systems [16, 42]. Das „RAA"-System wird aktiviert, wenn der Organismus durch *Salzverlust, Hypovolämie* oder/und zu niedrigen arteriellen Blutdruck (= *arterielle Hypotonie*) gefährdet ist.

Zwischen diesen Zuständen bestehen funktionelle Zusammenhänge (s.o.): Ein primärer Salzverlust führt zur Hypovolämie, wobei das Herzzeitvolumen und der arterielle Blutdruck abzufallen drohen. Nicht selten ist aber die Hypovolämie die primäre Störung (z.B. infolge eines Blutverlustes).

Einen wirksamen Reiz für die Freisetzung von Renin, mit der die Aktivierung des RAA-Systems eingeleitet wird, stellt ein stärkerer **Abfall des arteriellen Blutdruckes** dar. Dabei spricht ein intrarenaler druckempfindlicher Mechanismus an, der aller Wahrscheinlichkeit nach in dem Vas afferens, vielleicht sogar im juxtaglomerulären Apparat selbst lokalisiert ist. Dieser **renale Baroreceptormechanismus** bewirkt die Renin-Freisetzung.

Da es bei diesem renalen Baroreceptormechanismus auf den erniedrigten Druck in den Vasa afferentia ankommt, wird das RAA-System auch aktiviert, wenn der Blutdruck nur in den Nierenarteriolen reduziert ist (z.B. bei pathologischer Einengung der Nierenarterien). In diesem Fall kann sich dann ein sog. **renaler Hochdruck** ausbilden. Im Tierexperiment läßt sich ein analoger Zustand wie bei dieser Krankheit durch Klammerung der Nierenarterien künstlich erzeugen (*Goldblatt-Hochdruck*).

Ebenfalls sehr wirksam auf die *Renin-Freisetzung* ist ein **längerandauernder Kochsalzentzug** in der Nahrung, der zu einer Reduktion des extracellulären Flüssigkeitsvolumens führt. Sofern hierbei auch der arterielle Blutdruck erniedrigt ist, ist auch der renale Baroreceptormechanismus beteiligt. In anderen Fällen (mit normal hohem Blutdruck) müßte ein anderer, noch unbekannter Na$^+$-abhängiger Mechanismus an der vermehrten Renin-Freisetzung beteiligt sein.

Die *Renin-Freisetzung* nimmt zu bei *Infusion von* **Noradrenalin** in das Blut der Nierenarterie oder bei **Reizung der sympathischen Nervenfasern der Nieren.** Auch dieser Effekt könnte über den *Baroreceptormechanismus* vermittelt werden, wenn dabei durch starke Vasoconstriction der Nierenarterien der Druck in den Vasa afferentia erniedrigt wird. (Alternative: Die Nervenerregungen bewirken die Renin-Freisetzung direkt?)

Schließlich wird noch ein intrarenaler chemosensitiver Mechanismus der *Renin-Freisetzung* durch die **Macula densa** diskutiert. Die Macula densa ist der zum distalen Tubulus zählende Teil des juxtaglomerulären Apparates (s. Abb. 19). Sie soll die *Kontrolle über die Na$^+$-Konzentration in der frühdistalen Tubulusflüssigkeit* ausüben, wo normalerweise die Na$^+$-Konzentration sehr niedrig ist. Eine höhere Na$^+$-Konzentration kommt hier z.B. bei zu großer Filtrationsrate vor. Dabei wird von dem Nephron „zu viel" Na$^+$ ausgeschieden. Im Experiment bewirkt die hohe Na$^+$-Konzentration an der Macula densa-Region eine Abnahme der Durchblutung und Filtration im zugehörigen Glomerulus, wahrscheinlich durch Constriction des Vas afferens [46]. Dieser Effekt soll über eine *lokale Renin-Angiotensin-Wirkung* vermittelt werden und gewährleisten, daß ein „salzverlierendes" Nephron abgeschaltet werden kann. Auf diese Weise wäre der Organismus vor fatalen Salzverlusten durch die Nieren geschützt.

Regulationsmechanismen bei Hypovolämie. Einen auf die Beeinflussung der Nierenfunktion und den juxtaglomerulären Apparat begrenzten Überblick über die humoralen Regulationsmechanismen bei *Hypovolämie mit vermindertem venösen Rückfluß* des Blutes gibt Abb. 20.

Nicht im einzelnen dargestellt sind die kreislaufregulatorischen Effekte auf Herz, Gefäße und Nebennierenmark, die über das vegetative Nervensystem gesteuert werden. Diese bewirken eine erhöhte Herzfrequenz und eine Constriction der arteriellen Widerstandsgefäße und der Kapazitätsgefäße (s. 449). Ebenso fehlt die Aktivierung des diencephalhypophysären Systems, die bei ausgeprägten hypovolämischen Zuständen zu einer ACTH-Freisetzung wie bei Streß führt (s.S. 662f.).

Durch die stärkere Aktivierung afferenter Systeme wird (nerval) der **ADH-Durst-Mechanismus** ausgelöst (s. S. 629). Er schafft die Voraussetzung für eine *positive Flüssigkeitsbilanz.* Hierzu gehört auch eine *positive Natrium-Bilanz,* die über eine vermehrte *Aldosteron-Freisetzung* bewirkt wird. Die vermehrte Freisetzung von Aldosteron wird durch mehrere Teilmechanismen gesichert: 1. Während der Phase der Blutdruckerniedrigung erfolgt über den renalen Baroreceptor-Mechanismus eine Renin-Freisetzung. Hierdurch entsteht im Blut vermehrt Angiotensin, das in der Nebennierenrinde Aldosteron freisetzt. 2. Die starke Sympathicusaktivität wirkt über Nierennerven oder auch über freigesetzte Nebennierenmark-Hormone in gleichem Sinne. 3. Sofern vermehrt ACTH aus dem Hypophysenvorderlappen freigesetzt wird, erfolgt auch hierdurch eine vermehrte Freisetzung von Aldosteron. Insgesamt resultiert eine **Retention von isotonischer Flüssigkeit** durch die nierenwirksamen Hormone, d.h. das Volumen der extracellulären Flüssigkeit wird erhöht. (Auf die blutdrucksteigernde Wirkung von Angiotensin sei hier nur hingewiesen.)

Die Wirkung der Kochsalz- und Wasserretention ist vergleichbar mit einer Dauertropf-Infusion von

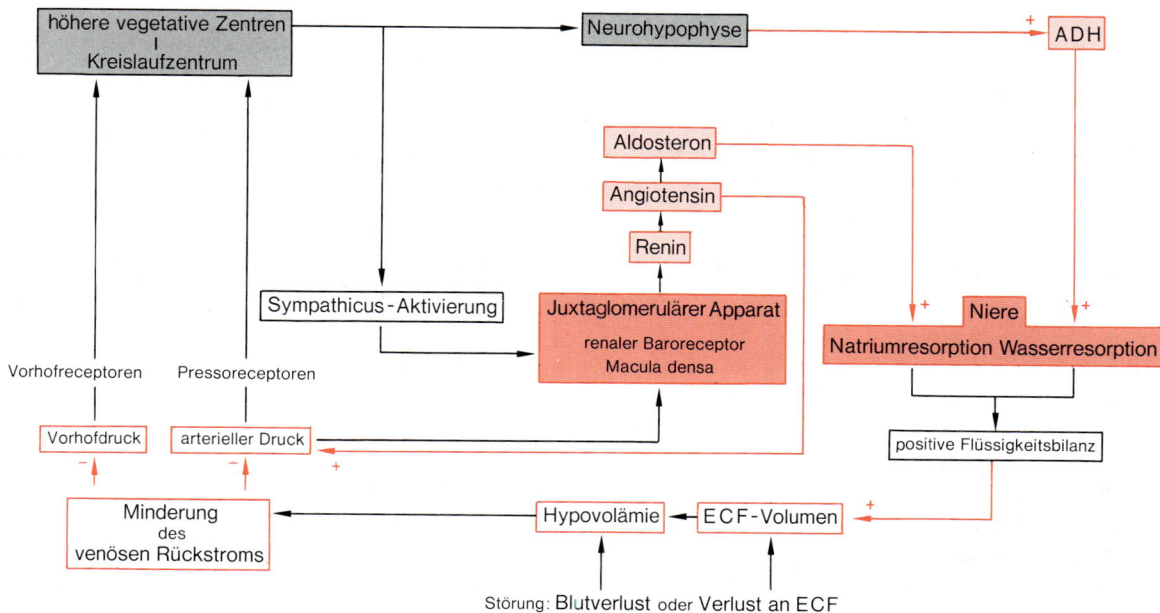

Abb. 20. Vereinfachtes Schema der Regulationsmechanismen bei verringertem extracellulären Flüssigkeitsvolumen. Näheres s. Text

physiologischer Kochsalzlösung. Eine solche Lösung bleibt nicht in der Blutbahn. Sie verteilt sich auf den gesamten extracellulären Flüssigkeitsraum. Das gleiche geschieht auch mit der retinierten Salzlösung. Eine wirkungsvolle Korrektur des Blutvolumens erfolgt deshalb nicht. Das Renin-Angiotensin-Aldosteron-System bleibt weiter aktiviert, und es bildet sich allmählich ein sekundärer Aldosteronismus aus (s. S. 678). Nach einiger Zeit können sichtbare **Ödeme** (exzessive Zunahme der interstitiellen Flüssigkeit) auftreten.

6.3. Regulation des Säuren-Basen-Gleichgewichtes durch die Nieren

Stoffwechsel und Säuren-Basen-Gleichgewicht. Bei normaler Aktivität entstehen durch den Stoffwechsel beim Erwachsenen etwa 15 mol/d CO_2 und bei *gemischter Kost* aus dem Abbau von Eiweiß und Nucleinsäuren ein Überschuß an Anionen starker Säuren (Sulfat, Phosphat) mit etwa 40–80 mmol/d H^+-Ionen. Eine derartige **„acidotische" Stoffwechsellage** wird zunächst respiratorisch kompensiert. Die Nieren stellen das Säuren-Basen-Gleichgewicht auf Dauer wieder her: Sie eliminieren die sauren Valenzen durch **Bildung eines sauren Urins** und verhindern eine bleibende Erniedrigung der Pufferbasenkonzentration im Blut (s. S. 502) durch Bicarbonatbildung und vollständige **Resorption des filtrierten Bicarbonats** (*Basensparmechanismus* der Nieren).

Bei *vegetabilischer Kost* fällt ein Überschuß an Alkali-Ionen (hauptsächlich K^+) an, deren ursprüngliche Begleitanionen im Organismus abgebaut wurden. Diese **„alkalotische" Stoffwechsellage** führt zu einer erhöhten HCO_3^--Konzentration im Blut. Aufgabe der Nieren ist es, einen **alkalischen Urin** zu bilden, d.h. überschüssige Kationen zusammen mit HCO_3^- auszuscheiden.

Zur renalen Regulation des Säuren-Basen-Gleichgewichts bedarf es demnach einer abgestimmten Steuerung der Wasserstoff- und Bicarbonationen-Ausscheidung.

H^+**-Ionen-Ausscheidung** [28]. Der niedrigste Harn-pH, der erreicht werden kann, liegt für den Menschen bei 4,5. Dies entspricht einer H^+-Konzentration von etwa 30 µmol/l Harn. Bei einer täglichen Harnausscheidung von 1,5 l sind dies ca. 50 µmol/d H^+-Ionen. Diese Ausscheidungsrate an freien H^+-Ionen ist vernachlässigbar klein gegenüber den tatsächlich renal eliminierten, aber **an Puffersubstanzen gebundenen Wasserstoffionen** (ca. 60 mmol/d). Solche Puffersubstanzen sind im Filtrat vorhandene Pufferanionen (HPO_4^{--} und Anionen schwacher organischer Säuren) sowie das von den Nieren produzierte Ammoniak (s. S. 633).

Titrationsacidität des Harns. Die von den Nieren eliminierte Menge an H^+-Ionen kann durch Titration des Endharns ermittelt werden. Die mit dem Harn eliminierte Menge an H^+-Ionen entspricht der Äquivalenzmenge an Lauge, die bei der Titration des Harns auf pH 7,4 verbraucht wird. Zu diesem Wert ist dann noch die Äquivalenzmenge an H^+ hinzuzuzählen, die der gesondert ermittelten Ammoniummenge im Endharn entspricht.

Tubuläre Sekretion von H$^+$. Die Sekretion von H$^+$-Ionen erfolgt im Austausch mit Na$^+$ (**Na$^+$-H$^+$-Austauschmechanismus**) an der lumenseitigen Membran der Tubuluszellen (s. S. 621, Abb. 11 und 22). Die Quelle der H$^+$-Ionen liegt in der Tubuluszelle. Sie wird gespeist aus der Hydratisierungsreaktion von CO$_2$ unter Mitwirkung der Carboanhydrase.

H$^+$-Ionen werden sowohl im proximalen Tubulus als auch in den distalen Abschnitten des Nephrons secerniert. Wie Mikropunktat-Untersuchungen ergaben, fällt der pH-Wert in der proximalen Tubulusflüssigkeit nur relativ wenig ab (Abb. 21). Die Einstellung des Endharn-pH (normalerweise bei etwa pH 6) erfolgt in den spätdistalen Abschnitten. Mengenmäßig überwiegt die H$^+$-Sekretionsrate im proximalen Tubulus. Wenn dies nicht mit einem ausgeprägten pH-Abfall einhergeht, so liegt dies an der beträchtlichen Pufferkapazität des Filtrates (s.u.). In der distalen Kanälchenflüssigkeit sind die Puffer erschöpft und secernierte H$^+$-Ionen wirken hier stark pH-senkend.

Na$^+$-H$^+$-Austauschmechanismus und Bicarbonatresorption [28]. Der Na$^+$-H$^+$-Austausch koppelt die H$^+$-Sekretion mit der Na$^+$-Resorption und zugleich mit der HCO$_3^-$-Resorption. Die im Austausch mit Na$^+$ secernierten H$^+$-Ionen verschieben in der Tubulusflüssigkeit das Gleichgewicht

$$H^+ + HCO_3^- \rightleftharpoons H_2CO_3 \rightleftharpoons CO_2 + H_2O$$

nach rechts. Das freiwerdende CO$_2$ diffundiert in die Tubuluszellen. Dort wird es unter der Wirkung der **Carboanhydrase** wieder hydratisiert. Die entstandene Kohlensäure dissoziiert dann schnell unter Bildung von HCO$_3^-$ und H$^+$. Während die HCO$_3^-$-Ionen zusammen mit Na$^+$ in das Interstitium transportiert werden, stehen die entstandenen H$^+$-Ionen für den lumenseitigen Austausch gegen Na$^+$ zur Verfügung (Abb. 22).

Der *überwiegende Teil der tubulär secernierten H$^+$-Ionen wird zur Resorption von HCO$_3^-$* benötigt. Bei einer HCO$_3^-$-Konzentration im Blutplasma von 25 mmol/l und einem Filtratvolumen von 180 l/d gelangen 4500 mmol/d HCO$_3^-$ in den Primärharn. Sie werden praktisch vollständig resorbiert und verbrauchen hierbei eine äquivalente Menge an secernierten H$^+$-Ionen. Die gesamte H$^+$-Sekretionsrate der Nieren beträgt demnach 4500 mmol/d zur Resorption von HCO$_3^-$ zuzüglich der im Vergleich hierzu kleinen Ausscheidungsrate von etwa 60 mmol/d bei acidotischer Stoffwechsellage (s.o.). Da etwa 90% des filtrierten Bicarbonats im proximalen Tubulus resorbiert werden, muß hier auch die H$^+$-Sekretionsrate am größten sein.

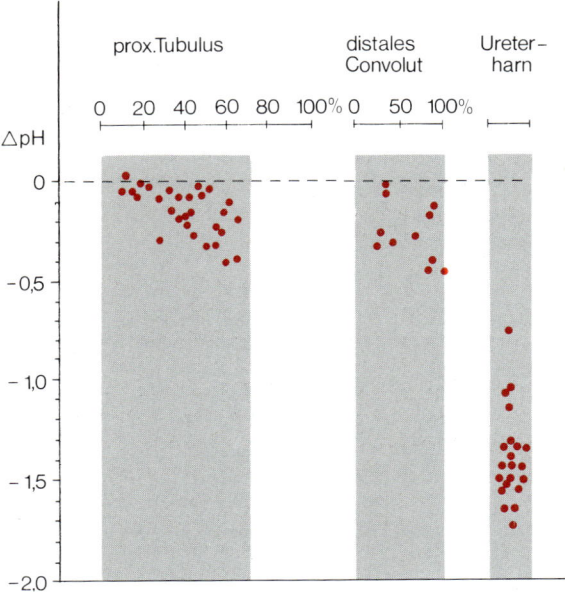

Abb. 21. Abnahme des pH-Wertes (ΔpH) der Tubulusflüssigkeit in den einzelnen Abschnitten des Nephrons und im Urin [15]

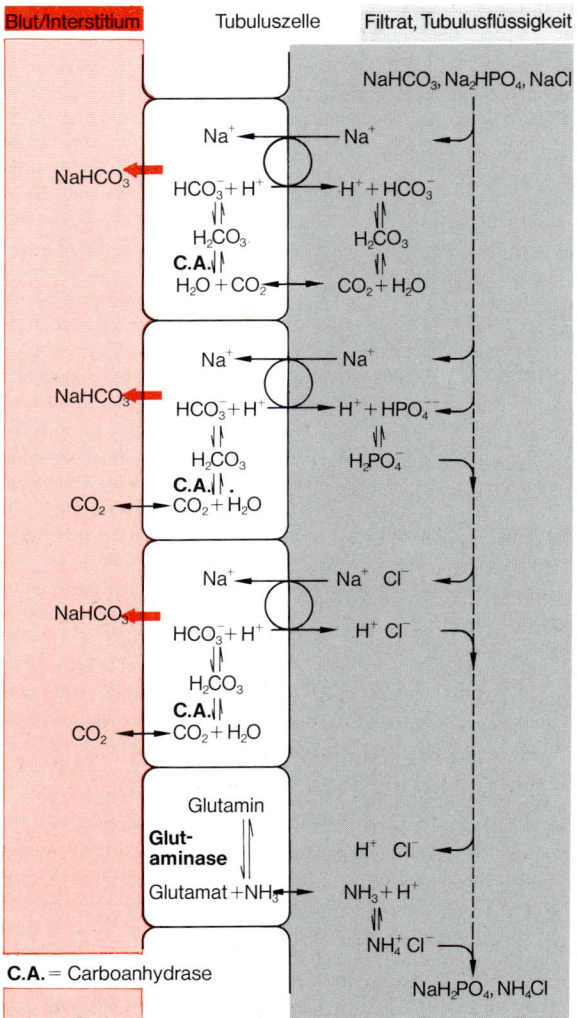

Abb. 22. Schematische Darstellung der Bicarbonatresorption, der Harnacidifizierung und der Ammoniak-Sekretion

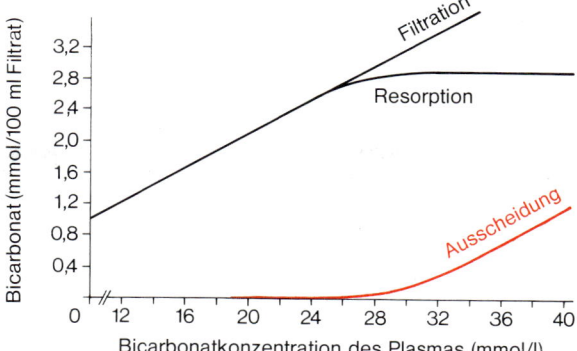

Abb. 23. Resorption und Ausscheidung von Bicarbonat in Abhängigkeit von seiner Konzentration im Blutplasma [29]

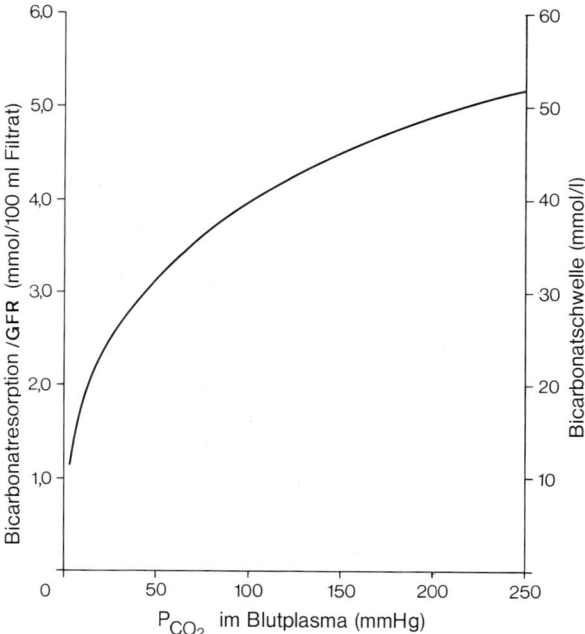

Abb. 24. Einfluß des CO_2-Partialdruckes im Blut auf die Resorption bzw. die Nierenschwelle von Bicarbonat [30]

Ausscheidungscharakteristik von HCO_3^-. HCO_3^- zählt zu den Schwellensubstanzen und erscheint erst im Urin, wenn die **Schwellenkonzentration im Blutplasma von 28 mmol/l** überschritten wird (Abb. 23). Die Nierenschwelle liegt demnach nur wenig über der physiologischen HCO_3^--Konzentration bei normalem Säuren-Basen-Status (s. S. 501). Seine Ausscheidung setzt demnach erst bei einer metabolischen Alkalose ein. Dabei kann der alkalische Urin einen pH-Wert bis 8 erreichen.

Die Ausscheidungscharakteristik weist auf einen Transport mit *maximaler Transportkapazität* (Tm) hin (s. S. 623). Die absolute maximale Resorptionsrate ändert sich jedoch proportional mit der glomerulären Filtrationsrate (GFR), d.h., die maximale pro Milliliter Filtrat resorbierte HCO_3^--Menge ist konstant. Dieses glomerulo-tubuläre Gleichgewicht von 28 mmol/l Filtrat bedeutet, daß bei einer beste-

henden metabolischen Alkalose die tubulär resorbierte Flüssigkeit (auch bei Patienten mit erniedrigter glomerulärer Filtrationsrate) „nur" 28 mmol/l HCO_3^- enthält. Das überschüssige HCO_3^- wird ausgeschieden: Ein wirkungsvoller **Kompensationsmechanismus zur Begrenzung der Alkalose.**

Es hat sich gezeigt, daß die **HCO_3^--Schwellenkonzentration** von der Höhe des **arteriellen CO_2-Partialdruckes** abhängt (Abb. 24): Bei einer respiratorischen Acidose (erhöhter P_{CO_2}) ist die HCO_3^--Schwellenkonzentration erhöht. Dies hat eine geringere HCO_3^--Ausscheidung zur Folge. Damit erhöht sich die HCO_3^--Konzentration im Blutplasma. Bei der respiratorischen Akalose (P_{CO_2} erniedrigt) findet man die HCO_3^--Schwellenkonzentration herabgesetzt, die Ausscheidungsrate von HCO_3^- erhöht. Hierdurch stellt sich eine erniedrigte HCO_3^--Konzentration im Plasma ein. In beiden Fällen ändern sich die HCO_3^--Konzentrationen im Plasma gleichsinnig mit den primär eingetretenen Abweichungen der CO_2-Partialdrucke im Plasma. Dies entspricht nach der Henderson-Hasselbachschen Gleichung (s. S. 501) einem Kompensationsmechanismus. Auf diese Weise kann man die renale Kompensation bei respiratorischen Störungen des Säuren-Basen-Gleichgewichtes deuten.

Ausscheidung von Ammonium-Ionen [28]. Die Ausscheidung von H^+-Ionen kann nur bis zu einem Harn-pH von 4,5 erfolgen. Wie groß dann die H^+-Ausscheidungsrate ist, hängt allein von den Mengen an filtrierten Pufferanionen ab (s.o.). Durch **Bildung von Ammoniak** (NH_3) kann die Niere selbst diesen H^+-Ionen-Acceptor der Tubulusflüssigkeit zusetzen und so die H^+-Ausscheidungsrate erheblich steigern (s. Titrationsacidität, S. 631).

NH_3 entsteht in allen Tubuluszellen, vornehmlich aus *Glutamin.* In wäßriger Lösung steht es in folgendem Gleichgewicht:

$$NH_3 + H^+ \rightleftharpoons NH_4^+ \qquad (14)$$

Beide Verbindungen unterscheiden sich erheblich in ihrer Fettlöslichkeit und damit in ihrer Permeationsfähigkeit durch Zellmembranen (s. S. 625, 647). NH_3 ist gut fettlöslich und kann deshalb die Tubuluszellen leicht verlassen und in den Tubulusharn diffundieren (nichtionische Diffusion). Das NH_4^+-Ion ist kaum fettlöslich und weist deshalb eine geringe Membranpermeabilität auf. Gemäß Gl. (14) bildet sich das in den Harn diffundierte NH_3 um so mehr in NH_4^+ um, je niedriger der Harn-pH ist. NH_4^+ wird somit im sauren Tubulusharn „fixiert" und zur Ausscheidung gebracht.

Die Ausscheidung von NH_4^+ steigt mit zunehmender Harnacidität (Abb. 25). Da jedes ausgeschiedene NH_4^+-Ion ein secerniertes H^+-Ion enthält, werden bei gleicher Harnacidität entsprechend der ausgeschiedenen NH_4^+-Menge mehr H^+-Ionen mit dem Harn eliminiert. Bei chronischer Acidose nimmt die Bildungsrate von NH_3 zu. Hierdurch kann die NH_4^+-Ausscheidungsrate um den Faktor 10 gestei-

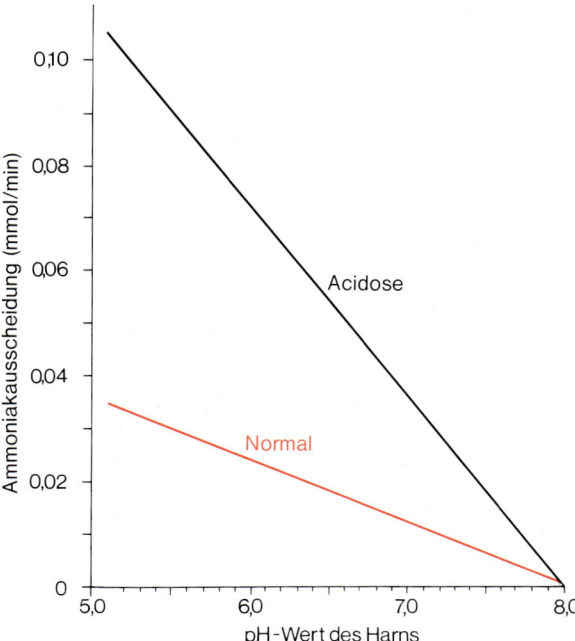

Abb. 25. Ammoniak-Ausscheidung in Abhängigkeit vom Harn-pH bei normalem Säuren-Basen-Gleichgewicht und bei chronischer Acidose [28]

gert werden (Abb. 25). Der im äußersten Fall erreichbare Harn- pH von 4,5 bleibt unverändert bestehen.

7. Zur Pathophysiologie der Nieren

Die Ausscheidungsfunktion der Niere wird durch eine Funktionsreserve abgesichert. Der Mensch kommt mit einer Niere bzw. mit der halben Zahl intakter Nephrone aus. In der Regel besteht unter diesen Bedingungen eine *kompensatorische Hypertrophie* der verbleibenden Nierenanteile. So nimmt z.B. nach einseitiger Nephrektomie das Gewicht der verbleibenden Niere etwa um die Hälfte zu und entsprechend erhöhen sich deren glomeruläre Filtrationsrate und der renale Plasmafluß. Eine **Niereninsuffizienz** besteht, wenn die Zahl der Nephrone unter 30% der Norm absinkt, bzw., was durch Funktionstest festgestellt werden kann, wenn die Filtrationsrate etwa 50 ml/min und weniger beträgt. Dabei kommt es zu einer deutlichen Retention harnpflichtiger Substanzen, d.h. zu einer Erhöhung der Konzentration der sog. **Rest-N-Substanzen** im Blutplasma (=**Azotämie**). Das Krankheitsbild nennt man **Urämie.** Bei urämischen Patienten besteht in der Regel eine *Hyperkaliämie* und eine *metabolische Acidose* wegen der mangelnden Ausscheidung von Säuren (herabgesetzte H^+-Sekretion und Ammonium-Ausscheidung). Bei Niereninsuffizienz ist die Harnkonzentrierung vermin-

dert (Hyposthenurie) oder völlig aufgehoben (Isosthenurie). Gleichzeitig ist auch die Harnverdünnung entsprechend beeinträchtigt. Bei Isosthenurie ist demzufolge der Harn stets isotonisch. Bei der Niereninsuffizienz, die ein chronisches Leiden darstellt, muß der Arzt auch mit einer Retention der verordneten Medikamente, die normalerweise renal ausgeschieden werden, rechnen (Gefahr einer iatrogenen, d.h. durch die Maßnahmen des Arztes herbeigeführten Vergiftung).

Akutes Nierenversagen mit *Anurie* entsteht nicht selten bei schweren **Schockzuständen** (*Kreislaufschock, traumatischer Schock*). Dabei handelt es sich um eine schwere Funktionsstörung, die fortschreitend zur Urämie und zur chronischen Niereninsuffizienz führt. Anfangs ist die Störung noch reversibel. Es ist deshalb auch im Hinblick auf den möglichen Nierenschaden wichtig, bei drohendem Schock den Kreislauf frühzeitig zu stützen (durch Infusionstherapie). Bei der Ausbildung des akuten Nierenversagens spielt die Minderung der Nierendurchblutung eine wichtige Rolle. Dabei kommt es als Folge einer lokalen Gewebshypoxie (ischämische Hypoxie) zu Tubulusschäden mit Störung der Na^+-Resorption. Während des Heilungsprozesses bilden sich diese erst allmählich zurück. Die noch geminderte Na^+-Resorption äußert sich in einer wochenlang bestehenden Polyurie.

8. Literatur

1. BIJVOET, O.L.M., FROELING, G.A.M.: Renal action of parathyroidhormone and calcitonin. Proc. IV Int. Congr. Endocrinol., Washington 1972. Amsterdam: Excerpta Med. 1973.
2. CHASIS, H., SMITH, H.W.: The excretion of urea in man and in subjects with glomerulonephritis. J. clin. Invest. **17**, 347 (1938).
3. COHEN, J.J., BARAC-NIETO, M.: Renal metabolism of substrates in relation to renal function. In: Handbook of Physiology. Sect. 8: Renal Physiology, Kap. 27, p. 909. Washington: American Physiological Society 1973.
4. CURRAN, P.F., MacINTOSH, J.R.: A model system for biological water transport. Nature (Lond.) **193**, 347 (1962).
5. DAVSON, H.: A Textbook of General Physiology. London: Churchill 1970.
6. DEEN, W.M., ROBERTSON, C.R., BRENNER, B.M.: Glomerular ultrafiltration Fed. Proc. **33**, 14 (1974).
7. DEETJEN, P.: Nierenphysiologie. In: GAUER/KRAMER/JUNG: Physiologie des Menschen, Bd. 7: BOYLAN, J.W., DETTJEN, P., KRAMER, K.: Niere und Wasserhaushalt. München, Berlin, Wien: Urban & Schwarzenberg 1970.
8. DEETJEN, P., KRAMER, K.: Die Abhängigkeit des O_2-Verbrauchs der Niere von der Na-Rückresorption. Pflügers Arch. ges. Physiol. **273**, 636 (1961).
9. DIAMOND, J.M., BOSSERT, W.H.: Standing-gradient osmotic flow. A mechanism for coupling of water and solute transport in epithelia. J. gen. Physiol. **50**, 2061 (1967).
10. FALCHUK, K.H., BRENNER, B.M., TADOKORO, M., BERLINER, R.W.: Oncotic and hydrostatic pressures in peritubular capillaries and fluid reabsorption by proximal tubule. Amer. J. Physiol. **220**, 1427 (1971).
11. GAUER, O.H., HENRY, J.P.: Circulatory basis of fluid control. Physiol. Rev. **43**, 423 (1963).
12. GERTZ, K.H., BOYLAN, J.W.: Glomerular-tubular balance. In: Handbook of Physiology, Sect. 8: Renal Physiology, Kap. 23, p. 763. Washington: American Physiological Society 1973.

13. GIEBISCH, G., WINDHAGER, E.E.: Renal tubular transfer of sodium, chloride and potassium. Amer. J. Med. **36**, 643 (1964).

14. GOTTSCHALK, C.W.: Micropuncture studies of tubular function in the mammalian kidney. Physiologist **4**, 35 (1961).

15. GOTTSCHALK, C.W., LASSITER, W.E., MYLLE, M.: Localization of urine acidification in the mammalian kidney. Amer. J. Physiol. **198**, 581 (1960).

16. GROSS, F.: Physiologie und Pathologie des Renin-Angiotensin-Systems. In: Handbuch der Inneren Medizin, Bd. VIII/2: Nierenkrankheiten, S. 35. Berlin-Heidelberg-New York: Springer 1968.

17. HAM, A.W.: Histology. Philadelphia-Toronto: Lippincott 1974.

18. HIERHOLZER, K., WIEDERHOLT, M., STOLTE, H.: Hemmung der Natriumresorption im proximalen und distalen Konvolut adrenalektomierter Ratten. Pflügers Arch. ges. Physiol. **291**, 43 (1966).

19. JAMISON, R.L., BENNET, C.M., BERLINER, R.W.: Countercurrent multiplication by the thin loops of Henle. Amer. J. Physiol. **212**, 357 (1967).

20. KRAMER, K., DEETJEN, P., BRECHTELSBAUER, H.: Gegenstromdiffusion des Sauerstoffs im Nierenmark. Pflügers Arch. ges. Physiol., **274**, 63 (1961).

21. KUHN, W., RYFFEL, K.: Herstellung konzentrierter Lösungen aus verdünnten durch bloße Membranwirkung. Ein Modellversuch zur Funktionsweise der Niere. Hoppe-Seyler's Z. physiol. Chem. **276**, 145 (1942).

22. LARAGH, J.H., SEALEY, J.E.: The renin-angiotensin-aldosterone hormonal system and regulation of sodium, potassium and blood pressure homeostasis. In: Handbook of Physiology, Sect. 8: Renal Physiology, Kap. 26, p. 831. Washington: American Physiological Society 1973.

23. MALNIC, G., KLOSE, R.M., GIEBISCH, G.: Micropuncture study of renal potassium excretion in the rat. Amer. J. Physiol. **206**, 674 (1964).

24. MALNIC, G., KLOSE, R.M., GIEBISCH, G.: Micropuncture study of distal tubular potassium and sodium transport in rat nephron. Amer. J. Physiol. **211**, 529 (1966).

25. MALNIC, G., MELLO AIRES, M., LACAZ VIEIRA, F.: Chloride excretion in nephrons of rat kidney alterations of acid-base equilibrium. Amer. J. Physiol. **218**, 20 (1970).

26. PAPPENHEIMER, J.R.: Über die Permeabilität der Glomerulummembran in der Niere. Klin. Wschr. **33**, 362 (1955).

27. PEASE, D.C.: Fine structure of the kidney seen by electron microscopy. J. Histochem. Cytochem. **3**, 295 (1955).

28. PITTS, R.F.: Physiologie der Niere und der Körperflüssigkeiten. Stuttgart-New York: Schattauer 1972.

29. PITTS, R.F., AYER, L.J., SCHIESS, W.A.: The renal regulation of acid base balance in man: III. The reabsorption and excretion of bicarbonate. J. clin. Invest. **28**, 35 (1949).

30. RECTOR, F.C., SELDIN, D.W., ROBERTS, A.D., SMITH, J.S.: The role of plasma CO_2 tension and carbonic anhydrase activity in the renal reabsorption of bicarbonate. J. clin. Invest. **39**, 1706 (1960).

31. SCHULTZ, S.G., CURRAN, P.F.: Coupled transport of sodium and organic solutes. Physiol. Rev., **50**, 637 (1970).

32. SHIPLEY, R.E., STUDY, R.S.: Changes in renal blood flow, extraction of inulin, glomerular filtration rate, tissue pressure and urine flow with acute alterations of renal arterial blood pressure. Amer. J. Physiol. **167**, 676 (1951).

33. SHIPP, J.C., HANENSON, I.B., WINDHAGER, E.E., SCHATZMANN, H.J., WHITTEMBURY, G., YOSHIMURA, H., SOLOMON, A.K.: Single proximal tubules of the Necturus kidney. Method for micropuncture and microperfusion. Amer. J. Physiol. **195**, 563 (1958).

34. SMITH, H.W.: The kidney. Structure and function in health and disease. New York: Oxford Univ. Press 1951.

35. THOENES, W., LANGER, K.H.: Relationship between cell structures of renal tubules and transport mechanisms. In: THURAU, K., JAHRMÄRKER, H.: Renaler Transport und Diuretica. Berlin-Heidelberg-New York: Springer 1969.

36. THURAU, K., DEETJEN, P. (mit einem theoretischen Beitrag von GÜNZLER, H.): Die Diurese bei arteriellen Drucksteigerungen. Pflügers Arch. ges. Physiol. **274**, 567 (1962).

37. THURAU, K., DEETJEN, P., KRAMER, K.: Hämodynamik des Nierenmarkes. II. Wechselbeziehung zwischen vaskulärem und tubulärem Gegenstromsystem bei arteriellen Drucksteigerungen, Wasserdiurese und osmotischer Diurese. Pflügers Arch. ges. Physiol. **270**, 270 (1960).

38. THURAU, K., SCHNERMANN, J.: Die Natriumkonzentration an den Macula-densa-Zellen als regulierender Faktor für das Glomerulumfiltrat. Klin. Wschr. **43**, 410 (1965).

39. THURAU, K., WOBER, E.: Zur Lokalisation der autoregulativen Widerstandsänderung in der Niere. Pflügers Arch. ges. Physiol. **274**, 553 (1962)

40. ULLRICH, K.J.: Das Nierenmark — Struktur, Stoffwechsel und Funktion. Ergebn. Physiol. **50**, 434 (1959).

41. ULLRICH, K.H., KRAMER, K., BOYLAN, J.W.: Present knowledge of the countercurrent system in the mammalian kidney. Progr. cardiovasc. Dis. **3**, 395–431 (1961).

42. VANDER, A.J.: Control of renin release. Physiol. Rev. **47**, 359 (1967).

43. VANLIEW, J., DEETJEN, P., BOYLAN, J.W.: Glucose reabsorption in the rat kidney: Dependence on glomerular filtration. Pflügers Arch. ges. Physiol. **295**, 232 (1967).

44. WALKER, A.M., BOTT, P.A., OLIVER, J., MACDOWELL, M.C.: The collection and analysis of fluid from single nephrons of the mammalian kidney. Amer. J. Physiol. **134**, 580 (1941).

45. WEINER, I.M., MUDGE, G.H.: Renal tubular mechanism for excretion of organic acids and bases. Amer. J. Med. **36**, 743 (1964).

46. WIRZ, H.: Der osmotische Druck in den kortikalen Tubuli der Rattenniere. Helv. physiol. pharmacol. Acta **14**, 353 (1956).

47. WIRZ, H., DIRIX, R.: Urinary concentration and dilution. In: Handbook of Physiology, Sect. 8: Renal Physiology, Kap. 13, p. 415. Washington: American Physiological Society 1973.

48. WIRZ, H., HARGITAY, B., KUHN, W.: Lokalisation des Konzentrierungsprozesses in der Niere durch direkte Kryoskopie. Helv. physiol. pharmacol. Acta **9**, 196 (1951).

XXIX. Wasserhaushalt, Stoff-, Flüssigkeitstransport (O. Harth)

1. Wasserhaushalt

1.1. Körperwasser und Wasserumsatz

Gesamtkörperwasser und Körpergewicht [3, 11]. Unter den chemischen Verbindungen, die im Organismus enthalten sind, hat Wasser den größten prozentualen Anteil. Beim Neugeborenen entfallen etwa 75% des Körpergewichtes auf das Körperwasser. Mit fortschreitender Entwicklung des Kindes nimmt der relative Wassergehalt ab. Beim jungen Erwachsenen beträgt er im Mittel 63% für den Mann und 52% für die Frau. Mit zunehmendem Lebensalter fallen die Mittelwerte auf 52 bzw. 46% ab.
Wie aus Tabelle 1 zu ersehen ist, weist das Fettgewebe unter den Organgeweben den niedrigsten Wassergehalt auf. Aus diesem Grund hängt der relative Wassergehalt des Organismus in starkem Maße von dem Anteil des Fettgewebes am Körpergewicht ab. Da bei Frauen im allgemeinen das Fettgewebe stärker ausgebildet ist als bei Männern, ist es zu verstehen, daß bei Frauen der relative Wassergehalt um ca. 6 bis 10% geringer ist. Berücksichtigt man beim Erwachsenen den Gewichtsanteil des Fettgewebes, so resultiert ein Wassergehalt von 73,2 ± 3% bezogen auf die fettfreie Körpermasse. Dieser Wert gilt auch für die meisten Säugetiere.

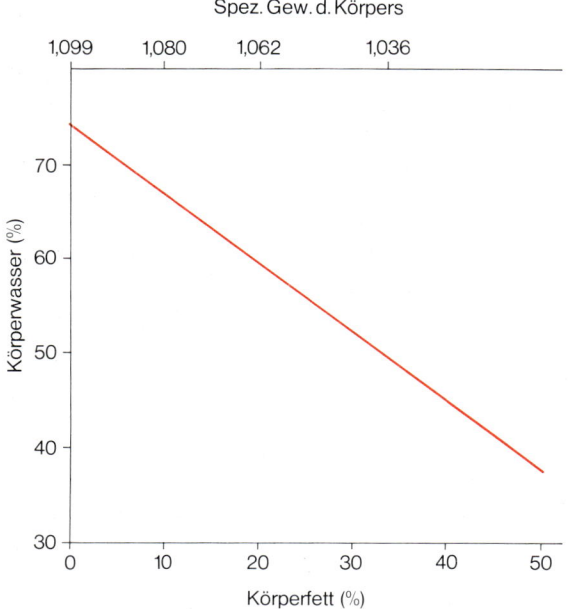

Abb. 1. Beziehung zwischen Körperfett, spezifischem Gewicht und Wassergehalt des Körpers. Nach [2]

Der Wert von 73,2% für den relativen Wassergehalt der fettfreien Körpermasse ist so konstant, daß man ihn bei bekanntem Wassergehalt zur Bestimmung der Menge an Körperfett heranziehen kann:

$$\% \, Fett = 100 - \frac{Wassergehalt \; in \; \% \; des \; Körpergewichtes}{0{,}732} . \quad (1)$$

Das spezifische Gewicht des Erwachsenenorganismus korreliert ebenfalls mit dem Anteil des Körperfettes (Fettgewebe weist mit 0,94 g/cm³ das niedrigste spezifische Gewicht unter den Geweben auf). Kennt man das spezifische Gewicht des Organismus, was durch Wägung in Luft und unter Wasser und bei Berücksichtigung des lufthaltigen Volumens im Atemtrakt festgestellt werden kann, so lassen sich sowohl der Fett- als auch der Wassergehalt ermitteln (Abb. 1). Bei extrem mageren Personen beträgt das spezifische Gewicht etwa 1,1. Mit dem Anstieg des Fettgewebes um 10% nehmen das spezifische Gewicht um etwa 0,02 Einheiten und der Wassergehalt um etwa 7,3% des Körpergewichtes ab. Diese Beziehungen gelten

Tabelle 1. Relativer Wassergehalt der Organgewebe und deren Anteil am Körpergewicht beim Erwachsenen. Nach [16]

Wassergehalt (%)	Organgewebe	Anteil am Körpergewicht (%)
72	Haut	18
75,6	Muskel	41,7
22	Skelet	15,9
74,8	Gehirn	2,0
68,3	Leber	2,3
79,2	Herz	0,5
79	Lunge	0,7
82,7	Nieren	0,4
75,8	Milz	0,2
83,0	Blut	8,0
74,5	Darm	1,8
10,0	Fettgewebe	10,0

aber nur für gesunde Erwachsene. Bei Kindern und bei Patienten mit Störungen im Wasserhaushalt muß man den Wassergehalt mit der sichereren Indikatorverdünnungsmethode (s.S. 640) bestimmen.

Wasserbilanz des Organismus [3, 10]. Unter normalen Bedingungen besteht zwischen der aufgenommenen Wassermenge und den Wasserverlusten des Organismus ein Gleichgewicht. Die **Wasseraufnahme** beträgt unter unseren klimatischen Bedingungen und bei üblichen Ernährungsweisen und Trinkgewohnheiten im Mittel etwa 2,4 l pro Tag. Dabei entfällt etwa die Hälfte auf *Trinkmengen*; die andere Hälfte resultiert aus dem *Wassergehalt der festen Nahrung* und dem sog. *Oxidationswasser*, das beim Abbau der Nährstoffe gebildet wird (s. Tabelle 2). Auf der anderen Seite der Bilanz stehen Wasserverluste durch die Nieren, den Darm, die Lungen und die Haut. Im Mittel werden täglich etwa 1,4 l Wasser mit dem Harn und 100 ml mit den Faeces ausgeschieden. Außerdem verliert der Organismus im Mittel etwa 900 ml/Tag Wasser durch Verdunstung über die Atemluft und durch die Haut (s. Tabelle 2). Die Verluste durch Wasserverdunstung hängen von der Außentemperatur und der relativen Luftfeuchte ab. Zu der unmerklichen Abgabe von verdunstetem Wasser durch die Haut *(Perspiratio insensibilis)* können bei erhöhter Wärmebelastung des Organismus durch Arbeit und/oder bei hohen Außentemperaturen noch zusätzliche Wasser- (und Salz-) Verluste durch Schweißsekretion hinzukommen (s. XXIV).
Der Wasserumsatz beim Erwachsenen beträgt demnach im Mittel etwa 3 bis 4% des Körpergewichtes. Bei einem Säugling dagegen ist der relative Wasserumsatz erheblich größer (ca. 10% des Körpergewichts).

Die Bilanzsumme im Wasserhaushalt weicht bei Menschen mit exzessiven Trinkgewohnheiten stark von den angegebenen Mittelwerten ab. Bei fortgesetzt übermäßigem Trinken passen sich die hormonalen Regulationssysteme bald an die Gegebenheiten an und mit der Zeit wird die nicht benötigte Produktion von antidiuretischem Hormon eingeschränkt. Die excessiven Trinkmengen werden durch permanente Wasserdiurese (s.S. 622) eliminiert. Eine Umstellung auf normale Trinkmengen erfordert Zeit zur Rückanpassung der Hormonproduktion. Der verstärkte Antrieb zum Trinken, das Durstgefühl, läßt erst dann nach, wenn die Nieren wieder zur normalerweise vorherrschenden Antidiurese (s.S. 622) zurückkehren. Hierzu bedarf es aber einer willensstarken Einschränkung der Trinkmenge. Dies ist ein Beispiel für die funktionelle Begründung der empirischen Beobachtung, daß Gewohnheit zum Bedürfnis werden kann.
Die Bilanzsumme im Wasserhaushalt ist bei *Wärmebelastung des Organismus* (z.B. bei Hitzearbeitern oder in der heißen Jahreszeit) hauptsächlich durch die *Schweißproduktion* erhöht (s. Kap. XXIV). Der Schweiß ist zwar hypotonisch, enthält jedoch noch so viel Kochsalz, daß starkes Schwitzen auch einen Salzverlust bewirkt. Der Salzverlust ist anfangs bedeutend größer als nach erfolgter Hitzeakklimatisation und muß durch

Tabelle 2. Tägliche Wasserbilanz beim Erwachsenen. Nach [10]

Wasseraufnahme	ml	Wasserabgabe	ml
Trinken	1 200	Urin	1 400
mit der festen Nahrung	900	Lungen und Haut	900
Oxidationswasser [a]	300	Faeces	100
Bilanzsumme	2 400		2 400

[a] Beim oxidativen Abbau entstehen
pro g Kohlenhydrat   0,6 ml Wasser,
pro g Fett   1,09 ml Wasser,
pro g Eiweiß   0,44 ml Wasser.

zusätzliche Salzzufuhr ausgeglichen werden. Die Wasserverluste bei Hitzearbeiten können bis zu 1,6 l/Std erreichen. Entsprechend steigt dann auch der Wasserbedarf an. Der Kochsalzgehalt des Schweißes liegt bei akklimatisierten Hitzearbeitern bei etwa 0,03% gegenüber 0,3% bei nichtakklimatisierten.

Der **minimale Wasserbedarf des Erwachsenen** liegt bei etwa 1,5 l/d. Zur Ausscheidung der anfallenden harnpflichtigen Substanzen benötigen die Nieren mindestens 500 ml/d Wasser. Hinzu kommt der unvermeidbare physikalisch bedingte Verlust von 900 ml/d durch Wasserverdunstung. Wird der Wasserbedarf nicht gedeckt, so kommt es zur *hypertonischen Dehydration* (s.S. 640). Bei *Säuglingen* mit ihrem relativ hohen Wasserumsatz tritt schnell eine negative Wasserbilanz ein, wobei die *Exsiccose* (Wasserverarmung mit Hämokonzentration) mit „Durstfieber" einhergeht. Deshalb muß bei der *Ernährungsumstellung* von Milch- auf Breinahrung dem Säugling zusätzlich Wasser (als Tee) zugeführt werden.

Wasserbedarf und Ernährung [7, 10]. Der Wasserbedarf des Organismus kann durch Wahl einer entsprechenden Diät erniedrigt oder erhöht werden. Bei **reiner Kohlenhydrat-** oder bei **Kohlenhydrat-Fett-Nahrung** ist der *Wasserbedarf erniedrigt*, da beim Abbau dieser Nährstoffe der Organismus Wasser gewinnt (s. Tabelle 2). Das außerdem entstehende Kohlendioxid wird zwanglos über die Lungen abgegeben. Bei **eiweißreicher Ernährung** entstehen neben Wasser und Kohlendioxid noch *harnpflichtige Substanzen* (vorwiegend Harnstoff), deren Ausscheidung durch die Nieren Wasser erfordert. Wird der Energiebedarf vorwiegend durch Nahrungseiweiß gedeckt (2 000 kcal bzw. 8 380 kJ entsprechen 500 g Protein), so entstehen 220 ml Oxidationswasser (s. Tabelle 2). Die renale Ausscheidung der harnpflichtigen Substanzen erfordert andererseits mindestens 500 ml Wasser, wobei der oft erhöhte Salzgehalt bei Fleischnahrung nicht berücksichtigt ist. Bei eiweißreicher Ernährung steigt deshalb der Wasserbedarf des Organismus an.
Diese Gesichtspunkte gewinnen bei Patienten mit gestörter Nierenfunktion an Bedeutung, vor allem

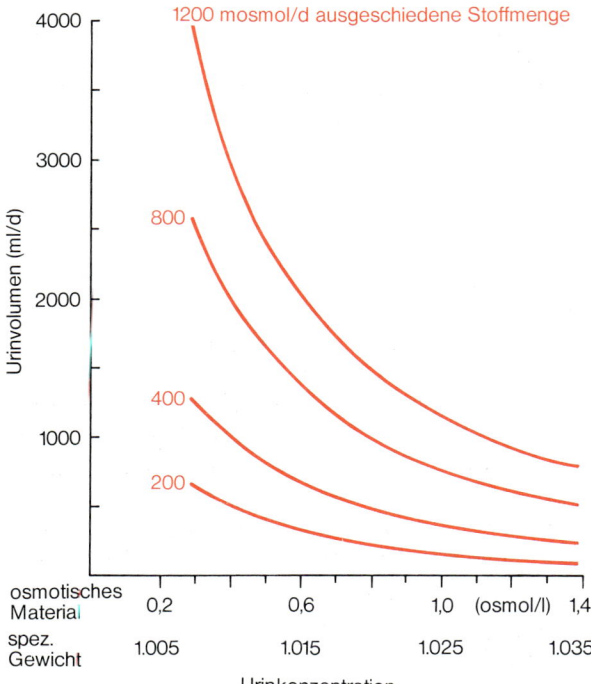

Abb. 2. Urinvolumen in Abhängigkeit von der Urinkonzentration als Funktion der ausgeschiedenen Menge an osmotisch wirksamen Bestandteilen. Nach [7]

bei *Oligurie*, d.h. wenn die Harnausscheidung 400 ml/d oder weniger beträgt. Die Ausscheidung der anfallenden osmotisch wirksamen Substanzen wird durch die **maximale Konzentrationsfähigkeit** (1 300 mosmol/l) der Nieren bei der Harnbildung begrenzt. Je mehr osmotisch wirksames Material auszuscheiden ist, desto größer ist die hierzu erforderliche Harnproduktion.

Normalerweise werden täglich etwa 30 g (= 500 mmol) Harnstoff produziert und renal ausgeschieden. Hinzu kommen noch ca. 12 g Kochsalz (= 205 mmol), die mit der Nahrung aufgenommen werden. Die gesamte osmotische Wirksamkeit beider Stoffe entspricht 500 + 410 = 910 mosmol. Allein zur Ausscheidung dieser osmotisch wirksamen Menge wäre bei maximaler Konzentrationsleistung der Nieren (1 300 mosmol/l) eine Harnproduktion von 700 ml/d notwendig. Wegen der noch zusätzlich auszuscheidenden Stoffe muß jedoch mit einer größeren Harnproduktion gerechnet werden. Können die Nieren jedoch den Harn nur geringer konzentrieren, so erhöht sich das zur Ausscheidung dieser Stoffmengen benötigte Harnvolumen entsprechend. In Abb. 2 ist das 24-Stunden-Harnvolumen in Abhängigkeit der Konzentrierungsfähigkeit der Nieren (in mosmol/l bzw. dem damit korrelierenden spezifischen Gewicht des Urins) dargestellt. Der den einzelnen Kurven zugrunde gelegte Parameter ist die Menge an osmotisch anfallendem und von den Nieren ausgeschiedenem Material in mosmol/d. Man erkennt, wie eine Störung des Harnkonzentrierungsmechanismus in Abhängigkeit von dem anfallenden osmotischen Material den Wasserbedarf erhöht.

Durch *eiweißarme Diät* kann die osmotische Belastung des Organismus auf 200 mosmol/d reduziert werden. Bei oligurischen Zuständen ist eine solche Diät unter allen Umständen anzubieten. Völliger Nahrungsentzug ist kontraindiziert, da hierbei der Organismus zur Energiegewinnung auf seinen Eiweißbestand

zurückgreifen muß. Die in Abb. 2 enthaltenen Angaben über die ausgeschiedenen osmotisch wirksamen Bestandteile in mosmol/l gelten für die Gesamtheit aller Stoffe. Dies muß man beachten, da für die Konzentrierung einzelner Stoffe jeweils eine obere Grenze besteht, die weit unter dem Wert der maximal erreichbaren osmotischen Gesamtkonzentration liegt. Aus diesem Grund kann der Mensch z.B. Kochsalz nicht in einer Konzentration in den Urin ausscheiden, wie sie im Meerwasser vorliegt. Deshalb ist Meerwasser ungenießbar (s.u.).

Wassermangelzustände [3]. Negative Wasserbilanz führt zu einem Anstieg der osmotischen Konzentration in den Körperflüssigkeiten. Meist beruht eine solche Bilanzstörung auf mangelnder Wasseraufnahme. Erfolgt kein Bilanzausgleich, so kommt es zu *Dehydrationszuständen*, die sich wegen der Hämokonzentration (s.S. 390) besonders gravierend auf den Blutkreislauf auswirken. Schwere Grade der Dehydration oder Exsiccose bestehen bei einem Wasserdefizit von etwa 10% des Körpergewichtes. Ein Wasserdefizit von 20% ist tödlich.

Dehydrationszustände können auch durch renal bedingte Wasserverluste, die nicht ausgeglichen werden, herbeigeführt werden, z.B. bei Diabetes insipidus-Kranken (s.S. 622), denen das Trinken aus falscher Einsicht in die Krankheitsursache verwehrt wird. Durch therapeutisch veranlaßte osmotische Diurese wird ebenfalls Wasser vermehrt ausgeschieden. Korrigiert der Arzt diese Wasserverluste nicht, so ist Dehydration die Folge. Aus ähnlichen Gründen entsteht bei Schiffbrüchigen, die ihren Durst mit Meerwasser (ca. 900 mosmol/l) stillen, ein Wasserdefizit. Sie scheiden den Salzüberschuß unter Zusatz eigenen Körperwassers aus (500 ml aufgenommenes Meerwasser bewirkt eine Urinproduktion von 800 ml).

Wasserintoxikation [10, 13]. Hierunter versteht man das Auftreten von Convulsionen (zentral ausgelöste Muskelkrämpfe) nach Zufuhr von Wasser. Die positive Wasserbilanz (ohne positive Salzbilanz), die nicht von den Nieren durch Wasserdiurese verhindert werden kann, bewirkt eine Erniedrigung der osmotischen Konzentration in der extracellulären Flüssigkeit. Hierbei ist das osmotische Gleichgewicht zwischen den Zellen und der extracellulären Flüssigkeit gestört. Die Folge ist eine Wasseraufnahme der Zellen, die hierdurch anschwellen. Besonders empfindlich reagieren dabei die Nervenzellen.

Ist die renale Wasserausscheidung vermindert (z.B. bei inadäquater Freisetzung von antidiuretischem Hormon oder bei Oligurie (s. XXVIII)), so darf ohne entsprechende Kontrolle Wasser nicht zugeführt werden. Ein ärztlicher Kunstfehler wäre es, durch einen Wassertrinkversuch (s.S. 628) die Diurese in Gang bringen zu wollen.

1.2. Flüssigkeitsräume des Organismus

Einteilung der Flüssigkeitsräume [7]. Die Zusammensetzung der wäßrigen Lösungen in den verschiedenartigen Zellen, den Zwischenzellräumen, den Blut- und Lymphgefäßen, den Drüsengängen und den Hohlorganen differiert erheblich. Trotz dieser Unterschiede ist es zur Beschreibung der Flüssigkeitsverteilung im Organismus von Vorteil, die verschiedenartigen Körperflüssigkeiten nach gewissen gemeinsamen funktionellen Gesichtspunkten zusammenzufassen. Auf diese Weise kommt man zunächst zu zwei Flüssigkeitsräumen: dem **intracellulären Flüssigkeitsraum** und dem **extracellulären Flüssigkeitsraum** (s. XVII, Abb. 2). Der extracelluläre Flüssigkeitsraum wird noch einmal unterteilt in den *interstitiellen Flüssigkeitsraum* (=extracelluläre Spalträume im Gewebe), das *Blutplasma-Volumen* (Blutzellen zählen zum intracellulären Flüssigkeitsraum) und das Volumen der *transcellulären Flüssigkeiten* (Liquor cerebrospinalis, Kammerwasser, Peri- und Endolymphe und die Flüssigkeiten in den Körperhöhlen und den Hohlorganen). Bei den Betrachtungen dieses Kapitels interessieren nicht die Unterschiede der einzelnen Flüssigkeiten, die zu den gleichen Flüssigkeitsräumen gehören, sondern die Unterschiede der Flüssigkeiten in den verschiedenen Flüssigkeitsräumen, die insbesondere wesentlich für die Verteilung des Körperwassers auf diese Räume sind. Hierzu ist es notwendig, die Verteilungsgleichgewichte und die treibenden Kräfte für den Flüssigkeitsaustausch innerhalb des Organismus zu beschreiben (s. S. 642 ff.).

Bestimmung des Volumens der einzelnen Flüssigkeitsräume [3, 11]. Zur Bestimmung des Volumens der verschiedenen Flüssigkeitsräume bedient man sich indirekter Verfahren, die auf dem Prinzip der **Indikator-Verdünnungsmethode** basieren. Dabei gilt es jeweils einen geeigneten Stoff zu verwenden, dessen *Verteilungsvolumen* mit den zu bestimmenden Flüssigkeitsräumen übereinstimmt. Der injizierte Indikator muß sich innerhalb seines Verteilungsvolumens gleichmäßig verteilen und dann überall die gleiche Konzentration wie im Blutplasma aufweisen. Weitere Bedingungen sind, daß der Stoff analytisch leicht zu bestimmen und ungiftig ist und keine osmotischen oder pharmakologischen Nebenwirkungen aufweist, die das System stören. Da dem Verfahren eine Mengenbetrachtung zugrunde liegt, muß der Indikator ein körperfremder Stoff sein. Bei der Indikator-Verdünnungsmethode injiziert man eine bestimmte Indikatormenge (M), die in einem vernachlässigbar kleinen Flüssigkeitsvo-

lumen gelöst ist und bestimmt nach Erreichen des Verteilungsgleichgewichtes seine Konzentration im Blutplasma (C). Dann errechnet sich das Verteilungsvolumen V nach

$$V = \frac{M}{C} \quad \text{(ml bzw. l)}. \tag{2}$$

Kommt es während der Versuchsdauer zu einem Mengenverlust des Indikators (z.B. durch Speicherung, Abbau oder Ausscheidung), so muß man wiederholt in bestimmten Zeitabständen die Konzentration des Indikators ermitteln und die theoretische Konzentration zum Zeitpunkt Null aus einer halblogarithmischen Darstellung (log Konzentration über der Zeit) durch Extrapolieren bestimmen (Abb. 3A).
Eine Variante stellt die Dauerinfusionsmethode dar (s. unten, Abb. 3B).

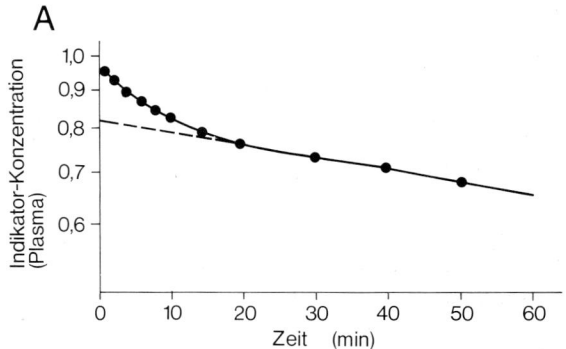

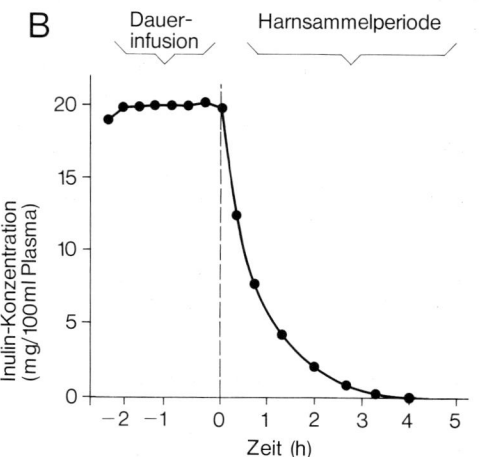

Abb. 3. A u. B. Volumenbestimmung mit der Indikator-Verdünnungsmethode. Nach [11]. Darstellung der Indikator-Konzentration in Plasma über der Zeit: (A) bei geringgradiger Schwundrate des Indikators nach einmaliger Injektion (Beispiel: Evans-blue zur Bestimmung des Plasmavolumens), (B) bei hoher Schwundrate des Indikators mit Dauerinfusion des Indikators bis zum Erreichen des Konzentrationsausgleiches im Verteilungsraum (Beispiel: Inulin zur Bestimmung des extracellulären Flüssigkeitsvolumens)

Bestimmung des Gesamtkörperwasser (GKW). Hierzu eignen sich als Indikatoren *Antipyrin, schweres Wasser* (D_2O) und mit Tritium oder mit ^{18}O markiertes Wasser (THO bzw. $H_2{}^{18}O$). Diese Substanzen vermögen durch die Zellmembranen zu diffundieren und haben innerhalb von zwei Stunden das Verteilungsgleichgewicht erreicht. Die Ausscheidung der Wasser-Isotopen (mit dem Harn oder durch die Atmung) fällt nicht ins Gewicht, dagegen muß man die Ausscheidung von Antipyrin berücksichtigen. Die Menge an Gesamtkörperwasser hängt von der Masse des Körperfettes ab und beträgt beim Erwachsenen 50 bis 70% des Körpergewichtes (s. S. 636).

Bestimmung des extracellulären Flüssigkeitsvolumens. Zur Messung des extracellulären Flüssigkeitsvolumens (ECF) eignet sich besonders *Inulin.* Da Inulin ausschließlich und schnell durch die Nieren ausgeschieden wird, führt man es durch konstante intravenöse Dauerinfusion zu, bis das Verteilungsgleichgewicht erreicht wird. Dann nimmt man eine Blutprobe zur Analyse ab, spült das Inulin aus der Harnblase und bricht die Infusion ab (Abb. 3B). In den folgenden Stunden sammelt man den ausgeschiedenen Harn und bestimmt die in ihm enthaltene Inulin-Menge. Diesen Wert und die Inulin-Konzentration des Plasmas im Verteilungsgleichgewicht setzt man in Gl. (2) ein.
Außer Inulin werden auch *Thiosulfat, Thiocyanat* und *markiertes Sulfat* verwendet. Jedoch stimmen die einzelnen Werte nicht überein. Es ist deshalb korrekter, das ermittelte Volumen als Inulinraum oder Sulfatraum usw. zu kennzeichnen. Der Inulinraum beträgt etwa 20% des Körpergewichtes.

Bestimmung des Plasmavolumens und des interstitiellen Flüssigkeitsraumes. Die Bestimmung des **Plasmavolumens** (PV) wurde auf S. 318 behandelt. Aus den Größen von Plasmavolumen und Inulinraum kann man den *interstitiellen Flüssigkeitsraum* (ISF) berechnen:

$$ISF = ECF - PV. \qquad (3)$$

Das Plasmavolumen beträgt im Mittel 4,5%, das interstitielle Flüssigkeitsvolumen etwa 16% des Körpergewichtes.

Bestimmung des intracellulären Flüssigkeitsraumes. Das intracelluläre Flüssigkeitsvolumen (ICF) kann nicht direkt mit Hilfe eines Indikators bestimmt werden, da es keine Substanzen gibt, die sich ausschließlich und gleichmäßig nur in den Zellflüssigkeiten verteilt. Das intracelluläre Volumen (ICF) ergibt sich aus der *Differenz* des *Gesamtkörperwassers* (GKW) und des *extracellulären Flüssigkeitsvolumens* (ECF):

$$ICF = GKW - ECF. \qquad (4)$$

Auf die intracelluläre Flüssigkeit entfallen 30–40% des Körpergewichtes.

Extra-intracelluläre Volumenänderungen [4, 7, 13].
Die Konstanz des Volumens und der osmotischen Konzentration der extracellulären Flüssigkeit beruht auf der ausgeglichenen Bilanz des Wasser- und Elektrolyt-Haushalts (XXVIII, 6). Bilanzstörungen betreffen in der Regel zunächst nur den extracellulären Flüssigkeitsraum und bewirken hier eine Volumenänderung. *Zwischen dem Extra- und Intracellulärraum besteht ein osmotisches Gleichgewicht.* Aus diesem Gund beeinflussen Veränderungen im Extracellulärraum nur dann den Intracellulärraum, wenn sie mit dem Verlust der Isotonie einhergehen. Dabei bildet sich infolge der

osmotisch bedingten Wasserverschiebung zwischen den beiden Flüssigkeitsräumen ein neues osmotisches Gleichgewicht aus.
Extra-intracelluläre Volumenänderungen sind von erheblicher klinischer Bedeutung, da sie im Gefolge ganz *verschiedenartiger Krankheiten* auftreten (z.B. bei Herz-, Nieren- und Leberleiden, Krankheiten mit chronischem Erbrechen oder Durchfällen). Sie müssen auch bei der Anwendung der Infusionstherapie berücksichtigt werden. Für Volumensstörungen dieser Art haben sich klinisch die Bezeichnungen **Hydrations-** bzw. **Dehydrationszustände** durchgesetzt. In welcher Weise sich eine zunächst auf den extracellulären Flüssigkeitsraum erstreckende Volumenänderung (mit und ohne Störung der Isotonie) auch auf den Intracellulärraum auswirkt, geht aus Abb. 4 hervor.
Eine isotonische Hydration oder Dehydration bleibt auf den Extracellulärraum begrenzt (Abb. 4A). Die **isotonische Hydration** tritt spontan bei Ödemkrankheiten auf (s. Hyperaldosteronismus S. 678). Dabei retinieren die Nieren Kochsalz und Wasser. Infusion größerer Mengen an physiologischen Salzlösungen hat den gleichen Effekt. **Isotonische Dehydration,** der ein Verlust an isotonischer Körperflüssigkeit zugrundeliegt, kommt vor bei chronischem Erbrechen und Durchfall, Blutverlusten und Brandverletzungen.
Die **hypotonische Hydration** durch Zufuhr größerer Mengen an hypotonischen Flüssigkeiten (z.B. Trinken von Wasser bei gestörter Wasserdiurese, Infusion hypotonischer Salzlösungen oder auch isotonischer Glucoselösung), erniedrigt zunächst die osmotische Konzentration bei ansteigendem Volumen der extracellulären Flüssigkeit (Abb. 4B). Folge ist eine Zunahme des Volumens der intracellulären Flüssigkeit durch osmotisch bedingten Wassereinstrom in die Zellen. Der Endzustand (falls keine schnelle renale Ausscheidung des überschüssigen Wassers einsetzt) ist eine *hypotonische Vergrößerung beider Flüssigkeitsräume.*

Die isotonische Glucoselösung wirkt wie eine stark hypotonische Lösung, weil Glucose von Leber und Muskulatur aufgenommen wird. Derartige scheinbar paradoxe Wirkungen isotonischer Lösungen müssen bei der Infusion von Lösungen aus zellpermeablen Stoffen immer beachtet werden. Sie können nicht beabsichtigte Zellschwellungen und Wasserintoxikation (s. S. 638) hervorrufen.

Die **hypertonische Dehydration** tritt bei Wassermangelzuständen auf. Infolge des Wasserdefizits steigt die osmotische Konzentration der extracellulären Flüssigkeit an und bewirkt einen Wasserausstrom aus dem Intracellulärraum. In *beiden Räumen* findet man deshalb das *Volumen verringert* und die *osmotische Konzentration erhöht*

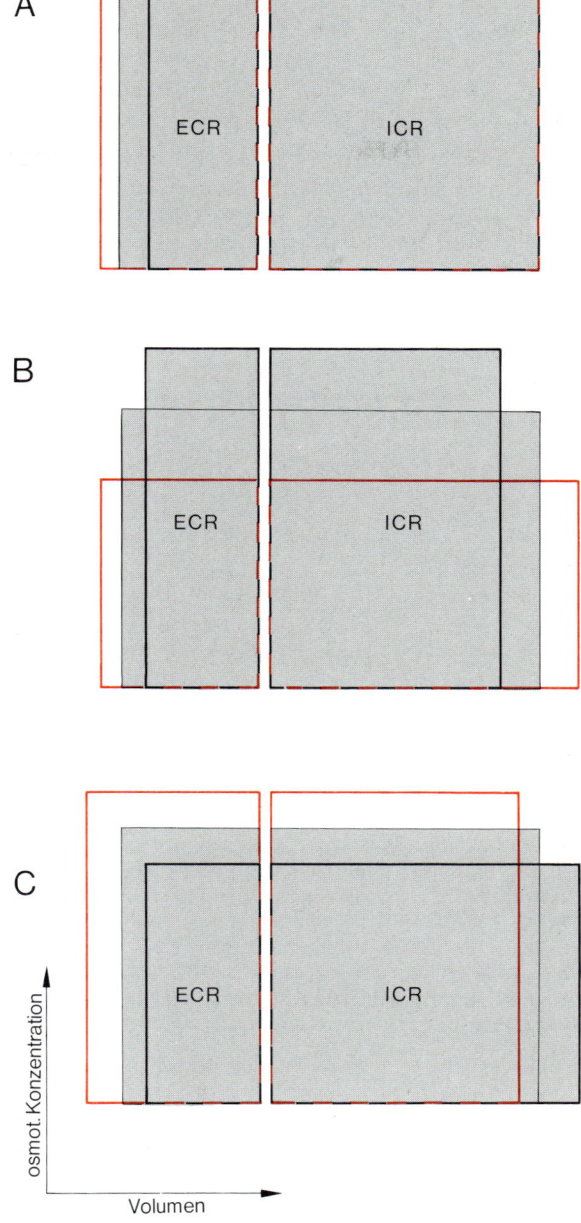

A

B

C

osmot. Konzentration

Volumen

Abb. 4A–C. Osmotisch bewirkte Veränderung der extra-intra-cellulären Wasserverteilung bei Bilanzstörungen im Wasser- und Na$^+$-Haushalt. Nach [4, 13]. (A) Isotonische Hydration und Dehydration bei Zufuhr (rot) bzw. bei Verlust (schwarz) an isotonischer Salzlösung. (B) Hypotonische Hydration und hypertonische Dehydration bei übermäßiger Wasserzufuhr (rot) bzw. bei Wassermangel (schwarz). (C) Hypertonische Hydration und Na$^+$-Mangelzustand bei Zufuhr hypertonischer Kochsalzlösung (rot) bzw. bei negativer Kochsalzbilanz (schwarz)

zunächst die osmotische Konzentration in der extracellulären Flüssigkeit. Der hierdurch bewirkte Wasserausstrom aus den Zellen führt zu einer *Zunahme des extracellulären Flüssigkeitsvolumens* bei gleichzeitiger *Reduktion des intracellulären Volumens* (Abb. 4C). Hierbei steht die positive Kochsalzbilanz als Ursache im Vordergrund. Eine *negative Kochsalzbilanz* verringert andererseits das Volumen der extracellulären Flüssigkeit (s.S. 629). Wird z.B. nach Kochsalz- und Wasserverlusten durch Schwitzen lediglich Wasser getrunken und das Kochsalzdefizit nicht beseitigt, so resultiert ein *verringertes extracelluläres* und *erhöhtes intracelluläres Flüssigkeitsvolumen* bei *hypotonischer Konzentration* (Abb. 4C).

2. Biophysikalische Grundlagen des Stoff- und Flüssigkeitstransportes im Organismus

Transportprozesse wurden bereits in verschiedenen Kapiteln im Zusammenhang mit speziellen Problemen der Zell- und Organfunktion behandelt. Der folgende Abriß faßt nun die dem Stoff- und Flüssigkeitstransport zugrundeliegenden Gesetzmäßigkeiten noch einmal nach systematischen Gesichtspunkten zusammen.

Die verschiedenen Flüssigkeitsräume des Organismus sind gegeneinander durch Membranen abgegrenzt. Die so getrennten Flüssigkeiten stehen untereinander im Stoffaustausch. Zwischen den Flüssigkeiten, die sich z.T. erheblich in ihrer Zusammensetzung unterscheiden, herrschen Gleichgewichtszustände, die trotz des ständigen Stoff- und Flüssigkeitsaustausches makroskopisch als zeitlich konstant betrachtet werden können. Bei solchen Zuständen spricht man von *stationären Gleichgewichten* oder von **Fließgleichgewichten.** Zur Aufrechterhaltung eines Fließgleichgewichtes bedarf es der Zufuhr von Stoffen und/oder Energie von außen. Fehlt die Energiezufuhr, so ändert sich die Gleichgewichtseinstellung, und die Stofftransporte schlagen eine Richtung ein, die zum *Ausgleich von Stoffkonzentrationen* führt. Der Endzustand einer **Gleichverteilung** ist dadurch charakterisiert, daß im System weder ein gerichteter Stoff- noch ein gerichteter Energietransport vorliegt.

Letztlich beruhen Fließgleichgewichte zwischen den Flüssigkeitsräumen auf dem Energieumsatz des Organismus, d.h. auf dem Abbau der mit der Nahrung zugeführten Nährstoffe. Stoff- und Flüssigkeitstransporte durch Membranen erfolgen unter der Wirkung treibender Kräfte. Dabei unterscheidet man zwischen Mechanismen des *aktiven*

(Abb. 4B). Durch diesen Wasserausstrom aus den Zellen wird das Volumen der extracellulären Flüssigkeit bei Wassermangel (Durstzustand) zunächst nur wenig abnehmen.

Die **hypertonische Hydration**, als Folge einer Infusion von hypertonischer Kochsalzlösung, erhöht

und des *passiven* Stofftransportes durch Membranen.

Der **aktive Transport** eines Stoffes ist an die Zellmembran gebunden und erfolgt nur in einer Richtung *(unidirektionaler Stofftransport)*. Er benötigt **Energie** aus der Spaltung von energiereichen Phosphaten und ist in der Lage, den Transportstoff in der Flüssigkeit jenseits der Membran anzureichern *(Bergauf-Transport)*.

Der **passive Transport** von Stoffen und Flüssigkeiten beruht auf transmembranalen Stoffkonzentrationsdifferenzen, osmotischen oder hydrostatischen Druckdifferenzen. Diese Stofftransporte sind *Diffusion, Osmose* und *Filtration*.

2.1. Diffusion, Osmose und Filtration

Diffusion [1, 9, 18]. Die in einem Lösungsraum vorhandenen Teilchen unterliegen einer ständigen Bewegung in den drei Raumrichtungen. Diese Translationsbewegung *(Brownsche Molekularbewegung)* stellt eine durch Zusammenstöße gestörte Bewegungsform der Teilchen dar. Sie ist vornehmlich abhängig von der Temperatur *(thermokinetische Bewegung)*. In einer homogenen Lösung bewegen sich die Teilchen gleich wahrscheinlich in allen Raumrichtungen, d.h. in einem makroskopischen Raumelement bleibt die Zahl der Teilchen bzw. ihre Konzentration unabhängig von der Zeit konstant. Makroskopisch findet demnach kein Stoffmengentransport in bestimmter Richtung statt, der zu einer Konzentrationsänderung führen würde.

Bestehen **Konzentrationsdifferenzen** zwischen zwei benachbarten Raumelementen eines Lösungsraumes, so werden Stoffmengen von dem Raumelement höherer Teilchenkonzentration in das Raumelement mit der niedrigen Konzentration transportiert, bis Konzentrationsausgleich erreicht ist. Dieser Stofftransport heißt Diffusion (s. XX, 4.3).

Nach dem Fickschen Diffusionsgesetz ist der Teilchenfluß $\dot{m}_a$ direkt proportional der Konzentrationsdifferenz ΔC_a und der Austauschfläche F und umgekehrt proportional der Wegstrecke Δx (s. XX, Abb. 20):

$$\dot{m}_a = D_a \cdot F \frac{|\Delta C_a|}{|\Delta x|} \qquad (5)$$

($\dot{m}_a$ = Teilchenfluß (mol·s^{-1}), D_a = Diffusionskoeffizient der Teilchenart a (cm^2·s^{-1}), F = Membranfläche (cm^2), $|\Delta C_a|$ = Betrag der Konzentrationsdifferenz (mol·cm^{-3}) zwischen den Enden der Strecke mit dem Betrag Δx (cm)).

Die Richtung des Teilchenflusses erfolgt stets von Orten höherer zu Orten niedrigerer Konzentration, also in Richtung des Konzentrationsgefälles.

Die Konzentrationsdifferenz pro Wegstrecke $\Delta C/\Delta x$ wird auch als *Konzentrationsgradient* bezeichnet. Der Teilchenfluß wird also nach Richtung und Größe durch den Abfall des Konzentrationsgradienten ($-\Delta C/\Delta x$) bestimmt.

Der **Diffusionskoeffizient** ist von den Eigenschaften des gelösten Teilchens (Molekulargewicht) und des Lösungsmittels abhängig. Da die Diffusionskoeffizienten für Stoffe in wäßriger Lösung sehr klein sind (Größenordnung 10^{-5} bis 10^{-8} cm^2·s^{-1}), erfolgt ein auf Diffusion beruhender Stofftransport sehr langsam.

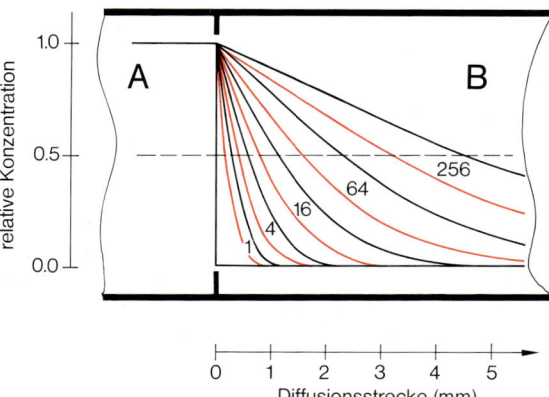

Harnstoff: D = 1,4 · 10^{-5} cm^2/s
Glucose: D = 0,67 · 10^{-5} cm^2/s

Abb. 5. Stofftransport durch Diffusion: Zeitlicher Anstieg der Konzentration in einem Diffusionsraum. Die Zahlen an den Kurven geben die Zeit nach Beginn des Diffusionsvorganges in Sekunden an. Die Zeit, in der eine bestimmte Konzentration der diffundierenden Stoffe an einem Ort X_i im Lösungsraum B erreicht wird, wächst quadratisch mit dem Abstand X (von der Grenze A/B) und ebenso mit dem Kehrwert des Diffusionskoeffizienten (Näheres s. Text)

Den zeitlichen Verlauf des Konzentrationsausgleichs in zwei Lösungsräumen veranschaulicht Abb. 5. Das der Berechnung zugrundeliegende Modell besteht aus dem Raum A, in dem eine Lösung kräftig umgerührt wird. Die Konvektion endet an der unendlich dünnen Trennfläche zum Lösungsraum B, der konvektionsfrei gehalten ist. Durch die Konvektion in dem sehr großen Raum A liegt unabhängig von der Zeit an der Trennfläche die relative Stoffkonzentration $C_0 = 1$ vor. Anfangs (zum Zeitpunkt t_0) fällt zum Raum B die Stoffkonzentration innerhalb der Trennfläche auf den Wert Null ab. Durch Diffusion dringen jetzt die Stoffteilchen in vorrückender Front in den Lösungsraum B vor. Die dort eingezeichneten Kurven beschreiben die Konzentrationen in der Tiefe des Lösungsraumes B nach 1, 2, 4, 16 bzw. 256 Sekunden. Man erkennt, daß eine Linie gleicher Konzentrationen (z.B. $C_0/2$) die Kurven in Abhängigkeit vom Quadrat des Abstandes von der Trennfläche schneidet, d.h. die Diffusionszeit wächst (bis zum Erreichen der gleichen Stoffkonzentrationen an einem Ort) mit dem Quadrat der Entfernung.

Werden zwei Lösungen von unterschiedlicher Stoffkonzentration durch eine **stoffpermeable**

Membran getrennt, so findet ebenfalls ein Ausgleichstransport nach Art der Diffusion zwischen den Lösungen statt. Um den dabei auftretenden Stofftransport zu beschreiben kann man analog vorgehen wie im kontinuierlichen Lösungsraum, vorausgesetzt die Membran ist homogen und ihre Dicke sowie der Diffusionskoeffizient für den Stoff im Membranmedium sind bekannt. Oft aber kennt man die Membraneigenschaften nicht. Dann faßt man die unbekannten Membrangrößen ($D_a/\Delta x$) zu einer Permeabilitätskonstanten P_a zusammen, die man als Proportionalitätskonstante in Gl. (5) einführt:

$$\dot{m}_a = -P_a \cdot F \cdot \Delta C_a \qquad (6)$$

($\dot{m}_a$ = Teilchenfluß (mol $\cdot$ s^{-1}), F = Membranfläche (cm^2), ΔC_a = Konzentrationsdifferenz der Lösungen zu beiden Seiten der Membran (mol $\cdot$ cm^{-3})). Die Permeabilitätskonstante P hat die Einheit cm $\cdot$ s^{-1}.

Die **Substratversorgung der Gewebszellen** beruht auf *Konvektion* und *Diffusion*. Längs der Blutgefäße erfolgt der Teilchen- und Flüssigkeitstransport durch Konvektion. Diffusion spielt hier vorwiegend als Quertransport durch die dünnen ruhenden Flüssigkeitsschichten (um die Blutzellen und an der Capillarmembran) eine Rolle. In den engen interstitiellen Flüssigkeitsräumen, wo nur in geringem Maße Konvektion besteht, überwiegt der Stofftransport durch Diffusion. Entscheidend für die ausreichende Versorgung der Gewebszellen mit Substraten ist die dichte Capillarisation des Gewebes und die Enge der Gewebsspalten, durch die der Zeitbedarf für den Stoffantransport niedrig gehalten wird. Die treibenden Kräfte für den Stofftransport sind die Konzentrationsgradienten, die durch Stoffverbrauch in den Zellen entstehen. Für den Abtransport von Stoffen, die in der Zelle produziert werden, gilt Entsprechendes in der umgekehrten Transportrichtung.

Osmose [1, 9].

Osmose ist definiert als **Lösungsmitteltransport** durch eine **semipermeable Membran,** die *zwei Lösungen unterschiedlicher Teilchenkonzentration* trennt. Dabei dringen Lösungsmittelmoleküle durch die für gelöste Teilchen undurchlässige Membran auf die Seite höherer Teilchenkonzentration, bis Konzentrationsausgleich erreicht ist.

Osmose stellt demnach eine Diffusion von Lösungsmittelmolekülen durch eine Membran, die die Diffusion von gelösten Teilchen verhindert, dar. Bei der Diffusion von gelösten Teilchen in einem freien Lösungsraum diffundieren auch Lösungsmittelteilchen in entgegengesetzter Richtung gegenüber der Transportrichtung bei Osmose). Sie nehmen dann den Platz der abgewanderten gelösten Teilchen ein. Bilanzmäßig tritt also keine Volumenverschiebung im Lösungsraum ein. Bei Diffusion von gelösten Teilchen kann deshalb die „Gegendiffusion" von Lösungsmittelmolekülen außer acht gelassen werden. Verhindert jedoch eine zwischengeschaltete semipermeable Membran die Diffusion der gelösten Teilchen, so findet allein die osmotische Wasserverschiebung statt.

Läßt der Lösungsraum mit der höheren Teilchenkonzentration die Volumenvermehrung durch Wassereinstrom nicht zu (z.B. bei starrer Wandung des Lösungsraumes und hoher mechanischer Festigkeit der Membran), so steigt bei kleinem Wassereinstrom der **Druck** in diesem Raum an. Er erreicht schließlich eine Höhe, die der Konzentrationsdifferenz in den beiden Lösungen proportional ist. Dieser **hydrostatische Gleichgewichtsdruck,** bei dem kein Volumeneinstrom mehr erfolgt, entspricht der **osmotischen Druckdifferenz:**

$$\Delta\pi = RT \cdot \Delta C \qquad (7)$$

($\Delta\pi$ = osmotische Druckdifferenz, R = allgemeine Gaskonstante, T = absolute Temperatur, ΔC = Konzentrationsdifferenz der gelösten Teilchen in den beiden Lösungsräumen).

Der osmotische Druck wird in der Medizin entweder in mm Hg oder in atm angegeben. Die molare wäßrige Lösung eines nicht dissoziierenden Stoffes (z.B. Glucose) weist gegenüber reinem Wasser einen osmotischen Druck von **22,4 atm** (2262 kPa) auf. Der osmotische Druck einer Vielkomponenten-Lösung ist der Gesamtkonzentration aller Teilchen proportional. Aus diesem Grund hätte von vollständiger Dissoziation eine 0,5 molare Lösung von NaCl einen osmotischen Druck von 22,4 atm. Da die biologischen Flüssigkeiten stets viele Komponenten enthalten, benutzt man für ihre *osmotische Wirkkonzentration* die Einheit osmol/l.

Natürliche Membranen sind *nicht ideal semipermeabel.* Für gelöste Stoffe niedrigen Molekulargewichtes sind sie durchlässig. Zellmembranen weisen jedoch eine höhere Permeabilität für Wasser als für gelöste Teilchen auf.

Setzt man z.B. Erythrocyten einer durch Zusatz von *Harnstoff* hypertonisch gemachten physiologischen Salzlösung aus, so wird zunächst Wasser osmotisch aus den Erythrocyten heraustreten. Da die Erythrocytenmembran aber für Harnstoff permeabel ist, diffundiert Harnstoff in die Zellen. Damit steigt die osmotische Konzentration im Zellinnern an und bewirkt einen Einstrom von Wasser. Das Volumen des vorher geschrumpften Erythrocyten steigt also wieder an. In isotonischen Harnstofflösungen tritt nach einiger Zeit sogar *Hämolyse* auf. Das Übergangsverhalten des Erythrocytenvolumens steht mit der oben angegebenen Feststellung in Einklang, daß die Zellmembran eine höhere Permeabilität für Wasser als für Harnstoff besitzt. Hierzu ist noch zu bemerken, daß die Erythrocytenmembran zwar auch für Na$^+$-Ionen durchlässig ist, jedoch wird das durch Diffusion in das Innere gelangte Na$^+$ durch die Na$^+$-Pumpe wieder aktiv nach außen transportiert. Hierdurch verhält sich der Erythrocyt in physiologischer Kochsalzlösung, als ob seine Membran für Na$^+$ undurchlässig sei.

Im Organismus bewirken Regulationssysteme eine Konstanz der osmotischen Konzentration der extracellulären Flüssigkeit (s.S. 628). Aufgrund der hohen Wasser- und geringen Teilchenpermeabilität der Zellmembranen gleichen sich erzeugte osmotische Konzentrationsunterschiede zwischen der extra- und intracellulären Flüssigkeit schnell aus. Ändert sich die Isotonie der extracellulären Flüssigkeit, so bewirkt dies sofort die extra-intracelluläre

Wasserverschiebung: Bei hypotonischer Konzentration (außen) nehmen die Zellen Wasser auf, bei hyertonischer geben sie Wasser nach außen ab (s. hierzu S. 640). Durch die homöostatischen Mechanismen werden beim Gesunden Störungen dieser Art bald wieder beseitigt.

Die **Capillarmembranen** sind für die gelösten kleinmolekularen Stoffe des Plasmas so durchlässig, daß sie für diese kein Permeationshindernis darstellen. Als semipermeable Membranen wirken sie nur für Teilchen hohen Molekulargewichtes (Proteine). Zwischen Blutplasma und interstitieller Flüssigkeit hat der **kolloidosmotische Druck der Plasmaproteine** Einfluß auf die Flüssigkeitsverteilung, die aber zusätzlich noch von transcapillären **hydrostatischen Druckdifferenzen** bestimmt wird (s. Starling-Modell, S. 413).

Filtration und Ultrafiltration [1, 17]. Filtration erfolgt unter der treibenden Kraft einer hydrostatischen Druckdifferenz in den Flüssigkeiten zu beiden Seiten der Membran. Die üblichen Filter sind Porenmembranen. Ihre Eigenschaften hängen von den Abmessungen (Radius, Länge) und der Anzahl der Poren ab. Sind diese Größen bekannt, so kann man zur Beschreibung des Flüssigkeitsstromes durch die Filtermembran das Hagen-Poiseuillesche Gesetz (s.S. 389) anwenden:

$$\dot{V} = \frac{r^4 \cdot \pi \cdot n}{8 \, l \cdot \eta} \cdot \Delta p \quad \text{(Volumen/Zeit)} \quad (8)$$

($\dot{V}$ = Volumenfluß oder Filtrationsrate, r = mittlerer oder effektiver Porenradius, Δp = hydrostatische Druckdifferenz oder Filtrationsdruck, n = Zahl der Poren, η = Viscosität, l = Länge der Poren (entspricht im geometrisch einfachsten Fall der Dicke der Membran)).

Bei **biologischen Membranen**, für die in bestimmten Fällen das Modell der Porenmembran herangezogen werden kann (s. z.B. XXVIII, S. 613), sind jedoch meist Zahl und Abmessungen der Poren nicht bekannt. In diesen Fällen benutzt man die empirische Gleichung:

$$\frac{\dot{V}}{F_M} = \frac{k \cdot \Delta p}{\eta \cdot \Delta x} \quad (ml \cdot s^{-1} \cdot cm^{-2}) \quad (9)$$

(k = spezifische Filtrationskonstante, F_M = Membranfläche, Δx = Membrandicke).

Da die Bestimmung der Dicke biologischer Membranen mit relativ großer Unsicherheit behaftet ist, setzt man anstelle der spezifischen Filtrationskonstante den *Filtrationskoeffizienten* K_F ein:

$$K_F = \frac{k}{\eta \cdot \Delta x} \quad (ml \cdot s^{-1} \cdot cm^{-2} \cdot mmHg^{-1}). \quad (10)$$

Der Filtrationskoeffizient entspricht demnach dem Volumenfluß durch die Membran pro Druck- und Flächeneinheit. Bei Verwendung der Gleichung

$$\frac{\dot{V}}{F_M} = K_F \cdot \Delta p \quad (ml \cdot s^{-1} \cdot cm^{-2}) \quad (11)$$

ist man unabhängig von einem bestimmten Membranmodell. Aus diesem Grund kann man sie auch zur Charakterisierung verschiedenartiger biologischer Membranen (Zellmembranen, epitheliale Membranen) heranziehen. Tabelle 3 gibt einen Vergleich von K_F für verschiedene Membranen.

Tabelle 3. Filtrationskoeffizient K_F für verschiedene Membranen. Temperatur = 22°. Nach [1]

Membran	K_F $ml \cdot s^{-1} \cdot cm^{-2} \cdot mmHg^{-1}$
Zellmembranen	
Fibroplast	0,1 –0,2
Leukocyt	0,05–0,2
Erythrocyt	0,9 –1,2
Capillarmembran	
Muskel	3,5
Mesenterium	70–100
Glomerulum	400–800
Künstliche Membran	
Dialysen-Membran	150–250
Cellophan	500–1 300
Nasses Gel	4 500–6 000

Ultrafiltration. Werden durch einen Filtrationsprozeß nicht nur grobdisperse Partikel, sondern auch gelöste Moleküle nach Maßgabe ihrer Molekülabmessungen voneinander getrennt, so spricht man von Ultrafiltration. Mit Hilfe des Modells einer Porenmembran kann eine Beziehung zwischen dem mittleren oder effektiven Radius der Membranporen und dem Siebungseffekt nach Maßgabe der Molekülradien hergestellt werden (s. XXVIII, S. 613).

Bei Ultrafiltration beträgt der Volumenfluß durch die Membran:

$$\frac{\dot{V}}{F_M} = K_F \quad (p_{(1-2)} + \pi_{(2-1)}) \quad (12)$$

($\dot{V}$ = Volumenfluß, F_M = Membranfläche, K_F = Filtrationskoeffizient, $p_{(1-2)}$ = hydrostatische Druckdifferenz zwischen den Flüssigkeiten 1 und 2 zu beiden Seiten der Membran, $\pi_{(2-1)}$ = osmotische Druckdifferenz zwischen den Flüssigkeiten 2 und 1).

Kommen in einer zur Ultrafiltration verwendeten Lösung Teilchen vor, für die die Membran nicht ganz undurchlässig ist, d.h. die Teilchen werden eingeschränkt filtriert, so ist die Verwendung von π in Gl. (12) fehlerhaft. Eine Korrektur ist möglich, wenn man den **Reflexionskoeffizienten** σ verwendet.

Definitionsgemäß ist die Größe einer osmotischen Druckdifferenz zweier Lösungen gleich der Größe einer entgegengesetzt wirkenden hydrostatischen Druckdifferenz, die einen Wasserfluß durch die semipermeable Membran verhindert. Bei Verwendung einer nicht ideal semipermeablen Membran, die eine geringe Teilchendiffusion zuläßt, muß der den Wasserfluß verhindernde hydrostatische Gegendruck fortwährend erniedrigt werden. Extrapoliert man in einem solchen Fall den hydrostatischen Druck auf den Zeitpunkt Null des Experiments, so gilt

$$\sigma_a = \frac{\Delta p_{t=0}}{\Delta \pi_{ideal}} \tag{13}$$

(σ_a = Reflexionskoeffizient des Stoffes a, $\Delta p_{t=0}$ = hydrostatische Druckdifferenz zum Zeitpunkt t=0, $\Delta \pi_{ideal}$ = osmotische Druckdifferenz an einer ideal semipermeablen Membran).

Der Reflexionskoeffizient eines Stoffes kann zwischen den Werten $\sigma=1$ und $\sigma=0$ liegen. Für eine ideal semipermeable Membran beträgt für alle gelösten Stoffe $\sigma=1$, d.h. die Stoffteilchen werden von der Membran „total reflektiert". Für Teilchen, die unbehindert mit dem Wasser die Membran passieren können, beträgt $\sigma=0$.

Kombinierte passive Membrantransporte von Wasser und gelösten Stoffen [1, 17]. An biologischen Membranen liegen im allgemeinen verschiedene Arten des Stofftransportes zugleich vor. Auch wenn die Transportmechanismen der einzelnen Stoffe selbst unabhängig voneinander sind, so muß man dennoch damit rechnen, daß sich der Transport eines Stoffes auf den der anderen auswirkt. Dies läßt sich am Beispiel eines Teilchentransportes erläutern, der durch einen transmembranalen Wasserstrom verändert wird. Die Transportrate eines Stoffes, der aufgrund eines bestehenden Konzentrationsgradienten gerade durch eine Membran diffundiert, kann durch den sich überlagernden Wasserstrom erhöht oder erniedrigt werden, je nach Richtung der beiden Transportprozesse und je nachdem, welche Änderung der Konzentrationsgradient durch die Wasserverschiebung erfährt. Die analytische Behandlung solcher sich überlagernder Transporte ist außerordentlich schwierig.

Im folgenden soll lediglich der Teilchentransport behandelt werden, der zusammen mit einem Wasserfluß bei fehlender transmembranaler Konzentrationsdifferenz, also ohne Diffusion auftritt. Auch hierzu benötigt man den Reflexionskoeffizienten σ.

Solvent drag. Unter solvent drag versteht man den Stofftransport durch eine Membran, der allein durch den transmembranalen Volumen-(= Wasser-)fluß bewirkt wird. Dabei werden die Teilchen mit dem Volumenstrom „mitgerissen". Teilchen, die unbehindert mitgeführt werden ($\sigma=0$), erscheinen auf der Gegenseite der Membran in unveränderter Konzentration. Dies trifft z.B. für kleinmolekulare Stoffe des Blutplasmas wie Glucose im filtrierenden arteriellen Schenkel einer Blutcapillare zu.

Besteht anfangs für einen Stoff keine transmembranale Konzentrationsdifferenz, so resultiert aus einem auftretenden Volumenfluß ein stationärer Teilchenfluß von:

$$\dot{m}_a = (1 - \sigma_a) \cdot \bar{C}_a \cdot \dot{m}_w \tag{14}$$

($\dot{m}_a$ = Teilchenfluß durch solvent drag, σ_a = Reflexionskoeffizient, $\dot{m}_w$ = Volumenfluß, $\bar{C}_a$ = mittlere Stoffkonzentration in den Flüssigkeiten an den Grenzen der Membran, verursacht durch überwiegenden Wasserfluß).

Im Nierenkapitel (XXVIII) wurde darauf hingewiesen, daß ein Teil der Stoffresorption auf solvent drag beruht (s. S. 620).

2.2. Verteilungsgleichgewicht von Ionen

Donnan-Verteilung [1, 5, 9]. Die Konzentrationen der Ionen in Blutplasma und interstitieller Flüssigkeit stimmen nicht überein, obwohl die Capillarmembran für die in beiden Flüssigkeiten vorhandenen kleinen Ionen gut durchlässig ist und Diffusion zuläßt. Die Ursache der Abweichung beruht auf der hohen Konzentration an **impermeablen Anionen** (Proteinaten) auf der Blutseite der Capillarmembran. Das bestehende Verteilungsgleichgewicht der Ionen heißt *Donnan-Gleichgewicht*.

Für die Ionenverteilung unwesentlich sind die entgegengesetzt gerichteten Flüssigkeitstransporte im arteriellen und venösen Capillarschenkel, die in erster Näherung gleich groß sind. Man darf deshalb für diese Betrachtung annehmen, daß auf der ganzen Länge der Capillare eine einheitliche hydrostatische Druckdifferenz zum Interstitium besteht, die einen kolloidosmotisch bedingten Flüssigkeitsstrom gerade verhindert.

Das **Verteilungsgleichgewicht**, bei dem keine Ionen- und Wasserflüsse bestehen, unterliegt zwei Bedingungen: 1. Die transmembranale Potentialdifferenz entspricht dem *Gleichgewichtspotential* der permeablen Ionen, das durch die Nernstsche Gleichung ausgedrückt wird. 2. In jeder der beiden Lösungen muß die *Elektroneutralitätsbedingung* erfüllt sein, d.h. die Äquivalentkonzentration der Kationen und Anionen ist innerhalb einer Lösung gleich. Dementsprechend gilt für die Gleichgewichtsverteilung von permeablen Ionen (es seien neben Protein-Anionen nur die monovalenten Ionen Na^+ und Cl^- vertreten):

$$E_G = -\frac{R \cdot T}{F} \ln \frac{[Na^+]_i}{[Na^+]_a} = -\frac{R \cdot T}{F} \ln \frac{[Cl^-]_a}{[Cl^-]_i} \quad (15)$$

(E_G = Gleichgewichtspotential, R = allgemeine Gaskonstante, T = absolute Temperatur, F = Faradaysche Zahl, $[Na^+]_{i,a}$ bzw. $[Cl^-]_{i,a}$ = Konzentrationen der beiden Ionen im Plasma i und in der interstitiellen Flüssigkeit a).

Hieraus folgt die Verhältnisgleichung:

$$\frac{[Na^+]_i}{[Na^+]_a} = \frac{[Cl^-]_a}{[Cl^-]_i} \quad (16)$$

oder

$$[Na^+]_i \cdot [Cl^-]_i = [Na^+]_a \cdot [Cl^-]_a. \quad (17)$$

Die Elektroneutralitätsbedingung fordert zusätzlich:

$$[Na^+]_a = [Cl^-]_a \quad (18)$$

und

$$[Na^+]_i = [Cl^-]_i + [Pr^-]_i \quad (19)$$

($[Pr^-]_i$ = Äquivalentkonzentration des impermeablen Anions).

Setzt man die Gln. (18) und (19) in Gl. (17) ein, so erhält man:

$$([Cl^-]_i + [Pr^-]_i) \cdot [Cl^-]_i = [Cl^-]_a^2. \quad (20)$$

Nach Division durch $[Cl^-]_a$ und $([Cl^-]_i + [Pr^-]_i)$ resultiert das übersichtlichere Gleichungssystem:

$$\frac{[Cl^-]_i}{[Cl^-]_a} = \frac{[Cl^-]_a}{[Cl^-]_i + [Pr^-]_i} = \frac{[Na^+]_a}{[Na^+]_i}. \quad (21)$$

Löst man die linke Seite der Gl. (20) auf ($[Cl^-]_i^2 + [Pr^-]_i \cdot [Cl^-]_i = [Cl^-]_a^2$), so erkennt man, daß $[Cl^-]_a > [Cl^-]_i$. Berücksichtigt man dies in der Verhältnisgleichung (21), so muß aber andererseits gelten, daß $([Cl^-]_i + [Pr^-]_i) > [Cl^-]_a$. In Verbindung mit den Gln. (18) und (19) geht aus der Ungleichung $([Cl^-]_i + [Pr^-]_i) > [Cl^-]_a > [Cl^-]_i$ hervor, daß in der Innenflüssigkeit die Konzentration der permeablen Ionen insgesamt größer als in der Außenflüssigkeit ist.

Dementsprechend ist bei Donnan-Verteilung in der Innenflüssigkeit nicht nur der erhöhte kolloidosmotische Druck der Proteine (als impermeable Teilchen) wirksam, sondern auch noch ein erhöhter osmotischer Druck durch die höhere Konzentration an permeablen Ionen. Dies müßte einen (verstärkten) osmotisch bedingten Wassereinstrom in die Innenflüssigkeit bewirken, der aber in dem behandelten Beispiel durch den entsprechend erhöhten hydrostatischen Druck in der Capillare verhindert wird.

Donnan-Gleichgewichte an Zellmembranen. Da das Cytoplasma impermeable Anionen (vorwiegend Proteinat-Ionen) enthält, bildet sich für Ionen, die passiv transportiert werden, ebenfalls eine Donnan-Verteilung aus. Bei der lebenden Zelle wird ein osmotisch bedingter Wassereinstrom nicht durch einen hydrostatischen Gegendruck wie im Bereich der Blutcapillare, sondern durch die **Na^+-Pumpe** verhindert. Die Pumpe transportiert überschüssiges Na^+ nach außen und erniedrigt so die intracelluläre osmotische Wirkkonzentration. Wird der aktive Na^+-Auswärtstransport gehemmt, so strömt mit dem ansteigenden intracellulären osmotischen Druck Wasser in die Zellen ein und die Zellen schwellen an. Entsprechend besteht auch postmortal eine solche Zellschwellung. Eine der Aufgaben der Na^+-Pumpe ist demnach die Kontrolle des Zellvolumens. Aus diesen Ausführungen geht hervor, daß *aktiv transportierte Ionen nicht der Donnan-Verteilung unterliegen.*

Das Konzentrationsverhältnis von permeablen Ionen, die der Donnan-Verteilung unterliegen, liefert den Donnan-Faktor r:

$$r = \frac{[Cl^-]_i}{[Cl^-]_a} = \frac{[H^+]_a}{[H^+]_i} < 1. \quad (22)$$

Hier wurde H^+ als Kation gewählt, da dieses Ion (anders als Na^+) auch an Zellmembranen im Donnan-Gleichgewicht steht. Man erkennt, daß der intracelluläre pH kleiner als in der extracellulären Flüssigkeit ist (da $r < 1$ gilt $[H^+]_i > [H^+]_a$ also $pH_i < pH_a$). Da die Donnan-Verteilung ein thermodynamisches Gleichgewicht darstellt, das für alle passiv verteilten Ionen zutrifft, ist der *Donnan-Faktor in einem System für alle einwertigen Ionen gleichgroß.* Kennt man ihn für ein Ion, dessen Konzentrationen man in beiden Lösungsräumen bestimmt hat, so kann man bei Kenntnis der Konzentration eines anderen Iones, z.B. in der extracellulären Flüssigkeit, die intracelluläre Ionenkonzentration mit Hilfe des Donnan-Faktors berechnen. (Für mehrwertige Ionen (Wertigkeit = n) entspricht der Donnan-Faktor der n-ten Wurzel aus dem Konzentrationsverhältnis.)

Der Donnan-Faktor zwischen Blutplasma und interstitieller Flüssigkeit beträgt etwa 0,95, d.h. bei einer Na^+-Konzentration von 150 mmol/l Plasmawasser enthält die interstitielle Flüssigkeit 142 mmol/l Na$^+$. Der Liquor cerebrospinalis weist eine Na$^+$-Konzentration von 155 mmol/l auf. Hieraus errechnet sich ein Donnan-Faktor von 1,033.

Diese Abweichung läßt die Annahme einer passiven Na$^+$-Verteilung zwischen Blutplasma und Liquor nicht zu. Die Bildung des Liquor cerebrospinalis im Plexus chorioideus kann demnach nicht auf Filtration allein beruhen. Hier muß ein aktiver Na$^+$-Transport in Richtung Liquor vorliegen.

2.3. Besonderheiten des Stofftransportes durch biologische Membranen

Aufbau der Zellmembran und Membranmodelle [1, 5, 15]. *Elektronenmikroskopisch* zeigt die Zellmembran einen dreischichtigen Aufbau: Zwei dichte Streifen sind durch einen hellen getrennt. Die Dicke der drei Schichten beträgt insgesamt ca. 7,5 nm. *Biochemisch* besteht die Zellmembran aus Proteinen und Lipiden. Unter den Lipiden überwiegen Phospholipide (>60%); es folgen Cholesterin und Cerebroside. Nach welchem Baumuster die verschiedenen Proteine und Lipide in der Zellmembran angeordnet sind, ist noch offen. Im wesentlichen werden zwei Membranmodelle diskutiert: das *Unit-Membrane-Modell* und das *Lipid-Protein-Mosaik-Modell* (s. Abb. 6).

Für die **Unit-Membrane** wird ein regelmäßiger Aufbau von Einheiten angenommen, in denen eine mittlere **bimolekulare Lipidschicht** von einer inneren und äußeren Proteinschicht bedeckt ist. Die polaren Gruppen der Lipide orientieren sich nach außen und sind jeweils entgegengesetzt geladenen Gruppen der Proteine angelagert.

Das **Lipid-Protein-Mosaik-Modell** *(lipid-globular protein mosaic model)* geht ebenfalls von der bimolekularen Lipidschicht der Membran aus. An die polaren Lipidgruppen sind auch Proteine angelagert, die sich leicht ablösen lassen. Daneben aber existieren Proteine in wesentlich stabilerer Anheftung an die Lipide. Bei ihrer Entfernung werden meist auch Membranlipide mitentfernt. Diese Proteine imponieren als integrale Bestandteile der Membran *(integrale Proteine)*.

Die integralen Proteine sind wahrscheinlich von asymmetrischer Konfiguration. Die ionischen Gruppen ihrer Aminosäuren sind nach außen orientiert, während neutrale und lipophile Komponenten der Aminosäurensequenzen in der hydrophoben Innenschicht der Lipide verankert sind. Die integralen Proteine — und das ist der entscheidende Unterschied zum Unit-Membrane-Modell

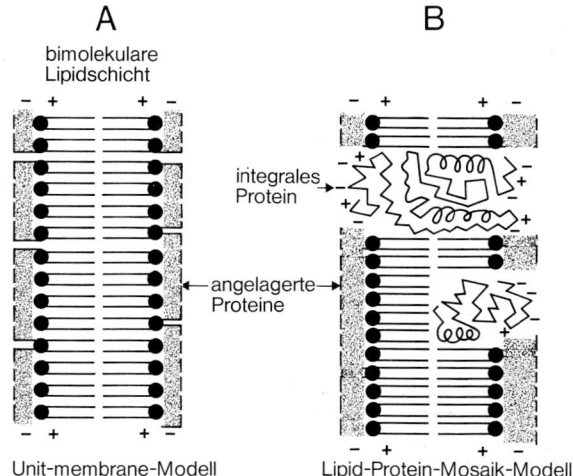

Abb. 6A u. B. Morphologische Modelle von Zellmembranen. Nach [6, 15]. (A) Modell nach DANIELLI und DAVSON. (B) Modell nach LENARD und SINGER

— durchsetzen die Lipidschicht, und andere ragen in die Lipidschicht hinein (Abb. 6B). Die kugelförmigen Proteine sind wie einzelne Mosaiksteine in die Membran eingebaut.

Möglicherweise repräsentieren die integralen Moleküle die membranständigen Enzyme und Carrier (s.u.) sowie Porencorellate der Membran.

Diffusion von Stoffen durch die Zellmembran [1, 5]. Für kleine Moleküle (Mol.Gew. <1000) ist der Diffusionskoeffizient in wäßriger Lösung abhängig von einer Wurzelfunktion des Molekulargewichts (MG):

$$D = \frac{\text{konst.}}{\sqrt{\text{MG}}}. \tag{23}$$

Da diese Abhängigkeit auch in öligen Flüssigkeiten besteht, könnte die gleiche Beziehung auch für die Stoffpermeation durch die lipidhaltigen Zellmembranen zutreffen. Verwendet man anstelle von D die von der Membrandicke unabhängige Permeabilitätskonstante P nach Gl. (6), so sollte gelten:

$$P \cdot \sqrt{\text{MG}} = \text{konst.} \tag{24}$$

Es hat sich aber gezeigt, daß die **passive Stoffpermeabilität** der Zellmembranen noch von anderen Faktoren bestimmt wird. Von starkem Einfluß sind vor allem die **Fettlöslichkeit** der Moleküle (sie kann durch den *Verteilungskoeffizienten* einer Substanz zwischen einer wäßrigen und einer öligen Phase quantifiziert werden) und die Zahl der **Wasserstoffbrücken**, die der Permeant mit dem Hydratwasser ausbildet. Diese Wasserstoffbrücken müssen beim Eintritt in die Phasengrenze Wasser/Lipid gebrochen und beim Austritt aus der Phasengrenze Lipid/Wasser wieder geknüpft werden. Die Stoffpermeabilität steigt mit zunehmender Lipophilie der Stoffe und fällt mit der Zahl der zu brechenden Wasserstoffbrücken. Lipophile Stoffe weisen demnach deshalb eine höhere Membranpermeabilität auf als hydrophile Stoffe vergleichbaren Molekulargewichtes, weil sie in die Lipidphase der Membran leichter eindringen und weil sie meist weniger Wasserstoffbrücken mit dem Wasser ausbilden. Dementsprechend gilt dann Gl. (24) nicht mehr. In einer homologen Reihe erhöht eine (lipophile) CH$_2$-Gruppe die Permeabilität um den Faktor zwei. Jede zusätzliche Wasserstoffbindung soll die Permeabilität auf ein Fünftel erniedrigen.

Viele **Pharmaka und Giftstoffe** mit intracellulärem Wirkungsangriff sind **lipophil** und können deshalb schnell in die Zellen gelangen und in kurzer Zeit wirksam werden. Die Bedeutung der lipophilen Komponente von Molekülen schwacher organischer Säuren und Basen und deren **nichtionische Diffusion** durch Membranen ist im Nierenkapitel (s. S. 625) behandelt.

Komplizierter stellt sich die passive **Membranpermeabilität für Ionen** starker Elektrolyte wie Na$^+$, K$^+$ und Cl$^-$ dar. Die in den Zellmembranen zur Ionenpermeation genutzten „Kanäle" können *Festladungen* aufweisen, die den Eintritt einer Ionenart fördert und die des Gegenions hemmt. Die hohe Anionenpermeabilität der Erythrocytenmembran, die den schnellen Austausch von Cl$^-$ gegen HCO$_3^-$ ermöglicht (s. S. 497), ist verbunden mit einer sehr niedrigen Kationenpermeabilität. Dies ist wahrscheinlich auf positive Festionen (basische Aminosäuren von Membranproteinen) in der Membran zurückzuführen. Im Gegensatz hierzu ist in der ruhenden Membran der Nervenfaser die K$^+$-Permeabilität wesentlich größer als die von Cl$^-$. Während der Erregung steigt die passive Permeabilität der Axonmembran für Na$^+$ um ein Vielfaches an (s. S. 15 f.). Hier liegt ein spezifisches Transportsystem vor, das unter der Erregung kurzzeitig aktiviert wird.

Erleichterte Diffusion [1, 5, 17, 18]. Zellmembranen sind für einige Stoffe wie D-Glucose oder L-Aminosäuren wesentlich durchlässiger als für deren L- bzw. D-Formen. Dies kann nicht aufgrund der bisher behandelten Permeationseigenschaften der Moleküle erklärt werden. Hier müssen spezifische Einrichtungen in der Membran existieren, die bei Vorliegen einer extra-intracellulären Konzentrationsdifferenz die Stoffpermeation durch die Membran beschleunigen und früher den Konzentrationsausgleich herbeiführen. In solchen Fällen

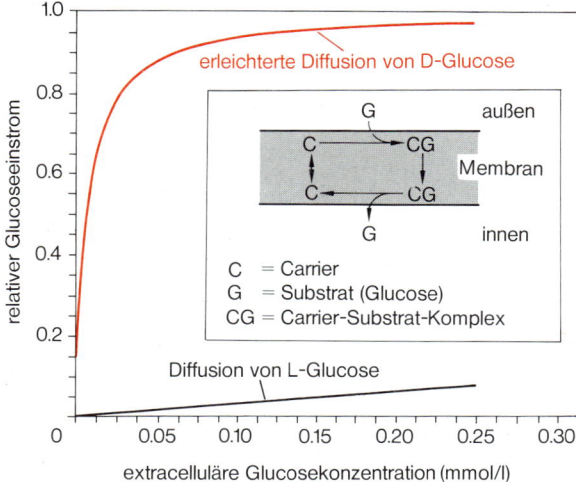

Abb. 7. Erleichterte Diffusion und Carriermodell: Dargestellt ist der relative Einstrom von D-Glucose (erleichterte Diffusion) und L-Glucose (einfache Diffusion) in Abhängigkeit von der Außenkonzentration bei vernachlässigbar kleiner Innenkonzentration. Die erleichterte Diffusion zeigt eine Sättigungscharakteristik, was durch einen Carrier-Transport (s. Innenbild) gedeutet werden kann

spricht man von *erleichterter Diffusion* (**facilitated diffusion** oder *facilitated transfer*).
Am Beispiel der Aufnahme von D-Glucose in Erythrocyten ist in Abb. 7 die erleichterte Diffusion beschrieben. Die während eines Anfangszeitraumes von Erythrocyten aufgenommene Glucosemenge steigt mit der Außenkonzentration an, sie erreicht bei etwa 5 mmol/l Glucose einen Maximalwert.
Der Membrantransport durch erleichterte Diffusion zeigt eine **Sättigungscharakteristik**, analog der Kinetik von unidirektionalen Enzymreaktionen, die durch die Michaelis-Menten-Gleichung beschrieben wird [9]. Der Glucose-Einwärtsstrom (Influx) bei Erythrocyten folgt der entsprechenden Gleichung:

$$\dot{m}_G = \frac{\dot{m}_{max} C_G}{K_m + C_G} \qquad (25)$$

($\dot{m}_G$ = Glucose-Influx, C_G = Glucosekonzentration im Außenmedium, $\dot{m}_{max}$ = maximaler Influx, K_m = Glucosekonzentration bei $\dot{m}_{max}/2$ entsprechend der Michaelis-Konstanten).

Die Sättigungscharakteristik bei erleichterter Diffusion steht mit der Annahme in Einklang, daß in der Membran ein spezifischer *Träger* (**Carrier**) vorhanden ist, der mit dem zu transportierenden Substrat eine dissoziationsfähige Bindung eingeht. Die Transportbeschleunigung kann mit der Hypothese eines beweglichen Trägers erklärt werden, der in Verbindung mit dem Substrat eine größere Beweglichkeit in der Membran aufweist als das

Substrat allein. Der Träger geht demnach mit dem Substrat (in dem Beispiel mit der Glucose) auf der Außenseite der Membran eine Verbindung ein und bewegt sich als Träger-Substrat-Komplex zur Gegenseite, wo die Abspaltung des Substrates erfolgt (Abb. 7, Innenbild). Die Sättigung des Transportes wäre dann auf die begrenzte Anzahl vorhandener Träger zurückzuführen: Bei erhöhtem Substratangebot außen sind alle Träger in Tätigkeit.

Der Glucose-Carrier kann auch andere Monosaccharide transportieren, jedoch (aus Gründen geringerer Affinität) in der Regel weniger als Glucose. Der *Glucose-Einwärtstransport bei Erythrocyten* hört auf, wenn innen und außen Konzentrationsausgleich erreicht ist, d.h. daß die *treibende Kraft der bestehende Konzentrationsgradient* ist. Hier handelt es sich also um *Diffusion*.

Die Glucoseresorption in der Niere (s.S. 623) beruht auf der treibenden Kraft eines bestehenden Na^+-Konzentrationsgradienten zwischen der Tubulusflüssigkeit im proximalen Convolut und dem Inneren der Tubuluszelle. Dieser Gradient wird durch den aktiven Na^+-Auswärtstransport auf der Gegenseite der Zelle aufrechterhalten. Der passive luminale Einstrom von Na^+ in die Zelle erfolgt zusammen mit Glucose (Cotransport) in stöchiometrischer Kopplung. Dabei wird die Glucose sogar in der Zelle angehäuft. Da hier ein Bergauf-Transport von Glucose in die Zelle vorliegt, spricht man von einem *sekundär aktiven Transport*. Entsprechend erfolgt auch im Darm die Resorption von Glucose und Aminosäuren.

Aktiver Transport [1, 5]. Ein typisches Merkmal der Zelle ist ihre Fähigkeit, gegenüber dem Außenmedium ein thermodynamisches Ungleichgewicht der Ionenverteilung aufrechtzuerhalten. Bringt man Blut auf 0° C, so verlieren die Erythrocyten K^+ und nehmen Na^+ aus dem Blutplasma auf, bis ein thermodynamisches Verteilungsgleichgewicht erreicht ist. Mit der Wiedererwärmung des Blutes reichern die Zellen unter Abgabe von Na^+ wieder K^+ an. Dieser Ionentransport, der eine Konzentrierung von K^+ (innen) und Na^+ (außen) bewirkt, kennzeichnet man als *aktiven Transport*, zu dessen Betrieb **Energie** aus dem Stoffwechsel der Zelle benötigt wird.

Bei 0° C ist der Zellstoffwechsel so stark herabgesetzt, daß der aktive Transport nicht mehr wirksam betrieben werden kann. Der Verlust an K^+ und die Aufnahme von Na^+ erfolgt dann aufgrund und in Richtung der bestehenden Konzentrationsgefälle, also passiv. Bei 37° C bestehen diese *passiven Ionenflüsse* als sog. **Leckströme** ebenfalls, sie werden aber im stationären Gleichgewicht durch aktiven Transport in entgegengesetzter Richtung kompensiert.

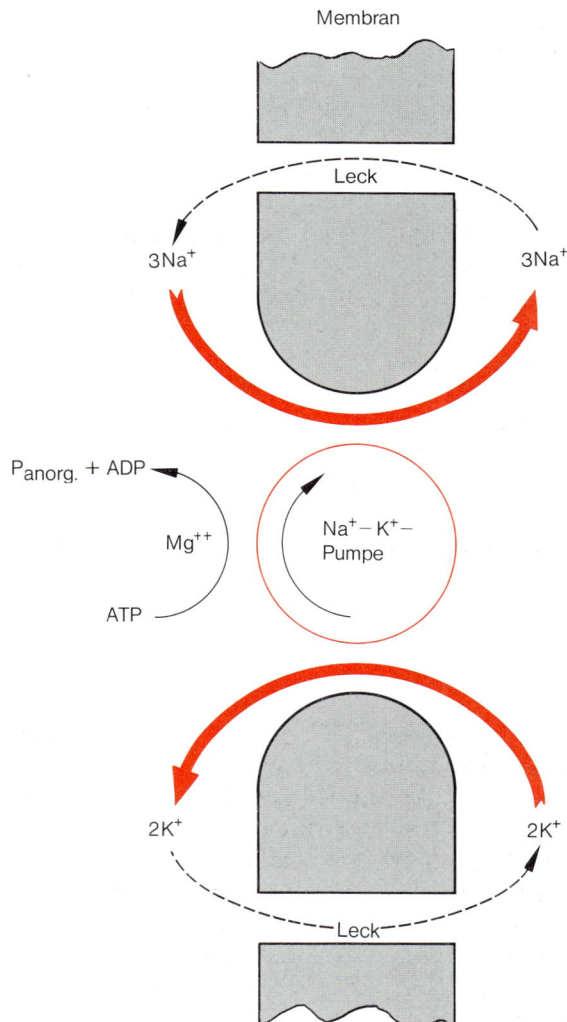

Abb. 8. Gekoppelte Na^+—K^+-Pumpe der Erythrocytenmembran. Nach [12]

Der **Mechanismus des gekoppelten aktiven Transportes** von Na^+ und K^+, auch *Na^+—K^+-Pumpe* genannt, steht in engem Zusammenhang mit einem Enzym in der Membran. Da die Aktivität dieses Enzyms von der intracellulären Na^+- und extracellulären K^+-Konzentration abhängt und beim Ionentransport ATP verbraucht wird, heißt es **Na^+—K^+-aktivierbare ATPase** (kurz: Na^+—K^+-ATPase). Zur Aktivierung des Enzyms ist die Anwesenheit von Mg^{++} notwendig.

Die Na^+—K^+-ATPase liegt in der Membran, je nach Aktivierung, in verschiedenen Zuständen (Konformationen) vor. In Gegenwart von Mg^{++} und ATP übernimmt das Enzym bei Aktivierung durch Na^+ das endständige Phosphat des ATP. Der Enzym-Phosphat-Komplex bewirkt die Translokation von Na^+ nach außen. Durch die K^+-Aktivierung erfolgt die Dephosphorylierung des Enzyms und die K^+-Translokation. Die Membran-ATPase hat demnach die Eigenschaft eines Doppelenzyms als Phosphotransferase und Alcylphosphatase.

Die **gekoppelte Na$^+$—K$^+$-Pumpe** des Erythrocyten arbeitet etwa im Verhältnis 3 Na$^+$ auswärts: 2 K$^+$ einwärts (Abb. 8) und benötigt hierzu ein energiereiches Phosphat (ATP). Diese Pumpenleistung kompensiert, wie oben erwähnt, die entgegengesetzt gerichteten Leckströme der beiden Ionen.

Der **Flüssigkeitstransport durch epitheliale Membranen** (z.B. in den Nieren (XXVIII), dem Magendarmtrakt (XXVII)) ist an den aktiven Ionentransport gebunden. Nach neueren Erkenntnissen ist auch der aktive Transport von Glucose und Aminosäuren Folge des aktiven Ionentransportes (XXVIII).

3. Literatur

1. BADER, H.: Morphologische, physikalische und chemische Grundlagen der Zellmembran. In: GAUER, O.H., KRAMER, K., JUNG, R. (Hrsg.): Physiologie des Menschen, Bd. 1. München-Berlin-Wien: Urban und Schwarzenberg 1972.
2. BEHNKE, A.R.: Fat content and composition of the body. Harvey Lectures. **37**, 198 (1941/42).
3. BOYLAN, J.W., DEETJEN, P., KRAMER, K.: Salz- und Wasserhaushalt. In: GAUER, O.H., KRAMER, K., JUNG, R. (Hrsg.): Physiologie des Menschen, Bd. 7. München-Berlin-Wien: Urban und Schwarzenberg 1970.
4. DARROW, D.C., YANNET, H.: The changes in the distribution of body water accompaning increase and decrease in extracellular electrolyte. J. clin. Invest. **14**, 266 (1935).
5. DAWSON, H.: A textbook of general physiology. London: Churchill 1970.
6. DAVSON, H., DANIELLI, J.F.: The permeability of natural membranes. Cambridge: University Press 1943.
7. GAMBLE, J.L.: Chemical anatomy, physiology and pathology of extracellular fluids. Cambridge/Mass.: Harvard University Press 1954.
8. GAUER, O.H., KRAMER, K., JUNG, R. (Hrsg.): Physiologie des Menschen. In 16 Bänden. München-Berlin-Wien: Urban und Schwarzenberg 1971 ff.
9. KOBLET, H., RIVA, G.: Physikalische Begriffe in der klinischen Biochemie. Stuttgart: Thieme 1964.
10. MUNTWYLER, E.: Elektrolytstoffwechsel und Säure-Basen-Gleichgewicht. Sammlung Göschen, Bd. 7137. Berlin-New York: de Gruyter 1973.
11. PITTS, R.F.: Physiologie der Niere und der Körperflüssigkeiten. Stuttgart-New York: Schattauer 1972.
12. POST, R.L. (1968), zitiert nach LIN, E.C.C.: The molecular basis of membrane transport systems. In: Structure and function of biological membranes (Ed. ROTHFIELD, L.I.). New York-London: Academic Press 1971.
13. SIEGENTHALER, W. (Hrsg.): Klinische Pathophysiologie. Stuttgart: Thieme 1964.
14. Singer, S.J.: The molecular organization of biological membranes. In: Structure and function of biological membranes (Ed. ROTHFIELD, L.I.). New York: Academic Press 1971.
15. SINGER, S.J., NICHOLSON, G.L.: The fluid mosaic model of the structure of cell membranes. Science **175**, 720 (1972).
16. SKELTON, H.: The storage of water by various tissues of the body. Arch. intern. Med. **40**, 140 (1937).
17. STEIN, W.D.: The movement of molecules across the cell membranes. New York: Academic Press 1967.
18. THEWS, G.: Diffusion und Permeation. In: D-Glucose und verwandte Verbindungen in Medizin und Biologie (Hrsg. BARTELHEIMER, H., HEYDE, W., THORN, W.). Stuttgart: Enke 1966.

1. Allgemeine Endokrinologie

1.1. Begriffsbestimmungen

Endokrines System und Hormone. Das endokrine System ist hinsichtlich seiner biologischen Leistung eng mit dem Nervensystem verknüpft; zusammen mit diesem *koordiniert das endokrine System* die Funktion von z.T. räumlich weit voneinander entfernten Organen und Organsystemen. Kennzeichnend für das endokrine System ist, daß es seine Funktion mittels einer Reihe von Stoffen, **den Hormonen,** ausübt. Diese gehören verschiedensten Stoffklassen (Steroide, Aminosäure-Derivate, Peptide, Proteine) an, sie sind also chemisch betrachtet uneinheitlich. Ihr gemeinsames Kennzeichen besteht darin, daß sie in speziellen Organen, den **endokrinen Drüsen** (= Drüsen ohne Ausführungsgang) oder in umschriebenen Zellgruppen, z.B. in den Inselzellen des Pankreas, den Leydigschen Zwischenzellen des Hodens, in Zellgruppen der Duodenalschleimhaut (Secretin), in Zellgruppen des Hypothalamus (Adiuretin, Ocytocin u.a.) gebildet und daß sie **auf dem Blutweg** zu mehr oder weniger weit entfernten Orten transportiert werden; hier lösen sie **spezifische Wirkungen** aus, d.h. Wirkungen, die in der Regel durch keinen anderen Stoff hervorgerufen werden können. Das Wort „spezifisch" soll ferner zum Ausdruck bringen, daß nur bestimmte und für jedes Hormon eigentümliche Funktionssysteme oder Organe, **die „Erfolgsorgane",** ansprechen. Es ist weiter kennzeichnend, daß sich die Aufgabe der endokrinen Drüsen und Zellgruppen in der Bildung und Sekretion der jeweiligen Hormone erschöpft. Zeitweise wurde angenommen, daß die endokrinen Drüsen das Blut von (hypothetischen) Toxinen befreien. Diese „Entgiftungshypothese" ist jedoch heute nicht mehr haltbar.

Ein weiteres gemeinsames Kennzeichen der Hormone ist, daß sie ihre Wirkung nur an *komplexen Zellstrukturen* (Zellmembranen, Enzymsystemen) entfalten (Wirkungsmechanismus, s. S. 653). Im Gegensatz zu Enzymen kann daher ihre Wirkung nicht *in vitro*, sondern nur *in vivo* oder in Gewebskulturen nachgewiesen werden.

Gewebshormone und Überträgerstoffe. Nicht alle Stoffe, die man letztlich zu den Hormonen zählt, erfüllen die bisher genannten Kriterien. So gibt es Stoffe, die so nahe an ihren Erfolgsorganen oder Erfolgsstrukturen gebildet werden, daß sie durch Diffusion ans Ziel gelangen, ohne also den Blutweg beanspruchen zu müssen. Man hat diesen Stoffen einen eigenen Namen, „Gewebshormone", gegeben (s. S. 679). Von den „Gewebshormonen" besteht nur noch eine sehr unscharfe Grenze zu den sog. *Überträgerstoffen* (*Neurotransmitter,* s. III), die man nicht als Hormone bezeichnet. Angesichts der Catecholamine Noradrenalin und Adrenalin wird die Schwierigkeit einer scharfen Definition des Hormonbegriffs besonders deutlich: Solange man die Bildung und Abgabe von Catecholaminen aus dem Nebennierenmark (s. S. 673) an das Blut im Auge hat, pflegt man Noradrenalin und Adrenalin als Hormone zu bezeichnen; sobald man ihre Überträgerfunktion an den sympathischen Nervenendigungen betrachtet, spricht man von „Überträgerstoffen" des Sympathicus.

Die hier gegebene Bestimmung der Begriffe endokrines System und Hormone gilt für die Vertebraten. Bei Avertebraten gibt es außerdem Stoffe, die von einem Individuum in das umgebende Medium secerniert werden und bei Artgenossen Wirkungen entfalten (z.B. Sexuallockstoffe). Für diese Gruppe von Stoffen wurde eine eigene Bezeichnung — Pheromone — vorgeschlagen [26], um sie schärfer von den Hormonen der Vertebraten abzugrenzen.

1.2. Funktionelle Bedeutung und Wirkungsweise der Hormone

Die Hormone erfüllen im wesentlichen drei Aufgaben: a) Hormone ermöglichen und fördern die **körperliche, sexuelle** und **geistige Entwicklung.** b) Hormone ermöglichen und fördern die **Leistungsanpassung** des Organismus; die bei erhöhter Belastung an Organen und Organsystemen auftretenden Modifikationen (*physiologische Adaptation*) bleiben beim Fehlen bestimmter Hormone aus. c) Die Hormone sind erforderlich für die Konstanthaltung bestimmter physiologischer Größen, z.B. des osmotischen Druckes, des Blutglucosespiegels. Die Hormone haben somit eine **„homöostatische" Funktion.**

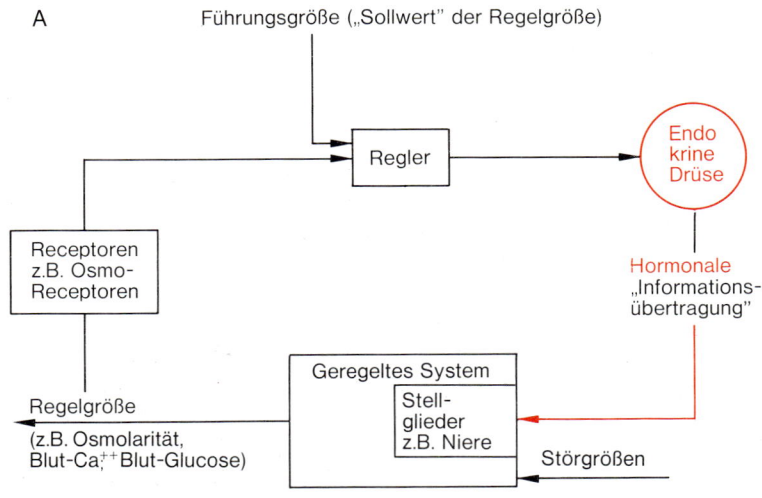

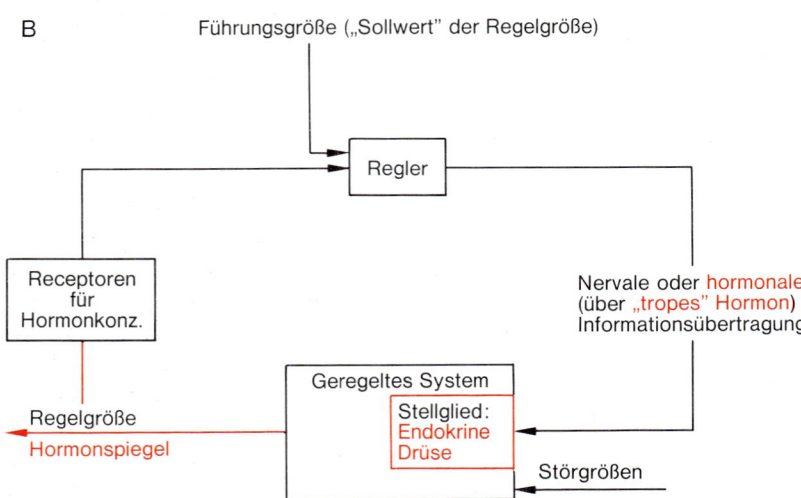

Abb. 1 A u. B. Prinzipieller Aufbau der Regelkreise im endokrinen System. Die beiden Blockschaltbilder sollen zeigen, welche Stellung Hormone in biologischen Regelkreisen haben können. (A) Hormone als Stellglieder. (B) Hormone als Regelgröße

Hormone als Informationsträger. Hormone sind in sehr kleinen Konzentrationen wirksam. Sie gehen nicht als Substrat in die biochemischen Prozesse ein, welche sie „steuern“. Bei einem Teil der Hormone, z.B. Adiuretin, Adrenalin, Aldosteron, stehen die Reaktionen am Erfolgsorgan in einer mehr oder weniger strengen quantitativen Beziehung zu ihrer Konzentration im Plasma. In kybernetischer Terminologie kann hier das Hormon als „Informationsträger“ bezeichnet werden, wodurch die eingangs genannte Analogie zum Nervensystem unterstrichen wird.

Permissive Wirkung von Hormonen. Verschiedene biochemische Prozesse erfordern zu ihrem geordneten Ablauf die Einwirkung von einem oder mehreren Hormonen; der Prozeß selbst wird aber durch Erhöhung der Hormonkonzentration nicht beschleunigt; in solchen Fällen wird von einer „permissiven“ Wirkung eines Hormons gesprochen.

Hormone als Glieder von Regelungssystemen [47, 49]. Die Hormone können als Glieder von Regelungssystemen betrachtet werden. Man muß hierbei zwei Gruppen von Hormonen unterscheiden. *Bei der einen Gruppe,* zu der Adrenalin, Noradrenalin, Aldosteron, Adiuretin u.a. gehören, *ist die Sekretionsrate und Plasmakonzentration starken Schwankungen unterworfen;* die Sekretionsrate stellt sich jeweils auf den wechselnden Bedarf ein. *Bei einer zweiten Gruppe* von Hormonen, deren typischster Vertreter das Thyroxin ist, *wird die Plasmakonzentration normalerweise konstant gehalten.* Die unterschiedliche Funktionsweise der Hormone ist in der Abb. 1 in Form von Blockschaltbildern dargestellt.

Hormone als Stellglieder in Regelungssystemen. In dem Schema der Abb. 1(A) nimmt das Hormon die Position eines „Stellgliedes" innerhalb des Regelkreises ein. Die Sekretionsrate des Hormons ist als die Stellgröße im Regelkreis aufzufassen. Als Regelgrößen wären — entsprechend dem eingesetzten Hormon — der Blutzuckerspiegel, der osmotische Druck des Blutes oder andere physiologische Größen, die normalerweise konstant gehalten werden, einzusetzen. Als „Meßwerk" fungieren spezifische Receptoren (Glucosereceptoren, Osmoreceptoren usw.), die einem „zentralen Regler" „Informationen" (in Form von Aktionspotentialen) über Abweichungen der Regelgröße von einem einzustellenden „Sollwert" (vgl. S. 539) zuleiten. Abweichungen der Regelgröße vom Sollwert werden verursacht durch Störgrößen (Veränderung der Oxidationsrate, Wasserzufuhr usw.). Der Regler sendet seinerseits „Informationen", sei es auf nervalem oder humoralem (Vermittlung durch ein weiteres, „glandotropes" Hormon, s. S. 658) Wege zu der endokrinen Drüse, wodurch deren Sekretionsrate gesteigert oder vermindert wird. Bei besonderen Leistungsanforderungen kann eine „Sollwertverstellung" (zu diesem Begriff s. S. 663) erfolgen.

Die Funktion der gemäß Abb. 1(A) wirkenden Hormone ist sehr ähnlich der, die das Nervensystem hat, das ja über die peripheren Nerven ebenfalls Steuerimpulse zu Organen leitet und damit deren Funktionen beeinflußt. Ein wesentlicher Unterschied zwischen der hormonalen und nervalen Steuerung von Organfunktionen besteht im Zeitfaktor: Die nervale Übertragung benötigt nur Bruchteile von Sekunden, während die hormonale Steuerung wesentlich träger arbeitet und Latenzzeiten von Minuten oder Stunden beansprucht.

Hormonkonzentrationen als geregelte Größen. Bei einer zweiten Gruppe von Hormonen ist gemäß Abb. 1(B) das Hormon selbst als die geregelte Größe anzusehen. Eine zeitlich konstante Hormonkonzentration ist hier Voraussetzung für den geordneten Ablauf verschiedenartiger Funktionen („permissive" Wirkung, s.o.). Unter besonderen Bedingungen (z.B. langanhaltende Kältebelastung) kann allerdings auch bei diesen Hormonen eine Änderung der Sekretionsrate und der Plasmakonzentration eintreten (Sollwertverstellung).

Gruppierung der Hormone nach ihrer Funktionsweise. Bezüglich der Funktionsweise lassen sich drei Gruppen von Hormonen unterscheiden: a) Hormone, die *unmittelbar auf Erfolgsorgane* einwirken, wie z.B. die Sexualhormone; man nennt sie danach *effectorische Hormone.* b) Hormone, deren Hauptwirkung darin besteht, die Bildung und Freisetzung der unter a) zusammengefaßten Hormone zu steuern; man nennt sie danach *„trope" oder glan-*

dotrope Hormone ((z.B. thyreotropes Hormon). c) Hormone, die von Nervenzellen des Hypothalamus gebildet werden; sie steuern die Bildung und Freisetzung der Hormone der Adenohypophyse, die ihrerseits vorwiegend trope Hormone produziert. Man nennt diese Hormone *Releasing-Hormone;* soweit sie die Freisetzung hemmen, *Release-inhibiting Hormone.* Über die Hormone der Gruppe c) erfolgt im wesentlichen die Ankopplung des endokrinen Systems an das ZNS.

Wirkungsmechanismus [27]. Die Hormonwirkungen werden gegenwärtig im wesentlichen auf eine *Verstärkung oder Verminderung der katalytischen Funktion bestimmter Enzyme* in den Zellen der Erfolgsorgane zurückgeführt. Dies geschieht durch 1) *Aktivierung (Hemmung) vorhandener Enzyme* unter Beteiligung von cyclischem Adenosinmonophosphat als Überträger („second messenger"; das Hormon wäre der „first messenger"). 2) *Erhöhung der Konzentration bestimmter Enzyme* in den Zellen der Erfolgsorgane (*„Enzyminduktion"*) durch Steigerung der Enzym-Biosynthese über eine Gen-Aktivierung. Dazu kommt noch 3) eine Beeinflussung von Membranpermeabilitäten, die ebenfalls über das cyclische AMP bewirkt wird. Zur Erklärung der *Spezifität der Hormonwirkungen* wird die Existenz von *hormonspezifischen Receptoren* an den Zellmembranen angenommen. Bisher ist jedoch noch für kein einziges Hormon der Wirkungsmechanismus vollständig und abschließend aufgeklärt worden. Bezüglich der Überlegungen zum Wirkungsmechanismus der einzelnen Hormone sei auf die Lehrbücher der Biochemie und Spezialwerke (z.B. [26, 27, 41]) verwiesen.

Inaktivierung. Die Funktion der Hormone als Regelkreisglieder setzt voraus, daß sie sich im Organismus nicht progressiv anreichern. Einer Anreicherung wird durch chemische Veränderung der Hormone im Erfolgsorgan (Inaktivierung) und durch die Harnausscheidung entgegengewirkt. Manche Hormone werden zusätzlich in anderen Organen (vor allem der Leber) inaktiviert. Die Wirkung spezieller Hormone kann außerdem durch die Sekretion antagonistisch wirkender Hormone aufgehoben werden.

1.3. Untersuchungsmethoden und Hormonsubstitution

Methodik der Endokrinologie. Der Grundversuch der experimentellen Endokrinologie besteht darin, daß man ein Organ, in dem man eine Hormonbildung vermutet, operativ entfernt oder zerstört und die danach auftretenden Veränderungen — die „**Ausfallserscheinungen**" — beobachtet. In einem zweiten Schritt muß gezeigt werden, daß die Ausfallserscheinungen durch Zufuhr von Extrakten behebbar sind, die aus der entsprechenden Drüse oder aus dem das mutmaßliche Hormon produzierenden Gewebe gewonnen werden: **Substitutionsexperiment.** Erst durch diesen zweiten Schritt wird der schlüssige Beweis erbracht, daß die nach Entfernung einer Drüse auftretenden Ausfallserscheinungen tatsächlich auf einem Mangel an einem spezifisch wirkenden stofflichen Prinzip beruhen. Entfernung der Leber oder der Nieren wird selbstverständlich erhebliche Ausfallserscheinungen hervorrufen, die jedoch nicht durch Zufuhr von Leber- oder Nierenextrakten zu beheben sind.

Zur *Substitution* muß der Drüsenextrakt parenteral verabfolgt werden, wenn das wirksame Prinzip ein Proteohormon ist, das bei peroraler Zufuhr durch die proteolytischen Fermente des Magen-Darm-Trakts abgebaut werden würde. Zur Herstellung von wirksamen Extrakten müssen nicht unbedingt die entsprechenden Drüsen von Artgenossen aufgearbeitet werden, denn — von einigen Ausnahmen abgesehen (z.B. Wachstumshormon) — sind Drüsenextrakte anderer Tierspecies gleich gut wirksam. Es ergibt sich daraus, daß die Hormone in der Regel *nicht artspezifisch* sind.

Weiteren Aufschluß über die Funktion der Hormone erhält man durch Zufuhr von Drüsenextrakten oder reinen Hormonen beim intakten Tier (*Überdosierungsexperimente*). Die Überdosierungsversuche sind insbesondere für die klinische Endokrinologie von Bedeutung, da sie eine eingehendere Analyse der Funktionsstörungen erlauben, die bei Menschen mit krankhafter Überfunktion einzelner Hormondrüsen vorliegen.

Bestimmung der Sekretionsrate eines Hormons. Eine grob quantitative Aussage über den Aktivitätszustand einer endokrinen Drüse ist vielfach durch eine *histologische Untersuchung* zu erhalten. Eine gesteigerte Sekretionsrate geht meist mit einer Vergrößerung der hormonproduzierenden Zellen einher.

Eine exakte Bestimmung der *Sekretionsrate* ist durch die Messung der Hormonkonzentration im Venenblut der betreffenden Drüse bei gleichzeitiger Bestimmung des Blutzeitvolumens (Durchblutung) der Drüse möglich. Die quantitative chemische Bestimmung der Hormonkonzentration im Blut ist bei Hormonen, die in nur sehr geringer Konzentration im Blut vorliegen (z.B. Adrenalin), äußerst schwierig oder unmöglich. In solchen Fällen muß man sich zur quantitativen Bestimmung der sog. *biologischen Nachweismethoden* bedienen. Hierzu wird das zu untersuchende Blut bzw. Plasma Kontrolltieren, bei denen meist die entsprechende Hor-

mondrüse zuvor entfernt wurde, injiziert und die Veränderung einer bestimmten biologischen Größe (z.B. Wasserausscheidung, Blutzuckerkonzentration des Blutes) gemessen. Eine Hormonmenge, die eine solche Größe um einen willkürlich festgelegten Betrag verändert, wird als *Hormoneinheit* (E oder IE = internationale Einheit) bezeichnet.

Abbaurate und Halbwertszeit. Eine weitere wichtige Methode der Endokrinologie ist die Erfassung der *Abbaurate* der einzelnen Hormone unter normalen und unter besonderen experimentellen Bedingungen (Erfassung des *Hormonverbrauchs*). Man bestimmt dazu nach Entfernung der das Hormon produzierenden Drüse den Abfall der Hormonkonzentration im Blut durch wiederholte Blutanalysen. Der Konzentrationsabfall ist normalerweise quantitativ durch eine negative Exponentialfunktion zu beschreiben. Ein einfaches Maß für die Geschwindigkeit des Abbaus stellt daher die *biologische Halbwertszeit des Hormons* dar.

Hormontherapie. Im Falle einer unzureichenden Funktion einer endokrinen Drüse können die betreffenden Hormone von außen zugeführt werden. Diese *Substitutionstherapie* muß, wenn es nicht zu einer Regenerierung der Drüsenfunktion kommt, lebenslang durchgehalten werden.
Eine ideale Hormontherapie würde erfordern, daß man ständig die Plasmakonzentration des zu substituierenden Hormons bzw. die Konzentration einer durch das betreffende Hormon gesteuerten physiologischen Größe (z.B. Blutzucker) kontrolliert. Normalerweise geschieht ja diese Kontrolle durch spezielle Receptororgane im Organismus (vgl. Abb. 1). Insbesondere bei den Hormonen, deren Blutspiegel starken Schwankungen unterworfen ist (Hormone gemäß Abb. 1(A)), wird man die physiologischen Verhältnisse bei der Substitutionstherapie natürlich nur in grober Weise nachahmen können.

2. Das hypothalamisch-hypophysäre System

Das hypothalamisch-hypophysäre System läßt sich nach morphologischen und funktionellen Gesichtspunkten in zwei Systeme gliedern (s. Abb. 2), nämlich in
1. ein System, bestehend aus den im Hypothalamus gelegenen Nucleus supraopticus et paraventricularis und der Neurohypophyse (Hypophysenhinterlappen), und
2. ein System, bestehend aus der sogenannten hypophysiotropen Zone des Hypothalamus, der neurohämalen Kontaktfläche in der Eminentia mediana [29] und dem Hypophysenvorderlappen (Adenohypophyse).

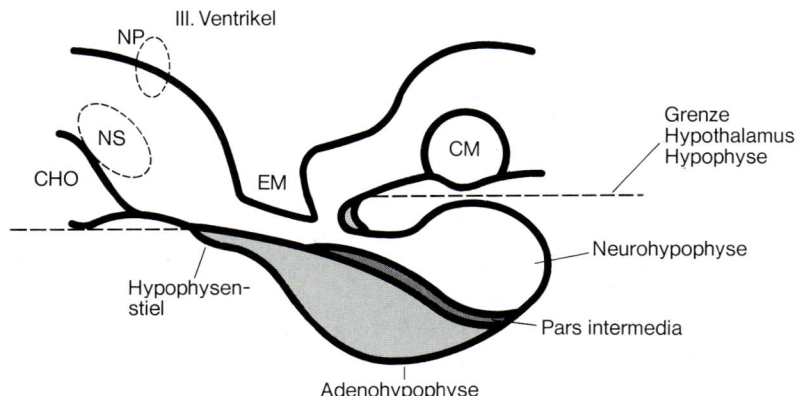

Abb. 2. Schematische Darstellung der Topographie von Hypothalamus und Hypophyse in einem Medianschnitt. NS Nucleus

supraopticus, NP Nucleus paraventricularis, CHO Chiasma opticum, CM Corpus mamillare, EM Eminentia mediana

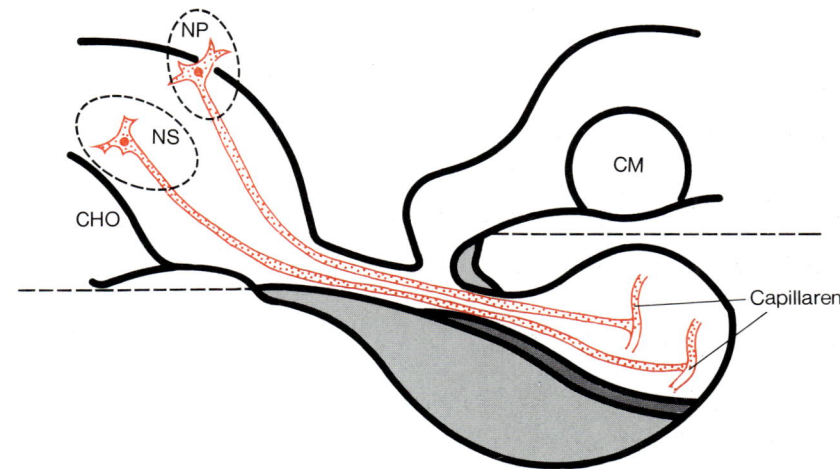

Abb. 3. Schematische Darstellung der Neurosekretion. Das Neu-
rosekret wandert aus großen Nervenzellen des Nucleus supraopticus und paraventricularis innerhalb der Neuriten zum Hypophysenhinterlappen (Neurohypophyse), wo die Abgabe der Hor-

mone Adiuretin und Ocytocin an das Blut erfolgt. CHO Chiasma
opticum, CM Corpus mamillare, NP Nucleus paraventricularis,
NS N. supraopticus

2.1. Neurohypophyse und funktionell zugeordnete Hypothalamuskerne

**Die Hormone der Neurohypophyse und ihre Wirkun-
gen.** Sowohl aus der Neurohypophyse wie aus dem
Zwischenhirn konnten zwei verschiedene Octapeptide, **Adiuretin** und **Ocytocin,** extrahiert werden.

Adiuretin konnte als das Hormon identifiziert werden, das die Diurese (vgl. XXVIII) hemmt. In höheren Konzentrationen hat Adiuretin einen blutdrucksteigernden Effekt, der ursprünglich einem eigenen
Hormon (Vasopressin) zugeschrieben wurde. Nach
neueren Untersuchungen sind *Adiuretin* und *Vasopressin* identisch. Ocytocin bewirkt beim Menschen
und im Tierversuch rhythmische Kontraktionen des
Uterus, jedoch nur während des Oestrus (s. S. 671),
am Ende der Schwangerschaft und nach der Geburt. Ausfall des Hormons führt bei Labortieren
(z.B. Kaninchen) zur Störung des Geburtsaktes.

Beim Menschen kann die Geburt auch nach Ausfall
von Ocytocin ungestört ablaufen. Ocytocin bewirkt
ferner eine Kontraktion des Myoepitheliums der
Milchgänge der Brustdrüse, wodurch eine Milchejektion hervorgerufen wird (s.a. S. 657).

Bildungsorte der Hormone. Die Hormone Adiuretin
und Ocytocin werden in den Nervenzellen des Nucleus supraopticus und des Nucleus paraventricularis gebildet (Abb. 2). Gebunden an eine körnchen-
förmige Trägersubstanz, die sich durch geeignete
Färbung (Gomori-Färbung) histologisch darstellen
läßt, werden die Hormone innerhalb der Neuriten
dieser Zellen, die den Tractus hypothalamo-hypo-
physeus bilden, über den Hypophysenstiel zum Hypophysenhinterlappen transportiert. Dort erfolgt
die Freisetzung des Hormons und seine Abgabe
an die Capillargefäße des Hypophysenhinterlap-
pens (Abb. 3). Diese Zusammenhänge wurden erst

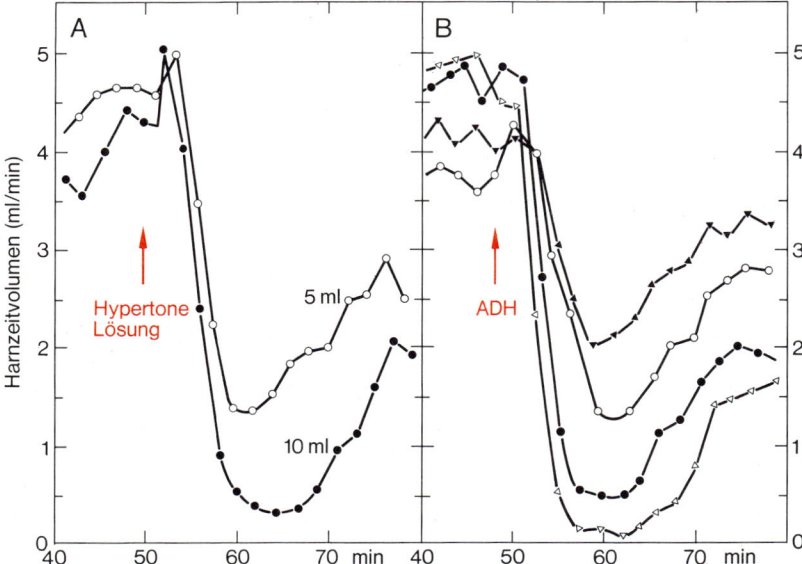

Abb. 4A u. B. Auslösung einer Antidiurese verschiedenen Grades. (A) Nach Injektion von 5 bzw. 10 ml einer 3fach hypertonen Kochsalzlösung in die A. carotis communis des Hundes. (B) Nach intravenöser Injektion von antidiuretischem Hormon in vier verschiedenen Dosen. Nach [44]

in den Jahren 1928 bis etwa 1947 aufgeklärt. Da bis zu dieser Zeit nicht bekannt war, daß Nervenzellen Sekrete produzieren können, hat man die Bildung der beiden Octapeptide als „Neurosekretion" besonders hervorgehoben. Es sprechen einige Befunde dafür, daß Adiuretin und Ocytocin an getrennten Orten gebildet werden, nämlich Adiuretin im Nucleus supraopticus, Ocytocin im Nucleus paraventricularis [13, 22, 37].

Steuerung der Hormonsekretion. Durch elektrische Reizung umschriebener Bezirke des vorderen Hypothalamus kann eine Freisetzung von Adiuretin und Ocytocin ausgelöst werden, wie Versuche an Ziegen [2] zeigten. Als Indikator für die Freisetzung der Hormone dient die Beobachtung einer Milchejektion aus den Brustdrüsen und Hemmung einer durch vorheriges Trinken hervorgerufenen Diurese (Antidiurese). Die Hormone werden nach ihrer Sekretion im Körper rasch abgebaut und ausgeschieden; ihre biologische Halbwertszeit beträgt nur etwa drei Minuten. Dies ist eine Voraussetzung für eine feinabgestufte Steuerung von Wasserausscheidung und Milchejektion.

Steuerung der Adiuretinsekretion. Der natürliche Reiz für die **Adiuretinsteuerung** ist die Erregung von **Osmoreceptoren.** Die Existenz solcher Osmoreceptoren wurde zunächst aufgrund der klassischen Experimente von VERNEY [44] postuliert. Er injizierte in die A. carotis von Hunden hypertone Kochsalzlösungen und beobachtete danach eine Abnahme des Harnzeitvolumens (Antidiurese), also die glei-

che Reaktion, wie sie nach der Applikation von Adiuretin eintritt (Abb. 4). Der gleiche Effekt wurde später durch Mikroinjektion von NaCl-Lösungen in den Bereich der Nuclei supraopticus und paraventricularis (vgl. Abb. 2, 3) erzielt. Es gelangen in diesem Bereich auch Ableitungen von Einzelfaser-Aktionspotentialen, deren Impulsfrequenz eine gute Korrelation zu der lokalen Osmolarität zeigte [12]. Nach neueren Untersuchungen werden die Osmoreceptoren vorzugsweise durch Na^+ erregt, überhaupt nicht dagegen durch hypertone Glucoselösung. Da NaCl einen großen Anteil an der Gesamtosmolarität hat, bedeutet diese selektive Empfindlichkeit der Osmoreceptoren keine Einschränkung des Konzepts von der Osmoregulation. Sehr wirksame Beeinflussungen der Adiuretinsekretion können durch Injektion hypertoner Kochsalzlösungen in den dritten Hirnventrikel ausgelöst werden [4]. Es wird danach vermutet, daß in den Ventrikel hineinragende Fortsätze von subependymal gelegenen Ganglienzellen als das eigenliche Receptorsystem anzusehen sind (bezüglich morphologischer Grundlagen, s. [45]).

Die Adiuretinsekretion kann auch von der Vena portae her durch Applikation von hypertonen oder hypotonen Kochsalzlösungen beeinflußt werden; es wäre danach ein weiterer Satz von Osmoreceptoren anzunehmen [21]. Bezüglich der Beeinflussung der Adiuretinsekretion durch Dehnungsreceptoren im Niederdrucksystem, s. S. 430. Man muß annehmen, daß in den beiden zuletzt genannten Fällen die Informationsübertragung von den Receptionsorganen zu den neurosekretorischen Zellen über im N. vagus verlaufende afferente Fasern erfolgt.

Nach den beschriebenen Steuerungsvorgängen kann man das *Adiuretin als Glied eines Regelkreises zur Konstanthaltung des osmotischen Drucks* der Körpersäfte ansehen. Das in Abb. 1(A) gegebene Schema wäre zu wählen, wenn man die Stellung von Adiuretin in einem solchen Regelkreis angeben will.

Steuerung der Ocytocinsekretion. Der natürliche — oder zumindest einer der natürlichen Reize für die Sekretion von **Ocytocin** ist der Saugreiz an der Brustwarze. Man muß annehmen, daß von der Brustwarze ausgehende mechanosensible afferente Bahnen im Hypothalamus Verbindung mit den Bildungsstellen des Ocytocin aufnehmen. Mit dem hier vorliegenden „Milchejektionsreflex" haben wir ein Beispiel für einen gemischten *nerval-hormonalen Reflexbogen*; der afferente Schenkel wird durch eine Nervenbahn, der efferente durch eine hormonale Transmission dargestellt. In diesem Zusammenhang interessiert die Latenzzeit zwischen Reiz an der Brustwarze und Milchejektion [11]: sie beträgt nach Untersuchungen am Kaninchen nicht mehr als 30 s. Diese Zeit liegt größenordnungsmäßig im Bereich der Kreislaufzeit. Die Reaktionslatenz ist also zu einem großen Teil durch die Transportgeschwindigkeit des Blutes gegeben.

Nach Untersuchungen an Ziegen und Kühen steigt der Ocytocinspiegel des Plasmas, der vor der Geburt fast Null ist, in der Mitte des Geburtsverlaufs scharf an [36]. Über den natürlichen Steuerungsmechanismus des Ocytocins im Zusammenhang mit den Geburtsvorgängen (s. auch S. 672) besteht bisher noch keine Klarheit.

2.2. Adenohypophyse und hypophysiotrope Zone des Hypothalamus

Funktionelle Beziehungen zwischen Hypothalamus und Hypophyse [40]. Im Bereich der hypophysiotropen Zone des Zwischenhirns (Abb. 5) befinden sich kleine hormonproduzierende Nervenzellen, die erst viel später als die größeren neurosekretorischen Zellen der Nuclei supraopticus und paraventricularis entdeckt wurden. Das Gebiet dieser Zellen, die die sog. **Releasing-Hormone** bilden (s. Tabelle 1), wird als **hypophysiotrope Zone** bezeichnet, weil von hier aus eine *Steuerung der Sekretion der Adenohypophysen-Hormone* erfolgt. Da die Adenohypophyse ihrerseits die Sekretion zahlreicher nachgeordneter Hormone steuert, *stellt die hypophysiotrope Zone einen Knotenpunkt in der Verbindung von Nervensystem und endokrinem System dar.*

Pfortadersystem der Hypophyse. Die Hormone der hypophysiotropen Zone gelangen über ein eigentümliches Gefäßsystem, das „*Pfortadersystem der Hypophyse*" (Abb. 5), in die Adenohypophyse [22, 40]. Das Pfortadersystem der Hypophyse wird aus Ästen der A. hypophysea superior gebildet, die sich in zwei hintereinander geschaltete Capillarnetze aufzweigen. An den Capillarwänden des ersten Netzes enden Axone der sekretorischen Neurone der hypophysiotropen Zone (hämoneurale Kontaktzone). Die Releasing-Hormone gelangen nach Permeation durch diese Capillarwände in das zweite Capillarnetz und von da an ihren *Zielort,* die *Hormonbildungszellen* der Adenohypophyse.

Die Releasing-Hormone [33]. Es sind in den letzten Jahren in kurzer Folge für alle bekannten tropen

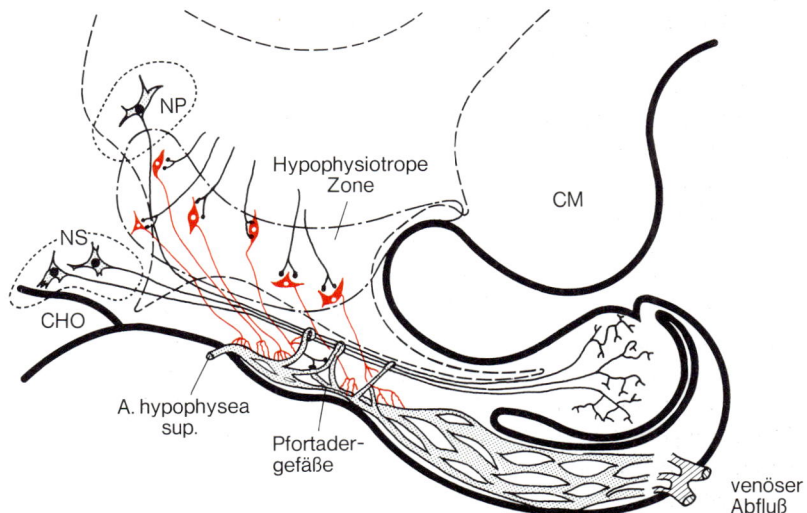

Abb. 5. Schematische Darstellung des Pfortadersystems der Hypophyse. Die aus kleinen Nervenzellen der hypophysiotropen Zone entspringenden Neuriten befördern die Releasing-Faktoren zu den sinusoidalen Gefäßen und den von diesen abgehenden Capillarschlingen. Übrige Bezeichnungen wie in Abb. 2. Nach [40]

Hormone der Adenohypophyse sowie für das Wachstumshormon Releasing-Hormone nachgewiesen worden. Zusätzlich fanden sich drei inhibitorische Hormone. Die Namen und Abkürzungen der Releasing-Hormone sind in Tabelle 1 zusammengestellt.

Die Konstitution der Releasing-Hormone ist in den Jahren seit 1969 aufgeklärt worden. Es handelt sich um Peptide mit z.T. geringer Anzahl von Aminosäuren und demgemäß niedrigem Molekulargewicht (293 bis 28000). Das TRF besteht aus nur drei Aminosäuren [18]. Ein Teil der Releasing-Hormone konnte bereits synthetisiert werden (z.B. TRF, LH-RF [14, 32]). Damit ist ein therapeutischer Einsatz in größerem Rahmen ermöglicht worden.

2.3. Hormone der Adenohypophyse

Die Ausfallserscheinungen, die nach Entfernung der Hypophyse auftreten, lassen sich auf den Ausfall von sechs verschiedenen Hormonen zurückführen (Tabelle 2). Fünf dieser Hormone werden als *glandotrope Hormone* bezeichnet, da ihre Wirkung ganz oder nahezu ganz auf der Beeinflussung anderer peripherer endokriner Drüsen beruht. Als sechstes Hormon ist das somatotrope Hormon oder *Somatotropin* (STH; Wachstumshormon) zu nennen, das nach unseren heutigen Kenntnissen keine glandotropen Eigenschaften hat, sondern als *effectorisches Hormon* unmittelbar Wirkungen im Organismus entfaltet. Die in Tabelle 2 unter 1–3 genannten Hormone werden auch als *gonadotrope Hormone* zusammengefaßt. Das luteinisierende Hormon (LH) ist mit dem ICSH identisch.

Bildungsort der Hormone. Die genannten Hormone der Adenohypophyse werden in histochemisch unterscheidbaren Zelltypen der Adenohypophyse gebildet; leicht trennbar sind schon durch Anwendung von sauren und basischen Farbstoffen die sog. *acidophilen, basophilen* und *chromophoben* Zellen. Durch zusätzliche histochemische Methoden lassen sich die drei Zelltypen weiter aufspalten. In den Untertypen der acidophilen Zellen werden das Wachstumshormon und das Prolactin gebildet; in den basophilen Zellen die Gonadotropine FSH und LH sowie das Thyreotropin; in den chromophoben Zellen wird das ACTH gebildet. In einem weiteren basophilen Zelltyp wird *MSH (melanocytenstimulierendes Hormon)* gebildet, das beim Menschen aber nur eine untergeordnete Bedeutung hat; bei Reptilien wird MSH in der Pars intermedia der Hypophyse gebildet, die beim Menschen zurückgebildet ist.

Tabelle 1. Die Releasing-Hormone

Stimulierende Releasing-Hormone:

CRF	(**C**orticotropin Hormone **R**eleasing **F**actor)
TRF	(**T**hyreotropin **R**eleasing **F**actor), auch als TSH-RF bezeichnet
LH-RF	(**L**uteinizing **H**ormone **R**eleasing **F**actor)
FSH-RF	(**F**ollicle **S**timulating **H**ormone **R**eleasing **F**actor)
PRF	(**P**rolactin **R**eleasing **F**actor)
GRF	(**G**rowth Hormone **R**eleasing **F**actor)

Inhibitorische Releasing-Hormone:

PIF	(**P**rolactin **I**nhibitory **F**actor)
MSH-IF	(**M**elanocytes **S**timulating **H**ormone — **I**nhibitory **F**actor)
GIF	(**G**rowth Hormone **I**nhibiting **F**actor) [6]

Die Bezeichnungen und Abkürzungen sind noch nicht einheitlich festgelegt worden. In zunehmendem Maße wird an Stelle von „F" (Faktor) „H" (Hormon) gesetzt. LH-RF und FSH-RF sollen nach neueren Untersuchungen identisch sein.

Tabelle 2. Die Hormone der Adenohypophyse (mit international gebräuchlichen Abkürzungen)

A. *Glandotrope Hormone*
1. Follikelstimulierendes Hormon (FSH) ⎫
2. Luteinisierendes Hormon (LH) ⎪
   identisch mit: ⎪ gonado-
   Interstitial Cells Stimulating (ICSH) ⎬ trope
   Hormone   ⎪ Hormone
3. Luteotropes Hormon (LTH) ⎪
   (Prolactin, Lactogenes Hormon) ⎭
4. Thyreotropes Hormon (TSH)
5. Adrenocorticotropes Hormon (ACTH)

B. *Effectorisches Hormon*
6. Somatotropes Hormon (STH)
   (Somatotropin, Wachstumshormon)

Glandotrope Hormone der Adenohypophyse. Die fünf glandotropen Hormone (s. Tabelle 2) werden bei ihren *Zielorganen*, den *Gonaden*, der *Schilddrüse* und der *Nebennierenrinde*, im einzelnen zusammen mit den entsprechenden effectorischen Hormonen behandelt. Im folgenden erfolgt nur eine kurze Charakterisierung.

Die gonadotropen Hormone. Durch die Zufuhr der gonadotropen Hormone kann die nach tierexperimenteller Entfernung der Adenohypophyse ausbleibende Entwicklung der Keimdrüsen und der sekundären Geschlechtsmerkmale wieder in Gang gesetzt werden. FSH und ICSH sind bei weiblichen und männlichen Individuen identisch, sie stellen also *geschlechtsunspezifische Hormone* dar. Ob LTH im männlichen Organismus vorkommt, ist nicht geklärt. FSH und LH sind Glykoproteide, das LTH ein Polypeptid.

Das thyreotrope Hormon (TSH = Thyroid Stimulating Hormone), das wie die beiden gonadotropen Hormone, FSH und ICSH, ein Glykoproteid darstellt, stimuliert das Wachstum der Schilddrüse und steuert die Bildung und Freisetzung von Schilddrüsenhormon. Das Hormon zirkuliert im Plasma gebunden an ein γ-Globulin. Der Plasmaspiegel des Hormons liegt bei 1–2 µg/l.

Das adrenocorticotrope Hormon (ACTH) ist für das Wachstum und die Funktionsfähigkeit zweier der drei Schichten (s. S. 660) der Nebennierenrinde, der Zona fasciculata und der Zona reticularis, notwendig. Es steuert die vorzugsweise in der Zona fasciculata ablaufende Bildung des Cortisols sowie seine Sekretion. Das Wachstum und die Funktionsfähigkeit der dritten Schicht, der Zona glomerulosa, bedarf nicht der Stimulierung durch ACTH; auch die Sekretion des in dieser Schicht gebildeten Aldosterons erfolgt unabhängig von ACTH.

Das ACTH stellt ein kleines Polypeptid, gebildet aus nur 39 Aminosäuren, dar. Der Plasmaspiegel von ACTH ist großen Schwankungen unterworfen und liegt in der Größenordnung von 3–10 µg/l. Innerhalb der Säugerklasse weist das ACTH hinsichtlich der Wirkung *keine* Artspezifität auf, obgleich nur eine Sequenz von 20 Aminosäuren von Art zu Art identisch ist.

In stärkerem Maße als die anderen tropen Hormone der Adenohypophyse besitzt ACTH eine sog. *extraadrenale Wirkung,* d.h. es wirkt unmittelbar auf nicht-endokrine Zielorgane ein. Eine sehr sinnfällige extraadrenale Wirkung, die allerdings nur bei Überproduktion des ACTH auftritt, ist die Stimulierung der Hautpigmentierung (s. Morbus Addison, S. 664). Dies ist eine Wirkung, die bei Fischen und Reptilien durch ein spezielles Hormon, MSH (Melanocytenstimulierendes Hormon), hervorgerufen wird und in der konstitutionellen Ähnlichkeit der beiden Hormone eine Erklärung findet. Eine weitere extraadrenale Wirkung des ACTH besteht in der Mobilisierung von Fett aus Fettgewebe, welche *in vitro* nachweisbar ist. ACTH wirkt ferner auf den Abbau von Cortisol in der Leber ein.

Somatotropin und seine Wirkungen. Das Somatotropin (Wachstumshormon, STH) ist ein Polypeptid, dessen Plasmaspiegel normalerweise im Ruhezustand zwischen 0 und 3 µg/l schwankt. Es ist wahrscheinlich an ein α₂-Globulin gebunden. Seine biologische Halbwertszeit ist kleiner als eine Stunde. Im Gegensatz zu zahlreichen anderen Hormonen ist STH *artspezifisch.* So bewirkt beispielsweise STH des Rindes kein Wachstum bei Mensch und Affe. Zum therapeutischen Einsatz beim Menschen muß deshalb menschliches STH verwendet werden,

das man aus operativ entfernten acidophilen Geschwülsten der Hypophyse gewinnen kann.

Im Gegensatz zu den bisher genannten „tropen" Hormonen der Adenohypophyse wirkt das STH nicht über ein nachgeordnetes Hormon, sondern direkt auf zahlreiche Zielfunktionssysteme ein.

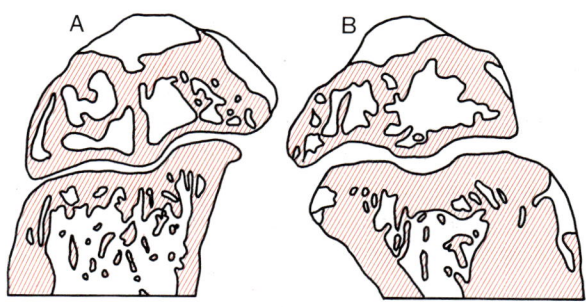

Abb. 6A u. B. Wirkung des Wachstumshormons auf die Ausbildung der proximalen Tibia-Epiphyse. (A) Tibia einer unbehandelten hypophysektomierten Ratte. (B) Tibia einer hypophysektomierten Ratte, die vier Tage lang mit Wachstumshormon behandelt wurde. Die Breitenzunahme der Epiphysenfuge ist proportional dem Logarithmus der zugeführten Hormonmenge. Stilisiertes Röntgenbild nach [17]

Die *Wachstumswirkung des STH* läßt sich zunächst auf eine Förderung der enchondralen Verknöcherung, die die Grundlage des Längenwachstums der Knochen ist, zurückführen. Wie die Abb. 6 zeigt, tritt bei adenohypophysektomierten Ratten innerhalb weniger Tage nach Substition mit STH eine Verbreiterung der Epiphysenfuge auf. Es besteht hier eine so strenge quantitative Beziehung zwischen Breitenzunahme der Epiphysenfuge und zugeführter Hormonmenge, daß man die Reaktion als qualitative Nachweismethode für STH verwendet hat, solange die moderne radioimmunbiologische Nachweismethode nicht zur Verfügung stand.

Wenn nach Abschluß der Pubertät unter Einwirkung der Androgene eine Verknöcherung der knorpeligen Epiphysenfugen eingetreten ist, hat STH keinen Einfluß mehr auf das Längenwachstum. Lediglich das apophysäre und periostale Knochenwachstum kann noch gefördert werden. Bei im Erwachsenenalter eintretender Überproduktion von STH kommt es daher zu plumpen Deformierungen und Verdickungen der Knochen; insbesondere fällt eine Vergrößerung der Nase und des Kinns und von Händen und Füßen auf. Man nennt dieses Krankheitsbild *Akromegalie.* Bei überschüssiger Zufuhr bzw. endogener Produktion von STH im jugendlichen Alter wird *Riesenwuchs* hervorgerufen. Als Extremfall eines hypophysären Riesenwuchses wurde ein Mann bekannt, der eine Größe von nahezu 2,50 m erreicht hatte. Bei Fehlen des STH im Kindesalter bleibt die Körpergröße unter Umständen in der Größenordnung von 1 m oder weniger stehen. Die Körperproportionen sind bei diesem hypophysären Zwergwuchs normal, im Gegensatz zum sog. hypothyreotischen Zwergwuchs (s. S. 666).

Stoffwechselwirkungen des STH. STH beeinflußt die Eiweiß-Fett-Wasserrelation im Organismus und zwar so, daß der Protein- und Wassergehalt zu-, der Fettgehalt abnimmt. Unter der Einwirkung von STH gleicht sich also die Gewebszusammensetzung der des wachsenden Organismus an. Mit dem Ansatz von Protein (*anabole Wirkung*) geht eine Verminderung der Stickstoffausscheidung einher. Bei der Wirkung von STH auf Fett- und Kohlenhydratstoffwechsel muß man kurzfristige und langfristige Wirkungen unterscheiden. Eine Einzelinjektion von STH führt zu einer vorübergehenden Senkung des Glucosespiegels und der Konzentration an freien Fettsäuren (FFA) im Plasma; diese Reaktion wird als der „insulinähnliche Effekt des STH" bezeichnet. Mehrere Stunden nach einer STH-Verabfolgung treten Lipolyse mit Anstieg der FFA in Erscheinung, der Blutzuckerspiegel steigt. Letzteres beruht auf einer gesteigerten Gluconeogenese und einer Hemmung der Glucosephosphorylierung. Der langfristige Effekt wird als *kontrainsulinärer* oder *diabetogener* Effekt bezeichnet [36, 46]. Bei Vorhandensein eines Insulinmangelzustandes kann man deshalb bei manchen Tierspecies durch Entfernung der Adenohypophyse eine gewisse Stabilisierung des Stoffwechsels erzielen. Die genannten langfristigen Stoffwechseleffekte des STH entsprechen der bekannten klinischen Beobachtung, wonach bei hypophysärem Zwergwuchs Neigung zu Hypoglykämie und hypoglykämischem Schock, bei Riesenwuchs bzw. Akromegalie zu Hyperglykämie besteht.

Steuerung der STH-Sekretion. Der Plasmaspiegel des STH zeigt erhebliche Schwankungen. Die Frage ist, durch welche Faktoren die Sekretionsrate des STH beeinflußt wird. Gegenwärtig weiß man soviel, daß eine Senkung des Blutzuckerspiegels zu einer sofortigen Ausschüttung von STH, vermittelt über den Releasing Faktor GRF, führt. STH ist also an der Regelung des Blutzuckerspiegels beteiligt (s. S. 677 u. Abb. 18). Damit jedoch ist seine biologische Bedeutung nur unvollkommen beschrieben, denn die Sekretionsrate des STH hängt auch vom Aminosäurespiegel und vom FFA-Spiegel des Plasmas ab und zwar so, daß ein Anstieg der Aminosäuren und Fettsäuren im Plasma die Sekretionsrate steigern [36].

3. Die von der Adenohypophyse gesteuerten inkretorischen Drüsen und Hormone

Fünf der sechs tropen Hormone der Adenohypophyse entfalten ihre Wirkung im wesentlichen über die Steuerung nachgeordneter Hormone, nämlich über die *Glucocorticoide der Nebennierenrinde, das Thyroxin der Schilddrüse* und über *die Sexualhormone der männlichen bzw. weiblichen Keimdrüsen.* Die Funktion der entsprechenden inkretorischen Drüsen ist somit in besonderer Weise abhängig von der Funktion des im vorangegangenen Abschnitt behandelten hypothalamisch-hypophysären Systems. Wegen dieser Gemeinsamkeit werden sie hier in einem Abschnitt zusammengefaßt. Nebenniere und Schilddrüse produzieren noch weitere Hormone, nämlich Aldosteron und Calcitonin, deren Bildung und Sekretion nicht unmittelbar der Einwirkung des hypothalamo-hypophysären Systems untersteht. Sie werden an anderer Stelle besprochen.

3.1. Die Nebennierenrinde und die Glucocorticoide

Die Nebenniere ist aus zwei entwicklungsgeschichtlich, morphologisch und funktionell verschiedenartigen Anteilen, der **Rinde (Cortex)** und dem **Mark (Medulla)**, aufgebaut.

Die Rinde entwickelt sich beiderseits aus einer Falte des Coelomepithels, aus der auch die Keimdrüse hervorgeht. In den fetalen Cortex wandern im Verlauf der 5. Fetalwoche aus den Bauchganglien des Sympathicus Zellelemente ein, aus denen die hormonbildenden Zellen des Marks hervorgehen. Diese Ontogenese der Nebenniere macht sowohl die nahe Verwandtschaft von Nebennierenrindenhormonen und Sexualhormonen (bei beiden handelt es sich um Steroide — s.u.) als auch den Synergismus von sympathischem Nervensystem und Nebennierenmarkhormonen (s. S. 673) verständlich.

Die **Nebennierenrinde** ist beim Menschen aus drei Schichten, der außen liegenden *Zona glomerulosa,* der *Zona fasciculata* und der an das Mark angrenzenden *Zona reticularis,* aufgebaut. Die Rindenzellen haben im Gegensatz zu den Markzellen keine Verbindung mit dem sympathischen Nervensystem.

Die Nebenniere ist stark *vascularisiert.* Die Blutzufuhr erfolgt über drei Arterien, während das Venenblut über ein einziges Gefäß, die V. suprarenalis, abgeleitet wird. Es ist daher möglich, durch Einführung eines Katheters in diese Vene das gesamte aus der Nebenniere abfließende Blut aufzufangen, was für die Bestimmung der Sekretionsrate der Hormone von Bedeutung ist.

Die Hormone der Nebennierenrinde. In der Nebennierenrinde (NNR) finden sich zahlreiche Steroidderivate, von denen ca. 30 in keinem anderen Organ gebildet werden; diese sind also charakteristisch für die NNR und werden daher als **Cortico**steroide oder kurz als **Corticoide** bezeichnet. Nur einige der Corticoide vermögen allerdings die Ausfallserscheinungen, die nach Entfernung der Nebenniere auftreten, zu kompensieren. Als Hormone secerniert werden beim Menschen schließlich nur drei Corticoide, das **Cortisol** (Hydrocortison), das **Aldosteron** und in geringerem Ausmaß das **Corticosteron**. Daneben spielen in einigen Entwicklungsphasen noch Corticoide mit androgener Wirkung eine Rolle. Das Aldosteron wird in der außen liegenden Zona glomerulosa gebildet, Cortisol und Corticosteron in der Zona fasciculata und reticularis. Die androgen wirkenden Corticoide werden in der Zona reticularis gebildet.

Ausfallserscheinungen nach Entfernung der Nebennierenrinde. Doppelseitige Entfernung der Nebenniere führt beim Menschen wie bei allen Labortieren innerhalb von ein bis zwei Wochen zum Tod, wenn keine Substitutionstherapie vorgenommen wird. Die deletären Folgen lassen sich im wesentlichen auf eine übermäßige Ausscheidung von NaCl und Wasser mit den entsprechenden schwerwiegenden Folgen für den Kreislauf (Bluteindickung) zurückführen. Durch Zufuhr von Corticoiden lassen sich die Störungen im Elektrolyt- und Wasserhaushalt korrigieren, wozu allerdings erheblich unterschiedliche Mengen der betreffenden Corticoide erforderlich sind; hinsichtlich dieser „mineralocorticoiden" Wirkung steht Aldosteron an der Spitze. Cortisol und Corticosteron entfalten eine ausreichende „mineralocorticoide" Wirkung erst bei Plasmakonzentrationen, die den normalen Wert überschreiten; sie zeigen jedoch bereits in kleinen Konzentrationen charakteristische Wirkungen im Kohlenhydrat-Stoffwechsel, von denen die hervorstechendste eine Neubildung von Glucose (Gluconeogenese) ist. Sie werden deshalb als **Glucocorticoide** bezeichnet. Glucocorticoide und mineralocorticoide Eigenschaften der Corticoide verhalten sich annähernd reciprok. Bei Aldosteron ist die glucocorticoide Eigenschaft praktisch Null.

Die Wirkungen der Glucocorticoide. Wenn nach Zerstörung der NNR die lebensbedrohlichen Störungen des Wasser- und Elektrolythaushaltes durch Aldosteron kompensiert worden sind, verbleiben Störungen, die durch Gaben von Cortisol ausgeglichen werden können. Die eingehende Analyse dieser Ausfallserscheinungen ergab folgendes Wirkungsspektrum für Cortisol:

Gluconeogenese. Die Senkung des Blutglucosespiegels (Hypoglykämie) und die damit verknüpfte Überempfindlichkeit gegenüber Insulin werden durch Substitution mit Cortisol aufgehoben. Diese Wirkung des Cortisols läßt sich auf eine Gluconeogenese zurückführen, d.h. auf die Bildung von Glucose aus Aminosäuren. Das Cortisol beeinflußt diesen Prozeß unter anderem dadurch, daß es die Aktivitäten einiger für die Gluconeogenese erforderlichen Enzyme steigert. Durch die Neubildung von Glucose nach Cortisolgabe wird der nach NNR-Zerstörung reduzierte Glykogenbestand der Leber wieder ergänzt. Die Wiederauffüllung des Glykogendepots erfolgt in ziemlich strenger Abhängigkeit von der zugeführten Dosis von Corticoiden, so daß die Bestimmung des Leberglykogens bei adrenektomierten Tieren ein geeignetes Verfahren zur Bestimmung der glucocorticoiden Wirkung der einzelnen Corticoide darstellt.

Katabole Wirkung. Mit der Gluconeogenese verknüpft ist ein verminderter Einbau von Aminosäuren in das Körpereiweiß und eine erhöhte N-Ausscheidung; die Glucocorticoide wirken somit unter bestimmten Bedingungen *katabol.* Dieser Effekt erlangt erst bei überschüssiger Cortisolproduktion unter pathologischen Bedingungen eine Bedeutung.

Lipolyse. Bei Ausfall von Glucocorticoiden ist die Mobilisierung und Freisetzung von Fettsäuren aus Fettgewebe — die Lipolyse — gestört. Der lipolytische Effekt hat in vivo jedoch geringere Bedeutung als die Gluconeogenese.

Wasserhaushalt. Bei Mangel an Cortisol kann im Überschuß zugeführtes Wasser nicht hinreichend schnell ausgeschieden werden, so daß es bei starker Wasserzufuhr zur Wasserintoxikation kommt. Eine Normalisierung der Wasserausscheidung wird durch zusätzliche Gaben von Cortisol erzielt. Der Effekt beruht z.T. auf einer Steigerung der Glomerulusdurchblutung und der Filtrationsrate. Daneben ist aber auch mit einer spezifischen Wirkung auf den Mechanismus der Freiwasserclearance zu rechnen. Der Nachweis einer gestörten Wasserausscheidung stellt eine wichtige Maßnahme zur Diagnose einer Nebenniereninsuffizienz dar [46].

Kreislauf. Der bei schwerer Nebenniereninsuffizienz auftretende Kreislaufkollaps läßt sich durch Noradrenalin (vgl. S. 674) nicht wirksam bekämpfen, da die normalerweise einsetzende periphere Vasoconstriction ausbleibt. Nach Substitution mit Glucocorticoiden tritt der vasoconstrictorische und damit blutdrucksteigernde Effekt des Noradrenalins wieder in Erscheinung. Man folgert daraus, daß die Vasomotoren durch Corticoide gegenüber Noradrenalin sensibilisiert werden.

Wirkungen auf celluläre und humorale Abwehrvorgänge. Bei Unterfunktion der Nebennierenrinde wird eine Vergrößerung des Thymus und der Lymphknoten beobachtet. Substitution mit Cortisol wirkt diesen Veränderungen entgegen; Aldosteron ist wirkungslos. Durch höhere („pharmakologische") Dosen von Cortisol wird eine Involution von Thymus und Lymphknoten hervorgerufen; in geringerem Grade wird auch die Milz betroffen. Die Involution dieser Organe beginnt mit einer raschen Zerstörung der eingelagerten Lymphocyten, später kann es auch zur Degeneration der Reticulumzellen kommen; auch im Blut sinkt die Zahl der Lymphocyten ab. Der Abbau des lymphatischen Gewebes erklärt die *Hemmung der Antikörperproduktion* (vgl. XVII) durch die Glucocorticoide.

Auch die **lokale Entzündung,** die auf Vasodilatation, Diapedese (Austritt von Leukocyten aus den Capillaren) und Exsudation besteht, wird durch Cortisol gehemmt. Diese *antiphlogistische (entzündungshemmende) Wirkung* wird therapeutisch bei rheumatischen Gelenkerkrankungen, die Unterdrückung der Antikörperbildung zur Behandlung sog. allergischer Reaktionen (z.B. Asthmaanfall; anaphylaktischer Schock) ausgenutzt. Die antiphlogistische Wirkung tritt ebenso wie die Hemmung der Antikörperbildung allerdings erst bei Dosen auf, die ein Vielfaches der im Organismus vorkommenden Sekretiosrate betragen. Bemerkenswert ist noch die Tatsache, daß die Zahl der eosinophilen Granulocyten, die ebenfalls in Zusammenhang mit Antigen-Antikörperreaktionen steht, durch Glucocorticoide gesenkt wird. Dieser Effekt kann diagnostisch ausgenutzt werden, wenn es darum geht zu zeigen, ob die Nebennierenrinde auf ACTH reagiert (vgl. S. 659).

Regelung der Glucocorticoidkonzentration im Blut und Gewebe. Die Glucocorticoide gehören zu den Hormonen, deren *Konzentration im Plasma* bzw. im Gewebe über mehr oder weniger lange Zeit *durch Regelungsvorgänge gemäß Abb. 1(B) konstant gehalten wird.* Unbeantwortet ist bisher die Frage, ob man die Plasmakonzentration oder die Konzentration in bestimmten Zellen als „geregelte Größe" ansehen soll. Zu berücksichtigen ist dabei noch, daß ca. 80% des Plasma-Cortisols an ein α-Globulin (Transcortin) gebunden ist; ca. 10% ist an die Erythrocytenmembranen adsorbiert; nur ein kleiner Teil kommt also frei im Plasma vor. Für die folgende Betrachtung ist es jedoch unerheblich, welche Konzentration als Regelgröße zu betrachten ist, da die Konzentrationsverhältnisse zwischen gebundenem, ungebundenem Plasmacorticoid und Zellcorticoid allein durch physikalische Gesetzmäßigkeiten, nämlich Massenwirkungsgesetz und Diffusionsgesetz bestimmt werden [49].

Einige Elemente des **Regelungssystems zur Einstellung der Cortisolkonzentration** sind bereits in vorausgehenden Abschnitten beschrieben worden. Zu-

sammenfassend ergibt sich folgendes Bild: Das in der hypophysiotropen Zone des Hypothalamus (S. 657) gebildete Releasing-Hormon CRF gelangt über das Pfortadersystem in die Adenohypophyse und bewirkt hier die Freisetzung des ACTH (Abb. 7), das auf dem Blutweg zur Nebennierenrinde gelangt und dort die Freisetzung der Glucocorticoide bewirkt. Bewiesen wurde die hier beschriebene Steuerung im wesentlichen durch zwei Gruppen von Experimenten [49]:

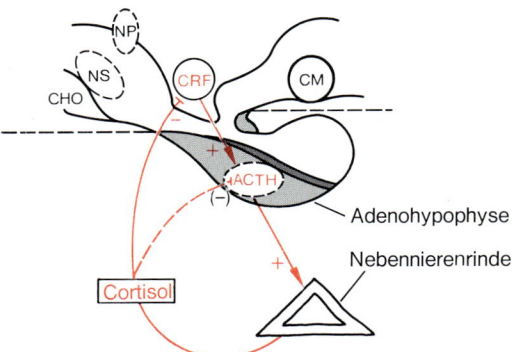

Abb. 7. Schematische Darstellung der Steuerung der Glucocorticoidsekretion der Nebennierenrinde über CRF und ACTH sowie der negativen Rückkopplung, durch die hauptsächlich die CRF-Sekretion (ACTH in nur geringem Grade) gehemmt wird. Übrige Bezeichnungen wie Abb. 2

1. Nachweis einer gesteigerten ACTH- und Glucocorticoidsekretion nach elektrischer Reizung der Eminentia mediana (Abb. 2, 5, 7).
2. Nachweis, daß die normalerweise bei Stressoreinwirkung (s. S. 663) auftretende Steigerung der ACTH- und Cortisolsekretionsrate nach Elektrokoagulation umschriebener Stellen der Eminentia mediana ausbleibt.

Die unter (2) genannten Befunde waren zugleich ein Beweis dafür, daß die Bildung von Releasing-Faktor in der hypophysiotropen Zone unter der Kontrolle höherer zentralnervöser Strukturen steht; diese erhalten und verarbeiten ihrerseits Signale aus der Körperperipherie (u.a. auch aus Sinnesorganen). Die Ergebnisse eröffnen auch Zugang zu dem Verständnis von Befunden, wonach sich das emotionale Befinden und Verhalten in der Nebennierensekretion widerspiegelt [38].

Negative Rückkopplung. Mikroinjektion von Glucocorticoiden in die hypophysiotrope Zone bewirkt eine starke Reduktion der ACTH-Sekretion. Eine weit schwächere Beeinflussung der ACTH-Sekretion tritt bei Mikroinjektion in die Adenohypophyse auf [13, 22, 49]. Man vermutet danach, daß *Glucocorticoidreceptoren,* von denen aus die CRF-Sekretion im Sinne einer negativen Rückkopplung beeinflußt wird, im wesentlichen in der hypophysiotropen Zone gelegen sind (s. Abb. 7).

Sollwertverstellung bei Belastung. Die Cortisolkonzentration steigt bei zahlreichen Belastungen („Streß", s.u.) an, was nach dem hier dargestellten Regelungsmodell als „Sollwertverstellung" aufzufassen wäre (bezüglich des Begriffes „Sollwert" s.a. allgemeine Bemerkungen im Kapitel Thermoregulation S. 539).

Die Verifizierung einer solchen Vorstellung ist durch Experimente folgender Art gelungen [48]: Man läßt bei einem Tier einen Reiz („Stressor") einwirken (z.B. starken Schallreiz), der eine Steigerung der Glucocorticoidsekretion auslöst und damit den Glucocorticoidspiegel erhöht. In einem zweiten Versuch wird *vor* Einwirkung des gleichen Reizes der Glucocorticoidspiegel durch äußere Zufuhr von Glucocorticoiden auf den Wert gebracht, der im Experiment 1 *nach* dem Reiz erreicht wird. Wenn eine Sollwertverstellung vorliegt, so darf im Experiment 2 bei Einwirkung des Reizes keine Steigerung der Glucocorticoidsekretion auftreten, da ja durch die äußere Zufuhr der neue Sollwert bereits erreicht ist. Dies konnte tatsächlich gezeigt werden. In einem „offenen" System (System ohne negative Rückkopplung) dagegen würde der Reiz unabhängig von der äußerlich zugeführten Glucocorticoiddosis in jedem Fall zu einer Steigerung des Glucocorticoidspiegels führen.

Durch die Regelung des Glucocorticoidspiegels wird der für die „permissive" Wirkung (s.S. 652) erforderliche minimale Corticoidspiegel gewährleistet. Die „Verstellung" des Corticoidspiegels auf einen höheren Wert ermöglicht die Leistungsanpassung des Systems, die bei Einwirkung von Belastungen (Stressoren, s.u.) gefordert wird.

Streß und Adaptation. Bei Einwirkung verschiedenster Reize (z.B. Infektionsstoffe [Antigene], starke Kältebelastung, Hitzebelastung, Hypoxie, Narkose, Traumen, Hypoglykämie, starke Schallreize sowie alle Reize, die eine emotionale Reaktion hervorrufen) treten zahlreiche Reaktionen im Organismus auf, die stets von einer Steigerung der Glucocorticoid-Sekretion begleitet sind („Alarmreaktion"). Der Gesamtreizzustand wurde als Streß bezeichnet, die auslösenden Reize als Stressoren [1, 38]. Die Reaktionen auf einen Stressor können u.U. so stark sein, daß der gesamte Vorrat an Glucocorticoiden aus der NNR entleert wird, und daß Gewebsschädigungen (Hämorrhagien = Blutungen) der NNR auftreten. Zur Therapie solcher Zustände haben sich erwartungsgemäß Glucocorticoide bewährt.

Sofern die Stressorintensität nicht so groß ist, daß schwerwiegende Funktionsstörungen eintreten, fällt die Glucocorticoidsekretion bei anhaltender Reizeinwirkung wieder auf den Normalwert zurück; bei wiederholter Einwirkung des gleichen Stressors nimmt die Stärke der Streßreaktion mehr

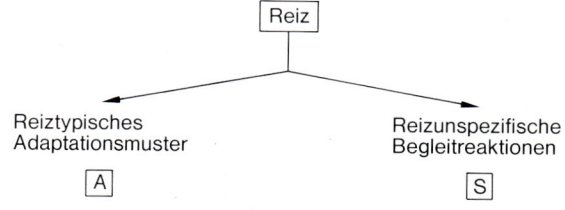

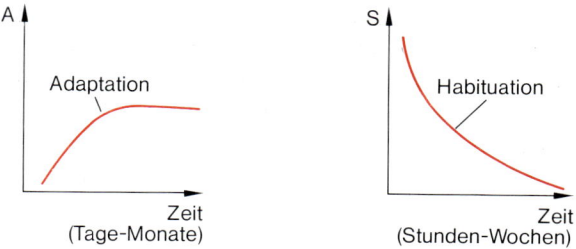

Zeitcharakteristik der Vorgänge

Abb. 8. Schematische Darstellung zum zeitlichen Verlauf von Adaptation und Habituation. Unter Adaptation (A) werden reiztypische Modifikationen (z.B. Zunahme des Hämoglobingehaltes), unter S Reaktionen wie Steigerung der Sekretionsrate von Glucocorticoiden, Erregung des Sympathicus, Ausschüttung von Nebennierenmark-Hormonen, verstanden. Grenzbedingung: Bei Überschreitung einer kritischen Reizintensität bleibt die Adaptatbildung aus. Nach [8]

und mehr ab [20]. Dies steht in Zusammenhang mit der Ausbildung morphologischer (z.B. Zunahme der Erythrocytenzahl bei O_2-Mangel) oder funktioneller Modifikationen (vgl. Hitze-, Kälte-, Höhenadaptation in diesem Buch), die eine erhöhte Resistenz gegenüber dem Stressor zur Folge haben. Diese *„physiologische Adaptation"* ist streng *stressorspezifisch,* d.h. die sich einstellenden Modifikationen sind verschieden, je nachdem ob das Individuum Kälte, Hitze, O_2-Mangel usw. ausgesetzt worden ist. Die Alarmreaktion dagegen ist unabhängig von der Art des Stressors. Es ist nun naheliegend anzunehmen, daß die erhöhte Glucocorticoidsekretion (evtl. in Verbindung mit Schilddrüsenhormonen [39]) für die Ausbildung der genannten spezifischen Modifikationen von Bedeutung ist, etwa in dem Sinne, daß durch Enzyminduktion die Ausbildung bestimmter morphologischer Änderungen (z.B. vermehrte Bildung von Erythrocyten) ermöglicht wird (*„Leistungsanpassung"*). Sind die spezifischen Modifikationen einmal ausgebildet, so ist der ursprüngliche Reiz nicht mehr oder nicht mehr nennenswert belastend für den Organismus, da dieser ja nun durch die besonderen spezifischen Modifikationen an den Reiz angepaßt ist.

Die Ausbildung der *spezifischen Modifikationen* (reiztypisches Adaptationsmuster, Abb. 8) läßt sich quantitativ als Funktion der Reizintensität, der

Zeitdauer der Einwirkung und der Häufigkeit der Einzelbelastungen beschreiben [1].

Die *unspezifischen Begleitreaktionen* (Abb. 8), zu denen die in diesem Abschnitt betrachtete Glucocorticoidsekretion, ferner die Steigerung der Sympathicusaktivität mit Ausschüttung von Nebennieren**mark**hormonen („Notfallreaktion" [9], s. auch S. 675) gehören, nehmen mit wiederholter Belastung ab (Abb. 8). Dieses Phänomen wird auch als **Gewöhnung** oder **Habituation** bezeichnet.

Pathophysiologie. Ein Krankheitsbild, das durch eine **Überproduktion von Cortisol** gekennzeichnet ist (Morbus Cushing), kann verschiedene Ursachen haben: a) Eine bösartige Geschwulst der Nebennierenrinde (Carcinom) produziert excessive Mengen von Cortisol. Der ACTH-Gehalt ist erwartungsgemäß wegen der negativen Rückkopplung reduziert, die kontralaterale Nebenniere daher atrophiert. b) Es wird primär vermehrt ACTH gebildet; als Folge davon tritt Hyperplasie der Nebennierenrinde und Steigerung der Cortisolbildung ein. Ein kennzeichnender Unterschied gegenüber a) ist die Vergrößerung der das ACTH bildenden Zellen der Adenohypophyse.

Die wichtigsten klinischen Zeichen der Steigerung des Cortisolspiegels sind: Fettsucht mit charakteristischer Fettverteilung (Mondgesicht), erhöhter Blutzuckerspiegel, Zuckerausscheidung im Harn, vermehrter Eiweißabbau, Wasser- und Kochsalzretention (Ödembildung), Entkalkung der Knochen (Osteoporose), Hypertonie, Polyglobulie (vgl. Abschnitt Wirkungen der Glucocorticoide, S. 661).

Eine **Verminderung der Cortisolbildung** beruht bei einem Krankheitsbild, das als adreno-genitales Syndrom bezeichnet wird, auf einem Enzymdefekt, der bewirkt, daß statt Cortisol ein NNR-Androgen (vgl. S. 668) gebildet wird. Das Androgen wirkt bei Mädchen virilisierend und ruft bei Knaben eine vorzeitige Pubertät hervor. Da die Cortisolreceptoren durch das Androgen unbeeinflußt bleiben, wird infolge ausfallender Rückkopplung (vgl. Abb. 7) vermehrt ACTH gebildet, das die falsche Hormonsynthese der NNR nur noch antreibt. Der Circulus vitiosus wird durchbrochen, indem therapeutisch Cortisol verabreicht wird.

Eine Verminderung aller Hormone der NNR kennzeichnet die *Addisonsche Krankheit,* bei der jedoch der Ausfall der Mineralocorticoide das Krankheitsbild beherrscht (s. S. 678). Ein weiteres wichtiges Kennzeichen dieser Krankheit ist eine verstärkte Hautpigmentierung, die als Folge der erhöhten ACTH-Sekretion (Ausfall der negativen Rückkopplung!, s. Abb. 7) aufzufassen ist (vgl. melatoninähnliche Wirkung des ACTH, S. 659).

3.2. Die Schilddrüse und die Hormone Thyroxin und Trijodthyronin

Die Schilddrüse zeigt im histologischen Bild zahlreiche große Hohlräume, Follikel genannt. Die Follikelwand wird von einer einzelligen Schicht von gewöhnlich cuboidalen Epithelzellen gebildet. Die Follikel sind mit einer eiweißartigen Substanz, dem Kolloid gefüllt, in dem die Hormone *Thyroxin* und *Trijodthyronin* enthalten sind. In den Follikelzwischenräumen finden sich sog. parafolliculäre Zellen, die wahrscheinlich das erst vor wenigen Jahren entdeckte *Thyreocalcitonin* (s. S. 679) bilden. Die Follikelzwischenräume enthalten ferner ein dichtes Capillarnetz, durch das die Bausteine für die Hormone herangetragen und die gebildeten Hormone abgeführt werden.

Bildung und Transport der Schilddrüsenhormone. Die von dem thyreotropen Hormon (s. S. 659) gesteuerten Hormone der Schilddrüse sind das Tetrajodthyronin (Thyroxin = „T_4") und — in wesentlich geringerer Konzentration — Trijodthyronin („T_3"). Beide Hormone haben die gleichen Wirkungen; die Wirkungsstärke von T_3 ist jedoch etwa fünfmal so groß wie die von T_4; dafür ist die Konzentration von T_3 im Plasma geringer. Der Jodgehalt der Schilddrüsenhormone ist ihr besonderes Charakteristikum und entscheidend für ihre Wirkung. Voraussetzung für die Bildung der jodhaltigen Hormone ist die Fähigkeit der Follikelepithelien, J^- aus dem Plasma aktiv gegen einen chemischen und elektrischen Gradienten in ihrem Zellinneren anzureichern. Die Synthese der Bausteine zu T_3 und T_4 vollzieht sich in Bindung an ein Glykoprotein, das *Thyreoglobulin.* Gebunden an Thyreoglobulin werden T_4 und T_3 in das Kolloid geleitet und dort gespeichert. Zur Abgabe der Hormone T_3 und T_4 an das Blut muß die Bindung an Thyreoglobulin gelöst werden. Im Plasma erfolgt erneut eine Bindung an Proteine, u.a. an ein spezifisches Globulin (TBG = Thyroxine Binding Globulin). Nur ein sehr kleiner Anteil von T_3 und T_4 befindet sich ungebunden im Plasma. Ein praktisch brauchbares Maß für den Schilddrüsenhormongehalt des Blutes ist das PBI (Protein Bound Jodine). Entscheidend für die Wirkung ist jedoch der Gehalt an freiem T_3 und T_4. Bei Erhöhung der Plasmaproteine (z.B. in der Schwangerschaft) ist das PBI erhöht, trotzdem stellen sich keine Überfunktionserscheinungen ein.

Die Wirkungen der Schilddrüsenhormone. Die Hormone T_3 und T_4 beeinflussen verschiedene Stoffwechselvorgänge; sie fördern das Wachstum und

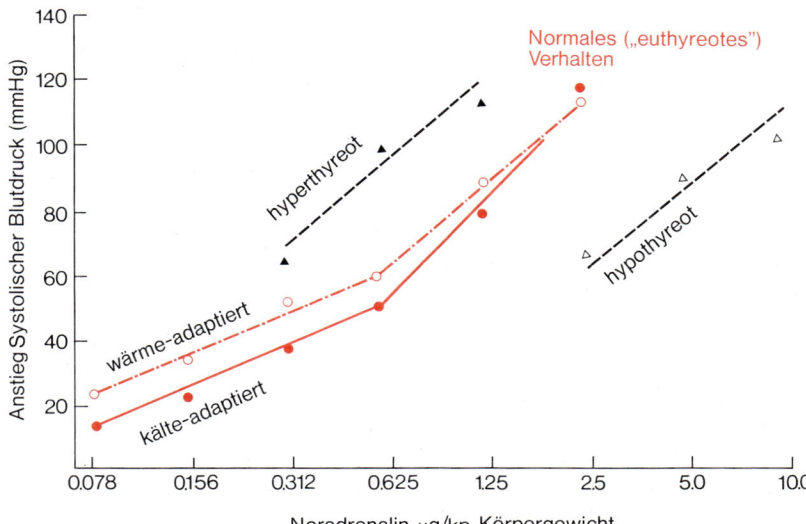

Abb. 9. „Noradrenalinempfindlichkeit" in Abhängigkeit von der Aktivität der Schilddrüse. Bei hypothyreotem Zustand sind weit höhere Dosen von Noradrenalin zur Erzielung einer bestimmten Blutdrucksteigerung erforderlich als bei normalem (euthyreotem) und hyperthyreotem Zustand. Zwischen kälte- und wärmeadaptierten Tieren besteht praktisch kein Unterschied. Nach [24]

die körperliche und geistige Entwicklung. Sie sind ferner an der Leistungsanpassung beteiligt.

Stoffwechselwirkungen. Eine der hervorstechendsten Wirkungen der Hormone T_3 und T_4 ist die Beeinflussung des Energieumsatzes, die auch *calorigene Wirkung* genannt wird. Bei Ausfall der Hormone T_3 und T_4 sinkt der Energieumsatz im Extremfall auf die Hälfte des Grundumsatzes (s. S. 527) ab, durch überschüssige Zufuhr der Hormone können Steigerungen des Ruheenergieumsatzes auf fast das Doppelte des Grundumsatzes erreicht werden. Es handelt sich hierbei um Effekte, die eine sehr lange Latenzzeit — bis zu mehreren Tagen — haben, ganz im Gegensatz zu den kurzfristigen calorigenen Effekten der Catecholamine (s. S. 674). Im wachsenden Organismus sind alle Zellen, insbesondere auch die Zellen des Nervensystems von der Stoffwechselwirkung der Hormone betroffen. Im Erwachsenenalter bleibt der Stoffwechsel von Hirn, Milz und Hoden unbeeinflußt [5]. Nach den gegenwärtigen Vorstellungen steigern die Hormone durch Enzyminduktion und Aktivierung mitochondrialer Enzyme einerseits die Eiweißsynthese, andererseits den oxidativen Abbau von Fetten und Kohlenhydraten. Alle drei Grundnährstoffe sind somit an der thyreogenen Umsatzsteigerung beteiligt.

Zur Erklärung des erhöhten Grundumsatzes wurde zeitweise eine *Entkopplung der oxidativen Phosphorylierung* verantwortlich gemacht. In vitro ist durch *hohe* Dosen von Thyroxin eine solche Entkopplung mit Verminderung des P/O-Quotienten tatsächlich möglich. Selbst bei hohen Graden einer Überfunktion der Schilddrüse (*Hyperthyreose*) finden sich jedoch *keine* Anzeichen einer

Entkopplung der Atmungskette. Hier ist, wie eingangs betont, eine Unterscheidung zwischen pharmakologischen und physiologischen Wirkungen erforderlich.

Eine weitere Grundwirkung der Hormone T_3 und T_4 ist die erhöhte *Ansprechbarkeit auf Catecholamine* (Abb. 9). So genügen bei hohem Plasmaspiegel an T_3 und T_4 bereits kleine Dosen von Noradrenalin und Adrenalin zur Auslösung von peripherer Vasoconstriction und Blutdrucksteigerung. Auch die glykogenolytische und hyperglykämische Wirkung der Catecholamine (s. S. 674) wird durch die Hormone T_3 und T_4 gesteigert.

Einige weitere Wirkungen der Hormone T_3 und T_4 können als *Folge der beschriebenen Grundwirkungen* aufgefaßt werden, so die Herzfrequenzerhöhung (Tachykardie), die leichte Erhöhung der Körpertemperatur, die Neigung zu Schweißsekretion bei Hormonüberschuß, und die gegensinnigen Wirkungen (Bradykardie, leichte Hypothermie, trockene Haut) bei Hormonmangel. Hormonüberschuß ist ferner begleitet von einer gesteigerten körperlichen und geistigen Aktivität, Zittern der Hände (Tremor) und Unruhegefühl. Des weiteren bewirken die Hormone eine Senkung des Cholesterinspiegels und eine Stimulierung der Sekretion von Wachstumshormon.

Wirkung auf Wachstum und Entwicklung. Die Hormone T_3 und T_4 sind unerläßlich für eine normale *enchondrale Verknöcherung* an der *Diaphysen-Epiphysengrenze.* Beim Ausfall der Schilddrüsenfunktion im jugendlichen Alter bleibt daher das Wachstum zurück (Abb. 10). Da das subperiostale Kno-

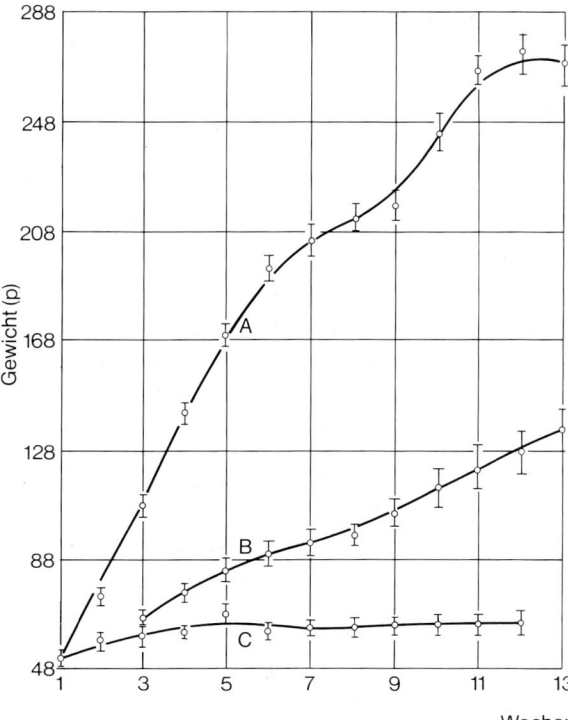

Abb. 10. Wachstumskurven von 3 Gruppen von Ratten. (A) Normal. (B) Schilddrüsenlose Tiere. (C) Hypophysenlose Tiere. Nach [42]

chenwachstum ungestört ist, ist beim hypothyreotischen Zwergwuchs im Gegensatz zum hypophysären Zwergwuchs der Knochenbau gedrungen und plump.

Die *geistige Entwicklung* ist nach Ausfall von Schilddrüsenhormonen im jugendlichen Alter gestört, bei Ausfall bereits während der Embryonalentwicklung ist Schwachsinn die Folge (s. S. 668). *Leistungsanpassung.* Die Hormone T_3 und T_4 sind neben den Glucocorticoiden für die Ausbildung adaptativer Modifikationen (s. S. 663) von Bedeutung. So konnte bei Ratten durch tägliche Injektion von T_4 im Verlauf von 5 Wochen braunes Fettgewebe und die Fähigkeit zur zitterfreien Wärmebildung (vgl. S. 542) stimuliert werden [31], d.h. Veränderungen, wie sie üblicherweise im Verlauf einer Kälteadaptation kleiner Tiere gefunden werden.

Regelung der Hormonkonzentrationen. Ebenso wie im Falle der Glucocorticoide wird die Konzentration der Hormone T_3 und T_4 im Blut (bzw. im Gewebe) durch einen Regelmechanismus gemäß Abb. 1 (B) konstant gehalten (Abb. 11). Gemessen am proteingebundenen Jod (PBI) (s. S. 664) ändert sich normalerweise der Plasmaspiegel der Hormone in nur sehr engen Grenzen. Unter Belastungen kann sich jedoch der Hormon*verbrauch* ändern. Die Sekretionsrate wird auf diesen erhöhten Bedarf abgestimmt.
Steuerung der Hormonsekretion. Wie oben ausgeführt, wird die Sekretion durch das trope Hormon TSH *gesteuert.* Die Steigerung der Sekretionsrate hat nur eine geringe Latenzzeit. Es wird heute angenommen, daß das TSH auf die Membranen der Schilddrüsenepithelzellen einwirkt und über eine

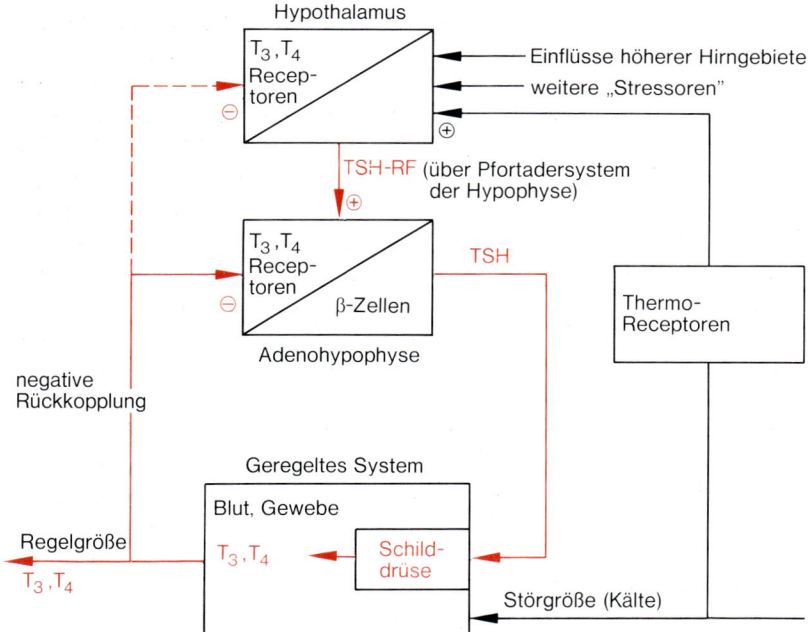

Abb. 11. Schematische Darstellung der Regelung des Schilddrüsenhormonspiegels. Über T_3- und T_4-„Receptoren" in der Adenohypophyse erfolgt negative Rückkopplung. Ein zu erwarten- der erhöhter Bedarf an Schilddrüsenhormon bei Kältebelastung wird über Thermoreceptoren signalisiert. T_3 Trijodthyronin, T_4 Thyroxin

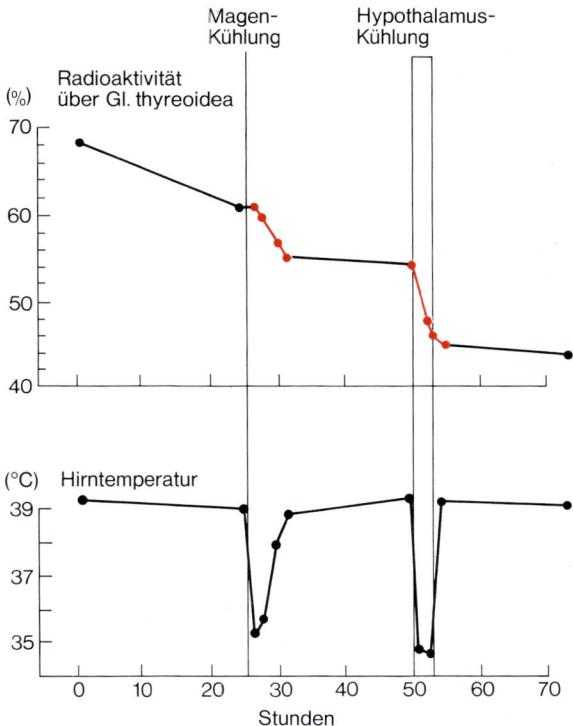

Abb. 12. Steigerung der Sekretionsrate von Thyroxin durch innere Kühlung; im ersten Fall wurde die Kühlung durch Einbringen von Eiswasser in den Magen, im zweiten Fall durch lokale Kühlung der thermosensiblen Regio praeoptica des Zwischenhirns erzielt. Abfall der Kurve „Radioaktivität über Schilddrüse" bedeutet vermehrte Sekretion (s. Methodik „Thyroxinfreisetzung", S. 668). Nach [3]

Stimulierung der Adenyl-Cyclase-Aktivität die gesteigerte Bildung und Sekretion von Schilddrüsenhormon hervorruft.

Die Sekretionsrate der Hormone T_3 und T_4 wird von inneren (Abb. 12) und äußeren Thermoreceptoren beeinflußt (Regler mit Störgrößenaufschaltung oder Hilfsregelgröße, Abb. 11). Nach neueren Untersuchungen [19] ist diese kälteinduzierte Steigerung des T_3- und T_4-Umsatzes beim Menschen sowie bei Primaten weit schwächer als bei den bisher untersuchten Labortieren ausgeprägt. In jedem Fall geht der Hormonumsatz im Verlauf anhaltender Kältebelastung wieder auf den Ausgangswert zurück (vgl. „Physiologische Adaptation", S. 663). Der Kälteakklimatisationszustand darf also keinesfalls mit einer Hyperthyreose gleichgesetzt werden [24]; wie die Abb. 9 zeigt, ist die Noradrenalinempfindlichkeit bei kälte- und wärmeadaptierten Tieren praktisch gleich groß.

Negative Rückkopplung. Bei Ausfall der T_3- und T_4-Sekretion steigt der Gehalt an TSH im Plasma auf ein Vielfaches an; umgekehrt kann der TSH-Gehalt des Plasmas durch T_3 und T_4 gesenkt werden. Es besteht also ein negativer Rückkopplungs-

mechanismus. Aufgrund von Mikroinjektions-Versuchen sind Meßelemente für T_3 und T_4 in der Adenohypophyse anzunehmen [15], durch die die negative Rückkopplung ermöglicht wird. Nicht ganz geklärt ist, ob zusätzlich die Freisetzung des Releasing-Hormons (TSH-RF, vgl. S. 658) in der hypophysiotropen Zone des Hypothalamus im Sinne einer negativen Rückkopplung durch T_3 und T_4 beeinflußt wird (s. Abb. 11).

Beeinflussung der Sekretionsrate durch Stressoren. Außer Kälte können zahlreiche andere Reize (Stressoren, s. S. 663) zu einer *Steigerung der Sekretionsrate von Schilddrüsenhormon* führen. Hier bleibt jedoch wie bei der akuten Kältebelastung und der Kälteakklimatisation die *Plasmakonzentration* an Schilddrüsenhormon weitgehend unverändert. Anders als bei den Glucocorticoiden (vgl. S. 663) liegt hier also keine streßbedingte Sollwertverstellung, sondern eine *streßbedingte Steigerung der Umsatzrate* vor.

Pathophysiologie. Die experimentell zu erzeugenden abnormen Funktionszustände *Hyperthyreose* und *Hypothyreose* kommen beim Menschen als Krankheiten vor. Der PBI-Spiegel liegt bei der Hypothyreose des Menschen zwischen 0 und 4, bei Hyperthyreosen bei über 8 µg/100 ml Plasma (Normalwert: 5–6 µg/100 ml).

Hyperthyreose. Ein *hyperthyreotisches Krankheitsbild* stellt die seit langem bekannte *Basedowsche Krankheit* dar. Sie beruht auf der Produktion eines TSH-ähnlichen Stoffes, LATS (Long Acting Thyreotropic Substance) genannt, der die Bildung von Schilddrüsenhormon *ungehemmt* anregt, da er anders als das TSH nicht einer Kontrolle durch negative Rückkopplung unterliegt (vgl. Blockschaltbild, Abb. 11). Kennzeichnend für den Morbus Basedow sind neben den auf S. 664f. genannten Symptomen des Hyperthyreoidismus hervortretende Augäpfel („Glotzaugenkrankheit"). Dieses Augensymptom beruht auf Fetteinlagerung in die Orbita, die unter dem Einfluß des pathologischen Stoffes EPS (Exophthalmus Producing Substance) erfolgt. Die Schilddrüse ist leicht vergrößert („*hyperthyreotischer Kropf*").

Hypothyreose. Bei Hypothyreose, d.h. bei mangelhafter Sekretionsrate der Schilddrüsenhormone, bildet sich in der Regel eine starke Vergrößerung der Schilddrüse („*hypothyreotischer Kropf*") aus. Die Kropfbildung läßt sich aus dem Blockschaltbild (Abb. 11) leicht verständlich machen: Infolge des gesenkten T_3- und T_4-Spiegels entfällt die negative Rückkopplung, es wird in der Adenohypophyse daher vermehrt TSH gebildet, das wegen seiner *trophischen* Funktion (s. S. 659) das Wachstum der Schilddrüse steigert. Als Ursache der mangelhaften Schilddrüsenhormonproduktion der Drüse kommt *Jodmangel* in der Nahrung in Frage. Im Gebirgswasser ist wenig Jod enthalten, daher besteht in Alpenländern die Gefahr, an Hypothyreose mit Kropfbildung zu erkranken (*endemischer Kropf*). Durch äußere Zufuhr von Jodsalzen, Thyroxin oder Trijodthyronin, kann der Kropf zur Rückbildung gebracht werden, was sich wiederum aus dem Blockschaltbild leicht herleiten läßt.

Bei Ausfall der Schilddrüsenhormone in der Embryonalperiode bleibt die geistige Entwicklung zurück. Das volle Schilddrüsenmangelsyndrom wird demgemäß als **Kretinismus** bezeichnet. Bei Ausfall der Schilddrüse im Erwachsenenalter kommt es zu einer Verminderung der körperlichen und geistigen Aktivität. Ein auffallendes Symptom der Schilddrüsenunterfunktion ist das **Myxödem,** d.i. eine teigige Verdickung der Haut, die durch Vermehrung und Quellung des Bindegewebes und Einlagerung einer schleimigen Substanz (Mucin) bedingt ist.

Funktionsdiagnostik. Zur Erkennung von Störungen der Schilddrüsenfunktion bedient man sich verschiedener klinischer Tests. Die älteste der Untersuchungsmethoden ist die Messung des *Grundumsatzes* (s. S. 521 f.).

Weitere Methoden zur Beurteilung der Schilddrüsenaktivität sind der *Jodaufnahmetest,* die Messung des *Thyroxinverbrauchs* und die Messung der *Hormonfreisetzung* aus der Schilddrüse. Zur *Messung der Jodaufnahme* wird eine bestimmte Menge des Radioisotopes ^{131}I in die Blutbahn injiziert. Die Anreicherung des Jods in der Schilddrüse, die durch ein über der Halsregion angebrachtes Meßgerät für Gammastrahlung gemessen werden kann, ist ein Maß für die Aktivität der Schilddrüse. Zur *Messung des Thyroxinverbrauchs* injiziert man mit ^{131}I markiertes Thyroxin in die Blutbahn und bestimmt die Radioaktivität von Blutproben, die im Verlauf der folgenden Zeit entnommen werden. Je rascher die Aktivität in den sukzessiv entnommenen Blutproben abnimmt, um so größer ist der Verbrauch an Schilddrüsenhormonen. Zur *Messung der Thyroxinfreisetzung* wird das Radioisotop ^{131}I intramuskulär injiziert. Es wird abgewartet, bis es von der Schilddrüse in Thyroxin eingebaut worden ist. Danach wird die Radioaktivität über der Schilddrüse verfolgt. Die Geschwindigkeit der Abnahme der Radioaktivität ist ein Maß für die Freisetzung von Schilddrüsenhormon (vgl. Abb. 12).

3.3. Die Keimdrüsen und die Sexualhormone

Die Sexualhormone sind Steroide. Man kann gemäß ihrer Wirkung folgende drei Gruppen unterscheiden: 1) Oestrogene, 2) Gestagene, 3) Androgene. Die Gruppen 1) und 2), deren wichtigste Vertreter Oestradiol, Oestron und Progesteron sind, werden auch als weibliche Sexualhormone, die Hormone der Gruppe 3), deren wichtigstes Testosteron ist, als männliche Sexualhormone bezeichnet.

Bildungsorte der Sexualhormone. Die Oestrogene und Gestagene werden in der weiblichen Keimdrüse (Ovar) und in der Placenta gebildet, die Androgene in den sog. Leydigschen Zwischenzellen der männlichen Keimdrüsen (Testes). Die Bildungszellen der weiblichen Sexualhormone im Ovar sind die Zellen der Theca interna für die Oestrogene und die Gelbkörperzellen für die Gestagene. Die hormonproduzierenden Zellen der Placenta sind noch nicht eindeutig definiert; man sucht sie im Bereich der syncytialen Zellformationen.

Androgene finden sich in geringem Ausmaße auch im weiblichen Organismus; sie werden im Ovar und in der Nebennierenrinde (vgl. S. 661) gebildet; umgekehrt bildet der Hoden eine kleine Menge Oestrogene und Gestagene.

Die Wirkungen der Sexualhormone. Die von den Keimdrüsen produzierten Sexualhormone bewirken die *embryonale Differenzierung* und die *pubertäre Entwicklung der Geschlechtsorgane* sowie die Ausbildung der *sekundären Geschlechtsmerkmale.* Sie lösen die zur Eiaufnahme erforderlichen Veränderungen der *Uterusschleimhaut* und die zur *Milchsekretion* erforderlichen Veränderungen der Milchdrüse aus. Daneben haben sie eine Reihe von sog. *extragenitalen Wirkungen.* Sie beeinflussen schließlich das *Sexualverhalten.*

Embryonale Geschlechtsdifferenzierung. Bereits in einer frühen embryonalen Entwicklungsphase (beim Menschen etwa am Ende des 3. Monats) wird die männliche Keimdrüse hormonal aktiv, d.h. sie bildet Androgene, insbesondere Testosteron, unter deren Einfluß die Geschlechtsorgane ihre typische männliche Ausbildung erfahren. Nach tierexperimentellen Untersuchungen bildet sich bei männlichen Feten ein weibliches Genitale aus (Pseudohermaphroditismus masculinus), wenn man die frühembryonale Testosteronsekretion unterbindet. Wird umgekehrt bei weiblichen Feten in der entsprechenden Zeit ein Testosteronkristall implantiert, so bildet sich ein mehr oder weniger vollkommenes männliches Genitale aus (Pseudohermaphroditismus femininus). Die nur im weiblichen Organismus vorkommende *cyclische Produktion von Gonadotropinen,* durch die Oestrus bzw. Menstruationscyclus (s. S. 671) bedingt werden, wird durch Implantation eines Testosteronkristalls während der frühen Entwicklungsphase unterbunden.

Pubertät. Im männlichen Organismus wird nach der embryonalen Entwicklungsphase die Produktion von Androgenen eingestellt. Zum Zeitpunkt der Pubertät lebt beim Knaben die innersekretorische Tätigkeit der Keimdrüsen wieder auf, beim

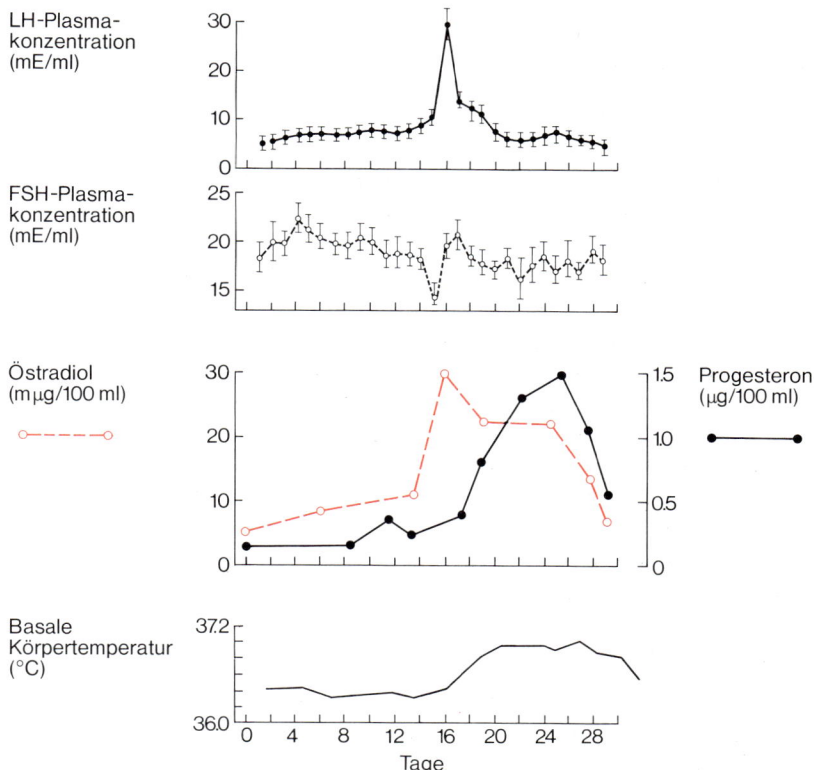

Abb. 13. Veränderungen der Plasmakonzentrationen der gonadotropen Hormone FSH und LH sowie der Sexualhormone Oestradiol und Progesteron im Verlaufe eines Menstruationscyclus (mE = milli-Einheiten). Die Ruhekörpertemperatur (basale Körpertemperatur) steigt in der Mitte des Cyclus (Ovulation) an. Nach graphischen Darstellungen von [34, 36]

Mädchen beginnt die innersekretorische Tätigkeit der Keimdrüsen.

Unter dem Einfluß der Oestrogene und der Gestagene beim Mädchen und des Androgens beim Knaben erfolgt Wachstum und Reifung der Geschlechtsorgane. Im männlichen Organismus ist Testosteron auch an der Spermatogenese beteiligt [34]. Oestrogen steigert die Zellteilung im Keimepithel der Ovarien.

Unter dem Einfluß der Sexualhormone kommen ferner die *extragenitalen Geschlechtsmerkmale* zur Ausbildung, so die Brustdrüse, der typische Körperbau mit der geschlechtsspezifischen Fettverteilung, der geschlechtsunterschiedlichen Hüft- und Schulterbreite. Für die Ausbildung der Schambehaarung sind auch beim Mädchen Androgene verantwortlich; diese werden in der Nebennierenrinde (vgl. S. 661), zu einem kleineren Teil im Ovar gebildet.

Wirkung auf den Uterus. Im weiblichen Organismus werden durch die Sexualhormone die im Menstruationscyclus ablaufenden Schleimhautveränderungen im Uterus bewirkt: Die Oestrogene bewirken die Proliferationsphase, d.h. das Dickenwachstum der Schleimhaut und die Ausbildung von Endometriumdrüsen. Unter dem zusätzlichen Einfluß des Progesterons sondern die Endometriumdrüsen ein Sekret ab (Sekretionsphase). Durch diese Veränderungen werden die Voraussetzungen für die Implantation eines befruchteten Eies (Nidation) geschaffen.

Extragenitale Wirkungen. Progesteron steigert die Ruhekörpertemperatur, indem der Grundumsatz angehoben und die Wärmeabgabe durch Vasoconstriction eingeschränkt wird (vgl. S. 530). Regelmäßige Kerntemperaturmessungen (Abb. 13) erlauben daher eine Aussage über den Verlauf des Progesteronspiegels und den Zeitpunkt des *Ovulationstermins.* Die Steigerung der Körpertemperatur unter dem Einfluß von Progesteron wird als Sollwertverstellung (vgl. S. 539) aufgefaßt.

Die Androgene haben einen anabolen Effekt, d.h. der Eiweißanbau wird verstärkt (Stickstoffbilanz positiv); Progesteron hat eine katabole Wirkung.

In Zusammenwirkung mit anderen Hormonen steigern die Androgene und Oestrogene das epiphysäre und appositionelle Knochenwachstum. Unter dem Einfluß der Sexualhormone kommt es schließlich zur Verknöcherung der Epiphysenfugen und damit zum Wachstumsstillstand. Bei Mangel an Androgenen wirkt das Wachstumshormon unbehindert weiter auf die unverknöcherten Epiphysenfugen ein; es kommt zum *eunuchoiden* oder *hypogonadalen Riesenwuchs.*

Sexualverhalten. Paarungstrieb des männlichen Tieres ebenso wie Libido und Potentia coeundi des Mannes erlöschen nach Kastration, allerdings nicht schlagartig, sondern im Verlauf eines längeren Zeitraumes. Man muß annehmen, daß diese Wirkungen der Androgene durch langanhaltende Beeinflussung von Nervenzellen des Zwischenhirns vermittelt werden. Durch übermäßige Zufuhr von Androgenen läßt sich Hypersexualität hervorrufen.

Auch bei der Frau sind die *Androgene* die für Libido und Sexualtrieb entscheidenden Hormone. Die weiblichen Sexualhormone scheinen für das Sexualverhalten von untergeordneter Bedeutung zu sein, denn auch nach ihrem Ausfall nach der Menopause können Libido und Sexualtrieb erhalten bleiben [34].

Bei Säugetieren (ausgenommen Primaten und Mensch) ist die Kopulationsbereitschaft auf bestimmte Zeitabschnitte von jeweils wenigen Tagen beschränkt und fällt zusammen mit den durch die cyclische Steigerung des Sexualhormonspiegels bedingten Veränderungen der Uterus- und Scheidenschleimhaut (Oestrus). Auch bei der Frau ist nach neueren statistischen Untersuchungen die sexuelle Aktivität gegen die Cyclusmitte hin erhöht; es ist noch offen, ob diese cyclische Steigerung der sexuellen Aktivität eine unmittelbare Wirkung der Sexualhormone auf zentralnervöse Strukturen ist, oder ob es sich um einen zeitlich mit der Sexualhormonstimulierung koordinierten zentralnervösen Antrieb handelt.

Sexualhormonspiegel der Frau und Menstruationscyclus. Wie die Abb. 13 zeigt, schwankt die Plasmakonzentration der Sexualhormone innerhalb eines Menstruationscyclus erheblich. Im zweiten Drittel des Menstruationscyclus steigt der Oestrogenspiegel stark an und fällt gegen Ende des Cyclus wieder ab. Mit einer Verzögerung von einigen Tagen steigt der Progesteronspiegel an. Dem Anstieg der Plasmakonzentration der Sexualhormone geht ein leichter Anstieg des FSH-Spiegels (FSH = follikelstimulierendes Hormon, s.S. 658) voraus, der als unmittelbarer Stimulus für die Reifung eines Primärfollikels und die steigende Oestrogensekretion angesehen wird. *In der Mitte des Cyclus erfolgt ein steiler Anstieg des LH (luteinisierendes Hormon); dies ist die unmittelbare Ursache des Follikelsprungs, der Ovulation und der Umwandlung des Follikels in einen Gelbkörper.*

Cyclische Steuerung von Oestrogenen und Gestagenen. Die Steuerung der FSH- und LH-Sekretion

erfolgt über die entsprechenden Releasing-Faktoren (Abb. 14). Die Sekretion der Releasing-Faktoren untersteht einerseits einem zentralen Antrieb, der in nervösen Strukturen oberhalb der hypophysiotropen Zone („rhythmogene" Zone der Regio praeoptica, s. Abb. 14) zu denken ist und nur im weiblichen Organismus ein cyclisches Verhalten zeigt. Diese Ankopplung an das ZNS macht verständlich, daß der Menstruationscyclus durch zahlreiche exogene und auch psychische Faktoren beeinflußt wird. Der Einfluß höherer zentralnervöser Strukturen ergibt sich aus Rattenversuchen, in denen durch elektrische Reizung der Amygdala eine Ovulation ausgelöst werden konnte. Diese Reaktion blieb aus, wenn die Stria terminalis, die Hypothalamus und Amygdala verbindet, durchtrennt war. Andererseits untersteht die Sekretion der Releasing-Faktoren dem modifizierenden Einfluß der im Sinne einer negativen Rückkopplung zurückwirkenden Oestrogene und Gestagene. Durch diese Rückkopplung wird verhindert, daß weitere Follikel zur Reifung kommen. Will man hier die regeltechnische Terminologie einführen, so kann man von einem Nachfolgeregler sprechen; die zentralnervösen Antriebe hätten ihre Analogie in einer programmgesteuerten Verstellung der Führungsgröße (Abb. 14).

Durch Oestrogenzufuhr in einer geeigneten Phase des weiblichen Sexualcyclus kann eine massive Steigerung des LH-Spiegels mit nachfolgender Ovulation ausgelöst werden. Andererseits bleibt der LH-Gipfel bei Frauen aus, deren Ovarien entfernt wurden. Dieser Einfluß der Oestrogene auf die Aktivität der rhythmogenen Zone wird zuweilen als *positive* Rückkopplungswirkung bezeichnet (Abb. 14).

Es sei abschließend betont, daß die Deutungsversuche zur Steuerung des Menstruationscyclus noch in der Diskussion sind. Die gegebene Darstellung ist also keinesfalls als abschließend zu betrachten.

Ovulationshemmung. Wird durch exogene Zufuhr von Oestrogen und Gestagen zu Beginn des Cyclus die *negative* Rückkopplung künstlich etwas über das physiologische Maß gesteigert, so bleiben Follikelreifung und Ovulation aus. Auf dieser Basis wirken die heute üblichen *Ovulationshemmer.* Statt der natürlichen Oestrogene und Gestagene werden Derivate verwendet, die nicht in der Leber abgebaut werden und auch bei *oraler* Gabe wirksam sind.

PIF und Erhaltung der Corpus luteum-Phase. Nach Untersuchungen an den üblichen Labortieren (vor allem Ratte) ist für die Aufrechterhaltung der Corpus luteum-Phase und damit für die Progesteronsekretion das in der zweiten Cyclushälfte in höheren Plasmakonzentrationen auftretende LTH (Prolactin) erforderlich. Seine Freisetzung erfolgt, sobald der Prolactin-Hemmungs-

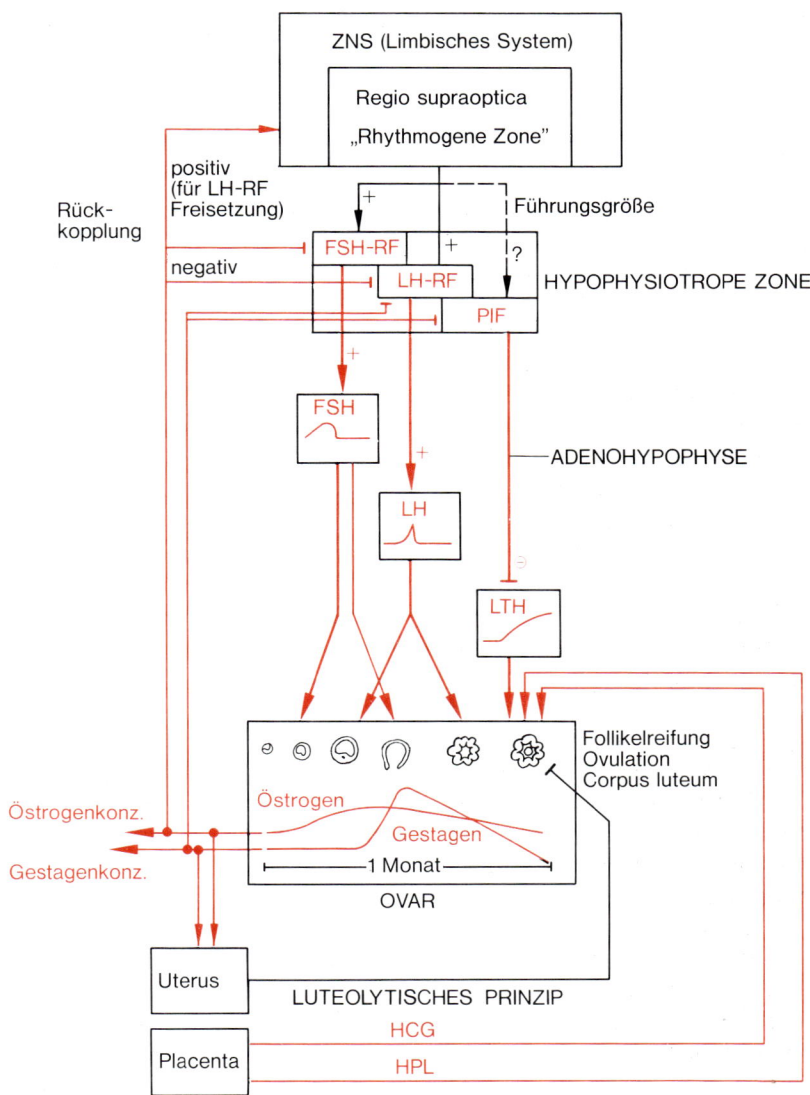

Abb. 14. Synoptische Darstellung der Follikelreifung und der hormonalen Steuerungs- und Rückkopplungsvorgänge im Verlauf eines Menstruationscyclus. Die Placentahormone HCG und HPL bewirken im Falle einer Schwangerschaft die Erhaltung des Corpus luteum bei abfallendem LH- und LTH-Spiegel. Linien mit Querstrich bedeuten Hemmung, mit Pfeil Förderung der Hormonsekretion. FSH-RF und LH-RF: s. Anmerkungen zu Tab. 1, S. 658.

faktor (PIF) ausgeschaltet wird. Dies geschieht offenbar durch Progesteroneinwirkung auf die PIF-Bildungsstätte in der hypophysiotropen Zone (s. Abb. 14). Es ist noch unklar, ob *beim Menschen* zur Erhaltung der Corpus luteum-Phase Prolactin erforderlich ist.

Oestrus und Menstruationscyclus. Die Ovulation, die bei Tieren (außer Primaten) von einer Vaginalblutung und eigentümlichem Sexualverhalten begleitet ist („Brunst", „Läufigkeit", „Rossigkeit"; Fachausdruck: Oestrus), schafft die Voraussetzung für die Befruchtung eines Eies. Die Befruchtung kann nur eintreten, wenn eine Kopulation in der Zeit um die Ovulation herum erfolgt. Beim Menschen ist die Ovulation nicht von einer Blutung begleitet. Die Menstruationsblutung steht nicht mit der Ovulation, sondern mit der etwa 2 Wochen nach der Ovulation erfolgenden Abstoßung der Uterusschleimhaut in Zusammenhang und wird ausgelöst durch den steilen Abfall der Sexualhormonspiegel am Ende des Cyclus (Abb. 13). Verschiedene Befunde sprechen dafür, daß bei einigen Labortieren der Uterus einen Stoff produziert, der die Gelbkörperfunktion aufhebt (luteolytisches Prinzip, Abb. 14, [34]). Weiterhin ist folgende Wirkungskette für den Abbruch der Corpus luteum-Phase von Bedeutung: Mit dem Abfall der Gestagene entfällt die hemmende Rückwirkung auf PIF und damit fällt der LTH-Spiegel, der zur Aufrechterhaltung der Gelbkörperphase erforderlich ist, ab.

Hormonale Steuerung von Schwangerschaft, Geburt und Lactation. Endokrinologisch betrachtet sind Schwangerschaft und Geburt durch die Ausbildung bzw. den plötzlichen Ausfall einer zusätzlichen Hormonproduktionsstätte, der Placenta, gekennzeichnet.

Schwangerschaft. Der Untergang des Corpus luteum wird verhindert, sofern sich ein befruchtetes Ei in der Uterusschleimhaut implantiert hat. Dies ist darauf zurückzuführen, daß der implantierte Trophoblast zwei Hormone bildet, das HCG (Human Chorionic Gonadotropin = Choriongonadotropin), das ähnliche Wirkungen wie das LH (ICSH) besitzt, und das HPL (Human Placental Lactogen), das in seiner Wirkung dem LTH (Prolactin) entspricht. Unter dem Einfluß der beiden Placentahormone steigert das Corpus luteum seine Progesteronsekretion (vgl. Abb. 14). Durch die Aufrechterhaltung des hohen Progesteronspiegels wird eine Abstoßung der Uterusschleimhaut verhindert. Gegen Ende des ersten Schwangerschaftsmonats bildet sich das Corpus luteum zurück. Zu diesem Zeitpunkt hat die Placenta selbst die Progesteron- und Oestrogenproduktion aufgenommen, die für die Erhaltung der Schwangerschaft erforderlich ist. Dann könnte auch das Ovar entfernt werden, ohne daß es zur Unterbrechung der Schwangerschaft kommen würde.

Schwangerschaftsdiagnose. Das Choriongonadotropin, das unmittelbar nach Eintritt der Schwangerschaft im Harn ausgeschieden wird, löst bei Nagern eine Ovulation aus und fördert ferner die Spermienablage von Fröschen. Auf diese Weise kann frühzeitig eine Schwangerschaft diagnostiziert werden.

Geburt. Beim Menschen tritt normalerweise 270 Tage nach der Conception die Geburt ein. Es sind zahlreiche Faktoren erörtert worden, die das Ereignis auslösen könnten, so z.B. Abfall des Progesteronspiegels, wodurch eine erhöhte Kontraktionsbereitschaft des Uterus gegeben wäre, Steigerung der Ocytocinsekretion (vgl. S. 657), Anstieg der Plasmaprostaglandine, Abfall des Relaxin (ein weiteres Hormon des Corpus luteum, das u.a. eine Lockerung der Symphyse bewirkt). Es kann heute jedoch nicht mit Sicherheit gesagt werden, ob einer dieser oder ein weiterer unbekannter Faktor für die Auslösung des Geburtsvorganges entscheidend ist.

Lactation. In der Pubertät entwickelt sich die Brustdrüse unter dem Einfluß der Oestrogene. Erst während der Schwangerschaft jedoch bilden sich unter dem Einfluß der *erhöhten Oestrogen- und Gestagenspiegel* die distalen Alveolen und Lobuli der Brustdrüse aus. Der Ablauf dieses Prozesses erfordert ferner die Mitwirkung von Prolactin (beim Men-

schen HPL = Human Placental Lactogen, s.o.), Insulin, Thyroxin und Cortisol. Die Milch*sekretion* setzt erst nach der Geburt ein; hierzu ist Prolactin erforderlich. Die Milch*freisetzung* erfolgt durch den Saugreiz unter Vermittlung von Ocytocin, das eine Kontraktion des Myoepithels der Alveolenwände der Brustdrüse bewirkt (Milch*ejektions*reflex, s. S. 657). Durch den Saugreiz wird außer Ocytocin auch Prolactin freigesetzt. Es wird angenommen, daß die Freisetzung über eine Abnahme der Sekretionsrate des PIF (= Prolactin Inhibitory Factor, s. S. 658) erfolgt. Zusammen mit der durch den Saugreiz bedingten Senkung der PIF-Sekretion sinkt auch die Sekretion des Releasing-Faktors für LH ab. Hierdurch sinkt die LH-Sekretion ab und damit bleibt eine weitere Ovulation aus. Während der Stillzeit kommt es daher in der Regel nicht zu einer Conception.

Regelung des Sexualhormonspiegels beim Mann. Der Plasmaspiegel des männlichen Sexualhormons ist — abgesehen von geringen tagescyclischen Schwankungen — konstant. Die Konstanz läßt sich auf einen einfachen Regelungsmechanismus gemäß Abb. 1 (B) zurückführen. Als Regelgröße ist das Testosteron anzusehen. Ein Anstieg des Testosteronspiegels hemmt die ICSH(LH)-Sekretion, höchstwahrscheinlich vermittelt durch Hemmung des entsprechenden Releasing-Faktors in der hypophysiotropen Zone (Abb. 15).

Das FSH hat beim Mann keine glandotrope Wirkung. Sein Effekt besteht hier allein in einer Stimulierung der Spermiogenese. Ob das LTH beim Mann eine besondere Funktion hat, ist unklar.

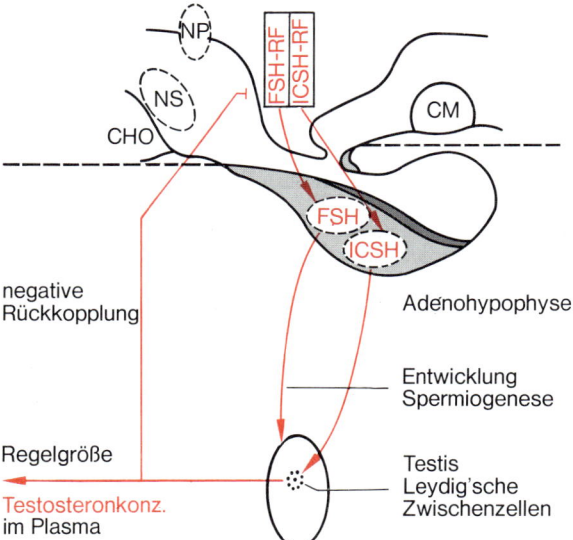

Abb. 15. Regelung des Testosteronspiegels. Bezeichnungen wie in Abb. 2. Linie mit Querbalken bedeutet Hemmung, mit Pfeil Förderung der Hormonsekretion

Pathophysiologische Aspekte. Für das Verständnis einiger pathophysiologischer Vorgänge ist es wichtig zu wissen, daß die zunächst geschlechtsneutrale Anlage der Keimdrüsen aus Cortex und Medulla besteht. Bei weiblich angelegten Organismen bildet sich aus dem Cortex das Ovar, die Medulla geht unter; bei männlich angelegten Organismen entwikkelt sich die Medulla zum Testis und der Cortex geht unter.

Fehlbildungen der Keimdrüsen. Bei einer bestimmten Chromosomenanomalie (X, O) kommen weder Medulla noch Cortex zur Ausbildung. Demnach muß der äußere Habitus mehr weiblich sein (vgl. S. 669). Bei einer anderen Chromosomenanomalie (X, X, Y) bleibt die Hodenentwicklung unzureichend und demgemäß resultiert ein mehr feminines Erscheinungsbild. Eine gleichzeitige vollständige Entwicklung der männlichen und weiblichen Anlage der Keimdrüse — dies würde einem echten Hermaphroditismus entsprechen — ist beim Menschen nicht beobachtet worden.

4. Das sympathico-adrenale System

4.1. Hormone des Systems und Bildungsorte

Die Funktion des sympathico-adrenalen Systems ist an die Wirkung von zwei Hormonen, **Adrenalin** und **Noradrenalin,** die zur Gruppe der Catecholamine gehören, gebunden.

Hormonbildung im Nebennierenmark und in den sympathischen Nervenendigungen. Die Hormone werden einerseits im Nebennierenmark, das entwicklungsgeschichtlich enge Beziehungen zum Sympathicus hat (vgl. S. 122), und in den sympathischen Nervenendigungen gebildet. Die Produktionszellen im Nebennierenmark färben sich mit oxidierenden Farbstoffen (z.B. Dichromsäure) braun an und werden daher als *chromaffine Zellen* bezeichnet. Bei Behandlung mit Jodaten können zwei Typen von Markzellen differenziert werden: Die sich dunkel färbenden Zellen produzieren Noradrenalin, die hell bleibenden Adrenalin. Die Hormonbildungszellen sind als modifizierte sympathische Nervenzellen aufzufassen. Sie werden demgemäß von präganglionären Nervenfasern des Sympathicus innerviert.

Das Verhältnis von Adrenalin zu Noradrenalin im Sekret des Nebennierenmarks ist von Species zu Species und auch je nach Lebensalter verschieden. Beim erwachsenen Menschen beträgt der Anteil von Adrenalin am Marksekret ca. 70–90%. Das an den Nervenendigungen freigesetzte Catecholamin enthält dagegen vorwiegend Noradrenalin.

Der Ausgangsstoff für die Bildung von Noradrenalin und Adrenalin ist die Aminosäure Tyrosin. Aus dieser wird in kleinen Granula, die sich in den Bildungszellen des Marks und den sympathischen Nervenendigungen befinden und die nötigen Enzymsysteme enthalten, Noradrenalin und Adrenalin gebildet.

Hormonbildung im Gehirn. Noradrenalin wird ferner in verschiedensten Bereichen des Gehirns gebildet, wo es als *Überträgersubstanz* wirkt. Wegen der Bluthirnschranke (s. S. 6) dringt das an den sympathischen Nervenendigungen und im Nebennierenmark gebildete Adrenalin und Noradrenalin nicht in das Gehirn ein. Insoweit untersteht das Gehirn, obgleich seine interne Steuerung in starkem Maße von Catecholaminen bewerkstelligt wird, nicht direkt der Steuerung durch das sympathico-adrenale System. Andererseits wird das im Gehirn gebildete Adrenalin bzw. Noradrenalin wahrscheinlich nicht in nennenswertem Maße an den Körperkreislauf abgegeben; es wird vielmehr am Wirkungsort selbst abgebaut oder reabsorbiert. Das an den sympathischen Nervenendigungen freigesetzte Noradrenalin hingegen wird an das Blut abgegeben und kann im Harn nachgewiesen werden. Es hat somit den Charakter eines Hormones, wenngleich man es auch als Überträgerstoff bezeichnen kann (vgl. hierzu S. 651).

Nach neueren Untersuchungen besteht evtl. die Möglichkeit, daß Noradrenalin und Adrenalin entgegen obiger Behauptung zumindest an einigen Stellen, nämlich im Bereich der sog. *circumventriculären Organe* [35, 45], die Bluthirnschranke durchdringen können. Sollte sich diese Passage als quantitativ gewichtig herausstellen, so müßte der Begriff sympathico-adrenales System weiter gefaßt werden, als dies hier geschehen ist.

4.2. Wirkungen von Noradrenalin und Adrenalin

Adrenalin und Noradrenalin entfalten an manchen Zielorganen gleichartige, an anderen verschiedenartige Wirkungen. Die physiologischen Wirkungen in den verschiedenen Zielorganen lassen sich im wesentlichen auf die folgenden Grundwirkungen zurückführen:

1. Beeinflussung des Tonus und der Contraction der glatten und quergestreiften Muskulatur.
2. Beeinflussung des Kohlenhydrat- und Fettstoffwechsels.

Die Wirkungen von Adrenalin und Noradrenalin setzen voraus, daß sich in den Zielorganen die Hormone zunächst an bestimmte Haftstellen der Zellmembran binden. Diese Haftstellen werden *Receptoren* genannt und sind im Bereich der Molekularstruktur der Membranen zu suchen: Sie dürfen nicht verwechselt werden mit den Reiztransformationsorganen, wie zum Beispiel Druckreceptoren der Haut oder Dehnungsreceptoren des Muskels, die lichtmikroskopisch erfaßbare komplexe Strukturen darstellen.

Um die unterschiedliche Wirkung von Adrenalin und Noradrenalin zu erklären, hat man verschiedene Arten von Receptoren postuliert [16]. So soll die kontraktionsauslösende Wirkung auf glatte Muskelfasern über α-Receptoren, die zur Erschlaffung führende Wirkung über β-Receptoren vermittelt werden. Es gibt Hemmstoffe (Adrenolytica), die selektiv die α-Wirkung und solche, die selektiv die β-Wirkung blockieren. Das α-β-Schema reicht jedoch nicht zur befriedigenden Erklärung aller inzwischen bekannt gewordenen Phänomene aus. Zum Teil stiftet seine Anwendung mehr Verwirrung als Klärung. Eine Systematik der Wirkungen wird erst aufgestellt werden können, wenn man die Wirkungsmechanismen am Erfolgsorgan im einzelnen aufgeklärt hat.

An verschiedenen Stellen dieses Buches werden Wirkungen von Noradrenalin und Adrenalin im Zusammenhang mit der Abhandlung bestimmter Funktionssysteme besprochen; im folgenden soll ein kurzer zusammenfassender Überblick über diese Wirkungen gegeben werden.

Kreislaufsystem. Noradrenalin bewirkt in allen Gefäßgebieten (außer im Bereich der Coronarien und des Gehirns) Erregung der glatten Gefäßmuskulatur und damit Vasoconstriction. Adrenalin bewirkt in einem Teil der Gefäße, insbesondere im Bereich der Haut Vasoconstriction, in anderen Gefäßgebieten, insbesondere im Bereich der Skeletmuskulatur Vasodilatation.

Herz. Am isolierten Herzen haben Adrenalin und Noradrenalin *positiv chronotrope* und *positiv inotrope* Wirkung. Adrenalin hat zusätzlich eine dromo- und bathmotrope Wirkung. Im intakten Organismus ergeben sich jedoch Unterschiede zwischen beiden Hormonen: Nach Noradrenalin tritt keine Steigerung der Herzfrequenz, sondern sogar Bradykardie auf; diese wird auf eine reflektorische Vaguserregung zurückgeführt, da sie durch Atropingabe aufhebbar ist.

Blutdruck. Nach dem Anstieg der Noradrenalin-Konzentration im Blut tritt Steigerung des systolischen und des diastolischen Blutdruckes auf. Adrenalin bewirkt Steigerung des systolischen Blutdruckes bei Konstanz oder Senkung des diastolischen Druckes; in jedem Fall kommt es nach Adrenalin zur Steigerung der Blutdruckamplitude.

Atmung. Noradrenalin und Adrenalin bewirken Steigerung der Atemtiefe. Der Atemwiderstand sinkt infolge Erschlaffung der Bronchialmuskulatur ab. Hierauf beruht die therapeutische Anwendung von Noradrenalin bei Asthma bronchiale.

Glatte Muskulatur anderer Organe. Die Sphincteren des Magen-Darmtrakts werden durch Noradrenalin und Adrenalin erregt, die übrige Muskulatur gehemmt. Erregend wirken Adrenalin und Noradrenalin auf die glatte Muskulatur der Milzkapsel, der Erectores pilorum der Haut, der Nickhaut der Katze und auf den Dilatator pupillae der Iris.

Kohlenhydratstoffwechsel. Adrenalin bewirkt Steigerung des Blutglukosespiegels durch Abbau des Leberglykogens. Die blutzuckersteigernde Wirkung des *Noradrenalins* ist gering. Durch seine glykogenolytische Wirkung ist Adrenalin der wichtigste Antagonist des Insulins bei der Blutzuckerregelung (s. S. 676).

Fettstoffwechsel. Adrenalin und Noradrenalin wirken lipolytisch und bewirken damit einen Anstieg der freien Fettsäuren im Plasma, die etwa bei Kältebelastung als Substrat für die Thermogenese dienen.

Energieumsatz. Der Energieumsatz wird beim erwachsenen Menschen unter Adrenalineinwirkung um etwa 30% gesteigert. Erheblich stärkere Steigerungen (bis zu 300%) finden sich bei Neugeborenen und kälteadaptierten Organismen, die über braunes Fettgewebe verfügen. Dieser thermogenetische Effekt ist sowohl durch Noradrenalin wie auch durch Adrenalin auszulösen und wird über adrenerge β-Receptoren vermittelt [7].

Zentralnervensystem. Adrenalin (Noradrenalin nicht oder nur in geringem Maße) bewirkt Stimulierung des ascendierenden retikulären Systems („arousal reaction"), gekennzeichnet durch Desynchronisierung des EEG (vgl. S. 153, 159). Begleitet sind diese zentralnervösen Erscheinungen von erhöhter Aufmerksamkeit bis zu starker psychischer Erregung und Angstzuständen.

Wenn man sich an die Aussage hält, daß die Catecholamine die Bluthirnschranke nicht überwinden können, so muß man annehmen, daß die zentralnervösen Effekte indirekt ausgelöst werden. Man kann sich etwa vorstellen, daß die Wirkungen über afferente Nervenbahnen vermittelt werden, die über Presso-, Volumen-, Chemoreceptoren usw. erregt werden. Ferner ist daran zu denken, daß die Wirkungen über Änderungen des Blutzuckerspiegels oder durch Metaboliten, die die Bluthirnschranke überwinden können, vermittelt werden.

4.3. Steuerung der Sekretion von Noradrenalin und Adrenalin

Auslösung der Hormonsekretion. Die Sekretion von Noradrenalin und Adrenalin im Nebennierenmark und von Noradrenalin an den Nervenendigungen ist unter Ruhebedingungen gering und steigt erst bei Belastungen bzw. Erregungen des sympathischen Nervensystems an. Für die Sekretionsauslösung im Nebennierenmark sind Zweige des N. splanchnicus zuständig. Die Auslösung der Sekretion erfolgt durch verschiedenartige Reize, die über verschiedene Receptorsysteme wirksam werden, so über die Pressoreceptoren, die Thermoreceptoren und über postulierte Glucosereceptoren. Ferner kann die Noradrenalin/Adrenalin-Sekretion im Rahmen verschiedenartigster Belastungszustände (Streß, vgl. S. 663) zusammen mit der Glucocorticoidsekretion ansteigen: So fand man z.B. bei Fallschirmspringern an Springtagen höhere Ausscheidung von Noradrenalin-Adrenalin-Abbauprodukten im Harn als an Ruhetagen [16]. Man spricht hier von einer „Notfallreaktion" [9] oder — weniger dramatisch — von einer „ergotropen Einstellung" des Organismus.

Selektive Steuerung der Hormonsekretion. Die Sekretion der beiden Hormone kann selektiv gesteuert werden, wie die folgenden Befunde zeigen: Abklemmung der A. carotis, also Druckentlastung der Pressoreceptoren, führt zur Steigerung der Sekretion bei gleichzeitiger Erhöhung des Noradrenalin-Adrenalin-Quotienten. Elektrische Reizung des N. ischiadicus, wobei vermutlich die Reizung von Schmerzafferenzen das Entscheidende ist, führt zu erhöhter Ausschüttung mit Erniedrigung des Noradrenalin-Adrenalin-Quotienten. Glucoseinfusion senkt die Adrenalin-Sekretion, Blutzuckersenkung durch Insulin führt zu Steigerung der Adrenalin-Sekretion bei nahezu unbeeinflußter Noradrenalin-

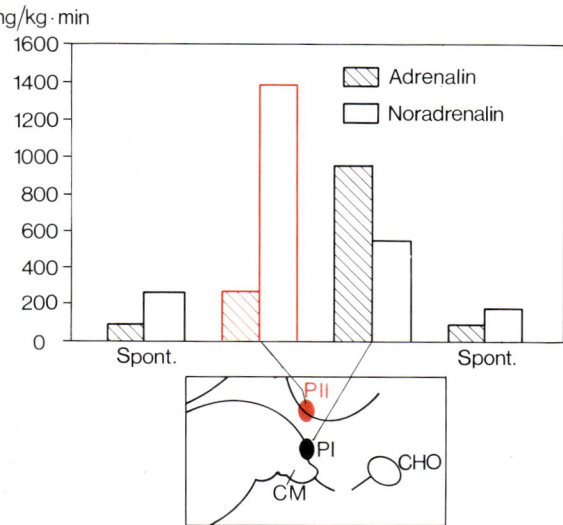

Abb. 17. Steigerung der Adrenalin (A)- und Noradrenalin (NA)-Spiegel des Plasmas durch punktförmige Reizung im Hypothalamus. Der NA/A-Quotient ist je nach Reizort (P I, P II) verschieden. Nach [16]

Sekretion (Abb. 16). Durch Mikroinjektion kleiner Glucosemengen in den vorderen Hypothalamus läßt sich ebenfalls Senkung der Adrenalin-Sekretion auslösen; aufgrund dieses Befundes wurden Glucosereceptoren im vorderen Hypothalamus postuliert. Steigerung der Adrenalin-Noradrenalin-Sekretion kann auch durch elektrische Reizung des Hypothalamus ausgelöst werden; das Noradrenalin-Adrenalin-Verhältnis ist dabei abhängig von der Reizstelle (Abb. 17).

5. Pankreashormone und Blutzuckerregelung

5.1. Inselzellhormone des Pankreas

In den inselförmig in der Bauchspeicheldrüse (Pankreas) liegenden Langerhansschen Inseln werden die Hormone Insulin und Glucagon gebildet. Die die beiden Hormone bildenden Zellgruppen sind histologisch unterscheidbar. Die Bildungszellen für Insulin werden als β-Zellen, die glucagonbildenden Zellen als α-Zellen bezeichnet.

Das **Insulin** ist ein Proteohormon, das aus zwei parallel angeordneten Polypeptidketten, die durch Sulfidbrücken verbunden sind, besteht; sein Molekulargewicht beträgt ca. 6000. Das **Glucagon** ist ein kettenförmiges Polypeptid mit einem Molekulargewicht von ca. 3500. Insulin ist das erste Proteohormon und das erste Protein, das voll synthetisiert werden konnte.

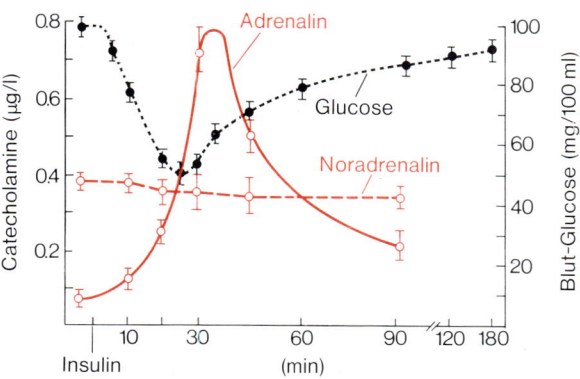

Abb. 16. Selektive Steuerung der Adrenalinsekretion. Durch Insulininjektion hervorgerufene Senkung des Blutglucosespiegels bewirkt starken Anstieg des Adrenalinspiegels im Plasma, während der Noradrenalinspiegel unverändert bleibt. Nach [16]

Wirkungen der Inselzellhormone. Hinsichtlich ihrer hervorstechendsten Wirkung, der *Beeinflussung des Blut-Glucosespiegels,* verhalten sich die beiden Hormone antagonistisch: Insulin wirkt blutzuckersenkend, Glucagon blutzuckersteigernd; quantitativ betrachtet überwiegt die Wirkung des Insulins die des Glucagons erheblich. Bei Entfernung des Pankreas steht daher der Ausfall des Insulins ganz im Vordergrund. Durch ein Pharmakon, Alloxan, kann man selektiv die β-Zellen zerstören und damit isoliert die Wirkung des Insulins ausschalten. Glucagon wird außer in den α-Zellen der Langerhansschen Inseln auch in Drüsen der Magen- und Duodenalschleimhaut gebildet; es steht somit den Enterohormonen und den „Gewebshormonen" nahe.

Wirkungen des Insulins. Die **blutzuckersenkende Wirkung** des Insulins wird auf folgende Faktoren zurückgeführt: a) Die Glucosepermeabilität der Zellen, insbesondere der Herzmuskel-, der Skeletmuskel- und Fettgewebszellen (nicht der Gehirnzellen), wird durch Insulin erhöht und damit der Einstrom von Glucose in die Zelle, sowie ihre intracelluläre Metabolisierung gesteigert. b) In der Leber wird durch Insulin der Glykogen*aufbau* gesteigert. c) Die Bildung von Glucose aus Aminosäuren (Gluconeogenese) wird unter Insulineinwirkung vermindert. Das Insulin wirkt damit zugleich anabol (Körperansatz wird gefördert; in dieser Hinsicht ist es ein Synergist des Wachstumshormons). Insulin beeinflußt auch den Fettstoffwechsel, indem es die Aufnahmefähigkeit des Fettgewebes und der Leberzellen für freie Fettsäuren und deren Speicherung in Form von Triglyceriden (Depotfett) fördert. Es wirkt damit dem Auftreten von Ketokörpern und von Acidose entgegen.

Wirkungen des Glucagons. Glucagon steigert die Glykogenolyse in der Leber und ist damit ein Synergist des Adrenalins. Es wirkt ferner fördernd auf die Gluconeogenese. Die Wirkungen auf den Fettstoffwechsel sind komplex: Die Fettsäureoxidation in der Leber wird gesteigert und es werden mehr Fettsäuren in Ketokörper umgewandelt. Auf der anderen Seite wird die Speicherung von Fettsäuren in Form von Triglyceriden gefördert. „Glucagon liefert Glucose, wo sie benötigt wird, und erlaubt einen Verbrauch von Fettsäuren, wo dies möglich ist" [36].

5.2. Regelung der Blutzuckerkonzentration

Insulin als Stellglied des Regelkreises. Der Insulinspiegel schwankt in Abhängigkeit von der exogenen Glucosezufuhr in erheblichen Grenzen. Ein negati-

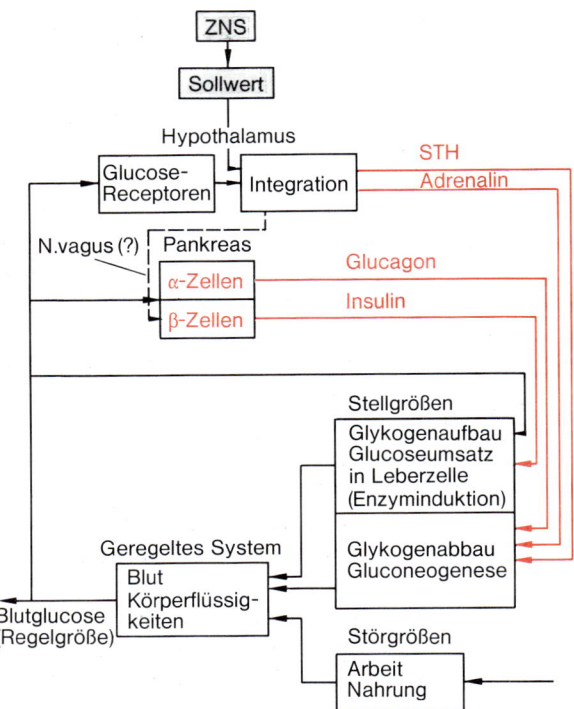

Abb. 18. Schematische Darstellung des Regelsystems für die Glucosekonzentration in Blut- und Körperflüssigkeiten. Einzelheiten s. Text

ver Rückkopplungsmechanismus liegt nicht vor; der Insulinspiegel wird also **nicht** geregelt. Das Insulin ist vielmehr als Stellglied innerhalb eines Regelkreises zur Konstanterhaltung des Blutglucosespiegels (gemäß Abb. 1(A)) aufzufassen. Diese Funktion geht Hand in Hand mit der Steuerungsfunktion des Insulins bei den metabolischen Prozessen, die sich auf cellulärer und subcellulärer Basis abspielen. Der Blutzuckergehalt ist jedoch eine leicht meßbare Größe, die deutlich Ordnung und Unordnung in den Stoffwechselfunktionen des Insulins und einiger weiterer Hormone (Abb. 18) reflektiert. Die Messung des Blutglucosespiegels hat deshalb eine große klinische Bedeutung.

Der *Blutglucosespiegel wird normalerweise auf einem Wert zwischen 80 und 100 mg/100 ml Blut* gehalten. Die Konstanz wird durch die wechselnde Kohlenhydrataufnahme mit der Nahrung und die variable Oxidationsrate der Glucose, die z.B. bei körperlicher Arbeit um ein Vielfaches ansteigen kann, ständig bedroht. Die Insulinsekretionsrate kann auf diese wechselnden Bedürfnisse sehr genau eingestellt werden. Die Behandlung einer „Zuckerkrankheit" mit einem täglich einmal verabreichten „Insulindepot" ist damit verglichen eine sehr grobe therapeutische Maßnahme. Sie kann nur da einigermaßen effektiv sein, wo die Störgrößen (Nahrung, Arbeit) ziemlich konstant gehalten werden.

Steuerung der Insulinsekretion. Es ergibt sich die Frage, auf welchem Wege die Steuerung der Insulinsekretion in Abhängigkeit vom Glucosespiegel des Blutes erfolgt. Ein tropes Hormon wurde zeitweise vermutet, jedoch nicht nachgewiesen. Auch eine Steuerung auf nervalem Wege (etwa wie beim Nebennierenmark) scheint nicht von Bedeutung zu sein, denn die Entnervung des gesamten Pankreas bewirkt keine Störung der Blutglucoseregelung. Die nachgewiesene Beeinflussung der Insulinsekretion über den N. vagus beim Hund (vgl. Abb. 18) scheint deshalb nur von untergeordneter funktioneller Bedeutung zu sein. Man nimmt an, daß der *Glucosespiegel im Pankreas selbst gemessen wird* und von hier aus auf kurzem Wege die Sekretionsrate der β-Zellen gesteuert wird. Diese Annahme wird unterstützt durch den Nachweis einer gesteigerten Insulinproduktion von in vitro gehaltenem Inselgewebe bei Zugabe von Glucose.

Senkung der Blutglucose unter den Normwert wird vermutlich über Glucosereceptoren (vgl. S. 675) im Hypothalamus erfaßt und führt zu einer Aktivierung von Hormonen, die den Blutzucker steigern, nämlich Adrenalin, Wachstumshormon und Glucagon (Abb. 16 u. 18).

Zusammenwirken der blutzuckerregulierenden Mechanismen. In dem Blockschaltbild der Abb. 18 sind die Mechanismen zur Konstanthaltung des Blutzuckers zusammengefaßt. Das Schema bringt zum Ausdruck, daß mehrere Regelkreise ineinander verschachtelt sind. Der Tatsache, daß der Blutglucosespiegel eine Tagesperiodik aufweist, wird in dem Schema durch Einführung eines variablen „Sollwertes" Rechnung getragen.

Im Rahmen von Streßreaktionen (s. S. 663) erfolgt neben der Ausschüttung von Noradrenalin und Adrenalin eine Steigerung der Sekretionsrate der Glucocorticoide und des Thyroxins. Eine Steuerung dieser Hormone über Glucosereceptoren ist nicht nachgewiesen worden; sie sind deshalb nicht in das Blockschaltbild der Abb. 18 aufgenommen worden. Unter Umständen ist ihre Wirkung in einem Regelschema eher als Störgröße denn als Stellgröße einzuführen. Eine gewisse Stabilisierung des Blutzuckers ist auch bei *pankreaslosen, mit Insulin substituierten* Hunden möglich. Es wird angenommen, daß die Glucose eine Enzyminduktion in den Leberzellen bewirkt, durch die die Einschleusung der Glucose und deren Metabolisierung gesteigert wird.

Pathophysiologie. Abweichungen des Blutglucosespiegels von der Norm werden als Hypoglykämie bzw. Hyperglykämie bezeichnet.

Hypoglykämie. Bei Absinken des Blutzuckers unter 50 mg/100 ml Blut treten charakteristische Erscheinungen auf, nämlich Schweißsekretion, Tachykardie, Tremor, Heißhunger, Erregung. Bei weiterem Abfall des Blutzuckers geht dieser Zustand rasch in den sog. *hypoglykämischen Schock* über, der von Bewußtlosigkeit begleitet ist und rasch zum Tode führen kann. Rechtzeitige Traubenzuckerzufuhr ist hier eine äußerst wirksame Therapie. Hypoglykämien treten bei STH-Mangelzuständen (hypophysärer Zwergwuchs, s. S. 660) oft schon nach kurzem Fasten auf. Die unmittelbar bedrohliche Wirkung der Hypoglykämie ist in einer mangelhaften Substratversorgung der Hirnzellen zu sehen, für die Glucose der einzige Energielieferant ist.

Hyperglykämie. Ein Anstieg des Blutzuckerspiegels über die Norm ist für sich betrachtet nicht als lebensbedrohlich anzusehen. Bei einem Blutglucosespiegel über 180 mg/100 ml Plasma wird die Glucose mit dem Harn ausgeschieden (Glucosurie; vgl. S. 623). Mäßige Hyperglykämien begleiten den Morbus Cushing (s. S. 664), die hochgradige Hyperthyreose, den hypophysären Riesenwuchs bzw. die Akromegalie (s. S. 659). Eine reine Insulinmangelhyperglykämie liegt bei einem sog. Alloxandiabetes (s. S. 676) vor. Die weit verbreitete Zuckerkrankheit (Diabetes mellitus) ist die häufigste Ursache für eine Hyperglykämie.

Die Genese des Diabetes mellitus ist äußerst komplex und uneinheitlich. Anders als beim Alloxandiabetes spielen neben dem relativen Insulinmangel zahlreiche weitere Faktoren eine Rolle, so z.B. eine vermehrte Ausschüttung antagonistischer Hormone [27]. Ferner wird u.a. angenommen, daß die Erfolgssysteme gegen das endogen produzierte Insulin mehr oder weniger resistent sind [36].

6. Die hormonalen Regulationssysteme des Mineralhaushaltes

Für die Steuerung von homöostatischen Vorgängen im Mineralhaushalt sind mehrere Hormone zuständig, die an verschiedenen Körperstellen in verschiedenen endokrinen Drüsen gebildet werden. Man kann hier zwei Gruppen unterscheiden:

a) Hormone, die die Plasmakonzentration und die Ausscheidung der Elektrolyte Na^+ und K^+ sowie des H-Ions steuern und damit zwangsläufig in starkem Maße den Wasserhaushalt beeinflussen: Aldosteron, Angiotensin, Renin.

b) Hormone, die den Calcium- und Phosphathaushalt beeinflussen: Parathormon und Thyreocalcitonin.

6.1. Regulation des Na^+- und K^+-Haushaltes

Mineralocorticoide (Aldosteron). Wie auf S. 661 bereits ausgeführt, sind die deletären Ausfallserscheinungen nach Ausschaltung der Nebennierenrinde im wesentlichen auf den Ausfall des in der Zona glomerulosa gebildeten Mineralocorticoids Aldosteron zurückzuführen, das offenbar eine wesentliche Funktion für die Homöostase des Elektrolyt- und Wasserhaushaltes hat.

Wirkungen des Aldosterons. Aldosteron steigert den aktiven Na^+-Transport durch Zellmembranen. In der Niere betrifft die Aldosteronwirkung die Reabsorption von Na^+ aus dem Tubulussystem und damit, osmotisch bedingt, eine gesteigerte Wasserreabsorption. In entgegengesetzter Richtung wird der K^+- und H^+-Transport gefördert (bezüglich der physikochemischen Grundlagen dieser Elektrolytaustauschtransporte s. S. 620f.). Entsprechende Wirkungen übt Aldosteron in den Schweiß-, Speichel- und Darmdrüsen aus. Der NaCl-Gehalt des Schweißes, der normalerweise weit geringer als der des Plasmas ist, steigt bei Aldosteronmangel erheblich an. Die bei Hitzebelastung auftretende Schweißsekretion führt daher bei Aldosteronmangel rasch zu bedrohlichen NaCl-Verlusten. Die Hitzeadaptation beruht zum Teil darauf, daß die Aldosteronsekretion erhöht und infolgedessen der NaCl-Gehalt des Schweißes erniedrigt ist ([10, 23], s. auch S. 542). Die Latenzzeit der Aldosteronwirkung auf die Niere liegt um 30 min; diese Zeit wäre ausreichend für eine Enzyminduktion, die als Grundlage des Wirkungsmechanismus vermutet wird.

Steuerung der Aldosteronsekretion. Die Aldosteronsteuerung erfolgt nicht über ACTH. Nach neueren Untersuchungen ist Angiotensin II als „tropes" Hormon für Aldosteron anzusehen. Angiotensin II ist ein Octapeptid, das unter der Einwirkung von Renin aus Angiotensin I, das im Plasma zirkuliert, gebildet wird. Renin seinerseits wird in den sog. *juxtaglomerulären Zellen* der Niere freigesetzt, wenn der Blutdruck in der A. renalis absinkt. Die experimentelle Entfernung beider Nieren senkt demgemäß die Aldosteronsekretion. Die Aldosteronsekretion wird ferner unmittelbar von der Elektrolytkonzentration des Plasmas beeinflußt. So konnte gezeigt werden, daß Perfusion der Nebenniere mit Lösungen, deren Na-Gehalt erniedrigt und deren K-Gehalt im Vergleich zum normalen Plasma erhöht war, zu einer Steigerung der Aldosteronsekretion führte.
Einflüsse auf die Aldosteronsekretion. Aus den zahlreichen Untersuchungen haben sich im wesentlichen vier Bedingungen ergeben, die eine Steigerung der Aldosteronsekretion zur Folge haben: 1. Negative Na-Bilanz, z.B. verminderte Kochsalzzufuhr mit der Nahrung, erhöhte NaCl-Verluste mit dem Schweiß, 2. gesteigerte K-Zufuhr, 3. metabolische Acidose und 4. Verminderung des Plasmavolumens, z.B. durch Blutverlust oder mangelhafte Flüssigkeitszufuhr. Die Veränderung der biologischen Größen gemäß 1. und 2. könnte *unmittelbar* die Sekretbildung der Zona glomerulosa beeinflussen (s.o.). Auf welchem Wege der Faktor 3 (Acidose) eine Änderung der Aldosteronsekretion bewirkt, ist noch unklar. Änderungen des Plasmavolumens (4) können sich auf dem Wege über Aktivitätsänderungen von Dehnungsreceptoren des Gefäßsystems, insbesondere auch über das juxtaglomeruläre System der Niere auswirken (vgl. hierzu S. 629f.). Man muß danach Aldosteron als ein Stellglied in mehreren vermaschten biologischen Regelkreisen ansehen.

Pathophysiologie. Neben den schon erwähnten deletären Störungen im Elektrolyt- und Wasserhaushalt bei Unterfunktion der Nebennierenrinde (Addisonsche Krankheit) gibt es auch Störungen, die durch eine gesteigerte Sekretionsrate des Aldosterons hervorgerufen werden. Dieser *Hyperaldosteronismus* ist durch Hypernatriämie, Hypokaliämie und Ödeme gekennzeichnet.

6.2. Regulation des Ca^{++}- und Phosphathaushaltes

Hormone des Systems und Bildungsorte. An den Regulationsvorgängen im Ca^{++}- und Phosphathaushalt sind im wesentlichen zwei Hormone beteiligt, *Parathormon* und *Calcitonin*. Parathormon wird in den Glandulae parathyreoideae (Nebenschilddrüsen, Epithelkörperchen) gebildet, Thyreocalcitonin in bestimmten Zellen (C-Zellen) der Schilddrüse [30, 36, 46].
Das Parathormon ist ein kettenförmiges Protein mit einem Molekulargewicht von 8 500. Das Thyreocalcitonin, das erst vor wenigen Jahren entdeckt und noch nicht so vielfältig wie Parathormon untersucht worden ist, ist ebenfalls ein Proteohormon mit einem Molekulargewicht von etwa 3 600 [30, 36].

Wirkungen der Hormone. Die beiden Hormone Parathormon und Calcitonin können als Stellglieder in einem Regelkreis zur Konstanthaltung des Blutcalciumspiegels aufgefaßt werden (gemäß Blockschaltbild Abb. 1(A)).

Parathormon. Dieses Hormon löst durch Stimulierung der Osteoklastentätigkeit Calcium- und Phosphat-Ionen aus der mineralischen Knochensubstanz (Hydroxylapatit) heraus und führt damit zu einer Steigerung des Plasma-Calcium-Spiegels, der beim Menschen normalerweise sehr konstant bei 5 mval/Liter (10 mg/100 ml) Plasma gehalten wird. Es wird durch Parathormon ferner die Absorption von Calcium im Darm gefördert, sofern zugleich ausreichend Vitamin D vorhanden ist. Der Phosphatspiegel steigt im Plasma nach Parathormonzufuhr nur wenig oder nicht an, da das Hormon zugleich die Ausscheidung der Phosphat-Ionen im Tubulussystem der Niere steigert (Erhöhung der Phosphat-Clearance, s. S. 624). Bei sehr starker Parathormonaktivität steigt auch der Phosphatspiegel an, da die Phosphatausscheidung nicht Schritt hält. Das Löslichkeitsprodukt für Calcium und Phosphat wird dabei überschritten (normal: [Calcium · Phosphat] = 40 mg/100 ml Blut). Es kommt deshalb zu Kalkniederschlägen in verschiedenen Organen. Entsprechend tritt bei solcher Überaktivität eine (meist umschriebene) Entkalkung der Knochen auf.

Thyreocalcitonin. Dieses Hormon wirkt hinsichtlich des Blutcalciumspiegels dem Parathormon entgegen, d.h. es senkt den Calciumspiegel, indem es die Freisetzung von Calcium aus dem Knochen hemmt.

Steuerung der Hormonsekretion. Ein übergeordnetes „tropes" Hormon, das die Sekretion des Parathormons steuern würde, ist nicht bekannt. Nach Durchströmungsversuchen der Drüse mit Lösungen verschiedener Calciumkonzentration muß man annehmen, daß die Zellen der Nebenschilddrüse selbst auf Änderungen der Calciumkonzentration mit einer Änderung ihrer Parathormonsekretion reagieren. Über die Steuerung der Sekretion von Thyreocalcitonin liegen noch keine systematischen Untersuchungen vor. Es wird angenommen, daß eine Erhöhung des Blutcalciumspiegels direkt zu einer Stimulierung der Hormonsekretion führt.

Pathophysiologie. Ein konstanter Blut-Calciumspiegel ist für die Funktionsfähigkeit erregbarer Strukturen von besonderer Bedeutung.
Tetanie. Senkungen des Blutcalciumspiegels schon unter 8 mg/100 ml Plasma lösen eine Erhöhung der neuromuskulären Erregbarkeit aus; schon leichte normalerweise unterschwellige elektrische oder auch mechanische Reize (z.B. Beklopfen eines motorischen Nerven) bewirken unter diesen Umständen eine tonische Kontraktion der Skelettmuskulatur. Die Krämpfe treten schließlich spontan auf; infolge tonischer Kontraktion der Atem- und Kehlkopfmuskulatur kann rasch der Tod eintreten. Dieses Krankheitsbild wird als *Tetanie* bezeichnet.

Entscheidend für das Auftreten der tetanischen Krämpfe ist die Höhe des Calciumanteils, der im Blutplasma *ionisiert* vorliegt. Durch Ultrafiltration läßt sich das Plasmacalcium in zwei Fraktionen aufteilen: 40–60% des Gesamtcalciumgehaltes wandern nicht durch die Membran, da diese Fraktion an das Plasma-Eiweiß gebunden ist. Das ultrafiltrable Serum-Calcium setzt sich aus der ionisierten und nicht ionisierten Fraktion zusammen. Das ionisierte Calcium steht nach dem Massenwirkungsgesetz mit dem Eiweißcalcium im Gleichgewicht:

$$[Ca^{++}] = \frac{[Ca\text{-Proteinat}]}{[Protein^{--}]} \cdot K.$$

K ist abhängig vom Blut-pH. Bei zunehmendem Blut-pH (Alkalose) nimmt der Anteil an ionisiertem Calcium ab. Wenn bereits eine latente Tetanie vorliegt, kann schon eine willkürliche Hyperventilation, die bekanntlich zu einem geringen Anstieg des Blut-pH führt, einen tetanischen Anfall auslösen („Hyperventilationstetanie"). Durch Erhöhung des Bluteiweißgehaltes fällt, wie aus der Gleichgewichtsbeziehung hervorgeht, auch bei unverändertem Gesamtcalciumgehalt des Blutes der ionisierte Anteil ab. Bei der Beurteilung des Calciumspiegels muß daher jeweils der Bluteiweißgehalt mit berücksichtigt werden. Blutcalciumwerte in der Größenordnung von 5 mg/100 ml Plasma werden auch bei völligem Ausfall von Parathormon gehalten. Diese Calciumwerte reichen immer noch zur Gewährleistung der elektromechanischen Kopplung im Herz- und Skeletmuskel (vgl. S. 353) und zur Blutgerinnung (vgl. S. 333f.) aus.

Hyperparathyreoidismus. Dieses Krankheitsbild kommt bei Adenomen (Geschwülsten) der Nebenschilddrüse vor. Es können dabei Blut-Calciumwerte bis zu 17 mg/100 ml Plasma auftreten. Ein calciumreiches Mahl (z.B. Milch) kann in diesem Fall den Tod herbeiführen, vermutlich durch plötzlichen Herzstillstand, denn Bradykardie gehört zum Krankheitsbild der Hypercalcämie. Im übrigen treten bei Hyperparathyreoidismus wegen Überschreitung des Löslichkeitsproduktes Kalkeinlagerungen in den Gefäßen und in der Niere auf. Viele Nierensteinleiden beruhen auf einer Überfunktion der Epithelkörperchen und können durch Entfernung der Geschwülste dieser Drüsen wirksam behandelt werden.

7. Grenzbereiche des endokrinen Systems

7.1. Enterohormone und „Gewebshormone"

Hormone des Verdauungstraktes (Enterohormone). Im Magen- und Darmtrakt werden verschiedene Stoffe gebildet, die für die Verdauungsfunktion von Bedeutung sind. Soweit es sich um Stoffe handelt, die auf dem Blutwege transportiert werden und entfernt von der Produktionsstätte Wirkungen auslösen, wie das Gastrin, Secretin, Pankreozymin und einige andere, sind sie zu den Hormonen zu zählen. Sie werden zu einer Gruppe mit dem Namen „Enterohormone" oder „gastrointestinale Hormone" zusammengefaßt und in XXVII abgehandelt.

„Gewebshormone". Der Begriff „Gewebshormone" ist in neuerer Zeit problematisch geworden. Man wollte damit ursprünglich eine Reihe von Stoffen kennzeichnen, die an Zielorganen spezifische Wirkungen (vgl. S. 651) hervorrufen, für die man aber kein spezielles endokrines Organ gefunden hat („Bildung irgendwo im Gewebe"). Inzwischen sind Stoffe, für deren Bildung es auch keine endokrine Drüse im strengen morphologischen Sinne gibt (z.B. die Releasing-Hormone der hypophysiotropen Zone), sowie einige der Enterohormone, die früher zu den Gewebshormonen gezählt wurden, voll als Hormone anerkannt worden. Andere ehemals als Gewebshormone bezeichnete Stoffe hingegen werden heute als nervale Überträgerstoffe (Neurotransmitter) und nicht mehr als Hormone bezeichnet, so z.B. Acetylcholin. Scharfe Abgrenzungen sind hier nicht möglich, wie schon eingangs gesagt. Der Vollständigkeit halber seien einige Stoffe aufgezählt, deren Klassifizierung schwierig ist und die gelegentlich noch als Gewebshormone bezeichnet werden:

Erythropoietin, das im juxtaglomerulären Apparat gebildet wird und die Erythropoese anregt (s. S. 328);

Prostaglandine, die zuerst in der Samenblase gefunden, inzwischen aber auch im Gehirn nachgewiesen wurden. Möglicherweise müssen sie zu den Neurotransmittern gerechnet werden.

Serotonin (5-Hydroxytryptamin) wird an Nervenendigungen bestimmter Hirnbezirke (insbesondere Hypothalamus, Raphe-Kerne, s. S. 51) freigesetzt. Daneben kommt Serotonin in Blutplättchen vor; bei Verletzungen wird es freigesetzt und trägt infolge seiner *vasoconstrictorischen Wirkung* zur *Blutstillung* (s. S. 333) bei.

Histamin wird beim Ablauf von Antigen-Antikörperreaktionen aus der Aminosäure Histidin gebildet. Es wird in *Mastzellen* (s. S. 332) transportiert und löst einen großen Teil der sog. *allergischen Reaktionen* aus, so Hautrötung, Quaddelbildung, Hautjucken, Kontraktion der glatten Atemmuskulatur (Asthma). Histamin ist ferner in der Hypophyse und in der Eminentia mediana des Hypothalamus nachgewiesen worden. Es ist noch unklar, ob es auch eine Funktion als Neurotransmitter hat.

Bradykinin gehört zur einer Kinine genannten Gruppe gefäßaktiver Polypeptide. Das zusammen mit dem Schweiß freigesetzte Bradykinin vermittelt Vasodilatation bestimmter Gefäßgebiete im Rahmen der Thermoregulation (s. S. 536).

Kallikrein ist ein Gewebshormon, das für die Bildung der *Kinine* (s. o.) aus ihren Vorstufen (α_2-Globuline) erforderlich ist.

7.2. Organe mit ungesicherter oder unklarer endokriner Funktion

Thymus. Sowohl Epiphyse wie Thymus sind im Verlauf der Zeit immer wieder als endokrine Drüsen angesehen worden, ohne daß zuverlässige Beweise für eine endokrine Funktion vorgelegen hätten. Hinsichtlich dem Thymus wird heute allerdings vermutet, daß in ihm ein *lymphocytenstimulierender Faktor,* den man als Hormon ansehen könnte, gebildet wird.

Epiphyse. Bei der Epiphyse hat sich die Neigung, sie als echte endokrine Drüse anzuerkennen, unter dem Eindruck neuer Befunde wieder verstärkt [25, 28, 43]. Das Organ, das bei den niederen Vertebraten ein Lichtsinnesorgan mit neurosekretorischer Funktion darstellt (photo-neuroendokriner Transducer), behält die sekretorische Funktion auch bei den höheren Vertebraten und Säugern bei. Gebildet wird Melatonin und — in geringem Maß — seine Vorstufe, 5-Hydroxytryptamin (Serotonin).

Nach Untersuchungen an Reptilien bewirkt Melatonin eine Aggregation der Melaningranulome in den Melanocyten der Haut und damit eine Entpigmentierung. Es ist damit ein Antagonist des in der Zona intermedia der Hypophyse (s. S. 658) gebildeten MSH (melanocytenstimulierenden Hormons).

Bei Säugern führt Melatonin nach neueren Untersuchungen zu einer Herabsetzung der Gonadotropinsekretion und der Keimdrüsenfunktion. Dies würde in Einklang zu bringen sein mit klinischen Beobachtungen, nach denen Pubertas praecox von einer Zerstörung der Epiphyse durch einen Tumor begleitet war.

Die Epiphyse empfängt bei Vögeln und auch Säugern marklose sympathische Fasern aus dem oberen Halsganglion des Grenzstranges [43]. Lichteinwirkung auf das Auge führt auf dem Wege über Nervus opticus — Medulla oblongata — Thorakalmark — Ganglion cervicale superior — zu einer Beeinflussung der Sympathicusaktivität in der Epiphyse. Man versucht auf diese Weise, die bei Tieren bekannte Abhängigkeit des Oestrus und der sexuellen Aktivität von der Tageslänge zu erklären.

8. Literatur

1. ADOLPH, E.F.: General and specific characteristics of physiological adaptations. Amer. J. Physiol. **184**, 18 (1956).
2. ANDERSSON, B.: The effect of injections of hypertonic NaCl-solutions into different parts of the hypothalamus of goats. Acta physiol. scand. **28**, 188 (1953).
3. ANDERSSON, B.: Central nervous and hormonal interaction in temperature regulation of the goat. In: Physiological and behavioral temperature regulation (J.D. HARDY, A.P. GAGGE, J.A.J. STOLWIJK, eds.), p. 634. Springfield/Ill.: Ch. C. Thomas 1970.
4. ANDERSSON, B.: Receptors subserving hunger and thirst. In: Handbook of Sensory Physiology, Vol. III/1: Enteroceptors (E. NEIL, Ed.), p. 187. Berlin-Heidelberg-New York: Springer 1972.
5. BARKER, S.B., KLITGAARD, H.M.: Metabolism of tissues excised from thyroxine-injected rats. Amer. J. Physiol. **170**, 81 (1952).
6. BRAZEAU, P., VALÈ, W., BURGUS, R., LING, N., BUTCHER, M., RIVIER, J., GUILLEMIN, R.: Hypothalamic polypeptide that inhibits the secretion of immunoreactive pituitary growth hormone. Science **179**, 77 (1973).
7. BRÜCK, K.: Non-shivering thermogenesis and brown adipose tissue in relation to age, and their integration in the thermoregulatory system. In: Brown adipose tissue (O. LINDBERG, Ed.), p. 117. New York: Amer. Elsevier Publ. 1970.
8. BRÜCK, K.: Physiologische Grundlagen der Anpassung. Med. Mschr. **26**, 350 (1972).
9. CANNON, W.B.: Die Notfallsfunktionen des sympathicoadrenalen Systems. Ergebn. Physiol. **27**, 380 (1928).
10. COLLINS, K.J., WEINER, J.S.: Endocrinological aspects of exposure to high environmental temperatures. Physiol. Rev. **48**, 785 (1968).
11. CROSS, B.A., HARRIS, G.W.: The neurohypophysis and „let-down" of milk. J. Physiol. (Lond.) **113**, 35P (1952).
12. CROSS, B.A., GREEN, J.D.: Activity of single neurons in the hypothalamus. Effect of osmotic and other stimuli. J. Physiol. (Lond.) **148**, 554 (1959).
13. DONOVAN, B.T.: Neuroendokrinologie der Säugetiere. Deutsche Übersetzung von G.E.K. NOVOTNY. Stuttgart: Thieme 1973.
14. ENZMANN, F., BOLER, J., FOLKERS, K., BOWERS, C.Y., SCHALLY, A.V.: Structure and synthesis of the thyrotropin-releasing hormone. J. med. Chem. **14** (6), 469 (1971).
15. VON EULER, C., HOLMGREN, B.: The thyroxine „receptor" of the thyroid-pituitary system. J. Physiol (Lond.) **131**, 125 (1956).
16. VON EULER, U.S.: Adrenal medullary secretion and its neural control. In: Neuroendocrinology, Vol. II (C. MARTINI, W.F. GANONG, Eds.) p. 283. New York-London: Academic Press 1967.
17. EVANS, H.M., SIMPSON, M.E., MARX, W., KIBRICK, E.: Bioassay of the pituitary growth hormone. Width of the proximal epiphysial cartilage of the tibia in hypophysectomized rats. Endocrinology **32**, 13 (1943).
18. FOLKERS, K., ENZMANN, F., BOLER, J., BOWERS, C.,SCHALLY, A.: Discovery of modification of the synthetic tripeptide-sequence of the thyrotropin releasing hormone having activity. Biochem. biophys. Res. Commun. **37**, 123 (1969).
19. GALE, C.C.: Neuroendocrine aspects of thermoregulation. Ann. Rev. Physiol. **35**, 391 (1973).
20. GANONG, W.F., FORSHAM, P.H.: Adenohypophysis and adrenal cortex. Ann. Rev. Physiol. **22**, 579 (1960).
21. HABERICH, F.J., AZIZ, O., OHM, W.: Untersuchungen zur Spezifität des Osmoreceptors in der Leber. Pflügers Arch. ges. Physiol. **294**, 36 (1967).
22. HARRIS, G.W.: Central control of pituitary secretion. In: Handbook of Physiol., Sec. I, Vol. II., p. 1007. Washington: Amer. Physiol. Soc. 1960.
23. HENSEL, H., BRÜCK, K., RATHS, P.: Homeothermic Organisms. In: Temperature and Life (H. PRECHT, J. CHRISTOPHERSEN, H. HENSEL, W. LARCHER, Eds.), p. 505. Berlin-Heidelberg-New York: Springer 1973.

24. HSIEH, A.C.C., PUN, C.W., LI, K.M., TI, K.W.: Circulatory and metabolic effects of noradrenaline in cold-adapted rats. Fed. Proc. **25**, 1205 (1966).
25. KAPPERS, J.A., SCHADÉ, J.P. (Eds.): Structure and function of the epiphysis cerebri. Progress Brain Res., Vol. 10. Amsterdam-London-New York: Elsevier Publ. Comp. 1965.
26. KARLSON, P.: Mechanisms of hormone action. Stuttgart: Thieme 1965.
27. KARLSON, P.: Kurzgefaßtes Lehrbuch der Biochemie. Stuttgart: Thieme 1972.
28. KITAY, J.I.: Possible functions of the pineal gland. In: Neuroendocrinology, Vol. II (C. MARTINI, W.F. GANONG, Eds.), p. 641. London-New York: Academic Press 1967.
29. KOBAYASHI, H., MATSUI, T., ISHII, S.: Functional electron microscopy of the hypothalamic median eminence. Int. Rev. Cytol. **29**, 281 (1970).
30. KUMAR, M.A., SLACK, E., EDWARDS, A., SOLIMAN, H.A., BAGHDIANTZ, A., FOSTER, G.V., McINTIRE, I.: A biological assay for calcitonin. J. Endocr. **33**, 469 (1965).
31. LeBLANC, J., VILLEMAIRE, A.: Thyroxine and noradrenaline on noradrenaline sensitivity, cold resistance and brown fat. Amer. J. Physiol. **218**, 1742 (1970).
32. MATSUO, H., BABA, Y., NAIR, R., AIRMURA, A., SCHALLY, A.V.: Structure of the porcine LH-FSH-releasing hormone. I. The proposed amino acid sequence. Biochem. biophys. Res. Commun. **43**, 1334 (1971).
33. McCANN, S.M.: Chemistry and physiological aspects of hypothalamic releasing and inhibiting factors. In: The hypothalamus (L. MARTINI, M. MOTTA, F. FRASCHINI, Eds.), p. 277. New York-London: Academic Press 1970.
34. NEUMANN, F.: Sexualhormone. In: GAUER, O.H., KRAMER, K., JUNG, R.: Physiologie des Menschen, Band 17. München-Berlin-Wien: Urban und Schwarzenberg 1972.
35. OKSCHE, A.: Circumventricular structures and pituitary functions. Proc. 4th Int. Congr. Endocrinology, Washington. Amsterdam: Excerpta Medica 1972.
36. SAWIN, C.T.: The Hormones. Endocrine physiology. London: Churchill 1969.
37. SAWYER, W.H., MILLS, E.: Control of vasopressin secretion. In: Neuroendocrinology, Vol. I (L. MARTINI, W.F. GANONG, Eds.), p. 187. New York-London: Academic Press 1967.
38. SELYE, H.: The physiology and pathology of exposure to stress. Montreal: Acta Inc. Medical Publ. 1950.
39. SELYE, H.: Hormones and resistance, Part 1. Berlin-Heidelberg-New York: Springer 1971.
40. SZENTÁGOTHAI, J.: The parvicellular neurosecretory system. In: Lectures on the diencephalon. Progress in brain research Vol. 5. (W. BARGMANN, J.P. SCHADÉ, Eds.), p. 135. New York: Elsevier Publ. 1964.
41. TEPPERMAN, J.: Physiologie des Stoffwechsels und des Endokriniums. Deutsche Übersetzung von Rut Bartels. New York: Schattauer 1972.
42. TURNER, C.D.: General Endocrinology. Philadelphia, London: Saunders 1960.
43. UECK, M.: Vergleichende Betrachtungen zur neuroendokrinen Aktivität des Pinealorgans. In: Fortschritte d. Zoologie, Bd. 22, p. 167. Stuttgart: Gustav Fischer 1974.
44. VERNEY, E.B.: The antidiuretic hormone and factors which determine its release. Proc. roy. Soc. B **135**, 25 (1947).
45. VIGH, B.: Das Paraventrikularorgan und das circumventrikuläre System des Gehirns. Studia biol. hung. 10. Budapest: Verlag der Ungarischen Akademie der Wissenschaften 1971.
46. WILLIAMS, R.H.: Textbook of Endocrinology. Philadelphia, London, Toronto: Saunders 1968.
47. YAMAMOTO, W.S., BROBECK, J.R., (Eds.): Physiological controls and regulations. Philadelphia, London: Saunders 1965.
48. YATES, F.E., LEEMAN, S.E., GLENISTER, D.W., DALLMAN, M.F.: Interaction between plasma corticosterone concentration and adrenocorticotropin-releasing stimuli in the rat: evidence for the reset of an endocrine feedback control. Endocrinology **69**, 67 (1961).
49. YATES, F.E., URQUHART, J.: Control of plasma concentrations of adrenocortical hormones. Physiol. Rev. **42**, 359 (1962).

XXXI. Anhang. Maßeinheiten der Physiologie (G. Thews)

Internationales System der Einheiten. Für die physikalischen und chemischen Größen, die im Rahmen der Physiologie verwendet werden, haben einige internationale Fachgesellschaften die Einführung eines neuen Maßsystems empfohlen [1]. Die Basis des neuen *Internationalen Systems der Einheiten (SI = Système International d'Unités)* bilden 7 Größen, die in Tabelle 1 angegeben sind.

Tabelle 1. Namen und Symbole der SI-Basiseinheiten

Größe	Name der Einheit	Symbol
Länge	Meter	m
Masse	Kilogramm	kg
Zeit	Sekunde	s
Elektrische Stromstärke	Ampere	A
Thermodynamische Temperatur	Kelvin	K
Lichtstärke	Candela	cd
Substanzmenge	Mol	mol

Diese Basiseinheiten sind folgendermaßen definiert:

1 Meter (m) ist das 1 650 763,73fache der Wellenlänge der von Atomen des Nuklids ^{86}Kr beim Übergang vom Zustand $5 d_5$ zum Zustand $2 p_{10}$ ausgesandten, sich im Vakuum ausbreitenden Strahlung.

1 Kilogramm (kg) ist die Masse des Internationalen Kilogrammprototyps.

1 Sekunde (s) ist das 9 192 631 770fache der Periodendauer der dem Übergang zwischen den beiden Hyperfeinstrukturniveaus des Grundzustandes von Atomen des Nuklids ^{133}Cs entsprechenden Strahlung.

1 Ampere (A) ist die Stärke eines zeitlich unveränderten elektrischen Stromes, der, durch zwei im Vakuum parallel im Abstand 1 m voneinander angeordnete, geradlinige, unendlich lange Leiter von vernachlässigbar kleinem, kreisförmigem Querschnitt fließend, zwischen diesen Leitern je 1 m Leiterlänge elektrodynamisch die Kraft $1/5 000 000$ kg m/s^2 hervorrufen würde.

1 Kelvin (K) ist der 273,16te Teil der thermodynamischen Temperatur des Tripelpunktes des Wassers.

1 Candela (cd) ist die Lichtstärke, mit der $1/600 000$ m^2 der Oberfläche eines Schwarzen Strahlers bei der Temperatur des beim Druck 101 325 kg/m s^2 = 760 mm Hg erstarrenden Platins senkrecht zu seiner Oberfläche leuchtet.

1 Mol (mol) ist die Stoffmenge eines Systems bestimmter Zusammensetzung, das aus ebenso vielen Teilchen besteht, wie Atome in 0,012 kg (= 12 g) des Nuklids ^{12}C enthalten sind.

Von den Einheiten dieses Basissystems lassen sich die Einheiten sämtlicher Meßgrößen ableiten. Eine Auswahl hiervon ist in Tabelle 2 zusammengestellt.

Tabelle 2. Namen und Symbole einiger abgeleiteter SI-Einheiten

Größe	Name der Einheit	Symbol	Definition
Frequenz	Hertz	Hz	s^{-1}
Kraft	Newton	N	$m \cdot kg \cdot s^{-2}$
Druck	Pascal	Pa	$m^{-1} \cdot kg \cdot s^{-2}$ ($N \cdot m^{-2}$)
Energie	Joule	J	$m^2 \cdot kg \cdot s^{-2}$ ($N \cdot m$)
Leistung	Watt	W	$m^2 \cdot kg \cdot s^{-3}$ ($J \cdot s^{-1}$)
elektr. Ladung	Coulomb	C	$s \cdot A$
elektr. Potentialdifferenz (Spannung)	Volt	V	$m^2 \cdot kg \cdot s^{-3} \cdot A^{-1}$ ($W \cdot A^{-1}$)
elektr. Widerstand	Ohm	Ω	$m^2 \cdot kg \cdot s^{-3} \cdot A^{-2}$ ($V \cdot A^{-1}$)
elektr. Leitwert	Siemens	S	$m^{-2} \cdot kg^{-1} \cdot s^3 \cdot A^2$ (Ω^{-1})
elektr. Kapazität	Farad	F	$m^{-2} \cdot kg^{-1} \cdot s^4 \cdot A^2$ ($C \cdot V^{-1}$)
magn. Fluß	Weber	Wb	$m^2 \cdot kg \cdot s^{-2} \cdot A^{-1}$ ($V \cdot s$)
magn. Flußdichte	Tesla	T	$kg \cdot s^{-2} \cdot A^{-1}$ ($Wb \cdot m^{-2}$)
Induktivität (magn. Leitwert)	Henry	H	$m^2 \cdot kg \cdot s^{-2} \cdot A^{-2}$ ($V \cdot s \cdot A^{-1}$)
Lichtstrom	Lumen	lm	$cd \cdot sr$*
Beleuchtungsstärke	Lux	lx	$cd \cdot sr \cdot m^{-2}$ ($lm \cdot m^{-2}$)
Aktivität einer radioakt. Substanz	Becquerel	Bq	s^{-1}

* sr (Steradiant) = SI-Einheit des räumlichen Winkels

Die numerischen Werte der in den Tabellen 1 und 2 genannten Größen enthalten vielfach Zehnerpotenzen als Faktoren. Zur Vereinfachung der Angaben hat man häufig gebrauchten Zehnerpotenzen bestimmte Vorsilben zugeordnet (Tabelle 3), die mit dem Namen der betreffenden Einheiten verbunden werden.

Verwendung früher eingeführter Einheiten. Neben den SI-Einheiten dürfen die in Tabelle 4 aufgeführten konventionellen Einheiten auch weiterhin benutzt werden.

Tabelle 3. Präfixa und Symbole häufig gebrauchter Zehnerpotenz-Faktoren

Faktor	Präfixum	Symbol	Faktor	Präfixum	Symbol
10^{-1}	Dezi	d	10	Deka	da
10^{-2}	Centi	c	10^2	Hekto	h
10^{-3}	Milli	m	10^3	Kilo	k
10^{-6}	Mikro	μ	10^6	Mega	M
10^{-9}	Nano	n	10^9	Giga	G
10^{-12}	Pico	p	10^{12}	Tera	T

Tabelle 4. Einheiten, die nicht zum SI-System gehören, jedoch weiterhin benutzt werden dürfen

Name der Einheiten	Symbol	Wert in SI-Einheiten
Gramm	g	$1\,g = 10^{-3}\,kg$
Liter	l	$1\,l = 1\,dm^3$
Minute	min	$1\,min = 60\,s$
Stunde	h	$1\,h = 3,6\,ks$
Tag	d	$1\,d = 86,4\,ks$
Grad Celsius	°C	$t\,°C = T - 273,15\,K$

Damit besteht die Möglichkeit, bei Konzentrationsangaben anstelle konventioneller Einheiten gleichbedeutende SI-Einheiten zu verwenden, ohne daß sich die Zahlenwerte ändern (s. Tabelle 5). Beispielsweise läßt sich eine Hämoglobin-Konzentration von 15 g% im SI-System durch 15 g/dl ausdrücken. Konsequenter wäre zweifellos die Angabe 150 g/l; bis zur strikten Einführung dieser empfohlenen Einheit in die klinische Medizin stellt allerdings die Verwendung von g/dl eine akzeptable Übergangslösung dar.

Tabelle 5. Konzentrationseinheiten im SI-System, die den angegebenen konventionellen Einheiten entsprechen.

Größe	Konventionelle Einheit	SI-Einheit
Massen-konzentration	g-% = g/100 ml mg-% = mg/100 ml	g/dl = 10 g/l mg/dl = 10 mg/l
Stoffmengen-konzentration	mol/l mmol/l mval/l = mäq/l	mol/l mmol/l
Molarität	mol/kg mmol/kg	mol/kg mmol/kg
Volumenverhältnis (Volumenfraktion)	Vol.-% = ml/100 ml	ml/dl = 10^{-2}

Die Titrationseinheit mval/l bzw. mäq/l (s. [2]) kommt im SI-System nicht mehr vor. An ihrer Stelle soll die Stoffmengenkonzentration mmol/l benutzt werden [5]. Im Zusammenhang mit dem Säure-Basen-Status (s. XXI) ist es bisher allerdings noch

Tabelle 6. Umrechnungsbeziehungen zwischen SI-Einheiten und konventionellen Einheiten

Größe	Umrechnungsbeziehungen	
Kraft	$1\,dyn = 10^{-5}\,N$ $1\,kp = 9,81\,N$	$1\,N = 10^5\,dyn$ $1\,N = 0,102\,kp$
Druck	$1\,cm\,H_2O = 98,1\,Pa$ $1\,mm\,Hg = 133\,Pa$ $1\,atm = 101\,kPa$ $1\,bar = 100\,kPa$	$1\,Pa = 0,0102\,cm\,H_2O$ $1\,Pa = 0,0075\,mm\,Hg$ $1\,kPa = 0,0099\,atm$ $1\,kPa = 0,01\,bar$
Energie (Arbeit) (Wärmemenge)	$1\,erg = 10^{-7}\,J$ $1\,mkp = 9,81\,J$ $1\,cal = 4,19\,J$	$1\,J = 10^7\,erg$ $1\,J = 0,102\,mkp$ $1\,J = 0,239\,cal$
Leistung (Wärme-strom)	$1\,mkp/s = 9,81\,W$ $1\,PS = 736\,W$ $1\,kcal/h = 1,16\,W$	$1\,W = 0,102\,mkp/s$ $1\,W = 0,001\,36\,PS$ $1\,W = 0,860\,kcal/h$
Viscosität	$1\,Poise = 0,1\,Pa·s$	$1\,Pa·s = 10\,Poise$

allgemein üblich, die Einheit mäq/l zu verwenden.

Die konsequente Einführung des neuen Systems wird wahrscheinlich im Bereich der Medizin eine längere Übergangszeit erfordern. Diese Feststellung bezieht sich nicht nur auf die gerätetechnische Umstellung, sondern auch auf die Notwendigkeit, daß die von den Einheiten abhängigen Normwerte in das neue System übertragen werden müssen. Erst wenn die wichtigsten Normwerte in neuen Einheiten zum Allgemeingut ärztlichen Wissens geworden sind, darf die Praktikabilität des vorgeschlagenen neuen Systems als gesichert gelten. Einwendungen sind insbesondere gegen die Umstellung der eingeführten Druckeinheit mm Hg auf die weniger anschauliche Einheit Pascal erhoben worden. Dagegen findet im Zusammenhang mit dem Energieumsatz die Einheit Joule anstelle der konventionellen Einheit Calorie in zunehmenden Maße Verwendung. Um die Umstellung zu erleichtern, werden in diesem Buch die konventionellen und die neuen Einheiten in weitem Umfang nebeneinander benutzt.

Einige oft benötigte Umrechnungsbeziehungen zwischen SI-Einheiten und früher eingeführten Einheiten sind in Tabelle 6 zusammengestellt.

Literatur

1. Van Assendelft, O.W., Mook, G.A., Zijlstra, W.G.: International system of units (SI) in Physiology. Pflügers Arch. ges. Physiol. **339**, 265 (1973).
2. Koblet, H.: Physikalische Begriffe in der klinischen Biochemie. Stuttgart: Thieme 1964.
3. Gesetz über Einheiten im Meßwesen vom 2.7.1969. Bundesgesetzblatt 1969, Teil I, Nr. 55, S. 709.
4. Ausführungsverordnung zum Gesetz über Einheiten im Meßwesen vom 26.6.1970. Bundesgesetzblatt 1970, Teil I. Nr. 62, S. 981.
5. Stamm, D.: Meßgrößen und SI-Einheiten in der Klinischen Chemie. Deutsche Ges. f. Klin. Chem. Mitteilungen 1 – 1975.

Sachverzeichnis

Sachverzeichnis

Grundriß der Sinnesphysiologie

Herausgeber: R. F. Schmidt
Mit Beiträgen von H. Altner, J. Dudel, O.-J. Grüsser, U. Grüsser-
Cornehls, R. Klinke, R. F. Schmidt
2. Auflage. 122 Abbildungen, 109 Testfragen zur Selbstkontrolle. X, 249
Seiten. 1976. (Heidelberger Taschenbücher, Band 136. Basistext Medizin).
DM 18,80; US $ 8.30
ISBN 3-540-07587-9
Inhaltsübersicht:
Allgemeine Sinnesphysiologie. – Somato-viscerale Sensibilität. –
Physiologie des Sehens. – Physiologie des Hörens. – Physiologie des
Gleichgewichtssinnes. – Physiologie des Geschmacks. – Physiologie des
Geruchs. – Durst und Hunger: Allgemeinempfindungen. – Antwort-
schlüssel.

Grundriß der Neurophysiologie

Herausgeber: R. F. Schmidt
Mit Beiträgen von J. Dudel, W. Jänig, R. F. Schmidt, M. Zimmermann
4. völlig überarb. und erw. Auflage.
136 Abbildungen, 166 Testfragen zur Selbstkontrolle. VIII, 350 Seiten.
1977 (Heidelberger Taschenbücher, Band 96, Basistext Medizin)
DM 21,80; US $ 9.60
ISBN 3-540-07827-4
Inhaltsübersicht:
Der Aufbau des Nervensystems. – Erregung von Nerv und Muskel. –
Synaptische Übertragung. – Physiologie kleiner Neuronenverbände,
Reflexe. – Der Muskel. – Motorische Systeme. – Regelung im
Nervensystem: Beispiel Spinalmotorik. – Vegetatives Nervensystem. –
Integrative Funktionen des Zentralnervensystems. – Literaturhinweise. –
Antwortschlüssel.

Examens-Fragen Physiologie

Herausgeber: K. Brück, W. Jänig, R. Rüdel, H. Schaefer, R. F. Schmidt,
J. Schmier, M. Steinhausen, R. Taugner, V. Thämer, G. Thews, H.-V. Ulmer.
3. völlig neubearb. Auflage. X, 357 Seiten. 1976.
DM 19,80; US $ 8.80
ISBN 3-540-07580-1

Sinnesphysiologie programmiert

Herausgeber: R. F. Schmidt
Mit Texten von H. Altner, J. Dudel, O.-J. Grüsser, R. Klinke, R. F. Schmidt.
110 Abbildungen im Beiheft. VIII, 305 Seiten. 1973.
DM 28,—; US $ 12.40
ISBN 3-540-06330-7

Neurophysiologie programmiert

Herausgeber: R. F. Schmidt
Mit Texten von J. Dudel, B. Frederich, W. Jänig, R. F. Schmidt,
M. Zimmermann. Programmgestaltung und -kontrolle: B. Frederich.
147 Abbildungen im Beiheft. XII, 436 Seiten. 1971.
DM 38,—; US $ 16.80
ISBN 3-540-05438-3

Springer-Verlag
Berlin
Heidelberg
NewYork

Preisänderungen vorbehalten

K. Bachmann

Biologie für Mediziner

300 zum Teil farbige Abbildungen. XI, 416 Seiten. 1976.
DM 38,—; US $ 16.80
ISBN 3-540-07759-6

C. v. Ferber

Soziologie für Mediziner

Eine Einführung
15 Abbildungen, 44 Tabellen. XIV, 218 Seiten. 1975.
DM 38,—; US $ 16.80
ISBN 3-540-07275-6

W. F. Ganong

Lehrbuch der Medizinischen Physiologie

Die Physiologie des Menschen für Studierende der Medizin und Ärzte.
Übersetzt, bearbeitet und ergänzt von W. Auerswald in Zusammenarbeit mit
B. Binder, A. Haidenthaler, J. Mlczoch.
3. völlig neubearbeitete und erweiterte Auflage. 545 Abbildungen, 150 Tabellen, 1 Anhang.
XVIII, 811 Seiten. 1974.
DM 48,—; US $ 21.20
ISBN 3-540-06440-0

H.-U. Harten

Physik für Mediziner

Eine Einführung
Unter Mitarbeit von H. Nägerl, J. Schmidt, H.-D. Schulte.
2. korrigierte Auflage. 553 zum Teil farbige Abbildungen, 2 Farbtafeln. XI, 357 Seiten. 1975.
DM 42,—; US $ 18.50
ISBN 3-540-07435-X

Lehrbuch der gesamten Anatomie des Menschen

Cytologie, Histologie, Entwicklungsgeschichte, Makroskopische und Mikroskopische Anatomie
Herausgegeben von: T. H. Schiebler
Gemeinschaftlich verfaßt von: G. Arnold, H. M. Beier, M. Herrmann, H.-J. Kretschmann,
W. Kühnel, H. Rollhäuser, T. H. Schiebler, W. Schmidt, J. Winckler, E. van der Zypen.
465 zum Teil farbige Abbildungen. 109 Tabellen. XIX, 698 Seiten. 1977.
DM 58,—; US $ 25.60
ISBN 3-540-08166-6

M. Michler, J. Benedum

Einführung in die medizinische Fachsprache

Medizinische Terminologie für Mediziner und Zahnmediziner auf der Grundlage des
Lateinischen und Griechischen. Unter Mitarbeit von I. Michler.
20 Abbildungen. XIII, 352 Seiten. 1972.
DM 32,—; US $ 14.10
ISBN 3-540-05898-2

Physiologische Chemie

Eine Einführung in die medizinische Biochemie für Studierende der Medizin und Ärzte.
Von H. A. Harper, G. Löffler, P. E. Petrides, L. Weiss.
644 Abbildungen, 189 Tabellen. XI, 940 Seiten. 1975.
DM 88,—; US $ 38.80
ISBN 3-540-07490-2

Preisänderungen vorbehalten

Springer-Verlag
Berlin
Heidelberg
NewYork